DER DEUTSCHE WORTSCHATZ

FRANZ DORNSEIFF

DER
DEUTSCHE WORTSCHATZ
NACH SACHGRUPPEN

Sechste, unveränderte Auflage

WALTER DE GRUYTER & CO · BERLIN

vormals G. J. Göschen'sche Verlagshandlung · J. Guttentag, Verlagsbuchhandlung
Georg Reimer · Karl J. Trübner · Veit & Comp.

1965

©
Archiv-Nr. 45 1065/1
Printed in Germany
Alle Rechte des Nachdrucks, der photomechanischen Wiedergabe, der Übersetzung,
der Herstellung von Photokopien und Mikrofilmen, auch auszugsweise, vorbehalten
Druck: Werner Hildebrand, Berlin 65

HERMANN KASACK

GEWIDMET

INHALT

1. Vorrede 5

2. Anweisung zum Gebrauch des Buches . . . . vor 17

3. Gesamtplan 17

4. Einleitung: Wortschatzdarstellung und Bezeichnungslehre . . 29

    a. Anmerkungen 62

    b. Stichwortregister 67

5. Büchernachweis:

    I. für das Allgemeine 68

    II. zum Einzelnen 81

    III. Nachträge 159

6. Text 1

    Nachträge 518

7. Alphabetisches Generalregister 525

AUS DEN VORREDEN.

ZUR ERSTEN AUFLAGE (1933)

Dieses Buch unternimmt den Versuch, die Wörter der deutschen Sprache nach Sachgruppen begrifflich geordnet vorzuführen. Die Absicht des Buches ist bestimmten sprachwissenschaftlichen Zielen zugewandt, die nicht nur die deutsche Sprache betreffen. Darüber handelt die Einleitung. Das Nähere über die Einrichtung gibt die Anweisung. Ein vorläufiges kurzes alphabetisches Register steht am Schluß. Es sollte der Versuch gemacht werden, den ganzen Reichtum der deutschen Ausdrucksmittel, sowohl Wörter wie ausführliche Redensarten, von der feierlich gehobenen Sprache bis herab zur Gebärde nach Begriffen geordnet aufzuzeichnen. Somit unterscheidet sich das Unternehmen in der Anordnung von allen alphabetischen Wörterbüchern. Es wird nicht von den einzelnen Wörtern ausgegangen, um deren Bedeutung aufzuführen, sondern von den Sachen, von den Begriffen, und dafür die Bezeichnungsmöglichkeit gesucht: die Wortdecke für die Gedanken. Ein Verzeichnis der Welt nach Gegenständen und Beziehungen ist zugrunde gelegt, und daran sind die Wörter ähnlicher oder fast gleicher Bedeutung (Synonyma) aufgereiht.

Für die Einzelbegriffe sollte nun möglichst alles aufgeführt werden: Gottseliges, Schnoddriges, Bäurisches, Fremdwörter, Papierenes, Menschliches-Allzumenschliches, Derbes, was Snobs sagen, die Backfische, Soldaten, Schüler, Kunden (rotwelsch), Seeleute, Studenten, Gelehrte, Jäger, Börsianer, Pfarrer, die Zeitungen, wie sich der Gebildete ausdrückt im alltäglichen Verkehr, im Honoratiorendeutsch, in der gehobenen Literatursprache. Kurz, was tatsächlich gesagt wird, nicht nur, was gesagt werden sollte, also viel Umgangssprache neben der Schriftsprache. Man wird hier vieles gedruckt finden, was man nur mündlich gewohnt ist.

Auch der Nichtsprachwissenschaftler kann mancherlei von diesem Buch haben. Der praktische Nutzen im alltäglichen Sinn liegt auf der Hand. Das „W o r t a u f d e r Z u n g e", das einem vorschwebt, aber sich nicht einstellen will, wird so leichter gefunden. Jeder Schreibende, besonders auch der Ü b e r s e t z e r aus einer fremden Sprache, kennt den Zustand, wo man das eigentliche Wort sucht, das hier allein der rechte Ausdruck ist. In solcher Not schrieb Wieland an Merck: „Ich habe dritthalb Tage über eine einzige Strophe zugebracht, wo im Grunde die Sache auf einem einzigen Worte, das ich brauchte und nicht finden konnte, beruhte. Ich drehte und wandte das Ding und mein Gehirn nach allen Seiten, weil ich natürlicherweise, wo es um ein Gemälde zu tun ist, gern die nämliche bestimmte Vision, welche vor meiner Stirn schwebte, auch vor die Stirn meiner Leser bringen möchte, und dazu oft, ut nosti, von einem einzigen Zuge oder Drucker oder Reflex alles abhängt." Dieses Buch hilft den Ausdruck suchen, indem der Leser sich nur in dem betreffenden Begriffskreis etwas umzusehen braucht.

Allerdings sei bemerkt, daß nur wer die deutsche Sprache durchaus beherrscht, hier gefahrlos schöpfen kann. Die Bezeichnungsmittel verschiedenster Stilhöhe sind ohne Erläuterung nebeneinander aufgeführt. Angesicht, Antlitz, Fresse, Gesicht usw. stehen friedlich zusammen. Ausländern, die unberaten hier Ausdrücke holen, aber auch Inländern, die hier schnell ein effektvolles Wort erhaschen wollen, kann ich gegen mancherlei denkbare Unglücksfälle keine Gewähr leisten. Wer genau wissen will, welche Bedeutung oder welche Bedeutungen ein bestimmtes deutsches Wort heute hat, muß nach wie vor in den bekannten alphabetischen Wörterbüchern nachschlagen.

R ä t s e l r a t e r n sei verraten, daß das gewünschte Wort aus einem bestimmten Begriffsbereich hier oft entdeckt wird.

Ferner: wer im Ausdruck wechseln oder F r e m d w ö r t e r vermeiden will, wird hier leicht finden, was er sucht. Die Unterscheidung von Fremdwort und Lehnwort ist zwar für den Sprachwissenschaftler schwierig, wertfreie Sprachwissenschaft weiß nur von Lehnwörtern. Wer die Lehnwörter aus den europäischen Kultursprachen hinauswerfen wollte, würde diese Sprachen zu einem großen Teile tilgen. Lehnwörter (z. B. Aster, Osterluzei, Löwe, Papier, schreiben, Wein, Fenster, Mauer, Grenze, Kutsche) sind infolge sehr langer Anwesenheit nicht mehr fremd empfundene fremde Wörter. Fremdwort dagegen heißt mißbilligtes fremdes Wort. Und vom Standpunkt des Geschmackes aus ist gegen Sprachvermengung viel zu sagen. In der Aufführung von Fremdwörtern habe ich eher zu viel als zu wenig tun wollen, eben gemäß der rein sprachwissenschaftlichen Absicht dieses Buches, möglichst viel Ausdrücke für die verschiedenen Begriffe zu bieten. Dadurch ist aber nun zu der Frage ihrer Vermeidbarkeit neuer Stoff bereitgestellt: die deutschen und fremden Wörter ähnlicher oder fast gleicher Bedeutung stehen hier nahe beieinander, und es wäre zu begrüßen, wenn dieses Buch gegen den gedankenlosen Gebrauch von Fremdwörtern helfen könnte. Oft sind Fremdwörter wegen bestimmter Begleitgefühle oder wegen bestimmter fachlicher Deutlichkeiten nicht mit anderen vertauschbar. Aber Resultat statt Ergebnis, dichotomisches Klassifikationssystem statt Zweiteilung u. dgl. sollte kein Deutschredender mehr drucken, es lassen sich besonders die seit langer Zeit gebrauchten Fremdwörter vermeiden.

Um noch einen weiteren Punkt der Sprachhilfe und Spracherziehung anzudeuten: schön wäre es auch, wenn die Leute, sobald sie den Begriff der Vollständigkeit (s. Nr. 4. 41) ausdrücken wollen, nicht so lange Zeit hindurch „voll und ganz", „restlos" sagen wollten und Unzähliges dieser Art. Aber diese „letzten Endes" zu fest „verankerten" Zwangsmotive müssen wohl ihre Saison hindurch ausgehalten werden, wie die Schlagermelodien.

Unter diesen Gesichtspunkten praktisch unmittelbarer Anwendbarkeit gesehen, stellt sich das vorliegende Buch unter die rhetorischen Hilfsbücher, die ihren Benutzern eine reiche Abwechslung im Ausdruck ermöglichen wollen. Darin hat das vorliegende Unternehmen viele Vorgänger (s. unten S. 29), die aber dadurch etwas abgekommen sind, daß Rhetorik nicht mehr als Gipfelhöhe der Bildung gelehrt wird und weil sich die Sprachwissenschaft je länger je mehr etwas lebensentfernter und rein der Sprachgeschichte zugewandt entwickelt hat.

In diesem Buch stehen die S y n o n y m a beisammen. Bekanntlich gibt es keine Synonyma in dem Sinn, daß in derselben Sprachgemeinschaft für einen Begriff mehrere miteinander vertauschbare Wörter zur Verfügung ständen. Der deutsche Spruch „es ist gehüpft wie gesprungen", der das Gegenteil behauptet, versagt schon bei der Tasse; er wird bekämpft durch eine mündlich verbreitete, anscheinend ziemlich alte kleine Geschichte: Ein unfähiger Botschafter kommt zu seinem Vorgesetzten zurück, der entweder der Alte Fritz oder Bismarck oder Bülow mit einer Dame oder der englische Außenminister ist. Der Botschafter entschuldigt sich: „Ja, die deutsche Sprache ist so schwer, immer bedeuten zwei Wörter das gleiche: speisen und essen, springen und hüpfen, schlagen und hauen, senden und schicken." Darauf der Chef: „Das stimmt nicht. Eine Volksmenge kann man speisen, aber nicht essen, eine Tasse springt, aber sie hüpft nicht, die Uhr kann schlagen, aber nicht hauen, und Sie sind ein Gesandter, aber kein geschickter." Bülow sagte dann noch zu der Dame: „Ich kann Sie an einen sicheren Ort führen, aber nicht an einen gewissen." Streng gleichbedeutend scheinen unter den sog. Synonymen nur die in den verschiedenen Gegenden wortgeographisch (s. unten S. 42) verschiedenen

Bezeichnungen für bestimmte Dinge, etwa kleine Pflanzen (s. Abt. 2. 2) zu sein. Diese Seite der Sache ist wohl besser nicht Reichtum, sondern Regionalismus zu nennen (s. unten S. 42). Aber selbst da sind stilistische Verschiedenheiten festzustellen. Im allgemeinen sind in diesem Buch ziemlich große Begriffskreise unter der gleichen Nummer aufgeführt, und der Ausdruck Synonyma ist durchaus mit Vorbehalt zu nehmen. Die Scheidung der Abschattungen und kleinen Verschiedenheiten zwischen ihnen wird jeder denkende und des Deutschen mächtige Leser leicht vornehmen.

Einem möglichen Einwand muß hier begegnet werden. Streng genommen gibt es ebensoviel Begriffe und Nuancen, als es Wörter und Wortverbindungen gibt. Synonyma gibt es nicht, es ist also irrsinnig sie zu sammeln. Dieses Buch würde demnach besser nicht versucht worden sein. Gegenüber diesem Streng genommen ist aber zu sagen: für den, der die Sprache im Leben und in der Literatur beobachtet, ist kein Zweifel möglich, daß für die meisten Dinge, Vorgänge, Eigenschaften, Beziehungen eine mehr oder minder große Zahl von Ausdrucksmitteln zur Wahl stehen, die je nach Anlaß, Stimmung, Stil, Herkunft, Erziehung getroffen wird. Ein Blick auf solche Begriffsnummern dieses Buches, die sich durch besondere Vielfalt der Bezeichnungsmittel auszeichnen, wie *essen 2. 26, betrunken 2. 33, Naturalia 2. 35, sterben 2. 45, töten 2. 46, sehr 4. 50, schnell 8. 7, langsam 8. 8, fliehen 8. 18, Zorn 11. 31, Abneigung 11. 59, Angst 11. 42, dumm 12. 56, verrückt 12. 57, nein 13. 29, Tadel 16. 33, prügeln 16. 78, Geld 18. 21, stehlen 18. 9, betrügen 18. 8* zeigt, daß eine Darstellung der Bezeichnungsmittel wie die hier versuchte der Tatsächlichkeit des sprachlichen Lebens mehr entspricht als eine alphabetische Aneinanderreihung der 30 000 bis 100 000 Wörter, die in einer Kultursprache gesprochen und geschrieben werden. Es ist ferner ohne weiteres zuzugeben, daß die Maschen des hier zugrunde gelegten Begriffsnetzes notwendigerweise groß sein müssen.

Bei der Arbeit an diesem Buch ist mir der große R e i z dieser doch so naheliegenden Wortschatzdarstellung immer von neuem lebendig geworden. Bei dieser Topik der Sprache handelt es sich schließlich um nichts anderes als um Anwendung der P h ä n o m e n o l o g i e und philosophischen Ontologie auf die Sprache. Was könnte es für Philosophen, die heute ja größere Wirklichkeitsnähe als mitunter sonst anstreben, Verlockenderes geben, als einen sachlich geordneten Überblick über den Gesamtbereich der Sprache? Wenn das, was hier gegeben werden konnte, gegenüber dem lebendigen ausgewachsenen Riesending Kultursprache auch nur als Skizze angesehen werden kann, so eröffnet sich trotzdem hier die Aussicht, die Sprache als Ganzes zu übersehen, so daß man einmal zu beurteilen hoffen kann, was die Sprache leistet und was nicht.

Aber was dargestellt ist, ist ja nicht d i e Sprache, sondern die Sprache einer bestimmten N a t i o n, nämlich die d e u t s c h e Sprache. Ich übertreibe nicht nach meinen Eindrücken bei der Arbeit an diesem Buch, wenn ich eine solche Wortschatzdarstellung geradezu als nationales Erlabungsbuch bezeichne. Die Nationalsprachen sind das einzige sichere zeitlose Sondergut der Völker, vielleicht das Einzige, worin sie sich evident voneinander unterscheiden, am Reichtum und an der Kraft ihrer Muttersprache erquicken sich ständig die Menschen.

Die Sprache ist, wie alle letzten Urgegebenheiten des menschlichen Lebens, allen bekannt und doch ein Geheimnis. Man höre darüber einige große Geschichtsdeuter aus der Romantikzeit:

Wilhelm v o n H u m b o l d t, Über die Verschiedenheit des menschlichen Sprachbaus (S. 62, Berl. Ausg. Bd. 7, 1): „Auf jedem einzelnen Punkt und in jeder einzelnen Epoche erscheint die Sprache, gerade wie die Natur selbst, dem Menschen, im Gegensatz zu allem ihm schon Bekannten und von ihm Gedachten, als eine u n e r s c h ö p f l i c h e F u n d g r u b e, in welcher der Geist immer noch Unbekanntes entdecken und die Empfindung noch nicht auf diese Weise Gefühltes wahrnehmen kann. In jeder Behandlung der Sprache durch eine wahrhaft neue und große Genialität zeigt sich diese Erscheinung in der Wirklichkeit; und der Mensch bedarf es zur Begeisterung in seinem immer fortarbeitenden intellektuellen Streben und der f o r t s c h r e i t e n d e n Entfaltung seines geistigen Lebensstoffes, daß ihm, neben dem Gebiete des schon Errungenen, der Blick in eine unendliche, allmählich weiter zu entwirrende Masse offen bleibe. Die Sprache enthält aber zugleich nach zwei Richtungen hin eine dunkle, unenthüllte Tiefe. Denn auch r ü c k w ä r t s fließt sie aus unbekanntem Reichtum hervor, der sich nur bis auf eine gewisse Weite noch erkennen läßt, dann aber sich schließt und nur das Gefühl seiner Unergründlichkeit zurückläßt. Die Sprache hat diese anfangs- und endlose Unendlichkeit für uns, denen nur eine kurze Vergangenheit Licht zuwirft, mit dem ganzen Dasein des Menschengeschlechts gemein. Man fühlt und ahndet aber in ihr deutlicher und lebendiger, wie auch die ferne Vergangenheit sich noch an das Gefühl der Gegenwart knüpft, da die Sprache durch die Empfindungen der früheren Geschlechter durchgegangen ist und ihren Anhauch bewahrt hat, diese Geschlechter aber uns in denselben Lauten der Muttersprache, die auch uns Ausdruck unserer Gefühle wird, nationell und familienartig verwandt sind."

Ernst Moritz A r n d t schreibt (Über die Sprache und ihr Studium, in: Geist der Zeit, Teil IV): „Jede Sprache ist das geheimnisvolle Urbild zuerst einer weit zurückliegenden Vorzeit, wovon wir uns höchstens noch einen Traum machen können; zweitens ist sie das Urbild eines in einer großen Genossenschaft abgeschlossenen eigentümlichen Seins und Lebens, sie ist ein t i e f v e r h ü l l t e s B i l d e i n e s g a n z e n V o l k e s, welches jedoch in Klängen und Farben und Scheinen täglich klare Zeichen seiner Bedeutung geben muß."

Jacob G r i m m hat seinerzeit gehofft, sein Deutsches Wörterbuch solle ein Erbauungsbuch der deutschen Familien werden. Aber obwohl damals noch in breiten Kreisen von der Romantik her eine starke Liebhaberei für Geschichtliches herrschte, trog diese Hoffnung. Der Grund liegt darin, daß ein alphabetisch geordnetes wortgeschichtliches Werk wie das Grimmsche Wörterbuch vor allem ein Hilfsbuch für Leser alter Texte ist, die wissen wollen: was hat das Wort x früher bedeutet? Die Antwort kann vielleicht eine kulturgeschichtliche Belehrung fesselnder Art enthalten, vielleicht aber, wie recht zahlreiche Wortgeschichten, nur irgendeine allgemeinmenschliche Merkwürdigkeit oder Gleichgültigkeit. Erbauung ist also hier nur für Kenner der älteren deutschen Literatur zu holen. Für die anderen dagegen bloß die Antwort auf die neugierige gelegentliche Frage: woher kommt eigentlich das Wort x? Von dem überwältigenden Reichtum der Sprache erhält der gelegentliche Leser eines alphabetischen Wörterbuches keinen Eindruck.

Den R e i c h t u m d e r S p r a c h e findet man nicht, wenn man fragt: was hat das Wort x früher bedeutet? oder: woher kommt das Wort x?, sondern wenn man fragt: was sagt man alles für . . . ? Da sei beispielsweise auf die oben S. 9 genannten Glanznummern verwiesen. Aber nicht nur da, sondern überall leuchtet unmittelbar ein, wie sehr eine Sammlung wie die vorliegende zur Belebung des S p r a c h g e f ü h l s beitragen muß. Man merkt dabei zum erstenmal bewußt das Vorhandensein vieler Wörter und Wendungen, die man selber unwillkürlich sagt, wie Farben, die man wohl schon auf Bildern, aber noch nicht auf der Palette gesehen hat. Als Literatur angesehen, reiht sich ein Synonymenthesaurus als nach

meinen Erfahrungen spannendes Buch entweder unter die besonders synonymen-
reichen Autoren wie Nonnos, wie die humanistischen Übersetzer des 15. Jh., wie
Fischart, Abraham von S. Clara, auch Leopold Ziegler, oder stellt sich zu solchen,
die einen besonders reichen, schlagenden und unbekümmerten Wortschatz aufweisen, wie Alfred Kerr, Kurt Tucholsky, Joyce. Es klingt blasphemisch, aber ich
mußte oft denken: macht ein solcher Wortschatz nicht recht viel Literatur überflüssig und ersetzt sie? Was uns von vielen Büchern bleibt, sind irgendwelche
treffenden Ausdrücke, die uns an einigen Stellen beeindruckten. Eine gewisse
Literaturdämmerung besteht schließlich ohnehin, und die meisten Bücher haben
zu allen Zeiten bald versinken müssen. Und wieviel Literatur besteht nur aus
wichtigtuender Synonymenvertauscherei.

Die Förderung des Sprachgefühls führt auf die Frage, ob und wie dieser Wortschatz im S c h u l u n t e r r i c h t zu verwenden ist. Er kann als Materialsammlung
für den Deutschlehrer dienen, wenn er Gefühl für den Reichtum der Sprache wecken
will oder wenn er hin und wieder einmal Synonymik treibt (s. unten S. *30*), d. h.
die feinen Unterschiede zeigen will, die die Wörter von fast gleichem Sinn nach
Verwendbarkeit und Bedeutung voneinander trennen. Das liebevolle Eindringen
in das Leben unseres Wortschatzes, also Wortschatzübungen, gehört heute mit zu
den anerkannten Aufgaben des deutschen Unterrichts. Ich werde im folgenden
zeigen, wie erst durch eine Umkehrung der Fragestellung ein so viel benutztes
Buch wie das von Albert W a a g , Bedeutungsentwicklung unseres Wortschatzes,
5. Aufl. 1926[1]), sprachgeschichtlich lebendig wird und erst dann die treibenden
Kräfte des Sprachwandels zeigen würde. Bedeutungsentwicklung ist nur das nachträglich gesehene Spiegelbild der eigentlichen Sprachwirklichkeit: der Bezeichnungs-
entwicklung. Immerhin sei bemerkt, daß dieser Sammlung jede pädagogische Auswahl aus der sprachlichen Wirklichkeit ferngelegen hat. Dem Lehrer kann es in
der Richtung dienlich sein, in die die Vorschläge von Wilh. S c h n e i d e r , Deutscher Stil- und Aufsatzunterricht[3], Frankfurt 1929, S. 154 f. weisen. Recht nützliche
„Wortschatzübungen" bei F. R a h n , Die Schule des Schreibens, Frankfurt 1938,
Mittelstufe III S. 20 ff. Gedichte meiner Buben = Kunst des Kindes I, Stuttgart
1927, 40 ff.; Wolfg. Pfleiderer, Wortfehler im Schulunterricht, Zfdt. Bildung 17
1941, 230 ff.; Paul Staar, Produktiver Sprachunterricht in der Dorfschule. Schöne
Sprachstunden im Dorfschulhaus. Braunschweig, Westermann, [2] 1923. Alschner
(s. S. *69*). Die Zeitschrift „Deutschunterricht".

Der Deutschlehrer sei daran erinnert, daß für andere Wortschatzübungen andere
Bücher da sind, wo Barthel den Most holt, z. B. für solche nach Endsilben, etwa
-bar, -lich, -sam, das Reimlexikon, am besten Peregrinus Syntax (eig. F. F. Hempel,
Leipzig 1826) und die Wortbildungslehren (die Grammatiken von Jacob Grimm,
Wilmanns, Becker); für solche nach Wortanfängen und Vorsilben der Duden.
Leonhard, A., Developing language power. 200 Übungen zur Synonymik, Idiomatik
und Stilistik. Dortmund 1953.

Von großem Nutzen scheint mir auch eine solche Anordnung für das L e r n e n
f r e m d e r S p r a c h e n , und darin kann ich mich auf Erasmus und Comenius
stützen (s. unten S. *34*).

In einer Weise könnte ich mir schließlich eine praktische Verwendung der hier
gewählten Begriffseinteilung als i n t e r n a t i o n a l e s V e r s t ä n d i g u n g s -
m i t t e l denken. Wer in ein Land reist, dessen Sprache ihm gänzlich unbekannt
ist, sagen wir Polen, der wird nicht ohne Vorteil neben oder statt des deutsch-

---

[1]) Eine Neubearbeitung durch den Vf. dieses Wortschatzes ist in Vorbereitung.

polnischen Wörterbuches ein Heft bei sich führen, in dem die 600 Oberbegriffe des vorliegenden Buches in Deutsch und Polnisch nebeneinanderstehen. Es handelt sich dabei natürlich nur um einen schnellen Notbehelf für solche Fälle, wo beide Sprecher keine gemeinsame europäische Sprache verstehen. Auch für F r a g e b o g e n, wenn es sich darum handelt, bisher u n b e k a n n t e S p r a c h e n a u f z u n e h m e n, dürfte sich die Einstellung empfehlen. Ein solches „Handbuch zur Aufnahme fremder Sprachen" hat 1892 der bekannte Sprachforscher von der Gabelentz im Auftrag des Deutschen Kolonialamts herausgegeben, als Notizbuch mit Vordruck, der Raum für Eintragungen frei läßt. Ähnliche Fragebogen haben sich bewährt bei volkskundlichen Erhebungen, s. den Questionnaire von T a p p o l e t - Gauchat, Dictionnaire des Patois de la Suisse Romande (s. unten S. 76) oder die Fragebogen des Deutschen Wortatlas, Marburg.

Die Teile 9—20 handeln mehr vom Seelischen. Darüber sagt L. Klages, der ein reges Sprachgefühl zeigt[1]), daß „eine wahre Hybris des Verstandes dazu gehört, um angesichts der mindestens viertausend Wörter, die uns allein etwa die deutsche Sprache zur Bezeichnung einfachster wie komplizertester Vorgänge, Zustände und Eigenschaften des Innenlebens an die Hand gibt, die psychologische Namengebung erst — erfinden zu wollen" und wie das Wörtlichnehmen der Namen eine der wichtigsten Seiten der Seelenkunde ist. „Da die Auffassung des Innenlebens unentrinnbar mit Hilfe überlieferter Wörter geschieht, betrachten wir es als den entscheidenden Schritt zur Seelenkunde, daß man sich solcher Nötigung dauernd bewußt bleibe, und halten die kritische Bearbeitung der Charaktereigenschaftsnamen für das unerläßliche Korrektiv der Selbstbesinnung."

Das hatte und hat nicht nur wissenschaftliche Bedeutung, sondern auch eine für das Leben, die allerdings vielleicht nicht jedermanns Sache ist. Die Kraft der Sprache dürfte mit dem Wort magisch nicht zu hoch bezeichnet sein. So mancher Abschnitt dieses Buches stellt ein Zaubermittel dar, eine wirksame Art, die M a g i e d e s W o r t e s loszulassen. Man erprobe es nur einmal. Die Nummern „kalt" 7. 40 und „naß" 7. 54 ff. wirken kühlend — das darf man als Zeitgenosse Coués ohne Scherz sagen —, wenn es zu heiß ist. Lektüre von 2. 27 hilft gegen Appetitlosigkeit. Der Abschnitt „reich" 18. 3 versetzt in Illusion und reagiert diese ab. Ein Abschnitt wie „Ärger" 11. 31, „Trauer" 11. 32, „Haß" 11. 62 tröstet und stillt, denn — man erprobe es in Ruhe — ein Durchlaufen sämtlicher dafür dienenden hohen und niedrigen Ausdrücke erschöpft auch den Inhalt, es bannt und erledigt und bringt jene Reinigung des Gemütes zustande, von der die griechischen Sophisten, Pythagoreier und Aristotelēs in der Poietikē sprechen. Das tatsächliche sich von der Seele reden, das sonst nur dem Dichter zugänglich ist, der sich durch Sagen befreien kann, wird, glaube ich, auf diese Weise manchem bis zu einem gewissen Punkt ersetzt. Wer die gehäuften hohen und niedrigen Ausdrucksmittel für diejenigen Leidenschaften durchliest, die ihm gerade unwillkommen sind, entfesselt die erlösende Zauberkraft der Sprache und wird überrascht sein, wie schnell die Süchte schwinden.

Aber die Magie des Wortes ist nicht nur erledigend und befreiend, sie ist auch schöpferisch. „Weil das Leben, das in der Sprache geronnen ist, so an Glut und

---

[1]) Grundlagen der Charakterkunde S. 43. Vgl. Probleme der Graphologie, Leipzig 1910, S. 120 ff. Ausdrucksbewegung und Gestaltungskraft² 1921, S. 18 ff. „die Ausdruckskraft der Sprache". Vom Wesen des Bewußtseins², Leipzig 1926, S. 29 ff. Der Geist als Widersacher der Seele III 2, Leipzig 1933, Gesamtverzeichnis unter „Sprache". Klages' letztes Buch Die Sprache als Quell der Seelenkunde, Zürich 1948, bietet weniger. Vgl. auch Borgius, Charakterologie und Sprache, Philosophie und Leben 2 1926, S. 243 ff.

Wildheit wie an geistiger Flugkraft die letzten Höhen und letzten Tiefen im Leben des Einzelnen — von den dunklen Gefühlen der ersten Jugend abgesehen — hinter sich läßt, so kann es, wenn in Bewegung gesetzt, noch heute mit fast dämonischer Zauberkraft die Seelen sich selbst entrücken und in sonst unerreichbare Wirbel eines mehr als menschlichen Geschehens reißen" (Klages S. 41).

Der Verfasser würde sich freuen, wenn seine Sammeltätigkeit durch Nachträge der Leser ergänzt würde. Denn jeder Leser kann dank der alphabetischen Anordnung innerhalb der einzelnen Nummern leicht feststellen, was noch fehlt. Ein solches Buch kann nie vollständig sein, und fast jede Unterhaltung, jeder neue Mensch, mit dem man spricht, jede Druckseite, die man liest, liefert ungebuchten Stoff. Johannes Andreas S c h m e l l e r , der in der Zeit Jacob Grimms sein schönes Bayrisches Wörterbuch verfaßte, schrieb im Vorwort: „Das von keinem berührte oder besprochene Steinchen läßt jeder gleichgültig auf seinem Wege liegen oder wirft es, wenn er es aufgehoben, wieder hin. Aber man findet es nicht ohne Reiz, wo einmal eine etwas reichhaltigere Sammlung vorliegt, was daran noch fehlt, einzulegen, was unecht, zu rügen. Und in diesem Betracht darf der Verfasser wohl glauben, daß er der vaterländischen Sprache durch seinen Versuch einen nachhaltigen Dienst geleistet habe."

Der Gesellschaft von Freunden und Förderern der Universität Greifswald möchte ich auch an dieser Stelle meinen Dank für eine Beihilfe zur Deckung der Unkosten aussprechen.

ZUR DRITTEN AUFLAGE (1943)

Die dritte Auflage unterscheidet sich, wie die zweite, durch den von Dr. A. Gerstenkorn abgefaßten „Alphabetischen Wortweiser", und ist durchgearbeitet und vermehrt. Gerade in den letzten Jahren hat sich die Sprache stark geändert, es sind zahlreiche neue Ausdrücke aufgekommen, z. T. Modewörter. Manches vorher oft Gehörte ist ganz abgekommen. Ich habe mich bestrebt, dem zu entsprechen. Innerhalb der einzelnen Nummern nach Ausdruckshöhe zu gliedern, habe ich von Anfang an erwogen. Es läßt sich nicht durchführen.

Die mundartlichen Wörter und Wendungen, soweit sie nicht nur durch Ton und Aussprache vom Schriftdeutschen abweichen, gehören grundsätzlich in diesen Wortschatz nach Sachgruppen. Ich habe auch aufgenommen, was mir zu Ohren gekommen ist. Die Mundartwörterbücher durchzuarbeiten und aufzusaugen, war und bin ich nicht imstande. Wenn es sich veranstalten ließe, würde das Ergebnis ein einzigartig lebendiger Eindruck und reichster wissenschaftlicher Gewinn sein.

Für eine Menge von Hinweisen in Besprechungen und Briefen habe ich zu danken. Von Besprechungen hebe ich hervor die von H. Ammann-Innsbruck, Ch. Bally-Genf †, G. A. Brüggemann, W. Fiedler, C. Fries † in Uruguay, Th. Frings-Leipzig, W. Geisendörfer, I. B. Hofmann-München, K. Jaberg-Bern, O. Jancke-München, W. Jansen-Ochtmissen †, J. Th. Kakridis-Athen, G. Kalicinski-Münster, S. Koike-Tokio, S. B. Liljegren-Upsala, A. Meillet-Paris †, A. Michaelis-Budapest, H. Nette-Darmstadt, J. Oehquist-Abo, R. Petsch-Hamburg †, K. F. Probst-Karlsruhe, F. Piquet-Paris, H.-F. Rosenfeld-Greifswald, K. Scheffler-Braunschweig, Th. Steche †, A. Szabó-Budapest, H. Teuchert-Rostock, H. Tiedt-Oettingen, O. Weidenmüller-Frankfurt, J. Weisweiler-Marburg, C. A. Williams-Illinois, A. Witte-Jena. Ich kann hier nicht auf alles eingehen, was von ihnen gesagt worden ist. Einzelvorhaltungen habe ich mich bemüht zu befolgen, auf das Grundsätzliche bin ich nochmals zurückgekommen in einem Aufsatz „Das ‚Problem des Bedeutungswandels'", ZfDtPhilol. 63 1938, 119 ff. Darin setze ich mich mit K a l i c i n s k i auseinander. A m m a n n habe ich ZfdtAltert. 54 1935, 71 f. geantwortet. B e h a g h e l , Litbl. 1933, 372 f. stellt mich mit leiser Verwunderung unter andere Nichtgermanisten, die sich an der deutschen Sprache zu schaffen machen, wie Liebich und Kretschmer. Ich bin mit solchen Genossen sehr zufrieden und möchte zur Entlastung unter Verweis auf S. *29* nochmals feststellen, daß auch der Sprachwissenschaftler seine Muttersprache besser kennt als jede erlernte fremde Sprache und nebenbei mitunter eine neue Disziplin wie die Wortgeographie für sie begründet (s. unten S. *42*). Die „Wortfamilien der lebenden hochdeutschen Sprache" von B. Liebich haben freilich fast keine Nachfolge gefunden (Stucke² 1925), aber wie förderlich wäre ein Buch, das den deutschen Wortschatz nun einmal nach der Anordnung von Stappers aufzeichnen wollte (Dictionnaire synoptique d'étymologie française, Paris 1885 u. ö., Larousse). Behaghel wirft mir vor, ich hätte falsche ältere deutsche Sprachformen gedruckt. Das stimmte in einem Fall. Bei duomo (für Dom) hätte ich allerdings, wie man sieht, nicht unterlassen sollen hinzuzufügen, daß es italienisch ist. Das weiß nur der Laie.

I. B. H o f m a n n , Gnomon 10 1934, 23 ff., will mich unter die „idealistischen" Sprachphilosophen bringen, die allzu ästhetischen Panstilisten der Linie Croce-Voßler. Das wäre noch gar keine schlechte Gesellschaft. Aber die Belege, die er gibt, wenden sich gegen ihn und reihen sich ohne weiteres in meine Kategorien. Er wendet mir ein: meine Fragerichtung, die längs dem Bezeichnungswandel, nicht längs dem Bedeutungswandel fragt, sei verkehrt, etwa bei dem pejorativen Bedeutungswandel, wie z. B. für die Wandlung bei *latro* von 'Mietsoldat' zu 'Räuber', bei *Spießgeselle* von 'Waffengefährte' zu 'Komplize'. Das sei äußerer, kulturell bedingter Bedeutungswandel. Ich sehe nicht den Kulturwandel, der da abzulesen sein soll. Die *latrones* (von λάτρις Nebenform λατρεύς, 'bezahlter Diener', kommt von ληίς 'Erwerb'), die hellenistischen Mietsoldaten in den Plautusstücken, sind eine Sache, die einen Kulturwandel in Italien nicht mitmachen konnten, da sie nur auf der Bühne existierten. Ein römischer Legionär hat wohl nie latro geheißen. Wenn dann zur Zeit Ciceros auch die Räuber latrones genannt werden, so war das ein Euphemismus. Und zum *Spießgesellen*: Wenn der Komplize mit dem edlen Wort des Kriegskameraden bezeichnet wird, so ist das wohl irgend einmal ein ironisches Eingehen auf das Kameradschaftsverhältnis, das Zusammenhalten der Komplizen gewesen. Einige andere Beispiele: *Pfaffe* war im Mittelalter ein normales Wort für den Geistlichen, kein präziser Titel, heute gilt es als Beleidigung. Wer aber in diesem Bedeutungswandel den Beweis dafür erblickt, daß sich irgendwann gegen Ende des Mittelalters sämtliche Geistlichen nach irgendeiner Richtung zu ihrem Nachteil verändert hätten, dann aber laut oder gar kraft Benennungen wie Pfarrer, Pastor, Geistlicher wieder besser oder angesehener geworden wären, dürfte zu geschichtlichen Fehlschlüssen gelangen. Der bezeichnungsgeschichtliche Vorgang ist doch der: durch veränderte Denkweise verwandelt sich Pfaffe bei den Sprechern einer bestimmten Richtung in eine Berufsschelte. Wer von da ab den Geistlichen ohne Polemik benennen will, sagt nicht mehr Pfaffe, sondern anders[1]). Um in solchen Fällen richtig zu sehen, muß sich der Wortforscher natürlich auch in Geistesgeschichte und Sozialgeschichte hinreichend umtun. Wenn die Sache beschossen wird, kriegt auch die Bezeichnung oft etwas ab. Armin Fröhlich ist in einem Auf-

---

[1]) Ersatztitel statt Pfaffe siehe Nr. 20.17.

satz „Wortwandel und Sachwandel"[1]) betreffs des Wortes Pfaffe sehr ungehalten über mich. Er hätte richtiger umgekehrt betitelt, denn der Sachwandel ist es in der Regel, der einen Wortwandel erzeugt. Aber wenn mich F. belehren will, „man muß sich etwas genauer damit befassen", so muß ich seine Sätze: „Im kämpferischen Sprachgebrauch Luthers bekam Pfaffe etwas Verächtliches. Es ergab sich, daß in der protestantischen Kirche sich das Bedürfnis regte, die eigenen Geistlichen auch sprachlich von den katholischen zu unterscheiden. Pfaffe wurde also zunächst ein Schmähwort für katholische Geistliche, bis dann später Aufklärer und Freidenker es auch für protestantische Geistliche gebrauchten" — mit einem Fragezeichen versehen. Wie wäre es, wenn F. einmal in die Gedichte Walthers von der Vogelweide blickte? Ich fürchte, er wird genötigt sein, ihn wegen seiner Sprüche 9, 10, 25, 34, 37 Lachmann einen Protestanten zu nennen. Oder: eine Dame (in Norddeutschland jedenfalls) ist beleidigt, wenn ihre Ankunft mit den Worten gemeldet wird, es ist ein *Weib* draußen, oder eine *Frau* oder eine *Magd*. Dies alles waren einmal hohe Worte und sind es auch heute noch, je nach Zusammenhang. Will hier jemand ernsthaft einen Sach- und Kulturwandel hinter dem Wortwandel vertreten? Sind irgendwann die Weiber verachtet worden, haben sich aber wieder erholt, als man sie Frauen und Damen nannte? Eine dunkle Vorstellung, daß mit den Wörtern auch die Sachen anders geworden seien, ist anscheinend nicht selten. Dagegen hilft nur eine überlegte Sprachpsychologie. In diesem letzten Fall ist auch ein sozialer Wandel, etwa auf dem Gebiet der Frauenbewegung, wirklich nicht zu entdecken. Das ist doch alles im Grunde nur Titelinflation: ein Kellner will nach einem gewissen Zeitraum nicht mehr so heißen, sondern Ober(-kellner). Unser Arzt geht zurück auf ἀρχίατρος, ἰατρός hatte schon in der Ptolemäischen Zeit nicht mehr den Medizinern genügt, oder die Patienten fanden es nicht mehr höflich genug. Aber wer als kulturelle Voraussetzung annehmen wollte, daß zu einer Zeit die Kellner und Ärzte fragwürdig geworden seien und durch eine sich darüberlegende neue Schicht von Oberkellnern, von Oberärzten ersetzt werden mußten, würde unser vielleicht zu ödes Bild der Kulturgeschichte beleben. Es ist Synonymenschub (s. S. *51*), der bei etwas exponierten Begriffen besonders stark ist.

Hofmann hat Besorgnis, daß nun bloß noch Bezeichnungslehre getrieben werden könnte. Aber ich bin kein Feind der alphabetischen Wörterbücher, am wenigsten seines vortrefflichen lateinischen, ich sagte S. 7 ausdrücklich, daß sie nötig sind. Nur finde ich, daß man auch die sachliche Gruppierung der Synonyma machen und daraus lernen muß. Ich habe ferner kein Wort gegen die Aufmerksamkeit auf das Formale gesagt, nur hat mein Buch nun einmal den Wortschatz und nicht die Laut- und Formenlehre zum Gegenstand. Insbesondere soll es auch erleichtern, durch Vergleichung die für die verschiedenen Sprachen bezeichnenden Fälle festzustellen, wo ein Wort fehlt oder unübersetzbar ist. Ich empfinde es daher als dankenswerten Beitrag ganz in meinem Sinn, wenn H. auf W. Schulzes Beobachtung aufmerksam macht, daß die Indogermanen ein allgemeines Wort für Eltern nicht hatten. Die betr. Ausdrücke wie τοκῆες, parentes usw. bezeichnen vielmehr die männlichen Ahnen bis hinauf zum Urgroßvater. Die Richtigkeit dieser Beobachtung vorausgesetzt, sollen gerade solche Feststellungen durch mein Wortschatzschema befördert werden. H.s daran angeknüpfte pädagogische Mahnung, man dürfe eben das Formale nicht außer acht lassen, ist fehl am Ort, da Schulzes Beobachtung eine semasiologische ist und keine formale.

---

[1]) „Muttersprache" 1953. S. 117 ff.

Meinen Wink, daß die Rater von Kreuzworträtseln bei mir Hilfe finden können, mißbilligt Hofmann. Aber wenn alle Rätselrater und -raterinnen mein Buch kaufen, kann ich bald wieder eine verbesserte Auflage machen. Die Spezialisten für altlateinische Sprachgeschichte können mir diesen Wunsch nicht verwirklichen.

Gegen meine Feststellung (S. *51*), daß Synonymenschub die Hauptlinie des Sprachwandels ist, ist mir brieflich entgegengehalten worden, das könnten bloß linguistische Kinder sagen. Die Hauptlinie sei vielmehr der Formwandel. Aber recht viel Formwandel läßt sich doch wohl als Bezeichnungswandel auffassen, wenn nicht gar als Synonymenschub. Dazu Ernst Lewy, Idg.Forsch. 54 1936, 225.

Das Verhältnis dieses Wortschatzes zu den z. T. etwas mystisch übersteigerten Begriffen sprachliches Feld, Bedeutungsfeld und zu den einschlägigen Arbeiten von J. Trier (Sprachliche Felder, Zs. f. dt. Bildung 8 1932, 417—427; Das sprachliche Feld NJbb. 10 1934, 428—449), L. Weisgerber u. a. habe ich in dem Aufsatz „Das 'Problem des Bedeutungswandels'", Ztschr. f. dt. Philologie 63 1938, 119—138 genauer zu bestimmen gesucht. Dazu Scheidweiler Z. f. dt. Altert. 79 1942, 249 ff.

Das Bücherverzeichnis soll ebenso wie der ganze Wortschatz ein erster Versuch sein und stellt vorläufig zusammen, was sich leicht bot. Eine Anzahl von Schriftenangaben steuerten bei J. Trier in Münster und W. Stammler in Fribourg. V. Grundtvig in Aarhus hat mir in selbstloser Mitarbeit eine große Menge von Hinweisen gegeben (s. unten S. *68*). Ich möchte ihnen auch hier meinen herzlichen Dank aussprechen. Ebenso den Herren Aull-Offenbach, Kassner-Friedenau, Riedmüller-Augsburg, Uelentrup-Altona für ihre reichen Nachträge. Einzelbeiträge haben mir O. Pfleiderer-Stuttgart, G. Vogliano-Berlin und W. Schadewaldt-Tübingen geschickt. Vor allem aber hat mich unermüdlich unterstützt H. Kasack-Stuttgart. Viele Tage hatte ich die Freude, mit ihm das durchschossene Exemplar der ersten Auflage durchzugehen, und ich kann nur meine Bewunderung ausdrücken für die Fülle von Sprachstoff, den er beigesteuert hat. So kam die assoziative Kraft des Dichters meinen Bemühungen zu Hilfe. Er hat auch die ganze Korrektur mitgelesen.

ZUR VIERTEN AUFLAGE 1954

Der bibliographische Teil der Einleitung ist prächtig orientierend unterbaut worden von B. Quadri, einem Schüler Juds † in Winterthur: Aufgaben und Methoden der onomasiologischen Forschung = Romanica Helvetica, hrsg. J. Jud und A. Steiger 37, Bern 1952. Kritisch hat sich meiner an verschiedenen Orten angenommen L. Weisgerber-Bonn. Er ist unzufrieden damit, daß Abstrakta mit Konkreten friedlich in der gleichen Nr. zusammenstehen, und schrieb zuletzt, Gnomon 24 1952, 308, aus Anlaß von Buck, A Dictionary of selected Synonyms: „Bei Dornseiff führte das dann vom Typ der 'ideologischen' Wörterbücher zu einem Zurückgreifen auf die Sachen, wie es sich in dem Wandel des Titels von anfänglich 'Der deutsche Wortschatz synonymisch geordnet' zum 'Deutschen Wortschatz nach Sachgruppen' spiegelt. Die Kritik (lies: Weisgerber) wies mit Recht darauf hin, daß damit der Bezugspunkt aus der Sprache hinausverlegt wird und die entscheidende Schicht von 'Sprachinhalten', die sich zwischen 'Bezeichnungen' und 'Sachen' schiebt, sich nicht fassen läßt." Dieselbe Mischung von Abstrakta mit Konkreten hatte schon Roget 1852. Und mit dem Titelwandel, das war ganz anders. Nachdem ich öfter gefragt worden war, was heißt synonymisch?, machte ich den Titel fremdwortfrei. Mein Buch will in einer weithin gefühlten linguistischen Schwierigkeit helfen, nämlich bei der Frage: wohin soll man die Synonymenmassen stecken?

ZUR FÜNFTEN AUFLAGE 1959

Weisgerber und Hallig werfen mir vor, Abstraktes und Konkretes unzulässig zu vermischen. Wenn ein Deutscher die seelische Erfahrung macht, daß ihm etwas gefällt, so sagt er das Adjektiv schön. Das ist noch konkret. Oder etwa nicht? Gehört es etwa schon zu der „entscheidenden Schicht von Sprachinhalten, die sich zwischen 'Bezeichnungen' und 'Sachen' schiebt" und damit „den Bezugspunkt aus der Sprache hinaus verlegt"? Oder ist das Abstrakte erst erreicht, wenn das Substantiv Schönheit gesagt wird? Aber Schönheit, beauté, bellezza, pulchritudo, κάλλος ist synchronisch betrachtet ein so normales Substantiv wie Hirsch, Kirsche, Thermometer. Die Meinung der beiden Kritiker ist anscheinend, wenn ich unter 11.17 die Vox Schönheit bringe, ist mein Wortschatz ein Zwitter aus einem ideologischen Wörterbuch und einem „Zurückgreifen auf die Sachen". Diachronische Sorgen, denen in diesem Buch nicht abgeholfen wird, denn ich bin hier synchronisch.

Auch in punkto Semasiologie und Onomasiologie bestehen immer wieder vertiefte Unklarheiten.

Was man semasiologisch pejorativen Bedeutungswandel nennt, ist, onomasiologisch gesehen und gefragt, Euphemismus. Semasiologisch fragt man: warum hat sich lat. *hostis* von 'Fremder, Gast', zu 'Landesfeind' entwickelt? Als Grund für dieses Factum bietet sich an: Man sieht, wie kriegerisch die Römer waren. Onomasiologisch fragt man: warum haben die Römer eines Tages für den Landesfeind *hostis* gesagt? Cicero de officiis I 37, noch oder schon Onomasiologie, antwortet: *propter clementiam*. Er hält den Vorgang also für einen Euphemismus. Vgl. darüber (gegen Kronasser) Vf. Der Bezeichnungswandel in der deutschen Sprache, Lahr 1955, S. 1

Das alphabetische Generalregister ist auf das Vielfache vermehrt worden. Von den Skrupeln, die man gegen die nicht alphabetische Anordnung des Hauptteils geäußert hat, ist in der Vorbemerkung zum alphabetischen Register gehandelt.

Franz Dornseiff

ANWEISUNG
ZUM GEBRAUCH DES BUCHES

Der gesamte Wortschatz ist in 20 Hauptabteilungen gebracht. Die Teilung in 20 Gruppen geht einen Weg von der äußeren Natur (Abtl. 1—2) und den allgemeinen Seinsbeziehungen (Abtl. 3—8) zum Subjektiven (Abtl. 9—12), zum sozialen Bereich und der Kultur (Abtl. 13—20). Sie sieht so aus:

1. Anorganische Welt. Stoffe
2. Pflanzen. Tier. Mensch (körperlich)
3. Raum. Lage. Form
4. Größe. Menge. Zahl. Grad
5. Wesen. Beziehung. Geschehnis
6. Zeit
7. Sichtbarkeit. Licht. Farbe. Schall. Temperatur. Gewicht. Aggregatzustand. Geruch, Geschmack
8. Ortsveränderung
9. Wollen und Handeln
10. Sinnesempfindungen
11. Fühlen. Affekte. Charaktereigenschaften
12. Denken
13. Zeichen. Mitteilung. Sprache
14. Schrifttum. Wissenschaft
15. Kunst
16. Soziale Verhältnisse
17. Geräte, Technik
18. Wirtschaft
19. Recht. Ethik
20. Religion. Das Übersinnliche

Jeder der 20 Hauptabteilungen zerfällt in etwa 20—90 Begriffsnummern, die zusammen am Schluß dieser Anweisung und gesondert vor jeder Hauptabteilung zu finden sind. Ein alphabetisch geordnetes Verzeichnis ausgewählter Worte findet sich am Schluß des Bandes.

Die einzelnen Artikel sind in folgender Weise angelegt (wobei es naturgemäß kaum vorkommt, daß sämtliche Bezeichnungsweisen oder sämtliche Wortarten zusammen vertreten sind):

Gebärden, z. B. bei „Nichtwissen" 12. 37: Achselzucken;
sinnbildliche Zeichen, z. B. bei „sich ergeben" 16. 83: weiße Flagge;
Interjektionen, z. B. bei „Schadenfreude" 11. 60: ätsch;
Partikel, z. B. bei „Zugeständnis" 16. 24 und „Gegensatz" 5. 23: zwar;
Präpositionen, z. B. bei „Nähe" 3. 9: bei;
Konjunktionen, z. B. bei „gleichzeitig" 6. 13: als;
Adverbien, z. B. bei „schnell" 8. 7: flugs, und ausführlichere adverbiale Bestimmungen

Zeitwörter (Verba):
Mittel der Flexion, z. B. bei „Vergangenheit" 6. 19: Praeteritum;
Mittel der Wortbildung, Vorsilben, z. B. bei „Veränderung" 5. 24: um-; Endungen, z. B. bei „nachahmen" 5. 18: -isieren. Vervollständigung der hier besonders im Deutschen fast unbeschränkten Möglichkeiten läßt sich leicht erreichen, indem man die betreffende Vorsilbe in einem reichhaltigen alphabetischen Wörterbuch durchsieht, etwa im Großen Duden-Basler[11], Leipzig 1934, die betreffende Endung in einem Reimlexikon, etwa in dem von Hempel-Syntax, 2 Bde. Leipzig 1826.

die Handlung selbst. Die Verben können sehr vermehrt werden durch Verbindung der dazugehörigen Täterbezeichnungen (nomina agentis) und Adjektiva mit „sein" und der nomina qualitatis mit „haben", „besitzen" u. dgl.

Redensarten, Formeln, Sprichwortartiges, Zitate;
Verstärkungen; zu hoher Grad;
Perfektiva, z. B. „erjagen" neben „jagen";
Ingressiva, d. h. so und so werden, geraten, die und die Eigenschaft be-
kommen;
die vollendete Handlung; ·
Causativa, z. B. „senken" neben „sinken" 8. 30;
Passiv und Umschreibungen dafür.

Adjektiva:

Zugehörigkeitsadjektiva (meistens Fremdwörter), z. B. kinetisch, motorisch
bei „Bewegung" 8. 1, vgl. Dornseiff, Germ.-roman. Monatsschr. 9 1921,
193 ff.

Eigenschaftsadjektiva. Auch hier sind unbeschränkte Vermehrungsmöglich-
keiten, die nicht alle gebucht werden können, in Neubildungen mit -al,
-artig, -ell, -förmig, -haft, -haltig, -isch, -istisch, -lich, -mäßig, -sam, -voll;
in Verneinung des Gegenteils durch eine mehr oder weniger starke Negation, durch die Vorsilben a-, in-, un-, die Endsilben -frei, -los; in den
Partizipien der Verba.

Verstärkungen. Formelhafte Redensarten.

Substantiva:

Personen:

Täter, nomina agentis. Die Ausdrucksmittel dafür können fast beliebig
vermehrt werden durch Anhängen von -er an die Verben, durch Sub-
stantivierung der betreffenden Adjektiva; auch mit -bold, -erich, -ian,
-ling, -mann, -mensch;

Typen, geschichtliche oder sagenhafte Beispiele, z. B. Nestor unter
alt 2. 25.

Dinge:

Mittel, Werkzeug, Ursache;
Gelegenheit, Sammelort, Kollektiva;
Ergebnis, Objekt;
Typen, Sinnbilder, Manifestationen, Vergleiche, Beispiele.

Abstrakta:

Eigenschaft, Zustand, Handlung, nomina qualitatis und actionis. Hier
sind die naheliegenden Möglichkeiten, jederzeit vermehrbar aus den
Verben mittels Ge-, -erei, -nis, -ung, aus den Substantiven und Adjektiven mittels -heit, -ität, -keit, -ismus, aus Zusammensetzungen oder
durch die Verneinungen des Gegenteils („Mangel an...") nicht vollständig aufgeführt.

Kunde davon, Theorie (-lehre, -logik, -istik).

Innerhalb dieser Anordnung sind die Beizeichnungsmittel nach Möglichkeit
alphabetisch aufgeführt. Wo es zu einer andern Wortart übergeht, steht das
Zeichen ⁋.

GESAMTPLAN

1. Anorganische Welt. Stoffe

1.	1.	Weltall	1. 16.	Ufer
1.	2.	Gestirne	1. 17.	Insel
1.	3.	Erde	1 18.	Stehende Gewässer
1.	4.	Witterung	1. 19.	Sumpf
1.	5.	Klares Wetter	1. 20.	Stoff
1.	6.	Wind	1. 21.	Mischung
1.	7.	Trübes Wetter	1. 22.	Unvermischt
1.	8.	Regen	1. 23.	Anorganische Welt, Bergwerk
1.	9.	Sonstige Niederschläge	1. 24.	Elemente
1.	10.	Gewitter	1. 25.	Mineralien
1.	11.	Geographischer Ort	1. 26.	Gesteine
1.	12.	Himmelsrichtungen	1. 27.	Legierungen
1.	13.	Festland	1. 28.	Anorganische chemische Stoffe
1.	14.	Bodenschichten	1. 29.	Organische chemische Stoffe
1.	15.	Landbezirk, Flächenmaße		

2. Pflanze. Tier. Mensch (Körperliches)

2.	1.	Pflanze	2. 25.	Hohes Alter
2.	2.	Pflanzenarten	2. 26.	Essen, Mahlzeiten
2.	3.	Pflanzenteile	2. 27.	Speisen (Gerichte)
2	4.	Pflanzenkrankheiten	2. 28.	Gewürz
2.	5.	Pflanzenanbau	2. 29.	Fasten
2.	6.	Fruchtbarkeit	2. 30.	Trinken
2.	7.	Unfruchtbarkeit	2. 31.	Alkohol trinken
2.	8.	Tier	2. 32.	Trunksucht
2.	9.	Tierarten	2. 33.	Trunkenheit
2.	10.	Tierzucht	2. 34.	Tabak
2.	11.	Jagd	2. 35.	Ausscheidungen
2.	12.	Tierkrankheiten	2. 36.	Schlaf
2.	13.	Mensch	2. 37.	Wachen
2.	14.	Mann	2. 38.	Gesundheit
2.	15.	Weib	2. 39.	Ermattung
2.	16.	Körperteile	2. 40.	Erholung
2.	17.	Leben	2. 41.	Krankheit
2.	18.	Fortpflanzung	2. 42.	Verletzung
2.	19.	Begattung	2. 43.	Gift
2.	20.	Schwangerschaft	2. 44.	Heilung
2.	21.	Geburt	2. 45.	Sterben
2.	22.	Kind, Jugend	2. 46.	Töten
2.	23.	Erwachsen	2. 47.	Selbstmord
2.	24.	Mittleres Lebensalter	2. 48.	Bestattung

Pflanzenarten 2. 2: Übersicht über das System

I.—XII. Abteilung S. 9

XIII. Abteilung Archegoniatae S. 10

XIV. Abteilung Embryophyta siphonogama S. 12

  1. Unterabt. Gymnospermae

  2. Unterabt. Angiospermae S. 13

  1. Klasse: Monocotyledoneae
    1. Reihe: Pandanales
    2. Reihe: Helobiae S. 14
    3. Reihe: Triuridales S. 15
    4. Reihe: Glumiflorae
    5. Reihe: Principes S. 22
    6. Reihe: Synanthae
    7. Reihe: Spathiflorae
    8. Reihe: Farinosae S. 23
    9. Reihe: Liliiflorae
   10. Reihe: Scitamineae S. 26
   11. Reihe: Microspermae

  2. Klasse: Dicotyledoneae S. 28

  1. Unterklasse: Archichlamydeae
    1. Reihe: Verticillatae
    2. Reihe: Piperales
    3. Reihe: Hydrostachyales
    4. Reihe: Salicales
    5. Reihe: Garryales
    6. Reihe: Myricales
    7. Reihe: Balanopsidales
    8. Reihe: Leitneriales
    9. Reihe: Juglandales
   10. Reihe: Julianales
   11. Reihe: Batidales
   12. Reihe: Fagales

13. Reihe: Urticales S. 29
14. Reihe: Podostemonales
15. Reihe: Proteales
16. Reihe: Santalales
17. Reihe: Aristolochiales
18. Reihe: Balanophorales
19. Reihe: Polygonales
20. Reihe: Centrospermae S. 31
21. Reihe: Ranales S. 34
22. Reihe: Rhoeadales S. 39
23. Reihe: Sarraceniales S. 43
24. Reihe: Rosales
25. Reihe: Pandales S. 54
26. Reihe: Geraniales
27. Reihe: Sapindales S. 55
28. Reihe: Rhamnales S. 57
29. Reihe: Malvales
30. Reihe: Parietales S. 58
31. Reihe: Opuntiales S. 59
32. Reihe: Myrtiflorae
33. Reihe: Umbelliflorae S. 60

  2. Unterklasse: Metachlamydeae
    oder Sympetalae S. 64
    1. Reihe: Diapensiales
    2. Reihe: Ericales
    3. Reihe: Primulales S. 66
    4. Reihe: Plumbaginales
    5. Reihe: Ebenales
    6. Reihe: Contortae S. 68
    7. Reihe: Tubiflorae S. 69
    8. Reihe: Plantaginales S. 76
    9. Reihe: Rubiales S. 77
   10. Reihe: Cucurbitales S. 79
   11. Reihe: Campanulatae S. 80

Einzelne Pflanzen wolle man mit Hilfe von
Engler-Diels, Syllabus der Pflanzenfamilien[11], Berlin 1936, aufsuchen.

3. Raum. Lage. Form

Raum:

3. 1. Raum, Weite
3. 2. Lage, Ort
3. 3. Anwesenheit
3. 4. Abwesenheit
3. 5. Nirgends
3. 6. Vielerorts
3. 7. Überall

3. 8. Entfernt
3. 9. Nähe
3. 10. Zwischenraum

Lage:

3. 11. Senkrecht
3. 12. Waagrecht
3. 13. Schräg
3. 14. Parallel

3	15.	Kreuzung		Form:
3.	16.	Stützung		
3.	17.	Schwebe	3. 39.	Linie
3.	18.	Außen	3. 40.	Gerade
3.	19.	Innen	3. 41.	Fläche
3.	20.	Bedeckung	3. 42.	Körper
3.	21.	Füllung	3. 43.	Winkel
3.	22.	Entblößung	3. 44.	Furche
3.	23.	Umgrenzung, Rand	3. 45.	Falte
3.	24.	Umgeben	3. 46.	Kurve
3.	25.	Dazwischen	3. 47.	Kreis
3.	26.	Vorderseite	3. 48.	Wölbung
3	27.	Rückseite	3. 49.	Höhlung
3.	28.	Mittelpunkt	3. 50.	Walze, Kegel, Kugel
3.	29.	Seite	3. 51.	Ebene
3.	30.	Links	3. 52.	Glatt
3.	31.	Rechts	3. 53.	Rauh
3.	32.	Gegenüber	3. 54.	Zart
3.	33.	Oben	3. 55.	Scharf, spitz
3.	34.	Unten	3. 56.	Stumpf
3.	35.	Reihe	3. 57.	Öffnung
3.	36.	Unterbrechung	3. 58.	Geschlossenheit
3.	37.	Ordnung	3. 59.	Ebenmaß
3.	38.	Unordnung	3. 60.	Asymmetrie

4. Größe. Menge. Zahl. Grad

4.	1.	Größe, Umfang	4. 22.	Zu viel
4.	2.	Großer Umfang	4. 23.	Genug
4.	3.	Wachsen	4. 24.	Wenig
4.	4.	Klein	4. 25.	Zu wenig
4.	5.	Kleiner werden	4. 26.	Nichts, Null
4.	6.	Lang, Längenmaße	4. 27.	Gleiche Größe und Menge
4.	7.	Kurz	4. 28.	Hinzufügen
4.	8.	Breit	4 29.	Versorgen
4.	9.	Eng, schmal	4. 30.	Wegnehmen
4.	10.	Dick	4. 31.	Verbrauchen
4.	11.	Dünn	4. 32.	Rest
4.	12.	Hoch	4. 33.	Verbinden
4.	13.	Niedrig	4. 34.	Trennen
4.	14.	Tief	4. 35.	Zahl
4.	15.	Seicht	4. 36.	Eins
4.	16.	Flächenmaße	4. 37.	Zwei, der Zweite
4.	17.	Anzahl, Menge	4. 38.	Drei
4.	18.	Material, Vorrat	4. 39.	Vier usw.
4.	19.	Inhalt, Hohl- und Kubikmaße	4. 40.	Unendlich viel, unendlich groß
4.	20.	Viele	4. 41.	Gesamtheit
4.	21.	Voll	4. 42.	Teil

4. 43. Schicht	4. 48. Zugehörig
4. 44. Faser	4. 49. Nicht zugehörig
4. 45. Zweiteilung, dritteln usw.	4. 50. Hoher Grad
4. 46. Unvollständig	4. 51. Höherer Grad
4. 47. Klasse	4. 52. Geringerer Grad

5. Wesen. Beziehung. Geschehnis

5. 1. Sein, Etwas, Wirklich	5. 25. Veränderlich
5. 2. Möglich	5. 26. Allmähliche Entwicklung
5. 3. Unmöglich	5. 27. Plötzliche Veränderung
5. 4. Wahrscheinlich	5. 28. Vertauschung
5. 5. Unwahrscheinlich	5. 29. Ersatz
5. 6. Gewiß	5. 30. Rückverwandlung
5. 7. Ungewiß	5. 31. Ursache
5. 8. Beschaffenheit, Art	5. 32. Bedingung
5. 9. Eigenschaft	5. 33. Ursachlos
5. 10. Das Wesentliche	5. 34. Wirkung
5. 11. Verhalten	5. 35. Kraft
5. 12. Bewandtnis	5. 36. Heftigkeit
5. 13. Beziehung	5. 37. Schwäche
5. 14. Absolut	5. 38. Mäßigung
5. 15. Identität	5. 39. Erzeugung
5. 16. Gleich	5. 40. Wiedererzeugung
5. 17. Ähnlich	5. 41. Herkunft
5. 18. Nachahmen	5. 42. Zerstörung
5. 19. Regel	5. 43. Erhaltung
5. 20. Ausnahme	5. 44. Geschehnis
5. 21. Verschieden	5. 45. Schicksal, Zufall
5. 22. Mannigfaltig	5. 46. Glück
5. 23. Gegensatz	5. 47. Unglück
5. 24. Veränderung	

6. Zeit

6. 1. Zeitraum	6. 13. Gleichzeitig
6. 2. Anfangszeit	6. 14. Sofort
6. 3. Mitte	6. 15. Zwischenzeit
6. 4. Spätzeit	6. 16. Gegenwart
6. 5. Nie	6. 17. Andere Zeit, Irgendwann
6. 6. Immer	6. 18. Restzeit
6. 7. Dauer, Beständigkeit	6. 19. Vergangenheit
6. 8. Vergänglich	6. 20. Nahe Vergangenheit
6. 9. Zeitmessung	6. 21. Ferne Vergangenheit
6. 10. Fehldatierung	6. 22. Ganze Vergangenheit
6. 11. Vorher	6. 23. Zukunft
6. 12. Nachher	6. 24. Nahe Zukunft

6. 25.	Ferne Zukunft	6. 32.	Unregelmäßig
6. 26.	Neu	6. 33.	Regelmäßig, periodisch
6. 27.	Alt	6. 34.	Kontinuität
6. 28.	Mehrmals	6. 35.	Früh, pünktlich
6. 29.	Selten	6. 36.	Spät
6. 30.	Manchmal	6. 37.	Rechter Zeitpunkt, Gelegenheit
6. 31.	Häufig	6. 38.	Unzeit

7. Sichtbarkeit. Licht. Farbe. Schall. Temperatur. Gewicht. Aggregatzustände. Geruch. Geschmack

Sichtbarkeit · Licht:

7. 1. Sichtbar
7. 2. Aussehen
7. 3. Unsichtbar
7. 4. Licht
7. 5. Lichtquelle
7. 6. Halbdunkel
7. 7. Dunkel
7. 8. Durchsichtig
7. 9. Halbdurchsichtig
7. 10. Undurchsichtig

Farbe:

7. 11. Farbe
7. 12. Farblos
7. 13. Weiß
7. 14. Schwarz
7. 15. Grau
7. 16. Braun
7. 17. Rot
7. 18. Grün
7. 19. Gelb
7. 20. Orange
7. 21. Blau
7. 22. Violett
7. 23. Bunt

Schall:

7. 24. Schall
7. 25. Widerhall
7. 26. Starkes Geräusch
7. 27. Leise
7. 28. Lautlos
7. 29. Knall
7. 30. Längerdauernde und wiederholte Geräusche

7. 31. Mißton
7. 32. Zischen
7. 33. Tierlaute
7. 34. Stimme

Temperatur:

7. 35. Wärme
7. 36. Feuer
7. 37. Brandstätte
7. 38. Brennstoff
7. 39. Kochen, backen
7. 40. Kälte

Gewicht:

7. 41. Schwer. Gewichtsmaße
7. 42. Leicht

Aggregatzustände:

7. 43. Fest, dicht
7. 44. Hart
7. 45. Elastisch
7. 46. Zähigkeit
7. 47. Spröde
7. 48. Locker
7. 49. Pulver
7. 50. Weichheit
7. 51. Breiig
7. 52. Fett
7. 53. Pech, Harz
7. 54. Flüssigkeit
7. 55. Fließen
7. 56. Wasserweg
7. 57. Feucht
7. 58. Trocken
7. 59. Schaum

7. 60.	Verdunstung, Gasförmigkeit		G e s c h m a c k :
7. 61.	Luftweg	7. 65.	Geschmack
		7. 66.	Süß
G e r u c h :		7. 67.	Sauer
7. 62.	Geruch	7. 68.	Scharf, salzig, bitter
7. 63.	Wohlgeruch	7. 69.	Schal, fade
7. 64.	Gestank		

8. Ortsveränderung

8. 1.	Bewegung	8. 18.	Sich entfernen
8. 2.	Halt	8. 19.	Näherung
8. 3.	Hinbefördern	8. 20.	Ankommen
8. 4.	Wagen	8. 21.	Zueinander
8. 5.	Schiff	8. 22.	Auseinander
8. 6.	Flugzeug	8. 23.	Hinein
8. 7.	Schnell	8. 24.	Heraus
8. 8.	Langsam	8. 25.	Hindurch
8. 9.	Antrieb, Stoß	8. 26.	Dazwischen
8. 10.	Rückstoß	8. 27.	Über etwas hinweg
8. 11.	Lenken, Weg, Richtung	8. 28.	Hinauf
8. 12.	Abweichung	8. 29.	Springen
8. 13.	Vorausgehen	8. 30.	Hinunter
8. 14.	Ziehen	8. 31.	Fallen
8. 15.	Nachfolgen	8. 32.	Im Bogen
8. 16.	Vorwärts	8. 33.	Hin und Her
8. 17.	Rückwärts	8. 34.	Regellos

9. Wollen und Handeln

9. 1.	Trieb	9. 18.	Tätigkeit
9. 2.	Wille	9. 19.	Unterlassen
9. 3.	Unfreiwillig	9. 20.	Abstehen
9. 4.	Bereitwillig	9. 21.	Unternehmen
9. 5.	Widerwille	9. 22.	Arbeit
9. 6.	Entschlossen	9. 23.	Arbeitsplatz
9. 7.	Unentschlossen	9. 24.	Untätig
9. 8.	Beharrlich	9. 25.	Methode
9. 9.	Unbeständigkeit	9. 26.	Vorbereiten
9. 10.	Laune	9. 27.	Unvorbereitet
9. 11.	Wahl	9. 28.	Versuch
9. 12.	Veranlassung, Beweggrund	9. 29.	Beginn
9. 13.	Scheingrund	9. 30.	Fortsetzung
9. 14.	Absicht, Zweck	9. 31.	Gewohnheit
9. 15.	Plan	9. 32.	Abgewöhnung
9. 16.	Absichtslos	9. 33.	Aufhören
9. 17.	Abmahnung	9. 34.	Unvollendet lassen

9. 35. Vollenden
9. 36. Ruhe
9. 37. Energie
9. 38. Eifer
9. 39. Eile
9. 40. Anstrengung
9. 41. Faulheit
9. 42. Sorgfalt
9. 43. Nachlässig
9. 44. Wichtig
9. 45. Unwichtig
9. 46. Nützlich
9. 47. Vorteil
9. 48. Zweckmäßig
9. 49. Nutzlos
9. 50. Nachteil
9. 51. Unzweckmäßig
9. 52. Geschicklichkeit
9. 53. Ungeschickt
9. 54. Leicht
9. 55. Schwierig
9. 56. Gute Qualität
9. 57. Verbessern
9. 58. Wiederherstellung
9. 59. Mittelmäßig
9. 60. Minderwertig

9. 61. Schlechter werden
9. 62. Rückfall
9. 63. Beschädigen
9. 64. Vollkommen
9. 65. Unvollkommen, fehlerhaft
9. 66. Rein
9. 67. Unrein
9. 68. Zusammenwirken
9. 69. Mitwirkung
9. 70. Beistand
9. 71. Wechselwirkung
9. 72. Gegenwirkung
9. 73. Verhindern
9. 74. Gefahr
9. 75. Sicherheit
9. 76. Zuflucht
9. 77. Erfolg
9. 78. Mißlingen
9. 79. Direkter Weg
9. 80. Umweg
9. 81. Erfordernis
9. 82. Mittel
9. 83. Werkzeug
9. 84. Benutzung
9. 85. Nichtbenutzen
9. 86. Mißbrauch

10. Sinnesempfindungen

10. 1. Körperliches Gefühl
10. 2. Tastgefühl
10. 3. Unempfindlichkeit
10. 4. Hitzegefühl
10. 5. Frieren
10. 6. Geruchssinn
10. 7. Geschmackssinn
10. 8. Wohlgeschmack
10. 9. Übler Geschmack
10. 10. Hunger
10. 11. Eßgier

10. 12. Wählerisch im Essen
10. 13. Durst
10. 14. Sättigung
10. 15. Sehen
10. 16. Optische Instrumente
10. 17. Schwachsichtig
10. 18. Blind
10. 19. Hören
10. 20. Taub
10. 21. Sinnlichkeit

11. Fühlen. Affekte. Charaktereigenschaften

11. 1. Bewußtsein
11. 2. Seelische Artung
11. 3. Seelischer Zustand
11. 4. Empfindung
11. 5. Erregung

11. 6. Erregbarkeit
11. 7. Empfindlichkeit
11. 8. Unempfindlichkeit, Seelenruhe
11. 9. Lust empfinden
11. 10. Lust verursachen

11. 11.	Genußsucht		11. 37.	Gleichgültigkeit
11. 12.	Mäßigkeit		11. 38.	Mut
11. 13.	Unlust empfinden		11. 39.	Tollkühn
11. 14.	Unlust verursachen		11. 40.	Vorsicht
11. 15.	Unwohlsein		11. 41.	Schwarzseherei
11. 16.	Zufriedenheit		11. 42.	Furcht, Schrecken
11. 17.	Wohlgefallen, bewundern, Schönheit		11. 43.	Feigheit
			11. 44.	Stolz
11. 18.	Geschmack, Kunstsinn		11. 45.	Eitelkeit
11. 19.	Wählerisch		11. 46.	Einfachheit
11. 20.	Lebhaft		11. 47.	Bescheiden
11. 21.	Heiter		11. 48.	Demut
11. 22.	Vergnügen, Lachen		11. 49.	Scham
11. 23.	Witz		11. 50.	Mitgefühl
11. 24.	Lächerlichkeit		11. 51.	Menschenliebe
11. 25.	Ernst		11. 52.	Wohlwollen
11. 26.	Langeweile		11. 53.	Liebe
11. 27.	Unzufriedenheit		11. 54.	Dankbarkeit
11. 28.	Mißfallen, häßlich		11. 55.	Undank
11. 29.	Geschmacklosigkeit		11. 56.	Eifersucht
11. 30.	Verwunderung		11. 57.	Neid
11. 31.	Zorn		11. 58.	Reizbarkeit
11. 32.	Trübsinn		11. 59.	Abneigung
11. 33.	Klage		11. 60.	Übelwollen
11. 34.	Tröstung		11. 61.	Härte
11. 35.	Hoffnung		11. 62.	Haß
11. 36.	Wunsch		11. 63.	Menschenhaß

12. Das Denken

12. 1.	Instinkt		12. 20.	Entdeckung, Wahrnehmung
12. 2.	Gedanke, Einfall		12. 21.	Schöpfertum
12. 3.	Überlegung		12. 22.	Ansicht
12. 4.	Begriff, Denkergebnis		12. 23.	Ungewißheit, Mißtrauen
12. 5.	Thema		12. 24.	Vermuten
12. 6.	Wißbegierde		12. 25.	Leichtgläubig
12. 7.	Aufmerksam		12. 26.	Wahrheit
12. 8.	Forschen		12. 27.	Falsch, Irrtum
12. 9.	Experiment		12. 28.	Einbildung, Wahn
12. 10.	Vergleich		12. 29.	Annahme
12. 11.	Unterscheiden		12. 30.	Wesensschau
12. 12.	Messen, Rechnen		12. 31.	Verstehen
12. 13.	Unaufmerksamkeit		12. 32.	Kenntnis
12. 14.	Logisches Denken		12. 33.	Lehren
12. 15.	Begründen		12. 34.	Verbilden
12. 16.	Folgern		12. 35.	Lernen
12. 17.	Grundsatz		12. 36.	Schule
12. 18.	Gesunder Menschenverstand		12. 37.	Unwissenheit
12. 19.	Unlogik		12. 38.	Absichtliches Übersehen

12. 39.	Gedächtnis		12. 49.	Urteil, Bewertung
12. 40.	Vergessen		12. 50.	Überschätzen
12. 41.	Überraschung, Erwartung		12. 51.	Unterschätzen
12. 42.	Vorhersicht		12. 52.	Klug
12. 43.	Vorhersagung		12. 53.	Schlau
12. 44.	Eintreffen		12. 54.	Freier Geist
12. 45.	Überraschung		12. 55.	Enger Geist
12. 46.	Enttäuschung		12. 56.	Dumm
12. 47.	Übereinstimmung		12. 57.	Verrückt
12. 48.	Meinungsverschiedenheit			

13. Zeichen. Mitteilung. Sprache

13. 1.	Zeichen		13. 28.	Behaupten, Bejahen
13. 2.	Mitteilung		13. 29.	Verneinen
13. 3.	Offenbaren		13. 30.	Unterhaltung
13. 4.	Geheimhalten		13. 31.	Grammatik
13. 5.	Enthüllen		13. 32.	Sprachfehler
13. 6.	Bekanntmachen		13. 33.	Verständlich
13. 7.	Neuigkeit		13. 34.	Zweideutig
13. 8.	Bote		13. 35.	Unverständlich
13. 9.	Rat		13. 36.	Tropus
13. 10.	Warnung		13. 37.	Figuren
13. 11.	Alarm		13. 38.	Stilarten
13. 12.	Sprache		13. 39.	Kürze
13. 13.	Sprachklang		13. 40.	Einfachheit
13. 14.	Sprechmängel		13. 41.	Stärke
13. 15.	Stimmstörungen		13. 42.	Schwäche
13. 16.	Bezeichnung, Wort		13. 43.	Breite, Schmuck, Schwulst
13. 17.	Bedeutung		13. 44.	Erklärung
13. 18.	Nichtssagend		13. 45.	Mißdeutung
13. 19.	Fehlbenennung		13. 46.	Beweis
13. 20.	Satz		13. 47.	Widerlegung
13. 21.	Reden		13. 48.	Einschränkung
13. 22.	Schwatzen		13. 49.	Wahrhaftigkeit
13. 23.	Schweigen		13. 50.	Schwören
13. 24.	Anrede		13. 51.	Unwahrheit, Lüge
13. 25.	Frage		13. 52.	Übertreibung
13. 26.	Antwort		13. 53.	Übersetzen
13. 27.	Selbstgespräch			

14. Schrifttum. Wissenschaft

14. 1.	Beschreibung, Erzählung		14. 7.	Lesen
14. 2.	Dichtung		14. 8.	Brief
14. 3.	Drama, Bühne		14. 9.	Schriftliche Überlieferung
14. 4.	Prosa		14. 10.	Abhandlung
14. 5.	Schrift		14. 11.	Buch
14. 6.	Druck		14. 12.	Auszug

15. Kunst

15. 1. Gestaltung	15. 10. Bildhauerei
15. 2. Verzerren	15. 11. Musik
15. 3. Stilarten	15. 12. Musikstück
15. 4. Zeichnung, Malerei	15. 13. Gesang
15. 5. Kunststecherei	15. 14. Instrumentalmusik
15. 6. Kunstgewerbe	15. 15. Musikinstrumente
15. 7. Ornament	15. 16. Gesang und Instrumente
15. 8. Lichtbild, Film	15. 17. Wohlklang
15. 9. Film	15. 18. Mißklang

16. Gesellschaft und Gemeinschaft

16. 1. Aufenthaltsort	16. 34. Mißachtung, Beleidigung
16. 2. Ansiedlung, Stadt	16. 35. Verleumdung
16. 3. Einzelmensch	16. 36. Verachtung
16. 4. Einwohner	16. 37. Verwünschung, schimpfen
16. 5. Fremder	16. 38. Höflichkeit, Gruß
16. 6. Reise zu Land	16. 39. Glückwunsch
16. 7. Schiffahrt und Luftfahrt	16. 40. Eintracht
16. 8. Umzug, Umzugstag	16. 41. Freundschaft
16. 9. Familie, Verwandtschafts-bezeichnungen	16. 42. Liebesbezeugung
16. 10. Verlobung	16. 43. Zärtlichkeit
16. 11. Ehe, Heirat	16. 44. Unkeusch
16. 12. Ehelosigkeit	16. 45. Hetäre
16. 13. Kebsehe	16. 46. Belohnung
16. 14. Ehebruch	16. 47. Verzeihung
16. 15. Scheidung	16. 48. Friede
16. 16. Gruppe	16. 49. Vermittlung
16. 17. Genossenschaft	16. 50. Keuschheit
16. 18. Nation	16. 51. Geziertheit, Prüderie
16. 19. Staat	16. 52. Ungesellig
16. 20. Bitte, Verlangen	16. 53. Unhöflich
16. 21. Werben	16. 54. Spott
16. 22. Anerbieten	16. 55. Unterhaltung, Vergnügungen
16. 23. Versprechen	16. 56. Spiele
16. 24. Zustimmung	16. 57. Sport
16. 25. Erlaubnis	16. 58. Tanz
16. 26. Ausführung	16. 59. Fest
16. 27. Ablehnung	16. 60. Berufe
16. 28. Unterlassung	16. 61. Mode
16. 29. Verbot	16. 62. Die große Welt
16. 30. Achtung	16. 63. Modeheld
16. 31. Lob, Beifall	16. 64. Geselligkeit, Gastlichkeit
16. 32. Schmeichelei	16. 65. Gegensatz, Widerstand
16. 33. Tadel	16. 66. Feindschaft
	16. 67. Zwietracht

16.	68.	Drohung	16.	96.	Führung

16. 68. Drohung
16. 69. Herausforderung
16. 70. Kampf
16. 71. Hinterhalt
16. 72. Betrug
16. 73. Krieg
16. 74. Kämpfer, Heer
16. 75. Kampfplatz
16. 76. Angriff
16. 77. Verteidigung
16. 78. Prügeln
16. 79. Quälen
16. 80. Vergeltung
16. 81. Rache
16. 82. Abbitte
16. 83. Niederlage
16. 84. Sieg
16. 85. Ehre, Ruhm
16. 86. Titel
16. 87. Einzelne Ehrenerweisung
16. 88. Schaugepränge
16. 89. Prahlerei
16. 90. Überhebung, Frechheit
16. 91. Kaste
16. 92. Mittelklasse
16. 93. Bloßstellung
16. 94. Gesellschaftliche Herabsetzung
16. 95. Einfluß

16. 96. Führung
16. 97. Herrschen
16. 98. Herrscher
16. 99. Behörde
16. 100. Herrschaftszeichen
16. 101. Wächter
16. 102. Vertretungsausschuß, Ratsversammlung
16. 103. Bevollmächtigen
16. 104. Stellvertretung
16. 105. Abdankung
16. 106. Befehlen
16. 107. Zwang
16. 108. Strenge
16. 109. Milde
16. 110. Nachgeben, Schlaffheit
16. 111. Dienstbarkeit
16. 112. Diener
16. 113. Verpflichtung
16. 114. Gehorsam
16. 115. Kriecherei
16. 116. Ungehorsam, Aufruhr
16. 117. Gefangenschaft
16. 118. Befreiung
16. 119. Freiheit
16. 120. Barbarei
16. 121. Kultur

17. Geräte. Technik

17. 1. Wohnung, Haus
17. 2. Gebäudeteile
17. 3. Liege- und Sitzmöbel
17. 4. Kastenmöbel
17. 5. Stützgeräte
17. 6. Behälter für Flüssiges usw.
17. 7. Behälter für Festes
17. 8. Webstoffe
17. 9. Bekleidung

17. 10. Schmuck, Verzierung
17. 11. Hieb- und Stichwaffe
17. 12. Schußwaffe
17. 13. Geschoß
17. 14. Abwehr und Schutz
17. 15. Werkzeuge
17. 16. Maschine
17. 17. Elektrische Anlagen

18. Wirtschaft

18. 1. Besitz
18. 2. Anteil
18. 3. Reichtum
18. 4. Armut
18. 5. Erwerb, Einnahme
18. 6. Wegnehmen

18. 7. Habsucht
18. 8. Prellen
18. 9. Stehlen
18. 10. Sparsamkeit, Behalten
18. 11. Geiz
18. 12. Geben

18. 13.	Freigebig		18. 22.	Kauf
18. 14.	Verschwendung		18. 23.	Verkauf
18. 15.	Verlust		18. 24.	Ware
18. 16.	Verleihen		18. 25.	Markt
18. 17.	Entleihen		18. 26.	Bezahlung
18. 18.	Zurückerstatten		18. 27.	Kostspielig
18. 19.	Bankrott		18. 28.	Wohlfeil
18. 20.	Tausch		18. 29.	Kostenlos
18. 21.	Geld		18. 30.	Bankwesen

19. Recht. Ethik

19. 1.	Rechtschaffen		19. 18.	Recht, Gerechtigkeit
19. 2.	Selbstlos		19. 19.	Gesetz
19. 3.	Tugend		19. 20.	Gesetzlosigkeit
19. 4.	Unschuld		19. 21.	Unrecht
19. 5.	Reue, Besserung		19. 22.	Berechtigung
19. 6.	Reuelos		19. 23.	Nichtberechtigung
19. 7.	Selbstsucht		19. 24.	Pflicht
19. 8.	Unredlich		19. 25.	Pflichtverletzung
19. 9.	Frevel		19. 26.	Sühne
19. 10.	Laster		19. 27.	Gerichtsverfahren
19. 11.	Schuld, Vergehen		19. 28.	Richter, Anwalt usw.
19. 12.	Beschuldigung		19. 29.	Polizei
19. 13.	Rechtfertigung		19. 30.	Freispruch
19. 14.	Vertrag		19. 31.	Verurteilung
19. 15.	Bedingung		19. 32.	Bestrafung
19. 16.	Sicherheitsleistung		19. 33.	Freiheitsstrafe, Gefängnis
19. 17.	Kompromiß			

20. Religion. Das Übersinnliche

20. 1.	Religiosität, Glaube		20. 12.	Zauberei
20. 2.	Ketzerei, Heidentum		20. 13.	Gebet, Frömmigkeit
20. 3.	Unglaube		20. 14.	Scheinreligion
20. 4.	Religionsfrevel		20. 15.	Weihung, Taufe
20. 5.	Übersinnliches		20. 16.	Kult, Ritus
20. 6.	Geister		20. 17.	Priester
20. 7.	Gottheit		20. 18.	Geistliche Tracht
20. 8.	Messias		20. 19.	Heilige Schriften
20. 9.	Teufel		20. 20.	Kultgebäude
20. 10.	Jenseits		20. 21.	Teile des Heiligtums, Geräte
20. 11.	Unterwelt, Hölle		20. 22.	Laienschaft

EINLEITUNG

WORTSCHATZDARSTELLUNG UND BEZEICHNUNGSLEHRE

W enn ein klassischer Philologe ein deutsches Synonymenwörterbuch verfaßt, so erweckt er den Anschein, auf Allotria verfallen zu sein. Das ist aber nicht der Fall, sondern dieses Buch ist ein notwendiger Umweg zu einem Unternehmen, das der griechischen Altertumswissenschaft gewidmet werden soll. Ich habe 1921 in den Neuen Jahrbüchern f. klass. Altertum Bd. 47 S. 422 ff. einen Aufsatz veröffentlicht „Buchende Synonymik. Ein Programm", in dem ich den Plan eines altgriechischen synonymischen Wortschatzes gezeichnet und dessen philologischen und allgemein sprachwissenschaftlichen Nutzen beleuchtet habe. Es stellte sich aber heraus, daß der Aufbau des Begriffssystems zuerst an der Muttersprache bewerkstelligt werden mußte. Für das Lateinische dürfte das Unternehmen leichter sein, es ist in Vorbereitung. Da sich keine Aussicht zeigte, daß ein Germanist in absehbarer Zeit diese Voraussetzung für meine Arbeit schaffen würde, habe ich mir selbst diese Mühe genommen. Seit 1921 ist solche Wortschatzdarstellung in der Sprachwissenschaft immer zeitgemäßer geworden. Ich glaube aber auch mit neuen Gründen an früher übliche Weisen der Sprachbetrachtung anzuknüpfen. Niemand wird behaupten, daß die bisherigen A r t e n , durch eine Grammatik und ein alphabetisches Lexikon S p r a c h e n d a r z u s t e l l e n , das Ziel der Vollkommenheit bilden. Mitteilung derjenigen Eigentümlichkeiten einer Sprache, die eine „Grammatik" bietet, ist gewiß eine wichtige Seite, betrifft aber doch nur die Form. Die stoffliche Seite dagegen, der Körper einer Sprache, nämlich der Wortschatz, wird für gewöhnlich nicht vorgeführt, sondern in alphabetischer Anordnung zum gelegentlichen Herausgreifen bereitgestellt. Es herrscht wortschatzdarstellerisch also etwa ein Zustand, wie wenn in einer Stadt die Bewohnerschaft nie auf den Straßen zu sehen wäre, sondern dem fremden Besucher nach dem Einwohnerbuch einzeln herausgerufen werden müßte. Der Gedanke liegt nahe, es einmal anders zu versuchen. Hier soll in sachlicher Anordnung eine Führung durch die Bezeichnungsmittel einer Sprache gegeben werden. Mit dem so versuchten Wortschatz wird, glaube ich, einer Forderung am besten genügt, die Hermann Paul[1] einmal erhoben hat:

„Wenn man einmal anerkennt, daß das Wörterbuch ein Werk von selbständigem Wert sein soll, nicht ein bloßes Hilfsmittel zum Nachschlagen bei der Lektüre, so muß man alles nur als Fortschritt begrüßen, was von der äußerlichen, zufälligen alphabetischen Anordnung zu einer dem realen Zusammenhange entsprechenden Gruppierung hinüberführt."

Die Lexikographie greift damit auf ein meist als endgültig überwunden angesehenes Stadium zurück, nämlich auf die Stufe, wo Lexikon und Realenzyklopädie zusammenfielen[2]. In den meisten Ländern gab es vor dem alphabetisch geordneten Lexikon das n a c h S a c h g r u p p e n g e o r d n e t e V o k a b u l a r , meist verbunden mit Glossographie — Zusammenstellung seltener Wörter — und der Mitteilung verschiedener sprachlicher Merkwürdigkeiten. Das begrifflich-enzyklopädisch geordnete Ὀνομαστικόν geht dem Lexikon voraus und dient teils als rhetorisches Hilfsbuch, teils als wissenschaftliches Kompendium. In C h i n a , das in späteren Epochen das klassische Spezialistenland für nach Schriftzeichen geordnete Mammutenzyklopädien[3] ist, findet sich unter den sehr alten klassischen Büchern, die auf Konfuzius selber zurückgeführt werden, der sog. E r - y a (s. S. 72). Er enthält: 1. Vermischte Synonyma. 2. und 3. Glossen. 4. Erklärungen von Lautmalereien. 5. Sachlich geordnete Teile: Haus und seine Teile —

Geräte, meist für Opfer — Musik — Himmel, Wetter — Erde, Flüsse, Berge — Kräuter, Bäume — Geziefer — Fische, Vögel — Vierfüßler, Haustiere. Aus dem 18. Jahrhundert gibt es einen von der Mandschusprache ausgehenden fünfsprachigen Wörterspiegel *Mandschu gisun-i buleku bithe*, eingeteilt in 36 Fächer mit 292 Unterabteilungen[4]. Die i n d i s c h e n synonymen Sanskritvokabulare heißen Kosas. Sie gehen in sehr alte Zeit zurück. Das berühmteste, in Versen, ist von Amarasimha (5. Jh. n. Chr.?). Sie sollen dazu dienen, den angehenden Brahmanen fehlerfreies Sanskrit beizubringen. In B a b y l o n i e n gibt es im 2. Jahrtausend bei den ordnungsfanatischen Sumerern eine Listenwissenschaft, eine sumerisch-akkadische Gegenstandsliste HAR-ra/hubullum, im 1. Jahrtausend eine akkadische sachlich geordnete Synonymenliste malku/šarru; ferner Zusammenstellungen von Synonyma. Aus Ä g y p t e n besitzt das Berliner Museum ein Onomastikon Ramesseum von etwa 1700 aus dem Mittleren Reich, ferner gibt es aus der Zeit des Neuen Reiches den Papyrus Hood sowie das Onomastikon des Amenope von etwa 1100, erhalten durch den Papyrus Golenischeff. Dessen Einleitung erhebt den Anspruch, eine philosophische Weltenzyklopädie zu sein.

Im g r i e c h i s c h - r ö m i s c h e n A l t e r t u m hat man ebenfalls schon früh den Wortschatz nach Begriffskreisen gesammelt, und zwar aus verschiedenen Gründen. In der Sprachphilosophie der Schule H e r a k l i t s von Ephesos scheint der Wortschatz in begrifflich-sachlicher Anordnung dargestellt und untersucht worden zu sein; das ergibt sich aus der platonischen Erörterung darüber im „Kratylos". Der „Kratylos" ist die antike Hauptschrift, in der — von Kratylos und, nach Sōkratēs' Bericht, auch von dem athenischen Theologen Euthyphron — die Überzeugung vertreten wird, daß die Wörter den Dingen entsprechen und sie abbilden. Das Wort malt seinen Inhalt ab, die Wörter sind von Natur da (φύσει), sie sind richtig und sind nicht etwa nur dank Vereinbarung und Vertrag der Menschen untereinander vorhanden (νόμφ, συνθήκη, θέσει). Diese Anschauung ist wohl überall auf der Welt die ursprüngliche; die Wortmagie, die Worterklärungen und feierlichen Wortspiele, besonders an Eigennamen, im Griechischen seit Homer, in der Bibel seit der Genesis usw., setzen dieses Grundgefühl voraus. Jede Einheit anstrebende Weltanschauung neigt dazu, wie auch heute noch die haarsträubenden Wortableitungen der Anthroposophen, Vorgeschichtsmystiker usw. zeigen.

Aber mit φύσει kommt man gegenüber dem gesamten Wortschatz nicht durch, wenn auch zweifellos viel Lautmalerei in Wörtern vorhanden ist. Zwei schlagende Einwände sind dagegen schon von D ē m o k r i t o s B 26 Diels erhoben worden:

1. dasselbe Wort kann sehr Verschiedenes bedeuten, es gibt πολύσημα, ὁμώνυμα also etwa Fälle wie deutsch „arm", was 1. das Glied am Körper, 2. die Geldnot bezeichnen kann. Wo bleibt da die lautliche Richtigkeit?

2. es gibt für denselben Begriff verschiedene Bezeichnungen, ἰσόρροπα, συνώνυμα.

Über die Frage[5] der Synonyma gibt es eine besondere Art von Büchern, die sog. S y n o n y m i k e n oder S y n o n y m e n w ö r t e r b ü c h e r, welche Synonymen scheiden und durch nebeneinandergestellte Beispielsätze die Bedeutungsunterschiede zeigen. Diese für die Unmißverständlichkeit dessen, was gesagt werden soll, oft entscheidend wichtigen Fragen hat in Europa zuerst im 5. Jh. v. Chr. der in Athen lehrende Sophist P r o d i k o s v o n K e o s in Vortragskursen behandelt, über die und deren Kostspieligkeit sich der platonische Sōkratēs lustig machte. Es ist aber gar kein Zweifel, daß diese Synonymenscheidungen des Prodikos, dessen Schule man z. B. dem großen Geschichtsdenker Thukydidēs genau anmerkt, beste

Sophistik waren und für die Entwicklung des griechischen Denkens, für die Technik der Begriffsdefinition, für die Entwicklung der wissenschaftlichen Logik über Platon zu Aristotelēs äußerst wichtig gewesen sind[6]. Eine bis in die byzantinische Zeit hinein oft benutzte und ausgeschriebene, nicht alphabetisch angeordnete Synonymik verfaßte gegen 100 n. Chr. der Grammatiker Herennīus Philon von Byblos unter dem Titel περὶ διαφόρων σημαινομένων [7]. Von ihm hängen einige erhaltene Traktate ab: Ammonios, περὶ ὁμοίων καὶ διαφόρων λέξεων, Ptolemaios, Johannes Philoponos, Symeon. Besonders Fronto war ein feiner Synonymenscheider: Dalmasso, A. Gellio lessicografo, Riv. di filol 1 1923, 195 ff. Aus neuerer Zeit wären Pillon 1847 und J. H. H. Schmidt 1876 ff. zu nennen.

Auch die Aufmerksamkeit auf den überwältigenden Reichtum an A u s d r u c k s - m ö g l i c h k e i t e n   f ü r   s e e l i s c h e   Z u s t ä n d e ,   V o r g ä n g e ,   V e r - s c h i e d e n h e i t e n , die den Sprachen zu Gebote stehen (s. S. *12*), ist schon antik. In den Schriften der hellenistischen Philosophen zur Seelenheilung waren die Krankheiten der Seele, die πάθη, in ihre Teile zerlegt, und es wurde gern zunächst einmal eine Synonymik der zu bannenden Leidenschaft gegeben. Wir erfahren das aus Seneca, de ira I dial. 3, 4, 2: cetera, quae pluribus apud Graecos nominibus in species iram distinguunt, quia apud nos vocabula sua non habent, praeteribo, etiam sie amarum nos acerbumque dicimus, nec minus stomachosum, rabiosum, clamosum, difficilem, asperum, quae omnia irarum differentiae sunt; inter hos morosum ponas licet, delicatum iracundiae genus.

Die S t o i k e r , leidenschaftliche Sprachbetrachter, haben jenen Einwand, „es gibt συνώνυμα" gegen die von ihnen behauptete Naturgemäßheit aller Benennungen unschädlich zu machen gesucht und den Synonyma besondere Aufmerksamkeit zugewandt. Wenn man, wie die Stoa, jede Bezeichnung aus der φύσις des Bezeichneten herleitet, so mußte sich die sachliche Anordnung empfehlen. Die Etymologika sind daher noch mitunter sachlich angeordnet, z. B. die Quelle des metrischen des Johs. Mauropos von Euchaita und von Varro de lingua latina V—VII[10]. Wohl aus diesem Systemzusammenhang heraus hat der Stoiker Chrysippos eingehend über die Körperteile geschrieben[11]. Das stoische hochphilosophische Interesse für die Sprache hat die antike Sprachwissenschaft auf lange beflügelt[12].

Interesse für W o r t g e o g r a p h i e (s. unten S. *42*), für die Bezeichnung derselben Sache durch verschiedene Worte bei den einzelnen Stämmen, hat schon Herodot VII 197: λήϊτον δὲ καλέουσι τό πρυτανήϊον Ἀχαιοί. Epichorische Bezeichnungen haben die Aufmerksamkeit der Peripatetiker seit Aristotelēs gefesselt. „Da die ersten Gelehrten, die sich mit der Flora von Hellas beschäftigen, häufig für die gleiche Pflanze regional verschiedene Benennungen beobachteten, schickten sie der Beschreibung zur leichteren Orientierung des Lesers seit Dioklēs von Karystos S y n o n y m e n l i s t e n voraus"[13]. Selbst bei Theophrastos fehlen die Spuren davon nicht ganz. Ähnliche Listen gab es auch für Tiernamen.

Die wählerische hellenistische Dichtung des 3. Jh. ist für kleine, feingebildete Kreise da, in denen Nuancierung der Sprache und gelehrte Anspielungen auf Verständnis rechnen durften. „Jetzt griff man zur Abtönung des Ausdrucks auf die Dialekte zurück, um abgeschliffene 'kyklische' Wendungen zu vermeiden. Das Haupt der modernen Richtung, Philitās von Kos, ist der erste gewesen, der für diese Zwecke eine G l o s s e n s a m m l u n g veröffentlichte: ἄτακτα. Ähnlich müssen die drei Bücher γλῶσσαι seines Zeitgenossen Simmiās gewesen sein"[14].

Als Fortsetzung der peripatetischen Studien kann es gelten, wenn K a l l i - m a c h o s in den ἐθνικαὶ ὀνομασίαι die verschiedenen dialektischen Bezeichnungen der

Fische, Winde, Monate, vielleicht auch Vögel zusammenstellte" (Schneider, Callimachea II, 15 ff., 169, Herter RE Suppl. 5 1931, 403). E r a t o s t h e n ē s brachte technische Benennungen für allerlei Zimmermannswerk in seinem Ἀρχιτεκτονικός zusammen (frg. 17, 39, 60 Strecker). In diesen Kreis gehören auch die älteren Bücher Συνώνυμα, die nach Ausweis der Fragmente nicht so sehr Bedeutungsunterschiede als Worte verwandten Sinnes in sachlicher Anordnung brachten. Derart waren die Werke des H i p p ō n a x (Athen. XI, 480 f., vgl. Gudeman RE 8 1913, 900) und S i m a r i s t o s, der im 3. Buch von den Körperteilen handelte (Athen. IX, 395 f., 399 b), im 4. über die Trinkgefäße (Athen. XI, 496 c, in dieses Buch gehören also XI, 478 e, 481 d, 483 d). Diese gesamte Arbeit faßt A r i s t o p h a n ē s von Byzanz zusammen mit einer Weite der Forschung, die man nicht leicht überschätzen kann. Er sammelt Bezeichnungen für Lebensalter, Verwandtschaftsgrade und staatsrechtliche Termini. In der Form des Onomastikon fand er Nachfolge bei P h i l i s t i d ē s, συγγενικόν, H e r m ō n a x, περὶ Κρητικῶν γλωσσῶν. K l e i t a r c h o s von Aigina, Hauptquelle für Dialektglossen, wahrscheinlich 1. Jh. v. Chr., „führt unter demselben Lemma die verschiedenen mundartlichen Bedeutungen (vielmehr: Bezeichnungen) an". P a r m e n i ō n von Byzanz „geht von dem gemeingriechischen Wort aus und stellt dessen mundartliche Bezeichnungen (vielmehr: Entsprechungen) zusammen". Der Homeriker S e l e v k o s von Alexandria behandelt laut Athen. III 114 b Brotsorten, VI 267 c Sklavenbenennungen. In augusteischer Zeit schreibt T r y p h ō n von Alexandreia περὶ ὀνομασιῶν (Christ-Schmid II, 1⁶, 435).

Das größte Sammelwerk des Altertums war verfaßt von dem Grammatiker P a m p h i l o s (1. Jh. n. Chr.): Περὶ γλωσσῶν ἤτοι λέξεων in 95 Büchern, wahrscheinlich identisch mit dem weiteren überlieferten Buchtitel Λειμών, die „Wiese"[15]. Wir haben noch zahlreiche Stücke derart in dem Sammelwerk Δειπνοσοφισταί des A t h e n a i o s von Naukratis, um 200 n. Chr., der, abgesehen von diesen „onomastischen" Partien, als Ganzes auch selber eine in Dialogform gebrachte sachlich geordnete Realenzyklopädie darstellt. Eine Epitomē aus Pamphilos verfaßte der Geheimschreiber des Kaisers Hadrian, Vestinus, in 4 Büchern, und zur selben Zeit brachte den Stoff in alphabetische Anordnung Diogenianos von Herakleia. Das mündet alles in das große Lexikon des Hēsychios. Auch der vielseitige Schriftsteller der hadrianischen Zeit C. S u e t o n i u s Tranquillus steht mit mehreren griechischen Schriften in dieser Tradition.

Einen neuen Grund für Vokabulare nach Sachgruppen, der an die indischen Kosas gemahnt, brachte der im 1. vorchristlichen Jahrhundert einsetzende K l a s s i z i s m u s. Der Mensch, der gut attisch in der Diktion der großen alten Zeit reden wollte, brauchte Bücher, aus denen er das lernen konnte. Neben, vielleicht zeitlich vor den alphabetischen attizistischen Lexika vom Typus der Harpokratjon Moiris Phrynichos gab es solche in sachlicher Anordnung. Unter Hadrian verfaßte der pergamenische Grammatiker T ē l e p h o s, der Lehrer des Kaisers Verus[16], ein solches Werk Ὠκυτόκιον, Schnellgeburtshelfer", in 10 Büchern, „eine Sammlung von Beiwörtern, die auf dieselbe Sache passen, zur Bereitstellung eines bequemen Wortvorrats", πρὸς ἕτοιμον εὐπορίαν φράσεως (Suidas s. v.); diesen Buchtitel hatte schon um 220 v. Chr. der Mathematiker Apollōnios von Perge für einen „Schnellrechner". Etwas später, 180 n. Chr., hat — vielleicht in engem Anschluß an ihn — der athenische Lehrer der Rhetorik P o l y d e v k ē s (Julius Pollux) aus Naukratis dem Caesar Commodus sein Ὀνομαστικόν[17] gewidmet, um ihm jederzeit für alles gut attische Ausdrücke recht reichlich zur Verfügung zu stellen. Es ist uns in etwas verkürzender Überarbeitung erhalten, aber auch so ist es noch ein Buch, das einem oft eine einzigartige Illusion des antiken Alltagslebens geben kann. Julius Pollux muß ein etwas weiblich zarter Intellektuellentyp gewesen sein, wenn die Satire Lukians Ῥητόρων διδάσκαλος auf ihn gemünzt ist, wofür alles spricht. Seine Einteilung ist folgende:

1. Götter, ihre Kultstätten, Bilder, Altäre, Tempel, Herrichtung und Zerstörung, Priester, Seher, Seherkunst, Fromme, Gottlose, Könige, Färbung, Kaufleute, Handwerker, Haus, Schiffe, Wetter, Heereswesen, Pferde und Reitkunst, Haustiere, Landwirtschaft, Pflug, Wagen, Bienen.

2. Menschen, Altersstufen, Geburt, Körperteile.

3. Geschlecht, Verwandtschaft, Ehe, Kinder, Freunde, Herren, Sklaven, Bankiers, Geld, Landaufenthalt, Reise, Trauer, Freude, Krankheit, Kauf, Verkauf.

4. Bildung: Grammatik, Rhetorik, Philosophen, Sophisten, Dichter, Musik und ihre Instrumente, Tanz, Theater, Astronomie, Medizin und Krankheiten.

5. Jagd, Hunde, Jagdtiere; Frauenschmuck; Mut, Furcht; Pharmazie; Gebet, Ruhm, dazwischen Synonyme für εἶμι, ποιῶ, ἴσον, βούλομαι.

6. Gastmahl, Wein, Speisen, Salben, Unterhaltung, Schmeichler.

7. Markt, Kauf, Verkauf, Händler, Waren, Kleider, Geld, Handwerker, Geräte.

8. Gericht, Richter, Prozesse, Strafen, Sykophanten usw., πολιτικὰ ὀνόματα Ἀττικά.

9. Stadt und Land, öffentliche Gebäude, Münzen, Spiele der Kinder, der Erwachsenen, Synonyme für ὅμοιος, ἀπάτη, κωμῳδεῖν, ἀρχεῖν.

10. Geräte verschiedenster Art wie Gefäße, Klinen, Aborte, Waschgeschirr, Tische, Kochgeschirr, Salbgefäße, Damentoilette, Ephebengeräte.

Auch im L a t e i n i s c h e n gibt es eine Anzahl von uns erhaltenen Traktaten aus dem Altertum über differentiae[18]. Die bekanntesten und z. T. oft neubearbeiteten lateinischen „Synonymiken" von neuzeitlichen Humanisten sind von van Popmen 1606, Dumesnil 1777 (bearbeitet von Ernesti 1799), Doederlein 1826 bis 1839, Ferd. Schultz 1841 u. ö., J. H. H. Schmidt 1889.

Bei den R ö m e r n hat sich die lexikographische Tätigkeit ebenfalls aus der Glossographie[18] entwickelt. Das große Werk des V e r r i u s F l a c c u s , eines Grammatikers zur Zeit des Augustus und Tiberius: de verborum significatu, war z. T. alphabetisch, z. T. sachlich angeordnet; es ist uns in Auszügen erhalten. S u e t o n i u s hat neben seinen griech. Onomastika bestimmter Begriffsgebiete (s. oben S. 32) auch mancherlei Römisches wohl ähnlich behandelt: der Buchtitel „Prata" erinnert an Pamphilos' „Λειμών" (Tolkiehn, Lexikographie, RE 12, 1925, 2480). Oft nachgeahmt und neu bearbeitet wurden lateinisch-griechische Schulbücher, die sog. H e r m e n e u m a t a [19] Pseudodositheana, die in der sachlichen Einteilung an Pollux und Pamphilos erinnern. Einen nach Sachgruppen geordneten Teil enthält ferner die ziemlich untergeordnete Schreiberarbeit des Afrikaners N o n i u s Marcellus (4. Jh.): De compendiosa doctrina in den Büchern 13—20. Als maßgebendes Kompendium gilt im frühen Mittelalter das große Sammelwerk des spanischen Bischofs I s i d o r von Sevilla, Origines sive Etymologiae, in 21 Büchern. Buch 1—3 enthält die sieben freien Künste, 4 Medizin, 5 Recht. Zeit. 6. biblische Literatur, biblische Festzeiten. 7—8 christliche und heidnische Theologie: Gott. Engel. Gläubige. Kirche. Sekten. Dichter. Sibyllen. Zauberer, heidnische Götter. 9 Sprachen. Völker. Königreiche. Kriegswesen, Bürger. Verwandtschaft. 10 alphabetisches Glossar von Adjektiven und Substantiven. 11 Mensch. Körperteile. Altersstufen. 12 Tiere. 13 Weltall und seine Teile. 14 Erde und ihre Teile.

15 Städte. Staat. 16 Steine. Erden. Metalle. Gewichte. Maße. Münzen. 17 Land-
und Gartenbau. Pflanzen. 18 Krieg. Spiele. 19 Schiffe. Gebäude. Kleider. 20 Speisen. Haus- und Ackergerät. „Isidors Behandlungsart ist grammatisch-philosophisch
und gibt allemal auf Grund einer kurzen sachlichen Erklärung die zugehörigen Etymologien"[20]. Weitere Onomastika nach Sachgruppen s. unten S. *81 ff.*

Unbefangen dogmatisch eingestellte Zeiten tragen kein Bedenken, dem heran-
wachsenden Geschlecht den für ewig sicher angesehenen Wissensbestand einfach
einzutrichtern, der Weg von der Enzyklopädie zum S c h u l u n t e r r i c h t ist
da sehr gerade, durch kinderpsychologische Hemmungen nicht behindert. Mit Recht
sieht man auch das Gute an diesem alten Verfahren. Die enzyklopädische Zeit in
der Pädagogik ist, wie man weiß, vorüber, man betrachtet das Kind nicht mehr
als einen Topf, in den man ein Konversationslexikon füllt. Rousseau hat gesiegt.
Aber die Wahrheit liegt in der Mitte, und ein gewisser Schulsack muß vom Menschen getragen werden, besonders beim Sprachenlernen. „Der vorzüglichste Weg,
auf welchem das Mittelalter, nicht ohne Glück, den Unterricht in den Sachen mit
dem in den Worten gesucht hat zu vereinigen, war die Abfassung enzyklopädischer
Wörterbücher", so beginnt W. Wackernagel seine Ausgabe des Vocabularius
optimus, einer sachlich geordneten lateinisch-deutschen Wörterliste des 14. Jh.
(Basel 1847), die ebenfalls noch an Isidor sich anschließt. Das hat sich auch später
nicht sofort geändert. 1512 verfaßte der große E r a s m u s v o n R o t t e r d a m
für die neue Lateinschule seines Cambridger Freundes, des Humanisten Colet: De
duplici copia sermonis rerum et verborum, natürlich ganz im Sinne der humanistischen Elegantia sermonis[21]. Ich kann, was das Lateinerlernen betrifft, nicht finden,
daß das 19. und 20. Jahrhundert über dem 16. und 17. stehen. De duplici copia
sermonis von Erasmus und gar seine wunderhübschen Colloquia stehen turmhoch
über modernen Übungsbüchern. Von der freundlichen humanitas dieses guten Euro-
päers, die den Knaben das Lernen hat erleichtern wollen, führt eine Linie zum
Orbis pictus, der das Sprachelernen durch Anschauung von Bildern erleichtern will.
Denn von Erasmus ist nicht unabhängig die lateinisch-spanische Sprachenpforte des
Irländers Wilhelm B a t h e (Bateus), der als Theatiner in Salamanca lebte: Janua
linguarum sive modus ad integritatem linguarum compendio cognoscendam maxime
accomodatus, 1615. Darin waren die zu lernenden Wörter und Redensarten
nach sachlichen Rubriken derart zusammengestellt, daß eine Art Überblick über
die ganze Welt gegeben wurde und den Lernenden die Worte nur in der Weise
zugemutet wurden, daß sie gleichzeitig die Dinge kennen lernten. Denn (so sagt
der deutsche Übersetzer dieser Janua, der Straßburger Arzt Isaak H a b r e c h t):
„wie es leichter gewesen wäre, alle Tiere kennen zu lernen durch einen Besuch der
Arche Noäh, die von allen Gattungen zwei Exemplare enthielt, als durch eine
Wanderung über den ganzen Erdkreis, wobei man da und dort auf ein Tier gestoßen wäre, so muß es auch leichter sein, aus einem solchen Kompendium alle
Wörter kennen zu lernen, als sie aus der zufälligen Lektüre zusammenzusuchen."
An dieses Buch hat dann Amos Komensky (C o m e n i u s), der Tscheche, auf den
Böhmen stolz sein darf bis zum Ende der Tage, angeknüpft[22]. In seinen mannig-
fachen Plänen reichen sich rationalistische Enzyklopädik des 17. Jh., Weltsprachen-
träume, mystische Weltsystematik und pädagogische Didaktik die Hand. Er hat
zuerst in seiner Janua aurea reserata linguarum 1631 in ungefähr 1200 Übungs-
sätzen in 100 Kapiteln die Dinge der Welt dargestellt. Das Buch machte ihn alsbald
zum weltberühmten Mann und wurde in viele Sprachen Europas und Asiens übersetzt. Der „Orbis sensualium pictus" 1658, auf den aller moderne Anschauungs-
unterricht zurückgeht, ist eine bebilderte Janua.

Auch die mittelalterlich scholastische Freude am Einteilen und Ordnen der Begriffe hat zum Einteilen des Wortschatzes nach Begriffen geführt. Es gibt da sogar Begriffsbäume. Ein „Baum der Liebe" findet sich in dem „Breviari d'amor" des Rechtsgelehrten (senher en leys) M a t f r e E r m e n g a u (begonnen 1288)[23]. Die große Kunst des Spaniers Raymundus L u l l u s † 1316 strebt mit Begriffstafel sogar eine Denkmaschine an. Lullus hatte die Absicht, dem Volk ein Mittel in die Hand zu geben, um den Glauben gegen die Muhammedaner zu verteidigen[24]. Die lullische Kunst, nebst der Denkmaschine, lebt weiter bei den Mystikern und Kabbalisten der Reninssance und hält Agrippa von Nettesheim († 1535), Jacobus Faber Stapulensis († 1537), Giordano Bruno (als Ketzer verbrannt 1600), Gassendi († 1665), Athanasius Kircher S. J. († 1680), Leibniz in Atem.

Weltkataloge haben von da aus eine Rolle gespielt in den Bestrebungen, eine i n t e r n a t i o n a l e S p r a c h e [25] zu schaffen. In der Geschichte dieser Versuche, die zeitweise großen Anklang fanden, kann man zwei Epochen unterscheiden, die apriorische und die aposteriorische. Die a priori vorgehenden Systeme bauen ein Begriffssystem und erfinden dann neue Wörter und Zeichen dazu. Die a posteriori arbeitenden Systeme, von denen man heute allein sich etwas verspricht, schließen sich dagegen an irgendwelche bekannteren Nationalsprachen an, etwa die romanischen, und suchen diese zu internationalisieren (Esperanto, Ido usw.). Das aprirische System hat zuerst dem englischen Philosophen B a c o n von Verulam vorgeschwebt, gemäß seinem Glauben „Wissen ist Macht" und seiner Überzeugung von der unbedingten Überlegenheit des Menschengeistes über die Natur. Seine enzyklopädischen Pläne und Aphorismen stellen eine Mischung von mittelalterlichem Aristotelismus („Novum Organum"), Renaissance-Optimismus, felsenfestem Glauben an die Aufklärung und englischer Matter of fact-Naivität dar: 1605 The advancement of Learning, 1612 Descriptio globi intellectualis, 1623 De dignitate et augmentis scientiarum. D e s c a r t e s hat dann den Vorschlag gemacht, ein Begriffssystem als Grundlage einer Universalsprache zu benutzen. Aber erst die puritanische innerweltliche Aktivität von Engländern des 17. Jh. hat die Verwirklichung unternommen. Der erste war ein Sonderling George D a l g a r n o , er leitete eine Schule in Guernsey, hatte Streit mit dem königlichen Hof wegen Ausbesserungskosten und zog dann nach Oxford. Er schrieb über Taubstummenerziehung, hat ein Fingeralphabet erfunden und in seiner kurzen Ars signorum vulgo character universalis et lingua philosophica, Oxford 1661 ein Zeichensystem aufgestellt, womit sämtliche Begriffe unabhängig von jeder Sprache gegeben werden können. Sie fallen unter 17 Oberkategorien[26].

Seine Nachfolger sind John W i l k i n s , Bischof von Chester, der eine Zeitlang Kanzler Cromwells war, dann Schriftführer der Royal Society, mit An essay toward a real character and a philosophical language, London 1668, der an Dalgarno anknüpft, aber ihn nicht erwähnt, und L e i b n i z , der schon in früher Jugend den Plan einer Characteristica universalis (Spécieuse générale, Pasilingua) gefaßt hat. Er meinte, es müsse gelingen, alle verwickelteren Begriffe auf Grundbegriffe zurückzuführen, wenn man einmal ebenso sichere Zeichen für Begriffe habe, wie es die Zahlen auf ihrem Gebiet sind. Bei einigen Anläufen zur Ausführung hat er sich mit Dalgarno und Wilkins beschäftigt, ist aber bald nach der Mathematik hin von dem Plan abgekommen (vgl. Couturat, Opuscules et fragments inédits de Leibnitz, Paris 1903). Aber in Voltaires Candide heißt der Optimist deswegen Monsieur Panglo**s**s.

Für das D e u t s c h e sind die Althochdeutschen Glossen z. T. in sachlicher Anordnung gehalten. Ein besonderer Antrieb zu dergleichen kam mit der Zeit des

Humanismus und der Entstehung einer hochdeutschen Schriftsprache: wieder einmal mußte man eine H o c h s p r a c h e wie eine fast fremde Sprache lernen. Hierher gehören die Synonyma des Dortmunder Ratsherrn Jacob Schöpper von 1550. Schöpper ist Humanist. Er sammelt in seinem Werk hochdeutsche Wörter, um mit ihnen seine niederdeutsche Sprache „zu bessern und zu ornieren". Er selbst schreibt niederdeutsch für den örtlichen Gebrauch, hochdeutsch an das Reichskammergericht. Ebendahin gehört auch der Anhang des Basler Druckers Petri zur Lutherbibel 1523.

Es ist ferner Gottsched[9] zu nennen, mit seiner „Abhandlung von den Vortheilen, so die deutsche Sprache haben würde, wenn man den Unterschied der deutschen Wörter im Absehn auf ihre Bedeutung untersuchte" und „Von den gleichgültigen Wörtern (Synonymis) in der deutschen Sprache". Er wollte mit diesen Unternehmungen erreichen, „daß die Quellen der Wortstreite verstopft werden". Diese Literatur, im Deutschen zuletzt vertreten durch Eberhard, Weigand, Sanders, Tetzner, im Französischen durch Girard, La Faye, Bailly, im Englischen durch Allen, im Italienischen durch Tommaseo usw., ist heute fast ganz zurückgetreten und wird kaum noch benutzt. Denn für geschichtliche Sprachbetrachtung sind die Belegstellen, und für die Zwecke des vorliegenden Unternehmens ist die Zahl der angeführten „Synonyma" — d. h. der beileibe nicht zu verwechselnden Wörter — zu dürftig. Aber wie wichtig für alles praktische und alles philosophische Denken ist das Achthaben auf Synonyma, s. unten S. *61.*

Gefordert hat man auf sprachwissenschaftlicher Seite eine Lexikographie nach Sachgruppen von Zeit zu Zeit und auch Einteilungsvorschläge gemacht. So hatte in sprachgeschichtlichem Zusammenhang, um die Bildungsmittel (Morpheme) der indogermanischen Sprachen zu ordnen, eine begriffliche Einteilung des Wortschatzes versucht der spätromantische Offenbacher Sprachwissenschaftler Karl Ferdinand B e c k e r. Er gibt sein System in zwei Schriften „Das Wort in seiner organischen Verwandlung", Frankfurt a. M. 1833, § 34 ff., und „Der Organism der Sprache"[2], Frankfurt 1841, S. 70 ff. Den Versuch einer Widerlegung seiner Ansichten machte Steinthal, Grammatik, Logik und Psychologie, 1855, bes. S. 59 f. Auf Becker geht die romantische Übertreibung zurück, daß jede Sprache ein Organismus sei. De Saussure ging darin noch weiter und behauptete, sie sei sogar ein System. Beides hatte Wilh. v. Humboldt noch nicht gesagt, obwohl I. Trier, Die dt. Sprache im Sinnbezirk des Verstandes, Heidelberg 1931, 4, 1, unter Berufung auf Humboldt, Werke VII 60—64, das Gegenteil behauptet. Die Bedeutungsfeldsetzer haben das noch vertieft. Lesenswert über diese Spekulationen betr. Sprache als Organismus oder System H. Glinz, Geschichte und Kritik der Lehre von den Satzgliedern in der deutschen Grammatik. Diss. Bern 1947.

Vor allem gibt es ein englisches Buch, das in England, dank dem dort verbreiteten Sinn für gesellschaftliche Sprechunterschiede, sehr bekannt und oft aufgelegt ist: Peter Mark R o g e t , Thesaurus of English Words and Phrases. London 1852, neubearbeitet von C. O. Sylvester Mawson, New York 1932. Jubiläumsausgabe Dent's Everymans Library, London 1935; vom Enkel S. R. Roget durchgesehen: London, Longmans 1952. Roget hat als Boy im Jahre 1805 ein Heft angefangen, um die Welt und die englische Sprache hineinzuschreiben, und dann als alter Physikprofessor a. D. das Buch zu Ende geführt. Mit seiner Begriffstafel von 1000 Nummern, verteilt auf sechs Gruppen, hat er eine gar nicht verächtliche Denkleistung vollbracht.

Rogets Plan of classification sieht folgendermaßen aus:

1. Abstract relations	1. existence 2. relation 3. quantity 4. order 5. number 6. time 7. change 8. causation
2. Space	1. generally 2. dimensions 3. form 4. motion
3. Matter	1. generally 2. inorganic 3. organic
4. Intellect	1. formation of ideas 2. communication of ideas
5. Volition	1. individual 2. intersocial
6. Affections	1. generally 2. personal 3. sympathetic 4. moral 5. religious

Roget ist nachgebildet worden für das Französische, Ungarische, Holländische, Schwedische, Spanische, Deutsche und Neugriechische.

Ganz genau nach Roget ist gearbeitet: S c h l e s s i n g , Der passende Ausdruck 1881, in 8. Auflage als: W e h r l e , Deutscher Wortschatz. Ein Wegweiser zum treffenden Ausdruck (s. unten S. *70*), Stuttgart[11] 1954.

Für mich war am wichtigsten Daniel S a n d e r s aus Strelitz (1819—1897), der einst wegen einer scharfen Besprechung der ersten Teile von Jacob Grimms Deutschem Wörterbuch von den Wohlgesinnten in Acht und Bann getan worden ist und dessen staunenswerte lexikographische Tätigkeit nicht nach Verdienst gewürdigt wird. Wenig bekannt ist sein Deutscher Sprachschatz, geordnet nach Begriffen zur leichten Auffindung und Auswahl des passenden Ausdrucks. Hamburg 1873—1877, Hoffmann & Campe (Bd. II ist alphabetischer Index). Sanders hat die 1000 Begriffe Rogets auf 687 gebracht. Sein Buch ist heute ein Zeitdenkmal für den Sprachstand von damals.

Vokabulare nach Sachgruppen werden immer von Zeit zu Zeit gemacht, weil man dergleichen praktisch braucht. Im kleinen gibt es die Reisesprachführer (für Deutsche im Ausland etwa Metoula, Hecker), dann aber auch größere in den verschiedensten Sprachen: man findet sie in dem Büchernachweis unten S. 69 ff.

Dazu treten die sprachreinigenden Fremdwörterbücher, die dem Benutzer eine möglichst reichliche Auswahl rein deutscher Ersatzwörter statt der „Fremd"-wörter bieten wollen. Hier steht an erster Stelle das alphabetisch geordnete, ursprünglich „Entwelschung" betitelte Buch des Reichstagstenographen und leidenschaftlichen

Sprachreinigers Eduard E n g e l †, Verdeutschungswörterbuch für Amt, Schule, Haus, Leben[5]. Leipzig 1929, Hesse & Becker (enthält einen prächtigen Synonymenschatz).

Über Onomasiologie im allgemeinen: Bertoldi, V., Onomasiologia, in der Enciclopedia Italiana 25, 376 ff. H. J. C h a v é e, Lexicologie indoeuropéenne. Paris 1849, 65 ff.: Zweiteilung in imitations d'efforts und imitations de bruits · M a x M ü l l e r, Das Denken im Licht der Sprache. Leipzig 1888, 371 ff. 67 Urbegriffe, vgl. S. 434 · v. G r u n d t v i g, Begrebernei Sproget. Kopenhagen 1925 · Henry S w e e t, Words, logic and grammar, Transact. of the Philol. Soc. 1875/6, 470 ff. = Collected Papers, Oxford 1913. Language and thought, Journ. of the R. Anthrop. Inst. 6 1877, 457 ff. Logical dictionary in: The practical study of languages. Oxford 1899, 153 ff. · A b e l, Sprachwissenschaftliche Abhandlungen. Leipzig 1885, 243 ff. (Erkenntnis der in der Sprache niedergelegten Anschauungen des Volks durch ein Begriffssystem, S. 233) · von der G a b e l e n t z, Die Sprachwissenschaft[2] 1901, 177 f., 462 ff., er fordert eine „Allgemeine Wortschatzkunde" · F. R. B l a k e - Baltimore, Idg. Fg. 56 1938, 241—55 · Ernst O t t o, Sprachwissenschaft und Philosophie, Berlin 1949, de Gruyter, 78 S. · R. M. M e y e r, Bedeutungssysteme, Ztschr. f. vgl. Sprachwiss. 43 1910, 352 ff. · Recht wohlüberlegt ist die Begriffseinteilung von S ü t t e r l i n, Die deutsche Sprache der Gegenwart[4], Leipzig 1918, 98 ff. Leider ist der Einteilungsgrund nach Begriffsinhalten durch den formalen nach Wortarten gekreuzt · Ferner kommen in Betracht die Questionnaires zur Aufnahme der Mundarten, z. B. von Graubünden von v. Planta (Mskrpt.), der italienischen Mundarten, abgedruckt bei Jaberg und Jud, Der Sprachatlas als Forschungsinstrument, 1928, und der welschen Schweiz, Bibliographie linguistique des Patois de la Suisse romande II, Neuenburg 1920, 197 ff. = Bulletin du Glossaire 14, Table générale. W. Mitzka, Der Fragebogen zum Deutschen Wortatlas, ZfdtMundartf. 15 1939, 105—111 · T i k t i n, Die Wörterbücher der Zukunft. Germ.-roman. Monatsschrift 2 1910, 243 ff. · F. R. B l a k e, The Study of Language from the Semantic Point of view, Idg. Forsch. 56 1938, 241—55 · Einen Entwurf zu einem verbesserten Roget für das Französische hat in seinem Traité de stylistique française[2], Heidelberg 1919, B a l l y in Genf vorgelegt · G u l k o w i t s c h, L., Zur Grundlegung einer begriffsgeschichtlichen Methode in der Sprachwissenschaft. Tartu 1937 · v. W a r t b u r g - H a l l i g, Begriffssystem als Grundlage der Lexikographie. SBBerlin 1952; dazu Vf., DLZ 1953, 397—9 · W. E. C o l l i n s o n, Comparative synonymics. Transactions philol. Society 1939, 54—77 · K r a u s s, Werner, Macht und Ohnmacht der Wörterbücher, Die Wandlung 1 1945/46, 772 ff. · W e i s g e r b e r, J. L., Das Gesetz der Sprache. Heidelberg 1951. Quelle u. Meyer · Q u a d r i, Bruno, Aufgaben und Methoden der onomasiologischen Forschung: Romanica Helvetica, hrsg. J. Jud und A. Steiger 37, Bern 1952 · B a l d i n g e r, K., Romanistisches Jahrb. (Hamburg) 3 1954. Wenig dagegen nützen die philosophischen Einteilungen der Wissenschaft, z. B. Erich Becher, Geisteswissenschaften und Naturwissenschaften. München 1921 · S t u m p f, Carl, Abh. preuß. Akad. 1906 · N a v i l l e, A., Classification des sciences. Genf 1901. Denn das Leben ist nicht in Gegenstände von Wissenschaften aufgeteilt. Verhältnismäßig frühe Arbeiten zu Teilen des Vokabulars wären zu nennen von Ihering, Vilmar, Sievers, Diez[27]. Ihre genauen Titel s. zu den betr. Sachabteilungen.

Zur E i n t e i l u n g d e r B e g r i f f e könnten noch folgende systematische Schlüssel zu alphabetischen Enzyklopädien nützlich sein: Meyers Lexikon XV[7]

Leipzig 1933: Gesamtverzeichnis der Beilagen · Encyclopaedia Britannica 11. ed. hat in Vol. 29 Classified list of articles, nach den Wissenschaften geordnet, 24 Abschnitte · Daremberg-Saglio, Dictionnaire des antiquités grecques et romaines, Tables. Paris 1919, S. 1—22: Table analytique des matières · Baldwin, Dictionary of philosophy and psychology. 2. vol 1901 · Adolphe Franck, Dictionnaire des sciences philosophiques. 2. éd. Paris 1875 · Rein, Encyplopädisches Handbuch der Pädagogik. 2. Aufl. 10 Bde. und Syst. Inhaltsverz. 1903—11 · Monroe, A cyclopaedia of education. 5 vol. 1911 · Watson, The encyclopedia and dictionary of education. 4 vol. 1921—22 · Gunkel und Zscharnack, Die Religion in Geschichte und Gegenwart. 2. Aufl. 1927 ff. · Wetzer und Welter, Kirchenlexikon oder Encyklopädie der katholischen Theologie. 2. Aufl. 1882—1903. Bd. 12 (Register) · Baumeister, Denkmäler des klassischen Altertums zur Erläuterung des Lebens der Griechen und Römer in Religion, Kunst und Sitte. Bd. 3, 1884—88 · Handwörterbuch der Kommunalwissenschaften. Bd. 4 u. 2. Erg.bd. 1918—27 · Manes, Versicherungslexikon. 3. Aufl. 1930 · Oberg and Jones, Machinery's encyclopedia. 7 vol. 1917 · Jaime de Angulo a. L. S. Freeland: A practical Scheme for a semantic classification. Anthropos 25 1930, 137 ff. · Haag, K., Die Loslösung des Denkens von der Sprache durch eine Begriffsschrift. Stuttgart 1930; dazu Weisgerber, Teuthonista 8 1932, 249 f. · C. K. Ogden, Basic English (viele Veröffentlichungen) · Horst, Hans, Basic English[5], Heidelberg 1952 · Aarne, Anti, Verzeichnis der Märchentypen FFCom. 3 1910, verbessert von Stith Thompson, The types of the Folk-Tale ebd. 74 1928. R. S. Boggs 93 1930. St. Thompson ebd. Motiv-Index 106 1932 ff. · Christensen, A., Motiv et Thème. Plan d'un dictionnaire des motifs de contes populaires, de légendes et de fables. FFCom. 59 1925 · Fligelman, F., The richness of African Negro Languages. Actes du Congrès de l'Institut intern. des Langues et des civilisations Afric. Paris 1933 · Jaberg und Jud, Der Sprachatlas als Forschungsinstrument. Halle 1928 · Weisgerber, L., Die Stellung der Sprache im Aufbau der Gesamtkultur. WuS. 15 1933 und 16 1934. 2 Teile, 236 S. · Bednár, T., Classification des idées, in: Mélanges Haškovec, Brünn 1936. (Plan zu e. Dictionnaire idéologique. Skizziert „la rubrique Crainte".) · Knight, Ch. (ed.), The English Cyclopaedia. Synoptical index. London 1862, 166 S. · Encyclopédie du 19 siècle. (3. ed. 50 vol., Paris 1867.) Table méthodique · Hervas, L., Vocabulario poligloto. Cesena 1787 (Idea dell'Universo 20.) (63 Wörter in 154 Sprachen, alphab.)

Aber seinen eigentlichen Ort in einem System der Sprachwissenschaft erhält der „Wortschatz nach Sachgruppen" erst durch den Begriff der „B e z e i c h - n u n g s l e h r e", O n o m a s i o l o g i e, O n o m a s t i k. Als deren Hauptinstrument dürfte ein solcher Thesaurus synonymorum anzusprechen sein[27]. Ich halte die Betrachtungsrichtung der Bezeichnungslehre in der Sprachwissenschaft mit anderen für die zukunftsreiche, und deshalb habe ich das vorliegende Buch geschrieben.

Sprache ist die bisher am höchsten entwickelte Fähigkeit, Zeichen zu geben. Die Sprache hat gegenüber anderen Zeichen, wie der Gebärde, der Symbolhandlung, dem bildlichen Symbol, Vorzüge. Einerseits ist sie mimisch-analogisch ausdrucksvoll wie die Gebärde, man hat die Sprache schon treffend als Lautgebärde bezeichnet; andererseits verwendet die Sprache konventionell gewordene Zeichen: die Teile der Sprache, die Wörter und Wortverbindungen, malen nicht, machen nicht etwas vor oder nach, sondern sie „bedeuten" etwas, d. h. sie weisen unabhängig von ihrem Klangcharakter vertretend auf etwas hin. Das Ergebnis der Gesamtentwicklung ist: lauten und bedeuten als die beiden grundlegenden Seiten aller sprachlichen Gebilde, das sprachliche Urphänomen. Ton und Zeichen hören und verstehen können, ist etwas, das zum Begriff des Menschen gehört. Mit dieser Grundzweiheit ist man am Anfang eines Systems der Sprachbetrachtung. In jeder Sprache besteht zwischen der Welt der Begriffe und der Welt der Wörter lexikographisch genau dasselbe Verhältnis wie zwischen einem griechisch-deutschen und einem deutsch-griechischen Wörterbuch. Will man das vielleicht an einer Figur veranschaulichen, so denke man sich zwei parallele Linien, wo auf der einen die Begriffe, auf der anderen die Wörter stehen.

Man hat erstens den Einteilungsgrund des Vernachlässigens und der Berücksichtigung der Bedeutung; man erhält also zwei Teile: I. Die Sprachgebilde als Klang; II. Die Sprachgebilde als Zeichen. In I. ergeben sich zwei Unterabteilungen, nämlich A. Lautlehre, deren Gegenstand der Laut ist, und B. Formlehre, deren Gegenstand das Wort ist (mit dieser Teilung schließe ich mich Noreen an). Teil II: Die Sprachgebilde als Zeichen hat als Gegenstand der Betrachtung den Ausspruch; hier empfehlen sich als Vorführungsmodus für die Spracherscheinungen jene zwei Sehrichtungen: 1. Vom Klang zum Inhalt, mit der Fragestellung: Wie lauten die tatsächlich gebrauchten Wörter und Wortverbindungen und wie war und ist ihre Bedeutung? Inwiefern hat sich die Bedeutung in der Zeit zwischen Text A und Text B geändert? (Bedeutungslehre, Semasiologie, Semantik.) 2. Vom Inhalt zum

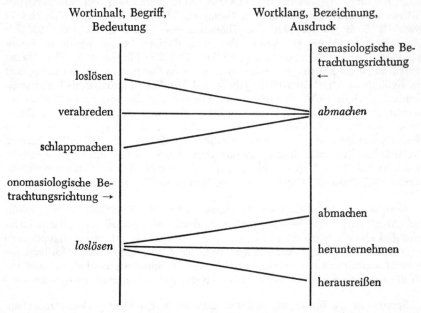

Ausdruck, mit der Fragestellung: Welche Wörter und Wortverbindungen sagen die verschiedenen Menschen, Typen, Gruppen, Gegenden, Zeiten, wenn sie bestimmte Inhalte ausdrücken wollen, und warum? (Bezeichnungslehre, Onomasiologie, Onomastik.)

Als Vorführungsmodus speziell für den Wortschatz jeder Sprache empfehlen sich also zwei Sehrichtungen: 1. Vom Wortklang zum Begriff, was in den alphabetischen Wörterbüchern geschieht, was ein Stück Bedeutungslehre, und 2. Vom Begriff zum Ausdruck, was ein Stück Bezeichnungslehre ist.

Beide Betrachtungsrichtungen sind seit dem Entstehen einer wissenschaftlichen Betrachtung der Sprache dagewesen. Bedeutungswandel wird ständig von der alexandrinischen Homerphilologie seit dem 3. Jh. v. Chr. studiert. Die Tropenlehre der antiken Rhetorik ist zum großen Teil beides, Onomasiologie und Semasiologie. Eine Art Grundriß der Semasiologie gibt der Neuplatoniker P r o c l u s (5. Jh. n. Chr.) in seinem Kommentar zu Platons Kratylos p. 50 f. Pasquali. Semasiologie als Name einer dem Bedeutungswandel zu widmenden Disziplin ist von dem Haller klassischen Philologen R e i s i g, † 1829 mit 37 Jahren, vorgeschlagen worden in seinen Vorlesungen über lateinische Sprachwissenschaft, hrsg. von Haase 1839, neu von Heerdegen, Berlin 1890. Seit 1840 wimmelt es von deutschen Arbeiten über Bedeutungswandel. Wenn nun die bescheidene Kompilation von B r é a l, Essai de sémantique, Paris 1895 u. ö. mit ihrer „Erfindung" der „sémantique" immer wieder als Großtat der französischen Wissenschaft gerühmt wird (s. etwa Carnoy, La science du mot, Löwen 1927, 391; Esnault, Gaston, Imagination populaire, Paris 1925, 1 ff.), so ist das entweder ein Nichtwissen[28] oder aber nationalistische Tuerei. Dasselbe gilt von Esnaults Überschätzung von Brunots La Pensée et la Langue (ebd.) als der Begründung der Onomastique.

Bezeichnungswandel (nicht nur wie Herodot, s. S. *31*, Bezeichnungsvielheit) scheint zum erstenmal in flagranti T h u k y d i d ē s 3, 82, 4 gesehen zu haben[29]. Das täuscht aber, er spricht nicht von Sprachwandel, sondern von Gesinnungsveränderung, in einer Schilderung der Verheerungen, die der peloponnesische Krieg auf geistig-sittlichem Gebiet angerichtet habe: καὶ τὴν εἰωθυῖαν ἀξίωσιν τῶν ὀνομάτων ἐς τὰ ἔργα ἀντήλλαξαν τῆι δικαιώσει „selbst die gewöhnliche Geltung der Bezeichnungen in Richtung auf die Dinge änderte man durch Willkür. Unbedachter Mut (τόλμα ἀλόγιστος) wurde für kühne Bereitschaft, sich für die Partei aufzuopfern (ἀνδρία φιλέταιρος) gehalten; vernünftige Überlegung (μέλλησις προμηθής) galt als Feigheit mit schöner Ausrede (δειλία εὐπρεπής), Besonnenheit (τὸ σῶφρον) als Vorwand für Angst (τοῦ ἀνάνδρου πρόσχημα), Bedächtigkeit bei allem (τὸ πρὸς ἅπαν ξυνετόν) als Schläfrigkeit bei allem (ἐπὶ πᾶν ἀργόν). Tolles Zufahren (τὸ δ᾽ἐμπλήκτως ὀξύ) galt als Zeichen von Männlichkeit (ἀνδρὸς μοῖρα), mit Vorsicht sich bedenken (ἀσφαλείᾳ ἐπιβουλεύεσθαι) als ein schön klingender Vorwand für Ablehnung (ἀποτροπῆς πρόφασις εὔλογος)."

Als Symptom für analogen Sittenverfall in Rom führt Cato dasselbe an bei Sallust Catil. 52, 11 z. B. über fortitudo und audacia. Eine der vielen Anspielungen auf Thukyd. bei Sallust, darüber auch Patzer, NJbb. 4 1941, 124 ff. Vgl. Cic. Tuscul. II 43, auch Augustinus, De civ. dei 12, 1.

Einen direkten Bezeichnungswandel (καλοῦσιν, φασίν) stellt jedoch, wohl zum erstenmal, fest der 90jährige I s o k r a t ē s (15 π. ἀντιδ. § 283 ff.). Euphemismen — denn um nichts anderes handelt es sich hier — zählen zu den „Gruppenemphasen" (s. unten S. *47*), wie sie sich leicht in einer städtischen Bevölkerung herausbilden, bei der man auf flinkes Verstehen auch entlegenerer Wortobertöne rechnen kann. Diese Art euphemistische urbanitas wird den Athenern zeitlos nachgesagt, s. Plutarch Solon 15, Alkib. 16. Die Rhetorik (Aristot. ῥητ. I 9, 1367 a und III 2, 1404 b ff.) empfiehlt dem Redner ausdrücklich dieses kleine Falschspiel mit Synonymen, „die Räuber (λῃσταί) selbst nennen sich heute Sammler (πορισταί)". Ähnliche Stellen: Platon, Polit. 474 d, 560 c, Isokratēs, Areopag. 20, Aristot. rhet. I 9, Horaz serm. I 3, 49—67. Daß die Verliebten für Fehler des Geliebten nachsichtige Bezeichnungen wählen, sagen Platon, Polit. 474 d, Lucrez IV 1140—69, Horaz, serm. I 3, 44—48, Ovid, ars amat. II 657 ff. Quadri (s. S. *16*) weist darauf hin, daß Friedr. Diez, Romanische Wortschöpfung 1875, die Forschungsrichtung der

Onomasiologie begründet habe. Die sprachwissenschaftliche und rhetorische Terminologie des Altertums, die ja zu 80 % auch noch die heutige ist, wie man sich auch wenden mag, ist fast ganz onomasiologisch. Dazu Klotz, Philol. Wochenschr. 51 1931, 293 f.

Als Darmesteter 1887 mit seiner Schrift „La vie des mots" eine der ersten semasiologischen Arbeiten in Frankreich verfaßte, schrieb G a s t o n   P a r i s in einer „La vie des mots" betitelten Besprechung dieses Buches im Journal des Savants = Mélanges linguistiques, hrsg. von Mario Roques, Paris 1906—09, S. 289 f.[30]: „M. Darmesteter nous montre comment les mots se prêtent à exprimer les idées nouvelles; il ne recherche pas, comment les idées nouvelles s'arrangent pour trouver leur expression dans les mots. Cette étude qu'on n'a guère abordée encore, serait d'un serieux intérêt: elle nous ferait connaître quelles sont les conditions internes favorables à l'admission de sens nouveaux dans la langue", sagt also mit dürren Worten, daß das Studium des Bedeutungswandels niemals Kausalforschung sein kann, während die umgekehrte Fragestellung fruchtbar werden könnte: z. B. die lateinischen Ausdrücke für „schön" gehen unter, das urrom. ersetzt sie durch *bellus* „hübsch". Erst seit dem 17. Jh. besitzt das Französische ein Wort für die Idee „hübsch": *joli*, das bisher „fröhlich" bedeutete. Andere Bezeichnungstechnik zeigen: ital. *carino, leggiadro, vago;* prov. *poulit,* span. *lindo, qonito, pulido.* Eine bedächtige psychologische Deutung solcher Fakta kann zur Erkenntnis der geistigen Eigenart der verschiedenen Völker Züge liefern.

T a p p o l e t regte in seiner Züricher Dissertation „Die romanischen Verwandtschaftsnamen", Straßburg 1895, von neuem zu dieser umgekehrten Betrachtungsrichtung an und schlug vor, sie „vergleichende Lexikologie" zu nennen, und versprach sich davon „psychologisches Material zur Wissenschaft der Begriffe ... So kann uns die Sprache über die Lebenskräftigkeit, über die zeitliche und örtliche Gültigkeitssphäre eines beliebigen Begriffes[31] belehren, jedenfalls ist sie uns eine erwünschte Kontrolle für das, was wir a priori über den Begriff auszusagen wissen". Eine Probe bewußt bezeichnungsgeschichtlicher Untersuchung gab 1899 der Grazer Romanist Hugo S c h u c h a r d t in seiner Erklärung der Herkunft von franz. trouver in Romanische Etymologien II, Sitz.-Ber. Wiener Akad. 141 III, 54 ff., bes. 68 ff. Den Ausdruck „Onomasiologie" brauchte dafür zuerst Z a u n e r in seiner Arbeit „Die romanischen Bezeichnungen der Körperteile", Romanische Forschungen 14 1903, 339. „Onomastisch" für Zusammenstellen von Wörtern in sachlich-begrifflicher Anordnung hat man in der klassischen Philologie, mit Bezugnehmen auf griech. ὀνομαστικόν (s. S. 32), schon immer gesagt, s. etwa Wentzel, Athenaios, RE 2 1896, Sp. 2028. Schuchardt und M e r i n g e r brachten dann auch Onomasiologisches unter der Losung „Wörter und Sachen"[32]. Es entstanden eine Menge Einzelarbeiten über das Verhältnis der Benennungen zum Sachverhalt bei Dingbezeichnungen, etwa für Fuchs, Haspel, Körperteile, Jahreszeiten u. dgl. Eine 1909 von Meringer begründete Zeitschrift „Wörter und Sachen" war speziell diesen Fragen gewidmet.

Die Bezeichnungslehre hat dann weitere Verstärkung erhalten durch die moderne D i a l e k t g e o g r a p h i e oder Wortgeographie[33]. Auch das hat es schon im griechischen Altertum gegeben, wie das oben S. 32 Gesagte zeigt, wozu noch die S. 32 f. erwähnten attizistischen Lexika treten. Die moderne Géographie linguistique, auf deren hohe Ausbildung die französische Romanistik mit Recht stolz ist, ist von einem Deutschen begründet worden. 1876 begann Georg W e n k e r den deutschen Sprachatlas. Für das Französische ist das Hauptinstrument der von dem Welschschweizer G i l l i é r o n auf Anregung von Gaston Paris begründete Atlas linguistique de la France, Paris 1903—10, an den sich eine Unzahl von Einzelarbeiten angeschlossen haben.

Der deutsche Sprachatlas stammt noch aus der Zeit der Lautindogermanistik[34], für die so dilettantische Sachen wie Wortschatz verbotene Früchte vom Baum des Lebens waren. Die erste Wortkarte erschien 1895[35]. Es mußte erst das schöne Buch des Wiener Linguisten Paul K r e t s c h m e r , Wortgeographie der nhd. Umgangssprache, Göttingen 1918, kommen. Inzwischen sind große Veröffentlichungen germanistischer Gemeinschaftsarbeit hervorgetreten. Der Atlas der deutschen Volkskunde und die Akademie der Wissenschaften in Wien sind neben dem Deutschen Sprachatlas zu Marburg in dieser Richtung tätig.

In der Richtung der Bezeichnungslehre geht auch durchaus die Tätigkeit der G e n f e r Linguistenschule de Saussure, Bally, Sechehaye. Ihr äußerst förderliches Aufmerken, gewollt einseitig, auf das, was dem Sprechenden bewußt sein kann, „synchronisch", nicht „diachronisch", muß zu einem starken Interesse für die Synonyma führen, die dem Sprechenden zur Wahl stehen. B a l l y in seinem Traité de stylistique française, Heidelberg 1911, [2]1919, I, S. 124 ff. handelt denn auch breit von den dictionnaires idéologiques und skizziert selbst einen solchen für das Französische. An diesen schließt sich teilweise an v. Wartburg und Hallig, Begriffssystem als Grundlage der Lexikographie, SB Berlin 1953.

Eine klare Darlegung darüber, daß nur durch diese Umkehrung in Onomasiologie oder Onomastik die Disziplin Semasiologie oder Semantik über das bloße Sammeln in die Schubfächer Bedeutungserweiterung, Bedeutungsverengung usw., mit unvermeidlichem Seufzen nach den leider immer noch nicht gefundenen „Gesetzen" dafür, hinauskommen kann, hat m. W. zuerst Hugo S c h u c h a r d t 1912 gegeben in einem Aufsatz „Sachen und Wörter", Anthropos 7 1912, 827 ff. (= Schuchardt-Brevier, hrsg. von Spitzer, [1]114 ff., Nr. 729). Er wertet damit die breite onomasiologische Wortforschung der Romanistik ebenso wie die „Wörter und Sachen"-Richtung zum erstenmal unter sprachpsychologischem Gesichtspunkt aus.

„Ich sehe eine F l a s c h e vor mir; ich suche nach einem kurzen und schlagenden Ausdruck für ihren oberen, verengten Teil; wie mich die ganze Flasche an die menschliche Gestalt erinnert (in vorgeschichtlichen Darstellungen erscheint diese umgekehrt wie eine Flasche), so insbesondere jener Teil als *Hals*. Habe ich etwa nach einer neuen Bedeutung für Hals gesucht? Dergleichen wäre doch nur in einem Jeu d'esprit denkbar. Aber die Bezeichnungsvermehrung, die der Redende vornimmt, empfindet der Hörende als Bedeutungserweiterung. Wir dürfen uns diese nicht unter dem Bilde eines in sich wachsenden und dann seine Ufer überschreitenden Wassers vorstellen, sondern eines solchen, das erst eine entstandene Erdvertiefung ausfüllt ... Das Studium der Bezeichnung ist aus seinem Schatten hervorzuziehen; die zahlreichen, umfassenden und tiefgehenden Untersuchungen über den Bedeutungswandel bleiben in ihrem Werte und in ihren Ergebnissen unversehrt, nur werden in gewissen Zusammenhängen sozusagen Transpositionen erheischt."

Diese Worte gelten heute wie damals, nur zu dem Schlußsatz ist zu sagen, daß diese Transposition immer als Gegenprobe ratsam ist, nicht nur in gewissen Zusammenhängen, und daß die Ergebnisse der Untersuchungen über Bedeutungswandel, d. h. die kausale Erklärung, sich nach der Transposition oft ändern. So bedeuten z. B. gr. πόνος, lat. labor, mhd. arebeit zunächst Mühsal, Schmerz, später auf einen Zweck gerichtete Bemühung. Hier muß der Semasiologe eine Bedeutungsverbesserung feststellen und womöglich einen ethischen Fortschritt buchen in dem Sinne, daß der wehleidige Wilde sich zum Arbeiter emporentwickelt habe[36]. Wer diesen Schluß zieht, setzt damit zugleich, daß der gute Mensch auch die Wörter besser macht (s. oben S. *14*). Es ist aber doch vielmehr so, daß die Menschen dann Wörter sprechen, wenn sie etwas Bestimmtes sagen wollen, und daß sie dabei darauf angewiesen sind, was die Wörter bedeuten. Also: als der Mensch zum ersten Male aussprechen und mitteilen wollte, daß er sich mit einer zielbewußten Tätigkeit angestrengt habe, da griff er zu einer der üblichen Bezeichnungen für Schmerz, wohl einer Interjektion wie au, mit Geste. Der Terminus „Schmerz mit Index" (= Arbeit) wurde verstanden, bürgerte sich ein. Er zeigt aber den Menschen zu der Zeit des sprachschöpferischen Aktes in flagranti auf einer bedauerlich niedrigen Stufe der Arbeitsethik. Wer den Bedeutungswandel erwägt, stellt eine Emporentwicklung zur Arbeitsethik fest. Wer den Bezeichnungsmodus erwägt, stellt fest, daß überall die Menschen zunächst die Arbeit als Schmerz beschimpft haben. Die Frage: Wann haben die Menschen die Arbeit als wertvoll gelobt, muß wohl doch von der Literaturgeschichte und nicht von der Sprachgeschichte aus beantwortet werden[37]. — Oder ein anderes Beispiel: Wer als Textleser, nachgeborener Philologe, Ausländer u. dgl. verstehen will, was er liest und hört, für den wird es genügen, wenn er feststellt: *billig* heißt heute „wohlfeil", früher hieß es „was rechtens ist"; es hat eine Bedeutungsverengung stattgefunden vom „Geziemenden" im allgemeinen zum „geziemenden Verkaufspreis"; und Bedeutungsverengungen, so sagt er sich, gibt es ja oft. Anders wird der, welcher nach Gründen fragt, welcher dem Sprechenden nachfühlen will, einen solchen Fall ansehen. Er wird fragen: Warum hat man eines Tags *billig* nur noch für Preise gesagt? Und wird alsbald die immer und überall wiederkehrende sittliche Entrüstung der Leute, die um den Preis von etwas verhandeln und feilschen, als den Grund erkennen. Bei jedem Kaufhandel wurden die höchsten Grundsätze der „Billigkeit" angerufen; den Erfolg, daß der „gerechte" Preis der niedrige wurde, hat sichtlich der Käufer davongetragen. Das hat das Wort entadelt und aus den anderen Gebieten seiner ursprünglichen Bedeutung verwiesen[38]. Und man mußte dort sagen *recht (und billig), loyal, anständig, Ethos, fair* usw. Auf dem Gebiet der Ethik herrscht aus begreiflichen Gründen ein starker Verbrauch von Bezeichnungen: heute ist *Tugend, moralisch, ehrbar* als ins Gesicht gesagtes Lob bereits schwer erträglich, der Gelobte würde sich als Musterknabe bloßgestellt vorkommen. Dasselbe zeigt für das französ. *vertu* Paul Valéry in einer Akademierede von 1934 über den von Montyon 1782 gestifteten Prix de vertu.

Was ich hier über das Verhältnis von *billig* 'recht' zu *billig* 'wohlfeil' im Sinne des Bezeichnungswandels geschrieben habe, will Hofmann nicht glauben, sondern sagt dagegen[1]): „Wenn der Verf. die Spezialisierung von *billig* als wohlfeil psychologisch aus der sittlichen Entrüstung des Feilschens beim Kaufhandel erklärt, dann fragt man sich, warum zu diesem Prozeß der Entadelung des Wortes (ahd. *billich* seit dem 11. Jh., die Bedeutung wohlfeil seit dem 18. Jh.) sieben Jahrhunderte nötig waren. In Wirklichkeit ist die Verengerung in den Verbindungen *billig kaufen, billiger Preis* usw. entwickelt — vgl. entsprechendes *einen guten Kauf machen, ich mache Ihnen einen guten Preis.*" Aber meine Erklärung, wonach der mit einem „billigen" Preis, „billigen" Kauf abziehende Käufer (oder lockende

---

[1]) Gnomon 10 1934, 24.

Verkäufer) der Sprachschöpfer war, wird durch seinen vermeintlichen Einwand bestätigt. Die von ihm angeführte Verbindung ist ja nur ein vermutetes Beispiel für den von mir ebenso angesetzten Prozeß. Hat H. denn eine Erklärung dafür, warum es bis zu den besagten Verbindungen, die nach seiner Meinung so magisch automatisch wortschöpferisch geworden sind, 700 Jahre gebraucht hat? Das können wir beide wohl nicht erklären. Warum eine an sich mögliche Sache, ein Einfall oder die Geburt eines Genies, nicht im Jahre 1100, sondern im Jahre 1700 erfolgt: das kann vielleicht die Wissenschaft der Zukunft erklären, aber wir werden das nicht mehr erleben. Billiger Preis (zuerst 1676) dürfte sprachreinigende Übersetzung des iustum pretium der Moraltheologen (mindestens seit Thomas von Aquino) sein, wie doch wahrscheinlich auch frz. bon marché.

1919 schrieb dann V o ß l e r über das Studium des Bezeichnungswandels (Onomasiologie) im Gegensatz zu dem des Bedeutungswandels (Semasiologie) unter Berufung auf Schuchardt[39]: „Der Semasiologe fragt: Was bedeutet dieses Wort? Der Onomasiologe: Wie heißt diese Sache? Jener versenkt sich in den Hörenden und ergründet den Verständnisakt, dieser in den Sprechenden und in den Taufakt der Sprache. Die grundlegende und primäre Disziplin der Wortforschung ist demnach die Onomasiologie, nicht die von der bisherigen Sprachforschung so sehr bevorzugte Semasiologie ... Die vermehrte Aufmerksamkeit, die in den letzten Jahren auf die Benennungs- oder Bezeichnungslehre oder Onomasiologie verwendet wird, muß wohl als einer der größten Fortschritte der Sprachwissenschaft gebucht werden. Vorerst läßt dessen Tragweite sich noch kaum ermessen. So viel aber kann schon jetzt gesagt werden, daß der Hauptteil der Onomasiologie in der Möglichkeit beruht, von den geschichtlich gegebenen Wörtern und Wortverbindungen zunächst abzusehen und sozusagen ab ovo zu beginnen, als ob es nur ein schöpferisches Sprechen und keine in fertigen Verwicklungen liegende Sprache gäbe; als ob der Sprechende nur an die Gegenwart des Lebens, nicht auch an die Vergangenheit der Wörter gebunden wäre. Dabei zeigt sich, daß das, was Vergangenheit und Geschichte hat, das, was in der Sprache sich wandelt und entwickelt, im Grunde weder die Wörter noch die Sachen sind, sondern unsere Anschauungen und Vorstellungen, unser Sinn."

Mir scheint, man kann die Tragweite der Wendung von der Semasiologie zur Onomastik, gegen Voßlers Meinung, schon etwas ermessen. Mit der Semasiologie ist die Sprachwissenschaft noch in aristotelisch-mittelalterlichem Verbalismus gebunden[40]. Wer ein (alphab.) Wörterbuch einer Sprache erwartet und fordert, in dem die Wortgeschichten psychologisch, historisch genetisch, dargestellt sein sollen, jagt einem mittelalterlichen Phantom nach. Die Semasiologie ist wie ein Erklären der Uhr vom Zeiger aus. Es gibt keine bisher vergeblich gesuchten Gesetze, nach denen auf der Grundbedeutung eines Wortes die anderen Bedeutungen sich entwickeln (s. S. 43).

Ich weise so nachdrücklich auf diese Äußerungen von Schuchardt und Voßler hin, weil ich selbst 1923 im Antidoron für Jacob Wackernagel, Göttingen 1923, S. 103 ff. „Zwei Arten der Ausdrucksverstärkung" diesen für die einfachste sprachpsychologische Erwägung so naheliegenden Gedanken ohne Kenntnis der Ausführungen von Schuchardt und Voßler von neuem entwickelt hatte. Vivant qui ante nos nostra scripserunt. Ich bin aber dort weitergegangen und habe versucht auseinanderzulegen, welches die positiven Triebfedern des Bezeichnungswandels sind, indem ich die semasiologischen Schubfächer Bedeutungserweiterung und Bedeutungsverengung durch die ihnen entsprechenden onomasiologischen Triebfedern

„Kraftausdruck" und „Emphase" ersetzte. Daraus ergaben sich zugleich Sprechertypen: Korrektsprecher, Ausdrucksverstärker, Anspieler, deren mehr oder weniger reine Vertreter jedermann aus Leben und Literatur kennt[41].

Den Vorzug der Onomasiologie vor der Semasiologie hatte ich folgendermaßen entwickelt: Die Metapher verwischt den älteren Sinn der Wörter, um ihre „übertragene" Bedeutung auszunützen. Wenn etwa Körperteile für Teile lebloser Dinge genommen werden wie Fuß des Berges, so darf man zur einstweiligen Einordnung der Erscheinungen sagen: der Wortsinn verallgemeinert sich, der Bedeutungsinhalt mindert sich, der Bedeutungsumfang erweitert sich. Man kann also die Metapher ohne weiteres zur Bedeutungserweiterung stellen, also zu Fällen wie Geselle, der ursprünglich bedeutet „der mit im Saal ist". Auch hier wird der Wortsinn ins allgemeinere verflüchtigt, der ursprüngliche Bildgehalt ins Begriffliche verwischt. Die Bedeutungslehre nun, die diese feststellt, schafft rein logische, phänomenologische Schubfächer (Erweiterung, Spezialisierung, Metonymie, Übertragung usw.) und gibt im übrigen kasuistisch in „Wortgeschichten" die nichtsprachpsychologischen Anlässe, die in Sach- und Kulturwandel begründet sind[42]. So angefaßt, gelangt die Bedeutungslehre aber nie zu s p r a c h p s y c h o l o g i s c h e r Fragestellung hinauf. Denn es gibt keinen Trieb im Menschen, die Bedeutung von Wörtern zu erweitern, und im Wort selber kann die Zauberkraft auch nicht liegen. Wenn man dagegen vom Sprechenden ausgeht, von den Begriffen, die man ausdrücken will, nicht von Wörtern, die gesagt worden sind, und die Bedeutungslehre von der entgegengesetzten Seite als B e z e i c h n u n g s l e h r e betreibt, dann ist man in der Sprachpsychologie, und es zeigt sich für das ganze Gebiet der Metapher und Bedeutungserweiterung, daß der seelische Anstoß im Sprechenden der Trieb nach einem Kraftausdruck, nach einer wirksameren Bezeichnung, nach Verlebendigung ist.

Anders steht es mit der zweiten Tendenz, dem Anspielen. Ihr entspringt als semantisches Phänomen die Spezialisierung, die Bedeutungsverengung (wozu auch pejorative Bedeutungsentwicklung gehört). Als Kategorie der Bezeichnungslehre stellen sich diese Vorgänge als e m p h a t i s c h e, anspielende, pointierende Benennungen dar. Irgendwann sind hier einmal Worte „mit Bedeutung gesagt" worden. Wenn ich bloß sage *ein Mann von Familie*, so meine ich, sozusagen zwischen den Zeilen zu lesen, *von guter Familie*. Bei diesem emphatischen Wortgebrauch werden die Wörter gleichsam beim Wort genommen, es werden frühere Erlebnisse des Hörerkreises bei dem allfälligen Wort zitiert, es wird an sie appelliert mit sichtbaren oder unsichtbaren Anführungszeichen. Die Metaphorik überbietet, übertreibt, der Emphatiker unterbietet, sagt scheinbar weniger, als gemeint ist, mit affektierter Schlichtheit, aber gewissermaßen mit verständnisinnigem Zublinzeln. Die Metapher verwischt den vollen Sinn der Wörter, um bloß durch deren starke Intensität Farbigkeit in die Rede zu bringen. Die Emphase dagegen sucht den volleren Sinn der Wörter gerade hervor, um durch Obertöne und Begleitgefühle Tiefen und Ausblicke in die Rede zu bringen.

Man sehe Beispiellisten für Bedeutungsverengung daraufhin durch, und man wird als seelischen Antrieb irgendeine Emphase finden. Eine bestimmte neue Verwendung eines Wortes wird dann so und so oft zitiert, allmählich vergißt man, daß man zitiert. Die Anführungszeichen, die man eine Zeitlang noch mitfühlte, bleiben weg. Im Grunde bekommt manches Wort jedesmal, wenn es von jemand gesprochen wird, ein neues Stück Vergangenheit, einen kleinen Stoß in irgendeiner Verwendungsrichtung, so daß das Wort, beim nächsten Ausgesprochenwerden, wieder einen kleinen Zuwachs von Zitatqualität besitzt. Und diese Stöße im Sinne einer bestimmten Verwendungsrichtung schießen zusammen zu einer neuen Bedeutungsrichtung, wenn sie nach der gleichen Richtung zeigen, etwa bei den Gliedern der gleichen sozialen Gruppe. So heißt bei den griechischen Malern φάρμακον Farbe (als Farbstoff), γράφειν malen, πίναξ Gemälde. Auf diesem Wege schränkt sich ἀρετή ein auf moralische „Tugend" (wichtiges Übergangszeugnis Thukydidēs über Nikiās VII 86). Der ganze Humanitätsbegriff geht aus von solchem emphatischen Gebrauch der Worte Mensch, menschlich, im Gegensatz zu inhumanus, ferus[43]. Andere Pointierungen (ganz wörtlich! das Wort bekommt dabei eine Spitze) verewigen mehr oder weniger drastische Erfahrungen des täglichen Lebens und werden in Wortverwendungen niedergelegt wie ὀργή (urspr. Seelenzustand, Sinnesart) für Zorn, wie πράγματα παρέχειν „Unannehmlichkeiten bereiten", „machen Sie keine Sachen", deutsch *anführen* für „irreführen".

Eine Gruppe, deren Mitglieder sich in religiösen, wirtschaftlichen, ästhetischen, Standes- oder anderen Angelegenheiten als zusammengehörig empfinden, denken bei bestimmten Wörtern entweder etwas Bestimmtes, Attributives hinzu oder haben einen bestimmten Gegensatz zu dem betr. Wort im Bewußtsein. Für Außenstehende — und gar Übersetzer — entsteht der Eindruck, als ob sie in Ellipsen sprächen. γνῶσις bekommt durch Emphase seinen frühchristlichen Sinn: mystisches Innewerden. Ich füge noch weitere Fälle von Bezeichnungswandel durch Emphase, durch Nachdruck hinzu, bei denen ein speziellerer Begriff pointierend durch einen weiteren bezeichnet wird (= Bedeutungsverengung).

Gemeinter Begriff	*Bezeichnung*	*Ältere Bedeutung*	*Grund*
		Abt. 2	
Kohlgemüse	Kraut	herba	nämlich die Sorte, die man ißt
Pferd	neugriech. ἄλογον	Tier	d a s Tier des Bauern
Huhn	neugriech. ὄρνις	Vogel	d e r Vogel des Bauern
Ei legen	legen	etwas hinlegen	das Selbstverständliche für den Bauer
Fleisch zum Essen	frz. viande	vivenda	d i e Nahrung
Gehwerkzeug	Bein	Knochen	der größte
tödliche Gabe	Gift	Gabe	man weiß Bescheid
tödliche Gabe	poison	potio Trank	„
		Abt. 5.	
die elegante Form	Mode	Art und Weise	was „man" trägt, wie man lebt, les manières
		Abt. 7	
es stinkt	es riecht	übh. Wirkung auf den Geruchssinn	man weiß Bescheid, durch schlechte Erfahrungen
es schmeckt gut	es schmeckt	übh. Wirkung auf die Zunge	endlich ein Schmecken, das diesen Namen verdient
		Abt. 11.	
Gemüt erweichen	rühren	berühren	nämlich das Herz
	toucher	berühren	„
Zorn	engl. temper	Gemütsart	die den Namen verdient, von der man auch etwas merkt

Gemeinter Begriff	Bezeichnung	Ältere Bedeutung	Grund
		Abt. 14.	
Dichter	ποιητής	Hersteller	Künstler unter sich
		Abt. 16.	
Vermählungsfeier	Hochzeit	Fest	s. S. 50
man darf sich entfernen	Urlaub	Erlaubnis	die wichtigste beim Militär
		Abt. 17.	
Landmann	Bauer	einer, der baut	Ackerbauer
Schußwaffe	Gewehr	Waffe	κατ' ἐξοχήν
		Abt. 18	
wohlfeil	billig	recht, geziemend	s. oben S. 44
zu hoher Zins	Wucher	Zins	ein Zins, der sich lohnt
		Abt. 20⁴⁴.	
Engel	ἄγγελος	Bote	nämlich Gottes
Sakrament mit Brot und Wein	Abendmahl	Abendessen	des Herrn
Sündenbekenntnis	Beichte	Bericht, bijiht	über man weiß schon
großes Kirchengebäude	Dom, duomo	Haus	Gottes
Christenheit, Kirche	ἐκκλησία	Volksversammlung	zum Gottesdienst, Zusammenkunft der Erwählten
Mönch werden	ἀναχωρεῖν	hinaufgehen	in die ägyptische Wüste z. d. anderen Mönchen
Blutzeuge	μάρτυς	Zeuge vor Gericht	vgl. Archiv f. Rel.-Wiss. 22 1924, 132 ff.
Bischof	ἐπίσκοπος	Aufseher	der Christengemeinde
Heiland, Erlöser	σωτήρ	Erhalter, Schirmer	der Seele, vor dem Tod vgl. RE IIIA Sp. 1215 ff.
Bibel	τὰ βιβλία	die Bücher	die Bücher, nämlich die LXX
Heiden	τὰ ἔθνη	die Völker	= die Nichtjuden, gojim
Orakel geben	χρᾶν	verwenden	scil. das zweite Gesicht
hexen	brauchen	„	näml. die geheimen Kräfte

Besonders lebendig ist in dieser Richtung das kluge Kapitel „Sprache" in F. K l a t t s „Die geistige Wendung des Maschinenzeitalters", Potsdam 1930. Die hoffnungslos auseinanderentwickelten Jargons jener Tage, die er so schön schildert, sind sämtlich Gruppenemphasen.

Die beiden Faktoren Kraftausdruck und Emphase entsprechen einigermaßen den beiden Sprachzwecken Ausdruck und Mitteilung. Das Ausdrucksbedürfnis des Sprechers drängt nach der Drastik des Bildes. Das Mitteilungsbedürfnis des Sprechers, sein Rücksichtnehmen auf die anderen und sein Rechnen damit, was er bei den anderen voraussetzen kann, woran er bei ihnen appellieren kann, führt ihn zum

Pointieren, zur anspielenden Emphase, zum Unterstreichen eines hierdurch verengten Wortsinns. Wenn das Sprechen vorwiegend ungewollter Ausdruck ist, im Grenzfall nur erst Schrei, so kommt es unmittelbar vom „Inhalt" her und strebt vielleicht zur Mitteilung hin. Sprache als planmäßige Mitteilung dagegen macht mehr Gebrauch davon, daß schon geprägte Zeichen vorhanden sind, daß es Wörter gibt, die schon von anderen gesagt worden sind und nun etwas „bedeuten", denen andere ihre Affekte eingeformt haben, Wörter, mit denen man also auf dergleichen anspielen kann. Es gibt demgemäß zwei Motive, im Ausdruck zu neuern: entweder das Streben nach einem Kraftausdruck, nach Anschaulichkeit, Bildlichkeit, Verlebendigung, oder das Streben, an die Erinnerung an früher Gesagtes zu appellieren.

Dem entspricht auf Seite des H ö r e r s ebenfalls ein Hin und Her zwischen Verstand und Phantasie, worauf Friedrich Brinkmann, Die Metaphern, Bonn 1878, 54, hinweist: „Der Verstand stützt sich auf den im eigentlichen Sinn gemeinten im Genetiv stehenden Ausdruck (B. spricht von Fällen wie Schleier der Wahrheit, des Frühlings holden, belebenden Blick), erkennt sofort das Wort im regierenden Kasus als ein bloßes Bild, entkleidet den Begriff seines bildlichen Gewandes und verknüpft ihn mit dem anderen. Die Phantasie aber hält sich an das im regierenden Kasus stehende Wort. Sie ergreift mit Freude das Bild, behauptet es gegen die feindlichen Absichten des Verstandes und sucht diesem nun auch noch den anderen Begriff, seinen eigentlichen Stützpunkt, zu entwinden und in ein Bild zu verwandeln, ihn zu einem Gliede jenes ersten Bildes zu machen." Aber nicht nur in der Poesie, auch gegenüber der gewöhnlichen Sprache verhalten sich die Hörer in dieser Weise verschieden im Wahrnehmen des Bildgehaltes von Redeformeln: der eine hört nur den damit gemeinten abstrakten Begriff, dem anderen wird das gebrauchte Bildgleichnis anschaulich, er nimmt die Wörter wörtlich und wird empfindlich gegen Wippchen sein, die eine Menge anderer Leute ruhig überhört[45]. Ähnlich steht es mit der Wortstellung, bei der man neuerdings Scheidungen in intellektuelle und affektische versucht hat. Aber auch hier ist es außerordentlich schwer, zu sagen, wo der Anschluß an irgendeine Tradition aufhört und das Persönliche beginnt. Es ist da eine Schwierigkeit alles Symbolwesens, wie sie in gleicher Weise bei der Farben- und Tonartensymbolik wiederkehrt.

Wie fast überall bei sprachlichen Dingen handelt es sich auch bei Kraftausdruck und Emphase nicht um ein klares Entweder—Oder, sondern oft um ein Weniger oder Mehr. Wer eine Metapher zum erstenmal braucht, sagt sie mit Nachdruck, mit Emphase, mit Appell an eine Gruppe, die sie verstehen soll. Und wer einen sonst weniger intensiven Begriff pointiert anwendet, hat die Empfindung, daß er eine Art Machtwort gebraucht. Es handelt sich also auch hier wieder einmal um zwei Gebiete, bei denen man klassische Fälle leicht auseinanderhalten kann, zwischen denen aber ein nicht schmaler Grenzstreifen liegt, wo die Scheidung schwierig wird. Ganz in der „Emphase" wurzeln psychologisch jedenfalls die Bezeichnungsbesonderheiten pars pro toto, Ellipse, Ironie, Euphemismus, Bedeutungslehnwörter.

Ein historisches Entlanggleiten an einem Wort und den Bedeutungen, die es in verschiedenen Sätzen angenommen hat, ist, wenn das Wort kein besonderer Affektträger war, für die Geistes- und Literaturgeschichte ungefähr so fruchtbar wie eine Geschichte des Akkordes fis-a-c' in bestimmter Instrumentierung für die Musikgeschichte. Es gibt Akkorde, deren Geschichte sich lohnt, etwa der verminderte Septimenakkord; aber wenn man dessen Geschichte schreibt, so schreibt man mehr eine Geschichte der musikalischen Ausdrucksmöglichkeiten für Schmerz, geht also doch schließlich vom Inhalt aus. Die oft erhobene Forderung, die alphabetischen Wörterbücher sollten die Wörter in ihrer wirklichen Bedeutungsg e s c h i c h t e vorführen, ist deshalb undurchführbar, weil es sich oft dabei nicht um Wortgeschichte, d. h. -entwicklung handelt. Besonders irreführend ist der Begriff einer „Grundbedeutung". Den verschiedenen Wortarten ist es bei den praktischen Semasiologen, d. i. den Lexikographen, verschieden ergangen. Hier ist noch alles zu tun. Am stärksten vernachlässigt sind wohl die Verben. Die Frage: Warum bedeutet *abmachen* 1. loslösen, 2. verabreden, 3. schlapp machen und wie hat sich eine Bedeutung aus der anderen entwickelt? ist falsch gestellt. Zwischen diesen verschiedenen Verwendungen des Wortes besteht so wenig eine Entwicklungslinie wie zwischen den verschiedenen Verwendungen etwa des Konsonanten l in der Gesamtheit der deutschen Wörter, worin er vorkommt. Es hat nur Sinn, zu fragen: Warum sagt man abmachen statt loslösen, statt verabreden, statt schlappmachen? Und dies ist eine Frage der Bezeichnungslehre, zunächst der Abteilung Stilistik, dann vielleicht der Abteilung Bezeichnungswandel für jene drei Begriffe. Man kann zunächst nur sagen, das betr. Wort wird hier so, dort anders verwendet. Abmachen für schlapp machen scheint übrigens bloß hessisch zu sein. Es ist unmöglich, ein Wortschicksal wie: mhd. hochgezîte „Fest" wird zu nhd. Hochzeit „Vermählungsfeier", semasiologisch zu verstehen und dann womöglich als ein geistesgeschichtliches Symptom für etwas zu deuten. Man muß sich vielmehr die Fragen vorlegen:

1. Wie drückt man später den Begriff Fest aus, den das Wort hochgezîte nach seinem Bedeutungswandel verlor? Von welchem Wort wurde es hier verdrängt und warum? Nun, von Fest, einem „feineren" Fremdwort.

2. Wie hatte man bisher den Begriff Vermählungsfeier ausgedrückt, den das Wort nach geschehenem Bedeutungswandel bezeichnet? Hat es da ein anderes Wort verdrängt und warum? Antwort: Vorher sagte man Brautlauf; vgl. Edward Schröder, Ztschr. f. dt. Altert. NF. 2 1924, 17 ff., Frings, SB Leipzig 1947. Sperber zeigt in seiner Einführung in die Bedeutungslehre, Bonn 1923, S. 42, was ich hiermit ergänze, daß man für den Begriff Vermählung gern nach Euphemismen greift, weil die Ausdrücke dafür schnell zu deutlich werden. So griff man zu mhd. hochgezîte, das im MA. bedeutet: mehrtägiges kirchliches Fest. Es verlor infolgedessen den religiösen Gefühlston und wurde seinerseits in seiner älteren Bedeutung durch „Fest" verdrängt. Vgl. Krogmann, Brautlauf. WuS. 16 1934, 80 ff.

Wodurch wird veranlaßt, daß die Sprache im Wortschatz sich so stark wandelt? So schnell? Nach 4 Jahrzehnten klingt alles altmodisch, nach 100 Jahren hört man bei Texten schon mehr auf das Wie als auf das Was, nach 400 Jahren ist vieles schon unverständlich. Die Änderungen im Sprechen kommen daher, daß der Mensch in dieser ihn am meisten vom Tier unterscheidenden Fähigkeit auch den größten und dauerndsten Ehrgeiz betätigt. Man will hier neu sein, variieren, nicht alltäglich erscheinen, nie wie ein Papagei genau wörtlich dasselbe sagen, was vorher gesagt worden ist. Man hat dieses Bedürfnis sich selbst gegenüber, man will s e i n e m Herzen Luft machen, man möchte sagen, „wie ich es sehe": Sprache als Ausdruck. Ebenso die Sprache als Mitteilung: man will Eindruck machen auf den Hörer, den Mitmenschen[46]. Der andere soll die Ohren spitzen; es soll ihm nicht gleichgültig sein, ob ich etwas zu ihm sage oder ein anderer. Nicht nur durch das Was, auch durch das Wie seines Sprechens will man den Mitmenschen fesseln, anregen, aufregen. Also vor sich selber wie vor den anderen ist man ständig getrieben, alles immerzu ein wenig oder sehr anders zu sagen, als vorher. Sprechen heißt: unter den vorhandenen Synonyma eine Wahl treffen. Es ergibt sich so ein alles überwältigender S y n o n y m e n s c h u b als die Hauptlinie des Sprachlebens und Sprachwandels. Die letzte und höchste Steigerung des Synonymenschubs ist die hohe Sprache der Dichtung. Die gleiche Linie ist auch in Literatur und bildender Kunst festzustellen. Es sei nur an Aby Warburgs fruchtbaren Begriff der Pathosformel erinnert.

Ich möchte durchaus nicht die semasiologische Betrachtung für minderwertig erklären. Bezeichnungslehre und Bedeutungslehre stehen zueinander wie Wörterbuch nach Sachgruppen und alphabetisches Wörterbuch. Man braucht sie beide, und für die Darstellung der Sprachtatsachen kann man wohl L u i c k zustimmen, der Germ.-rom. Monatsschrift 18 1930, 372 sagt, daß beide Richtungen gepflegt werden müssen, „indem man ausprobiert, wie sich die Sache macht". Die beiden Betrachtungsrichtungen gehen bei der Behandlung des einzelnen Falles ja auch ständig nebeneinander her. Die erste Frage nach der Etymologie eines Wortes ist z. B. semasiologisch: Was bedeutet das Wort x „eigentlich", von Hause aus? Die zweite Frage: Wie kam man dazu, den Begriff N mit x zu bezeichnen? ist onomasiologisch. Stellt man auch diese zweite Frage rein semasiologisch: Wie ist dieser Bedeutungswandel zu erklären? so lauern Fehlerquellen. Es kommt je nachdem auf den Zweck an. Dem Texte lesenden Philologen und Historiker ist meistens mit semasiologischer Unterrichtung bereits gedient. Damit bin ich im Grunde mit K r o n a s s e r doch völlig einig, so daß ich seine Auseinandersetzungen mit mir schwer verstehe (Handbuch der Semasiologie, Heidelberg 1952).

M. L e u m a n n zeigt in seinem wichtigen Aufsatz „Zum Mechanismus des Bedeutungswandels", Idg. Forsch. 45 1927, 105 ff., daß der Bedeutungswandel oft dadurch vor sich geht, daß ein Wort zufällig eine neue, auf der alten beruhende Verwendung in einem neuen Satzzusammenhang findet. Auch sein Buch Homerische Wörter, München 1952, beruht ganz auf dieser Anschauung. Aber die oben S. 47 f. gegebenen Beispiele für Emphase, für Bedeutungsverengung genügen wohl, um zu widerlegen, daß die Scharnierstelle für den Bedeutungswandel immer eine zufällige Mißverständlichkeit darstellt. Oft ist es eine neue Pointierung, also etwas Stilistisches, und dementsprechend ist auch die Nachahmung und Übernahme durch die anderen nicht immer ein „Mechanismus", eine zwangsläufige Geistesabwesenheit, sondern das trifft nur bei einem Teil der Wandlungsvorgänge zu. Oft ist es ein Zitieren. Selbstverständlichkeiten einer Gruppe (wenn z. B. die Bauern für Roggen „Korn" oder „Frucht" sagen) breiten sich nicht durch Mißverständnis aus.

Von dem Begriff des Synonymenschubs aus fällt auch Licht auf die Frage, weshalb in verschiedenen Sprachsphären ein so großer Unterschied im Synonymenreichtum besteht. Die Mundarten und die älteren Sprachstufen[47], die Kindersprache sind reich an besonderen Ausdrücken für allerlei, die Schriftsprache begnügt sich mit wenigen farblosen Bezeichnungen, meistens mit nachträglichen späten Zusammensetzungen. Sieht man sich die Begriffe an, wo die Schriftsprache diese zahlreichen örtlichen Benennungen besonders abstößt und vereinfacht, so sind es:

1. kleine Tiere und Pflanzen (solche, auf die man erst nach den idg. Wanderungszeiten aufmerksam geworden ist),

2. entferntere Verwandtschaftsgrade,

3. Zeitbegriffe, die für die Kirche belanglos waren,

4. Spezielleres aus der Hauswirtschaft, wie Teile des Hauses, Geräte, Speisen, Sexus von Tieren.

K l u g e [48] faßt dahin zusammen: „Was für Staat, Kirche und den Verkehr nicht von Wichtigkeit war, wurde von der Schriftsprache nicht mehr liebevoll differenziert. Fragen wir nun, wie die Schriftsprache fähig ist, den Anforderungen der Literatur in Kunst und Wissenschaft zu genügen, ohne von den Dialekten her Materialien übernehmen zu können, so gibt uns ein Blick in schriftsprachliche und mundartliche Wörterbücher Antwort darauf. Ein Unterschied charakterisiert beide. Die Mundart wurzelt geschichtlich in einer viel älteren Zeit, wo das Wurzelmaterial überwog; die Schriftsprache — ein Produkt neuerer Zeiten — macht von der Neubildung der Worte durch Zusammensetzung und Ableitung maßlosen Gebrauch. Die Schriftsprache beseitigt einen großen Teil der von den Dialekten gelieferten Wurzelmaterialien und schafft sich eigenen Ersatz aus schon vorhandenem Material. In der Beschränkung des altererbten Wurzelmaterials und in Ableitung und Zusammensetzung besteht das Hauptgesetz unter den Lebensbedingungen unserer Schriftsprache." Die Parallele mit der griechischen Koine liegt auf der Hand. — Es ist derselbe Unterschied, der die vorgeschichtlichen Zeiten der Wortbildung von den geschichtlichen scheidet, der im individuellen Stil den Kraftmetaphoriker von dem pointierenden Anspieler scheidet und den Mundart sprechenden Dörper und den seinen Slang genießenden Drastiker von dem schriftreif sprechenden und schreibenden Städter scheidet: die Rücksicht auf den Hörer und dessen Verstehfähigkeiten, die auf einer sozial verfeinerten Entwicklungsstufe sich herausbildet, mindert die Freude an den Werten der Wortwurzel und läßt die Fähigkeit neuer Schöpfung darin verkümmern. Genau analog ist eine Beobachtung von D a u z a t an den Verschiedenheiten innerhalb der französischen Soldatensprache (A. Dauzat, L'argot de la guerre. Paris 1918, chap. 6): Volksetymologie ist besonders bei den ländlichen Truppenkontingenten zu beobachten, während der bewußtere Vorgang des Wortspiels bei städtischen Formationen überwiegt.

Sieht man sich die nicht-dinglichen Begriffe an, die durch eine besonders reiche Anzahl von Synonymen vertreten sind, so fällt auf, daß es stark affektbetonte sind, an denen das Fühlen der Menschen starken Anteil nimmt. Es sind das die bereits mehrfach (s. S. 9 f.) als Glanznummern erwähnten Begriffe. Das sind alles Dinge, die bei den Menschen Bewunderung, Hohn, Ärger, Zurückhaltung, Furcht, Mitleid, Freude auslösen. Es ist zu vermuten, daß diese Begriffe in allen Sprachen in gleicher Vielfalt behandelt werden.

Für eine auf die kausalen Zusammenhänge gerichtete Forschung steht vor dem Bedeutungswandel der Bezeichnungswandel (der natürlich oft nicht mehr erkennbar ist!). Jeder Bezeichnungswandel geht so vor sich, daß ein Synonym ein anderes verdrängt. Man will ungefähr dasselbe, aber mit anderen Worten sagen. Das ist der Grund, weshalb jeder Sprachforscher sie braucht. Was mit dem verdrängten Synonymon wird, hat in dem neuen Begriffszusammenhang nichts zu tun. Es scheidet aus: es verschwindet entweder oder wird vielleicht irgendwann noch einmal verwendet, um zur Bezeichnung eines dritten Begriffes zu dienen.

Die Gründe des Bezeichnungswandels sind negativer und positiver Art.

I. Negative Gründe:

Das bisherige Wort zeigt Mängel, man will ein anderes Wort sagen. Die Mängel, die das alte Wort entwickelt hat, können sprechökonomischer und geistiger Natur sein.

    A. Mängel sprechökonomischer Art: a. Homophonie, b. überflüssige Ausführlichkeit.

    B. Einwände geistiger Natur können Meidung des bisher gebrauchten Wortes bewirken, indem Hemmungen folgender Art sich herausbilden: a. religiöse, b. soziale, c. sittliche, d. ästhetische.

II. Positive Gründe:
A. Bedürfnis nach einem bildhafteren oder drastischeren Ausdruck.
B. Emphatisch pointierendes Anspielen.

Man frage also immer etwa so: Wollte man ein metaphorisches Kraftwort, das irgendwie einem Zug der Zeit oder dem Geschmack einer Gruppe von Menschen entsprach, wollte man mit Rücksicht auf eine Gruppe von Menschen emphatisch pointieren, wollte man lehnübersetzend anspielen, zitieren, elliptisch kürzen, euphemistisch mildern?

Eine wichtige, sehr sprachschöpferische Art von Synonymenschub besteht darin, daß man, sobald einmal für einen Begriff ein bildlicher Ausdruck vorhanden ist, nun innerhalb dieses Bildbereichs wieder mit den Ausdrücken wechselt. Als Beispiel diene der Begriff jemd. narren. Nachdem einmal das Bild *anschmieren*, vielleicht von *leimen* angeregt, vorhanden ist, sagt man auch gewählter *lackieren* oder *einseifen* oder andere bekannte Ausdrücke. M. Schwob und G. Guieysse haben diese Erscheinung im französischen Argot als dérivation synonymique bezeichnet (in den Mémoires de la Société de linguistique 7 1892, 48 ff.).

Die verblaßten Bildvermischungen, die Formelkreuzungen, die man, wenn sie noch frisch und zu merkbar sind, Wippchen nennt, entstehen, wenn zwei synonyme Wendungen miteinander vermengt werden. Auch dieser Vorgang ist für die dauernde Veränderung jeder Sprache sehr wichtig.

Es ist vielleicht nützlich, noch zusammenfassend auf die Gebiete der Sprachwissenschaft hinzuweisen, wo eine stärkere Beachtung der Synonyma, eine Berücksichtigung des Begriffsbereichs an Hand eines Wortschatzes nach Sachgruppen dienlich sein könnte. Zunächst gilt das von der ableitenden Worterklärung, der sog. E t y m o l o g i e. Man etymologisiere nie, ohne die Synonyma anzusehen, ohne die Bezeichnungsarten für den betreffenden Begriff sich klar gemacht zu haben. Für die Richtung „Wörter und Sachen" (s. oben S. *42*, vgl. W. Wüst, Wortkundliche Beiträge zur arischen Kulturgeschichte und Weltanschauung I, 1934) ist die vorliegende Sammlung, die man „S a c h e n u n d W ö r t e r" betiteln könnte, eine Selbstverständlichkeit, die ergänzende Umkehrung. Die begriffliche Zusammenstellung ist der Wegweiser für den Etymologen. Die Bezeichnungswege der Sprachen und der Sprache werden sichtbar. Den wahren Nutzen werden Synonymensammlungen hier erst bringen, wenn sie für eine Mehrzahl von Sprachen vorhanden sind. Dann wird es möglich sein, Gleichheiten im Bezeichnungswandel[49] planmäßig aufzusuchen. „Wenn einer mal wagte, ein etymologisch-semasiologisches Wörterbuch von einigen gut bekannten Sprachen mehrerer unverwandter Sprachstämme eines Kulturkreises nach Begriffen anzuordnen, würden sich, glaube ich, die Resultate der etymologischen Forschung plötzlich verdoppeln, vielleicht verzehnfachen" (van Ginneken, Indog. Jahrb. 4 1916, 58). Dazu soll der große Büchernachweis S. *68* ff. mithelfen.

Man wird, sollte ich denken, ferner eine Fülle der in der Sprache so wichtigen A n a l o g i e w i r k u n g e n so leichter entdecken, etwa auf dem Gebiet der Wortkreuzungen (blendings, z. B. latein. *celox* könnte Blende[50] sein aus celer und velox), der Reimwortbildungen, Streckformen, verblaßten Bildermischungen (z. B. in *Ränke spinnen*). Die Wortforschung, die immer mehr von lautgesetzlichen und lautanalogischen Erklärungen dazu vordringt, auch die begrifflich bedingten Kontaktwirkungen der Wörter aufeinander zu berücksichtigen, wird durch systematisches Nebeneinanderstellen der Synonymen, das der Sprachforscher natürlich auch bisher sehr oft, aber nur von Fall zu Fall vornahm, sicherlich manche Anregung erfahren können, und es wird sie vor mancherlei etymologischen Irrwegen bewahren können.

Wer z. B. die mundartlichen Bezeichnungen für eine Pflanze nicht beachtet, ist vielleicht versucht, irgendeinen Pflanzennamen, den er kennen lernt, schnell aus einer — nicht vorhandenen — Ähnlichkeit der Pflanze damit zu erklären, während unter Umständen Volksetymologie vorliegt.

Ein wichtiger Teil der Bezeichnungslehre ist die W o r t g e o g r a p h i e [50a]. Sie beschäftigt sich mit den wortgeographischen Verschiedenheiten, durch die sich die einzelnen Gegenden eines Sprachgebietes auch dann noch beträchtlich voneinander unterscheiden würden, wenn alle Ausspracheunterschiede zwischen den Mundarten wegfielen. Wer weiß nicht, daß Deutschland in zwei Teile zerfällt, von denen der eine *Samstag*, der andere *Sonnabend* sagt, jeder von den unzersetzten Gemütern des anderen Teiles darob entweder (vom Süden aus) beargwöhnt oder (vom Norden aus) leise bemitleidet? (So entstehen Nationalismen). Wer darüber Zusammenhängendes erfahren will, sei auf die Einleitung von Kretschmer, Wortgeographie der neuhochdeutschen Umgangssprache, Göttingen 1918, verwiesen. Geht man dem Begriffsschema entlang den hier vorgelegten Wortschatz durch, so ist es verhältnismäßig einfach, die Kenntnis der wortgeographischen Unterschiede, wie sie Kretschmer für 300 Begriffe dargestellt hat, weiter zu erarbeiten. Ebenso eine lebendigere Darstellung der Vokabulare der S o n d e r s p r a c h e n des Jägers, Seemanns, des Gauners, der Dirne, des Soldaten, Studenten, Schülers, Druckers, Bergmanns, als es in alphabetischer Anordnung möglich ist. Jedes M u n d a r t e n w ö r t e r b u c h sollte, wenigstens als Anhang, den Stoff am Begriffssystem entlang vorführen, damit man einmal einen einheitlichen Eindruck bekommt. Jeder Wörterbuchschreiber hätte dann auch einige Seiten zum Lesen, nicht nur zum Nachschlagen geschrieben. Ich erinnere etwa an die Anhangseiten bei Meyer-Mauermann, Der richtige Berliner in Worten und Redensarten[9], Berlin 1925, wo die Ausdrücke für „dumm" und „verrückt" zusammengestellt sind. Pop, S., La dialectologie (vom Rumänischen ausgehend), Löwen 1950, 2 Bde. etwa 2800 S.

Ein Wortschatz nach Satzgruppen dient ferner als Konträrindex für W o r t b i l d u n g s l e h r e u n d F o r m e n l e h r e : eine Durchsicht sämtlicher Nummern ergäbe eine Liste der Kategorien, für welche in der Sprache besondere Forτι.antien vorhanden sind, und man könnte bequem gleich den für die Sprachentwicklung so wichtigen lexikologischen Ersatz derselben ablesen, der dazu geführt hat, daß man von synthetischen und analytischen Sprachen redet.

Nach der Anordnung einer Bezeichnungslehre und nicht alphabetisch semantisch handelt man auch am besten über die H e r k u n f t d e s W o r t s c h a t z e s. Erst nach Begriffskreisen geordnet können da Ergebnisse fruchtbar gemacht werden. Fesselnde Betrachtungen könnten sich an folgende Listen an Hand des gegebenen Begriffsschemas anschließen:

1. die nicht etymologisierbaren Wörter, d. h. die Wörter ohne indogermanische Verwandte. Sie gäben ein Bild des Kultureinflusses, der von der vorgeschichtlichen Bevölkerung ausgegangen ist.

2. Lehnwörter (dabei auch die doppelten Entlehnungen und Rückwanderer).

3. Bedeutungslehnwörter und Lehnredensarten (z. B. Bibelzitate). Übertragung eines schon bestehenden Wortes auf einen neuen Gegenstand („nomina ante res").

4. Ausleihwörter.

Wenn man ferner innerhalb der einzelnen Nummern des vorliegenden Wortschatzes, innerhalb bestimmter Begriffskreise den Synonymenschub durch die Zeiten verfolgt, so erhält man die I d e e n g e s c h i c h t e n dieser Gebiete, denn die Geschichte der Ideen ist die Geschichte der Bezeichnungen, die man verwendet hat, um sie auszudrücken, und deren gegenseitiges Vordringen und Zurückweichen auf dem betreffenden Begriffsfeld. A. Meillet hat den Vorgang sehr lichtvoll mit einem Kraftfeld verglichen[51]. Die bisherigen Leistungen für diese Disziplin siehe im Büchernachweis II: Zum einzelnen.

Es sollte dann auch die a l l g e m e i n s p r a c h p s y c h o l o g i s c h e Betrachtung der Ausdrucksmittel für die verschiedenen Begriffsgebiete vorgenommen werden, an die schon Tappolet (oben S. *42*) gedacht hat. Ernst Cassirer hat solches in seinem Buch „Die Philosophie der symbolischen Formen" I, Berlin 1923, 146 ff. versucht (für Raum, Zeit, Zahl), Leo Weisgerber für die Gesichtsempfindungen, Wörter und Sachen 12 1929, 197 ff., für den Geruchssinn, Indog. Forsch. 49 1928, 121 ff.

Das Begriffsschema als Globus intellectualis wird auch für andere, nicht unmittelbar grammatische Untersuchungen nützlich sein. Wie wichtig ist es z. B. für das Verständnis der griechischen Religion, eine Übersicht darüber zu bekommen, welche Wörter einen r e l i g i ö s e n N e b e n t o n haben und was z. B. alles personifizierend groß geschrieben werden kann.

Ebenso wird das mit Synonymen gefüllte begriffliche Schema für stilistische Betrachtungen nützlich sein. Unter S t i l i s t i k verstehe ich natürlich Betrachtung von Stilarten[52]. Denn Anweisung zu dem guten Stil für alle ist ein Unbegriff. Schon im griechischen Altertum ist man von der dogmatischen Einheit der ἀρεταί λέξεως, die für jeden verbindlich seien, wie sie noch die peripatetische Rhetorik des Theophrast forderte, bald — in hellenistischer Zeit — dazu vorgeschritten festzustellen, daß es eine Mehrzahl legitimer χαρακτῆρες λέξεως gibt. Die „Ideen"-Lehre des Hermogenēs (2. Jh. n. Chr.) versucht beide Bedürfnisse zu befriedigen. Die Lehre von den 2, 3 oder 4 Stilarten ist mit Pseudo-Ciceros „Rhetorica ad Herennium" und Augustins De doctrina christiana in das Mittelalter gekommen, Walther von der Vogelweide und Dante kennen sie[53] und auch die modernen literarischen und charakterologischen Typenteilungen (Schillers naive und sentimentalische Dichtung, Nietzsches Apollinisches und Dionysisches, Jungs intro- und extravertierter Typ, Diltheys Drei- und Ungers Vierteilung) zeigen eine gewisse Familienähnlichkeit damit.

Diese pluralistische Stilistik wird erst möglich, wenn man vom Inhalt, vom Begriff ausgeht. Denn sie will Fragen beantworten wie diese: Was sagen die verschiedenen Menschen für das und das? Wie drücken sich z. B. die Schüler aus? Wie die alten Leute? Welches sind die Ausdrucksbesonderheiten des Kaufmanns in der Reklame, der Kanzleibeamten in den Akten? der Zeitung? des Predigers? Wie heißt ein Begriff, wie wird ein Gedanke ausgedrückt in gehobener Sprache, in druckfähiger Schriftsprache, in der Umgangssprache, im Slang? Oder: welches ist der korrekte Ausdruck, welches der Kraftausdruck, welches der anspielend pointierende, d. h. Tradition voraussetzende für etwas Bestimmtes? Wie ist der Stil verschiedener Literaturepochen? Gattungen? In welchen Begriffsfeldern sitzen die Mode- und Schlagwörter? Was besagt Fehlen eines Wortes bei einem Schriftsteller? In einer Gattung? Was ist aus einem ἅπαξ λεγόμενον zu schließen?

Dasselbe empfiehlt sich für die S t i l i s t i k e i n z e l n e r A u t o r e n. Man ist bei den Untersuchungen de genere dicendi irgendeines Autors meist deskriptiv semasiologisch vorgegangen. Man fragte: Aus welchen Gebieten der Wirklichkeit überträgt er, welche okkasionellen Wortverwendungen hat er? Aber Dichten ist kein Schöpfen aus irgendeinem Metaphernlexikon, sondern ein Sprechen. Warum ist ein so reichhaltiges Buch wie das von Hugo Blümner, Gleichnis und Metapher in der attischen Komödie[2], Leipzig 1891, so öde? Weil, wie fast in der gesamten einschlägigen Literatur über „Die Metapher bei Shakespeare, bei Victor Hugo usw." übersehen ist, daß das Bild ja erst in die Existenz tritt, wenn es der Sprechende in ausgreifender Wortgebung haben will zur Verdeutlichung einer anderen Vorstellung, die ihm die Hauptsache ist. Bei der üblichen Anordnung, der sich Blümner angeschlossen hat, entsteht das Bild eines „Dichters", der sich vornimmt: Lichtmetaphern kann ich nehmen für das und das, Tiervergleiche für Schnelligkeit, für Ethisches, agonistische Bilder für jenes usw. Krasse Beispiele zwei Breslauer Dissertationen von Mielke und Rieger über Äschylos und Sophoklēs 1934. Die Folge war, daß Stilistik in Verbindung mit Gedichterklärung in Verruf gekommen ist. Das liegt aber nur daran. Alles ist in Ordnung, wenn man stilpsychologisch richtig, nämlich onomastisch vorgeht und fragt: Wann und warum greift er zur Bezeichnung von dem und dem in die Vokabulare anderer Wirklichkeitsbereiche? Denn „der Antrieb geht ja dabei offenbar nicht von jenen Gebieten aus, denen die aufgegriffenen Worte ursprünglich angehörten, sondern von dem Begriff, der sich ihrer sekundär bemächtigte" (Sperber)[54]. „Auf sorgsamen synonymischen Wertungen beruht die ästhetische Auffassung der Dichtung, die Stilforschung" (Kuttner)[55]. Dasselbe fordert in einer Bespr. über Haefeli, Afraat G. Richter, Literaturwissenschaft und Stilanalyse. Dt. Vjs. 15 1937, 49.

Mit Hilfe eines Wörterbuches nach Begriffen wird man nun den stilistischen Ort, den die einzelnen Bezeichnungen unter den anderen einnehmen, besser bestimmen können, was z. T. eine wortgeographische Frage ist, z. T. erst nach genauer Untersuchung der Topik der gerade vorliegenden literarischen Gattung zu beantworten sein wird. Erst dann, also ziemlich selten, wird man gegenüber einem fremdsprachlichen, also etwa antiken Schriftsteller mit der Fragestellung Motiv und Wort kommen dürfen: Bei welchen Gelegenheiten zeigt der Autor, die Gruppe oder auch die Zeit eine besondere Emphase, so daß bestimmte Worte Affektträger werden, lust- oder pathosbetonte Lieblingswörter? Die unbefangenen Ausdrucksverstärker, die einfachen bildhaften Sprecher werden sich dann deutlich abheben von den mehr sentimentalischen, nachdrücklich pointierenden Emphatikern, die in ihrer Redeweise Tradition anklingen lassen wollen. Auf deren Seite steht etwa in der griechischen Literatur alles, was homerische Wendungen vertieft: also die hohe Lyrik, die Tragödie, voran Sophoklēs. Die spätere Dichtung: hellenistische Epigrammatik, Hymnik, Epos setzt gar die Kenntnis der ganzen literarischen Tradition voraus: Epos, Chorlyrik, Tragödie — oder, was sich davon gar nicht sondern läßt: die späten Griechen wollen gar nicht anders sprechen als auf diese selbstverständliche Weise zitierend, Register ziehend. Lykophrōn und Nonnos sind da die Grenzfälle. Auch in der Prosa ist es ähnlich: die unverwechselbare Pathetik Plotins appelliert ständig an vollkommene Platonkenntnis. Im Lateinischen alle, die ihre griechischen Vorbilder durchklingen lassen wollen: bei Plautus und Terenz liegt das Durchklingen nicht in der Absicht, es wäre aber sehr lohnend, darauf mehr zu achten, bei Ennius schon etwas, dann die Liebeselegie, Catull, Horaz, Vergil. Bei Vergil verstärkt sich das Emphatisch-Pathetische, weil nicht nur Homer, sondern auch Apollonios von Rhodos und Ennius ständig anklingen soll. Dann sind die vergilischen Wendungen ihrerseits wieder das Thema, über das Variationen gemacht werden bei Manilius, Lucanus usf. bis Tasso, Sidney, Voltaire, Klopstock. Alle wollen sie den vergilischen Ton erreichen und überbieten. Die von der Bibel herkommende Sprache Kanaans tönt dann die lateinische Patristik, am eindrucksvollsten die Sprache Augustins. Im Deutschen dürften wohl Goethe, Hölderlin, Platen, C. F. Meyer, George diejenigen sein, bei denen das vielsagende Herabmindern, die Neubeseelung der Alltagswörter für ihre Sprachgestalt bestimmender ist als das Greifen nach starken Metaphern.

Damit ist auch die Erscheinung wohl erklärt, daß manche Literaturwerke schwerer übersetzbar sind als andere, etwa Vergil schwerer als Horaz und Ovid. Es sind die Emphatiker, die für eine Gruppe dichten, die bestimmte Werke der eigenen Literatur stark wertbetont empfindet und gerne in neuer Variation an sie erinnert wird. Vergil ist kaum übersetzbar, insofern er nicht nur Homeriker, sondern auch augusteisch moderierter Ennius ist[56]. Worte und Verse, in denen evozierende Obertöne aus der sprachlichen Vergangenheit der eigenen Nationalliteratur mitschweben, werden natürlich beim Umsetzen in ein anderes Idiom unrettbar uminstrumentiert. Denn dort sind die aufrufenden Obertöne bestimmter Worte und Wendungen anders gelagert.

Zum Verständnis von Dichtungen, die ein verhältnismäßig geschlossenes Vokabular durch immer neue Variation heben und steigern, wie etwa das griechische Epos, die griechische Chorlyrik und Tragödie, Vergil und seine Nachahmer, die Skaldendichtung, das provenzalische trobar clus, die Meistersinger, die Gongoristen, Marinisten, Euphuisten, Preziösen, Schlesier des 17. Jh., vielleicht auch die Symbolisten, wäre es äußerst förderlich, einen solchen Wortschatz nach Sachen anzulegen: die Stellen erläutern sich dann gegenseitig in oft überraschender Weise. Thumb, Idg. Forsch. Anz. 13, 35 ff. über A. Levy, Mem. Torino 1898—99, 335 ff.

Das Beieinander der Synonyma ist auch dienlich für die Schlagwortkataloge der Büchereien, und zwar ebenso für ihre Hersteller, wenn sie das geeignete Kopfwort suchen, wie für ihre Benutzer, wenn sie zweifeln, unter was sie nachsehen könnten.

Die Welteinteilung nach Begriffen wird manches Unternehmen ermöglichen oder erleichtern. So denke ich es mir sehr reizvoll und nützlich, etwa die „Geflügelten Worte" von Büchmann und den Sprichwörterschatz der verschiedenen Länder und die Bibelzitate und Bibelexegesen, auch die allegorischen, der verschiedenen Konfessionen, Epochen, Völker in dieser Anordnung zusammengestellt. Viele Zusammenhänge würden sich dadurch klären.

Schließlich das Verlockendste, aber auch Schwierigste. Mit Hilfe solcher Synonymendarstellungen wird man die Ausdrucksmöglichkeiten verschiedener Sprachen planmäßig vergleichen können. Ich zitiere dazu W. v. Humboldt, Äschylus' Agamemnon übersetzt, Einleitung S. 129 der Berliner Ausgabe: „Man hat schon öfter bemerkt, und die Untersuchung sowohl als die Erfahrung bestätigen es, daß, sowie man von den Ausdrücken absieht, die bloß körperliche Gegenstände bezeichnen, kein Wort einer Sprache vollkommen einem in einer anderen Sprache gleich ist. V e r s c h i e d e n e S p r a c h e n s i n d in dieser Hinsicht b l o ß e b e n s o v i e l S y n o n y m i e n ; jede drückt den Begriff etwas anders, mit dieser oder jener Nebenbestimmung, eine Stufe höher oder tiefer auf der Leiter der Empfindungen aus. Eine solche Synonymik der hauptsächlichsten Sprachen, auch nur (was gerade vorzüglich dankbar wäre) des Griechischen, Lateinischen und Deutschen, ist noch nie versucht worden, ob man gleich in vielen Schriftstellern Bruchstücke dazu findet; aber bei geistvoller Behandlung müßte sie zu einem der anziehendsten Werke werden." Solche Synonymik über mehrere Sprachen weg hatte schon G o e t h e auf Anregung von Karl Phil. M o r i t z 1787 in Rom (Italien, Kapitel Moritz als Etymolog) als Sport betrieben[57]. Neuerdings versucht es Heinz W e r n e r experimentell-psychologisch zur Kennzeichnung von Völkern[58]. Wissenschaftlichen Wert kann das alles erst bekommen auf breiter Grundlage des begrifflich geordneten und verglichenen Gesamtwortschatzes. Seit 1816, wo Humboldt dies schrieb, hat sich niemand gefunden, der diese „Synonymik des Griechischen, Lateinischen und Deutschen, eines der anziehendsten Werke" in Angriff genommen hätte. Ich kenne nur einen schüchternen Versuch in dieser Richtung von Erbe[59]. Um diese Studien zu erleichtern, gebe ich S. *68 ff.* eine reichliche Bibliographie für möglichst viele Sprachen. Man wird so zum erstenmal den nötigen Apparat zusammenbekommen, um den Wortschatz verschiedener Sprachen planmäßig zu vergleichen, z. B. auch unter dem Gesichtspunkt der fehlenden und unübersetzbaren Wörter, d. h. Begriffskomplexe oder Begriffsdifferenzierungen. Es bieten sich da so viele Fragen: Was ist deutsch nicht so sagbar wie französisch und englisch? Und umgekehrt: Was haben wir Unübersetzbares? Wofür haben wir mehrere Wörter? Und warum? Wie steht es überhaupt mit dem „Reichtum" der verschiedenen Sprachen? Ist eine Sprache logischer als die andere? Alle diese bisher mit nachweisbar untauglichen Mitteln stets voreilig und nationalistisch beantworteten Fragen könnten dann auf Grund brauchbarer Unterlagen in Angriff genommen werden. Die reiche Literatur über Übersetzen wäre unter den eben genannten Gesichtspunkten einmal aufzuarbeiten. Mommsen schrieb gern für Konsul Bürgermeister und für equites Kavallerie. Das geht uns heute gegen den Strich. Aber wenn wir nachgeborene Ausländer griechische Ausdrücke wie ἀρετή usw. jetzt immer unübersetzt lassen, so sind diese deswegen zu Hause keine Fachausdrücke gewesen, und das pathetische Getue damit hätte kein Grieche verstanden.

Man geht wohl nicht fehl, wenn man heute bei vielen Menschen einen wacheren Sinn für Stil-Betrachtung der Sprache feststellt als früher. Der ist leicht erklärt: durch das viele Reisen dank den neuzeitlichen Maschinen und den Rundfunk kommt man ständig in fremde Sprachen oder Mundarten hinein und erlebt öfter als früher diese Unterschiede, die, wie allbekannt, nicht nur reizvoll sind, sondern die als einer der wichtigsten Erreger von Zugehörigkeits- und Abneigungsgefühlen von Mensch zu Mensch und Volk zu Volk eine der bedeutungsvollsten Lebenstatsachen überhaupt bilden. Ein Hauptunterschied zwischen Franzosen und Deutschen ist, daß sie verschiedene Sprachen sprechen. Die übrigen Unterschiede, die leichter empfindbar als so sagbar sind, daß nicht falsche Verallgemeinerungen vorliegen, kommen zweifellos zum großen Teil daher, daß auch die „Sprache eine geistige Bildnerin der Völker" ist. Nun besteht ja in der ganz großen biologischen Frage „Was war eher: die Sprache oder das Denken?" eine etwas hoffnungslose Lage. Heute ist man wieder einmal sehr dafür, daß die Sprache älter ist als das Denken. Aber mir scheint, gesagt wird erst etwas, was vorher gedacht war. Gesprochen werden kann auch alles von einem Papagei. Aber sagen kann er nichts. Hier steht man vor den letzten Geheimnissen der Menschen- und Völkerentstehung. Aber daß die Sprachen, wenn sie einmal da sind, das Innenleben der sie Sprechenden aufs weitgehendste bestimmen, ist klar, seit Humboldt bekannt, und seitdem von N. Finck †, Weisgerber, Schmidt-Rohr, A. H. Gardiner wirksam betont worden[60]. Man darf gespannt sein, wie sich die Sache in den Einzelheiten ansieht in vergleichender Betrachtung der Wortschätze verschiedener Nationen, zu der diese Wortschatzanordnung anspornen und helfen möchte. Man vergleiche etwa Ausdrücke aus dem Gebiet der Bewegung, Abt. 8, im Französischen und Deutschen. In *jaillir, s'élancer* z. B. liegt etwas von künstlerisch Genießerischem, das das schauspielerisch Gebrachte einer Bewegung mit dieser Benennung auskostet. In dem deutschen Wort *rutschen* dagegen z. B. ist mit einer gewissen Trockenheit, aber mit gut das entscheidende Merkmal heraushebender Sachlichkeit etwas geprägt, was französisch (wie anders ist *glisser!*) schwer und nur viel ausführlicher gesagt werden könnte. Aber am ergiebigsten dürfte hier die Abt. 11 Gefühle, Affekte,

Charaktereigenschaften sein. In den Bezeichnungen für die Arten, auf Dinge wertend, bejahend, ablehnend zu antworten, in den Gefühlsbezeichnungen, in den Bezeichnungen für menschliche Eigenarten und Verschiedenheiten, unterscheiden sich die Sprachen am allermeisten. Hier wirkt am stärksten, daß man in seine Muttersprache hineingeboren ist. Hier greift man jede Nation in ihrer Eigenart sprachlich am lebendigsten. Lat. *vir gravis*, griech. ὅτος, μένος, franz. *frémir, verve*, deutsch *Drang, dürfen, innig, Stimmung* dürften zu den für den Übersetzer schwierigen Vokabeln gehören.

Für diese Vergleichungen von Sprachen untereinander wollte die IALA (= International Auxiliary Language Association in New York) eine künstliche Hilfssprache als Maßnorm verwenden, ein Gedanke, den ich für möglich halte und der auch den Beifall des Internationalen Linguistenkongresses zu Genf 1931 (Actes. Paris 1933, p. 104) gefunden hat. Allerdings nutzt die Hilfssprache als Vergleichsnorm, soweit ich sehe, nur für Formenlehre, Wortbildung und Syntax. Für Wortschatzvergleichungen ist mit dem Vorhandensein einer künstlichen Hilfssprache noch nicht viel geholfen. Denn wenn besagte Hilfssprache nicht nach dem alten apriorischen System (s. oben S. 35) hergestellt wird — und das ist keine der neueren Hilfssprachen —, so muß deren Wortschatz zwecks Vergleichung ja zuvor sachlich geordnet werden, eben nach einem Schema in der Art des hier vorgelegten. Daß dies freilich die Sprachenvergleichung auf eine völlig neue Stufe heben würde, habe ich schon 1921 in dem S. 29 angeführten Aufsatz mir zu sagen erlaubt.

Man muß sich allerdings davor hüten, aus dem Fehlen mancher Wörter oder aus der Unübersetzbarkeit mancher Wörter sofort höchste völkerpsychologische Folgerungen zu ziehen. Im allgemeinen ist es freilich üblich, auf vermeintliche Privateigentümlichkeiten der eigenen Sprache sich als Nation etwas zugute zu tun und auf der anderen Seite angebliche Eigentümlichkeiten ausländischer Sprachen vorschnell für Ausfluß bedenklicher Charaktereigenschaften der betreffenden Nation zu halten. Es sei auf die besonnenen Ausführungen von L. J o r d a n in den Hauptproblemen der Soziologie, Erinnerungsgabe für Max Weber 1923 über „Sprache und Gesellschaft" hingewiesen; auch auf S c h a l k , Das Ende des Dauerfranzosen, Neue Jahrb. 8 1932, 57 ff. Schnelle Schlüsse von Synonymenreichtum auf den Volkscharakter sind aber nichtsdestoweniger beliebt; vgl. z. B. Oskar W e i s e , Unsere Muttersprache[11], Leipzig-Berlin 1929, S. 169: „Spricht nicht der Umstand, daß Hermann Schrader 500 Redensarten und Bilder auf dem Gebiete des Trinkens in unserer Sprache hat sammeln können, zur Genüge aus, wie sehr unserem Volke diese Neigung in Fleisch und Blut übergegangen ist?" Da kann man nur mit Mephisto sagen: Du weißt wohl nicht, mein Freund, wie grob du bist. Ohne daß andere Sprachen befragt werden, wird dem deutschen Volk auf Grund der großen Synonymenzahl in patriotischer Gemütlichkeit nachgesagt, daß ihm die Neigung zum (Alkohol-)Trinken in Fleisch und Blut sitzt. Die Tatsache selbst mag stimmen oder nicht. Aber diese Begründung ist unmöglich. Denn mit derselben Methode muß man den Schluß ziehen, daß die Deutschen gern sterben oder gern arm sind. Betrunken sein ist ein mit Affekten geladener Begriff, einerseits der Inbegriff des Wohlbefindens, andererseits gesellschaftlich etwas verfänglich. Das führt dazu, daß dieser Begriff sowohl von unten wie von oben bezeichnet wird: man greift zu einer Menge teils feuchtfroh verständnisinniger, teils euphemistisch zurückhaltender Umschreibungen. Die letzteren beweisen, daß man sich vom Betrunkenen distanziert.

Ebenso ist sehr zu beachten, was Eugen L e r c h † [61] schrieb: „Die Veränderungen im Wortschatz, die eine Sprache im Laufe der Jahrhunderte, der Jahrzehnte, ja der Jahre erfährt, sind stärker als die Veränderungen in den Lauten, den Formen, der Satzbildung. Deshalb ist es auch ungleich schwieriger, im Wortschatz einer Sprache durchgehende, bleibende Züge zu finden, in denen sich die Wesensart des betreffenden Volkes spiegeln würde. So muß für dieses Gebiet an Stelle der phänomenologischen Betrachtungsweise die historische eintreten."

Diese letzte, sich immer wieder aufdrängende große Frage nach dem „G e i s t" e i n e r S p r a c h e, der zugleich wohl zu dem „Charakter" des betr. „Volkes" in irgendwelchen Beziehungen steht und sich vom „Geist" anderer Sprachen wohl unterscheiden mag, kann, wenn überhaupt, jedenfalls nicht ohne Vergleichung der einzelnen Vokabulare nach Sachgruppen beantwortet werden.

Das Wort hat in unserer Zeit geänderte Funktion und Situation bekommen. Schon allein durch das Zeitunglesen, von den Büchern ganz zu schweigen, durch den Rundfunk prasseln die Worte und damit die Begriffe von vielen Nationen und von vielen geistigen Richtungen fast stündlich nur so auf uns herein, so daß es sich jedem aufdrängt, wie die Worte bald entwertet, bald aufdunsend schlagwortartig überwertet sind. Man ist auch weithin des Wortes überdrüssig geworden, so daß heute sichtlich das Drama gegenüber dem Film, die Lyrik gegenüber der Musik einen erschwerten Stand hat. Das ist eine Seite der Feindschaft unseres Jahrhunderts gegen das Vernunfthafte, die uns zu unseren Schicksalen führt. Der Sprachbetrachtung aber erwachsen daraus Vorteile. Es hat zur Folge, daß jedenfalls keine dumpfe Befangenheit hindert, sie kühl zu betrachten. Infolge jener Verdrossenheit gegenüber dem Wort ist uns das Wort ferner gerückt, wir haben den Betrachterabstand zu ihm: gegenüber jeder Art von Text, insbesondere aber Sprachdenkmälern gegenüber, die zeitlich auch nur etwas zurückliegen, kommen wir immer mehr in ein rein stildatierendes Verhältnis, so daß, wie in der Kunstbetrachtung, ein Schauen des Ganzen von der Form her allein imstande ist, unsern Anteil zu erwecken. Wie heute der Kunstgeschichtler nicht mehr in erster Linie nach dem dargestellten Gegenstand und der etwa erreichten Naturtreue fragt, sondern den Stil, das Kunstwollen beschreiben will, so beeindruckt uns, wenn wir z. B. ein Stück deutschen Text aus dem 18. Jahrhundert lesen, am stärksten nicht der Inhalt des Gesagten, sondern sein Wie. Die Philologie, d. h. Geistesgeschichte an Hand der Sprachdenkmäler ist also sichtlich auf dem Weg, zur Ideengeschichte plus Stilgeschichte (= „Literaturgeschichte ohne Namen") zu werden. Sie nähert sich auch sonst wieder der Sprachwissenschaft durch die Neigung, Wort- und Begriffsgeschichten zu unternehmen. Andererseits wendet sich die Indogermanistik in steigendem Maße von der Laut- und Wurzelforschung ab, den dem Schrifttum näheren Gebieten der Bedeutungslehre, Bezeichnungslehre, Syntax, Stilistik zu, so daß auf diesem gemeinsam zu durchackernden breiten Grenzstreifen die Mehrzahl der Geisteswissenschaften arbeitet.

Auf S. 8 habe ich auf die Fremdwörterfrage hingewiesen. Sie ist eine Folgeerscheinung der sprachlichen Urtatsache, daß für ein und dieselbe Sache verschiedene Synonyma zur Verfügung stehen. Synonyma aber sind bedeutungsnahe, nicht bedeutungsgleiche Wörter, einerlei ob sie aus einer oder aus zwei Sprachen stammen (s. oben S. 57). Man trifft mit jedem Satz, den man spricht, eine Synonymenwahl. Vertauscht man einen Ausdruck mit einem synonymen, so begeht man oft eine Roheit. Man kann die Wortgruppe „Über allen Gipfeln ist Ruh" ersetzen durch „Auf sämtlichen Bergen herrscht Stille". Auch das ist gut deutsch ausgedrückt. Es ist des Nachdenkens wert, warum man sich mißhandelt fühlt. Der Vertauschbarkeit der Synonyma sind Grenzen gesetzt. Doch das Leben geht über diese Grenzen oft hinweg, muß darüber hinweggehen. Sonst könnte man überhaupt keinen Satz aus einer Sprache in die andere übersetzen. Fremdwörter, Lehnwörter sind Fälle, in denen die Hemmungen, einem Wort nicht Unrecht zu tun, überwogen haben. Aber man kann mehr übersetzen, als man oft denkt. Das Ersetzen eines Ausdrucks durch sein Synonymon ist übrigens nicht nur die Tätigkeit aller Übersetzer, der Sprachreiniger, nicht nur die Hauptlinie des inneren Sprachwandels (s. oben S. 50 über S y n o n y m e n s c h u b), sondern auch eine wichtigste Form des geistigen Lebens überhaupt. Man wird sich an manche Erörterung über irgend etwas mit einem geistigen Menschen erinnern, in der als Hauptergebnis eine bessere sprachliche Fassung, eine zugespitztere Begriffsbestimmung, d. h. ein treffenderes Synonymon herausgekommen ist.

Die Entwicklung der P h i l o s o p h i e besteht — seien wir Menschlein nur bescheiden — einstweilen darin, daß auf dem metaphysischen, psychologischen, ethischen Begriffsfeld ein Synonymenschub stattfindet. Gerade erst entstehende Wissenschaften wie z. B. die Philosophie — der es stets zum Schaden ausschlägt, wenn sie findet, sie habe es schon weit gebracht —, oder die S o z i o l o g i e [62] oder die C h a r a k t e r o l o g i e, die noch stark mit dem Bestimmen ihrer Grundbegriffe zu schaffen haben, tun, wenn man näher zusieht, oft nichts anderes als Synonymen scheiden. Vielbehandelte T a g e s fragen sind stürmische Erörterungen um überwertige Wortmarken herum. Für solche heißumstrittenen Machtwörter könnte ein breiteres Heranziehen und Abwägen der Synonyma, als es für gewöhnlich zu sehen ist, nicht schaden. Es ist gewiß schwer, die Wörter Kultur, Synthese, Problem, dynamisch, Erleben, Ethos, Bildung, sämtliche -ismen[63] usw. durch Synonyma zu ersetzen, aber wie schön wäre es, wenn man diese zuerst philosophastisch aufgeplusterten und nachher durch die Druckpressen und Ätherwellen gezerrten S c h w a m m w ö r t e r für eine Zeit verbieten könnte. Die Geschädigten müßten sich überlegen, was sie meinen.

Der Synonymenschub, der Bezeichnungswandel, ist auch für die Zeiten anzusetzen, die wir mit sprachvergleichenden Rückschlüssen erreichen können, z. B. die Zeit der i n d o g e r m a n i s c h e n U r s p r a c h e. Für diese wird ein Wortschatz angenommen, der sich aus Übereinstimmungen der verschiedenen Sprachen der indogermanischen Gruppe ergibt. Aber wenn man, was durchgängig geschieht, aus dem Fehlen solcher Gleichungen den Schluß zieht, daß die Indogermanen da kein Wort gehabt haben, so ist das verfehlt. Für Mund hätten die Unglücklichen keine Bezeichnung gehabt[64]. Denn lat. os, griech. στόμα, germ. Mund ist nicht zur Deckung zu bringen. Die Nr. 2. 16 dieses Buches lehrt, daß Mund, wie so manche Körperteile, ein affektgeladener Begriff ist, wo immer ein starker Ausdrucksverschleiß zu beobachten ist. Ich fürchte, man wird einsehen müssen, daß mit diesen Rückschlüssen nicht viel zu machen ist.

Eine Einteilung der Welt und sämtlicher Vorgänge in ihr ist ein Unternehmen, das, wenn es mit philosophischem Anspruch angefaßt würde, die Kräfte sämtlicher Phänomenologen übersteigen würde. Systematisch-philosophisch ist die vorliegende Klassifikation ohne Anspruch. Jede Einteilung beruht auf dem Ermessen ihres Urhebers, die meinige will für ihre sprachlichen Zwecke brauchbar sein. Den Stoff zusammenzubringen und in eine Ordnung zurechtzurücken, war recht schwierig. Ich habe natürlich das von Sanders, Schlessing, Wehrle, Ed. Engel (s. S. 37) zusammengebrachte Ausdrucksmaterial (neben vieler anderer Literatur, s. S. 68 ff.) dankbar übernommen und bekenne gern, daß ohne das Vorhandensein der genannten Bücher diese für mich notwendige Vorarbeit für ein altgriechisches oder ein lateinisches ὠχυτόχιον (vgl. S. 32) nie hätte fertiggestellt werden können. Es war bei den meisten Begriffen mancherlei nicht beigebrachtes Ausdrucksmaterial, das ich selber in vielen Jahren gesammelt habe, hinzuzufügen, andererseits findet sich, besonders bei Schlessing[65], viel Nichtzugehöriges dazwischen. Aber auch jetzt noch wird wohl jeder Benutzer oft eine Lücke feststellen. Möchte er sie mir nicht entrüstet vorwerfen, sondern für eine Neuauflage mitteilen. Ich stand ferner ständig vor folgenden Fragen: Wo ist die Grenze zwischen Stil und Sprache? Ist eine eingebürgerte Kenning schon Sprache, also „Schiff der Wüste", „König der Tiere"? Ist ein Witz, den Unzählige nachsprechen, schon Sprache wie etwa sold. *Bismarcktorte* für „Kommißbrot"? Oder irgendeine vergnügte Zersprechung wie *befriedericht* für „befriedigt"? Ist ein „Sprachfehler", der heute noch von manchen getadelt wird, der aber Sprachgebrauch geworden ist, schon Sprache? Es schien am richtigsten, eher zu viel als zu wenig zu geben.

ANMERKUNGEN

[1] **H e r m a n n   P a u l**, Über die Aufgaben der wissenschaftlichen Lexikographie, SBMünchen 1894, 91. Ähnlich, nur mit der Parole: „Kulturgeschichte" **U s e n e r**, Hess. Bl. f. Volksk. 1 1902, 196 = Verh. d. Philol.-Vers. Wien 1893, 23 = Reden und Aufsätze 107.

[2] Wie wichtig das im folgenden Gesammelte für eine Geschichte der Enzyklopädie wäre, deute ich bloß an. B. Wendt, Idee und Entwicklungsgeschichte der enzyklopädischen Literatur, Würzburg 1941, 83 S. ist nur eine „Studie". · Glogner, G., Der mhd. Lucidarius, eine mittelalterliche Summa, Münster 1937. Lexikon ist übrigens kein antikes Wort.

[3] **L. G i l e s**, An alphabetical Index to the Chinese Encyclopedia usw. London 1911, p. V—XVIII.

[4] **H a u e r**, Asia Major 7 1932, 631 f. **H a e n i s c h** ebd. 10 1934, 59 ff.

[5] S. oben S. 7.

[6] **H e r m a n n   M a y e r**, Prodikos v. Keos und die Anfänge der Synonymik bei den Griechen. Rhetorische Studien 1 1913, Paderborn, Schöningh. Eine an Beispielen reiche, gegen das prodikeische Unterscheiden der Synonyma gerichtete Darlegung der Vertauschbarkeit von Synonyma steht Lysias 10 Gegen Theomnēstos 7-19. Lysiās muß da seinen Klienten dagegen schützen, daß er mit knifflichen Bezeichnungsunterscheidungen zu Fall gebracht wird. Gegen Überschätzung des prodikeischen Einflusses auf die Philosophie: Calogero, Giorn. crit. della filos. Italiana 8 1927, 409 ff. Vgl. noch Dümmler, Akademika 158. Wössner, Die synonymische Unterscheidung bei Thukydidēs und den attischen Rednern. Diss. Berlin 1937; W. H. Wente, Aristoteles' discrimination of Synonyms. Diss. Chicago 1935 (Shorey). Die Juristen, bes. die Strafrichter, sind eifrigste Synonymenscheider.

[7] **M ü n z e r**, Herennius, RE 8 1913, 652. Ptolemäus περὶ διαφορᾶς λέξεων (Synonyme und Homonyme) hrsg. Heylbut, Hermes 22 1887, 388-410.

[8] **G o e t z**, differentiarum scriptores, RE 5 1905.

[9] **Hans L a c h m a n n**, Gottscheds Bedeutung für die Gesch. d. deutschen Philologie. Diss. Greifswald 1930.

[10] **R. R e i t z e n s t e i n**, Varro und Joh. Mauropos von Euchaita. Leipzig 1901. S. 4 ff. Etymologika RE 6 1909, 809. **D a h l m a n n**, Terentius Varro, RE Suppl. 6 1935, 1206 ff. **C h r i s t - S c h m i d**, Griech. Literaturgesch. II 1, 432.

[11] **R e i t z e n s t e i n**, a. O. 30.

[12] **R e i t z e n s t e i n**, a. O. 88.

[13] **L a t t e**, Glossographika. Philologus 80 1925, 157 ff., 161. **W e l l m a n n**, Hermes 33 1898, 361.

[14] **L a t t e** a. O. S. 162.

¹⁵ Über Pamphilos C o h n , Griech. Lexikographie, in Iwan Müllers Handbuch II 1 ⁴. München 1913, 689 f. W e l l m a n n , Hermes 51 1916, 56 ff. T o l k i e h n , Lexikographie, RE 12 1925, 2432 ff. C. W e n d e l ✝, Pamphilos Nr. 25, RE 36, 2 1949, 336 ff. Ein Gedicht Limon gab es auch von Cicero, vgl. F e r r a r i n o , St. Ital. 16 1939, 51 ff.

¹⁶ C o h n , Griech. Lexikographie 692. 'Ωκυτόκιον hieß auch ein 'Schnellrechner' des Apollonios von Perge, um 200 v. Chr.

¹⁷ P o l l u c i s Onomasticon ed. Bethe, Leipzig 1908-31. Vgl. B e t h e , Julius Pollux, RE 10 1919, 776 ff. Über Athenaeus J. Düring in: Apophoreta Lundström, Gotenburg 1936, 226-70.

¹⁸ G o e t z , Glossographie (lateinisch), RE 7 1912, 1433 ff.; Corpus Glossar. Latinorum VII. Leipzig 1923. G. Baesecke, Der Vocabularius St. Galli. Halle 1923.

¹⁹ G o e t z , Dositheus, RE, T o l k i e h n , Lexikographie RE 12 1925, 2468.

²⁰ S c h m e k e l und P h i l i p , Isidorus RE 9 1916, 2070 ff. W e ß n e r , Hermes 52 1917, 201 ff. V o s s l e r ✝, Isidorus von Sevilla (1948) in: Südliche Romania, Leipzig 1950, 149 ff.

²¹ Dazu Brief 260 Allen. J o a c h i m s e n , Loci communes, Luther-Jahrbuch 8 1926, 54 ff. F. D a n n e n b e r g , Der englische Platonismus. Neue Forschung 13 1931.

²² N e b e , Vives, Alsted, C. in ihrem Verhältnis zueinander 1891. — V i d r a s c u , Diss. Leipzig 1891. — R e b e r , J. A. C. und die Sprachgesellschaften 1895. — B e i ß - w a n g e r , Diss. Straßburg 1904. — B o h l e n , Diss. Erlangen 1906. — K v a c a l a 1914. — R. P a n n w i t z , Der Geist der Tschechen. Wien 1919, 76 ff. — H i l d e g a r d S t a e d k e , Die Entwicklung des enzyklopädischen Bildungsgedankens und die Philosophie des Amos Comenius Leipzig 1930. R. B i t t n e r , Comenius und Leibniz, ZsfslavPh. 6 1929, 115 ff., 7 1930, 85-89.

²³ Le Breviari d'amor de Matfre Ermengau. Hrsg. G. A z a i s . 2. Bde. Paris 1862-1884. — P a u l M e y e r in: Histoire littéraire de la France (1735 ff., 33 Bde.) Bd. 32. — Eine Reproduktion des „Liebesbaumes" bringt: S u c h i e r - B i r c h - H i r s c h f e l d , Geschichte der französischen Literatur, Leipzig-Wien 1913, Bd. II, 92.

²⁴ P r a n t l , Geschichte der Logik III (1867), 145 ff. M a u t h n e r , Wörterbuch der Philosophie I unter „Enzyklopädie". S c h a l k , F., Einleitung in die Enzyklopädie der französischen Aufklärung, Münchener Arbeiten 6 1936. A l t a n e r , Raim. Lullus und der Sprachenkanon des Konzils von Vienne 1312. Hist. Jb. Görres. 53 1933, 190 ff. G e r h a r d t , Studium generale 1951.

²⁵ Herm. D i e l s , SBBerlin 1899. C o u t u r a t und L e a u , Histoire de la langue universelle, Paris 1903; Les Nouvelles Langues internationales, Paris 1907. G u e r a r d , Albert, A short history of the International language movement. London 1922. S w e e t , Universal language in Encyclop. Britannica. D e b r u n n e r , Indogerm. Jahrbuch 14 1930, 391 ff.

²⁶ F u n k e , Otto, Studien zur Geschichte der Sprachphilosophie. Bern 1927, 9 f. — Zum Weltsprachenproblem in England im 17. Jh. Anglistische Forschungen 69 1929. Heidelberg, Winter. Dazu J e s p e r s e n , Beibl. Anglia 40 1930, 65 ff.

²⁷ Bibliographie bietet V. G r u n d t v i g , Begreberne i Sproget. Kopenhagen 1925.

²⁸ Schon 1887 schreibt Gaston P a r i s a. S. 42 a. O. p. 281 von der Wissenschaft, die „man" Sémantique nenne.

²⁹ Diese Stellen hat W. W o e s s n e r , Die synonymische Unterscheidung bei Thukydidēs und den politischen Rednern, Diss. Berlin 1937, S. 31 ff. z. T. behandelt. Auch Woessner schreibt, Thukydidēs handle vom Bedeutungswandel, wie A m m a n n , Zsfdt Altert. 71 1934, 11 Es scheint fürchterlich schwer zu sein, folgendes zu begreifen: wenn dasselbe Wort später anders verwendet wird, z. B. im Fall *Elend*, das zuerst Ausland, dann Unglück bedeutet, so hat sich die Bedeutung gewandelt; wenn aber dieselbe Sache zuerst mit dem einen Wort, später mit einem anderen ausgedrückt wird, so hat sich die Bezeichnung gewandelt. Thukydidēs sagt kein Wort darüber, daß ein bestimmtes Wort seine Bedeutung geändert habe. Vielleicht versteht man es mit Fremdwörtern leichter: Thukydidēs ist hier unterwegs nach Onomasiologie, nicht Semasiologie.

³⁰ Zitiert von T a p p o l e t a. S. *42* a. O. S. 3. Ich kann auch nicht zugeben, daß durch M. L e u m a n n , Zum Mechanismus des Bedeutungswandels, Idg. Forsch. 45 1927, 105 ff. die Frage zugunsten der Semasiologie entschieden ist, vgl. S. *51.*

[31] Auf diese Seite der Sache, daß nämlich mit den Bezeichnungen auch die Begriffe sich verschieben und ändern, hat W e i s g e r b e r nachdrücklich hingewiesen: Germ.-roman. Monatsschrift 15 1927, 179 ff., ferner Vorschläge zur Methode und Terminologie der Wortforschung IF 46 1928, 322 ff. Wenn aber nun „Begriffsgeschichte" als die wichtigste Wissenschaft der Zukunft verkündigt wird, so kann ich da nicht ganz mit. Denn da der Vorgang des Begriffswandels nur in dem Vorgang des Bezeichnungswandels in Erscheinung tritt, so kommt es auf eine Selbsttäuschung hinaus, wenn W. dort noch eine Begriffsgeschichte in komplizierter Tiefe hinter der Bezeichnungsgeschichte fordert. Was er als Beispiel gibt, ist eine historische Synonymik gewisser Verwandtschaftsbezeichnungen, und die „Begriffsgeschichte" dahinter stellt sich, von dem vorliegenden Unternehmen aus gesehen, als bezeichnungsgeschichtlicher Kommentar zu einzelnen Nummern dar, unter der richtigen Voraussetzung, daß synonym nicht = identisch ist. Ich freue mich da der Übereinstimmung mit Jost T r i e r , German. Bibl. II, 31, Heidelberg 1931, 18, 1; A m m a n n , Idg. Forsch. 49 1931, 59 ff.; S p e r b e r , Zwei Arten der Bedeutungsforschung, Ztschr. f. deutsche Bildung 6 1930, 225 ff., s. Vf., Das „Problem des Bedeutungswandels", ZfdtPhil. 63 1938, 119 ff.

[32] M e r i n g e r , Etymologien zum geflochtenen Haus 1898. Wörter und Sachen, Idg. Forsch. 16 1904, 101 ff. und Bd. 17, 18, 19, 21. Zur Aufgabe und zum Namen unserer Zeitschrift, Wörter und Sachen 3 1912, 22 ff. — S c h u c h a r d t , Zs. f. rom. Philol. 29 1905, 620. 34 1910, 257 A.

[33] L. S p i t z e r , Die Sprachgeographie 1909-14, Revue de dialectologie romane 6 1915, 318 ff. W. P e s s l e r , WuS. 15 1933, 1 ff., W. M. B e c k e r , Volk und Scholle 8 1930, 300 ff. M a u r e r , Nachr. d. Gießener Hochschulgesellschaft 8 1931. W r e d e , Ingväonen und Westgermanen. Zs. f. dt. Mundarten 1924, 270 ff., H. A u b i n , Th. F r i n g s , J. M ü l l e r , Kulturströmungen und Kulturprovinzen in den Rheinlanden. Bonn 1926. K. W a g n e r , Dt. Sprachlandschaften. Marburg 1927. Von Wenker zu Wrede 1933.

[34] Auch sie hat natürlich ihren hohen geschichtlichen Erkenntniswert.

[35] Vgl. E d w a r d S c h r o e d e r , Aus fünzig Jahren deutscher Wissenschaft, Festschrift S c h m i d - O t t , Berlin-Freiburg-München 1930, 205. Das willkommene Eindringen von Wortgeographie zeigen Arbeiten wie W e n z e l , Walter, Wortatlas des Kreises Wetzlar. Deutsche Dialektgeographie 28 1930 u. a.

[36] Lazarus G e i g e r , Ursprung und Entwicklung der menschlichen Sprache und Vernunft, II. Stuttgart 1872, S. 191 ff.

[37] Vgl. Philologus 89 1934, 405. M a c n a g h t a n , ClRev. 21 1907, 12 ff.

[38] K.-H. F r e y , Das Problem des gerechten und angemessenen Preises, Jurist. Diss. Breslau 1935. A. de S e n a r c l e n s , „Justum pretium". Mélanges Fournier, Paris 1929, 696 ff. G e n z m e r , Die antiken Grundlagen der Lehre vom gerechten Preis. Zsf ausl. u. internat. Privatrecht 11 1937, 25-64 Gruyter. C. B r i n k m a n n , Welt als Geschichte 5 1939, 418 ff. N. G. S c h a c h t s c h a b e l , Der gerechte Preis. Neue Dt. Forschung 1939. A. M a i e r , Der gerechte Preis. Diss. München 1940.

[39] Französische Philologie. Wissenschaftliche Forschungsberichte 1. Gotha 1919, (38 ff.) 43.

[40] K a l e p k y , Archiv. Roman. 13 1929, 545 vergleicht es passend mit den Epizyklen der vorkopernikanischen Astronomie. „A. T o b l e r s feine und geistvolle Versuche, die verschiedenen Bedeutungen und Gebrauchsweisen des Ausrufs par exemple! im Sinn von 'potztausend, das sage ich dir, zum Teufel auch' aus der Grundbedeutung von par exemple „beispielsweise" zu entwickeln, waren von vorherein zum Scheitern verurteilt, genau so, wie es die geistvollsten und scharfsinnigsten Epizyklentheorien des ptolemäischen Systems waren: weder haben sich jemals, wie P t o l e m a e u s und seine Anhänger glaubten, die anderen Gestirne des Weltalls um die Erde gedreht, noch hat sich jemals aus einem „beispielsweise" ein 'vortrefflich', 'potztausend' entwickeln können." Zu „par exemple", das Kalepky als willkürlichen Ersatz von „parbleu" erklärt, vgl. noch A. B a r t h , Festschrift Gauchat, Aarau 1926, 221 ff.

[41] Von Äußerungen anderer, die in die gleiche Richtung weisen oder auf diesen Aufsatz Bezug nehmen, nenne ich noch: S l o t t y , Idg. Forsch. 44 1926, 335 f. — V o ß l e r , Der Einzelne und die Sprache. Logos 8 1919 = Ges. Aufs. z. Sprachphilosophie. München 1923, 154. — Sprachgemeinschaft als Gesinnungsgemeinschaft, Logos 13 1924 = Geist und Kultur in der Sprache. Heidelberg 1925, 209 ff. — L. S p i t z e r , Zu Ch. Peguys Stil. Walzel-Festschrift „Vom Geist neuerer Literaturforschung" 1924, 162 ff. — Ed. H e r m a n n , Philol. Wochenschr. 1925, 506. — K r e t s c h m e r , Glotta 14 1925, 223. — N e h r i n g , N. Jbb. 1924, Bd. 53, S. 101 f. — L. W e i s g e r b e r , Idg. Forschg. 46

1928, 331 ff., in seiner Besprechung des die alte „Semantik" mit wundervollem Material zu hilfloser Karikatur treibenden Buches C a r n o y , La science des mots, Louvain 1927. — W e i s g e r b e r , GRM 15 1927, 173; 13 1930, 254 ff. — S p r i n g e r , O., Germ. Rev. 13 1938, 171 f. Arch. Romanicum 13 1929, 198 ff.

[42] M e i l l e t , A., Linguistique historique et linguistique générale, Paris 1921, 230 ff. Vf. Das „Problem des Bedeutungswandels", ZfdtPhilol. 63 1938, 119 ff

[43] H e i n e m a n n , J., humanitas, RE Supplement 5 1931. v. J a n , Ztschr. f. frz. Spr. u. Lit. 55 1931, 1 ff.

[44] Für die religiöse Sprache mehr bei E. S t a n g e , Das Wort und die Wörter, Pastoralblätter 78 1935, 1 ff. Dornseiff, Hermes 78 1943, 110 f.

[45] Theod. A. M e y e r , Das Stilgesetz der Poesie. Leipzig 1901.

[46] Die ausgezeichneten Ausführungen von J a b e r g , Sprache als Äußerung und Sprache als Mitteilung, Herrigs Archiv 136 1917, 108 ff. sind mir bekannt. Ich verweise nachdrücklich auf sie. Neben den psychologischen Gründen des Bezeichnungswandels sind die allgemeinen kulturellen und die aus dem System der betreffenden Sprache herstammenden sprachökonomischen in Betracht zu ziehen. Auch dafür ist es nach J a b e r g S. 121 nötig, „den Rahmen möglichst weit zu spannen, möglichst zahlreiche und möglichst verschiedenartige Sprachgebiete zu untersuchen." Auch wieder ein Grund zur Durchführung von Vokabularien nach Sachgruppen.

[47] C a r n o y , La science du mot. Löwen 1927, p. 124: On signale un vocabulaire très riche dans les vieilles poesies chinoises . . . Les études étymologiques dans le domaine de l'indoeuropéen revèlent pour la langue mère une situation à peine différente. Les idées de „voir", „dire", „dormir", „marche" par exemple, étaient rendues chacune par une douzaine de racines environ entre lesquelles n'existaient que de legères nuances de sens. Si l'on possédait un repertoire idéographique du vocabulaire des langues aryennes, cette situation apparaîtrait avec une netteté encore plus grande.

La victoire dans chacun idiome de l'un ou de l'autre des synonymes est un fait d'ecsémie (= Verblassen des Etymons) qui tout en rendant la langue moins pittoresque, l'a désencombré d'une exubérance dont le poids ne correspondait pas à l'utilité car, en linguistique, il n'est pas exact qu' „abondance de biens ne nuit pas". Diese Erklärung der Erscheinung trifft nur den Teil der Fälle, die ich Kraftausdruck nenne. Unterschiedlicher stellt sich der idg. Wortschatz dar bei M e i l l e t , C.-R. de l'Acad. Inscr. 1926, 44 ff.

[48] F. K l u g e , Unser Deutsch. Leipzig 1907, S. 48 ([5]1929, S. 58). Zum Synonymenreichtum s. M a u r e r , Volkssprache. Hess.BlfVolkskunde 26 1927, 157 ff. — F l i g e l m a n n , The richness of African Negro-Languages. Congress of African Languages and Cultures. Paris 1931. F. S t r o h , Der volkhafte Sprachbegriff, Halle 1933.

[49] Solche gleichen Bedeutungsübergänge hat zusammengestellt Z e h e t m a y r , Analogisch vergleichendes Wörterbuch über das Gesamtgebiet der idg. Sprachen, 1879. Die analog vergleichende Etymologie, Progr. Freising 1884—85. Die Grenze zu den „Bedeutungslehnwörtern" ist da oft nicht leicht zu ziehen. S z a d r o w s k i , Bedeutungsparallelen. Ztsch für roman. Philol. 45 1925, 529—94. S. S i n g e r , Festschr. Jellinek, 1928.

[50] Darüber: S c h r o e d e ı H., Streckformen. Heidelberg 1906. R o g g e , Chr., Der tote Punkt in der etymologischen Forschung. Ztschr. f. deutsche Philol. 51 1926, 1 ff. M a c k e n s e n , ebd. 406 ff. M a u r e r , ebd. 53 1928 167 ff.

[50a] P e ß l e r , W., Deutsche Wortgeographie 1932. Alwin K u h n , Sechzig Jahre Sprachgeographie in der Romania. Romanistisches Jahrb. 1 1947—1948, 25—63.

[51] Les interférences entre vocabulaires, Linguistique historique et linguistique générale[2], Paris 1926.

[52] S p i t z e r , Neue Jahrb. 6 1930, 649 f. schreibt über die Daseinsberechtigung der literarischen Stilistik: „es entspricht einer sich immer mehr in mir durchsetzenden Ansicht, daß die Stilistik und die Herauslösung des Sprachlichen aus dem Kunstwerk eigentlich zu verschwinden, aufzugehen habe in der Analyse des Kunstwerks, in der e i n e n Literaturwissenschaft. Die Verabsolutierung und Selbstbehauptung der Stilistik (wie sie im Augenblick noch besonders stark H. P o n g s und H. H a t z f e l d betonen) ist nur ein verständliches Übergangsstadium zwischen der „anästhetischen" Sprachbetrachtung und der allein berechtigten Totalanalyse des Kunstwerks . . ., eine spezifisch romanistische, französisch-humanistische Haltung dem Wortkunstwerk gegenüber, die Forscher wie V o ß l e r , W a l z e l , D o r n s e i f f beeinflußt hat." — Ich finde, man kann Texte, Wortkunstwerke unter verschiedenen Gesichtspunkten betrachten: außer in jener literarischen Totalanalyse u. a. auch als einen Fall von Sprache, Abt. Bezeichnungslehre. Ob damit notwendig die — romanische — Beschränktheit verbunden sein muß, die „Wortgebung von Literaturwerken als effiziert, absichtlich, technisch machbar" aufzufassen, wird der Einzelfall zeigen müssen.

⁵³ D a n t e , Über das Dichten in der Muttersprache (De vulgari eloquentia), übers. u. erläut. von F. D o r n s e i f f und J c s . B a l o g h † Darmstadt 1925, S. 98. H. W e n i g e r , Die drei Stilcharaktere der Antike in ihrer geistesgeschichtlichen Bedeutung, Göttinger Studien zur Pädagogik 19, Langensalza 1932, zeigt die Nachwirkung bei Sandrart, Melanchthon, Shaftesbury, Winckelmann. E. R. Curtius, Roman. Forsch. 64 1952, 57 ff.

⁵⁴ Einführung in die Bedeutungslehre Bonn 1923, 47. Merkwürdigerweise hält S p e r - b e r nachträglich diesen von ihm damals richtig hervorgehobenen richtigen Gedanken, dem er seine besten Ergebnisse verdankt, für gleichgültig. Sachwörterbuch der Deutschkunde I, Leipzig 1930 u. 'Bedeutungslehre' S. 134.

⁵⁵ ZfrSpr. 53 1930, 340.

⁵⁶ S. W i e m e r , Ennianischer Einfluß in Vergils Aeneis VII—XII Beitr. zur Sprach-, Stil- und Lit.forschung, Abt. Antike 1 = Diss. Greifswald. Berlin, Nicolai 1933.

⁵⁷ Seltsamerweise erwähnt F. M ü f f e l m a n n , Diss. Greifswald 1930 diese wichtigste Episode in Moritzens Sprachforschung nicht.

⁵⁸ H. W e r n e r , Über die Sprachphysiognomik als eine neue Methode der Sprachbetrachtung. Ztschr. f. Psychologie, hersg. von Schumann, 109 1929, 337 ff.. — G r o o - t a e r s , L., Intern. Wordgeographie. Leuw. Bijdr. 15, Bijbl. 1 ff. — Medelingen van d. Zuidnederl. Dialectcentr. 1923, Nr. 2, 1 ff. — P e ß l e r , Atlas der Wortgeographie von Europa. Eine Notwendigkeit. D num natal. Schrijnen 1929, 69 ff.

⁵⁹ Karl E r b e , Hermes. Vergleichende Wortkunde. Stuttgart 1883.

⁶⁰ E. M. A r n d t , Ideen über die höchste Ansicht der Sprache. 1805. C. W. K o l b e , Über den Wortreichtum der deutschen und der französischen Sprache. 3 Bde. Berlin 1818 bis 1820. F. Nic. F i n c k , Der deutsche Sprachbau als Ausdruck deutscher Weltanschauung. Marburg 1899. L. W e i s g e r b e r , Muttersprache und Geistesbildung 1929. S c h m i d t - R o h r , Mutter Sprache. Schriften der Deutschen Akademie 12 1923. K. Fr. P r o b s t , Philologen der Nation. Karlsruhe 1933.

⁶¹ Handbuch der Frankreichkunde. Frankfurt 1930, 1, 131.

⁶² Vgl. besonders Max W e b e r , Wirtschaft und Gesellschaft. Tübingen 1922.

⁶³ D o r n s e i f f , Sokrates 7 1919, 319 ff. Die Wandlung 3 1948, 346 ff.

⁶⁴ L a m e r - B u x - S c h ö n e , Wörterbuch der Antike, ³Stuttgart 1950, 345. S c h e i d w e i l e r , Die Wortfeldtheorie, ZfdtAltert. 79 1942, 249—72.

⁶⁵ Die Neubearbeitung von W e h r l e 1940 ist viel besser, vgl. ZfdtAltert. 77 1940, 105 ff.

STICHWORTREGISTER
ZU VORREDEN UND EINLEITUNG

A

abmachen (Wortbedeutung) *40. 50*
Analogiewirkungen *53*
Arbeit (Wortgeschichte *44*)
Arndt *10*
Athenaios *32*

B

Bacon *35*
Bally *38. 43*
Becker, K. F. *36*
Bedeutungslehnwörter *49. 54*
Bedeutungswandel *41 ff.*
Bezeichnungswandel *10. 14. 39 ff.*
billig (Wortgeschichte) *44*
Bréal *41*

C

Cassirer *50*
Charakterkunde *12. 61*
Comenius *34*

D

Dalgarno *35*
Dēmokritos *30*
Descartes *35*

E

Emphase *46*
Enzyklopädie *29. 38 f.*
Erasmus von Rotterdam *34*
Er-ya *29. 72*
Etymologie *53*
Euphemismen *41. 49*

F

Feld, sprachliches *16*
Fremdwörter *8. 60 f.*

G

Gilliéron *43*
Glanznummern *9*
Gottsched *36*
Grimm, Jacob *10*
Grundtvig *16. 68*
Gruppensprache *47 f.*

H

Hērakleitos *30*
Hērodotos *30*
Hochzeit (Wortgeschichte) *50*
Honoratiorendeutsch *7*
Humboldt *9. 36. 57*

I

Internationale Hilfssprache *11. 35. 59*
Isidorus von Sevilla *33*
Isokratēs *41*

J

Jaberg *65*

K

Kasack *16*
Klages *12*
Kosas *30*
Kretschmer, P. *43*

L

Iatro *14*
Leibniz *35 f.*
Lehnwörter *8*
Lerch *59*
Leumann *51*
Lullus *35*

M

Magie des Wortes *12*
Modewörter *61*
Moritz, K. Ph. *57*
Mundarten *13. 54*

O

Onomastik *39. 42*

P

Pamphilos *32*
Paris, Gaston *42*
Pflanzennamen *9. 31. 51. 54*
Philosophie *61*
Pollux *32*
Prodikos *30*
Proclus *41*

R

Rätsel *7. 16*
Reichtum der Sprache *10. 51. 54. 62*
Roget *36 f.*

S

Sanders *37*
Schlagwörter *61*
Schlessing *37. 70*
Schuchardt, Hugo *42 f.*
Semasiologie *41*
Simaristos *32*
Soldatensprache *52*
Sondersprachen *7. 54*
Sprachunterricht *11*
Sprechertypen *46. 56*
Stilistik *55 f.*
Stoā *31*
Suetonius *32 f.*
Synonyma *8*
Synonymenhäufer *11*
Synonymenschub *15 f. 51. 60*
Synonymik *8. 30. 36*
System der Sprachbetrachtung *40*

T

Tappolet *12. 42. 55*
Thukydidēs *30, 41*
Tiktin *38*
Titelinflation *15*

U

Übersetzen *7. 58 f.*

V

Vergilius *56 f.*
Völkerpsychologie *59 ff.*
Voßler *45*

W

Weltkataloge *35. 61*
Wortgeographie *31. 42. 54*

BÜCHERNACHWEIS
FÜR BEGRIFFS-WORTFORSCHUNG
NACH SACHGRUPPEN

Mit Beiträgen von Vilhelm Grundtvig †, Aarhus.

Ich gebe im folgenden, was mir an Behandlungen und Zusammenstellungen des Vokabulars nach Sachgruppen bekannt geworden ist. Arbeiten zu bestimmten Begriffsgebieten wolle man im Büchernachweis II nachsehen. Sinn und Zweck eines solchen Büchernachweises ist aus der Einleitung zu ersehen (vgl. besonders S. 52 und 53). Ich gebe ihn aber auch zu meiner eigenen Entlastung, denn Vollständigkeit auch nur anzustreben würde bedeuten, darauf zu verzichten, in diesem Leben noch irgend etwas anderes zu tun. Das gilt auch für die Vollständigkeit dieses Büchernachweises. Er ist eine notwendige Ergänzung für die Synonymenlisten des Buches teils als Quellennachweis, teils als Wegweiser für Benutzer, die weiterkommen wollen.

Bei diesem Büchernachweis schulde ich bis zur 3. Auflage 1943 dem Bibliotheksdirektor (a. D.) Vilhelm Grundtvig in Aarhus †, dem Verfasser des Buches „Begreberne i Sproget" (København 1925), das viele bibliographische Hinweise enthält, Dank für persönliche Mitwirkung mit einer Menge anderer Titelangaben. Er war auch Mitarbeiter an einem dänischen Begriffswörterbuch, das in Anlehnung an das vorliegende Buch 1945 erschienen ist, s. S. 73.

I: FÜR DAS ALLGEMEINE

❡ *Mehrsprachig:* Buck, C. D., and Peters, A Dictionary of Selected Synonyma in the Principal Indo-Europ. Languages. A contribution to the History of Ideas. Chicago 1949. XIX, 1515 S. Bilder-Duden: The Duden Pictorial Encyclopedia (in 5 Sprachen). New York 1943. · Comenius, Janua aurea linguarum reserata. 1631 u. ö., tschechisch-lateinisch, 5sprachig und in viele Sprachen übersetzt · Fischer, F., Versuch einer vergl. Synonymik. Progr. Magdeburg 1881, 1882 (romanische Sprachen) · Junius, Hadrianus, Nomenclator omnium rerum variis linguis explicata. · Antwerpen 1567; dazu Ludin, Diss. Freiburg i. Br. 1898 · Oehl, Elementare Wortschöpfung. Anthropos 12 1917–19 1924 · Pallas, P. S., Linguarum totius orbis vocabularia comparativa. Petersburg 1787—89 (für 200 osteurop. und asiatische Sprachen) · Planert, W., Makroskopische Erörterungen über Begriffsentwicklung. Ann. d. Naturphilos. 9 1910, 290 ff.; dazu van Ginneken, Anthropos 6 1911, 360 ff. · Sprachführer für die Reise, z. B. Heckers systematisch geordneter Wortschatz. Berlin, Behr; Metoula, Neufeld u. a. · Kircher, A., Polygraphia . . . Roma 1663. [Fünf Sprachen.] · Vanwyn, La polyglotte, ou recueil de 9000 mots les plus usités dans huit langues et deux idiomes. Belgique 1841 · Bonaparte, L. L., Specimen lexici comparativi omnium linguarum Europaearum. Florentiae 1847. 56 S. (Fol.). [56 syst.

geordn. Wörter in 52 Sprachen.] · Letellier, C. L. A., Dictionnaire de 30 000 mots internationaux définis par les lettres qui les composent et par la classification des idées. Caen (Paris) 1886. 15, 317 S. · Klaproth, H. J., Asia polyglotta. Paris 1823. — 2. Ausg. [unveränd.] 1831 · Grierson, G. A., Linguistic survey of India. Vol. 1. Part. 2. Comparative vocabulary. Calcutta 1928. 337 S. [168 Wörter in 364 asiatischen Sprachen] · Koelle, S. W., Polyglotta Africana. London 1854. (Großfolio) · Eboué: Langues Sango, Banda, Baya, Mandjia (Afrique équatoriale). Notes grammaticales. Mots groupés d'après le sens. Paris 1918.

¶ Über *Gebärden* s. Bächtold-Stäubli, Handwörterbuch des Aberglaubens u. Gebärde · Leonhard, K., Ausdruckssprache der Seele. Haug-Verlag 1949. 507 S. · Urtel, Hermann, Beiträge zur portugiesischen Volkskunde. Hamburg 1928 · Riemschneider-Hoerner, M., Der Wandel der Gebärde in der Kunst. Frankfurt 1939. 152 S.

Einzelne Sprachen.

¶ *Deutsch:* Büchernachweis 1889 Mentz, Bibl. d. dt. Mundartenforschung. Leipzig 1892; 1900—03 Mentz, Dt. Mundarten 2 1906 (Wien), 1 ff.; 1907—11 in Zs. f. dt. MA. 1915; 1915—16 in Zs. f. dt. MA. 1918; 1921—26: Martin, B., Dt. Sprachgeographie, Teuthonista 1 1924 — 10 1934, ferner Teuthonista Beih. 2 1929, bes. 10 f.; ferner laufend im Jahresbericht für german. Philologie · Mitzka, Deutscher Wortatlas I. Gießen 1951 · Die Volkskunden der deutschen Provinzen, z. B. Maurer in Becker, Rheinhessische Volkskunde, Jena, Diederichs · Zeitschrift „Der Querschnitt" passim · Alschner, Richard, Deutsch und Deutschkunde. 2 Bde. Leipzig 1925 · Lebensvolle Sprachübungen in Sachgruppen des Alltags. Leipzig, Dürr[8] 1934. Sprachkundliche Kleinarbeit im neuen Geiste, ebd.[2] 1937. Bauernlexicon, Curiöses. Freystadt 1728 · Bergmann, Michael, Deutsches Aerarium poeticum. Stettin 1662 · Dasypodius, Dictionarium latino-germanicum. Straßburg 1535 · Dialektgeographie, Deutsche, hrsg. von Ferd. Wrede, Bd. I 1908 ff. · Eberhard, Joh. Aug., und Maass, Joh. Gebhard Ehrenreich, Versuch einer allg. deutschen Synonymik, 6 Bde.[3] Leipzig 1826—30 · Eberhard-Lyon, Synonymisches Handwb. d. dt. Sprache[7], Leipzig 1910 · Ed. Ellenberger, Wortgesch. Aufschluß · Chr. Fr. Kocher, Phraseologia Corneliana. Gieß. Beiträge 51, Diss. 1937 · Engel, Eduard, Verdeutschungsbuch[5]. Leipzig 1929 · Erdmann-Uhse, Wohlinformierter Redner[4]. Leipzig 1709 · G. Federspiel, Das richtige Wort zur rechten Zeit. Zürich 1942 · Franke, C., Reinheit und Reichthum der dt. Schriftsprache, gefördert durch die Mundarten. Leizpig 1890 · Friedheim, H., Bleib' gesund! Dresden 1928. 48 S. · Götze, A., Wege des Geistes i. d. Sprache. Leipzig 1918 (= Hefte zur Deutschkunde 1) · Harmjanz-Röhr, Atlas der dt. Volkskunde Bd. 1. Leipzig 1937 bis 1939 · Heckscher, Volkskunde des german. Kulturkreises nach E. M. Arndt. Hamburg 1925 · Hirt, Hermann, Etymologie der nhdt. Schriftsprache[2]. München 1921 · Hoffmann, P. F. L., Volkstüml. Wörterbuch d. dt. Synonymen[9]. Leipzig 1929 · Kaltschmidt, I. H., Kurzgefaßtes vollständiges stamm- und sinnverwandtschaftliches Gesammt-Wörterbuch. Nördlingen 1834 u. ö. · Kretschmer, Wortgeographie der nhdt. Umgangssprache. Göttingen 1918. Laufende Nachträge dazu von B. Martin, Teuthonista 1 1924 ff. · Der Layen Disputa, um 1530; dazu Meier, John, Philol. Studien Festgabe Sievers. 1896 · Männling, Joh. Chr., Poetik. Frankfurt und Leipzig 1715 · Matschoß, Alex., Scherz, Spott und Hohn in der lebenden Sprache. Berlin 1931 („Sachschelten") · Meisinger, Hinz und Kunz. Dortmund 1924 · Mitzka, Walther, Deutsche Mundarten. Heidelberg 1943. 173 S. · Modest, A., Der geordnete

Wortschatz. Die vollendete Anschauung vom Ding und seinem Wesen. Insterburg und Königsberg, Schubert & Seidel I. 1925. II. 1933 · Müller, Ewald, Vornamen als appellative Personenbezeichnungen. Onomatolog. Studien zur Wortkonkurrenz im Deutschen. Soc. Scient. Fennica (human.) III, 1 1929 = Diss. Helsingfors · Pessler, W., Die Wortgeographie von Nordwestdeutschland. Teuthonista 1 1925, 6 ff., W. u. S. 15 1933, 1—80 · Petri, Adam, Glossar zur lutherischen Bibel. Basel 1523. Abgedruckt bei Kluge, Von Luther bis Lessing, Straßburg 1888, 85 ff. · Pinicianus, I., Promptuarium vocabulorum. Augsburg 1524 · Pinloche-Matthias, Etymol. Wörterbuch der deutschen Sprache, enthaltend: ein Bilderwörterbuch. Paris-Leipzig 1922 · Sanders, Daniel, Deutscher Sprachschatz, geordnet nach Begriffen. 2 Bde. Hamburg 1873—77 s. oben S. 37 · Schaeffler, Julius, Der lachende Volksmund. Berlin 1931 · Schirmer, A., Die dt. Umgangssprache. GRM. 9 1921, 42 ff. · Schlessing, A., Der passende Ausdruck. Eßlingen 1881. 7. Auflage von H. Wehrle, Stuttgart 1940, unter dem Titel Deutscher Wortschatz (nach der Einteilung von Roget) [8]1947 · Schöpper, Jacob, „Synonyma. Das ist: Mancherley Gattungen deutscher Wörter, so im Grund einerlei Bedeutung haben". 1550; dazu: Schroeder, E., Jacob Schöpper v. Dortmund, Universitätsprogr. Marburg 1889. Neudruck hrsg. von Schulte-Kemminghausen. Habilit.-Schrift Münster. Dortmund 1927 · Siegel, Elli, 50 Jahre dt. Wortkarte (1890—1940) Zs. f. Mundartf. 18 1942, 1—30 · Sprachatlas, Deutscher. Begründet von Wenker 1876, hrsg. von Ferd. Wrede. Marburg 1926 ff. · Schwarzenbach, Leonhard, Synonyma. Frankfurt 1580 · Spalding, K., The historical Dictionary of German Figurative Usage · Steinmeyer und Sievers, Die ahdt. Glossen. Bd. 3: Sachlich geordnete Glossare. Berlin 1895 · Steuer, Wie finde ich den richtigen Ausdruck? Berlin 1920 · Stieler, Caspar, Der deutschen Sprache Stammbaum und Fortwachs. Nürnberg 1691 · Synonymenwörterbücher J. S. Stosch 1770, Eberhard 1795 u. ö., J. G. E. Maass, Sinnverw. Wörter zur Ergänzung von J. A. Eberhard. 6 Bde. Halle 1818—21. FLK Weigand,[2] Mainz 1852, 3 Bde., Sanders 1872 u. a. · Verdeutschungsbücher des Allg. dt. Sprachvereins · Vollmann, Remigius, Wortkunde in der Schule auf Grund des Sachunterrichts. 3 Teile. München 1908—11 · Wellander, Erik, Studien zum Bedeutungswandel im Deutschen. Uppsala Univ. Arsskrift 1917, 1923, 1928 · Wehrle s. Schlessing · Wohlwend, M., Der träfe Ausdruck. Wörterbuch d. sinnverwandten u. sinnähnlichen Ausdrücke[2]. Zürich 1941. 148 S. ¶ *Sondersprachen:* Bergleute 1.25—26 · Jäger 2.11 · Seeleute 8.5 · Studenten 12.36 · Drucker 14.11 · Soldaten 16.74 · Rotwelsch der Gauner und Verbrecher 19.11 ¶ *Gebärden:* Amira, K. v., Die Handgebärden in den Bilderhandschriften des Sachsenspiegels. 1905 · Bates, J., Die Bewegungen und Haltungen des menschlichen Körpers in H. v. Kleists Erzählungen. Diss. Tübingen 1918 ¶ *Mundarten* (soweit für Synonyme ergiebig): ¶ S c h w e i z : Zinsli-Hotzenköcherle, Deutsch-schweizerischer Sprachatlas 1953 ff. · Geiger-Weiss, Atlas der schweizerischen Volkskunde, Zürich 1950 ff., dazu Jud, Vox Roman 11 1950, 219—34 · Hubschmidt, J., Alpenwörter 1951 · Friedli, Emmanuel, Bärndütsch. 4 Bde. 1906—1922 · Staub und Tobler, Schweizerisches Idioticon. Frauenfeld 1881 ff · Davos: Bühler, V., D. in seinem Walser Dialekt. II. Synonymer Teil. Heidelberg 1875 ¶ H e s s e n : Soost (Nordhausen) Teuthonista 4 1928, 214—221 · Schöner, G., Spezialidiotiken des Sprachschatzes von Eschenrod. Diss. Gießen 1903/04 = Zs. f. hd. Mundarten 3—5 · Stroh, Fritz, Probleme neuerer Mundartforschung. Gießener Beiträge 24 1928. Stil der Volkssprache. Hess. Bl. f. Volkskunde 26 1630, 116 ff. · Karl Wehrhan, Frankfurter Kinderleben. Wiesbaden 1929 · Askenasy, A., Die Frankfurter Mundart u. ihre Literatur. Frank-

furt a. M. 1904 (m. Sachglossar) · Dang, J. S., Darmstädter Wörterbuch² 1952
⁋ B a d e n : Roedder, E., Volkssprache u. Wortschatz d. badischen Frankenlandes.
New York 1936. § 294 ff. einzelne wichtige Begriffe · Lenz. Ph., Vergl. Wörterb.
d. nhd. Sprache und des Handschuhsheimer Dialekts. Baden-Baden 1898 ⁋ T h ü -
r i n g e n : Hentrich, K., Wörterbuch der nordwesthür. Mundart des Eichsfeldes.
Göttingen 1912 · Müller-Fraureuth, K., Sächsische Volkswörter. Dresden 1906 ·
Hertel, L., Salzunger Wörterbuch. Mitt. Geogr. Ges. f. Thür. 11, Jena 1893 · Thü-
ringer Sprachschatz. Weimar 1895 ⁋ S c h w a b e n : Erbe, K., Der schwäbische
Wortschatz. Stuttgart 1897 · Fischer, H., Schwäbischer Sprachatlas. 1895 ⁋ E l s a ß :
Menges, H., u. Stehle, B., Dt. Wörterb. f. Elsässer. Gebweiler 1911 ⁋ B a y e r n :
Die Mundarten Bayerns. München 1930 (Sachregister zu Schmeller) · Loch-
ner, Joh., 999 Worte Bayrisch. München, Georg Müller o. J. ⁋ L u x e m -
b u r g : Bruch, Robert, Esquisse d'un Atlas linguistique L., Luxemburg 1948
⁋ B e r l i n : Meyer-Mauermann, Der richtige Berliner. ⁹Berlin 1925 · Lasch,
Agathe, „Berlinisch" = Berlinische Forschungen 2, Berlin 1928 ⁋ M a g d e b u r g :
E. Neubert, Ein Spaziergang durch die M.'er Mundart (M.er Kultur- und Wirt-
schaftsleben 11). Magdeburg 1937 ⁋ H a n n o v e r : Heckscher, K., Volkskunde der
Provinz H. I. Neustadt am Rübenberge. Hamburg 1930 ⁋ S c h l e s i e n : Weiß,
F. G. A., Die Breslauer Klabatschke. Grünberg 1891 ⁋ O s t p r e u ß e n : Fischer,
E. L., Grammatik und Wortschatz d. plattd. Mundart im preußischen Samlande.
Halle 1896 ⁋ L ü b e c k : Schumann, C., Der Wortschatz von L. Straßburg 1907
⁋ P o m m e r n : Holsten, Die Sprachgrenzen im pomm. Platt. Diss. Greifswald
1928 = Form und Geist Heft 8 ⁋ P l a t t : Danneil, J. F., Wörterb. d. altmärk.
plattd. Mundart. Salzwedel 1859 · Teut, Hochdeutsch-plattdeutsches Wörterbuch.
Hamburg 1930 · Grimme, H., Plattdt. Mundarten, Sammlung Göschen, Leipzig
1910, 147 ⁋ S u d e t e n l a n d : Wenisch, R., Beiträge zur Heimatforschung Nord-
westböhmens I. Wortschatzsammlung. Komotau 1926. 171 S. ⁋ J i d d i s c h : Birnbaum, Das hebr. und aram. Element i. d. j. Sprache. Leipzig 1922. 55 S. ⁋ Bertsch,
A., Wörterbuch der Kunden- und Gaunersprache. Berlin 1938. 130 S. (Anordnung
deutsch-jenisch) · Handbuch für Untersuchungsrichter ⁷1922.

⁋ *Einzelne Schriftsteller und Epochen:* Gotische Bibel: Grünwald, F., Progr. Karolinenthal 1910, 1914 · Hruby, A., Progr. Triest 1912 (Substantive · Conradi, J.,
Diss. Bonn 1921 (Substantiv und Adjektiv) · Priese, O., Deutsch-gotisches Wörter-
buch³. Halle 1933, S. 50—59 · Portengen, A. J., De oudgerm. dichtertaal in haar
ethnol. verband. Proefschrift Leyden 1915 · Priese, O., Altdeutsche Wörterbücher.
I—III. Halle a. S. 1907. (I. Ulfila, m. sachl. Übers. II. Heliand. III. Otfried m. sachl.
Übers.) (Deutsch-althd.) · Ibach, Helmut, Der Wortschatz der ahd. Benediktinerregel. Diss. Leipzig 1937 · Heliand: Ausg. von Sievers 1878, 391 ff., synonymischer
Teil · Wolfram von Eschenbach: Riemer: Guido, Die Adjektiva usw. Diss. Leipzig
1906 · Wirnt von Gravenberg: Salzberg, Diss. Marburg 1919: Adjektiva · Renaissance: Burdach, Vom MA. zur Reformation Bd. V. Berlin 1926 · Humanistische
Übersetzungsliteratur: Mackensen, Der Zasiusübersetzer Lauterbeck. GRM 11 1923,
304 ff. · Wenzlau, F., Zwei- und Dreigliedrigkeit in der dt. Prosa des 14. u. 15. Jh.
Hermaea 4 1904, Halle (von Burdach angeregt) · Ludwig, O., Synonymische Bildun-
gen in Formeln der Rechtssprache, Zstdt.-Mundartf. 13 1937, 215—22 · Binde-
wald, Hel., Die Sprache der Reichskanzlei z. Z. König Wenzels. Diss. Greifswald,
Halle 1928, S. 179 ff. · Gumbel, Hermann, Deutsche Sonderrenaissance. Deutsche
Forschungen 23 1930, 183 ff. · Luther: Teller, W. F., Von den in L. Übersetzung
vorkommenden Synonymen. Berlin 1795 = Vollst. Darstellung und Beurtheilung

der dt. Sprache in L. Bibelübersetzung II, 174—315 · Pietsch, M., Luther und die hochdt. Schriftsprache. Breslau 1883, 116 ff. · Sang, K., Die appellative Verwendung der Eigennamen bei Luther. Gießen 1921 · Hutten: Kuchanny, Die Synonyma in U. v. H. Vadiscus. Diss. Greifswald 1915 · Szamatolski, Diss. Berlin 1889 = Quellen und Forschungen zur Kulturgeschichte 67 · Fischart: Hauffen, Ad., Joh. Fischart I, Berlin 1921, 199; II, Berlin 1922, 316 f. · Wendland, Ulrich, Die Theoretiker und Theorien der galanten Stilepoche. Diss. Greifswald 1930 · Gryphius: Fricke, Die Bildlichkeit des A. Gryphius. N. Forschg. 17 1933 ❡ Ä g y p t i s c h : Alan, H. Gardiner, Ancient Egyptian Onomastica. Oxford 1947, 2 Bde.; dazu Alt, ThLZ 26 1951, 141 ff. · Grapow, H., Vergleiche im Ägyptischen. 1920 · Erman-Grapow, Wörterbuch der ägyptischen Sprache, Bd. 6, deutsch-ägyptisch, Leipzig 1951 ❡ A f r i k a : The Richness of A. Negro Languages, Congress of A. Languages and Cuetures, Paris 1931 ❡ A k k a d i s c h : v. Soden, W., Die akkadischen Synonymenlisten 1933 ❡ A l b a n i s c h : Jokl, N., Linguistisch-kulturhistorische Untersuchungen aus dem Bereich des A. Berlin 1923 ❡ A r a b i s c h : Lammens, H., Philologie arabe. I. Synonymes arabes. Beyrouth 1889 · at-Ta 'alibi († 429/1038), Kitab fiqh al lugha (Brockelmann I [s. auch den Erg.-Band] 285) · Ibn Faris († 395/1005), Fiqh al lugha (Brockelmann I 130) · Ibn Sida al Muchassas (Brockelmann I 309) · Ahmed ibn Abam, Kitab el 'Alam, vgl. Maqqari II 117 · Fleischer, Über arab. Lexikographie und Ta 'alibi's Fikh al lugah. Ber. Verh. sächs. Ges. 1854, S. 1 ff. = Kl. Schriften III, 1888, S. 152 ff. · Seligmann, J., Uppsala Univ. Arsskrift 1863 · Almkvist, H., Actes du 8. Congrès de Orientalistes 1886, I, 261 ff. · Abdurrahman-el-Hamadani: Synonymes arabes, ou recueil de locutions. Publ. par L. Cheikhos. Beinut 1885, 339 S. · Abû Abdallah, Liber Mafatih al-olum explicans vocabula technica scientiarum, ed. G. van Vloten. Leyde 1895, 328 S. (syst.) · Sicard, J., Vocabulaire franco-arabe. 4, éd. revue et augm. Paris 1934, 27, 283 S. (syst.) ❡ B a b y l o n i s c h : Cuneiform Texts 18, London 1904: malku/šarru · Deimel, Schultexte (?) aus Fara. Ausgrabungen der Deutschen Orientgesellschaft, Inschriften Bd. II, Leipzig 1923 · Ungnad, Ztschr. für Assyriol. 4 1929, 65 ff. · Meißner, Babylonien und Assyrien II. Heidelberg 1925, S. 357 f. · Matouš, L., Ztschr. f. Assyriologie 6 1931, 295 f. · Thureau-Dangin, Syria 12 1931. 225 ff. · Die lexikalischen Tafelserien der Babylonier und Assyrer in den Berliner Museen. I. Gegenstandslisten (Serie HaR-ra / hubullu). Herausgegeben und eingeleitet von Lubor Matouš. Berlin 1933; II. Die akkadischen Synonymenlisten. Hrsg. Wolfram von Soden. Berlin 1933 · Jean, Ch. F., Lexicologie sumerienne. Tablettes scolaires (?) de Nippur du 3. millénaire av. J.-C. Babyloniaca 13 1933, 1—128 · Schott, A., Die Vergleiche in den akkadischen Königsinschriften. Mitt. d. vorderasiat.-ägyptischen Gesellschaft 30 1926, sachlich geordnet · Scheil, Revue d'Assyriologie 18 1921 29 ff. · Thureau-Dangin, F., Vocabulaire de Ras-Shamra. Syria 12 1931, 325 ff. · Pinches PSBA 1902, 108—119 · v. Soden, Leistung und Grenzen, Welt als Geschichte 2 1936, 417—440 ❡ B e r b e r i s c h : Laoust, Mots et choses berbères. 1920 ❡ B i r - m a n i s c h usw.: [Leyden, J.], A comparative vocabulary of the Barma, Maláyu and Thái languages. Serampore 1810. 55, 239 S. ❡ C h i l e (Araukanisch): Havestadt, B., Chilidugu. 1777. Neu hrsg. Leipzig 1883 u. 1898, Teubner · v. Humboldt, W., Darstellung d. amerikan. Sprachen. Hrsg. Techmer in Internat. Ztschr. f. Sprachwiss. 1 1884, S. 385 ff., bes. b. ß „Wörtervorrath" ❡ C h i n e s i s c h : Jik-wan Setsuyo Shu, Dictionnaire chinois-japonais, mots groupés dans l'ordre d'Irosha et d'après le sens (avec caractères chinois). 1807 · Pelliot in S. Couling, The Encyclopaedia Sinica. London 1917 Artikel „Lexicography"; über das Er-ya: A. v. Rosthorn, Das Er-ya und andre Synonymiken. Wiener Zs. f. Kunde Morgenl. 49 1942, 126 ff. · Karlgren, B., Bulletin of the Museum of de Far Eastern Antiquities Stockholm 1931 nr. 3 44 ff. · Aldrich, Harry S., Practical Chinese. Bd. 2. Peiping 1931, Henry Vetch · Simon, Walter, Tibetisch-chines. Wortgleichungen. Berlin 1930, S. 67 ff. · Crabb. G., English synonyms explained. Abridged and transl. into Chinese by Tseuh Yih Zan. 9. ed. Shanghai 1924, 629 S. ❡ D ä n i s c h : Levin, Til kritiken af det Synonyme i Dansk. Kopenhagen 1860 · Müller, Peter, Dansk Synonymik. 1829. 3. Aufl. v. Dahl. 1782 · Skautrup, P., Et Hardsysselmål. Ordforråd. Kopenhagen 1927 f. (Wortschatz einer westjütischen Mundart in ausführl., systemat. Darstellung · Harry Andersen, Dansk Begrebsordbog, m. Einleitung v. Vilh. Grundtvig. 1945 (Anordnung wie bei mir. Gr. gibt dort noch eine Menge Literatur) ❡ E n g l i s c h : Literaturangaben bei Kennedy, A bibliography of writings on the Engl. language. Harvard Un. Press 1927, S. 355 ff. · Allen, F. St., Synonyms and Antonyms. New York 1921 · Aronstein, Engl. Wortkunde. Leipzig 1925; dazu Horn, DLZ 1925, 1948 ff. · Bøgholm, N., Sprog og Kultur i det moderne England. Engelsk Stilistik. I. København 1929, 212 S. (Allgemeines. Öffentliches Leben. Rekreation. Aberglaube) · Booth, David, Analystik dictionary of the English language. London 1835 · Crabb, George, English Synonyms. London 1816. Zahlreiche Neuausgaben · Fleming, L. A., Synonyms, Antonyms and associated words. New York 1913 · Freemann, H. G., Das englische Fachwort. Essen, Girardet 7 1938, 176 S. · Hartrampf's Vocabularies. Atlanta 1929 = Minerva Word-Seekers Guide. Library Press 1930. Sehr reichhaltig, in schwer durchschaubarer Einteilung · Hugon, P. D., Morrow's wort-finder. New York 1927 (alphab. Guide to the right .word) · Fernald, J. B., Standard Handbook of Synonyms, Antonyms and Prepositions. New York 1948 · H. W. Klein, Engl. Synonymik. Leverkusen 1951. 650 S. · Krüger, Gustav, Synonymik und Wortgebrauch der englischen Sprache³. Berlin und Bonn 1928 · Kurath, H., Handbook of the linguistic geography of New England. Providence 1939, 240 S. · Liebermann, Nachträge zum deutsch-englischen Wörterbuch. Festschrift f. Brandl, Palaestra 147. Berlin 1920 · March's Thesaurus Dictionary, Philadelphia 1903; ⁵1930. Historical Publishing Co. 1189 S. und einige Anhänge (alphabetisch, sehr reichhaltig) · Mawson, C. O. C., Roget's international Thesaurus of English words and phrases, embodying Roget's original work with numerous additions and modernisations. New York 1938, 705 S. · Mitchell, J., Significant Etymology. 1908. Ostberg, Personal Names in appellative use in E. Diss. Lund 1905 · (Payne, F. M.), Just the word wanted. London (1892), 1899, 126 S. · Pitman's Book of Synonyms and Antonyms. London 1930 · Ragonot, L. C., Vocabulaire symbolique anglo-français. London, Lockwood, um 1860 ·Roget, Peter Mark, Thesaurus of English words and phrases. Erstausgabe 1852, ed. S. R. Roget. London 1936, Longmans. London 1935 2, 700 S. in Dent's Everyman's Library; s. Mawson. Vgl. Storm, Joh., Engl. Philologie. Heilbronn 1881, S. 168—175 · Ross, E. D., This English Language. London, Longmans 1939, 265 S. (Redensarten, Zitate usw.) · Thorn, C. H. R., The complete crossword reference book. Arranged alphabt. under subject headings. London 1932, 336 S. · Smith, Ch. J., Idiomatic handbook of the English Language. 5000 synonyms discriminated. Rev. by H. P. Smith. Leipzig 1938, 781 S. · Webster's Dictionary of Synonyms. Springfield, USA Merriam ²1942 · Ogden, C. K. Basic English, dt. Heidelberg, Winter. 1951 · Werner, E., Engl. Wortkunde. Bamberg 1929 · (Williams, G. C.), „Just it": a good remembrancer. London 1912, 107 S. · Westendörpf, K., Der soziologische Charakter d. englischen Bildersprache. Berlin 1939. (Großer Anhang „Stoffgebiete".

Auch ein guter Teil d. Gesamtwortschatzes.) 319 S. ¶ A l t e n g l i s c h : Ettmüller,
L., Lexicon Anglosaxonicum · Wright, Th. ed. Vocabularies illustrating the con-
dition and manners of our forefathers. 7 vols. Liverpool 1857—73. (M. „Table of
subjects", die fehlt in 2. ed. by R. P. Wülcker, 2 vols. London 1884) · Thaning,
Kirstine, Besejrede oldengelske Ord. København 1904 (Altengl. verschwundene
Wörter, syst. geordnet), 184 S. · Arbeiten von Hoops und seinen Schülern s.
Grundvig S. 52 ¶ Mundarten und S l a n g. Dieth, E., A new survey of English
Dialects = Essais a. Studies 32 19, 74—104 · A m e r i k a n i s m e n : Fallows, S.:
Complete dictionary of synonyms and antonyms. Chicago, many ed. 1883—1902
(alphab., copious, „designed to aid in finding the best word to express the
thought") · Farmer, J. S., and Henley, W. E., Slang and its analogues past and
present. 7 vols. London 1890—1904 (with synonyms in Engl., French, Germ.,
Ital., Span.) · Höfer, G., Die Londoner Vulgärsprache. Diss. Marburg 1896 ·
Kurath, H., Linguistic Atlas of New England, 3 Bde. Providence 1939—43 ·
Partridge, E., A Dictionary of Slang and unconventional English (alphab.), 2. ed.
New York, Macmillan 1938, 1051 S. · Clapin, Sylva, A subject classification of
Americanisms (A new dictionary of Americanisms. New York 1912, Appendix 2,
S. 437—505) · Carnoy, A. J., The semasiology of American and other slangs
(Leuvensche Bijdragen 13 1921, 49—68, 181—212) · Weseen, M. H., A dictionary
of American slang. New York [1934], 543 S. (Fachlich) · Lester V., Berrey and
Melvin van den Bark, The American Thesaurus of slang. New York 1948. 1174 S.
mit Supplement über military slang · Aby E., Army talk. Princeton a. Oxford Press
1942 ¶ *Einzelne Autoren:* Scheinert, M., Die Adjektiva im Beowulfsepos als Dar-
stellungsmittel. Diss. Halle 1905. (Auch P. Br. Beitr. 30 1905, 345—420) · Beowulf:
Schemann, K., Diss. Münster 1882 (Nomina). Banning, A., Diss. Marburg 1886,
(Verba · [Cynewulf] Andreas und Helene, hrsg. v. Jacob Grimm, Cassel 1840,
Einl. S. 39—44 · Jansen, G., Diss. Münster 1883 · Layamon: Regel, Unters. über
die Alliteration usw. Germanistische Studien 1, Suppl. zu Germania 1870 ¶ E s t -
n i s c h : Saareste, A., Leksikaalseist vahekordadest eesti murretes. I. Analüüs.
(Résumé: Du sectionnement lexicologique dans les patois estoniens.) Dorpat 1924
(Univ. Acta et commentationes B VI) · Saareeste, Atlas des parlers estoniens. Dorpat
1938 ff. Dictionnaire idéologique de la langue estonienne (in Vorbereitung seit
1916). Probeartikel in Studia fennica 5 1952, 361 ff. · Manninen, J., Die Sachkultur
Estlands. 3 Bde. Tartu 1931—33 (Gel. Estn. Ges.) ¶ F i n n i s c h : Yrjö-Koskinen,
E. S., Finnische Synonyme (finnisch). I—II. Helsingfors 1902 · Ahlquist, A.,
Wogulisches Wörterverzeichnis. Forschungen auf dem Gebiet der ural-altaischen
Sprachen 4. Helsingfors 1891 · Setätä, E. N., Zur frage nach der verwandtschaft der
finnisch-ugrischen Sprachen. Über den gemeinsamen wortschatz der finnisch-
ugrischen und samojedischen sprachen. Helsinki 1915, 104 S. (Journal de la Société
finno-ougrienne XXX 5) ¶ F r a n z ö s i s c h : Bibliographie: W. v. Wartburg, Franz.
etymologisches Wörterbuch. Bonn 1922 ff. · Register zur Zeitschr. f. franz. Spr. u.
Lit. Bd. 1—50 1929, Nr. 709—722 (Bedeutungswandel), 728—756 (Bezeichnungslehre) · Die Register u. Bibliographien zur Zeitschr. f. roman. Philologie · Bailly, R.,
Dictionnaire de synonymes. Paris 1946. 13, 626 S. · Bally, Charles, Précis de
stilistique. Genève 1905. Traité de stylistique française. Heidelberg-Paris 1911, 2
²1919 · Bar, Elvire D., Dictionnaire des synonymes. Paris 1926 · Bergmann, Karl,
Französische Phraseologie. Leipzig 1903. Die sprachliche Anschauung und Ausdrucksweise der Franzosen. Freiburg 1906 · Abbé Elie Blanc, Dictionnaire universel
de la pensée. Lyon 1899, 2 Bde. (Bd. I alphabetisch, 4⁰ · Le dictionnaire logique

de la langue française. Paris 1882, 8⁰, 791 S.; Dictionnaire alphabétique et analogique de la langue française. Lyon 1892, 16⁰, 1115 S. Einteilung s. oben S. 40; Petit dictionnaire logique de la langue française. Paris 1886, 119, 868 S. à 2 col. (Ein anderes Werk als sein größeres „Dictionnaire logique", ohne die theoretischen Abschnitte. Siehe Grundtvig: Begreberne 11) · Bökemann, Walter, Französischer Euphemismus. Berlin 1904. Bes. S. 104 ff. · Boissière, P. Clément, Dictionnaire analogique de la langue française. Clef des dictionnaires. Paris 1869 u. ö., Larousse. Alphabetisch, sehr reichhaltig · Brunot, La pensée et la langue. Paris 1922 u. ö. Zahlreiche wichtige Rezensionen · Histoire de la langue française. 12 tomes. Paris 1906—48. (Viel Einschlägiges in diesem monumentalen Werk, besonders t. 6. Le 18ᵉ siècle, 1ᵉ partie. Le mouvement des idées et le vocabulaire technique 1930, 860 S.) · Coulomb, Dictionnaire étymologique. Paris 1935 Hatier · Diez, Friedrich, Romanische Wortschöpfung. 1875; dazu Hugo Schuchardt, Lit. Zentralblatt 1878, 118 f. · Duden · J. Gilliéron, Pathologie et thérapeutique verbales. 4 Teile. Paris 1915—21 · Gilliéron et Edmond, Atlas linguistique de la France. Paris 1902—10 (ALF) · Gottschalk, W., Französ. Synonymik², Leverkusen 1950, 508 S. · Gillot-Krüger, Dictionnaire systématique français-allemand. Dresden 1912 · Knauer, K., Beiträge z. Ausdruck v. Abstraktem im Franz. Diss. München 1930 (auch Roman. Forschungen 14, 185—254). (Vgl. zw. Lat., Altfranz. u. Neufranz.) · Krüger, Gustav, Französische Synonymik. 2 Bde. Dresden und Leipzig 1922—23 · Kolbe, K. W., Über den Wortreichtum der deutschen und französischen Sprache². Berlin 1818—20. 2 Bände · A. Kölbel, Eigennamen als Gattungsnamen. Diss. Leipzig 1907 · La Grasserie, Particularités linguistiques des noms subjectifs. Paris 1906: Körperteile, Waffen, Haustiere, Eigennamen · Lortet, Nous autres Français². Altenburg 1919 · Maquet, M. Chr., Dictionnaire analogique. Paris 1936, Larousse (Neubearbeitung des Boissière) · Martens, F., Die Anfänge der französ. Synonymik. Diss. Greifswald. Oppeln 1888 · Kr. Nyrop, Grammaire de la langue française. Paris 4 1913 · Pabst, F., Sachregister zu Körting. 1891 · Pinloche, A., Vocabulaire par l'image. Paris 1923, Larousse · Ploetz, K. J., Vocabulaire systématique. 1847 u. ö. · Ponton d'Amecourt, A. de, Panorama des mots. Paris 1853 · Robert, Paul, Dictionnaire alphab. et analogique de la langue française. Paris 1953 ff. (gibt zu jedem Wort les associations d'idées; hervorragende Veröffentlichung) · Robertson, Dictionnaire idéologique de la langue française. Paris 1859, Derache. Nach dem Rogetschen System · Rouaix, P., Dictionnaire manuel illustré des idées suggérées par les mots. Paris 1898 u. ö., zuletzt 1924 · Schéfer, P., Dictionnaire des qualificatifs classés par analogie⁶. Paris 1919 · Schmidt, O. J., Objektives und subjektives Denken im frz. Wortschatz. Diss. München 1936 · Schmitz, Französische Phraseologie. Viele Ausgaben · Louis Wittmer und Hugo Glättli, Dictionnaire idéologique (im Anschluß an Bally). 1952 ff.

❡ *Gebärden:* Lommatzsch, Erhard, Das System der Gebärden. Diss. Berlin 1910 · Darstellung von Trauer und Schmerz: Zeitschr. f. rom. Philol. 43 1924, 20 ff. · Bibliographie: Register zur Zeitschr. f. franz. Spr. Bd. 1—50 1929, Nr. 921—933

❡ A r g o t : Bruant, Aristide, L'argot du XXᵐᵉ siècle. Paris 1901 u. ö., Flammarion · Delesalle, G., Dictionnaire français-argot. Paris 1896. Darüber und über Villatte, Parisismen: E. Koschwitz, Zeitschr. f. franz. Spr. 6 1884, 38 und 18 1896, 207 · Lermina et Levèque, Dictionnaire thématique français-argot. Paris 1897, Chacornac · Chautard, E., La vie étrange de l'argot. Paris 1931, 720 S. · Yve-Plessis, R., Bibliographie raisonnée de l'argot. Paris 1901, 173 S. · Sainéan, L., Le langage parisien au 19ᵉ siècle. Paris 1920. (Klassen- und Fachsprachen. S. 131—272; Facteurs sociaux) · Swann, H. J., French terminologies in the making. New York 1920, 250 S. (Railroad. Auto. Aéro. Republican calendar. Metric term. Equality, Liberty. Democracy u. m.) · Soldatensprache: Esnault, Gaston, Le poilu tel qu'il se parle. Paris 1919 · Behrens-Rabiet, Bibliographie des Patois gallo-romains. Berlin 1893, 19 f. · Schülersprache: W. Gottschalk, Französische S., Heidelberg 1931.

¶ Dialekte (vgl. ländl, Leben 2. 5). Alphab. nach Orten: Lhermet, J., Contribution à la lexicologie du dialecte aurillacois. Paris 1931. 22, 166 S. (syst.) · Dottin, G., Glossaire des patois du Bas-Maine. Paris 1910, 148, 682 S. (Index des matières S. 637—71) · Devaux, A., Les patois du Dauphiné. I. Dictionnaire. II. Atlas. Lyon 1935. (M. Index rerum: Sachgebiete, Index verborum: alphab. nach Begriffen) · Blinkenberg, A., Le patois d'Entraunes. II. Matériaux lexicologiques. Aarhus-København 1940, 128 S. (Acta Jutlandica XII, 1) (syst.) · Millardet, G., Petit atlas linguistique d'une région des Landes. Contribution à la dialectologie gasconne. Toulouse 1910. 64, 427 S. (Wortbegriffe alphab.) · Meinecke, F., Enquête s. la langue paysanne de Lastic (Puy de Dôme). Paris 1935, 168 S. (syst.) · Péroux, L., Etude s. les parlers populaires dans la région de Montluçon. Montluçon [1926], 60 S. (syst.) · Guillaumie, G., Contribution à l'étude du glossaire périgourdin. Paris 1927 (syst.) · Kruse, H., Sach- u. Wortkundliches aus d. südfranz. Alpen. Verdon-, Vaïre- u. Vartal. Hamburg 1934. 10, 82 S. (Ausdr. d. tägl. Lebens) · Vokabulare: français-patois, ganz oder teilweise in Werken über béarnais (Lespy, norv. ed. 1880), bourguignon (Durandeau, 8 vol. Dijon 1900—05), lorrain (Adam 1881), mentonnais (Andrews 1877), wallon (Gothier 1879) ¶ S c h w e i z e r f r a n z ö - s i s c h : G. Wißler, Das schweizerische Volksfranzösisch. Erlangen 1909. Beson-ders S. 72—105 · Gauchat, L., et Jeanjaquet, J., Bibliographie linguistique de la Suisse romande II. Neuenburg 1920: Lexicographie patoise · Tappolet, E., Syno-nymie patoise, in: Bulletin du glossaire des patois de la Suisse romande 13 1914, S. 41 ff. ¶ S a i n t - P o l : Edmond, E., Lexique Saint-Polois. Saint-Pol 1897 ¶ H a u t e - S a ô n e : Juret, C., Glossaire du Patois de Pierrecourt. Halle 1913 ¶ V e l a y : de Vinols, J. B. L., Vocabulaires patois vellavien-français et français-patois vellavien. Le Puy 1891 ¶ A r d e n n e n : Bruneau, Charles, Enquête lin-guistique sur les patois d'Ardenne. Biblioth. de l'Ec. des H.-E. 207 1914, 248 S. ¶ P r o v e n z a l i s c h : Poumarède, J. A. A., Manuel des termes usuels disposé par ordre des matières. Toulouse 1860 ¶ P é r i g o r d : Daniel, J., Dictionnaire périgourdin I: Dict. français-périgourdin. Périgord 1914 ¶ K a n a d a : Clapin, S., Dictionnaire canadien-français. Boston 1894.

¶ *Einzelne Autoren:* R o l a n d s l i e d : Blunk, P., Studien zum Wortschatz des altfranzös. Rolandsliedes. Diss. Kiel 1905 · Lemberg, L. D., Die verbalen Syno-nyma. Diss. Leipzig 1888 ¶ C h a n s o n s d e g e s t e : Lausberg, C. Diss. Münster 1884 ¶ F a b l i a u x : Liesau, F., Diss. Greifswald 1900 · R a b e l a i s : Sainéan, La langue de Rabelais, Paris 1922, 2 Bde. · Günther, H., Die Sprache des Königs Karl VIII. v. Frankreich. Vokabularische Unters. Diss. Jena 1933, 74 S. (syst.) · Kunze, H., Die Bibelübersetzungen v. Lefèvre d'Étaples u. P. R. Olivetan ver-glichen in ihrem Wortschatz. Leipzig 1935 (syst., beide c. 1530) · Runkewitz, W., Der Wortschatz d. Grafschaft Rethel in Beziehung z. modernen Mundart. Diss. Leipzig 1937, 14, 214 S. (syst., 13—15. Jahrh.) · C h a s t e l l a i n : Heilemann, K., Der Wortschatz v. Georges Chastellain nach seiner Chronik. Leipzig 1937, 380 S. (syst.) ¶ F r i e s i s c h : Walter, G., Der Wortschatz d. Altfriesischen. Eine wortgeograph. Untersuchung. Leipzig 1911. 13, 82 S. (teilweise syst.) ¶ G e o r g i s c h : Bleich-

steiner, Georgische und mingrelische Texte. Wien 1919, 292 ff. S. ¶ Altgrie-
chisch: Ammonios, De differentia adfinium verborum, ed. Valckenaer 1749
u. ö. · Benz, Thesaurus elocutionis oratoriae graecolatinus novus, sec.
ordinem naturae in locos 76 distinctus. Basileae 1581 · Boissonade, Lexique de synonymes
grecs d'après un mscr. de la Bibl. Royale. Paris 1883 · Coenen, W., De comparationibus apud poetas Atticos etc. Diss. Utrecht 1875 · Damm, Griechisch-come-
nianisches Vestibulum. Berlin 1732 · Cohn, L., Griechische Lexikographie, in: J.v. Müllers Handbuch d. klass. Altertumswissenschaft II 1⁴. München 1913 · Daremberg-
Saglio, Dictionnaire des antiquités. Tables · Deutsch-Griechische Lexika: Franz
1838, Ramshorn 1852, Rost 1818, Schenkl 1909 · Dufour, Traité élém. des synonymes grecs. Paris, Colin 1910 · English-greek: Frädersdorff (improved by Arnold
and Brown). 1875—82. 2 Bde. · Français-grec: Courtaud-Divernéresse. Paris 1858,
1990 S. · Foutoynout, Vocabulaire grec² Paris 1933 · Fresenius, Aug., De λέξεων
Aristophanearum et Suetonianarum excerptis Byzantinis. Diss. Bonn 1875, Wiesbaden 1876 · Johannes Φιλόπονος, περί τῶν διαφόρων τυπουμένων καὶ διάφορα σημαινόντων
ed. Egenolff. Breslau 1879 · Junius, Hadrianus, Nomenclator omnium rerum
nomina variis linguis˙ explicata indicans. Antwerpen 1567 u. ö. für Latein
und Griechisch und mehr Sprachen · Knaack, Philol. Rundschau 1884,
372 · Kopp, De Ammonii, Eranii, aliorum distinctionibus synonymicis earumque
communi fonte. Königsberg 1883 · Kyriakides, English-greek dict. of idioms, pro-
verbs and phrases. Nicosia 1916 · Latte, Glossographika. Philologus 80 1925,
136 ff. · Mayer, H., Prodikos v. Keos und die Anfänge der Synonymik = Rhetor.
Studien 1, Paderborn 1913 · Peucer, Daniel, Lexicon graecum synonymicum.
Dresden 1766 · Pillon, Synonymes grecs. Paris 1847 u. ö. · Pollucis Onomastikon
ed. Dindorf (mit Kommentar); ed. Bethe. Leipzig 1900—31; dazu Bethe, Julius
Pollux, RE 10 1917, 773 ff. · Posselius, Joh., Calligraphia oratoria linguae graecae.
Genf 1636 · Reitzenstein, Rich., Johannes Mauropos von Euchaita und Varro. Leipzig
1901 · Schmidt, J. H. H., Synonymik der griech. Sprache. 4 Bde. Leipzig 1876 bis
1886. Handbuch der latein. und griech. Synonymik. Leipzig 1889 · Ruland, Martin,
Synonyma. Augsburg 1576 · Schoenemann, De lexicographis antiquis, qui rerum
ordinem secuti sunt, quaestiones praecursoriae. Diss. Bonn 1886 · Todt, B.,
Griech. Vocabularium⁵. Halle 1886 · Tolkiehn, Lexikographie, RE 12 1925 · Vömel,
Joh. Theod., Deutsch-griechisch-synonymisches Wörterbuch. Frankfurt 1819 = Heß
und Vömel, Übungsbuch. 3. Bd.² 1822. — De synonymis quibusdam gr., Progr.
Frankfurt 1819 · Wiehe, F. W., De vestigiis et reliquiis synonymicae artis Grae-
carum. Kopenhagen 1856 ¶ Gebärden: Sittl, Die Gebärden der Griechen und
Römer. Leipzig 1890. — Déonna, L'expression des sentiments dans l'art grecque.
1914 ¶ H o m e r : Schneidewin, M., Hom. Vocabularium sachlich geordnet. Paderborn
1883 · Retzlaff, Vorschule zu Homer I². Berlin 1881 ¶ Inschriften: Schlageter, Der
Wortschatz der außerattischen Inschriften. Progr. Konstanz 1909 ¶ Coenen, De
comparationibus apud Atticos poetas. Diss. Utrecht 1875 ¶ E u r i p i d e s : Sme-
reka, J., Studia Euripidea II. Lemberg 1937, 253—279 ¶ T h u k y d i d e s : Wöß-
ner, W., Die synonymische Unterscheidung bei Thukydides u. den politischen Rednern d. Griechen. Diss. Berlin 1937, 76 S. (vgl. oben S. *41* f.) ¶ P l a t o n : Die
ganze Sprachstatistik ¶ X e n o p h o n : Gauthier, La langue de X. Genf 1911,
S. 118 ff., 144 ff. ¶ N T: Trench, Synonyme des NT, übers. v. Werner (Auswahl).
Tübingen 1907 · Heine, Gerhard, Synonymik des ntl. Griechisch. Leipzig 1898,
Haberland · Tittmann, J. A. H., De synonymis in Novo Testamento. Leipzig
1829—32 (Engl. Ausg. 2 vols. 1833—37) ¶ N e u g r i e c h i s c h : II. Βλάστου

Συνώνυμα καὶ συγγενικά Athen 1931, 661 S. Th. Bostantzoglou, Antilexikon, Athen 1949 (nach Rogets Anordnung). 1066 S. ¶ G r ö n l a n d : Janssen, C. E., Elementarbog i Eskimoernes Sprog. Kopenhagen 1862 · Ryberg, C., Dansk-grön-landsk Tolk. Kopenhagen 1891 ¶ G u y a n a : Coudreau, H., Vocabulaires métho-diques des langues Ouayana, Aparai, Oyampi, Emérillon. Paris 1892 ¶ H e-b r ä i s c h : Badarschi (13. Jh.), hrsg. v. Pollak. Amsterdamm 1865 · Mühlau, Ge-schichte der hebräischen Synonymik. ZDMG 17 1863, 316 ff. · Pappenheim, Sal., Hebr. Synonymik. 3 Bde. Dyrenfurt und Rödelheim 1784—1831 · Allgeier, A., Neuere Methoden der Wortforschung und die atl. Exegese, Bibl. Zs. 17 1926, 201 ff. · Kennedy, J., Studies in Hebrew Synonyms. London 1898 · Weinheimer, H., Hebräisch Wörterbuch in sachlicher Ordnung. Tübingen 1918 (nach Benzingers Archäologie) · Kleimenhagen, H., Beiträge zur Synonymik d. hebräischen Sprache. Frankfurt 1896 · Rabbiner, Z., Beiträge z. hebräischen Synonymik in Talmud u. Midrasch. I. Synonyme Nomina. Berlin 1899. 28, 72 S. ¶ H o l l ä n d i s c h : Gin-neken, J. van, Handboek der nederlandsche taal. I—II. De sociologische structuur. Nijmegen 1913—14 (bes. II 3 De sociale taalkringen) · Brouwers, L., S. J., Het juiste woord. Amsterdam 1933 (Ordnung nach Roget) 2. Aufl. Turnhout, Brepols 1942. 1466 S. (mit Vorrede von van Ginneken) · Hendriks, J. V., Handwoordenboekje van nederlandsche synonymen. Tiel 1890. 4. druk (außer älteren Synonymenwerken) · van Neck-Theunisz, Nederlandsch-Engelsche klank = en zinverwante worden[6]. Brill 1946. 296 S. · Wirth, Hermann, Synonyme, Homonyme, Redensarten usw. d. deutsch-niederländischen Sprache. 2. Aufl. Groningen 1917 · —, Dt.-Holländisch (Heufelds Sprachführer). 2. Aufl. 1919 · Schrijnen, J., Nederlandsche Volkskunde. Zutphen 1915/16 ¶ I n d i a n i s c h : Leclerc, Gh.-Adam, L., Arte de la lengua de los Indios. Paris 1889 ¶ I n d o g e r m a n i s c h : Pictet, Ad., Les origines Indo-Européennes ou les Aryas primitifs. Paris 1859—63, 2. Aufl. 1877 · Persson, P., Beiträge zur idg. Sprachwissenschaft. Skrifter Goeteborg 10, 2 1912: Sachindex ¶ I s l ä n d i s c h : Meißner, Die Kenningar der Skalden. Bonn 1921 · Jakobsen, J., Det norröne sprog pa Shetland. Diss. Kopenhagen 1897, 196 S. ¶ I t a l i e n i s c h : Alunno, Francesco, Della fabrica del Mondo. 1548 · Barbaglia, G., Vocabolario metodico della lingua italiana. Venedig 1845 · Carena, Giacinto, Prontuario di vocaboli attenenti a parecchi arti, a cose domestiche e altre die uso comune, per saggio di un voccabolario metodico della lingua italiana. Turin 1846 u. ö. Fer-ner andere italienische ähnliche Wörterbücher v. Arrivabene 1809, Pomey 1826, Greco 1856 u. sp., Rocco 1869, Fornari 2. ed. 1888, Mazzocchi · Corazzini, F., La città e lo stato. La casa e la famiglia. Dizionario metodico. Turin 1885 · Jaberg und Jud, Sprach- und Sachatlas Italiens und der Südschweiz. Zofingen 1928—40, 8 Bde., bes. Bd. 4 (AIS) · Ponard, G. O., Vocabulario delle idee. Mailand 1914 · Premoli, Palmiro, Il tesoro della lingua italiana. Vocabolario nomenclatore illustrato. Mailand 1910—12. 2 Bde. · Zanotto, F., Vocabolario metodico italiano. 2 vol. Venedig 1852—55 · Fanfani, P., e Frizzi, G., Nuovo vocabolario metodico della lingua Italiana P. I. Vocabolario domestico. Mailand 1883 ¶ I t a l i e n i s c h e D i a l e k t e : Viele nach Gegenständen geordnete italienische Dialekt-Wörtersamm-lungen, allgemeine oder nur über „cose domestiche", „arti e mestieri" usw. Vgl. die Bibliographie von A. Prati, I vocabolari delle parlate italiane. Roma 1931. Hier seien nur ein paar d. neueren Arbeiten genannt: Domenico, F. di: Vocabolario metodico … del dialetto napoletano. Napoli 1905. 16, 222 S. und desselben: Vocabolario napoletano italiano. ebd. 1922, 135 S. · Pascale, L., Il dialetto man-fredoniano ossia dizionario … Roma [1918], 133 S. · Rohlfs, G., Dizionario dialettale delle Tre Calabrie. Vol. 3. P. 2. Italiano-Calabre. Milano 1939, 143 S. (Synonyme Ausdrücke. Unterbegriffe unter einem Stichwort vereinigt) · Bottiglioni, G., Atlante linguistico-etnografico italiano della Corsica. Pisa 1933—41/2, 10 Bde. · Ergiebig sind auch „Wörter und Sachen"-Lexika, wie: Ungarelli, G., Vocabolario del dialetto bolognese. Bologna 1901. 50, 340 S. · Falcucci, F. D., Vocabolario dei dialetti, geografia e costumi della Corsica. Cagliari 1915. 23, 474 S. · Mussafia, A., Beiträge zur Kunde der norditalienischen Mundarten im 15. Jahrhundert, Denkschriften Wien 1873. XXII, 103—228 · Sganzini, Silvio, Vocabolario della Svizzera italiana (im Erscheinen) · Einzelne Autoren: Bocaccio: Reinhard, Toni (= Anton), L'uomo nel decamerone. Diss. Basel 1951. ❡ Koptisch: Peyron, Lexicon Copticum. Einleitung. Berlin 1886 ❡ Lappen: Eliel Lagercrantz, Lappischer Wortschatz 1., 2. 1939 ❡ Latein: Alberus, Erasmus, Novum Dictionarii Genus. Frankfurt 1540 · Aler (S. J.), Gradus ad Parnassum. 1602 u. ö., zuletzt ed. J. Conrad 1839 · Baehrens, W., Skizze der lateinischen Volkssprache. Neue Wege II, 1926, 49 ff., 60 ff. · Barrault, Traité de synonymes de la langue latine. Paris, Hachette 1853 · Beck, J. W., De differentiarum scriptoribus latinis. Groningen 1883 · Beyer, C., Die Verba des Essens, Schickens, Kaufens und Findens. Leipzig. Rom. Studien 1, 9 1934, 67 S. · Comenius, Orbis pictus 1658 u. ö. · Latinae linguae verstibulum · Doederlein, Ludwig, Lat. Synonyme und Etymologien. 7 Bde. Leipzig 1826—1839 · Decimator, H., Sylvae vocabulorum et phrasium sive nomenclatoris vet. linguarum tertia pars, in qua continentur permultae omnium rerum, que in probatis qualiumcunque doctrinarum auctoribus inveniuntur appellationes. 1606 · Dinnerus, C., Epithetorum graecorum farrago locuples, 1589 · Ducange, Glossarium ed. L. Favel 10 Bde. 1883—88, m. Indices rerum · Erasmus, Des., De duplici copia sermonis rerum et verborum. 1512 u. ö. · Adagia. 1508 u. ö. · Gardin-Dumesnil, Synonymes lat. et leurs différentes significations. Paris 1777 u. ö., deutsch von Ernesti. Leipzig 1799 · Garlandia, Joh. de († um 1270), Synonyma. Reutlingen 1487 u. ö. · Goetz, Georg, Corpus Gloss. Lat. I. Leipzig 1923, S. 21 ff., 75, 93: De gloss. lat. origine et fatis · Derselbe, Differentiarum scriptores und Glossographie, in Pauly-Wissowa RE 5 und 7 · Habicht, Lat. Synonymik. 1939 · Hofmann, I. B., Lateinische Umgangssprache. Heidelberg 1926 · Kopp, A., De Ammonii, Eranii, aliorum distinctionibus synonymicis earumque communi fonte. Diss. Königsberg 1883, 108 S. · Landgraf, Der sermo cotidianus in den Briefen Ciceros. Bayr. Bl. f. Gymn. 16 1880, 247 ff., 317 ff. · Linderbauer, Studien zur lat. Synonymik. Progr. Metten 1904 · Marouzeau, Synonymes latins. Cinquantenaire de l'Ecole des H.-E. 1921 · Porsius, M., De nomenclaturis Romanis. Frankfurt 1594 · Willich, Jodocus, De rerum et verborum copia comparanda. Straßburg 1550 · Ramshorn, Synonymisches Handbuch. Leipzig 1835 · Schultz, Ferd., Lat. Synonymik⁴. Paderborn 1859 · Tegge, Studien zur lat. Synonymik. Berlin 1886 · Thesaurus linguae latinae (Synonyma et opposita) · Tolkien, Lexikographie RE 12 1925 · Vocabularius optimus, hrsg. von W. Wackernagel 1847 · Bruhn, Specimen vocabularii rhetorici ad inferioris latinitatis aetatem pertinens. Marburg 1911 ❡ *Einzelne Autoren* Plautus: Juniper, W. H., A Study of verbal Synonyms in P. Transact. Proceed. Amer. 34 1937 · Augustin: Balmus-Jassy, Le style de St. Augustin. Paris 1930 · Propertius: Neumann, De cotidiani sermonis apud Propertium proprietatibus. Diss. Königsberg 1925. Dazu Hosius, Philol. Wochenschr. 1926, 1303 · Seneca: Husner, Leib und Seele in der Sprache S. Diss. Basel = Philologus Suppl. 17, 3 1924 · Petronius: Gerstenkorn, A., Synonyma bei P. Diss. Greifswald 1943 · Tacitus: Roth, Tac. Synonyma, Nürnberg

1826, auch in seiner Agricola-Ausgabe ❡ M a n d e n e g e r : Steinthal, Die M.-Sprachen. Berlin 1867, S. 202 ff. ❡ N o r d i s c h s. Isländisch ❡ N o r - w e g i s c h : Aasen, Ivar, Norsk maalbunad. Oslo 1925. Hrsg. v. S. Kolsrud ❡ P a l i : Moggallána Théró: Abhidánappadipiká. 3. ed. Colombo 1900 (systemat. Synonymenwörterbuch aus 12. Jahrh. m. engl. Erkl.) · Hierzu Index by W. Subhúti, ebd. 1893 ❡ P o l y n e s i e n : v. d. Gabelentz und Meyer, A. B., Beitr. z. Kenntnis der melanesischen, mikronesischen und papuanischen Sprachen. Abh. sächs. Ges. 19 1883, sachlich geordnet ❡ P o r t u g i e s i s c h : Roquette, J. I., e de Fonseca, J., Diccionario dos synonymos da lingua Portugueza. Paris 1850 und 1863 · Pereira, F. J., Os synonymos e homonymos da lingua portuguera. 2 vol. Lisboa 1885—86 · Brunswick, H., Diccionario de synonymos da lingua portugueza. Lisboa 1899 ❡ R o m a n i s c h e S p r a c h e n a l l g. : Meyer-Lübke, W., Romanisches etymo- logisches Wörterbuch (1920, 2. unveränd. Aufl. 1924). Wortverzeichnisse 10. Deutsch- romanisch S. 1075—84 ❡ R ä t o r o m a n i s c h : Carnot, M., Im Lande der Räto- romanen. Sprachliches u. Sachliches vom Graubündner Inn u. Rhein. Zürich 1934, 326 S. ❡ R u m ä n i s c h : Damé, F., Incercare de terminologie poporana romana. Bukarest 1898 · Weigand, G., Linguistischer Atlas des dacorumänischen Sprach- gebiets. Leipzig 1909 · Puscariu, S. — Pop — Pelzovici, Atlasul Linguistic Roman. Cluj 1938—42 · Domaschke, W., Der lateinische Wortschatz des Rumänischen. 1919 (Jahrbuch d. Rum. Inst. Leipzig 21/25, 65—173) ❡ S a n s k r i t : Zachariae, Die indischen Wörterbücher. Bühlers Grundriß I 3 b. Straßburg 1897 · Windisch, Gesch. d. Sanskrit.-Philol. Straßburg 1917, S. 50 ff. · Winternitz, Geschichte der indischen Literatur. Leipzig 1922, III, 411 ff. · Zachariae, Ztschr. f. Indol. 7 1929, 54 ff. · Sharma, Journ. of the Bihar a. Orissa Research Society 9 1923, 40 ff., 294 ff. · Strauß, ZDMG 6 1927, 106 · Wüst, Geschichte der indogerm. Sprachwissenschaft II, 4, 1. Berlin 1929, Gruyter, S. 128 ff. · Hemacandra: Abhidhânakintâmani. Ein systematisch angeordnetes synonymisches Lexicon. Hrsg., übers. und mit Anm. begl. v. O. Boethlingk und C. Rieu. St. Petersburg 1847 12, 444 S. ❡ S c h w e - d i s c h : Afzelius, J. A., Svensk-engelsk synomymbok. Stockholm 1911 · Tegnér, E., Hemmets ord. Stockholm 1881 · Bring, S. C., Svenskt ordförrad, ordnat begreppsklasser. Uppsala 1930 (Ordnung nach Roget) · Helmquist, Th., Förnamn och familjenamn med sekundär användning i nysvenskan. Lund 1903 · Bodorff, J. V., Bidrag till kännedomen om falkspraket pa Öland. Stockholm 1875, 84 S., Akad. afh. · Sundén, O. W., Allmogelifvet i en Västgötasocken under 1800-talet. Skildradt hufvudsakligen till belysning af folkspraket. Stockholm 1903, 112 S. (Göteborg kgl. Vet. o. Vitt. Samh. Handl. 4. följd V/VI.) ❡ *Mundarten:* Dalin, A. F., Svenski spakets synonymer. 3. uppl. Stockholm 1925 (alphabet.) · Vendell, H., Östvenska monografier. Helsingfors 1890 (systematische Wörtersammlung aus den finnisch-schwedischen Mundarten) · Vendell, H., Ordbok över de östsvenska dialekterna. 4 Hefte. Skrifter utg. Svenska Lit. Finnland 64, 71, 75, 79. Helsing- fors 1904—1907 · Bergroth, H., Finlandssvenska. [2]Helsingfors 1928 ❡ S l a - w i s c h e S p r a c h e n : Pavlov-Siškin, V. (Wörterbuch d. Synonyme d. russischen Literatursprache f. d. Unterricht). 2. verb. Aufl. Moskau 1931, 274 S. (russ.) · Abramow, Russisches Synonymenlexikon (russ.). 2. Aufl. 1911 · Dal' Tolkovyj slovar' živogo velikorusskogo jazyka. 3. oder 4. Aufl. Petersburg 1903 · Vasmer, M., Ein russisch-byzantinisches Gesprächbuch. Leipzig 1922, 188 S. (15. Jahrh.) · Da- beva, M. E., Rečnik ... (Wörterbuch d. bulgarischen Synonyma). Sofia 1934, 718 S. (bulg.) · Nanow, Li. (Wörterbuch d. bulgarischen Synonyma.) Sofia 1936, 454 S. 16° (à la Boissière) (bulg.) · Budilovič, A., 3 Bde. Kiew 1878—82 (altslawisch) · Bartoš,

F., Dialectologie morawska. Brünn 1886; dazu Jagić, Arch. f. slav. Philol. 10 1887 217 · Krasinsky, A. S., Slownik synonimów polskich. Krakau 1885 (poln. Synonymenlex.). 2. Bd. · Hanka, V., Vetustissima vocabularia Latino-Bohemica. Prag 1833 (Grundtvig S. 16) · Wirth, P., Beiträge zum sorbischen Sprachatlas =. Slavistische Abhl. Berlin 1934 ff. Jovanovic, R., Systematisches Wörterb. d. serbo-kroatischen Sprache. Beograd 1938. ⁋ S p a n i s c h (vgl. ländl. Leben 7. 5): Gómez Carillo, E. y Sola, A. de, Diccionario ideológico ... Madrid 1925, 661 S. · Benot, E., Diccionario de ideas afines. Madrid (1899). Geordnet nach Roget, sehr ausführlich (1418 S., S. 905 f. alphabet. Index) · Fissen, Karl, Des Spaniers gebräuchlichster Wortschatz. Berlin-Bonn 1933 · Cutanda, Francisco, Estudio sobre le posiblidad y la utilidad de clasficar metodicamente las palabras de un idioma. Madrid 1869. Ausführlichen Bericht darüber gibt die folgende Schrift von Leon S. XXX—XXXVI · Leon, José Ruiz, Inventario de la lengua Castellana. Indice ideologico del Diccionario de la Academia. Madrid 1879. Nur Verba · Beinhauer, Die span. Umgangssprache. Berlin und Bonn 1930 · Ruppert y Ujaravi, R., Spanische Synonymik. Heidelberg 1940, VIII, 640 S. · Casares, Julio: Diccionario ideológico. Barcelona 1942. 81 + 597 + 1124 S.; dazu v. Wartburg, ZrPh. 64 1944, 424 ff. · Lopez Bejarano y Pena, C., Diccionario dei sinónimos e ideas affinas. Barcelona 1949, 403 S. · Granada, D., Vocabulario rioplatense razonado. Montevideo 1889, 314 S. — 2. ed. ebd. 1890, 409 S. · Vargara Martin, G. M., Diccionario Hispano-Americano de voces sinónimas y análogas. 1930, 296 S. · Katalanisch: Griera, A., Tresor de la llengua, de les traddicions etc. Catalunya. Barcelona 1936 ⁋ S u m e r i s c h : Jean, Ch., F., Lexicologie sumérienne (tablettes scolaires de Nigpur). Paris 1933, 126 S. · Chiera, E., Sumerian lexical texts from the Temple School of Nippur. Chicago 1929 = Univ. of Ch. Orient. Inst. Public. XI; dazu Orient. Lit. Zeit. 1931, 1051—54 ⁋ T u r k o t a t a r i s c h : Vámbéry, H., primitive Kultur des t.-tat. Volkes auf Grund sprachlicher Forschungen erörtert. Leipzig 1879 ⁋ U n g a r i s c h : Póra, F., A magyar rokonértelmü szók és szólások kézikönyve. Budapest 1907. Preisaufgabe der Ungar. Wiss. Ges.: Bearbeitung des Roget in 800 Nummern · Lehr, Kommentar zu Arany's Toldi. Budapest 1882 · Biro, Isabella und H. Schlandt, Ungarische Redensarten und Redewendungen im Spiegel der deutschen Sprache. Budapest 1937. IV, 653 S. ⁋ V l a - m i s c h : Wirth, H. F., Vlämisch. Neufelds Sprachführer. ²Berlin 1916 ⁋ Bibliographie: J. E. Heyde, Technik des wissenschaftlichen Arbeitens. 7. Aufl. Berlin 1943.

II. ZUM EINZELNEN

1. Anorganische Welt, Erde, Stoffe

1. 1 W e l t a l l. Buck, C. D., Words for World, Earth and Land, Sun. Language 5 1929, 215 ff. ökumenisch: Kaerst. Leipzig 1903. N a t u r : Heidel, W., Peri physeōs ... among the Presocratics, Proceed. Am. Acad. 45 1910, 77 ff. Hubschmidt, I., Alpenwörter romanischen und vorromanischen Ursprungs 1951, 64 S.

1. 2. S t e r n e. S o n n e : Ernout-Meillet, Dictionnaire étymol. langue lat. s. v. sol. Scherer, Anton, Gestirnnamen bei den idg. Völkern. Heidelberg 1953, 288 S. · Allen, R. H., Star-names and their meanings. London 1899, 563 S. · New York 1899 (20), 485 S. · Gundel, Bursians Jahresber. 60 1934, Bd. 243, 13 ff. · Rotzler, H., Die Benennungen der Milchstraße im Französischen. Diss. Basel, Erlangen 1913 · Volpati, Die roman. Namen des Abendsterns. Revue de dialectol. rom. 5 1913,

315 · Glaser, K., Die deutsche astronomische Fachsprache Keplers. Diss. Gießen 1935 · Technical terms in astronomy. 1934 (Chinese Min. of Eduction). (Engl., Germ., Fr., Jap., Chinese) · Malouf, A. F., An astronomical glossary. Cairo 1935, 144 S. (Arabisch) Ramos, M. G., De astronomásicca Vasca. Tarragona 1928, 48 S. · Ideler, L., Untersuchungen über d. Ursprung u. die Bedeutung d. Sternnamen. Berlin 1809 · (Reichardt, K. u. Gundel, W.), Die Herkunft unserer Sternbilder u. Sternnamen. Leipzig 1926, 62 S. · Qvigstad, J., Lappiske stjernenavne. Tromsø 1921, 10 S. (T. Museum) · Samaha, A. H. M. The Arabic names of the stars. Lund 1937, 7 S. (Lunds astr. Observatorium) · Gaidoz, H. et Rolland, E., Noms de la Voie lactée dans différentes langues (Mélusine 2 1884/85, 151 ff.) Gaidoz, H. et Rolland, E., Noms de la Grande-Ourse dans les différentes langues. (Mélusine 2 1884/85, Sp. 30—38.)

1. 4. M e t e o r o l o g i e. Allgemeines: Streng, Walter, Himmel und Wetter in Volksglaube und Sprache in Frankreich. Ann. Acad. Scient. Fennicae 1914/15 · Keil, Karl, Wörterbuch der Meteorologie, Frankfurt 1950, Knapp. 604 S. · The meteorological glossary. 2. ed. London 1930, 233 S. (Meteorol. Office) · Havers. W., Primitive Weltanschauung u. Witterungsimpersonalien (Wörter und Sachen 12 1928, 75—112) · Halland, N., Meteorologiske ord og ordelag i nokre Nordhord-lands-bygder (Helsing til Olav Midttun. Oslo 1933, 91—132) · Lazzari, J., I nomi di alcuni fenomeni atmosferici nei dialetti dell'Italia geografica. Pisa 1919, 88 S. · Churchill, W., Weather words of Polynesia. New York 1907, 98 S. (Memoirs of the Amer. Anthropol. Ass.).

1. 6. W i n d. Tallquist, Knut, Himmelsgegenden und Winde (in orientalischen Sprachen). Studia Orientalia 2 1928, 105 ff. · Teulié, H., Le vocabulaire du vent au Causse, commune de Bétaille (Lot), in: Mélanges Jeanjaquet. Paris 1929, 109 ff. · Gauchat, Les noms des vents. Bull. du Gloss. des patois de la Suisse romande II, III, X, XIII · Ruehl, C., De Graecis ventorum nominibus. Diss. Marburg 1901 · K. Nielsen, Remarques sur les noms grecs et latins des vents et des regions du ciel. Class. et Mediaevalia 7 1945, 1—113 · Steinmetz, De ventorum descriptionibus. Göttingen 1907 · Sueton, Prata: Gellius II 22 · Heß, J. J., Die Namen d. Himmels-gegenden u. Winde bei den Beduinen d. inneren Arabien (Islamica 2 1927) · Loewe, R., Namen d. Wirbelwindes im Deutschen u. im Neugriechischen (Indogerm. Forsch. 47 1929, 272—88).

1. 8 f. R e g e n. Kläui, H., Die Bezeichnungen für „Nebel" im Galloromanischen. Diss. Zürich 1930 · regnen und schneien: Gabbud, Bull. Gloss. 8 1909, 3 ff. · Flom, G. T., Rain. A study in semantics. (Journ. Germ. Phil. 25 1929) · Gaidoz, H. et Rolland, E., L'arc-en-ciel dans les différentes langues. (Mélusine 2 1884/85, 9—18, vgl. ebd. 132, 133) · Steffen, M., Die Ausdrücke für „Regen" und „Schnee" im Franz., Rätoroman. u. Ital. Diss. Bern 1935, 158 S. · Kretschmer, Wortgeogr. 191 f. · Müller, Josef, Oberdt. Ztschr. f. Volkskunde 3 1929, 105 · Merian, Samuel, Die (französ.) Namen des Regenbogens. Diss. Basel, Halle 1914 · Sjögren, A. J., Über die Bedeutung d. estnischen Namen f. den Regenbogen: Wikkerkaar (St. Petersburg Akad. 1851) 30 S. Sep.

1. 10. G e w i t t e r. Berthold, Luise, Nass. Blätter 4 1924, 81 · Grimm, Jacob, Die Namen des Donners. 1854 = Kl. Schr. II 402—38 · Göhri, K., Die Ausdrücke für Blitz und Donner im Galloroman. Diss. Zürich 1912 = Rev. Dialect. Rom. 4 1912, 45 ff.

1. 11. G e o g r a p h i e. Zaffauk Edler von Orion, Die Erdrinde und ihre Formen, nebst einem Thesaurus in 37 Sprachen. Wien 1885 · Hochsteyn, L., Les termes

de géographie dans les langues du globe. Bruxelles 1906, 328 S. · Kende, O., Geographisches Wörterbuch. Allg. Erdkunde. 2. vielfach verb. Aufl. Leipzig 1928, 238 S. ill.

1. 12. H i m m e l s g e g e n d e n. Wehrle, Die deutschen Namen der Himmelsrichtungen. Ztschr. f. deutsche Wortforschung 7 1905/6 ff., 61 ff., 221 ff. · Saussure, De l'origine de la rose des vents. Genf 1923.

1. 15. L a n d b e z i r k. *Allgemeines.* Zinsli, Paul, Grund und Grat, die Bergwelt im Spiegel der schweizerischen Alpenmundarten. Bern, Francke, 1946, 352 S. · Hore, P. H., Explanation of ancient terms and measures of land. London 1874 · Rost, L., Die Bezeichnungen für Land und Volk im AT., in: Festschrift Otto Procksch. 1934 · Matte—Wiese: Müller, Elis., Teuthonista 7 1931, 162 ff. · Richel, A., Worte für Erde, Boden usw. bei Homer usw. Diss. Frankfurt 1936 · Finzenhagen, U., Die geographische Terminologie der Griechen. Diss. Berlin 1940 · Ejjkmann, J. C. B., Bijdrage tot de kennis der Grieksche toponymie. Amsterdam 1929, 96 S. · Parmentier, T., Vocabulaire des principaux termes de géographie. Paris. 5 fasc.: magyar 1883, 48 S., turc. 1884, 78 S., arab. 1882, 50 S., scandin. 1887, 75 S., rhétoroman 1897, 89 S. · Bergroth, H., Något om geografiska termer i de svenska landsmålen (Vetensk. Medd. of Geogr. Fören. i Finland 1) Öfvertr. Helsingf. 1892, 12 S. · Eberl, B., Die bayerischen Ortsnamen. 2. T. Grund- und Bestimmungswörter. München 1926, 161 S. · (Siegfried, J. J.), Über Eigennamen in der schweizerischen Vaterlandskunde. Baden 1844, 79 S. (Tiré a part de: Allg. schweiz. Schulblätter 10.) (Les appellations géogr. d. trois langues nationales.) · Hope, R. C., A glossary of dialectical place-nomenclature (2. ed.). London-Scarborough 1883, 12, 158 S. · Mawer, A., The chief elements used in English placenames. Cambridge 1924, 67 S. (English Place Name Society) · Gasperi, G. B. de, Termini geografici dialettali di regioni italiane (Scritti vari die geografia e geologia di —. Firenze 1922, 331—422) · Roletto, G., Termini geografici dialettali delle valli valdese. (Rivista di Geografia Italiana 22 1915, 191—99, 285—93) · Hale, E. E. jr., Geographical terms in the Far West. (Dialect Notes, New Haven, 6 1932, 217—34) · Socin, A., Liste arabischer Ortsappellativa. Leipzig 1899 43 S. (Sep. aus ZDPV) · Fatuzzo, G., Terminologia topografica della Libia e delle regioni adiacenti. Tripolis 1930, 82 S. (syst., mehrsprachig) · Paulsson, A., Terräng- och naturbestecknande substantiv i Momålet i Bullaren och deras forekomst in ortnamn. (Skr. utg. av Inst. f. Ortn. o. Dial. Göteborg 2 1920, 47—88). ¶ *Spezielles,* Schmidt, H., Die Bezeichnungen von Zaun und Hag in den romanisch-schweizerischen Mundarten. I. Westschweiz. Diss. Heidelberg 1923, 57 S. (Sonderabdr. aus „Wörter und Sachen") · Baentsch, B., Die Wüste, ihre Namen und ihre bildliche Anwendung in den alttestamentlichen Schriften I. Diss. Halle 1883, 45 S. · Scheuermeier, P., Einige Bezeichnungen für den Begriff Höhle in den romanischen Alpendialekten. Halle 1920, 132 S. · Montandon, F., Étude de toponymie Alpine. De l'origine indoeuropéenne des noms de montagnes. Genève 1929, 152 S. · Zinsli, P., Grund und Grat. Der Formaufbau der Bergwelt in den Sprachbegriffen d. schweizerdeutschen Alpenmundarten. Diss. Zürich 1937, 72 S. · Allegretti, C., Variabilità della terminologia speleologica in provincia di Brescia. (Commentari dell'Ateneo di Brescia 1933, 107—34) · Escher-Bürkli, J., Wiesen und Matten in der Schweiz. Zürich 1937, 16 S., 2 Kt. · Boesch, Matte und Wiese, Schweiz. Arch. Volksk. 42 1945, 49—58 · Hänsel, Magdalene, Die rügenschen Fischerflurnamen. Stettin 1938, 12. 136 S., 1 Kt. (Wasserstellennamen rings um Rügen). (Vgl. 2. 11 Fischerei) · Sahlgren, J., Skagershults sockens naturnamn. Vatten och vattudrag. Stockholm 168

6·

1912—35, 67 S., 2 Kt. (Sv. Landsmålen B 32) · Krüger, F., Sach- und Wortkundliches vom Wasser in den Pyrenäen. 1912—35. 168, 67 S. (Volkstum u. Kultur d. Romanen 2 1930, 139—243) · Rygh, O., Norske Gaardnavne. Forord og Indlednig. Kristiania 1898, 94 S. (Grundord, syst. u. alphab. S. 24—88) · Schröder, E., „Stadt" und „Dorf" in d. deutschen Sprache d. Mittelalters (Nachr. Göttingen. Geschäftl. Mitt. 1906, 96—108).

1. 16. U f e r. Stürenburg, Die Bezeichnung der Flußufer bei den Griechen und Römern. Progr. Dresden 1897.

1. 18. G e w ä s s e r. Pavolini, Paolo Emilio, I nomi e gli epiteti omerici del mare. Annali Scuola norm. Pisa 9 1892, 37 S. · Sturm, S., Die Begriffe „Sumpf" und „Pfütze" im Galloromanischen. Diss. Leipzig 1938.

1. 20. S t o f f. Siggel, A., Arabisch-deutsches Wörterbuch der Stoffe aus den drei Naturreichen, die in ʾarabischen alchimistischen Handschriften vorkommen. Berlin 1950, Akademie. 100 S. · Schwede, De adiectivis materiem significantibus quae in prisca latinitate suffixorum -no et -eo ope formata sunt. Diss. Breslau 1906 · Schulz-Reinhold, Die einfachen Stoffadjektiva des Griechischen. Diss. Gießen 1910 · „Hütte". Taschenbuch der Stoffkunde. Berlin 1926.

1. 23. N a t u r : A l l g e m e i n e s. Naturgeschichte, Polyglottlexika: Nemnich Ph. A., Allgemeines Polyglottenlexikon. Hamburg, Halle und Leipzig. 3 Bde. 1793—95 · Megenberg, Konrad v., Buch der Natur (1349—50 n. Chr.), nhdt. von H. Schulz. Greifswald 1897, 445 S. · Vollmann, R., Wortkunde in der Schule. 3. T. Naturkunde. München 1911. 222 S. · Alschner, R., Deutsch u. Deutschkunde im Rahmen d. Sachunterrichts. 1. T. Auswertung d. naturkundlichen Stoffgebiete. 2. verb. Aufl. Leipzig 1928. 14, 224 S. · Wieder, L., Volkstümliche Benennungen f. Tiere, Pflanzen sowie unbelebte Naturgebilde u. -erscheinungen aus Südmähren u. Nachbargebieten. Znaim 1933, 54 S. · Pott, A. F., Religiöse Beziehungen in Namen v. Naturgegenständen. (Zeitschr. f. vergl. Sprachf. 4, 174 ff.) · Dingeldey, H., Etymologisches Fremdwörterbuch z. Mathematik, Physik, Chemie u. Mineralogie. Breslau 1910, 58 S. · Grandgagnage, Ch., Vocabulaire des noms wallons d'animaux, de plantes et de minéraux. 2. éd. Liège 1857. Brandstetter, R., Mata-Hari oder Wanderungen eines indonesischen Sprachforschers durch die drei Reiche der Natur. Luzern 1908, 55 S.

1. 25—26. G e o l o g i e. M i n e r a l o g i e. B e r g b a u. Schmidt, C. W., Wörterbuch d. Geologie, Mineralogie u. Paläontologie. Berlin 1928, 290 S. ill. · Rutten, L. (redig), Geologische nomenclator. Onder redactie van-. 's Gravenhage 1929, 338 S. (Dutch, Germ., Engl., Fr., parall. Syst.) · Beringer, C. Ch., Geologisches Wörterbuch.[3] Stuttgart 1951, 158 S. ill. · Heinersdorff, K., Wörterbuch f. Versteinerungssammler. Elberfeld 1915, 131 S. · Holmes, D. G., Nomenclature of petrology. A dictionary of rock-names. 2. ed. London 1928. 284 S. · Sethe, K., Die Bau- u. Denkmalsteine d. alten Ägypter u. ihre Namen. Berlin 1953, 51 S. · Kayser, Lehrbuch der Geologie I[5]. Stuttgart 1918 ❡ *Bergbau* (viele ein- oder mehrsprachige Bergmannssprach-Wörterbücher) z. B.: Langhammer, O., Hornicko-hutnicky slovnik. Vydani: nemecko-ceské. (Berg- und ʾ hüttenmännisches Wörterbuch. Ausgabe: Deutsch-tschechisch.) Praha, Svaz esl. hornich a hutnich inzenyru 1935, 758 S. · Duchesne, G. S., An English-Russian vocabulary in geology and associated sciences. Ed. by V. A. Abruchec. New York, Stechert 1937, 340 S. · Veith, H., Dt. Bergwörterbuch. Breslau 1870, 600 S. (Lit.) · Drissen, A., Die dt. Bergmannssrpache. Diss. Marburg 1922 · Suchland, O., Jumalai —! Mein Erlebnis der Sprache im Bergbauberuf. Breslau 1926, 15 S. · Mineralnamen: Keferstein, Chr., Mineralogia

polyglotta. Halle 1849 · Leunis, Synopsis der Mineralogie. ²von Senft 1876—78 ·
v. Zepharowich, V., Mineralogisches Lexikon für das Kaisertum Österreich. 1859
bis 1893 · Bergbau: Fay, A. I., A Glossary of the mining and mineral industry.
Washington 1920 · Göpfert, F. A., Die Bergmannssprache usw. Ztschr. f. dt. Wortforschung 1902 · Dannenberg, J. u. Frantz, W. A., Bergmännisches Wörterbuch,
Leipzig 1882, 464 S. · Hardenberg, H., Die Fachsprache der bergischen Eisen- und
Stahlwarenindustrie. 1940, 180 S. (Deutsches Volkstum am Rhein. 4) · Halse, E.,
A. Dictionary of Spanish, Spanish-Amer., Portuguese and Port.-Amer. mining,
metallurgical and allied terms. N. ed. London 1914, 1926, 447 S. · Latour, M.,
400 locutions et dictons de nos régions minières de l'Artois. Paris 1936, 60 S. ·
Cordier, V., die chemische Zeichensprache einst und jetzt. Graz 1928 · Sevrin, L. J.,
Dictionnaire des nomenclatures chimiques et minéralogiques anciennes comparées
aux modernes... Paris 1807, 232 S. (Chemie u. Min. gesondert, beide geteilt in
alt-modern u. modern-alt) · Bailey, Dorothy a. K. C., Etymological dictionary of
chemistry and minralogy. London 1929, 307 S. · Thompson, R., Campbell, A dictio-
nary of Assyrian chemistry and geology. Oxford 1936, 48, 266 S. (syst.) · Mayer,
A. W., Chemisches Fachwörterbuch. 1. Bd. Dt., Engl., Franz. Leipzig 1929, 825 S. ·
Haust, J., La houillerie liégeoise. I Vocabulaire philologique et technologique. Lüttich
1926 · Laake, H. te, Dreisprachenführer (dt., engl., franz.). Essen 1922, 18 S.
❡ *Mineralogie.* Rosenbusch-Osann, Elemente der Gesteinslehre⁴. Stuttgart 1923 ·
Kopp. J. H., Mineralogische Synonymik. Frankfurt 1810, 168 S. [5 Sprachen] ·
Kobell, F. v., Die Mineral-Namen und die mineralogische Nomenclatur. München
1853, 161 S. · Francke, H. H. A., Über die mineralogische Nomenclatur. Berlin
1890, 124 S. · *Bitumen u. dgl.:* Forbes, R. I., Mnemos. 4 1936, 67—77 · Chester,
A. H., A dictionary of the names of minerals, including their history and etymology.
New York, London 1896. (37), 320 S. ❡ *Edelsteine:* R. Garrett, M., Precious stones
in old English literature. Diss. München 1909 · Eppler, Lehrbuch d. E.-kunde.
Leipzig 1934 · Holstein-Koch, Seele der E. Leipzig 1934 · Holstein, Handelszuläs-
sige Benennungen der Edel- und Schmucksteine. Idar 1927, 26 S. · Koch, Walter,
Sprachliche Erklärung der Edelsteinnamen: Zsf. angew. Mineralogie 1939 II 174
bis 198. Begriffsbestimmungen und Bezeichnungsvorschriften für Edelsteine. Berlin
1935, Beuth: Internat. Bezeichnungsübersicht handelszulässiger Benennungen der
Edelsteine, Schmucksteine, Synthesen, Dubletten, Imitationen sowie der Perlen
(Deutsch, Engl., Franz., Ital.). Publication 8 des Bureau international des Associations de fabricants, grossistes, et detaillistes de joaillerie, bijouterie, enfèvrerie et
argenterie. Biboa, den Haag Nordeinde 1. 1935. · Bleichsteiner, R., Altpersische
Edelsteinnamen. (Wiener Z. f. die K. d. Morgenlandes 37 1930, 93—104) · Eudel, P.,
Dictionnaire des bijoux de l'Afrique du Nord, Maroc, Algérie, Tunisie, Tripolitaine.
Paris 1906, 242 S. · Rogers R. J., Dictionary of gems. Birmingham 1933, 57 S.
1. 28—29. C h e m i e. C h e m i s c h e S t o f f e. *Öle und Fettstoffe:* Fitzner, Rud.,
Glossar f. die Öle, Fette und Harze verarbeitenden Industrien in 25 Sprachen.
Berlin 1919 · *Physikal. Chemie:* Kisch, E. H., Fachausdrücke der physikalischen
Chemie. Berlin 1919, 78 S. · Römpp, H., Chemielexikon³. Stuttgart 1952—53.
❡ *Chemikalien:* Hellbusch, E., Dt.-engl.-franz., -span. Fachwörterbuch für den
Chemikalienhandel. Berlin 1921 · Gehe's Codex der pharmazeutischen und organo-
therapeutischen Spezialpräparate⁷. Dresden 1937, 1787 S. · Buchheister-Ottersbach,
Handbuch der Drogistenpraxis I¹⁶. Berlin 1938, 1372 S. · Gmelin -Kraut, Handbuch
der anorganischen Chemie. ⁸Berlin 1926 ff. · Beilsteins Handbuch der Organischen
Chemie. Berlin 1929 ff. · Thompson (†), R. C., A dictionary of Assyrian Chemistry
and Geology. Oxford, Clarendon Press 1936, XLVIII, 266 S., 8⁰, 21 Sh. Bespr.:

OLZ 41 (1938) 97—101) (von Soden); Journal Asiatique 229 1937, 523—524 (Filliozat) · Berliner und Scheel, Hwdb. der Physik. Berlin 1924. Springer ⁋ *Gummiwaren:* Fünfsprachiges Wörterbuch f. d. Gummiwarenhandel[2]. Berlin, Union 1923 ⁋ *Hefe:* Martin, B., Teuthonista 1 1924; 68 ff. · Priewe ebd. 253 f. · Kretschmer, Wortgeogr. 105 · *Jauche:* Martin, B., Teuthonista 2 1925, 134 ff. ⁋ Kunststoff-Lexikon, Handwörterbuch der gesamten neuen Roh- und Werkstoffe. Berlin 1942, etwa 800 S. · Kunststoffwegweiser durch die Kunststoff-Ausstellung 1937. Achema VIII Frankfurt a. M. von Gg. Kränzlein u. R. Lepsius, Fachgruppe für Chemie der Kunststoffe im V.D.Ch., 137 S. · Kunststoffe, Leitfaden für die Praxis u. Lehranstalten. Pabst u. Vieweg 1938, V.D.I.Verlag · Kunststoff-Technik u. Kunststoffanwendung. Zeitschrift geleitet von Dr. Franz Pabst · Steeckhert, K., Kunststofflexikon. München 1953. 362 S.

2. Pflanze. Tier. Mensch (Körperliches)

2. 2. P f l a n z e n a r t e n. In der ersten Auflage konnte ich mich im wesentlichen an H. Marzells hervorragende Darstellung der nach Gegenden verschiedenen Pflanzenbezeichnungen halten, die in Hegi, Illustrierte Flora von Mitteleuropa, bisher 13 Bde., München 1906 ff., Bd.1. 2[2], 1936-9 enthalten ist. Den Auszügen daraus hatte ich nur selten etwas hinzuzufügen. Jetzt muß, was dort und bei mir steht, durchaus als vorläufig gelten, denn H. Marzell läßt zusammen mit W. Wißmann ein Wörterbuch der deutschen Pflanzennamen erscheinen, Bd. 1 Abelia-Cytisus Leipzig 1943, 1411 S. Bd. 2 Daboecia – 1951 ff., das augenscheinlich seine Darstellung bei Hegi weit hinter sich läßt, zumal auch die Benennungsgründe erörtert werden. Für alles Einzelne sei hiermit auf dieses Werk verwiesen, auch für die Literatur, von der i c h n u r g e b e, w a s b e i M a r z e l l - W i ß m a n n S. 6—54 n i c h t s t e h t. — Meine Anordnung folgt dem System von Engler-Diels, Syllabus der Pflanzenfamilien[11]. Berlin 1936 · Andresen, Deutsche Volksetymologie[7]. Leipzig 1919 · Bischoff, G. W., Handbuch der botanischen Terminologie. 3 Bde. Nürnberg 1830—44 · Krauß, F., Weilauer Pflanzennamen. Siebenbürg. Vierteljs. 61 1938 · Boerner, F., Taschenwörterbuch der botanischen Pflanzennamen, Berlin, Parey 1951, 395 S. · Saftenberg-Gärtner, Botanisches Wörterbuch. [5]Leipzig 1952, 183 S. · Jessen, Hans, Botanisches Wörterbuch[4]. Holzminden 1951, 44 S. · Braun, Wortgeogr. schlesischer Pflanzennamen. Beih. Zs. f. Mundartf. 18 1942 · Krauss, F., Nösnerländ. Pflanzennamen. Bistritz 1943 (Harrassowitz), 768 Sp. · Leunis, Johs., Synopsis der drei Naturreiche. 2. Theil: Botanik, 1847, [3]von Frank. Hannover 1883—86 · Müllenhoff, Karl, Die Natur im Volksmunde. Berlin 1898 · Reichenau, W. v., Flora von Mainz und Umgebung. Mainz 1900 · Reling und Brohmer, Unsere Pflanzen in Sage, Geschichte u. Dichtung[5]. Dresden 1922 · Schulz, Hugo, Wirkung und Anwendung der dt. Heilpflanzen. [3]Berlin 1940 · Torre, Dalla, Die volkst. Pflanzennamen in Tirol und Vorarlberg. Innsbruck 1895 · Zander, Robert, Handwörterbuch der Pflanzennamen und ihre Erklärungen.[8]Stuttgart 1955, 512 S. ⁋ *Allgemeines und polyglott:* Ulrich, W., Internationales Wörterbuch der Pflanzennamen in lateinischer, deutscher, englischer und französischer Sprache. Leipzig 1872. — 2. (Tit.-)Ausg. ebd. 1875, 341 S. · Lindsay, T. S., Plant names. London 1923, 93 S. · Bailey, L. H., How plants get their names. London 1933, 209 S. ill. (scient. names) · Hesselmann, B., Från Marathon till Långheden. Studier över växtnamn och naturnamn. Göteborg 1935, 216 S. ill. · Oeder, G. C., Nomenclator botanicus ... in linguis Gallica, Anglica, Germanica, Suecica, Danica. Hafniae 1769, 231 S. · San Georgio, née Anna di Harley. Catalogo poliglotto delle piante. Firenze 1870, 747 S., 16[o] ·

Gerth van Wijk, H. L., A dictionary of plantnames. Haag, Nijhoff 1911—17 (Latin, Dutch, English, French, German) · Issa Bey, Ahmed. Dictionnaire des noms des plantes en Latin, Français, Anglais et Arabe. Le Caire 1930, 14, 227, 64 S., 4⁰ (nach lat. Namen) · Bedevian, A. K., Illustrated polyglottic dictionary of plant names, in Latin, Arabic, Armenian, English, French, German, Italian and Turkish languages . . . Cairo 1936, 15, 644, 456, 10 S., 1711 Ill. · Heide, F., Plantenavne paa fel Sprog (I. og J. Bang: Fremmedordbog. Kåbenhavn 1938, 400—20 Appendix) ❡ *Von hier einzelne Sprachen (alphabetische Ordnung).* Schweinfurth, G., Abyssinische Pflanzennamen, Abh. Berlin 1893, 84 S. · Kamal, A., Vocabulaire hiéroglyphique comprenant les noms des plantes. Gizeh 1306 [1890], 316, 22 S. · Schweinfurth, Georg, Arab. Pflanzennamen aus Ägypten, Algerien und Jemen. Berlin 1912 · Dietrich, F. E. C., Abh. zur semitischen Wortforschung. Leipzig 1844 · Palästina: Rüthy, A. E., Die Pflanze und ihre Teile. Diss. Basel 1942 · Löw, J., Aramäische Pflanzennamen. Leipzig 1881, 490 S. (Diss. Leipzig 1879) · Alištran, L., (Les noms arméniens des plantes.) Wenetik (Venedig) 1895, 697 S., Cornea · Thompson, R. C., The Assyrian Herbal. London 1924; A Dictionary of Assyrian botany. Oxf. 1950, 405 S. ❡ B a s k i s c h : Lacoizqueta, J. M., Diccionario de los nombres euskaros ide las plantas, en correspondencia con los vulgares, castellanos y franceses y cientificos latinos. Madrid 1889, 200 S. ❡ D a k i s c h : Detschew s. Lateinisch ❡ Britten, J. and Holland, R., A dictionary of engl. plant names. E n g l i s h dialect Society 1878—86 · Hoops, Über die altenglischen Pflanzennamen. Freiburg 1889 · Grundtvig S. 39—42 · Earle, J., English plant-names from the 10. to the 15. century. Oxford 1880 112, 122 S. · Suhonen, P., Suomalaiset kasvinnimet (F i n n i s c h e Pflanzennamen). Helsinki 1936, 465 S. (finn.) ❡ Kreiter, H., Die von Tiernamen abgeleiteten Pflanzennamen im F r a n ö s i s c h e n. Diss. Gießen 1912 · Rolland, E., Flore populaire I—XI. Paris 1896—1914; dazu Hugo Schuchardt, Litbl. 20 1899, 280 ff. · Spitzer, Die Namengebung bei neuen Kulturpflanzen im Franz. WuS 4 1912, 122 ff. Mais, Buchweizen, Kartoffel, Topinambur · Kaufmann, W., Die galloroman. Bez. f. d. Begriff Wald. Diss. Zürich 1913 · Haillant, N., Flore populaire des Vosges. Paris 1886, 220 S. · Constantin, A. et Gave, P., Flore populaire de la Savoie. 1. partie. Dictionnaire des noms populaires des plantes. Annecy 1908 12, 190 S. · Joret, Ch., Flore populaire de la Normandie. Caire-Paris 1887 88, 338 S. ❡ G r i e c h i s c h : Latte, Philol. 80 1925, 161 f., 173 · Corp. Glossat. Lat. III 535 · v. Heldreich, Die Nutzpflanzen Griechenlands. Athen 1862 · Delatte, Le Lexique de botanique du Paris. graec. 2419. Serta Leodiensia, Bibl. fac. Liège 44 1930, 59 ff. · Botanische byzantinische Lexika ebd. 93 1942 · Fraas, C., Synopsis plantarum Florae classicae². Berlin 1870 · Dawson, The origin of the herbal. Aegyptus 10 1929, 47 ff. · Singer, The herbal in antiquity. Journ. of Hell. Stud. 17 1927, 1 ff. · Karabacek, De codicis Dioscuridei . . . historia etc. Leyden 1906, 83 · Koch, Karl, Bäume und Sträucher des alten Griechenlands. 1886 · Sibthorp, John, Flora graeca, 10 Bde. London 1806—40 · Hindenlang. L., Sprachliche Untersuchungen zu Theophrasts botanischen Schriften. Diss. Straßburg 1910 · Stroemberg, R., Theophrastea. Handlingar Goeteborg 1937. Griechische Pflanzennamen. Goeteborg Arsskrift 1940, 190 S. · Χελδράϊχ, Θ. καὶ Μηλιαράκης, Επ.: Τὰ δημώδη ὀνόματα τῶν φυτῶν. Athen 1910 · Γεννάδιος, Π. Γ.: Λεξικὸν φυτολογικόν. 1914 · Dalziel, J. Mac E., H a u s a botanical vocabulary. London 1916, 119 S. · Löw, Immanuel, Die Flora der J u d e n. 4 Bde. Wien 1924—34 · Rüthy, Die Pflanze und ihre Teile im bibl.-hebräischen Sprachgebrauch. Diss. Basel 1942 ❡ Wagner, M. L., Das ländliche Leben Sardiniens im Spiegel der Sprache. Heidelberg 1921 · Bosco, Nomi volgari adoperati in I t a l i a a designare le principali pianti. Florenz 1873, 288 S. · Pedrotti,

G. e V. Bertoldi, Nomi dialettali delle piante indigene del Trentino e della Ladina dolomitica. Trient 1930 12, 588 S. · Penzig, O., Flora popolare italiana. Raccolta dei nomi dialettali. 2 vol. Genua 1924 16, 544, 615 S. · Targioni-Tozzetti, G., Dizionario botanico italiano che comprende i nomi volgari specialmente toscani. 2 pt. Florenz 16^0 1809, 195, 124 S. — 2. ed. 2 pt. ebd. 1858, 12, 308, 248 S. ¶ Matsumura, T., Names of plants and their products in English, J a p a n e s e and C h i n e s e. Tokio 1892, 213 S. ¶ K e l t i s c h : Cameron, J., Gaelic names of plants (Scottish, Irish and Manx). New and rev. ed. Glasgow 15 1900, 160 S. ¶ K l e i n r u s s i s c h : Slovnik botaničku nomenklatur (Charkiv.) Derž 32 1928, 314 S. ¶ L a t e i n i s c h : Ps.-Apuleius, Herbarius (5. Jh. n. Chr.) ed. Howald · u. Sigerist = Corpus medicorum latinorum IV. Teubner 1927 · Detschew, Die dakischen Pflanzennamen. Annuaire de l'univ. de Sofia 24 1928; dazu Fuchs, Phil. Ws. 1929, 639 ff. · Dagys, J., (Wörterbuch d. litauischen Pflanzennamen). Kaunas 1938 40, 598 S. (Auch die dt., lett., poln. u. russ. Pflanzennamen). (Litauen) ¶ Koorders, S. H., Exkursionsflora von Java. Jena 1911 ff. · de Clercq, F. S. A., Nieuw plantkundig woordenboek voor Nederlandsch-Indie. Uitg. door M. Greshoff. Amsterdam 20 1909, 395 S. · Merrill, E. D., A dictionary of the plant names of the Philippine Islands. Part 1. Manila 1903, 193 S. · Watson, J. G., Malayan plant names. Singapore 1928, 277 S. (Malayan. Forest Records. No. 5.) · Heukels, H., Woordenboek der Nederlandsche volksnamen van planten. (Amsterdam) 1907, 332 S. · Schrijnen, J., Nederlandsche Volkskunde. 2 Bde. Zutphen 1915/16 · Paque, E., De Vlaamsche volksnamen der planten. Namen 1896, 569 S. — Bijvoegsel. Brüssel 1913, 156 S. · Jenssen, Tusch, H., Nordiske Plantenavne. Kopenhagen 1867—1871 · Aasen, I., Norske Plantenavne. Christiania 1860, 31 S. (Saertr. af Budstikkan) · Høeg, O. A., Norske plantenavn (Naturen 1938, 73—84). (Kartograph. Darst. d. Verbreitung d. Volksnamen f. einige bekannte Pflanzen) ¶ Majewski, Dictionnaire des noms polonais zoologiques et botaniques I. Polonais-latin, Warschau 1891. II. Latin-polonais. 1894 · Rostafinski, J., (Wörterbuch der polnischen Pflanzennamen). Krakau 1900, 836 S. · Peckolt, Th., Volksbenennungen der brasilianischen Pflanzen und Produkte derselben in brasilianisch-portugiesischer und Tupisprache. Milwaukee 1908, 252 S. · Pantu, Z. C., Plantele conosciute de poporul Român. Vocabular botanic. 2. ed. Bukarest 1929 · Dufrené, H., La flore sanscrite. Essai d'explication des noms sancrits des principales plantes de l'Inde d'après leur étymologie. Paris 1887 · Lyttkens, A., Svenska växtnamn. Stockholm 1904—15 ¶ Durheim, K. J., Schweizerisches Pflanzen-Idiotikon. Ein Wörterbuch von Pflanzenbenennungen in den verschiedenen Mundarten der deutschen, französischen und italienischen Schweiz. Bern 1856, 284 S. · Empeyta, E., Catalogue descriptif des arbres . . . en Suisse, suivi d'un dictionnaire des principaux noms vulgaires donnés, dans la Suisse romande, à différentes plantes, avec leurs synonymes français et latins. Genève 1887, 211 S. (Dict. 165—208) · Savoy, H. P. C., Essai de flore romande. Glossaire Romand-Fribourgeois. Fribourg 1900, 200 S. · Benkoviš, A., (Slovenisch-lateinisch-deutsches Pflanzenverzeichnis der slovenischen Länder). Laibach 1922 ¶ Colmeiro, M., Diccionario de los diversos nombres vulgares de muchas plantas del antiguo y nuevo mundo. Madrid 1871, 235 S. · Ramírez, J., Sinonimia vulgar y cientifica de las plantas mexicanas. Mexiko 12 1902, 160 S. · Šulek, B. (Südslawische Pflanzennomenclatur). Agram 23 1879, 564 S. · Greenway, P. J., A Swahili dictionary of plant names. Dar es Salaam 1937, 16, 112 S. · Hjelt, A., Pflanzennamen aus dem Hexaemeron des Jakob von Edessa, in: Or. Studien f. Noeldeke, Gießen 1906 · Makowiecki, St. (Latein.-ukıain. botan. Wörterbuch). Kraków 1936. 406 S. · Graumann, Sandor, Wörterbuch der ungarischen Pflanzennamen. Langensalza-

Erfurt 1909 ❡ *Verschiedene Pflanzengruppen:* Pauwels, J. L., Enkele bloemnamen in de Zuidnederlandsche dialecten. 'sGravenh. 1933, 321 S., 7 Kt. (Vgl. Ginneken in Onze Taaltuin 1934, 27—30 u. d. Verf. in Leuw. Bijdr. 26 1934, 74—80) · Nomi volgari adoperati in Italia a designare le principali piante di bosco. Firenze 1873. 12, 227 S. · Nordlund Sv., Mit Baumnamen gebildete Ortsnamen in Baden. Uppsala Univ. Årsskr. 1937. 2, 118 S. ❡ *Einzelne Pflanzenfamilien und -arten.* Marzell, H., Artikel in Bächtold-Stäublis Handwörterb. d. deutsch. Aberglaubens · Müller, Josef, Die Bohne in rhein. Sprache u. Sitte. Elberfeld 1914 · Die Nuß. Elberfeld 1917 · Der Apfel im Spiegel rhein. Mundarten. Ztschr. f. dt. Mundart. 1914, 31 ff. · Wittrock, Anteckningar om Nordiska namn på Stellaria media. Stockholm 1918 ❡ *Marguerite:* Marzell in Volkskundliche Gaben für John Meier, Berlin 1934 · *Schlüsselblume:* Diedrichs, Elis. Gießener Beitr. 100 1952 · *Anemone:* Bouffier, Hildegard, Die dt. Synonymik der A. nemorosa. Diss. Marburg 1950 ❡ *Ulme:* Krause, Die ndd. Namen der U. Ndd. Korr. Bl. 12/1, 67 und 13/9, 59 ❡ *Heidelbeere:* Hepding, Hess. Bl. f. Volksk. 22 1924, 4 · Martin, Teuthonista 3 1926, 310 ff. · Schwarz, E., Die H. in den sudetendeutschen Mundarten. Mitt. d. Deutschen Akademie, München, Heft 3, 1931 ❡ Seiler, A., Kirsche und Kirschbaum im Spiegel schweizerdt. Sprache und Sitte. Schw. Arch. f. Volksk. 4 1900, 199 ff. ❡ *Kartoffel:* Martin, B., Teuthonista 2 1925, 64—67 ❡ *Feldahorn:* Ed. Schroeder, Nd. Jb. 48 1922, 9—12 ❡ *Ahorn:* Mitzka, W., Ahorn. Untersuchungen zum dt. Wortatlas. Gießener Beiträge 91 1950, 90 S. ❡ *Seidelbast:* Marzell, Bayr. Bl. f. Vk. 3 1916, 110 ff. ❡ *Eibe:* Lemke, Elisab., Zs. V. f. Vk. 12 1902, 25—28 ❡ *Klette:* Gamillscheg, Ernst u. Spitzer, L., Die Bezeichnungen d. K. im Galloromanischen. Sprachgeogr. Arbeiten 1. Halle 1915 ❡ *Mohn:* Schroefl, O., Die Ausdrücke für den Mohn im Galloromanischen. Diss. Zürich, Graz 1915 ❡ *Zürgelbaum (celtis australis):* Schuchardt, Ztschr. f. rom. Philol. 35 1911, 393 ff. · Ochs, W., Die Bezeichnungen der wilden Rose im Galloromanischen. Diss. Gießen 1921, 32 S. · Schurter, H., Die Ausdrücke für den „Löwenzahn" im Galloromanischen. Diss. Zürich 1921, 131 S. (Sprachgeographische Arbeiten, H. 2) · Walter, G., Bezeichnungen der „Buche" im Galloromanischen. Diss. Gießen 1922 · Buche: Wissmann, Vortrag Dt. Akad. Berlin 50 1952 · Bertholdi, V., Un ribelle nel regno de' fiori. I nomi romani del Colchicum autumnale L. attraverso il tempo ǝ lo spazio. Genf 1923, 224 S. ❡ *Holunder:* Reetz, Marg., Die Synonymik des Wortes H. in den dt. Mundarten. Diss. Marburg 1949 ❡ *Aprikose* (S. 139): Kretschmer 89 ff. ❡ *Apfelsine* (S. 146): Kretschmer 82 ff. ❡ *Kürbis:* Sus. Ascher, Die Bezeichnungen des K. im Galloromanischen. Diss. Berlin 1935 ❡ *Geißblatt:* Kögler, K., Leipziger romanist. Studien I 18 1937, 69 S. (Diss.) ❡ *Johannisbeere u. Stachelbeere:* Budahn, Christine, Ztschr. französ. Spr. u. Lit. 63 1940, 129 ff. 157 ff. ❡ *Johannisbeere:* Martin, B., Teuthonista 5 1928, 212 ff. ❡ *Brombeere:* Wienesen, Lieselotte. Diss. Marburg 1948. Gießener Beitr. 98 1952, 123 S. ❡ *Hagebutte:* Paetzer, Gerlinde, Wortgeographie der H. Diss. Marburg 1949 · Cronenberg, Anneliese, Die Bezeichnungen d. Schlehdorns im Galloromanischen. Berlin 1937. 16, 98 S., 1 Kt. (Berliner Beitr. roman. Philol. VII 2, Diss.) · Stephan, G., Die Bezeichnungen der Weide im Galloromanischen. Gießen 1921 = Diss. Gießen · Réguis, M., Synonymie provençale des champignons de Vaucluse. Marseille 1886, 144 S. ill. · Dietrich, F. E. C., Über die semitischen Namen für Schilf und Gras und für Dornen und Disteln (Abhandlungen f. semit. Wortforschung. Leipzig 1844, 1—98) ❡ *Botanische Terminologie:* Dierbach, J. H., Die botanische Terminologie älterer Zeiten im Auszuge. Heidelberg 1824 (griech.-röm.) · Artschwager, E., Dictionary of botanical equivalents. Germ.-Engl., Dutch-E., Ital.-E.,

French-E. by E. M. Smiley. Baltimore 1925, 124 S. · Jackson, B. D., Glossary of botanical terms. 4. ed. rev. a. enl. London [1928], 481 S.

2. 2. und 9. P f l a n z e n u n d T i e r e. Popowitsch, J. S. V., Versuch einer Vereinigung d. Mundarten v. Teutschland ... mit beträchtlichen Beiträgen z. Naturgeschichte. Wien 1780, 649 S. · Zender, J., Tiere und Pflanzen im Eifeler Volksmund. Ztschr. f. rhein.-westfäl. Volkskunde 2 1905, 210 ff. · Pirona, J., Vocabolario friulano. Venezia 1871, (481—526 Voc. botanico-fr., 527—66 Voc. zoologico fr.) · Carvalho, J. M. de, Diccionario portuguez das plantas ... animaes. Lisboa 1765, 600 S. · Ichimura, T., Deutsch-engl.-latein.-japan. Vokabular d. allgemeinen bekannten Tier(e) u. Pflanzen. Tokyo 1903, 513 S. · Cramer, F., Der Heilige Johannes im Spiegel d. franz. Pflanzen- u. Tierbezeichnungen. Gießen 1933, 72 S. · Roux, W. (hrsg.), Terminologie d. Entwicklungsmechanik d. Tiere u. Pflanzen. Leipzig 1912, 465 S. (Lex.) · Artschwager, E. F., Dictionary of biological equivalents. Germ.-engl. Baltimore 1930, 239 S. · Huber, Fr., Ztschr. f. dt. Mundarten 1913, 316 ff. · Fohalle, R., Noms d'animaux et noms de plantes en grec ancien. Serta Leodiensia. Bibl. fac. Liège 44 1930, 141 ff.

2. 3. P f l a n z e n t e i l e. Strömberg, R., Theophrastea. Handlingar Goeteborg 1937 · Rüthy, A. E., Die Pflanze und ihre Teile im biblisch-hebräischen Sprachgebrauch. Bern 1942.

2. 4. P f l a n z e n k r a n k h e i t e n. Appel, O. und Reh, L., Handbuch der Pflanzenkrankheiten, 6 Bde. Berlin, Parey, 1933 ff.

2. 5. L a n d w i r t s c h a f t, t e i l w. l ä n d l i c h e s L e b e n a l l g., G a r t e n - b a u. *Polyglotte.* Vocabulaire usud des termes employés dans les principales langues en agriculture. Paris 1908 (Min. de l'Agric.) · Frauendorfer, S. v., Système de classification des sciences agricoles. Roma 1934. 25, 171 S. (landw. Fachwörter, Dt. Fr. Engl.) · Bezemer, T. J., Dictionary of terms relating to agriculture, horticulture, forestry, cattle breeding, dairy industry and apiculture in English, French, German and Dutch. London 1935. 250, 294, 267, 248 S. ❡ *Deutsch:* Weber, F. B., Allgemeines terminologisches ökonomisches Lexikon u. Idiotikon, 2. Abth. Leipzig 1828. 777 S. Neue Ausg. 1838. Supplementheft. Nebst d. Anhange eines Versuchs einer landwirtschaftlichen Synonymik. Breslau 1844 · Stolte, H., Bauernhof und Mundart in Ravensberg. Beiträge z. niederdt. Volkskunde. Bielefeld 1931, 120 S. · Greyerz, O. v., Alpenwörter. Untersuchungen über die Sprachgemeinschaft im alpinen Wortschatz d. deutschen Alpenvölker. (Sprache-Dichtung-Heimat Nr. 13 1933, 72—145) · Kirchhof, F., Conversations-Lexikon der gesamten Land- und Hauswirtschaft. ²Glogau 1842 ff. · Rink, J., Die Arbeiten des deutschen Bauern in Koschneidermundart. Danzig 1936, 12 S. · Lohß, M., Beiträge aus dem landwirtschaftlichen Wortschatz Württembergs nebst sachlichen Erläuterungen. Heidelberg 1913, 115 S. (Wörter und Sachen, Beiheft 2) · Heiermeier, B., Die landwirtschaftlichen Fachausdrücke Westfalens auf Grund der Mundart des Kreises Wiedenbrück. Diss. Münster 1914 · Weinelt, H., Untersuchungen z. landwirtschaftl. Wortgeographie in d. Sudetenländern. Brünn usw. 1938. 14, 212 S., 37 Kt. · Warnecke, R., Haus und Hof in d. niederdt. Sprache zwischen Weser und Hunte. Marburg 1939. 105 Kt. 13, 78 S., 4 Bl. Abb. (Dt. Dialektgeographie H. 35) · Kammer, W., Geschichtliche Volkskunde nach d. Schriften d. Erasmus Alberus. (Hess. Blt. f. Volkskunde 30/31 1932, 1—87 ill.) (Wortschwund in Landw.) ❡ *Veredeln:* Mitzka, Dt. Wortatlas I. Gießen 1951 · Schmidt, Leopold, Gestaltheiligkeit im bäuerlichen Arbeitsmythos. Studien zu den Ernteschnittgeräten und ihrer Stellung im europäischen Volksglauben und Volksbrauch. Wien 1952 ❡ *Französisch:* Beyer, Lotte,

Der Waldbauer in d. Landen d. Gascogne. Haus, Arbeit u. Familie I. Hamburg
1937 (Diss.) 14, 80 S. ill. · Dornheim, A., Die bäuerliche Sachkultur im Gebiet der
oberen Ardèche. (Volkst. u. Kultur d. Romanen 9, 202—388, 10 247—369. 1937
(Diss. Hamburg) · Fahrholz, G., Wohnen u. Wirtschaft im Bergland d. oberen
Ariège. Sach- u. Wortkundliches aus d. Pyrenäen. Hamburg 1931. 11, 164 S.,
8 Taf. · Rohlfs, G., Le Gascon. Études de philologie pyrenéenne. Halle a. S. 1935,
190 S., 2 Kt. (Bes. über Wortschatz d. Hirtenlebens) · Robert-Juret, M. A., Les
patois de la région de Tournus. Les traveaux de la campagne. Paris 1931, 156 S. ·
Flagge, L., Provenzalisches Alpenleben in d. Hochtälern der Verdon u. der Bléone.
Ein Beitrag z. Volkskunde d. Basses-Alpes. Florenz 1935, 190 S. ill. (volkskundl.-
sprachw.) · Heyns, K., Wohnkultur, Alp- u. Forstwirtschaft im Hochtal der Garonne.
Hamburg 1938. 16, 165 S., 46 Phot., 11 Abb., 2 Kt., 2 Pl. (Diss.) ❡ *Italienisch:*
Gorgoni, G., Lingua e dialetto. Vocabolario agronomico . . . del dialetto della Pro-
vinzia di Lecce. Lecce 1891, 4⁰, 515 S. · Longa, G., Terminologia contadinesca di
Bormio. I-II. (Wörter u. Sachen 3 u. 6 1912—15) · Wagner, M. L., Das ländliche
Leben Sardiniens im Spiegel d. Sprache. Heidelberg 1921 (4. Beiheft z. Wörter u.
Sachen) · Wagner, M. L., Studien über den sardischen Wortschatz · Tschurtschen-
thaler, P., Das Bauernleben im Pustertal. Bolzano 1935, 246 S. · Schaad, G., Ter-
minologia rurale di Val Bregaglia. Bern (Diss.) 1936, 169 ill. ❡ *Lateinisch:* Bolelli,
Studi semasiologici sul vocabulario agric. lat. Annali Pisa 6 1937, 17 ff. · Westerath,
H., Die Fachausdrücke des Ackerbaues bei den römischen Agrarschriftstellern. Diss.
Münster 1938 · Walther, F. L., Manuale Georgicum Lat.-Germ. et Germ.-Lat. Lat.-
deut. und Deut.-lat. landwirtschaftliches Handwörterbuch. Hadamar 1822 ·
[Ältere lateinische Landwirtschaftswörterbücher von C. de Aquino 1736 und J. M.
Gesner 1773 u. sp.] · Richard, A., Vocabulaire agricole et horticole. Paris 1883. —
2. éd. 1885 · Palma, S., Vocabolario metodico italiano. Parte che si riferisce all'agri-
coltura. Mailand 1865, 348 S. — e pastorizia, 2 vol. ebd. 1870 · Coray, H., Boden-
bestellung, ländliche Geräte, Ölbereitung, Weinbau und Fischerei auf den lipari-
schen Inseln. (Teildr.) Diss. Zürich 1930 ❡ *Spanisch, Portugiesisch:* Bierhenke, W.,
Ländliche Gewerbe d. Sierra de Gata. Sach- und wortkundliche Untersuchung.
Hamburg 1932, 176 S. · Paret, Lotte, Das ländliche Leben einer Gemeinde der
Hautes-Pyrénées. Diss. Tübingen 1933: Mundart von Arrens, sachlich geordnet ·
Dumke, H., Die Terminologie des Ackerbaues im Dakorumänischen. Diss. Leipzig
1912 · Krüger, F., Die Gegenstandskultur Sanabrias u. s. Nachbargebiete. Ham-
burg 1925, 323 S. ill. 1 Kt., 26 Taf. · ders., Die Hochpyrenäen (6 Bde.), Hamburg
1935—39, (A. Landschaften, Haus und Hof, 2 Bd., 1936—39. B. Hirtenkultur,
1935. C. ländliche Arbeit., Bd. 1. Transport u. Transportgeräte, 1936. 2. Getreide,
Heuernte, Bienenwohnung, Wein- u. Ölbereitung, 1939. D. Hausindustrie, Tracht,
Gewerbe, 1936) · Ders., Notas etnográfico-linguisticas da Póvoa de Varzim. Lisboa
1936, 73 S. ill. (Sep. de Boletim de Filologia 4). (Landw. u. Fischerei) · Schmitt,
A. Th., La terminologie pastorale dans les Pyrenées centrales. Paris 1934. 19,
156 S. (Diss. Tübingen) · Bergmann, W., Studien z. volkstümlichen Kultur im
Grenzgebiet v. Hocharagón u. Navarra. Hamburg 1934, 99 S., 9 Taf., 1 Kt. (Landw.,
Haus, Kirche u. rel. Leben) · Kuhn, A., Studien z. Wortschatz v. Hocharagon. (Z. f.
roman. Philol. 55 1935, 561—634 ill.) (Landw. usw.) ❡ *Andere Sprachen:* Schnebel,
M., Die Landwirtschaft im hellenist. Ägypten. Bd. 1 München 1925. 17, 379 S.
(auch Term.) ❡ Britten, J., Old country and farming words gleaned from agri-
cultural books. London 1880. 17, 191 S. (English Dialect Society Publications,
Vol. 3, P. 2) · Graf, L., Landwirtschaftliches im altenglischen Wortschatze. Diss.
Breslau 1909 · Zessin, Herta, Der Begriff 'Bauer' im Engl. im Spiegel seiner Be-

zeichnungsgeschichte und Bedeutungsgeschichte. Diss. Halle 1937 ❡ Ljunggren, R., Ord och uttryck för åkerbruk och boskapsskötsel i Laske-Vedums socken, Västergötland (Sv. Landsmål 1913, 37—98). (In darstellender Form) · Høeg, C., Les Saracatsans. Copenhague 1926, 107—54, Vie bergère etc. · Damé, F., Nouveau dictionnaire Roumain-Français. 5. vol. comprenant le lexique r.-fr. et fr.-r. de la terminologie paysanne. Bucuresti 1900, 106 S. (Vgl. Damé oben S. 80) · Pop, S., Problèmes de géographie linguistique. Quelques termes de la vie pastorale d'après l'Atlas linguistique Roumain. Bucarest 1938 · Bindoni, M., Vocabolario tecnico agricolo Italiano Albanese e Albanese Italiano. Tirana 1935, 196 S. · Filin, F. P., (Untersuchungen über den Wortschatz d. russ. Mundarten nach d. Materialien d. landwirtschaftl. Terminologie). Moskva-Leningrad 1936, 208 S. (russ.) · Russisch-tschuwaschisches Fachwörterbuch. T. 2. Landwirtschaft. Čeboksary 1933, 67 S. ❡ *Spezielle Gegenstände:* Niekerken, W., Das Feld u. seine Bestellung im Niederdt. Hamburg 1935. 32, 365 S., 8 Taf. · Vogelstein, H., Die Landwirtschaft in Palästina zur Zeit der Mishnâh. Th. 1. Der Getreidebau. Berlin 1894, 78 S. · Goldmann, F., Der Ölbau in Palästina zur Zeit der Mishnâh. Diss. Freiburg 1907 · Jirlow, R., Zur Terminologie der Flachsbereitung in den germanischen Sprachen. T. 1. Diss. Göteborg 1926 · Schoneweg, E., Das Leinengewerbe in der Grafschaft Ravensburg. Bielefeld 1923, 260 S. · Gerig, W., Die Terminologie der Hanf- und Flachskultur in den franko-provenzalischen Mundarten. Heidelberg 1913, 104 S. (Wörter und Sachen 1. Beiheft) · Hegener, H., Die Terminologie d. Hanfkultur im katalan. Sprachgebiet. Würzburg (Diss. Hamburg) 1938. 13, 71 S. · Lindemans, J., Jaegher, P., Vakwoordenlijst der hopteelt. Wetteren 1928 · Sabin, Ilse, Die Bezeichnungen der Streu im Galloromanischen. Diss. Berlin 1934 · Pedrotti, G., Vocabolarietto dial. degli arnesi rurali della Val d'Adige e delle altre valli trentine. Trento 1936, 107 S. · Petterson, K. P., Lantmannaredskap i Nagu (Finland) m. en inledning och ordlista av V. Solstrand. (Folklorist o. etnogr. Studier. Helsingfors 2 1917, 131 bis 97 ill.) (Ordlista 190—97) · Phourikes, P. A., Megarika meletemata. I (Athena 30 1919, 343—77). (Namen f. Pflug u. s. Teile), neugriech. · Jaberg, K., Dreschmethoden u. Dreschgeräte in Romanisch Bünden. (Bündnerisches Monatsblatt. Chur 1922, 33—58) · Gisela Ruppenthal, Der zweite Grasschnitt in dt. Synonymik. Gießener Beiträge 92 1950 ❡ *Weinbau:* Alanne, Eero, Die dt. Weinbauterminologie in ahd. und mhd. Zeit. Ann. Acad. scientiarum Fenn. B 65. Helsinki 1950, 247 S. (Diss.) · Bonaparte, L. L., Words connected with the vine in Latin and the Neo-Latin dialects. (Trans. Philol. Soc. 1882/84, 251—311) · Meichle, F., Die Sprache d. Weinbauern am Bodensee. Diss. Heidelberg 1922. Schriften d. Ver. f. Gesch. d. Bodensees 63 1937, 177—246) · Tumler, F., Herkunft und Terminologie des Weinbaues im Etsch- und Eisachtale. Innsbruck 1924, 42 S. (Schlern-Schriften Nr. 4) · Kadel, P., Beiträge zur rheinischen Winzersprache. Gießen 1928, 66 S. · Gignoux, L., La terminologie du vigneron dans le patois de la Suisse romande. Diss. Zürich 1902 (aus Zeitschrift f. roman. Philologie 26 1902) ❡ *Gartenbau:* Peine E., Wörterbüchlein, in welchem diejenigen Wörter enthalten, welche sonderlich bey der Gärtnerey üblich sind. Leipzig 1713, 96 S. · Ulrich, W., Englische u. französische Gärtnersprache. Weimar 1869, 79 S. · Zander, Robert u. Heckel, M., Wörterbuch der gärtnerischen Fachausdrücke in 4 Sprachen. Berlin 1938, 419 S. · Zanders Gartenlexikon. Berlin 1934, 686 S. · Graebner, P. und Lange, W., Illustriertes Gartenbaulexikon. ⁴Berlin 1926, 1295 S. · Zipfel, A., Die Bezeichnungen des Gartens im Galloromanischen. Diss. Leipzig 1943 · Rokseth, P., Terminologie de la culture des céréales à Majorque. Barcelona 1923, 216 S. · Weber, A., Die Sprache des Obstbaus am·Überlinger See. Diss. Freiburg i. Br. 1932 · Kaeser, H., Die Kastanienkultur und ihre Terminologie in Oberitalien und in der Südschweiz. Diss. Zürich 1932, 168 S. ⁋ *Waldbau:* Schwappach, A., Illustriertes Forstwörterbuch.[2] Neudamm 1923—24 · Fröhlich, A., Wald wood bois — eine vergleichende Wortstudie. Neuphilol. Monatsschr. 10 1941, 241—66 · Muñoz de Madariaja, J. J., Diccionario cientifico forestal aleman-espanol. Madrid 1903, 744 S. · Gerschel, J., Vocabulaire forestier français-anglais-allemand. Paris 1905, 203 S. — do. fr.-angl. Oxford 1911, 192 S. · Jacobi, C., Forstordbog, Dansk, Tysk, Fransk. København 1907 (280 S.) · Tiffany, F., Glossary of terms of trees and timber. London 1928, 104 S. · Meyer, Hans, Buch d. Holznamen. Hannover 1936. 18, 564 S. (Weit über 30 000 Holzn. in allen Sprachen. Alphab.) · Behlen, St., Real- und Verballexikon der Forst- und Jagdkunde. Frankfurt 1840—46 ⁋ *Spezielles:* Die Garbenstandnamen verdanke ich der Liebenswürdigkeit von R. Beitl in Berlin · Miethlich, Bezeichnungen von Getreide- und Heuhaufen im Galloromanischen. Diss. Zürich 1930 · Jauche: Kretschmer S. 241 ff. · Bein, L., Benennung der Pflugteile im Steir. Mitt. anthrop. Ges. Wien 64 1914, 179 ff. · Leser, Entstehung und Verbreitung des Pflugs. Anthroposbibl. 2, 3. Münster 1931, 677 S. Brentjes, B., Wiss. Zeitschr. Halle 2 1952—3, 441 ff.

2. 9. T i e r a r t e n. G. Darmer-Leipzig hat mir in freundlichster Weise Stoff aus Brehm, Niethammer, Flöricke usw. zusammengestellt. Die Anordnung nach Claus-Grobben, Lehrbuch der Zoologie[10]. Berlin 1932 · Heider, K., Nomenclator animalium generum. 5 Bde. Berlin 1926 · Plate, Prinzipien der Systematik in KdGegw. III, Abt. 4, Bd. 4 · Brehms Tierleben, hrsg. von C. W. Neumann. 8 Bde. Leipzig 1928—29 · Brohmer, P., Fauna von Deutschland. Leipzig 1932 · Breßlau, E. u. Ziegler, H. E., Zoologisches Wörterbuch. [3]Jena 1927 · Wirth, Alfred, Beiträge zur Volkskunde Anhalts 4/5: Tiere. Dessau 1925 · Erikson, Naturljud och djurnamn. Stockholm 1908 · Krause, H., Die Geschichte der neueren zoologischen Nomenklatur in der dt. Sprache. Diss. Göttingen 1918 · Niemann, G., Zoologisches Wörterbuch. Osterwieck 1919, 221 S. · Elionas, J., Zoologijos systematikos terminų žodynelis. Kaunas 1920 (Verzeichnis zool. Fachausdrücke) · Stejneger, L. H., A chapter in the history of zoological nomenclature. Washington 1924, 21 S. (Smiths. Misc. Coll.) · Edlinger, A. v., Erklärung der Thiernamen aus allen Sprachgebieten. Landshut 1868, 117 S. · Charleton, G., Onomasticon zoicon . . . pluribus linguis. London 1668. Mehrere Ausg. bis 1763 (wesentl. engl.) · Martens, E., Über Tiernamen in d. europäischen Sprachen. (Zool. Annalen 3 1908, 78—104) · Raucq, Elisabeth, Contribution à la linguistique des noms d'animaux en Indo-Européen. Antwerpen 1939. 14, 109 S. (Vgl. Anzeige von E. Schwentner, Dt. Lit.-Z. 1940, Sp. 519—23) · Gottlieb, E., A systematic tabulation of indo-european animal names. Language Dissertations 9, Chicago 1931 (dazu Ernst Fraenkel, Philol. 97 1948, 170, Anm. 6) · Riegler, R., Das Tier im Spiegel d. Sprache. Ein Beitrag z. vergl. Bedeutungslehre. Dresden 1907. 20, 295 S. (Nicht Haustiere, für diese s. unten Brinkmann) · Ders., Zur Tiernamenkunde. Pola 1909, Progr. · Ders., Tiernamen (Handwörterbuch d. dt. Aberglaubens, Bd. 8, 1936/37, Sp. 864—901) · Gielow, C. C. F., De Diere, as man to seggt um wat's seggen. Anclam 1871, 776 S. · Leithäuser, J., Volkskundliches aus dem Bergischen Lande. I. Tiernamen im Volksmunde. 2. T. Barmen 1906—07. 44, 11 S. · Heeger, G., Tiere im pfälzischen Volksmunde. T. 1—2. Progr. Landau 1902—03. 27, 275 S. · Dalla Torre, K. W. v., Die volkstümlichen Thiernamen in Tirol u. Vorarlberg. (Beiträge z. Anthropologie usw. v. Tirol. Innsbruck 1894, 59 bis 156) ⁋ Wood, F. A., Names of slining, gnawing, an rending animals · (Amer. Journ. of Philol. 41 1920, 223—39, 336—54) · Schweder, G., Die baltischen Wirbeltiere nach ihren Merkmalen u. mit ihren latein., deutschen, russ. u. lettischen Benennungen.

Riga 1901, 96 S., 2. Aufl. 1911 ❡ Rolland, E., Faune populaire de la France I—XIII. Paris 1877—1911 · Dauzat, Albert, Essais de géographie linguistique. I. Noms d'animaux. Paris 1921. · Wüster, G., Die Tiere in der altfranzösischen Literatur (unter Ausschluß der Volkssagen). Göttingen 1916, 250 S. · Bangert, F., Die Tiere im altfranzösischen Epos. Marburg 1884, 244 S. · Defrecheux, Vocabulaire de noms wallons d'animaux, avec leurs équivalents latins, français et flamands. Lüttich 1888. — 2. éd. 1890, 200 S. — 3. éd. 1893, 174 S. · Schultz, Wilh., Die Tiere in der Namengebung d. südfranz. Mundarten. Ein Beitrag z. Studium d. Metaphern. Hamburg 1938. 24, 77 S. (Diss. 1932 Teildr.) ❡ Kurelac, Fran, Zagreb 1866—68 · Majewski, 2 Bde. 1891—94, s. S. 88 · Garbini, A., Antroponimie ed omonimie nel campo della zoologia popolare. Saggio limitato a specie veronesi. 2 vol. Verona 1919—25, 115, 1599 S. · Ninni, A. P., Materiali per un vocabolario della lingua rusticana del contado di Trevisa. Ser. 1. Venezia 1891, 125 S. (wesentl. zool.) · Marcialis, E., Piccolo vocabolario sardo-italiano e repertorio it.-sardo: fauna del golfo di Cagliari. Cagliari 1913, 40 S. · Cara, A., Questioni zoologiche: alcuni appunti e commenti al „Piccolo vocab." del dr. E. Marcialis. Cagliari 1913, 32 S. · Stier, G., Die albanesischen Thiernamen (Zeitschr. f. vergl. Sprachforsch. 11 1862, 132—50, 206--53) · Qvigstad, J., Lappiske Navne paa Pattedyr, Krybdyr og Padder, Fiske, Leddyr og lavere Dyr. (Nyt Mag. f. Naturw. 42 1904, 379 ff.) · Neu, W., Türkische Tiernamen (Sitzungsber. d. Ges. naturf. Freunde Berlin 1938, 68—83) · Justi, F., Les noms d'animaux en Kurde. Revue de Ling. 11 1878, 1—32 · Hiecke, M., Die Neubildung der rumän. Tiernamen. Diss. Leipzig 1906; dazu Hugo Schuchardt, Litbl. 5 1884, 281 ff. · Dame, F., Incercare de terminologie poporana romana. Bucuresti 1898; bes. über Tier- und Vogelbezeichnungen ❡ *Griechisch:* Bochart, Hierozoicon. 1663 u. ö. · Bikelas, Sur la nomenclature de la faune grecque. Annuaire des Etudes grecques 12 1878 · Brands, I., Grieksche diernamen. Diss. Nimwegen 1935, Purmerend; ·dazu Meillet, BSL 36 1935 · Ulbricht, De animalium nominibus Aesopeis. Diss. Marburg 1908 · Keller, O., Die antike Tierwelt. 3 Bde. Leipzig 1909—20 ❡ Damiri, Kitab ... Kairo 1861 · Ders., A zoological lexicon. Transl. from the Arabic by A. S. G. Jaykar. Vol. 102, P. 1. London a. Bombay 1906—08 · Malouf, Amin., Arabic zoological dictionary. Cairo [1932] 271 S., 17 pl. · Türkische weiß Prof. Fritz Arndt, Istanbul-Ortaköi, Muallim Naci Caddesi 118 II ❡ *Keltisch:* Forbes, A. R., Gaelic names of beasts etc. Edinburgh 1905 ❡ *Assyrisch-Babylonisch:* Delitzsch, Fr., Assyr. Studien I. Leipzig 1874 · Landsberger, Die Fauna des alten Mesopotamiens. Abh. Leipzig 1934 · Buren, E. Douglas van, The Fauna of ancient Mesopotamia. Rom 1939. XI, 113 S. 23 Taf. ❡ *Niedere Tiere:* Heinzerling, J., Die Namen d. wirbellosen Thiere in d. Siegerländer Mundart, vergl. m. denen anderer dt. Mundarten u. german. Schriftsprachen. Siegen 1879, 25 S. Progr. · Bonaparte, L. L., Names of europ. reptiles in the living neo-latin languages. (Transact. of the Cambr. Philol. Soc. 1882/84, 312—54) ❡ *Eidechse:* Heilig, Zs. f. dt. Mundarten 1910, 367 f. (bad.) · Klett, E., Die romanischen Eidechsennamen unter bes. Berücks. v. Frankreich u. Italien. Tübingen 1929. Diss. 95 S. · Whitman, Ch. H., The O. E. animal names: mollusks; toads, frogs, worms, reptiles. (Anglia 30 1907, 380—93) · Schwartz, W., Die volktümlichen Namen f. Kröte, Frosch u. Regenwurm in Norddeutschland nach ihren landschaftl. Gruppierungen. (Z. d. Ver. f. Volksk. 5 1895, 246—64, 1 Kt.) · Heuschrecke: Lore Koch, Diss. Marburg 1944 mit Wortkarte v. Hessen · Hörz, W., Die Schnecke in Sprache u. Volkstum d. Romanen. Borna-Leipzig 1938, 73 S. (Diss. Tübingen 1935) ❡ *Insekten:* Kirby W. F., Synonymical Catalogue of Orthoptera. 3 Bde. London 1904—10 · Kai L. Henriksen, Danske Insekten, 1944 · Thurnherr, Margrit, Benennungsmotive bei

Insekten, untersucht an schweizerischen Insektennamen, unter besonderer Berücksichtigung der Ostschweiz. Zürich (Diss.) 1938 · Schnake: Mitzka, Dt. Wortatlas, Gießen 1952 · John van Zandt Cortelyou, Die altengl. Namen der Spinnen- und Krustentiere. Anglist. Forschg. 19, Heidelberg 1906 · Ameise: Schubert, Albin. Diss. Marburg 1945. 97 gez. Blätter ❡ Biene: Gilliéron, Généalogie des mots signifiant abeille. Bibl. de l'Ec. des H.-E. 225 1918 ❡ Schmetterling: Müller, Jos., in Dt. Volkskunde, hrsg. v. John Meier, Berlin 1926, 76 f. · Schrijnen, de Baiaard, Herzogenbusch 1917 ❡ Maikäfer: Bretschneider, A., Idg. Forsch. 48 1930, 196 ff. · Berthold, Hessen-nassauisches Volkswb. unter Maikäfer ❡ Kaulquappe: Müller, Jos., Ztschr. f. rhein.-westf. Volkskunde 22 1925, 45 ff. · Gisela Bang, Diss. Marburg 1944 mit Wortkarte von Hessen ❡ Ohrwurm: Riegler, Hdwb. Abergl. s. v. (1935) Bd. 6 · Werz, Elfriede. Diss. Marburg 1945. 253 gez. Blätter ❡ Leuchtkäfer: Ankersmit, Die Namen des L. im Ital. Diss. Bern 1934 · Scudder, S. H., Historical sketch of the generic names proposed for butterflies. (Amer. Acad. Arts a. Sc. Proc. 10 1875, 91—293) ❡ Marienkäfer: Kaiser, K., Monatsbl. pomm. Gesch. 49 1935, 9—14. Zfdt. Mundartf. 12 1936, 89—97 · Aebi, Dora, Der Marienkäfer, seine franz. Namen und seine Bedeutung im Volksglauben u. Kindersprüchen. Diss. Zürich 1932 · Wagner, M. L., Arch. roman. 20 1936 · Juvas, Maija, Über die kinderreime vom marienkäfer u. dessen benennungen im finnischen u. esthnischen. (Finn.-ugr. Forschungen 24 1937, 154—231) (Benennungen S. 197—230) ❡ Fledermaus: Eggenschwiler, E. Diss. Bern 1933 ❡ Blancquaert, E. usw., De Nederlandsche dialectnamen van de Spin, den Ragebol en het Spinneweb. (Handelingen v. de Com. de v. Dialectologie 7 1933, 329—432 (3 Karten) ❡ *Fische:* Nitzsche, H und W. Hain, Die Süßwasserfische Deutschlands. Augsburg 1932 · Ribi, A., Diss. Zürich 1942, vgl. Zinsli, Vox Romanica 9 1946, 229 ff. · Schneider, I. G., Petri Artedi synonyma piscium. Leipzig 1789, 332 S. · Hirt, Idg. Forschungen 22 1907—08, 65 · In 11 Sprachen: Hoek, P. P. C., Catalogue des poissons du Nord. Kopenhagen 2. Aufl. 1914 · Brüning, Ch., Ichthyologisches Handlexikon. Braunschweig 1910, 287 S. · Nordgaard, O., Fiskenavne i Snorres Edda. (Maal og Minne 1912, 54—66) · Joubin, L. et Le Danois, Ed., Catalogue ill. des animaux marins comestibles des côtes de France et les mers limitrophes. Avec leurs noms communes franç. et etrangers, 2 parties. Paris 1925 · Jud, J., Les noms des poissons du Lac Léman. (Zürich 1912), 36 S., 1 Kt. (Bull. du Glossaire des Patois de la Suisse romande, XI 1—2) · Ninni, E., Catalogo dei pesci del Mare Adriatico. Venezia 1912, 271 S. · Griera, A., Els noms dels peixos … de Catalunya. (Butletti de Dialect. Catalana 11 1923, 33—79. Vgl. Schuchardt ebd. 109—18) · Barbier, Paul, Noms des poissons, Revue des langues romanes 51—58, 1908 ff. · Köhler, J. J., Die altengl. Fischnamen. Heidelberg 1906 · Uhlenbeck, De indg. vischnamen. Sertum Nabericum 1908 · Löw, I., Aramäische Fischnamen, in: Or. Studien f. Noeldeke. Gießen 1906 · Kallimachos, Περὶ μετονομασίας ἰχθύων · Wood, F. A., Greek fishnames. Am. Journ. of Philol. 48—49 1927—28 · Papendieck, A., Die Fischnamen in griech. u. lat. Glossaren. Diss. Würzburg 1926; dazu Liechtenhan, Gnomon 7 1931, 316 ff. · D'Arcy W. Thompson, On egypt. fishnames used by greek writers. JEgArch. 1928, 22 ff. Bull. Corr. Hell. 62 1939, 439 f. · Derselbe: A glossary of Greek fishes. Oxford 1947. 302 S. · Strömberg, Goeteborg Arsskrift 49, 2 1943, 165 S. · de Saint-Denis, E., Quelques noms de poissons en latin classique in: Les Etudes classiques 12 1943, 129—151 · Vocabulaire des animaux marins en latin classique, Paris Klincksieck 1948 = Etudes et commentaires 2 · Cotte, H.-J., Poissons et animaux aquatiques bei Plin. nh. 9. Diss. Aix 1944, dazu St.-Denis, REAnc. 47 1946, 282—302 · Lacroix, L., Noms des poissons et noms d'oiseaux. Ant. classique 6 1937, 265 ff. ❡ *Vogelnamen:* Arnold, F., Vögel Mitteleuropas 1897 · Niethammer, Handbuch der deutschen Vogelkunde. Leipzig 1937 u. ö. · Flöricke, K., Vogelbuch. ³Stuttgart 1924, 496 S. · Friederich, C. G., Naturgeschichte der dt. Vögel. Stuttgart 1891 · Palander-Suolahti, Die dt. Vogelnamen. Straßburg 1909 · Hoefer, Franz, Die Volksnamen der Vögel in Niederösterreich. Wien 1894 · Naumann, J. F.-Hennicke, Naturgeschichte der Vögel Mitteleuropas. Leipzig 1896—1905 · Schuster v. Forstner, W., Die Vögel Mitteleuropas. ³Eßlingen, Schreiber 1928 · Heinroth, O. und M., Die Vögel Mitteleuropas. Berlin-Lichterfelde 1924 ff. · Hellmayer, C. E., und A. Laubmann, Nomenclatur der Vögel Bayerns. München 1916, 68 S. · Stojan, P. E., Ornitologia Vortaro oklingva. de birdoj Europaj. St.-Petersburg 1911, 216 S. in 8 Sprachen · Thorkelsson, P., Dict. ornithologique islandais. Reykjavik 1916, in 8 Sprachen, bes. isländ. · Jørgensen, Harriet I. og Blackburne, Cecil I., Glossarium Europae avium. København 1940. (Latein u. 17 leb. europ. Sprachen. Index f. jede Sprache) · Bonelli, I nomi degli uccelli nei dialetti lombardi. (St. F. R. 9 1903, 370—466) · Sallent, Els noms dels ocelli de Catalunya. (B. Cat. 9 1921, 54—100) · Hirtz, M., Rječnik peradarstva. (Wörterbuch d. Vogelwelt). Belgrad 1934, 238 S. · Hellquist, E., Ljudhärmande svenska fågelnamn. (Nordisk Tidskrift 1914, 539—54 und d. Verf.s: Om namn och titlar 1918, S. 89—119) · Whitman, Charles W., The birds of old Engl. Lit., Journ. of germ. Phil. 2 1898, 149 ff. · Thompson, A. W., A glossary of gr. birds. Oxford ²1937 · Robert, Les noms des oiseaux en grec ancien. Thèse Neufchatel 1911, Teil I · Latte, Philol. 80 1924, 161 f. 173 · Wood, Am. JPh. 41 1920, 336 ff. · Martin, E. W., The birds of the Latin poets. Stanford Univ., Cal. 1914, 260 S. (Thesis.) · Vincelot, M., Les noms des oiseaux expliqués par leurs moeurs. 4. éd., 2 vol. Paris 1872 · Rolland, E., Faune populaire de la France. Tom. 2. Les oiseaux sauvages. Noms etc. Paris 1879, 421 S. — Tom. 6. Les oiseaux domestiques. Noms etc. Paris 1883, 243 S. mit Synonymen anderer europ. und asiat. Sprachen · Büskens, H., Die französischen Namen der Singvögel. Diss. Bonn 1911 · Quijada, B., La ornitologia en el Diccionario de la lengua castellana. Santiago 1919, 26 S. · Marian, S. F., Ornitologia poporana rominâ. Cernauti 1883 · Falk, Hj., Die altnordischen Namen der Beizvögel. (Germanica Sievers z. Geburtstag. 1925, 236—46) · Gröndal, B., Isländische Vogelnamen. Ornis 3 1887, 587—618 · Ders., Islenzk fuglatal. Reykjavik 1895, 71 S. (Skyrsla um hio islenzka náttúru fraeoisfélag. 1894/95) [mit and. nord., deut., engl. u. franz. Synom]. · Schaanning, H. Th. L., Norsk fugleregister. Bergen 1913, 143 S. (Bergens Museums Arbok Nr. 6) · Ders., Norske fuglenavn. (Norsk Jaeger- og Fisker-Forenings Tidsskrift 42 1913, S. 8—16) · Kirke, Swann, A., A dictionary of English and folk-names of British birds. London 12 1913, 266 S. · Swainson, Ch., Provincial names and folklore of British birds. London 1885 · Local names of migratory game birds. Washington 1931 (U. S. Agricultural Department. Misc. Circ. 13) · Quigstad, J. K., Lappiske fuglenavne. Sep-Abdr. Christ 24 1902 bis 1904, 47 S. · Ross, E. D., Polyglot list of birds in Turki, Manchu and Chinese. Calcutta 1909. (Memoirs of the Asiatic Society of Bengal II, 9) · Beyer, G., Sotho-Vogelnamen. Zeitschr. für Eingeborenen-Sprachen 16 1926, S. 302—10 ❡ *Spezielles:* Truthahn: G. Weizenböck, ZfdtMundartf. 12 1936, 83—88 ❡ Häher: Christmann, E., Der H. in den pfälzischen Mundarten. ZfVolksk. 2 1930, 217 ❡ Taube: Schott, Über die Namen der Taube in verschiedenen Sprachen. Berlin 1861, Sep. ❡ Kiebitz: Riegler, R., Schallnachahmende Kiebitznamen im Romanischen und Germanischen. Herrigs Archiv 147 1924, S. 254 f. ❡ Meise: Sandmann, M., Die Bezeichnungen der Meise in den romanischen Sprachen. Diss. Bonn 1929 ❡ Freitag, F., Die Namen der Bachstelze in d. bayrisch-österr. Mundarten. (Z. f. Mundartenforsch. 13 1937, 157—74, 1 Kt.) · Hallig, R., Die Benennungen der Bachstelze in den romanischen

Sprachen und Mundarten. Diss. Leipzig 1933 ❡ Zaunkönig: Brügger, Alice, Les noms du roitelet en France. Diss. Zürich 1922 ❡ Sperling: Müller, Lucie, Die dt. Synonymik des Sp. Diss. Marburg 1949, 126 S. ❡ Hahn: Menges, H., Der Name des Haushahns in der Schriftsprache und im Elsässischen. Zeitschrift für den deutschen Unterricht 8 1894, S. 578—84 ❡ Storch: Niedermann, M., Die Namen des Storches im Litauischen. Festschrift Kaegi, Frauenfeld 1919, 66—90; Mentz 1892 Nr. 141 ❡ Elster: Kranzmayer, Die Namen der Elster. Heimat und Volkstum 10 1932 ❡ Pute: Kretschmer 380 ff. · Mitzka, Dt. Wortatlas, Gießen 1951 ❡ Amsel: Müller, Jos., Rhein. Wb. 5 188—93 unter Merle ❡ Kolkrabe: Mahlow, WuS. 12 1929, 47 ff. ❡ Eule: Branky, Zs. f. dt. Philol. 26 1894, 540 ff. ❡ Specht: Rieger, Zs. V. f. Vk. 23 1913, 265 ff. · Rendel Harris, Picus who is also Zeus. 1916 ❡ Buchfink: Kück, Ed., Das Land 24 1916, 349 f. ❡ *Säugetiere:* Palander, H., Die ahd. Tiernamen. I. Säugetiere. Diss. Helsingfors, Darmstadt 1899 · Jordan, Die altengl. Säugetiernamen. Anglist. Forschungen 12, Heidelberg 1903 · Hommel, Die Namen der Säugetiere b. d. südsem. Völkern. Leipzig 1879 · Ballion, E. (Untersuch. über die volkstüml. russ. Benennungen d. Säugetiere). Kasan 1858, 92 S. (russ.) · Kalb, H., Die Namen der Säugetiere im Mittelenglischen. Diss. Berlin 1937, 88 S. · Stiles, Ch. W. and Orleman, Mabelle, B., The nomenclature for man, the chimpanzee, the orangutan and the barbery ape. Washington 1927, 66 S. ill. (National Inst. of Health) ❡ Ross, A. S. C., The Middle English poem on the names of a hare. (Proc. Leeds phil. a. lit. Soc. Lit. a. Hist. Sect. 3 1935, 347—77). (77 mittelengl. volkstüml. Namen d. Hasen) ❡ Eichhörnchen: Martin, B., Teuthonista 1 1924, 227 ff. ❡ Maulwurf: Köhler, Hildegard. Diss. Marburg 1945. 164 gez. Blätter ❡ Fuchs: Rockel, Goupil, Diss. Breslau 1906 · Bavaria, Landes- und Volkskunde d. Königreichs Bayern II, München 1863, 304 ❡ Murmeltier: Mentz (s. S. 73) 1892 Nr. 139 ❡ Wiesel: Boehringer, Diss. Basel 1935 u. Schott, Elsb., Diss. Tübingen 1935 ❡ Eggenschwiler, E., Die Namen d. Fledermaus auf d. franz. u. ital. Sprachgebr. Diss. Bern 1934, 299 S., 19 Kt. (vgl. M. Reinthaler, Literaturbl. 1935, Sp. 400 bis 402) ❡ Nordgaard, O., Gamle Hvalnavne. Bergen 1903 (Særtr. af Norsk Fiskeritidende) 28 S. ❡ *Haustiere:* Brinkmann, F., Die Metaphern. Studien über den Geist d. modernen Sprachen. I. Die Thierbilder. Bonn 1878, 600 S. (Haustiere. Nur dieser Bd. ersch., vgl. Riegler oben) · Brockmans, Anna Luise. Untersuchungen zu d. Haustiernamen d. Rheinlandes. Bonn (Diss.) 1939, 80 S. · Heffels, K., Zur Wortgeographie d. Haustier-Namen zwischen Benrather u. Uerdinger Linie. Diss. Bonn 1935, 76 S., 4 Bl. Taf. · Zetterholm, D. O., Nordiska ordgeografiska studier. Benämninger på de unga husdjuren. Uppsala 1937. 12, 168 S., 5 Kt. · Tappolet, Die Ursache des Wortreichtums bei den Haustieren in der französ. Schweiz. Herrigs Archiv 131 1913, 81 ff.; dazu Jaberg, ebd. 136 1917, 84 ff. · Sainéan, R., La creation metaphorique usw. (über Katze, Hund, Schwein): Beih. z. Zs. f. rom. Philol. 1905, 1907 · Bull, Max, Die französ. Namen d. Haustiere. Diss. Berlin 1902 · Jeschonnek, Friedr., De nominibus quae Graeci pecudibus domesticis indiderint. Diss. Königsberg 1885 ❡ *Einzelnes:* Schaf: v. Wartburg, Abh. preuß. Akad. 1918 ❡ Rosa, U., Etimologie asine. Saggio di studi sulle lingue romanze. Turin 1879, 185 S. · Monner Sans, R., Asnologia Vocabulario y refranero. Buenos Aires 1921, 96 S. (in Revista de la Universidad des Buenos Aires T. 46) ❡ Schwein: Stangier, Maria Margarete, Die Bezeichnungen des Schweines im Galloromanischen. Diss. Bonn 1929 · Charpentier, J., Zu den Namen d. Schweines. (Namn och Bygd 24, 6—33) · Streng, Walter, Mém. de la Société néophilol. de Helsingfors 6 1917, 89 ff.; ferner Mentz Nr. 140, 1892 ❡ Kater: Hoefer, A., Germ. 2 1857, 168 ff. · Brandstetter, R., Die Katze im Schweizerdeutschen u. im Indonesischen. (Schweizer Archiv f. Volksk. 20 1916,

48—53) · Plaehn, Christiane, Die dt. Synonymik der „männlichen Katze". Diss. Marburg 1949 ¶ Ziege: Psichari, Cinquentenaire de l'Ec. des H.-E. 1921 · Janzén, A., Göteborgs Årsskrift 43 1937 ¶ Pferd: Woodard, C.M., Words for horse in French and Provençal. Baltimore 1939, 85 S. (Supplement to „Language" Diss. 29.) (Ziemlich dilettantisch) · Pfeiffer, Fr., Das Roß im Altdeutschen. Breslau 1855 · Rittweger, De equi vocabulo et cognominatis. Diss. Halle 1890 · Herkner, Esel, Roß, Pferd, Gaul im Sprachgebiet des dt. Reichs. Diss. Marburg 1914 · Jähns, Roß und Reiter. 2 Bde. Leipzig 1871 · Manly, C., Words for horse in French and Provenzal. Baltimore 1939 · Rosenfeld, Hans-Friedrich, Niederdt. Mitt. 3 1947, 62—81 ¶ *Rind:* Schrader, Reallexikon unter Rind · Oehl, W., Elementarparallele Verwandte zu d. indogerman. Wörtern f. „Rind", nebst ethnolog. Folgerungen. (Jahrb. d. österr. Leo-Ges. 1929, 291—327) · Janzén, A., Bock und Ziege. Wortgeschichtliche Untersuchungen. Göteborg 1937. (G. Högsk. Årssk., c. 1000 Ausdrücke fast aller indogerm. Sprachen), 68 S. ¶ Hammer-Purgstall, J. v., Das Kamel. II. Lexikalische Beiträge. Wien 1856 (Denkschr. d. kais. Ak. d. W. Ph. h. Cl. VI) · Baecker, E., De canum nominibus Graecis. Diss. Königsberg 1884.

2. 10. T i e r z u c h t. Martiny, Benno, Wörterbuch der Milchwirtschaft aller Länder[2]. Leipzig 1907 · Frehner, O., Die schweizerdeutsche Älplersprache. Alpwirtschaftliche Terminologie der deutschen Schweiz. Die Molkerei. Frauenfeld 1919, 176 S. · Luchsinger, C., Das Molkereigerät in den romanischen Alpendialekten der Schweiz. Diss. Zürich 1905, 51 S. · Lidén, E., Zur indogerman. Terminologie d. Milchwirtschaft. (Z. f. vergl. Sprachf. 61 1933, 1—13) ¶ Brooke, G., Horsemanship. London 1934, 288 S. (Terms in training, riding, caring for horses etc.) · Jeppe, Terminologie der Schafzucht und Wollkunde. Rostock 1847, 240 S. · Schaeck, F. de, Vocabulaire ornithologique. Explication de tous les termes employés en aviculture, plumasserie, fauconnerie, colombophilie... Paris 1894, 67 S. · Suttie, D. F. (ed.), Dictionary of poultry. London 1929, 280 S. · Wulf, A., Der Hühner- u. Taubenkenner in s. Fachausdrücken. Leipzig 1913, 62 S. ill. · Bottiglioni, G., L'ape e l'alveare nelle lingue romanze. Pisa 1920, 85 S. · Christ, J. L., Wörterbuch über die Bienen und die Bienenzucht. Frankfurt/Main 1805. · Brinkmann, W., Bienenstock u. Bienenstand in d. roman. Ländern. Hamburg 1938, 200 S., 57 Photos, 9 Taf. (sachlich und sprachlich) · Beltramini de'Casati, E., Vocabolario apistico italiano e dizionario d'apicoltura. Milano 1890, 376 S. · Overbeck, J. A., Glossarium melitturgicum oder Bienen-Wörterbuch. Bremen 1765, 152 S.

2. 11. J a g d. Pairault, A., Nouveau dictionnaire des chasses. Vocabulaire complet des termes de chasse anciens et modernes. Paris 1885, 427 S. · Marolles, M. E. G. Martin de, Langage et termes de vénerie. Étude historique, philologique et critrique. Paris 1906, 347 S. — Suppl. 1908 · Tilander, G., Glanures lexicographiques. Lund 1932, 280 S. [altfranz.] · Lembke, P., Studien zur deutschen Weidmannssprache. Rostock 1897, 52 S. (Diss.) · Hartig, Lexikon für Jäger und Jagdfreunde. [2]Berlin 1861 · Riesenthals Jagdlexikon. [2]Neudamm 1920 · Teuwsen, E., Einführung in die Weidmannssprache. Neudamm 1927, 181 S. · Zeiss, C., Deutsche Weidmannssprache. Wien [1932], 182 S. · Schmidt, H., Die Terminologie der deutschen Falknerei. Diss. Freiburg 1909 · Kinzelbach, A., Jagdlicher Sprachführer. Deutschenglisches Taschenwörterbuch. Berlin 1900, 221 S., 16[0] · Marpmann, H., Tabelle der Weidmannssprache[2]. Neudamm 1939 · Behrens, Hans, Die dt. Weidmannssprache. Hamburg 1947, 208 S. · Dietrich a. d. Winckell, Handb. d. Jäger, Jagdberechtigten u. Jagdliebhaber[3]. Neudamm 1898, 3 Bde. · Dombrowski, Dt. Weidmannssprache[4], hrsg. v. E. Teuwsen † u. J. Holtzberg. Neudamm 1939 · Imme Theod., Die dt. Weidmanns-

sprache. Neudamm 1906 · Kehrein, Wb. d. Weidmannsspr., Wiesbad. 1871 · Kautzsch, H., Die Jägersprache . . . der Zusammengehörigkeit nach geordnet. Neudamm 1940, 23 S. · Baikie, E. S., The international dictionary for naturalists and sportsmen. In Engl., Fr. a. Germ. Containing the terms used in hunting, shooting, fishing etc. London 1880, 281 S. · Mainzer, M., Über Jagd, Fischfang u. Bienenzucht bei den Juden in kananäischer Zeit. Diss. Gießen 1910, 78 S. · Bormann, E., Die Jagd in d. altfranz. Artus- u. Abenteuer-Romanen. Diss. Marburg 1887, 60 S. (einschl. Wald, Wild, Hund usw.) · Nicolin, E. L., Les expressions figurées d'origine cynégétique en Français. Upsala, Thèse 1906, 92 S. · Møller, Viggo, Jagtsproget. (Haarvildtjagten med et Tillæg om J. Kbh. 1890) · Niedbal, L., Slownik myśliwski. Posen 1917 (Poln.-dt. u. dt.-poln. Wb. d. J.-sprache) · Haenisch, E., Die Abteilung 'Jagd' im fünfsprachigen Wörterspiegel. Asia maior 10 1934, 59 ff. · Wijnpersee, W. M. A. van de, De terminologie van het jachtwezen bij Sophocles. Amsterdam 1929, 95 S., dazu Kraemer, PhW 1930, 465 ff.

2. 11. F i s c h e r e i. Benecke, B. E., Dallmer und von dem Borne, Handbuch der Fischzucht und Fischerei. Berlin 1886 · Mitzka, Walther, Deutsche Fischervolkskunde 1940 · La Blanchère, H. de, La pêche et les poissons. Nouveau dictionnaire général des pêches. Paris 1868, do. 1885, 15. 859 S. Pls. · Hedblom, S., Ord och uttryck inom kustfisket i Helsingland. Stockholm 1913.. (Sv. Landsmål 1913, 5—36 ill.) (In darst. Form) · Lidén, E., Gamla fisketermer. (Ordstudier 1937, 1—47) · Seehase, H., Der Sprachschatz d. schleswig-holst. Fischerei. (Die Fischerei in Schleswig-Holstein. Diss. Kiel 1935, 57—77) · Möking, B., Die Sprache d. Reichenauer Fischers. Überlingen (Bodensee) 1935. 13, 96 S., 6 S. Abb. (Auch in: Schriften d. Ver. für die Geschichte des Bodensee 61 1934, 131—240) · Rencke, K., Terminologien i det bohusländske storsjöfisket. Göteborg 1929, 68 S. (Göteborgs K. Vetenskaps- och Vitterhets-Samhälles Handlingar,. 5 F., Ser. A, Bd. 1: 1) · Munkácsi, B., (Magyarische Fischereiausdrücke). Budapest 1893. (Néprajzi füzetek. I.) Ungar. · Karsten, T. E., Det svenskfinska fiskets terminologi. Saga och Sed 1935, 17—28 · Bly, F., Verklarende vakwoordenlijst van de zee-visscherij. Leuven 1931 (K. Vlaamsche Ac.) · Rohe, A., Die Terminologie d. Fischereisprache v. Grau d'Agde (Hérault). Diss. Tübingen 1934. 10, 74 S. ill., 4 Kt. (einschl. Natur, Boot, Geräte, Fische) · Tommasini, C., Vocabolario generale di pesca con tutte le voci corrispondenti nei vari dialetti del regno. Vol. 1. (Lettere a—c). Torino 1906, 708 S., 16⁰ · Rodriguez Santamaría, B., Diccionario illustrado de la pesca marítima en las costas del Norte y Noroeste de España. Madrid 1911, 325 S. · Roig, E., i. J. Amades, Vocabulari do la pesca. 1927 (Butlleti de Dialectologia catalana Vol. 14) · Skok, K. (Unsere Seeu. Fischerterminologie an der Adria). Split 1933, 184 S. 73 Abb. (serbokroat. Term.) · Modéer, J., Den nordiska ryssjans ursprung och ålder. Ordstudier. Upsala 1939, 206 S. (Ups univ. Årsskr. 1939, 10).

2. 12. T i e r k r a n k h e i t e n. Moulé, L., Glossaire vétérinaire du 16. siècle. (Janus 40 1936, 49—64, 85—98, 218—32) · Ders., Glossaire vétérinaire médiéval. (Janus 18 1913, 265 ff.), Sep. 66 S.

2. 13. M e n s c h. Meillet, Linguistique historique et linguistique générale 272 bis 280: Mann und Mensch · Vock, Matthaea, Bedeutung und Verwendung von ἀνήρ und ἄνθρωπος. Diss. Freiburg/Schw. 1928 · Seiler, H., Glotta 32 1953, 225 ff. · Smith, A., On names of things as designations for human beings in English. Lund (Diss.) 1910, 132 S.

2. 14—15. M a n n u n d F r a u. Gaue, Else, Diss. Marburg 1926 (Masch. Schrift). ¶ Frauenzimmer: Seidenadel, Diss. Freiburg i. B. 1903 · Kock, Lund Universitets

Årsskrift 1919, Nr. 3, 21 · Götze, Frau und Mann in der Sprache. Nachr. d. Gießener Hochschulges. 9 1932, 6—11 · Ludwig, Erica, wip und frouwe. Tüb. germ. Arbeiten 24, Stuttgart 1937, 131 S. · Frei, L., Die Frau in der schweizerischen Volkssprache. Diss. Zürich 1915 · Stibbe, Hildeg., Herr u. Frau u. verw. Begriffe im Altengl. Angl. Forsch. 80, Diss. Heidelberg 1935 · Kotzenberg, W., man, frouwe, juncfrouwe. Drei Kapitel aus der mittelhochdeutschen Wortgeschichte. Berlin 1907, 151 S. · Jacobsen, Lis, Kvinde og Mand. En Sprogstudie fra dansk Middelalder. Kopenhagen 1912 · Krause, W., Die Frau in der Sprache d. altisländischen Familiengeschichten. Göttingen 1926, 247 S. (Wort- u. Stilforschung. Einschl. Liebe, Ehe usw.) · Günther, L., Die Ausdrücke unserer Sprache für das weibliche Geschlecht im Wandel d. Zeiten. (Von Wörtern und Namen, Berlin 1926) · Woolf, H. B., The naming of women. Studies Read · Keller, Margrit, Die Frau und das Mädchen in den engl. Dialekten. Diss. Zürich 1938, 112 S. · Nyrop, K., Benævnelser paa uægte Børn. (Ordenes Liv II 1924, 159—95).

2.16. K ö r p e r t e i l e , A n a t o m i e. Schirmer, GRM. 9 1921, 51 · Weise, Osk., Unsere Mundarten[2]. Leipzig 1919, 96 · Adolf, H., Wortgesch. Studien zum Leib-Seele-Problem. mhd. lîp und die Bezeichnungen für corpus. Zsf. Rel.-ps. 5, Wien 1937 · Baskett, Parts of the body in the later German dialects. Ling. Studies in Germanic 5, Chicago 1920 · Arnoldson, P., o. t. b. in older Germanic a. Scandinavian. Chicago 1915 · Müller, Jos., Zs. f. dt. MA. 1915, 396 · Bechtel, Fr., Deutsche Namen einiger Teile des menschl. Körpers. Rede. Halle a. S. 1913, 15 S. (Fol.) ¶ Hyrtl, J., Die alten deutschen Kunstworte der Anatomie, gesammelt und erläutert, mit Synonymenreg. Wien 1884, 230 S. · Ders., Onomatologia anatomica. Geschichte u. Kritik d. anatomischen Sprache d. Gegenwart . . . Wien 1880. 16, 626 S. · Krause, W., Die anatomische Nomenclatur. Eine hist. Untersuchung (Intern. Monatsschr. f. Anatomie u. Physiologie 10 1893, 313—45), Sep. Leipzig 1893 · Triepel, Die anatomischen Namen[13]. Wiesbaden-München 1930 · Stieve, H., Nomina anatomica[4] 1949 · Herrlinger, Eigennamen in der Anatomie usw.[2] Jena 1947. Rob. Fowkes, Nhd. Eingeweide. J. Engl. Germ. Ph. 52 1953, 96—8 · Bouchard, Ch., Anatomia Vortaro Kvarlingva. 4 Sprachen. Basis 1901. 76 S. · Bræmme, P., Anatomiens Navne. H. 1. Indledning om det anatomiske Sprog. Kbh. 1930, 87 S. · Ebers, G. E., Abh. Akad. München 21, 1 1897 · Ebell, B., Ägyptische anatomische Namen. (Acta Orientalia 15 1936, 293—310) ¶ A f r i k a n i s c h : Homburger, L., Noms des parties du corps dans les langues négro africains. Collection ling. 25 1929 ¶ A n g e l s ä c h s i s c h : Thöne, Die Namen des menschlichen Körpers. Diss. Kiel 1912 · Liebermann, Nachträge zum dt.-engl. Wörterbuch. Brandl-Festschr. Palästra 147 ¶ A r a b i s c h : Hyrtl, Joseph, Das Arabische u. Hebräische in der Anatomie. Wien 1879 · Frohnahn, Adolf, Arabic and Latin anatomical Terminology. Skrifter Kristiania 1921, Heft 7 · Frankl, Th., Die Anatomie der Araber. I. Die Nomenklatur der Verdauungstraktes. Prag 1930, 148 S. ¶ A s s y r i s c h : Holma, H., Die Namen der Körperteile im Assyr.-Babylonischen, Diss. Helsingfors, Leipzig 1911 Harrassowitz · Dazu Le Monde oriental 1912 · Dietrich, F. E. C., Über die Gliedernamen im Semitischen (Abhandlungen für semitische Wortforschung, Leipzig 1844, S. 99—258) · Dhorme, P., L'emploi métaphorique des noms de parties du corps en hébreu et en akkadien. Paris 1923, 183 S. (Extr. de la Revue biblique 1920—23) · Alasma, 'î, Kitâb-al-Fark [Buch d. Unterschieds — d. Benennungen d. versch. Körperteile u. ihrer Funktionen bei Mensch u. Tier]. Hrsg. u. m. Noten vers. v. D. H. Müller. Wien 1876, 56 S. (Sep. v. Sitzber. Bd. 83) · Kiram, Z. H., Vocabularium anatomiae latine-arabice (auch arab. Titel). Berlin 1923, 84 S., 16⁰ · Ders., latine-turcica. Ebd. 1923, 87 S., 16⁰ ¶ B a s k i s c h : Uhlenbeck, Festschr. Meinhof. Hamburg 1927 ¶ G r i e c h i s c h :

Rufus von Ephesos (um 100 n. Chr.), περὶ ὀνομασίας τῶν τοῦ ἀνθρώπου μορίων ed. Clinch, London 1726; vgl. auch Papyri Jandanae 5 1930, Nr. 82, S. 193 f. Hauptquelle für Pollux II, s. Galen S. 113 · Ahrens, Die gr. u. lat. Benennungen d. Hand. Leipzig 1879 · Voigt, P., Sorani Ephesii liber de etymol. corporis humani quatenus resitui possit. Diss. Greifswald 1882, 49 S. · Zarncke, Symbolae and J. Poll. tract. de partibus corporis humani. Habil.-Schr. Leipzig 1884/5 · Hesseling, D. C., Les mots désignant le palais (de la bouche) en grec et en hollandais. Λαογραφία 7 1923, 422 bis 25 · Bechtel, Über die Bezeichnungen des Magens im Gr., Apophoreton Halle 1903 ❡ H e t t i t i s c h : Sayce, A. H., Revue d'Assyriologie 24 1927, 123 ff. · Sturtevant, E. H., Language 4 1928, 120 ff. ❡ I n d o g e r m a n i s c h : Pauli, C., Über die Benennung der Körperteile bei den Indogermanen. Stettin 1867, 29 S. ❡ R o - m a n i s c h : Wagner, M. L., Studien üb. d. sardischen Wortschatz. Bibl. Archiv. Roman. Ser. II, Linguistica 16 1930 · Palma, L., Dizionario italiano categorico del corpo umano. Mailand 1875, 264 S. · Kahane, H., Bezeichnungen d. Kinnbacke im Galloromanischen. Diss. Berlin 1932 · Zauner, Roman. Forschungen 14 1903 Tappolet, Von den Ursachen des Wortreichtums. GRM 14 1926, 295 ff. · Meyer-Lübke, WuS. 12 1929, 1 ff. · Schuchardt, Milz. S.-B. preuß. Akademie 1917, 156—170 ❡ K e l t i s c h : Vendryes, Les noms de la peau en celtique. WuS. 12 1929, 241 ff. ❡ L a t e i n i s c h : Leumann, M., Spatula 'Schulter' Vox Roman. 2 1937, 470 · Spitzer, Bull. Soc. Ling. 40 1938—9, 46 · Goldberger, Walter, Kraftausdrücke im Vulgärlatein. Glotta 18 1929, 8 ff. ❡ N o r w e g i s c h : Hennum, I. O., Anatomiske termini fra det norske landmaal. Kristiana 1886 · Fryklund, D., Några svenska uttryck för begreppet Hufvud och deras motsvarigheter i andra språk. Uppsala 1911, 10 S. · Reichborn-Kjennerud, J., Noen anatomiske uttrykk i gammel norsk. (Arkiv f. nord. Filol. 59 1939, 201—14) · Hintner, V., Benennung d. Körpertheile in Tirol. Wien 1879, Progr. 20 S. · Puscariu, S. (publ.), Atlasul linguistic Român. P. 1, Vol. 1. Pârtile corpului omomenesc şi boalele lui, de S. Pop, Klausenburg 1938, 16 S., 150 Kt. (Körperteile u. Krankheiten) · Ledényi, J., Nomina anatomica . . . (Slovakische anatomische Terminologie), 1935, 234 S. (Lat.-slovak.). → *Einzelnes:* Nordlander, J., Om fingrarnes namn i Svenskan. (Sv. Fornminnesfören. Tidskr. 6 1883, 272—87) · Scheftelowitz, J., Die Begriffe f. Schädel im Indogerm. (Beitr. z. K. d. idg. Spr. 28 1904, 143—58) · Heeroma, K., De Nederlandsche benamingen van de uier. (Handel. v. de kon. Comm. v. Toponymie en Dial. 10 1936, 113—84) ❡ Zähne: Müller-Stade, Zahnärztliches Wörterbuch 1922 · Zahnfleisch: Schwyzer, KZ 57 1930, 256 ff. ❡ Backe: Kretschmer 100 ff. ❡ Backenzahn: ebd. 103 ❡ Nase: Berliner Nachtausgabe 16/4 31 · Hollenberg, A., Sprachliche Untersuchungen. Gütersloh 1895 ❡ Finger: Grimm, Jac., Kl. Schr. 3, 425 ff. = Abh. preuß. Akad. 1846 ❡ Kinn und Stirne in oberbayr. Dialekten: Kranzmayer, SBMünchen 1927, 4 (7 Seiten) ❡ Mund: Kranzmayer, 7. Jahresber. des Bayr. österreich. Wörterbuches d. Wiener Akademie ❡ Pupille: Tagliavini, Carlo, Di alcune denominazione della pupilla. Annali Istit. Orient. Napoli 3 1949, 341—78.

2. 16. K ö r p e r t e i l e , 2. 17. L e b e n , 2. 19. B e g a t t u n g , 2. 35. A u s - s c h e i d u n g e n, 16. 45 H e t ä r e enthalten eine Anzahl von Ausdrücken, die „gesellschaftlich" „unmöglich" sind. Zum psychologischen Verständnis solcher Wortverbote, Worttabus sei verwiesen auf Ferenczi, S., Über obszöne Worte. Psychoanalytischer Almanach 1928, 123 ff. · Bausteine zur Psychoanalyse. Wien-Zürich 1927 · Patzer, Harald, Φύσις. Habilitationsschrift Marburg 1945 · Ein Anhang sekretierter Ausdrücke aus den Gebieten 2. 16, 2. 19, 2. 35, 16. 45 wird vielleicht noch zu wissenschaftlichen Zwecken erscheinen · Melzer, G., Das Anstößige in d. dt. Sprache. Wort u. Brauch 22 1932   Neumann, W., Sprachverdrängung und Verdrängungs-

sprache. Preuß. Jbb. 229 1932, 47 ff. · Englisch, P., Die erotischen Wörterbücher. (Geschichte d. erot. Literatur. Stuttgart 1927, S. XII—XVII) · Sperber, Imago 1 1912, 405 ff. · Schuchardt, H., Romanisches und Keltisches. 1886 · Spitzer, Über einige Wörter der Liebessprache. Leipzig 1918 · Krauß, F. S., Anthropophyteia. Leipzig 1904 ff. · Futilitates, hrsg. v. Blümml. Wien 1908 ff. · Queri, Georg, Kraftbayrisch. Erotisches und Skatologisches. München 1912 · Müller, K., Die Anthropophyteia im Sprachgebrauch der Völker. Anthropophyteia 8 1911, 1—40 ¶ Ä g y p - t i s c h : s. Grapow in Hdb. d. Orientalistik 1 1952, 189 · F i n n n i s c h : Hämäläinen, Über die pikanten Bestandteile im finn. Militärslang. Studia fennica 5 1952, 1—36 ¶ G r i e c h i s c h : Bloch, Iwan, Der Ursprung der Syphilis II. Jena 1911, S. 524 ff. · Hopfner, Th. †, Das Sexualleben der Griechen und Römer · Prag 1938 ff.; dazu Herter, Gnomon 17 1941, 320 ff. Stratōn AP XII 3 über Kinderpenis. Ernout, Les noms des parties du corps, Latomus 10 1950, 1—12 ¶ Rambach, C., Thesaurus eroticus linguae latinae. Erotischer Sprachschatz der Römer. Stuttgart 1883, 312 S. (Neudruck v. Pierrugues, Berlin 1908) · Supplementum et index lexicorum eroticorum linguae latinae. Paris 1911, 311 S. (Auch m. Tit.: ΚΡΥΠΤΑΔΙΑ Vol. 12) · Kryptadia 12 Bde. Heilbronn 1883—89, Paris 1897—1911 · Nic. Chorier, Aloysia Sigea s. Elegantiae latini sermonis. übers. v. J. Meursius, 1658 u. ö. · Goldberger, Kraftausdrücke im Vulgärlatein. Glotta 20 1932, 103 ff. · Kerenyi, ebd. 20 1932, 186 · mentula: Kretschmer, ebd. 12 1923, 105 ff. · Spitzer, L., Mentula BsLing. 40 1934, 46 ¶ F r a n z ö s i s c h : Blondeau, N., Dictionnaire érotique latin-français. Paris 1885 · (Delvau, A.), Dictionnaire érotique moderne. Par un professeur de langue verte. Brüssel 1864. — Nouv. éd. 1892 · Macrobe, A., La flore pornographique. Glossaire de l'école naturaliste. Paris 1883 · Landes, L., Glossaire érotique. Brüssel 1861 · Delvau, Dictionnaire de la langue verte. 1864, ²1891 ¶ E n g l i s c h : Vocabula amatoria. London 1897 · Englisches erotisches und skatologisches Idioticon. (Anthropophyteia 4 1909, 19—23; 8 1911, 21—23; cf. 7 36—39. From Baumanns Londinismen) · Cary, N. H., The slang of venery and its analogues. Chicago, privately pr. 1916, 2 vols fol. (typewritten sheets, bound. Very few copies available. Compiled on historical principles. Accomp. by a printed bibliography 22 S. w. Index 47 S. · Ders., Synonyms of the slang of venery. Chicago 1916, 208 S. Fol. Privately pr. (Typewritten pages, bound. Engl. synonyms followed by French, Italian a. others) · Read, A. W., Lexical evidence from folk epigraphy in Western North America. Paris (privately pr.) 1935, 83 S.; dazu Revue anglo-amer. 1935, 146—47 by F. Mòssé · Nomenklatur der Vulva. (Von) H. v. K. (Anthropophyteia 9 1912, 76—81) · Maaß, E., Eunuchos u. Verwandtes. (Rhein. Museum 74 1925, 432—76) · Thesleff, Stockholms förbrytarsprak. Appendix verba turpia continens. Stockholm 1911.

2. 21. H e b a m m e. Ploß-Bartels, Das Weib. 2. Aufl., Berlin 1927, II 739 ff.

2. 22. A l t e r s s t u f e n. Wattendorf, Bezeichnungen der Altersstufen bei den Griechen. Diss. Heidelberg 1919 = Jb. d. philos. Fak. Heidelberg 1921/22, S. 62 · Amend, Über die Bedeuung von μειράκιον und ἀντίπαις. Diss. Würzburg 1883 · Baeck, Hilding, Synonyms for child boy girl in Old English. Lund Studies 2 1934 (Diss.). 16, 273 S. · Axelson, Les synonymes iuvenis et adulescens, in: Mélanges Marouzeau, Paris 1948, 7—17 (iuvenis dringt seit 50 v. Chr. vor) · Boll, F., Die Lebensalter Leipzig 1913 = N. Jahrbb. 1913 Bd. 31 · Pauli, I., Enfant, garçon, fille dans les langues romanes. Lund 1919 · Aristoph. Byzant. π. ὀνομασίας ἡλικιῶν · Funck, Was heißt „die Kinder"? Arch. f. lat. Lexikogr. 7 1892, 73 ff. · Pollux, Ὀνομαστικόν II · Schweingruber, Jugend u. Alter i. d. griech. Lit. Diss. Zürich 1918 · Taylor, Archer, The semantics of „child". Mod. Language Notes 44 1929, 309 ff. · Binder, St., Kind,

Knabe, Mädchen in den nördlichen Dialekten des dakoromanischen Sprachgebietes. Diss. Berlin 1932. Bibl. Dacromanici, Bukarest ⁋ alt: Muriel J. McLaughlin, New words for old. Bull. of the Taylor Soc. 1927, XII, 505—11.

2. 26. **E s s e n.** **M a h l z e i t e n.** Schwabe, H. O., The semantic development of words for eating and drinking in the Germ. dialects. Linguistic studies in Germanic 1. Chicago 1915 · Berliner Nachtausgabe 9. 4. 1931 · Kretschmer, Wortgeogr. 63 ff., 336, 548 ff. · Herzog, Paul, Die Bezeichnungen der täglichen Mahlzeiten in den rom. Sprachen und Dialekten. Diss. Zürich 1916 · Beyer, Curt, Die Verba des Essens. Leipziger romanist. Studien 9. Diss. Leipzig 1934, 67 S.

2. 27. **S p e i s e n.** *Wörterbücher:* Aulagnier, A. F., Dictionnaire des aliments et des boissons en usage dans les divers climats et chez les différents peuples. 3. éd. revue. Paris 1885 · Blüher u. Petermann's Meisterwerk d. Speisen u. Getränke. Franz., Dt., Engl. (u. a. Sprachen). 3. Aufl., 2 Bde. Leipzig 1901, 2016 S. (1. Speisen, 2. Getränke) · Blüher's Taschen-Wörterbuch d. Speisen u. Getränke (usw.). Leipzig 1898, 143 S., 12°, Neudr. Nordhausen 1937, 126 S. · Hering, Rich., Lexikon der Küche⁹, bearb. von W. Bickel, Nordhausen 1952. 803 S. · Mayerhofer, E., u. Pirquet, C. (hrsg.), Lexikon d. Ernährungskunde. Wien 1925, 604 S. (M. syst. Index) · Maurizio, A., (Pole, Prof. Zürich), Gesch. unserer Pflanzennahrung. Berlin 1927 · Benzon, K., Gastronomik ordlista för Skandinavien, 3 uppl. Stockholm 1932, 103 S. · Bames, E., Lebensmittel-Lexikon. 2. erg. Aufl. Berlin 1935. 12, 275 S. · Birlinger, A., Älteres Küchen- u. Kellerdeutsch. (Alemannia 18 1890, 244—67) · Grube, Fr. W., Old English food and food names. 1933. (Univ. of Iowa Studies Nr. 269) · Reuter, W., Speise u. Sprache. Eine Mahlzeit m. wortkundlicher Tafelbegleitung. Hamburg 1936, 168 S. · Cernuchin, A. E., Dictionary of 1001 menu terms. 3. ed. Stamford, Conn., Dahl. Pub. Co. 1938 · Kretschmer, Wortgeogr. 39 · Heyne, M., Das deutsche Nahrungswesen. 1901 · Kleinpaul, Gastronomische Märchen. Leipzig o. J. · Scheichelbauer u. Gibelhauser, Gastronomisches Lexikon. Wien 1908 · Rooth, E., Altgermanische Wortstudien. Halle 1926, 122 S. · Goidanich, P. G., Ricerche etimologiche. Ser. 1. Denominazioni del pane e di dolci caserecci in Italia. (Memoria d. R. Acc. d. Sc. mor. Ser. 1, T. 8, 23—66, Bologna 1914.) Estr. Bologna 1915, 46 S. · Masing, O., Aus d. Backstube. Ein Beitrag z. baltischen Volkskunde. Riga 1931, 59 S. (Sprachl.-kulturg.) · Dorschner, F., Das Brot u. s. Herstellung in Graubünden und Tessin. E. Beitr. z. Wort- und Sachforschung. Diss. Zürich 1936, 203 S., 1 Kt. · McNair, J. B., Spices and condiments. Chicago 1930, 64 S. ill. (alph.) ⁋ *Fleischstücke:* Mink, J., Vorschläge f. eine künftige Benennung der Fleischstücke vom Rinde. Leipzig 1912 ⁋ Speckgrieben: Steinhauser, Anz. Wien. Akad. 64 1927, 64 ff. · Meier, E., Beiträge zur Kenntnis des Niederdeutschen. Gewerkausdrücke des Schlachters in Westfalen mit besond. Berücksichtigung Ravensbergs. Diss. Münster 1915, 69 S. ⁋ Fleischkloß: Kretschmer 158 f. ⁋ Kalbsmilch: ebd. 248 f. ⁋ Wurst: Lissner, E., Wurstologia. Wiesbaden-Frankfurt 1939, S. 91—166 ⁋ Meierei: Martiny, B., Wörterbuch der Milchwirtschaft aller Länder². Leipzig 1907 ⁋ Brot: Kretschmer, Wortgeogr. 150 ff.; Brotinneres 308 f.; Brotrand 251 ff. ⁋ Brot, Gebäck: Hoefer, A., Brot- und Semmelnamen. Germania 15 1870, 79 ff. · Staub, F., Das Brot im Spiegel schweizerdeutscher Volkssprache u. Sitte. Leipzig 1868, XII, 186 S. ⁋ Napfkuchen: Kretschmer 352 f. · Bauer, Karl, Gebäckbezeichnungen. Diss. Gießen 1913 ⁋ Pumpernickel: Grabow, Nddt. Jahrb. 25 1909, 48 · Benary, Herrigs Archiv 154 1928, 271 f.: aus bombardier ⁋ Bemme: Panzer, Klugefestschrift 99 ff. · Hotzenköcherle, Anke und Butter, Vox Roman. 7 1943, 300 f. ⁋ Brotarten mittelgriechisch: Koukoules, Ἐπετηρὶς Ἑταιρ. Βυζ. Σπουδῶν 5 1928, 36—52 · Pellis, U., Thesaurus linguae forojuliensis. Questione 1. La cucina. Udine 1922, 61 S. · Bosshart, Bertha, Die

Benennungen des Omeletts auf französischem Sprachgebiet. Diss. Zürich 1932
❡ Kohl: Kretschmer 565—580 ❡ weißer Käse 559 ff. ❡ Klöße: ebd. 291 ff.
2. 30. G e t r ä n k e. dicke Milch: Kretschmer S. 171 ff. Sahne 399 ff. Brückmann,
F. E., Catalogus exhibens appellationes et denominationes omnium potus generum.
Helmstedt 1722. 112 S. · Maurizio, A., Gesch. der gegorenen Getränke. Parey 1933.
2. 31. A l k o h o l t r i n k e n. Berliner Nachtausgabe 9. 4. 31 · Cernuchin, A. E.,
Dictionary of 200 alcoholic beverages. Stamford, Conn., Dahl Pub. Co. 1938.
2. 33. b e t r u n k e n (s. Einleitung S. 59) · Lichtenberg, Patriotische Beiträge zur
Methyologie der Deutschen. 1773 · Schrader, H., Das Trinken in mehr als 500 Gleich-
nissen und Redensarten. Berlin 1890 · Tappolet, Boisson et buveurs. L'Abstinence
1910 · Schudt, Hess. Blätter f. Volkskunde 27 1928, 76 ff. · Burchardi, Halb sieben
sein. Idg. Forschg. 38 1917, 211 ff. · Riegler, „auf haben" WuS. 6 1914—5, 194 ·
Woeste, Die dt. Mundarten 5 1858, 67 ff. (nddt.) · Behaghel, Elis., Muttersprache
1931, 207 f. · Goettler, H. (hrsg.), Lexikon d. Spirituosen- u. alkoholfreien Getränke-
Industrie. Neubearb. v. O. Kullmann. 3. Aufl. Leipzig 1923, 1176 S. ill. · Lindner,
Paul, Berliner Trinklexikon, Roland von Berlin 1949, Heft 15 S. 24 · Feilberg,
H. F., den fattige Mands Snaps. (Dania 5—6 1898, 99 S.) · Hellquist, E., En grupp
svenska dryckestermer. (Sv. Studier tillägn. G. Cederschiöld 1914, 347—70) ·
Svartengren, T. H., Drinking terms. (Intensifying similes in English. Lund 1918,
191—213) · Tuwim, J., (Wörterbuch d. polnischen Trinkterminologie u. Bacchische
Anthologie). Warszawa 1935, 303 S. (poln.) · Quicke, A., Verklarend nederlandsch
woordenboek van het brouwersvak met fransche, duitsche en engelsche vertaling.
Gent 1926 ill.
2. 34. T a b a k. Stettenheim-Wippchen, Julius, Ein Kistchen Zigarren · Richter,
Elise, Zigarre u. andere Rauchwörter. (Atti d. Congresso d. Americanisti, Roma
1926, 1929, 297—306) · Nyrop, K., Tobak og Tobaksrygning. (Ordenes Liv 4 1931,
104—41) · Dixon, R. B., Words for tobacco in American Indian languages. (Amer.
Anthropologist 19 1921, 19—49).
2. 35. A u s s c h e i d u n g e n. Träne: Steinhauser, Anz. Wien. Akad. 66 1929, 20 ff.
❡ Flatus: Liebrecht, Der Wind in der Dichtung und auch anderswo. Germania
29 1884, 243 ff. ❡ Menstruation: Ploß-Bartels, Das Weib. 2. Aufl. Berlin I 1927,
694 · Möckel, M. J., Die verbalen Bezeichnungen für physiologische Reflexe, wie
Atmen, Husten, Niesen, Schnarchen usw. im Französischen. Diss. Leipzig 1922 ·
Ideforss, Hj., I språkets utmarker. (De viktigare svenska artikulations-imitationerna.)
Progr. Göteborg 1930, 23 S. · Wedgwood, H., On words descriptive of guttural
action, and the metaphors connected with them. (Trans. of the Philol. Soc. 1857,
120—26) · Lindroth, Hj., De svenska verben med betydelsen „idissla". (Studier . . .
Kock 1929, 468—89).
2. 41. K r a n k h e i t. Höfler, Max, Dt. Krankheitsnamenbuch. München 1899.
922 S. · Comrie, J. D., Blacks medical dictionary. 14th. ed. New York, Macmillan
1938 · (Dornblüth-)Pschyrembel, Klinisches Wörterbuch. [116]Berlin 1955, 1075 S. ·
Steudel, Joh., Die Fachsprache der Medizin, Studium generale 4 1951, 154—61 ·
Storfer, A. J., Im Dickicht der Sprache. Wien 1937, 181 ff.: Tiernamen als Krankheitsnamen · Friehm, Vorarb. zu einem nordsiebenbürgischen Krankheitsnamenbuch.
Bistritz 1928 · Nemnich, Ph. A., Lexikon Nosologicum polyglotton (in 10 Sprachen).
Hamburg 1801 ❡ M e d i z i n : Laurent, E., Lexicum medicum polyglotteum. Paris
1901 · Meyer, J., Medizinisches Taschenlexikon in acht Sprachen. Wien 1909 ·
Blancardi, S., Lexicon medicum (letzte Ausgabe) v. K. G. Kühn. Lipsiae 1832
(lat., griech., dt., franz., engl. und holl. Indices) · Billings, J. S., National medical

dictionary. English, French, German, Italian an Latin. 2 vols. Edinburgh 1890. 46, 1530 S. · Griesbach, H., Medizinisches Wörter- und Nachschlagebuch. Gießen 1927. 22, 815, 313 S. · Guttmann, W., Medizinische Terminologie. 33. Aufl. v. H. Volkmann. Berlin und München 1946, 1043 S., 432 Abb. 4⁰ · Abderhalden, Rudolf, Medizinische Terminologie. 640 S. Basel 1947, Schwabe · Mayerhofer, B., Kurzes Wörterbuch zur Geschichte der Medizin. Jena 1937, 224 S. · Manniger, W. und Bakay, L., Onomatologia medica. Budapest 1908. 21, 358 S. · Castellus, Lexicon medicum Graeco-Latinum. Ed. Bruno. Lipsiae 1713 · Wellmann, M., Hippokrates-Glossare. Berlin 1932, 88 S., 4⁰ · Dumortier, J., Le vocabulaire médical d'Eschyle et les écrits hippocratiques. Paris 1935 (Thèse) · Max Kinney, L. C., Medieval medical dictionaries and glossaries. (Medieval and historiogr. studies in honor of J. W. Thompson 1938, 240—68) · Reichborn-Kjennerud, I. o. fl. Innsamling av norsk folkemedicin. Rettleiding og ordlister. (Maal og Minne 1921, 73—98) · Piccariu J., Terminologia medicala românească. (Dacoromania 4 1926, 383—94) · Magyari-Kossa, J., (Ungarische mediz. Erinnerungen. Bd. 2: Anhang: Ung. Medikamenten-namen, alte Krankheitsbenenn. u. anat. Bezeichn.). Budapest 1929 (ungarisch). Vgl. Mitt. Gesch. d. Med. 1932, 137 · Logie, H. B. (ed.), Standard classiffied nomenclature of disease. New York 1933 (vgl. Amer. Speech 9 1934, 17—25). Haidegger, Maria, Die Krankheitsnamen im Englischen. Diss. Innsbruck 1950 · Fischer, J., Die Eigennamen in der Krankheitsterminologie. Wien 1931, 143 S. · Payser, A., Pars pro toto. Stockholm 1950, 196 S. (Abkürzungen in der Medizin) · Pictet, Die alten Krankheitsnamen bei d. Indogermanen. (Z. f. vergl. Sprachf. 5 1856, 321—54) · Oehler, Ausdrücke für die körperlichen Gebrechen in den idg. Sprachen, Idg. Jb. 1919, 166 = Diss. Marburg 1916 · Ebbell, B., Zs. f. äg. Sprache 63—65 1917, 19—30 · Ders., Altägyptische Bezeichnungen für Krankheiten und Symptome. Skrifter Oslo 1938 (65 S.) · Holma, H., Die assyrisch-babylonischen Personennamen der Form quttulu. Mit besonderer Berücksichtigung der Wörter für Körperfehler. Eine lexikalische Untersuchung. Helsingfors 1914, 97 S. (Annales Academiae Scientiarum Fennicae 13, 2) · Hebenstreit, J. E., Exegesis nominum Graecorum, quae morbos definiunt. Leipzig 1751. — ebd. 1760 · Pollux IV, Schluß · Galēnos, π. ιατρικῶν ὀνομάτων· SB. pr. Ak. 1930. Abhh. pr. Ak. 1931 · Urtel, Proleg. zu einer Studie üb. d. roman. Krankheitsnamen. Herr. Arch. 130 1913, 81 ff. · Wathelet, A., Etude sur les noms d'infirmité des membres inférieurs. Diss. Lüttich 1939 · Linderbauer, Benedicti regula monachorum. Metten 1922, 164—66 · Geldner, I., Unters. einiger altengl. Krankheitsnamen. Diss. Würzburg 1906, 2. und 3. Folge = Progr. Augsburg 1907 und 1908 · Schöffler, H., Beiträge zur mittelenglischen Medizinliteratur. Halle a. S. 1919. 15, 308 S. ¶ R o m a n i s c h e S p r a c h e n : Brissaud, E., Histoire des expressions populaires relatives à l'anatomie, à la physiologie et à la médecine. Paris 1891, Masson · Jaberg, Roman. Krankheitsnamen. Schweiz. Arch. Volkskunde 47 1951, 77 ff. · Lalangue, J. B.. Medicina ruralis. Vu Varasdinu 1776, 373 S. [südslaw. mundartl.] · Glück, Medizinische Volksterminologie in Bosnien und Hercegovina. Sarajewo 1898, 307 S. · Dercle, Ch., De la pratique de notre medecine chez les Arabes. Vocabulaire arabe-français d'expressions médeales. Alger 1904 · Ghosu, Fouad (Nomenclature des maladies, arabe-français-anglais). Beyrouth 1928, 61 S. Kurihara, J., [Nomenclature of disases in Chinese and European languages]. 2 vol. Tokio 1873 · Kerr, J. G., A vocabulary of diseases, English-Chinese. Schanghai 1894, 35 S. · Pálsson, S., Register yfir Islendsk sjukdomanöfn Rit k. Isl. Lærdóms-Lista Félags 1789/90, 9, 177—230, 10, 1—60) · Reichborn-Kjennerud, I., Gamle sykdomsnavn. I—IV. (Maal og Minne 1924, 930, 1933, 1937) · Büttner, L., Fränkische Volksmedizin. Erlangen 1935, 21—54: Krankheitsbezeichnungen · Puscariu, S., Atlasul linguistic Român s. oben 2. 16 · Philipp, J., Terminologia morborum. Lat.-tschech.-dt. Terminologie d. Krankheiten. Prag 1937, 189 S. · Gillies, H. C., Caelic names of diseases and of diseaded states. (Caledon. Med. J. Glasgow N. S. 3 1897—9.) Repr. Glasgow 1898, 40 S., 12⁰ · Castor, R. H., Nomenclature of diseases in Burmese. Rangoon 1922, 54 S. ⁊ *Krankheiten, Spezielles.* Falk, Hj., De nørdiske navn for rakitt. (Maal og Minne 1921, 18—31) · Demuth, F., Dermatologische Bezeichnungen in d. luxemburg. Mundart. (Viertelj. f. lux. Sprachf. usw. 2 1936, 90—99, 200—02) · Hirschberg, J., Entwicklungs-Geschichte d. augenärztlichen Kunst-Ausdrücke. Berlin 1917, 57 S. in: Handbuch der Augenheilkunde² · Gebrechen: de Saussure, Thomsenfestschrift 202 ff. ⁊ Albdruck: Riegler, Herrigs Archiv 67 1935, 55 ff. (romanisch) ⁊ Augenheilkunde: Hirschberg, J., Wörterbuch der Augenheilkunde. Leipzig 1887 ⁊ Zahnheilkunde: Müller-Stade, E., Zahnärztliches Lexikon. Berlin 1920 · Strittmatter, Ch., Das Wörterbuch des Dentisten. Dresden 1939, 320 S. · Polyglott vom Dt. aus: Terra, Paul de, Konversationsbuch f. d. zahnärztliche Praxis. Stuttgart 1908 · Holzapfel, A., Dental-Lexikon (deutsch, engl., franz., spanisch) . Mainz 1939, 640 S. · Dunning, W. B. and S. E. Davenport, Dictionary of dental science and art. Philadelphia, Blakiston 1936, 632 S. Lessiak, Gicht. Zs. d. dt. Altert. 53 1912, 101—182.

2. 42. V e r l e t z u n g. Maaß, Eunuchos und Verwandtes. Rh. Mus. 74 1925, 432 ff. · Ganschinietz, Kombabos. RE 11 1922, 1132 ff.

2. 44. H e i l u n g. Thorn, A. C., Les désignations françaises du médecin et de ses concurrents aujourd'hui et autrefois. Jena et Leipzig 1933, 104 S. · Brechenmacher, J. K., Der heilkundliche Beruf im Spiegel deutscher Sippennamen. Görlitz 1937, 74 S. ⁊ A r z n e i m i t t e l : Célestin Rousseau, Poliglota Vademecum de Internacia Farmacio (9 Sprachen). Paris 1911, 288 S. · Hahn, S., Internationales Wörterbuch d. gebräuchlichsten Arzneimittel. Berlin 1883, 72 S. [5 Sprachen] · Spezialitätentaxe für das Deutsche Reich. Verlag des Deutschen Apothekervereins, erscheint alljährlich · Rote Liste. Preisverzeichnis deutscher pharmazeutischer Spezialpräparate. Berlin 1952, 767 S. · Hunnius, Kurt, Pharmazeutisches Wörterbuch. Berlin² 1955, de Gruyter, VII 610 S. · Lindgren, J. och Gentz, L., Läkemedels namn. Ordförklaring och historik. D. 1—2 H. 12 (alphab.). Stockholm 1918—40 · Seidel, L., Nomenclator synonymorum pharm.-chem. . . . enth. die Vergl. d. . . . älteren u. neueren Namen. Rathenow 1824, 4⁰ · Graa, A., Manual of international pharmacy . . . Latin, Engl., German, French and Ital. New York 1911, 449 S. · Kleines Vokabularium in 4 Sprachen f. Apotheken, Drogerien und Sanitätsgeschäfte. Basel [1925], 113 S. · Technical terms in materia medica. (Chinese Min. of Educ.) 1933. (Chinese, Latin, Germ., Engl., Fr., Japan) · Lijst van volksnamen voor geneesmiddelen. Haag 1898, 117 S. · Semertier, Ch., Vocabulaire de l'apothicaire pharmacien. Liége 1894, Extr. · Lerch, J. Z., Schürer, K. u. Vanicek, K., Pharmaceut. Handlexikon. Synonym in latein, deutscher, böhm. u. poln. Sprache. Prag 1890, 448 S. · Novák, E. u. G. u. Roch, F., Synonyma apothecariorum. Übersichtl. Zusammenstellung d. wissenschaftl. u. volksthüml. Benenn. d. pharmac. Artikel in lat., dt. u. böhm. Sprache. Prag 1890, 718 S. · Arzneidrogen-Lexikon. Lat.-lett.-deutsch. Riga 1937, 80 S. · Renaud, H. P. J. et Colin, G. S., Tuhfat al-Abhāb. Glossaire de la matière médicale marocaine. Texte, traduction, notes crit., index. Paris 1934, 35, 218, 75 S. (arab.) · Artelt, W., Studien z. Geschichte d. Begriffe „Heilmittel" u. „Gift". Urzeit-Homer-Corpus Hippocraticum = Studien zur Gesch. d. Medizin 23 · Till, Walter, Die Arzneikunde der Kopten. Berlin 1951. 153 S. Leipzig 1937, 101 S. (φάρμακον) · Hauberg, P., Folkenavne og andre, særlig cældre danske, Betegnelser for Lægemidler. Kopenhagen 1927, 124 S. · Jansen, E., Folkenavne paa lægemidler og deres oprindelse. 2. utg. Krist. 1923, 46 S. Lind-

gren, J., Förteckning öfver de allmännaste svenska läkemedelsnamnen. 2. uppl. Lund 1902, 87 S. · Visser, F., Volksnamen voor geneesmiddelen, chemicaliën en drogerijen. Baarn 1912 · Novák E., G. Novák und F. Roch, Synonyma apothecariorum. Übersichtliche Zusammenstellung der wissenschaftl. und volksthüml. Benennungen d. pharmaceut. Artikel in lateinischer, deutscher und böhmischer Sprache. Prag 1890, 718 S. · Brieger, Richard, Pharmazeut. Synonyma. Berlin 1929 · Berger, F., Sinnverwandte Wörter (Synonyme) im Arznei-Drogenhandel. Bd. 1. Pharmazeutische Post 1936—1938, Beilage. Wien, Hegenbart 1936—1938, 327 S. · Arends, G., Synonymenlexikon. Leipzig 1891 · Arends, G., Volkstüml. Namen der Arzneimittel, Drogen, Heilkräuter u. Chemikalien[13] von J. Arends, Berlin 1948.

2. 45. S t e r b e n. Pischel, „Ins Gras beißen“. SB Berlin 1908, 445—464 · Storfer, A. O., Im Dickicht der Sprache. Wien 1937, 57 ff. · Wilhelm, F., Alemannia 27 1889, 73—83 · Bergmann, Dt. Leben im Lichtkreis der Sprache, 1926, S. 37 ff. u. Westermanns Monatsh. 1923, Nov.; Ztschr. f. dt. Mundarten 1918, 131 ff. (elsäss.) · Klein, S., Tod u. Begräbnis in Palästina z.·Zeit d. Tannaiden. Berlin 1908, 101 S. · Güntert, H. Kalypso. Bedeutungsgeschichtl. Untersuch. auf d. Gebiet d. indogerman. Sprachen. Halle 1919. 306 S. ill. · Pound, L., American euphemisms for dying, death, and burial. (American Speech 11 1936, 195—202) · Zakelj, Homerische Euphemismen für Tod. Progr. Laibach 1884 · Wecklein, N., Studien zur Ilias. SB München 1917 6, 8 f. · Kent, R. G., The Etymology of θάνατος and its kin. Language 11 1935, 207—10 · Morandi, L., In quanti modi si possa morire in Italia? Turin · 1883 Winand, B., Vocum Latin., quae ad mortem spectant, historia. Diss. Marburg 1906 · Hoffmann, Die auf den Tod bezüglichen Ausdrücke in den römischen Dichtern. Progr. Gymnas. Neukölln, Berlin 1875 ❡ M a n d s c h u r i s c h : v. d. Gabelentz, H. C., Ztschr. f. Ver. f. Erdkunde in Leipzig 1874 ❡ S a m o a : Heider, E., Ztschr. f. Kolonialsprachen 9 1919, 65 ff.

2. 46. t ö t e n. Amira, Die altgermanischen Todesstrafen. Abh. München 31, 3 1922 · Schulze, Wilh., Beitr. zur vergl. Sittengeschichte. SB Berlin 1918, 322 ff. · Immisch, Rhein. Mus. 80 1931, 98 ff. · Chantraine, Les verbes grecs signifiant „tuer“ Festschrift Havers, Wien 1949, 143 ff. · Heinze, Richard, Das Objekt der unerlaubten Tötung in Israel. Die Synonyma für „töten“ im Alten Testament. Diss. Gießen 1928/29.

2. 47. S e l b s t m o r d. Baumann, K., Selbstmord u. Freitod in sprachlicher u. geistesgeschichtlicher Bedeutung. Diss. Gießen 1934.

2. 48. B e s t a t t u n g : Die Marterlnamen verdanke ich der Freundlichkeit von Herrn Dr. Hans Felix Wolff in Berlin, der eine größere Arbeit darüber plant · Falk, Hj., Begravelsesterminologien i den oldnorsk-islandske litteratur. (Festskrift til Alf Torp 1913, 1—18) · Ramsay, W. M., Sepulcral Rites in ancient Phrygia, Journ. Hell. Studies 1884, 241 ff. · Lattimore, Themes in greek a. latin Epitaphs. Illinois Studies 28 1942, 354 S. ❡ Kirchhof: Kretschmer S. 275 ff. · Gernand, Die Bez. des Sarges im Galloromanischen. Gießener Beitr. zur roman. Philol. 21 1828 · Kahane, H., Berl. Beiträge II 2 1932, XVI 75 S. ❡ Sarg: Hdwb. d. dt. Aberglaubens S. 944 · Jacoby, Ad., Die tote Frau. Vj.-Blätter f. luxembg. Sprachf. 1935, 32—39.

3. Raum. Lage. Form

Preissig, E., Verschiebungsdynamik im franz. Wortschatz. Ein Ansatz zweier Kategorien. Brünn-Prag usw. 1938, 302 S. (Hierin u. a.: Bezeichnungen für Richtung und Lage) · Cassirer, a. S. 55 a. O. 146 ff.

3. 1. R a u m. Jensen, H., Actes du I. Congrès linguistique. Leyden 1930.

3. 2. L a g e. Stürenburg, H., Relative Ortsbezeichnung (in der Antike). Leipzig 1932 · Heinicke, De Graec. adverbiis loci. Progr. Osterode 1885.

3. 4. l e e r. N. van Wyk, IF 35 1915, 265—68.

3. 23. U m g r e n z u n g. Tesnière, L., Les noms slaves et russes de la frontière. Bull. Soc. Ling. 30 1929, 174 ff.

3. 30 f. R e c h t s u n d L i n k s. Fryklund, D., Les changements de signification des expressions de droite et de gauche. Uppsala 1907 · Sethe, K., Die ägyptischen Ausdrücke für rechts und links . . . (Nachr. Ges. d. W. Göttingen 1922, 197—242) · Schulthess, Zurufe an Tiere im Arabischen. Abh. Berl. Akad. 1912. Hajdu, Die Benennung der Begriffe rechts und links: Acta linguistica Budapest 1 1951, 171—210.

3. 33. Slotty, Der sprachliche Ausdruck für die drei Dimensionen im Vulgärlatein. Glotta 11 1921, 51 ff. Lerch, E., Sprachkunde 1940 Nr. 3/4, 7—11.

3. 34. U n t e n. Porzig, W., Boden. WuS. 15 1933, 112 ff. (bei πυθμήν in der Mathematik fehlt aber die Bedeutung 'Quersumme'; vgl. Dornseiff, Das Alphabet in Mystik und Magie² 1925, 115 f.)

3. 27. O r d n u n g. Organisation: Hofmannsthal, Victor Hugo, Sammlung Die Dichtung 3. Berlin o. J., S. 47 f. Herrigel, Frankf. Ztg. 5. 1. 1919 · System Ritschl, Bonner Programm 1906.

3. 38. U n o r d n u n g. Galimathias: Nelsson, Persson-Festskrift 1922, 289 ff. · Enz, Zs. f. roman. Philol. 43 1923, 472 ff. · Grégoire, Revue belge 7 1928, 1680 · Justesen-Batavia (handschriftl.).

3. 49. W i n k e l. Güntert, Winkel, Wörter und Sachen 11 1928, 124 ff.

3. 49. H ö h l e. Scheuermaier, P., Beih. Ztsch. f. rom. Ph. 69 1920 (s. auch 1. 15).

3. 55: Aale, Pfriem: Mitzka, Dt. Wortatlas I 1951. Olly Schulz, Diss. Marburg 1953.

4. Größe. Menge. Zahl. Grad

4. 1 ff. G r ö ß e. Koch, Carl O., Contributions to an historical study of the adjectives of size in English. Diss. Göteborg 1906 (auch in G. Högskolas Arsskrift) · La Grasserie, Du quantitatif dans le langage. Paris 1911.

4. 4. K l e i n. Dreyling, Die Ausdrucksweisen d. übertriebenen Verkleinerung. Marburg 1888 · Frings, PBrBeitr. 53 1929, 454—58.

4. 6. L a n g. Langer Laban: Kuckei und Hunold, Korr.-Bl. ndd. Spr. 37 1919 bis 21, 9 ff.

4. 16. F l ä c h e n m a ß e. Stamm, E., (Altpolnische Flächenbezeichnungen). Krakow 1936, 75 S. (polnisch) · Drissen, A., Das Sprachgut d. Markscheiders. 2. vermehrte u. verb. Aufl. Recklinghausen 1939, 112 S.

4. 20. V i e l e. Deutschmann, O., Unterss. z. volkstüml. Ausdruck d. Mengenvorstellung im Romanischen. Diss. Hamburg 1938. · Baldinger, Kollektivsuffie und Kollektivbegriff im Romanischen. Berlin 1950. 350 S.

4. 26. N i c h t s. Andriotes, N., Die Ausdrucksmittel für Gar nichts, ein wenig und sehr viel im Griechischen. Byzant.-Ngr. Jahrb. 16 1939, 59—155 · Grimm, Jac., Dt. Grammatik III, 727 (701) · Seward, The strengthened negative. Journ. of Engl. a. Germ. Philol. 3 1901, 277 ff. · Bengl. Bair. Bl. f. Gymnasialw. 66 1930, 335 ff. · Polle, Wie bezeichneten die Griechen den Witz? usw. Leipzig 1896, 31 ff. · Nichts und nie (6. 5) bes. reich im Arabischen: Heller, Form und Geist 21 1931 (Antarroman) · Mensing, Zur Geschichte der volkstümlichen Verneinung. Z. f. dt. Phil. 61 1936, 343—80.

4. 33. B i n d f a d e n. Martin, B., Teuthonista 4 1927, 282 ff.
4. 35. Z a h l w ö r t e r, M a t h e m a t h i k. Cassirer, a. S. 55 a. O. S. 180 ff.
Schirmer, Alfred, Der Wortschatz der Mathematik. Beih. Ztschr. f. dt. Wortforschung. Straßburg 1912 · Busch, Wilh., Die dt. Fachsprache d. Mathematik. Gieß.
Beitr. z. dt. Philol. 30 1933 · Bentley, A. F., Linguistic analysis of mathematics.
Bloomington 1932, 311 S. (Rez. in Language 12 137—41) · Smith, D. E., Changes
in elementary mathematical terms in the last three centuries. (Scripta math. 3
1935, 291—300) · Couturat, L., Internaciona Matematikal Lexiko en Ido, Germana,
Angla, Franca e Itala. Jena 1910, 36 S. · Mecenseffy, E. v., Verdeutschungsbuch
für die Größenlehre oder Mathematik. Berlin 1936, 34 S. Menninger, K., Zahlwort
u. Ziffer. Breslau 1934, 365 S. · Benloew, Recherches sur l'origine des noms de
nombre japhétiques et semitiques. Gießen 1861. 108 S. · Wertheimer, Max, Drei
Abh. zur Gestalttheorie. Erlangen 1925, S. 106—163 · Nehring, Zahlwort und
Zahlbegriff im Idg. Wörter u. Sachen 12 1929, 253 ff. · Polyglott: Pott, A. F., Die
quinare und vigesimale Zählmethode bei Völkern aller Weltteile. Halle 1847 ·
Müller, Felix, Mathematisches Vokabularium Französ.-Deutsch und Deutsch-Fran-
zösisch. Leipzig 1900—01 · Wackernagel, Jac., Über Zahlbegriffe. Jahresfeier Göttingen 1913 · Seibel, Quibus artificiis poetae latinae numerorum vocabula difficilia
evitaverint. Diss. München 1909 · Schmidt, M. C. P., Kulturh. Beiträge z. Kenntnis
d. griech. und röm. Altertums. 1. H. Zur Entstehung und Terminologie d. elemen-
taren Mathematik. 2. verb. Aufl. Leipzig 1914, 269 S. · ders., Altphilologische
Beiträge. 2. H. Terminologische Studien. 2. verb. Aufl. Leipzig 1916, 107 S. ·
Götze, A., Anfänge einer mathematischen Fachsprache in Keplers Deutsch. Berlin
1919, 239 S. · Patrick, R., A chart of ten numerals in 200 tongues. London 1812 ·
Pott, A. F., Die Sprachverschiedenheit in Europa an den Zahlwörtern nachgewiesen.
Halle 1867, 109 S. · Brugmann, K., Die distributiven und kollektiven Numeralia der
indogermanischen Sprachen. Leipzig 1907, 80 S. · Schleicher, A., Das Zahlwort im
Letto-Slavischen und Deutschen. St. Petersburg 1866 · Sethe, K., Von Zahlen und
Zahlworten bei den alten Ägyptern und was für andere Völker und Sprachen daraus
zu lernen ist. Straßburg 1916, 147 S. · Villiers, M. de, The numeral words, their
origin, meaning, history and lesson. London 1923, 124 S. · Jud, J., Die Zehner-
zahlen in den roman. Sprachen. Halle 1905, 38 S. (Sep.) · Ringenson, Karin, Ordi-
naux et cardinaux dans les expressions de la date dans les langues romanes. Paris
1934 · Schmidl, Marianne, Zahl u. Zählen in Afrika. (Mitt. d. anthropol. Ges. in
Wien 45 1915, 165—209) · Kluge, Th., Die Zahlenbegriffe d. Sudansprachen.
Steglitz 1937, 260 Bl., 18 Kt. 4⁰ (maschin., nicht i. Buchh.) · Heider, E., Die Zahl-
wörter u. Zahlausdrücke in d. samoanischen Sprache. (Zeitschr. f. Eingeb. Sprachen
17 1927, 266—90) · Gonda, Reflections on the Numerals one and two in the ancient
indoeurop. languages. Utrecht 1953.

4. 41. G e s a m t h e i t. Behaghel, Zs. f. dt. Unterr. 33 1919, 249 f. (restlos) ·
Brugmann, Die Ausdrücke für Totalität in den idg. Sprachen. Progr. d. Univ.
Leipzig 1894 · Sapir, E., Totality. Language Monographs 6, Baltimore 1930 · Sethe,
Die Ausdrücke für „jeder" im Ägyptischen und ihre semit. Entsprechungen. Ztschr.
f. Semitistik 5 1927, 1—5 · Hofmann, J. B., Die lateinischen Totalitätsausdrücke.
Mélanges Marouzeau, Paris 1948, 283—90 · Brøndal, V., Omnis et totus: analyse et
étymologie (Mélanges ling. offerts à Holger Pedersen 1937, 260—68). (Der Begriff
„Totalität".)

4. 50. h o h e r G r a d. Becher, Ztschr. m. d. dt. Unterricht 21 1907, 267 ff.
Domsy, Progr. Spremberg 1865 · Kip, H. Z., Zur Geschichte der Steigerungsadverbia

i. d. dt. geistl. Dichtung d. 11. und 12. Jahrh. Diss. Leipzig 1900 = Journal of Engl. and German. Philol. 3 1901, 143 ff. · Bruchmann, Kurt, Psychol. Studien zur Sprachgeschichte. Leipzig 1888 · Tobler, Adolf, Über die verstärkenden Zusammensetzungen im Dt. Frommanns Ztschr. f. dt. Mundarten 5 1858, 1 ff., 180 ff., 302 ff. · Müller, Aus der Welt der Wörter. Halle 1904, S. 91 ff. „Die Verstärkung des sprachlichen Ausdrucks" · Biener, Cl., Die Steigerungsadverbien bei Adjektiven. Beitr. dt. Sp. u. Lit. 64 1940, 165 ff. · Fritz, L., Die Steigerungsadv. i. d. Denkmälern d. mhd. Lit. Diss. München 1934 · Sapir, Grading, in: Philosophy of Science 11 1944, 93—116 ¶ *Baltoslawisch:* Hofmann, Erich, Ausdrucksverstärkung. Erg.- Heft Ztschr. f. vgl. Sprachwiss. 9 1930 ¶ *Englisch:* Svartengren, T. Hilding, Intensifying Similes in English. Lund 1918 · Borst, Anglist. Forschungen 10 1902 · Poutsma, H., Observations on Expedients to express Intensity a. Emphasis · Language Monographs 7 1930 Curme Volume 120—133 · Fettig, Die Gradadv. im Mittelengl. Diss. Heidelberg 1935 = Anglist. Forsch. 79 · Bunyan: Quarder, Edeltraut, Das Steigerungsphänomen bei B. Diss. Breslau 1933, 54 S. ¶ *Französisch:* Hultenberg, Le renforcement du sens des adjectifs et des adverbes dans des langues romanes. Uppsala 1903 · Widmer, Walter, Volkstüml. Vergleiche im Franz. nach d. Typus rouge comme un coq. Basel 1929 ¶ *Griechisch:* Schwab, Otto, Historische Syntax der griech. Comparation. Beitr. zur histor. Syntax VI/2. Würzburg 1894, S. 20 ff., § 5—7. IV/3 ebenda 1895, S. 165 ff. · Kremmer, Ernst, Die polare Ausdrucksweise. Beitr. zur histor. Syntax 15. Würzburg 1903 ¶ *Latein:* Frommann, Verschiedenheiten des Geschmacks. Jena 1866, S. 36 · Bardt-Hubert, Zur Technik des Übersetzens[3]. Leipzig 1928, S. 36 · Mueller, Werner, De priscae latinitatis superlativi usu. Diss. Münster 1929 · Nägelsbach-Müller, Lateinische Stilistik[9]. Nürnberg 1905, 373 ff · Klein, W., Die volkstümlichen sprichwörtlichen Vergleiche im Lateinischen und in den romanischen Sprachen. Diss. Tübingen 1936 (Weinreich).

5. Wesen. Beziehung. Geschehnis

5. 1. Sein. Etwas. Wirklich. Buhl, Die Ausdrücke für Ding, Sache u. ä im Semitischen. Festschr. Thomsen. Leipzig 1912, S. 30—38 · essentia—existentia: Scheler Jahrbuch für Phänomenologie 1 1913, 430 · Gegenstand: Mauthner, Die Sprache. Frankfurt 1906, 66 ff.

5. 2. Möglich. kann: Weißgräber, K., Der Bedeutungswandel des Praeterito-Praesens kann. Königsberger dt. Forschungen 4 1929 · Faust, A., Der Möglichkeitsgedanke. Synthesis 6. Heidelberg 1931 I. 460 S.

5. 8. Art. Rasse: Oberhummer, Anz. Wiener Akad. 65 1928, 205 ff. Forsch. u. Fortschr. 11 1935, 265 ff. · Verhältnis: Sperber, Language 1938 · werden: Mittner, L., La concezione del devenire della lingua tedesca. Mailand 1931 · Biese, Y. M., Neuphilol. Mitt. 33 1932, Heft 6—8: die neuenglischen Ausdrücke · Kantorowicz, Hermann, Arch. Sozialw. 54 1925, 809 ff. · Maler, B., Synonymes romans de l'interrogatif qualis. Studia Romanica Holmiensia 2, Stockholm 1950.

5. 12. Bewandtnis. Spitzer, L., Milieu et ambiance, in: Essays in Historical Semantics, New York 1948.

5. 31. Ursache. Grund: Sperber, Einführung in die Bedeutungslehre. Bonn und Berlin 1923, 89 ff. · Kunisch, Das Wort Grund in der Sprache der dt. Mystik. Diss. Münster 1929 · Hübner s. v. in Grimm's Wörterbuch · causa: Kretschmer, P., Glotta 10 1920, 157 f. · Meillet, Linguistique historique et linguistique générale 346 · Perl, E., Die Bez. der kausativen Funktion im Neuenglischen. Breslau 1932.

5. 35. K r a f t. Mincoff, Die Bedeutungsentwicklung der ags. Ausdrücke für „Kraft" und „Macht". Palaestra 188 1934 · Deggau, G., Über Gebrauch u. Bedeutungs-Entwicklung d. Hilfsverben „können" und „mögen". Diess. Gießen 1907, 90 S. · Gheorgian, C., Terminii pentru notiunea „a puteà" in limbile indoeuropene. Cernauti 1931, 62 S. (Der Begriff „können") · Eder, Roland, Kraft, Stärke und Macht in der Sprache Homers. Diss. Heidelberg 1950 · Grundmann, W., Der Begriff der "Kraft" in d. neutestamentl. Gedankenwelt. Stuttgart 1932, 132 S. (Dynamis u. Exusia) = Diss. Tübingen.

5. 42. z e r s t ö r e n. Ziegler, Leopold, Gestaltenwandel der Götter. Berlin 1920 545 f.

5. 45. S c h i c k s a l. Gehl, W., Der german. Schicksalsglaube[4]. Berlin 1940 · Mathilde v. Kienle, Der Schicksalsbegriff im Altdt. WuS. 15 1913, 81 ff. · Christliebe Fichtner-Jeremias, Der Schicksalsglaube bei den Babyloniern, in: Mitt. vorderasiat.-ägypt. Gesellschaft 27 1922,64 S. · Caskel, W., Das Schicksal in der arabischen Poesie. Morgl. Texte und Forsch. 1, 5 1926 · Mayer, μοΐρα in Inschriften. Diss. Gießen 1927 · Leitzke, Diss. Göttingen 1930 · Eitrem, Moira RE 15 1931, 2449 · Schicksalsmächte, Symb. Osl. 13 1934, 47 ff. · Wilamowitz, Glaube der Hellenen I 358 ff. · Wolf, A., Die Bezeichnungen für Schicksal in d. angelsächs. Dichtersprache. Diss. Breslau 1919. 12, 127 S.

5. 47. U n g l ü c k. dies ater: Wackernagel, Jac., Arch. f. Relig.-Wiss. 22 1924, 215 f. · Herzer, Die auf Unglück und Verwandtes bezügl. Metaphern und Bilder der griech. Tragiker. Progr. Zweibrücken 1884.

6. Zeit

Tobler, Adolf, Innere Sprachformen des Zeitbegriffes. Ztschr. f. Völkerpsychol. u. Sprachw. 3 1865, 299 ff. · Schoof, Zeitbestimmungen in der Schwälmer Mundart. Hess. Bl. f. Volksk. 11 1912, 99 ff. · Cassirer, Ernst, Philosophie der symbolischen Formen I. Die Sprache. Berlin 1923, 166 ff. · Thomsen, H., Pleonasmus bei Plautus und Terenz. I. Ausgewählte zeitliche und verwandte Begriffe. Diss. Upsala 1930 · Meriggi, Sugli avverbi di tempo. Scritti in onore di A. Trombetti. Mailand 1938 · Sauvageot, A., La notion de temps et son expression dans le langage (Journal de Psych. 33 1936, 19—27) · Buffin, J. M., Remarques sur les moyens d'expression de la durée et du temps en Français. Paris 1925, 118 S. · Glasser, R., Studien z. Geschichte d. franz. Zeitbegriffs. München 1936. 10, 255 S. · Šesták, A., (La notion du temps en Français ...). Brünn 1936, 168 S. (Tschechisch avec un résumé en Français.) Vgl. Literaturbl. 1939, Sp. 993/97 · Sapir, E., Time perspective in aboriginal American culture ... Ottawa 1916, 51—85. Evidence of linguistics · Tupper, jr. F., Anglo-Saxon dægmæl (Publ. Mod. Lang. Ass. 10 1895, 111—241) · Stroskowski, Die Zeitbegriffe im Angelsächsischen. Diss. Berlin 1950 · Vollborn, Werner, Studien zum Zeitverständnis des Alten Testaments, Mikrokopie Göttingen 1951. 272 S. · Meriggi, Sugli avverbi di tempo, in: Scritti in onore di Alfredo Trombetti 1937, 235—285 · Grotefend, H., Taschenbuch der Zeitrechnung des deutschen Mittelalters und der Neuzeit.[3] Hannover 1910 · Sloley, Primitive Methods of Measuring Time. JEgArch. 17 1931, 166 ff. · Thausing, Die Ausdrücke für „ewig" im Ägyptischen. Mélanges Maspero, Kairo 1 1934, p. 8—10.

6. 1. Z e i t r a u m. Weise, Oskar, Stundenbezeichnungen. Ztschr. f. dt. Mundarten 1910, 260 ff. · Kretschmer, Wortgeogr. 40 (dieses Werk ist sehr oft zu vergleichen und wird im Folgenden nicht immer besonders angeführt) · Hofmann, E.,

Ztschr. f. vgl. Spr. 59 1931, 132 ff. · Brugmann, Carl, Zu den Wörtern für heute, gestern, morgen in den idg. Sprachen. Ber. Vhh. sächs. Ges. 1917, 1 · Rösler, E. R., Über die Namen der Wochentage. Progr. Wien 1865, 36 S. · Kluge, F., Die deutschen Namen der Wochentage sprachgeschichtlich erläutert. I. (Wissenschaftliche Beihefte zur Zeitschrift des Allg. deutschen Sprachvereins 8 1895) · Jensen u. A., Ztschr. f. dt. Wortforschung 1 1901, 150 ff. · Schulz, Hans, ebd. 9 1907. 182 · Kranzmayer, E., Die Namen der Wochentage (bayr.-österreich.). Wien 1929 · Schreiber, Georg, Die Wochentage. Arch. f. mittelrhein. Kirchengesch. 1 1949, 331—45 · M o n a t s n a m e n : Weinhold, Carl, Die deutschen Monatsnamen. 1869 · Aischer, H., Beiträge zur Geschichte der Tagesbezeichnungen im Mittelalter. Innsbruck 1912, 167 S. · Fischer, H., Die Namen der Wochentage im Schwäbischen. Stuttgart 1900, 38 S. · Schumacher, K. H., Die deutschen Monatsnamen. Diss. Greifswald 1937 · Ebner, O., Volkstümliche Monatsnamen alter und neuer Zeit im Alemannischen. Diss. Freiburg 1907 · Fabricius, J. A., Menologium seu liber de mensibus, 100 circ. populorum menses recensens. Hamburg 1712 · Gachet, E., Recherches sur les noms des mois et les grandes fêtes chrétiennes. Brüssel 1865, 170 S. · Benfey, Th. und M. A. Stern, Über die Monatsnamen einiger alten Völker, insbesondere der Perser, Cappadocier, Juden und Syrer. Berlin 1836, 234 S. · Leconte, L., Les mois et les divers sujets qui s'y rapportent chez quelques peuples anciens et modernes (für etwa 60 Sprachen). Saint-Omer 1886 · Imelmann, R., Exkurs über die englischen Monatsnamen, in: Das alte Menologium. 1912, S. 45—52 · Miklosich, F., Die slavischen Monatsnamen. Denkschriften Wien 17 1868, S. 1—30 · Griera, A., Els noms vascos dels mesos de l'any. Zeitschrift f. romanische Philologie 47 1927, S. 102—112 · Schiefner, Das dreimonatige Jahr und die Monatsnamen der sibirischen Völker. Mélanges russes 3 1856, S. 307 ff. · Muss-Arnolt, W., The names of the Assyro-Babylonian months and their regents. Journal of bibl. Literature 11 1893, S. 72—94, 160—76 · Orelli, C. v., Die hebr. Synonyma der Zeit und Ewigkeit. Leipzig 1871 · Schmidt, Johs., Der Ewigkeitsbegriff im AT. Münster 1940 · Meloni, G., Ricerche di linguaggio e di pensiero semitico. Rom u. Paris 1913, 319 S. · Wilhelm, ἔτος—ἐνιαυτός SBWien 1890 · Lackeit, C., Aion. Zeit und Ewigkeit in Sprache und Religion der Griechen. T. 1. Sprache. Diss. Königsberg 1916 · dies: Salonius. Helsingfors 1921 · Zimmermann, Glotta 13 1923, 79 ff. · Kretschmer, ebd. 101 ff. · Pokrovskij, M., Zur Frage über die Wörter, welche Zeit bedeuten, Χαριστήρια, Festschrift für Korsch, 1897, S. 349—60) · Regnaud, P., L'idée de temps: origines des principales expressions qui s'y rapportent dans les langues indo-européennes. (Revue phil. 19 1885, 280—87) · Schulze, W., Tag und Nacht in den indogermanischen Sprachen. Berlin 1919 · Meillet, A., Sur certains noms de l'année. Mém. soc. ling. 23 1927, 146 f. · Avellan, G. A., Kritik öfver sättet att i finska uttrycka begreppet om tid. Helsingfors 1850 · Projets d'articles du vocabulaire historique: Chronologie. Synchronisme. Année. Ere. Siècle. (Revue de Synthèse historique 1927) · Fischer, A., Tag und Nacht im Arabischen und die semitische Tagesberechnung. Abh. Leipzig 27 1909, 20 S. · Jenner, H., Days, months and seasons in Cornish (—, Handbook of the Cornish language Appendix 1904) · Ràsanen, M., Tscheremissische Zeit- und Maßbestimmungen. Mémoires de la Société finno-ougrienne 52 1924, 250—56 · Gilliéron, L., Les noms gallo-romans de jours de la semaine. École pratique des Hautes Études. Annuaire 1908/09. Paris 1908, 5—30 · Merlo, C,, I nomi romanzi delle stagioni e mesi nei dialetti. Torino 1904; dazu Tappolet, Bulletin du Glossaire · ders., I nomi romanzi della Candelara, la festa della purificazione di Maria Vergine. Perugia 1915, 28 S. (Nozze) · ders.,

I nomi romanzi del di feriale con una appendice sui nomi del di festivo. Pisa 1918 · Stipp, Die Benennungen des Jahres u. s. Teile auf dem Boden des heutigen Frankreich. Diss. Neuenburg 1912 · Kispál, M. (Die Namen d. Tageszeiten in d. ugrischen Sprachen). Budapest 1938, 43 S. (ungar.) · Suski, P. M., The year names of China und Japan. London 1931, 40 S.

6. 5. N i e. Weise, Oskar, Ad kalendas graecas und Verwandtes. Ztschr. f. hdt. Mundarten 3 1902, 47 ff. Polle, Wie bezeichneten die Griechen den Witz usw. Leipzig 1896, 31 ff. · Seiler, F., Die Entwicklung d. deutschen Kultur 5. Halle 1921, 215 ff.

6. 13. G l e i c h z e i t i g. Tallgren, O. I., L'expression figurée adverbiale de l'idée de promptitude. Neuphilol. Mitt. 18 1917, 112 ff.

7. Sichtbarkeit. Licht. Farbe. Schall. Temperatur. Gewicht. Aggregatzustände.

P h y s i k : Westphal, W. H., Physikalisches Wörterbuch. Berlin, Springer 1952, 888 u. 795 S. · Weld, Le Roy Dougherty (ed.), Glossary of physics 1937, 255 S. (c. 3250 terms) · Franke, Wörterbuch der Physik. 2 Bde. Stuttgart 1952.

7. 4. L i c h t. Regnaud, L'évolution de l'idée de briller en Sanscrit, en Grec et en Latin (Revue phil. 17 1884, 121—68) · Grimm, Jacob, Die Wörter des Leuchtens und Brennens. Kl. Schriften 8 1884 · Reps, Ingeborg M., Zu den ahd. Lichtbezeichnungen. Diss. Leipzig 1947 = Beitr. Gesch. dt. Spr. u. Lit. 72 1950, 236—64 · Guercio, F., La luce e le sue manifestazioni in ital. e in ingl. Italia dialettale 7 1931, 33 ff. · Schrijnen, J., De begripsverwandtschap van licht en duster in het Idg. in: Album Kern. Leiden 1903, 321 ff. · Reps, Ingeb. M., Zu den alten deutschen Lichtbezeichnungen, PBBeitr. 72 1950, 236 ff.

7. 6. b l a k e n d e L a m p e. Kretschmer S. 122 ff.

7. 7. D u n k e l. Schwentner, Zur Wortsippe dunkel. PBB 45 1921, 452—59.

7. 11 ff. F a r b e. Ostwald, Farbenpsychologie. Deutsche Psychologie 1920 · Schier, Der dt. Wortschatz auf dem Gebiet der Farben. Hermelin Verlag · Lauffer, Otto, Farbensymbolik im dt. Volksbrauch. Hamburg 1948 · Schulze, Wilh., Etymologisches. SBBerlin 1910 = Kl. Schriften. Berlin 1933, 111 ff. · Wood, F. A., Color names and their Congeners. Halle 1902 · Marty, Über den Farbensinn. Dt. Rundschau 1 1879, 334 ff. = Ges. Abhandlungen I · König, I., Die Bezeichnung der Farben. Diss. Leipzig 1928 · Waetzold, Das Problem der Farbenbezeichnung. Ztschr. f. Ästhetik 1909, 376 ff. · Hillig, H., Fachwörterbuch des Malers und Lackierers. Berlin 1928 ❡ *Indogermanisch:* Findeis, R., Über Alter und Entstehung der idg. Farbennamen Progr. Triest 1908 · Weise, O., Die Farbenbezeichnungen der Indogermanen. (Bezzenb. Beiträge 2 1878, 273—90) ❡ *Deutsch:* Schwentner, E., Eine sprachgesch. Untersuchung über den Gebrauch und die Bedeutung d. altgerm. Farbenbezeichnungen. Diss. Münster 1915 · Koch, Walter, Farbenlehre im Dt.-Unterricht. ZfdtBildung 1 1933, 24 ff. Psycholog. Farbenlehre. Halle 1934, 325 S. · Jacobsohn, Minna, Die Farben i. d. mhdt. Dichtung der Blütezeit. Diss. Zürich 1915 · Franck, L., Statistische Untersuchungen über die Verwendung d. Farben in den Dichtungen Goethe's. Diss. Gießen 1909, 74 S. · Steinert, W., Ludwig Tieck u. das Farbenempfinden d. romantischen Dichtung. Dortmund 1910, 241 S. (teilw. Diss. Bonn 1907) ❡ Bötticher, P., Initia chromatologiae Arabicae. Berol. Diss. 1849 · Basset, R., Les noms des métaux et des couleurs en Berbère. (Mem. de la Soc. de Ling. 9 1895, 58—92) · Hopkins, E. W., Words for color in the Rig-Veda. (Amer.

Journal of Philol. 4 1883, 166—91) · Lawrenson, A. a. Saunders, The colour-sense in the Edda. (Transact. of the R. Soc. of Lit. 1882—83) · Hallar, S., Synselementerne i Naturskildringen hos J. P. Jacobsen. København 1921, S. 49—193 Faiverne · Ellis, H. H., The coloursense in literature. London 1931, 30 S. · Swaen, A. H., The Palette Set. Engl. Studier 74 1940, 62—88 · Willms, J. E., Eine Unters. ü. d. Gebrauch der Farbenbezeichnungen in der Poesie Altenglands. Diss. München 1902 · Agnes Stählin, Die Wortschatzprofile der roman. Schriftsprachen im Bereich der Farbbezeichnung, untereinander sowie mit dem Lateinischen und Deutschen verglichen. Diss. Erlangen 1944 (Kuen) · Turman, M., Die Farbenbezeichnungen in der Dichtung der englischen Renaissance. Reval 1934. 10, 98 S. (Diss. Berlin) · Levengood, S. L., The use of color in the verse of the Pleïade. Paris 1927 (Thesis Princeton) · Huguet, E., La couleur, la lumière et l'ombre dans les métaphores de Victor Hugo. Paris 1905, 379 S. · Ott, A. G., Etude sur les couleurs en vieux français. Diss. Zürich 1899 · Knauer, K., Französ. Farbbezeichnungen. Sprachkunde 8 1936, S. 18—21 · Knauer, K., Studien zur Geschichte der Farbenbestimmung im Französischen von den Anfängen bis gegen Ende des 18. Jahrhunderts. Genève 1933, 58 S. · Klincksieck, P., et Th. Valette, Code des couleurs. Paris 1908 · Bartha, K., Wortschatzstudie über die Farbbezeichnungen des Ungarischen 1937, vgl. Ung. Jbb. 18 1938, 55 · Hess, J. J., Über Farbbez. bei innerarab. Beduinen. Islam 10 1920, 74 ff. · Osk. Weise, Die Farbbezeichnungen bei den Griechen u. Römern, Philologus 46 1888, 513 ff. · Al. Elis. Kober, The use of color terms in the Greek poets. Diss. New York, 1932 Genf · Fronto bei Gellius, noct. Att. II 26 · Veckenstedt, E., Geschichte der griech. Farbenlehre. Paderborn 1888 · Schultz, W., Das Farbenempfindungssystem d. Hellenen. Leipzig 1904, 227 S., Fig. 3 Taf. (Bibliographie S. 199—214) · Müller-Boré, Kaete, Stilistische Untersuchungen zum Farbwort. Klassisch-philol. Studien, hrsg. v. Jacoby, Berlin, Ebering 3 1922; dazu Hermann Fränkel, DLZ 1924, 2367 · Marouzeau, Les noms de couleur en Latin, in: Mélanges Picard, Paris 1949, II 708 ff. · André, L., Etude sur les termes de couleur de la langue latine. Paris 1949. 427 S. · Goetz, K. E., Waren die Römer farbenblind? Arch. lat. Lexikogr. 14—15 1905 · Blümner, H., Die Farbenbezeichnungen bei den römischen Dichtern. Berlin 1892, 231 S. = Berliner Studien f. klass. Philologie 13, 3 · Ehrenfeld, S., Farbenbezeichnungen in der Naturgeschichte des Plinius. Prag 1909, 77 S. (Sonderabdr.) · Ovid: Mayer, Georg, Die Farbenbezeichnung bei O. Diss. Erlangen 1934 (Klotz) · Loewenthal, W., Die slavischen Farbenbezeichnungen. Diss. Leipzig 1901.

7. 16. **B r a u n**. Borinski, Sitz.-Ber. bayr. Akad. 1919.

7. 16. 22. **B r a u n u n d V i o l e t t** : Goetze, Ztschr. f. Deutschk. 45 1931, 488 ff.

7. 17. **R o t**. Obermiller, Jul., Purpur. Arch. f. Gesch. Math. 13 1931, 416—434 · Fronto bei Gellius II 26.

7. 18. **G r ü n**, Swaen, A. E. H., Greenery-Yallerie. Engl. Studien 72 1937, 343 ff.

7. 19. **G e l b**. Schrader, Sanders' Ztschr. f. deutsche Sprache 9 1896, 81.

7. 21. **B l a u**. Geiger, P., Festschr. Hofmann-Krayer, Schweiz. Arch. f. Volksk. 20 1916 · Martius, Heinz, Die Bezeichnung der blauen Farbe in den romanischen Sprachen. Diss. Erlangen 1947 · Swaen, A. E. H., An Essay in Blue. Engl. Studien 71 1936.

7. 24. **S c h a l l**. Weise, Ztschr. f. dt. Unterr. 19 1905, 510 · Paul, Prinzipien [3]160 f. Überall in den Büchern über Ursprung der Sprache viel Beispiele · Hilmer, Hermann, Schallnachahmungen in Wortschöpfung und Bedeutungswandel für Schlag, Fall, Bruch. Halle 1914 · Behrens, D. und Karstien, M., Geschütz- und Geschoß-

laute im Weltkrieg, deutsch und französisch. Gießener Beiträge 2. Zusatzheft 1925 · British standard glossary of acoustical terms and definitions. London 1936, 46 S. (British Standard Institution).

7. 33. T i e r l a u t e. Wackernagel, W., Voces variae animantium. Progr. Basel 1867 · Hauschild, ZfdtWortf. 11—12 1909—10 · Winteler, J., Naturlaute und Sprache. Ausführungen zu Wackernagels Voces variae animalium. Aarau 1892, 37 S. 4° · Gjerdmann, O., Fåglalåt. (Nysvenska Studier 1 1921, 115—33) · Waldherr, W., Über die Stimmlaute d. Rehwildes und deren Bezeichnung in d. dt. Weidmannssprache (Wild und Hund 37 1931, 353—56, 372—75), vgl. bei 2. 11 Jagd · Zenodot bei Ammonios ed. Valckenaer 1739 u. ö. Aelian, nat. anim, 5, 51 = Pollux 5, 86 · Bancalari, Studi ital. 1 1893, 75 ff. · Festa ebd. 3 1895, 496 · Wellmann, Herm. 51 1916, 23 · Varro, de ling. Lat. 7, 103 dazu Goetz-Schoell. Plin. nat. hist. II 82 · Script. hist. Aug. Spartian. Geta 5.

7. 35. T e m p e r a t u r. Meyer, Kirstine, Die Entwicklung des Temperaturbegriffes. Braunschweig 1913 = Die Wissenschaft 48.

7. 41. S c h w e r. G e w i c h t s m a ß e s. 12. 12.

7. 55. F l u ß n a m e n. Vasmer, M., Die alten Bevölkerungsverhältnisse Rußlands. 1941.

8. Ortsveränderungen

8. 1. B e w e g u n g. Ihrig, Roscoe Mvrl, Walk and run. Linguistic studies in Germanic 4, Chicago Diss. 1916 · Mitzka, Walther, Volkskundliche Verkehrsmittel zu Wasser und zu Lande, in: Pessler, Hdb. d. dtsch. Volkskunde 1934 ¶ gehen: Haas, Rügensche Volkskunde. Stettin 1920, 20 ff. · Mauermann, S., Berliner Börsenkurier 1931 Nr. 463 vom 4. Okt. · Collitz, Clara H., Verbs of motion in their semantic divergence. Language Monographs 8, Philadelphia 1931 · Levin, S., Versuch einer hebräischen Synonymik. I. Die intransitiven Verba d. Bewegung. 1. Hälfte. Berlin 1894, 49 S. · Weman, B., Old English semantic analysis and theory, with special reference to verbs denoting locomotion. Lund (Diss.) 1933, 187 S. (Semantic development of OE expressions for go, walk, wander) · Černecov, W. N. (Ausdrücke für Mittel d. Ortsveränderung in d. Mansi-Sprache). (Moskva 1937.) (s. Idg. Jahrb. 23 1939, 79) ¶ schlittern: Kretschmer 422 ff.

8. 2. R u h e und 9. 36. Büsch, Der leibliche Mensch im Leben der Sprache. I. Stehen, sitzen, liegen. Progr. Münstereifel 1913 · Cohen, J., Wurzelforschungen zu d. hebräischen Synonymen d. Ruhe. Diss. Tübingen 1912, 85 S.

8. 3. B e f ö r d e r n. Prendre und chercher: Jordan, L., Ztschr. franz. Spr. u. Lit. 51 1928, 469—472 · Swann, H. J., French terminologies in the making. New York 1920 (u. a. railroad, auto, aero) · Brady, H. G., Transportation glossary for students. New York 1929, 105 S. (Luft, Erde, Wasser) · Nelson, C. S. and Stufflebeam, G. T., Traffic dictionary. A compendium of domestic and foreign trade and shipping term . . . 3. ed. rev. New York 1935, 206 S.

8. 4. W a g e n. Ebert, Reallexikon s. v. Wagen · Salonen, Armas, Die Landfahrzeuge des alten Mesopotamien. Helsinki 1951, 197 S. · Automobilwesen: Schmidt-Rich., Viersprachiges autotechnisches Wörterb. (dt., franz., engl., ital.). Berlin 1923 · Dierfeld, Auto-Diktionär. ²Berlin 1939. 3 Bde. · Georges, H. u. K. Schnaubert, Wörterbuch der Kraftfahrt. Unter Mitarbeit von H. Morgenroth. Leipzig 1938, 398 Sp. ¶ Motorrad: Berliner Nachtausgabe 23. 4. 31 · Albrechts, W., Die Bez. von Kraftwagen und Kraftwagenteilen im Französischen. Diss. Heidelberg

1934, 91 S. · Tappolet, E., Les noms gallo-romans du moyeu. (Romania 49 1924), Sep. 45 S. · Schlomann-Oldenbourg Bd. 5—6. Eisenbahnen · Ders., Bd. 10. Motorfahrzeuge · Albrechts, Wilhelm, Bezeichnungen von Kraftwagen und Kraftwagen-Bestandteilen im Französischen. Diss. Hamburg 1934 · Sell, L. L., English-French comprehensive technical dictionary of the automobile and allied industries. New York 1932, 768 S.

8. 5. S c h i f f. Kluge, F., Deutsche Seemannssprache. Halle 1911. Müller, in: Sprachkunde 1937 Nr. 3, 13 ff. · Goedel, G., Etymol. Wörterbuch der dt. Seemannssprache. Kiel u. Leipzig 1902 · Eichler, C. W., Vom Bug zum Heck. Seemännisches Hand- und Wörterbuch. Berlin Klasing 1938, 512 S. · Meißner, Schiffsnamen bei Wolfram v. Eschenbach. Ztschr. f. dt. Altert. 64 1927, 259—66 · Mitzka, W., Dt. Bauern- und Fischerboote. Beiheft zu WuS. 6 1933, 116 S. · Stenzel, A. (hrsg.), Deutsches semännisches Wörterbuch. Berlin 1904, 484 S. ill. Taf. · Goedel, G., Klar Deck überall! Deutsch-Seemännisches. Hamburg 1916, 80 S. · Drissen, A., Sprachliche See-, Schiff- u. Grubenfahrt. Recklinghausen 1937, 59 S., 6 Bl. Abb. 2 Kt. 4⁰ · Laughton, L. G. Carr., A bibliography of nautical dictionaries. (Mariner's Mirror. London 1 1911, 84—89) ¶ Von der großen Menge einzel- oder mehrsprachiger Wörterbücher nur eine kleine Auswahl: Bobrik, E., Allg. nautisches Wörterbuch , in 9 Sprachen. Leipzig 1850, 752 S. · Marconi, G., Dizionario di Marina 1937, 1400 S. · Kerchove, R. de, Internat. maritime Dictionary. New York ⁴1954, 946 S. · Paasch, H.,Marinewörterbuch in 5 Sprachen. ⁴Hamburg 1908. Neudruck 1924 · Röding, J. H., Allg. Wörterbuch d. Marine, polyglott. 4 Bde. 1793 bis 1798 · Jal, A., Glossaire nautique. Répertoire polyglotte des termes de marine anciens et modernes. Paris 1848, 1600—8. 4° · Reehorst, The mariner's friend or polyglot . . . dictionary in 10 Sprachen. Kampen und Hamburg 1849. 18, 404, 41 S. · Corazzini, F., Vocabolario nautico italiano con le voci correspondenti in latino, greco, francese, inglese, portoghese, spagnolo, tedesco. 7 vol. Torino 1900—07 (In jedem Band Glossar über die 8 Sprachen) · (W. Sinclair and C. E. S. Wright), A dictionary of naval equivalents, covering English, Französisch, Italienisch, Spanisch, Russisch, Swedisch, Dänisch, Dutch, German. 2 vol. London 1922—24. (Great Britain Admiralty) · Wolfhagen, H., Marine-Ordbog . . . Dansk, Engelsk, Fransk og Tysk. (2. Oplag). København 1918, 684 S. (system. alph. Reg.) · Bataille, L. et Brunet, M., De la quille à la pomme du mât. Dictionnaire de marine. Paris 1936, 1600 S. Französ., englisch, deutsch, spanisch, italienisch · Fünfsprachiges Marinewörterbuch. Dt., engl., fr., span., ital. Hrsg. v. Oberkommando d. Kriegsmarine. Berlin 1940, 538 S. ¶ *Einzelne Sprachen:* Bolelli, T., Voci marinaresche in latino. (Studi it. di fil. class. 14 1937, 47 ff.) · Hesseling, Mots maritimes empruntés par le Grec aux langues romanes. Amsterdam 1903; dazu Archiv. Romanicum 22, 510—81 · Brunot, L., Notes lexicologiques s. le vocab. maritime de Rabat et Salé. Paris 1920 · Chantraine, P., Sur le vocabulaire maritime des Grecs. Etrennes de linguistique offerts à Emile Benvéniste. Paris 1928, S. 1 ff. · Hermann, Ed., Die homerischen Benennungen der Schiffsteile. NGG 1943 · Gellius, Noctes Atticae X 25, 5 · Fohalle, René, Sur le vocabulaire maritime des Romains. Mélanges Albert Thomas. Gent 1930 · St. Denis, Le vocabulaire des manoeuvres nautiques en latin. Thèse Paris 1935 · Brochmann, D. H., 1003 sjømandsord. Kristiania 1915, 158 S. · Pantzerhielm, Th. S., Sjømandssproget. (Den norske sjøfart 3 II 1929, 477—90) · Falk, Hj., Altnordisches Seewesen. Heidelberg 1912, 122 S. (Aus: Wörter und Sachen IV) · Alnaes, I., Bidrag til en ordsamling over sjømandssproget. Christ 1902, 46 S. (Vidensk. Selsk. Forhandlinger 1902, Nr. 3) · Magnusson, E., Notes on

shipbuilding and nautical terms of Old in the North. London 1906 (Üb. isländ. Schiffsterminologie) · Schiffsbau: Pease, Ferd Forrest, Modern shipbuilding terms (U. S. A.). Lippincott 1918 · Schnepper, H., Die Namen der Schiffe und Schiffsteile im Altenglischen. Diss. Kiel 1908 · Sandahl, B., Middle English Se Terms I. Uppsala 1951 · Whall, W. B. Shakespeare's sea terms explained. Bristol, London 1910, 112 S. — New ed. 1911, 112 S. · Clark Russel, W., Sailor's language. A collection of sea-terms and their definitions. London 1883 16, 164 S. · Falconer, W., The old Wooden Walls. An abridged edition of Falconer's celebrated Marine dictionary. London 1930, 201 S. · Bowen, F. C., Sea slang, A dictionary of the old-timers' expressions and epithets. London [1929], 154 S. · Hense, H., Shakespeares seetechnische Ausdrücke. Diss. Münster 1929 · Smith, L. P., English sea terms. (English Review 12 1912, 541—59) · Soé, G., Dupont J. et Roussin, O., Vocabulaire des termes de marine. Paris 1905, 600 S. ill. · Vidos, B. E., Storia delle parole marinaresche italiane passate in Francese. Firenze 1939. 13, 698 S., 24 Taf. Dazu Byzant.-neugriech. Jahrb. 14 1938, 91—129 · Sainéan, L., Les termes nautiques chez Rabelais. (Revue d. Études Rabelais. 8, 1—56, vgl. J. Soyer ebd. 9 109—14) · Kemna, K., Der Begriff Schiff im Französischen. Diss. Marburg 1911 · Landelle, G. de la, Le langage des marins; recherches historiques et critiques su le vocabulaire maritime. Paris 1859, 444 S. · Saggau, H., Die Benennungen der Schiffsteile und Schiffsgeräte im Neufranzösischen. Diss. Kiel 1905 · Amades, J., E. Roig, Vocabulari de l'art de la navigoció i pesca. Barcelona 1925, 116 S. · Deanović, M., Concordanze nella terminologia marinara des Mediterraneo fra Agde (Héraut) e Ragusa (Dalmazia). Rom 21 1937, 269—283 · (Bertoni u. a.), Dizionario di marina medievale e moderno. Roma 1937. 33, 1367 S. (Im Vorwort Gesch. d. marit. Lexikographie Italiens.) Über span.-portug. Seesprache in Italien vgl. Zaccarią 1907 u. 1908 · Noberasco, F., Piccolo vocabolario marinaresco italiano-savonese. Savona 1934, 101 S. · Lennep, J. van, Zeemanswoordenboek ... Amsterdam 1856, 283 S. · Meulen, R. van der, De hollandsche zee-en scheepstermen in het Russisch. Amsterdam (Ac.) 1909 · Skok, P. (Unsere See- u. Fischerterminologie an der Adria). Split 1933, 184 S. · Slaski, B. (Wörterbuch der polnischen Seemannssprache). Posen 1926 (Poln.) · Stjerncreutz, A. (Finnisches Seewörterbuch). Helsingfors 1863 (Finn.) · Kindermann, Schiff im Arabischen. Diss. Bonn 1934 · Abraham, Aron, Die Schiffsterminologie des Alten Testaments kulturgeschichtlich und etymologisch untersucht. Diss. Bern 1920 ❡ *Flußschiffahrt:* Weber, C. W., Handbuch der gebräuchlichsten Ausdrücke bei der Elbschiffahrt. 2. umgearb. Aufl. Pirna 1872 · Dunkelberg, K., Rheinschiffahrts-Lexikon. Erklärung d. Fachausdrücke f. d. Geschäfts- u. Gerichtsgebrauch. 2. umgearb. u. verm. Aufl. Duisburg 1921, 136 S. ❡ *Segelschiffahrt:* Horn, E., Seglerisches Taschenwörterbuch. Eine Erklärung d. häufigst vorkommenden Fachausdrücke. Berlin 1922, 72 S. · Lohmann, R., Wie sagt der Segler? Vollst. Taschenwörterbuch d. Sportseglersprache. Berlin 1925, 108 S. · Bradford, D., A glossary of sea terms. New York 1927, 205 S. (Yachting). 8. 6. F l u g z e u g. Poeschel, J., Luftfahrerdeutsch. 7. Aufl. Berlin 1929 · Arman, R. de, Lexique aeronautique en six langues. Paris 1913 · Dander, Mario Mele, Airman's international dictionary. Lippincott (U. S. A.) 1920 · Anders u. Eichelbaum, Wb. d. Flugwesens. Leipzig 1937, 405 Sp. · Vanier, J. F., Dictionary of aeronautical terms in abridged form. German, Engl., French — Fr. E. Gm. New York 1929, 141 S. · Lainé, A., Dictionnaire de l'aviation. 2. ed. Paris 1932, 330 S. ill. · Eskildsen, M. P., Fortegnelse over luftfartstekniske Udtryk og Betegnelser. København 1932, 91 S. ill. (m. ausf. Erkl., syst., teilw.auch engl.) · British standard glossary of aeronautical terms. London 1933, 149 S. ill.

8. 7. **s c h n e l l**. Wuppdich: Weise, Zs. f. dt. MA. 1920, 164 ff. · Stern, G., Swift, swiftly, and their synonymes. Göteborg 1921 · Peterson, H., bald, geschwind und schnell (in: Zwei sprachliche Aufsätze. Lund 1917) · Sandegren, H., Die Bedeutungsentwicklung von schnell und seinen Synonymen im Hochdt. Upsala 1912 · Haas, Rügensche Volkskunde. Stettin 1920, 20 ¶ properare: Muller I. fil., Mnemos. 60 1932, 199 ff.

8. 11. **S t r a ß e — G a s s e**. Kretschmer 491 ff. · Hochuli, E., Einige Bezeichnungen f. d. Begriff Straße, Weg, Kreuzweg im Romanischen. Diss. Zürich 1926 · Bergh, Lars, Moyens d'exprimer en français l'idée de direction. Diss. Goeteborg 1948, 176 S. · Staub, Marianne, Richtungsbegriff — Richtungsausdruck, Romanica Helvetica 27, Bern 1949 · André, J., Les Noms latins du chemin et de la rue. REt.Lat. 28 1950, 104—134.

18. 12. **A b w e i c h u n g**. „Ausgewichen!" Brückner, Dt. Mundarten 7 1858, 377 f.

9. Wollen und Handeln

9. 2. **W i l l e**. Roediger, Βούλομαι und ἐθέλω. Glotta 8 1916, 1—24 · Fox, PhW 37 1917, 597—606; 633—639 · Wifstrand, Albert, Die griech. Verba für Wollen. Eranos 40 1942, 16—36 · Snell, Das Bewußtsein von eigenen Entscheidungen im frühen Griechentum. Philologus 85 1930, 141—158 · Bentham, J., Table of the springs of action. 1817.

9. 3. **U n f r e i w i l l i g**. Meringer, Die Ausdrücke für „müssen". Idg. Forschungen 18 1906, 204 ff. s. auch unten Nr. 16. 107.

9. 14. **A b s i c h t**. Über Zweck und Ziel: Reinach, Jb. f. Philos. u. phänomenol Forschg. 1 1913, 430 ¶ mit Absicht: Kretschmer S. 336.

9. 18. **T ä t i g k e i t**. Weisgerber in Wirkendes Wort I 1950, 138—143 · Magnien, V., Quelques mots signifiant actions et état d'âme. REtGrecques 40 1927, 117 ff. · Ischiro Ioshika, Study of the verbs of doing a. making in the European languages. Tokio 1908 · Mauthner, Beiträge zu einer Kritik der Sprache III, 59 f.

9. 22. **A r b e i t**. Szogs, Ausdrücke für Arbeit und Beruf im Altenglischen. Anglist. Forsch. 73 1931 · Geist, H., Arbeit. Die Entscheidung eines Wortwertes durch Luther. Luther-Jahrbuch 13 1931, 83—113. Vgl. oben Einleitung S. 44 · Giese, F., Hwb. der Arbeitswissenschaft. 2 Bde. Halle 1927—30. XV S., 5232 Sp.

9. 31. **G e w o h n h e i t**. Stier, Nomos. Diss. Berlin = Philologus 83 1928, 225 ff. · Ehrenberg, Arch. f. Gesch. d. Philos. 35 1923, 119 ff. · Aly, Formprobleme der griech. Prosa. Philol. Suppl. 21 1929, 124.

9. 36. **R u h e** s. 8. 2.

9. 41. **F a u l h e i t**. tachinieren: Spitzer, GRM 11 1923, 373 f.

9. 53. **U n g e s c h i c k t**. Ölgötze: Drescher, Festschr. zur Jahrhundertfeier d. Universität Breslau 1911, 453 ff.

9. 55. **s c h w i e r i g**. Logemann, H., Leuvensche Bijdragen 17 1925, 1—16; 45—64 „langwerpig".

9. 56. **g u t e Q u a l i t ä t**. Schmidt, F., Zur Gesch. des Wortes „gut". Diss. Leipzig 1898.

9. 57. **V e r b e s s e r n** (u. 75). Dornseiff, Sōtēr, R.-E. III A 1929, Sp. 1212, 21 ff. Herzog-Hauser, Gertrud, Soter. Wien 1931, S. 5 ff.

9. 60. **g e r i n g w e r t i g**. Nauck, Mélanges gréco-romains 1880, 724 ff.

9. 66. **R e i n. r e i n i g e n**. Kretschmer, Wortgeogr. 229. 404 · Gaupp, Diss. Tübingen 1920 · Martin, B., Handbesen. Teuthonista 9 1933, 47 ff.

9. 71. W e c h s e l w i r k u n g. Stoltenberg, Zur Bezeichnung der Gegenseitigkeit im Deutschen. Kölner Vierteljahrshefte f. Sozialw. 1 1921, Heft 3.

9. 76. Z u f l u c h t. Freimal beim Kriegenspielen: Pessler, W., Dt. Wortgeographie. WuS. 15 1933, 3.

10. Sinnesempfindungen

Grimm, Jacob, Die fünf Sinne. Kl. Schriften 7, 193 ff. · Bechtel, F., Die Bezeichnungen der sinnlichen Wahrnehmungen in den idg. Sprachen. Weimar 1879 · Koerner, Otto, Die Sinnesempfindungen in Ilias und Odyssee. Jenaer medizinhistor. Beiträge 15 1932 · Dieterich, Elsa, Die Wiedergabe der Sinneswahrnehmungen im Tristan Gottfreds. Diss. Frankfurt 1924 · Spinner, Katharina, Die Ausdrücke für Sinnesempfindungen in der angels. Poesie verglichen mit den Bezeichnungen in der altnord., altsächs. und ahd. Poesie. Diss. Halle 1924 (ungedruckt) · d'Agostino, Vittorio, Contributo alla storia dei termini sensus e sensatio. Turin 1931, 25 S. · Lobeck, C. A., De vocabulis sensuum eorumque confusione, in: Rhematikon. Regimonti 1846, 329—52 · Jaensch, E. R., Beziehungen v. Erlebnisanalyse u. Sprachwissenschaft, erläutert an den Verben d. sinnlichen Wahrnehmung. (Z. f. Psychologie 91 1923). · Weisgerber, L., Weiteres über das Zusammenarbeiten v. Sprachwissenschaft, Psychologie, Physiologie u. Chemie an d. Problemen d. Sinnesempfindungen. (Wörter u. Sachen 14 1932, 99 ff.) · Lerch, E., Sinn, Sinne, Sinnlichkeit. (Archiv f. d. ges. Psych. 103 1939, 446—95) · Wood, The semasiology of words for smell and see. Publications of the Modern Language Assoc. of America 1900, 299—346, 233—79.

10. 6. G e r u c h. Weisgerber, Leo, Der Geruchssinn in unsern Sprachen. IF 46 1928, 121 ff., dazu Glotta 19 1931, 209 ff. · Henning, H., Der Geruch. ²1924 · Bolling, Collitz-Festschr. 1930, 43—47.

10. 10. H u n g e r. Spitzer, Leo, Die Umschreibungen des Begriffs „Hunger" im Italienischen. Halle 1921 = Beiheft zur Ztschr. f. rom. Phil. 68 · Brunot, Ferd., La vie chère en France et le vocabulaire pendant la revolution. Festschrift Wechssler 1929.

10. 15. S e h e n. Günther, H. u. Stehlí, G., Wörterbuch z. Mikroskopie. Stuttgart 1912, 96 S. · Schulz-Radicke, Fremdwörterbuch für die Optik. Weimar 1929, 314 S. · Weisgerber, Adj. u. verbale Auffassung d. Gesichtsempfindungen. Wörter u. Sachen 12 1929, 197 ff. · Rittershaus, Adeline, Die Ausdr. f. Gesichtsempfindungen in d. altgerman. Dialekten. I. Zürich 1899 · Vendryes, J., C.-R. Acad. Inscr. 1932, 192—206 · Wartburg, Die Ausdrücke für Fehler des Gesichtsorgans. Diss. Zürich, Revue de Dialectologie romane 3 1911, 402 ff. · Pfister, R., Zum Aspekt der Verba des Sehens bei Plautus. Diss. München 1936 · Prévot, A., Verbes grecs rel. à la vision et noms de l'œil, RevPhil. 9 1935, 133—160, 233—79.

10. 19. H ö r e n. Simenschy, Le complément des verbes qui signifient entendre chez Homère. Diss. Bukarest 1927 · Prévot, André, L'expression en grec ancien de la notion „entendre". R. Et. gr. 48 1935, 70—78.

11. Psychologie. Fühlen. Affekte. Charaktereigenschaften

Wörterbücher: Dorsch-Giese, Psychologisches Wörterbuch.⁴ Tübingen 1950, 296 S. Lungwitz, H., Lehrbuch der Psychologie 1933 · Sury, K. v., Wb. d. Psychologie u. ihrer Grenzgebiete. Basel, Schwabe · Hugon, P., Our minds and our motives. A dictionary of human behavior. New York 1928, 475 S. (Popular defin. of terms) ·

Düncker, K. a. Watt, D. B., A German-English dictionary of psychological terms. 7000 words. Ann Arbor, Mich. 1930, 146 S. · English, H. B., A student's dictionary of psychological terms. Yellow Springs, Ohio 1928, 78 S. · Hamilton, J. A., English-Deutsch f. Psychologen. Frankfurt 1931, 103 S. · Zeddies, A., Wörterbuch d. Psychologie. Homburg 1934, 164 S. · Warren, H. C., Dictionary of psychology. Boston 1935. 10, 372 S.

11. 1. B e w u ß t s e i n. Seele: Boehme, J., Die Seele und das Ich im homerischen Epos. Leipzig 1929; dazu Snell, Gnomon 7 1931, 74 ff. · Larock, Les premières conceptions psychologiques des Grecs. Revue belge 9 1930, 377 ff. · Φρήν, θυμός ψυχή, κραδίη: Wilamowitz, Die Heimkehr des Odysseus. Berlin 1927, 181 ff. ¶ animus und anima. Claudel, La Nouvelle Revue Française 1925, 445 f. · Adolf, Hel., Wortgesch. Studien zum Leib-Seele-Problem. ZsfRel.-Psychol. 5 Wien 1937 · Jean, Ch.-F., Tentatives d'explication, du „moi" chez les anciens peuples de l'orient mediterraneen RHistd.Rel. 121 1940, 111—127 · Husner, Leib u. Seele in d. Sprache Senecas. Philologus Suppl. 17 1924, Heft 3 = Diss. Basel · Dempwolff, O., Worte für Seele u. a. in den Südseesprachen. Folia ethnoglossica. Hamburg 1926 ¶ Gemüt: Geißendörfer, Th., The concept Gemüt in Novalis. J. of Engl. a Germ. Philol. 24 1925, 197—205.

11. 2. S e e l i s c h e A r t u n g. Klages, L., Die Grundlagen der Charakterkunde[4]. Leipzig 1926 · Die Sprache als Quelle der Seelenkunde. Zürich, Hirzel 1948, 406 S. · Wittlich, B., Wörterbuch der Charakterkunde. [3]München 1950, 68 S. · · Hruschka, Die bildhafte Sprache des Volkes. Sudetendt. Zs. 5 1932, 156 ff. Bezeichnungen von Charaktereigenschaften · χαρακτήρ: Körte, Hermes 64 1929, 69—86 · Thimme, O., Φύσις τρόπος ήθος, Diss. Göttingen 1935 · Marg, W., Der Charakter i. d. Sprache d. frühgr. Dichtung. Kieler Arbeiten 1. Würzburg 1938 · The trait book. 2. ed. Cold Springs Harbor 1919, 127 S. (c. 3000 entries) · Allport, G. W. a. Odbert, H. S., Trait-names. A psycholexical study. Princeton 1936, 171 S. (Psychological Review Public. 47, 1) · A list of terms in the English language characterising personal behavior and personality. Webster 1925 · Baumgarten, Franziska, Die Charaktereigenschaften. Bern 1933, 81 S. · Müller, Ewald, Vornamen als appellative Personenbezeichnungen. Helsinki 1929 = Soc. scient. Fenn. Hum. III 1) · Meisinger, O., Hinz und Kunz. Deutsche Vornamen in erweiterter Bedeutung. Dortmund 1924, 97 S. · Migliorini, Da nome proprio al nome commune. Bibl. del Arch. Rom. II 13, Genf 1927 · Almberg, Nils, Studier över temperamentläran: Corpus Hippocraticum in: Lunds Univ. årsskrift 46 1950 nr. 1, 128 S.

11. 3. S e e l i s c h e r Z u s t a n d. Kleinpaul, R., Volkspsychologie. Das Seelenleben im Spiegel der Sprache. Berlin 1914 · Vilmar, Über die psychologische Terminologie des Heliand. Dt. Altertümer im Heliand. Marburg 1845. 1862 · Ehrismann, Die psycholog. Terminologie Otfrieds. Beitr. für german. Sprachwissenschaft, Festschr. f. Behaghel. German. Bibliothek II 15. Heidelberg 1924, S. 324 ff. · Ders., Gesch. d. dt. Lit. im MA II 2, 1 1927, 309 ff. · Büchel, Irmg., Die Bez. f. psychol. Begriffe in Wolframs Parzival. Gießener Beitr. 16 1925 · Sckommodau, Hans, Der psychologische Wortschatz der 2. Hälfte des 18. Jahrhunderts. Leipziger romanist. Studien. 1933, 176 S. · Drewes, C., Über Gemütsbewegungen und Charakteranlagen bei Rabelais. Diss. Münster 1916 · Pezzi, Dom., Espressione metaforica di concetti psicologici. Memorie dell' Accad di Torino 46, 1896. Dazu Levi, Attilio ebd. 49 1900 · Aßmann, M. M., Mnemos. 54 1926, 118—129 (bei Herodot) · Immisch, Entwurf eines etholog. Vokabulars. Neue Jbb. 1910, Bd. 25, 452 ff. · Schrader, W., Die Psychologie des älteren griechischen Epos. I. Jahrbücher für classische Philologie 130 1885, 145—76 · Justesen, P. Th., Les principes psychologiques d'Homère.

Kopenhagen 1928, 89 S. · Hatch, E., On psychological terms in Biblical Greek (in: Essays in Biblical Greek. Oxford 1889, S. 94—130) · Paasonen, Über die ursprünglichen Seelenvorstellungen bei den finnisch-ugrischen Völkern und die Benennungen der Seele in ihren Sprachen. (Journal de la Société finno-ougrienne 26 1909) · Arbmann, E., Zur primitiven Seelenvorstellung mit besonderer Rücksicht auf Indien. Le Monde oriental 20 1926, 85—226 und 21 1927 · Brandstetter, R., Die indonesische und indogermanische Volksseele. Eine Parallele auf Grund sprachlicher Forschung. Luzern 1921, 21 S. (—: Wir Menschen der indonesischen Erde I) · Ders., Wir Menschen der indonesischen Erde V. Das Herz des Indonesiers. Luzern 1927, 30 S. · Falk, Hj., De sproglige udtryk for sindsbevægelser. (—: Kulturminder i ord. Krist. 1900, S. 24—48) · Fligelmann, Frieda, Moral Vocabulary of an unwritten language (Fulani). Anthropos 27 1932, 213 ff. · Hakulinen, L., Über die semasiologische Entwicklung einiger meteorologisch-affektivischer Wortfamilien in d. ostfinnischen Sprachen. Helsinki 1933, 245 S., Diss. (Urspr. Bedeutung, besonders „Ausstrahlungen“ v. Kälte, Feuchte, Wärme, Geruch, Wind usw.) · Burton, E. de Witt, Spirit, soul and flesh. Chicago 1918, 214 S. (Lex. Studie über pneuma, psyche u. sarx) · Wendt, H. H., Die Begriffe Fleisch und Geist im biblischen Sprachgebrauch. Gotha 1878, 219 S. (hebr. u. griech.).

11. 4. E m p f i n d u n g. Schäfer, R., Der Ausdruck d. Empfindungen im Parzival Wolframs. Diss. Gießen 1925 (Auszug) · Simon, E., Die Rektion der Ausdrücke der Gemütsbewegung im Frz. Diss. Göttingen 1907 · Schneider, E., Semasiologische Beiträge. I. Über den Ausdruck der Gefühle. Mainz 1892, 29 S. · Reinert, „Herz“ im Sturm und Drang. Diss. Freiburg B. 1949 · Dam, A., Begrebet Følelse i Psykologien og i almindelig Sprogbrug. (Vor Ungdom 1922, S. 281—93).

11. 5. E r r e g u n g. Meringer, Die innere Sprachform in der E. Wörter u. Sachen 7 1912, 50 ff. · Kurath, The semantic sources of the words for the emotions. Diss. Chicago 1921 · Schmeer, H., Der Begriff der „schönen Seele“. Diss. München = German. Studien Ebering 44 1926 · Hansen L., Die Ausdrucksformen d. Affekte im Tristan Gottfrieds v. Straßburg. Kiel (Diss.) 1908, 108 S. · Krynska, H., Der sprachliche Ausdruck d. Affekte in Kleist's dramatischen Werken. Diss. Bern 1911, 70 S. · Lerch, Passion und Gefühl. Archiv. Romanicum 22 1938, 320—49.

11. 13. U n l u s t. Warfelmann, F., Die althochdt. Bezeichnungen für Lust u. Unlust. Diss. Greifswald 1906 · Mantegazza, Physiologia del dolore 1880 · Sauerbruch-Wenke, Der Schmerz. Berlin 1936 · Thesaurus ling. lat. s. v. dolor.

11. 17. S c h ö n. Juzi, Gertrud, Die Ausdrücke des Schönen i. d. altengl. Dichtung. Diss. Zürich 1939 · Wyler, S., Die Adjektive des me. Schönheitsfeldes. Diss. Zürich 1944 · Holthausen, Etymol. altengl. Wörterbuch XVII f. Rudskoger, Fair, foul, nice, proper = Gothenburg Studies in English 1, Stockholm 1951 · knorke: Sauermann, S., Die Literatur 33 1930—31, 304 f. · Weinacht, P., Zur Geschichte des Begriffs schön im Altdeutschen. Diss. Heidelberg 1929 · Oldenberg, Die vedischen Worte für „schön“. NGG 1918 · Jeitteles, J., Aesthetisches Lexicon ... 2 Bde. Wien 1836—37 / Hebenstreit, W., Wissenschaftl.-literar. Encyklopädie d. Ästhetik. Ein etymolog. krit. Wörterbuch d. ästhetischen Kunstsprache. 2. Aufl. Wien 1848, 994 S. · Hasan Ibn-Muhammad ad Rāmī, Anīs al-'uššaq. Traité des termes figurés relatifs a la description de la beauté. Trad. du Persan p. C. Huart. Paris 1875.

11. 18. G e s c h m a c k. Dostal, Beiträge zur Gesch. des Wortes Geschmack. Progr. Ostrau 1907.

11. 21. F r e u d e. Brinkmann, H., Sprachwandel und Sprachbewegungen. Jena 1931, 119 · Müller, G., Dt. Vierteljahrsschr. 1 1923, 91 ff. · Frings, Germania

Romana. Halle 1932, 21 · Korn, K., Studien über „Freude und Trûren" bei mittel-hochdeutschen Dichtern. Diss. Leipzig 1932, 139 S. · Bock, L., Wolfram v. Eschen-bachs Bilder und Wörter für Freude und Leid. Straßburg 1879, 74 S. = Brandl QF. 33 · Famee Lorene Shisler, The Technique of the Portrayal of Joy in greek tragedy. Transact. a proceed. 73 1942, 277—92 · Reuning, K., Joy und Freude. A comparative study of the linguistic field of pleasurable emotions. Swarthmore/Pa. 1941; dazu Roedder, Monatsschr. dt. Unterr. 36 1944, 174 ff. · Puhala, S. (Die synonymen Wörter). Budapest 1904, 44 S. (S. 3—22: S. im Allg. 22—41: S. d. Trauer, S. 42 bis 44: S. d. Freude).

11. 22. L a c h e n. Vendryes, L'expression du „rire" en celtique Et. Celt. 3 1938, 38.

11. 24. L ä c h e r l i c h. F. Sch., Rheinisch Platt. Dt. Reichszeitung 1929, Nr. 203 vom 31. Aug. über männliche und weibliche Sonderbarkeit.

11. 26. L a n g e w e i l e. Philister: Kluge, Zs. f. dt. Wortf. 1 1900, 50 · Krüger, GRM 3 1911, 116 f. · Schoppe, ebd. 10, 1922, 193 ff. / Schröder, Streckformen. Heidelberg 1906, 83 ff. · Lohan, Dt. Rundschau 192 1922, 289 ff.

11. 28. H ä ß l i c h. Fierz, J., Die pejorative Verbildlichung menschlicher Körper-bautypen im Schweizerdeutschen. Diss. Zürich 1943, 143 S.

11. 30. V e r w u n d e r u n g. grotesk: Knaak, Diss. Greifswald 1913 · Schmitz, H., Wundern u. Staunen im Französischen. Diss. Heidelberg 1939.

11. 31. Z o r n. schol. Aristoph. ran. 840 · Camerer, Ruth, Z. u. Groll b. Soph. Diss. Freiburg 1936.

11. 32. T r a g i s c h. Geffcken, Warburgvorträge 1927/8, 119 ff., bes. S. 155.

11. 33. K l a g e. Frenzen, W., Klagebilder u. Klagegebärden in d. deutschen Dich-tung d. höfischen Mittelalters. Würzburg (Diss. Bonn) 1938, 85 S.

11. 36. W u n s c h. Heimweh: Kluge, Progr. der Universität Freiburg 1901 ¶ Steckenpferd: Walz, Zs. f. dt. Wortf. 13 1911—12, 214 f. · Bertschinger, M., To want. Schweizer anglist. Arbeiten 13, Bern 1941, S. 210—36.

11. 38. M u t. Meyer, Elisabeth, M., Diss. Leipzig 1926 · Wandruszka, Mario, Angst und Mut. Stuttgart 1945, 156 S.

11. 42. F u r c h t. Kierkegaard, Der Begriff Angst (1844), deutsch 1912 und 1953 · Riegler, R., Die romanischen Namen der Furcht, Arch. neuere Sprachen 167 1935 · Schönberger, Zum Stil des Petronius, Glotta 31 1948, 23 · Weltzien, E., Die Ge-bärden der Furcht in Thomas Hardys Wessexromanen. Diss. Greifswald 1927 · Hands, A. W., Introduction to the study of Hebrew synonyms for words expressing fear. Gloucester 1891 · Nissen, Arch. f. d. ges. Psychol. 46 1924, 70 ff. (Ilias) · Baker, Timor dans les langues romanes. Romania 54 1928, 11—14 · Revesz, G., Festschr. W. Stern, Beih. Ztsch. f. angew. Psychol. 59 1931, 210 ff. ¶ berufen: Seligmann, Die Zauberkraft des Auges. Hamburg 1922.

11. 44. S t o l z. Wegehaupt, H., dignitas. Diss. Breslau 1932; über Nachbarschaft der Begriffe stolz und dumm. Rev. des Etudes indoeurop. 1, 429.

11. 47. B e s c h e i d e n h e i t. Neumann, F., Ilbergs Jbb. 1922, Bd. 25, 83 ff. · Dornseiff-Balogh, Dante, Über das Dichten in der Muttersprache. Darmstadt 1925, 79 f. · Schwietering, O. Jul., Die Demutsformel mhd. Dichter. Abh. Göttingen 17, 3 1921 · Erffa, C. E. von, Αἰδώς Homer bis Demokrit. Philol. Suppl. 30, 2 1937.

11. 51. M e n s c h e n l i e b e. Reimer, Ch. J., Der Begriff der Gnade in Shake-speares „Measure for measure". Diss. Marburg 11, 110 S. · Lorenz, Z., De pro-gressu notionis φιλανθρωπίας. Diss. Leipzig 1914, 59 S.

11. 53. L i e b e. Scheler, Max, Wesen und Formen der Sympathie[2]. Bonn 1923 · Abel, C., Über den Begriff der Liebe in einigen alten und neuen Sprachen. Berlin

1872, 63 S. (Auch in: Sprachwiss. Abhandlungen 1885, engl. in: Essays 1882) · Grimm, J., Über den Liebesgott. (—: Kleinere Schriften Bd. 2, 1865, S. 314 bis 332) · Wahmann, P., Gnade. D. ahd. Wortschatz im Bereich d. Gnade, Gunst u. Liebe. NdtFo. Bd. 125 4. Diss. Münster 1937 (Trier) · Collitz, H., Old Norse elska and the notion of love. (Scandinavien Studies and Notes 8 1924, S. 1—13) · Spitzer, L., Über einige Wörter der Liebessprache. Vier Aufsätze. Leipzig 1918, 74 S. · Brinton, D. G., The conception of love in some american languages. Philadelphia 1886 · Gombert, Nomenclator amoris oder Liebeswörter. Straßburg 1883 ¶ galant: Witkowski, DLZ 1931, 1656 f. · Scheid, Studien zum spanischen Sprachgut im Dt. Diss. Greifswald 1934, 82 ff. · Robinson, D. M. a. Fluck, E. J., A study of the Greek love-names. Baltimore 1937, 212 S. (John Hopkins Univ.) · Dirlmeier, F., Φίλος und φιλία im vorhellenistischen Griechentum. Diss. München 1931 · Pichon, René, De sermone amatorio apud Latinos elegiarum scriptores. Paris (Thèse) 1902, 303 S. (Index verborum amatoriorum 75—303) · Friedberg, Gisela, Die Schmeichelworte d. antiken Literatur. Diss. Bonn 1912. (Benennungen f. die geliebte Person · Darrouzet, J. B., Le language de la galanterie chez Plaute et Terence. Thèse Paris 1945 · Groth, P. M., Altfranz. cointe u accointer. Ein Kapitel Kultur- u. Bedeutungswandel. Diss. München 1927, 37 S. („höfisch, lieben"). · Wallrabe, H., Bedeutungsgeschichte d. Worte liebe, trût, friedel, wine, minnære, senedære. Diss. Leipzig 1925 · Isbáşescu, M., Minne und Liebe. Ein Beitrag z. Begriffsdeutung u. Terminologie d. Minnesangs. Stuttgart 1940. 12, 165 S. Diss. Tübingen · Kusch, H., minna im Ahd. Beiträge z. GeschdtSpr. 72 1950, 265—97 · Unger, R., Das Wort „Herz" u. seine Begriffssphäre bei Novalis. Göttingen 1937, 12 S. (Nachr. d. Ges. d. W.) · Moseley, T. A., The „Lady" in comparisons from the poetry of the „Dolce Stil Nuovo". Menosha, Wis. 1917. Diss. 65 S. · Beinhauer, W., Über „Piropos". Eine Studie über spanische Liebessprache. (Volkstum u. Kultur d. Romanen 7 1934, 111—63) · Landes, L. de, Glossaire érotique de la langue française. Paris 1861, 408 S. · The dictionary of love. In which is contained the explanation of most of the terms used in that language. London 1753. 12, 226 S. · Theocritus junior, The dictionary of love, containing a definition of all the terms used in the history of the tender passion. New York (1858), 275 S. (= d. vor?) · Murati, C., Amor materno nel dialetto veneziano. 2. ed. corr. ed aùm. Venezia 1887, 68 S. · Bagli, G., Amor materno nel dialetto romagnolo. Bologna 1896, 40 S. (Nozze).

11. 54. D a n k. Hewitt, The terminology of gratitude. Class. Philol. 22 1927, 142—161.

11. 55. U n d a n k. Böse Sieben. Kluge, Beil. Allg. Ztg. 1899, 98.

11. 56. E i f e r s u c h t. Margot Grzywacz, E. in den roman. Sprachen. Arbeiten zur roman. Philologie, hrsg. von Lerch 1 1937, 136 S. · Lerch, E., in: Sprachkunde 1937 Nr. 1, 10 f.

11. 57. N e i d. Myres, J. L., Homeric synonyms of φθόνος. Class. Rev. 51 1937, 163 f. · Steinlein, W., φϑ- und verwandte Begriffe in der älteren griech. Literatur. Diss. Erlangen 1943 · Odelstierna, Ingrid, Invidiosus, and Invidiam facere. A semantic investigation, in: Uppsala Univ. årsskrift 1949, 10. 94 S.

12. Das Denken

Matthias, Th., Dt. Denkersprache. Leipzig 1934 · Mauthner, Philos. Wörterbuch, 2 Bde. 1910 · Viele Wörterbücher, die größten und bekannten von Eisler, Baldwin, Lalande. Außerdem: Ranzoli, C., Dizionario di scienze filosofiche. Termini. Milano 1905, 684 S. 2. ed. 1916, 1252 S. 3. ed. 1926 · Francken, C. J., Wijnaendts. Kort

woordenboek van wijsgeerige kunsttermen. Haarlem 1925 · Tönnies, F., Philosophische Terminologie in psycholog.-sociolog. Ansicht. Leipzig 1906, 106 S. Clauberg, K. W. u. Dubislaw, W., Systemat. Wörterbuch d. Philosophie. Leipzig 1923, 565 S. · Stoltenberg, Hans L., Der eigendt. Wortschatz der Weisheitslehre. Frankfurt 1934, 283 S. Deutsche Weisheitssprache. Lahr 1933, 86 S. · Carnap, R., Der logische Aufbau der Welt. Berlin 1928. 11, 290 S. · Eucken, R., Über Bilder u. Gleichnisse in der Philosophie. Leipzig 1880, 59 S. · Müller, Hermann, Das intellektuelle sprachliche Feld im Alemannischen. Diss. Freiburg i./B. 1941 [1950] Maschinenschr. · Lalande, Vocabulaire technique et critique de la Philosophie ⁶1951 · Kelle, Die philosophischen Kunstausdrücke in Notkers Werken. Abh. München 18 1886, 1 ff. · Wagner, B. A., Chr. Thomasius, Ein Beitrag zur Würdigung seiner Verdienste um die dt. Sprache. Berlin 1872 · Piur, Studien zur sprachl. Würdigung Chr. Wolffs. Diss. Halle 1903 · Mossin, H., Forsøg til en dansk Terminologie. Bergen 1765, ²1766. · Freiwald, O., Chaucers philosophischer Wortschatz. Diss. Halle 1924 · Hönigswald, Grundlagen der Denkpsychologie 1921, Kap. 2: „Faden verlieren". Hildebrandt, Rud., Artikel Geist in Grimms Wörterbuch. Neudruck Halle 1926 · Assmann, M. M., De vocabulis, quibus Herodotus mentem animumque significat, Mnemosyne 54 1926, 118—129 . Wersdörfer, H., Die φιλοσοφία d. Isokrates im Spiegel ihrer Terminologie. Diss. Bonn 1940, 146 S. · Stuhrmann, J., De vocabulis notionum philosophicarum in Epicteti libris. Diss. Jena 1885, 60 S. · Lisieu, H. O., L'expression des idées philosophiques chez Cicéron. Paris 1938 · Pittet, A., Vocabulaire philosophique de Sénèque. Paris 1937. 17, 213 S. · Goichon, A. M., Lexique de la langue philosophique d'Ibn Sina (Avicenne). Paris 1938 · Chavée, H. J., Essai d'etymologie philosophique, ou recherches sur l'origine et les variations des mots qui peignent le actes intellectuels et moraux. Bruxelles 1843, 266 S. · Fischer, R., De usu vocabulorum apud Ciceronem et Senecam Graecae philosophiae interpretes. Diss. Freiburg 1914, 118 S. · Klatzkin, J., Thesaurus philosophicus linguae Hebraicae et veteris et recentioris. 4 Bde. Charlottenburg 1928—34 mit griech. und lat. Synonymen. (Auch mit hebr. Tit.) · Efros, I., Philosophical terms in the Moreh Nebukim. New York 1924, 157 S. · Schnusenberg, A., et Th. Mittler, Terminologia philosophica, exhibet lingua Latino-Sinica terminos techincos. Tientsin 240 S.
12. 4. B e g r i f f. Horn, E., Der Begriff des Begriffes. Diss. Leipzig 1931 · Reinhold, C. L., Grundlegung einer Synonymik für den allgemeinen Sprachgebrauch i. d. philos. Wissenschaften. 1812 · Eucken, Gesch. d. philosoph. Terminologie. Leipzig 1878 · Willmann, O., Die wichtigsten philosophischen Fachausdrücke in historischer Anordnung. Kempten 1909, 133 S. · Tallqvist, K., Det obegripliga. (Studier tilegnede Prof. Frants Buhl 1925, 242—48.)
12. 12. M e s s e n. R e c h n e n. M a ß u n d G e w i c h t. Rein, W., Die Maß- und Gewichtsbezeichnungen d. Englischen. Diss. Gießen 1911 · Matzerath, J., Die altenglischen Namen der Geldwerte, Maße und Gewichte sachlich und sprachlich erläutert. Bonn 1913 17, 128 S. · Glaser, Kurt, Die Maß- und Gewichtsbezeichnungen im Französischen. Diss. Gießen, Ztschr. f. fr. Sprache u. Lit. 26 1904, 95 ff. · Lobeck, De adiect. Graec. ponderalibus et mensuralibus. Königsberg 1818 · Dourither, H., Dictionnaire unversel des poids et mesures, anciens et modernes. Bruxelles 1840, 604 S. · Klimpert, R., Lexikon der Münzen, Maße, Gewichte, Zählarten und Zeitgrößen aller Länder der Erde. 2. Ausg. Berlin 1896, 429 S. 12° · Bourgaux, A., Dictionnaire international des mesures, poids, monnaies. Bruxelles 1927 · Janke, O., Sache und Wort. Sachliche u. sprachliche Belehrungen über Maße, Gewichte, Münzen u. Zeitbestimmungen. Langensalza 1818, 84 S. · Pott, K. F.,

Sprachliche Bezeichnungen v. Maß und Zahl in verschiedenen Sprachen. (Zeitschr. f. Völkerpsychologie 12 1880, 158—190).

12. 13. V e r s t e h e n. Trier, Jost, Der dt. Wortschatz im Sinnbezirk des Verstandes. I. Bis zum Beginn des 13. Jh. German. Bibl. II 31. Heidelberg 1931 Bechtold, H., Die französ. Sprache im Sinnbezirk des Verstandes. Roman. Forsch. 49 1935, 21—280 · Schneider, Theophora, Humilitas, Der intellektuelle Wortschatz Meister Eckeharts. Diss. Münster 1935 = Neue dt. Forschungen. Dt. Philol. 1 (Trier) · F. Scheidweiler, Kunst und List. Zfdt. Altert. 78 1941, 62—87 · Kluoc ebd. 184—233. Die Wortfeldtheorie ebd. 79 1942, 249—272. Dornseiff, List und Kunst, Dt. Vjs. 22 1944, 231—6 · Schöningh, A., Der intellektuelle Wortschatz Luthers in den paulinischen Briefen des Septembertestaments. Diss. Münster 1938 · Hüsgen, Hildegard, Das Intellektualfeld i. d. dt. Arcadia u. ihrem engl. Vorbild (Sidney-Opitz). Diss. Münster 1936 · Fischer, Herm., Der Intellektualwortschatz 17. Jh. im Dt. u. Franz., unters. an Gerzans und Zesens „Sophonisbe". N. dt. Forsch. 171. Diss. Münster 1938 · Woesler, R., Das Bild d. Menschen i. d. englischen Sprache d. älteren Zeit. Neuphil. Mschr. 7 1936, 321 ff., 383 ff. · Loew, E., Die Ausdrücke φροveῖv und νοεῖν bei den Vorsokratikern. PhW 49 1929, 426 ff., 491 ff. · Schottländer, Noῦς als terminus. Hermes 64 1929, 228—42 · Hoffmann, E., Die Sprache und die archaische Logik. Tübingen 1925, 79 S. · Fritz, K. v., Philosophie u. sprachlicher Ausdruck bei Demokrit, Plato u. Aristoteles. New York, Leipzig usw. 1938, 92 S. · Hamecher,· Margarete, Der nominale Wortschatz im Sinnbezirk d. Verstandes bei Hans Vintler. Marburg (Diss.) 1934, 84 S. · Trelle, M., Zwei Feldgefüge im Sinnbezirk d. Verstandes bei Philipp v. Zesen. Diss. Münster 1935, 105 S. · Wood, Understand, guess, think, mean. Modern language notes 14 1899, 257—62 15 1900, 27—31 · Kroesch, The semasiological development of words for perceive, understand, think, know in the older germanic dialects. Modern Philology 8 1910—11, nr. 4 a. 5; auch Diss. Chicago 1911 · verstehen: Hempl, Modern language Notes 14 1929, 465—68.

12. 14. L o g i s c h e s D e n k e n. Vertura, M., Maimonide, Makalafi sanat.'at almantik. Terminologie logique. Paris 1935, 144 S. (avec lexique hebr., arab., gr., lat., all., angl. et fr.).

12. 18. G e s u n d e r M e n s c h e n v e r s t a n d. Flasche, H., Die begriffl. Entwicklung des Wortes ratio und seiner Ableitungen im Französischen bis 1500. Lpz. roman. Studien I 10. Leipzig-Paris 1936, 275 S. · Fritz, K. von, The terminus voῦς in the presocratic philosophie, Cl. Ph. 1945, 223 ff. und 1946, 12 ff.

12. 19. U n l o g i k. absurdus: Gandiglio, Riv. indo-greco-italica 3 1919, 89.

12. 21. S c h ö p f e r t u m. Genie: Ingerslev, Fred, G. u. sinnverwandte Ausdrücke in den Schriften F. Schlegels. Berlin 1927 · Weinberger, Phil. Ws. 49 1929, 398 ff. · Wolf, H., Versuch einer Geschichte des Geniebegriffes I. Heidelberg 1923; auch Dt. Vierteljahrsschr. 3 1925, 401—430 · Zilsel, Der Geniebegriff. Tübingen 1926. Smith, L. P., Four romantic words. S. P. E. Tracts 1924 = Words and Idioms, London 1925, 66 ff. · Rose, On the original significance of the Genius. Class. Quarterly 17 1923, 57 ff. · Thüme, H., Beiträge zur Geschichte des Geniebegriffs in England. Diss. Hamburg. Halle 1927, 102 S. = Studien z. engl. Philologie 71 Rosenthal, B., Der Geniebegriff des Aufklärungszeitalters. Berlin 1933, 215 S. = Germ. Stud. 138 · Zumthor-Sommer, Zrom. Philol. 66 1951, 170—201

12. 22. A n s i c h t. W e l t a n s c h a u u n g : Götze, Euphorion 25 1924, 42 ff. Dahinten, Kurt, Die Verbalausdrücke für den Begriff des Glaubens im Lat. Diss. Jena 1930.

12. 26. W a h r h e i t. v. Soden, Hans, Was ist Wahrheit? Marburger akad. Reden 1927 · Storz, Gebrauch und Bedeutungsentwicklung von ἀλήθεια und begriffsverwandten Wörtern vor Platon. Diss. Tübingen 1922; dazu Nestle, PhW. 48 1928, 67 ff. · Wißmann, W., Nomina postverbalia. KZ Erg.-Heft 11 1932, 115—121 · Luther, W., „Wahrheit" und „Lüge" im ältesten Griechentum. Diss. Göttingen 1935, 178 S.

12. 28. W a h n. unwirklich: Polle, F., Wie bezeichneten die alten Griechen den Witz? / Luftschlösserbaukunst / Nichts. Leipzig 1896 ⁋ Ehrensperger, E. C., Dream words in Old and Middle English. (Publ. Mod. Lang. Ass. 46 1931, 1 ff.) (Traum, träumen.)

12. 32. K e n n t n i s. Trier, Die Worte des Wissens. Mitt. Universitätsbund Marburg 1931, 33—40 · Sprachliche Felder, Ztschr. f. dt. Bildung 8 1932, 417—427 · Kroesch, Collitz-Festschrift 1930, 176—189 · Snell, Die Ausdrücke für den Begriff des Wissens. Philol. Unters. 29. Berlin 1924. Keuck, Historia. Diss. Münster 1934 · Schaerer, René, ἐπιστήμη et τέχνη. Mâcon 1930 · Schroepfer, I., Die altindischen Ausdrücke für aufmerken, wahrnehmen und erkennen, Diss. Prag 1934.

12. 33. L e h r e n. b i l d e n. Zamborn, Angela: Διδασκαλικαί Aegyptus 15 1935, 3—66 · Schaarschmidt, Diss. Königsberg 1931 · Hehlmann, W., Pädagogisches Wörterbuch. ²Leipzig 1941. 482 S.

12. 36. S c h u l e. Manuwaldt. Σχολή, σχολαστικός. Diss. Freiburg i. B. 1924 · Nyström, S., Die dt. Schulterminologie in der Periode 1300—1740. I. Helsingfors 1915 · Rink, J., Die Kirche, die Schule und die Gebildeten im Wortschatz der Koschneider. Koschneider-Bücher 20. Sonderabdruck aus: Deutsche Monatshefte in Polen 1937. Danzig, Rink 1937, 15 S. · Esau, G., Glossae ad rem librariam et institutionem scholasticam pertinentes. Diss. Marburg 1914 · Götze, GRM 17 1929, 161 ff. ⁋ Akademie: Heigel, Rede. München 1911 · Immisch, Akademia. Freiburg 1924 · Oostrum, O. van, Holalands Medium. Engels-hollandse schoolterminologie. Kaapstad 1916, 141 S. · Voegelein, L. B., List of educational subject headings. Columbia 1930. 350 S. · Pettus, C., Subject headings in education. A systematic list for use in a dictionary catalog. New York 1938, 14, 188 S., 4° · Odell, C. W., A glossary of 300 educational terms used in educational measurement and research. Urbana 1928, 68 S. (Univ. Ill. Coll. Educ. Research. Bull.) · Studentensprache: Kluge, F., Dt. Studentensprache. Straßburg 1895 · Kudleben, Studentensprache-Lexikon. Halle 1781, Neudruck Leipzig 1899 · Dienst, A., Untersuchungen z. akademischen Berufssprache in England. Diss. Gießen 1937, 90 S.

12. 39. G e d ä c h t n i s. Tobler, par coeur, SBBerlin 1904, 1272 ff.

12. 40. V e r g e s s e n. Lerch, E., Zerstreutheit. Arch. f. d. ges. Psychol. 3 1942—3, 388—460.

12. 43. V o r h e r s a g u n g. Mantik: Pfister, F., Oberdt. Ztschr. f. Volksk. 1935 · Fascher, E., Προφήτης. Eine sprach- u. religionsgesch. Unters. Gießen 1927.

12. 52. K l u g h e i t. Trier, Die Idee der Klugheit in ihrer sprachlichen Entfaltung. Zs. f. Deutschkunde 46 1932, 625 ff. (zu discretus s. unter 11. 47) · Mohr, A., Die intellektuelle Einschätzung des Menschen in der Mundart des Amtes Drolshagen im Sauerland. Diss. Münster 1939 (Trier) ⁋ Talent: Lerch, Neuere Sprachen 4 1933, 410—20 · Ovidio, F. d.', „Talento" nei suoi varii valori lessicali. Memoria. Napoli 1897, 29 S. (Soc. reale Atti. Vol. 29) · Kroesch, The semantic development of old english 'craeft'. Mod. Philology 26 1928, 433—43. Ingerslev, Genie und sinnverwandte Ausdrücke bei Fr. Schlegel, Breslau 1926.

12. 54. F r e i e r G e i s t. Kosmopolit: Mewaldt, Die Antike 2 1926, 177 ff. · Dornseiff, Dt. Dantejahrb. 10 1928, 212 ff. · Hazard, Mélanges Baldensperger. Paris 1930.

12. 56. D u m m. Berliner Nachtausgabe 16. 4. 31 · Mohr, A., Die intellektuelle Einschätzung des Menschen in der Mundart des Amtes Drolshagen im Sauerland. Schriften Volksk. Kommission 3. Münster 1939, 81 S. · Radermacher, Motiv und Persönlichkeit. I. Margites. Rhein. Mus. 63 1908, 445 ff. · Sueton Περί βλασφημιῶν Miller, Mélanges 421 f. · Zielinski, Th., Quaestiones Comicae (1886) in Eiresione I. Lemberg 1931, 107 ff. Pollux 5, 120 ff. · Opitz, Volkskundliches zur ant. Dichtung, bes. zum Margites. Progr. Albertgymnasium Leipzig 1909 · Cramer, F., ZromPh. 54 1934, 721—9 ⁋ Kretinismus: Rochholz, Zs. f. dt. Phil. 3 1871, 331 ff.

12. 57. V e r r ü c k t. Büttner, W., Fränkische Volksmedizin = Fränkische Forschungen 6. Diss. Erlangen 1935 · Riegler, Tiernamen als Bez. von Geistesstörungen. WuS. 7 1921, 129 ff. · Zabel, H. E., The semantic development of words for mental aberration in German. (Borna, Leipzig) 1922, 64 S. (Diss. Chicago.) · Tuke, D. H., A dictionary of psychological medecine. 2 Bde. London 1892, 1490 S. · Koehm, J., Zur Auffassung und Darstellung des Wahnsinns im klass. Altertum. Progr. Mainz 1928 · Teuffel zu Horaz sat. 2, 3 · O'Brien-Moore, A., Madness in anc. literature. Diss. Princeton 1924, 228 S. · Paschall, Dorothy Max, The vocabulary of mental aberration in Roman comedy and Petronius. Language diss. 27. Baltimore 1939 · Hutchings, R. H., A psychiatric word book. 3. ed. Utica, N. Y. 1930, 162 S. · Birnbaum, K., Handwb. der medizinischen Psychologie. Leipzig 1930.

13. Zeichen. Mitteilung. Sprache

13. 1. Z e i c h e n. De la Tour, Ch., Langage des fleurs. Paris, Garnier ⁋ läuten: Kretschmer S. 284 ff. · Ecker, H. u. Schuchardt, Die roman. Namen der Glocke. ZrPh. 24 1900, 566—499 · Müri, Symbolon. Diss. Bern 1931; dazu Debrunner IF. 49 1931, 247 ff. ⁋ *Heraldik.* v. Querfurth, C. O., Kritisches Wörterbuch der heraldischen Terminologie. Nördlingen 1872 · Gritzner, M., Handbuch d. heraldischen Terminologie in 12 Sprachen. Nürnberg 1890 · [Parker, J.], Glossary of terms used in heraldry. London 1894 · Guelfi, G., Vocabolario araldico ad uso degli italiani. Mailand 1897, 294 S. · Ortleb, A. und G., Kleines heraldisches Lexikon. Kahla 1901, 114, 48 S. ill. (Term.) · Neubecker, O., Deutsch und Französisch f. Heraldiker. Berlin 1934, 72 S. (Wörterb.) · Fletwood, H., Handbok i svensk heraldik. Stockholm 1917, 105 S. ill. (alphab.) · Haenisch, Chinesische Ladenschilder. (Jubiläumsband d. dt. Ges. f. Natur- und Völkerkunde Ostasiens in Tokyo 1933.)

13. 2. M i t t e i l u n g (P o s t, T e l e g r a p h, R a d i o). Wirkberg, J., Recueil polyglotte des expressions postales. Helsingfors 1902, 96 S. (8 Sprachen) · Kausch, O., Die Sprachwissenschaft in d. Briefmarkenkunde. 3. Aufl. Leipzig 1894, 248 S. · Dictionary of philatelic terms and phrases. London 1910, 168 S. · Vocabulaire téléphonique intern. en 7 langues. Paris 1931, 386 S. · Viard, H., Vocabulaire en cinq langues (télégraphie et téléphonie sans fils). Paris 1920, 109 S. · Weinbender, Rundfunkdeutsch, Jahrb. d. dt. Sprache 2 1944, 214—38 · Feder & Nordin, Internaciona Radio-Lexiko en Ido, Ger., Ang., Fr., It. e His. Stockholm 1924, 260 S. Sv. Suppl. v. Ahlberg. 1925, 16 S. · Günther, Hanns (W. de Haar), Fünfsprachenwörterbuch f. Radioamateure. Stuttgart 1925, 319 S. (Dt., Fr., It., Sp. in 1 Alph.) · Derselbe und Heinz Richter, Lexikon der Funktechnik. Stuttgart, Franckh 1943 · Litvinenko, A. S., Dictionary of radio terminology in the English, German, French and Russian languages. Moscow 1937, 558 S.

13. 12. S p r e c h e n. Meillet, Bull. Soc. Ling. 20 1916, 28—31 · Grünfeld, Zur gotischen Synonymik I. Progr. Karolinenthal 1909—1910 · Christian, V., Wiener

Ztschr. f. Kunde des Morgenlandes 29, 1917, Heft 3 f. · Berliner Nachtausgabe 9. 4. 31 · Buck, Words of speaking and saying in the European languages. Am. Journ. of Philol. 36 1915, 1 ff., 125 ff. · Wolff, L., Zs. f. dt. Altert. 1930, 263 ff. · Bréal, Les mots signifiant parler. Revue des études grecques 14 1901, 113—121 . Fournier, Henri, Les verbes 'dire' en grec ancien. Paris 1946, Klincksieck. 234 S. = Collection linguistique 51 · Davis, E. P., The semasiology of verbs of talking and saying in the High German dialects. Diss. Chicago 1925, 51 S. · Forest, J. H. de, On the use of Japanese verbs of saying, speaking, telling etc. with their related nouns. 2. ed. Tokio 1900, 20 S. · Brandstetter, R., Wir Menschen der indonesischen Erde III. Das Sprechen und die Sprache im Spiegel· der indonesischen Idiome und Literaturen. Luzern 1931, 35 S.

13. 21. B e r e d s a m k e i t. Benz, Thesaurus vocabularii rhetorici elocutionis oratoriae graeco-latinus. Basel 1581 u. ö. · Kelle, Die rhetor. Kunstausdrücke bei Notker. Ztschr. f. dt. Philol. 20 1887, 131 ff. · Ernesti, Lexicon technologiae Graecorum rhetoricae. Leipzig 1795 · Ders., Latinorum ebd. 1797 · Svendsen, A., Zum Gebrauch der erzählenden Tempora im Griechischen. Diss. Lund 1930 · Causeret, Étude sur la langue de la rhétorique et de la critique littéraire dans Cicéron. Paris 1886 · Lexicon rhetoricum Cantabrigiense ed. Houtsma, E. O. Leyden 1870, 79 S. · Bruhn, H., Specimen vocabularii ehrtorici ad inferioris aetatis latinitatem pertinens. Diss. Marburg 1911 · Holmberg, A., Studien zur Terminologie und Technik der rhetorischen Beweisführung bei lateinischen Schriftstellern. Upsala 1913, 224 S.

13. 22. S c h w a t z e n. Sommermeier, Magdeburgische Zeitung 1931, Nr. 79, 9. Februar · Weise, Z. f. dt. Unterr. 19 1905, 518 · H. Thiess, Schwätzen, Zs. f. Mundartf. 11 1935, 168 ff.

13. 24. A n r e d e. Ehrismann, Duzen und Ihrzen im MA. Ztschr. f. dt. Wortf. 1 1901, 117 ff. · Krüger, Die Anrede im Mittelniederdt. Diss. Greifswald 1924.

13. 28. B e j a h e n. v. Arnim, SBWien 1912 · Warburg, Max, Zwei Fragen zum Kratylos. Neue philol. Unters. 5. Berlin 1929 · Steinitz, De affirmandi particulis latinis I. Profecto 1885.

13. 29. V e r n e i n u n g. Zingerle, Über die bildliche Verstärkung der Negation bei mhd. Dichtern. SBWien 39 1862, 414 · Prantl, Über die Sprachmittel der Negation. SBMünchen 1869 · Jespersen, O., Negation in English and other Languages. Kopenhagen 1917 (Videnskabernes selskab). Language 250 f. · Mensing, O., Zur Geschichte d. volkst. Verneinung. ZdtPh. 61 1936, 343—80. Zobel, Die Verneinung im Schlesischen. Wort und Brauch 17—18 1928 · Bohner, Die Negation bei Goethe. Zs. f. dt. Wortf. 6 1904—05 · Clédat, Les formules negatives. Revue de philosophie 16, 189 ff. · Horn in Anglica, Palästra 147 1925, 1 ff. · Wackernagel, J., Vorlesungen über Syntax II. Basel 1924, S. 248—312 · Stegmann, Die Negationen bei Plutarch. Progr. Geestemünde 1882 · Löbe, De negationum trimembrium usu tragico. Diss. Bonn 1907.

13. 31. G r a m m a t i k. Schmitt, A., Probe eines Wörterbuches der sprachwiss. Terminologie. Idg. Forsch. 51 1933 Beiheft · Marouzeau, Lexique de la terminologie lingustique. Paris 1933, 205 S. · Weisgerber, L., Das Wörterbuch d. sprachwiss. Terminologie. (Beiheft zu d. Idg. Forsch. 51 1933, 5 ff.) · Hennesy, J. A., The dictionary of grammar. 3. ed. New York and London 1917, 152 S. · Batyrmurzaev, A. N., i Isljamov, A., (Russ.-tatar. Fachwörterbuch d. Sprache u. Sprachwissenschaft.) Simferopol 1936, 27 S. (vgl. Idg. Jahrb. 23, 77) · Oriental advisory committee. Report on the terminology and classification of grammar. Oxford 1920, 38 S. (Ind. Fachausdr.) ❡ grammatische Terminologie: Vortisch, Diss.

Freiburg 1911 · Leser, E., Diss. Freiburg 1912 und: Ztschr. f. dt. Wortf. 15 1913/14 ·
Levias, C., Wörterbuch der hebräischen philol. Terminologie. Leipzig 1914 ℂ Die
griech. Kasusnamen: Sittig, Tübinger Beiträge 13 1931 · Job, L., De grammaticis
vocabulis apud Latinos. Thèse Paris 1893 · Monlau, F., Vocabulario grammatical
de la lengua castellana . . . voces técnicas con ejémplos. Madrid 1870, 284 S. ·
Durnovo, N. N. (Grammatisches Wörterbuch. Grammatische und sprachwissenschaftliche Ausdrücke). Moskau 1924, 154 S. (Russisch).
13. 38. S t i l a r t e n. Düntzer, H., Über die Namen d. Stilarten bei d. Römern
(Z. f. d. Gymnasialw. 31 1877, 401—32).
13. 50. S c h w ö r e n. Blaszcak, Götteranrufung und Beteuerung I. Diss. Breslau
1932 (im Griech.) · Werres, Jos., Die Beteuerungsformeln der att. Komödie. Diss.
Bonn 1936.
13. 51. L ü g e. s c h w i n d e l n. Kluge, Zs. dt. Sprachvereins 12 1897, 20 f. ·
Mentz, Paul-Braunes Beitr. 51 1927, 300 ff. · H. Frisk, Hjalmar, „Wahrheit" und
„Lüge" in den idg. Sprachen, Göteborg Aarsskrift 41 1935 Heft 3 · Jud, Vox
Rom. 11 1950, 101—124.
13. 52. Ü b e r t r e i b u n g (zu hoher Grad): Johannisson, T., Verbal och postverbal
Partikelkomposition i de germanska språken Lund 1939.

14. Dichtung · Schrifttum

L i t e r a t u r. v. Schönaich, Chr. O., Neologisches Wörterbuch oder die ganze
Ästhetik in einer Nuß (1754). Neudruck von Köster · Dang, Helmut, Die kritischen
Beiwörter der lit. Kritik im 18. Jh. Diss. Gießen 1924 · Goethe, Urteilsworte
französischer Kritiker · Sawicki, Stan., Gottfried v. Straßburg und die Poetik des
MA. German. Stud. Ebering 124 1932 · Röhl, H., Wörterbuch zur deutschen Lite-
ratur. 2. verm. Aufl. Berlin und Leipzig 1931, 279 S. · Merker-Stammler, Reallexikon der dt. Literaturgeschichte. Berlin u. Leipzig 1925—31 · Bray, J. W.,
A history of English critical terms. Boston 1898, 345 S. · Clark, D. L., Rhetoric
and poetry in the Renaissance. A study of rhetorical terms in English Renaissance
literary criticism. Diss. New York 1922, 166 S. — London 1924, 166 S. · Loane,
G. G., A short dictionary of literary terms. London 1923, 195 S. · Geigenmüller, P.,
Quaestiones Dionysianae de vocabulis artis criticae. Diss. Leipzig 1908.
14. 2. D i c h t u n g. Schwietering, Singen und sagen. Diss. Göttingen 1908.
Thurau, G., desgl. Berlin 1912 ℂ vates: Runes, M., Festschr. f. Kretschmer. Berlin
1926, 202—16 · Maas, A., Poet und seine Sippe. Diss. Straßburg 1905 · Snell,
Aischylos. Philol. Suppl. 20, 1 1928, 11, 31 a . · Ammann, H., Bl. f. dt. Philosophie 4
1930, 89 ff. ℂ Dichtung: Eckert, G., Die altfrz. Bezeichnungen für Dichtarten.
Diss. Heidelberg 1895 · Dornseiff, Pindars Stil. Berlin 1921, 57 ff. · Fränkel, H.,
NGG 1930, 154 ff. · Barta, Über die auf die Dichtkunst bez. Ausdrücke bei den
römischen Dichtern. I. II. Progr. Linz 1889—90 · E. R. Curtius, Europ.
Literatur und lat. Mittelalter, Bern 1948, 464 ff. ℂ Romanze, romantisch:
Friedländer-Wissowa, Röm. Sittengeschichte IV⁹, 176 ff. · Smith, P. L., Words
and Idioms. London 1925, 66 ff. · Ullmann, R. und Hel. Gotthard, Gesch. des
Begriffes „Romantisch" in Dld. (bis 1830). Berlin 1927, 378 S. · Baldensperger, F.,
„Romantique", ses analogues et ses équivalents. Tableau synoptique de 1650 à
1810. Cambridge USA 1937, 105 S. · Schroeder, Nomenclator metricus. Alpha-
betisch geordnete Terminologie der griechischen Versdichtung. Heidelberg 1929,
47 S. · Untermeyer, L., The forms of poetry. A pocket dictionary of verse. New
York 1926, 166 S. 2. (rev.) ed. London 1927 · Thrall, W. F. and Hibbard, A.,

A. handbook to literature . . . English and American. 1936, 579 S. (alph. Terms. Periods, Types, Forms) · Plate, O., Die Kunstausdrücke der Meistersinger. (Straßburger Studien 3 1887, 147—237) · Kuhlmann, G., De poetae•et poematis Graecorum appellationibus. Marburg (Diss.) 1906, 39 S. · Messerschmidt, L., Über franz. „belesprit". E. wortgeschichtl. Studie. Gießen 1922, 64 S. Diss. Gießen · Kellner, Paula, Die Theorie d. Lyrik in ihrer Terminologie. (Bausteine 1 1906, 353—96) · Hoops, R., Der Begriff „Romance" in d. mittelengl. u. frühneuengl. Literatur. Heidelberg 1929, 98 S. · Braune, W., Reim u. Vers. E. wortgeschichtl. Untersuchung. Heidelberg 1916, 41 S. · Törnqvist, N., Zur Geschichte des Wortes Reim. Lund 1935, 65 S. · Holmann, E., Qua ratione ἔπος,μῦθος,αἶνος,λόγος et vocabula ab eisdem stirpibus derivata in antiquo Graecorum sermone (usque ad annum fere 400) adhibita sint. Göttingen. Diss. 1922, 123 S. · Hirsch, A., Der Gattungsbegriff „Novelle". Berlin 1928 · Voelker, P., Die Bedeutungsentwicklung d. Wortes Roman. Diss. Halle 1887, 41 S. (auch in Z. f. rom. Phil. 10 18, 485—525).

14. 3. D r a m a. Wedekind, F., Schauspielkunst. Ein Glossarium. München 1910, 52 S. · Jonas, M., Shakespeare and the stage: with a complete list of theatrical terms, used by Shakespeare. London 1918, 406 S. · Trier, J., Spiel. Beitr. Gesch. dt. Spr.Lit. 69 1947, 419—62 ❡ Theater: Bouchard, A., La langue theatrale. Paris 1879, 391 S. · Vocadlo, O., Casopis pro moderni filologii a literatury. Prag 17 1931, 329—43 · Scherling, σκηνή. Diss. Marburg 1906 · Winkler, E., Zur Geschichte d. Begriffs „Comédie" in Frankreich. Heidelberg 1937, 31 S. · Schild, K. A., Die Bezeichnungen d. deutschen Dramen v. den Anfängen bis 1740. (Gießener Beiträge z. dt. Philol. 12 1925, 1—42) · Fay, W. G., A short glossary of theatrical terms. London 1930, 32 S. · Werner, H., Metaphern u. Gleichnisse aus d. griech. Theaterwesen. Zürich. Diss. 1915, 92 S. · Rohr, Ursula, Der Theaterjargon. Diss. Berlin 1951.

14. 5. S c h r i f t. Christian, V., Die Namen der assyrisch-babylonischen Keilschriftzeichen. Leipzig 1913, 113 S.

14. 7. L e s e n. Chantraine, Mél. Grégoire, Brüssel 1949, II, 115—126.

14. 11. B u c h w e s e n. Moth, A., Glossary of Library terms. Boston 1915 (für 9 Sprachen) · Pinto, O., Termini d'uso nelle bibliografie dei periodici. Roma 1929. Primo Congresso mondiale delle biblioteche e di bibliografia · Sprockhoff, E., De libri, voluminis, βιβλου sive βιβλίου vocabulorum apud Gellium Ciceronem Athenaeum usurpatione. Diss. Marburg 1908 · Eisler, Rob., Journ. Royal Asiat. Soc. 1923, 70 ff. · Schumrick, Oberservationes ad rem librariam pertinentes de σύνταξι ς σύνταγμα, πραγματεία, ὑπόμνημα vocabulis. Diss. Marburg 1909 · Moth, A., Technical terms used in bibliographies and by the book and printing trades. Boston 1915, 263 S. · Dahl, S., Forsøg til en Ordbog for Bogsamlere. København 1919. 122 S., 3 Taf. · Mézer, A. V. (Lexikon d. Buchwissenschaft). Leningrad 1924, 926 S. (russ.) · Collins, F. H. a. o., Authors' and printers' dictionary. 6. ed. rev. London 1928, 405 S. · Cowles, B., Bibliographers' glossary ·of foreign words and phrases . . . from twenty languages. ·New York 1933, 82 S. 4° · Harrod, L. M., The librarians' glossary. Terms used in librarianship and the bookcrafts. London 1938, 76 S. ❡ *Buchgewerbe*. Rust, Werner, Lateinische und griechische Fachwörter des Buch- und Schriftwesens. Leipzig 1950. 69 S. Säuberlich, Otto, Obralwörterbuch. Buchgewerblich-graphisches Taschenlexikon 1927, ²1950 Leipzig, Brandstetter · Labarre, E. J., A dictionary of paper and papermaking terms. Amsterdam 1937, Swets und Zeitlinger · Vocabulaire technique de l'éditeur en 7 langues. Berne 1913 · Hellwig, W., Wörterbuch d. Fachausdrücke d. Buch- u. Papiergewerbes. In dt., engl., fr., it., sp., nl. u. schw. Spr. 2. verm. Aufl. Frankfurt a. M. 1926, 295 S. · Lewis, L., Kleines berufliches Lexikon. Mit ABC der Buch-

druckersprache. Folge 2. Leipzig, Bibliographisches Institut 1938 · Chautard, E., Glossaire typographique, comprenant les mots classiques, ceux du langage ouvrier . . . Paris 1937, 159 S. · Jahm, H. (comp.), The dictionary of graphic arts terms. Chicago 1928, 312 S. · Singer, H. W., Die Fachausdrücke d. Graphik. Ein Handlexikon. Leipzig 1933, 166 S. · Kersten, P., Wörterbuch d. Fachausdrücke in d. Buchbinderei. Fr.-dt. u. dt.-fr. Halle 1937, 26 S.

15. Kunst. Archäologie

15. 1.—9. K u n s t. Réau, L., Dictionnaire illustré d'art et d'archéologie. Paris 1930, 488 S. ill. (franz. Termini) · Réau, Louis, Lexique polyglotte des termes d'art et d'archéologie. Paris 1928, Laurens · Vollmer, Kunstgeschichtliches Wörterbuch. Leipzig, Teubner 1928 · Jahn, J., Wörterbuch d. Kunst⁴. Stuttgart 1957. 730 S. (Kröners Taschenausg.) · Schmitt, Otto †, Reallexikon z. deutschen Kunstgeschichte. Stuttgart 1937 ff. · Hartwig, Dora, Der Wortschatz d. Plastik im franz. Mittelalter. Diss. München 1936, 92 S. · Bucher, B., Real-Lexikon d. Kunstgewerbe. Wien 1884, 487 S. · Bosc, Dictionnaire de l'art, de la curiosité et du bibelot. Paris 1883. (mit Table analytique et synoptique) ¶ *Archäologie.* H. A. Müller und Mothes. Illustriertes archäologisches Wörterbuch der Kunst des germanischen Altertums, des Mittelalters und der Renaissance. 2 Bde, Leipzig und Berlin 1877 · Norman, A., Glossary of archaeology excluding architecture and ecclesiology. 2 vols. London [1915], ill. · Gay, V. et Stein, H., Glossaire archéologique du moyen-âge et de la Renaissance. 2 vol. Paris 1887—1927 · Heikel, O. (Finnisch-archäologisches Wörterbuch). Helsingfors 1885, 56 S. (finnisch) · Čelāl Es'ad, San'at Qamusy. Konstantinopel 1340/41 [1926], 269 S. (fr.-türk. u. türk.-fr.). (S. Dt. Lit.zt. 1928, 173) · Pugin, A. W., Glossary of ecclesiastical ornament and costume . . . Enl. a. rev. by B. Smith. 3. ed. London 1868, 245 S. ill. 73 farb. Taf. · Witting, F., Die antike Kunstsprache. Straßburg 1913, 68 S. (lat.-dt.) · Otte, H., Archäologisches Wörterbuch z. Erklärung d. in Schriften über christliche Kunst-Archäologie vorkomm. Kunstausdrücke. Dt., Lat., Fr. u. Engl. 2. erw. Aufl. Leipzig 1877, 488 S. ill. · Singer, H. W., Die Fachausdrücke der Graphik. (Hiersemanns Handbücher 13.) Leipzig 1933, 166 S.
15. 3. S t i l. Wallach, Diss. Würzburg 1920 · Noack, H., Diss. Hamburg 1923 · Kainz, Zs. f. Deutschkunde 41 1927, 114 ff.
15. 8. P h o t o g r a p h i e. Pfaundler, L. de, Internationales photograph. Lexikon in Ido, Deutsch, Engl., Fr. u. Ital. Jena 1914, 30 S. · Mehrsprachiges Wörterbuch f. Photogrammetrie. Dt., engl., fr., it., sp. Bad Liebenwerda 1934, 128 S.
15. 9. K i n o. Weinbender, Johannes, Filmdeutsch, in: Jahrb. d. dt. Sprache 2 1944, 204—213 · Cauda, E., Dizionario poliglotta della cinematografia: tedesca, ingl., fr., it. Città di Castello 1936, 467 S., 400 Abb.
15. 10.—17. M u s i k. Baker, Th., Dictionary of musical terms. 5. ed. New York 1913. [Wohl größtes musikterminol. Lex.: engl., franz., deutsch, it., lat., griech.] · Uhl, Lotte, Alberus und die Musik. Gießener Beiträge 47 1937. · Pulver, J., Dictionary of old English music and musical instruments. London 1923, 247 S. · Padelford, F. M., Old English musical terms. Bonner Beiträge zur Anglistik 4 1899 · Schade, G., Musik und Musikausdrücke in der mittelenglischen Literatur. Diss. Gießen 1911 · Gouget, E., L'argot musical. Curiosités anecdotiques et philologiques. Paris 1892, 431 S. · Sardá, A., Léxico tecnológico musical en varios idiomas. Madrid 1929, 293 S. · Rougnon, P., Dictionnaire général de l'art musical. Les mots, leur origine, leurs sens. Paris 1935, 386 S. · Stieglitz, Olga v., Die sprach-

lichen Hilfsmittel f. Verständnis u. Wiedergabe v. Tonwerken. (Z. f. Ästhetik 1 1906, 249—75, 366—410.) (Die musiktheoret. Term.) · Kothe, B., Musikalischliturgisches Wörterbuch. Breslau 1890, 167 S. · Langdon, St., Babylonian and Hebrew musical terms. (Journ. R. Asiat. Soc. 1921, 169—91) · Galpin, F. W., The music of the Sumerians and their. immediate successors, the Babylonians and Assyrians. Cambridge, London 1937. 15, 110 S., 12 Taf., 4^0 (beinahe die Hälfte sprachlich) · Tinctor, J., Terminorum musicae diffinitorium (c. 1475) · Deutsche Übers. v. H. Bellermann in Chrysanders Jahrbuch 1863 · Appel, M., Terminologie in d. mittelalterlichen Musiktraktaten. Diss. Berlin 1935, 109 S. · Biagioni, L., Italienische Musikterminologie in dt. Übertragung. Köln 1929, 100 S. · Bürker, Josefine, Einfluß d. Musik auf d. engl. Wortschatz im 16. u. 17. Jahrh. Diss. Köln 1926 · Wulff, K., „Musik" und „Freude" im Chinesischen. København 1935, 39 S. (Vid. Selsk. Hist. fil. Medd. 21. 2).

15. 15. M u s i k i n s t r u m e n t e. Draeger, Hans Heinz, Prinzip einer Systematik der Musikinstrumente. Berlin 1945 · Fryklund, Daniel, Vergl. Studien über die dt. Ausdrücke, die Musikinstrument bedeuten. Upsala 1910 · Dick, F., Bez. f. Saiten- und Schlaginstrumente i. d. altfranz. Literatur. (Gießener Beitr. z. roman. Philol. 25 1932) · Brücker, Fr., Die Blasinstrumente i. d. altfranzös. Lit. Diss. Gießen 1926 · Sachs, E., Reallexikon der Musikinstrumente. Berlin 1913 · Trede, D., Die Musikinstrumente in den höfischen Epen. Diss. Greifswald 1933 ❡ *Radio:* s. zu 13. 2. · Berliner Nachtausgabe 23. 4. 31.

16. Gesellschaft und Gemeinschaft

16. 3. E i n z e l p e r s o n. Kieckers, Ich in den idg. Sprachen. Idg. Forsch. 38 1920 ❡ *persona:* Altheim, Arch. f. Rel.-Wiss. 27 1929, 38 ff. · Hirzel, R., Die Person. Begriff u. Name derselben im Altertum. Sitzber. d. Ak. München 1914, 54 S. · Rheinfelder, H., Das Wort persona. Geschichte seiner Bedeutungen m. bes. Berücks. d. franz. u. ital. Mittelalters. Halle 1928. 13, 200 S. = Zs. f. roman. Philol. Beih. 77 1928, dazu Spitzer, Litbl. 50 1929, 26 ff.

16. 5. F r e m d e r. *Gast-hostis:* Schroeder, Zs. f. dt. Philol. 56 1931, 385 S.

16. 8. U m z u g s t a g. Die Bezeichnungen verdankte ich dem Atlas für deutsche Volkskunde. Berlin, Schloß 1934.

16. 9. V e r w a n d t s c h a f t. Deecke, Die dt. Verwandtschaftsnamen. Weimar 1870 · Schoof, Die dt. Verwandtschaftsnamen. Zs. f. dt. Mundarten 1 1900, 193 ff. = Diss. Marburg · Marbach, Die Bezeichnungen für Blutsverwandte. Imago 12 1926, 478 ff. · Koppensteiner, R., Wortschatz für Sippenforscher 1939, 78 S. · Morgan, L. H., Systems of consanguinity (für 139 Sprachen). Washington, Smithsonian Institution 1871 · Pott, Etymologische Forschungen II, 1861, 96—182 · Delbrück, Die idg. Verwandtschaftsnamen. Abh. sächs. Ges. 1889 · Westermarck, E., The classificatory system of relationship. (The history of human marriage. 5. ed., Vol. 1, Ch. 7, S. 236—74) · Imbert, J., Les termes de parenté dans les inscriptions lyciennes. (Mém. de la Soc. de Ling. 8 1895, 449—72) · Dittrich, M., Aristophanes v. Byzanz, Bücher über d. Verwandtschaftsnamen u. d. Benennungen d. Lebensalters. (Philologus 1 1846, 225—59) · Chantraine, Noms du mari et de la femme, du père et de la mère en grec. REtgr. 59/60 1946—7, 219—50 · Köhn, J., Altlateinische Forschungen. Leipzig 1905, 221 S. (Wesentlich eine statist. Zusammenst. d. Familien- u. Verw.wörter im alten Latein) ❡ *Griechisch:* Pollux, Buch 2 · Wackernagel, Festgabe für Andreas. Leipzig 1916, 1 ff. · Festgabe für Kaegi, Frauenfeld 1919, 40 ff. · Oekonomos, RevEtGrecques 48 1935, 393—413 ❡ Tappolet, Die romanischen Ver-

wandtschaftsnamen. Diss. Zürich 1895 · Wagner, Studien über den sardischen Wortschatz. Bibl. Arch. Roman. 16 1930 I, Familie ℭ Campbell, Chr., The names of relationship in English. Diss. Straßburg 1906 · Mezger, Herrigs Archiv 160 1931, 9—32 (engl.) · Beysel, Die Namen der Blutsverwandtschaft im Englischen. (Gießener Beiträge 3 1937, 89 ff.) · Voltmer, B., Die mittelenglische Terminologie der ritterlichen Verwandtschafts- und Standesverhältnisse nach den höfischen Epen und Romanen des 13. u. 14. Jahrhunderts. Diss. Kiel 1911 ℭ Radin, M., Gens, familia, stirps. Class. Philology 9 1914, 235—47 · Schrader, O., Über Bezeichnungen der Heiratsverwandtschaft bei den idg. Völkern. IF 19 1906, 377 ff. · Hermann, Ed., Sachliches und Sprachliches zur idg. Großfamilie. NGG 1918, 205 ff.; dazu A. Zimmermann, Ws. f. klass. Philol. 37 1920, 57 · Gifford, E. W., Californian kinship terminologies. Berkeley 1922 285 S. (University of California) · *Familie:* Cohen, M., Genou famille force, dans le domaine chamitosemitique. Nouvelles Études nordafricaines et orientales 1 1928, 203—10.

16. 11. E h e. Heirat s. Einleitung S. *50.* Krogmann, WuS. 16 1934, 80 ff. · Magnien, V., Vocabulaire grec refletant les rites du mariage. Mél. Desrousseaux 1937, 293—9 ℭ *Gatte:* Meillet, WuS. 12 1929, 17—19 ℭ *Ehe:* Weisweiler, Streitberg-Festschrift. Heidelberg 1924.

16. 14. E h e b r u c h. *Hahnrei:* Dunger, Germania 29 1884, 59 ff. · *cocu:* Spitzer, Zs. f. franz. Sprache und Lit. 43 1915, 272 · Bonaparte,Marie, Zur Symbolik der Kopftrophäen. Wien 1928.

16. 16. G r u p p e. G e s e l l s c h a f t. S o z i o l o g i e. Walther, Andreas, Gesellschaftliche Gruppen. Arch. f. Sozialw. 68 1932, 286 ff. · Sombart, Die Grundformen des menschlichen Zusammenlebens. Arch. f. Soz.-Wiss. 64 1930, 225 ff. · v. Wiese, Leop., System der allgemeinen Soziologie[2]. München u. Leipzig 1933 · Roß, E. A., Das Buch der Gesellschaft. Übers. Karlsruhe 1926 · Stoltenberg, H. L., Die Vollgruppe. Ztschr. ges. Staatswiss. 83 1927 · Baldinger, Kollektivsuffixe und Kollektivbegriff. Berlin 1950, 350 S. · Bally, Ch., Festschr. für L. Gauchat. Aarau 1926, 68—78 · López Nunez, A., Ensayo de un vocabulario social. Madrid 1911, 211 S. · Bernsdorf u. Bülow, Wörterbuch der Soziologie. (Stuttgart 1955). Syst. Inhaltsübersicht · Bibliographie d. Sozialwissenschaften. Einführung in die systemat. Anordnung d. Jahrg. 1905—36. Berlin 1937, 58 S. (Register m. zirka 3000 Stichwörtern) · Stoltenberg, H. L., Geschichte d. deutschen Gruppenwissenschaft (Soziologie) m. bes. Beachtung ihres Wortschatzes. T. 1. Bis z. Anfang d. 19. Jahrh. Leipzig 1937. 15, 448 S. · Snegirev, I. L. (Materialien z. heutigen sozialökonom. Terminologie in d. Zulu-, Kosa- u. Suto-Sprachen). Moskva, Leningrad 1937 (russ. Tit. in Idg. Jhb. 23 96) · Collitz, Klara H., Propriety in the light of linguistics. (Modern Philology 26 415—26) ℭ *Geschichte:* Rezasco, G., Dizionario des linguaggio italiano storico ed amministrativo. Firenze 1881. 47, 1287 S. · Haberkern, E. u. Wallach, J. F., Hilfswörterbuch f. Historiker. Mittelalter und Neuzeit. Berlin 14 1935; 605 S, 4 (wes. deutsch) · Becker, W. M., Taschenwörterbuch d. Heimatforscher. Darmstadt 1936, 101 S. (Erklärung d. vornehml. in hess. Urkunden gebräuchl. Ausdr.) · Koppensteiner, R., Wortschatz f. d. Sippenforscher. Altes und fremdes Sprachgut aus alten Matrikeln u. Urkunden . Wien 1939, 78 S. · Howells, J. and Edwards, T. J., A handbook of historical terms. London 1931, 56 S. (syst.) · Hewett, W. T. S., Explanation of terms and phrases in english history. London 1902, 40 S. · Klinteen, A. o. Bogren, Märta, Ordlista till historien. Kristianstad 1931, 132 S. · Keber, A., Französisch-deutsches u. dt.-fr. Wörterbuch z. Geogr., Gesch., Culturgesch., Archäologie, Mythologie u. d. verw. Wissenschaften. Dessau 1862, 162 S. · Mertens, M., Historisch-politisches ABC-Buch. Berlin 1907, 216 S. · Har-

bottle, Th. B., Dictionary of historical allusions. London 1903, 306 S. — New ed. 1908, 306 S.

16. 17. G e n o s s e n s c h a f t. Luther, Friedr., Der Jungdeutsche 1925, 23., 25., 19. Juli · Totomianz Internat. Hwb. des Genossenschaftswesens. 2 Bde Berlin 1927—28.

16. 18. V o l k u n d N a t i o n. Heißenbüttel, Diss. Göttingen 1920 (im 10. bis 13. Jh.) · Herold, G., Der Volksbegriff im Sprachschatz des Ahd. und Anddt. Diss. München 1940, 313 S. · Keil, Bruno, Griech. Staatsaltertümer in: Gercke-Norden, Einleitung in die Altertumswissenschaft III². Leipzig 1914 · Dihle, A., λαός,ἔθνος,δῆμος Diss. Göttingen 1946. Müller, Franz Walter, Roman. Forsch. 58—59 1947 (im Französ. — 1450) · Zöllner, E., Die politische Stellung der Völker im Frankenreich. Wien 1950.

16. 19. S t a a t. P o l i t i k. Maußer, O., Staats- und parteipolitischer Wortschatz. In: Der Heimgarten (München) 1933, Nr. 25 vom 17. Juni · Schmitt-Dorotic, C., Politische Theologie. München 1922: alle Begriffe d. modernen Staatslehre sind säkularisierte theologische Begriffe · Goelzer, Arch. lat. med. Aevi 2 1925, 39 f. · Lundborg, R., Statsvetenskapligt konversationslexikon. (Staterne i vår tid I 1923, 49—72) · Dahlberg, G. o. Tingsten, H., Svensk politisk uppslagsbok. Stockholm 1937, 397 S. · Langenfelt, G., Det politiska ordförrådet. (Korrespondens. Hermods Månadstidn 36 1937, 270—87) · Pers., Namn och ökenamn på politiska partier i Sverige. Stockholm 76 S. · Bucher, L., On political terms. (Philol. Soc. Trans. London 1858, 42—62) · Lewis, G. G., Remarks on the use or abuse of some political terms. London 1832. 33, 264 S. · N. ed. Oxford 1877 12, 198 S. · Daly, D., A handy dictionary of Registration terms. Guildford 1905, 50 S. (Engl. Wahlen) · Kellner, L., Zur Geschäftssprache d. engl. Parlaments. (Bausteine I 1906, 420—31) · Bastide, Ch., Notes s. les origines anglaises de notre vocabulaire politique. (Revue d. Sc. pol. 58 1935, 524—43) · Tresch, M., Les institutions politiques et sociales reflétées par l'histoire des mots. (Les Français moderne 5 1937, 55—68) · Smith, E. C., A dictionary of American politics. New York 1924, 496 S. 12° · Swann, H. J., French terminologies in the making. New York 1920. (Hierin u. a. Republican Calendar. Equality. Liberty. Democracy) · Henne, R., Der englische Freiheitsbegriff. Diss. Zürich 1927, 92 S. · Montgomery, H., and Ph. G. Cambray, A dictionary of political phrases and allusions. London 1906, 406 S. · Norton, Ch. L., Political americanisms. A glossary of terms and phrases current at different periods in American politics. New York and London 1890, 135 S.

16. 21. W e r b e n. Lasswell, H. D., Propaganda, in: Encyclopedia of the Social Sciences 12 1933, 521 ff.

16. 25. E r l a u b e n. Dufour, Revue d. Et. greques 27 1914, 130 ff.

16. 29. V e r b o t. Georgiev, Das Verbot in vielen Sprachen. Annuaire Univ. Sofia 31 1934, 88 S. (mit dt. Zusammenfassung).

16. 32. S c h m e i c h e l e i. l o b h u d e l n. Kluge, Zs. f. dt. Wortf. 7 1905, 40.

16. 33. T a d e l. (v. Panzner, L.), Dt. Schimpfwörterbuch. Arnstadt 1839 · Schaible, K. H., Deutsche Stich- und Hiebworte. Straßburg 1879, 91 S. [Scheltwörter und Verfluchungen] · Gruber, Karl, Schelten und Drohungen aus dem Mittelhochdeutschen. Diss. Köln 1928 · Cohn, H., Tiernamen als Schimpfwörter. Progr. Berlin 1910 · Brummküsel, Tausend Worte Marinedeutsch. Wilhelmshaven 1933 · Heinemann, F. K., Das Scheltwort bei Hans Sachs. Gießen, Diss. Teildr. 1929, 48 S. · Schuller, J. K., Zur Kunde siebenb.-sächs. Spottnamen u. Schelten. Hermannstadt 1862, 24 S. · Waschiczek, H., Iglauer Schimpfnamen. Prag 1938, 38 S. · Weinhold, K., Die altdeutschen Verwünschungsformeln. SBBerlin 1895, S. 667 ff. ·

Graves, R., The future of swearing and improper language. London 1936 (Revision of his: Lars Porsena . . . 1927) · Feilberg, H. F., Skældsordenes lyrik. (Danske Studier 1905, 1—38) · Bongi, S., Ingiurie, improperi, contumelie ecc. Saggio di lingua parlata del trecento cavato dai libri criminali di Lucca. (Il Propugnatore 3 1890, 1, 75—134) · Ziemann, F., De anathematis graecis. Diss. Königsberg 1885, 60 S. · Bulat, P., Die Schelten aus dem Tierreich im Slavischen. Diss. München 1916 · Vondrak, Über die persönlichen Schimpfwörter im Böhmischen. A. f. slaw. Ph. 12 1889, 47 ff. · Christiani, dsgl. im Russischen, ebd. 34 1913, 322 ff. · Hoffmann, G., Die Schimpfwörter d. Gr. u. Röm. Progr. Berlin 1892 · Müller, A., Die Schimpfwörter in der griech. Komödie. Philol. 72 1913, 321 ff. Wörterbuch der Beleidigungen. Chicago 1952 ❡ Rüge: Hendrickson, Class. Philol. 20 1925, 289 ff · Usener, Italische Volksjustiz. (Kl. Schr. IV 356—82).

16. 38. H ö f l i c h k e i t. G r u ß. Prause, Karl, Dt. Grußformeln in nhd. Zeit. Wort u. Brauch 19 1930 · Leutz, H., Gruß- und Anredeformeln im reichsdt. Südwesten. Diss. Heidelberg 1934 · Stroebe, Klara, Altgermanische Grußformen. PBB 37 1912, 173—212. = Diss. Heidelberg 1911, 40 S. · Bolhöfer, W., Gruß u. Abschied in ahd. u. mhd. Zeit. Diss. Göttingen 1912 · Metcalf, G. J., Forms of address in German (1500—1800). St. Louis 1938. 202 S. (Wash. Univ.) · Fitschen, H., Anrede, Titulierung u. Grußformen in d. Romanen H. v. Bühels. Diss. Greifswald 1913, 283 S. (15. Jh.) · Zollinger-Escher, Anna, Grußformeln d. dt. Schweiz. Diss. Zürich 1925, 88 S. · Mahr, A., Formen u. Formeln d. Begrüßung in England v. d. normann. Eroberung bis z. Mitte d. 15. Jhs. Heidelberg Diss. 1911, 68 S. · Senge, Maria, Französische Grußformeln. Diss. Bonn 1935 · Schiller, F. v., Das Grüßen im Altfranzösischen. Diss. Halle 1890, 57 S. · Dupin, H., La courtoisie au Moyenage. Paris 1931 · Saareste, Andrus, Des formules de salutation en Estonien. Studia Fennica 6 1952, 141—166 · Elmiger, J., Begrüßung und Abschied bei Homer . . . Diss. Freiburg i. Ue. 1935, 87 S. · Lammermann, K., Von d. attischen Urbanität u. ihrer Auswirkung in der Sprache. Diss. Göttingen 1936, 82 S. · Frank, Alfons, Über Vorsicht und Behutsamkeit in der Sprache Platons. Diss. Würzburg 1938 · Knodel, Die Urbanitätsausdrücke bei Polybios. Diss. Tübingen 1908 ❡ urbanitas: Frank, Eva, Diss. Berlin 1932 (Cicero) · Heerdegen, Progr. Erlangen 1918 · Nyrop, K., Høflighed i sproglig og kulturhistorisk Belysning. (Ordenes Liv. København 1931. IV, 1—65). — Hvad er en Gentleman? (ebd. 66—103) · Grapow, H., Wie die alten Ägypter sich anredeten, wie sie sich grüßten u. wie sie miteinander sprachen. I—III. Abhh. Berlin Akad. 1939—41, 99. 120 S., 4°. Øestrup, J., Orientalske Høflighedsformler og Høflighedsformer. København 1927, 98 S. Univ.-Progr. · Tiefensee, F., Wegweiser durch die chinesischen Höflichkeitsformen. 3. Aufl. Tokyo-Berlin 1924, 224 S.

16. 41. F r e u n d s c h a f t. Andreae, J. P., οἰκεῖος, ἕταιρος, ἐπιτήδειος, φίλος. Diss. Utrecht 1932 · Dirlmeier, φίλος. Diss. München 1931.

16. 42. L i e b e s b e z e i g u n g. Trost, P., Schimpfwörter als Kosenamen. IF 49 1933, 101—111 · Glaser, Zum sens caritatif im Romanischen. Wechßler-Festschrift. Jena-Leipzig 1929 · Harrod, Latin terms of endearment and family relationship. Diss. Princeton 1909 · Fridberg, Gisela, Die Schmeichelworte der ant. Lit. Diss. Bonn 1912.

16. 45. H e t ä r e. D i r n e, B o r d e l l, Z u h ä l t e r. Handbuch der ges. Sexualwiss., hrsg. Iwan Bloch, Bd. II 1: Bloch-Loewenstein, Die Prostitution. Berlin 1925, S. 540 ff. · Günther, Die Bezeichnungen für Freudenmädchen im Rotwelsch. Anthropophyteia 9 1921, 1 ff. ❡ Prostituée: Sachs (über Delesalle), Ztschr. f. franz.

Spr. u. Lit. 18 1896, 210 ff. · Hammarström, M., De vocibus scorti, scrattae, strittabillae. (Eranos 23 1925, 104—19, m. einz. Parall. v. and. Sprachen).
16. 47. V e r z e i h u n g. ignoscere: Immisch, Glotta 19 1931, 16—24.
16. 48. F r i e d e n. Keil, B., Eirene. Abh. sächs. Ges. 68 1916 · Brugmann, K., ebd. · Heinertz, Studier i modern sprakvetenskap Lund 7 1929 · Herbig, Rede Rostock 1919.
16. 54. S p o t t. Griech.-Romanisches dafür Jud, Vox romanica 5 1943, 304 · Wahrig, Gerhard, Die Ausdrücke für Lachen und Spott im Alt- und Mittelenglischen. Diss. Leipzig 1953 (v. Lindheim) · Dunst, Günter, Die Wörter des Schimpfens und Spottens in der älteren griechischen Komödie. Diss. Berlin 1953.
16. 55. V e r g n ü g u n g e n. K a r u s s e l l. Kretschmer 265 ff.
16. 56. S p i e l. *Allgemeines.* Hagemann, K., Die Spiele der Völker. Berlin 1919 · Huizinga, Konzeption d. Spielbegriffs u. die Ausdrücke für ihn in der Sprache. (Homo ludens. Amsterdam 1939, 45—74) · Knudsen, Fr., Ordningssystem af dansk Idræt. (Danske Folkemaal 8 1934, 40—49). (Ausführl. Systematik, m. vielen dän. Spielnamen) · Himly, K., Die Abteilung der Spiele im Großen Wörterspiegel. T'oung Pao 1899. 1900. 1902 · Gomme, Alice B., The traditional games of England, Scotland und Ireland. 2 vols. London 1893—98, 1038 S. · Durand, E., Dictionnaire des jeux de société. Paris 1893, 158 S. 16° · Volksspiel u. Feier. Alphabet. Suchbuch nebst Stoffsammlung f. Brauch, Freizeit u. Spiel. München 1936, 320 S. · Möller, Anna Elisabeth, Kinderspiel in Hessen = Gießener Beiträge 39 1935 · Wehrhan, K., Frankfurter Kinderleben. Wiesbaden 1929. Kreisel: Mitzka, Dt. Wortatlas I, Gießen 1951. Schaukel: Jaberg, Vox romanica 8 1946, 1—31 ¶ *Einzelnes:* Schneider, H., Die Terminologie d. franz. Fußballspiels. Frankfurt a. M. Diss. 1938, 126 S. · Lewis, W. J., The language of cricket . . . London 1934, 316 S. (Terms old and new) · Gigas, E., L'hombrespillets Terminologi. En filologisk Studie. (Litteratur og Historie. København, 2. Samling 1899, 212—37) · Semrau, F., Würfel und Würfelspiel im alten Frankreich. Halle 1910, 16, 164 S. (13, 41 S. Königsberg Diss. 1909) ¶ *Huckepack:* Müller, Jos., Zs. Mu. 1917, 3 ff. *Purzelbaum:* ebda. 1916, 371 · Spitzer, Rud., Beiträge zur Geschichte d. Spieles in Alt-Frankreich. Diss. Heidelberg 1891 · Eisenhardt, E., Die mittelalt. dt. Schachterminologie des Deutschen. Diss. Freiburg 1908 · Heinrich, K., Von der Sprache u. den Gewohnheiten der Spieler. Mitt. schles. Ges. Volksk. 35 1935, 256 ff. · Chantraine, P., Notes sur les adverbes en -ινδην, -ινδα, -ινδον. Rev. Et. grecques 46 1933, 277—283 · griech. Pollux IX · Sueton · Frings, Stuzel (= großer Knicker). PBB 52 1928, 438 ff. ¶ *Zeck:* Kretschmer 588 ff. ¶ *Steine flach werfen:* bleiern. Messing, Korr.-Bl. f. nd. dt. Spr. 43 1930, 45.
16. 57. S p o r t. *Allgemeines.* Fuchs, Dt. Sportsprache. Fränkische Forschungen 9 1937 · Dietz, Martin, Der Wortschatz der neueren Leibesübungen. Diss. Heidelberg 1937 · Graf, H. v. Normann, Deutsches Sportlexikon. Berlin 1928, 445 S. · Eckardt, Olga, Die Sportsprache von Nürnberg und Fürth. Diss. Erlangen 1936, 64 S. · (Maurer) · Bues, Schrifttum zur Sportsprache 1936—52, Muttersprache 1953, 171—8. Ders., Diss. Greifswald 1937 (Stammler) · Frohberg, W. O., Langenscheidts Sprachführer für den Sportsmann. Deutsch-Englisch. Berlin 1936, 296 S. · Orr, J., Les anglicismes du vocabulaire sportif. (Le Français moderne 3 1935, 292—311) · Grubb, A. O., French sports neologisms. Univ. of Pennsylvania Diss. 1937, 84 S. · Hoffmann, A., Die wichtigsten deutschen und chinesischen Sportausdrücke. Berlin 1936, 31 S. ¶ *Sport, spezielles:* Laisné, N., Dictionnaire de gymnastique. Paris 1882, 184 S. · Šebánek, A., (Die böhmische Terminologie d. Turnwesens). Písek 1915, 22 S. Progr. · Spaethe, W., Wörterbuch d. Athletik. Linz 1912, 26 S. ·

Sawhill, J. A., The use of athletic metaphors in the Biblical homilies of St. John Chrysostome. Princeton 1928, 116 S. These · Viguier, A., Vocabulaire d'escrime. Toulouse 1910 · Ned Person (baron d'Etreillis), Dictionnaire du sport français. Courses, chevaux . . . Paris 1872, 680 S. · Pellier, J., Le langage équestre. 2. ed. revue. Paris 1900 ill. (Vgl. 7. 10. Brooke) · Ballarini, G., Dizionario del turf italiano. 1892 · Nisard, E., Le langage des éleveurs de chevaux de courses. Nevers 1902 · Luther, K. J., Ski-Wörterbuch in 5 Sprachen. 1935 · Vazquez y Rodriguez, L., Vocabulario taurómaco. Madrid 1880, 135 S. 16° · Ulrich, A., Simidrottens ordförråd och fraseologi. Uppsala 1901 (Sv. Landsmål 18, 10), 60 S. · Baumgartner, H., Die Schi-Sprache. Das Werden einer Sondersprache. Basel 1933, 20 S. (Sonderdr. a. Schweizer Archiv f. Volksk. 32 1933, 129—48) · Gredig, J., Essai sur la formation du vocabulaire du skieur français. Zürich 1938, 87 S. · Silberer, V., Turflexikon². 1890 · Zum Wortschatz d. Bergsteiger. Wien 1924.

16. 58. T a n z. Voss, Rud., Der Tanz und seine Geschichte, mit Lexikon der Tänze. Berlin 1869 · Berliner Nachtausgabe 23. 4. 31 · Brüch, Wörter und Sachen 9 1926, 123—26 · von der Au, Hans, Das Volkstanzgut im Rheinfränkischen. Gießener Beiträge 70 1939 · Desrat, G., Dictionnaire de la danse. Paris 1895, 484 S. Espinosa, Technical dictionary of dancing. London [1922] · Aeppli, Fritz, Die wichtigsten Ausdrücke für das Tanzen in den roman. Sprachen. (Diss. Zürich) = Beih. z. Ztschr. f. rom. Philol. 76 1925 · Sachs, K., Eine Weltgeschichte des Tanzes. 1933 · Beaumont, C. W., French-English dictionary of technical terms used in classical ballet. London 1931. 35 S. 12°.

16. 59. F e s t e. Kellner, Heortologie, 3. Aufl. 1911 · Fehrle, E., Deutsche Feste und Jahresbräuche. 1936 · Merlo, C., Die romanischen Benennungen d. Faschings. (Wörter u. Sachen 1911, 88—110).

16. 60. B e r u f e. *Allgemeines:* Wuk, J., Technisches Polyglott-Onomasticon [Personen- und Standesbezeichnungen] in 7 [europ.] Sprachen. Triest 1864, 428 S. · Holl, Beruf. SBBerlin 1924 · Paulus, Histor. Jahrb. 45 1925, 126 · (Berichtigungen zu Holl) · Petersen, Mittelbare Berufsnamen. Gießener Beitr. 83 1944 · Molle, Fritz, Wörterbuch der Berufsbezeichnungen. Groß-Donkte über Wolfenbüttel 1951. VI, 230 S. Berufsverzeichnis für die Arbeitseinsatzstatistik 1943 · Gertraud Fischer, Familiennamen in Freiberg/Sa. Examensarbeit Leipzig 1953 · Puchner, K., und Stadler, J. K., Lateinische Berufsbezeichnungen in Pfarrmatrikeln u. sonstigen orts- u. familiengeschichtlichen Quellen. 2. Aufl. Hirschenhausen 1936, 34 S. · Brieskorn, R., Några medeltida yrkesnamn och titlar. Uppsala 1912, 19 S. (Medd. från Nord. Seminariet, No. 7) · Wasmansdorff, E., Alte deutsche Berufsnamen u. ihre Bedeutung. Görlitz 1935, 50 S. · Bücher, K., Die Berufe d. Stadt Frankfurt im Mittelalter. Leipzig 1914, 143 S. („Berufswörterbuch") · Eckart, Stand und Beruf im Volksmund. Göttingen 1891. 12° · Fransson, G., Middle English surnames of occupation 1100—1350. Lund 1935, 217 S. · Dictionary of occupational terms. London 1927, 564 S. Fol. (Gr. Br. Min. of Labour) · Alphabetical index of occupations. Washington 1930, 527 S. (15. Census of the U. S.). — Classified ders. Titel, O. u. J., 205 S. · Répertoire technologique des noms d'industries et de professions, français, anglais, allemands, avec des notices decriptives sommaires. Paris 1909. 22, 855 S. (syst., 3 alphab. Listen, 18 000 Wörter) · Franklin, A., Dictionnaire hist. des arts, métiers et professions exercées dans Paris depuis le 13. siècle. Paris 1906. 882 S. · Zimmermann, R., Arbeitgeber-Arbeitnehmer. Eine griechisch-deutsche Wortgeschichte. Wiener Blätter 8 1931, 8—11 · Statistik des Deutschen Reiches Bd. 402, 1. Berlin 1927 · v. Rheinsberg-Düringsfeld, Intern. Titulaturen. Leipzig 1863 · Hämmerle, A., Alphabetisches Verzeichnis der lateinischen Berufsbezeich-

nungen und Standesbezeichnungen vom ausgehenden Mittelalter bis zur neueren Zeit. München 1932. Selbstverlag, Ainmillerstr. 6. Lateinisch-deutsch und deutsch-lateinisch · *Familiennamen daraus:* Linnartz, G., Unsere F. 10 000 Berufsnamen. Dümmler 1936, dazu Weissbrodt-Lemgo, ZfdtPh. 1937, 318 · Klenz, Scheltenwörterbuch. Straßburg 1910 · Bach, Ad., Die dt. Personennamen. Gruyter 1943, S. 259—270 ¶ *Handwerkerbezeichnungen:* Ricker, L., Zur landschaftlichen Synonymik dt. Handwerkernamen. Diss. Freiburg 1917 und Z. f. dt. Mundarten 1920, 97 ff. (Seiler, Schornsteinfeger) · Heyne, M., Das altdt. Handwerk. 1908 · Peschel, O., Abhandlungen zur Erd- und Völkerkunde. Leipzig 1878, S. 366 ff. · Sach, A., Die deutsche Heimat[2]. Halle 1902, S. 575 ff. · Götze, Deutsche Handwerkernamen. Neue Jahrbb. 1918, Bd. 41, 125 ff. · Ders., Familiennamen und frühnhd. Wortschatz, in: Hundert Jahre Marcus und Weber Verlag 1919, 124 ff. · Holmberg, Märta A., Studien zu den niederdt. Handwerkerbezeichnungen des Mittelalters. Lunder germanist. Forschungen 24 1950. 278 S. · Kusche, W., Ursprung und Bedeutung der üblichen Handwerkerbenennungen im Französischen. Diss. Kiel 1902 · Klump, W., Die altenglischen Handwerkernamen, sachlich und sprachlich erläutert. Heidelberg 1908, 129 S. (Anglist. Forschungen, H. 24) · Glück, Marg., Die Handwerkernamen im Englischen. Diss. Innsbruck 1950. Gertrand, O., Die Handwerkernamen im Me. Diss. Berlin 1938. Pollux, Buch VII (Schluß) ¶ *Metzger:* Karstien, Beitr. z. german. Sprachw. f. Behaghel 1924 · Kretschmer 412 ff. · Thorn, A. C., Quelques dénominations du cordonnier en français. Herrigs Archiv 129 1912, 81 ff. · Ders., Sartre — tailleur. Lunds Univ. Årsskrift 1913 ¶ *Böttcher:* Kretschmer 142 ff. ¶ *Klempner:* ebda. 282 ff.

16. 61. M o d e. Lundquist, Eva Rothe, La mode et son vocabulaire. Goeteborg 1950. 189 S. (Französ. Ausdrücke im Mittelalter).

16. 63. M o d e h e l d. Usinger, Die franzöis. Bezeichnungen des Modehelden im 18. und 19. Jahrhundert. Gieß. Beiträge z. roman. Philol. 4 = Diss. Gießen 1921 · Koehler, G., Der Dandysmus. Beih. Zs. f. rom. Philol. 33 1911(auch französ. 1957).

16. 64. W i r t s h a u s , H e r b e r g e : Kleberg, Tönnies, Värdshus och vardshusliv i den Romerska Antiken, Goeteborg 1934; dazu Classica et Mediaevalia 5 194 · Gerster, W., Vox romanica 9 1947, 57—151.

16. 66. F e i n d s c h a f t. *odium:* Walde, Idg. Forsch. 28 1910, 396 ff., 30 1912, 139 ff. · hostis: Cicero, de officiis I 37.

16. 68. D r o h u n g e n. Arnst, Joh., Nassauische Blätter 6 1925—26, 116 · Webinger, Wäldler Kalender, Staab 1925, 106.

16. 70. K a m p f. Schroedter, V., Der Wortschatz Kristian v. Troyes bezüglich der Ausdrücke der Kampfschilderung. Diss. Leipzig 1907, 196 S. · Grimm, W., Die dt. Wörter f. Krieg 1846.

16. 72. B e t r ü g e n. Kroesch, S., Germanic words for 'deceive'. Hesperia 13 1923 ¶ *Schwindel:* Mentz PBB 51 1927, 300 ff. (schon Murner) · Blanche Brotherton, The vocabulary of intrigue in Roman comedy. Diss. Chicago 1926; dazu Assmann, Philol. Ws. 1929, S. 1047.

16. 74. M i l i t ä r w e s e n. H e e r. S o l d a t e n s p r a c h e. Stucke 1915. Populäretymol. Schriften v. Krebs 1892 und 1895, Haberlandt 1893—96, Brunow 1917, Transfeldt 1927. Sammelstelle jetzt: München 22, Hofgartenstr. 1 (Obstlnt. Miller, August, Fürstenfeldbruck, Bahnhofstr. 7) · Rippl, E., Die Soldatensprache der Dt. im ehemal. tschecho-slovak. Heer. Reichenberg 1943, 569 S. Paul Horn (Orientalist) · Die dt. Soldatensprache, Gießen 1905 · Bächtold-Stäubli, Die schweizerische Soldatensprache, Basel 1922 · Delcourt, R., Expressions d'Argot Allemand et Autrichien. Paris 1917 · Partridge, Eric, A Dictionary of Forces Slang. London

1939—45, Secker and Warburg · Maußer †, O., Dt. Soldatensprache. Straßburg 1917, 132 S. · Heydemarck, G., Soldatendeutsch. Berlin 1934, 201 S. · Brummküsel, 1000 Worte Marinedeutsch. Wilhelmshaven 1933 · Appelt, E. P., Vom Wesen der dt. Soldatensprache. Journ. Germ. Engl. Philot 37 1938, 367—81 · Dauzat, A., L'argot de la guerre. Paris 1918, 295 S. · Esnault, Le Poilu tel qu'il se parle. Paris 1919 · Sainéan, L., L'argot des tranchées. Paris 1915, 163 S. · Hiddemann, H., Untersuchungen zum Slang d. englischen Heeres. Münsterer anglist. Studien 3 1938, 154 S. · Stuhlmann, F., Die Sprache d. Heeres. Berlin 1939, 86 S. ⁋ *Auswahl neueuer europ. Militärwörterbücher:* Scharfenort, Vocabulaire militaire. Sammlung militärischer Ausdrücke in systemat. u. alphab. Ordnung. 2. verm. Aufl. Berlin 1901, 190 S. Meyer, Richard M., Die militärischen Titel ZfdWortf. 12 1910 Beih. 145—156. Garber, M. B., Modern military dictionary. 10,000 terms, ancient and modern, American and foreign. Washington 1936, 332 S. · Ledebur, F. v., Militärische Abkürzungen. Ein zwölfsprachiges Wörterbuch. Berlin 1937. 15, 670, 64 S. · Eberhardt, F., Militärisches Wörterbuch. Stuttgart 1940, 456 S., 14 Taf., 15 Kt. (Kröners Taschenausg. Bd. 141) · Farrow, E. S., A dictionary of military terms. London 1918, 681 S. · Eitzen, K. H., German-English, English-German dictionary of military terms. 2. ed. New York, Stechert 1936, 485 S. · Franckhs Militär-Wörterbücher. Bd. 1—4. Stuttgart 1937 f. (1. Engl.-Dt. u. Dt.-Engl. v. L. A. v. Carstenn. 2. Franz.-dt. u. dt.-fr. v. B. Glodkowski. 3. Ital.-dt. u. dt.-ital. v. dems. 4. Polnisch-dt. und dt.-poln.) · Pavesi, I. (ed.), Dizionario militare italiano-inglese, inglese-italiano. Roma 1939, 615 S. · Nordgren, C. O., Tysk-svensk militär ordbok. Stockholm 1929, 210 S. · Facht, S., Engelsk-svensk militär ordbok. Stockholm 1938, 111 S. · Almirante, J., Diccionario militar etimológico, histórico, tecnológico, con dos vocabularios, francés y aleman. Madrid 1869, 1218 S. · Wadner, G. M., Rysk-svensk-militär-ordbok., utarb. u. medverkan av R. Ekblom. Stockholm 1916, 117 S. · Tau, N. I. G. (Finnisch-russisches, russ.-finn. Militärwörterbuch). Moskwa 1935, 526 S. ⁋ Trümpy, H., Kriegerische Fachausdrücke im griech. Epos. Diss. Basel 1945. Basel 1950. 290 S. · Myska, G., De antiquiorum historicorum Graecorum vocabulis ad rem militarem pertinentibus. Diss. Königsberg 1886 · Lindauer, J., De Polybii vocabulis militaribus. Diss. Erlangen 1889, 54 S. · Ruppert, R., Die spanischen Lehn- u. Fremdwörter in d. französischen Schriftsprache aus Heereswesen u. Politik. Diss. München 1916, 90 S. (Teildr.) · Asin, J. O., Origen árabe de rebato, arrobda y sus homónimos. Contribución al estudio de la historia medieval de la táctica militar y de su léxico peninsular. Madrid 1928, 129 S. (Tesis).

16. 78. P r ü g e l n. Weise, O., Zs. f. dt. Mundarten 2 1901, 38 ff. · Schrader, Herm., Bilderschmuck der dt. Sprache[7]. Berlin 1912, 506 ff. · Ders., Scherz und Ernst. 1909, 113 · Andersen, Volksetym.[7]. Leipzig 1919, 361 · Wossidlo, Rostocker Zeitung 17. 10. 1897 ⁋ *Rohrstock:* Gollor, Volk u. Heimat (Hindenburg) 1 1924, 46 ff. · Woeste, Dt. Mundarten (Fromman) 3 1856, 365 ff. · Becker, A., Pfälz. Vkde. 1925, 160 · Wrede, Rhein. Vkde.[2] 1922, 95 · Tappolet, E., Les expressions pour une volée de coups. Bull. du Glossaire 5 1906, 3 ff. · Esnault, Imagination populaire. Paris 1925, 152 · Kröll, H., Rom. Forsch. 62 1950, 32—66 ⁋ *Backpfeife:* Kretschmer 103 ff. · Boll, Ztschr. f. d. dt. Unterr. 15 1901, 646 · Rohlfs, Dizionario dialettale unter schiaffo p. 75.

16. 85. E h r e. R u h m. *gloria:* Greindl, M. F., Zum Ruhmes- und Ehrbegriff bei den Vorsokratikern. RhMus. 89 1940, 216—228 · Wilamowitz, Platon 58 · Rheinfelder, Münchener romanist. Arbeiten 1, Festgabe Vossler 1932, 46—58 · Eger-

mann, Die Proömien des Sallust, SBWien 214, 3 1932, 74 ff · Knoche, U., Philologus 89 1934, 102—124 ❡ *dignitas:* Wegehaupt, H., Diss. Breslau 1932.
16. 86. T i t e l. Lehmann, P., Mittelalterliche Beinamen u. Ehrentitel. (Hist. Jahrbuch d. Görresges. 49 1929, 215—39) · Ehrle, F., Die Ehrentitel d. scholast. Lehrer d. Mittelalters. München (Ak.) 1919, 60 S. · Stowell, W. A., Old French titles of respect in direct address. Baltimore 1908 · Irvine, L. H., Dictionary of titles. San Francisco 1912, 141 S. · Böhm, A., Entwicklungsgeschichte d. engl. Titel u. Anreden seit d. 16. Jh. Diss. Berlin 1936, 107 S. · Armiger (pseud.), Titles and forms of address. A guide to their correct use. 3. ed. London [1932], 128 S. · Hellquist, E., Om namn och titlar, slagord och svordomar. Lund 1918, 140 S. · Koenen, Verklarend handwörterbuch s. v. Titulatur · Zehetmair, De appellationibus honorificis in papyris Graecis obviis. Diss. Marburg 1912 · Hornickel, Ehren- und Rangprädikate in den Papyrusurkunden. Diss. Gießen 1930 · Mentz, M., De magistratuum Romanorum Graecis appellationibus. Diss. Jena 1894, 51 S. · Murray, M. A., Index of names and titles of the Old Kingdom. London 1908 [Ägypten] · Schöner, C., Über die Titulaturen d. römischen Kaiser. Diss. Erlangen 1881 · Berlinger, L., Beiträge z. inoffiziellen Titulatur d. römischen Kaiser. Diss. Breslau 1936, 104 S. · Engelbrecht, A., Das Titelwesen d. spätlatein. Epistolographen. Wien 1893, 59 S. · Cortsen, S. P., Die etruskischen Standes- und Beamtentitel. Kopenhagen 1925, 155 S. · O'Brien, Mary B., Titles of address in Christian Latin epistolography to 543 A. D. Washington 1930, 713 S. (Thesis) · Dinneen, Lucilla, Titles of address in Christian Greek epistolography to 527 A. D. Washington 1929, 13, 115 S. (Thesis) · Koch, P., Die byzantinischen Beamtentitel 400—700. Diss. Jena 1903, 127 S. · Kekulé, L., Über Titel, Ämter, Rangstufen und Anreden in der offiziellen osmanischen Sprache. Diss. Halle 1892 · Garcin de Tassy, J. M., Mémoire s. les noms propres et les titres musulmans. 2. éd. Paris 1878 · Mayers, W. F., The Chinese government: manuel of Chinese titles, arranged and explained. Schanghai 1878, 160 S.
16. 91. K a s t e. Adel-edel: Neckel, G., PBB. 41 1916, 385—436 · Blix, E., De vigtigste Udtryk for Begreberne Herre og Fyrste i de semitiske Sprog. Diss. Christiania 1876 ❡ *Kaste:* Stegmann, K., v. Pritzwald, Der Sinn komparativischer Personbezeichnungen. Dankesgabe für A. Leitzmann. Jena 1927.
16. 95. E i n f l u ß. *auctoritas:* Heinze, Hermes 60 1925, 348 ff. · Teichmüller, Progr. Wittstock 1897, 1898.
16. 97. 98. 111. H e r r s c h e r. Mezger, F., Die Gruppe „Herr sein, Knecht sein" im Germanischen. Herr. Arch. 158 1930, 96—99 · Beer, H., Führen und Folge, Herrschen und Beherrschtwerden im Sprachgut der Angelsachsen. Sprache und Kultur der german. und romanischen Völker 31 1939 ❡ *Herzog:* Much, Teuthonista 9 1933, 105—116 · Schroeder, NGG. 1932, 182 ff. Wörter und Sachen 12 1929, 226 ff. · Schott, Die Vergleiche in den akad. Königsinschriften. Mitt. der Vorderasiat.-ägypt. Ges. 1926 · Stegmann v. Pritzwaldt, Zur Gesch. d. Herrscherbezeichnungen von Homer bis Platon. Fschg. z. Völkerps. u. Soziol. 7 1929 und WuS. 12 1929, 226 ff. ❡ *Tyrann:* Cuny, Revue des Et. anc. 24 1922, 89—92 · Meillet, A., Les noms des chefs en grec, Mel. Glotz. Paris 1932, II 587—91.
16. 99. B e h ö r d e. Scheidt, H., Die Amtsbezeichnungen der städtischen Beamten im ma. Südwest-Deutschland. Diss. Gießen 1917 · Hohlwein, N., L'Egypte romaine. Recueil des termes techniques. Brüssel 1912, 623 S. · Bonnani de'baroni d'Ocre, La storia della nomenclatura degli atti che conservanci nei publici archivii. Aquila 1885, 108 S. · Pillitto, G., Dizionario dei linguaggio archivistico in Sardegna. Cagliari 1887, 87 S. · Saggio di un dizionario del linguaggio archivistico venetio.

Venedig 1888, 8, 74 S. (Archivio di Stato in Venezia) · Brinchmeier, E., Glossarium diplomaticum zur Erläuterung schwieriger Wörter. 2 Bde. Wolfenbüttel 1856—63 · Bartzsch, W., Der Wortschatz des öffentlichen Lebens im Frankreich Ludwigs XI. Leipziger romanistische Studien I 17 1937 · Gailliard, E., Glossaire flamand de l'inventaire, des archives de Bruges. 2 vol. Brügge 1879—82 · Martin, Ch. T., The record interpreter, a collection of abbreviations, Latin words and names used in English historical manuscripts and records. London 1892, 341 S. — 2. ed. 1910, 464 S. · Andrejew, A. I. (Terminologisches Wörterbuch der einzelnen Akten des Moskauer Reiches). St. Petersburg 1922 · Brandl, V., Glossarium illustrans bohemicomorav. historiae fontes, enthaltend die Erklärung der böhmischen, lateinischen und deutschen diplomatischen Ausdrücke und Worte. Brünn 1876, 476 S. · Preisigke, Fachwörter des öffentlichen (griech.) Verwaltungsdienstes. Göttingen 1915.

16. 106. B e f e h l e n. Abel, Carl, Die engl. Verba des Befehls. Berlin 1878 = Sprachwiss. Abhandlungen. Leipzig 1885, 82 S. · Schultheß, F., Über Zurufe an Tiere. Abh. Berlin 1912 · Weilbach, Maria, Die Formen der Aufforderung in der griech. Lyrik. Diss. München 1938 · Zilliacus, Notes on the Periphrases of the Imperatives in Classical Greek: Eranos 45 1946, 266—79 · Hintner, V., Die Verba d. Befehlens in d. indogerm. Sprachen. Eine analog.-etymolog. Unters. Progr. Wien 1894, 22 S. (Auch in: Xenia Austriaca 1893) · Vakarelski, Chr. (Bulgarische Ausdrücke d. Zurufens u. Wegscheuchens einiger Haustiere). Sofia 1937, 38 S. (Bulg. Titel, s. Idg. Jb. 23, 358.)

16. 107. Z w a n g. *müssen:* Meringer, R., Wörter mit dem Sinne v. „müssen". (Indogerm. Forsch. 18 1905, 204—32) · Bréal, M., Album Kern. Leyden 1903, 27 ff. · Reynaud, P., Revue de linguistique 38 1905, 217 ff. · Meringer, R., IF 18 1906, 204 ff.

16. 109. M i l d e. *Humanité:* Schalk, F., Die neueren Sprachen 40 1932, 224—35 · v. Jan, Ztschr. f. franz. Spr. u. Lit. 55 1931, 1 ff. · Heinemann, RE Suppl. 5 1931 u. humanitas · Burnet, John in The legacy of Greece 1921 = Essays and Adresses. London 1929 · Harder, Die Antike 5 1929, 300 ff ❡ *pietas:* Ulrich, Th., P. als politischer Begriff. Histor. Untersuchungen 6. Breslau 1931 · Rostowzeff-Wickert, Gesellschaft und Wirtschaft im röm. Kaiserreich. Leipzig 1931, II 55 · Liegle, Ztschr. f. Numismatik 42 1932, 59 ff. ❡ *clementia:* Elias, Diss. Königsberg 1912 · Dahlmann, Neue Jahrbücher 10 1934, 17 ff. ❡ φιλανθρωπία Tromp de Ruiter, Mnemos. 59 1931, 271 ff.

16. 112. D i e n e r. Brugmann, Zu d. Benennungen d. Personen dienenden Standes. Idg. Forsch. 19 1906, 377 ff. · Latte, Philol. 80 1924, 160 ff. · Athenaeus VI 263 e · Kretschmer, Erika, Beitr. z. Wortgeogr. d. altgriech. Dial. Glotta 18 1929, 67 ff. (Diener. Priester. Bürge. Zeuge. Kerker. helfen) ❡ *Sklave:* Benvéniste, R. Et. lat. 10 1932, 429—440 · Anussin, Westnik drewni istorii 1952, Heft 3, 42—67 (in der Septuaginta) ❡ *Aufwartefrau:* Kretschmer 95 ff.

16. 116. A u f r u h r. R e v o l u t i o n. Rosenstock, Eugen, Die europäischen Revolutionen. Jena 1931.

16. 119. F r e i h e i t. Abel, K., Der Sprachbegriff der Freiheit im Russischen, Polnischen und Lateinischen. (In: „Slavic and Latin" 1883, deutsch (1885) ❡ *Individualismus:* Schuchardt, H., Euphorion Erg.-Heft 16 1923, 11 ff.

16. 121. K u l t u r. Taylor, geb. Wirth, Irmgard, Kultur, Aufklärung, Bildung, Humanität u. verwandte Begriffe bei Herder. Gießen 1938, 50 S. (Teildr. Bryn Mawr, Penn, USA Diss.) · Niedermann, J., Kultur. Werden und Wandlungen des Begriffes und seiner Ersatzbegriffe von Cicero bis Herder. Bibl. dell'Archivum Roman. I 28, Florenz 1941. VIII, 249 S. · Eliot, T. S., Beiträge zum Begriff der

Kultur, übersetzt G. Hensel. Berlin 1950 Suhrkamp · Rauhut, Kultur, Zivilisation, Bildung, German.-roman. Monatsschr. 3 1953, 81—90 ⁋ *civilisation:* Curtius, E. R., Europ. Revue 3 1927, 181 ff. · Dt.-französ. Rundschau 1 1928, 740 ff. · Wechßler-Festschrift. Jena-Leipzig 1929, 20—26 · Moras, J., Hamburger Stud. zu Volkstum und Kultur der Romanen 6 1930 (Diss. Heidelberg) · Lochore, R. A., History of the Idea of civilisation in France 1830—1870. Diss. Bonn 1935 = Studien z. abendl. Geistes- und Gesellschaftsgesch. Platz, Heft 7. Clive Bell, Civilization 1928.

17. Geräte. Technik

17. 1. H a u s. *Allgemeines.* Heyne, M., Fünf Bücher dt. Hausaltertümer. 1. Das dt. Wohnungswesen. 1899 · Meringer, Das dt. Haus u. sein Hausrat. 1906 · Etymologien zum geflochtenen Haus. 1898 · Trier, J., Lehm, Etymologien zum Fachwerk. Marburg 1951. 110 S. = Münstersche Forschungen 3 · Hirt, Etymologie § 137 · Azorin, F., Universala Terminologio de la Arkitekturo (Arkeologio Arto, Konstruo kaj Metio). Madrid 1933, 217 S. (7 Spra. Begriffsbestimmungen, Abbildungen, Etymologie) · (Parker, J. H.), Glossary of terms used in Greek, Roman, Italian and Gothic architecture. 4. ed. Oxford 1845. — 11. ed. 1906, 342 S. · Clairac y Sainz, P., Diccionario general de arquitectura é ingeneria . . . voces y locuciones castellanas, tanto antiguas como modernas . . . equivalencias en francés, inglés e italiano. 4 tom. Madrid 1877—88. 4° ill. ⁋ *Einzelnes:* Schmoeckel, H., Das Siegerländer Bauernhaus nach seinem Wortschatz dargestellt. Bonn 1911 · Krebs, F., Die Fachsprache des Maurers in der Pfalz. Fränkische Forsch. 3 1934, 73 S. · Pirk, K., Wortstudien zum ostpommerschen Haus. Niederdt. Zs. f. Volksk. 9 1931, 104 ff. · Lehmann, Otto, Das Bauernhaus in Schleswig-Holstein. Altona 1927 · Streng, W. O., Haus und Hof im Französischen. Helsingfors 1907 · Davidsen, H., Die Benennungen des Hauses und seiner Teile im Französischen. Diss. Kiel 1903 · Händel, O., Tiermetaphern im französ. Gewerbe 1932 · Eirenbrown, H., Die Verwendung der Tiernamen in der engl. Technik. 1932 ⁋ *Wohnung:* lat. Vitruv V · Saalfeld, G. A., Haus und Hof im Spiegel griechischer Kultur. Paderborn 1884, 274 S. · Ernout, Les mots qui se rapportent à la maison. Revue des Et. lat. 9 1931, 40 f. · Ebert, F., Fachausdrücke des griech. Bauhandwerks I. Der Tempel. Diss. Würzburg 1910 · Baumgartner, W., Untersuchungen zu den akkadischen Bauausdrücken. Berlin 1925, 65 S. · Berty, A., Dictionnaire de l'architecture du moyen-âge. Paris 1845, 322 S. · Krebs, F., Die Fachsprache des Maurers in der Pfalz. 1934, 73 S. · Urbach, H., Der Kalk in Kulturgeschichte und Sprache. Berlin 1923, 160 S. · Jacobs, H., Die Namen der profanen Wohn- und Wirtschaftsgebäude und Gebäudeteile im Altenglischen. Diss. Kiel 1911 · Atkinson, Th. D., A glossary of terms used in English architecture. London [1906], 24, 320 S. — 2. ed. ebd. 1920, 344 S. — 4. ed. ebd. 1929, 335 S. · Meringer, R., Die Stellung des bosnischen Hauses und Etymologien zum Hausrath. Wien 1901, 118 S. · Acharya, P. K., A dictionary of Hindu architecture. Treating of Sanskrit architectural terms with illustrative quotations. London 1927, 21, 861 S. · Meringer, R., Mittelländischer Palast, Apsidenhaus u. Megaron. Wien (Ak.) 1916, 85 S. · Rosenzweig, A., Das Wohnhaus in d. Mišnah. Berlin 1907, 77 S. · Willis, R., Architectural nomenclature of the Middle Ages. 1844, 86 S. (Publ. of the Cambridge Antiq. Soc. Vol. 1, No. 9) · Erdmann, H., Studien z. Geschichte d. Sprache d. deutschen Bauwesens. Pyrmont 1939, 66 S. (Diss. Danzig) · Sattler, Lottie, Englische Architekturausdrücke d. 19. Jahrhs. (Engl. Studien 42 1910, 61—92) · Garnsey, G. O., The American glossary of architectural terms. Chicago 1893. 4° · Chabat, Dictionnaire des termes employés dans la construction. 3 vol. 1875—78 · Jeanton,

G., et Duraffour, A., L'habitation paysanne en Bresse. Etude d'ethnographie
p. J. Étude ling. p. D. Tournus, Maçon 1935, 180, S. 57 · Photos · Schiaparelli,
A., La casa fiorentina e i suoi arredi nei secoli 14 e 15. Vol. 1, Firenze 1908, 24,
301 S., 174 fig. (con termini) · Wirth, P., Beiträge s. sorbischen (wendischen) Sprachatlas. Text- u. Kartenband. Lief. 1. Leipzig 1933. 12, 59 S. 46 Kt. Diss. (zunächst
Wortschatz aus Haus u. Hausrat) · Keiling, R., Das chinesische Wohnhaus. Leipzig
1935, 130 S., 107 Abb. (m. „Bauwörterbuch", chines. techn. Ausdrücke) · Naka-
mura, T., Nippon kenchiku jii. (Wörterbuch d. japan. Architectur). Tokyo 1906,
400 S. ill.

17. 2. G e b ä u d e t e i l e. Frings, Estrich u. Oler, PBB 52 1928, 423 ff. · Kretsch-
mer S. 132 ff. · Brzoska, Anthropomorphe Auffassung des Gebäudes und seiner
Teile. Diss. Köln 1931 ⁋ *Hausflur:* Kretschmer, S. 203 ff. ⁋ *Zimmermann:* Saß,
Johs., Die Sprache d. nddt. Z. (Blankenese). Diss. Hamburg 1928 = Sprache und
Volkstum 1 · Weiß, E., Die Entdeckung des Volkes der Zimmerleute. Jena 1923
⁋ *Schwelle:* Prinz, Wörter und Sachen 7 1921 172 ff. · Meister, SBHeidelberg
1925 ⁋ *Schornstein:* Kretschmer 436 ff. · Penderel-Brodhurst, J. G. J., and E. J.
Layton, A glossary of English furniture of the historical periods. London 1925,
202 S.

17. 3 ff. H a u s g e r ä t. M ö b e l (vgl. 17. 1 u. 17. 15). Krengel, J., Das Hausgerät
in der Mīšnah. I. Frankfurt 1899, 68 S. · Lockwood, L. V., Furniture collectors'
glossary. New York 1913, 55 S. ill. · Viollet-le-Duc, E. E., Dictionnaire raisonné
du mobilier français de l'epoque carlovingienne à la Renaissance, 6 vol. Paris
1854—75, ill. (Réimpr. 6 vol. 1914). (1. Meubles, 2 Ustensiles, Orfèvrerie. Instruments de musique. Jeux et passe-temps. Outils, outillages. 3—4 s. 17. 9. 5—6 s.
17. 11.) (Table alphab. d. matières VI 429—89) · Cross, Dorothy, Movable pro-
perty in the Nuzi documents. New Haven 1937. XII, 65 S. L i e g e - u n d S i t z -
m ö b e l. *Bett:* Kretschmer S. 116 ff. · Posch, H., Die Ruhestätten des Menschen,
Bett und Grab bei d. Indogermanen. (Wörter u. Sachen 16 1934, 1—47, 27 Abb.).

17. 4. K a s t e n m ö b e l. *Schrank:* Kretschmer 471 ff.

17. 5. F u ß s c h e m e l. Martin, B., Teuthonista 8 1931, 108 ff.

17. 6. B e h ä l t e r ·f ü r F l ü s s i g e s. K e r a m i k. Garnier, E., Dictionnaire de
la céramique. Faiences-grès-poteries. Paris 1893, 20 pl. chromo, 258 S. · Barber,
E. A., Ceramic collector's glossary. New York 1914, 119 S. ill. · Franzheim, C. M.,
Practical ceramic dictionary . . . 1924, 84 S. · Du Mesnil du Buisson, Les noms
et signes égyptiens désignants des vases ou objets similaires. Paris 1936, 160 S. ·
Fröhner, W., Nomenclature des verriers grecs et romains. Le Pecq 1879 ill. ·
Richter, G. M. A. a. Milne, M., Shapes and names of Athenian vases. 1935, 32 S.
ill. · Scheuermeier, P., Wasser- u. Weingefäße im heutigen Italien. Bern 1935,
61 S., 20 S. Abb. (sachlich-sprachlich) ⁋ *Napf:* Kretschmer 350 ff. · Hirt, Etymo-
logie § 138 · Rohr, Johs., Die Gefäße in den ahd. Glossen. Diss. Greifswald 1909 ·
Trier, Jost, Topf, in: Ztschr. f. dt. Philol. 70 1949, 337—71 · Feiler, Leonie, Die
Bezeichnungen für Waschtrog im Galloromanischen. Roman. Forsch. 46 1931,
257 ff. · Hebeisen, W., Die Bez. f. Geschirr im Frz. Diss. Bern 1921 · Scheuermeier, P., Wasser- und Weingefäße im heutigen Italien. 1934, 61 S. · Kross, Th.,
Die Namen der Gefäße bei den Angel-Sachsen. Diss. Kiel 1911. (18), 135 S. ·
Trowbridge, Mary L., Philological studies in ancient glass. Diss. Urbana 1930,
206 S. = University of Illinois Studies in Language and Literature 13 · Friedrich,
C., Die altdeutschen Gläser. Beitrag z. Terminologie u. Gesch. des Glases. Nürnberg 1884, 264 S. · Ussing, J. L., De vasorum graecorum nominibus. Kopenhagen

1844, 175 S. · Brommer, Gefäßnamen bei Homer, Hermes 77 1942, 356 ff. · Castiglioni, Anna, Aegyptus 2 1921, 43 ff. · Pfuhl, Malerei und Zeichnung der Griechen. München I 1923, 44—47 · Pollux VII ❑ *Abwaschfaß:* Kretschmer 70 ff. Marx, R., Die katalanische Terminologie der Korkstopfenerzeugung. Diss. Bonn 1914, 80 S.

17.7. B e h ä l t e r f ü r F e s t e s. *Tragkorb:* Kretschmer 272 ff. Rothe, W., Die Korbbezeichnungen in den frz. u. provenzal. Dialekten. Wiss. Zs. Univ. Rostock 2 1953.

17. 8. W e b s t o f f e. Heiden, Handwörterbuch für Textilkunde. Stuttgart 1904, VI, 664 S. · v. Pöschl, Warenkunde. Stuttgart 1912 · Schlomann-Oldenbourg, Techn. Wörterbücher (24—26 Textill.) · Midgley, E., Technical terms in the textile trade. 2 vols. 1931—32 · Bezon, J., Dictionnaire général des tissus anciens et modernes. 2 vol. Lyon 1856. 2. ed. 8 vol. 1859—63 · Bühler-Oppenheim, Alfred und Kristin, Die Textiliensammlung Fritz Iklé-Huber Basel, Zürich 1948 = Denkschriften der Schweizerischen Naturforschenden Gesellschaft 87, 2. 185 S. · Zangger, Kurt, Contributions à la terminologie des tissus (in mehreren Sprachen). Biel 1945 · Schuppisser, W., Die Benennungen der Seide im Slavischen. Diss. Zürich 1953 · Flemming, E., An encyclopaedia of textiles, from the earliest times to the beginning of the 19. century. London 1928, 320 S. 4° · (Frei, J.), Japanische Fachausdrücke aus d. Gebiet d. Textil-Veredlungsindustrie. Kobe, Tokyo 1937, 604 S. 22 Bl. Tab. · Schrader, O., Zur Terminologie d. Spinnens u. Webens in d. indogerm. Sprachen. (Linguist. hist. Forschungen I 1886, 172—85) · Jokl, C. H., Die Webestühle d. Griechen u. Römer. Technolog.-terminolog. Studie. Kiel. Diss. 1917, 71 S. · Wirtz, J., Handweber u. Handweberei in d. Krefelder Mundart. Krefeld 1938, 88 S., 15 S. Abb. · Rieger, P., Versuch einer Technologie u. Terminologie d. Handwerk in der Misnâh. Th. 1. Spinnen, Färben, Weben, Walken. Berlin 1894, 48 S., 2 Taf. · Clifford, C. R., Lace dictonary, including historic and commercial terms, technical terms, native and foreign. New York 1913, 156 S. · Whiting, Gertrude, Lace guide . . . with five-language nomenclature. New York c. 1920, 415 S. · Clifford and Lawton (publ.), Dictionary of silk terms. 1932, 92 S. (betr. Seide vgl. 7.10 Luppi) · Thomas-Fusi, Emilia, Manualetto di nomenclatura dei lavori femminili. Milano 1896, 96 S. 16° ill. (S. 65—94 traduzione nei dialetti) ❑ *Wocken und Spinnen:* Frischbier, Wiss. Monatsbl. 7 1879, 205 ff. ❑ *Gerberei:* Tröger, Otto, Namengebung und Bedeutungswandel in g.-techn. u g.-chemischen Ausdrücken der fra. Spra. Diss. Frankfurt 1928 ❑ *Lederindustrie:* Paeßler und Lauffmann, Wörterbuch der wichtigsten in der L. angewandten Fachausdrücke, dt. u. französ. Berlin 1912; dt. u. engl. 1913.

17. 9. K l e i d u n g. Lane, G. S., Words for clothing in the principal indoeuropean languages. Diss. Chicago 1931 = Language Dissertations, Suppl. to 'Language' 9 · Eckardt, Th., Wörterbuch der Bekleidung. Erklärung der . . . betreffenden Bezeichnungen. Wien 1887, 255 S. · Klein, Ruth, Lexikon der Mode. Baden-Baden 1951. 438 S. Verlag Woldemar Kesein · Müller-Windorf, Rose, Die Putzfibel, Buch der Warenkunde[5], Alfeld/Leine 1952, 296 S. · Racinet, A., Glossaire · Ders , Le costume historique I. 1888, S. 167—246 · Björkman, E., Kläder och språkvetenskap. Ord och Bild 28 1919, S. 19—30 · Janowski, C., Observationes in nomina vestium a tragicis Graecis prolata. Diss. Berlin 1887 · Nienholt, Eva, Die deutsche Tracht im Wandel d. Jahrhunderte. Leipzig 1938, 235 S., 56 Taf. (19 S. „Verzeichnis d. im Text erwähnten Kostümbezeichnungen") · Olsen, Bernh., Klæder og Klæders Navne paa Vandring. (Fremtidens Nytaarsgave. København, Ny R. IV 1885, 181—90) · (de Villiers, H.), Essais historiques (en ordre abphabétique) sur

les modes et la toilette français. 2. vol. Paris 1824. Viollet-le-Duc, M., Dictionnaire raisonné du mobilier français de l'époque carlovingienne à la Renaissance. Tom. 3—4. Vêtements, bijoux de corps, objets de toilette. Paris 1874 · Esau, H., Die Benennung der wichtigsten Bestandteile der modernen französischen Tracht. Ein sprach- und kulturhistorischer Versuch. Diss. Kiel 1902 · Goddard, Eunice R., Women's costume in French texte of the 11. and 12. centuris. Paris 1927, 263 S. (Diss. Baltimore) · Falk, Hj., Altwestnordische Kleiderkunde mit besonderer Berücksichtigung der Terminologie. Krist. 1919, 234 S. (Videnskabernes Selskabs Skrifter II. 1918, Nr. 3) · Planché, J. R., Cyclopaedia of costume or dictionary of dress, including general chronological-history of the costumes of Europe. 2 vol. New ed. London 1876—79 · Fairholt, F. W., Costume in England. An history of dress to the end fo the 18. century. 3. ed. enlarged and rev. by H. A. Dillon. Vol. 2. Glossary. London 1886 · Hansen, Auguste, Angelsächsische Schmucksachen und ihre Bezeichnungen. Eine kulturgeschichtlich-etymologische Untersuchung. Diss. Kiel 1913 · Döll, Helene, Mittelenglische Kleidernamen im Spiegel literarischer Denkmäler des 14. Jahrhunderts. Diss. Gießen 1932 · Earle (Morse), Mrs. Alice, Costume of colonial times. 1894 · Ducéré, E., Les noms d'étoffes et des vêtements en Basque. Revue de Linguistique 16 1883, S.113—55 · Stroebe, Lilly L., Die altengl. Kleidernamen. Diss. Heidelberg 1904 ⁋ Arabisch: Dozy, Dictionnaire détaillé des noms de vêtements chez les A. Amsterdam 1845 ⁋ Lateinisch: Sueton ⁋ *Besonderes:* Beretta-Piccoli, M., Die Benennung d. weiblichen Kopftracht d. Landvolks d. deutschen Schweiz. Bern 1936, 199 S., 8 Bl. Abb. 8 Taf. ⁋ *Hose:* Jaberg, K., Zur Sach- u. Bezeichnungsgeschichte d. Beinbekleidung in d. Zentralromania. (Wörter u. Sachen 9 1926, 137—69) · Sprachgeographie. Aarau 1908 · Müller, Karl, Dresdener Anzeiger 1933, Nr.25 v. 20. Juni · Kretschmer S. 112f. ⁋ *Schuhe:* Schranka, E. M., Culturhistorisch-etymolog. Lexikon d. Fußbekleidung. Wien 1890—91, 188S. · Lehmann-Nitsche, Zschr. f. Volkskunde 33 1923, 6 ff.: 2 Typen . Bryant, Greek shoes. Harvard Studies 10 1899, 57 ff. · Hug, Schuh, RE IIA. Stuttgart 1923, 741—758 · Jäfvert, E., Två gamla ordlistor över skomakeritermer. (Rig 17 1934, 96—105) · Ordbog for Skotøjsindustrien. Engelsk-Svensk-Dansk-Norsk og vice versa. København 1914, 234 Sp. · The shoeman's foreign terms. Leicester 1924 (Engl.-dt.-fr.-sp.-it.-russ.) · Taylor, W. C., The shoe and leather lexicon. 6. ed. rev. New York 1930, 83 S. ⁋ *Hut griech.:* Müller, Val., Polos. Diss. Berlin 1915 · Lommel, H., „kämmen" und „frisieren" in einigen indogermanischen Sprachen. Zeitschrift für vergleichende Sprachforschung 53 1926, 282—307.

17. 10. D e k o r a t i o n , S c h m u c k. Zerbe, A., Das Fachwörterbuch für Friseure, Kosmetiker, Fußpfleger, Masseure. Berlin 1952, Stegemann. 64 S.

17. 11. W a f f e n. Mahrholdt, R., Waffenlexikon. ²München 1937, 400 S. · Schirlitz, Die dt. Waffennamen. Progr. Stargard 1844 · Maschke, Studien zu Waffennamen d. ahdt. Glossen. Zs. f. dt. Philol. 51 1926, 137—199 = Diss. Greifswald 1928 · Stone, G. C., A glossary of the construction, decoration and use of arms and armor in all countries and in all times. Portland, Me. 1934, 10, 694 S. · Schapiro, N., Révélations étymologiques. Origine des mots dits historiques I. Armes tranchautes. Odessa 1880, 84 S. (c. 200 indoeur. u. semit. Waffennamen) · Viollet-le-Duc, E. E., Dictionnaire raisonné du mobilier français. 5—6. Armes offensives et défensives. Tactique des armées pendant le moyen-âge · Giese, W., Waffen nach den katalanischen Chroniken des 13. Jahrh. (Volkstum u. Kultur d. Romanen 1 1928, 140—82). (Term.) · Ders., Waffengeschichtliche u. terminolog. Aufschlüsse aus katalan. literar. Denkmälern d. 14. u. 15. Jh. Barcelona 1936, 35 S. (Sep.) · Doubek, F., Studien zu d. Waffennamen in d. höfischen Epik. Die Kopfbewahrung

d. höfischen Ritters. (Z. f. dt. Philologie 59 1934, 313—53) · Mahrholdt, R., Waffenlexikon f. Jäger u. Schützen. Neu bearb. 2. Aufl. München 1937. 11, 400 S. ·
Wörterbuch f. d. Waffen-, Munitions- u. Sprengstoffindustrie. Dt.-engl.-fr.-sp. von
H. Strom u. a. Suhl 1933. (4 Pagin.) · Gell. X 25 · Jordan, J., Die Bezeichnungen
der Angriffswaffen im Französischen. Diss. Bonn 1911, 97 S. — Über altfranz.
Waffen und Waffennamen s. Schriften v. Sternberg 1886, Schierling 1887, Bach
1887 · Heinze, A. C., Dictionnaire portatif des armes spéciales. 2. éd. Leipzig
1850, 380 S. (All.-fr. et fr.-all.) · Giese, W., Waffen nach der spanischen Literatur
des 12. und 13. Jahrhunderts. Hamburg 1925, 133 S. · Leguina, G., Glosario de
voces de armería. Madrid 1912, 882 S. · Falk, F., Altnordische Waffenkunde.
Krist. 1914, 211 S. (Christiania Videnskabselsk Skrifter II. Hist.-filos. Kl. 1914,
Nr. 6) · May Leansfield, Keller, The Anglo-Saxon Weapon Names. Anglist, Fg. 15
1906 Hdlbg. · Schwarzlose, F. W., Die Waffen der alten Araber aus ihren alten
Dichtern dargestellt. Leipzig 1886 ❡ *Tank:* Delehaye. Sanctus. Brüssel 1927, 150 f.

17. 15—16. T e c h n i k. *Allgemeines.* Illustrierte technische Wörterbücher. Verein
deutscher Ingenieure. Berlin 1937 ff. · Hoyer-Kreuter, Dictionnaire technologique.
Berlin 1932, Springer (3 Sprachen) · Offinger, H., Technologisches Wörterbuch in
5 Sprachen. Stuttgart, Poeschel · E. Wüster, Grundzüge der Sprachnormung in der
Technik. Berlin 1934 · Landsberg, W., Sprache und Technik · Karmarsch und
Heeren, Technisches Wörterbuch, ³bearbeitet von Kick und Gintl. Prag 1876—92 ·
11 Bde. · Lüeger, D., Lexikon der gesamten Technik. Stuttgart und Leipzig
1894 ff. · Teknisk ordbok tysk-engelsk-finsk-svensk-rysk. ²Stockholm Hedengren
2 Bde 1518 u. 750 S. · Rink, J., Das einheimische Handwerk in Koschneidermundart. Danzig 1938, 16 S. · Preiser, Mensch u. Tier i. d. Spr. d. Gewerbes.
Progr. Gera 1912 · Schumann (Handwerker)-Wortschatz von Lübeck. Beih. z. Zs. f.
Wortforschung 9 1907 · Berger, A., Niederdeutsche technische Ausdrücke aus der
Handwerkersprache des Kreises Lingen. Diss. Münster 1907 · Dauzat, A., Les
argots de métiers franco-provençaux. Paris 1918, 268 S. (Bibliothèque de l'École
des hautes Études 223) · d'Ambra, R., Vocabolario napolitano-toscano di arti e
mestieri. Neapel 1873 · Malaspina, C., Vocabolario tecnico parmigiano-italiano.
Parma 1873, 550 S. (syst.) · Maria, R. de, Vocabolarietto leccese-italiano distributo
per arti e mestieri. Lecce 1874, 32 S. · Brugsch, M. u. Kampffmeyer, G., Arabische
Technologie d. Gegenwart. (Mitteil. d. Seminars f. orient. Sprachen. II. Westasiat.
Studien 30 1929, 58—139) (sprachl.) · Iðorðasafn frá Orðanefnd Verkfrædingafje-
lagsins. Reykjavik 1928, 63 S. (Maschinen- u. Schiffsterm. Isl., Engl., Dt., Dän.) ·
Tirelli, V., Vocabulario des gergo muratori carpigiani in confronto al dialetto locale
(Arch. Anthrop. 52 1932, 408—32) · Viollet-le-Duc, E. E., Dictionnaire raisonné du
mobilier français. 2 Ustensiles. Orfèvrerie. Instruments de musique. Jeux et
passe-temps. Outils, outillages · Vocabularis tècnic-industrials de la lengua catalana.
Barcelona 1910 · Fresckay, J. (Wörterbuch der Gewerbe) . 1912. (Ungarisch) ·
Brunot, Histoire de la langue française Bd. 6. Paras 1930: Vocabulaire technique ·
Blümner, H., Technologie und Terminologie der Gewerbe und Künste bei Griechen
und Römern. 4 Bde. · Leipzig 1879—1912 ❡ *Klinke:* Kretschmer S. 289 ff. · Lueger,
O., Lexikon der gesamten Technik. 7 Bde. 3. Aufl. 1926—31 · Wüster, E., Internationale Sprachnormung in der Technik. Berlin 1931 · Ders., Grundzüge der
Sprachnormung in der Technik. Berlin 1934, 92 S. · Illustrierte Technische Wörterbücher hrsg. von Deinhardt und Schlomann. München und Berlin 1906 ff, Olden-
bourg. 17 Bde. · Hayer, K. u. K. Liebmann, Technischer Wortschatz. Stuttgart
1920 · Hütte-Taschenbücher, z. B. für Ingenieure, für Eisenhüttenleute usw. Berlin
❡ *Werkzeug:* Wollermann, G., Studien über die dt. Gerätenamen. Diss. Göttingen

1904 · Gade, Ursprung u. Bedeutung d. üblichen Handwerkszeugnamen i. Französischen. Diss. Kiel 1902 · Eisenbronn, H., Die Verwendung von Tiernamen in der Sprache der englischen Technik. Diss. Heidelberg 1932 · Brasch, C., Die Namen der Werkzeuge im Altengl. Diss. Kiel 1910 · Händel, O., Tiermetaphern im franz. Gewerbe. Diss. Leipzig 1908, 90 S. · Bevere, R., Arredi, suppellettili, utensili; vestimenti e gioielli . . . in uso nelle provincie napoletane. (Arch. stor. p. le Prov. Nap. 21—23. 1896—98, insges. 114 S.) · Zanardelli, T., Appunti lessicali e toponomastici. Puntata VIII. Inventario di ferramenti del 1447 in dialetto bolognese, con lessico illustrati vo. Bologna 1911, 55 S. · Singer, A., Die Werkzeugbezeichnungen im Portugiesischen. Diss. Berlin 1936, 79 S. · Schuchardt, H., An Adolf Mussafia. Graz 1905. Gr. Fol. 44 S. ill. (Beitrag z.„hist. Synonymik": über versch. roman. Gerätschaftsbezeichnungen) ¶ *Spezielles:* Chambert, G., Ord och uttryck inom möbelhantvärket. (Sv. Landsmal 18). Stockholm 1912, 34 S. ill. (in darst. Form) · Chemnitz, E. u. Mielck, W. H., Die niederdt. Sprache d. Tischlergewerks in Hamburg u. Holstein. (Jahrb. d. Ver. f. niederdt. Sprachf. 1875, 72—92) · Dörner, A., Die Sprache d. Pforzheimer Goldschmiede. Diss.. Heidelberg 1932 (autogr.), 115 S., 1 Tafel · Danz, A., Die Fachsprache d. Schleiftechnik unter bes. Berücks. d. Metallbearbeitung. Diss. Braunschweig 1933, 63 S. · Hardenberg, H., Die Fachsprache d. bergischen Eisen- u. Stahlwarenindustrie. Diss. Bonn 1940, 179 S., 6 Taf., 1 Kt. · Löwy, G., Die Technologie und Terminologie der Müller und Bäcker in den rabbinischen Quellen. Leipzig 1898, 51 S. · Mielck, R., Terminologie und Technologie der Müller und Bäcker im isländischen Mittelalter. Diss. Breslau 1913 · Huber, G., Les appellations du traineau et de ses parties dans les dialectes de la Suisse romance. Heidelberg 1919, 91 S. (Wörter und Sachen, Beih. 3) · Hobi, F., Die Benennungen von Sichel und Sense in den Mundarten der romanischen Schweiz. Heidelberg 1926, 48 S. (Wörter und Sachen, Beih. 5) · Benoit, P., Die Bezeichnungen für Feuerbock und Feuerkette im Französischen, Italienischen und Räteromanischen. Diss. Bern 1926, 80 S. (auch Zeitschrift f. roman. Philologie 44) · Vieli, R., Die Terminologie der Mühle in Romanisch-Bünden. Chur 1927, 60 S. · Klenz, H., Die deutsche Druckersprache. Straßburg 1900. (25), 128 S. · Boutmy, E., Dictionnaire de l'argot des typographes. Paris 1883, 140 S. · Bröcher, J., Die Sprache des Schmiedehandwerkes im Kreise Olpe auf Grund der Mundart von Rhonau. Diss. Münster 1907 · Plehn, Sägenwörterbuch (5 Sprachen). Wien 1934 · Trillet, J., Vocabulaire de la fabrication des clous à la main au pays de Fléron-Romsie. Lüttich 1909 · Gad, Tiefbohrtechnisches Wörterbuch, dt., engl., franzos. Wien 1904 · Mörgeli, W., Die Terminologie d. Joches u. seiner Bestandteile. Beitrag z. Wort- u. Sachkunde d. dt. u. roman. Ost-u. Südschweiz sowie d. Ostalpen. Paris usw. 1940. 32, 189 S., 3 S. Abb., 2 Kt. (Romania Helvetica. Vol. 13) · Gilliéron, J. et Mongin, J., Scier dans la Gaule romaine au sud et à l'est. Étude de géographie linguistique. Paris 1905, 27 S., 5 Kt. · Bertoni, G., Le denominazioni dell' „imbuto" nell' Italia del Nord. Ricerche die geografia linguistica. Bologna 1906, 19 S., 1 Kt., 4° („Trichter") · Steffens, Lotte, Die Bezeichnungen d. Henkels im Galloromanischen. Diss. Berlin 1937, 65 S. · D. St., Die Maschine als Wesen. Frankf. Zeitung 17. 5. 1942.

18. Wirtschaft

Gruntzel, J., Wirtschaftliche Begriffe. Neuer Versuch einer wissenschaftl. Klärung d. in d. Volkswirtschaftslehre üblichsten Ausdrücke. Wien 1918, 295 S. · Bülow, F., Wörterbuch der Wirtschaft. Stuttgart 1954, Kröner 144, 543 S. · Sittel-Strauss, Handelswörterbuch, Teubner 1921, 248 S. · Handwörterbuch d. Kaufmanns. Hanseatischer Verlag · Fraser, L. M., Economic thought and language. London 1937. 120, 411 S. · Jordan, L., Handelssprachkunde, in: „De Spiegel van Handel en Wandel". 1924 ff. · Eichler, W., Wortschatz u. Wirtschaft im großbritannischen Kriegsenglisch. Diss. Greifswald 1924, 38 S. · Vančura. (Wirtschaftslinguistik. M. Belegen aus d. Terminologie d. engl. Buchhaltung). Prag 1934, 80 S. (tschech.) · Heß, H., Ausdrücke d. Wirtschaftslebens im Althochdt. Diss. Jena 1940, 101 S. · Neymarck, A., Vocabulaire manuel d'économie politique. Paris 1898 · Vocabulaire économique et sociale. Paris 1901, 175 S. · Price, H. T., Volkswirtschaftliches Wörterbuch. 1. Engl.-Dt. 2. Dt.-Engl. 2 Bde. Berlin 1926—29, 270, 676 S. · Dictionnaire étymologique et historique des finances, aides, gabelles, tabacs. Paris 1722. Fol. · Langguth, C. T., Financial dictionary in English and German. 2 T. Berlin 1933 · Passow, R., „Kapitalismus". Eine begrifflich-terminolog. Studie. Jena 1918, 136 S. · Pollux VII · Grimm, Jacob, Das Wort des Besitzes. Kl. Schr. II · Weber, Fr., Bened., Allg. dt. terminolog. ökonom. Lexikon und Idiodikon. Nebst dem Anhange eines Versuchs einer landwirtschaftlichen Synonymik. Breslau 1844 · Rauhut, F., Von der Geschichte der Handelssprache. Sprachkunde 1941 nr. 6, 3—5 · Roepke, F., Hdb. d. französ. Wirtschaftssprache. Berlin 1938. VIII, 168 S. · Ders., Französische Wirtschaftssprache und Sprachwissenschaft. (Neuphilol. Monatsschr. 10 1939, 257 bis 269) · Heidel, H., Die Terminologie der französ. Finanzverwaltung. Leipziger romanistische Studien I 15 1936 · Messing, E. E. J., Methoden und Ergebnisse der wirtschaftssprachlichen Forschung. Utrecht 1928, 41 S. · Ders., Zur Wirtschafts-Linguistik. Eine Auswahl v. Beiträgen hrsg. v.—. Rotterdam 1933, 320 S. · Siebenschein, H., Abhandlungen zur Wirtschaftsgermanistik. Prag 1936, 254 S. · Sahliger, E., Wirtschaftssprachwissenschaft. Preßburg 1938 · Kuhn, A., Die französ. Handelssprache im 17. Jahrhundert. Leipziger romanistische Studien I 1 1931 (Diss.) · Gutkind, S., Bemerkungen zur Struktur der modernen französischen Wirtschaftssprache. Neuphilolog. Monatsschr. 2 1931, 385 ff.

18. 4. A r m. Wenisch, R., Geldnot i. d. Mundart. Heimatbildung 3 1922, 183 · Späth, H. L., Bezeichnungen f. Armut u. Reichtum im Französischen. Diss. Gießen 1938 = Gießener Beiträge zur roman. Philologie 28 1938.

18. 8. P r e l l e n. s. 16. 72. Redslob, Korr.Bl. f. niederdt. Sprachf. 36 1917, 28 f.

18. 12. G e b e n u n d N e h m e n. Kath. Wlaschim, Diss Wien 1927 (ungedruckt; auch über Gegensinn) ❡ *schenken:* Schilling, H. K., Journal of Germ. Philol. 4 1902, 510—16.

18. 13. F r e i g e b i g. Bolkestein, H., Wohltätigkeit und Armenpflege im vorchristlichen Altertum. Utrecht 1939. XVI, 492 S.

18. 21. G e l d. Niemer, Gotth., Das Geld. Wort u. Brauch 21, Breslau 1930. Berliner Nachtausgabe 16. 4. 31 · Laum, B., Über das Wesen des Münzgeldes. Halle 1930 · Eisler, Rob., Das Geld. München 1924 · Martinori, E., La moneta: vocabolario generale. Rom 1915, 596 S. · Schroetter, F. v., Wörterbuch der Münzkunde. Berlin-Leipzig 1930 · Lafond, Le nom d'argent, Revue hettit.-asianique 10 1933, 90—96 · Schwabe, H. O., Gr. coin-names. Mod. Philol. 13 1916, 583 ff.; 14 1917, 105 ff., 611 ff. · Ambrosoli, S., Vocabolarietto pei numismatici (in 7 Sprachen). Mailand 1897, 134 S. · Halke, A. R., Handwörterbuch der Münzkunde. Berlin 1909 · Frey, Dictionary of numismatic names. Am. J. of Numismatics 50 1916 ❡ *altfranzösisch:* Belz. Diss. Straßburg 1914 ❡ *ägyptisch:* Pest, T. E., The E. words for Money, Buy and Sell. Studies Griffith, London 1932, 122 ff. ❡ *altenglisch:* Matzerath. Bonn 1913 · Stevenson, S. W., Dictionary of Roman coins. London 1889, 929 S. 4⁰ · Spalding, W. F., Dictionary of the World's currencies and foreign exchange. London 1928, 208 S. · Källner, Ruth, Die Bezeichnungen f. Geldwerte im Mittelengl. Diss. Breslau

1937, 55 S. · Güthler, L. P., Liste over Møntnavnene i H. H. Schou: Danske Mønter 1448—1923. København 1927, 16 S. · Catalogue of coins of the U. S. Washington 1928, 112 S.

18. 22. H a n d e l. Nolte, P., Der Kaufmann in der deutschen Sprache und Literatur. Diss. Göttingen 1909 · Eitzen, Wörterbuch der Handelssprache, dt. und englisch. 2 Bde. · Leipzig 1922—23 · Engels, A. u. Fitzen, F. W., Kaufmannsdeutsch. [5]Berlin 1924 · Wendelstein, L., Die Sprache des Kaufmanns. Leipzig-Berlin 1912 · Schirmer, A., Zur Geschichte der deutschen Kaufmannssprache. Diss. Kiel 1911 · Ders., Wörterbuch der deutschen Kaufmannssprache. Straßburg 1911 49, 218 S. · Ders., Vom Werden der deutschen Kaufmannssprache. Leipzig 1925, 111 S. · Ders., Verdeutschungsbuch „Der Handel". [7]1931. Dt. Sprachverein · Krejči, T., Einfluß des Handels auf die Entwicklung und Gestaltung der deutschen Sprache. Prag 1932, 131 S. · Pringsheim, F., The Greek Law of Sale. Weimar 1950 · Powers, O. S., Studies in the Commercial Vocabulary of Early Latin. Diss. Chicago 1944 · Schiaffini, A., Disegno storico della lingua commerciale I. Roma e i Regni remano-germanici. L'Italia dialettale 6 1930, 1—56 · Edler, Fl., Glossary of mediaeval terms of busines, italian series. 1200—1600. Cambridge, Mass. 1934, 20, 430 S. · Schiaffini, A., Il mercante Genovese nel medio evo e il suo linguaggio. Discorso. Genova 1929 · Hoffmann, J., Die Wormser Geschäftssprache v. 11. bis 13. Jh. Berlin 1903, 92 S. (Sep. aus „Acta Germanica") · Krieger, K., Die Sprache d. Ravensburger Kaufleute um d. Wende d. 15. u. 16. Jh. Friedrichshafen 1935, 79 S. (Diss. Heidelberg 1933) · Strigl, H., Kaufmännische Ausdrücke sprachgeschichtlich erläutert. Wien 1909, 42 S. · Schneider, E., Fremdwörter u. kaufmännische Fachausdrücke. 3. Aufl. Stuttgart 1919, 252 S. · Fehr, B., Die Sprache des Handels in Altengland. Wirtschafts- und kulturgeschichtliche Beiträge zur englischen Wortforschung. Progr. St. Gallen 1909, 88 S. (Habilitationsschrift) · Schrader, O., Linguistisch-historische Forschungen zur Handelsgeschichte und Warenkunde. I. Jena 1886, 291 S. · Sallentin, V., Handel und Verkehr in der altfranzösischen Literatur. 16, 144 S. Diss. Göttingen = Romanische Forschungen 31, 1 1910 · Menjinsky, E., La langue française dans le commerce extérieur. Moscou 1932, 115 S. · Straumann, H., Die Sprache der Reklame. Aarau 1938, 14 S. Progr. ¶ *Polyglottwörterbücher:* Reehorst, K. P. ter, Polyglot commercial dictionary in 10 languages. London 1850 · Jenkins, J. A., English-foreign trading terms ... in 10 languages. London 1922, 78 S. · Wolfe, A. J., Terminology in international commerce. New York 1927, 77 S. (7 europ. Spr. u. „Scandin." a. Jap.) · Odermann, C. G., Deutsch-franz. Wörterbuch d. Sprache, d. Handels, d. Handelsrechts u. d. Volkswirtschaft. Leipzig 1883, 501 S. · Lazzioli, C., Dizionario commerciale italiano-tedesca. Brescia 1936, 354 S. · Commercial nomenclature · Washington 1897, 670 S. · Wingate, J. W., Manuel of retail terms. New York 1931, 562 S.

18. 24. W a r e n. Erdmann-König-Remanowsky, Grundriß d. allg. Warenkunde. 2 Bde. Leipzig 1925 · Nemnich, Waaren-Lexicon in 12 Sprachen. 3 Bde. Hamburg 1797—1802. — Neues do. 3 Th. ebd. 1821. 4⁰ · Simmonds, P. L., Commercial dictionary of trade products, manufacturing and technical terms. New ed. London 1898, 510 S. · Pfohl, E., Warenwörterbuch f. alle Industrie-, Handels- u. Gewerbezweige in 4 Sprachen. Dt., Engl., Fr., Russ. Leipzig 1928, 95, 102, 110, 115 S. · Watson, J. Forbes, Index to the native and scientific names of Indian and other Eastern economic plants and products. London 1868, 637 S. · Watt, G., The commercial products of India, being an abridgement of „The Dictionary of the economic products of India". London 1908, 1189 S. · Geerts, A. J. C., Les produits de la nature japonaise et chinoise. I—II. [Yokohama] 1878—83. (M.

Term.) · Burkill, J. H., A dictionary of the economic products of The Malay Peninsula. 2 vols. London 1935. 11, 2402 S. · Maughan, C., Commodity market terms. London 1925, 305 S., do. 1934, 244 S. (internat. Handel) · National directory of commodity specifications. Classified and alphabetical lists ... Washington 1925, 329 S. · Zolltarif des Deutschen Reichs.

18. 25. M a r k t. Pop, S., Sinonamele cuvîntului t a r g, Revista Geografica Româna 1938, 44—61.

18. 28. B i l l i g s. Einleitung S. *44* f.

18. 30. B a n k w e s e n. Herendi, L., A complete dictionary of banking terms in three languages (English-German-French). London 1928, 3 vols in 1, 557 S. · Kaminsky, M. de, „Pentax" Banking encyclopaedia. Terlinology and phraseology in Engl., Fr., It., Span. a. German. London 1928, 629 S. · Palyi, M. u. Quittner, P. (hrsg.), Handwörterbuch d. Bankwesens. Berlin 1933, 614 S. · Korver, J., De Terminologie van het Krediewezen in het Grieksch. Diss. Utrecht 1934; dazu Kraemer, PhWs 1934, 1386 ff. ❡ *Versicherung:* Le Chartier, E., Dictionnaire international des assurances. Publ. en dix langues. Paris [1900] · Richmond, G. W. a. Sheriff, F. H. ed. Dictionary of life assurance ... 1930, 596 S. · Welson, J. B., Pitman's dictionary of accident insurance. London a. New York 1928, 806 S. · Remington, B. C., Dictionary of fire insurance . . . 2. ed. London 1935, 559 S. · Thomson, A., Dansk-tysk-engelsk-franzk Forsikrings-Ordbog. Kopenhagen 1923, 30 S. · Ders., English-French-German-Danish insurance dictionary. Kopenhagen 1924, 31 S. · Schloemer und Alfr. Thomson, Deutsch-englisch-französisch-spanisch-italienisch-dänisches Assekuranz-Wörterbuch. Berlin-Dahlem 1926, 79 S.

19. Sittlichkeit. Recht

19. 1 ff. E t h i k. Herbig, J. C. K., Wörterbuch d. Sittenlehre, oder alphabet. geordn. Erklärungen aller in d. Sittenlehre vorkomm. Begriffe. Quedlinburg 1834 · Wundt, W., Die Sprache u. die sittlichen Vorstellungen. (Ethik. Stuttgart 1886, 15—32) · Ders., Das Sittliche in der Sprache. Dt. Rundschau 12 1877, 7 ff., 70 ff. · Westermark, E., Analys av de abstrakta moralbegreppen. (Moralens uppkomst. I. Stockholm 1916, 133—61) · Münch, W., Sprache und Ethik. Zs. f. d. dt. Unterr. 14 1900, 53 ff. · Cathrein, V., Die Einheit des sittlichen Bewußtseins der Menschheit. Freiburg 1914. 3 Bde. · Planert, Le développement des idées morales examinées au point de vue linguistique. Le Monde oriental 18 1924, 122—129; dazu van Ginneken, Idg. Jahrb. 4 1916, 58 · Anthropos 6 1911, 360 ff. ❡ *Spezielles:* Heckel, H., Das eth. Wortfeld in Wolfr. Parzival. Diss. Erlangen 1939, dazu Ranke, Anz. f. d. Alt. 64 1948, 26—8 · Ehrismann, Gust., Über Wolframs Ethik. Z. f. d. A. 49 1908, 405 ff. · Ders., Die Grundlagen des ritterlichen Tugendsystems. Ebd. 56 1918, 137 ff. · Kißling, H., Die Ethik Frauenlobs. Sächs. Forschungsinst. 3 1926 · Wernly, Julia, Prolegg. zu e. Lexik. d. ästhet.-eth. Terminologie Schillers. Leipzig 1909, Walzels Unters. 10 · Meise, W., Beitr. z. e. eth. Terminologie Schillers. Diss. Greifswald 1916 · Söderwall, K. F., De nordiska sprakens uttryck för sedliga begrepp. Lund 1895 · Héraucourt, Die Wertwelt Chaucers. Hdlbg 1939. Dazu Neuphil. Monatsschr. 11 1940, 9—21 · Abel, Carl, Groß- und Kleinrussisch. Leipzig 1885 · Bruchmann, Zs. f. Völkerpsychologie 11 1880, 327 ff. · Hoffmann, Martin, Die ethische Terminologie bei Homer, Hesiod und den alten Elegikern. Diss. Tübingen 1914 ❡ ἀρετή: Prellwitz, Glotta 19 1930, 85—89 · Schwartz, Ed., Jahrb. Hochstift Frankfurt 1906. Thukydides 1921, 351 ff. · Wilamowitz, Sappho und Simonides. Berlin 1913, 169. Platon 1, 59 ff. · Jaeger, W., Tyrtaios über die wahre Arete.

SBBerlin 1932 · Porzig,ἐσθλός und ἀγαθός. IF 41 1923, 158 f. · Schmidt, Leopold, Die Ethik d. alten Griechen. 2 Bde. Berlin 1882 (m. zahlr. Unters. d. einz. Wörter. 1 Bd. S. 289—376; Die Terminologie des Guten und Schlechten, S. 485—90: Register d. ethischen Ausdrücke d. Griechen) · Schmidt, Johanna, Ethos. Borna 1941. I. ῏Ηθος / Mos / Sitte S. 1—16 · Hecht, M., Die Bezeichnungen d. Tugendbegriffe u. ihres Gegenteils. (Die griech. Bedeutungslehre. Leipzig 1888, 146—64.) (Homer u. Hesiod.) · Kleanthes 557 Arnim = Clem. protr. 6, 72 p. 54 Stählin = Strom. V 14, 110 I p. 400 · Liscu, Étude sur la langue de la philosophie morale chez Cicéron. Thèse Paris 1930 · Mary Finbarr Barry, The vocabulary of the moral-ascetical works of Saint Ambrose. Diss. Washington 1926 13, 287 S. · Ryssel, V., Die Synonyma des Wahren und Guten in den semitischen Sprachen. Diss. Leipzig 1872 · Oldenberg, Herm., Vorwissenschaftliche Wissenschaft. Göttingen 1919, 186 ff. · Schwyzer, Ed., Festschr. f. Kaegi. Frauenfeld 1919, 12—28.

19. 3 f. T u g e n d. Brodführer, R., Untersuchung über die Entwicklung des Begriffes „guot" in Verbindung mit Personenbezeichnungen im Minnesang. Diss. Leipzig 1917 · Vogt, F., Der Bedeutungswandel des Wortes edel. Marburg 1909, 36 S. · Bopp, W., Geschichte des Wortes Tugend. Diss. Heidelberg 1935 · Gaupp, O., Zur Geschichte d. Wortes „rein". Diss. Tübingen 1920, 71 S. · Schmidt, F., Zur Geschichte d. Wortes „gut". Ein beitrag z. wortgeschichte d. sittlichen begriffe im deutschen. Diss. Leipzig 1898, 46 S. (von Ulfilas bis Freidank) · Emmel, H., Das Verhältnis v. êre und triuwe im Nibelungenlied u. bei Hartmann u. Wolfram. Diss. Frankfurt 1936, 66 S. · Arnold, Aug., Studien über den hohen Mut. Leipzig 1930; dazu Trier, Anz. f. dt. Altert. 50 1931, 178 ff. · Liederwald, C., Der Begriff „edel" bei Goethe. Diss. Greifswald 1914, 171 S. · Dorn, M., Der Tugendbegriff Gellerts. Diss. Greifswald 1921 · Grandiger, Margareta, Die Bedeutung d. Adjektivs „good" in d. religiösen Literatur d. Angelsachsen. Diss. München 1934 ·‚ Käsmann, Hans, Tugend und Laster im Alt- und Mittelenglischen. Diss. Berlin 1951. 12, 83 S. ℭ *vertu:* Valéry, P., Rapports sur les prix de vertu vom 20. 12. 1934 = Oeuvres 5. Paris NRF 1935, 119 ff. Le Temps 21/12 34 · Baurmann, W., Vertu i. d. fz. Renaiss. Diss. Köln 1939. Roman. Stud. Ebering 51.

19. 5. R e u e. Gewissen: Zucker, Syneidesis-Conscientia. Jena 1928; dazu Snell, Gnomon 6 1930, 21 ff. · Zielinski, Die Antike und wir, 33 f. Seel, Festschr. Dorn-seiff, Leipzig 1953, 291 ff.

19. 9. F r e v e l. Schroeder, Edw., Sünde und Schande. KZ 56 1928, 106—116 · Ackeren, Die ahd. Bezeichnungen der Septem peccata criminalia und ihrer filiae. Diss. Greifswald 1904 · Selm, A. v., De babilon. Termini vor zonde. Diss. Utrecht 1933.

19. 10. L a s t e r. Schoknecht, vitium. Diss. München 1931 · Abel, C., Koptische Untersuchungen. Berlin 1876/77.

19. 11. V e r g e h e n. A. Elster u. H. Lingemann, Hdw. der Kriminologie. Berlin Gruyter 1932 ff. H. Kantorowicz, Strafe und Schuld, Zürich 1933, Kap. 4 § 7 S. 70 ff. del Grande, Colpa e castigo nell'espressione poetica e letteraria de Omero a Cle-ante. Napoli 1947, 560 S. · Anstoß, σκάνδαλον: Lindblom, Uppsala Universitets Ars-skrift 1921 und Festskrift Persson 1922 40 ff. · Stählin, G., Beitr. z. Förd. der christl. Theol. 2. Reihe 24 1930 · Immisch, crimen. Glotta 13 1923, 32 ff. · Reichen-becher, Scelus, flagitium, facinus. Diss. Jena 1913 · Elster, A. und Lingemann, H., Handwb. der Kriminologie. 2 Bde. Berlin u. Leipzig 1932—6 ℭ *paricidas:* Juncker, Zs. Savigny rom. 49 1929, 593 ff. · Wackernagel, Gnomon 6 1930, 449 ff. ℭ *Krimi-nalanthorpologie:* Bernaldo de Quiros, C., Vocabulario de antropologia criminal. Madrid 1906.

19. 12. B e s c h u l d i g u n g. Israël de Haan, J., Rechtskundige significa en haar toepassing op de begripen „aansprakelijk, verantwoordelijk, toerekeningsvatbar". Amsterdam 1916, 273 S. Diss. (S. Idg. Jahrb. 5, 29) · Georgesco, V. A., Essai sur le mot „causa" dans le latin juridique. Etude de philologie juridique. Bucarest 1936, 55 S. · Voigt, M., Über d. Bedeutungswechsel gewisser die Zurechnung u. d. oeconom. Erfolg einer Tat bezeichnenden latein. Ausdrücke. Leipzig 1872, 160 S.

19. 14. V e r t r a g. Anspruch, Verbindlichkeit, Versprechen: Jb. f. Phaenomenol. 1 1913, 692 ff.

19. 18. R e c h t. *Allgemeines.* Klein, A., Über die Bedeutung d. Etymologie f. die Jurisprudenz. (Zeitschr. f. Völkerpsych. 16 1886, 394—413) · Israël de Haan, J., Wesen en tak der rechtskundige significa. Amsterdam 1916, 32 S. · Wundt, W., Die Rechtsbegriffe u. ihr Ausdruck in der Sprache. (Völkerpsychologie 9 1918, S. 3—51) · Borum, O. A. og Popp-Madsen, C., Juridisk Ordbog. København 1934, 167 S. · Köst, E., Juristisches Wörterbuch, Bremen 1956 Dieterich 672 S. ¶ *Deutsch.* Dt. Rechtswörterbuch. Weimar 1914 ff. · Merk, W., Werdegang und Wandlungen der dt. Rechtssprache. Marburger akad. Reden 1933 · Kauffmann, F., Ztschr. f. dt. Phil. 47 1916, 153—210 · Thudichum, F., Die Rechtssprache in Grimms Wörterbuch. Stuttgart 1898, 55 S. · Haymen, Th., Teutschjuristisches Lexikon. Leipzig 1738. · Ihering, Rud., Der Zweck im Recht. Leipzig 1884, II, 15 f., 51 ff. · Günther, L., Recht und Sprache. Ein Beitrag zum Thema vom Juristendeutsch. Berlin 1898, 15, 360 S. Dt. Rechtsaltertümer i. d. heutigen dt. Sprache. Leipzig 1903 · Mailly, Anton, Deutsche Rechtsaltertümer. Kleine histor. Monographien, hrsg. Hovorka 19/20. Wien 1929 · Marti, H., Beiträge zu einem vergleichenden Wörterbuch der deutschen Rechtssprache auf Grund des Schweizer. Zivilgesetzbuches. Diss. Bern 1921, 74 S. · Künßberg, E. v., Rechtssprachgeographie. Heidelberg 1926, 50 S. ¶ *Andere Sprachen:* Taranger, A., Vort retsmaals historie. 1388—1604. Et bidrag til vort skriftmaals historie. Kristiania 1900, 35 S. · Pipping, H., Fornsvenskt lagspråk. I—V. (Studier i nordisk filologi 3—7 1912—15) · Uppström, A., En samling arkaismer ur nutida lagspråk · (Sprak och Stil 10 1910, 89—124, 149—75) · Söderwall, K. F., Medeltida rättsuttryck fran Värmland, Närke och Småland. Lund 1906, 24 S. Prom. skr. (Auch etwas verm. in Lunds Univ. Årsskr. 1906, 24 S.) · Vidalin, P., Skyringar yfir fornyrdi lögbókar þeirar er Jónsbok kallast. Reykjavik 1846—54, 64, 658 S. · Baden, G. L., Dansk juridisk Ordbog. 2 Bde. Kopenhagen 1822 · Schlyter, D. C. J., Ordbok till Samlingen af Sveriges gamla lagar. Lund 1877. 50, 818 S. · Vendell, H., Terminologien i äldre Västgöta- och Östgötalagarne. Helsingfors 1894, 68 S. · Mažuranič, V. (Beiträge zu einem kroatischen rechtsgeschichtlichen Wörterbuch), H. 1—11 Agram 1921 · van Hinloopen Laberton, D., Dictionnaire de termes de droit coutumier indonésien. Haag 1914, 732 S. ¶ Landsberger, B., Die babylonischen termini für Gesetz und Recht, in: Symbolae ... Paulo Koschaker dedicatae, Leiden 1939. Griechisch: Pollux Buch 8 · Hirzel, R., Themis, Dike und Verwandtes. Leipzig 1907 · Ehrenberg, V., Die Rechtsidee im frühen Griechentum. Leipzig 1921 · Ferguson, W. D., The legal and governmental terms common to the Macedonian Greek inscriptions and the New Testament. Diss. Chicago 1913, 109 S. (= Hist. and ling. Studies 2. ser. Vol. 2, Pt. 3) · Wenger, L., Sprachforschung und Rechtswissenschaft. WuS 1 1909, 84—94 · Kalb, W., Roms Juristen nach ihrer Sprache dargestellt. Leipzig 1890, 154 S. · Vocabularium iurisprudentiae romanae. 5 Bde. Berlin 1903—1940 · Ceci, L., La lingua del diritto romano. I. Le etimologie dei giureconsulti romani raccolte ed illustrate. Turin 1891 · Magie, D., De Romanorum iuris publici sacrique vocabulis sollemnibus

in Graecum sermonem conversis. Leipzig 1905, 183 S. (Diss. Halle T. 1, 41 S.) ❡ Aequitas: Stroux, Summum ius summa iniuria. Leipzig 1926 · Mörsdorf, K., Die Rechtssprache d. Codex Juris Canonici. Eine krit. Unters. Paderborn 1937, 424 S. · Capone, G., Di alcune parole indo-europee significanti diritto, legge, giustizia: ricerche giuridico-linguistiche. Mailand 1893, 55 S. · Stallaert, K., Glossarium van verouderde rechtstermen. 2 dl. (2 unvollend.). A—O. Leiden 1886—93 · Müller, S., Glossarium van de middeleeuwsche rechtsbronnen der Stadt Utrecht. Haag 1885 · Liebermann, F., Die Gesetze der Angelsachsen. 2 Bde, 1. Hälfte. Wörterbuch. Halle a. S. 1906, 253 S. (2. Hälfte ist deutsches Sachglossar) · Bartels, A., Rechtsaltertümer in der angelsächs. Dichtung. Diss. Kiel 1913, 117 S. · Rastell: Expositiones terminorum legum Anglorum. London 1527 u. wenigstens 21 Ausg. bis 1812. Seit 1624: Termes de la Ley (Fr.-Engl.) · Beseke, Dora v., Engl.-dt. u. dt.-engl. Wörterbuch d. Rechts- u. Geschäftssprache. Berlin 1929, 223 S. · Atkinson, R., Ancient laws of Ireland. Vol. 6. Glossary. Dublin 1901, 792 S. · Lewis, T., A glossary of mediaeval Welsh law based upon the Black Book of Chirk. Manchester 22 1913, 304 S. · Hermann, A., Neues Wörterbuch der dt. u. französ. Rechts- und Verwaltungssprache.[2] Paris 1938. 14, 1162 S. Weiteres bei Grundtvig 93 · Capitant, H., Vocabulaire juridique. Paris 1930 ff. · Brunner, H., Wort und Form im altfranzösischen Proceß. Wien 1868, 126 S. · Génestal, R., Index des termes juridiques... Normandie... 1270—70. Paris 1929, 46 S. · Ragueau, F., Glossaire du droit français, cont. l'explication des mots difficiles. Publ. p. L. Favre. Niort 1882. 31, 515 S. · Becquart, J., Les mots à sens multiple dans le droit civil français. Paris 1929, 336 S. · Barinska, C. (Vergl. slavische jurist. Terminologie). Bratislava 1933, 194 S. ❡ *Einzelnes:* Poelje, S. O. van, De administratieve rechtspraak in Engeland. Alphen a. d. Rijn 1937, 318 S.

19. 19. G e s e t z. Wenger, Canon in den römischen Rechtsquellen und den Papyri, SB Akad. Wien 220 1942.

19. 24. P f l i c h t. Bernert, De vi et usu vocabuli officii. Diss. Breslau 1930 · Rübel, debere im Romanischen. Diss. Straßburg 1911.

19. 26. S ü h n e. Weisweiler, Josef, Beiträge zur Bedeutungsentwicklung german. Wörter für sittl. Begriffe I. IF 41 1923, 13 ff. (arg. usw.) · Buße, Halle 1930 ❡ *Nemesis:* Schweitzer, B., Dea Nemesis Regina. Jb. archäol. Inst. 46 1931, 175 ff.

19. 32. B e s t r a f u n g. Angstmann, Der Henker i. d. Volksmeinung. Beih. 1 z. Teuthonista; dazu v. Künssberg, Ztschr. f. Rechtsg. germ. Abt. 48 1928, 612 ff. ❡ *Galgen:* Storfer, Frankfurter Zeitung 27. 4. 33 · Betts, A., A glossary of ancient words mostly in connection with fines and mulcts etc. Pt. 1. London [1907], 86 S. (A—Azenaria) · Kienle, R. v., Zum Begriffsbezirk Strafe. (Wörter u. Sachen 16 1934, 67—80, 4 Kt.)

20. Religion, das Übersinnliche

A l l g e m e i n e s u n d n i c h t - c h r i s t l i c h e R e l i g i o n e n. *Allgemeines:* Bertholet, Alfred †, Wörterbuch der Religionen. Kröner 1951 · Mathews, S. a. Smith, G. B., Dictionary of religion and ethics. New York 1921, 513 S. (Term. u. Biogr.) · Hastings, J. ed. Encyclopaedia of religion and ethics. Index volume. Edinburgh 1927, 757 S. (S. 661—719 Index[es] to foreign words arranged by languages, with definitions) · Macculloch, J. A. ed., The mythology of all races (12 vols.). Complete index. New York 1932, 477 S. · Bray, F. Chr., The world of myths. A dictionary of mythology. 1935, 323 S. · Hanson, J. W., Pocket cyclopædia. Explanations of religious terms as understood by Universalists. Boston 1892, 89 S. · Nehring, A.,

Seele und Seelenkult bei Griechen, Italikern u. Germanen. Breslau Diss. 1917 (Teildr.), 29 S. · Stange, E., Das Wort und die Wörter. Pastoralblätter 78 1935, 1 ff. ¶ *Griech.-lat.:* Mayer, Aug. Moira in griech. Inschriften. Diss. Gießen 1927, 39 S. · Leitzke, E., Moira u. Gottheit im alten griech. Epos. Sprachl. Untersuchungen. Diss. Göttingen 1930, 82 S. · Volkmar, G. H. J. P., Notio vocis religionis romana. I. De verbis legendi natura atque progenie. Diss. Marburg 1838, 111 S. · Kobbert, M., De verborum „religio" atque „religiosus" usu apud Romanos. Quaestiones selectæ. Diss. Königsberg i. Pr. 1910, 61 S. · Bergh, L. Ph. C. van den, Proeve van een kritisch Woordenboek der nederl. Mythologie. Utrecht 1846. 36, 392 S. ¶ *Orient:* Tallqvist, K., Sumerisch-akkadische Namen .d. Totenwelt. Helsingfors 1934, 47 S. (Studia orient. V, 4) · Selms, A. v., De babylonische termini voor zonde. ageningen 1933. 13, 115 S. · Franckh, A., Zur Frage nach dem Einfluß des Babylonisch-Assyrischen auf die religiöse Terminologie der Hebräer. Kritische Untersuchung von 35 alttestamentlichen Hauptbegriffen. Diss. Tübingen 1908, 66 S. · Winternitz, M. ed., A concise dictionary of eastern religion. Being the index vol. to „The Sacred Books of the East". London 1925 · Macdonell, A. A. and Keith, A. B., Vedic index of names and subjects. 2 vols. London 1912 · Hertel, J., Die arische Feuerlehre. 1. T. Leipzig 1925, 188 S. (Die relig. Ausdrücke d. Veda) · Charpentier, J. Brahman, Eine sprachwiss.-exeget.-religionsgesch. Untersuchung. Upsala Univ. Arssk. 1932, 138 S. · Nyâyakosa, or dictionary of the technical terms oft he Nyâya philosophy ... 2. ed. Bombay 1893, 1087 S. · Krause, F. E. A., Terminologie und Namensverzeichnis zur Religion und Philosophie Ostasiens. München 1924, 226 autogr. S. (Ju-Tao-Fo ... Beiheft) · Soothill, W. E. and Hodous, L., A. dictionary of Chinese Buddhist terms, with Sanskrit and English equivalents and a Sanskrit-Pali index. London 1937, 532 S. 4° · Eitel, E. J., Hand-book of Chinese Buddhism, being a Sanskrit-Chinese dictionary. 2. ed. Hongkong 1888.- With a Chinese index by K. Takakumo. Tokio 1904 · Rosenberg, Introduction to the study of Buddhism according to material preserved in Japan and China. Part. 1. Vocabulary (Buddhist terms and names with Japanese readings and Sanskrit equivalents). Tokio 1916 · Doré, Manuel des superstitions chinoises. Schanghai 1926 · Hughes, T. P., Dictionary of Islam. London 1885. Do. 1895, 750 S. · Wensinck, A. J., A handbook of early Muhammadan tradition. Alphabetically arranged. Leiden 1927. 16, 268 S. · Massignon, L., Essai sur les origines du lexique technique de la mystique musulmane. Paris 1922, 303, 104 S. · Horten, M., Lexikon wichtigster Termini der islamischen Mystik. Heidelberg 1928, 141 S. · Torrey, C. C., The commercialtheological terms in the Koran. Diss. Straßburg 1892, 51 S. · Kroeber, A. L., History of Philippine civilization as reflected in religious nomenclature. (Amer. Museum of nat. Hist.) · Reschke, H., Linguistische Untersuchung d. Mythologie und Initation in Neuguinea. Diss. Münster 1935. 16, 167 S. ¶ *Christliche Religion:* Richardson, E. C., Subject headings in theology: a synthetic index. Yardley, Pa. 1928, 211 S. · Briscout, J. (dir.), Dictionnaire pratique des connaissances religieuses. (6 tom. Paris 1925—29.) Analyt. u. syst. Übersicht VI Sp. 997 bis 1242 (kath.) · Browne, H., Triglot dictionary of scriptural representative words in Hebrew, Greek and English. London 1901. 15, 506 S. · Kittel, G. (hrsg.), Theologisches Wörterbuch zum Neuen Testament. Bd. 1 ff. 1933 ff. (begriffsgeschichtliches griech. Wörterbuch) · Braun, J. (hrsg.), Handlexikon d. katholischen Dogmatik. Freiburg 1926, 356 S. ¶ Diehl, E. (ed.), Inscriptiones Latinae christianae veteres. Vol. 3 (Indices, Berolini 1931, S. 316—421 (Religio christiana) · Sainio, M. A., Semasiologische Untersuchungen über die Entstehung d. christlichen Latinität. Helsinki 1940, 121 S. · Janssen, H., Kultur und Sprache. Zur Geschichte d. alten

Kirche im Spiegel d. Sprachentwicklung. Von Tertullian bis Cyprian. Nimwegen 1938. 11, 265 S. · Asting, R., Die Verkündigung d. Wortes im Urchristentum, dargestellt an d. Begriffen „Wort Gottes", „Evangelium" u. „Zeugnis". Stuttgart 1939. 16, 749 S. · Matzkow, W., De vocabulis quibusdam Italae et Vulgatae christianis quaestiones lexicographae. Diss. Berlin 1933, 55 S. (Über Wiedergabe griech. Wörter) · Teeuwen, Sprachlicher Bedeutungswandel bei Tertullian. Paderborn 1926 · Boue, A., La vie des mots latins. Paris 1892. Article 6 · Koffmane, Geschichte des Kirchenlateins. Breslau 1879—80, Kap. 3 ¶ Lee, F. G., Glossary of liturgical and ecclesiastical terms. London 1877, 39, 452 S. · Bumpus, J. S., A dictionary of ecclesiastical terms. London [1910], 324 S. · Sheaper ed. 1914, 328 S. · Shipley, Orby, A glossary of ecclesiastical terms. Ed. by —. London 1872. 14, 508 S. · Atchley, E. G. C. F., and E. G. P. Wyatt, The churchman's glossary of ecclesiastical terms. London 1923, 206 S. · Sleumer, A., Kirchenlateinisches Wörterbuch. Limburg (Lahn) 1926, 842 S. ¶ Baetke, Walter, Das Heilige im Germanischen. Tübingen 1942. IV, 226 S. · Betz, W., Deutsch und Lateinisch. Die Lehnwortbildungen der ahd. Benediktregel. Bonn 1949 · Frings, Germania Romana. Teuthonista, Beih. 2. Halle 1932 · Raumer, R. v., Die Einwirkung des Christentums auf die althochdeutsche Sprache. Stuttgart 1845, 430 S. — Neue Titelausg. Berlin 1851 · Achterberg, Interpretatio christiana. Form u. Geist 19 1930 · Stöckle, Theol. Ausdrücke bei Gottfried v. Straßburg. Diss. Tübingen 1915 · Zirker, O., Die Bereicherung d. deutschen Wortschatzes durch d. spätmittelalterl. Mystik. Jena 1923, 82 S. · Lüers, Grete, Die Sprache d. deutschen Mystik d. Mittelalters im Werke d. Mechtild v. Magdeburg. München 1928. 15, 319 S. · Nicklas, Anna, Die Terminologie des Mystikers Heinrich Seuse. Diss. Königsberg 1941, 161 S. · Heitz, Zur mystischen Stilkunst Heinrich Seuses in seinen deutschen Schriften. · Halle 1914 (Diss. Teildr.) 38 S. · Kirmsze, C., Die Terminologie des Mystikers Johannes Tauler. Diss. Leipzig 1929, 98 S. · Papmehl-Rüttenauer, I., Das Wort Heilig in d. deutschen Dichtersprache von Pyra bis z. jungen Herder. (Diss. Berlin) 1897, 102 S. · Scharman, Th., Studien über die Sælde in der ritterlichen Dichtung d. 12. und 13. Jahrh. Diss. Frankfurt 1934 · Lehmann, M., Untersuchungen zur mystischen Terminologie Richard Rolles. Diss. Berlin 1936, 70 S. · Mitzka, W., Die Sprache der dt. Mennoniten. Danzig 1931, 23 S. · Weinhold, K., Die gotische Sprache im Dienste des Christentums. Halle 1870, 38 S. (Festschrift) · Jellinek, Zur christlichen Terminologie im Gotischen. PBB 47 1923, 434—47 · Groeper, R., Unters. über gotische Synonymen. A. Religiöses Leben. Berlin 1915 · Úcok, N., Über die Wortgruppen weltanschaulichen u. religiösen Inhalts in der Bibelübersetzung Ulfilas. Diss. Heidelberg 1938, 74 S. · de Boor, Helmut, Die religiöse Sprache der Völuspa und verwandte Denkmäler. Dt. Islandforschung 1 1930, 68—142 · Wessén, Elias, Om den äldsta kristna terminologie i de germanska fornspraken. Arkiv f. nord. filol. 44 1928, 74—108. · Kahle, B., Die altnordische Sprache im Dienste des Christentums. T. 1. Die Prosa. Berlin 1890 (Acta German.) · Keiser, Albert, The influence of christianity on the vocabulary of Old english poetry. Urbana Press Illinois 5 1919 (große Materialsammlung) · Gillivray, H. S. Mac, The influence of christianity on the vocabuary of Old English. I. Halle 1902. 28, 171 S. (Studien zur englischen Philologie 8) · Olmes, Antonie, Sprache und Stil der englischen Mystik des Mittelalters. Diss. Halle 1933, 100 S.= Stud. z. engl. Philol. 76 · Halvorsen, N. O., Doctrinal terms in Aelfrics homiles. Iowa City 1932, 98 S. (University of Iowa) · Remus, H., Die kirchlichen und speziell-wissenschaftlichen romanischen Lehnworte Chaucers. Halle 1906, 154 S. (S. 1 bis 38 Diss. Göttingen 1903) · Trénel, J., L'Ancien Testament et la langue française du moyen âge. Paris 1904 · Hauprich, W., Der Einfluß des Christentums auf den französischen Wortschatz. Diss. Bonn 1930, 120 S. · Lerch, Einfluß des Christentums auf den französischen Wortschatz. Neuphilol. Monatsschr. 4 1933, 2 ff., 65—80, 108—121 · Rheinfelder, Liturgie und Wortschatz. Volkstum und Kultur der Romanen 2 1930, 113—138 · Kultsprache und Profansprache. Bibl. dell'Archivum romanicum II, 18 1933 · Altona, J., Gebete u. Anrufungen in d. altfranz. Chansons de geste. Marburg 1883 · Keutel, G., Die Anrufung d. höheren Wesen in d. altfranz. Ritterromanen. Marburg 1886 · Jud, J., Sur l'histoire de terminologie ecclesiastique de la France et de l'Italie. (Revue de Ling. rom. 10 1934, 1—62) · Miklosich, F., Die christliche Terminologie der slavischen Sprachen. Eine sprachgeschichtliche Untersuchung. Wien 1875, 58 S. · Klich, E., Polska terminologja cijanska. Posen 1927 · Langford-James, R. L., A dictionary of the Eastern Orthodox Church. London 1923. 14, 144 S. ⁋ *Orientalisches Christentum:* Graf, G., Verzeichnis arabischer kirchlicher Termini. Leipzig 1934, 95 S. · Meinhof, C., Die Christianisierung der Sprachen Afrikas. Basel 1905, 55 S. · Terminologia catholica japonice reddita. Sapporo 1937, 252 S. · Aubazac, L., Lexique français-cantonnais des termes de religion. Hongkonk 1918, 207 S. 12⁰ · Legge, J., Letters on the rendering of the name of God in the Chinese language. Hong Kong 1850, 73 S. · Mosely, C. B. and H. Miyake, An English-Japanese vocabulary of theological, biblical and other terms. Tokio 1897, 97 S.

20. 1. R e l i g i o s i t ä t. Dahinten, K., Die Verbalausdrücke für den Begriff des Glaubens. Diss. Jena 1930 · Ochs, E., Gottesfürchtig, andächtig, fromm. PBB 44 1920, 315—21 ⁋ *religio:* Kerenyi, Byz.-neugriech. Jahrb. 8 1929—30, 306 ff. ⁋ *superstitio:* Linkomies, Arctos (Helsingfors) 2 1931, 73 ff. ⁋ *Märtyrer:* Dornseiff, Arch. f. Relig.-Wiss. 22 1924, 133 ff. ThLitZtg. 67 1942, 95 f. · Delehaye, Sanctus, La terminologie de la sainteté. Brüssel 1927 · Bolkestein, ὅσιος und εὐσεβής. 1936.

20. 2. K e t z e r. Collitz, Festschr. f. Hoops. 1925.

20. 3. U n g l a u b e. Zeiller, Paganus. Diss. Freiburg/Schw. 1917; dazu Meillet, Bull. Soc. de Linguist. 1918, 74 ff. Altaner, Paganus. Zs. f. Kircheng. 58 1939, 130.

20. 5. Ü b e r s i n n l i c h e s. Otto, Rudolf, Das Heilige[25]. Gotha 1936 · Strümpell, Regine, Über Gebrauch und Bedeutung von saelde, saelic und Verwandtem bei mittelhochdeutschen Dichtern. Diss. Leipzig 1917. 99 S. ⁋ Italienisch: Hatzfeld, Helmut, Das Heilige im dicht. Sprachausdruck des Paradiso. Dt. Dantejb. 3 1930, 41 ff. ⁋ *sanctus:* Delehaye, H., Sanctus. Brüssel 1927 · Williger, Hagios. RVV. 19, 1 Gießen 1922 ⁋ *Geister:* Laistner, L., Rätsel der Sphinx. Berlin 1889, II, 454 · Grünwedel, A., Mythologie des Buddhismus in Tibet und der Mongolei. Leipzig 1900 ⁋ Die Ausdrücke für den Korndämon verdanke ich R. Beitl-Berlin ⁋ Bosc, E., Glossaire raisonné de la divination et de l'occultisme. Paris 1910. 232 S. · Nagel, R., Okkultistisches Lexikon. Leipzig [1920], 53 S. · Blavatsky, H. P., A theosophical glossary. London (1892), 389 S. New. ed. 1918 (Deutsch 3. Aufl. 1922, holländ. 1906) · Kapel, A. T., Theosofisk Ordbog. København 1925, 100 S. · Bestermann, Th., A dictionary of theosophy. London 1927. 18, 147 S. (Th. im weitesten Sinne. Term. teilw. auch griech. u. orient.)

20. 6. E n g e l. Schwab, M., Vocabulaire de l'angelologie. Paris 1897.

20. 7. G o t t h e i t. Wahmann, P., Gnade, Neue dt. Forschungen 125, 4 Berlin 1937; dazu Kunisch, Anz. dt. Altertum 57 1938, 148—55 · Baynes, H., The idea of God and the moral sense in the light of language. London 1895 · Wiens, G. L., Die frühchristl. Gottesbezeichnungen im German.-Althochdt. Neue Forsch. 25 1935. Diss. Göttingen · Cahen, M., Le mot „dieu" en vieux scandinave. Coll. linguistique 10 1921. L'adjectif „divin" en germanique. Mélanges Andler. Publications Fac. de

Lettres Strasbourg 1924 ⁋ Französisch: Hatzfeld, H., Die Gottesbezeichnungen im poet. Altersstil Hugos. Die neueren Spr. 39 1931, 112 ff. · Guntermann, K., Herrschaftliche und genossenschaftliche termini (für gott, Christus, den teufel und ihre umgebung) in der geistlichen Epik der Westgermanen. Diss. Kiel 1910, 112 S. · Jente, R., Die mythologischen Ausdrücke im altenglischen Wortschatz. Eine kulturgeschichtl.-etymol. Untersuchung. Diss. Heidelberg 1922. 20, 344 S. (Anglistische Forschungen 56) · Ernault, E., Le mot „dieu" en breton. Paris 1906 · Forchhammer, P. W., Prolegomena zur Mythologie als Wissenschaft und Lexikon der Mythensprache. Kiel 1891, 127 S. · Schwering, W., deus und divus. IF 34 1914, 1—44. · Mugnier, R., Le sens du mot θεῖος chez Platon. Diss. Clermont 1930 · King, E. G., Hebrew words and synonyms. Part 1. The names of God. London 1884 · Landau, E., Die dem Raume entnommenen Synonymen für Gott in der neuen hebräischen Literatur. Diss. Zürich 1888, 66 S. · Marmorstein, A., The old Rabbinic doctrine of God. I. The names and attributes of God. London 1927, 217 S. · Buckel, Albanus, Die Gottesbez. i. d. Liturgien d. Ostkirche. Diss. und Preisschrift Würzburg 1938 · Weller, F., Tausend Buddhanamen des Bhadrakalpa. Nach e. fünfsprachigen Polyglotte. Leipzig 1928, XXV, 269 S.

20. 8. Güntert, H., Der arische Weltkönig und Heiland. Bedeutungsgeschichtliche Untersuchungen zur indo-iranischen Religionsgeschichte und Altertumskunde. Halle 1924, 439 S. · Gertrud Herzog-Hauser, Soter. Wien 1931.

20. 9. ff. T e u f e l , G e i s t e r. Röhrig, Lutz, Der Dämon und sein Name. Beitr. Gesch. dt. SpraLit. 73 1951, 456—67.

20. 12. Z a u b e r e i. Sommer, F., Besprechen, beschreien. Wörter und Sachen 7 1921 ⁋ berufen: Seligmann, S., Die Zauberkraft des Auges. Hamburg 1922 · Franck, I., Gesch. des Wortes Hexe in: Hansen, Quellen. Bonn 1901 · Osthoff, K., Allerhand Zauber etymologisch beleuchtet. (Bezz. Beitr. 24 1899, 109—73, 177 bis 213) · Burriss, E. E., The terminology of witchcraft. (Classical Philology 31 1936. 137—45) (lat.) · Müller, M., Über die Stilform d. altdeutschen Zaubersprüche. Diss. Kiel 1901 · Fehrle, E., Zauber und Segen. Jena 1926, 80 S. ill., 1 Bl. · Wesche, H., Der althochdeutsche Wortschatz im Gebiete d. Zaubers u. d. Weissagung. Halle 1940, 110 S. · Laugaste, E., Nõia ja nõiduse nimetusi Eesti murdeis. Avec un résumé: Les noms des sorciers et de la sorcellerie dans les dialectes Estoniens. Tartu 1937, 32 S. · Erich, O. A. und R. Beitl, Wörterbuch d. dt. Volkskunde. Kröners Taschenausgaben 127—8. Stuttgart 1936, 864 S. · Handwörterbuch des deutschen Aberglaubens, 10 Bände. Berlin, de Gruyter 1927—42.

20. 13. G e b e t. Wißmann, Nomina postverbalia. Göttingen 1932 · Heiler, Das Gebet. 5. Aufl. München 1923 ⁋ bigott: Spitzer, Zs. f. roman. Philol. 44 1924, 188 ff. · Kalitsunakis, I. E., Der Begriff der Frömmigkeit in Platons Euthyphron. Πρακτ. 'Ακαδ. 'Αθ. 5 1930, 395—420 ⁋ Die Ausdrücke für Aussegnung verdanke ich R. Beitl-Berlin ⁋ Van Herten, D., Θρησκεία, εὐλάβεια, ἱκέτης Diss. Amsterdam 1934, 109 S. · Zijdarveld, C., Τελετή. Diss. Utrecht 1934 ⁋ Unio mystica: Berger, Kurt, Die Ausdrücke der u. m. im Mhd. Germ. Studien Ebering 168 1935.

20. 16. K u l t. Braun, Jos., Liturgisches Handlexikon. 2. Aufl. München 1924 · Cahen, Maurice, Etudes sur le vocabulaire religieux du vieux scandinave. La libation. Collection linguistique 9 1921 · Clugnet, L., Dictionnaire grec-français des noms liturgiques en usage dans l'église grecque. Paris 1895, 186 S. · Kretzer, De Romanorum vocabulis pontificalibus. Diss. Halle 1903 · Beringer, Leopold, Die Kultworte bei Virgil. Diss. Erlangen 1932 ⁋ sacramentum bei Ambrosius: Huhn, Jos., theol. Diss. Freiburg i. B. 1931 · Feierfeil, W., Die liturgische Sprache der katholischen Kirche. Warnsdorf 1904, 152 S. · Hoffmann, A., Liturgical dic-

tionary. Minnesota 1928, 187 S. · Schreiber, G., Untersuchungen über den Sprachgebrauch d. mittelalterlichen Oblationenwesens. Diss. Freiburg 1913.
20. 17. P r i e s t e r. Waag, Anat., Die Bez. des Geistlichen im Althoch- und -niederdeutschen. Teuthonista 8 1931, 1—54 = Diss. Leipzig 1931 (Frings) · Wesche, H., Das Priestertum und der Gottesdienst. PBB 61 1937, 1—116 · Hengstler, A., Geistlicher, Mönch und Nonne im Spiegel der volkstümlichen romanischen Namengebung. Diss. Tübingen 1934 · Krebs, K., Der Bedeutungswandel von me. clerk. Bonner Studien zur engl Philol. 21 1934 ⁋ *Prophet:* Fascher, Gießen 1926.

20. 18. G e i s t l i c h e T r a c h t. Braun, Josef, Die liturgische Gewandung. Freiburg 1907. Klauser, Th., Der Ursprung der bischöflichen Insignien und Ehrenrechte. ²Krefeld 1953.

20. 19. H l. S c h r i f t. Bacher, W., Die älteste Terminologie der jüdischen Schriftauslegung. Leipzig 1899 · Goldziher, I., Die Richtungen der islamischen Koranauslegung. Leyden 1920.

20. 20. K u l t g e b ä u d e. Wesche, H., Das Heidentum i. d. ahdt. Sprache. 1. Teil: Die Kultstätte. Diss. Göttingen 1932 · Vitruvius, de archit. 3. 3. Jordan, Über die Ausdrücke aedes templum fanum delubrum. Hermes 14 1879, 567—83 · Jouon, P., Les mots employés pour désigner „Le Temple" in AT., NT., Josephus. Recherches de Science religieuse 25 1935.

III. NACHTRÄGE

I. FÜR DAS ALLGEMEINE

¶ *Mehrsprachig:* Eberhardt-Lyon, 5sprach. Synonymenwörterbuch. Mezger in Preliminary reports VII. Internat. Congress of Linguists, London 1952, 79 ff. v. Wartburg in dessen Proceedings.

¶ *Gebärden:* Leop. Schmidt, Beiträge zur sprachlichen Volksüberlieferung 2, Berlin 1953.

Einzelne Sprachen.

¶ *Deutsch:* Die neuesten Wörterbücher, etwa von R. Pekrun, Das deutsche Wort, Heidelberg 1955, und L. Mackensen, Deutsche Rechtschreibung 1954. Bertelsmann Verlag · Der tägliche Wortschatz, Deutsche Buchgemeinschaft 1955 · Deutsches Wörterbuch, Laupheim 1955 · Binowitsch, Dt.-russ. phraseolog. Wörterbuch. Moskau 1956 · Frank, Otto, Genormte Fachausdrücke und Zeichen. Berlin 1949, 219 S. · Geffert u. a., Unser Wortschatz. Braunschweig 1954, Westermann · Heinsius, Th., Volkstüml. Wörterbuch, 5 Bde. Hannover 1818—22 · Hansa-Wörterbuch. Westermann · Küpper, H., Wörterbuch d. dt. Umgangssprache. Hamburg 1955, 421 S. · Peltzer, K., Das treffende Wort [2]. München 1956 · Ott, Der Pilger durch die Rätselwelt, Berlin, Pilger, zuletzt 1954 · Textor, A. M., Sag es treffender! Stuttgart 1956, Kohlhammer, 272 S. · Siegmund, A. Wolf, Wörterbuch des Rotwelschen. Mannheim 1957, Bibliogr. Inst.

¶ *Einzelne Schriftsteller und Epochen:* Betz, Lat.-dt. Benediktinerregel, Bonn 1949.

¶ E n g l i s c h : zuletzt Roget, International Thesaurus, a Crowell Reference Book, New York 1946, 1194 S.

Zu Wortschatz S. 73 Mitte lies statt James, F. C.: James, B. Fernald. ¶ *Einzelne Autoren:* Chaucer, Heraucourt, Die Wertwelt C.'s. Heidelberg 1939. E s p e - r a n t o : Klasificato Vortaro E.-Hispana, Buenos Aires 1952, Asociacion Esperantista Catolica Argentina, dazu Heroldo de Esperanto. 28 1952, S. 4 ¶ E s t n i s c h : Saareste, Petit Atlas des parlers estoniens. 108 S. Skrifter utgivna Kungl. Gustav Adolf Akad. Stockholm 1955. F r a n z ö s i s c h : ¶ Gebärden: Mario Wandruszka, Haltung und Gebärde der Romanen. Beih. Zs. f. roman. Ph. 96, 1954.

¶ Dialekte: C h a m p a g n e : Caleb Bevans, The old french vocabulary of Ch., Diss. Chicago 1941.

¶ *Einzelne Autoren:* W a c e : Keller, Hans-Erich, Etude descript. sur le vocabulaire de W. Dt. Akad. Romanistik 7. Berlin 1953 · B e a u m a r c h a i s : v. Proschwitz in: Romanica gothoburgensia 5, 1957 · A l t g r i e c h i s c h : Hope, E. W., The language of Parody (Aristophanes). Diss. Baltimore 1906 · I t a l i e n i s c h und italienische Dialekte: Panzini, A., Dizionario moderno [8] a cura di A. Schiaffini e Bruno Migliorini, Mailand Hoepli 1942. Peati, A.: Voci di gerganti, vagabondi e malviventi, Pisa 1940. Fanfani-Arlia, Lessico dell' infima e corotta italianità, Milano 1881,[5] 1907. Carena seit 1846 in neueren Ausgaben · S l a v i s c h e Sprachen: Mašin-Bečka, Strubný slovnik českých synonym, Prag 1947 · S p a n i s c h : Yvonne de Dorny, Lexikon des lenguaje figurado 1954 · V l a m i s c h : Boelons en van der Woede, Dialektatlas, Antwerpen. Pée-Lüttich, Atlas.

II. ZUM EINZELNEN

1. Anorganische Welt, Erde, Stoffe

1. 2. S t e r n e , S o n n e : Himmel: Reichelt, Der steinerne H. IF. 32 1913, 23 ff.
1. 15. L a n d b e z i r k : Schwarzenbach, A., Die geogr. Terminologie im Hebräischen des AT, Diss. Zürich 1954 Brill · Westermann, Wilhelma, Die Ausdrücke für Boden und Bodenfläche im Russischen. Diss. F. U. Berlin 1953.
1. 20. S t o f f : Arpe, substantia, Philologus 94 1940, 64 ff.
1. 25—26. G e o l o g i e , M i n e r a l o g i e , B e r g b a u : H. Quiring, Geschichte des Goldes. 1948 · Garbe, R., Die indischen Mineralien. Leipzig 1882.

2. Pflanze, Tier, Mensch (Körperliches)

2. 2. P f l a n z e n a r t e n : Caspar Bauhin, Pinax Theatri botanici. Basel 1623 · H. Behling, Die Pflanze in der ma. Tafelmalerei. Weimar 1957, Boehlau · *Lateinisch:* André, J.: Lexique des termes de botanique en L. Paris 1956, 427 S. · *Tschechisch:* Wallmén, O., Alte tschech. Pflanzennamen im Botanicon Dorstens. Stockholm 1954, 176 S. ¶ *Einzelne Pflanzenfamilien und -arten:* Ingwer: Ross, A. S. C., Ginger, A Loan-Word-Study. Oxford 1952 · Wacholder: Medenwald, Lotte, Die Worttypen von W. in ihrem Verhältnis zur Dt. Mundartgliederung. Diss. Marbg. 1952 (Ref. Mitzka) ¶ Brennessel und Quecke: Nordstrand, Iris: Brennessel und Quecke. Lunder germanist. Forschungen 28 1954, 223 S. · Stiefmütterchen: Krogmann, Annales Fenn. für Öhmann 1954, 199 ff. Hermodsson.
2. 2. und 9. P f l a n z e n u n d T i e r e . Strömberg, R., Griechische Wortstudien. Göteborg 1944.
2. 5. L a n d w i r t s c h a f t , l ä n d l i c h e s L e b e n , G a r t e n b a u . ¶ *Romanisch:* Stempel, W.-D., Die romanischen Ostbaumbezeichnungen. Diss. Heidelberg 1955 · Schöneweiss, H. G., Die Namen der Obstbäume in den romanischen Sprachen. Kölner romanist. Arbeiten 5, Köln 1955 ¶ *Französisch:* Rommel, A., Die Entstehung d. klass. frz. Gartens im Spiegel d. Sprache. Dt. Akademie Romanistik 10. Berlin 1954.
2. 9. T i e r a r t e n . Nitsche, G., Zur Tiernamenkunde. Wiss. Annalen 3 1954, 728—47. J. H. Woddger, Biology and Language. Cambridge Univ. Press 1952. ¶ *Niedere Tiere:* Wiepen, Ursula, Der Frosch. Diss. Marburg 1945 · Insekten: Keler, St. v., Entomologisches Wörterbuch. 679 S. Berlin, Akad.[2] 1957 · Schumacher, Th.-Heinz, Studien zur Bedeutungsgeographie. Diss. Marburg 1952 · Hirt, Klaus, Zum Problem roman. Schmetterlingsnamen. Diss. Freiburg i. B. 1952 ¶ *Vogelnamen:* Nicoll, M. J., Handlist of the birds of Egypt. Cairo 1919, Government Press ¶ *Spezielles:* Koelb, Erica, Markolf. Diss. Marburg 1952 ¶ *Storch:* Senn, A., German.-roman. Monatsschrift 3 1953, 337 ¶ *Säugetiere:* Kohl, J. F., Zur Deutung des Begriffes potaja i. d. Zool. d. Jainas. ZDMG 103 1953, 151 ff ¶ *Haustiere:* Rösermüller, Edeltraud, Wortschwund im Bereich der roman. Haustiernamen. Diss. Erlangen 1952 (Kuen) ¶ Katze: Benveniste, E., BSL 45 1949, 74 ff. ¶ Pferd: Nehring, A., Die Wortsippe von griech. kaballes. Die Sprache 1 1949, 164 ff.
2. 10. T i e r z u c h t . Törnquist, N., Zur Terminologie der Bienenzucht. Studia neophilologica 17 1948, dazu Rosenfeld, H. F., DLZ 1949, 368 ff.

2. 11. T i e r k r a n k h e i t e n. Schäperclaus, W., Fischkrankheiten [3] 1954.

2. 12. F i s c h e r e i. Mitzka, W., Deutsche Fischervolkskunde 1940 · Peesch, R., Der Wortschatz der F. im Kietz von Berlin-Köpenick. Akad.-Verlag Berlin 1955 · Rassow, Mary, Fischersprache und Brauchtum zu Darss und Oder. · Diss. Greifswald 1958. Berlin, Akad.-Verlag.

2. 14—15. M a n n u n d F r a u. Mayrhofer, M., Studien zur idg. Grundsprache. Wien 1952, 32 ff.

2. 16. K ö r p e r t e i l e, A n a t o m i e. Wigand, P., Der menschl. Körper im Munde d. dt. Volkes. Frankfurt 1899 · Dyckerhoff, H., Wörterbuch der physiologischen Chemie. Berlin 1955, de Gruyter · Steudel, L., Der vorvesalische Beitrag zur anatomischen Nomenklatur. Sudh. Archiv 36 1943 ff. ⁋ G r i e c h i s c h : Morel, L., De vocabulis partium corporis in ling. Gr. metaphorica dictis. Diss. Genf 1875.

2. 17. L e b e n. 2. 19. B e g a t t u n g. 2.35 A u s s c h e i d u n g e n. Bilderlexikon der Erotik ⁋ G r i e c h i s c h : Muth, R., Träger der Lebenskraft. Ausscheidungen des Organismus im Volksglauben der Antike. Wien 1954. Εὐίου Ληναίου'Απόρρητα. Saloniki 1935, 244 S. Porzig, Debrunner Festschrift 1954, 343 ff.

2. 27. S p e i s e n. Dunger und Lohm, Deutsche Speisekarte (Verdeutschungsbücher 9) ⁋ Brot, Gebäck: Pelshenke, Gebäcke aus deutschen Gauen 1936.

2. 31. A l k o h o l t r i n k e n. Hermann, Das Bier im Volksmund. Berlin 1930.

2. 33. b e t r u n k e n. Rosenfeld, H. F., Ausdrucksfähigkeit und Bildkraft der ndd. Sprache, dargelegt an der Bezeichnung des Bezechten. Stade 1956, 64 S · Kröll, Heinz, Onomasiol. Beiträge Portugal. Diss. Heidelberg 1951, auch portugies.: „Designacoes portug. pare embriaguez", 224 S.

2. 35. A u s s c h e i d u n g e n. Rosenfeld, H. F., Germ. fist PBB 78, 357 ff., 79, 195.

2. 41. K r a n k h e i t. Hoffmann, W., Schmerz, Pein und Weh. Diss. Marburg 1956 · Kunow, Otto, Die Heilkunde (Verdeutschungsbücher 8) · Zetkin und Schaldach, Wörterbuch der Medizin. Berlin 1956, 1008 S. · Grapow, Her., Grundriß der Medizin der alten Ägypter. 8 Bde. Bd. 1—3 Berlin, Akad.-Verlag 1954—56 ⁋ Balkansprachen: Lettenbauer, Krankheitsdämonen im Volksglauben der Balkansprachen in: Kissling-Schmaus, Serta Monacensia. Babinger-Festgruß, München 1952 ⁋ Zahnheilkunde: W. Hoffmann-Axthelm, Zahnärztl. Lexikon. Leipzig: Barth 1958, 532 S.

2. 44. H e i l u n g. Arzneimittel: Gehe-Xodex. Hoppe, H. A., Europäische Drogen. 2 Bde. Hamburg 1949—51, de Gruyter   Irion, Drogisten-Lexikon. 3 Bde. Berlin 1955, Springer.

2. 45. S t e r b e n. Stolzmann, Peter: Die angelsächs. Ausdrücke für „Tod" und „sterben". Diss. Erlangen 1953 · Lange, Gisela (jetzt Frau Amberg). Diss. Leipzig 1956.

2. 47. S e l b s t m o r d. Schulze, W., „Eigenen Todes sterben". Berlin 1912, 685 ff. Schaeder, H. H., NGG 1946—7, 24 ff.

3. Raum, Lage, Form

3. 30. R e c h t s u n d L i n k s. Hoops, Johs., Etudes Germaniques 5 1950, 88.

4. Größe, Menge, Zahl, Grad

4. 35. Z a h l w ö r t e r , M a t h e m a t i k. Sommer, F., Zum Zahlwort. SBMünchen 1950 · Baumgärtl, D., Bemerkungen zu hohen Zahlen. KZ 70 1952, 241 ff.

4. 45. h o h e r G r a d. Kirchner, Die Gradadverbien im heutigen Englisch. Halle 1955, 126 S. · Spitzbardt, Harry, desgl. Diss. Jena 1954 · Deutschmann, O., Qualitätsverbien als Intensitätsadv. und Mengenbez. im Galloromanischen. Veröff. Inst. rom. Sprachen Akad. Berlin.

5. Wesen, Beziehung, Geschehen

5. 8. A r t. Ghellink, essentia, Bulletin Ducange 16 1943, 77 ff., 17 1943, 129 ff.

5. 45. S c h i c k s a l. Krause, W., Die Ausdrücke f. d. Schicksal bei Homer. Glotta 1936, 143 ff. · Luther, W., Weltansicht und Geistesleben. Göttingen 1954, 54—63 · Busch, Gerda, Unterss. zum Wesen der Τύχη bei Euripides. Diss. Heidelberg 1937. Strohm, H., Tyche.

6. Zeit

6. 1. Z e i t r a u m. Guyot, E., Dictionnaire des termes de mesure du temps. La Chaux-de-Fonds 1953.

7. 4. L i c h t. Lack: Mayrhofer, M., Lack GRMonatsschr. 3 1953, 71 ff.

7. Sichtbarkeit, Licht, Farbe, Schall, Temperatur, Gewicht, Aggregatzustände

7. 11 ff. F a r b e. Seufert, G., Farbnamenlexikon A—Z. 205 S., Göttingen 1955 ⁋ Indogermanisch: Solta, G. R., Zum expressiven Charakter der idg. Farbbezeichnungen. Anz. Akad. Wien 87 1950, 40 ff. · Deutsch: Weisgerber, L., Vom Weltbild d. dt. Sprache. Düsseldorf 1953, 176 ff. · Kummer, Die dt. Farbzeitwörter. Muttersprache 1954, 42 ff. ⁋ Romanisch: Stählin, Agnes, Die Wortschatzprofile der roman. Schriftsprachen im Bereich der Farbbezeichnungen. Diss. Erlangen (Kuen) 1947. (Viele weitere Lit.) ⁋ Slavisch: Henne, G., Die slav. Farbenbenennungen. Uppsala 1954 = Publication de l'Institut slave 9.

7. 35. T e m p e r a t u r. Lang, Friedr., Das Feuer i. d. Bibel. Theol. Diss. Tübingen 1951. · Emblik, E., 5-Sprachen-Kälte-Wörterbuch. Hannover 1954, 192 S.

8. Ortsveränderungen

8. 1. B e w e g u n g. ⁋ reiten: Delebecque, Le cheval dans l'Iliade. Paris 1951.

8. 4. W a g e n. DNA, Einheitliche Benennung der Wagenteile[2]. Berlin 1950, Beuth. Lexique général des termes ferroviaires. Bern: Benteli 1957, 829 S.

8. 5. S c h i f f. Einzelne Sprachen: Granville, Wilfred, Sea-Slang 1950.

8. 7. S c h n e l l. Seidensticker, Peter, Diss. Göttingen 1952 und Zs. f. Mundartenforschung 24 1956, 160 ff. · Oksaar, Els., Semantische Studien im Bereich der Schnelligkeit (im Deutschen). Stockholm 1958, 533 S.

9. Wollen und Handeln

9. 18. T ä t i g k e i t. Novotny, F., Quae voces lingua latina de operis faciendi notione adhibeantur. Sbornik filosof. fakulty Brünn 1952.
9. 55. L e i s t u n g. Dornseiff in Zeitschr. „Lexis" 1 1948, 16 ff.

10. Sinnesempfindungen

Schrenk, Josef, Die Verba der sinnl. Wahrnehmungen in d. slavischen Sprachen. Diss. Erlangen 1953 · Wessbecher, Gisela, Der Ausdruck der Sinneswahrnehmungen und ihre Bedeutung bei Stendhal. Diss. Heidelberg 1955.

11. Psychologie, Fühlen, Affekte, Charaktereigenschaften

Wörterbücher: Berka, M., Kleines ps. Wb., Wien Sexl 1949.

11. 1. B e w u ß t s e i n. Weisweiler, L., Seele und See. IF 57 1940, 25 ff. · Nehring, A., Seele und Seelenkult. Diss. Breslau 1917 · Handley, E. W., Words for „soul", „kart" and „mind" in Aristophanes. Rhein. Mus. 99 1956, 205—225.

11. 2. S e e l i s c h e A r t u n g. Oppenheim, Erich A., Charakterkunde von A bis Z. Bern—Stuttgart 1955, 297 S. · Dandekar, Der vedische Mensch, Heidelberg 1938.

11. 13. U n l u s t. de Smet, Wirkendes Wort 5 1954, 69 ff.

11. 35. H o f f n u n g. Westermann, Cl., Vokabeln für Hoffen u. Erwarten im AT. Theologia viatorum 4 1952, 19—70 · Bloch, E., Das Prinzip Hoffnung. 3 Bde. Berlin 1954 ff · Schabram, H., (im Angelsächs.). Diss. Köln 1954.

11. 42. F u r c h t. Masé, A., Die Darstellung des Affekts d. Furcht im engl. Roman 1800—1830. Diss. Zürich 1953 · Bitter, W., Angst und Schuld, Vorträge u. a. von Wandruska, Stuttgart 1953.

11. 50. M i t g e f ü h l. Klocker, Alois: Das Mitleid Homer bis Aristoteles. Commentationes Aenipont 1955.

11. 52. L i e b e. Fickel, Erika, sele, lip, herze. Diss. Tübingen 1948 · Normann, F., Die v. d. Wurzel $\varphi\iota\lambda$ gebildeten Wörter i. d. Vorstellung v. d. Liebe im Griech. Diss. Münster 1952.

12. Das Denken

Schmidt, H., Philosophisches Wörterbuch [14], hrsg. Schischkoff-Kröner 1957 · Hoffmeister, Jhs., Wörterbuch der philos. Begriffe [2]. Hamburg 1955, Meiner, 687 S. · Schmoldt, Benno, Die deutsche Begriffssprache Meister Eckharts. Heidelberg 1954 · Schneider, O., Das Feld intellektueller Begriffe i. d. Frühepik Spaniens und Frankreichs. Diss. Frankfurt 1955.

12. 7. A u f m e r k s a m. Schroepfer, J., Die altindischen Ausdrücke für aufmerken, wahrnehmen und erkennen. Diss. Prag 1934.

12. 35. L e a r n i n g (and feeling). Haas, W. P., The semantic spectrum of moisture in Arabic. Diss. Utrecht 1954 (den Haag).

13. Zeichen, Mitteilung, Sprache

13. 1. Z e i c h e n. Comer, Georg, Die Sprache durch Gegenstände. Leipzig 1829. Il linguaggio dei fiori. Milano 1864.

13. 12. S p r e c h e n : Chatton, René, Zur Gesch. der roman. Verben für „Sprechen", „Sagen", „Reden". Diss. Zürich = Romanica Helvetica 44 1955 · Vogt, H., Sagen und Sprechen — ein verbales Wortfeld des Ahd. Diss. Hamburg 1955.

13. 29. V e r n e i n u n g. Kröll, Heinz, Onomasiol. Beiträge Portugal. Diss. Heidelberg 1951, s. 2.31.

13. 31. G r a m m a t i k. Hofmann-Rubenbauer, Wb. d. grammat. u. metrischen Terminologie. Heidelberg, Winter 1950.

14. Dichtung, Schrifttum

14. 3. D r a m a. T h e a t e r. Granville, Wilfred, Dictionary of theatrical Termes. New York 1952 · Rohr, Ursula, Der Theaterjargon. Diss. F. U. Berlin 1951 · Chiera, Edward, Sie schrieben auf Ton. Zürich—Leipzig 1940.

14. 11. B u c h w e s e n. Kirchner, J., Lexikon des Buchwesens. 2 Bde. Stuttgart 1952—3, 927 S. · Hiller, H., Wb. des Buches [2]. Frankfurt 1958, 340 S. Klostermann · Buchgewerbe: Das Buchgewerbe. Verdeutschungsbücher 12. Berlin 1929 · Niel, Rich. L., Satztechnisches Taschenlexikon mit Berücksichtigung der Schriftgießerei [2]. Wien 1925.

15. Kunst, Archäologie

Schubring, Paul, Wörterbuch der Kunstgeschichte. Berlin 1913.

15. 10. M u s i k. Bremers Handlexikon der Musik. Leipzig, Reclam · Bücken-Stege, Wb. der Musik [2]. Bremen 1956 · Denecke, A., Tonkunst, Bühnenwesen und Tanz (= Verdeutschungsbücher).

16. Gesellschaft und Gemeinschaft

16. 5. F r e m d e r. Thieme, P., Der Fremde im Rgveda. Leipzig 1938.

16. 9. V e r w a n d t s c h a f t. Griechisch: Miller, Greek Kinship Terminology, J Hell St 73 1953, 46—52 · Vater: Trier, J. Ztschr. Savigny german. 65 1947, 232 ff.

16. 16. G r u p p e. G e s e l l s c h a f t. S o z i o l o g i e. Vierkandt 2. Aufl. als Wörterbuch der Soziologie. Hrsg. W. Bernsdorf und F. Bülow, Stuttgart 1955.

16. 18. V o l k u n d N a t i o n. Schulze, Fritz, Der engl. Wortschatz im Sinnbezirk Volk—Nation während der französ. Revolution. Diss. Halle 1948.

16. 19. S t a a t. P o l i t i k. Besson, W., Die politische Terminologie des Präsidenten Franklin D. Roosevelt. Tübinger Studien 1 1955, 205 S. · Zobel, Carolina, Polizei (Wortgesch.). Diss. München 1952.

16. 21. W e r b e n. Winter, Gernot, Die Spra. i. d. öffentlichen Meinungswerbung. Diss. Berlin 1955.

16. 33. T a d e l. Seidensticker, Peter: Diss. Göttingen 1952 und Zs. f. dt. Mundartenforschung 24 1956, 160 ff. · Schlechter, Doris, Der Bedeutungswandel von „gemein" im 19. Jh. Diss. Köln 1955 · Kudla, Schimpfwörter des Tschechischen. Diss. Prag 1936.

16. 43. Z ä r t l i c h k e i t. Trost, P., Schimpfwörter als Kosenamen. Idg. Fo. 1933.

16. 56. S p i e l. Fichard, R. v., Spiel und Sport (= Verdeutschungsbücher 10).

16. 58. T a n z. Hollands, Maria, Zur Etymol. und Bedeutungsgesch. einiger alter Tanzwörter. Diss. Münster 1948.

16. 74. M i l i t ä r w e s e n. H e e r. S o l d a t e n s p r a c h e. Hochstetter, G., Der feldgraue Büchmann. Berlin 1916 · Transfeldt, Wort und Brauch im dt. Heer 1915 Partridge, Eric, Words at war, words at peace. London 1948   Loenen, D., Πόλεμος, Mededel. Amsterdam 16, 3 1953.

16. 87. E h r e n e r w e i s u n g. Haenisch, E., Die Heiligung des Vaters- und Fürstennamens in China. F u F 8 1902, 394 S. SBLeipzig 84 1932.

16.99. B e h ö r d e. Bruns, Die Amtssprache (= Verdeutschungsbücher 5) · Eilers, W., Iranische Beamtennamen i. d. keilschriftlichen Überlieferung = Abhh. Kunde Morgenland 25, 5, Leipzig 1940 (Wörterverzeichnis von H. H. Schaeder) · Wyschinsky und Lowoski, Wb. d. Diplomatie. 2 Bde. 1948—58.

16. 106. B e f e h l e n. Im Arabischen: Krascheninnikowa, Der Modus der Aufforderung im Dt., Sowjetwiss. 1954, Heft 2 · Pelletier, A., Le vocabulaire du commandement AT u. NT. Recherches de Sciences relig. 41 1953, 519—23.

16. 112. D i e n e r. Pax, W., amphipolos. Wörter und Sachen 18 1937, 1 ff.

17. Geräte, Technik

17. 2. G e b ä u d e t e i l e. Frommhold, ABC der Baubegriffe. Düsseldorf 1952.

17. 6. B e h ä l t e r f ü r F l ü s s i g e s. K e r a m i k. Hubschmid, Johs., Schläuche und Fässer. Romanica Helvetica 54, Bern 1955.

17. 8. W e b s t o f f e. Rosenfeld, H. F., Spinnen und Weben im pommerschen Platt. Ann. Ac. Scient. Fennicae 1954.

17. 10. D e k o r a t i o n. S c h m u c k. Edelsteine: Koch, Walter, Zs. f. angew. Mineralogie 2 1939, 174—198.

17. 15—16. T e c h n i k. A l l g e m e i n e s. Wüster, Bibliography of monolingual scientific and technical glossaries. ·Unesco, Paris 1955, 16, Avenue Kléber (Anschrift: Dr.-Ing. Eugen Wüster, Wieselburg, Österreich) · Taenzler, W., Der Wortschatz des Maschinenbaus im 16., 17. u. 18. Jh. Diss. Bonn 1955 · Jaberg, Probleme altrom. Wortgeographie. Zs. rom. Ph. 38, 1—75. Werkzeug: Fachwörterbücher, Verlag Girardet, Essen: Werkzeuge 1950.

18. Wirtschaft

18. 30. B a n k w e s e n. V e r s i c h e r u n g. Neumann, K., Das Versicherungswesen (= Verdeutschungsbücher 11).

19. Sittlichkeit, Recht

Köst, E., Juristisches Wörterbuch. Bremen 1956, Dieterich, 672 S.

19.18. R e c h t. ⁋ Andere Sprachen: Berger, Ad., Encycl. Dictionary of Roman Law. Transactions of the Americ. Philos. Society, Philadelphia 43, 2 1953 · Galgen: Saueracker, K., Wortschatz der peinlichen Gerichtsordnung Karls V. ·Heidelberg 1929, 50 S.

20. Religion, das Übersinnliche

A l l g e m e i n e s   u n d   n i c h t - c h r i s t l i c h e   R e l i g i o n e n :   König, F., Religionsgesch. Wörterbuch. Wien 1956 Herder, 64, 956 S. ⁋ Orient: Gonda, J., Notes on Brahman, dazu Thieme ZDMG 102 1952 · Johansson, F. K., Über die altind. Göttin Dhisána u. Verwandtes. Skrifter Uppsala 20, 1 1917 · Hackmann, Wörterbuch chines. und indischer buddhistischer philosophischer Termini · Wensinck, A. J., und D. H. Kramers Hdwb. des Islam. Leiden, E. J. Brill 1941, 843 S. · Enzyklopädie des Islam, hrsg. von Houtsma, Arnold u. a. 4 Bde. Leiden und Leipzig 1912—38. ·Neue engl. u. französ. Ausgabe seit 1957, Leiden, Brill · ⁋ Christliche Religion: Melzer, Friso, Der christl. Wortschatz d. dt. Sprache. Lahr 1951 Kaufmann, 500 S. · Feist, E.: Der rel. Wortschatz. Tatianübers. Diss. Freiburg i. B. 1953 · Hauck, F., Theolog. Fremdwörterbuch 1950, 176 S. · Schwester Petronia Steiner, Gleichheit und Abweichungen im Wortschatz der ahd. Bibelglossen und der zusammenhängenden Bibeltexte. Diss. München 1939 · König, F., Religionswissenschaftliches Wb. Freiburg Herder 1956, 956 S. · Muthmann, Gustav, Der rel. Ws. Dichterspr. 18. Jh. Diss. Göttingen 1952, 467 S. · Langen, Aug., Der Wortschatz des deutschen Pietismus. Diss. Tübingen 1954 (Niemeyer).

20.16 K u l t. Jud, Sur l'hist. de la terminologie ecclesiastique France Italie Rev. Ling. romane 10 1935, 1—62 · Thierbach. A., Unterss. z. Benennung der Kirchenfeste i. d. roman. Sprachen, 1951 · Kirfel, W., Der Rosenkranz — Ursprung und Ausbreitung. Walldorf-Hessen 1949.

1

1. Anorganische Welt. Stoffe

1. 1. Weltall
1. 2. Gestirne
1. 3. Erde
1. 4. Witterung
1. 5. Klares Wetter
1. 6. Wind
1. 7. Trübes Wetter
1. 8. Regen
1. 9. Sonstige Niederschläge
1. 10. Gewitter
1. 11. Geographischer Ort
1. 12. Himmelsrichtungen
1. 13. Festland
1. 14. Bodenschichten
1. 15. Landbezirk, Flächenmaße
1. 16. Ufer
1. 17. Insel
1. 18. Stehende Gewässer
1. 19. Sumpf
1. 20. Stoff
1. 21. Mischung
1. 22. Unvermischt
1. 23. Anorganische Welt, Bergwerk
1. 24. Elemente
1. 25. Mineralien
1. 26. Gesteine
1. 27. Legierungen
1. 28. Anorganische chemische Stoffe
1. 29. Organische chemische Stoffe

1. Weltall.

kosmisch · weltumfassend ⁊ All · Kosmos · Makrokosmos · Natur · Schöpfung · die Unendlichkeit · Universum · Welt · Weltall · Weltenraum · das Weltganze · Weltgebäude · der Weltkreis.

2. Gestirne.

aufgehn · untergehn ⁊ astral · astronomisch · himmlisch · siderisch. — gestirnt ⁊ Astronom · Astrolog · Sterngucker ⁊ Äther · Firmament · der (gestirnte) Himmel · Himmelsgewölbe · Himmelsraum · Himmelszelt · Sternengewölbe · Sternenheer · Sternenmeer · Sternenraum · Sternhimmel · Sternenschar · Sternenzelt ⁊ Sternbild.— Tierkreisfigur. — Milchstraße ⁊ Gestirn · Himmelsfenster · Himmelskörper · Stern · Weltkörper · Himmelslichter ⁊ Fixstern ⁊ Sonne. — solar · sonnenhaft ⁊ Ekliptik · Sonnenbahn · Tierkreis · Frühlingspunkt ⁊ T i e r k r e i s z e i c h e n : Widder · Stier · Zwillinge · Krebs · Löwe · Jungfrau · Waage · Skorpion · Schütze · Steinbock · Wassermann · Fische ⁊ P l a n e t e n , Wandelsterne: Merkur · Venus · Erde · Mars · Jupiter · Saturn · Uranus · Neptun · Pluto. — Asteroiden ⁊ I. Die nördlichen Gebiete: 1. Polarstern · Kleiner Bär · 2. Kassiopeia · Andromeda · 3. Capella · Fuhrmann · Plejaden · 4. Zwillinge · Krebs · Luchs · 5. Großer Bär, Wagen, Septemtriones (lat.), Schenkel des Stiers (Ägypten), Wurfschaufel (China), Tragbahre (Arabien), Schiff mit gesetzten Segeln (Portugal), Vollbeladenes Boot (malaiischer Kulturkreis), Lastwagen (Babylonien), Pflugschar (Irland), Die sieben Wölfe (sib. Tundra) · Jagdhunde · 6. Herkules · Bootes, Ochsentreiber · Drache · Krone · 7. Vega · Leier · Schwan ⁊ II. Gebiete am Äquator: 8. Walfisch (Cetus) · 9. Sirius · Kleiner Hund · Großer Hund · Orion · 10. Regulus · Löwe · Becher · Hydra · 11. Arcturus · Jungfrau · Schlange · Waage · Rabe · 12. Altair · Adler · Schlangenträger · Schütze · Schütze · Pfeil · 13. Pegasus · Wassermann · Fische · Steinbock · Delphin ⁊ III. Die südlichen Gebiete: 14. Fomalhaut · ₁₅. Eridanus · 16 Canopus · Argo · 17. Kreuz des Südens · 18. Kentaur · Skorpion · 19. Schütze · Pfau · Kranich · 20. Südpol ⁊ M o n d e : Mond der Erde · Mond des Neptun. — *Mars:* Deimos · Phobos. — *Jupiter:* Mond I bis IX. — *Saturn:* Dione · Enceladus · Hyperion · Japetus · Mimas · Phöbe · Rhea · Tethys · Themis · Titan. — *Uranus:* Ariel · Oberon · Umbriel · Titania · -lunar ⁊ Satellit · Trabant · Sputnik ⁊ Komet, Haarstern. — Meteor, Sternschnuppe, Sterntaler. — Sphäre ⁊ Himmelsglobus · Planetarium. — Sternwarte. — Konstellation · Konjunktur ⁊ Astronomie, Sternkunde, Himmelskunde · Astrophysik · Astrologie,·Sterndeutung *s. Weissagung 12. 43.*

3. Erde.

geognostisch · geologisch · global · irdisch · planetarisch · terrestrisch · tellurisch ⁊ Erdball . Erde · Erdkugel · Globus · Planet · Alte und Neue Welt · unser Planet · Mutter Erde.

4. Witterung, Luftverhältnisse. *s. Luft 7. 60; 7. 61.*

Atmosphäre · Lufthülle · Stratosphäre ⁊ Bary-, Pyro-, Lithosphäre ⁊ Sima · Sial ⁊ Klima · Luftdruck · Wetter · Witterung. — Jahreszeit ⁊ Wolke · Bewölkung · Gewölk · Wolkenwand · Störungsfront, -schleier ⁊ Zirrus-, Faser-, Federwolke · Schäfchen, Lämmerwolke · Haufenwolke, Nimbus usw. ⁊ Regenmacher · Wetterflieger ⁊ Aerometer · Aneroid · Barometer · Barometrograph · Baroskop · Baryometer · Dampfdruckmesser · Dasymeter · Eudiometer · Gasometer · Gasmesser · Luftdruckmesser · Manometer · Wetterwarte ⁊ Meteorologie · Klimatologie.

5. Klares Wetter. *s. hell 7. 4. Hitze 7. 35. Frost 7. 40. gute Qualität 9. 56.*

es blaulappt, heitert auf, hellt (sich) auf, macht sich, hält sich, klart auf · die Sonne kommt durch · Barometer steigt, steht hoch ¶ Sonnenschein · Windstille · blauer Himmel · Blankmützenwetter · Ausgeh-, Fest-, Kaiser-, Schönwetter · ein Hoch · klare Sicht · erste Frühlingstage · Mai · goldener Herbst.

6. Wind. *s. atmen 2. 17; 2. 35.*

blasen · brausen · fauchen · sausen · stürmen · säuseln · wehen · es windet (alem.) · es zieht · heute geht die Windin selber (schles.) · da hat sich mindestens einer aufgehängt · da hat sich der Leibhaftige aufgehängt ¶ wenn der Wind im blühenden Korn Wellen schlägt: das Korn begattet sich, rammelt, stiebt, webt, wolft, wolkt, der Eber geht im Korn, der Schäfer treibt aus, die Säue (Schafe, Wölfe) jagen sich ¶ fächeln · lüften · zuwehen · ventilieren ¶ böig · luftig · stürmisch · windig · zugig ¶ Atem · Durchzug · Gegenzug · Hauch · Lüftchen · Luftströmung · Luftzug · scharfe Luft · Wind · Zephir · Zug · Zugluft ¶ Bise · Blizzard · Böe · Boreas · Brise · Drehsturm · Fallwind · Flage · Föhn · Hurrikan · Mistral · Monsun · Orkan Passatwind · Samum · Sandhose · Scirocco · Sturm · Sturmwind · Taifun · schwere See · Tornado · Tramontana · Ungewitter · Wind · Windsbraut · Windhose · Windstoß · Zyklon · der blanke Hans (nordd.) · das wilde Heer · Schwaden ¶ Geißtöter · Hexenwind · Rosseschinder · Schinderhengst · Ziegenschinder · Wind und Wetter ¶ Nord · Ost · Süd · West. — Lee · Luv ¶ Abzug · Auspuff · Blasbalg · Exhaustor · Fächer · Föhn · Gebläse · Lunge · Pankha (ind.) · Preßluft · Ventilator . Wedel. — Windmesser ¶ Ventilation ¶ Windstärke ¶ Anemographie · Anemologie. — Windrose.

7. Trübes Wetter. *s. halbdunkel 7. 6. Hitze 7. 35. Kälte 7. 40. Wind 1. 6. Regen 1. 8. Gewitter 1. 10.*

sich eintrüben · der Abend(himmel) macht sich voll · der Himmel bewölkt sich, ist beschworken · ein Wetter zieht auf · die Sonne zieht Wasser · es bezieht sich, trübt sich · bedeckt sich · es zieht sich zusammen · daß man keinen Hund rausjagen würde ¶ veränderlich · rauh · bedeckt · diesig · trübe ¶ Wolkenwand · Bewölkung · Morgendunst · Nebel, Waschküche (Fliegerspr.) · Wettersturz · Störungsfront · Depression · Dreckwetter · rauhe Witterung ¶ Hundewetter · Sauwetter · Schweinewetter · ein Tief · Unwetter · Ungunst des Wetters · Unbilden der Witterung · Toben, Aufruhr der Elemente.

8. Regen. *s. feucht 7. 55.*

es regnet, pinkelt, schifft, seicht ¶ l e i s e r   R e g e n : es fisselt · es guddert · mistet · pritscht (östr.) · schmuddert (ndd.) · stippert (ndd.) · urfelt · nieselt · rieselt · rinnt · tröpfelt · plätschert · pißt von den Tannen (schwäb.) ¶ Nebelregen · Sprühregen · Staubregen ¶ k u r z e r   R e g e n : Flage · Gewitterregen · Schauer · Strichregen ¶ s t a r k e r   R e g e n : es drischt · gießt · plackert · pladdert · plästert · prescht · regnet · schmaddert · schnürlt (östr.) · schüttet · strippt · strömt · tratscht · trätscht · es regnet Ackerleinen, Bindfaden, Seigerleinen (östr.), Siemen, Strippen, Bumskülen, Bauernjungen, Kuhbuben, Schusterbuben, Spitzbuben, kleine Hunde, Katzen, Kesselflicker · sich einregnen, sich abregnen · nun regnet es Plintjefahrer (pom.) · es regnet wie mit Bütteln (Wien), mit Eimern, Gelten (schw.), Gießkannen,

Kannen, Kübeln, Mollen, Mulden, Schaffeln (mecklenbg.), Spänen (balt.) · was vom Himmel herunter will · gießt in Strömen ¶ Guß · Landregen · Pflatsch · Platzregen · Schutt · Sturzbach · Sturzflut · Wolkenbruch. — Niederschläge.

9. Sonstige Niederschläge.

tauen · betauen. — reifen · bereifen. — graupeln · hageln · es kitzbohnelet · risseln (Mainz) · verhageln. — schneien · einschneien · schlackern · Frau Holle schüttelt die Betten (Federn) aus ¶ Tau. — Reif · Rauhreif · Graupen, Hagel(schlag), Schloßen · Eisregen. — Schnee · Schneeflocken · Schneetreiben · Lawine · Schneekristall · Schneegestöber · Schneefall: Schneesturm · Schneeregen · Stiemwetter · Neuschnee · weißes Kleid (Röcklein), Leichentuch, Bahrtuch der Erde · Gewächte. — Glatteis.

10. Gewitter.

blitzen · zucken · bummern · donnern · es (ge)wittert · es rummelt · grollt · grumpelt · Petrus schiebt Kegel · die Engel kegeln ¶ Blitz · Blitzstrahl · Donnerkeil · (kalter) Strahl · Wetterstrahl. — Donner · Donnerrollen · Donnerschlag · Stimme Gottes · Kugelblitz · Wetterleuchten · (Sankt) Elmsfeuer, Glimmentladung ¶ atmosphärische Entladung · Einschlag · Blitzableiter.

11. Geographischer Ort. *s. Lage 3. 2.*

lokalisieren ¶ Atlas · Azimut · Landkarte · Sonnenschießen (Marine) ¶ Äquator · Erdachse · Pol · Meridian · Wendekreis ¶ Breitengrad · Längengrad · Kimmung · Lage · Ort · Örtlichkeit · Platz · Posten · Punkt · Richtung · Scheitelkreis · Sitz · Standort · Standpunkt · Stätte · Stelle · Stellung · trigonometrischer Punkt ¶ Erdbeschreibung · Erdkunde · Geographie · Kartographie · Topographie.

12. Himmelsrichtungen. *s. Wind 1. 6.*

Süden · Mittag. — südlich · tropisch ¶ Norden · Mitternacht · hoher Norden. — arktisch · nördlich · polar · antarktisch ¶ Westen · Okzident · Abendland. — westlich ¶ Osten · Morgenland · Orient · Aufgang. — östlich.

13. Festland. *s. Pflanzung 2. 5. Höhenlagen 4. 12—14. Landung 8. 20.*

Erde · Erdkreis · Erdkugel · Erdteil · Gegend · Globus · Halbkugel, Hemisphäre · Himmelsstrich · Kontinent · Land · Landstrich · Region · Zone ¶ Niederland · Tiefland *s. niedrig 4. 13* ¶ Hochland · Gebirge usw. *s. hoch 4. 12* ¶ Acker · Ackerboden · Ackerland · Ährenfeld · Alm (bair.), Alp (schweiz.) · Alluvium · Anger · Anschwemmung · Artland · Au · Auer · Baufeld · Bergmatte · Blachfeld · Boden · Brachfeld · Brink (erhöhtes Rasenstück) · Ebene · Erde · Erdreich · Erdscholle · Feld · Feldmark · Fläche · Flachland · Flur · Geest · Gefilde · Gelände · Gesenke · Gewann · Grasland · Grund · Grund und Boden · Hag · Halde · Heide · Humus · Hut · Koppel (schlesw.-holst. = Weide) · Ländereien · Land · Lehde · Marsch · Matte · Moor · Moos · Rain · Rasen · Ried · Riedel · Rodung · Rücken Schlag · Senne · Sohle · Stoppelfeld · Terrain · Trift · Venn · Wasen · Weide Wiese ¶ Brache · Dreesch · Moräne · Öde · Ödland · Pampas · Prärie · Pußta · Savanne · Steppe · Wildnis · Wüste · Wüstenei ¶ Krume · Scholle.

1*

14. Bodenschichten. *s. Gesteine 1. 26.*

Sandstein · Tonschiefer ⁋ Konglomerate: Nagelflue · Grauwacke ⁋ Kreide. — Kalktuff, Duckstein, Travertin. — Marmor · Mergel ⁋ Laimen · Löß · Schwarz-erde · Tonerde, Kauper ⁋ Erdkrume · Ackerboden, Humus, Scholle ⁋ Letten · Lehm · Schlick ⁋ Sand ⁋ Schutt · Moräne · Geröll ⁋ geologische Formationen: Kambrium · Silur · Devon · Karbon · Perm · Trias · Jura · Kreide · Tertiär · Quartär.

15. Landbezirk, Flächenmaße. *s. Bodenarten 1. 13. Ackergrundstück 2. 5. Ort 3. 2. Umhegung 3. 23. Umkreis 3. 24. Längenmaße 4. 6. Teil 4. 42.*

Areal · Arena · Plan · Platz ⁋ Ballei · Bereich · Bezirk · Burgbann · Departement · Distrikt · Domäne · Fürstentum · Gau · Gebiet · Gemarkung · Gemeinde · Ge-wann · Grafschaft · Grenze · Grundstück · Gut · Herzogtum · Kanton · König-reich · Kreis · Landesteil · Landschaft · Landstrich · Liegenschaft · Mark · Mar-kung (bad.), Esch · Oberamt · Ort · Pfarrei · Provinz · Rayon · Revier · Region · Reich · Sprengel, Bistum, Diözese · Staat (*s. 16. 19*) · Stadtbezirk · Stremel (ndd.) · Terrain · Territorium · Vogtei · Weichbild · Zone ⁋ Quadratmeter usw. · Ar · Hektar · Morgen · Hufe · Jagen · Joch · Tagwerk.

16. Ufer. *s. Rand 3. 23.*

Anlandung · Aufschwemme · Bank · Binnenland · Böschung · Bord · Buhne, Ab-weiser, Höfte, Kribbe, Schlange, Stake, Wuhr(e) · Deich, Kaje · Düne · Eisbrecher · Erde · Festland · Gestade · Grund · Halbinsel · Isthmus · Kai, Pier · Kap · Kliff, Steilküste · Klippe · Kontinent · Koog · Küste · Land · Landenge · Landzunge · Marsch · Mole, Damm, Staudamm, Wellenbrecher · Nehrung · Neuland · Ort (= Landspitze) · Prallhang, Gleithang · Ranft · Riff · Sandbank · Schelf, Kon-tinentalsockel · Staden · Strand · Ufer · Vorgebirge · Wasserkante · Wurthe · Warf, Warp, Werft · Werder · Wisse (am See) · Wörd.

17. Insel.

insular ⁋ Insulaner ⁋ Atoll · Au(e) · Eiland · Eisbank · Eisberg · Hallig · Höwel (pom.) · Holm · Insel · Klippe · Orplid · Riff · Sandbank · Schäre ⁋ Archipel.

18. Stehende Gewässer. *s. Fluß 7. 55.*

hydrographisch · limnologisch · ozeanographisch · maritim · ozeanisch ⁋ Altwasser · Bassin · Binnensee · Bodden · Brack · Dümpfel · Dünung · Förde · Gewässer · Gumpen · Lache · Maar, Kratersee · Meer · Ozean · Pfütze, Lusche (schles. = Pfütze) · Salzflut · See · das Söll · Suhle (jäg.) · Teich · Tümpel · Weiher · Wiek · Woog. — Staubecken, -see ⁋ Flut, Seich · Gezeiten, Tiede ⁋ Belt · Meer-enge · Sund ⁋ Bai · Bucht · Busen · Golf · Hafen, Part ⁋ Haff · Lagune · Marsch · Watt(en) · Ozeanographie.

19. Sumpf. *s. Brei 7. 51. unrein 9. 67.*

Baggen (slav.) · Bruch · Brühl · Darg · Fenn · Gumpe (alem.) · Kniest · Kolk · Kotlache · Lache · Lusche (schles.) · Marsch · Modder · Modderpamp · Moor · Morast · Pfuhl · Quebbe · Ried · Schlamm · Schlick · Seefelde (schles.) · Suhle · Sumpf · Watt.

20. Stoff. *s. Ersatzstoffe 1. 27. wirklich, etwas 5. 1. Beschaffenheit 5. 8.*

bestehen aus · sein aus ¶ materialisieren · realisieren · verkörpern · verleihen ¶ —en, z. B. eichen, irden, leinen, metallen, wollen. —ern, z. B. eisern, hölzern, kupfern ¶ empirisch · faßbar · fühlbar · greifbar · irdisch · kompakt · konkret · körperlich · leiblich · materiell · objektiv · physisch · real · sinnlich · somatisch · stofflich · substantiell · wägbar ¶ unbeseelt · tot ¶ empiristisch · materialistisch · realistisch. — chemisch ¶ Gehalt · Körperlichkeit · Masse · Material · Materie · Physis · Stoff · Stofflichkeit · Substanz · Wesen · Wesenheit · Zeug ¶ Empirie · Materialismus · Realismus ¶ Chemie · Experimentalphysik · Physik.

21. Mischung. *s. speisen 2. 27. Unordnung 3. 38. Verbindung 4. 33. unrein 9. 67.*

in · mang (berl.) · mit · unter ¶ dazwischen · durcheinander · halb und halb · teils — teils ¶ bei-, darunter-, dazwischen-, dazu-, durcheinander-, ein-, hinein-, ver-, zusammen-: -brauen · -gießen · -kneten · -kochen · -manschen · -mengen · -mischen · -schmelzen · -streuen ¶ amalgamieren · fälschen · kreuzen · legieren · manschen · mischen · paaren · panschen · pfropfen · schwängern · verbinden · vereinigen · vergällen · vermischen · verquicken · verquirlen · versauen · verschneiden · versetzen mit · verwässern · (Wein) taufen, verlängern, schmieren (Mainz) ¶ besprengen · bespritzen · einflößen · einträufeln · eintröpfeln · imprägnieren ¶ darunter (usw. *s. oben*) -geraten · -dingen ¶ halb- · -haltig · -prozentig · allerhand · allerlei · bunt · eurasisch · halbschlächtig · halbschürig · halbseiden · hybrid · kunterbunt · makkaronisch · rasselos · synthetisch · trüb · unklar · mit X-Zusatz · handelsüblich gefärbt · zweischürig · durcheinandergewürfelt · süß-sauer ¶ Halb-, z. B. Halbengländer · -stämmling · Bastard · Cholo · Halbblut · Kreuzung · Mestize · Mischling · Mulatte · Paarung · Promenadenmischung, Scherenschleifer (von Hunden) · Quarterone · Terzerone · Zambo · Zwitter, Hermaphrodit · Mannweib. — Bindestrichamerikaner · bunte Reihe ¶ Retorte ¶ Misch- · Simili- · Talmi- · Allerlei · Aufschnitt · Amalgam · Blende · Blendling · Blumenlese · Bräu · Bunte Schüssel · Butterschmalz · Cento · Durcheinander · Eintopf · Frikassee · Gebräu · Gemansche · Gemenge · Gemisch · Haché · Klitterung · Konglomerat · Kunst-, z. B. -honig, -wolle · Zellwolle · Legierung · Mengsel · Mischmasch · Mixed Pickles · Mixtum compositum · Mixtur · Mosaik · Olla potrida · Pasticcio · Potpourri · Quodlibet · Ragout · Salat · Sammelsurium · Synthese · Tutti frutti · Verbindung · Vereinigung · Verschmelzung · Verschnitt · für jeden etwas ¶ Mitverwendung von · Überfremdung.

22. Unvermischt. *s. trennen 4. 34. Einheit 4. 36. Gesamtheit 4. 41. immer 6. 6. rein 9. 66.*

aus-, auseinander- · destillieren · klären · läutern · raffinieren · reinigen · scheiden · seigern · seihen · sichten · sieben · sintern · sondern · sublimieren · veredeln · wannen · worfeln · züchten ¶ bodenständig · echt · eigenwüchsig · einfach · einheitlich · frei von · gediegen · gewachsen · hell · homogen · hundertprozentig · klar · lauter · massiv · natürlich · naturrein · pur · rein · reinrassig · schier · ungemischt · unverfälscht · unversetzt · in der Wolle gefärbt ¶ Voll- · Rasse · Vollblut ¶ Bohnenkaffee · gute Butter (nordd.) · echter Tee · reine Wolle · alte Ware · Eigenkapital · Originalabfüllung · Dukatengold ¶ Zuchtwahl.

23. AnorganischeWelt,Bergwerk. *s. Höhlung 3. 49. Entdeckung 12. 20.*

untertags ¶ baggern · bauen · bohren · buddeln · fördern · freilegen · gewinnen · heben · graben · muten · schürfen · teufen · ¶ anorganisch · kristallinisch · leblos · unbelebt · unbeseelt ¶ Bergarbeiter · Bergknappe · Bergmann · Digger · Goldgräber · Grubenfahrer · Heuer · Kumpel · Schachtfahrer · Steiger · Stürzer · Belegschaft · Knappschaft · Kux. — Bergrat · Geologe · Mineraloge ¶ Wünschelrute ¶ Ader · Bergwerk · Bohrturm · Flöz · Grube · Halde · Hütte · Mine · Ölfeld · Schacht · Schaft · Stollen ¶ Fossilien · Gestein · Petrefakt · Versteinerung ¶ Mineralreich ¶ Abbau · Bergbau · Untertagbau ¶ Bergbaukunde · Erdforschung · Erdschichtenkunde · Geognosie · Geologie · Hüttenwesen · Metallurgie · Mineralogie.

24. Elemente.

Gruppe 0: Helium · Neon · Argon · Krypton · Xenon · Radon (Edelgase)

Gruppe 1 (Alkali): Wasserstoff · Lithium · Natrium · Kalium · Rubidium · Caesium; Kupfer · Silber · Gold.

Gruppe 2 (Erdalkali): Beryllium · Magnesium · Calcium · Strontium · Barium · Radium; Zink · Kadmium · Quecksilber.

Gruppe 3 (Erdmetalle): Bor · Aluminium · Scandium · Yttrium · Lanthan(iden) · Actinium · Gallium · Indium · Thallium.

Gruppe 4: Kohlenstoff · Silicium · Titan · Zirkonium · Hafnium · Thorium; Germanium · Zinn · Blei.

Gruppe 5: Stickstoff · Phosphor · Vanadin · Niod · Tantal; Arsen · Antimon · Wismut.

Gruppe 6 (Chalkogene): Sauerstoff · Schwefel · Chrom · Molybdän · Wolfram · Uran; Selen · Tellur · Polonium.

Gruppe 7 (Halogene): Mangan · Masurium · Rhenium · Wasserstoff · Fluor · Chlor · Brom · Jod.

Gruppe 8: Eisen · Kobalt · Nickel; Ruthenium · Rhodium · Palladium; Osmium · Iridium · Platin.

25. Mineralien.

I. E l e m e n t e : Gold · Silber · Kupfer · Platin · Quecksilber · Eisen · Arsen · Antiman · Wismut · Schwefel · Diamant · Graphit.

II. S c h w e f e l v e r b i n d u n g e n : Auripigment · Realgar · Antimonglanz · Bleiglanz · Zinkblende · Kupfernickel · Zinnober · Kupferglanz · Magnetkies · Molybdänglanz · Schwefelkies · Kobaltglanz · Speiskobalt · Markasit · Arsenkies (Mißpickel) · Kupferkies · Buntkupfererz · Rotgültigerz · Fahlerz.

III. O x y d e : Wasser und Eis · Rotkupfererz · Rotzinkerz · Korund (Saphir · Rubin · Smirgel) · Eisenglanz mit Titaneisen · Magneteisen mit Spinell · Chrysoberyll mit Alexandrit · Chromeisenstein · Uranpecherz (Pechblende: Radium) · Quarz (Bergkristall · Amethyst · Rosenquarz · Prasem · Katzenauge · Tigerauge · Jaspis · Chrysopras) · Chalzedon (Karneol · Sardonyx · Onyx · Achat · Feuerstein · Flint) · Tridymit mit Cristobalit · Opal (Kieselsinter · Kieselgur) · Zinnstein · Zirkon · Rutil mit Anatas und Brookit · Pyrolusit · Brauneisenstein (Goethit) · Manganit · Psilomelan · Bauxit · Sassolin.

IV. S a l z e : Steinsalz und Abraumsalze · Chlorsilber · Flußspat · Kryolith · Atakamit · Kalkspat · Magnesit · Dolomit · Eisenspat · Zinkspat (Galmei) · Aragonit:

Weißbleierz · Witherit · Strontianit · Malachit · Kupferlasur · Natronsalpeter (Chilesalpeter) · Kalisalpeter (Schießpulver) · Borazit · Borax · Schwerspat (Baryt) · Anhydrit · Gips: Alabaster · Wolframit · Scheelit · Phosphate: Apatit, Türkis · Monazit.

V. S i l i k a t e : Feldspate · Leuzit · Nephelin · Sodalith (Lasurstein · Lapislazuli) · Nosehn · Hauyn · Augit · Wollastonit · Hornblende · Nephrit · Jade · Olivin: Chrysolith oder Peridot · Glimmer · Chlorit · Talk · Meerschaum · Granat · Karfunkel · Beryll (Aquamarin) · Topas · Andalusit · Turmalin · Vesuvian.

26. Gesteine.

I. E r u p t i v g e s t e i n e :
1. Tiefengesteine: Granit · Syenit · Diorit · Grabbo · Norit · Essexit · Peridotid · Pyroxenit ⁋ Ganggesteine: Granitporphyr · Aplit · Pegmatit · Lamprophyr · Minette ⁋ 2. Ergußgesteine: Liparit · Quarzporphyr · Trachyt · Orthoklasporphyr · Phonolith · Dazit · Quarzporphyrit · Andesit · Porphyrit · Basalt · Melaphyr · Diabas · Pikrit · Gläser (Obsidian · Bimsstein).

II. S e d i m e n t g e s t e i n e : Alabaster · Vulkanischer Tuff · Bims · Kiesel (Sandstein · Grauwacke · Kieselschiefer) · Tongesteine (Kaolin · Ton · Lehm · Tonschiefer) · Karbonatgesteine (Kalkstein · Travertin · Marmor · Mergel · Dolomit) · Erzgesteine (Eisensteine) ⁋ F o s s i l e B r e n n s t o f f e : Kohle · Torf · Anthrazit · Braunkohle · Koks · Holzkohle · Tierkohle · Steinkohle · Ruß · Kalziumkarbid · Leuchtgas · Teer · Pech · Erdöl · Petroleum · Benzin · Naphtha · Erdwachs · Vaselin · Paraffin · Asphalt, Judenpech · Diamant, Demant, Brilliant · Graphit · Reißblei.

III. M e t a m o r p h e G e s t e i n e :
Hornfels · Gneis · Granulit · Glimmerschiefer · Phyllit · Eklogit · Serpentin · Kalksilikatgesteine · Quarz ⁋ *Künstliche Bausteine:* Ziegel · Backsteine · Klinker · Schamotte · Terrazzo.

27. Legierungen.

Tombak · Messing · Bronze · Duralumin · Leichtmetall · Neusilber · Alpakka · Christofle · Letternmetall · Amalgame · Stahl · Gußeisen · Schmiedeeisen, *und zahllose Kunststoffe* wie Bakelit · Igelit · Buna usw. (s. Bücherverzeichnis S. 85).

28. Anorganische chemische Stoffe.

Elemente: Metalle · Nichtmetalle ⁋ Verbindungen: Wasser · Wasserstoffsuperoxyd (Perhydrol) ⁋ Oxyde *s. Mineralien:* Gebrannter Kalk · Mennige (Bleioxyd) · Rost (Eisenoxyd) · Arsenik · Magnesia ⁋ Basen (Laugen): Natronlauge · Natron · Kalilauge (Ätzkali), Salmiakgeist (Ammoniak) · gelöschter Kalk · Kalkwasser · Kalkmilch ⁋ Säuren: Salzsäure · Schwefelsäure (Vitriolöl) · Salpetersäure (Scheidewasser) · Borsäure (Borwasser) · Kohlensäure · Kieselsäure (Sand · Quarz · Bergkristall · Quarzglas) usw. ⁋ Salze *s. Mineralien 1.25:* Kochsalz · Glaubersalz · Natronsalpeter (Chilesalpeter) · Natriumbicarbonat, doppelkohlensaures Natron, Bullrichs Salz · Soda · Pottasche · Kalisalpeter · Cyankali · Wasserglas · Salmiak · Hirschhornsalz ⁋ Chlorkalk · Gips · Marmor · Thomasmehl · Glas · Bittersalz · Zinkweiß ⁋ Alaun · Ton · Kaolin · Fayence · Terrakotta · Steingut · Steinzeug · Porzellan · Majolika · Bolus ⁋ Höllenstein · Bromsilber ⁋ Kupfervitriol · Schweinfurter Grün · Grünspan · Kalomel · Sublimat · Zinnober ⁋ Blutlaugensalz · Berliner Blau.

29. Organische chemische Stoffe.

Kohlenwasserstoffe: Methan (Sumpfgas · Grubengas · Schlagende Wetter) · Äthylen · Acetylen · Petroleum · Erdöl · Petroläther · Benzin · Ligroin · Dieselöl · Vaseline · Paraffin · Erdwachs · Ozokerit · Terpentinöl · Benzol · Naphthalin (Mottenpulver) · Kautschuk · Buna · Chloroform · Jodoform ¶ Alkohole: Methanol · Methylalkohol · Holzgeist · Äthylalkohol (Spiritus · Sprit · Weingeist) · Glycerin · Menthol ¶ Phenole: Phenol (Carbolsäure) · Pikrinsäure ¶ Äther: Diäthyläther (Schwefeläther) ¶ Aldehyde: Formaldehyd (Formol · Formalin) · Bittermandelöl · Vanillin ¶ Ketone: Aceton · Kampfer · Moschus ¶ Säuren und Salze: Ameisensäure · Essigsäure (Eisessig · Essig · Holzessig) · Ölsäure · Stearinsäure · Milchsäure · Glykokoll · Harnsäure · Salicylsäure · Gerbsäure (Tannin) · Bleiessig · Seife (Schmierseife · Kernseife) · Weinstein, cremor tartari, Brechweinstein ¶ Säureester: Essigester (Essigäther) · Amylacetat · Riechstoffe · Fette · Stearin · Butter · Margarine · Leinöl · Wachse · Bienenwachs · Lanolin · Nitroglycerin (Dynamit) ¶ Amine (org. Basen) · Anilin · Pyridin · Ptomaine (Leichengift) ¶ Kohlehydrate: Zucker: 1. Fruchtzucker · Laevulose · Fruktose; 2. Traubenzucker · Dextrose · Glucose · Glykose · Honig; 3. Milchzucker · Sandzucker · Laktose; 4. Rohrzucker · Rübenzucker · Saccharose; 5. Malzzucker · Maltose · Sacharin · Karamel · Malz ¶ Dextrin · Stärke · Kleister ¶ Cellulose · Baumwolle · Zellstoff · Holz · Pergament · Kunstseide · Zellwolle · ¶ Eiweißstoffe (Proteine): Albumin · Fibroin · Leim · Gelatine · Seide · Wolle · Horn ¶ Alkaloide: Nikotin · Cocain · Chinin · Adrenalin · Suprarenin · Morphin · Codein · Morphium · Opium · Strychnin(Brechnuß) ¶ Farbstoffe: Blattgrün · Haemoglobin · Krapp · Lackmus · Fuchsin · Indigo · Alizarin · Teerfarben ¶ Naturstoffe: Fermente · Enzyme (Hefe) · Vitamine · Hormone.

2. Pflanze. Tier. Mensch (Körperliches)

2.	1.	Pflanze	2.	25.	Hohes Alter
2.	2.	Pflanzenarten	2.	26.	Essen, Mahlzeiten
2.	3.	Pflanzenteile	2.	27.	Speisen (Gerichte)
2.	4.	Pflanzenkrankheiten	2.	28.	Gewürz
2.	5.	Pflanzenanbau	2.	29.	Fasten
2.	6.	Fruchtbarkeit	2.	30.	Trinken
2.	7.	Unfruchtbarkeit	2.	31.	Alkohol trinken
2.	8.	Tier	2.	32.	Trunksucht
2.	9.	Tierarten	2.	33.	Trunkenheit
2.	10.	Tierzucht	2.	34.	Tabak
2.	11.	Jagd	2.	35.	Ausscheidungen
2.	12.	Tierkrankheiten	2.	36.	Schlaf
2.	13.	Mensch	2.	37.	Wachen
2.	14.	Mann	2.	38.	Gesundheit
2.	15.	Weib	2.	39.	Ermattung
2.	16.	Körperteile	2.	40.	Erholung
2.	17.	Leben	2.	41.	Krankheit
2.	18.	Fortpflanzung	2.	42.	Verletzung
2.	19.	Begattung	2.	43.	Gift
2.	20.	Schwangerschaft	2.	44.	Heilung
2.	21.	Geburt	2.	45.	Sterben
2.	22.	Kind, Jugend	2.	46.	Töten
2.	23.	Erwachsen	2.	47.	Selbstmord
2.	24.	Mittleres Lebensalter	2.	48.	Bestattung

Pflanzenarten 2. 2:
Übersicht über das System

I.—XII. Abteilung S. 9

XIII. Abteilung Archegoniatae S. 10

XIX. Abteilung Embryophyta siphonogama S. 12

1. Unterabt. Gymnospermae

2. Unterabt. Angiospermae S. 13

1. Klasse: Monocotyledoneae
   1. Reihe: Pandanales
   2. Reihe: Helobiae S. 14
   3. Reihe: Triuridales S. 15
   4. Reihe: Glumiflorae
   5. Reihe: Principes S. 22
   6. Reihe: Synanthae
   7. Reihe: Spathiflorae
   8. Reihe: Farinosae S. 23
   9. Reihe: Liliiflorae
   10. Reihe: Scitamineae S. 26
   11. Reihe: Microspermae

2. Klasse: Dicotyledoneae S. 28

1. Unterklasse: Archichlamydeae
   1. Reihe: Verticillatae
   2. Reihe: Piperales
   3. Reihe: Hydrostachyales
   4. Reihe: Salicales
   5. Reihe: Garryales
   6. Reihe: Myricales
   7. Reihe: Balanopsidales
   8. Reihe: Leitneriales
   9. Reihe: Juglandales
   10. Reihe: Julianales
   11. Reihe: Batidales

   12. Reihe: Fagales
   13. Reihe: Urticales S. 29
   14. Reihe: Podostemonales
   15. Reihe: Proteales
   16. Reihe: Santalales
   17. Reihe: Aristolochiales
   18. Reihe: Balanophorales
   19. Reihe: Polygonales
   20. Reihe: Centrospermae S. 31
   21. Reihe: Ranales S. 34
   22. Reihe: Rhoeadales S. 39
   23. Reihe: Sarraceniales S. 43
   24. Reihe: Rosales
   25. Reihe: Pandales S. 54
   26. Reihe: Geraniales
   27. Reihe: Sapindales S. 55
   28. Reihe: Rhamnales S. 57
   29. Reihe: Malvales
   30. Reihe: Parietales S. 58
   31. Reihe: Opuntiales S. 59
   32. Reihe: Myrtiflorae
   33. Reihe: Umbelliflorae S. 60

2. Unterklasse: Metachlamydeae
   oder Sympetalae S. 64
   1. Reihe: Diapensiales
   2. Reihe: Ericales
   3. Reihe: Primulales S. 66
   4. Reihe: Plumbaginales S. 68
   5. Reihe: Ebenales
   6. Reihe: Contortae S. 68
   7. Reihe: Tubiflorae S. 69
   8. Reihe: Plantaginales S. 76
   9. Reihe: Rubiales S. 77
   10. Reihe: Cucurbitales S. 79
   11. Reihe: Campanulatae S. 80

Einzelne Pflanzen wolle man mit Hilfe von
Engler-Diels, Syllabus der Pflanzenfamilien[11], Berlin 1936, aufsuchen.

1. Pflanze. s. *Pflanzenanbau 2. 5.*

blühen · gedeihen · keimen · sich ranken · reifen · schießen · sprießen · vegetieren · wachsen ¶ pflanzen · säen ¶ botanisieren · herbarisieren ¶ botanisch · pflanzenhaft · pflanzlich · vegetativ ¶ Baum · Baumpflanze · Blume · Blumenstock · Bodenerzeugnis · Gewächs · Gras · Kraut · Kriecher · Laubbaum · Nadelbaum · Obstbaum · Pflanze · Reis · Schlingpflanze · Staude · Strauch · Unkraut · Zierbaum · Zweckpflanze ¶ Busch · Buschwerk · Dickicht · Dschungel · Forst · Gebüsch · Gehölz · Gesträuch · Gestrüpp · Hain · Heide · Knieholz · Matte · Moor · Oase · Prärie · Pußta · Röhricht · Steppe · Unterholz · Urwald · Wald · Wiese ¶ Flora · Pflanzenwelt · Vegetation ¶ Baumkunde · Botanik · Forstwissenschaft · Pflanzenkunde · Pflanzenphysiologie · Ökologie · Pflanzengeographie.

2. Pflanzenarten. *(Über die Quellen dieses Teiles s. Bücherverzeichnis S. 86.)*

I. A b t e i l u n g : *Schizophyta* · *Schizomycetes*, Spaltpilze, Bakterien (über 1000 Arten, u. a. *Streptococcus · Gonococcus · Bacterium tuberculosis · B. lepra · B, influenzae · B. diphteritidis · B. pestis · Bacillus tetani) · Spirillum comma* (Choleraerreger) · *Schizophyceae*, Blaualgen, Spaltalgen.

II. A b t e i l u n g : *Myxomycetes* · Schleimpilze, z. B. Lohblüte.

III. A b t e i l u n g : *Flagellatae.*

IV. A b t e i l u n g : *Dinoflagellatae.*

V. A b t e i l u n g : *Silicoflagellatae.* ⎫ Plankton.

VI. A b t e i l u n g : *Bacillariophyta.* ⎬

VII. A b t e i l u n g : *Conjugatae.* ⎭

VIII. A b t e i l u n g : *Chlorophyceae* · Grünalgen.

IX. A b t e i l u n g : *Charophyta* · Armleuchter.

X. A b t e i l u n g : *Phaeophyceae* · Braunalgen · Tang.

XI. A b t e i l u n g : *Rhodophyceae* · Rotalgen.

XII. A b t e i l u n g : *Eumycetes* · Pilze; Poggenstôl (Hannover).

A. Parasitisch und saprophytisch lebende Pilze.

1. K l a s s e : *Phycomycetes*, z. B. *Phytophthora infestans*, Erreger der Kartoffelkrautfäule · Meltau.

2. K l a s s e : *Ascomycetes* Schlauchpilze · *Saccharomyces*, Weinhefe, Bierhefe · Morchel, Bischofsmütze, Katzenröhrlein, Maurache, Maurille, Meiling, Pfaffenhut · Lorchel, Trüffel, Tartuffel · Hexenbesen.

3. K l a s s e : *Protomycetes.*

4. K l a s s e : *Basidiomycetes* Brandpilze · Schorfpilze · Rostpilze · Judasohr, Hollunderschwamm · Totentrompete · Bärentatze, Bocksbart, Geisbart, Ziegenbart, Hahnenfuß, Händling, Hirschschwamm, Katzentapper, Kranfuß, Krausbart · Korallenschwamm ¶ *Polyporaceae* Röhrenpilze: Hausschwamm, Tränenschwamm · Schafeuter · Edelpilz, Herrenpilz, Pilzling, Steinpilz ¶ *Agaricaceae* Blätterpilze: Chantarelle, Eierschwamm, Gänsel (schles.), Galluschel (schles.), Galöhrchen (preuß.), Gelbhänel, Gelbmännel, Hünlich, Kochmändl, Milchschwamm, Pfifferling· Rehgeis, Rehling · Reis (bayr.), Rötling, Rübling, Ziegenbart · Reizker, Blütling, Brätling, Brittling, Brütling, Brüttäubling, Egerla, Förling, Räsling, Reibling (österr.), Hirschling, Milchschwamm, Reische (thüring.), Rietsche, Ritzke (ostpreuß.), Salatriezchen (livl.) · Täubling · Speiteufel · Champignon, Kuckenmucken (österr.), Tafelschwamm, Weißling · Moucheron · Mairassling (steht im „Hexenring") · Hallimasch, Hexenschwamm · Parasolpilz, Schirmpilz · Kaiserling · Fliegenpilz ¶ *Gasteromycetes*

Bauchpilze: *Lycoperdon* Bovist, Bäffelfurz, Blindeppel. Blindfist, Bofuß, Bubenfist, Dampappel (ndd.), Fist, Gagenfist, Hasenfies, Hundsfist, Krafist, Phafist, Phobenfuß (Erzgeb.), Puifist, Pufuß (Eifel), Rabenei, tauber Schwamm, Stäubling, Stauber, Staubpilz, Stieber, Stoibenfist, Teufels Tabaksack, Trudenbeutel, Vogelfist, Weiberfist, Wolfsfist, Wolfsfurz, Wolfsrauch, Wundschwamm · Stinkmorchel, Giftmorchel, *Phallus impudicus. Mutinus caninus.*

B. (in Symbiose mit Algen) *Lichenes,* Flechten, Pilze.

XIII. A b t e i l u n g : *Archegoniatae.*

1. U n t e r a b t e i l u n g : *Bryophyta* Moose; Moor, Filz (bair.)

1. Klasse: *Hepaticae* Lebermoose · 2. Klasse: *Musci* Laubmoose.

2. U n t e r a b t e i l u n g : *Pteridophyta* Leitbündelkryptogamen.

1. Klasse: *Psilophytinae.*

2. Klasse: *Articulatae.*

Equisetum Schachtelhalm; Pipenstal [= Peifenstiel] (Mecklenburg, Altmark), Hollpiepen [= Hohlpfeifen] (Ostfriesland), Drunkelpfeifen (Ostpreußen), Spengelbüchse (Hunsrück), Negenknie [= Neunknie] (Holstein); Bräckbeen (Hannover), Kattensteert, Kattenswans (Altmark), Katzenstärt (Anhalt), Kattstart (Pommern), Katzenzagel (Anhalt), Katzenzahl (Schlesien, Nordböhmen), Katzenwedel (Schwaben), Katzenschwoaf (Österreich, Steiermark), Chatzeschwanz, Chatzestiel (Schweiz); Rattenschwanz (Hannover, Schweiz: Waldstätten), Ratzenschwaf (Niederösterreich), Ratteschwanz (Schweiz: Waldstätten); Fuchszagel (Ostpreußen); Fuchsschwaf (Niederösterreich); Zinngras (Nordböhmen, Bayern, Tirol), Zinnheu (Steiermark), Zinnkraut (Südd.), Scheuerkraut (Thüringen), Riebel (Schweiz: Thurgau), Reibisch, Greibsch (Riesengebirge); Preibusch (Leipzig); Kannelgras (Nordböhmen: Riesengebirge); Kandelwisch (Erzgeb.); Pfannebutzer (Schweiz: Thurgau); Kannenkraut (Eifel, Thüringen, Schwaben); Kôdôd [= Kuhtod] (Gebiet der unteren Weser); Kuhmuß, Herrmuß (Weichseldelta); Duwock, Dowenwocken (Norddeutschland); Spindling (Westböhmen: Eger), Spinnlich [von „Spindel"], Zöpfling (Westböhmen: Eger); Lidrüske (Ostfriesland), Hollrusch, Hillrusk (Hannover); Rugen (Mecklenburg), Unnet (Ostfriesland), Koscht (Kärnten); Handwerkskraut (Elsaß); Schaffrich (ndd.), Schafstrouh (Bern), Schaftheu, Bahnmeistersparget; Lauskraut (Mähren), Schlangenkraut (Oberhessen, Schweiz), Natternfarn (Böhmerwald), Otterfarn (Riesengebirge), Snakenkrut (Schleswig-Holstein), Leiterlikrut (Baden), Adderledder [= Schlangenleiter] (Ostfriesland), Geisseleitere (Aargau), Teufelsleiter (Eifel); Johanneswörtel (Göttingen).

3. Klasse: *Lycopodiinae.*

1. Reihe: *Lycopodiales.*

Lycopodium clavatum Keuliger Bärlapp; Bäretape, Bäretüpli (Schweiz: Waldstätten); Wolfsklauen (Thüringen, unteres Wesergebiet), Wolfsranke (Mark Brandenburg: Zossen); Löwenfuß (Ostpreußen); Gaberlstupp (Steiermark), Gäbeli (Schweiz: St. Gallen); Krahnhax'n [= Krähenfüße] (Niederösterreich), Krahnfuas (Niederösterreich, Kärnten, Steiermark, Nordböhmen), Kroapfuten [= Krähenpfoten] (Nordböhmen); Schlangenmoos (Mark Brandenburg, Schlesien, Anhalt), Schlangengras (Riesengebirge, Eger in Böhmen); Schlangemies (Schweiz: St. Gallen); Schoßwurz [von Schoß = Trieb] (Ostpreußen). Mehlwurzel; Bäckengras [von Bäcker] (Kärnten), Pudertäpli (Schweiz: Waldstätten); Kearoch, Ofenkearoch [von kehren] (Krain: Gottschee); Gramkraut, Kromkraut [= Krampfkraut] (Niederösterreich), Krampfchrut (Schweiz: St. Gallen); Harnkraut (Niederösterreich), Seichkräutl (Kärnten), Seichgras (Tirol: Lienz); Drudenfüße (Böhmerwald); Drudenkraut (Thüringen, Westböhmen, Eger); Hexenkraut (Harz, Riesengebirge, Westböhmen: Eger); Drachenwurz, Drachenschwanz (Anhalt); Zabelkräudig [= Zappelkraut] (Gotha); Folleschaub, Folleschübel (Schweiz: Waldstätten, Solothurn); Sienechrut (Schweiz: Waldstätten), Sienechris, Sienemiës [= moos] (Schweiz: St. Gallen); Murze-Mo, Murze-Mau, Morzebob (Ost- und Westpreußen); Kosen, Kothe (Eifel); Unruhe (Harz) ¶ *Lycopodium selago* Tannen-Bärlapp; Lauskraut (Böhmerwald, Tirol: Zillertal, Kärnten: Bleiberg); Maschluber, Maschleber (Ostpreußen).

2. Reihe: *Selaginellales*.

2. Unterreihe: *Lepidophytineae*.

4. Klasse: *Psilotinae*.

5. Klasse: *Isoetinae*, Brachsenkraut.

6. Klasse: *Filicinae*.

1. Unterklasse: *Eusphorangiatae*.

1. Reihe: *Ophioglossales*.

Botrychium lunaria Gemeine Mondraute; Wiederkomm; Ankehrkraut (Österreich); St. Petersschlüssel (Tirol, Niederösterreich); Eisenbrech (Österreich); St. Walpurgiskraut (Schwaben, Schweiz), Maienkraut (Württemberg, Franken), Maikräutchen (Niederhessen); Bseichkräutl (Tirol, Steiermark), Geißtödi (Schweiz, Waldstätten); Hurengras, Hurenkraut (Tirol; Lienz); weißer, rechter Widerton (Schlesien); Rindskraut.

2. Reihe: *Marattiales*.

2. Unterklasse: *Leptosporangiatae*.

1. Reihe: *Eufilicales* Farne im engeren Sinn.

Familie: *Polypodiaceae*.

Aspidium filix mas Wurmfarn; Faden, Faser, Federfaden (Österreich); Fonara, Stockfarn (Niederösterreich); Flöhkraut (Eifel); Woanzenkrokt [= Wanzenkraut] (Siebenbürgen); Fliegenform (rhein.); Stinkfarn; Schabel, Schawel (Thüringen); Mauckenkraut (Österreich); Fünffingerwurze (Österreich), Hirschzehen (Salzburg); Johanniskraut, Johanniswurz (Bayern; Lechrain); Farre (Anhalt), Hexenkraut, Hurenkraut, Zigeunerblätter ¶ *Phyllitis Scolopendrium* Hirschzunge (Niederösterreich, Kärnten, Schweiz); Ochsenzunge, Rinderzunge, Hasezunge (Schweiz: Waldstätten) ¶ *Asplenum Trichomanes* Brauner oder Haar-Milzfarn; Widertod (Böhmerwald; Niederösterreich), Widerton (Nordböhmen), Steinform; Frauehaar (Schweiz: Waldstätten) ¶ *Asplenum Ruta muraria* Mauerraute (Niederösterreich); Murechrut (Schweiz: Waldstätten), Murechressig [= Mauerkresse] (Schweiz: Graubünden); Stoanneidkraut [= Stein-] (Niederösterreich); Abton, Aberton, schwarzer Widerton, Frauenhaar, Jungfrauenhaar ¶ *Blechnum Spicant* Rippenfarn; Waldfare (Schweiz: Waldstätten); Rippenfarn, Leiterlifarn, Geißleiterli (Schweiz: Waldstätten) ¶ *Pteridium aquilinum* Adlerfarn; Adlerfarnkraut (Schweiz: Bern); Adlerkraut (Kärnten); Jesus Christwurz (Schweiz); Paprutsch, Papruz (Ostpreußen); Ferlach (Kärnten); Pfurm, Pfarm (Krain: Gottschee); Stängelfarn, Stockfarn, Großfarn, Hochfarn (Schweiz: Waldstätten); Strafarn [= Streu-] (Niederösterreich); Farnstreu (Schweiz: Churfirstengebiet, Zürcheroberland); Minutenkraut (Westpreußen); Hurenwurz (1672) ¶ *Polypodium vulgare* Gemeiner Tüpfelfarn, Engelsüß; Engelssoite (Göttingen) = Ingelseit (Pommern) = Engelseß (Siebenbürgen) = Engelsüaß (Niederösterreich), Engelwurz (Kärnten), Angelsüeß (Schweiz: Waldstätten); Gömchen (Thüringen: Ruhla), Göumlich, Gömichen (Gotha), Höme (Eifel); Soitwertel [= Süßwurzel] (Göttingen), Süßholz (Rheinprovinz: an der Nahe), Süaßwürzel (Österreich, Tirol), Süßwürzli ·(Schweiz); Steinlaxe (Nordböhmen), Bergwürzeln (Kärnten: Hüttenberg), Steinwürzel (Österreich); Adderkrud, Snakenbläder (Ostfriesland); Tropfenwurz (Ostpreußen).

2. **R e i h e** : *Hydropteridales* Wasserfarne.

XIV. **A b t e i l u n g** : *Embryophyta siphonogama* Samenpflanzen, Blütenpflanzen, Phanerogamen.

1. **U n t e r a b t e i l u n g** : *Gymnospermae* Nacktsamige (bis S. 13)

1. Klasse: *Cycadofilicales.*
2. Klasse: *Cycadales*, „Sagopalme".
3. Klasse: *Bennettitales.*
4. Klasse: *Ginkgoales* (Ostasien).
5. Klasse: *Cordaitales.*
6. Klasse: *Coniferae,* Nadelhölzer.

Familie: *Taxaceae.*

Taxus baccata Beerentragende Eibe; Eibel (Steiermark), Iba, Ibe (Schweiz), Ibf [maskul.] (Schweiz: Graubünden, Schaffhausen, Luzern), Il (Schweiz: Glarus), I (Schweiz: Luzern, Bern), Iche (Schweiz: Vitznau), Ey (Schweiz: Bern), Eye, Yeli (Schweiz: Waldstätten); Tax, Taxen, Taxenboom (Westfalen: Münsterland), Taxbom (Pommern), Taxe (Österreich); Roteib'n (Niederösterreich, Bayern) und Rotalber (Bayern); Pippenholz (Salzburg); Rotzbaum, Rotzbeeren (Anhalt); Schnuderbeeribaum (Schweiz).

Familie: *Cupressaceae* · Mammutbaum · Red wood · Sumpfzypresse · Lebensbaum, Thuja.

Juniperus communis Wacholder; Wäckholder (Eifel), Wachhulder (Nördl. Böhmen), Wechalter (Schwaben), Weghalder (Schwaben), Weckelder (Eifel), Queckholder (Elsaß), Quakelbusk (Osnabrück), Wachelduren (Schwaben), Wachteldörner (Franken), Wachelbeerstrauch (Nördl. Böhmen), Wachhandel (Bremen, Osnabrück); Machandel (untere Weser bis Danzig), Machholder (Usedom, Göttingen, Holstein), Macholler (Mecklenburg, untere Weser), Jachandelbaum (Schlesien), Jachelbeerstrauch (Nördl. Böhmen); Recholder, Reckolder, Reckholder (Schweiz, Elsaß); Räuckholter, Rauckholtere (Schweiz: Waldstätten); Kranawitten (Oberösterreich, Bayern), Kranaweten, Kronawötten (Tirol, Kärnten, Altbayern), Kranawet, Granawötholz (Niederösterreich), Kronabetstaude (Steiermark, Salzburg); Kronewett (Siebenbürgen), Kronebiden, Kranbiden (Krain: Gottschee); Kraunwidlstaude (Westböhmen); Entbärenstruk (Mecklenburg), Eenbeernbom (Hamburg), Eynbeerenbom (Pommern), Euwerbusch (Pommern), Enekenbehrenstruk, Ehmkenstruk, Eynikenstrucke (Rügen); Kattig, Kaddichenstrauch (Ostpreußen), Kaddig (Westpreußen, Livland); Knirk, Knirkbusch (Mecklenburg, Pommern); Knister (Pommern); Ziststruck (Pommern) ⁋ *Juniperus sabina* Stinkwacholder; Sebenbam (Kärnten), Sefler, Sefenbaum, Söven (Tirol), Soite [femin.] (Drefreggen), Sefel, (Allgäu), Seve (Vorarlberg), Sevi (Schweiz); Satelsbaum (Nördl. Böhmen), Segelbaum (Bayern, Österreich, Kärnten), Segenbaum (Bayern, Österreich, Steiermark, Kärnten), Seft'nbaum (Salzkammergut: Hallstadt), Siebenbaum (Eifel), Sirgelbam (Niederösterreich: Wolkersdorf), Fehsi (Baden: Siegebau), verboddän Buhm (Siebenbürgen); Glückskraut (Steiermark); Lebensbaum (Niederösterreich); Stinkholz (Salzburg); Sadebaum.

Familie: *Abietaceae*, Agathe, Kaurifichte (Neuseeland) · *Araucaria* · Norfolktanne · Weißtanne, Edeltanne.

Picea excelsa europäische Fichte, Rottanne; Feichte, Feicht'n (Österreich, Bayern, Tirol); Fiacht'n (Böhmerwald, Niederösterreich); der keinel Johannes (Anhalt); Weichte, Weichtle (Krain: Gottschee); Grane (Pommern), Gräne (Liefland), Granenholt [= Holz der Fichte] (Ostfriesland); Hanechln (Oberpfalz, Niederösterreich), Pearzl (Kärnten); Grotze, Grötzli (Schweiz: St. Gallen, Waldstätten), Danegrößlen (Oberpfalz); Pfötsche (Allgäu); Lukfichten, Kuje, Kuseln, Glambuwken (Westpreußen) · Tannenzapfen, Arschkratzel ❡ Therebinthe ❡ *Larix decidua* Lärche, Lerke, Lerkendanne (Göttingen, nördl. Braunschweig, Hannover: Bassum), Larboum (nördl. Böhmen), Lärket (Bayern), Lergat (Kärnten), Larch, Larchbaum (Tirol), Lärbaum (Bayern: Lechrain), Lortänne (Schweiz: Aargau, Appenzell), Löhrer (Steiermark), Lera, Leerbam, Lierbaum (Niederösterreich), Lerchoch (Krain: Gottschee) ❡ Zeder.

Pinus silvestris, Föhre, Kiefer: Fuhre (nordwestl. Deutschland), Farchen, Förchen, Forchen (Ostalpen), Furchen, Hoache (Krain: Gottschee), Fohre, Fohra (Niederösterreich), Forre, Fure (Schweiz), Forra (Franken), Füre (Schweiz, Schwaben); Kiene (Anhalt), Kehnholt (Mecklenburg), Keanfora, Keanförra, Kienbam (Niederösterreich), Kienfichte (Anhalt), Kimfa (nördl. Böhmen), Chienbaum (Schweiz); Dähle, Tälle (Schweiz); Dale (Schlesien); Mandlbaum (Bayern: Eichstädt), Mändelbaum (Schwaben), Mädelbaum (Schlesien); Tanne (Mark, Livland), Feichte (Ostalpen), Fiechte (Elsaß), Arve (Schweiz); Kuschel (pomm.) ❡ *Pinus montana* Bergföhre, Krummholzkiefer; Legförche (Obersteiermark), Lägken (Bayern), Leckern (Niederösterreich), Leggen, Löcken (Salzburg, Obersteiermark), Lagerstaude (Obersteiermark), Leckerstaude (Steiermark, Österreich), Lackholzbaum (Bayern), Lackholz (Böhmerwald); Latsche, Lätsche (Ostalpen); Klepp'n (Niederösterreich); Krummholz Knieholz, Knickholz (Riesengebirge); Zatten, Zetten, Zotten (Ostalpen, Kärnten); Zunder, Zuntern (Tirol, Allgäu), Sonderumen, Zundera (Vorarlberg), Dufe (Oberbayern), Taufern, Tüfern (Allgäu), Daofra (Allgäu: Tannheimer Tal); Reischten, Reischstauden (Südtirol), Sprinzen (Pustertal: Lienz); Serpe, Zerben, Zerbet, Zermstaud'n (Niederösterreich); Arle (Tirol, Vorarlberg, Schweiz), Arve (Schweiz); Truosa (St. Gallen); Filzkoppe [Filz = Moor] (Oberbayern), Dosenbaum, Zwergkiefer · Igelföhre · Pinie ❡ *Pinus palustris* pitchpine · *Pinus cembra* Arve, Leinbaum, Zirbe (bayr.), Zirm (schweiz.), Zirbelkiefer.

7. Klasse: *Gnetales.*

2. Unterabteilung : *Angiospermae* Bedecktsamige (bis S. *28*).

1. Klasse: *Monocotyledoneae* Einkeimblättrige.

1. Reihe : *Pandanales.*

Familie: *Lemnaceae*, Wasserlinse.

Pandanus · *Sparganium* Igelkolben; Ile, Ilen (Ostfriesland), Schwinegelsknop (Mecklenburg), Sauigel, Saunigel (Böhmerwald, Niederösterreich); Hanebolten (unt. Wesergebiet); Narrekolbe (Schweiz: St. Gallen); Nunnestreu, Nunnastreu (Schweiz: Churfirstengebiet, St. Gallen); Schelp (nördl. Hannover: Bassum), Skelp, Kukuksskelp (unt. Wesergebiet: Oberneuland); Leest (unt. Wesergebiet), Leisk (Pommern); Pecken (Ostfriesland), Aetleesch (nördl. Hannover: Stade). ❡ *Typha* Rohrkolben; Kolben (Schwaben), Teichkülben (Nordböhmen), Bachkolben (Steiermark), Mooskolben (Pinzgau), Marienkolben (Ostpreußen), Chölbli [= Kölblein]

(Schweiz: St. Gallen), Rührkolben [= Rohr-] (Siebenbürgen); Küel [= Keule], Dunnerkul (Mecklenburg), Dierkülen (unteres Wesergebiet), Kloob-, Kloppküel (unteres Wesergebiet); Bumskeule (Norddeutschland), Pumpkuile (Mecklenburg), Plumpekaile, Pumpekaile (nördl. Braunschweig, Mecklenburg), Teichschlögl (Kärnten), Schlegel, Trummeschlegel (Schweiz), Trummechnebel (Schweiz), Pflegel (Schweiz: Graubünden), Wam(me)sknüppel (Anhalt), Klöpper (Mecklenburg), Chnospe (Schweiz), Teichzapfen (Steiermark), Peutsche (Schweiz: St. Gallen); Duderkeule, Diederkeule (Ostpreußen), Dudelkolben (Schmalkalden), Tuttelkolbe (Hessen), Deutelkolbe (Bayern), Deutelkolben (Voßlesien), Dittelkolb (Elsaß); Katt (Pommern, Nordhannover); Katzensteert, Voßstummel (unteres Wesergebiet); Bulstern [= Polster] (Schweiz: Glarus), Sammetbürste (Schweiz: Bern), Sammetschlegeli (Schweiz: Zürich), Püeschen (unteres Westergebiet), Püesken (Ostfriesland), Pulsk (Bremen); Bullenpäsel (nordwestl. Deutschland), Bullenpäske, Bullenpansch (Pommern), Bullerpees, Bullenpees, Bullerbesen (Vorpommern), Fisel (Steiermark); Brämkölbli (Schweiz: Churfirstengebiet), Brömer, Brämerli, Brämere (Schweiz: St. Gallen); Birschlein [= Bürstlein] (Krain: Gottschee), Bürsta, Börsta, Bimsel [= Pinsel] (Schweiz: St. Gallen), Bisele [von Besen] (Elsaß); Schosteinfeger (Bremen), Kanonenputzer (Dielsdorf im Kanton Zürich); Büttnerschilf (bei Meiningen), Binderrohr, Binderschlägel (Oberösterreich), Bindarohr (Niederösterreich), Bintergras, Bintersacher (Kärnten), Bündtnerschlägel (Schweiz: St. Gallen), Küperleesch (unteres Wesergebiet), Küferrohr (Schweiz: St. Gallen); Unserherrgotskolbe (Vorarlberg), Hergotskolb'n (Niederösterreich), Christusrohr (Kärnten), Spottrohr (Österreich); Schilf, Rühr, G'röhr (Niederösterreich, Steiermark), Moosrohr (Schwaben), Binsa (Oberösterreich), Sacher (Steiermark), Slabberbabb (unteres Wesergebiet); Schmakedutschke, Schmakedusen, Schmackedunge (Ost- und Westpreußen, Mark); Schmackeduz (Anhalt), Pameldutschen, Pummeldutschen (Mecklenburg: Lattendorf); Chünig [= König] (Graubünden); Dünersammer (Nordfriesland), Dulen (Ostfriesland), Häenk (unteres Wesergebiet: an der Geeste), Kannewaskes (Ostfriesland), Kettich, Kettikul (Mecklenburg), Wutzel (Steiermark); Lieschkolben. .

2. Reihe: *Helobiae*.

Familie: *Alismataceae*.

Alisma plantago Froschlöffel; Schlammchrut (Schweiz: Churfirstengebiet), Wasserblume (Anhalt: Dessau), Wasserwegerich (Schwaben); Wateroddik (untere Weser: Oberneuland); Froschkraut (Böhmerwald), Froschblätter (Oberlausitz: Lauban); Läpelblom [= Löffelblume], Läpels (nördl. Hannover), Wasserlöffel (Böhmerwald); Egelkraut (Eger); Sehnsblätter (Anhalt).

Familie: *Butomaceae*.

Butomus umbellatus Doldige Schwanenblume; Storchblume (Westpreußen), Aarbäersblome, Aebäersblome (unt. Wesergebiet), Kneppersblome [= Storchenblume] (Mark Brandenburg); Kükenblome, Henn' un Küken (unt. Weser); Wasser-, Seepferd (Anhalt); Wasserblume (Ostpreußen); Aurusk (Oldenburg); Wakenblume [Wacke = Binse] (Nassau); Blumenrohr; Judenspeck (Fehmarn).

Familie: *Hydrocharitaceae*.

Stratiotes aloides Aloeblättrige Krebsschere; Seedistel (Westpreußen); Schaerke [= Schere] (Ostfriesland); Egelhüren, Aegel [von Igel] (Mecklenburg); Aak, Aaden (nördl. Hannover); Wassersichel, (Ostpreußen), Sichelkohl, Sickel (Mark); Hexenkraut, Häcktskraut (unteres Wesergebiet); Sägekraut (Westpreußen); Aien, Eimkruud (untere Weser); Bockelhaart (Schleswig-Holstein), Bockelbaar (nördl. Hannover),

Buckelbas (Lüneburg) ❡ *Hydrocharis morsus ranae* Gemeiner Froschbiß; Poggengeld, Poggendaler (Ostfriesland); Schillingsbrod, Grotens (untere Weser), Poggenschîte (Hannover).

Familie: *Potamogetonaceae.*

Potamogeton Laichkraut; Lack (Elsaß), Flaßlock, Hechtlock (Elsaß); Hechtkrut (Lausitz), Aalkruud [-kraut] (nördl. Hannover), Eglichrut (Schweiz); Hoggemanne (Schweiz: Thurgau); Ukrut (Vorarlberg); Torfspatenblätter (Oldenburg); Seehelden (Schwaben), Seehalden (Tübingen); Butzechrut (Schweiz: Wallensee), Chräb (Schweiz), Kolk (Steinhuder Meer), Schwändel (Mecklenburg), Schwengel (Uckermark), Wasserchrös (Schweiz: Churfirstengebiet) ❡ *Zostera marina* Seegras; Wasserriemen (Oldenburg); Wier [= Draht] (ostfries. Inseln: Borkum); Dank (Mecklenburg), Tank (Holstein); Slamp (ostfries. Inseln: Juist); Seeweed.

3. R e i h e : *Triuridales.*

4. R e i h e : *Glumiflorae.*

Erdmandel · Papyrusstaude.

Eriphorum Wollgras; Dunengras (Livland), Moosflam (Kärnten), Flümli (Waldstätten); Riedfähndli (Waldstätten); Judenfedern, Federbüschel (Erzgebirge, Waldstätten), Weiherfedern (Böhmerwald), Federn (Böhmerwald, Egerland, Schwaben), Bettfedern (Schwaben), Moosfedern (Pinzgau, Salzburg), Fäderechrut, Fädereried, Fäderliried (Schweiz: Waldstätten); Side(n)-Gras (Schweiz: Thurgau); Besen (Lüneburger Heide); Pänseli (Waldstätten); Wüschi-Gras (Graubünden); Ala Mäde (Riesengebirge; Hullaner [= Ulanen] Nordböhmen), Husarenhelm, Postillon; Katzl, Filzkatzl [Filz = Moor], Mooskatzel (Böhmerwald), graue Katzeln (Niederösterreich), Chätzli (Waldstätten), Chutzstreu (Schweiz: Churfirstengebiet), Chütz, Riedchütz (St. Gallen); Maunl, Mönl (Niederösterreich), Maunzerl, Fölzmaunln (Böhmerwald); Maukel (Nordböhmen), Waugln (Niederösterreich); Munneli, Maueli (St. Gallen); Bauseli, Buseli, Busle, Busel, Moosbuseli, Riedbuseli usw. (Waldstätten); Büseli (Thurgau, Zürcher Oberland), Buseligras (Zürich, Solothurn), Bauzeli (Graubünden: Schiers), Baueli, Bauelgräs (St. Gallen), Bauelblümli (Thurgau); Miezchen (Böhmerwald, Riesengebirge), Muza(r)lgras, Muza(r)la (Bayer. Wald: Cham); Heinzewunsen [= Katze], Weinzekätzchen, Wuinsekatzen (Gotha); Mimeli (St. Gallen, Thurgau); Zimeli, Zizali (St. Gallen), Püesken, Püeskegras, Püesk (unt. Weser), Puüskes, Moorpuüskes (Emsland), Puschen (Ostpreußen); Herrgottsbart (Niederösterreich); Geishaar (Waldstätten), Gitzibärtli, Gaiszöggeli (St. Gallen); Lämmerschwanz (Nassau, Oberhessen), Rattenschweif (Böhmerwald); Müse, Müschen (unt.Weser); Schäfchen (Riesengebirge); Chüngeli [= Kaninchen] (St. Gallen); Mölken, Möerk, Wintermölken, Molken (nördl. Hannover: Kr. Stade), Möörkers (Emsland: Ahlen); Dremocksbläder (Oldenburg: Ammerland); Moosbole, Pobala (Erzgebirge); Hujauf (Kärnten); Moorgras, Moorluuk (unt. Weser); Süecke(n)-Gras (Graubünden) Brandblume (Anhalt) ❡ *Carex* Segge, Rietgras; Sigge (Ostfriesland), Sigg (Hannover), Segge (Oldenburg); Saher (Böhmerwald, Egerland), Soga (Ostböhmen), Soher, Soherer (Egerland); Saacher, Soacher (Tirol); G'seïgros (Egerland); Liesch (Hessen, Kärnten: Gailtal), Lischegros (Krain: Gottschee), Lischegräser (Schweiz: Waldstätten); Reid (Westfalen: Recklinghausen), Reetgras (Lüneburger Heide), Riedgras (Böhmerwald, Riesengebirge), Ried (Niederösterreich), Riet (Aargau); Scharfes Gras (Riesengebirge); Sniegras (Bremen), Snittgras (Hannover, Mecklenburg), Schnidgras (Zürich); Sur, Sauergras (Nordböhmen), saures Gras (Riesengebirge), sauas Gras (Niederösterreich), Suurgräs (Schweiz: Churfirstengebiet), Sumpfgras (Egerland);

Snären (Hannover: Bassum); Schleifgras (Elsaß); Engeln (Böhmerwald, Nieder-österreich); Lämmerschwänze (Ostpreußen); Päzal, Päzle (Erzgebirge). Shmauwach (Krain: Gottschee); Haargras (Anhalt) ¶ *Carex stricta* Steife Segge, Böschenspalt; Bultengras (Hannover), Bültengras (Schleswig-Holstein), Schnittbülten (Holstein); Grauwisch, Groffwisk (bei Bremen); Seegras (Schweiz) ¶ *Carex gracilis* Spitz-Segge; Schleikgras (Schweiz); Rindergräsch (Krain: Gottschee); Berstengras, Eisenspäther, Eisenspater, Leuchel, Minksch, Nätsch, Nieksch, Platzgras, Schnöte, Sterbe, Sterbe-gras (Schlesien); Langer Spalt, Spaltgras (Ostschweiz) ¶ *Scirpus lacustris* See- oder Teichbinse; Beese (unt. Weser); Bimess'n, Bimssen (Tirol), Bimsen (Tirol, Kärnten), Seebinsen (Kärnten), Binsge (bayer. Schwaben), Bense, Benze (Schweiz: Thurgau), Bense, große Behnse (St. Gallen); Binze (Aargau, Waldstätten); Rüske (Ostfries-land), Rüsch (nördl. Hannover, Rotenburg), Räsk (unt. Weser), Rusch, Ruschen, Rusk, Rusken (Oldenburg); Wallrüske (Ostfriesland); Mettenrusk (Bremen); Pool-rüske [Pool = Pfuhl] (unt. Weser); Stoolruschen (unt. Weser), Stoolrusk (Bremen: Oberneuland); Arrusch (nördl. Hannover: Sittensen); Eierrisch (nördl. Braunschweig); Laasch (Steinhuder Meer), Leesch (Lüneburger Heide); Kugelsacher (Kärnten); See-rohr (Waldstätten); Wilde(r) Chnosp (Aargau); Duddel (nördl. Hannover); Faßbolle (Waldstätten); Wake (Nassau); Bummelbeesen, Bungelbeesen nördl. Hannover); Bach-bummele (St. Gallen); Schwimmele (Thurgau), Schwummere, Schwummele (St. Gal-len), Schumele (Waldstätten) ¶ *Scirpus silvaticus* Wald-Flechtbinse; Sacher (Kärn-ten); Rohrgras (Lüneburger Heide); Schilfgras (Riesengebirge); Weierruhr (Böhmer-wald); Schliachtla (Egerland), Schluchten (Böhmerwald), Schlucht (Bayern); Luft (Böhmerwald, Niederösterreich), Auluft (Böhmerwald); Zöggergras (Kärnten).

Familie: *Gramineae, Gräser.*

Bambus. — Reis. — Pampasgras.

Phragmites communis Schilfrohr, Schilf, Rohr, Teichschilf; Reeth, Reith, Rieth (Hannover), Reit (nordwestl. Böhmen), Riedrohr (Schweiz: Waldstätten) · Moosrohr (Waldstätten), Seeröhrli (Thurgau), Weiherröhrli (Aargau); Fahnltrager (Nieder-österreich), Fähnli (Schweiz: Thurgau), Federsacher, Moosfelder (Kärnten), Ried-bausle, Seebeusle [Beusle = Katze] (Schweiz: Waldstätten); Heidemesser (St. Gal-len); Streubeusle, Streuröhrli (Schweiz), Streuried (Tirol), Dack, Dak, Piepdack (nördl. Hannover), Piepenpapen (Hessen); Ipserrohr (Württemberg: Rauhe Alb); Zeigelgras (Aargau); Fitschipfeil (Wien); Lärlistude (St. Gallen), Lun (Kärnten: Gailtal), Schlatta (Bayern: Unterfranken), Schiemen (Schwaben), Nuhnen (Schweiz) ¶ *Arundo Donax* italienisches Rohr ¶ *Molinia caerulea* Blaues Pfeifengras, Besen-ried; Büsehalm, Büsechries, Büseried, Büseschmale, Binsebäse, Riedbäsehalm (nord-östliche Schweiz); Schwarzschmähle (Schweiz: Waldstätten); Zuckerschmäle (Wald-stätten); Bäent, Baenthalm (Hannover), Baentgras, Bente, Bijünt, Pijünt, (Ostfries-land), Pioon (Emsland); Schmale (Aargau), Schmeel (Ostpreußen); Binsen (Wald-stätten, Oberrhein); Wilde Roggenhalme (Brandenburg, Schweiz) ¶ *Briza media* Zittergras; Zittermännl (Anhalt), Zittermannel (Westböhmen), -männel (Anhalt), Zitterherzl (Nordböhmen), Zitterkraut (Steiermark, Anhalt), Zitterla (Schwaben), Zittelischmale [= -schmiele] (Schweiz: Waldstätten), Zettergräs, Zetterli, Zitterli (Schweiz); Bäbergras, Bewergras (Mecklenburg), Bewerke, Biwerke (Göttingen), Bambelche (rhein.), Bebsel (westf.), Bewigras, Bewinadeln (nördl. Braunschweig); Fliddergras (Hannover), Flinsele [flinseln = flimmern], Flinserln (Böhmerwald, Niederösterreich), Vlinkern, Vlinselte (Göttingen), Flittala (Böhmerwald) Flimmerle (Nordböhmen), Flitterich (Riesengebirge); Nimmerstill (Ostpreußen); Bücklingsgras (Mecklenburg); Klepperle (Schwaben); Schatterle (Böhmerwald, Eger); Schepperl,

Sonnenwend-Schöberl [Schepperl = „Kinderklapper"] (Böhmerwald, Niederbayern),
Wetterscheberl (Niederbayern); Klunkergras [Klunker = Troddel] (nördl.
Braunschweig); Läuse, Zitterläuse (Hessen), Saulaus (Steiermark, Kärnten), Kapuzinerlus,
Kapuzinerlüs (Schweiz; Waldstätten); Flohgras (Schweiz: Solothurn), Flohblume
(St. Gallen); Wanzengras (Gotha), Wanza-Schmiele (Riesengebirge), Wanzenkraut
(Steiermark), Feldwanzen (Kärnten: Ferlach), Banzen [= Wanzen] (Krain: Gottschee),
Wantele, Wantelegras, -stängel, -stil (Schweiz: Waldstätten, St. Gallen); Jungfernhaar
(Oberösterreich), Frauenhaar (Österreich); Liebfrauenhaar, Liebfrauenharl
(Niederösterreich), Muettergotteshaar (Schweiz: Aargau, Solothurn), Christkindlhaar
(Steiermark); Muttertränen (Steiermark); Muatergotteszacher (Kärnten), Mariazacherlein
(Krain: Gottschee); Muatergottesfliegen (Kärnten: Ferlach); der lieben
Frau Linsat [= Lein] (Böhmerwald), Liebefrau-Linsat (Niederösterreich); Chörbligräs
(Schweiz), Mulchörbli (Schweiz: St. Gallen); Hasenbrot (Oberhessen, Niederösterreich,
Anhalt), Hasenbrödle (Schwaben, Aargau), Hasengras (Bern); Vogelbrod
(St. Gallen); Manna, Honigbrod (Niederbayern); Augustallkraut (Steiermark);
Pfanneflicker, Wanneflicker, Wanneflächte (Aargau); Kindergeld (schwäb.) ¶ *Dactylis
glomerata* Gemeines Knäuelgras; Knopfgras (Niederösterreich), Knöpfgras (Elsaß),
Chnopfgras, Chnopfriesele (Schweiz: Thurgau), Chnopfhalm (nördl. Schweiz);
Chotzlhalme, Chlötzhalm (Schweiz: Waldstätten); Schlegelhalm (Graubünden),
Chlungeligras (Aargau), Bolleschmali (Thun), Pflegelhalme (Schweiz: Waldstätten);
Chnollegras (Schweiz: St. Gallen); Knedlgras (Niederösterreich); Dickkopp (Hannover:
Altes Land); Kepflain [= Köpflein], Gottainherrnsch-Pölsterlain [= Gott des
Herrn Polster] (Krain: Gottschee); Zottelschmale (Waldstätten), Zötteligras (Bern);
Bäretatze (Waldstätten); Bürsteligras (Thurgau); Schrippengras (Dessau); Roghalm
(St. Gallen), Chorehalm [von Korn] (St. Gallen); Stübergras (Schweiz); Roßgras,
Roßschmäle, Roßhalm (St. Gallen); Gaislegräs [von Geiß] (St. Gallen, Bern), Katzengras
(Bern); Hundsgras (Niederösterreich, Salzburg, Tirol, nördl. Schweiz), Katzengras
(Schweiz); Schmärhalm (St. Gallen); Heuschmale, Heuhälm (Waldstätten);
Hunggras (Thurgau); Fachs, Riessele (Thurgau); Stockgras (Tirol); Hofstattgras
(Schweiz); Alpen-Fromental (Bern) ¶ *Poa annua* Einjähriges Rispengras; Spitzgras
(nördl. Schweiz); Bütschligras (Zürich), Büscheligras (Thurgau), Saugras (Niederösterreich,
Steiermark); Sprättgras (Aargau) · Brinkgras (Oldenburg, Hannover);
Füdleheu (St. Gallen); Riechseli, Riessele (Thurgau) ¶ *Poa alpina* Alpen-Rispengras,
Romeye; Heuschmäle, Hälmgras, Wildgras (Schweiz: Waldstätten); Gämschgras
[= Gemsgras]; Kühschmelchen (Salzburg, Osttirol)); Fätsch (Graubünden); Gfählschmäleli
(Waldstätten); Ritschgrasl (Tirol: Zillertal), Adelgras (Berner Oberland);
Stoffel (St. Gallen); Romeyen (Vorarlberg: Bregenzer Wald) ¶ *Glyceria fluitans*
Mannaschwaden; Himmeldau (Niederösterreich), Grashärs (Altmark); Swaden,
Swaengras, Swojegras (unt. Weser- und Emsgebiet); Slabbergras (Emsland),
Slubbegras, Slubbergras (Bremen); Doppen (bei Bremen); Lillgen (Kärnten)
¶ *Glyceria aquatica* Wasser-Schwaden, Riesensüßgras; Bersteschilf, Streifengras
(Anhalt: Dessau), Berstgras (Niederlausitz), Platzegras (Lausitz); Sparrenschilf
(Wittenberg); Lees (nördl. Hannover), Leest (Oldenburg), Leetskelp [= -schilf],
Fleutpiepenskelp (bei Bremen); Melitz (Mark Brandenburg); Schnitt (Ostpreußen).
¶ *Nardus stricta* Gemeines Borstgras; Bürstling (Böhmerwald, Egerland, Niederösterreich,
Tirol, Steiermark, Kärnten); Pirschling, Bürschling (Tirol), Borst (Egerland,
Tirol), Sauborst (Böhmerwald), Burst (Schweiz); Bürstelgras, Bürstlinggras
(Kärnten); Bucksbart [= Bocks-] (Mecklenburg), Ziegenbart (Nassau); Hirschhaar
(Salzburg, Zillertal), Hundshaar (Schweiz: Bern); Spitzgras (Bayern: Berchtesgaden);
Fachs, Fax, Faxen, Fachse, Faxe (Schweiz); Gemschfachs (Wallis); Falche (Allgäu);

Ise(n)gras (Bern, Luzern); Wolf (Riesengebirge, Glatzer Schneeberg, Böhmerwald);
Swienegras (Ostfriesland); Nätsch, Aerdje, Aertje (Graubünden) ⁋ *Bromus secalinus*
Roggen-Trespe; Drespe, Drepse (Ostfriesland), Dressen (Bremen), Drossen (Han-
nover: Hadeln), Diäspel (Westfalen, Waldeck), Djerspel (Westfalen), Drespel
(Mecklenburg, Vorpommern), Dreß, Drest (Mecklenburg), Draspe (Göttingen),
Treps (Henneberg), Trefzge (Franken), Treps (Böhmerwald, Eger, Nordböhmen),
Traspe (Riesengebirge, nördl. Böhmen), Träps (Oberpfalz: Vohenstrauß); Doert
(bei Münster i. W.); Dott (Hessen); Durd, Durdn, Dorst, Durscht (Bayern); Dur
(Böhmerwald), Durt, Durst, Durcht (Oberösterreich), Duft (Salzburg, Pongau), Turt
(nördl. Schweiz), Tort, Turn, Torn (St. Gallen); Wilde Turt, Wilde Turbe (Schweiz:
Waldstätten); Trunkenkorn (Eifel b. Dreis), Töberich; Zwalchweizen; Wilder Haber
(St. Gallen), Habergras (Elsaß); Wildi Gerste (Schweiz: Churfirstengebiet); Dwelk
(Eifel), Twelchweizen, Gemtenwalch, Twalch, Hammerl (Eger, Böhmerwald);
Stoklitz, Stögglitz, Stögglas, Teklitz (Kärnten ⁋ *Sectaria viridis* Grüne Borsten-
hirse; Katzenschwaf (N. ö.); Spitzgras (bei Bremen), Gärtnergras (Kärnten); Wilder
Brain (Niederösterreich, Tirol); Gensinger (Niederösterreich); Grüttegras (nördl.
Braunschweig) ⁋ *Setaria italica* Welscher Fennich, Kolbenhirse, Vogelhirse; Pfenich
(Steiermark); Fenchel (Augsburg), Fenchelhirsch [= -hirse] (Tirol); Druzelhirsch
(Kärnten) ⁋ *Secale cereale* Roggen, Korn (die Hauptgetreideart heißt in jeder
Gegend: Korn; z. B. in der schwäb. Alb der Dinkel, in Hessen, Österreich der
Roggen) · abgeerntet: Stroh (ebenso bei *triticum hordeum, avena*), Geströhde
⁋ *Triticum:* Emmer, Dinkel, Spelz, Spelt; Fesen; Grünkern ⁋ *Triticum vulgare*
Weizen; Weiten, Weten (untere Weser), Wate, Waite; Weß, Wesse, Weïsse (Nord-
böhmen); Waize, Wasse (Schweiz), Woaz, Woiz (Niederbayern, Niederösterreich,
Oberpfalz), Woaz (Erzgebirge, Niederösterreich), Warz (Niederösterreich); Boiz
(Krain: Gottschee); Brodweten (Oldenburg), Wittweten (Lengerich bei Osnabrück)
⁋ *Hordeum* Gerste; Gassen (untere Weser Holstein), Gaste (untere Weser),
Gast(en) (Mecklenburg, Schleswig-Holstein), Garsten (Holstein), Gasten (nördl.
Braunschweig), Gäste (Westfalen: Recklinghausen), Jarscht (Westpreußen), Girst
(Graubünden); Koorn (Oldenburg: Jeverland, Butjaden), Kurn (Helgoland); Chorn
(St. Gallen); Inenkorn (Ostfriesland); Viereggeti Gärste (St. Gallen); Vierecker
(Graubünden: Schiers) · Frucht: Malz; Karamel; Maische ⁋ *Lolium temulentum*
Taumellolch; Schwindel (St. Gallen, Thurgau), Schwindelhaber (schwäbische Alb,
Österreich, St. Gallen), Schwindelkorn (Österreich), Schwindelweiße [= Weizen]
(St. Gallen); Trümmel (Thurgau); Dummel (Norddithmarschen), Täbich (Ober-
schlesien), Tobich (Schlesien), Döbel (Obersachsen), Täberich (Thüringen), Töwerich
(Erzgebirge), Tob (Franken: Hohenlohe), Tobgerste (Schweiz: Entlibuch); Toll-
kraut, Tollgerste (Nassau), Tollkorn (Kärnten), Tollhaber (Steiermark); Unsinn(i)
(Niederösterreich, Steiermark); Rauschgras (Salzburg), Ruschgras (Schweiz: Luzern);
Trunkenes (Krain: Gottschee); Tamisch (Kärnten); Schlafkorn (Elsaß); Hammerl
(Niederösterreich); Turd (Böhmerwald), Dohr (Bayerischer Wald); Durcht (Ober-
österreich), Durst (Niederösterreich); Denkraut, Donkraut (Riesengebirge), Ton-
kraut (Nordböhmen); Tochkraut (Riesengebirge); Lulch (Mecklenburg, Steiermark);
Läte (Riesengebirge); Pianke (Mark; Sommerfeld), Biangga (Kärnten); Schwanzln
(Erzgebirge), Schwänzel (Österreich); Twalch ⁋ *Lolium remotum* Acker-Lolch;
Leethardel (Pommern), Leethari (Mecklenburg), Ledharle (Göttingen), Leigherl
(Lippe); Schmitzen (Egerland) ⁋ *Lolium perenne* Englisches Raygras; Rajen, Raje-
gras (Ostfriesland), Reegras (nördl. Hannover), Regras (Schweiz: Aargau); Löll
[femin.], Lölli, Lüschgras (Tirol); Leitergras (St. Gallen); Schlangerlain (Krain:
Gottschee); Wildhaber (Tirol); Schmale, Hungschmale (Aargau); Saugras (Kärnten)

❡ *Agriopyrum repens* Gemeine Quecke, Quetsch (Hannover: Steinau im Kr. Otterndorf), Quitsch (Dithmarschen), Quäken, Quecken (Pommern, Westfalen), Quekern (Westfalen: Minden), Quicke (Westfalen: Lengerich bei Osnabrück), Kwöäken (Emsland), Quicke (Nassau), Quacke (Nordböhmen, Riesengebirge); Kecke (Elsaß), Wegg (Schweiz: St. Gallen), Groägge (Bern); Zwecke (Riesengebirge, Nordböhmen, Erzgebirge), Zwegwurzel (Eger); Zweckgras (Aargau), Zwickgras (Basel); Grosworzel (Böhmen: Teplitz); Grähswurzel (Siebenbürgen), Wißwurz (Aargau); Schuoßwurz, Schoßwürze (Böhmerwald), Schuoßwurz (Egerland); Schmale, Spitzhalm, Spießgras (Schweiz: Waldstätten), Spitzgras (Württemberg: Rauhe Alb), Schnüren (Schwalben: Mindelheim), Schnürligras, Schnüergras (Aargau, Schaffhausen), Schnürgras (Württemberg: Rauhe Alb), Schlirpgras (Schaffhausen), Schleichgras (Schweiz), Flechtgras (Württemberg, Graubünden), Spuhlwurz (Tirol: Lienz), Ise(n)-Gras (Aargau); Soha-Gras (Niederösterreich); Chnopfgras, Chrallegras (Schweiz); Landdreck (Göttingen), Hundsgras (Niederösterreich, Steiermark), Läutschgras „Läutsch" [= Hündin] (Schweiz: Aargau), Turd (Niederösterreich); Sandklewer (Mecklenburg); Peien (Hannover), Baia, Bair, Bajer, Bayer (Niederösterreich), Peier, Peierich (Steiermark), Baier, Paier (Kärnten); Peed (Westpreußen), Pädde (Mark, Niederlausitz), Pedenzel (Göttingen); Pädergras, Wul (Göttingen), Wullband (Mecklenburg); Flaergras, Flo'gras, Fluagras (Böhmerwald), Hundsweizen ❡ *Phalaris arundinacea* Rohr-Glanzgras; Schniedgras (Schweiz: St. Gallen): Piepenschulp (Mecklenburg); Leist (Hannover: Steinhuder Meer); Havel-Militz (Havelgebiet); Wukschbanz (Krain: Gottschee) ❡ *Anthoxanthum odoratum* Ruchgras; Süeßgras (Schweiz: Thurgau); Weiße Schmele (Dessau); Goldgras, Lavendelgras ❡ *Holcus lanatus* Wolliges Honiggras; Sueßschmale, Honigschmale (Schweiz: Solothurn); Schmele (Anhalt), Mehlhalm (nördl. Hannover); Witten Meddel (unteres Wesergebiet); Wanzengras (Kärnten); Pein (Böhmerwald, Niederösterreich), Queke (Wesergebirge) ❡ *Deschampsia caespitosa* Rasenschmiele; Smele (Göttingen), Schmolme (Koburg), Schmölm, Schmelme, Schmilme, Schmilbe (Nassau), Schmalm, Schmelchen (Bayern), Schmaler, Schmäler (Oberösterreich), Schmälcha, Schmöcha (Niederösterreich), Schmölla (Böhmerwald, Eger), Schmelva (Egerland), Schmeile (Riesengebirge); Scholtgras (Oldenburg), Stollgras (Kärnten) ❡ *Avena fatua* Windhafer, Flughafer; Wilder Hawer (Ostfriesland); Schwindelhafer (Nürnberg); Gauchhaber, Maushaber (Elsaß), Blindhaber (Salzburg, Lienz); Floghafer (Göttingen), Flughabern, Windhabern (Niederösterreich); Graning (Niederösterreich · Taubhafer ❡ *Avena strigosa* Sandhafer; Rauhhaber (bei Bremen); Swarthawer (nördl. Hannover); Wirrhabern (Niederösterreich); Purhafer (Mecklenburg); Barthafer; Kaninchenhafer ❡ *Avena sativa* Saathafer, Hafer; Habern (Bayern, Österreich); Biwen, Bifen (Ostfriesland); Hyllmann (Schwaben) ❡ *Arrhenatherum* Französisches Raygras, Glatthafer; Walsches Gras (Schweiz: Churfirstengebiet); Halmschmale, Halmegras (Schweiz: Waldstätten); Folscher Howern (Niederösterreich); Wildä Haber (Waldstätten); Riessele, Schmale (Schweiz: Thurgau); Franzosenschmäle (Schweiz); Roßgras (Wetterau) ❡ *Alopecurus myosuroides* Acker-Fuchsschwanz; Swaartgras (Ostfriesland), Schwarz' Gräs (St. Gallen); Wild Gras (nördl. Hannover); Vogelgerste (Schweiz: Aargau); Greising, Greise (Aargau); Hasewēs (= Hasenweizen, Hunsrück) ❡ *Alopecurus pratensis* Wiesen-Fuchsschwanz; Foßwans (Göttingen), Fuchswedel (Schwaben: Memmingen), Lämmerschmiele (Schlesien), Müse (bei Bremen), Musesteert, Röttesteert (Ostfriesland); kleine Bumskeule (Anhalt: Dessau); Roggengras (Westpreußen: Weichseldelta), Kornschmiele (Riesen-

2*

gebirge); Kulma (Böhmerwald); Tamgras (Norderdithmarschen) · Eselsschwanz (Wetterau); Kätzchengras (rhein.); Haarzieher ⁋ *Agrostis vulgaris* Gemeiner Windhalm; Voßsteert (Hannover), Voßswanz (Hannover, nördl. Braunschweig), Knotenswans (Altmark), Schwänzlein (Böhmerwald); Fäderngras, Flättergras (Schweiz: Aargau); Schlirpgras (Schweiz); Tradschmelen (Kärnten); Meddel, Merdel (Westpreußen, Pommern, Ostfriesland), Middel (Ostfriesland), Mäddl (nördl. Braunschweig, Altmark), Matt'l, Marl (Mecklenburg); Baier, Paier (Kärnten), Schmelchen (Tirol) ⁋ *Hierochloē odorata* Wohlriechendes Mariengras; Margengras (Ostpreußen); Beddelstroh ostfries. Insel: Langeoog) ⁋ *Stipa pennata* Feder-Pfriemengras; Federgras (Österreich), Stoanfedarn (Niederösterreich), Wiesenhoar (Niederösterreich), Pfingsthaar (Niederösterreich), St. Iwans-, St. Prokopsbart (Böhmen), Jakobs-, Joachimsbart (Niederösterreich), Flunkerbart (Mark); türkischer, wilder Flachs (Mark), Sandflachs (Österreich), Bargflachs (Nordböhmen); Frau Harfenbart (Mark); Marienflachs (Mark), Frauenhoar, Liebfrauenharl (Niederösterreich); Faks (Thüringen) ⁋ *Phleum pratense* Timotheusgras; Timotheegras (unt. Wesergebiet u. a. O.), Timmelgras (Nordböhmen), Timothygrosch [= -gras] (Krain: Gottschee); Kleine Bumskeule (Anhalt: Dessau), Cholbegras (Schweiz: Luzern), Wacha Katz'nschwaf (Niederösterreich); Zuckergras (Riesengebirge), Futtergras (Böhmerwald); Somagras [Samengras] (Böhmerwald), Egerland); Roßfenigl (Niederösterreich); Trollhalm (St. Gallen) ⁋ Kanariengras · Bandgras · Ruchgras · Mariengras.

Panicum miliaceum Echte Hirse; Hattelhirsch (Tirol, Kärnten); Breien, Brein, Brain (Österreich); Grütte, Hesegrütte (nördl. Braunschweig) ⁋ *Panicum crus galli* Hühner-Hirse; Vagelfoot (unt. Wesergebiet); Dückergras (Ostfriesland); Feich, Fensch, Fänisch, Mistifeich (Schweiz: Waldstätten); Greiserich, Greizen (Schweiz), Grense (Tirol: Drautal), Gräns (Kärnten); Hirschegras [= Hirse-] (Nordböhmen), Will Grashärs (Altmark); Mufitsch (Kärnten) ⁋ Zuckerrohr · Mohrenhirse (Reisbesen) ⁋ Teosinte (Mexiko).

Zea mays Mais, Welschkorn, türkischer Weizen; Torkschen Weten (unt. Weser), Türkischer Waz, Turknwoaz (Niederösterreich), Tirkisch Boiz, tirkisch Buoize (Krain: Gottschee), türkisch Kürn (Siebenbürgen), Türggechorn, Türgechore (Schweiz), Türken (Tirol, Kärnten, Schweiz); Kukuritz (Westpreußen), Gugarutz, Kukurutz (Niederösterreich), Kukrutz (Nordböhmen); Zapfe(n)korn (Elsaß); Gelber Plent'n (Tirol) ⁋ Tränengras.

5. R e i h e : *Principes.*

Familie: *Palmae.*

Dattelpalme · Zwergpalme · Sagopalme Carnaubapalme (Wachs) · Dumpalme · Palmyrapalme, Delebpalme (Palmwein) · Daemonoropsniger Rotangpalme (spanisches Rohr) · Peddigrohr · Malakkarohr, Pfefferrohr · Betelnußpalme · Ölpalme · Kokosnußpalme · Ackerwurz.

6. R e i h e : *Synanthae.*

7. R e i h e : *Spathiflorae.*

Familie: *Arareae.*

Acorus calamus Kalmus; Kalms, Karmsen, Karmswuttel, Karmeswurtel, Karmelkeswurtel (Ostfriesland), Kärmsenwottel (Emsland); Kommerzienwuddel [= -wurzel] (Achim Kr. Verden); Kolmas, Kalmas (Bayern, Österreich), Chalmis (Schweiz: Churfirstengebiet, St. Gallen); Sigge (Ostfriesland), Sierg (Hannover: Aurich),

Ruuksigge (Ostfriesland), Ruuksierg (Hannover: Aurich); Salbels, Bajonettstangen (Oldenburg); Schmeckata Rohr (Niederbayern); Leesch, Lais (nordwestl. Deutschland), Schilf (Böhmen, Erzgebirge); Brustwurz; Dagen ⚥ *Calla palustris* Schlangenwurz, Drachenwurz; Peerohren (Hannover: Bassum), Schweineahr [= -ohr] (Frankfurt a. O.), Näsenblome (bei Bremen), Stanitzlbleaml (Niederösterreich); Tetschk, Tutschk (Westpreußen); Kaschinitz, Kattschieneck (Ostpreußen); Froschlöffel, Froschkraut; Fetter Michel ⚥ *Colocasia antiquorum* ⚥ *Arum maculatum* Aronstab, Aronswurzel; Aron, Aran, Araun (Schwaben), Arone(n)chrut (Schweiz), Rone(n)chrut (Schweiz): Aargau), Alerone(n)chrut, Alronechrut, Alrune (Schweiz: Solothurn); Papenjungen (Braunschweig), Papenkinder (Braunschweig, Altmark, Göttingen), Pfaffekindcher (an der Nahe), Hurenkinder (an der Mosel), Heckenditzchen, Heckenpüppchen, Aronskindchen (Eifel), Aronkindla (Württemberg: Rauhe Alb), Chindlichrut, Dittichrut, Dittelichrut [Ditte = Puppe] (Schweiz), Chrippechindli (Schweiz: Zug), Guggerchindli (Schweiz: Waldstätten), Merze(n)chindli (Zürich), Jude(n)chindli (Zürcher Oberland), Chindli und Büebli, Poppeli, Pfaffenpoppeli (St. Gallen), Patroneditteli (Solothurn); Papenpiten (Waldeck, Göttingen, Mark), Papenpietken (Mechlenburg); Pfaffenspint, Antensnepl (Braunschweig), Johanneshaupt (Wien), Wilde Skarnitzelblume (Steiermark); Trommelschlegel (Schweiz: Thurgau); Zehrwurz(el) (nördl. Böhmen), Lungenkraut, Lungechrut (Schwaben, Schweiz), Poperagrothworza (St. Gallen), Magenkraut (Oberösterreich); Pfingstblume (Caub am Rhein); Drachenwurz.

8. R e i h e : *Farinosae:* Ananas.

9. R e i h e : *Liliiflorae.*

Familie: *Liliaceae.*

Colchicum autumnale Herbstzeitlose; Zittlose (Hannover: Celle), Zeitlos, Zeitlos'n (Niederösterreich) Herbstziglose (Schweiz: Thurgau, St. Gallen); Herbstbleaml (Oberösterreich: Altensee), Herbstblueme (Schweiz), Herbesteroase [rose = blume] (Südtirol); Winterblueme (Schweiz), Winterhaube, Winterhauch (Nassau); Michelswurz (Riesengebirge, Nordböhmen), Michelszwippeln (Nordböhmen); Galleblueme (Schweiz: Waldstätten); Schulblume (Thüringen; Schweiz: Aargau); Abendmaie(n) (Elsaß); Kilte, Kelterle, Kweltbluem, Kweltmaie(n) (Elsaß); Liechtblume (St. Gallen, Tößtal); Spinnblume, Spennblomne (Gotha), Spillablume (Riesengebirge), Spinnbloeme, Spindelblume, Spindle, Spinnerne (schwäbische Alb); Gungl (oberes Allgäu), Konkl (Schwäbische Alb), Nachtgunkeln (bayerisches Schwaben); Rockastümpfel (Oberösterreich); Läuseblum, Läusekraut (Nordböhmen), Lausbleaml, Lauskraud (Österreich); Hundsblume (Nordböhmen), Hundsknofel [= Knoblauch] (Steiermark), Säu-Chrut (Aargau); Teufelswurz (Steiermark), Giftblume (bayerisches Schwaben), Hennegift (St. Gallen), Leichenblum (Nordböhmen); Nakede Jumfer (Bremen), nakadi Jumpfa (Niederösterreich), Nakete Kathl (Tirol); blutti Jumpfere (Aargau); Nackarsch (Nassau, Nahegebiet, Eifel), Nackte Hure (Thüringen, Franken, Salzburg), faule Fotzen (Unterelsaß), Hundsfudle (Zürich); Wiesen-Safran (Riesengebirge; Niederösterreich), Wülda Safran (Niederösterreich), Wildsafran (Steiermark); Wiesenlilien (Niederösterreich); Wilde Zwiebel (Nordböhmen); Hundshode (Schweiz), Hundsose (Thurgau), Hondsode, Hondsjode (St. Gallen), Bundsode Bundsose (Thurgau), Bondshode, Bundsose (St. Gallen); Pfundsode, Fundsose, Tondsode , Tondsose (Thurgau); Hundshose (Waldstätten), Hund-Hose (St. Gallen); Hundseckel, Hundshodeseckel (Waldstätten), Munihode(n) (Schweiz), Muniseckel (Luzern), Stieräseckel (Waldstätten), Os(s)enklait(e) (Waldeck), Chüetschiseckel (Waldstätten), Roßseckel (Aargau), Schafseckel (Waldstätten), Hanekloaeten (Göttingen); Ochsenpinsel (Thüringen); Kuheuter (Erzgebirge, Niederösterreich, schwäb. Alb), Kühlesroada (Rauhe Alb), Küe-Uter (Schweiz); Kühditzen (Gotha), Kuhditzen (Hessen), Kuhdutte (Elsaß), -schlotten (Henneberg), Keiwedutzen (Thüringen, Niederhessen), Kiehdetz (Nahegebiet), Keduize (Thüringen: Salzungen), Dützekaden (Gotha); Chuebüpi [büpi = Brustwarze] (Schweiz); Ditzewerk, Kuckuckswerk (Gotha), Butterwecken (bayerisches Schwaben); Teufelsbrot (Steiermark), Moheitl [= Mohnhäuptl] (Nordböhmen); Mönchskappen (Steiermark); Pumperhöslein (Krain: Gottschee); Chlaffe(n) (Schweiz); Kuhlemuh (Niederösterreich), Wisseküh (Nahegebiet), Kühla, Kü(e)l(e) (schwäbische Alb), Kühe (bayerisches Schwaben), Mockla [= Kuh] (Rauhe Alb); Kaibln, Kaiblbuschn (Oberösterreich). Ochse(n)kälble (Elsaß); Ochsen (Kärnten); Chüetsche, Chüentsche, Chiengsche. Chüentschli, Chüetschüseckel (Schweiz); Henne, Feißti Henne (Graubünden). Glugge (Goms im Wallis), Heu-Gluggere (Schaffhausen); Läussschlode (Gotha), Kühschlotte (Henneberg), Keschlode (Thüringen: Salzungen); Germere(n) (Graubünden), Schemmei (Tirol: Lienz), Hemada (Oberösterreich), Hamerbuerz (Krain: Gottschee); Hemdenbeutel (Göttingen), Schulblume ⁋ *Veratrum album* Weißer Germer; Germele, Gerbere, Görbele, Görbale, Geermäder, Germage (Schweiz); Hemmer (Niederösterreich), Hammer (Kärnten), Hemmern (Tirol, Kärnten), Hammerwurz; Hemad, Hemat'n (Alpenländer), Hematwurzen (Berchtesgaden), Hematwurz'n (Niederösterreich); Lauskraut (Österreich, Tirol, Schwaben), Hauswurz (Allgäu), Lusworza (St. Gallen); Schwab'nwurz (Niederösterreich), Chäferworzel (St. Gallen); Gillwurz (Oberösterreich, Steiermark), Christworzel, Nießworz (St. Gallen), Frengelwurz, Schwinewörzel; Oldocke, Wendedocken (Riesengebirge) ⁋ Asphodelus, Schattenlilie, Asphodill ⁋ Aloe.

Allium schoenoprasum Schnittlauch; Snittlok (Wesergebiet), Schnitlich (Böhmen), Schnittling, Schnieling (Bayern, Niederösterreich), Schnitt'l (Tirol), Schnittla (Kärnten), Schnedlauch, Schnedlach, Schnittlächt (Schweiz); Prieslauch (Ostpreußen), Preseloak (Weichseldelta), Bressel, Breßlach (Hessen); Schmallow, Schmallauw (Westfalen); Graslook (Ostfriesland), Graslauch (Thüringen); Beeslook (Bremen, Schleswig); Kleenlauk (Westfalen); Pankokenkraut (Westfalen), Suppenkraut (Nahegebiet); Friesel (Erzgeb.) ⁋ *Allium ursinum* Bärenlauch; Remsen (Göttingen), Ramisch (Schlesien); Ronzna (Niederösterreich); Rams(er); wilder Knoblauch; Waldknofel (Oberösterreich), Waldknoblich (schwäbische Alb); Tüfelschnoblauch (Schweiz: Zug); Huntischknowl (Krain: Gottschee); Zigeunerlauch (Oberösterreich); Jud'nzwifl (Niederösterreich); Chrotte(n)chrut (Schweiz: Waldstätten), Waldherre (schwäbische Alb); Maikänig ⁋ *Allium ascalonicum* Schalotte, Aschlauch ⁋ *Allium Victorialis* Allermannsharnisch, Sieg-, Alpenlauch, Bergalraun; Barbarawurzel ⁋ *Allium sativum* Knoblauch; Knuflauk (Waldeck), Knufflauw (Westfalen); Gnuwwluch (Naumburg a. S.), Knewelauch (Blankenburg: Stieg); Knoblauch, Knoblich (Nordböhmen); Knofel, Knofl (Bayern, Österreich, Tirol); Chnoblach, Chnoblech, Chnoble (Schweiz), Knobel (Schwaben), Knobloch, Knobli(g), Knöbli(ch) (Elsaß); Bauerntheriak; Judenvanilli (Niederösterreich) · ⁋ *Allium porrum* Porree, Winterlauch (Spanischer) Lauch; Pori, Buri (Österreich), Borr, Burri, Pirre(n) (Schweiz); Look (Oldenburg), Lach (Krain: Gottschee); Lauch (Aargau); Breitlauch, breite Lauch (Schweiz) ⁋ *Allium cepa* Zwiebel; Zippel, Zipple (Ostpreußen), Bolle (Aargau, Berlin), Sipel (Westfalen), Zipolle (Braunschweig), Zibbel (Thüringen), Zwifle, Zwifel (Bayern, Österreich), Zibele, Zible (Schweiz); Oje (Ostfriesland); Oellig (Eifel) ⁋ *Lilium candidum* Weiße Lilie; Lilg(n), Lilch (Tirol), Gilg(n), Ilge, Ilg'n (Tirol, Kärnten), Iling, Lüling, Jüling (Niederösterreich); Jilge, Jjel, Jilje (Elsaß), Ilge, Ilga, Ille (Schweiz), Uelle (Zug); Nilje (Hessen, Göttingen); Nilge (Nordböhmen);

Weißa Lüling (Niederösterreich); Wisse Ilge (Schweiz); Josefslilie, Josephinilge, Antonienilge (Nordböhmen), Unschuldsblumen (Kärnten: Ferlach); Dokter-Ilie (Aargau), Brand-Ilge (St. Gallen); Gälnase [= Gelbnase] (Nahegebiet) ⁋ *Lilium martagon* Türkenbund; Türkische Bund, -Huat (Schweiz); Konstantinopel (Westpreußen); Schlotterhose (Thurgau), Krullilje (Ostfriesland, Oldenburg); Goldwurz(l) (Bayern, Riesengebirge, Tirol, Schwaben), Goldwurze (Schweiz); Goldzwifl (Niederösterreich); Goldbölle (St. Gallen); Goldruabn (Kärnten); Goldhäupl (Böhmerwald); Goldäpfel (Böhmerwald, Niederösterreich, Tirol, Kärnten); Goldöpfel (St. Gallen); Goldpfandl (Tirol, Niederösterreich); Goldblume (Böhmerwald); Goldlilgen (Kärnten) ⁋ *Lilium bulbiferum* Feuerlilie; Wilde Gilgen, Feldlilie (Tirol), Berg-Ilga, Stei-Ilga (St. Gallen), Steinrose (Graubünden: Trimmis); Gelbe Gilgen (Zillertal), Roth-Ilgä (Schweiz); Goldrose, Goldilge (Schweiz); Feuerlilje (Erzgebirge), Füür-Ilge (Schweiz); Donnerblume (Tirol), Donnerrosen (Kärnten); Nasenfärber (Westpreußen), Nosnbräse (Erzgebirge); Kaiserkrone (Wesergebiet) ⁋ *Tulipa* Tulpe; Tollebohne (Nauheim), Tulipe, Turlipe (Aargau), Gulipa (Elsaß); Tulipana (Niederösterreich, Schweiz), Tulipana, Dolabana (Niederösterreich), Tollpaun (Erzweiler i.d. Rheinpfalz) ⁋ *Scilla bifolia* Zweiblättrige Meerzwiebel; Sternblämcher (Siebenbürgen); Tubechnöpf(li) (Aargau); Merzeblüemli (Waldstätten); Josefiblüah (Niederösterreich), Josefibleaml (Niederösterreich, Oberbayern); Roßmurken (Dillingen); Blaue Wämseli (Zürich); Mäpetli (Aargau) ⁋ *Ornithogalum umbellatum* Dolden-Milchstern; Steern (Münsterland), Sternblume (Westpreußen), Sternali, Sternblueme, Sternlichchrut (Schweiz), Sonnenblume (Nahegebiet), weiße Sternblume (Riesengebirge), Milchstern (Böhmerwald, Anhalt), Mülchstern (Niederösterreich), Milchblueme (Aargau, Solothurn), Hinkelsmillich (Nahegebiet), Glisserli (Aargau); Tagund Nachtblüemli (Schweiz); Ackerlauch (Schlesien); wilde Zipollen (Hannover: Bassum); wild(r) Chnoblauch, Roßchnoblauch (Aargau), Hundsknofl (Niederösterreich); wissi Chornblueme (Thurgau); Schmutzchrut (Zürich); Schnuderblüemli (Solothurn); Siebenschläfer (Anhalt) ⁋ *Muscari* Bisamhyazinthe; Weinträuberl (Niederösterreich, Salzburg); Träubchen (Weichseldelta), Trübli (Schweiz), Aprilletrübli, Maietrübli (St. Gallen), Steitrübli (Unterwalden: Buochs), Katzentraube (Elsaß); Mauseschwänzchen (Ostpreußen), Zöpferln (Niederösterreich), Kölbelen (Tirol: Innsbruck); Perlblümchen, Perlhyazinthe (Westpreußen), Korallenblume (Oldenburg); Krügl(e) (Schwäb.· Alb); Pfaffenkappl, Pfarrerkappl (Niederösterreich); Tube(n)kropf (Aargau, Elsaß), Tube(n)-Cholbe(n), Tube-Chröpfli (Aargau), Trummeschlegeli (Solothurn, Aargau); Zuckerhüetlin (Kärnten); Tinteblümli (Aargau); Kohlrösla (Rauhe Alb); blaues Schlotfegerlein (um Nürnberg); Kaminfeger (Rauhe Alb); Himmellschlissl, blaue Himmelschliessl, Peterschlissl (Niederösterreich), Maieriesli, blaui Maieriesli (St. Gallen); Gugableaml [= Kuckuck-] (Niederösterreich), Guggu (München); Raes(e)le (schwäb. Alb); Zinggli (St. Gallen); Parisli, Pariserli (St. Gallen: Churfirstengebiet); Gixengaxen (Münnerstadt in Unterfranken); Schafnarbel (Anhalt). Hyazinthe · Drachenblutbaum ⁋ *Ruscus* Mäusedorn, Brüsch.

Asparagus officinalis Garten-Spargel; Aspars (Holstein), Sparjes (Braunschweig, Wesergebiet), Spajes, Sparrs Speis (Wesergebiet); Sparge (Nassau), Sparrje (Rheinpfalz); Spergel (Nordböhmen), Sparigel (Niederösterreich); Spargle, Sparz, Spars (Schweiz); Hosendall (Siebenbürgen); Teufelstrauben; Nierenputzer (Steiermark) ⁋ *Polygonatum* Weißwurz, Salomonssiegel; Snakenkruud (Hannover), Natternblüml (Böhmerwald), ·Atere(n)-Chrut, Schlangenkraut (Scheiz); Hönraugwurz'n [= Hühner-] (Niederösterreich), Hühneraugenwurz (Tirol, Kärnten); Aegerste(n)krut (Elsaß), Ageste-Aug-Chrut, Aegarstewurze (St. Gallen, Zürcher Oberland), Aegerstewürze, Aegerstetage (Waldstätten), Chräenauge (Waldstätten); Haligensigl (Niederösterreich), Wißwürze (Aargau); Wilde, chinesische, (Große) wilde Maiblume (Anhalt), wilde Zauken (Nordböhmen), wülde Maiglekkaln (Niederösterreich), wilde, falsche Maibleml(e) (schwäbische Alb); Wilder Habermauch (schwäbische Alb); Scharniggl (Kärnten); Harnischwurz, Allermannsharnisch (Kärnten); Neidkraut, Butterwurz (Niederösterreich) ¶ *Convallaria majalis* Maiglöckchen; Maiblome (Wesergebiet). Meibloum(e) (Waldeck), Maiblümchen (Gotha), Maibleaml (Niederösterreich), Maibleamla (schwäb. Alb); Mairösla (schwäb. Alb), Maierösle (Vorarlberg), Maierisli (Schweiz); Maililljen (Hannover); Maiklocken (Wesergebiet), Maiglöckskes (Westfalen), Meïglöckl, Meeglöckl (Nordböhmen); Maiglöckl(e) (schwäb. Alb), Maiglöckle (Vorarlberg), Maischellchen (Henneberg, Gotha, Salzungen); Liljenkonvalljen, Lieljenkonveilchen, Hillgenkummveilchen (Oldenburg), Lilienkonfalgen (Ostseegebiet), Lilienconvall (Schleswig); Lilumfallum (Tirol, Kärnten), Fillum fallum (Kärnten, Salzburg), Fildron-Faldron (Lienz), Philldron-Chaldron (Tirol), Fillifalliblüh (Steiermark); Convojerl (Kärnten: Raibl); Faltigron, Faltrian, Faltrion (Ober- und Niederösterreich), Falterich (Oberösterreich), Feltrian, Felbrian, Febrigan (Niederösterreich); Gläjele, Galeieli, Galeili (St. Gallen); Lilljen (Schleswig, Hannover); Springauf (Schlesien); Zaucke, Zauk'n (Nordböhmen, Erzgebirge); Zäupchen; Papoischla (Langenbielau i. Schl.) ¶ *Paris quadrifolia* Vierblätterige Einbeere; Eenbeer (Oldenburg), Eïbeere (Nordböhmen), Oanbeer (Niederösterreich), Moosbeere (Erzgebirge); Kroache [= Krähenauge] (Nordostböhmen); Shbuerze Karschen [schwarze Kirschen], Peare (Krain: Gottschee); Giftbeere (Riesengebirge), Giftbeeri (Waldstätten), Sprengberi (Graubünden), Wolfsbeeri (Uri), Wolfsdüttel (Nürburg), Teufelsbeer (schwäb. Alb, Kärnten), Schlange(n)krut (Elsaß), Schlangenbeeri (Graubünden); kleine Tollkirsch (schwäb. Alb); Pestbeere (Böhmerwald, Steiermark), Schwarzblatterkraut (bayer. Schwaben); Chrüzlibeere (Waldstätten), Chrüzli-Chrut (Graubünden), Kreuzblatt (St. Gallen); Venussiegel. — Porree.

Familie: *Amaryllidaceae.*

Narcissus pseudonarcissus Gelbe Narzisse; Shisse, Zisse (Ostfriesland), Narcisi, Narcissli (Schweiz: Zürich), Rizise (Graubünden), Osterblume (Oldenburg, Westfalen, Nahegebiet), Hornsenblume (Thüringen: Ruhla), Merzebluoma (Schweiz); Märzstern (Egerland), Merzesterne, Merzerösli (St. Gallen, Thurgau); Zittlosen, Tidlöaeseke, Tiedloose, Tieloo, Tieligösken, Tilöschen (unteres Wesergebiet, Braunschweig, Westfalen); Ilge, Gäli Ilge, Gälb Uelle (Schweiz); Gäle Zitzen (Schleswig-Holstein), Osterlilie (Westpreußen); Märzenbecher (Nordböhmen, Österreich, Bayern, Schweiz), Sterzebacher, Stürzebacher (Riesengebirge); Merzechöbel (St. Gallen); Merzeschelle (St. Gallen, Thurgau), Merzeglogge, Oserglogge, Glöggli (Schweiz); Osterblume (Hannover); Manzele(n), Manzeleblueme (Aargau, Waldstätten, Solothurn); Gänskragen (Oberösterreich); Bachtele(n) (Schweiz) ¶ *Narcissus poeticus* Weiße Narzisse; Nashissen (Münsterland), Atzitsch (Pommern); Zisserle, Zisserlan (Kärnten); Arzisse (Hessen, Elsaß), Marezisli, Matzisli (Zürich), Rezinse (Graubünden); Maieblüemli (Thurgau); Pankrazerln, Pankraziusblumen (Kärnten); Pingsterblome (Jever), Pingschtblume (Nahegebiet); Sterne (St. Gallen), Sternblaume (Braunschweig), Sterneblume (Schweiz), Himmelssterne (St. Gallen, Thurgau); Maierösli, Kapuzinerrösli, Frauerose, Zizzirose (Schweiz); Herrnrose (Nassau); Nilche, Nilge (Nordböhmen), Ilge (Schweiz); Zotternägeli, Saffertnägeli, Tellernägeli (Schweiz), Witte Shissen (Ostfriesland), Witte Zitzen (Schleswig-Holstein), weiße Märzenbecher (Nordböhmen); Studenten (unteres Wesergebiet, Waldeck, Thüringen); Jesusblueme, Himmelsblueme (Schweiz), Engelar (Tirol), Pfeifenblume (Nassau), Langstengeln, Kreuzbloama (Oberösterreich) ¶ *Galanthus nivalis* Gemeines Schneeglöckchen; Sneeklocke, Schneeglökskes (untere Weser, Westfalen), Schneeglöckerl (Bayern, Österreich), Schneeglöggli (Schweiz), Glöckerl (Wien), Gleckerlein (Krain: Gottschee), Schneetröpferl (Oberösterreich), Schneetröpfle (Schwaben); Schneeflöckchen, -kröpfchen; Schneegake (Schlesien), Schneegukerchen (Weichseldelta); Schneefeigerl (Niederösterreich); Schneekaterl (Österreich); Nakenäsken, Naakääsken (Westfalen); nackend Wiefke, witte Wiefkes (Ostfriesland); Jungfer Kathl (Oberbayern); Märtenblöme (Ostfriesland), Märzenblüemeli, Märzaglöggli, Merzevölleli (Schweiz, Schwaben); Amseleblueme (Schweiz); Lausblume, Lausbüschel (Steiermark); Knotenblume ¶ Agave.

Leucoium vernum Frühlings-Knotenblume; Waldsnäiglöckchen (Braunschweig), Dubbelde Schneeklökskes, Dubbelde Nakenäsken (Westfalen); Schneeglöckerl (Bayern, Österreich); Schniglöckl (Nordböhmen); Schneeglöggli (Schweiz); Schnedropf'n (Niederösterreich), Schnaetröpfe (Schwäb. Alb); Schneekaterl (Bayern, Österreich); Schneefeigal (Niederösterreich), Schniefalke (Riesengebirge); Schnigalchel (Nordböhmen); Schneetulp'n (Niederösterreich); Glocken, Glockaroashen (Krain: Gottschee), Gloggere (St. Gallen); Hornsenblumen (Thüringen: Ruhla), Hornungsglöckle (Elsaß); Märzenblümli (Schwaben), Merzeblüomli (Schweiz); Märze(n)glöckle (Elsaß, Schwaben), Merzeglöggli (Schweiz); Märzengocher (Steiermark); Märzenbecherl (Österreich); Josephsblume (Nahegebiet); Aprillestern (Schwäb. Alb); Osterschälchen (Südharz); Tidlötje, Tidlöseken, Tidlökelken (Göttingen, Braunschweig); Zitlose (Schweiz); Geißblueme, Gaisglöggli (Waldstätten) Gelbspitzchen (Schlesien), Slangenkrut (Hannover: Schladen); Chropfle, Tubechnopf (St. Gallen), Hegerli, Hogermännli (Waldstätten), Storehälseli (Wynental); Flüderste, Pflüderst, Flegerste, Pflügerst (Aargau), Flittersche (Zürich), Flugerschli (Bern).

Familie: *Iridaceae.*

Crocus albiflorus Frühlings-Safran; Winterblueme (Schweiz: Waldstätten); Schneebleaml (Kärnten, Salzburg), Schneeblüemli, Schneechrut (Graubünden); Zitlos', Zitlos'n (Niederösterreich), Zitlose(n) (Schweiz), Früligzitlose (Graubünden); Guggesli, Peter-Guggesli (St. Gallen), Geißblueme, Geißblüemeli (Schweiz); Kasblüemeli (Kärnten), Chäsli, Chäsbluemli, Bocke(n)-Chäsli, Süchäsli (Schweiz: Waldstätten); Vater und Mutter (Gailtal), Buabn und Diandln (Kärnten); Kroküßli, Krokesli, Krökesli (Schweiz); Wülda Safran; Parloißlen (Pustertal), Perlisken, Pelisken, Paterniesl, Paternessl (Kärnten); Blümischken, Blühmeschgen (Kärnten); Burziganselen, Burzigingelar, Burzigebelen (Nordtirol); Fueterreif, Reifenhüet (Graubünden) ¶ *Iris Pseudacorus* Gelbe Schwertlilie; Swörtel (Göttingen), Schwartele (Nahegebiet), Schwertblume (Anhalt), Schwertlich (Riesengebirge), Schwertilge (Thurgau); Säbele (Nahegebiet), Sablblaume (Erzgebirge), Zabelroashe (Krain: Gottschee), Säbel (St. Gallen); Scheerenslieper (Ostfriesland), Honafed(er), Honesichel (Böhmerwald); Fledermuise (Braunschweig), Fledermäus (Böhmerwald, Niederösterreich, Tirol), Fledermüs (Thurgau); Storkenkraut (nördl. Braunschweig); Storkesbloume (Emsland; Störkeblöme (Ostfriesland); Adebarsblome (Mecklenburg); Aebärsblome (Oldenburg); Adebarsbrot (niederdeutsch), Heilebartsblaume (Fallersleben), Heilebartsklapper (nördl. Braunschweig), Adebarssnapp (Schleswig); Lilie (Riesengebirge, Chiemsee), Uellnblume (Böhmerwald), Ilge, Ille (Thurgau); Waterlilige (Westfalen), Wasserjüling, Wasserüling (Niederösterreich), Wasserilge (Schwaben, Schweiz); Rietilge (Schweiz); Schilflilie, -blume (Anhalt), wilde Lilie (Ostpreußen); gelbe Ilgen (Schwaben), gäli Ilge (Schweiz); Störckeblöme (Ostfriesland), Schellenblume ¶ *Iris germanica* Deutsche

Schwertlilie; Blauer Lüling, blaue Ueling (Niederösterreich); Bloyel (Elsaß); Blaui Ilge (Schweiz); Juln, Jüling (Niederösterreich); Ilge (Schweiz: Solothurn); Fledermüs (St. Gallen, Thurgau).
Familie: *Juncaceae.*

Juncus Binse; Pimeissn, Pimpsen, Bumoissen (Böhmerwald), Bimse (Bayer. Wald, Niederösterreich, Kärnten), Piwissen (Oberösterreich), Bimassen, Binewissen, Binessen, Bimißten (Niederösterreich), Binzn, Pinzken (Egerland); Rüsske, Rusk, Rusken, Räsk, Risch, Rusch, Ruschen (Ostfriesland), Rusk, Rüske, Riske (Westfalen), Rische, Ristje (Göttingen), Risch (nördl. Braunschweig), Rösch, Rausch, Ruß (Pommern); Schemschen (Ostpreußen), Simesse, Simede, Simeze (Oberhessen), Sieme, Simte, Simmele (Nahegebiet), Sermetze (Salzungen), Semsen (Nordthüringen), Sende (Schlesien), Semme, Sansen (Nordböhmen), Semde (Riesengebirge); Zizene (Pommern); Piperik (Siebenbürgen) ⁅ *Juncus bufonius* Kröten-Binse; Swienegras (Ostfriesland), Swünsbössel (Emsland); Waterjeern (Hannover: Rotenburg); Egelgras, Ackermies (Kärnten); Katerbat [= -bart] (Münsterland) ⁅ *Luzula campestris* Gemeine Hainsimse; Hasenbrot (Niederösterreich, Böhmerwald, Voigtland), Khannesbra(u)t [Johannisbrot] (Egerland), Hasenfutter (Württemberg: Rauhe Alb), Hasenschmiele (Riesengebirge); Rehgras (Nahegebiet); Guggerhirs [Kuckuckshirse], Guggerhaber (Schweiz: Zug); Herschgras, Herschriet (Nahegebiet); Herrgottsbart (Böhmerwald), Hasenpfitl [= pfötchen] (Nordböhmen); Teuferl (Böhmerwald), Schlotfegerl (Oberpfalz) ⁅ *Narthecium ossifragum* Europäischer Beinbrech; Schoosterknief [Schusterkniepe] (nordwestl. Deutschland).

10. R e i h e : *Scitamineae: Musa* Banane, Pisang · Gelbwurzel, Curry · Zittwer *Cana Indica* Blumenrohr · Ingwer.

11. R e i h e : *Microspermae,* Familie *Orchidaceae.*

Cypripedium calceolus Frauenschuh; Kuckucksblume (Mittelthüringen), Maienblume (Gotha), Pfingstblume (Hannover); Pantöffelchen (Hameln a. Weser, Thüringen), Bantöffeli (Schweiz); Pantoffelblume (Westfalen, Thüringen), Schuckelblume (Schlüchtern in Kurhessen); (bunter) Schlumpschuh (Thüringen); Trumpeschue (Graubünden: Fideris), Holzschuh, Holzschuhblume, Holschkenblume (Westfalen), Holzschüali, Badholscha (St. Gallen); Maischuh, Maischukelchen, Maipantöffelchen (Gegend von Erfurt); Pfaffenschlappen (Tuttlingen), Pfaffeschüeli (St. Gallen), Kapuzinerschueh (Waldstätten); Kinderschüalich (Würzburg); Kuckucksschuh (Thüringen), Guggerschuh (Vorarlberg); Haarlatsch, Pferdelatsche (Thüringen); Herrgottsschüchelchen (Trier), Herrgotteschüeli (St. Gallen); Jungfereschüeli (Thurgau); Frauenschoiken (Göttingen), Frauenschuh (Alb, Salzburg), Frauenschiagl, Fraunschuach (Niederösterreich); Wibesschuh (Gotha); Venusschuh (Elsaß); Liebfrauenpantöffele (Würzburg), Liebfrauenschucherl (Österreich), Unser Lieben Frau Pantoffel (Schwaben); Marienschoiken, Marienschüken (Göttingen), Marienschuh (Hameln a. Weser, Franken, Schwaben), Marienschükelchen (Thüringen); Bollebüdel (Westpreußen), Bullsack, Ochsenbeutel (Thüringen), Schafsack (Freiburg a d. Unstrut), Säusack (Fränkischer Jura); Seckelblumen (Thurgau), Maisäckchen (Weimar); Bläschen (Jena); Hoselätz (Aargau, Solothurn); Pumphosen (Arnstadt), Schlotthose(n) (Thurgau, St. Gallen); Fächer (Niederösterreich); Goldenes Ei (Göttingen), Goldbeutel (Thüringen); Melksöchta, Reichi Haubna (Niederösterreich) ⁅ *Orchis* (gemeines Knabenkraut; Kukuksblome (nordwestl. Deutschland), Kuckuck (Gotha, Nordböhmen, Erzgebirge), Kukukser, Guger, Gutzegagel (Böhmerwald, Oberpfalz), Gugubleameln, Guga (Niederösterreich), Guggablüml (Tirol), Guggablüe

(Kärnten), Gugatzblüml (Steiermark); Storchekraut (Rauhe Alb); Pingsblome, Pingsbruch (Westfalen), Himmelschlüssel (Schwaben, St. Gallen); Kerzenblume (Moselgegend), Deiwelsangesicht (Nahegebiet), Zigeuner, Kohlmändl (Rauhe Alb), Kückerikük (Gotha), Güli, Gulli, Güleli [Hahn] (Schweiz), Wranhanlain (Krain: Gottschee), Chante, Kaffichante (St. Gallen), Fläschblume (Nahegebiet), Herrgotts Fleisch und Bluat (St. Gallen); Katschenkraut (Krain: Gottschee), Schlange(n)-krut (Elsaß); Thräne, Muettergottesthräne (Waldstätten); Summasprekeln (Nordböhmen); Muttergotteshand (Riesengebirge); Gotteshand (Braunschweig), Gotteshändchen (Gotha); Johanneshand (Hannover: altes Land), -händchen, Johannispootjen (Ostfriesland); Jesushändchen, Gottes- und Teufelshand (Anhalt), Glückshändchen, Handlwurz, Handlkraut (Salzburg, Tirol); Duivelskralle (Braunschweig), Teufelsklaue (Vorpommern), Teufelsfüßchen (Gotha), Teufelskralle (Riesengebirge), Deiwelsblume (Nahegebiet); Christusfuß; Krahfuß (Kärnten); Kuhfuß (Vorpommern); Kuheuterchen (Ostpreußen), Geißuter (Graubünden: Schiers): Guods Händken un Düwels-Fötken (Westfalen), Johanneshand und Düwelsklaue (nordwestl. Deutschland), Engelkes und Teufelchen (Nassau); Hans un Talke, Hasentalke (Oldenburg), Hans und Grete (Hannover: Hadeln); Adam und Eva (Altbayern, Kärnten); Bubenschellen (Bayern), Fuchshödlein (Elsaß); Buabnkraut (Krain: Gottschee), Bube(n)kraut (Württemberg: Leutkirch); Chnabe(n)-Chrut (Aargau); Bokswurze (Waldstätten), Bocksgeil, Geilwurz, Bockshödlein (Schlesien), Hasenhode (Elsaß), Nachlaufwurze (Graubünden), Liebwürze (Waldstätten); Heiratswurzel (Schlesien), Fraublume (Nassau), Fraeblume, Froimsblume (Nahegebiet), Frauedraeer (Aargau), Frauendrahten (Thurgau), Heiratsblume, Wilde Zinggli, Wildi Gläsli, Grasnägeli (Thurgau), Wilde Singgli, Wilde Zinthe (St. Gallen); Kathrinchen (Rheingau); Roßblüemli (Waldstätten); Ragewurz, Stendelwurz, Erdgeile, Venusblume (Leipzig) ❡ *Ophrys muscifera* Fliegen-Orchis; Mucka (schwäb. Alb), Fliegeständel, Flügelblüemli, Insektenblüemli (Thurgau), Flügeli (Zürcher Oberland), Fliege(n)-chrut, Imbeli [= Biene] (Aargau); Sametweibl(e) (schwäb. Alb), Sammetchindli, Sammetschlüttli (Thurgau), Sammet-Engeli (Aargau), Sammet-Läppli (Zürcher Oberland); Blutstropflan (Kärnten), Jümpferli, Jumpferblume (Schweiz), Bergmandl (Niederösterreich), Kapuzinerli (St. Gallen), Tüfelsaug (Schweiz), Gamperlan (Kärnten), Hängender Jesuit (Thüringen) ❡ *Ophrys Arachnites* Hummel-Ragwurz; Todesköpfli (Elsaß, Schwäb. Alb), Schweiz), Ochsenkopf (Niederöster-(Kärnten), Gugatzblüml (Steiermark); Storchekraut (Rauhe Alb); Pingsblome, Pingsreich), Affagsichtli (St. Gallen), Katzenäugli (Aargau), Spinneständel (Thurgau), Sametma(nn)le (Schwäb. Alb, Sametblüemli (Solothurn) ❡ Vanille.

Nigritella nigra Kohlröschen; Kölmlan (Kärnten), Kölbel (Tirol: Lienz, Gschnitztal), Chölbli (Waldstätten), Bergehölbli (St. Gallen), Walserli [= Walze] (Waldstätten); Bränzchen (Kaunsertal), Brändle, Bräntele, Brantala (Allgäu), Brändli, Brännli, Bränderli (Schweiz), Kuhbrändli (Kaunsertal), Jochbrändl (Niederösterreich); Brunellen, Braunellen (Bayr. Alpen, Tirol); Ruasseli (St. Gallen), Ruschölbli (Waldstätten); Blutblumen (Kärnten, Steiermark), Blutrose (Weststeiermark), Blutkraut, Blutrösel, Blutnagel (Osttirol, Kärnten); Blutströpfel (Oberösterreich, Obersteiermark, Tirol, Salzburg, Kärnten); Bluetströpfli (Graubünden: Fideris), Naseblüeter (Graubünden: Prättigau), Schweißbleaml (Reichenhall, Salzburg, Tirol); Kohlrösel, Kohlröserl (Alpenländer); Schwarzling (Oberösterreich), Mohrenköpfli, Möhrli (Schweiz); Vanilliblüml (Oberösterreich), Vanilleblüamli (St. Gallen), Almvanille (Kärnten), Schokoladeblüemli (Schweiz); Kopfwehblüemli (Graubünden: St. Antönien); Schabe(n)chrut, -blüemli, -kölbli, -nägele (Schweiz), Lus-Chölbli

27

(Waldstätten); Brummerle (Schlesien); Sonnawendsschöberl (Niederösterreich, Steiermark); Almdöllerl (Salzkammergut), Almrugerl (Bayern: Berchtesgaden), Steinrösel (Oberösterreich, Kärnten); Mannstreu, Männertreu (Schweiz); Chammblüemli (Glarus, St. Gallen); Handlkraut (Tirol); Chanteblueme (St. Gallen, Churfirstengebiet) ⊄ *Gymnadenia conopea* Mücken-Nacktdrüse; Gugghudel (Kärnten: Bleiberg); Christfuß (Kärnten: Ferlach); Schärpranken (Niederösterreich), Geiß (Graubünden: St. Antönien), Kühstrichel [Kuheuter] (Steiermark) ⊄ *Platanthera bifolia* Zweiblätteriges Breitkölbchen; Waldhyazinthe (Braunschweig, Schlesien, Kärnten); Waldfeigel (Steiermark); Maierisli (Baden: Vögisheim), Fabrikan (Böhmerwald); Waldlilie (Kärnten); Weißer Nachtschatten (Westpreußen); Uranken (Saßnitz a. R.); Frauentränen (Kärnten); Stierkraut (Oststeiermark).

2. K l a s s e : *Dicotyledoneae* Zweiblätterige (bis S. 88).

1. U n t e r k l a s s e , *Archichlamydeae* (bis S. 64).

1. R e i h e : *Verticillatae:* Casuarina; Eisenholz.

2. R e i h e : *Piperales:* Pfeffer.

3. R e i h e : *Hydrostachyales.*

4. R e i h e : *Salicales.*

Pappel, Alber, Bellweide, Belle (Mainz), Johannesholz, Silberbaum, Wunderbaum (schles.) ⊄ *Populus tremula* Zitter-Pappel, Espe, Aspe; Agspalter, Agspelter, Aspolter (Kärnten); Zitter, Zitterle, Zittroch (Krain: Gottschee), Zitterasp (Rauhe Alb); Flitterbarke, Fliddereschen, Flittereske, Fluttermai, Flitterpoppel (nordw. Deutschland), Fluderesch (Ostpommern); Klinkeresche (Hannover); Flauderespe (Esaß); Flitter, Flittern (Österreich); Klapperpoppel (Bremen); Bäweeske, Bäwerke (Ostfriesland); Papierholz (Rauhe Alb); Beberesche, Faulesche, Judenmai, Knallböke, Wasserbirke (Österreich) ⊄ *Populus nigra* Schwarzpappel, Aber (südd., österr., schweiz.), Alberbaum, Allerbaum, Sarrbaum ⊄ *Salix* Weide, Felber, Sale, Zain · Trauerweide·Korbweide, Bandstaude (schweiz.), Haarweide, Wasserweide; Kätzchen.

5. R e i h e : *Garryales.*

6. R e i h e : *Myricales.*

7. R e i h e : *Balanopsidales.*

8. R e i h e . *Leitneriales.*

9. R e i h e : *Juglandales:* Walnuß · Hickorynuß.

10. R e i h e . *Julianiales.*

11. R e i h e : *Batidales.*

12. R e i h e : *Fagales.*

Familie: *Betulaceae.*

Betula pubescens Moor-Birke; Haar-Birke, Rauhbirke, Ruchbirke; Schmerbirke; Biärke, Barken, Berke (Niederd.), Birch(en) (Schweiz), Bilch(en); Bösnholz (Österreich), Besebom, Ruetebom (Thurgau), Risebom (Oldenburg), Besmeries (Graubünden); Maibaum, Wonnebaum ⊄ *Alnus glutinosa* Schwarz-Erle, Rot-Erle; Eller, Ellernboom (nordw. Deutschland), Else (Westfalen, Emsland, Anhalt), Erdelen (Eifel), Irl (Bayern), Böhmerwald, Österreich), Arle (Nordböhmen), Erdle (Bern), Eierle (Thurgau); Holschenboom (Oldenburg) ⊄ *Carpinus Betulus* Hainbuche, Weißbuche; Häbök (Schleswig), Habök, Hageböcke, Hanbooke, Haneböken (nordw. Deutschland), Hambuche (Nordböhmen), Hage(n)-Buech (alem.); Steinbuche; Rauhbuche (Schwäbische Alb), Hornbuche ⚲ *Corylus Avellana* Haselnuß; Hassel (Niederd.), Hessel, Hissel (Nassau), Hasle (alem.) · Hagenuß, Hadenußstude (Schweiz: Thurgau), Kläternäte, Kläterbusk (Bremen), Klöterbusch (Hamburg) · Lampertsnuß.

Familie: *Fagaceae.*

Kastanie, Kestenbaum, Marone.

Fagus silvatica Rotbuche; Beik (Pommern), Böke (ndd.), Eckerbuche, Heister; Frucht: Ecker, Buckeckern, Bucheicheln, Büchele ⚲ *Quercus sessiliflora* · Quercus *ilex* Trauben- oder Winter-Eiche; Füerecke (Bremen), Farneek (Münsterland), Kohleiche (Schwaben) · Frucht: Eichel ⚲ Korkeiche · Kermesbaum.

13. R e i h e : *Urticales:* Maulbeerbaum · Feige · Gummibaum · Sykomore · Pipal · Milchbaum · Brotfruchtbaum · Hopfen.

Cannabis sativa Hanf; Hamp, Hemp (nordw. Deutschland), Hännep (Emsland), Hennup (Münsterland), Hanef, Honef, Honif, Hunnef (bayrisch-österreichisch), Hampf, Hauf (Schweiz); Maskl (Niederösterreich), Mäschel, Mäschele(n), Mausch (Schweiz); Geilhemp, Geljehemp (Ostfriesland); Busnitz, Harf (Tirol), Hennig (nordd.), Werch; männl.: Bästling, Bast, Bösling, Femmel, Henne, Masch, Maschgelt, Pastök, Trigel; weibl.; Hahn, Fimmel, Honef, Saatbogen, Sehmer, Tregel ⚲ Ulme, Effe, Elme, Ibenbaum, Ilm (schweiz., tirol.), Isper, Mäpelboom, Neffer, Niffer (Schlesw.), Reisten (Pommern), Rüster, Rusche, Wiecke ⚲ Zürgelbaum.

Urtica dioeca Große Brennessel; Nietel, Neddel (im Niederdeutschen), Nessle (Schweiz);Essl (Krain: Gottschee), Eßle (Schweiz, Elsaß); Branneckel (Ostfriesland), Bannel (Wangeroog), Bornesseln (Hessen); Sengnettel (Münsterland), Sengenessel (Rheinpfalz: Edenkoben), Sengelessel, Sengesselte, Sengessel (Elsaß); Söuw-Nessle (Schweiz: Luzern); Dunnernettel (Mecklenburg); Zingel (Schwaben) ⚲ *Urtica urens* Kleine Brennessel; Hiddernettel, Heddernettel (nördl. Deutschland), Hiddelneddel (Schleswig), Hittnettel (Hannover), Hellernietel (Westfalen), Harnetteln, Hiernettel (Braunschweig), Hernietel (Westfalen); Itternessel (Ostpreußen), Eidernäsdel, Eddernessel (Thüringen), Ätternessel (Henneberg, Braunschweig, Schwäb. Alb); Litje Nedeln (Bremen), Kruse Nettel (Hannover), Hafernessel, Habernessel (Böhmerwald, Kärnten); Dotternessel (Ostpreußen); Tissel (Helgoland); Bannel (Wangeroog).

14. R e i h e : *Podostemonales.*

15. R e i h e : *Proteales.*

16. R e i h e : *Santalales:* Sandelholz.

Viscum album Weiße Mistel; Mistele (Braunschweig), Mistle, Misple, Mischple, Mischpelt (Schweiz); Nistl (Wiener Wald), Nistle (Schweiz); Wispen, Wespe, Wösp (Ostpreußen), Hexe(n)nest, Hexe(n)besen (Aargau), Hexenkrut (Elsaß), Marentaken (Mecklenburg); Wintergrün (Tirol: Lienz), Immergrüne (Graubünden: Schiers); Vogelchrut, Vogellim, Vogelkläb (Schweiz); Bocksfutter (Schwäbische Alb), Geißkrut, Geise(n)futter (Elsaß); Guomol, Uomol (Krain: Gottschee); Affolter (Schwaben), Donnerbesen, Kenster (Meckl.); Kinster, Marentocken (Württemberg); Seut (Göttingen); Gespensterrute (Holstein).

17. R e i h e : *Aristolochiales* Osterzeit; Gebärwurz; Biberkraut; Rämp.

Aristolochia Clematitis gemeine Osterluzei; Osterlakzie (Weichseldelta), Außerluzigge (Westfalen), Osterlung (Oberösterreich), Osterlizeiechrut, Zeichruti (St. Gallen); Lepelkrut (Schleswig), Löffelchrut (St. Gallen); Wolfsapfel (Oberösterreich), Wolfskraut, Wolfszausat.

18. R e i h e : *Balanophorales.*

19. R e i h e : *Polygonales.*

Rumex alpinus Alpen-Ampfer, Mönchsrhabarber; Plotsch'n, Pletsch'n (bayerisch-österreichisch), Scheißplotsch'n, Sauplotsch'n (Kärnten), Strupfablötsch'n (Niederösterreich); Butterplätschen, Schmalzblätschen (Tirol); Hampletschen (Osttirol); Foibisplätschen, Pfabesplätschen (Tirol); Blacke, Blackte (Graubünden); Süblackete, Ankeblacke (Waldstätten), Alpblogge (St. Gallen); Rhabarber (Allgäu, Kärnten), Almrhabarber; wilder, deutscher Rhabarber (Kärnten), Rhabarberworzel (St. Gallen), Barbarewurzen (Niederösterreich), Chille(n) Bern, Graubünden) ¶ *Rumex obtusifolius* Stumpfblätteriger Ampfer; Blähdischen (Böhmerwald), Blutze, Blotzeblätter (St. Gallen); Blakte, Schmalzblagge, Schwiblacke, Spitzblacke (St. Gallen), Mistblacke, Roßblacke, Geißblacke, Ankeblacke (Waldstätten), Randeflacken (Kt. Zürich: Wermatsweil), Flakeblätter (Zürich- Wollishofen), Blackte, Spitzblackte (Graubünden: Schiers); Ochsenzunge (Nordböhmen, Egerland, Ostpreußen), Sauzunge (Böhmerwald), wilder Tabak (Schwäbische Alb), Bilder Krean, Roschekrean (Krain: Gottschee); Botterbladen (Ostfriesland), Butterblätter (Gotha, Schwäbische Alb), Butterbleïtschen (Böhmerwald), Butterweckelkrut (Elsaß); Strupfenblätter (Böhmerwald); Dockenblätter [Docke = Puppe] (Böhmerwald), Dockaletschen (Egerland), Hematdocken [Hemd-] (Niederösterreich), Dogga, Doggablätter (Schwäbische Alb); Büppli-Chrut (Luzern), Hoch-Boppele(n) (Aargau); Dittiblacke [Ditti = Puppe], Dittiblätter (nördl. Schweiz); Rooden Hinnerk (Bremen), Roe Hinrik (Braunschweig), Rad (Rae) Hen(d)rek (Göttingen); Rüderk, Roodschink (Ostfriesland), Roodstrunk (Hadeln); Bukela (Schwäb. Alb); Fuchsschwänz (Schwäb. Alb); Schörflaaken (Hannover), Aflblätter (Niederösterreich), Grindelwurz (Zürcher Oberland); Nerwelkraut (bei Gotha); Kuhlatte, Butterlädn, Lättichblätter (Gotha), Loddik, Lodkenblätter, Leewken, Leewkenblätter (untere Weser), Luoken (Westfalen), Latinablätter (St. Gallen), Lendiblätter, Lendiwurz (Aargau), Menkastengel (Schwäb. Alb); Krotte(n)surampfer (Elsaß), Chroteblätter (Waldstätten); Halbroß (Österreich), Halbpferd (Gera), Halber Gaul (rheinisch), halbe Küh (Gotha), wildes Roß (Böhmerwald), alts Roß (Niederösterreich) ¶ *Rumex Acetosa* Großer Sauerampfer; Suramp (Westpreußen), Surampel (Nordthüringen, Westfalen), Sauerampf'n (Österreich), Sauampfer (Böhmerwald), Sauerämpfela (Schwäbische Alb), Surampfle (Graubünden), Surampele (St. Gallen); Surhamfel, Surhampflete (Elsaß), Surhampfle (Aargau, Zürich), Surhampfere (St. Gallen), Hampfelisur (Aargau); Sauerranzen, Sauranzen (Henneberg); Sab-Pompfer, Sau-Pflompfer, Saustompfer, Zauzompfer (Böhmerwald); Suredampf (Aargau), Sauersenf (Henneberg), Sauersanf (Gotha), Surisenf (Aargau); Sauerhanf (Schlesien), Sauerhefl (Schwäb. Alb); Saure Lumpe (Anhalt), Sauerlump (Riesengebirge, Nordostböhmen, Schlesien), Haderlump (Nordostböhmen), Sauerlond (Böhmerwald); Sauerkraut (Böhmen), Shauerkraut (Krain: Gottschee), Surchrut (Aargau); Suermaasch (thür. Niederhessen), Sauramorsch (Böhmerwald); Sauerwein (Schweiz: Henggart); Süerkebladen (Ostfriesland); Süern, Süerken, Süertjes, Sürelkes nordw. Deutschland), Sürlink, Süren (Westfalen), Sür (Pommern), Saierling (Nahegebiet), Sürlig, Sureni (Schweiz); Kuckucksbrod (Oldenburg), Gugotzakraut (Oberösterreich), Guggisur, Gugger-Chrut, Surigogger (Schweiz); Lüsere (Waldstätten), Lusampfere (St. Gallen); Roën Hinrik, Roden Hinnerk (Westfalen), Roode Ridder (Ostfriesland) ¶ Rhabarber.

Fagopyrum esculentum Buchweizen, Heidenkorn; Bokweeten (Schleswig), Baukweit (Hannover), Baukwaite (nördl. Braunschweig), Härekorre (Nahegebiet), Hädelkorn (Würzburg), Haensch, Hiensch (Westerwald), Hatsch (Nassau), Hädelisch

(Eifel), Haid'n, H(o)ad'n, Harn (bayerisch-österreichisch), Heide(n) (Schweiz); Grick, Grücken (Ostpreußen); Plent, Plent'n (Tirol) ❡ *Polygonum aviculare* Vogel-Knöterich; Wegerich (Kärnten), Weggras (Braunschweig, Elsaß), Wegkraut (Rauhe Alb), Wegspreite (Aargau), Heinzlein beim Wege, eiserner Heinrich, Hansel am Weg (Niederösterreich); Cholerakraut (Anhalt); Unvertritt, Unvertredn, Unvertreed (nordw. Deutschland), Wegtretter, Wegkrattler (Schwäb. Alb), Wegbrett, Wegeträe (Bremen: Oberneuland), Wiägespree (Westfalen: Lengerich); Dehngras, Tennengras (Schlesien), Tennelgras (Nordböhmen), Reißkraut (Kärnten); Zerrgras (Nordböhmen), Isern Hinnerk (Oldenburg: Delmenhorst) · Kreienfoot (Bremen: Oberneuland), Treibschnür, Ackermies (Kärnten), Nervechrut (St. Gallen), Tausendknötl (Nordböhmen) · Spienegras, Swinekrad, Svinkrut (nordw. Deutschland), Saugruse (Frankfurt a. O.), Saugruscheke (Anhalt), Säuwasen (Nahegebiet), Schweinlagros (Riesengebirge), Säugras (Schwaben), Saukraut, Wegsaukraut (Schwäbische Alb), Sügras (Aargau); Chrottechrut (Aargau); Vogelkraut, Vogeltungen (Hannover: Hadeln), Vogel-Chrut (Zürich), Nêgenknei [= Neunknie] (Hannover) ❡ *Polygonum Bistorta* Schlangen-Knöterich; Otterzung, Otterwurz, Oderbludl, Ottergras (Böhmen), Nadanzung [Natterzunge] (Niederösterreich), Nodernbladl (Böhmerwald), Atere(n)-Chrut (Schweiz) · Schafzunga, Schafsblattla, Lämmerzunga (Schwäb. Alb), Hirschzunge (Böhmerwald, Egerland, Gotha), Ochsezunge (Nordschweiz), Kalbszunge (Bern), Schaf-Lälleli [Lälle = Zunge] (Waldstätten); Lämmerschwanz (Hinterpommern, Riesengebirge), Hammelschwanz, Hammele (Gotha), Nudla (Schwaben), Würstli (Waldstätten), Chöbli (St. Gallen), Froschbletl (Erzgebirge); Strupf(l)e-Blacke (St. Gallen), Schlauche (Gotha), Schluebläckli (Waldstätten), Schluckere (Zürich); Waterrürk (Hannover) ❡ *Polygonum lapathifolium* Ampfer-Knöterich; Ruerk (Nahegebiet), Ruttrich, Ruttig (Schlesien), Ruttch (Nordböhmen), Wille Weira, Smattkarn, Smartkorn (nordw. Deutschland), Weiherkraut (Eifel), Misti-Chrut (Schweiz), Flöhenrätsch (Anhalt) ❡ *Polygonum Persicaria* Floh-Knöterich; Riadocher, Riadara (Böhmerwald), Roidocka (Egerland), Riaderer (Niederösterreich), Retich (Kärnten), Rietacker (St. Gallen), Rüerk (Hannover), Rok, Ru(i)k (nörl. Braunschweig), Rödschink (Ostfriesland); Bitterkrout (Braunschweig), Bittergras (Böhmerwald), Bitterling (Anhalt); Wiedenplanten (Westfalen), Wille Wilgen (Emsland), Weidengras (Riesengebirge), Pannenweide (Anhalt); Lämmerzungen (Rauhe Alb); Flohkrout (Braunschweig, St. Gallen); Jupe-Junker (St. Gallen); Jesuskraut (Anhalt) ❡ *Polygonum Convolvulus* Winden-Knöterich; Wierwin (Westfalen: Ibbenbüren), Umwind'n (Niederösterreich), Winda, Holwend (Schwäbische Alb), Klimmup (Ostfriesland), Düwelsnaotgarn, Düwelswiänt (Westfalen: Münster), Sneerkrut (Schleswig); Schwalbenzunge (Nahegebiet), Vogelzunge (Schlesien), Willen Bookweten (nordw. Deutschland), Wülda Hao(r)n (Niederösterreich); Reik, Dreckreik, Hofreik (Münster), Dräckret (Lingen), Rüelk (Glandorf); Wildes Hedekorn (Anhalt).

20. R e i h e : *Centrospermae.*

Familie: *Chenopodiaceae.*

Chenopodium album Weißer Gänsefuß; Melde (Anhalt u. ö.); Mell, Müll (im Niederdeutschen); Melle (Anhalt), Melln (Gotha); Multn (Böhmerwald), Malden (Nordböhmen), Molken (Egerland, Kärnten); Mulda, Molda, Mudakraut (Schwäbische Alb); Melbe(n), Mählge (Schweiz); Meßmal (Altmark), Mes-Melle (nördl. Braunschweig, Anhalt, Mistmelde (Anhalt); Säumelde (Eifel); Krotenkreidl (Niederösterreich); Schißmell (Eifel, Koblenz), Schasmolan (Böhmerwald), Scheißmolten, Scheißmalgen (Tirol); Schiß-Maltern(en), Schißmartele(n) (Schweiz); Hundsschiß (Aargau, Waldstätten); Lusemellen (nordw. Deutschland); Isechrut (St. Gallen)

¶ *Chenopodium Bonus Henricus* Guter Heinrich; Roter Heinrich (Nordthüringen), Stolzer Heinrich (Trier: Gerolstein), Stolt Hinn'rk (Mecklenburg), Schmotzeheiner, Schmotzehoele (Schwäb. Alb); Heirochchrut, Wilda Heiri, Heirichrut (St. Gallen); Hälichrut (St. Gallen), Heinsele, Heimele(n)-Chrut; Burkhardtsstock (Thurgau), Wilde Burket (Graubünden); Hackenschar (Schlesien); Hackenscharblätter (Riesengebirge); Hundszunge (Niederbayern, Böhmerwald, Riesengebirge, Egerland), Hundsblöka (Böhmerwald); Schmalzblätter (Böhmerwald), Schmelzeleskrout (Schwäbische Alb), Mehlblätter, Laberblatt (Nordböhmen), Gansfuß (Schwäbische Alb), Kuhfuß (Nassau); Lämmerzagel, Lusemelde (Westfalen: Lengerich), Henna-Lus (St. Gallen); Wilder Spinat, Wülde Spenat (Niederösterreich), Wilde Binätsch (Schweiz); Kleine Dogga (Schwäb. Alb); Aron (Nordböhmen); Mistchrut (Schweiz: Churfirstengebiet), Saublätter (Böhmerwald) ¶ *Chenopodium capitatum*, Erdbeerspinat, Schminkbeere ¶ *Atriplex hortense* Garten-Melde; Spanischer Spinat; Melle, Mellen, Mellenkruud (nordw. Deutschland), Milm, (Hannover: Flöveln), Milnkool (Hannover: Himmelpforten); Malde (Nordböhmen), Moilter, Malt'n (Niederösterreich), Molkenkraut (Kärnten), Molten, Moltge (Tirol); Lusemelle, Mellmus (Westfalen); Hammelschwanz (Nordthüringen); Ackermann; sanfter Heinrich (Pfalz), Floddermus (rhein.) ¶ *Beta vulgaris* Mangold, Runkelrübe, Zuckerrübe; Mangelwottel (Emsland); Mangelchrut (Schweiz); Bete (Westpreußen), Beet (Ostpreußen), Bieskohl, Beißkohl, Bießen, Baßl, Butzl (Bayern, Tirol); Chrut (Schweiz), Stude(n)-Chrut (Thurgau), Staudechrut (St. Gallen)); Soü-Chrut [= Schweinefutter] (Luzern, Zürich); Dickwurtl (Waldeck), Dickwurz (Hessen), Knolle (Köln), Klumpe (Hessen); Zwickel (Ost- und Westpreußen); Ranke, Runks (Lübeck), Runkel (Ostpreußen), Runks(ch)e (Göttingen); Rummel, Rommel (Hessen); Runggle, Rungelruete (Schweiz); Range (Hessen), Rane (schwäb.-bayr.); Ramm, Ramschel, Raunsche (Hessen); Roners, Ranasln, Ranruaben (Niederösterreich), Rone (Kärnten); Tornsk (Anhalt); Dickwurz (Hessen), Knolle, Knorrn, Klumpe (Nassau); Römischkohl (Hessen); rote Rübe, Salatrübe · Burgunderrübe, Futterrüι e; Zwicheln (Pommern) ¶ Zuckerrübe.

Spinacia oleracea Spinat; Speunat (Schlesien), Schpennat (Nordböhmen, Niederösterreich), Spinez (Aargau, Solothurn), Binätsch (Schweiz), Beenet (Nahegebiet), Banet (Moseltal) ¶ *Salicornia herbacea* Krautiges Glasschmalz; Hanenfoot, Krabbestrunk (Dollart), Krückfoot; Sülte, Sültje (Ostfriesland); Drückdal (Schleswig); Queller (Schleswig, Wangeroog), Qundel (Wesermündung).

Familie: *Amarantaceae.*

Amarantus Fuchsschwanz; Voßstiät (Westfalen), Fuchsschwaf (Niederösterreich), rota Katzenschwaf (Niederösterreich); Katzenschwanz (Tirol); Brunsteert (Emsland); Tusighübsch (St. Gallen); Püllirotznas (Elsaß); Hahnenkamm; Kermesbeere.

Familie: *Nyctaginaceae* · Wunderblume · Bougainvillea · Mesembrianthemum · Pferdefeigen, Hottentottenfeigen · *Tetragonia* Neuseeländer Spinat.

Familie: *Cactaceae:* Kakteen · Königin der Nacht.

Familie: *Caryophyllaceae.*

Stellaria media Vogelmiere; Hoonarf, Hanenswark, Hönerswarm (nordw. Deutschland), Honerknöpkes (Westfalen); Hünergeschmielige (Oberharz), Husarbe (Gotha), Hühnasarb, Hühnaschwarm, Vogelscharn (Erzgebirge), Hühnerschädlich (Vogtland), Voglgras, Hunnerschalch (Nordböhmen); Hühnerscherben (Egerland), Hennendarm (bayr.-österr.), Henr-Darm (Schwäb. Alb), Hüenersattel, Hüenersepp, Vogeleskraut (Elsaß), Vogelschrut, Hüanardarm (Schweiz); Geeskraut [= Gänse-] (Eifel), Gensekraut (Luxemburg); Mauseküttel, Miesekidl, Müsegehöhl (Gotha), Musedärme (Thüringen), Mauseguddeln (Naumburg); Miere (Ostfriesland), Hönermirken (Schleswig), Vogelmeier, Meieran, Meierum (Riesengebirge); Meierich (Mainz); Leiskreitchen (Luxemburg); Affenreashlein (Krain: Gottschee), Säuserb (Elsaß), Mäuseri (Unterfranken), Steerntje (Ostfriesland); Ziesel-, Zirselkraut [zirs = penis] (Schlesien); Hornkraut **⁋** *Dianthus plumarius* Feder-Nelke; Federröschen (Nassau), zott(l)ichtes Gretl (Österreich); Friesli (Schweiz); Pfingstnägala (Würzburg), Grab-, Friedhof-, Todtanägeli (St. Gallen); Grasblume (Österreich), Gras-Nägeli (Schweiz); Vor-, Fürwitzchen (Nassau), **⁋** *Dianthus barbatus* Bart-Nelke; Klusternegelk (Holstein), Kluusternälken (untere Weser), Puschnägelchen (Ostpreußen), Buschnagerl (Kärnten), Büschnägeli, Nägeli (Schweiz), Tschuppnägeli (St. Gallen), Churfirstengebiet), Saibärscht (Nahegebiet), Stechnägeli (St. Gallen); Chrütznägeli (St. Gallen), Chapuziner-Nägeli (St. Gallen, Glarus), Pfaffe(n)-Nägeli (Glarus), Fleisch-Nägeli (Appenzell), Kartuser-Nägeli **⁋** *Dianthus Carthusianorum* Karthäuser-Nelke; Steinnelke (Gotha), Stoanagl (Österreich), Steinnägeli (Schweiz); Spechtblume, -nelke (Anhalt), Blutnelken (Gotha), Herrgottströpfchen (Aschaffenburg), Für-Nägeli (Schweiz); Donner-Nägeli (Aargau); Potscheblume (Nahegebiet), Puschnagerl (Kärnten), Pechnelke (Anhalt), Stroußnägelken (Braunschweig); Hundsflette (Altenahr), Huerenelke (Gotha); Klûspernêgelken, Klusternêgelken (Hannover) **⁋** *Dianthus caesius* Pfingst-Nelke; Veitsnägele, Steinägeli (Schweiz), Felsanägala (Schwäb. Alb); Leienfledde (Altenahr); Todtennägele (bayr. Schwaben), Grabnägeli (Schweiz: Churfirstengebiet); Federröschen (Nahegebiet), Buabanägala (Schwäb. Alb), Jünkerle (Elsaß), Fries-, Gasnägeli (Schweiz) **⁋** *Lychnis Flos cuculi* Kuckucks-Lichtnelke; Kuckucksblume (nordw.Deutschl., Schlesien, Brandenburg, Braunschweig), Kuckucksspie (= Kuckucksspeichel: Schlesien), Kuckuckkraut (Schwaben), Gauchblume, -nelke, Guggerblume, -nelke, Guggernägeli, Guggochesblume (Schweiz); Fleeschblome, Fleeskblom (nordw. Deutschland), Fleischbloame (Braunschweig), Fläschblume (Nahegebiet), Ziegenfleisch (Riesengebirge), Fleisch-Maie(n), Herrgottefleisch (Schweiz), Floischhockarroashe (Krain: Gottschee); Blutblümel, Bloutspeier, Nosnblouder (Egerland); Franzosen (Böhmerwald, Niederösterreich); Haonblam (Altmark), Gickelhoenskämmchen (Gotha), Kickeriki (Böhmerwald), Gigerigkibleaml (Tirol), Gockeler, Gockelerkamme (Schwaben); Fetzalan (Böhmerwald), Fahnl (Niederösterreich); Zoddelblom (Schwäb. Alb); Bocksbert (Schwäb. Alb); Harrschle (Gotha); Schwizerhose, Schlotterhose (Schweiz), Seidenbleaml (Böhmerwald), Muttergotteskleid (Riesengebirge); Spiegelbluem (Schweiz: Thurgau); Wise(n)-, Matte(n)-, Gras-, Heu-Nägeli (Schweiz); Roßnägeli (Churfirstengebiet, St. Gallen), wilde Pfriesli (Zürich); Wetternägele, Donnernägele (Schwäb. Alb) **⁋** *Melandrium album* Weiße Tagnelke; Dooënblome, Doodenblome (Oldenburg), Manntjeblöme (Ostfriesland), Weiße Rade (Anhalt), Hemdknopf, Junggesellen-Knopf (Oberösterreich); Büchsenpuffert (Ostfriesland), Klöpfeta (Schwäb. Alb) **⁋** *Melandrium rubrum* rote Waldnelke, rote Tagnelke · Fleischblume (Schweiz); Blutnägele (Schwäb. Alb); Nasenbluter, Nasenblüater (Böhmerwald, Niederösterreich); Giggerigibleaml (Salzburg); Chropfnägeli (Aargau); Wiese(n)-, Matte(n)-, Heu-, Wald-Nägeli (Schweiz); Bachnägala (Schwäb. Alb; Bildai [= Wilde] Nagalain, Buabanägala (Schwäb. Alb), Roßnägeli (Schweiz) **⁋** *Silene inflata* Aufgeblasenes Leimkraut, Taubenkropf, Klatschnelke; Weiß Klapperche (Nahegebiet); Klöpfkraut, Klöckkraut (Kärnten); Kleschn, Klescherl (Niederösterreich); Klepfer, Klepfeta (Schwäb.Alb); Chlepfer, Chlöpfere, Chlöpferli, Chlepferi, Chlaffen, Chlaffeni (Schweiz); Knallpotsch, Knallblume (Nahegebiet); Knallkraut (Tirol, Salzburg); Krachenblume, Krachele (Nahegebiet); Knockablume (Riesengebirge); Knackblaas (Schleswig); Knätschkraut (Mosel); Knatschblume (Riesengebirge); Knarragras (Egerland), Kerr'n (Kärnten); Karren, Karrenkraut (Tirol); Schnöller, Schnöllkraut (Tirol);

Schneller (Schwaben); Schnellbloma (Ulm); Schnalzal, Schnalzkraut, Schnalzglöckal (Niederösterreich); Tätscherli (Schweiz: Arth); Hübi, Hübikätschi (Luzern); Büchsenpuffer (Ostfriesland); Puffare, Potschare (Krain: Gottschee), Tuschala (Böhmerwald); Blasenkraut (Nordböhmen); Blosakrettich (Riesengebirge); Tubechropf, Tubakropf (Schweiz), Tubespeck (St. Gallen); Haseno(a)ra, Hasenaerla (Schwab. Alb), Hasenöhrli (Graubünden); Knirrkohl (Harz); Feldspinat, Wiesenspinat (Kärnten); Grünkraut (Kärnten, Niederösterreich) ¶ *Agrostemma Githago* Kornrade; Raa, Rae, Raal, Rak, Raodl, Raolken, Ragen (niederdeutsch); Radd (Eifel), Rad (Nassau), Rade (Nordthüringen); Raden, Rod'n, Rota, Ratt, Ropp'n, Rob'n, Rapp'n (bayrisch-österreichisch); Radda (Schwäb. Alb), Ratte (Schweiz); (rote) Kornblume (Thüringen, Eifel, Kärnten, Schweiz); Troadbleaml (Niederösterreich), Woizblöaml (Böhmerwald); Troadnagl [= Getreidenelke] (Niederösterreich), Kornnägele (Schwaben), Chornnägeli (Schweiz), Roggenägeli (St. Gallen); Kornrosen, Roggenrosen, Roggenreasl (Kärnten), Koarnroasle, Huwerroaslen [= Haberrose] (Krain: Gottschee); Matzgoga(r)l, Guggol (Krain: Gottschee), Tüfelsaug (Schweiz: Thurgau); Bettelmann, Spitzbuam; Boll, Buoll (Westfalen); Köppen (Hannover: Hadeln); Klint (Schleswig); Schermke (rhein.); Läusblume (Steiermark); Kornbeißer (schwäb.); Brötchenblume (rhein.); Uhr; Schneider ¶ *Viscaria vulgaris* Gemeine Pech- oder Klebnelke; Picknälken (untere Weser); Pechnalke (Riesengebirge); Bechnagl, Bicknagl (Niederösterreich); Picknagerl (Oberösterreich), Pechnagerl (Kärnten, Tirol); Pechröschen (Mainz); Chlebnägeli, Harznägeli (Schweiz); Pachblümel (Nordböhmen); Baichblume (Riesengebirge); Pickerblümel (Böhmerwald); Kläbeblume, Klaberblume, Kläberich (Gotha); Teerblume (Westpreußen); Leimrude (Gotha), Leimspindel (Westböhmen); Wägnschmerblume (Nordostböhmen, Riesengebirge); pickender Hansl (Böhmerwald); Flaschblume (Pfalz), Fleischblume (Niederösterreich); Zichafleisch (Nordostböhmen); Fleischhacker (Westböhmen); Henerpicka (Böhmerwald); Picka-Hahn-Hahn (Österreich).

21. Reihe: *Ranales:* Magnolie · Muskatnuß · Pfeifenblume, Pfeifenkraut · Kampfer · Cassia · Sassafras · Lorbeer.

Asarum europaeum europäische Haselwurz; Haseworze (Thurgau), Haseblätter (Schwäb. Alb), Hueshen-Zautle [= Hasenzeltchen] (Krain: Gottschee), Hasenöhrl (Böhmerwald, Riesengebirge, Steiermark), Hasenpappel (Thüringen, Hessen), Hasapappela (Schwäb. Alb); Scheibelkraut (Österreich), Niere(n)krut (Elsaß); Pfefferwurz (Thurgau) Hasapfeffer; Weihkraut (Oberösterreich), Weirakraut (Niederöstereich), Bairach [= Weihrauch] (Krain: Gottschee); Haselmusch (Kärnten, Salzburg), Haselmünich (Zillertal u. ö.); Schweinsohr; Neidkraut.

Familie: *Ranunculaceae.*

Paeonia Pfingstrose; Pfingstpappel (Tirol), Pfingstlocken (Oberösterreich), Pfingstblumen (Schweiz: Thurgau); Antlaßrosen, Prangerrosen (Altbayern), Ablißrosi (Schweiz), Kirchenrose (Eifel), Kirchenblume (Nassau), Chilcherose, Chilche(n)-Blume (Schweiz), Unserherrgottsrose (Vorarlberg), Heerebluame, Pafferose (St. Gallen); Fustros (nordw. Deutschl.), Ballerose (Nahegebiet), Knopfrosen (Kärnten); Pumpelruse (Nordböhmen, Niederösterreich), Pumprose (Gotha), Buërrose, Kaurose (nordw. Deutschland), Perdsros (Luxemburg), Bueberose (Schweiz); Hantje un Hentje (Ostfriesland), Hanl, Henl (Nordböhmen), Gockel und Henne (Altbayern); Schwartrose (Nahegebiet), Kohlrose (Elsaß), Cholrose (Schweiz), Blutrose (Harz, Altbayern, Oberösterreich), Brandrose, Fürrose (Schweiz), Schreckrose (Nahegebiet), Schreckhorn (Nassau); Amachtsblome (Bremen), Gichtrose (Elsaß, Schweiz), Tänkrallen, Kinnerperlen (Mecklenburg), Chinde(n)-we-Blueme, Chinliwehrose (Schweiz); Pegunje, Pujenge,

Bijönje, Bugenjen, Böginnen, Bugeinis, Pegonis (Nordwestdeutschland), Bigonje, Bigenge, Bigonnie, Bujenge (West- und Ostpreußen); Puteljenblaume (Braunschweig)- Butünje (Westfalen), Battenjen (Thüringen), Budenden (Gotha), Partening (Erzgebirge), Patonirose, Pitonirose (Steiermark), Bedauna, Betannirosn (Oberösterreich), Buttonirosn, Botennarosn (Niederösterreich), Petoniken (Gottschee); Matönje(n) (Göttingen, Hannover); Babbelrues (Gotha), Bobl (Böhmerwald), Bobberrosen (Oberösterreich), Papplrosn, Klapprosen (Eifel), Klatschrose (Westpreußen); Tulpen (Hannover) ¶ *Caltha palustris* Sumpf-Dotterblume; Schmalzblume (Eifel, Anhalt, bayr.-österreichisch, Schweiz), Schmalzpfann'l, Schmalzknollen (Tirol), Schmauzroashen [Schmalzrosen] (Krain: Gottschee), Schmalzkachla (Schwäbische Alb); Bodderblom (niederdeutsch), Botterblumpotsch (Nahegebiet), Butterblume (bayer.-österreichisch, Anhalt), Butterrosen (Kärnten); Anke(n)-bluem, -blüttel, -maie(n) (Elsaß), Ankeblüemli, Ankeballe(n) (Schweiz); Gotterblume (Posen, Thüringen, Anhalt, Siebenbürgen, Schwaben, Schweiz); Aisdoder [Eidotter] (Thüringen), Eierblume; Goldblume; Moschtblueme (Zürich); Schmärblume (Gotha), Schmirl, Schmerchl (Riesengebirge), Schmirker, Schmirkl (Böhmerwald), Schmurken (Egerland), Butterschmirgl (Nordböhmen), Schmirmle (bayr. Schwaben), Schmirble, Schmurble (Schweiz); Bach⁴ bungele, Bachbummele (Schweiz), Bachblume (Steiermark, Schwaben, Schweiz), Bachrosen (Niederösterreich), Bachkäthra (Schwäb. Alb), Wasserblume (Gotha, Schweiz), Moosbleaml (Niederösterreich), Moosbüschel (Steiermark), Moscharoaschen (Krain: Gottschee), Moosbluem, -butte(n) (Schweiz), Grabeblume (Schweiz: Thurgau); Frescheblume (Luxemburg), Froschblume (Niederösterreich), Fröscheblüemli (Schweiz), Chrotte(n)-Blueme, -Chrut, -Bösche(n) (Schweiz); Mattenblume; Bruchblume; Protzenblümchen (Altbayern); Osterblume (Böhmerwald, Schweiz), Kuckucksblume Anhalt), Oster-, Hase(n)maie (Elsaß), Guggerbluem, -maie(n), -schmirbe (Schweiz), Georgirosen (Kärnten); Rolle (Schwäb. Abl), Roll(n)-Bluem (Schweiz), Glotzblumme (Thüringen); Käppele, Bachkappeln (Württemberg); Polsterkraut, -blume, Polterblume, Polpes (Eifel); Wibelewick, Weibelewip, Weibele(n)-krut (Elsaß); gelbe Maiblume, Kuhblume, Kuhpanz (rhein.); Pappel; Bettschisser (els.); Gleißblume, Talgkraut (Oberhess.) ¶ *Trollius europaeus* Trollblume; Rolle (Schweiz, Württemberg), Troldere, Alp-, Berg-, Riet-, Gänse-, Bach-, Moos-, Rigi-, Einsiedler-, Bure-, Goldrolle, Schwaberolle, Rolleblueme, Töni (Schweiz); Golden Knoopkes (untere Weser), Blasenkropf (Böhmerwald), Kappele (Schwäb. Alb), Kopple (bayr. Schwaben), Kugelschmerchel (Riesengebirge), Glotz-, Klotzblume (Nassau, Thüringen); Butterrosen, -blume, -kogel (bayerisch-österreichisch), Butterbällel, Ankenbälleli (Schweiz), Schmalzpullen, -blumen (Tirol), Eierblom, -dötter (Schleswig), Eierquatsch (Erzgebirge), (K)Runkeln (Weichseldelta), Rugele (St. Gallen); Pfingsthödchen ¶ *Helleborus niger* Schneerose; Schnee-Bloeme (Schweiz), Schneekaderl (Österreich), Schneekannerl (Steiermark), Winterblume (Schweiz), Eisblume (Westpreußen), Märzenkaibln (Oberösterreich), Christwurz, Christblome (untere Weser), Christblume, -rose (Schweiz, Anhalt), Hergotterose (Schweiz: Waldstätten), Wienachtsblume, -rose (Schweiz); Krätzenbloame (Ober-, Niederösterreich); Feuerkraut (Weichseldelta), Füerwörtl (nordw. Deutschland), Schelmrosen (Kärnten), Güllwurz (Steiermark); Heinwurz (Tirol), Markwurz (Salzburg), Gockerlenze, Glantsche (Steiermark), Loantscha (Niederösterreich); schwarze Nieswurz; Himmelswurz, Nieswurz ¶ *Actaea spicata* Christophskraut; Krischtofkraut (Krain: Gottschee), Kristofales-, Stoffaleskraut (Schwäb. Alb), Christoffel-Chrut, Christöfferli (Schweiz); Berufs-, Beschreikraut; Hexe(n)-chrut (Schweiz); Wolfsbeeren (Böhmerwald), Wuhlefswurzel (Siebenbürgen), Teufelsbeere (Schwäb. Alb), Hundebeere (Schlesien), Giftschwanz (Moselgebiet), Hühnertod (Franken), Judenkirsche (Nordböhmen), Wanzenchrut

3*

(Schweiz); Heil aller Wunden, Heilundwundbeere (Thüringen), heidnisch Wund-
kraut; Mutterbeeren (Eifel), Fläckechrut (St. Gallen), Kälberkraut (Riesengebirge),
Sunawend-, Johanneskraut (Niederösterreich), Schwarz-Anna-Kraut (Schwäb. Alb)
❡ *Aquilegia vulgaris* Gemeiner Akelei; Aglei, Klokenblume (nordw. Deutschland),
Glockenblume (Rheinlande, Hessen, Schlesien, Anhalt, Elsaß, Schweiz), Gloggechrut
(Schweiz: Waldstätten), Glockenrose (Anhalt), Glockenmodl (Südtirol), Glockastock
(Schwäb. Alb), Klockjes (Ostfriesland), Glocken (Krain: Gottschee; Schweiz), Glöckl
(Nordböhmen), Glöggli (Schweiz), blaue Glöckchen (Ostpreußen), Rotzglocken
(Oberösterreich), Zuckerglocken (Schweiz: Thurgau); Handschuh (Niederösterreich);
Narrenkappen (Elsaß, Schweiz), Pfaffe(n)-Chappe(n) (Zürich), Chapizinerchappa,
Kapuzinerhüetli (St. Gallen), Weiberkappen (thür. Niederhessen), Franzos, Schwyzer-
hose, Plamp-, Schlotterhose, Hoselätzli (Schweiz); Tinteglogge, -blueme (Thurgau),
Färbere (St. Gallen), Farb-Blueme (Zürich); Adlerblume (Zürcher Oberland), Hung-
chlerut, Marünggeli, Föse (Thurgau), Manselblueme (Aargau), Goldwurz (Steier-
mark), Frauen(hand)schuh ❡ *Delphinium Ajacis* Rittersporn, Häschen im Nest,
Eiserner Heinrich ❡ *Delphinium Staphisagria* Scharfer Rittersporn, Läuskraut
❡ *Nigella* Jungfer im Grünen, Gretel in der Staude, im Busch; Braut in Haaren
(Anhalt) ❡ *Aconitum Napellus* Blauer Eisenhut; Isehood (nordw. Deutschland),
Eisenhütl (Tirol), Isehuat (Schweiz), Blaumützen, Paterskappe, Papenmütz, Ham-
börger Mützen (nordw. Deutschland), Groetmoeders Mütz (Ditmarschen), Mönke-
kapp (Weichseldelta), Schlawwerhaube, Reiter-, Franzosenkapp (Nahegebiet), Schlod-
fegerskappen (Gotha), Kapuzinerchäppli (St. Gallen), Schoblom (Altmark), Schoiken
(Göttingen), Pantöffelken (nördl. Braunschweig), Blaue Pantoffeln (Riesengebirge),
Holtschoe (Ditmarschen), Hol(z)schu(h) (Elsaß); Der lieben Frau Lederschuh
(Böhmerwald), Fischerkip (Mecklenburg), Ritterspörli (St. Gallen), Pferdlein (Riesen-
gebirge), Pfarle (Gotha); Rössl (bayerisch), Pfarreiter (Nordböhmen), Ruter to Peer
(untere Weser); Tauben (Nordböhmen), Tübli (St. Gallen), Gikerl (Altbayern), Tau-
berl im Nest (Österreich), Tauberl im Schlag (Altbayern), Taubenhäuschen (Anhalt),
Kutsch(en) (Ditmarschen, Riesengebirge, Egerland), Kutschenblume (Thüringen),
Eliaswagen (nordw. Deutschland), Arche Noah's (Schlesien), Kalessen (Böhmerwald,
Riesengebirge), Marienschäuscken (Braunschweig), Venuswägelchen (Nahegebiet),
Kutsch un Peer, Peer un Wagen, Duwenwagen, -kutschen (nordw. Deutschland);
Giftchrut, -bluem (Graubünden), Teufelswurz (Tirol), Teufelswurzel (Elsaß), Laub-
ritsche, Luppertsche (Schweiz); Würglich, Ziegenwürglich (Riesengebirge), Zichtud
[Ziegentod] (Nordböhmen), Wolfswurz (Alpenländer), Fuchswurz'n, -blüah (Nie-
derösterreich); Hundstod; Bone(n)-Chrut, Böhne, Böhnere, Schwi(n)-Bone(n)
(Schweiz); Apolloniakraut, -wurzn (Österreich), Aplonawurz (Steiermark); Heinsl,
Scholermon, Ranerlwurz (Böhmerwald), blaue Gelstern (Zillertal), Bloze, Blutze
(Schweiz), Sturmhut ❡ *Anemone hepatica* Leberblümchen; Leberblaume (nördl.
Braunschweig), Leberblattel (Steiermark), Leber-Blüemli, -Chrut (Schweiz); Him-
melstern(dl) (Oberösterreich, Südtirol), blaue Schlüsselblume (Oberösterreich),
Vijölchen (Westfalen), Vorwitz(er)chen (Rheinlande, Westfalen), Schneekaderl
(Niederösterreich), Märzblom (Schleswig), Märzenblimmerchen (Thüringen), März-
blümle (Schwäb. Alb), Merze(n)-Blüemli (Schweiz), Josefiblümel (Steiermark),
Fastenblume (Oberösterreich), Fastenbliemli (Schweiz: Waldstätten), Maie(n)-
Blüeml (Glarus), (blaag) Oeschen (Mecklenburg, Pommern), blag Osterblom (Lübeck), Osterbleame (Oberösterreich), roti Guggucherli (Thurgau); Haselblaume
(nördl. Braunschweig), Haselmünich (Tirol), Hasselvoaltcher (Siebenbürgen), Waldveigerl (Niederösterreich), Wald-Blüemli (Schweiz), Buschblüml (Nordböhmen),

Staudenbloaml (Innviertel), Holz-Blüemli (Schweiz), Steiblüemli (St. Gallen); Ebenauskraut (Niederösterreich); Sternlein ❡ *Anemone Pulsatilla* Echte Kuhschelle, gemeine Küchenschelle; Arstguck'n, Aschgupn, Oarguka (Niederösterreich), Arschgucke (Steiermark), Guggelore, Ginggelore (Schweiz), Gockerlenze (Steiermark); Kadeluse (Nahegebiet; Klokkenblome, -blaume (nordw. Deutschland), Glöckl (Nordböhmen), Trolla (Schwäb. Alb), Wolfspfote (Rheinlande), Wolfs-Blueme (Schweiz), Rauchfangkehrableaml (Niederösterreich); Heu-, Heura-Schlaufa (Schwäb. Alb), Heu-, Tagschläferle (Henneberg), Schlafsack (Thüringen); Osterblume (Brandenburg, Moselgebiet, Zürich, Schwäb. Alb), Usterblummen (Gotha), Osterglocka (Schwäb. Alb); Merzenbecherl (Niederösterreich), Märze(n)-bluem (Elsaß), Merzeglogge, -blueme (Schweiz), Haberblume (Schwäb. Alb); Bär(en)blume, Mutterkraut, -blume; Gallrose; Bißkraut; Kuhfladderich ❡ *Anemone nemorosa* Busch-Windröschen; Schneeblümel (Böhmerwald, Riesengebirge, Egerland, Niederösterreich), Schneeglöggli (Schweiz), Schneetröpferl, -röserl, -kaderl (Oberösterreich), Schnaekäthara (Schwäb. Alb), Märzableamla (Schwäb. Alb), Märzeblüamli (St. Gallen), Merzeglöggli (Schweiz), Aprille(n)blum(e) (Schwaben), Osterblom (nordw. Deutschland), Osterblüemli (Schweiz), (witt) Ööschen (nördl. Deutschland), (wildi) Zitlose (St. Gallen); Kuckckucksblume (Mark, Nahegebiet, Pfalz, Schwöb. Alb), Guckuf-(sblume) (Nassau), Guggucher, Guggoch-, Guggech-, Guggublueme, -blüemli (Schweiz), Geißblüemli, Geiß-Glöckli, Meie(n), -Nägeli (Schweiz), Eierblueme (St. Gallen); Käsblümchen (Eifel), Kasblüml (Böhmerwald), Quarkblume (Nordböhmen), Milch-Blüamli (Schweiz: Aargau), Speckblaume (nördl. Braunschweig), (wittes) Vijehlchen (Ostpreußen), weißes Hundsveilchen (Riesengebirge), Schlangenblume (Anhalt), weiße Schmalzblume (Oberösterreich), nackte Wiewken, Nacktenhiemdken (Westfalen), Hembepater, -klänger (Nordböhmen), Hemd-Glunggi (Aargau), Altweibergras (Böhmerwald), alte Weiber (Oberösterreich); Mühlradl (Tirol, Kärnten), Stern(e)li (Schweiz); Kronhaxen, Graschinkerl (= Krähenschinken), Baldreaschle, -glocken; Waldglöckli (Schweiz), Buschrösl (Erzgebirge), Holzbluemle (Schweiz), Hasselblaume (nördl. Braunschweig), Grasveilchen, -blümli (Erzgebirge); Katzenblume (Henneberg), Zegenblaume (Braunschweig), Kühhunger (Nordböhmen); Windröschen Braunschweig), Windrose (Riesengebirge), Wind-Blüemli (Schweiz); Oogenblöme (Ostfriesland), Augenblume (Schlesien); Gockeler (bayer. Schwaben), Hexenblum (Erzgebirge), Bettseicher, -brunzerli (Schweiz); Kopfschmerzerose (Obhess.) ❡ *Anemone alpina* Teufelsbart, Alpen-Windröschen; Bergmännli, Altmanne, Schaudermann (Schweiz), Wilder Jager (Kärnten), Peterbart (Tirol), Bocksbart, Bocker (Schweiz), Strublhahn (Vorarlberg), Bären-Tatzen (Kärnten), Bäre(n)-Pumpe(n) (Graubünden), Räuchling, Räucherlen (Kärnten), Rugei, Rugerl, Rugaiblüh (Tirol), Hexenbesen, Sidehuet (Schweiz), Schneerosen (Tirol), Brockenblume (Harz) Nogen (T;rol), Fotzebäse (St. Gallen); Speik ❡ *Clematis Vitalba* Gemeine Waldrebe; Lelum (Nahegebiet), Leelhecken (an der Mosel), Lieln (Salzburg), Lieloch (Krain: Gottschee), Lählen (Siebenbürgen), Liele Jele (Schweiz), Lehnheck (Eifel), Lian (Oberösterreich), Lenna (Schwäb. Alb), Liene(n) (Elsaß, Schweiz); Niele (Schweiz); Lirsch'n, Hirsch'n, Jilgen, Jül'n (Niederösterreich), Hiele (Solothurn), Wiele (Glarus); Waldstrick (Salzburg), Bergrebe (Schwaben), Winden (Oberösterreich), Teufelszwirn (bayr.-österreich), Deuwelsranken (Braunschweig), Teufelsreben (Kärnten), Hexenzwirn, -strang (Salzburg), Rauchholz, Räucherli (Schweiz); Narrenholz (Tübingen); Hotten (Niederösterreich), Hoddasaeler, (T)Renna (Schwäb. Alb) ❡ *Ranunculus Ficaria* Scharbockskraut, Feigwurz; Glisserli, Glitzerli, Glinze (Schweiz), Botterblome (Oldenburg), Butterblätter (Eifel), Smoltblome (Oldenburg), Schmalzulattl, -plötschlan (Kärnten), Anke(n)-Bluemli (Schweiz), Schmarblömmchen

(Gotha), frühe Schmirchala (Riesengebirge), Spiegelblome (Bremen), Goldblümli (St. Gallen), Sterne(n)-Bluem, Sternli, Tee-Blüemli (Schweiz), geele Osterblome (Oldenburg), Meiblä(d)r (Altmark), gäli Geißblüemli (Schweiz), Uffarts-Blüemli (Graubünden); Erdgerste (Österreich); Plapperle()krut (Elsaß), Kreuzerlan (Kärnten), Gockeler (bayr. Schwaben), Gauseblömkes (Westfalen), Zigeunerkraut, -salat (Kärnten), Liebe(n)-Hergottsblüemle (Elsaß, St. Gallen), Pelterchen (Moselgebiet), Feigblattern, -wurzel; Feigwarzenkraut, -ranunkel, -wurz; Pfaffen-, Rammenhödlein, Biber-, Kannenhödchen ⁋ *Ranunculus acer* Scharfer Hahnenfuß; Hampfis, Hampfets (Thurgau), Hempfel (Tirol); Kréen-, Kraienfaut (niederdeutsch); Golden Knopke (Ostfriesland), Goldemmerchen (Ostpreußen), Gold-Blueme, -Blüemli (Schweiz), Schmalz-, Butterblume; Anke(n)bluem (Elsaß), Anke(n)-Balle(n), -Blüemli (Schweiz), gelbe Pfingstblume (Anhalt), gelbe Meien (Schweiz: Goms), Clitzerli, Glinze(r)li, Glinze, Glanzerli, Galliseli, Liseblume (Schweiz), (Glitz) Pfündla (bayr. Schwaben), Galizenpfandl (Tirol); Schmirgl (Nordböhmen), Speglblom (Altmark); Toiflaugen (Kärnten); Bremskraut (Niederösterreich), Zengerkraut (Steiermark, Kärnten, Tirol), Sengerbleaml (Salzburg), Zenger(rosen) (Kärnten); Gel Wewinn (Lübeck); Hungerblume (Nassau); Käppela (Schwäb. Alb), Rollen(n)-Bluem (Schweiz); Klapperstockspflanze (Anhalt) ⁋ *Ranunculus fluitans* Flutender Hahnenfuß; Waterblom (nordw. Deutschland), Water-Ogenbläme, Sur-Ogenblome (Ostfriesland), Wasserglintzerli (Schweiz: Churfirstengebiet), Bachchrut (Elsaß), Grundnettel (Mecklenburg), Fischkrut (Elsaß), Fröscheblume (Nassau, Eifel, Luxemburg), Schlebgras, Schwändel, Chröas, Körblekraut (Bodensee), Wittblumenkrud (Lübeck), Grüttblom (Altmark) ⁋ *Ranunculus arvensis* Acker-Hahnenfuß; Gleis (Schwäbische Alb), Schmirgel (Nordböhmen), Fu(r)-, Hurdigl, Fu(r)dluaga (Schwäb. Alb), Düwelslus (Göttingen), Sackkleiba (Schwäb. Alb), Reinel, Howald (Nordböhmen), Chnüle(n), Chnule (Schweiz), Chlöpf-Bolle(n) (Schweiz), Pfisternägeli (Solothurn) ⁋ *Ranunculus repens* Kriechender Hahnenfuß; Kraien-, Kranenfoet (nordwestl. Deutschland), Krahfuß (Nassau), Krobes (Nahegebiet), gelbe Krontatschen (Böhmerwald), Wittfötkes (Westfalen); Mark(e), Willet Mark (Hannover), Wille-, Holtmark (nordw. Deutschland), Zellergras (Egerland); Strupfe, Strumpfe (Österreich); Wätzblumen, Sichelwätz (Nahegebiet); Görisch-, Törischgras (Böhmerwald); Krunkeln (Weichseldelta), Onkelchen (Gotha), Aurunkel (Sigmaringen), Harunggele, Narungkl (Elsaß); Goldknöpe, Goldknöpken (nordw. Deutschland), Dukatenblume, -röschen (Oberösterreich), Röserl (Böhmerwald), Soldatenriesla (Riesengebirge), gelbes Busserl, gelbes Mondscheinl, Schweinzerl (Böhmerwald), Rockerl (Niederösterreich), gelbes Sammttriesla (Riesengebirge) ⁋ *Adonis aestivalis* Kleines Teufelsauge, Sommer-Feuerröschen; Bluatströpfli (Schweiz, Schwaben), Füerfünkskes (Westfalen), Füerooge (Ostfriesland), Fu(r)digl (Schwäb. Alb), Düwelsooge (Wesergebiet), Toiflaugen (Kärnten) Tüfelsaug (Schweiz), Teufelsglotzen (Gotha), Aug'n Gottes (Kärnten), Luaga (Schwäb. Alb), Ackerrösle (Schwaben), Korallenblümchen (Weichsel).

Familie: *Berberidaceae* · *Berberis vulgaris*, Sauerdorn, Berberitze; Sauerachdorn, Dreidorn (Rheinlande), Spießdorn (Zürcher Oberland), Dornholz, Judendorn (rhein.), Dreifaltic'keitsdorn, Kreuzdorn, Nagldearnoch (Krain: Gottschee), Saurach, Surbeeri, -blatt, -blettli, -laub (Schweiz, Elsaß), Essigflaschl (Westböhmen), Essigscharl (Niederösterreich), Essigbearl, -birl (bayerisch-österreichisch), Weinscharl(ing) (Österreich), Wai(n)schalala (Böhmerwald), Weinzäpferchen (Schmalkalden), Beißl-, Beasslbeer (bayerisch-österreichisch), Spitzbeeri, Rispitzbeeri (Schweiz), Fäßlistruch, -chrut (Schweiz: Thurgau), Zitzerl (Österreich), Bube(n)schenkel (Württemberg: Biberach), Bubc(n)laub (Elsaß) Buebebeeri, -bletter (Thurgau), Guggerchrut, -beeri, -brod,

-laub (Schweiz), Hase(n)brot (Elsaß), Geisesurampfer (Elsaß), Gitzibeer (St. Gallen), Geiße(n)laub (Schweiz); Berbesbeer (Gotha), Erbsel, Irbsele (schwäbisch), Erbsenseele (Elsaß), Erbsele, Örbsele, Urbsele (Schweiz); Sperberbeern; Rhebarber; Hahnenhödel; Gelbsuchtsdorn (Pfalz).

Familie: *Nymphaeaceae:* Lotos · Victoria regia · Seekandel, gelbe Nixenblume.

Nymphaea alba Weiße Seerose; Weiße (Wasser)lilie (Anhalt), Waterrose (nordw. Deutschland), Wasserrose, -blueme (St. Gallen); Weierrose (Niederösterreich), Teichrose (Anhalt, Braunschweig); Maarrose (Eifel), Moosroese, Grabeblome (St. Gallen), Frösche(n)-Bluem (Zürich); Kannelke (Ostfriesland), Käntchen, Käenk, Kenke, Kenblaume, Kohntjen (nordw. Deutschland), Kahndelblume (Schlesien), Kegel (Braunschweig), Essikrüagle (Schwaben); Bubbelkes (Ostfriesland), Poppel-(blome), Poppelken, Puppen, Paapaken, Pappenblader, Aupoppen, Mümmel(ken) (Norddeutschland); Witte, Aublom, Höske, Buttbladen (untere Weser); Löpp, Lött, Lütt, Lätschblätter (Straßburg); Krampfworzel (St. Gallen).

22. R e i h e : *Rhoeadales.*

Familie: *Papaveraceae.*

Papaver Rhoeas Feuermohn; Grindmagen (rheinisch), Droad-, Feldmagn (Niederösterreich) Wil(d)mage(n) (Elsaß), Ackerrolle (Thurgau), Füerblaume, -blom (niederdeutsch), Fürblume (Schweiz), Fackelblume (Moselgebiet), Flammeblum (Nassau), Bluatbloama, Nasenbliata (Oberösterreich), Kolrôse (Göttingen), Gockeler, Gulle (Schwäb. Alb), Guggel-Main(n) (Aargau), Stinkros (Schleswig), Stink-Rose(n) (Schweiz), Chopfwehblume (Thurgau), Totenblume (Westböhmen, Oberösterreich), Klappros, -rause (niederdeutsch), Klapper-, Plapperblume, rot Klapperche (rheinisch), Boschtkraut (Eifel), Klatschrosen, -mohn (Büchername, aber auch volkstümlich), Klitscheblume (Henneberg), Schnallenstöck (Schwäb. Alb), Tatschen, Datschblomm (Gotha), Tätschele (Schwaben), Pfaffeblume (rheinisch), Pfaffe (Uertingen), Pfaf'n-rosen (Niederösterreich), Jungfer, Juffer (rheinisch), Ackerdockele(in) (Heilbronn, Weinsberg), Freielen (Gotha), Frele (Württemberg), Madam(e), Madämele, Schwizermaidle (Elsaß), Hureditzsche (rheinisch), Chorn-Rose(n), (roti) Chornblueme (Schweiz, und in entsprechender Lautform auch anderswo); Kokliko (Wiesbaden), Gogaligo (Elsaß) Gulipa, Tulipa (Elsaß), Purperlitzen, Purpalizn (Kärnten), Smook, Smookrause (südl. Altmark, nördl. Braunschweig ¶ *Papaver somniferum* Gartenmohn; Mân, Mahnblaume (niederdeutsch), Mûyen (Gotha), Mag(e)n (bayerisch-österreichisch), Muon (Krain: Gottschee), Mägi(s), Mägich (Schweiz), Magsame (rheinisch), Magenkraut; Mas(t), Mos(t) (Elsaß), Moheitl (Nordböhmen), Kölbe, Kilbe (Nassau), Guggl (Tirol), Klepperli (Schwaben), Mastklüpfel (Elsaß), Magthüsli, Rolle, Cholbe (Schweiz) ¶ *Chelidonium maius* Gemeines Schöllkraut: Schillkraut (Kärnten), Schüldkraut (Böhmerwald), Schälkraut (Schwäb. Alb); Goldkraut, -wurzel (nieder- und mitteldeutsch), Jülk, Jölk (Altmark), Gilbkraut (Niederösterreich), Liachtkraut (Salzburg, Niederösterreich), Milch-, gelbes Milikraut (Oberösterreich), Gois-, Kuotschenmilch (Krain: Gottschee), Hexe(n)milch (Elsaß), Tüfelsmilch (Schweiz), Blutkraut (Österreich, Riesengebirge), Giftblome (Oberneuland), Hexe(n)krut (Elsaß), Tüfelschrut (Schweiz); Warznkraut (nieder- und oberdeutsch in den entsprechenden Dialektformen), Krätzenkraut (Österreich), Fratzelnkraut (Rheinprovinz), Af(e)lkraut (Niederösterreich, Steiermark, Kärnten), Gel(w)suchtchrut (Schweiz), Oogenblär; (Ostfriesland), Nagelchrut (Schweiz), Lîdornkrût, -dôt (Hannover); (Gesch-)Wulstkraut (Anhalt, Österreich), Schinnwatt (Mecklenburg), Schinefoot (Westfalen), Schinnkrut (untere Weser), Schinnwuttel (Untere Weser), Schinnblär (Stade)

¶ *Corydalis cava* Hohler Lerchensporn, Hohlwurz; Hähncher, Hahneknöchelcher, Hahnekehlche (rheinisch), Hahner(l), Giggerahahner (bayerisch-österreichisch), Guli, Güggelblueme, -Maie(n), Gügerügi (Schweiz), Henna (Schwäb. Alb, St. Gallen), Hendl (Oberösterreich), Bibahendl (Niederösterreich), rote und weiße Hahner (Tirol, Salzburg), Hühner und Hahnen (Oberösterreich), Kakgänschen (Anhalt), Enl und Anl (Oberösterreich), Mannes-, Frauenschüeli (Schaffhausen, Merishausen), Zottelhosen, Hosenzotteln (Kärnten), Hösele (Schweiz); Burgerschlüssel (Kärnten), (Liebe(r) Herrgottsschüele (Elsaß); Walperkern, -körner (Gotha), Gugger-, Gugguche(n)-Blueme (Schweiz) ¶ *Fumaria officinalis* Gemeiner Erdrauch; Dauwegrob, Taubekreppche (Nahegebiet), Taubenkröppel (Österreich), Tubekropf, -chröpfli (alemannisch), Turteltübelekraut (Elsaß), Sperrmäuler (Nahegebiet); Fenchelkraut (Riesengebirge), Dauwekirwel (Luxemburg), Taubenkerbel (Eifel), Katzekirwel (Luxemburg), Katzenkerbel (Nassau), Wille Rute (Nordthüringen), falsche Weinrut'n (Niederösterreich), Weinkräutel (Obersteiermark); Becke(n)mädle(in) (Schwäb. Alb), Frikut (Mark), Brüdigamskrut (Schleswig), Brûtkrût (nd.), Lewkenkrut (Mark), Leefkraut (Bassum in Hannover), Mannslev (Schleswig), Fauenschuhkraut (lit.); Nonnenrö [= Rauch], -kraut (Göttingen); Fimsteert (nördl. Braunschweig), Fimmstaart (Mecklenburg), Pimsteert (Lübeck), Fule Grêt (Nordwestdeutschland), Nunnenkrut, -rô (Göttingen), Annakrettich (Riesengebirge), Dürrheinzel (Böhmerwald), Ruter Hünnerschalich (Nordböhmen), Gopper (Böhmerwald), Butterbrötla (Schwäb. Alb).

Familie: *Capparidaceae*, Kapernstrauch,

Familie: *Cruciferae.*

Nasturtium officinale Brunnenkresse; Bornkass(en) (nordwestl. Deutschland), Bornkersch, -kirschen (Thüringen), Braunkersch (Erfurt), Kasse (Göttingen), Kirschen, Kerschen (Thüringen, Niederhessen), der Brunnkreß (bayerisch-österreichisch), Wasser-, Bronnakressig (Schwäb. Alb), Grundkresser (Elsaß), Brunne[n]-Chressich (Schweiz) ¶ *Armoracia lapathifolia* Meerrettich, Mährrettich, Möhrrettich, Kren; Märröddik, Marrettik, Mar(rä)k, Marreik, Mierreik (niederdeutsch), Miry, Mery (Hessen), Marressig, Marretsch (Mecklenburg), Kre(a)n (bayrisch-österreichisch, auch in Schlesien und Nordfranken), Päperwurzel (Ostfriesland); Heidenrettich ¶ *Isatis* Waid, Färberwaid ¶ *Barbaraea* Barben-, Barbarakraut, Saurer Hederich (Eifel), wild' Öl (St. Gallen) ¶ *Cardamine pratensis* Wiesenschaumkraut; Pfingstblume (in versch. Dialekten), Aprilblueme (Schweiz), Maiblom (Oldenburg), Maila (Schwäb. Alb) Kuckucksblume (in den entspr. Mundartformen besonders im Niederdeutschen und Alemannischen), Guggerblueme, -chäs (Schweiz), Guckuf (Nassau), Gogelscheden (Oberösterreich), Störkeblöme (Ostfriesland) Storchebluemli, Storchenschnäbeli (Schweiz), Hannotterblôm (Altmark), Spreublume (Oldenburg), Vâgelblom (Alte Land), Himmelsschlüssala (Schwäb. Alb), Liabeherrgottsblume, Himmelsleiterle (Schweiz), Fleischblume (in den verschiedenen Mundartformen: Nahegebiet, Oberhessen, Thüringen, Elsaß, Schweiz), Speckblume (Nahegebiet, Thüringen), Käsblume (Nahegebiet), Guggerchäs (Schweiz), Quarkblume (Schlesien), Grützeblume (in nd. und md. Dialekten), Molkeblume (Nahegebiet, Oberhessen), Milchsüppli (Schaffhausen), Soldaten (Egerland), Alte Weiber (Böhmerwald), Zigerli, Henneäugeli (St. Gallen), Chlöpf-, Schißgelte (Zürich), Saugelte, Gigenapf, Gelteblueme, Chessali, Sekretärli (Thurgau), Harnsamen, Griesblümel (Böhmerwald), Sachblueme, Sachere, Bettsächer (Thurgau), Bettbrunzer (Neuburg a. D.), Blähchrut (St. Gallen, Churfirstengebiet); Kiwittsblom (Schleswig, entspr. Ostfriesland), Wasserkraut (Oberösterreich), Wise(n)-Blömli (Schaffhausen); Donnerblume (Nassau), Dundermain (Schweiz), Wilde Chresse, Chressig, Mattenkressich, blaue Brunnenkressisch (Schweiz), Gäldseckeli, Geldsäckelschelm, Dieb (Schweiz) ❡ *Cardamine amara* Bitteres Schaumkraut; Bornkresse (niederdeutsch), Bornkersch (Thüringen), Wilde Kröß (Kärnten), Bitterkresse (niederdeutsch) ❡ *Dentaria polyphylla* Vielblätterige Zahnwurz; Steinbrecher (Zürcher Oberland) ❡ *Dentaria enneaphyllos* Weiße Zahnwurz; Schanikel (Oberbayern), Schornagelwurz (Allgäu), Scharnikel(wurz) (Lienz, Tirol), Trigorgös (Duppauer Gebirge, Böhmen) ❡ *Alliaria officinalis* Knoblauchsrauke; Gemeines Lauchkraut, Knoblauch-Hederich; Knoblauchkraut (Schwäb. Alb), Wilde Chnoblech (Schweiz), Hasekehl (Nahegebiet), Blöderkraut (Eifel), falscher Waldmeister (Baden) ❡ *Cheiranthus Cheiri* Goldlack; Golden Laken (untere Weser), Güllak(e) (Westfalen); Fijeelken (Bremen), Vieleken (Anhalt), Violke (Westpreußen), Vail (Franken), Viönli, Iviönli (Schweiz), Gäl-Vilk'n (Altmark), Gäle Veilcher, Vajohle, Vujehle, Feijohle (Nahegebiet), gelber Feigel (bayerisch-österreichisch), Gäl(l)violat (Elsaß), Gälveieli (Thurgau), Pfingstveigel (Oberösterreich), Winterfeigel (Kärnten), Bone(n)-Veieli (Appenzell), Stockviole (rheinisch); Nägele, Nägelebluem (Elsaß), Gäle, Chrut-, Maie(n)-, Stamme(n)-, Pfingst-, Basler-Nägeli (Schweiz), Lavkoje (Oberhessen) ❡ *Matthiola incana* Winterlevkoje; Violetten, Vigeletten (Weichseldelta), Viönli (Schweiz), blauer Feigel (Steiermark), Sommerfeigel (Kärnten), Chilbi-, Stamme(n)-Nägeli (Schweiz), Lamberta, Stroßburgerli, Straßburger, Basler Nägeli (Schweiz), Wieß-, Maierappe (St. Gallen) ❡ *Hesperis matronalis* Gemeine Nachtviole, Frauenviole, Matronenblume; Flaßminernâlen (Oldenburg), Vijôl(e) maternaol(e) (Altmark, Westfalen), Viule matriale (Aachen), Mutternale (Nahegebiet), Mutterblume (Nassau), Mutterveigela (Schwäbische Alb), Matronalfeigel (Kärnten), Nachtveilchen (in versch. Dialekten), Nachtschatten (Anhalt, Westböhmen), Damaste (Ostfriesland), Damaskche (Weichseldelta), Medaschke (Westpreußen), Pfingst-Nägeli, -Veiali; Flieren, Paddeeflören (nordwestl. Deutschland), Paradiesblumen (Braunschweig) ❡ *Lunaria rediviva* Wildes Silberblatt; Silbermünze (Baden), Schilling (Mark Brandenburg), Zwanz'gabusch'n (Niederösterreich), Mohblume, Mondschin, Flittern (Schweiz); Judassilberlinge, Judaspfennig (Anhalt), Mondviole (wohl durch Gärtner eingebürgert) ❡ *Anastatica Hierochontica* (unechte) Rose von Jericho ❡ *Draba verna* Frühlings-Hungerblümchen; Hungerblome, -kruud, -knoppen (nordwestliches Deutschland), -gras (Nordböhmen), Hunger- (Egerland, Riesengebirge), Kummerblume (Westfalen), Armadei (Egerland), Witt Wesel (Mecklenburg), Polsch Grott (Westpreußen), Schafmutter (Kreis Berent), Schafmön (Pommern) ❡ *Brassica oleracea* Kohl, Grünkohl, Gemüsekohl; Blätterkohl, Staudenkohl; Krauskohl (Pommern); Wirsing (West- und Süddeutschland); Welschkohl, Kappes (rhein.); Kraut (Mittel-, Süddeutschland, Österreich, Schweiz).

Arten: *Br. sabauda* Gemüse-Kohl, Kuchen- oder Gartenkohl, Kraut; Choel (alemannisch), brunen, grönen Kool (niederdeutsch), Sprutmaus (niederdeutsch), Wirsching (niederdeutsch), Savôi (Westfalen), Safaudschen Kol (Hessen) Zufog (Westpreußen), Kap(p)s, Kabbus (niederdeutsch), Kebas, Kobas, Kabes (bayerisch-österreichisch), Chabis (Schweiz); Welschkohl; Döppe-, Dippekraut (Oberhessen), Häupelkraut (Steiermark), Lappenkohl (Pommern), Kraut (Süddeutschl.), Bunskool (Oldenb.), Kumskool (Oldenb.), Kompst, Kumst, Komst (Ost- und Westpr.), Rosenkohl, Sprossenkohl · Kopfkohl, Kraut · Kohlrabi · Blumenkohl, Karfiol · Weiße Rübe, Stoppelrübe · Kohlrübe, Krautrübe, Steckrübe, Wruke, Dotsche (bayr.) · Rote Rübe, Ranke, Rahne ❡ *Brassica Napus* Repskohl, Raps, Reps; Rapssaat (Ostfriesland), Lewat (alemannisch), Biewitz (Ostdeutschland), Strecksâd, Brockelsaot (niederdeutsch), Stiäkraiwe (niederdeutsch), Kullerum (Gotha); Schea(r)ruab'n Kraudruab'n (Niederösterreich), Dorschen, Dotschen, Duschen (bayerisch-österreichisch), Wruke, Bruke (Ost- und Westpreußen); Kohlsalat; Steckrübe, Kohlrabi (aus cavolo rapone); Deutsche Ananas, Volksananas ¶ *Brassica Rapa* Rübenkohl, Rübs(en), Rübsaat, Rübe; Aweel, Howeel (Ostfriesland), Rübe: Roiwe (niederdeutsch), Ru(a)be (bayerisch-österreichisch), Räbe (schweizerisch); Spoppelraiwe (niederdeutsch), weiße Ruabe, Acker-, Hahm-, ruabe, Bettsoacha, Bettsoichla (bayerisch-österreichisch), Wasser-, Grund-, Fäse-, Sünß, Schiebe-, Zapfe-Räb(e) (Schweiz); Turnips, Turlips, Teltower ¶ *Brassica Rapa silvestris (Lam.)* Rübenraps, Ölrübe, (Öl-)Rübsen, Rübs; Rips, Rüps (Preußen), Rübsprengel, Sprengel (Baden); Dorsch ¶ *Sinapis arvensis* Acker- oder wilder Senf, Feld- oder brauner Senf, Falscher oder Bruchhederich; Hederich (Thüringen, Rheinland, Hessen, Baden), Gelber Hedere (Bayern), Herrert (Nahegebiet), Harrik (H(i)ärk; Kiddik, Keddik, Kudick, Köek, Körk, Krook, Krodde, Krödde (niederdeutsch), Kôk, Kölk (Hannover); Wellerk (Kreis Soest), Räps (Schweiz), Dill, Dül(n). Trü(l) (bayerisch-österreichisch), Rafatscholle (Kanton St. Gallen), gäle, wilde Sempf (Schweiz) ¶ *Sinapis alba* und *Brassica nigra* Weißer und schwarzer Senf; Senef (Gotha), Sänef(t) (Elsaß), Semp (Norddeutschl.), Sempf (Schweiz); Mostrich, Mostert, Mustert, Mustertsad (niederdeutsch) ¶ *Raphanus Raphanistrum segetum* Wilder oder Ackerrettich; Heidenrettich, He(i)derich, Hetterich, Heidenrub, Ackerkohl, wilder-, Schnödesenf, Knebelrettich; Dill, weiße Dilln; weißer Hedere (Bayern), Wiederich, Geiße-Rüble (Baden); Hadderik (Braunschweig), Hedderk (Oldenburg), Heddek (Mecklenburg), Hedrek (Göttingen), Hädderich (Gotha), Harasch (Nassau), Harrâck (Altmark), mêrek (Göttingen), miâ(r)k, Hâäk (nordwestl. Deutschland), Kiddik, Keddik, Kiddkohl (Insel Juist, westl. Norderney), Küerk, Küelk, Künkt, Kö(r)s, Quitt (nordwestl. Deutschland), Drill, Drü(ll), Düln, Dilln (bayerisch-österreichisch), Sempf, weißer Senf (Schwäb. Alb), wisse Senf, Raps (Schweiz), Knoww, Knop (Mecklenburg), Knäpel (Stade) ¶ *Raphanus Raphanistrum sativus* Garten-Rettich; Raddik (Ostfriesland), Roddek (Bremen), Rek (Lübeck), Radi (bayerisch-österreichisch), Rätech (Schweiz, St. Gallen: Rätach), Bölkwurtel (nordwestl. Deutschland), Farzwurzen (Kärnten), Rummenasse (Ostfriesland), Rummelaske (Westfalen) ¶ *Rapistrum perenne* Mehrjähriger Rapsdotter; Gaugla, Rolln (Niederösterreich), Windsbock (Mark Brandenburg) ¶ *Eruca* Rauke ¶ *Lepidium Draba* Pfeil-, Herz- oder Türkische Kresse; Alte Mona (Niederösterreich), Aldi Monahäud, Krodnwurzn, Saubrein, Moilt'n (Niederösterreich) ¶ *Lepidium sativum* Garten-Kresse; Kassen, Kässe, Kers (niederdeutsch), Chressig, Chressesch (Schweiz) ¶ *Camelina sativa* Leindotter; Gate Knöepkensâd (Haasegegend), Gälkensaod (Emsland), Buttersämchen (Nassau), Raut(en)saot, Hüttentütt (Westfalen), Hahnenkassen (Rassum i. Hannover), Beseli-Reps (Schweiz: Solothurn, Aargau), Düln (Oberösterreich) ¶ *Thlaspi arvense* Acker-Täschelkraut, Ackertäschchen, Bauernkresse, Klapper, Klasper, Klaffer; Pfennigkraut (vielerorts), Pennkrut (niederdeutsch), Hellerkraut (Schwäb. Alb), Schillinge (Ostpreußen, Saalfeld), Pohlsch Bettelmann (Vorpommern), Herzgespann (Eifel), Schülersäkel (Nahegebiet), Taschendieb (Westpreußen) ¶ *Cochlearia officinalis* Echtes Löffelkraut, Löffelkresse, Scharbockskraut; Quellenkräut'l, Lung'nkreß (Niederösterreich) ¶ *Capsella Bursa pastoris* Gemeines Hirtentäschel; Tasche(n)kraut (alemannisch, Anhalt), Säckelekrut (Elsaß), (Geld-)Seckli-Chrut (Schweiz), Tüfelsseckeli (Schweiz), Schülersäkel (Nahegebiet), Schneidebeutel, Beutelschneider, -schnitter (rheinisch), Läpelkes (Sulbern), Läpelkrud, Sülbern Läpel (nordwestl. Deutschland), Kochlöffel (Oberösterreich), Löffeli, Schufelichrut (Schweiz), Schinken, Schap-, Burenschinken, Schinkensteel (untere Weser), Schinkenkrût (Mecklenburg), Herzkreitche (Nahegebiet), Herzerl, Herzelkraut (Niederösterreich), Muttergottesherzle (alemannisch), Bätzela, Hellerkraut (Schwäb.

Alb), Himmelmutterbrot, Muttergottesbrot (Niederösterreich), Lieberherrgottsbrot (Elsaß), Läpeldeef (Schleswig), Löffelischelm (St. Gallen), (Geld-) Säkelischelm, -dieb (Schweiz), Speckdeef, Hatt'n Bur'n Schinken stålen (Oldenburg), Taschendeif (Westfalen), Tascheidieb (Böhmerwald), Beuteldieb (Oberösterreich), Schelmeseckeli (Schweiz), Bettenseecher (Sachsen), Bettseicherlin (Schweiz), Grüttblom (Lübeck), Klepp (Ostfriesland), Biewelcher (Nahegebiet); Pißkraut.

Familie: *Resedaceae.*

Reseda odorata Garten-Resede; Resettche, Resettekreitche (Nahegebiet), Resettl (bayerisch-österreichisch), Residas, Resedem (Schweiz), Settche (Nahegebiet), Lisettchen (Eifel); Rukes (Düsseldorf: Kronenberg), Embeerekreitche (Nahegebiet), Schmöckerli (Aargau), Gipschrü()esken (bergisch) ¶ *Reseda Luteola* Färberwau, Gelbkraut, Streichkraut, Färberkraut, Hexenkraut, Waude; Wau, -kraut (Schwäbische Alb), Goden (Thurgau).

2 3. R e i h e : *Sarraceniales.*

2 4. R e i h e : *Rosales.*

Hamamelidaceae: Hamamelis · transkaukasisches Eisenholz · Platane.

Familie: *Crassulaceae.*

Sempervivum tectorum Echte Hauswurz; Huslok, Huslof (niederdeutsch), Hauslaub (Anhalt); Hausampfer, -rampfer (Oberösterreich), Dachwurzel (Thüringen, Anhalt), Chemmirose (St. Gallen), Eiskraut (Anhalt), Donnerkrut, -look (niederdeutsch), Ton(d)erbart (Aargau), Donnerkraut (Mainz), Dornenbart (Anhalt), Dunerknöpf (Niederösterreich, Tirol), Dimerkraut (Eifel); Saiohre (Nahegebiet); Tote(n)blume (Zürich); Zidriwurz'n (Niederösterreich); Sempelfi (Lübeck), Zimpelfi (Westpreußen); Rhabarber (Kärnten) ¶ *Sedum acre* Scharfer Mauerpfeffer; Fette Gänschen (Ostpreußen), gäli Biberli (St. Gallen); Taubenspick, Kitzhuhn (rheinisch), Katzentrauben (Nahegebiet), Murtrübel(e) (Elsaß), Stein(n)-Rolle, -Rügeli (Aargau), Steenklinkalan (Riesengebirge), Steinweizen (Oberösterreich), Starogge (Schaffhausen), Vögeleroggen (Kärnten); Würstla (Schwäb. Alb); Hühnerschnabel, -zehe, -grap, Hinkelsfuß (rheinisch), Knorpelkraut (Riesengebirge); Hinkelsdarm (Nahegebiet); Steenkrut (Schleswig), Steinmarks (Nordböhmen), Steenzelkerlan (Riesengebirge), Mauerkräutchen (Eifel), Mauertatzeln (Böhmerwald), Murkätzle (Elsaß); Steenpaeper (Ditmarschen), Peperkrut (Schleswig)), Pfefferkraut (Böhmerwald); Wärzenkraut (bayer.-österreichisch), Warzengros (Tirol), Flechtenkraut (Ostböhmen), Ziedrochenkraut (Böhmerwald), Hühneraugenwurz'n (Niederösterreich); Stierkraut (Niederösterreich); Herrgottskraut (bayer.-österreichisch), Himmelvaterbart, Herrgottsbart (Altbayern), Christusschweiß (bayer.-österreichisch), Kränzlekraut, Lieberherrgottsknödle, Lieberherrgottsschüe(h)li, Herrgottsru(h)kraut (Elsaß); Himmelbresl, Liabfraubröserl (Niederösterreich), Modergods Bettstrauh (Westfalen); Tripmadam (Anhalt), Zunzen-, Zumpenkraut ¶ *Sedum Telephium* Große Fetthenne, Schmerwurz, Donnerbart; Fette Henne (bayer.-österreichisch), Henafett (Egerland), Fettwu(r)zl, -kraut (Schwäb. Alb); Speck-Chrut (Schwyz), Schnasalber (St. Gallen), Schmalz-Chrut (Aargau); Felsekreitche (Nahegebiet); Warzakraut (Schwäb. Alb), Woazelkraut (Eifel), Geschwulstkraut (Böhmerwald, Erzgebirge), Isli (Schweiz: Zug), Blätzgüetli (Schweiz· Freiamt), Hau(w)-Chrut (Schwyz), Spießlichrat (St. Gallen), Heilblättli (Sarnen), Heilschade(n)-kraut (Elsaß); Bruchkraut, Knabastock (Schwäb. Alb), Durchwachs (Gotha); Stierkraut (an der Mosel); Wolfsbohne (Samland), Wilde Bohnen (Kärnten); Leben und Sterben, Leb(ens)kraut (Ostpreußen), Frier un Brut (Schleswig), Johanniskraut, (Sunt-) Jannskrud (nordw. Deutschland), Gehonstichkraut (Riesengebirge); Pollack,

Pottlack (Bremen), Huslak (Mecklenburg), Hauswurzel (Schlesien), Dachkappes (Nassau); Donnerbonn(e) (Göttingen, Nordthüringen, Braunschweig), Donnerlauk, -luk (nordw. Deutschland), Donnerkraut (Nahegebiet); Hexenkrûd, Düwelsbleme (bei Bremen); Schnerer (Böhmerwald); Schuhputzer (Schweiz); Zunzen-, Zumpenkraut; Fotzwein, -zwang ¶ *Sedum album* Weißer Mauerpfeffer; Wiessi Biberli (St. Gallen), Stein(n)-Rogge(n), -Weize(n) (Schweiz), Hühner-, Judentraube (Eifel), Katzenträubeln (Kärnten), Mauernudel (Tirol), Wärze(n)-, Is-Chrut (Schweiz), Weiß Stierkraut (Mosel); Felsamergler (Schwäb. Alb), Herrehäntscheli (Thurgau), Wiessi Schuesalberli (St. Gallen) · Tripmadam.

Familie: *Saxifragaceae.*

Saxifraga umbrosa Schattensteinbrech; Heilands-, Jesusleidensbleamla (Schwäbische Alb), Christ-Leide-Blüemli (St. Gallen), Jehovablümchen (Pfalz), Lide Christi (Thurgau), Jesus-, Heilands-, Herrgotts-Blüemli, Vaterunserli (St. Gallen) · (Menisten)-Jüfferke (Ostfriesland), Jungfernnabel (Elsaß), Jungfernnäbelchen (Schmalkalden); Zitterblümchen (Oberarz); Porzellanblümchen ¶ *Chrysosplenium alternifolium* Gold-Milzkraut; Krotnkraut (bayerisch-österreichisch), Chrotteblüemli (St. Gallen, Luzern), Krodenkraut (Salzburg, Zillertal), Fröschechrut (Churfirstengebiet); Froschchacha (Glatz); Froschgöschlein (Riesengebirge); Chrotte-, Fröschemüli (St. Gallen); Mokesauerampel (Luxemburg); Zittrichkraut (Tirol), Hoalpletzl (Salzburg), Krätzenkraut, -bleaml (bayerisch-österreichisch); Schelmkraut, -wurz (Steiermark) ¶ *Parnassia palustris* Studentenröschen, Sumpfherzblatt; Sternli, Sterneblüemli (St. Gallen), Weißi Schmalzbluma (Niederösterreich), Oablatt (Schwäb. Alb); Ihlenblone (Schleswig); Stechblümlein (Riesengebirge); Teufelsüberstrich (Nordböhmen) ¶ Pfeifenstrauch, „Jasmin" · Hortensie.

Ribes Grossularia Stachelbeere; Stickbeeren, Stickelbeer, Steck(e)beere (plattdeutsch); Stachellitzen (Schweinsburg, Kr. Zwickau); Stachelpunzchen (Dresden); Stachelhutschen (Meißen); Stachle (Baden), Stechabeerle (bayer. Schwaben); Spunsker (Thüringen), Sponellen, Spunellen (Memmingen); Krüseberje (Ostfriesland), Krißbetten, -beer (Westfalen), Krönschel, Grinschel (rhein- und moselfränkisch), Gruschel (Rheinpfalz, Nassau, Hessen), Krieschel (Eifel), Krönzel, Kränselte (Elberfeld), Kruspel (Nassau), Grossel (Steiermark), Russelen (Innsbruck), Kro(n)schel, Greschle, Kreschelheck (Lothringen), Chruserle, Chrüselbeere, Chrutze(r)le (Baden), Krusel(s)-, Krüselsbeer (Elsaß), Chrusel-, Chrüselbeeri (Schweiz); Krist, Christbeere (Weichseldelta, Schlesien), Druschel, Druschule, Drieschule (Nassau), Druschele (Rheinpfalz), Droschel (Lothringen), Druß-, Trutzelbeere (Baden); Klosterbeere (Nassau), Klusterbiern (Sachsenhausen); Guttere-Beri (Schweiz: Thurgau), Gütterli (Schaffhausen); Oaterpatze'n [= Eiterbatzen] (bayerisch-österreichisch); Rau(ch)beern (Nordostböhmen, Tirol), Raupbeeren (Schlesien), Reichling, Rauchling, Reidlinger (Kärnten: Mölltal); Nonnenfarzen (Nassau), Nonnenfürzle (Schwaben, Baden), Annenferz (hessisch), Brunnen-Fürzli (Zürich), Sunnen-Fürzele (Thurgau); Dunnerfärz (Schweiz); Schneller (Vorarlberg), Krachelbeeree (Elsaß), Grachel(beere) (Steiermark); Strukberten (Westfalen), Hecke(n)beere (schwäbisch), Bettlerkersch'n (Kärnten); Agraß (Österreich), Agersch, Aejresch (Siebenbürgen); Margreten (Nordböhmen), Moagreatitzpearlein (Krain: Gottschee), Jakobibeer (Niederösterreich), Meischgl, Mauchele, Maucherlen, Mäuserling (Kärnten), Migetze, Meiketsche (Steiermark); Haarellen (Drautal), Aischlitzen (Pustertal), Herchesbeere (Schmalkalden); Hergelberge (Henneberg); Knackläuse (Oberhessen), Kotzen (Schwaben); Beseken (Anhalt) ¶ *Ribes rubrum* Rote Johannisbeere; Jannsbeere, -druwe (niederdeutsch), G'hantdrauwe (Hunsrück), Kanstraube (Rheinpfalz), Santihanstriweli, Hansistrîwelie, Kanzeltriweli, Hansetribili (Baden), Santihansberi, -trübli (Schweiz), Hannskiesche (Niederrhein); Träuble (Schwäb. Alb), Wimbeere, Wiemelter, Wimmele, Bimmele (Niederrhein), Weinbeer(e) (im Oberdeutschen), Krente(nstruk) (bergisch), Meertrübeli (Schweiz); Kasbiten, Kaßbeten (Westfalen); Riebs (Braunschweig, Lübeck), Riwels (Eiderstedt, Spapelholm), Ribis(e)l, Riwis(e)l (bayer.-österreichisch); Allbeer (Ostfriesland), Elbääre (Emsland), Aalbessim (Westpreußen) ¶ *Ribes alpinum* Berg-Johannisbeere, Fleischbeere; Wilde Träubleshecka (Schwäb. Alb), Wildi Santhannisbeeri (Schweiz: Churfirstengebiet); Krintenbusch [= Korinthenbusch] (Schleswig); Gottvergessene Beere (Thüringer Wald bei Gotha); Madune (Mosel); Dabernatschen (Pongau), Afarizen (Unterpinzgau) ¶ *Ribes nigrum* Schwarze Johannisbeere; Stinkstruk (Mecklenburg), Bocks-, Bucksbeeere (plattdeutsch), Bokbeere (Nordböhmen), Wanzenbeere (Thüringen, Baden, Schweiz), Wändelbeere (Elsaß), Scheißbeere (Altenburg), Kakelbeere (Oldenburg), Katzebier (Oberhessen), Chatzeberi (Zürich); Eilbëe, swaarte Allbëe (Ostfriesland), Albern (Mecklenburg), Ellbääre (Emsland); Adebarskaspern (Mecklenburg); Schwarze Gehansdrauwe (Hunsrück), schwarzi Meertrübeli (Schweiz), schwarze Träuble (Schwäb. Alb); Iichtbeern, Gichtbeere (Nordwestdeutschland), Gichtholt, Gichtbernstruk (Mecklenburg), Gichtbäumchen (Ruhla); Aapenbeeren (Bremen); Solterbeeren (Schleswig); Jungfraubaum (Schlesien), Jungfernstrauch (Sachsen), -baum.

Familie: *Rosaceae.*

Spiraea Spierstrauch ¶ *Aruncus silvester* Geißbart, Ziegenbart; Bocksbart, Waldbart (Schweiz), Unser Hergots Bartal (Niederösterreich); Fedderbusk (Bremen); Bärmuttersträuße (Böhmerwald); Wildhirs (Zürcher Oberland); Imme-, Bienlikrut (Baden), Imbelichrut (Aargau) ¶ *Filipendula Ulmaria* Mädesüß Rüsterstaude, Johanniswedel, Wiesenkönigin, Wiesengeißbart; Mäsöt, Sötmei, Mäkrut, Melsöt (Lübeck), Miärsöt (Westfalen); Immenkraut (Schleswig), Impenkraut (bayerisch-österreichisch), Imbelichrut (Schweiz), Beinkraut (bayerisch-österreichisch), Beinnosset (Böhmerwald), Beietrost (Aargau); Großer Happelbort (Oberharz), Geistbart (Riesengebirge), Bocksbart (Aargau); Wilder Flieder (Ostpreußen: Saalfeld), falscher Holler (Böhmerwald), wilder Holler (Baden); Bärmuttersträuße (Böhmerwald), Frauenkrut (Gotha), Krampfkrut (Elsaß); Muckröem (Untere Weser), Brannwiensblome (Bremen), Sötbeeten (Mecklenburg), Roodstengel (Untere Weser), Federblume (Westfalen), Stolzer Heinrich (Nordböhmen), Därrfleisch (Gotha) ¶ *Agrimonia Eupatoria* Odermennig, Ackermennig; Heil aller Welt; Havermünnenkraut (Hann.), Adermeneken (Braunschweig), Ottermännchen (Thür.), Aggermonde, Hangemonde (Schwäb. Alb), Haldenmändle (Schwaben), Odermännel, Utermanlek (Elsaß), Oder-Mändli (Schweiz); Ackermund, Argenmündli, Argemöntli, Agermünnlichrut, Argemönlichrut (Thurgau), Acker-Männl (Schweiz); Kaisertee (Eifel), Longakraut (Schwäb. Alb), Brustchrut (Aargau); Herrgottsnägelchen (Eifel); Schafklette (els.), Bubeläus (bad.) ¶ *Rubus Idaeus* Himbeere; Himmere (Göttingen), Hennebee (Ostfriesland), Himkes (Niederrhein), Humbel, Himmerte (bergisch), Himpelbeer (Schlesien), Heankbeer (Riesengebirge), Hindlbeer, Kindlbeer (Oberösterreich), Hummelbeer (Vorarlberg), Hübele (Baden), Amber, Ember (Hessen), Imbere (Eifel), Imperi, (H)impele, Oempele, Umpele (Schweiz); Holbeer, Hulba (bayerisch-österreichisch), Huiwa (Bayer. Wald), Molber, Moibeer (bayerisch-österreichisch); Nidelbeeri (St. Gallen), Haarbeeri, Sidebeeri (Schweiz), Kornbeer (Oberösterreich); Malina(beer) (Böhmerwald, Ober- und Niederösterreich) ¶ *Rubus fruticosus* Brombeere; Brummelbeere (plattdeutsch), Brümmesbäre (Emsland), Brümmelken (Minden), Bromerte (Niederrhein), Blembern (Oberhessen), Brummbäre (Meißen), Braunber (Niederösterreich), Ramabeere (Riesengebirge, Böhmerwald), Pfrubeere, Brumelter (Baden), Brennbeere (bayer. Schwaben), Braunbeer (Schwäb. Alb), Braun-, Brömdorn (Elsaß), Brömele (bad.), Brum-, Bramberi, Brobere (Schweiz); Kratzbier (Oberhessen), Krozbiäre (Nordostböhmen), Hundsbi(er) (Erzgebirge), -beer (Baden), Hirschbellen, -bollen (Bayern), Arsch- (Schlesien), Schwarz- (Nassau), Haber- (Egerland, Böhmerwald), Heckebeere (Rheinpfalz), Snorbee (Ostfriesland), Dubenbeer (Mecklenburg-Schwerin); Moren, Mruen, Murrper (Kärnten), Mure (Lothringen) ¶ *Rubus caesius* Kratz-, Acker-, Bockbeere; Krazram (Nordböhmen), Duûbechröpfli, -beeri (Baden), Tubechropf, -chnopf (Aargau), Roß-Boppele (Zürich), Bläueli (Schweiz: Thurgau), Nebelbeere (Oberösterreich), Nachtnebel (Niederösterreich); Tüfelsbeeri (Aargau), Hunds-, Chrotte-, Ottere-, Vogelbeeri (Schweiz), Foßbeeren (Mecklenburg) ¶ *Fragaria vesca* Wald-Erdbeere; Aelbete (niederdeutsch), Elber (Aachen), Erper (bayerisch-österreichisch), Erbel (Baden), Irba (Böhmerwald), Epper(i), Hepperi (Schweiz), Bäsink (niederdeutsch), Beer (Schwäb. Alb), Beerige (Baden), Ruutpere (Erzgebirge), Rautbern (Böhmerwald, Egerland), Roapr (Kärnten), Röteli, Roteere (Baden); Atschebeere (Hannover); Brüstlein, Brüstlinge (Schlesien), Bröstlinge (Thüringen) ¶ *Fragaria viridis* Knack-, Knorpelbeere, Brestling; Prassel (Ostpreußen), Prö(b)stling (Österreich), Bresling (Thüringen), Brästling (schwäbisch); Knickel- (Mecklenburg), Knäcks- (Nordböhmen), Knack(el)- (Thüringen); Knackererdbeere (Mainz); Klepperbeere (Elsaß); Klescha (Niederösterreich), Plaschdere, Blastere (Nahegebiet); Hontbääre (Emsland), Häubel, Zuckerbeere (Nordböhmen) ¶ *Sieversia montana* Alpen-Petersbart, Alpen-Benediktenkraut; Ruhrwurz (Kärnten), Trüebchrut, -würze (Graubünden), Wasserbergwurz (Steiermark), Petersbart (Tirol), Grantiger Jager, Ruwas (Salzburg); Benediktenwurzel, Benediktusblumen (Kärnten), Steinbenedix (Riesengebirge); Gelber Speik (Oberösterreich), Tüfelsabbiß (Graubünden), Schrietwurz (Kärnten) ¶ *Potentilla erecta* Blutwurz, Tormentill; Ruhrwurz (Kärnten), Bauchwehwurz'n, Scheißwurz (Böhmerwald), Nabelwurzel (Nordböhmen), Zentgros (Böhmerwald), Heil aus'm Grunde, Helplutsa (Schlesien), Herztrösterli (Baden: Muggenbrunn); Schlangenblume (Baden: Rastatt), Duvelsabbeß (rheinisch), Tüfelsabbiß, Aebbeyßwürze (Schweiz: Waldstätten), Fingerkraut (Riesengebirge), Christuskrone (Schwäb. Alb); Mooreckel (Ostfriesland), Heidecker (niederdeutsch), Birkwurz (Eifel); Turmentill (Aargau), Turbatill (St. Gallen), Durmetill (Baden, Schweiz), Darmadill, Tirmatill (Kärnten), Dermendill (Gotha), Darmtille, Törmlatille (Glatz), Tarpentill (Lübeck), Ermentill (Oberharz), Armedill, Ermedill (Nordwestböhmen), Armetill (Ostpreußen), Domärdälla, Dilledum, Dilledapp (Schwäb. Alb), Alleturementenwurzel (Nordböhmen), Terpentinkräutl (Oberösterreich) ¶ *Potentilla anserina* Gänserich, Silberkraut, Gänse-Fingerkraut; Gooseblöme (untere Weser), Ga(n)skraut (Schwäb. Alb), Gänsewiß (Gotha), Gänsegrau (Erfurter Gegend), Gansbratzen (Niederösterreich), Gausetrappe (Braunschweig); Grä(n)sing (Ostpreußen), Witte Gräns (Altmark), Grinzegränze (Anhalt), Grensink (Waldeck), Gränsel (Gotha); Dreckkraut (Niederösterreich), Säukraut, -krût, Schwinstränzel, -krüdig (Gotha), Sauringel (Henneberg); -wühln (Niederösterreich), Sülverkrut (Westfalen), Selwerblatt (Lothringen), Silberchrut (Schweiz); Katzepfute (Oberhessen), witten Hinnerk (Schleswig), Loiterlgras (Egerland), Ripplichrut (Aargau); Leiterlekrut (Elsaß ¶ *Dryas octopetala* Silberwurz, Weißer Gathau; Müdla (Niederösterreich); Frauenhaar (Kärnten), Petersbart (Niederösterreich: Schneeberg); Steichrüchere (St. Galler Oberland); Kaisertee (Salzburg), Kateinl (Pinzgau), Frauenrosen (Kärnten: Bleiberg) ¶ *Geum rivale* Bach-Nelkenwurz; Bachblueme (Waldstätten), -rösli (Thurgau), -nägeli (Baden), Herzglocken (Oberharz), Wille Klocken (Schleswig), Fleischglöckchen (Thüringen), Feuerglucke (Nordböhmen), Ziegenfleisch (Schlesien),

Bluatströpferl (Altbayern), Schloatfegerla (Mittelfranken), Scheißhäfala (Nürnberger Gegend), Nachthäfele (Oberfranken), Rotzglocken (Altbayern), Herrgottsschüchen (Eifel), Kuhschelle (Baden), Fraueseckeli, Maieseckel (St. Gallen), Dudelsacksblume (Schmalkalden), Dotebüdele (Thüringen), Schlotterhose (Thurgau), Kapuzinerle (Baden, Schweiz), Kapuzinerglöggli, -schelle, -zotteli (St. Gallen, Waldstätten), Patakappel (Egerland); Heilands-, Himmelsbrot (Schwäb. Alb), Speckblümchen (Gotha), Speckblüemli (Schweiz) ❡ *Geum urbanum* Echte Nelkenwurz, Märzwurz, Hasenaug, Heil aller Welt, Mannskraft, Garoffel; Nägalaswurzl (Schwäb. Alb); Benedikte, -chrut (Schweiz), Benediktenkraut (Riesengebirge), Benediktworzel (Teplitz); Wilder Sanikel (Eifel), Heilnarsch (Ostpreußen), Flecke-, Nagel-, Augebüntelichrut (St. Gallen); Igelköppe (Westfalen), Igel- (Schwaben), Johanniskraut (Glatz), Teufelsabbiß (Kärnten) ❡ *Alchemilla vulgaris* Frauenmantel, Taubecher, Sinau; Mänteli, Mäntelichrut, Hase-, Frauemänteli (Schweiz), Kruse- (Oberharz), Herrgottsmäntelchen (Eifel), Liebfrauenmantel (Nassau), Muettergottesmäntele (Elsaß), Mariamäntela (Schlesien), (Muttergottes-)Mantelteni (Schweiz: Goms), Jungfernmantel (Steiermark), Schüsselichrut, Röckli (Schweiz), Kräglein (Schlesien), Frauenhäubl, Haubma, Hiadl (Böhmerwald), Dächlichrut (Zug), Regendächle (bayer. Schwaben), Parisol (Engadin), Neuneck (Eifel), Neunlappenkraut (Kärnten); Gänstotscherl, -pratzerl (Böhmerwald), Gänsefuß (Ostdtl.), Gänseloutschen (Riesengebirge), Gänseplatschel (Nordböhmen); Daufänger (Gotha), Taubecherl (bayerisch-österreichisch), Taubletter, -mantel, -schüsseli (Graubünden), Wasserträger, Rägetropfe (Schweiz), Taukräutel (Obersteiermark); Wundkraut ❡ *Sanguisorba officinalis* Großer Wiesenknopf, Blutkopf, Sperberkraut, (Große) Bibernell, Pimpinelle; Schneider-, Hosenknopf (Niederbayern); Hartkopp (Nassau), Krometkhop (Oberhessen), Heideköpfli (Baden), Trummelsschliagala (Egerland), Knäppelkraut (Teplitz), Botz'n (Böhmerwald), Bummala (Egerland), Kölble (bayer. Schwaben), Bolle (Elsaß); Braunelle, Braunalle, Franellen (oberpfälzisch), Kaminkehra (Altbayern), Schlotfeger (Mittelfranken), Rau(ch)fangkehral (Oberpfalz), Blaudfätken, Blaudkopp (Westfalen), Blutkopp (Oberhessen), Blutströpfli (Baden), Kaffee (Nordböhmen); Hühnerleiterle (Gotha), Leiterlichrut, -gras (Aargau); Pumerellen (Böhmerwald), Großer Bimbernell (Hessen), Futterbiwernell (Gotha), falsche, rote Pimpernell (bergisch); Bainkraut (bayerisch-österreichisch); Schmetzkraut (Oberhessen), Unsern Herrgott sein Bart (Südböhmen), Triebkraut (Kärnten), Schopsküütelkes (Niederrhein) ❡ *Rosa* Rose, Hecken-, Hundsrose, Hagebutte; Hagebutze (Schweiz: Thurgau), Habutje (Göttingen), Hombuëzen (Gotha), Hambutte, Haumbodden, Humbodden (Gotha), Hombuden (Teplitz), Haneputtchen (Nordthüringen), Hahnewippchen (Anhalt), Hanenpötzen (Hannover), Hawodele (rheinfränkisch); Buddeln (Westfalen), Boddeln (Nahegebiet), Bottel (Niederrhein, Lothringen), Bötteln (Eifel, Butte (Baden), Buttle (Aargau), Bottelter (Lothringen), Butteltendon (bergisch), Butte(n)rösle (Elsaß); Bedequar; Häglidorn (St. Gallen), Hagrösli (Thurgau, Zürich); Hahnedorn (Nahegebiet); Huhicke (Kleinschmalkalden); Hahiefe (Niederhessen), Hiefeheck (Baden), Hainhiffe (Thüringen); Hifte; Heinzlein; Jöbke, Jeebkes, Jeebkerdorn (Ostfriesland), Wepeln (Tolkemit), Wepel-, Wipelduurn (plattdeutsch), Kipe (Nassau), Kipel, Kependorn, Kiperte, Kipeltendorn (bergisch); Hetschepetsche (Österreich, Steiermark, Kärnten); Mariendorn, Frauenrose (Ostpreußen); Hekapeka (Böhmerwald); Arschkitzl (bayr.-österreichisch, fränkisch), Lochkitzle (Elsaß), Arschkratzelche (Nahegebiet), Kratzärschle, Krätz am Arsche (Lothringen); Ha(h)nehödchen; Gackarsch; Kralle, Ohreglüngge (St. Gallen), Hagenäpfle (Baden), Haarwutzel (Böhmerwald), Spockelter (Eifel); Phrosla (Montavon), Pfrosle (Schwäb. Tirol); Egeltieren (Ostfriesland); Hergotteschweiß, Christusschweiß (Zürich); Heiderose, Mädchenröte, Rosenapfel, -schwamm, Schlafapfel, Schlafkunze, Steinrose, Weichseldorn, Wiegenstrauch, Zaunrose ❡ Teerose · Monatsrose.

Rosa eglanteria Weinrose, Gemeiner Hagedorn, Engeltierrose; Riechdorn (Teplitz), R(o)ukdu(o)rn (Waldeck), schmeckende Röselstaude (Böhmerwald), Richhüh (Thüringer Wald), Waelaob (Schwäb. Alb); Marien-, Muttergottesrose (Nahegebiet), Muttergottesdorn (Teplitz), Frauenlaub, -dorn, Herrgotts-, Heilandsrösli, Heilandsschnecke (Schwäb. Alb), Frauerösli (Schweiz: Churfirstengebiet), Jesuskraut (Schmalkalden), Herrgottesschweiß, Christusschweiß (Zürich); Eglantier, Egeltier, Engeltier (Westdeutschland), Engeltyras (Litauen) ❡ *Cydonia* Quitte · *Pirus* Birne ❡ *Sorbus aucuparia* Eberesche, Vogelbeerbaum; Aewischen (Sachsen: Wurzen), Aebsche, Ebsche, Absche (Nordböhmen, Sachsen), Abschbeere (Riesengebirge, Teplitz), Eb(i)schbeeren (Sachsen); Moosesch, Stinkesche (St. Gallen), Wielescha, Schwi(n)-(Schweiz), Haweresch (niederrheinisch, bergisch), wilde Esche (Oberwallis), Aschekirsche (bergisch); Vogelbeeren (in verschiedenen Mundarten), -kirsche (besonders fränkisch), Drosselbeeren (Ostfriesland), Merlekirsch [= Amsel-] (bergisch), Kransvogelbeen (Ostfriesland), Kramtsbeerbaum (Westfalen: Rheine), Krammetskiesch (Niederrhein), Gimpelbeer (Kärnten), Kreienbeen (Brennen), Krackenbeer, Krackjene (Goms im Wallis); Chrottebeeri (St. Gallen), Düwelski(a)schen (bergisch), Judekirsch (Lothringen), Stinkholz (Elsaß), -fulen (Schleswig), Faulbaum (Niederösterreich), -beer (bayerisch-österreichisch), Faulischbeer (Tirol); Sip-sap-sipken (Ostfriesland); Flotenhuolt, Fleutpipenbom, Huppenholt (bergisch); Quetschen(boom), Quetschbeeren (Bremen), Quitsche, Quischke (Anh.), Quitschbeer(baum) (Mecklenbg., Thüringen), Quitze (Pommern), Quetzern (Hannover), Quieke (Westfalen), Quecke(boom) (Oldenburg, Elberfeld), Quester, Spröckern, Quicken-, Quizenbaum (Niedersachsen), Kwiekel (bergisch); Gürgütsch (St. Gallen), Güretsch, Gürigütsch, Gurgetschbeeri (Graubünden), Zürmsch (Bern, Luzern), Aschitz'n (Niederösterreich), Arschitz (Steiermark); Mostbeer (Tirol), Moschbeer (Kärnten), Schmälkabeer (Niederösterreich), Adelsbeer (Schwäb. Alb.), Engschbeerle (Elsaß) ❡ *Sorbus domestica* Speierling, Sperbe, zahmer Sperberbaum; Sperlingsbaum (Oberhessen), Spiirli (Baden), Sperwel (Lothringen), Sperröpfeli (Schaffhausen); Drecksäck(e) (Oberhessen, Nassau); Eschütz'n, Escheritzen (Österreich), Atlitz (Steiermark); Nunebirn (Wetterau), Lohdüber (Niederösterreich), Mehlbeeri (Schweiz) ❡ *Sorbus torminalis* Elsbeerbaum, Wilder Sperberbaum, Ruhrbirne; Elzebere (Götting.), Elzbeerholz (Schwäb. Alb), Elscherte (Lothr.), Elsebeeri (Zürich); Adlsbeerbam (Nordwestböhm.), Arlsbeere (Nordböhm.), Ortlesbeere (Sachsen), Adlasbeer (Nd.-Ö.), Spierbaum (Mecklenbg.), Wasserrutschken (Nordböhm.), Fulbaum (Schweiz), Sauerbirla (Schwäb. Alb), Frauenbeeri (Zürich) ❡ *Amelanchier ovalis* Felsenbirne, Fluhbirne; Flüeh-Bire(n), Heubire(n), Stei-Birli, U(n)ser-Herrgotts-Bireli (Schweiz); Stein-Böckle (Elsaß); Krinten (untere Weser), Klingelbeer (im Fränkischen), Klusterbiere (Rheinland: Trimbs), Korre-, Kindsches- (Nahegebiet), Gamsbeere (Salzburg), Bärenbirn (Kärnten); Edelweißbaum (Oberbayern) ❡ *Pirus Malus* Apfel; Holzapfel · Unzählige Sorten ❡ *Mespilus germanica* Echte Mispel · Mespel(te) (bergisch), Misple (Schweiz), Nes(ch)p(e)l (bayerisch-österreichisch), Näschple (Baden), Nesple (Schweiz), Nischpel (Baden), Nistel (Thurgau), Asperl, Esperl, Eschpaling (Österreich), Hespel (Steiermark), Häschbele (Baden), Wispel (niederdeutsch, Meißen, Oberhessen), Wispelbeeren (Oldenburg); Aapeneers, Apenierschen (plattdeutsch), Hunsäsch (Lothringen: Bolchen); Aapentüet (untere Weser); Drecksäck (Frankfurt) ❡ *Crataegus* Weißdorn, Hagedorn; Hadorn (niederdeutsch), Handorn, Hahnedorn (Eifel), Hador (Lothringen), Hägela (Schwäb. Alb), Haakäsen (Westfalen), Haanapel, Hohnäppelchen (fränkisch), Hagöpfeli (Baden), Hankleßchen (Thüringen); Jip (Schleswig), Wifke, Wipke, Jeepkes, Jöbke, Hagewiepkes (Ostfriesland), Wibelken, Wubbelken, Bibelken (untere Weser), Haweike, Haweiweke, Haweife, Hawiweke (Göttingen); Müllerkes (untere Weser), Meelwiefken (Jever), Molderbrod (Göttingen); Mehlkiesch (Niederrhein), Mehlbeere (ober- und mitteldeutsch), Mehlkübeli (bayer. Franken), Maelfässer (Thüringen), Mehlfässli (Schweiz), Lusbeere (Elsaß), Ferkeskiesch (Niederrhein), Schweinspirchen [= beerchen] (Lothringen); Smölkes (Emsland), Schmalzbeeri, -öpfeli (St. Gallen), Heinzelmännerchen (Gotha ⁋ *Prunus communis* Mandel · Krachmandel; Hahnenhoden ⁋ *Prunus Armeniaca* Aprikose, St. Johanns Pfersing, Marille; Aperkuse (Niederrh.), Appeldegose (sächsisch); Amarilleli, Mareieli, Barilleli (St. Gallen), Pareieli (Thurgau), Barille (Zürich), Möllele, Barölleli (Baden, Elsaß); Katommelche, Kartommelche (niederrhein.) ⁋ Alberge.

Prunus spinosa Schlehdorn, Schlehe(nstrauch), Schwarzdorn; Slien, Slüenken, Slene, Slenerte (niederdeutsch); Schlije, Schliche (Oberhessen), Schlaia (Schwäb. Alb), Schlech-, Schliecheberi (Schweiz); Schling(e) (Oberhessen, Rheinland, Egerland), Schlinne, Schlingenstrauch (Nordböhmen), Schlingeheck (Rheinland); Hageldorn (St. Gallen), Heckedorn (Wetterau); Wöstegrippenholt (Westfalen), Wunschpinndööre (Niederrhein), Spönling, Spelling, Spendling, Herling ⁋ *Prunus domestica* Pflaume, Krieche, Zwetschge; Quetsche (hess.), Zwetsche; Pruum (Aachen), Braum (Hunsrück), Pfram (Kärnten), Pflume, Frume (Schweiz); Krecke, Kreike (niederdeutsch), Krekel(te) (bergisch), Kriacherl (bayerisch-österreichisch), Chrieli (Schweiz), Chanderer-Chrieche (Markgrafenland); Spilling, Spilgen (niederdeutsch), Sperrjen, Spellen (Nordwestdeutschland), Spillchen (sächsisch), Spönling (Salzburg), Spenling (Oberösterreich); Tittlespflaume (Stuttgart), Tammsleë (Ostfriesland), Haberschlehe (schwäbisch), Haberkriese; Ziberl, Zeiberl (Niederösterreich), Ziberling (Steiermark), Zibart(l)e (Schweiz, Schwaben), Zipärle (Graubünden); Bilse (Hunsrück), Bülken (Mark); Wichterkes (Westfalen); Hengst(hoden)pflaume (Süddeutschland); Knätschlinge, Knäkerling, Hundspflaume (Anhalt).

Reineclaude, Remiglotte (Lörrach), Ring(e)lotten (Wien, Bonn), Reinklau (Nassau), Renegnoden (Naumburg), reine Kloden (Mecklenburg), grüne Knoten (Thüringen); Ringlo (alem.), auch Ringlotte; Swetsche (Braunschweig), Quetsche, Quatschen (Gotha), Quatschke (Nordböhmen), Zwöschge (bayrisch-österreichisch), Queckschte, Gewetsche (Baden), (Z)wätschge, Wägste (Schweiz).

Mirabelle, Gedimmelche (hess.).

Prunus Padus Traubenkirsche, Elsebeere, Ahlkirsche, Stink-, Schießbeere, Potscherbenbaum, Maibaum, Elfenbusch; Elze (fränkisch), Elsen, El(e)xen. (bayr.-österr.), Else- (al.), Helsabeer (Schwäb. Alb), Gelsen (Kärnten), Gelgeboum (Thurgau), Belzebaum, -bub (Baden); Aalkirschen (untere Weser, Schleswig, Nordböhmen), Ahlweder (Schleswig), Ahlert (obersächsisch), Aletschbeere (Lötschental); Stinkbom (Mecklenburg), Stinkholer (Hunsrück), Stinkata Hulla (Karlsbad), Stinkwide (Aargau); Fuulboom, -beeren (niederdeutsch), Fülk'n (Altmark), Faulbaum (Eifel); Wile Kiässen (Westfalen), Welde Weichsel (Niederrhein), Judenkirschen (Bremen), Giftbeere (Baden); Schwarzhasle (Thurgau); Paschurke, Padschurke (Lausitz) ⁋ *Prunus avium* Kirsche; Süß-, Vogelkirsche; Chriesi (Schweiz, Oberrhein); Kaßbeeren, Käspern, Kesper (niederdeutsch); Wissel-, Zwissels-, Wispelbeeren, Wiechsler (Basel), Wiechslen (Luzern); Haferkirsche, Zwiesel ⁋ *Prunus cerasus* Sauerkirsche, Herzkirsche, Knupperkirsche, Weichsel, Amarelle, Morelle, Ammer ⁋ Natte.

Prunus Mahaleb Weichselkirsche ¶ *Prunus Persica* Pfirsich, Pfersing; Päske, Peseke, Pääskappel (niederdeutsch), Pietsche (bergisch), Persching (Oberhessen), Pfearscha (bayerisch-österreichisch), Pfersig, Pfersich (al.), Persch (Lothringen), Peach (Solingen), Ferrsche (Naumburg), Fäsocher (Thurgau); Melekatömmelche (niederrheinisch) ¶ Steinweichsel · Kirschlorbeer.

Familie: *Mimosaceae* · Akazie, Lakatsche (Hannover) · Mimose.

Familie: *Papilionaceae* Schmetterlingsblütler; Johannisbrotbaum, Karobe · Judasbaum · Süßholz, Lakritze, Robinie Linse · Kichererbse ¶ *Pisum sativum* Erbse, Eß-, Ackererbse; Arfte, Aarfke, Iärften (plattdeutsch), Ärze (Niederrhein), Artschen, Arfschen (Hannover), Ääze (bergisch), Ärwis (Erzgebirge), Arwas (unterfränkisch), Arbeis (bay.-ö.), Erschen, Äscha (schwäb.), Feld-, Stock-, Graue Erbsen; Peluschke, Paluschke, Preußische Erbse usw. Saat-, Weißerbse, Weißerbs (St. Gallen), Gemüse-, P(f)lück-, Brech-, Klotz-, Kern-, Kneifel-, Brokelerbse (Oberrheintal), Schal-, Pahlerbse, Pale; Kocherbse, Köchere (St. Gallen) usw.; Eßerbs(e), Schleckererbs, Freßerbsli (St. Gallen), Schoten-, Hodelerbse (St. Gallen), Heiratserbse (Straßburg), Mäuchli, Rondeli (St. Gallen), Süß-, Zuckererbsen, Zuckererbsli (Ostschweiz), Buwerli, Bowerli, Buwere, Pauvere (Nordostschweiz); Schote (norddeutsch), die großen Hülsen heißen Kefen, Chäfe, churzi Chäfe, Kiefel, Chifel, Schäfe, Schwizerdege usw. (Nordschweiz) · Der Erbsenbrei heißt Chost, Mus (Nordschweiz), Ausmachmus (Basel), derjenige von „Kefen" Zuckermus ¶ *Phaseolus vulgaris* Garten-, Schmink-, Vietsbohne, Fisole; Weiße Bunn (Nordböhmen), Wissi Bohne (Elsaß), Stäifelbôhne (Braunschweig), Steckebunne (Rheinland), Stickelebohne (Thurgau), Pfârebunn (Nordböhmen), Blomebuun (Oberhessen), Walschbohne (Elsaß), Viets-, Vizebohne, Feiksbaune (niederdeutsch), Brockel-, Wind-, Dräj-Erbis (Schweiz). Kicher (schwäbisch); Buschbohne: Struukbonne (Niederrhein), Kruupboonen (plattdeutsch), Gruper(li) (St. Gallen), Chrücherli (Thurgau), Höckerli(bohne), Hoggerbs, Bodenerbs (Schweiz), Fasola (Glatz), Faselich (Hildburghausen), Fisole (bayerischösterreichisch), Fasel(e), Fasol(e), Fisel(e) (schwäbisch), Fisehl (Glarus), Fasiöhl (St. Gallen), Fisella (Unterengadin), (Schabbel)bohne (westpreußisch); Rickers (Hannover) ¶ *Phaseolus coccineus* Feuer-, Blumen-, Kapuziner-, Türkenbohne; Prunker(-boone) (plattdeutsch), Blumen- (Baden), Struß- (Thurgau), Bölle- (Niederrhein), Wältschi Bohne (Thurgau), Türkische Bohne (Gotha), Roßbohne (Niederösterreich), Roßerbs, -bohne (Schweiz) ¶ *Vicia Narbonensis* Maus-Wicke, Schwarz Ackerbohne; Mäusebohne, -wicke, Scheererbse (Baselland, Baden), schwarze Erbse, Mohrenerbse, französische Bohne oder Wicke, römische Wicke ¶ *Vicia Faba* Feld-, Pferde-, Sau-, Buff-, Puffbohne; Pärebône (Braunschweig), graute Baune,Tiekebäune (Westfalen), Wals Boon (Ostfriesland), Wiewelbône (Hannover), deutsche Boan (Kärnten), Ackerbohne (z. B. Schweiz), Großbohne (Oberbaden) ¶ *Vicia hirsuta* Zitterlinse, Ervenwicke, zottige Linse, Brillenlinse; Vogelheu (z. B. Baden, Schweiz), weiße Vogelwicken (Gotha), Fijjelswäcken (Siebenbürgen), Rief (Niederrhein), Reiff (Eifel), Klingelwicke (Westfalen) ¶ *Vicia Cracca* Vogelwicke, blaue Wicke; Lùsewicke (Hannover); Vogelzok (Nordthüringen), Vogelheu (Schweiz), Roßarbeis (Böhmerwald), Krokk (Mecklenburg), Krakerlizen, Kracherlitzen (Kärnten), Ruve, Riggen (Westfalen); Schêrwicke (Hannover) ¶ *Vicia sepium* Zaun-Wicke, Gemeine Wiesenwicke; Vogelwicke, -heu, -erbsli, -chrut (Schweiz), Kraharbasen (Salzburg), Ameisleitern (Osttirol), Wiesawigga (Schwäbische Alb), Zitli (St. Gallen), Liebeherrgottsschüele (Elsaß) ¶ *Vicia sativa* Futter-Wicke, Acker-wicke, Saat-wicke; Reën (Bremen), schwarze Wicke (Böhmerwald), Wild Chifel (Schweiz: Baar), Tschetschkan (Böhmerwald), Grachelitzen, Krakerlitzen (Kärnten), Grachetze, Gracharitze (Untersteier-

mark) ❡ *Glycine hispida* Sojabohne ❡ *Lathyrus vernus* Frühlings-Walderbse, Früh-
lingswicke; Kuckukschù, -schichelchen (Nordthüringen), Kuckuck (Mittelfranken),
Herrgottsschühle (Württ.), Liabfrauenschuachal (N.-Östr.), Fraueschühle (Schwäb.
Alb), Gickelhähnchen (Thüringen), Gögerli (Mittelfranken), Bibahendl (N.-Östr.),
Gogglhahna, Gockeler (Schwäb. Alb), Franzosa (Schwäb. Alb), Ziegenraute (Schle-
sien), Spanische Wicke (Schwäb. Alb) ❡ *Lathyrus pratensis* Wiesen-Kicher, gelbe
Vogelwicke, gelbe Platterbse; Gute Quintches (Ostfriesland), Herrgottsschühle
(Württ.: Gmünd), Strömpf ond Schüeli (St. Gallen) ❡ *Lathyrus tuberosus* Erd-
Eichel, -nuß, -mäuse, -wicke, Knollwurz; Erkel (Württ.: Wurmlingen), Erschawisch,
Erdbirne (Schwäb. Alb), Mäuschen-, Kälber-, Hammelkraut (Eifel) ❡ *Lathyrus
sativus* Saat-Platterbse, deutsche Kicher, Kicher(ling) ❡ *Hippocrepis comosa* Huf-
eisen(klee), Pferdehuf(schote), Pferdeisen-, Roßeisenkraut, Steinwicke; Steichlen (Ba-
den), Muetergottes-, Liebeherrgottsschüe(h)li (Elsaß) ❡ *Onobrychis viciifolia* Scop.
Esparsette, Hahnenkamm; Espesett, Espasek, Espazek (Elsaß), Eschbeze (Baden),
Bärsette (Schweiz), Es(ch)per(chlen) (alemannisch), Igelklee (Lothringen, Elsaß),
Leiterlichlen (St. Gallen), Rutwistlich (Nordböhmen), Hasemuli (Baden), Wille
Wicken (Hannover), Türkischer Klee; Zehnjähriger Chlee (St. Gallen), ewiger
Chlee ❡ *Lens culinaris* Linse, Linsenerve; Tschotschken (Nordböhmen), Lituc-
Kekers (altpreußisch) ❡ *Lotus corniculatus* Gemeiner Horn-, Schotenklee, Frauen-
schühlein; Schügelchesblume (Hunsrück), (gäle) Bandöffelchen (Gotha), Pan-
toffel(che)n (bayr.-österr.), Bantöffeli (al.), Frauenschuacherl (bayr.-österr.), Fraueschüeli (Schweiz), Jungfernschüherl (bayr.-österr.), Jumpfereschüeli (al.), Unserer
lieben Frau Schouala (Egerland, Böhmerwald), Himmelmutter-Pantoffeln (Niederbayern), Muttergottesschickelcher (Lothringen), -stifeli (Waldstätten), Herreschüeli
(Schweiz), Herrgottsschüchelchen (Eifel), -schühli (Baden), Herrgotts, Liebeherrgottsschüele (Elsaß), Herrgotteschüeli, Unser Hergotts Strömpf ond Schüeli (St. Gallen),
Haaneschickelcher (Hunsrück), Hoahna (N.-Österr.), Hennentatze (Osttirol), Engels-
füßle (Gotha), Taubenfüßl (Böhmerwald), Krahnfüßerl (Ob.-Österr.), Himmels-,
Herrgottszehe (Niederbayern), Hasepot, -pietche (Nahegebiet), Hasenpfoten (Ober-
Wallis), laiwe (Frauen) Fingerkes (Mark), Taubenkröpferl (Ob.-Österr.), -schnäbel
(Böhmerwald), Schlüsselblume, Himmelsschlüsserl (z. B. Ob.-Österr., bayer. Schwaben), Himmelsschlösseli, Schlösselblüemli, Stadt-, Chuchischlösseli (St. Gallen),
Osterflämmken (Westfalen), Eierblum (fränkisch, lothringisch), Eierkuchen, -platzla,
-glöckl (Nordböhmen), wilde gäle Veigela (Schwäb. Alb), Goldklewer (Braunschweig), Steenklewer, grote Rëenklewer (untere Weser), geele Rankenklewer,
Steinklawer (Westfalen), Stein-, Zeder(le)klee (Baden), Imbelichlee (Schweiz) ❡ *Co-
lutea arborescens* Blasenstrauch, -schote, Schaflinse; Kletschen (Wien), Klescherl-
staudn (N.-Österr.), Kleschstaude (Steiermark), Chlepperli (Schaffhausen), Erbsen-
blüte (Niederrhein), Linsebaum (Schweiz) ❡ *Ornithopus sativus* Serradella; Se-
della (Westfalen), Scherredella, Schiradella, Scherredellgras (nordwestl. Deutschland), Sekadell, Stradell (Westfalen: Rheine), Radella (Danzig), Sardellen (Mark
Brandenburg) ❡ *Trifolium pratense* Rot-, Wiesen-, Matten-Klee; Fleischklee (vielerorts), Hungblueme, Hungsüger (Schweiz), Zuckerblüemli (Schweiz), Zucker-
(Schwäb. Alb), Himmels- (schwäbisch, bayerisch-österr.), Herrgottsbrot (Ries), Herrgottefleisch (Schweiz), Frauen-, Johannisbrot (Schwaben), (roter) Süger(li) (Schweiz),
Sutzler (Tirol), Deutscher Klee (z. B. Rheinlande), Steyrerklee (Österr.), Kooblöme
(Ostfriesland), Futterklewer (Braunschweig), Stupfleklee (Baden, Schweiz),
Hummel- (Schweiz: Waldstätten), Pfundchlee (Aargau), Heublueme (Graubünden)
❡ *Anthyllis Vulneraria* Wundklee, -kraut, -wurz, Wollblume; Tannenklee
(in verschiedenen Gegenden), Sommerklee (Böhmerwald), Schöpfli-Chlê (Aar-

4*

gau), Rolle(n)-Chlê (Aargau), Wull-Chlê (Schweiz), gelber Klee (z. B. Anhalt,
Riesengebirge), russischer Klee (Handelsbezeichnung), Bärenklee (Oberösterreich),
Bärentazal (Niederösterreich), Bärenpratz'n (Oberbayern), Bäretape (Schweiz, Ba-
den), Hasenklee (Schweiz: Lötschberg), Kätzeklee (Luxemburg), Katzenbratzerl
(Oberösterreich), Katz(n)top(n) (Elsaß), Chatzetöpli (St. Gallen), Chatzewädele
(Niedersimmental), Watteblume (Eifel), Wull-Krut (Schleswig), Pantöffeli (Aargau,
Thurgau), (liebe) Herrgottsschühli (Baden, Schweiz), Herrgottsfießli (Urseren),
Muettergottesschüeli (Aargau), Frauenkäppeln (Bayern: Hechrain), Frauenschößli
(Graubünden); Taubenkröpferl (Österreich), Schafszähn, Zähnblöcker (Schwäbische
Alb); Suge, Hummelsugge (Schweiz), Batängeli, Badönikli (Schweiz); Berufkraut
¶ *Astragalus glycyphyllus* Bärenschote, Wolfsschote, Wirbelkraut, Erdmöhre, Stein-
wicke, wilde Süßholz, wildes Bockskraut; Adere(n)kraut (Schwäbische Alb), Harn-
(wind)kraut (Steiermark) ¶ *Coronilla Emerus* Strauchwicke, -peltschen, Strauchige
Skorpionspeltsche; Gasklee (Niederösterreich), Holzwicke (Churfirstengebiet), Herre-
stifeli, Farbchrut (Aargau) ¶ *Trifolium* Klee; Klever, Klaver (niederdeutsch), Chlee,
Klei (oberdeutsch) ¶ *Trifolium hybridum* Schweden-, Alsike-, Bastard-Klee, Fremde
Süger (St. Gallen), Alsyke (Bremen) ¶ *Trifolium repens* Weiß-, Weißer Wiesen-,
Holländischer Klee, Kriech-; Steinklee (weit verbreitet), Brinkklewer (plattdeutsch),
Spinnklee (Elsaß), Schlirp-, Schnürchlee (Schweiz), Schapeblome (Ostfriesland),
Schopsklie (Niederrhein), Geißchlee (Aargau), Hirze- (Elsaß), Plotzklee (Nahegebiet),
Stopelklii (Wetterau), Selbstklee (Kärnten), Teufelsfleisch (Einsiedeln) ¶ *Trifolium
montanum* Bergwiesen-Klee; Spitzklee; Brustklewer, Lungenwört (Braunschweig),
Weißer Klee (Böhmerwald); Steinklee (z. B. Schwäbische Alb), Hipri (Elsaß), magere
Süger (St. Gallen) ¶ *Trifolium alpinum* Alpen-Klee; Bergsüßholz; Hahneplampe
(im Goms) ¶ *Trifolium arvense* Hasen-Klee, Hasenpfötlein, -fuß, Katzen-, Mäuse-
klee; Muusklewer (Schleswig-Holstein); Kätzchen (Westfalen), Katzepfuus (Ober-
hessen), Miezschenklee (obersächsisch), Miezethee (Schlesien), Busikatze, Busenklee
(Anhalt), Feldmiezlan (Riesengebirge), Zerrmaukel (Nordböhmen), Mau(n)za(r)l
(Niederösterreich), Hasenpoten (Mecklenburg), Häsensteert (Bremen), Meisklee
(Hunsrück), Brink-, Steenklewer (untere Weser), Stoppars (plattdeutsch), Stuupzu
(Ostpreußen), Stoppsloch (Erzgebirge) ¶ *Trifolium incarnatum* Inkarnat-Klee, Blut-
klee; Bisserle (Elsaß), Fuchsschwanz (Wetterau), Schwanzklee (Nahegebiet), Scharla-
klie (Niederrhein), Rosenklee (Riesengebirge), Rotkopf (Elsaß), Russesken Klawer
(Westfalen: Rheine), Frühklee (Baden), Wälsche Chlee (St. Gallen) ¶ *Trifolium
filiforme* Faden-Klee, Kleiner Himmelhopfen; Museklawer (Ostfriesland), (fienen)
Reänklewer (Oldenburg), Rankenklauwer (Westfalen) ¶ *Trifolium campestre* Gelber
Acker-Klee, Gemeiner Himmelhopfen; Gelber Klee (Eifel), Goldköpfl (Egerland),
Himmelhoppen (Westfalen), Bull- (plattdeutsch), Lefk'n- (Altmark), Rehklewer
(Hannover), Klemmklie (Niederrhein), Hirten- (Anhalt), Driesch- (Eifel), Hasenklee
(Baden), Stoppelklai (Schwäbische Alb) ¶ *Trifolium spadiceum* Brauner Mohrklee;
Seidener Klee (Böhmerwald), Brauner (Stein-)Klee (Riesengebirge), Bergmänne,
Bergmannsmutz (Sachsen: Altenburg) ¶ *Medicago lupulina* Hopfen-, Gelb-, Hirsen-
klee, Hopfenluzerne; Museklawer (Ostfriesland), Sneerklewer (Schlesien), Rassel-
(Nahegebiet), Ringel- (Westfalen), Hasen-, Stein- (Baden), Zottel- (Nahegebiet),
Zedderklee (Schwaben), Zitterlichlee (Schweiz) ¶ *Medicago sativa* Luzerne, Sichel-
klee; Lusing (Elsaß), Lisär (Lothringen), blauer Klee (bes. im Schwäbischen), Ros-
marichlee (Baden), Dreißigjähriger Klee (Baden), neijöhrige Chlee (Thurgau), ewiger
Klee (vielfach), türkischer Klee (Baden), Stengel- (Elsaß), Hoch- (Schaffhausen),
spitzer Klee (Elsaß, Lothringen), Studler (Baden, Schweiz), Rasl, Grasl, Graslkli
(Nordböhmen) ¶ *Ononis spinosa* Hauhechel, Weiberkrieg, Steinwurzel; Hackeln

(Braunschw.), Hechle (Schweiz), Hühackele, Hüheckele (Götting.), Hoachel (Thür.), Heuhächle (St. Gallen), Haothinkel, Hatthiekeln, Haorthieken (Westf.), Ruhhackeln (Braunschw.), Schothächle (St. Gallen), Aglarkraut (Ober-Österr.), Echlar, Achelei'r (Mittelfranken), Hagaloia (bayer. Schwaben), Hüchelterdööre (Niederrhein), Haoldoor (Rheinlande), Huwerdorn, Hähdorn (Nahegebiet), Heedoor (Hunsrück), Bummeldor(n), -dörner (Rheinpfalz, Lothringen), Dommeldor (Lothringen), Kreindoorn (Schleswig), Eisengras, -kraut (Böhmerwald), Plogstiert (Mecklenburg), Ochsenkraut (Niederösterreich), Wiwrdäörn, Wiwkrud (Altmark), Weiberkrieg (z. B. Anhalt, Erzgebirge), Frauenstreit (Ostpreußen), Frauenkrieg, Mäderkrieg (Nordböhmen), Weiberklatsch (Wien), Mägdekrieg (Brandenburg), Weiberzorn: Gweischwurz, Weischta (Schwäbische Alb), Weischdorn (bayr. Schwaben), Wigstle, Wickster (Baden), Wigste (dorn), Witschge (Schweiz), Ibste, Ibsch(ge) (Schweiz), Lische, Liste, Listedorn (Schweiz), Seich-, Harn- (Kärnten), Stallkraut (Schweiz) ❡ *Trigonella caerulea* Ser. Schabzigerklee, Siebengezeit, Siebenstundenkraut, Blauer Stein-, Bisamklee; Keesegrund (Oldenburg), Ziegerkraut (Tirol, Schweiz), Brotklee (Tirol), Neidkraut, -klee (Österreich), Siebengezeug (Vogtland), Siebnzeuch (Erzgebirge), Siebtscher, Siebenklî (Nordböhmen), Siebensibzcherchlee (Lausitz) ❡ *Melilotus officinalis* Acker-Honigklee, Kleiner gelber Steinklee; Honigklee (z. B. Niederösterreich), Mottenklee (Nahegebiet), Modekrud, Madekräudig (Gotha), Schâbnkraut (Niederösterreich), Hirschklee (Lixingen b. Saargemünd), Meluttenkraut (Teplitzer Gegend), Bär-, Bärsteinklee (Schlesien) ❡ *Melilotus albus* Weißer Steinklee, Weißer Honigklee; im Handel unter vielen Namen wie: Wunderklee, Riesenklee, Weißer Bokharaklee, Bucharaklee, Sibirischer Riesenklee, Ungarischer Honigklee usw. ❡ *Ulex europaeus* Stechginster, Gaspeldorn, Heckensame (Westfalen), Englischer Ginster; Englische Deuren (Lengerich, Westfalen), Stiäk-, Knappheide (Rheine i. Westfalen), Kruizdorn (Braunschweig) ❡ *Genistella sagittalis* Flügel-Ginster; Ramse(le) (Baden), Ramser, Rämme(n), Rämmchen (Elsaß), Rahmheide (Eifel), Raola (Schwäbische Alb); Pfingschte, Pfingstschupe (Baden), Pfeist-Blueme (Aargau), Heu-, Haideblume (Eifel), Gälhäd (Nahegebiet), Schafchrut (Elsaß), Kraut-, Schlüsselwurz (Schwäb. Alb), Muettergottesschüüli (Elsaß), Ellstab (Berner Jura), Ungerisch Huarakraut (Schwäb. Alb) ❡ *Genista tinctoria* Färber-Ginster, Farbkraut, Gilbkraut, Galeise, Grünholz, Rohrheide; Farbblume (Gotha), Farbchrut (Schweiz), Goldkraut (Böhmerwald), galer Schar (Gotha), Guckucksblume (Nassau), Hosabrut, Hosakrettich (Riesengebirge), Johannesbrötchen (Oberharz), Weiberzorn (Egerland), Ramsele (Baden), Diachenkraut (Nordböhmen), Wessenkräutel (Steiermark) ❡ *Genista Anglica* Englischer Ginster, Stekelheide (Niederlande); Harthiekeln (Westfalen), Heiddorn (Schleswig, Lüneburger Heide), Stäkheide, Heidstäkers (Hannover), Knackmandeln (Schleswig) ❡ *Ononis Natrix* Gelbe Hauhechel; Gelbe Andorra (Oberwallis) ❡ *Ononis rotundifolia* Rundblätterige Hauchechel; Rote Andorra (Oberwallis) ❡ *Trigonella Foenum Graecum* Bockshorn-, Kuhhornklee, Griechisch-Heu; Fîne Grêt, fînes Grêtjen (plattdeutsch), fîne Greiten (Mecklenburg), schöne Marie, fin', schön Margret (Mecklenburg), Fenekrein (Eichsfeld), Filigräzie (Basel), Grünschau(b) (Elsaß) ❡ *Lupinus angustifolius* Blaue Lupine; (Schwäbischer) Kaffee (vielfach), Garten-, Bauernkaffee (Kärnten), Figbohne (Markgräflerland), Tripviole (Ostpreußen), Bohnenveieli (St. Gallen), Stolzer Andreas, Heinrich (Westpreußen), Kaiserstäbli (Zürich), Muurbonne, Tötzkes (Niederrhein), Luvin (Friaul) ❡ *Laburnum anagyroides* Gemeiner Goldregen; Bohnen- (Schweiz), Kleebaum (Kärnten) ❡ *Sarothamnus scoparius* Besenpfriem, Bram, Besenginster; Bram(en) (niederdeutsch), Brams (Ostfriesland), Braom, Braum (Westfalen), Frâm (Bremen), Brom, Brämse (bergisch), Bremm(e) (z. B. Pfalz, Westrich, Nordthüringen), Brimme(n)

(Lothringen), Pfriemen (z. B. Baden), Jelster, Gelster, Gilster (bergisch), Gimps, Gimst, Gister (Eifel), Kinsp(e)r, Kai(n)st(e)r, Küst(e)r (Oberhessen), Ginschtere (Nahegebiet), Jeist (Zug); Bäseginster, -rieser (bergisch), Besemkraut (Oberhessen, Böhmerwald, Schweiz), Beseries (Baden); Geil (Schleswig), Herrgottsschühli (Baden), Liebe(r)herrgottsschüehle (Elsaß), Hasenbrahm, -geil (nordwestl. Deutschland), -gêdt (Mecklenburg), -kräutich (Niederlausitz), -krottch (Nordböhmen), Hos'nkraut (Egerland, Böhmerwald), Hosakrettich (Riesengebirge), Reh-, Hirschheide (Anhalt, Braunschweig); Rehhêde (Anhalt); Rehgras (Nd.-Ö.); Pingsblaume, Pingstbessen (Westfalen), Pangsblom (bergisch); Ramser, Ramsele, Graweiden, Kraweiden (bayr. Schwaben), Kienschroten (Oberpfalz), Kuhschraten, Kehschoaten, Kohnschrot'n, Greaschrot (Mittelfranken), Grusch (Oberweser), Kasterblume (rein lokal, nach dem Kastulusberg bei Hög in Oberbayern) ⁋ Ambatsch.

25. R e i h e : *Pandales.*

26. R e i h e : *Geraniales.*

Familie: *Euphorbiaceae.*

Mercurialis annua Einjähriges Bingelkraut; Bäumlichrut (Elsaß, Baden, Schweiz), Wildhanf (Elsaß), wilde(r) Hampf (Schweiz), Nachtschatten (Baden, Oberhessen), Franzosechrùt, Schwengskraut (Luxemburg), alte Weiba (Niederösterreich: Kritzendorf), Scheißkraut (Rheinlande), Scheßmal (Oberhessen), Föllmagen (Eifel), Stâdlzausert (Nd.-Ö.) ⁋ *Mercurialis perennis* Wald-Bingelkraut; Waldmanna (Schwäb. Alb), Päddekrut (Niederrhein), Tollkerschen, Stinkerich (Oberharz), Gizer (Böhmerwald), Sanigel, Dâlerkretz'n (Nd.-Ö.) ⁋ *Euphorbia* Wolfsmilch; Wulwesmelk (ndd.), Hundsmilch (vielfach im Mittel- und Oberdeutschen), Geis(n)milch (Elsaß), Pellemiälke (Westfalen), Eselsmilch (z. B. Graubünden), Roßmilch (St. Gallen), Bullenmilch (Anhalt), Bullmelk (Kr. Jerichow), Melkeblömke (Emden), Mischkraidl (Nd.-Ö.), Milchchrut (Aargau), Mil'bloama (Böhmerwald), Teufelsmilch (z. B. bayr.-ö., alem.), Tüfelschrut, Tüfelsmilch (Schweiz), Hexenmilch (z. B. Eifel, Schwaben), Drudenmilch (Mittelfranken), Hexekraut (Eifel), Teufelskraut (oderdeutsch), Düllkruud (Emden), Krötenbleame, -gras, -kraut (bayr.-ö.), Bullenkrud (ndd.), Krätzen, Krätzengras, -bleaml, -kraut, Warzenkraut; Scharmäuskraut (hess.) ⁋ *Euphorbia Latyris* Spring-Wolfsmilch, Maulwurfskraut, kreuzblätterige Wolfsmilch; Kreuzstock (bayr. Schwaben), Springkorn (z. B. Fränkische Jura), Spießechrut (St. Gallen), Porjierkraut (Lothringen), Chotz-Beri (Schweiz), Amerikanische Wolfsmilch (Baden) ⁋ *Euphorbia Helioscopia* Sonnen-Wolfsmilch, Hundsmilch, Milchkraut; Rüstertitten (Westf.: Ölde), Laxirkrut (Riesengebirge), Willen Dönnerluk (Hannover), Donnerkraut (Eifel), Kapittelkraut (Westfalen), Hirschenkraut (Niederbayern) ⁋ *Ricinus* · Manihot (Mittelamerika: Tapioka) · Kroton · Maninella.

Familie: *Callitrichaceae.*

Callitriche Wasserstern.

Linum usitatissimum Lein, Flachs; Haar (bayr.-ö.) ⁋ *Oxalis Acetosella* Wald-, Sauer-, Hasenklee, Buchampfer, Kuckusklee; Suurbrod (Nordwestdeutschland), -mous (Westfalen), Süppli (Zürich), Chäsli (St. Gallen), Chäs und Brot (Graubünden), Chrüz-, Schildbrötli (Thurgau), Manna, Schneiderkas, Wampfjakl (Niederbayern), Himmel(s)brod (häufig im Oberdeutschen), Hase(n)brod (z. B. alem., thür.), -moos (Westfalen), -kohl (Hannover), Kuckucks-, Guggerbrot (weitverbreitet im Ober- und Mitteldeutschen), Guggerklee (z. B. Ö., Schweiz), Herrgottechlee (Zürcher Oberland), Kuckuckskraut (Eifel), Guggerchrut (Schweiz), Kuckuckskumst (Ost-

preußen), Kuckuckssalat (Mecklenburg), Kuckucksmous (Westfalen), Guggizer, Guga-
kas (Tirol); Holzklee (Nd.Ö.), Buschklee (Riesengebirge), -sauerrump (Glatz), Wald-
klee (Ö.) ¶ *Geranium sanguineum* Blutröslein, -Storchenschnabel, -wurzel, Hühner-
wurz; Rotseilche(spotsch) (Nahegebiet), Bluetchrut (Schweiz: Churfirstengebiet)
¶ *Geranium silvaticum* Wald-Storchschnabel, Berg-Gottesgnad; Rappeschnäbel,
Nägelchrut (Graubünden), Weidblüemli, Hunger-, Täni-, Hummelchrut (St. Gallen),
Gottesgnadenkraut (Elsaß und auch anderwärts) ¶ *Geranium pratense* Wiesen-
Storchschnabel, Blaue Gottesgnad, Blaues Schnabelkraut; Hirschhörnla (Schwäb.
Alb), Schussaleskraut, Jôle ¶ *Germanium Robertianum* Ruprechts-, Roberts-, Gottes-
gnadenkraut, Stinkender Storchschnabel; Adebärssnabel (Mecklenburg), Öwer-
schapp (Niederrhein), Storken-, Horken-, Örkenschnabel (Eifel), Sturchschnâbel
(Nordböhmen), Storch(e)schnäbeli (Schweiz), Storchkraut (Anhalt), Schnâblkraut
(Nd.Ö.); Seißen, Grasseißen (Mecklenburg), Gottesgab (Schwäb. Alb), Gottes-
gnade(-chrut), Muettrgottesgnade (Schweiz), Rotlaufkraut (Kärnten), Rotbrischtche
(Nahegebiet), Hahnenblume (Eifel), Biswurmkraut (Nd.Ö.), Stinkarroaschen (Krain:
Gottschee), Stinkerkrut (Elsaß), Kopfwehbloama, -stenker (Schwäb. Alb), Chopf-
wêblüemli (Schweiz), Wanzenkraut (Riesengebirge, Böhmerwald, Elsaß), Stier-
gräschen (Nahegebiet), Schlüsselkraut (Schwäb. Alb), Kremplkraut (Kärnten) ¶ *Ero-
dium cicutarium* Hirtennadel, Fieder-, Schierlingsblätteriger Reiher- oder Storchen-
schnabel; Aebärsnâbel (Hannover), Seiß'lblom (Altmark), Strahl (Nahegebiet),
Spängelschopp (Rheinlande), Krânhaxen (Nd.Ö.), Uhrradl (dsgl.), Heugabeln (Kol-
mar), Franzenkraut (Westfalen), Dielebosche, Dielpoß, Giretmannsblume (Nahegebiet) ¶ Kapuzinerkresse · Guijak-, Pock-, Franzosenholz.

Ruta graveolens Wein-, Garten-, Kreuzraute; Rue (ndd.), Rûte(n) (alem.); Weinkraut (bayr.-ö.), Dröegblad, Pingstwuttel (untere Weser), Totenkräutel (Ob.Ö.)
¶ *Dictamnus alba* Weißer Diptam, Weiße Aschwurz, Äschenwurz, Specht-, Hirz-,
Springwurz; Dippdapp (Baden), Dickdarm (Lübeck, Pfalz), Dickenda(r)m (obersächsisch).

Orange, Apfelsine · Pomeranze · Bergamotte · Zitrone · Mandarine · Mahagoni ·
Kaschou, Acajou · Mango.

Pistacia Terebinthus Mastix · *P. Lentiscus* Terpentin ¶ *Polygala Chamaebuxus*
Zwerg-Buchs, Buchsblättrige Kreuzblume; Frauenschüchl (Südtirol), Herrgotts-
Strömpf und -Schua, Herrgotteschüehli, (Muettergottes)pantöffli, Himmelsschlüsseli,
Schlüsselblüemli, Chellerschüsseli (Schweiz), Wilde(r) Buchs (Schweiz); Waldmirtn
(Nd.Ö.) ¶ *Polygala vulgaris* Gemeine Kreuzblume; Heilig'ngeistbleaml (Nd.Ö.),
Feldsträußl, Peterzöpfl (Nd.Ö.), Goldhansel (Egerland), Schneiderlein (Böhmer-
wald), Natternzüngl (Nordböhmen), Pilgerblume (Eifel).

27. R e i h e : *Sapindales.*

Familie: *Buxaceae.*

Buxus sempervirens Buchs, Buschbaum (nd., md.), Bochs (Schweiz), Postbaum
(ndhess.); Palm(e) (West-Deutschland), Nadel-, Schlüssel-, Spritzbüchse; Toten-
kraut ¶ *Acer* Ahorn; wârn (Stade: Robenburg), Auheuren (Westfalen: Lengerich),
Ahôren (Göttingen), Aulhorn, Ören, Orn (Hessen), Ehren (Mosel), Ohre (Nahe),
Ihren (Eifel, Thüringen), Oarne (Thüringer Wald: Brotterode), Ehrn (Oberharz),
Acher (Kärnten), Achân (Nd.Ö.), Ahorra, Ahore, Ahorn (Nordostschweiz), Ellhorn
(Hannover: Alte Land), Urle, Uhrla (Schlesien); Früchte: Nasenknieper (Bremen),
Nasen (Gotha), Nasenstiefel (Wien), -zwicker (Böhmen, Riesengebirge), Nasespiegel
(St. Gallen), Engelsköpf (Nd.Ö.), Schmetterling (Riesengebirge), Schäre, Schlösseli

(Toggenburg), Spiegel, Hackmesser (Sargans) · Daher der Ahorn selbst auch Nasen-, Brillenbaum, Näskniperbôm (Nordostdeutschland) ¶ *Acer campestre* Feld-Ahorn, Maßholder, Kleiner Ahorn; Mas(er)holder (Süddeutschland, Schweiz), Maßhalder (Schwäb. Alb), Meß(e)lder (Elsaß), Mäselder (Pfalz), Masellere (Göttingen), Messeller (Gotha), Mäpel, Mäpeler, Mäpelahoorn (untere Weser und Ems); Mespe (Hannover); Näbeldörn (Braunschweig), Epellern, Äpelduhrn, Eperle (Mecklenburg), Apeldäörn (Altmark), Krusabel (Schleswig); Effeltenholt (Westfalen), Hartholz (Eifel), -bäm (Mosel), Knackbaum, -holler, Knickmiß (Wiesbaden, Caub), Witthuolern (Westfalen), Wittnäbern (Braunschweig), Milchheckle (Elsaß), Gaißläuberne Hecka (Schwäb. Alb.), Esp, Steinespe (els.); Lên(e), Leinbaum, Wasseralln, -alm (Nd.Ö.) ¶ *Acer Pseudoplatanus* Berg-Ahorn, Urle, Weiß-, Waldahorn; Weißarle (Böhmen), Weißbôm (Schwäb. Alb), Flader(baum) (Nd.Ö.), Äscher, Bergäsche (östl. Schweizeralpen), Acher (westschweizerisch); Rotahorn ¶ *Acer platanoides* Spitz-Ahorn, Lenne, Leinbaum; Lön (Lübeck, Mecklenburg), Löhne Läön (Nordmark), Len(n)e (z. B. Ostdeutschland, Nordschweiz), Witlêne (Göttingen), Leinbaum (Schwaben, Oberrheintal), Leinurle (Schlesien), Lienbôm (West- und Ostpreußen), Lie(n) (Glarus); Klônebôm (Westpreußen), Klews (plattdeutsch), Deutscher Zuckerahorn ¶ *Acer Negundo* Eschen-Ahorn; Box-Elder (Amerika) ¶ *Aesculus Hippocastanum* Gemeine Roßkastanie; Wilde Kest(ene), Jude(n)kest, Säukestene (Elsaß), Vexierkescht (alem.), Kristanje, Kastangel, Kastandel (ndd.), Keschte, Kästene, Kescheze (Baden) ¶ *Impatiens Noli tangere* Rühr mich nicht an, Waldspringkraut; Röge mi nich an (untere Weser), Kruutken röhr mi nich an (Westfalen), Krükche rier mich net an (Eifel), Rühr mi nid a (Schweiz); Hüpferling, Flendekraut, Blatzkräudig (Gotha), Altweiberzorn (Ob.Ö.), Huppemannl (Westböhmen), Kikrihahn (Oberösterreich), Flohkräudl (Nd.Ö.), Springkraut (Schwäb. Alb), Schrekerli (Aargau), Häxlichrut (Churfirstengebiet), Ohrringel (Ö.), Kapuzinerle (Baden), Gliedwalln (Nd.Ö.), (G)moospflanzen (Böhmerwald), Bachchrut (Schwyz), Dulametankerln (Ob.Ö.), Tolimetangerl, Tulimetankerl (Nd.Ö.).

¶ Balsamine.

Ilex Aquifolium Stechpalme, Hülse; Döörn (Emsland), Schwobetörn (Thurgau), Stechlaub (Schweiz, Baden), Stechle, Stechholder (Baden), Walddistel (Eifel, Hunsrück), Raß-, Waxlaub (Oberbayern), Balme (Schweiz), Pandore (Berner Oberland), Muttle-, Bäärli- (Baden), Gaispalme (St. Gallen), Quacken (Gütersloh); Groaschpa (Oberbayern), Christdorn (Schleswig), Höls (bergisch), Hulst (Schleswig), Halsen, Hülsen (untere Weser), Hülskrabbe (ndd.), Hulseheck, -holz (Baden, Pommern, Mecklenburg, Unterelbe, Unterweser), Hülsebusch (Pommern, Mecklenburg, Unterelbe, Unterweser), Huschelbusch (bergisch), Huenschel (bergisch), Hurlebusch (Waldeck, Schaumburg), Fuë, Füë (Hannover), Schradl(laub), Schrattelbaum, Roßschradl (Ö.), Spisehölzli (Thurgau), Vogesengrün (Elsaß) ¶ *Evonymus europaea* Pfaffenkäppchen, -hütchen, -rösel, Käppchen, Gemeiner Spindelstrauch; Spillboom (ndd.), Spindle (Thurgau), Schumakers, Schohmakerspiggholt, Pigge-, Pinnholt (Westfalen), Plock- (Altmark), Pluggenholt (Westfalen), Schuënegeliholz, Zweckholz (Schweiz), Lepelholt (Schleswig); Papenmütze (Göttingen), Pfaffenkäppchen (in vielen Mundarten), Paterkapl (Nd.Ö.). Pfaffenschläppla (bayr. Schwaben), Heerechäppli (Schweiz: Zug), Bräzeliholz (Thurgau), Butschelleholz (St. Gallen), Mûtschela, Mütscheleholz (Schwäb. Alb), Westeleholz (Elsaß), Papmkletn (Kr. Jerichow), Pfaffenhödili (Schaffhausen), Paapehöttche (Niederrhein), Papenhötken (Westfalen), Pfaffenpfötchen, Pogg'nklöt (Altmark), Huneklötn (Kr. Jerichow), Haneklöt (nordw. Deutschland), Hahnenhödlein, -hödel, -hoden (Thür.), Katzenklötchen (Schlesien);

Chrälleli, Hals-Chralle (Schweiz), Batterle (fränkisch), Rosenkranzblum (bayr. Schwaben), Geisenschinken (Eifel), Gockeleskern (Schwäb. Alb), Kattenklauen (Elberfeld), Bumbeschlegeli (Zürcher Oberland), Judenkirsche (Tküringen), Rutkatlabeem (Schlesien), Râtkälchenbrot (Nordthüringen), Lûs-Beeri (Schweiz) ¶ *Staphylea pinnata* Wilde Pimpernuß, Blasenstrauch, Paternosterbaum; Pimpelsnoot (Niederrhein), Pimpel- (z. B. Oberhessen, Gotha), Pumpelnuß (Gotha), Pumper-, Bibernüßli (Schweiz), Pumpernickel (z. B. untere Weser, Bremen, Schweiz), Pemmernüßl (Ob.Ö.), Bemmanißl (Nd.Ö.), Biberli (St. Gallen), Glücksnüßchen (Schlesien), Judennütte (Braunschweig), Kläternöte (Mecklenburg-Vorpommern), Maiblaumenbôm (Braunschweig), Totenköpfe (Schweiz); Blasennüsse (Ö.), Klappernüsse.

28. R e i h e : *Rhamnales.*

Rhamnus carthartica Purgier-Kreuzdorn; Hundsbeer (Nd.Ö.), Hundsbeerstaude, schwarze Hundsbeer (Tirol), Pockpearlainschtaude, Huntischdoarnach (Krain: Gottschee), Scheißkerschen, -beeren (Nordböhmen), Hexendorn (Schleswig, Haaf-, Hagdurn (Mecklenburg; Hagenow) ¶ *Frangula Alnus* Faulbaum, Pulverholz; Fulboom, -holt (ndd.), Fülk'n (Mark), Faulkirschen (Innsbruck), Ful-Beri (Zürcher Oberland), Fulholz (St. Gallen), Stinkbaum (Westfalen), Stinkebêre (Göttingen), Stinker, Stinkbôm (Schwäbische Alb), Stinkwide (Aargau), Sprickeln (Schleswig), Sprickel (Lübeck, Brandenburg), Spriäkeln (Westfalen), Spricker(n) (Mecklenburg), Spräkelboom (Ostfriesland), Spröckern, Sprêkern, Spröckel (Hannover); Spräössel (Altmark), Sprötzen, Sprötzenboom (Hannover), Spräzern (Braunschweig); Schwattbaum (Westfalen), Schwarzerle, -hasle (St. Gallen), Buukkasten (Brandenburg), Hundsber (bayr.-ö.), Hundsbäumes (Schwäb. Alb), Vögelber (Nd.Ö.), Chrotteholz, -beeri, -stude (Schweiz), Duwelsbeeren (Westfalen), Wolfbeeri (Schweiz: Waldstätten), Pockpearlain (Krain: Gottschee), Scheißbeeren (in verschiedenen Gegenden); Zappeholz (Nahegebiet), Zapfe(n)holz (Schweiz, Elsaß), Pfifeholz (St. Gallen), Grindholz (Nahegebiet, Unterfranken), Gichtholt (Mecklenburg), Chollgert, Chingerte (Schweiz), Splintbeere (Stabe: Selsingen), Hühneraugen (Ostpreußen), Gehler Hartbäm (Moselgebiet), wilda Hola (Böhmerwald), Schwebelholz (St. Gallen), Hautbaum (Brienzer Seengebiet); Juden-, Pulverholt (Hannover) ¶ *Vitis vinifera* Weinstock, Rebe; Früchte: Traube, Weinbeere · Rosine · Korinthe · Zibebe ¶ *Parthenocissus* Wilder Wein.

29. R e i h e : *Malvales.*

Baumwollpflanze.

Althaea rosea Gemeine, Schwarze, Chinesische Stockrose; Klapprose (Bremen), Burrosen (Lübeck), Stockrose, Stangenblom (Nahegebiet), Stange(n)ros (Elsaß, Schweiz), Bueberose, Stickelrose, Stigbluame (St. Gallen), Sammetrose (Zürich), Cholrose (Oberbaden), Bäblrosn (Nd.-Ö.), Halsrose (Nahegebiet), Saat-, Herbstrose(n) (Schweiz), Pôpel, Pappel(rose) ¶ *Althaea officinalis* Eibisch, Heilwurz, Sammetpappel; Ibisch, Ibsche, Ispe, Ibschge, Ibste, Hübsche usw. (Schweiz), Altthee, alter Thee (Pfalz, Sachsen), alte Eh (Ob.-Ö.) ¶ *Malva* Malve, Käsepappel; Pöppel, Poppeln (nordwestl. Deutschland), Babbeln (Hessen), Päpln (Nordböhmen), Bäwille (Neckarsulm), Bapple(n) (Elsaß), Pappelechrut (Schweiz), Hasenpapple (ndd., hessisch, bayr.-ö), Hasenkohl (Weichseldelta), Roß-, Sau-, Gänsspappel (Österreich); Keeskes (Ostfriesl.), Kaiskes (Westf.), Käsle (Elsaß), Chäsli, Zigerli (Schweiz), Käse-,

Käschenkrät (niederdeutsch, Schweiz), Käslaibla (Schwäb. Alb), Käsenäpfchen (Leipzig), Kasnapfel (Egerland), Käsenäpfchen, -näppchen, -keilchen (Anhalt), Käsebabbel (Gotha), Kaspobln usw. (Böhmerwald), Chaspappele(n) (Schweiz), Pöppelkees (Nordwestdeutschland), Pimpelkäse (Anhalt), Kattenkäs(e) (plattdeutsch), Kêsehôt (Hannover), Twieback (untere Weser), Loaberl (Ö., Böhmerwald), Leible (Elsaß), Hosabrutlan (Riesengeb.), Schmerlaibla (Schwäb. Alb), Butterwecke (bayr. Schwaben), Butterschlägl (Egerland), Küachla (Schwäb. Alb), Pannkoken (Schleswig), Zuckerplätzchenkraut (Eifel), Zuckerzöltl, Erdäppelkes (Westfalen), Hundskümmerli (Unterfrank.), Krallen(blöme) (Ostfriesl.), -krud (Kr. Verden: Achim), -bläer (Westf.), Kattenkrallen (Schleswig); Stockrose ⁊ Affenbrotbaum, Baobab · Wollbaum.

Tilia Linde; Linn (ndd.), Lönn, Leng (bergisch), Lingeboom (Niederrhein), Lin (Hunsrück), Lingen (Gotha), Len (Lothringen), Wächlind, Zahme Linde (Schwäb. Alb), Bastholz (St. Gallen) ⁊ Jute · Kakaobaum

30. R e i h e : *Parietales.*

Myricaria Germanica Deutscher Rispelstrauch, Deutsche Tamariske, Porsthirz, Birtzenbertz, Damisch-Kerl (Ob.-Ö.), Mariskel() (Schweiz), (wilder) Sefi (Graubünden); Birzstrauch (Mainz) ⁊ *Helianthemum nummularium Miller* Gemeines Sonnenröschen; Geet Röscher (Niederrhein), Goldräsle (Schwäb. Alb), Sunnräsl (Teplitz), wilde, tote Mirren (Oberharz), Zwangkräutel, Ziehkraut (Steiermark) · Heiderose ⁊ *Bixa Orellana* Annatto, Arnatto, Orlean · Tamariske · *Elatine* Tännel, Venus-Fliegenfalle · Sonnentau.

Viola Veilchen, Veiel, Stiefmütterchen · Vijôle, Fiôlke, Vijölken, Fijäuleken (plattdeutsch), Viul (Niederrhein), Folk (Nordböhmen), Veigerl (bay.-Ö.), Violn (schwäb.), Veilote (Baden), Vijeli, Viöndli (Schweiz), Hofenöli, Gufenöli (Thurgau), Bloofaijun (Oberhessen), Blovellka, Blofalke (Nordböhmen, Riesengebirge); blâbi Veig (Nd.-Ö.), Blaumaieli (St. Gallen) ⁊ *Viola biflora* Gelbes Bergveilchen; (Gelba) Almveigl (Niederösterreich), Kärnten), Bergviönli (Schweiz: Churfirstengebiet), gelbes Stiafmirtal, Milchkraut (Nd.-Ö.) ⁊ *Viola canina* Hundsveilchen, Heideveilchen: Wilde Veilchen (z. B. Thüringen, Schweiz), Dulle Vijoileken (Göttingen), Roßveigele (schwäb.), Katzeveigele (Schwäb. Alb), Otterevieli (St. Gallen), Fröscheveilchen (Eifel), Judeveiele (Baden, Elsaß), Swalkeblöm (Insel Juist), Himmelsbläueli, Tubechnöpf, -deckel (St.Gallen) ⁊ *Viola odorata* März-, Wohlriechendes Veilchen, Hecken-Veilchen; (blâg) Öschen (Mecklenburg), Osterveigerl (bay.-ö.); Stinkveilchen (hess.) ⁊ *Viola tricolor* Stiefmütterchen, Freisamkraut, Dreifaltigkeitsblume; Schigerli (Aargau), Schwigerli-Schwögerli (St. Gallen), Tag- und Nachtveigerl (oberdeutsch), Tag- und Nachtblümla (fränkisch), Tag- und Nachterli (schwäb.), Nachtvijôle (Nordthüringen), -schatterl (Altbayern), -schöppli (Unterfranken), Dreifaltigkeitsblume, -veigerl (bay.-ö.), Dreifaltigkeit(sli) (Baden, Elsaß), Herrgottsblümli, Jesuli, (Herz-)Jesuveiele, Jesusknäbli, -blümli (Baden), Marianägeli, Marienstängel (Schweiz); Geseetche, Schöngesicht (Niederrhein), (brete) Gesichter, Menschengesichter (Nahegebiet), Judegesecht (Oberhessen), Liebgsichtli (Zürich), Christusauge (Aachen), Mädchenaugen (Nahegebiet), Glotzbock (Baden), Klotzerveilchen (Mittelfranken), Glotzer (Württ.), Krassaagelche (hess.); Zahnblöckerli (Baden), Fraueschücherl (Tirol, Kärnten), Liebeherrgottsschüehele (Elsaß), Sammetpotsch, -veilche (Nahegebiet), Sammetblüemli (St. Gallen), Schmuckkroitsche (Oberhessen); (A)Denkelcher, Dinkelcher, Addingelche, Kadenkelche (Nahegebiet), Dänckeli, Denggeli, Dankeli (St. Gallen); Theeveigerl (Niederösterreich), Freisam (-Kraut) (Hessen), Jelängerjelieber (z. B. Nahegebiet, Baden), Engelliebele (Württemberg), Englieblin (Baden),

Swälkeblom (Schleswig), Schwölkeblom (Norderney), Pfaffenschnalla (Tirol), Feld-
veigerl (Böhmerwald), Judeveiele, -veialatt (Elsaß) · Kibte · Pensee.
❡ Melonenbaum · Begonie · Marcgrafia · Teestrauch · Kamelie.

Hypericum perforatum Echtes Johanniskraut, Tüpfelhartheu, Sonnwendkraut,
Mannskraft Konradskraut, Hexenkraut, Jageteufel, Teufelsfuchtel (Anhalt), Herr-
gottsblut, Johannisblut; Arnika, Harnau (Anhalt), Hartenau (Nahegebiet), Hertenau
(Elsaß), Hartheu (Anhalt), Honskraut, -Kräute (bay.-ö.), Johannis-Cherut (Schweiz),
Hexenkraut (Braunschweig, Anhalt, Steiermark, Schwäb. Alb), Jödüwel (Schleswig),
Manns-Chraft (Schweiz), Löcherkraut (Schlesien), Tausendlöcherkraut (Steiermark),
Blutkraut (Schleswig, Nahegebiet, Riesengebirge), Blutgros, Herrgottsblut (Nahe-
gebiet Eifel, Nassau), Christusblut (Ostpreußen), Christi Kreuzblut in Blômen
(Mecklenburg), Johannisschweiß (Nordböhmen), Jesu-, Herrgottswundenkraut
(Westpreußen), Farbákraut (Nd.-Ö.), Leiwefrugenbettestrauch (Westfalen), Unserer
lieben Frauen Bettstroh (Anhalt), Maria Bettstroh (Nordböhmen), Unserer lieben
Frau Nogni, -Morkro, -Gras (Böhmerwald), Frauenpliester (Tirol: Pitztal), Fraue(n)-
kraut (Schwaben), Jumpfere(n)kraut (Elsaß), Kreuzkrottch (Nordböhmen), Fieberkraut (Schwäb. Alb), Gele Dost (Göttingen), Falscher Wohlgemuth (Böhmerwald).

31. Reihe: *Opuntiales*.

32. Reihe: *Myrtiflorae*.

Daphne Cneorum Heideröschen, Rosmarin-Seidelbast, Flaumiger Kellerhals; Stein-
röserl (bay.-ö.), Waldröserl (Nd.-Ö.), Haidarösle (Schwäb. Alb), Ägetle (Baden);
Ägartanägele (Schwäb. Alb), Mairösl (Blaubeuren), Reckholderle (Donaueschingen),
Kluser Alperösli (Solothurn), Fluerösli, Fluenägeli (Langenbruck ❡ *Daphne striata*
Steinröschen, Bergröslein, Gestreifter Seidelbast Rausch (Tirol), Steinröserl (Ost-
alpen), Bergspika (Tirol: Achental), Bergrosen (Lechtal) ❡ *Daphne Mezereum*
Seidelbast, Kellerhals, Zilander; Sidelbast (Schweiz), Zittelbast (Elsaß), Sei(del)bam
(Oberösterreich), Zylunder (Schmalkalden), Zwilinde, Zillingsbeer (Ober-Österr.),
Zeiland, Zilland (Steiermark), Zilinde, Zylander, Zilang, Siglanz (Baden); Zeilander,
Gheilaz, Zeuritzla, Seutzla (Schwäb. Alb), Zilli-, Zillebluest, Zielesebluest, Zeietli,
Zilander (Schweiz), Zileholz (Ober- und Unterhallau [Kanton Schaffhausen]);
Zileteblömli (Beringen bei Schaffhausen), Ziaglasbeer (Nd.Ö.), Ziegelbeere (Riesen-
gebirge), Siglanten (Hallstadt); Päperblome, -bôm, -busk (ndd.), wilder spanischer
Pfeffer, Pfefferstauden (Kärnten), Pfefferkörner (Niederrhein), Brennkernstaude
(Böhmerwald), Frieblout (Nahegebiet), Schnebbeblomen (Nassau), Charfreitags-
blume (Riesengebirge, Trier), Märznägelcher (Lothringen); Lüsekrud, -hälz (Gotha),
Lausbleaml (Nd.Ö.), Warzebast, Zahnwehholz (St. Gallen), Elendsblume (Nahe-
gebiet), Wolfboß (Steiermark), Giftbäumli (St. Gallen), Giftberi (Graubünden),
Hühnertod (Böhmerwald), Schlangenbeer (Kärnten), Rauschbeere (Böhmerwald);
Wilder Holler (Südböhmen), Buschweide (Nordböhmen), Waldveigl (Salzburg),
Wilde () Neegelcher (Hunsrück), Krallebömke (Niederrhein) ❡ Vogelkopf.

Hippophaë rhamnoides Sand-, See-, Haffdorn, Fasanbeere; Haffduurn (Mecklenburg), Sand-, Griesbeer (Tirol: Lienz), Audorn (Tirol), Doorn (Insel Juist), Durn-
busch (Hiddensee), Fürdorn (Baden), Besingstrauch (Brandenburg), Mamelisten-
oder Mamelutten (?)-Dörn (Neuburg a. D.), Amritscherl (Nd.Ö.: Kirtzendorf),
Tubakröhrlistude (Graubünden), Weißeldern (Mals) ❡ Ölweide.

Lythrum Salicaria Blut-, Gemeiner Weiderich, Stolzer Heinrich; (Roter) Wedel
(Baden), Katt(en)steert, -swans (ndd.), Katzenwedel (Baden), ro(t)er Voß-Swans
(Braunschweig), Fuchswedel (Baden), Gullerwadel (Elsaß), Bluetkraut (Schwäb. Alb,

Baden), Blueterich (St. Gallen), Bluetströpfli (Aargau), Dust (Nordböhmen); See-
blume (Nahegebiet), Iserhart (Schleswig), Weikmann (Westpreußen), Wederich
(Schwäb. Alb) ¶ *Bertholletia* Paranuß · *Lawsonia inermis* (Henna) · Myrte ·
Piment · Gewürznelke · Eukalyptus · Granatapfel ¶ *Oenothera biennis* Gemeine
Nachtkerze, Rapontika, Gelbe Rapunzel, Nachtschlüsselblume, Weinblume,
-kraut; Stolzer Heinrich (Nassau), Härekrut (Nahegebiet), Gelber Nachtschatten (Anhalt), Tag- und Nachtblume (Baden), Eierblume (Glatz), Schinken-
wurz, Roter Sellerie, Rubrawurzel ¶ Fuchsie · Tausendblatt · Tannenwedel. *Epilo-
bium angustifolium* Wald-, Schmalblätteriges Weidenröschen, Feuerkraut; Wilde
Wilge (Ostfriesland), Wald-, Widerösli (Schweiz), Kartenswanz (Worpswede),
Voßteert (Hannover), Fuchsschwanz (Nordböhmen), Kühschwänz (Erzgebirge),
Kuhschwauze (Riesengebirge), Schwinggertlekrut (Elsaß), Deiwelsgeisele (Huns-
rück), Geißleitern (Thurgau), Steinleiter (Kaiserstuhl), Schoßkrut, -chrut (Baden,
Schweiz, Hohlüchte (Siegen), Straußn (Bayr. Wald), Seidenblume (Böhmerwald),
Federblüa (Kärnten), Goasschnappa, -peitsche (Böhmerwald), Mekl, Ziegenmekl
(Erzgebirge), Schwinskrut (Oberharz); Muttergottesrute, -haar (Baden), Marie-,
Muttergottesbettstroh (Unterfranken), Donner- (Nassau), Bletzkraut (Niederrhein),
Akenkrut (Westfalen), Sandel (Baden), Butterstriezeln (böhm. Erzgebirge), Brand-
gras, -kräutig (Schlesien), Mooskraut (Böhmerw.), Busch- und Jägerblume, Ottergras,
fette Hühner, Leberkraut, Bins (Riesengebirge), Hexechrut (St. Gallen) ¶ *Circaea
Lutetiana* Gemeines Hexenkraut, Stephanskraut; Oelfenblume (Nordthüringen)
¶ *Trapa natans* Wasser-, Horn-, See- (Kärnten), Weihernuß (z. B. Oberrhein);
Weiherhörnli (Aargau), Spitz- (Ö.), Stachelnuß (an der Elbe), Stickwort (ndd.),
Stechkrallen (Schwaben), Stupfate Nuß (Kärnten), Wasserkäste, -kest (Elsaß, Nieder-
österreich, Steiermark, Kärnten), Wasserklette, Meerdistel, Wassertrüffeln; Ochsen-
köpfe, Teufelsköpf(l)e (vielfach z. B. Wittenberg), Düvelsköpp (Ostpreußen),
Diebespfeife (Neuwied), Schellen (Siebenbürgen), Jesuitenmütze, -nüßle, -nuß,
Hirschkrandl (Nd.Ö.), Strümp, Timpen-, Tittenstuten (Lauenburg a. d. Elbe), Fuß-
angel usw.; Traben, Traber.

33. Reihe: *Umbelliflorae.*

Cornus sanguinea Roter Hartriegel, Roter Hornstrauch, Hundsbeerstrauch, Blut-
rute; Hartboom (Mecklenburg), Hartel-, Hartjebâm (Göttingen), Hartern (Braunschweig), Hartrüetle (Elsaß), Ise(n)-Baum, -holz (Zürich), rotes Beinholz (Schwäb.
Alb), Beinwide (St. Gallen), rote Wilge (Oldenburg), Rothmännchesholz (Nahe-
gebiet), Bluatruate (Schweiz, Vorarlberg), Rotrüetle (Vorarlberg), Dintebeer
(Schwäb. Alb), Totentraube (Eifel), Haserüetle (Schwäb. Alb), Geisehecke, -holz
(Nahegebiet), Geishasle (St. Gallen), Hulftere, Hülftere, roti Halftere (Thurgau),
Chorngert, Chollgert, (roti) Chinggerte, Herregerte (Schweiz), Hundsbeer, -bam
(bayr.-ö.), Schietbeere (Braunschweig), Deufelsbeer (Schwäb. Alb), Chrotteberi
(Schweiz); Ziegenhainerstock ¶ *Cornus mas* Dirlitze, Herlitze, Kornelkirsche, Gelber
Hornstrauch; Corneliuskirsche (Thüringen); Kornillen (plattdeutsch), Körlesbeer
(Thüringen), Kur-, Kurrli-Beri (Schweiz); Terling (Bremen), Dirli, -baum (Baden),
Dierli (Basel, Zürich), Tiarli-, Turnetzle-Bomm (St. Gallen), Dirndl, Deandl, Dirnl-
beere (bayr.-ö.); Herlitzchen (Naumburg), Horlsche (obersächsisch), Zisserle (z. B.
in Nürnberg, Judenkirsche (z. B. Thüringen, Braunschweig, Anhalt), Juddechirsi
(Baden), Jude-Chirse (Aargau), Wälschkirsche (Elsaß), Täteln (Westfalen), Doadeln
(Eifel), Kratzebêre (Göttinge(n)) ¶ *Hedera Helix* Efeu; Ewâ (Oldenburg, Osna-
brück), Ewek (Göttingen), Epfa, Epha (Ostfriesland), Efa (Oberharz), Eppch
(Frankfurt), Epphae (Schwäb. Alb), Ewich (Lothringen), Abhäu, Hawäi, Abheid

(Elsaß), Ebhô, Abheu (Schweiz), Ebaam (Tirol: Etschland), Iben (Hannover), Ilô(f) (niederdeutsch), Ailôf (Ostfriesland), Ilâk (Oldenburg), Liloof (Ostfriesland), Tilauf, Eilauf, Lillauf, Eilauw (Westfalen), Lilla (Emsland), Ailenbläer (Braunschweig), Ivenbläder (Altmark); Bamlêter (Nassau), Steinleiter (Nordböhmen), Baumtod (Niederösterreich), Klimmup (Ostfriesland), Kreiser (Schwäb. Alb); Wintergrün (Hannover, Niederrhein, Österreich, Elsaß), Ümmergröen (Oldenburg), Läfchesblätter (Eifel), Grotvatersblêder (Göttingen), Schappeleskraut (Schwäb. Alb), Lierach (Oststeiermark) ❡ *Sanicula europaea* Wald-Sanikel, Schärnikel, Waldknecke, Waldklette, Heil aller Schäden, Bruchkraut; Scharnikel (z. B. Braunschweig, Kärnten, Schweiz), Sau- (z. B. Lübeck, Steiermark), Zahnnickel (z. B. Gotha, Baden), Zaunickel, Zahnickel, Suinigl (Schmalkalden), Saninkel (Nordböhmen), Weiße Danikl (Nd.Ö.), Sangel (Steiermark), Zaniggeli (Schweiz), Höalblattl, Fünfwundenblattl (Bad Tölz); Heilkraut ❡ *Bunium Bulbocastanum* Erdkastanie, -nuß, -eichel, Knollen-Kümmel; Acker-, Aerdnuß (Nahegebiet), Hirkelneß (Eifel), Ackerchästene, Arschle (Schweiz: Wallis) ❡ *Astrantia maior* Große Sterndolde oder Stränze, Astrenze, Schwarze Stränze, Talstern, Sternblume, -dolde, Schwarzer Sanikel; Wildi Hoorstrenze (St. Gallen), Schwarzi Astränze (Waldstätten), Moister, Maistarla, Meisterwurz (Schwäb. Alb), Isechrut (St. Gallen), Rietdolde (Churfirstengebiet); Holznägeli, Bibernell (St. Gallen), Schwarze Gärisch (Berner Oberland), Sanikel (Unterwalden), Kaiserwurz ❡ *Eryngium campestre* Feld-Mannstreu, Brachdistel, Donardistel, Krausdistel, Ravendistel, Ellend, Laufdistel, Rolandsdistel; Unruhe (Ob.Ö.), Kobols-Distel, Kull(e)r-Distel (Prov. Sachsen: Kr. Jerichow), Kollerdistel (Jena), Trulldeistel (Anhalt), Braakdistl (Kr. Jerichow), Walldistl (Torgau), Spell-, Seich-, Kraggedistel (Baden), Donadistel (Nd.Ö.) ❡ *Chaerophyllum bulbosum* Rüben-Kälberkropf, Kerbelrübe, Knollen-, Rüben-, Nagenkerbel, Kälberkern, Peperlein, Erdnuß, -kastanie, Päperläppä, Rimperlimping, Pimperlipimp; Keferfüll (Steiermark), Kälberkropf, Pöperl-Salat (Ö.), Päpperläppä (Anhalt), Hemmock (Schleswig), Weddeldung (Hannover), Köpken (Brandenburg) ❡ *Chaerophyllum hirsutum* Berg-Kälberkropf, Wasser-, Bergkerbel, Bergschierling, Roßkümmel (Schweiz), Großwedendünk; Bangele, Buggele, Baggode (Schweiz), Kalberkern (Böhmerwald), Kalwerkropp (ndd.), Schierlich, Wutscherlich (Gesenke), Wintschkerlich (Schlesien), Christinenkraut (Riesengebirge), Peterligras (Zürichsee), Wasserpeterli (Wallenstadt), Schwellkraut (Appenzell) ❡ *Chaerophyllum silvestre* Wiesen-, Wilder Kerbel, Buschmöhre, Körfel, Tollkörbel, Volfswurzel, Kuhpetersilie, Kälberschere, Scheer, Kuh-, Eselsbeterlein; Charbälle, Chräbälle (Waldstätten), Kälberkern (Oberharz); Roß-, Pferdekümmel (auch mundartlich z. B. in der Schweiz: Roßchümmi), Sturuchemmi (Wallis), Schätele (Baden), Scharn-, Scharpenpiepen (Oldenburg), Scharntüder (Schleswig), Schierling (z. B. Eifel, Baden), Scherlick (Glatz), Schärlitze (Schweiz: Murten), Pfeifenkraut (Ob.Ö.), Pfifestengel (St. Gallen), Stangert, Stangen (Ob.Ö.), Biberstengel (Allgäu), -ling (Oberbayern), Buggele, Buecholtere (Thurgau), Buchel (Allgäu), Heu-Buggele (Schweiz), Böcke (Thurgau), Bocherle (Baden), Bogga, Bukkabengel (Vorarlberg), Bangele (Ostschweiz), Wiaderich(stengel) (Schwäb. Alb), Hasakraut (Schwäb. Alb), Leiterli(chrut), Bäumlichrut, -gras (Schweiz), Ramschfedere (Wallis), Wilde Peterli (Schweiz), Spetzli-, Spitzli-, Gspetzlichrut (Thurgau), Wilde Wottelsaot (Osnabrück) ❡ *Chaerophyllum Cerefolium* Garten-, Echter Kerbel, Kerbelkraut, Körbel, Körfel, Gewürz- oder Suppenkerbel; Karwel (plattdeutsch), Käferfüll (Kärnten), Kerblekrut (Elsaß), Kirwel (Lothring.), Chörblichchrut (Schweiz) ❡ *Myrrhis odorata* Wohlriechende Süßdolde, Anis-, Welscher-, Spanischer-, Ewiger Kerbel, Körbelkraut (Graubünden), Wälsches Körblikraut (Aargau), Wilder Anis; Süßkrettich (Riesengebirge), Chörbli(-chrut) (Graubünden), Wälsches Chörblichrut

(Aargau), Anis, Barbaragras, St. Warbilangras ⁋ *Carcalis daucoides* Möhren-Haft-dolde, Ackerklee; Digala (Schwäb. Alb), Strigelen (Baar), Pfisternägeli (Nord-schweiz) ⁋ *Orlaya grandiflora* Großblütiger Breitsamen; Jakobsschnee (Kanton Schaffhausen) ⁋ *Coriandrum sativum* Garten-Koriander, Wanzen-Dill, Wanzenkraut, Schwindelkorn, Wandläusekraut; K(a)lanner (ndd.), Koliander (oberdeutsch), Ga-lander (Kärnten), Kaliander (Elsaß); die Früchte heißen Böpperli, Chrapflechörnli, Rügelichümi (Schweiz), Schwindelkörner ⁋ *Conium maculatum* Flecken-, Erd-, Blutschierling, Blut-, Katzenpeterlein, Stinkender, Mäuseschierling, Wütrich, Würg-ling, Tollkraut, -kerbel, -körfel, Krottenpeterling, Teufelspeterlein, Vogeltod, Ziegen-dill, Bangenkraut; Dunk (Schleswig), Scharn-, Scharm-, Scharpenpiepen (untere Weser), Scharlach; Wutsch(er)lich (Nordböhmen), Mitscherlich, Mitscherling (Gegend von Dresden), Dallkrund, -wurtel (nordwestl. Deutschland), Bangele (Schweiz), Pfârekümmel (Nordböhmen), Stink- (niederrheinisch), Barschtkraut (Rheinlande); Wodendung, -skerne ⁋ *Carum carvi* Wiesen-, Gemeiner Feld-, Brot- oder Speise-kümmel; Käm(el), Köme(n) (ndd.), Kimm, Kem (bayr.-ö.), Kemmich (schwäb.), Chümmigch (schweizerisch), Matte(n)-kümmi(ch) (schwäb.), Mattkümmi, Makimmi(g) (schwäb.), Korbe (schles.), Karbe, Garbe (wendisch), Stierk (Eifel) ⁋ Anis.

Pimpinella maior Große Bibernelle; Päparnäll (Niederrhein), Biwernelle (Gotha), Bibernalle, Pimpinalle, Pinal (Riesengebirge), Pimeröll (Böhmerwald), Bembernell, Bombernell(a), Bumbernell (Schwäb. Alb), Boggwurze (Churfirsten), Bochwürze (Graubünden), Stierwurz (Steiermark).

Foeniculum Fenchel.

Anethum graveolens Gemeiner Dill; Dillfenchel, Gurkenkraut, Teufelsdill; Dill-schei(b)m (Egerland), Tiglscheim (Erzgebirge), Gorkatila (Schlesien), Aumu(r)ken-kraitl (Wien), Kukumerkraut (Franken), Murkenkräutl (Steiermark), Kapper(kraut) (Steiermark) ⁋ Zuckerwurz.

Apium graveolens Echte Selleri, Epf, Eppich; Zelderie (Nordthür.), Zell(n)er (Nordböhmen), Zeller(er) (bayr.-ö.), Zellerli, Zellerrich, Sällerli (Schweiz), Geilwurz (Baden), Schoppenkrud (untere Weser); Stehsalat, Stehpiepekraut, Geilwurz ⁋ *Petroselinum hortense* Garten-Petersilie, Peterling, Peterlein, Peterchen: Peters-hiljen (dordwestl. Deutschland), Peterssöll (Lübeck), Peterzölge (Königsberg), Peiterzilje (Braunschweig), Peerzilik (Hunsrück), Silk (Niedersachsen), Petersillig (Westfalen), Bittersilche, -zilche (obersächsisch, nordböhmisch), Pitterselg, Peter-zilge, -zelle, -zellich (bergisch), Peterling (schwäb.), Peterle, Peterli (fränkisch, alem.), Chuchibeterli (Wallenstadt), Grönte (Emden), Zuppenkraut (Halberstadt) ⁋ *Cicuta virosa* Giftiger Wasserschierling, Wüterich, Tollkraut, Tollrübe, Parzen-kraut, Borstenkraut, Giftiger Wassermerk; Witscherling (Gotha), Hutscherling (Erz-gebirge), Wodendung, Wödendunk (Mecklenburg), Wierendungel (Hannover), Giftchrut (Churfirstengebiet), -woitrich (Westböhmen), Dullkrut (Altmark), -wortel (Osnabrück), -wottel (Emsland), Hunblock, Hunneblock (Hannover), Chrottafußl (Baden) ⁋ *Aethusa Cynapium* Gleiße, Gemeine Hundspetersilie, Glanzpeterlein, Kleiner-, Gartenschierling, Faule Grete; Wilde Petersiljen (Oldenburg), Wildi Peterli (Schweiz), Wilde Gräentje (Ostfriesland), Hunn-Petersilie (Ostfriesland), Hunds-Peterli (Schweiz), Katzenpeterli (Basel), Krotte(n)peterle (Elsaß), Düllkruud (Ost-friesland); Hundsdolde ⁋ *Athamanta Cretensis* Alpen-Augenwurz, Mohrenkümmel, Vogelnest; Fluch-Chrut (Waldstätten), Steinwurze (Churfirstengebiet) ⁋ *Meum athamanticum* Berg-Bärwurz; Barwärzel, Barnkümmel (Gotha), Bärnzotten (Nd.Ö.), Bärkümmel (Ob.Ö.), Bärenfenchel (Tirol), Baern-, Bergpudel (Nd.Ö.), Bärmutter-kraut (Baden), Mutterwurz(el), Köppernickel (Erzgebirge) ⁋ *Ligusticum Mutellina*

Alpen-Liebstock, -Mutterwurz, Muttern; Madaun (Tirol), Mutteli, Mutteri, Mutter(n)e (Schweiz), Mardun (Allgäu), Padaun, Pedaun (Tirol), Mutterkraut (Kärnten), Bärenwurz (Kärnten), Bärenfenchel (Tirol, Salzburg), Köpernik (Gesenke), Gopritz, Kopritz (Osttirol, Kärnten), Gamskraut (Bayr. Alpen) ¶ *Peucedanum Ostruthium* Meister-, Kaiserwurz, Magistranz, Ostruz; Stränze, Astränze, Ostrenze, Hoorstrenze (Schweiz), Haarstrinzen (Vorarlberg), schwarzer Sanikel, Sterndolde ¶ *Aegopodium Podagraria* Giersch; Geiß-, Dreifuß, Zipperlein- oder Podagrakraut, Hinfuß, -lauf; Gierske (nordwestl. Deutschland), Girsch (Riesengebirge), Gierschn (Gotha), Gerschtl (Nordwestböhmen), Gösch (Schleswig), Gôsch (Lübeck), Gäse, Gessel(e) (Westfalen, Göttingen), Stengelgäse (Bielefeld), Gêsche (Braunschweig), Geschel, Geestenkrut (Westfalen), Geeske (Emsland), Jessel, Jöers, Jüurskól, Jüürs (nordwestl. Deutschland), Jörs (Schleswig), Häsk, Heerske, Härsch (nordwestl. Deutschland); Wael-, Waer-Chrut (Schweiz), Geiße- (Baden), Gänstritt (Böhmerwald), Bäratape (Schweiz), Hirschtritt, -stapfele (Schwäbische Alb), Hasetope (Schweiz), Hennetöpli (St. Gallen), Hühnertotsch (Böhmerwald), Krahfuß (Kärnten), Granhaxn, Kronfuaß (Niederösterreich), Kreinföt (Schleswig), Feärkenfäute (West- falen: Iserlohn), Geeskool (nordwestl. Deutschland), Geißechrut, -schärlig (Schweiz), Gaisemons (Westfalen), Ge(n)sgras, -kraut, -schä(r)tele (Schwäbische Alb), Säu- (Aargau), Schnäggechrut (St. Gallen), Kruup duo'n Taun (Ostfraesland), Hollergras (Böhmerwald), Erdholer (Ob.Ö.), Ackerholler (Kärnten), Schraenzel (Thür.), Strenzl (Egerland), Schränze (Aargau), Strenzel (Jena), (Hasen)schertele (Bayr. Schwaben), Tau- oder Baumtropfe(n) (Baden, Schweiz), Dachtraufechrut, Tüfelchrut, Spitz- blakte (Schweiz), Heggemoos (Westfalen), Meyechrut (Bern), Podagramskraut ¶ *Angelica silvestris* Brustwurz, Wald-, Wiesen- oder Wilde Angelika, (Wilde) Heiliggeistwurzel, Heiligenwurz, Wilde Meisterwurz; Anejelken (Gotha), Gelika (Nd.Ö.), Ohneglücke (Nordböhmen), Ruggepiepen, Ruhpipen (Westfalen), Pfeifen (Böhmerwald), Wasser-Pfiffe(n) (Aargau), Spick-Rohr, Beeriblose (Schweiz), Sprütze, Sprütze-Rohr, -Chrut (Schweiz), Bange-, Bach-, Streurohr (Schweiz), Waldröhre (St. Gallen), Wieskehuolern (Westfalen), Erdholla (Nd.Ö.), Läuskraut (Eifel), Lise- rohr (Schweiz: Waldstätten), Buchel, Bange(le) · Gügali, (Spigg)-Guge, Gugechrut, Tutele; Baumtropfen (Graubünden), Hanala (Böhmerwald), Krokkeln (Westfalen), Gatscha (Egerland), Gausepoten (Westfalen), Rietschärlig (Schwyz) ¶ *Angelica Archangelica* (Erz)engelwurz, Engel-Brustwurz, Edle oder Zahme Angelika, Garten-Angelik, Giftwürze, Heiliger Geist, Heiliggeistwurz, Theriakwurzel; Gölk, Angölkenwörtel (Altmark), Ohnejilke, Jilke (Schlesien), Anejilchen, Onegilken (Gotha), Hanjelik'n (Eichsfeld), Lühstock (Unterfranken), Stinkende Tute, Sau- Tute (Unterfranken) ¶ *Levisticum officinale* Berg-Liebstöckel; Lefestick, Lubbe(r) stick(en) (Ostfriesland), Lübstock (Mecklenburg), Levestock (Westfalen), Lêwer- stock (Göttingen), Lewestock (Eichsfeld), Leppstock (Niederrhein), Liebstengel, Lievstock (Eifel), Lebestock, Lebensstock (Oberharz), Lichtstöckel (Schmalkalden), Liebesstückel (Schlesien), Liebrohr, Lieberöhre (Baden), Leibstückle (Württ.), Leib- stöckle (Erzgebirge), Ladstock, -stöckl (Böhmerwald, Tirol), Lusteken, Luststecken (bayer.-österreichisch), Luststock (Kärnten), Linstöckl (Böhmerwald), Leïfstack (Lothringen), Lobstock (Elsaß), Lubbestock, Leibstäckle (Calw), Luixenstickl (Bayr. Schwaben), Laubstöcke, -chrut (Graubünden), Lobstecken (Berner Oberland); Labe- stock, Laubspikel (Aargau), Rübestöckel (Riesengebirge), Rüabstikl (Bayr. Schwa- ben), Gluf'nstock (Kärnten), Gichtstock (Nd.Ö.), Stockchrut, Steck- (Zermatt), Stack- laub (Binntal), Herrimgarten (Steiermark), Gebärmutterwurzel, Sanigl (West- böhmen), Schluckwehrohr (Schweiz), Badkraut (Elsaß), Saukraut; Badekraut ¶ *Pastinaca sativa* Gemeiner Pastinak, Hammel-, Hirschmöhre, Welscher Petersil;

Balsternak, Balsternacken, Palsternak (ndd.), Pansternacken (Bielefeld), Pinksternack Pilsternak (Ostfriesland), Pasternaat (sächs.), Pastenei (Basel), Pastinada (St. Gallen), Pastinat; Pestnachen, Pestnägel, Bastnägel (Büchernamen); Roßkemmich (Schwäb. Alb.), gäli Bangele (Thurgau), rauher Giersch, wilde Möhren, (wilde) weiße Möhren, geale Morra (Schwäb. Alb.), Mohrwurtel (Schleswig), Hammels-, Klingelmöhre (Westfalen), Kruckelmöhre, Krützelmöhre (Hessen), tauber Dill (Gotha), welsche Petersilie; Bockkraut (Kärnten), Judenwörtel (Lübeck), Moorwötteln (ndd.), Wittwuartel (Westfalen: Rheine), (wilde) Marillen, Herzmarillen (alte Büchernamen) ⁋ *Laserpitium latifolium* Breites Laserkraut; Hirschwurzel (z. B. Oberharz, Schwäb. Alb, Gesenke), Hirschesprüng (Zürcher Oberland), Weißer Enzian (z. B. Oberharz, Schlesien), Geiß-, Berg-Schärlig (Graubünden), Groburach (Kärnten), Chrotestude (Kanton St. Gallen), Bocklaub (Graubünden: Rheinwald) ⁋ *Heracleum Sphondylium* Wiesen-, Unechte Bärenklau, Heilkraut; Bärepot (Nahegebiet), Bornklawen, Barn-, Bärnklawe (Gotha), Bärlappe (Unterfranken), Bärentatz'n (schles., bayr.-ö.), Bäretalpe (Schweiz), Bäreletsche (Baden), Bärnprotschn,- prouzn (Böhmerwald), Bärenfuß, Wolfsklau (Niederrhein), Bullnklau (Schleswig-Holstein), Säulapp'n (Mittelfranken), Kuhlatsch (sächs.), Latsche (Baden); Ochsenzunge (Eifel, Sachsen), Buchmûl (Gotha), Kaumûle (Göttingen), Pferds- (Eifel), Pferdekümmel (Egerland, Riesengebirge), Roß-, Gaulkemich (Schwaben), Roßchümmi (Schweiz), Bange(le) (Schweiz, Baden), Buggeln, Erd-Buchle (St. Gallen), Schärte, Schäärlech, Schärlig, Schärling, Schärlicher (Schweiz), Schättele (Schwaben); Ruhpiepe, Sprützenholt (Westfalen), Schallpiepen (Elberfeld), Tuten, Wissetäüt (Eifel), Kröpel (Göttingen), Säuchrut, Süschärlig, Chüngelichrut (Schweiz), Emdstengei, -chirbel (Schweiz), Bartsch (Ostpreußen, Schlesien), Porst; Bochele (Baden), (Große) Stengel (Schwäb. Alb), Snotken (Westfalen: Rheine), Keïstrupfen (Egerland), Ueberich, Ibere(ch), Iberi(g) (St. Gallen, Zürich) ⁋ *Daucus Carota* Gemeine Mohrrübe oder Möhre, Gelbe Rübe, Gelbrübe, Eselsmöhre (Schweiz), Maidele (Württ.), Pestnägel; Mauren (Quedlinburg), Muur (Niederrhein), Murken (Niederösterreich), Mora (schwäb.), Mooreschöpf (Churfirstengebiet), Mohrechümmi (Schweiz), Wurteln (ndd.), Wurzel (Elsaß), Moorwutteln (untere Weser), Mohrewurzel (Baden), Tappurdeln (Bielefeld), Tappwuttel (ndd.), Stückwuotteln (Westfalen), gelbe Rübe; Krotten, Kurottenwuttel (ndd.), Storchennest (Baden), Vogelnest (St. Gallen), Habergucken (Egerland), Galgennägel (z. B. Baden, Nassau), Krempfer (Böhmerwald, Niederbayern), Baschnein (Elsäß. Münstertal). ⁋ *Cornus Mas* Cornelkirsche.

2. U n t e r k l a s s e : *Metachlamydeae oder Sympetalae* (bis S. 88).

1. R e i h e : *Diapensiales.*

2. R e i h e : *Ericales.*

Clethra · Wintergrün · Fichtenspargel ⁋ *Rhododendron hirsutum* und *ferrugineum* (Behaarte) Alpenrose, Steinrose; Schnee-, Stoanrösl (Salzburg, Tirol), Steiros (Walenstadt), Steirêsli (Pilatus), Sennerrosen (Tirol), Lökerröserl (Gmunden), Nebelrosen (Tirol), Bergrose (Bern), Chleb-, Harznägeli (St. Gallen), Drues-, Trôsnägeli (Schwyz: Muotatal), Stockrösle (Lichtenstein); Donner-, Tunderrosen (bayr.-ö.), Donderbluome, Donnerblüch (Kärnten), -staude (Steiermark); (Alm)rausch (bayr.-ö.), Rauschkräutel (Steiermark, Nd.Ö.); Grüner Bux, Almbux, Buxbaum (Kärnten); Schinderblüh, Schinderblätter (Salzburg); Zetten (Altental), Zuntern (Zillertal); Hüehnerblueme, Hühnerbluest, Hühnerdrosli, Hühner-Maie (Schweiz), Jippe, Juppe, Gippe (Uri, Oberwallis), Rafausle, Trafausle (Glarus), Oswaldstaude (Tirol).

Erdbeerbaum · Bärentraube.
Erica carnea Frühlings-, Schneeheide, Alpen-Heiderich; Hoaderer, Hoadern (Oberösterreich), Riblehard (Allgäu), Sendl, Senerer, Senden (Ö.), Brüschblüemli (Schweiz), Tann-Moos (St. Gallen), Kraß, Mariahilfblüemli (Schweiz); Schnabelblüemli (Züricher See) ¶ *Erica Tetralix* Glockenheide; Topp-, Dopp- (Nordwestdeutschland), Boon(d)er- (Oldenburg), Riis- (Emsland), Besmen- (Westfalen: Rheine), Fast- (Oldenburg), Bult-, Moorheide (Hannover), Heidklöckskes (Westfalen) ¶ *Calluna vulgaris* Heidekraut, Besenheide; Hedorn (Anhalt), Hâd, Häd, Hadch (fränkisch), Hoaderer, G'hoiderer, Hadach; Hoadn (bayr.-ö.), G'heid (Baden, Schweiz); Bessen-, Brandheide (untere Weser), Stock-, Krug-, Ries-, Kohheide, Kruse Hehe (Westfalen), Ramhäd (Nahegebiet), Binnheidi (Nordböhmen); Bruch, Brüsch, Breusch, Gaißbrüüsch, Prisi, Prig, Prisch (Schweiz); Wülda Seïgnbam (Böhmerwald), Seefen (Allgäu), (wilde) Sephi (Schweiz); Rinkheiser, Ringheiß, Rink-, Rindsheide (Baden), Baseries (Schweiz: Werdenberg), Sendel (Nd.Ö.), Sendach (Osttirol, Kärnten); Brauttreue (Salzwedel); Heiderich (Nd.Ö.) ¶ *Vaccinium Vitis-Idaea* Preißel-, Kronsbeere; Bruinschlize, Bruschnetzen, Braunschnitzer (Thüringen), Brausbäa(r) (Egerland), Preißlitz (Böhmerwald), Graslatz-, Graslitzbeer (Egerland, Erzgebirge), Bernitzke, Bernitschke (Westpreußen); Krambeere (untere Weser); Granten, Grandl(beer) (bayr.-ö.), Granken, Kranklbeer (Salzburg, Steiermark, Ob.Ö.), Krenten- (Vorarlberg), Ranklbeer (Ob.Ö.); Wengtergrüen (bergisch), Wintergrüan (Nd.Ö.), Wengterwolberte (Elberfeld), Wilder Buchsbaum (Hessen), Berg-, Fluehbuchs, Buchsbeeri (Schweiz), Wilder Palmen (Eifel), Marien-, Mädepalm (niederrh.), Prowenkel (berg.), Winterzecken (obersächs.), Riffelbeere (Riesengebirge), Riffli, Rifeli (Bern), Griffle, Grüfle, Gryfeln (Graubünden), Grefle (Wallis); Streffelbeere (Riesengeb.); Klusterbeere (untere Weser), Klunderbeere (Göttingen): Schöckelbeere (Steiermark); Fuchsbeeri (Schweiz), Kreinogen (Altmark), Kreuzbeer (Tirol), Chrützbeeri (St. Gallen), Dröppelkes (Westfalen), Tüetjebeere (untere Weser), Tütebeeren (Mecklenburg), Kröskes, Krosseln (Westfalen), Kroonsbeiern, Moosjucke, Mostjocke, Musjucken, Moosguckerchen (Thüringen), Hölperle, Hulperli (Thüringen, Unterfranken), Mardaune (Eifel), Napplabeer (Nordostböhmen), Jagerbeer (Oberösterreich), Pumb'l (Tirol), Steinbeere, Luppbeere (Baden), Speck-, Schmalzbeeri (St. Gallen), Zwengerl(ing) (Böhmerwald) ¶ *Vaccinium Myrtillus* Heidel-, Blaubeere, Heilebere (Göttingen), Heedelbeere (obersächsisch), Haarebier (Oberhessen), Hällbeere (Rheinpfalz), Heidelbeer(i) (al.), Hoa- (Ob.-Ö.), Heibeer (Baden), Heiberi, Heipperi, Heuberi (Schweiz), Walbite (Westfalen), Wolber(ten), Worbeln (Eifel, N.rhein), Wabel (Nassau); Schwarz (bay.-ö.), Blaubeer (Elsaß, Baden, Nd.-Ö.); Pickbier (Oberhessen), Bibberken, Bickbäre (Westfalen); Taubeere (Altbayern), Aeugl-, Eigl- (bayr.-ö), Schwarzäugelbeer (Ob.-Ö.), Krainogen (plattdeutsch); Besing (Pommern), Bêsinge, Kohteken (Altmark), Sepbeer (Ob.-Ö.), Mom- (Eifel), Most- (Tirol), Margaretenbeere (Riesengebirge), Gräm-, Gram- (Elsaß), Staudelbeer (Rheinpfalz); Miesich-, Jakobsbeere ¶ *Vaccinium uliginosum* Moorbeere, Rauschbeere; Trunkelbeere (niederdeutsch), Schwindelbeer (Nd.-Ö., Schweiz), Dumm(els)beer (Sachsen; Deutsch-Einsiedel); Mehlbeere (Steiermark), Mehlberi (Schweiz), Nebelbeer (Osttirol, Steiermark), Schnotz-, Schnuderbeere (Baden), Schnuder- (Schweiz), Pfluderbeeri, Bludertsche, Bludere (Graubünden); Maurbeere (Braunschweig), Femmerten (Westfalen), Filzklobern (Böhmerwald), Moosfakken (Osttirol), Kranckeln (Nd.-Ö.), Kronsbeeren (Mecklenburg), Kootecken (untere Weser); Bullgrafen (Pommern), Puttgnaden (Mecklenburg), Duun- (Lüneburg), Winnen-, Winnsbeere (untere Weser), Suurbeen (Bremen), Rißbeten (Westfalen), Glogitzer, Zoglbeer (Böhmerwald), Sturlbeer (Tirol), Gugge (Württemberg), Berg-

mandln (Kärnten), Butler (Graubünden), Munibeere (Schweiz) ⁋ *Empetrum nigrum* Schwarze Krähen-, Rauschbeere; Kreienbeeren (nordw. Deutschland), Krahbeer (Kärnten), Kronäugel (Böhmerwald); Fuul-, Gram-, Heidel-, Strickbeeren (nordw. Deutschland), Drunkelbeere (Lüneburger Heide), Dunkelbi(e)r (Erzgebirge), Güdel- (Zermatt), Durstbêri (Graubünden), Zimzamberla (Böhmerwald); Stanhadach (Kärnten); Brockenmyrte (Harz) ⁋ *Oxycoccus quadripetalus* Sumpf-Moosbeere; Moorbeën (untere Weser), Moosbeere (Braunschweig), Moschbeer (Kärnten), Fennbeere (nddt.), Bultbeeren (untere Weser), Filzkloben, -beer (Böhmerwald); Kram(s)- beeren (Schleswig, Hannover), Grammbäre (Eifel); Roë Heidbeën (Worpswede), Krößkes (Westfalen: Rheine), Glozbeeri (Eifel), Tüttebeere (Schleswig), Chlepfi- beeri (Aargau), Märchenäpfel, -birnen (Eifel), Seebock (Schweiz: Wauwil), Kreimken (Osnabrück).

3. R e i h e : *Primulales.*

Primula vulgaris Schaftlose Schlüsselblume, Erdprimel; Merzbluem, Zitlose, Zitterrösli (Schweiz), Vorwitzcher (Nahegebiet); Gelber Sanikel, Gelber Scharnikel (Kärnten), Ringelblümel, Breinröserl (Steiermark), Roßzähne (Marbach, Kt. Luzern), Auge-Schlüsseli (Walenstadt) ⁋ *Primula elatior* Hohe Schlüsselblume; Bube-Batenke (Schwäb. Alb), Weiße Schlüsselblume (Baden); Battenge (Vorarlberg), Badängeli, Maradendele (Baden), Bakenga, Makenga (Schwäb. Alb), Maginka (Schwaben: Windelheim), Badönikli (Appenzell, Zürich), Madäneli, Bodüneli, Matengele (St. Gallen), Badenneli, Madennli, Mattedennili, Vadenteli (Thurgau, Schaffhausen); Slöttelblaume (Braunschweig), Schlössli, Schlüsseli (Baden), Himmelschlüssel (bayr.-ö.), Karkenslätel (Schleswig), Kirkeschlötel (Niederrhein), Peterschlüssel (Steiermark), Bure-, Bach-, Bettlerschlüsseli (St. Gallen), Fraueschlüssel (Graubünden), Tubechnöpfli (Schweiz), Pfoffahosa (Nordböhmen), Radlbleoml (Sonnblickgebiet), Keilhacke (Schlesien), Händscheli, Handschuh-Blüemli (Schweiz); Osterblume (mehrfach), Märzen (Münsterland), Aprilbloume (Lengerich), Jirglblume (Gesenke), Kukuksschlössel-, -schall, -blom (rheinisch), Zitlose (St. Gallen); Gansbleaml (Ob.-Ö., Ob.-Bay.), Bättlerruude (Schweiz); Hühnerblind (obersächsisch) ⁋ *Primula veris* Frühlings-Schlüsselblume, Arznei-Primel; Slätelblom (plattdeutsch), Karkenslätel (Mecklenburg), Kirchenschlüssel (Eifel); Burgerschlüssel (Kärnten), Burgetschlüsseli (Baden), Peterschlüssel (Tirol, Kärnten); Witbüchsen (Mecklenburg), Pluderhose, Keilhacke (Glatz), Fraueschüeli (Thunersee); Schmalz-, Ankeschlüsseli (St. Gallen), Eier-Blueme (Schweiz), Pannkooksblume (untere Weser), Gelbsuchtsbleameln (Ob.-Ö.), Gelber Scharniggl (Kärnten), Fünfwundenblume (westl. Rheinprovinz), Teeblueme, -blüemli, Teevadenteli (Thurgau); Merzeblümeli (Schweiz), Fastenblümel, -veigel, Faschingwöferl, Allelujablümel (Steiermark), Auswärtsbleaml (Ob.-Ö.), Maiblümel (Ob.-Bay., Riesengebirge); Butändl (Nd.-Ö.), Badenke (schwäbisch), Bagenka (Schwäb. Alb), Bodäneli (St. Gallen), Batengel (Baden), Matänneli, Matängeli, Mattedänli (Schweiz), Madäneli, Matenkele, Mattetänneli (Baden); Primelweer, Plumerweire (Ostfriesland); Hoamische Badängeli (Baden), Mädelsbagenka (Schwäb. Alb), Meitli badentli (Thurgau), Heerezeicheli (Zürich), Heereschlösseli (St. Gallen), Gäls Schlüsselblüemli (Waldstätten), Laugeblueme (Bern), Teeschlüsselblume (Thurgau) ⁋ *Primula farinosa* Mehl-Schlüsselblume, -primel; Kreuzbleaml (bayr.-ö.), Chrüzblüemli, Chrüz(er)li (Schweiz); Frauenäugl (Tirol), Rietäugli (St. Gallen), Feueräugln (Kärnten), Henneräugeli (Vorarlberg), Fischäugli (Sigmaringen), Schaf-, Chrotten- (St. Gallen), Chriesi-, Stier- (Thurgau), Roß- (Glarus), Chatzenäugli (Graubünden); Fleischblüemli (Thurgau), Fürblüemli (Zürich), Regenrösli (Berner Oberland), Kesseli (St. Gallen); Müller-, Mehl-, Müller-blümli, Mühlerädli (Schweiz); Moosblümel (Tirol), -blüemli, Rietnägeli (Schweiz), -schlüsseli (Walenstadt); Mariggeli, Massiggeli (Waldstätten), Kaiserli (Berner Oberland) ◖ *Primula Auricula* Alpen-Aurikel, Ohr-Schlüsselblume; Orikel, Rickelchen (bergisch), Arikelken (Göttingen), Rikelar, Rikelen (Nordtirol); Patenigl, Platening (Tirol), Badöneli, Padönachli (Schweiz); Häntscheli, Handscheblueme (Schweiz); Bergbluome, Flüehblueme, Flüehblüemli (Schweiz), Schrofenblüemlen (Achensee), Alphäntscheli, Schrofmadänge (Vorarlberg), Bergschlösseli, Steischlüsseli (Schweiz), Steinblume (Bay. Alpen), Stein-Plagente (Bay. Allgäu), Gamsbleaml (bay.-ö.); März-blümcher (bergisch), Märzblüemle (Elsaß), Osterblume (Achensee); Früehblueme (Züricher Oberland), Müllermädeln (Sachsen), Mehlblüemli (Aargau); Kraftbleaml, Schwindelblüh (Steiermark); Peterstamm (Ob.-Ö., Kärnten), gelber, wilder Speik (Tirol); Chrutgarteschlüsseli (Baden), Wältschi Badenetli, Hantscheli, Sammet-badenetli (Thurgau) ◖ *Primula minima* Zwerg-Schlüsselblume; Speik, Roß- (Tirol), geller Speik, Gel- (Obersteiermark), Sauspeik (Steiermark); Schwindelkraut, Abbiß, Teufelsanbiß (Salzburg), Saupeterstamm (Kärnten), Platenigen (Tirol), Gamsbleaml (Tirol), Habmichlieb (Riesengebirge) ◖ *Androsace* Mannsschild ◖ *Soldanella alpina* Echtes Alpenglöckchen; Schneeglöck(er)l (Ostalpen), Eisglöckl (Nordtirol), Alm-glockerl (Nd.-Ö.), Alpeglöggli, Blaue Schneeglöggli (Berner Oberland), Schnee-nagelen (Tirol: Imst); (Blaues) Schlisselbliemli, Tüfelsgsichtli (Waldstätten), Gug-gerchäs (Graubünden) ◖ *Cyclamen europaeum* Europäische Erdscheibe, Berg-veilchen; Schweinsbrot; Stierl (Ob.-Ö.), Hirschbrot (Steiermark); Erdkugeln (Nd.-Ö.), Scheiblkraut (Ob.-Ö.), Holzäpfel (Ö.), Goasruabn (Kärnten), Gumeli, Haselgumeli (Waldstätten), Walderdepfl (Nd.-Ö.), Wilde Erdäpfel (Ö.), Haselrübe (Steiermark), Gätziöpfel (Schweiz: Sargans); Bischofshaube (Ob.-Ö.), -kappl (Salzburg), Wasser-schafferl (Ob.-Ö.), Gätzeli (Graubünden), Milikübel, Melchsechterl (Ob.-Ö.); Hasen-öhrli (Schweiz); Haselblümel (Steiermark); -wörzli (St. Gallen), -würze (Berner Oberland); Lausbleaml, -wurzn (Nd.-Ö.), Kreuzwehkraut, Kel'nwurzel, Gichtapfel (Nd.-Ö.), Aflplotschen (Kärnten); Bergmanderl (Ob.-Ö.), Kristleidenblume (Ober-steiermark), Türk'n (Kärnten), Waldveigerl (Ob.-Ö.); Saubrot, Alpenveilchen ◖ *Lysimachia Nummularia* Pfennigkraut; Wischengold (Altmark), Goldstrite, gelbe Striten, Goldchrut (Schweiz), Fuchsenkrut (Böhmerwald, Nd.-Ö.); Schlange, Otter-chrut, Natterchrut (Schweiz), Kranzkraut (untere Weser), Kränzelkraut (Ost-preußen), Kranzlan, Brautkranz (Riesengebirge), Kreuzerlan (Kärnten), Sta up un ga weg (Hannover: Alteland), Immerheil (Riesengebirge), Mulfülichrut (Wald-stätten); Egelchrut (Aargau), Grasgilge (Schweiz) ◖ *Lysimachia vulgaris* Gilb-weiderich, Goldkraut ◖ *Anagallis arvensis* Acker-Gauchheil, Sperlings-, Zeisigkraut, Rotes Grundheil; Gähheil (Eifel); Narren-, Gecken-Jochheil; Vernunft-, Verstand-kraut; Nainibleaml (Nd.-Ö.), Neunerle (bayr. Schwaben), Nüni-Blüemli (Luzern), Zehniblüemli (Thurgau), Firobedblüemli (Thurgau), Ful-Liese (Mecklenburg), Faule(s) Liesl (bayr.-ö.), Fauli Gredl (Nd.-Ö.), Faule Minna (Anhalt), Fulenzchen, Ful'Elschen, Faule Ma(g)d (Gotha); Katza(n)äugla (Schwäb. Alb), Hühneraug (Schweiz: Waldstätten), roti Henne-Aeugli (St. Gallen), Bluetströpfli (Schweiz); Regenblom (Schleswig), Wetterblume (Riesengebirge), Gewitterblume (Schlesien); Gänskritche (Lothringen), Gensekreitchen (Luxemburg); Mausbödlein; Grundheil, Heil alle Welt (Braunschweig), Kopfwehkraut (Schwäbische Alb); Heanadarm (Nd.-Ö.), Hühnersarb (Erzgebirge), roe Honerswarm (Oldenburg), rode Mihre (Mecklenburg, Schleswig), roter Hühnerdarm (Schweiz, Kärnten); Augetrost, Auge-tröstla (Schwäb. Alb), Krähenseife.

4. R e i h e : *Plumbaginales:* Strandnelke.

Statice Armeria Gras-, Sandnelke; Pfingstblöme (Ostfriesland), Strohblume (Bremen), Seegras (Butjaden); Kranzrusen (Friesland), Hungerkrolle, Federhäusche (Eifel), Pingsterblome (Ostfriesland), Draht-, Semmel-, Pißblume, roter Hasenkopf (Anhalt), Paddenblume (Mark).

5. R e i h e : *Ebenales* · Ebenholz · Styrax (Benzoeharz) · *Sapotaceen* (Guttapercha, Eisenholz).

6. R e i h e : *Contortae.*

Strychnos Nux vomica Brechnuß, Samen „Krähenaugen" ❡ *Gentiana verna* Frühlings-Enzian; Schusternagerl-, veigerl (bayr.-ö.), Schuhmachernägala (Schwäb. Alb), Schuhmacherlin (Wallis: Zermatt), Guckernagerl (Steiermark), blaue Nagerl (Kärnten), Rabennagerl (Steiermark), Krappennägeli, -veigele (Schwaben), Roßnägele (Schweiz, Baden), Grabsernägeli (St. Gallen), bloa Kutt (Schwäb. Alb), Stierenäugli (St. Gallen), Stiefeli (Schweiz), Gloggenblüemli, Glöggli, Ried-, Steiglöggli (Waldstätten), Steinägeli (Waldstätten), Gröfli (St. Gallen), Grifle (Graubünden), Jörge(n)nägele (Württ.), Veigele (Tirol), Wilde Jufenönli (Aargau), Himmelsveigerl (Ob.-Ö.), -bleaml (Salzburg), -blüemli, -bläueli (Schweiz), -stern (Ob.-Ö.), Vaterunserli (Schweiz), Himmelsternli, Sterneblüemli, Stärneli (Schweiz), Tinteblüemli, -fäßli (Thurgau), Rauchfangkehrer (Ob.-Ö.), Soldatenblüemli (bayr. Schwaben); Himmelschlüssele (Schwaben, Schweiz), Schlüsselblumen (Tirol); Roßmucka, Roßmuckenveigerl (Schwaben); Hausa(n)brenner (Schwäb. Alb); Blitznägeli, Toteblümli (Baden) ❡ *Gentiana Clusii* Großblütiger Enzian; Glogge (St. Gallen), Steiglogge (Waldstätten), Gloggeblueme (Graubünden), Bodenglocken (Tirol: Imst), Almglocken (Salzburg), Holzgluckn (Nd.-Ö.), Gugguhandschuh, Kukurantschen (Tirol, Kärnten), Guggerschuh (Tirol), blauer Fingerhut (Tirol), Fingerhuet (Schweiz), Fingerschuh (Kärnten), blaue Hosen (Oberinntal), Höseli (Solothurn), Pfaffenhosen (Trins), -kuttel (Kaunsertal); Pfatscher (Drautal), Schneller, Schnelln (Tirol, Ob.-Bay.), Keßlers, Cheßler, Chlepfer (Graubünden); Bitterwurz (Nd.-Ö.), Bitterwörzli (St. Gallen) ❡ *Gentiana asclepiadea* Schwalbenwurz-, Würger-Enzian; (Blaue) Kreuzwurz (Tirol, Kärnten), Geiß-Leitere (Schweiz), blaue Fingerhuat (St. Gallen); Kerzenwurz (Stainzer Gegend), Schelmwurz (Schweiz: Oberes Tößtal) ❡ *Erythraea Centaurium umbellatum* Echtes Tausendgüldenkraut; Milijontouznkrut (Eichsfeld); Goldgöllekreitchen, Tauschentkraft (Krain: Gottschee); Gottesgnaden (Nordthüringen), Düllhunnskrut (Lüneburg); Stoh up un gah weg (Mecklenburg), Unpfennig-, Gallkraut (Obersteiermark); Muattergotteschrut (St. Gallen); Mariekens; Aurinken, Augerinken, Grinkens (Mecklenburg), Aurin (Wangerog), Laurin (Ostpreußen), Orinken (Vorpommern), Rotorinkrud (Altmark) ❡ *Menyanthes trifoliata* Sumpf-Bitterklee, Dreiblatt, Zotten-, Zottelblume; Bitterblad (altes Land), Bitterkli (Nordböhmen); Feverkrut (Schleswig); Dreeblatt (ndd.); Wille Boonen, Boonenblad (Hannover), Wille Baunen (Osnabrück), wildi, Moosbohna (Waldstätten); Freschekohl, -kiedl (Moselgebiet), Moospflanze (Böhmerwald), -klee (Kärnten), Wilde Jazingge, Moos-Zingge (St. Gallen), Riedgläsli (Thurgau), Wassergläsli (Zürcher Oberland); Sumpfklee ❡ *Strophantus* · Oleander· Schwalbenwurz ❡ *Vinca minor* Gemeines Immergrün, Sin(n)grün (ahd. sin = immer); Si(n)gri (Bayern), Sigerer (Ob.-Bay.); Wintergrün (mittel-, obdt.); Mädepalme, Mai-, Wilde Palm (Niederrh.); Judenmyrte (Ostpreußen); Grabimmergrün (Schwäb. Alb), Totenblätter, -kraut (Eifel), Totenmyrte, -viole, Toteblüemli (al.), -veieli (Basel); Berwinkel (nddt.), Perwinkelken (Göttingen), Bar- (Nordböhmen), Brunwinkel (Oldenburg), Bergwinkelkraut (obersächs.), Bamwinkel (Glatz), Ber- (rheinfränkisch), Sperrfink (Eifel),

Berfang (Lothringen); Himmelssternli (Thurgau); Judeveieli (Elsaß, Baden), Blaumaie (St. Gallen), Roßmuckenveigerl, Schusternägeli (bayr. Schwaben), Müllerrädli (Thurgau), Steibliemli (St. Gallen); Strite (Aargau); Jungfernkraut, -krone (Schlesien), Jungfraugrün, Mägdekraut, -palmen.

Familie: *Oleaceae.*

Fraxinus excelsior (Stein)esche; Eske(nboom) (nddt.), Asch (Schwaben), Ische (Lothringen), taag Esch (Mecklenburg), Krüzesch (Schleswig), Langeschel (Böhmerwald), Schäubische (St. Gallen); Aschp'n (Nd.-Ö.), Aspalter, Agspelter (Kärnten); Gais- (Schwäb. Alb), Wundbaum (Schwäb. Alb); Tagesch (Mark) ⁋ *Ligustrum vulgare* Rainweide, Beinholz, Hart-, Zaunriegel, Gimpel-, Tintenbeere; Augustrum (untere Weser), Augusthäge (Ostfriesland); Wilde Wie, Holwie (Göttingen), Widlesholz (Schwäb. Alb), Zaun-, Wilde Weide (Henneberg); Wilde Palm (Niederrhein); Chorngert(li), Cher(n)-, Chäre-, Chuen-, Chill-, Chollgert (Schweiz); Chrotte-Beri (St. Gallen), Hunds- (bayr.-ö., Schwäb. Alb), Bocksbeer (Imst), Bocksbeeri (St. Gallen), Geisehecke, -holz (Nahegebiet), Geiße(n)-Baum (Aargau), Geißbeeri (Schweiz), Teufelskirschen (Eifel), -beer (Schwäb. Alb); Vogel- (Baden, Schweiz), Gimplbeer (bayr.-ö.), Bluetfinkebeeri (St. Gallen); Tintenbeer (im Oberdeutschen); Hartrigel (Elsaß, Nd.-Ö.), Hartüäetle (Elsaß), Beindlholz (Westböhmen), Weiß Boaholz (Schwäb. Alb), Nagelholz (St. Gallen), Rächebögli (Waldstätten) ⁋ *Syringa vulgaris* Gemeiner, Spanischer Flieder; Spaensche Ellhoern (Schleswig), Holunder (Braunschweig, Sachsen), (blauer, türkischer) Holler (bayr.-ö.), Spanischer Holler, Holder (Anhalt), (blauer, spanischer) Holder(e) (Schwaben, Schweiz), Baure-Holder (Franken), Schmeckholler (Oberfranken); Niagelken, Nagel(ke)bom (plattdeutsch), Nagelkes, Nägelches-, Nälchesblume, Nägelcher (fränkisch), Groffensnal (Aachen), Nägala (schwäb.), Nägeli, Eßnägeli(bluost) (Schweiz); Maiblom (bergisch), -bluem (Elsaß), Maierösli (Baden), Maiebluest (Schweiz), Maia, Maiblüa(h) (Ob.-Bay.), Pinksterblome, -bloume (plattdeutsch), Pängstblum (Niederrhein), Pfingstbluem (Elsaß), Pfingste-Glesli, Pfeistblueme (Schweiz), Ufertsbluest (Basel); Huckufdemad, Huppufdemad, Kufdemad, Huckauf, Huppuff (Sachsen, Nordthüringen, Anhalt), Hub-uf-de-Mê (Altenburg), Hep(e)timat (Oberhessen); Sirên(e), Zorene, Ziereenje, Zitrene (plattdeutsch), Zieren'n (Gotha), Zi(t)renchen (Nordthüringen), Zitterene (Hessen), Zerinke (Rheinpfalz), Zirinke (al.), Zitterink, Zitterinz (Elsaß), Zitrönchen-, Rosinenbaum (Oberharz); Zittelbast (Elsaß); Längelieber, Eng(e)lalieb(e)r, Liwerängl (Thüringen); Lilach (Sachsen), Lila (Elsaß), Lilak (Aargau); Kaneelblom, -roes (Schleswig), Pastoren-, Studenten- (untere Weser), Kasblom (bergisch), Lemerschwenz (Oberhessen), Mühlen- (Moselgebiet), Weinblume (Baden), Wietrube (St. Gallen), Huppendinges (Lothringen), Zuckerblueme (Elsaß); Jelängerjelieber. Jasmin · Ölbaum, Olive.

7. R e i h e : *Tubiflorae.*

Familie: *Convolvulaceae.*

Batate.

Convolvulus arvensis Acker-Winde; Winne (Emsland); Wann (Eifel), Windlich (Steiermark), Windeli (Schweiz); Bend (Niederrhein), Bingen (Nordthüringen), Bind(e) (Elsaß); Wäwinn (Schleswig), Wewinne (nördl. Braunschweig), Wierwinn (Westfalen), Wedewinde, -winge, Besenwinde (Anhalt), Windelwäe (Emsland), Wiwinne (Göttingen), Pädewinde (Potsdam); Pärewinge, Pädewinne (Anhalt), Winnposch (Nahegebiet), Sauwindeln (Altbayern), Umwindling (Ob.-Ö.); Slingenrause (nördl. Braunschweig), Omspunnen (Helgoland), Drehwurzen (Nd.-Ö.), Drumrumkraut (Schwäb. Alb); Sneerkrut (Schleswig), Sauschnerfling (Böhmerwald); Ackerläuse (Ob.-Ö.); Haferl (Altbayern), Pißpott (Vest Recklinghausen), Schiffermützchen (Westpreußen), Pfaffenhütchen (Braunsberg), Stirzerln (Nd.-Ö.), Liebfrauenkelch (Böhmerwald), Gotteshemdchen (Ostpreußen); Stru(m)pfe (Ö.), Strümpfe (Ob.-Ö.), Straifling (Westböhmen), Stroapfele (Schwäb. Alb), Apothekerblume (Anhalt) ❡ *Convulvulus sepium* Ufer-, Große Winde, Zaunglocke; Stockwinn (Eifel), Schlangawenda (Schwäb. Alb), Stig-, Spinnwinde (Aargau), Ranken (untere Weser), Slangenrank (Schleswig), Klim-ûp, Düfels-Neigarn (Ostfriesland); Glogge (Graubünden), Glogge-Blueme (Schweiz), Glockawenda (Schwäb. Alb), Zaunglocke (Eifel), Klausterklocken (Westfalen), Muttergottes-Trinkglas (Franken), Theeköpke, Pißpott (Ostfriesland); Bettseicherli(Schwaben); Regeblume, -glogge (Schweiz); Dagblöme (Emden) ❡ *Cuscuta* Teufelszwirn, Seide, Filzkraut; Siden, Sie, Siën, Sieren (niederdeutsch), Side (Aargau), Seidenwinde (Böhmerwald), Heidsiern (Hannover), Schlangenseid (Nahegebiet), Hexesid (Elsaß), Flassiërn (Hannover); Düwelstweern (Schleswig), Düwelsneigarn (Osnabrück), Teufelszwirn (thür., bayr.-ö.), Ringel(e) (Baden, Schweiz), Kletterhur (Baden), Zigufer (Elsaß), Hochfart (Ob.-Ö.), Flechtgras (Baden), Haseg(n)garn (Elsaß), Teufelshaar (Steiermark), Flaßhaor (Osnabrück), Jungfernhaar (Kärnten); Grind (Baden, Elsaß), Scherf (Hannover); Brand, Brenngras, -kraut (Nd.-Ö.); Kleeseide, Hopfenseide, Flachsseide ❡ Heliotrop.

Familie: *Borraginaceae.*

Borrago officinalis Borretsch; Burres, Borgel-, Gurken-, Wohlgemutkraut; Purg, Porg, Porich (rheinisch), Boragi, Boradi (Obersteiermark), Borage(n) (schwäb.), Burrasch (Lothringen), Buratsch, Böratsch (Schweiz)) Gu(go)meanlerer (Oberhessen), Guggumerechrut (Thurgau); Beinlfutter (Steiermark), Küchlikrut (Elsaß), Jungferegsichtli (Churfirsten); Ochsenzunge ❡ *Symphytum officinale* Große Wallwurz, Beinwell, Schwarzwurzel; Boanwurzen (Nd.-Ö.), Beinwurz (Anhalt), Hälwurzel (Lothringen); Smeerwuttel (untere Weser), Speckwottel (Emsland), Hasenhimmelsbrot (Nd.-Ö.); Chuechi-Chrut (Luzern); Honigblum (Niederrhein), Hungblueme, Imbelichrut (Aargau); Zuckerhaferl (Böhmerwald); Schärwuttel (untere Weser), Soldatenwuttel (Hannover: Achim), Glootwuttel (untere Weser), Lauwertel (Hinterpommern), Hundzunge, Koralleblume (Baden), Zottle (St. Gallen); Wilde Baumwolle (Anhalt) ❡ *Pulmonaria officinalis* Echtes Lungenkraut, Hirschmangold, -kohl, Unserer lieben Frauen Milchkraut, Blaue Schlüsselblume; Blaue Kirkeschlötel (Niederrhein), (blaue, rote) Himmelsschlüssel (bayr.-östr.) rote Batenke (Schwäb. Alb), Vater- und Mutterschlüssili, Brunneschlüsseli (Schaffhausen); Haentschebluame (Baden), Handschechrut, -blüemli (Aargau), Pluderhosa (Schlesien), Hoselotterer, Schlotterhose (Thurgau), Plump-Hose(n) (Aargau), Hoseschiesser, Güggelhose, Lotterhösli (Schaffhausen); Bayern und Franzosen (Ob.-Bay.), Ähnl und Ahnl (Nd.-Ö.), Fleisch und Blut (Ob.-Ö.), Blutkraut (Oberhessen), Bluetnägele (Schwäb. Alb), Gigeri-Hahner (Ob.-Bay.), Güggeli (Baden), Goggahe(n)la, Häale (Schwäb. Alb); Hunds- (Ob.-Ö.), Hirschzunge (Böhmerwald), Katzedöbeli (Baden), Bettelmänner (Mittelfranken); Kuckucksblumen (Mittelfranken, Sachsen), Oster- (Ob.-Ö.), Wolfsblume (Pfalz), Slangenkrut (Schleswig), Annamiarl, Alte Weiber, Schneiderbelaml (Ob.-Ö.), Teekraut (Riesengebirge), Königsstiefeli (Schaffhausen) ❡ *Lithospermum arvense* Acker-Steinsame, Bauernschminke; Iserhart, Steenhart (Westfalen), Ise(n)chrut (Schweiz), Weißkopf (Weichseldelta), Wirschrut (Aargau); Kornbeißer (Württ.), Hungerchrut (Aargau); Schminke (Anhalt, Nordböhmen); Gaißfuß (Schwäb. Alb), Sammetblume (Nahegebiet), Brennkraut (Ob.-Ö.), Knabewade (Elsaß) ❡ *Echium vulgare* Gemeiner Natternkopf, Blaue Ochsenzunge; Schlangakopf (Glatz, Nd.-Ö.), Natterzungl (Nordböhmen), Natterbloama, -kraut (Schwäb. Alb); Löwen-, Froschgöscherl (Steiermark); Ochsezung (Rheinlande, Elsaß), -maul (Nd.-Ö.), Bettelmänner (Künzelsau), Alter Knecht (Egerland), Fronällestängel (Waldstätten), Stachelwurzel (Riesengebirge), blaue Stechnägala (Schwäb. Alb); Frauenkrieg (schlesisch), Weibertrusch (Riesengebirge), Mandergrimm (Kärnten); Pfauenbuschen (Steiermark), Pferde- (östl. Erzgebirge), Fuchs- (Oberpfalz), Rattenschwanz (Riesengebirge, Böhmerwald); Dragoner (Böhmerwald); Guter Hen(n)rich (Hunsrück), stolzer Heinrich (Schlesien, Baden), Hans (Egerland), langa, Summahans (Westböhmen), Stanhansel (Kärnten); Salzpotsch, -kraut (Nahegebiet), Barbarawurzel (Riesengebirge), Eisenhart (Eifel), Mauch- (Nassau), Hundskraut Unterfranken) ❡ *Myosotis scorpioides* Sumpf-Vergißmeinnicht; Blümelein (Braunschweig, mit männlichem Artikel in Anhalt), Blimmechen (Nordthüringen), blaues Blümelein (Anhalt); Museohr, Museöhrkes (plattdeutsch), Mausöhrl (Bayern), Mauspotsch, Maische (Nahegebiet); Susanne, Susannken; Katzenäugelchen (Eifel), Katzenäugel (Egerland), Katzanaegla (schwäbisch), Chatzenäugli (Schweiz), Henneäugli (St. Gallen), Gänsägela (Erzgebirge), Froschäugel (Böhmerwald, Riesengebirge), Fischäugele (Württ.), Frösche(n)gückele, -äugeler (Elsaß), Krebsäugla (Erzgebirge), Krottenäugli (Appenzell), Unserm Hergott seine Aug'n (Kärnten); Herrgottsblume (Rastatt), Goud im Pfoadl (Böhmerwald), Muattergöttesle (Kärnten); Jungfrauenmanderl (Ob.-Ö.), Blauer Himmelsschlüssel (Böhmerwald), Himmelsschlüssel (Baden), Himmelsblom (Oberhessen), Männertreu.

Familie: *Solanaceae*.

Atropa Belladonna Tollkirsche; Teufelskirsche, Deuflsbeer, -kerschen (Nd.-Ö.); Teufelsgückle (Elsaß); Judenkirsche; Wolfsbeer(e) (Nd.-Ö., Schwaben, Schweiz); Wolfskirsche, Chrotte(n)-Blueme, -Beeri (Schweiz); Tintenbeer (Ob.-Ö.), Schwarzber (Nd.-Ö.); Bennedonne (Göttingen); Bärenwurz, -mutz; Schöne Frau, Schöne Dame; Schlafkraut; Rattenbeere. ❡ *Hyoscyamus niger* Schwarzes Bilsenkraut; Bilsen (Schwäb. Alb), Bilse-Chrut (Schweiz); Dull-, Düllkrut, Dull Dill(en) (nordw. Deutschland), Dull Billerkruth (Mecklenburg); Dull Dillensat (Lübeck), Dilldulsensaat (Norderdithmarschen), Swienekrût (Ostfriesland); Zahn- (Tirol: Lienz), Apolloniakraut (Kärnten); Teufelaug'n (Ö.), Becherl- (Nd.-Ö.), Schüsse(r)l- (Steiermark), Mulkers-, Molgerskraut (Nd.-Ö.), Teufelswurz ❡ Paprika, spanischer Pfeffer.

Solanum Dulcamara Bittersüß; Jelängerjelieber (Nd.-Ö., bayr. Schwaben, Schweiz); Waaterwing (Niederrhein), Natterholz (Steiermark); Alpranke; Wolfsbeer (Kärnten), rote Hundsbeer (Tirol), Chrotte(n)-Beri (Schweiz: Unterwalden), Henabir (Böhmerwald), Gu(d)nkirschen (Egerland); Mausholz; Hinsch-, Hünschkraut, Hiingscht (Baden), Hengschtkraut (Lothringen); Pißranken (Ostfriesland) ❡ *Solanum tuberosum* Kartoffel; Ka(n)tüffel (nddt.), Kurtuffeln (Oldenburg), Kardiffel (Sachsen-Weimar: Kieselbach); Tüffeln, Tuffeln, Tüften, Tuften (Altmark, Mecklenburg), Erdtuffeln (Bremen), -toffeln (Pommern, Anhalt), Tüffke (Pommern); P(a)tätschen, Pataters (Oldenburg), Pataken (Ostfranken), Pantottern (Nd.-Ö.); Schucken (Ostpreußen), Schocken (Tolkemit, Elbing), Erdschocken, -schucken (Danzig, Pommern); Grumbir, -beer (Baden, Elsaß), Grumper, Krumpir (Kärnten), Grumbern (Würzburg), Krummbeere (Nahegebiet), Gromper (Luxemburg), Grundbire (Schweiz); Erdbirne, Erppir(n), Herppir(n), Heppir(n) (Schweiz), Eabirn (Nassau), Apern (Anhalt), Aperna (Schlesien), Aebern (Leipzig); Ippels (Insel Baltrum), Jaripfl (Krain: Gottschee), Hartäpfel (Oberelsaß), Hörpfel (St. Gallen); Flötzbirn (Kärnten, Steiermark, Tirol); Eerdnaet (Oldenburg), Erdkeste (Steiermark), (Erd)pumsa (Nd.-Ö.), Nudeln (Uckermark, Steiermark), Buppen, Mirben

(Luxemburg), Brymbura (Böhmen), Mäusle (Schwaben); (Herdäpfel (al.), Erdappel (Anhalt), Rundchen; Hahnenklöten; Bulwe (Pommern); Erpeln (berg.). ❡ Eierfrucht, Melanzana, Aubergine ❡ Liebes-, Paradiesapfel, Tomate, Paradeis (Ö.). *Physalis Alkekengi* Juden-, Blasenkirsche; Judechriesi, -beeri (Schweiz), Gunkerscht'n (Erzgebirge), Judaskiesche (Niederrhein); Schlute (Aargau), Schlotechriesi, Judasch-Schlute (St. Gallen), Judenglöcklein, -hütlein; Laterneblum (Niederrhein), Lampion (Schweiz), Wunderblase (Glatz); Dütteli-Chrut, Judetitti, -düti (Aargau); Peplkrut, Schlotterbupp(e) (Elsaß); Bämbelcher (Lothringen), Buberelle, Buwerelle (Nahegebiet), Giftbeeri (Churfirstengebiet), Appellone (Thurgau), Geißblatt; Teufelspuppe ❡ *Solanum nigrum* Schwarzer Nachtschatten; Mondscheinkraut (Oststeiermark), Saukraut, stinkad's Gras (Nd.-Ö.), Scheißgras (Nordböhmen), Hundsbeere (Nordwestdeutschland) bayr.-ö.), Fuulbeeren (Bremen), Sautod (Nahegebiet, Altbayern, Schweiz), Höhnerdod (Hannover), Hennatod (Altbayern), Giftbeere (Schleswig), -blome (untere Weser), Dullbeeren (Schleswig), Dullkrout (Braunschweig), Deiwelskersche (Nahegebiet) ❡ *Datura Stramonium* Gemeiner Stechapfel; Stachelnuß, Dornapfel, Saunuß, Tobkraut, Haunerbêre, Bitterkrùt (Hannover); Steker(krut), Stäkkührn (Mecklenburg); Kratzkraut (Kärnten); Düwelsappel (Mecklenburg), Schwarzkümmel (Henneberg), Krützkämel (Kommern) ❡ *Nicotiana Tabacum* Tabak.

Familie: *Scrophulariaceae.*

Verbascum Thapsus Kleinblumige Königskerze; Frauakerza (Schwäb. Alb), Himmelskerze (Allgäu), Stalkerz (Niederrhein), Himmelbrand (bayr.-ö.), Hillebrandt; Kattensteert (Schleswig), -swans (nordw. Deutschland), großer Hammelschwanz (Nassau); Wullich (Westfalen), Wolle, Wollstange (Eifel), -kraut; Wullabloma, -kerza (Schwäb. Alb), Wüllebluem (Elsaß), Wulle(n)-Bluem, Blüemli, -Chrut (Schweiz); Donnerkerze (Aachener Land), Wetterkerza (Schwaben); Unholdenkerze ❡ *Linaria vulgaris* Gemeines Leinkraut; Wille Flas (Göttingen), Fraun-, Jumpfernflachs (Nordböhmen); Löwenmaul, Löwerache (Gotha), -schnäuzchen (Anhalt), Leuerächli (St. Gallen), Leb'ngescherl (Nd.-Ö.), Frösche(n)mülele (Elsaß), -mul (Thurgau); Drachenmul (Unterfranken); Mäultascherl, Maulaff (Nd.-Ö.); Klockblöm (Norderney), Moda(r)gottesdeffilin (Baden); Beschreitkräutig (Gotha), Abnehmkraut (Elsaß), Bettstroh (Nahegebiet), Hexakraut (Schwäb. Alb), Schrattelkraut (Steiermark), Wildes Teufelskraut (Böhmerwald); Harn-, Feigwarzen-, Nabel-, Stärkekraut; Marien-, Frauenflachs ❡ *Scrophularia nodosa* Knotige Braunwurz; Nachtschatte (Schweiz); Hexakraut (Schwäb. Alb), Blatzgrud (Gotha), Eisse(n)chrut, -wurz (Schweiz); Faignwua(r)zl (Ö.), Fellwurz (Nd.-Ö.), Grundheelenbloar (Westfalen), Wundblad (Ostfriesland), Allerweltheilchrut (Thurgau); braune Wade (Anhalt) ❡ *Veronica Chamaedrys* Gamander-Ehrenpreis; Katzenäuglein (Egerland, Elsaß, Schweiz), Gänseägelchen (Gotha), Hennenäugli (St. Gallen), Frösche(n)gückele (Elsaß); Großmütterli (St. Gallen), Lisebetli (Zürich), Susannl (Nordböhmen), Augetrost (Aargau); Männertreu; Gewitter-, Donnerblume, Wetterbleamel (Böhmerwald, Riesen-, Erzgebirge); Blümchen Blau (Anhalt); Köhlerkraut ❡ *Veronica Beccabunga* Bachbungen-Ehrenpreis; Bachbummel (Nahegeb.), -bumbel (Elsaß), -bumel, -bungel (Kärnten), -bummele, -bumbele, -bungele (Schweiz), -bumme, -bammele (Graubünden), -bun, -bohn' (Gotha), -bohna (Schwäb. Alb), -baum (bayr. Schwaben), -blume (Nahegebiet, Tirol); Pfungen (Henneberg), Bummel (Kärnten); Wasserpfunde (Nordböhmen); Lömek (nördl. Braunschweig, Göttingen), Lömke (Göttingen), Lünick (Altmark), Lünich (Mecklenburg) ❡ *Antirrhinum maius* Großes Löwenmaul; Löwenrachen (Nahegebiet, Gotha), Leuerache, -rächeli, -schnorra,

-schnörrli, -läff, -zahn (Schweiz), Lebngöscherl (Nd.-Ö.), Löwengoscherl (Steiermark), Wolfskopf (Nd.-Ö.), -schnörrli (St. Gallen), Hasemeilche (Nahegebiet), -(n)mülele (Elsaß), -mul, Fröschemuli, -schnörrli (Schweiz: Thurgau), Dracheschnörrli (St. Gallen); Maulobbe (Nahegebiet), Maulauferl, -afferl (Ob.-Ö., Altbayern), Mulufer, -uferle (Aargau), Maulsperr (Eifel), Jappup (Schleswig), Fotzmäuler (Ob.-Ö.), Freßgoscherl (Nd.-Ö.), Schnabele auf — Schnabele zu (Kärnten: Glantal), Schnurre, Schnapper (St. Gallen), Speckfresser ❡ *Pedicularis palustris* Sumpf-Läusekraut; Hanekopp, Hanekam (Ostfriesland), Stiefeln (Böhmerwald, Nd.-Ö.); Suugtidjen (Hannover), Zizelsauger (Egerland); Wolf (Ostpreußen), Wiesenwolf (Pommern), Wolfskraut (Kärnten), Streuteufel (Zürcher Oberland); Rodel, Rodelkraut, Sumpfrodel; Klap (Bremen), rote Klaffer (Egerland), Doofkletter (Mark) ❡ *Melampyrum arvense* Acker-Wachtes-; Dub- (Gotha), Katerweizen (Eifel), Chue- (Schweiz), Erd-, Ackerweiza, (rote, unechte) Klaffa (Schwäb. Alb), Chlaffe(n) (Schweiz), rute Kloffan (Riesengebirge), roter Klapf (Kärnten); Katzenzal (Henneberg), Fuchsschwanz (Eifel); Blau-, Blozulker (Nordböhmen), Blabing (Nd.-Ö.); Tscher-, Tschirninkl (Nordböhmen) ❡ *Euphrasia* Augentrost; Oehmdfresser (Schwäb. Alb), Heuschelm (St. Gallen), Wolf, Wiesenwolf, -grind (Kärnten), Milchdieb (Ö., Tirol, Steiermark, Schwaben, Schweiz), Milchschelm (Defereggen, Steiermark), Milchtötteln (Kärnten: Katschtal), Milchraber (Tirol), Weiddieb (Graubünden), Noinzela (Schwäb. Alb), Gibinix (Schweiz), Spätterich (Tirol); Spöttlich (Zillertal); Augste(n)-Bluest, Augster (Schweiz), Herbstblümel (Böhmerwald), Herbstbluest (Graubünden), Herbstbringger (Bern), Hörbesgregg'n (Tirol), Grummetblümel (Egerland), Schneeblümel (Böhmerwald); Schaf- (St. Gallen), Augste(n)-Zieger (Graubünden, St. Gallen); Röserlbleaml, Wilde Röserl (Ob.-Ö.); Brustdee (Nordböhmen), Zahnwehkraut, Weißes Ruhrkraut (Ö.); Heideln (bayr. Schwaben), Spirigingisli (St. Gallen), Huschal (Nd.-Ö.), Donnerkräutchen (Wiesbaden, Idstein), Züst (Solothurn); Schabob ❡ *Alectorolophus* Klappertopf; Klap(er), Klopp (nordw. Deutschland), Klaff(t), Kloff(t), Klapf, Klaffer (bayr.-ö.), Klaffa (schwäb., els.), Chlaffe(n), Chläffeli (Schweiz); Klaprump (Bremen), Klöter-Jakob (Mecklenburg), Klingender Hans (Lübeck), Klapperhans (Elsaß), Schälleli (Schweiz), Schellkrut (Elsaß), Rassel (Eifel), Kinkerblom (Hannover), Dôfrit, Dofrut (Ostfriesland), Dofrat (Hinterpommern), Dowradel (Münsterland), Dowe Rattle (Mecklenburg), Doow(e)kruud, Doofrik, Dowklaub (nordw. Deutschland); Penn'blam (Hannover), Pfeng (Ob.-Ö.), Taler, Batzn (Schweiz), Geld (Riesengebirge, Egerland), Gröschel, Gröschelgras, Klaffergröschel (Nordböhmen); Plausterkopf (Anhalt), Hahnenkamm ❡ *Orobanche* Sommerwurz, Würger; (Klee)puppe (Rheinprovinz), Kleefresser (Württ.), Chlezapfe (Aargau); Hempblom (Hannover: Altes Land), Hanftod (Ob.-Elsaß); Tüfelschrut (Graubünden), Franzosen-, Schelme(n)-Chrut (Schweiz), Stierkraut (Tirol, Ob.-Ö., Kärnten); Kühbutter, Milchkraut, Schmalzwurz'n (Ö.); böser Heinrich ❡ *Pinguicula vulgaris* Gemeines Fett-, Schmeerkraut (Kärnten, Tirol); Schmalzlzättle, Butterwecke (bayr. Schwaben), Schmalzbläckli (Schweiz), Buttergras (Böhmerw.), Anke(n)-Chrut, Mos-Anken (Schweiz), Schmuz-Blettli (Zürcher Oberland); Schneckengras (Egerland); Zittrach- (Tirol), Ziadara- (Ob.-Ö.); Stierkraut (Böhmerwald); Flügefänger (Schweiz: Thurgau).

Wasserschlauch · Sommerwurz · *Catalpa* Trompetenbaum · Kalabassenbaum · *Jacaranda* Palisander · Sesam · Akanthus · Eisenkraut.

Familie: *Labiatae*.

Ajuga reptans Kriechender Günsel,° Blaue Kuckucksblom (Schleswig), blauer Kuckuck (bayr.-ö.), Gugazer (Böhmerwald); Kiwittsblom (Schleswig), Huppuppsbloemer (Brandenburg); Bilibluame (St. Gallen), Hummalä (Schwäb. Alb); Blauer Bienensaug, Blaue Taubnessel (Anhalt); Maiezöpfe (Thurgau), Kerze (Baden), St. Kathrinamaje (St. Gallen); Hunnekrout (Braunschweig), Verdrußblum (Schleswig); Afelkraut (Steiermark), Grundheil (Oberharz), Mulfühlichrut (St. Gallen); Kikdürn-Tun (Westfalen); Kerze ⁋ *Rosmarinus officinalis* Rosmarin, Kranzenkraut; Rusem-, Rosemrein (Taunus), Rosemmerei (Nahegebiet), Rosmarie (Leipzig), Rußmari (Schlesien), Rosmarein (bayr.-ö.), Rosamarie (Nd.-Ö.), Rosmerei (Lothringen), Rosemarie (Thurgau), Röäslimarie (St. Gallen); Hochzeitmaie (westl. Allgäu), Schoßstock (Elsaß), Kid (St. Gallen) ⁋ *Galeopsis* Hanfnessel, Hohlzahn, Daun; Doan (Salzburg), Tauare (St. Gallen), Dangel (Ostfriesland), Daunettel (nddt.); Dahndistl (Eifel), Dânesel (Hunsrück), Daoessl (Schwäb. Alb), Danoisen (bayr. Schwaben); Harte Nessel (Nordböhmen), Wildi Nessle, Brunn- (Aargau), Stachelnessel (Nahegebiet); Dickköppe (Westfalen), Hahnenkopf (Südböhmen), (stechender) Lueger (Böhmerwald), Luege (Schweiz), Glure (Thurgau); Brenn-, Brandkraut (Schwäb. Alb); Wilder Hanf (Gotha, Schwaben, Schweiz); Chlaffe (Aargau) ⁋ *Lavandula* Lavendel; Lavander (al.), Flander(li), Valander (Schweiz), Blafendel (fränkisch); Spîke, Spöhk, Spihk (Magdeburger Gegend), Spekem (Henneberg); Balsam, -blüemli (Schweiz), Leiwehärsbedstroh (Hannover); Esepe (Göttingen), Chirchesörpfli (Thurgau); Narde ⁋ *Salvia officinalis* Edler Salbei, Echte, Königsoder Gartensalbei; Selwe (Ostfriesland), (krusen) Saphei (Schleswig), Zaffee (Altmark), Zuffeën (Bremen) Shuweejen (Ostfriesland), Za(l)ffi, Sophie, smallen Sophie (Mecklenburg), schmal Zel(e)b (Hunsrück), Selb, Silb (Nahegebiet), Sälwen, Sälf (bergisch), Salver(er), Salvet, Salvle (bayr.-ö.), Selve, Salbineblatt (Baden), Sälvli, Selfi, Salfi, Salbine (Schweiz); Geschmackblätter (Schlesien), Schmecket (Baden), Altweiberschmecken (Mittelfranken), Schmacke(n)blett (Elsaß), Ruchblötter (Nordthüringen); Chüechlikraut (Thurgau), (Müüsli)blatt, -chrut (Zürich, Schaffhausen), Mutterkraut ⁋ *Thymus vulgaris* Garten-, Echter Thymian, Hühnerkohl; Dihmichen (Naumburg a. S.), Thymijäönken (Westfalen), Demut (Henneberg), Jungfern-Demut (Unterfranken); Wostkrut (plattdeutsch), Treipekreitchen (Lothringen), Kuttelkraut (Nd.-Ö., Kärnten), Chölm (Aargau, Bern), Küchenpolich (Schmalkalden) ⁋ *Thymus Serpyllum* Quendel, Feldthymian, Kudelkraut; Quanl, Quanelt (Nordböhmen), Kinnala, Kounala (Egerland), Gumerle (Erzgebirge), Kunele (Vogtland), Kienla Ke(n)la (schwäbisch), Kundel-, Kudl- (bayr.-ö.), Kuttelkraut (Tirol); Feldkölle (Braunschweig), Feldchelle (Wallis: Zermatt), Feldgündel, Feldkömmel, Kümm (bergisch), Karwendel (Tirol, Steiermark); Kranzel- (Böhmerwald, Altbayern), Kronl-, Krodl-, Groul- (oberpfälzisch), Herrgottlkraut (bayr. Wald); Mari(k)en- (Lübeck, Schleswig), Unserer Lieben Frauen- (Schlesien, Brandenburg, Holstein, Mecklenburg), Liebfrauenbettstroh (Hessen); Kükenkömel (Göttingen), Hoinerpeelch (Oberhessen), Hühnerkraut (Schlesien), Hinnerquanl (Teplitz), Hinnerquännel (Erzgebirge), Hühnerquandali-, sedel (Baden), Hühnerbolle (Unterfranken); Deimiänche (Eifel), Dimchen (Gotha), Boleig, Boläg, Frowe-, Frobulig, Feldpoleich (Gotha), Bolerblumen, violetter Bohler (Allgäu), Feldbulla (Mittelfranken), Bolaie (Baden), Feldmassero (Mittelfranken), wilder Meron (Schwäb. Alb), Magaro, wilde Masero (St. Gallen), Roander-Masarun (Tirol), Geismajoran (Elsaß), Cost(ez), (kleiner) Koschtets, Choschgets (Baden), Klei(n)knospes, -kaspes (Elsaß), Chostez (Schweiz), Hostez (Aargau); Wohlschmecki (Baden), Wille Balsam (Westfalen), Hiewelcheskraut (Nahegebiet), Hippelskräutchen (Nassau), Ameisekrüttel, Immelekraut (Elsaß), Judenmutter (Schlesien), Jungfernzucht (Eisacktal) ⁋ *Origanum vulgare* Brauner Dosten, Wohlgemut, Wilder Majoran; Duste (Nordböhmen), Brundost (Lübeck), brauner Daust (Braunschweig), bruner Dosten (Nordthüringen); (Kraut-, Altweibe(r)schmeckata (Schwäb. Alb); Großer Koschtets (Baden), Kostenz (Basel), grober Chostez (Zürcher Oberland), große Kienla (Schwäb. Alb), wilder Meieran (Baden), wilde Masere (St. Gallen), wilde Maserun (Walensee); Badkraut (Osttirol), großer Tee (Baden), Zendwehtee (Nd.-Ö.), Kolera- (Rheinpfalz: Ludwigshafen), Lungenkraut (Baden), Frauendosten (Tirol); Weschkraut (Nahegebiet), Jungfrau-, Leifra-Bettstra (Luxemburg); Hoher Kaspar · Das Origanumöl heißt spanisches Hopfenöl ❡ *Majorana hortensis* Maj(o)ran, Wurstkraut; Merum (schlesisch), Mairum (Kleinschmalkalden), Mairal (Thüringen), Moseran, (Voigtland), Marûn, Maierûn (Oberhessen), Maraun (Pfalz), Margram (bayr.-ö.), Margron, Makron (Nd.-Ö.), Maran (Salzburg), Maiera(n), Maserû (Schweiz), Masarun, Mayeron (Tirol); Wurstkrud (Lübeck), Bratekräutche (Frankfurt); Zenserli (unterfränkisch), Knolpe (St. Gallen) ❡ *Mentha* Minze, Münze; Balsem (Westfalen), Balse (Steiermark); Bachbalsam, -palsen (Kärnten), Poggenminte (untere Weser), Krottebalsam (fränkisch), Krotnkraut (Nd.-Ö.), Schnakenpal(se)m (Nahegebiet, Hunsrück), Otterwin (Ob.-Ö.), wilde Pfefferminza (Schwäb. Alb), Chatze-Münze (Schweiz), Päreminte (nddt.), Pferminz, Pfareminze (Erzgebirge, Nordböhmen), Roßboalssen (Ob.-Ö.), Roß-, Altweiberschmecktee (Schwäb. Alb); Schmeckata (Schwäb. Alb), Stinkkraut (Niederrhein), Stinkebalsam (Waldeck); Polei; Krauseminze ❡ *Hyssopus officinalis* Ysop, Isop, Kirchen- oder Klosterysop; Esepe (Göttingen), (blauer, weißer, roter) Eisop (Anhalt), Heisop (niederrheinisch), Eiseb (Hunsrück), Eisewig (Leipzig), (E)isich, Issl (Gegend von Teplitz), Weinespe (Grabfeld), Weibische (preuß. Henneberg), Ijsmet (Erzgebirge), Isump(f), Hizopf (Ob.-Ö.), Zischbe, Ischbele (schwäb.), Eisen- (Nassau); Josefskraut; Chilesope, söpli, -suppe (Aargau), Cilchesope (Schaffhausen), Kirchesörpfel, Kirchasuppe (St. Gallen), Childcheschope, Chilchehôpe, Chirchesürpfli (Thurgau) ❡ *Lamium* Taubnessel, Bienensaug; Dorwettel (Lübeck), Doofnettel (Emsland), Dannettels, Dangel (Ostfriesland), Donetl (Kr. Jerichow), Dauniäddeln (Westfalen: Rheine), Tonessel (Nordböhmen), Dannessle (Baden), Tau(n)essle (Thurgau), Tageßle (Elsaß); tam Brenneetel (Niederrhein), wildi zahme Eßle, Neßle, Sengenessle (Baden), Senggesselblust (Elsaß), Zami Nessle (Schweiz); Hitternessle (Sachsen, Lauenstein; Nordböhmen: Teplitzer Gegend); Blindessl (Mittelfranken); Sugneddel, -blom, Sügels, Sügelken, Sugerke (nddt.), Sugesseli, -maie, Süügerle (Baden), Sug(l)er, Suge(r)te (Elsaß), Sugerli, Sugere (Schweiz), Zuzerler (Deutschböhmen), Zuller (Mittelfranken), Sötneddel (Schleswig), Zuckerblom, -nettel (Hannover), Zuckerschnuller (Baden), Honigblom (Bremen), Honigblümle (Baden, Elsaß), Hummel (Elsaß), Hummelniettel (Westfalen), -sauch (Erzgebirge), -Sugele (Schweiz), Immenblume (Lothringen); Taubenkropf (Anhalt) ❡ *Lamium purpureum* Acker-, Stinkende Taubnessel, Tote Nessel, Kleine rote Taubnessel; Honigsugerle (Elsaß), Hummelsauger (Egerland), -gras (Nordböhmen), -seesköppe (Westfalen), Hahneköpp (Niederrhein); Luge (Nordböhmen) ❡ *Marrubium vulgare* Weißer und Gemeiner Andorn, Weißer Dorant; Doort (Schleswig), Dauerrang (Schlesien); Berghopfen (Halle a. S.), Gottvergessen (Jena); Marobel, Marubelkraut; Brustkraut (Nd.-Ö.), Helfkraut (Ö.), Gotteshilfkraut, Sigminz (mittelhochdeutsch); Mutterkraut, Mariennesselkraut ❡ *Stachys rectus* Beschrei-, Berufkraut, Aufrechter, straffer Ziest; Vermain- (Kärnten), Ruf- (Jena), Fueßpeerkraut, Furschpa, Vorspa- (Nd.-Ö.), Vosper- (Kärnten), Fußgsparr- (Salzburg), Abnehmkraut (Rheinpfalz, Elsaß); Rheumatischkraut (Wien) ❡ *Stachys paluster* Sumpfziest, Schweinerübe, Großer Ackerziest, Sumpfandorn · Pageminte (untere Weser), Seisenhart, Puol (Westfalen), Kreinkropp (Schleswig), Spitzkraut (Ostpreußen), Knack-, Semmelwurzel (Weißenfels im Regbz. Merseburg), Muckerl (Nd.-Ö.), Gulterwadel (Elsaß), Wilder Mairan

(Prignitz) ❡ *Glechoma hederaceum* Gundelrebe, Gundermann, Erdefeu; Grundrebe, Bund-, Gundräbli (Schweiz), Gundelrieme (bayr. Schwaben), -kraut, Gondling (Schlesien), Gunderer (Deutschböhmen), Gunnröbe (Kärnten), Gondlkraut (Böhmerwald), Gunderlunze, Gumirum (Nordwestböhmen), Gumerma (böhm. Erzgebirge), Guldaman (Nordböhmen), Kollermann (Sachsen), Buldermann (Nordostdeutschland), Gonnermoan, Gonnröm (Gotha), Kunkelreb (Elsaß, Lothringen), Gunnelreif (Eifel), Bumreben (Kärnten, Salzburg), Wunderrebe (Inntal), Inge(n)rebe (Elsaß), Kummeradl (Böhmerwald, Nd.-Ö.) Bundräbli (Schweiz), Hâlroff, Heilreif, -rauf (Eifel), Hälerei, Helrief (Lothringen); Kräutel durch den Zaun (Ob.-Ö.), Krup-dörn-, Kiekdür'n, Krut bin Tun (nddt.); Huderk (Ostfriesland), Huder (Mecklenburg, Schleswig), Rüderk (Ostfriesland); Katzenminze, wildes Katzenkraut; Joierke, Goierke, (Göttingen), Jülcke, Julcke (Braunschweig), Piädeschiäwe (Westfalen), Zickelskräutchen (Eifel), Schelleblume (Nahegebiet), Suppenkraut (Westböhmen), Taubenschnäbel (Ob.-Ö.), Wald-Uschla (Schwäb. Alb), Soldatenpetersil (Ob.-Ö.), Widerruf ❡ *Prunella vulgaris* Gemeine oder Kleine Braunelle; Braune (Böhmerwald), braune Nella (Kärnten), Braunheil (Ob.-Ö.), Brauneil (Südböhmen), Brüneli, Brünichrut (Schweiz); Halswehkraut (Nd.-Ö.), Mundfäulkraut, -zepfen (Ob.-Ö.); Gochhel (Nordböhmen), grober Köchebolig (Gotha); Blauer Kuckuck (Böhmen); Prickelnöse, Ogenprökel (Ostfriesland) ❡ *Salvia pratensis* Wiesen-, Wilde Salbei; Selw(e) (Oberhessen), Selwerli (Baden), welde Sälf (bergisch), wildi Sälvli, Salbine (Schweiz), wildi Müsli (Aargau, St. Gallen); Foksschwants (Oberhessen), Katzenschwaf, Hahnenkamp, Kikerlihahn (Nd.-Ö.), Kikelskamm (Oberhessen), Gökeler (Schwäb. Alb), Güller (Baden), Gockerschwanz, -kamm (Unterfranken), Fotzmaul (Ob.-Ö.); Hasenohre (Thurgau), Schafzunge (Eifel); Blaui Soldaten (St. Gallen), blaue Husaren (Baden), Draguner (Aargau), Holländer (St. Gallen, Graubünden), Amerikaner (St. Gallen); Stinker, Brandele, Brendeler (Schwäb. Alb), Brandlen (Thurgau), Brandkraut; Chräjemeije (Aargau); Kühfuß (Nahegebiet, Lothringen), Wolfsblom (Oberhessen), Hexgi-, Hetzgi-Maie (St. Gallen), Grifette (Wallis: Eifischtal) ❡ *Satureja hortensis* Bohnen-, Pfeffer-, Weinkraut; Kölle, Fähnrich (Tirol); Bauernkrütken (Westfalen), Fleischkräutchen (Nassau), Hüahlaskraut (Unterfranken), Gökerleskraut (Henneberg), Wurstkrud (Lübeck), Worstkreidch (Hunsrück), Suppenkräutchen (Hessen), Schmecket (Baden), Schmökerli (Aargau), Pfefferkraut (Nordböhmen), Pfefferstüdeli (Aargau); Sattcri (Unterfranken), Sataran (Oberfranken), Zaderey, Sadarei, Satrei (bayr.-ö.); Ziperigingis (Elsaß) · Hyssop, Zischbe, Chilesuppe, Chillesöple, Chilaschopa (Baden), Kirchisem (Elsaß), Busaebla (Saulgau, Biberach), Josephle (bayr. Schwaben), Josephikraut (München); Könel (Holstein), Kuttelkraut (Egerland), Bergminze.

8. R e i h e : *Plantaginales.*

Plantago lanceolata Spitz-Wegerich; G'spizada Wögrad (Nd.-Ö.), Schbitzäfädrich (Baden), Spitzwegarach, -wedere (St. Gallen), Spitzwegeli (Graubünden, Aargau); Ribbeckeblätter (Schaumburg), Siebenrippe (Hessen), Hunderebbe (Sachsen), Hunderippe (Anhalt), Ripplichrut, Roßrippe (Schweiz); Hunnetunge (Ostfriesland), Rühentunge (Westfalen), Schlangenzunge (westl. Rheinprovinz), Trummenstöcke (Westfalen); Katzestühlche (Nahegebiet), -stege(n) (Elsaß); Gorthel, Gochheel, Jochhel (Riesengebirge) ❡ *Plantago maior* Großer Wegerich; Wachlich, Wachlblat (Nordostböhmen), Wagerich, Wacherich (Riesengebirge), Wegram (Altbayern), Witrich (Ob.-Ö.), Federich (Schwaben), Wegeri, Wederi, (Elsaß), Wegerech, Wegerste (Schweiz: Thurgau); Wegbriädenblader (Westfalen), Webreit (Gotha), Brata Wegalat (Erzgebirge), Breitwegerer (Böhmerwald), Brada Wegrad (Nd.-Ö.),

Broatwegerl (Tirol), Breite Wägeli, Breite Wedere (St. Gallen); Sauohr(en) (Nahegebiet, Elsaß, Schwäb. Alb), Hasenohra, Schaf-, Lämmerzunga (Schwäb. Alb), Aderkrut, Fiefadernblatt, -krut (plattdeutsch); Lägenblatt (Mecklenburg), Lugenblatt (Tirol); Sündenkraut (Ob.-Ö.); Wagenthransbläder (Hannover), Wântrâmblär (Emsland), Wagetrounsaut (Westfalen), Wegetrëe, -tranenblaume (Göttingen); Katte (nddt.), Katzeschwanz (Nahegebiet), Katzewadel (Elsaß), Würstli (St. Gallen); Vogelsame (Schweiz), -fueter (Elsaß), -würstl (Nd.-Ö.), Vuaglbetzala (egerländisch); Gräsfrässer (Thurgau), Heufresser (St. Gallen), -schelm (Graubünden, St. Gallen), -dieb (St. Gallen, Nd.-Ö.); Balleblacke, -bluame, -blätter, -chrut, Rätsche-Hutsche-, Zupfetiballe, Tätsch, Balle-, Mattetätsch, Titschi-Tätschi (Schweiz); Fefnarn-, Fêfadernblatt (Hannover), Flohsamenkraut.

9. Reihe: *Rubiales*.

Chinarinde · Gardenia · Kaffee.

Asperula odorata Waldmeister; Waldmannla (Egerland), Waldmannl (Erzgebirge), Waldmännli (Aargau), Meier-Chrut (Schweiz); Maiblume, -kraut (Hessen), Gugger-Blueme (Aargau); Mösch; Herzfreud, Maria Hilf, Mariengras, Unserer lieben Frauen Bettstroh; Gliedkraut, -zwenge; Tabakskraut (Oberhess.) ❡ *Galium Mollugo* Gemeines Labkraut; Gliedergras, -krettich, -gänglein (Riesengebirge), Littgängche (Eifel); Oarkräutle (Tirol), wilde Eierrötz (Böhmerwald), Brossenkraut (Weststeiermark), Reinmännlein (Egerland), Gehannswedel (Nordböhmen), Sülverrägen (Juist), Grillenkraut (bayr. Schwaben), weiße Kunkelnägala (Schwäb. Alb), Buebechrut (Aaargau); Heuchläber, Kliberen, Kläber (Schweiz); Klebekraut (Anhalt) ❡ *Galium verum* Echtes Labkraut; Laiwe (Frauen) Beddestrau (Westfalen), Herrgottsbettstroh (Eifel), Unserer lieben Frau Bettstroh (bayr.-ö.), Muttergottes(bett)stroh (Altbayern, Holstein), Liebfrauenstroh (Kärnten), Marienbettstroh (Holstein, Schlesien), Goldrägen (Juist), Landschnit (Nordböhmen), gelber Brein, Margaretlein (Böhmerwald), Harz-Breste(n) (Zürich), Konkla, Kunkelnägala, Wiesakönkala (Schwäb. Alb); Blutstille, -stiele; Klebekraut, Schwefel-, Liebichenblume (Anhalt) ❡ *Galium Aparine* Kleb(e)kraut; Klief, Klefertjes (Ostfriesland), Kliewen (Oldenburg), Klime (Göttingen), Kläwer, Klebgras, Klette (Nahegebiet), Klauban (Oberharz), Klawe (Riesengebirge), (Klaber)gras (Nordböhmen), Klebern, Klebling (Tirol), Klebal (Nd.-Ö.), Zaunkleber (Kärnten), Kleiba (Schwäb. Alb), Klebra, Klebbknöpf, Klettbolla (Allgäu), Klib(er), Kläwerle, Klebri (Elsaß), Chläb(ere), Chlibere, Chlättere (Schweiz); Pappete (Schwäb. Alb); Picker (Böhmerwald), Pickaling, Pickades-Gras (Nd.-Ö.); Hafta (Altbayern), Haftemasch (Ö.); Laus (Egerland, Nordböhmen), Chäblüs (Solothurn); Düwelsdrat, Klimmup (Ostfriesland); Tunrank (Schleswig), Tunri(d) (Mecklenburg), Tunrider (Lübeck), Tunriche, -rigge (Westfalen), Tunrideken (Waldeck); Kraup düorn Tun (Westfalen); Riche, Rigge (Westfalen); Nabelfrucht, -samen; Kletterndes Labkraut ❡ Krapp.

Sambucus nigra Schwarzer Holunder, Flieder; Hunnel, Hündele (Eifel), Hulungr, Hulandr (Thüringen), Holler, Hulla (bayr.-ö.), Hollert, Holder(e), Hauler(t), Holdert (Elsaß), Holder(stock) (Schweiz, Schwaben), Dolder (Schwaben); Fledderbeembusch (Schleswig), Fledder (Ostfriesland), Fledderbusk, -boom (Emden), Fler, Flier (Lübeck), Flirebom (Niederrhein); Musflider, Theflider (Kreis Jerichow); Ellhorn (Ostfriesland, Holstein), Elthören, Alhören, Alhoren (Göttingen), Alhorn (nördl. Braunschweig, Ahorn (Lippe, nördl. Braunschweig); Keilkebeën (Ostfriesland), Kelkenbusch (Hannover), Kelke, Keil(e)ke (Göttingen), Keitsche (Egeln, Regbz. Magdeburg), Käsken (Anhalt), Kaitschken(holler) (Magdeburg), Keis(e)ken (Harz), Kisseke, Püsseke (Göttingen); Zwebchen (Ostthür.), Zwebchen (Langensalza),

Zwobbecken, Zwöbbesten (Nordthür.), Z(w)iweken, Zwiwesden, Zwilsken (Nord-hausen), Schosicken, Ziweken (Anhalt), Schiwwicke, Schibicke (Leipzig), Schiebchen (Halle a. S.); Büssenholt (Westfalen), Siekbeeren (Oldenburg), Tinte(n)beer(e) (Elsaß), Schliestruch (Thurgau), Husholder (Schweiz: Churfirstengebiet) ❡ *Sambucus racemosa* Trauben-Holunder; Hirschholder (Schwaben, Schweiz), Bergholla (Nd.-Ö.), wilder Holder (Schwäb. Alb), roter Holler, Holder (oberdeutsch); Hundsbüa(r), Raut-kählbai (Egerland) ❡ *Sambucus Ebulus* Zwerg-Holunder, Attich; At(s)ch, Aacht (Nahegebiet), Attach, Adach (Kärnten, Tirol; Salzburg), (N)adö, (N)aderbeer (Ob.-Ö.), Natterbeer (Kärnten), (L)addich (Schwäb. Alb), Aktebeer, -chrut (Schweiz); Wilder Holler (Nd.-Ö., Schweiz), Schindholder, Holderkraut (Schwäb. Alb) ❡ *Viburnum Lantana* Wolliger Schneeball; Schlinge, Wide, Lederwide (Thurgau), Wide- (Berner Oberland), Wiedbaum (Henneberg); Hülfter(e), Halftere, Hulftere (Schweiz); Katzetabbe (Allgäu), Melbäumli (Aargau); Katzendreck (Allgäu), Katze-beera, Muckablust, Fliegadreck, -kot, Schlängeleskoten, Kotschlenketa (Schwäb. Alb), Mucke(n)dreck (Elsaß), Schmutzbeere (bayr. Schwaben); Heubeere, Heuliger, Heu-mauzenstock (Schwaben); Weiß Vullekischt (Luxemburg), Vogelbir (Nd.-Ö.), Vogel-beeri (Elsaß); Schwalmbeer, Schwalbenbeer (Nd.-Ö.), Schwilke, Schwilche (Schwäb. Alb, Nahegebiet), Schwillgene, Schwillgakaunscht (Schwäb. Alb), Schwelcha (Chur-firstengebiet), Schwelch-Beri (Graubünden); Babeln, Paberstaud'n (Nd.-Ö.), Weiß-haslach (Kärnten); Elfer, Herr'n Hirtenholz (Gotha), Gfrerbeer (Ob.-Ö.), Pfeifen-strauch (Kärnten), Meitliruete (Thurgau), Reche(n)bögli, Türgge-Holz (Bern) ❡ *Viburnum Opulus* Gemeiner Schneeball; Gosflirra, -flerer (plattdeutsch), Witt-huöllern (Westfalen), Wasserholler (Kärnten, Tirol); Weiße Holftere (Aargau), Schwelg (Elsaß), Gausepatken (Westfalen); Kalinkebaum (Schlesien); Kulksbeeren (Nordböhmen); Geesschank, Geisschenk (Eifel), -schäs (Schweiz: Waldstätten), Palmholt (Westfalen), Harrbom (Schleswig); Blutbeer (Salzburg), Gügger-Beri (Bern), Hühnerbeere (Steiermark), Glasbeeren (Oldenburg), Gicht-, Gift-Beri (Zürich), Schlangenbeeren (Oberharz, Aargau), Chrotabeeri (Buochs), Hondskischt, weiße Fulekischt (Luxemburg), rote Gimpelbeere (Nd.-Ö.), Schluck-, Schüsse(n), Schwider-, Spikbeeri (Aargau), Eibel-, Leberbeer (Salzburg), Reiterbeere (Steier-mark) ❡ *Lonicera Periclymenum* Deutsches Geißblatt; Hahnenfüßle, Wolftope (Elsaß), Wäerwind (Stade), Waldwinne (Braunschweig), Willen Wähoppen (Nahe-gebiet), Durchholz, Klommbock, Lehlheck (Eifel), Spriklilgen (Mecklenburg), Sug-rank (Schleswig), Sugels (Stade), Suchelten, Sucketten, Süchelte, Sugetittkes (West-falen), Kotitten (Altmark), Melker (Hannover), Honigblom (Schleswig) ❡ *Lonicera Xylosteum* Rote Heckenkirsche; Boanweidl (Nd.-Ö.), Beiwide, Beiwiedli (Schweiz); Weiß Besareis (Schwäb. Alb), Bese(m)-Rörli, Tubak-Rörli, Zweckholz (Aargau), Pfiffe(n)-Rörli-Holz (Glarus, Graubünden); Geiß-Hasle (Schweiz), Geißebrot (Elsaß), Geiß-Leitere (Aargau, Graubünden;) Strüzern (Braunschweig), Ahlboom (Mecklen-burg), Mausholz (Kärnten), Durchröhrle, Hundsböme-Holz (Schwäb. Alb), Fidelrum (Mecklenburg), Kehlgerten (Zürcher Oberland), Teufelsrädle, -wägele (Baden), Chrottewägeli (St. Gallen); Hundsbeer (bayr.-ö.), Geiß-, Spreng- (Graubünden), Chrotte(n)-, Hag-, Doppel-Beri (Schweiz), Katschenpearlain (Krain: Gottschee), Teufelskirsche (Eifel), Teufelsbeer (Schwäb. Alb), Gift-Beri (Zürich), Judenkirsche (Hessen, Schmalkalden) ❡ *Lonicera Caprifolium* Wohlriechendes Geißblatt, Jelänger-jelieber; Nachtschatten, Nachtfräulein (Thüringen, Steiermark); Linnjetal (Nahe-gebiet); Hähnakrax'n (Nd.-Ö.), Bäre(n)tope(n) (Elsaß); Törgarosa (Würzburg), Rose von Jericho (Schweiz), Zingge-Rose (Zürich), Sügels, Sugerkes, Sügelken (untere Weser), Taterbeere (Hannover), Umläufer (Nahegebiet), Kampferfolium (Weichsel-delta), Kamperfoelie (Westfalen); Gickelsfiß (hess.).

Moschuskraut.

Valerianella olitoria Gemeiner Feldsalat; Rabunsch (Altmark), Rumbüntjen (Göttingen), Rebunde (Schlesien), Rewinsala, Rewinsel (Erzgebirge), Rawinschen (Leipzig, Gotha), Rapünzel (Kärnten), Rapunzel (Baden); Schapinsel, Rebinsel (Steiermark), Winzerl (Bayr. Wald); Nüßchen (Hessen), Nissel-Salat (bayrisch), Nüßle (Baden, Elsaß), Nüßli-Chrut, -Salat (Schweiz); Ackersalat (bayrisch, schwäbisch), Kornsalat (Tirol), Rebe(n)salat, -kresse(n) (Elsaß); Fettkes (Westfalen), Fetnisjen (Göttingen), Schmalzkraut (fränkisch); Musohr, -öhrchen (rhein. und moselfränkisch); Vögerlsalat (Ö.); Eisdotter (Caub a. Rh.), Eierdorersalat, -dorer, Dorersalat, Dorer (Nahegebiet); Pöperl (Nd.-Ö.), -salat (Steiermark); Ritscher (Rheinpfalz), (R)itscherle, Hätschele (Elsaß); Sunne(n)wirbele (Elsaß, Baden); Kätterlesalat (Mülhausen i. E.); Feldkrop (Ostfriesland); Schafmaul-, -mäulchen (fränkisch), Lemkentunge (Göttingen), Lämmli (Baden), Lämerwed (Rheinpfalz), Lämmlezinke(n) (Elsaß), Töchterlisalat (Breisgau) ❡ *Valeriana officinalis* Gemeiner Baldrian; Buller-, Boller-, Bolderjahn (plattdeutsch), Baltes, Pollerjahn (Eifel), Buldrijan (Leipzig); Gießkännche (hess.); Katzenkraut, -wurzel, -geil, -wadel (Elsaß); Tammarg, Dammarge (Graubünden) ❡ *Dipsacus silvester* Wilde Karde; Kardel (Odenwald), Charte (Schweiz), wille Karte (Braunschweig), wilde Chrazerli (Aargau), Tistle (Thurgau), Kämme (Westfalen), Strahle (Baden: Bechtersbohl), Wierböste (Göttingen), Kratzbärscht (Nahegebiet), Stechepfel (Zürich); Spatz'n-klepp'n, -klett'n ❡ *Dipsacus sativus* Weber-Karde; Wulle-Karten (Ostfriesland), Kardel (Ö.), Chart, Charstli (Schweiz); Weberdistel (Kärnten), Kratzkopf, Buebe(n)-strähl (Elsaß), Stumpfhosen-Chratzerli (Luzern), Fläschebutzer (Elsaß) ❡ *Succisa pratensis* Gemeiner Teufelsabbiß; Rietchnopf (Schweiz: Churfirstengebiet), Roßguckle (Elsaß), Blo Hans (Böhmerwald), Stenblom (Altmark), Stoaköpfla (Egerland), Stick- (Böhmerwald), Lausblume (Nahegebiet); Trommelstock (Hannover) ❡ *Knautia arvensis* Acker-Witwenblume; Kneef (Westpreußen); (Juden)kneefchen (Ostpreußen), Knapblaume, Knaphoste (Göttingen), Knopfblume (Schweiz: Zürich), Domhären-kneipe (Westfalen), Müllerknopf, Rußkopp (Riesengebirge), Roscheknepf (Krain: Gottschee), Herre(n)knopf (Elsaß), Dickkopf (Danzig: Neu-Paleschken), Sackuhr (Egerland), Radstaud'n (Böhmerwald), Pomberlump (Riesengebirge), Wolle-Boppele (Aargau), Pauke-, Baizeschlegel (Schwäb. Alb), Pfannebausch, -stiel (Göppingen); Hühner (Nordböhmen), Fotzmäuler (Ö.), Krähenschnabel (Schweiz: Emmental), blaue Draguner (Aargau); Stabiose, Skabiose, wilde Stafiosen (Schweiz), Grind-kopp (Nahegebiet), Schorfwurz, Grindkraut; Chretzchrut, -blueme (Aargau), Läuse- (Schlesien); Donnerblume (Voigtland, Niederbayern), Rege(n)-Rose (Schweiz: Ob-walden); Wilde Aster (Thurgau), Wiese-Aster (Schweiz: Churfirstengebiet), Rösli (Aargau), Gewannepotsch (Nahegebiet), Haselöffel, -lätsch, -tätsch (Aargau), Hasen-ohren (Schweiz), (Ochse)blätterpotsch, Osebrügge (Nahegebiet), Josebroser (Wallis), Peterstab (Kärnten), Saüscheck (Egerland), Bamber-, Lambertrittli, Bisem (Aargau), Mittagsblume (Ostpreußen), Schmalzweichla (Schwäb. Alb); Fotzmaul, -mäuler (Ö.), Nonnenkleppel (Schlesien) ❡ *Scabiosa Columbaria* Gemeines Krätzkraut; Trummstock (plattdeutsch), Hosenknopf (Steiermark), Pferde-, Taubenaugen (Schlesien), Nallekösse, Pferdeblumen (Gotha), Kutzblueme (Churfirstengebiet), Sammete Hühnli, Feldgeorgine (Unterfranken), Bisemblueme (Aargau).

10. R e i h e : *Cucurbitales.*

Koloquinte · Wassermelone, Arbuse · Melone.
Cucumis sativus Gurke; Augurke (Ostfriesland), Bremen); Kukumer (Lübeck), Kumkumer (Ostfriesland), Kummern (Frankfurt), Kommer, Kummer (Nassau),

Gegummer (Nahegebiet), Gakkgommer (Schwalm), Gugummere (al.), Gommern (Schwaben), Kummerlich (fränkisch), Kümmerlinge (Ob.-Ö.); Umurkn (Ob.- und Nd.-Ö.), Murken, Murkalan (Kärnten) ¶ *Cucurbita Pepo* Kürbis; Körbs (Lübeck), Kürwes (Göttingen), Kerwes (Frankfurt), Kerbs (Rheinpfalz), Kürbs(e) (Elsaß), Chürbse, Chörbse, Chürpe (Schweiz): Flaske(nappel) (Nordwestdeutschland), Fle(sch) (rheinfränkisch); Pluzer (Ö.), Terke, Türken (Nordböhmen), Malune (Schweiz) ¶ *Luffa* · Flaschenkürbis, Kalebasse ¶ *Bryonia* Zaunrübe; Hilg Runs (Mecklenburg), Span'sche Röwe (Oldenburg), Hag-Rüeble (Schaffhausen), Rasrübe (Eifel), Dohlrübe (Nahegebiet), Gichtruab'n (Kärnten); Haningkraut, -wurz (Ob.-Ö.), Schelmwurz (Nd.-Ö.); Totenwurzel (Nahegebiet), Hundsber (Nd.-Ö., Erzgebirge), Schwengswurzel (Luxemburg); Pfingstepfluttrin, Mohrewurzle; Rag-, Fisel-, Fasel-, Alraunwurzel; Scheißrübe, -wurz, Speiwurz; Wilder Wein (Hess.).

11. R e i h e : *Campanulatae*.

Familie: *Campanulaceae*.

Campanula rotundifolia Rundblätterige Glockenblume; Klockje (Ostfriesland), Klöckskes (Emsland), Glöck(er)l (bayr.-ö.), Glocka (schwäbisch), Klockenblaumen (Braunschweig), Gloggenblüemli (Schweiz), blaue Glöckl (Böhmerwald, Egerland), Blauglocka (Schwäb. Alb), Wetterglöckeln (Altbayern), Gewitter-, Seichglöckl (Nordböhmen), Feldglock'n (Nd.-Ö.); Fingerhot (Schleswig), -huat (Altbayern); -hütla (Schwäb. Alb), -hoodsblome (Bremen), blauer Fingerhut; Chuchischelle (Thurgau), Schloterhose (Zürich), Narre(n)kapp (Elsaß), Schendegraben, -gräber (Nahegebiet); Blaue Knollblume, Knockblume (Riesengebirge), Gallbleaml; Vaschreikräutl (Nd.-Ö.) ¶ *Phyteuma spicatum* Ähren-Rapunzel; Salot-Rapünzli (Aargau), Milchwurzel (Riesengebirge), Butterwurz (bayr. Schwaben), Salatblätter (Anhalt); Taubenkröpf (Schwäb. Alb); Fuchsschwanz (Riesengebirge), Spickel (Henneberg), Hasenöhrli (St. Gallen, Churfirstengebiet); Godesfengerchen (Gotha); Chalberchern (Aargau), Schwabe (Westböhmen), Oblatter (Schlesien), Marünggeli (Thurgau); Wegebreitblätter, Holzkohl (Anhalt).

Familie: *Compositae*.

Eupatorium cannabinum Gemeiner Wasserdost; Kunigundenkraut; Routlafekraut (Baden), Grundheil (Oberharz), Brand-Chrut (Glarus),brune Dosten (Oberharz), Blauwetterkühl (Baden); Schloßkraut (Elsaß); Mannsliebe-, kraft ¶ *Erigeron canadensis* Kanadisches Berufskraut; Franzosestengel (Nahegebiet); wilde Hampf (Thurgau), Stinkkraut (an der Mosel); Widerruf (Jena), Hexebese (Aschaffenburg); Dörswurz, Dürr-, Flöhkraut, Donnerwurz, gelbe Minze, Rührkraut, Hirschsprung (Anhalt) ¶ Aster.

Bellis perennis Maßliebchen, Gemeines Gänseblümchen, Tausendschön; Malleewkes, Marleewkes, Mojleefkes (Ostfriesland), Modermarlefke (Ostfriesland), Maksuskelchen (im Siegenschen), Mählsößche (Aachen), Maliescher, Maddeseblümchen, Matzeliefchen (Eifel), Maschlimche, Maschlemche, Maschlimmercher (Nahegebiet), Matzliebche, Marzisel, Mazisl (Rheinpfalz); Marienblome (Münsterland), Merkel-, Markel- (Lübeck), Maijenblom, Marjen (untere Weser), Morgenblume, Marienblümken (Westf.), Margenblaume (Göttingen); Frauenblümchen, Mädchenblume; Maddelenchesblümchen (Eifel), Dorotheenstöckel (Westböhmen), Tarateierl (Egerland), Margritli (Schweiz), Mar-Gruntschi (Bern), Mar-Grünggeli (Zürich); Gauseblume (Braunschweig), Gaseblaume, Göaesekrut (Göttingen), Gensbleamle, Genringala (Schwäb. Alb), Gaßblume (Thurgau), Geißeblüemli (Zürich), -giseli- Gisegaiseli (Aargau); Kattenblum (untere Weser), Chatzeblueme (Thurgau), Hunnblom

(Schleswig), Saubleaml (Ob.-Ö.); Dusendschönke, -schinkske (Westpreußen), Studentariesla (Riesengebirge), Röserl (Ob.-Ö.), Ringelrösken (Westfalen), Seideresle (Rheinpfalz), Mondscheinl (Böhmerwald), rote und weiße Busserln (Böhmerwald), Müller, Müller-, Milchblüemli (Schweiz); Fenne-, Fentjeblöme (Ostfriesland), Brinkblome (Westfalen), Bleich- (Ostpreußen), Blächblume (Nahegebiet), Angerblümchen (Böhmerwald), -röserl (Ob.-Ö.), Gras-, Waseblümli (Baden); Monatsröserl, -bleaml (Ob.-Ö.), Monale (Tirol), Moenatlin, Monadli (Baden), Mönetli, Monet-Blüemli (Schweiz), Winterblüemli (Aargau), Meiblom (Bremen), Märzblümli (Baden); Schweizerl (bayr.-ö.), Basler Chrösli (St. Gallen); Rukerl (Ö.), Baderle, Baderli (Baden, Schweiz), Göckela (Schwäb. Alb).

Bisam (Austral.).

Antennaria dioeca Katzenpfötchen; Katzenkraller (Böhmerwald), -brankerl (Nd.-Ö.), -döbele (Baden), -däpplein (Schwaben), Chatzetöpli (Schweiz); Hundspratzerln (Böhmerwald), Bernbrazerl (Nd.-Ö.), Bärentatzel (Kärnten), Mausöhrle (Schwaben), Buser-öri (Schweiz); Bapier-Rösli, Strau(w)-Blüemli (Schweiz); Stenblom (Altmark), Ameisblümel (Steiermark); Himmelfahrtsblümle; Rothändle (bad.) Falsches Edelweiß ¶ *Inula Helenium* Echter Alant; Aletwürze (Thurgau, Bern), Altwurz, Olat; Beinerwell (Westpreußen); Helenakraut, Glockenwurz, Großer Heinrich (Sachsen), Edelherzwurz (Bern); Odinskopf (Mähren), Ulenkwurz (Siebenbürgen); Helenenkraut ¶ *Bidens tripartitus* Sumpf-Zweizahn; Klief (Ostfriesland), Kliewen (Hannover), Sitt in d'Hose (Ostfriesland), Hosenbeißer (Schleswig), Juk in 't Ledder (Neustrelitz), Bettelläus (bayr.-ö), Boub'mläus, Hadernläus (Egerland), Pracherläus (Ostpreußen), Haewerlues (Dithmarschen), Hauläuse (Celle), Hauerlais, Wasserlais (Nd.-Ö.), Priester- (Priegnitz), Pastorläuse (Anhalt), Krautgartenläuse (bayr. Schwaben), Flöhkraut (Ostpreußen), Huoverflöhe (Emsland), Pülsflöh (St. Gallen); Busemannsförke (Ostfriesland); Stäwelknecht, Heksenspaer (Schleswig), Stubbörsch (Weichseldelta), Stauparsch (Brandenburg), Schtaobarsch (Schlesien: Camenz), Stuufsteert (Bremen), Stupp (Pommern); Stiefelknecht ¶ *Galinsoga parviflora* Kleinblütiges Franzosenkraut; Goldknöpfchen (Bromberg); Teufels- (Kärnten, Wien), Hexenkraut (Mecklenburg), Wucherblume (Schlesien), Gängelkraut, Falscher Nachtschatten (Dresden), Saugras (Wien), Choleradistel (Bukowina), Rahmgras (Karlsruhe), Rintheimer Klee (Karlsruhe); Pätsches Kraut (Herrenhausen bei Hannover), Binswanger Kraut (Friedrichstal in Baden), Defnerkraut (Kärnten); Fettkutje, Harwstkruud (Bremen) ¶Immortelle, Immerschön, Strohblume.

Leontopodium alpinum Edelweiß; Hanetabbe (Allgäu), Katzedaepli (Vorarlberg, Berner Oberland); Bauchwehblüemle (Berchtesgaden, Werfen), Fodaweiß (Nd.-Ö.); Ruhrkraut.

Helianthus Sonnenblume · Topinambur · *Dahlia variabilis* Georgine, Kartoffelblume, Kirchweihblume, Lenchen, Tausendohr · *Anthemis arvensis* Hundskamille, Wilde Kamille (Gotha, Riesengebirge, Egerland), Feld- (Kärnten), Taube Kamillen (Gotha), Hundskamille; Rodendil (Göttingen), Hundsdille (Nordböhmen), -blume (nieder- und mitteldeutsch), Rüenblaume (Westfalen), Kretengrosch (Künzelsau), Chrotechrut (Aargau), Rot-, Ochsennabel; Ge(n)sstöck (Schwäb. Alb), Stinkpotsch (Nahegebiet); Korngöckala (Rauhe Alb) ¶ *Matricaria Chamomilla* Echte Kamille, Magd-, Mägdeblume, Deutsche Kamille; Kamellen(blome) (plattdeutsch), Komellen (Krain: Gottschee), Karnill (Elsaß), Karmille (Schweiz), Gramille (Baden, Thurgau), Kuhmelle, Kumälle (Thüringen), Kumölln (Egerland), Kammer- (Nordthüringen), Kummerblumen (Ruhla), Hermel (mitteldeutsch, z. B. Meißen, Nordböhmen), Hälmerchen, Hälmrichen, Hermichen (Erzgebirge), Hermeisel, Hermeizel (Nordböhmen), Harmchen (Altenburg), Hermannl, Hermännli (Nordböhmen); Romer (Ostpreußen), Römerei, Riemerei (Schlesien), Äpfelblümli (Baden), -Chrut (Bern, Graubünden), Öpfelbluemli (Luzern), Moschkaitreashle (Krain: Gottschee), Teeblom (Selsingen b. Stade), Moder- (untere Weser), Muttakraut (Egerland), Muntarreashlain (Krain: Gottschee) ⁌ Bertramwurzel.

Achillea moschata Bisamgarbe; Moschus-Schafgarbe; Almkamille, Jochkamille, Frauenraute (Tirol), (goldenes oder weißes) Wilmaskraut (Kärnten), Wildfräuleinkraut (Graubünden), Iva, Ive (Graubünden) ⁌ *Achillea Clavenae* Bittere Garbe; Steinraute, Weiße Schafgarbe; Wermuth, Wolmuth (Berchtesgaden), Kofl- oder Almwermut (Kärnten), Speik, Weißer Speik, Kuhspeik (Steiermark, Nd.-Ö.), Bitterer Dorant (Kärnten); Roßgarbe; Zandelkraut ⁌ *Achillea Ptarmica* Sumpf-Garbe; Bertram-Schafgarbe, Wilder Bertram, Deutscher Bertram; Witt'n Orand (Altmark), Dorant (Nordböhmen, Kärnten), Turant (Nordböhmen), Doran (Schmalkalden), Düwelskraut (Westfalen), weißer Dost (Neckarsulm), Silberblümchen (Weichseldelta), Papierröschen (Gesenke), Schneeballen (Kärnten), Schneebälleli (Zürich), Hemdeknäpp, Hembeknäbche, Hiemerknöppche (Nahegebiet), weißer Rafert (Nordböhmen), Wasserkamillen (Westfalen im Siegenschen); Nießkraut ⁌ *Achillea Millefolium* Schafgarbe; Garbe (Gotha), Garbakraut (Schwäbische Alb), Garbe-Chrut (Schweiz), Gerreworzel (Nahegebiet); Rölk, Relek, Rählk (plattdeutsch), Rêlk, Reilken, Rêlicken (Hannover); Rolegg'n, Rulk (Munste.land), Rêlitz (Altmark), Rûls, Rils, Ruls, Rêdlse (Braunschweig), Reuelk (altes Land), Reelergen (Achim), Releppe, Rolepper (Bassum in Hannover), Renefaden, Renefase (Anhalt), Kachel, Kach'lkraut (Kärnten), Gachelkraut (Nd.-Ö.), Schowo, Schab'ab (Böhmerwald); Grensing (mitteldeutsch, z. B. Nordthüringen, auch braunschweigisches Wesergebiet, Göttingen), Gränsing, Gränseng, Gränsel (Gotha), Krinsing (Nordthüringen), Grinsing (Anhalt), Schafzunge (Eifel), Gänsezunge (Schmalkalden), Lämmlizunge (St. Gallen), Dusendblad (Oldenburg, Ostfriesland), Dusendtacken (Westfalen), Tausendblättche (Eifel), Ripplichrut (Aargau), Schâpsribbe, Schaoprippken (Westfalen), Schafrippe (rheinisch), Schoprebben (Elberfeld), Hunderîbbe (Anhalt), Leiterlichrut (Schweiz), Mausleiterl (bayr.-ö.), Katzenzohl (Eifel), Katzenschwanzl (Egerland); Hasengarbe; Grüttblôm (Mecklenburg), Grützblume (Danzig); Grillenkrautgras, Bibhennerlkraut (Nd.-Ö.), Tee(krout) (nördl. Braunschweig), Bauchwehkraut (Steiermark, Nd.-Ö.), Blut(stell)kraut (Steiermark), Zangebluma (Allgäu), Weiß Zangekraut (ebenda); Milchschelm; Jungfern-, Margaretenkraut; Glied-, Wund-, Gollenkraut ⁌ *Chrysanthemum Parthenium* Mutterkraut, Metra, Metram, Matram, Bertram, Mägdeblumen-, Matronen-, Fieberkraut, Mutter-, Falsche Kamille; Bärmueterchrut (Aargau), Mauter (Ostpreußen), Muaterkraut (Kärnten), Mäderkrottch (Nordböhmen), Mueterchrut, Muetterblüemli (Schweiz), Motreff (Niederrhein); Breselkraut (Ö.), Weinichtsbroasma (Tirol: Paznaun), Schnê-Bälleli (Aargau), römische Kamell (Schleswig), spanische Kamillen (Kärnten) ⁌ *Chrysanthemum Tanacetum* Rainfarn, Wurmkraut; Reinefâre, Reinefart, Rienfâren (plattdeutsch), Rainfurth (Ostpreußen), Rainefât, Rainichfarn (Braunschweig), Rainfauth, Reinigs-, Reinersköppe (Westfalen), Reinefarbe (Westfalen: Rheine), Renfaht (westl. Rheinprovinz), Reinefâne (Nordthüringen), Raaform, Raafarp (obersächsisch), Refelblume (Schlesien), Ravert, Rêfert (Nordböhmen), Reifler, Rainfling, Roa(n)fl, Reifelkraut (bayr.-ö.), gel(b) Räbet (Elsaß), Rehkrut (Lothringen), Rehfarn, Rehfare (Schweiz), Reinfarn, Rheinfallkraut, Revierkraut; Wormkrud-, -krud (plattdeutsch), wilde Wormkruut (Emsland), Wiremkraut (Luxemburg), Wurmkraut (z. B. Hessen, Kärnten), Wurmsamen (z. B. Waldeck, Thüringen, Kärnten); Sewersâd (plattdeutsch), Zippersamen (Nahegebiet), wilder Wärmden

(Gotha), Weinwermuth (bayr. Schwaben), Päresaat (Braunschweig), Peerknöpe (Oldenburg), Piärdekneipe (Rheine und Osnabrück in Westfalen), Kropp-Kruth (Mecklenburg), Druusenkruud (Oldenburg), Draustkrut (Braunschweig), Hemdeknöpp, Hiemerknöppche, Hembeknäbche (Nahegebiet), Hemderknöpfle (Straßburg), gääli Brolle, Goldstengel (Baden), Wurstspeiler (Anhalt), Wostestickenkrout (Braunschweig), Theekrütt (Baden), Stinker (Hessen), Klüggesamen (Pommern), (Gäl) Magdalenenkraut, Mißlämmli (Baden), Gugglhansa (Schwäb. Alb), Mutterkraut (Südtirol); Pampelblume (Schlesien) ¶ *Chrysanthemum Balsamita* Marienblatt, Frauenblatt, Marienbalsam, Balsamkraut, Marienwurzel, Türkische Minze, Frauenminze, Pfefferblatt, Pfannkuchenkraut, Römischer Balsam; Piwonia (Ost- und Westpreußen); Margen-, Marjen-, Morgenblatt (Ost- und Westpreußen), Morgenblätter (Anhalt), Frauenblattl (bayr.-ö.), Frauensalve (Kärnten), Salvablatter (bayr. Schwaben), brêden Sophie (Mecklenburg), Balsamchrut (Nordschweiz), Pannkucheblätter (Nahegebiet), Pfannkuchenkraut (Oberpfalz), Flohbladl (Nd.-Ö.), Gimber (bei Rheine, Westfalen) ¶ *Chrysanthemum segetum* Saat-Wucherblume; Goldblume, Brandenborger; Diämmerblume (bei Osnabrück), Diärmterblome (bei Rheine, Westfalen), Quadeblöme, Geldersche Bloom, Auerkerblöme, Twölfgrotenblume (Oldenburg) ¶ *Chrysanthemum Leucanthemum* Wiesen-Wucherblume, Gänseblume, Großes Maßliebchen, Große Margerite; Gänsblomme (westl. Rheinprovinz), Ga(n)sblume (Schwaben), große Ga(n)sringala (Schwäb. Alb), Gängsbluem, Gänsemaie(n) (Elsaß), Gansara, Gansgogara (Egerland); Gaiseblume (Baden), Geißblume (bayr. Schwaben), (Groß) Geißeblueme, Geißemaie(n), Geißefierzel (Schweiz), (Großi) Chatzeblueme (Schweiz), Hunneblome (Bremen), Bedlmandl (Ob.-Ö.), Bettler-Blueme (Schaffhausen), Margrittli (Schweiz), Margrüntschi (Bern), Mareie(n)-Bluem, (Großi) Mareieli (Schweiz); Johannisblume (z. B. Eifel, Westfalen, Böhmerwald, Kärnten, Schweiz), Gehansblom (Eifel), Santihanser (Burgdorf), Sant Johanns-Stern, -Maie(n) (Schweiz), Gehonsblume, Gehonstichblume (Riegengebirge), G'hansblume (Nordböhmen); Sunawendbleaml (Ob.-Ö.), Sunnawendrosen, -blumen, Sunnrosen (Kärnten), Sûnewentblüer (Tirol), Heublume (Schwäb. Alb, Solothurn), Monatsblume (St. Gallen, Thurgau), Orakelblumen (z. B. Kärnten), I liab di von Herzen (Kärnten), Edelmannsblume (Böhmerwald, Riesengebirge), Edelmann-Bettelmann (Ob.-Ö.), Himmel-, Höll-, Fegfür-Blueme (Aargau), Jungfernblume (Obersteiermark), Scheumpferblume (Thüringer Wald), Meßblume (im Ries), Dickköppe (Braunschweig), Pferdekopf (Anhalt), Glesser (Schwäb. Alb), Kalbsauge (Schaffhausen), Ochsenaug (Bayern: Ansbach), Tellerblume (Anhalt, Schlesien), Radbleaml, Wagenrad, -scheibling, -blaemln (Ob.-Ö.), Wougnbloama (Böhmerwald), Käseblume, -blümel (Nordböhmen), Kästeller (Elsaß), Châsblueme (Schweiz), Milchblouma (Egerland), Weißblume (Böhmerwald), Preisterkragen (Schleswig, Mecklenburg); Peerkamell (Schleswig), Pärekamille (Braunschweig), Pferdekamille (Schlesien), großi Müllerblueme (Schweiz), großes Baderle (Baden, Aargau); Hunneblaume (Hannover) ¶ *Artemisia laxa* Edelraute, Silberraute, Gäbüse; (Grüner) Raut, Wildniskraut (östl. Alpenländer), wilde Wurmueth, wisse Wurmueth, Steirute (Waldstätten), Gabüse (Graubünden), Gebüse (Oberwallis, Berner Oberland), Jäbuse (Goms); Schnepi (Schweiz) ¶ *Artemisia Abrotanum* Eberraute, Eberreis, Stabwurz; Ebreiß (Preußen), Ewerrette, Eweritte (Göttingen), Ewerez (Oberhessen), Abruden(thee) (Ob.-Ö.), Abrat, Habrat (Kärnten), Armbruud (Ostfriesland), Hoffru (Schleswig), Hoffrook; Gortheel (Nordböhmen, Schlesien), Gartheil, Gertwurz, Ga(r)thopf (Egerland), Gert- oder Garthagel, Haarzageln (Westpreußen), Gar(r)thua(n), Gadhahn (Egerland), Gorthard, Gotthard, Garthold, Gotthold, Gorthääl (obersächsisch-erzgebirgisch), Gardaun, Barthaf'n (oberpfälzisch), Gordam

(Nd.-Bayr.), Gartenhahn, -heil, Borthüh (Gotha), Gartenhühnchen (Thüringen), Gürtler (Nd.-Bayr.), Gürtele, Görtl (bayr. Schwaben), Gurt-, Gürtelkraut; Rückelbusch (Schleswig), Päperboom (untere Weser), Schmekker (Ob.-Bayr.), Weinraute, -Kraut (Kärnten, Simmental), Lemonikräutel (Nd.-Ö., Steiermark), Zitronechrut (Schweiz: Tößtal), Rutt'n (Gotha), Stinkkrut (Westfalen), Chatzeseich (Zürcher Oberland), Ziegenbart (Henneberg), Geißbart (bayr. Franken), Herrgottshölz(e)l (Ostpreußen), Hexenkraut (Staffelsee), Schoßkraut, -wurz, Zarter Beifuß, Mugwurz ⁋ *Artemisia vulgaris* Beifuß, Fliegenkraut; Bifoot, Bibôt, Biefout (plattdeutsch), Bibote, Bäibote (Braunschweig), Beibst (Riesengebirge, Schlesien), Babes (Karlsbad), Biefes (Eifel), Peips (Leipzig), Bîwes, Bîbs, Beiwes (Thür.), Beibes (Lothring.); Buck (Schweiz); Sonnwendgürtel (bayr.-ö.) oder Johannisgürtel, Werzwisch (Nahegebiet), Wisch (Eifel), Kattenstiärt (Westfalen), Goaßbart (Nd.-Bayr.); Willen Wormken (Untere Weser), wilde Wiamat (Egerland), Flegenkrût (Altmark), Flaienkrout (Braunschweig); Muckert (Schleswig), Müggerik (Ostfriesland), Mâgerk, Muggerk, Muggert (Untere Weser); Gänsekraut ⁋ *Artemisia Absinthium* Wermut, Absinth, Alsem, Wiegenkraut; Wörmke, Warmke (Göttingen), Wörm, Wormken, Wörkenblom, Wahmöh (Untere Weser), Wirmäu, Währmüggen (Westfalen: Ölde), Würm(k) (Ostfriesland), Würmken, Wurmken (Oldenburg), Wermöten (Elberfeld), Wärm(e)den (Gotha), Wermt, Wermert (Nordböhmen), Birmet, Wermed (Oberhessen), Wermte (Cölleda), Wormde (Anhalt), Wurmet (Schweiz), Würmlekraut (Kärnten), Wrömp (Schleswig), Främde (Braunschweig); Els(em) (Nahegebiet), Alsem, bitterer Älz, Bitterals (Eifel), Ätsch, Itsch (Nassau), Alsch, Batteralsem (Lothringen); Beibs (Nordböhmen, Leipzig); Jungfern-, Weiberkraut ⁋ *Senecio alpinus* Alpen-Kreuzkraut; Böni, Büne, Böhnle, Böhnerne, Berg-Bone (Schweiz), Lägerchrut (Berner Oberland), Sennechrut (Glarus), Staffelböhni (Waldstätten), Blutzgen (Graubünden), Butzle (St. Gallen), Butschell (Vorarlberg), Bragel, Brägel (Waldstätten), Pralles (Allgäu) ⁋ *Senecio nemorensis* Hain-Kreuzkraut, Busch-Kreuzkraut; Kuhza'l, Kühhunger, Kühschnauze (Riesengebirge), (großes) Geiskraut (Böhmerwald), Hirschtee (Nd.-Ö.), Stinkerich (Oberharz), Mägdeheil (Gesenke), Maichhehl, Mächhehl (Glatz), Heidnisch Wundchrut, Heidnisch-Schwumchrut (St. Gallen), Heinischwummchrut (Schweiz: Tößgebiet), Steingünsl (Ob.-Ö.) ⁋ *Senecio incanus* Weißgraues Kreuzkraut; Raute, Edelraute, gelber Aberraut, gelber Speik ⁋ *Senecio abrotanifolius* Edelrautenblättriges Kreuzkraut, Kuhraute, Bärenkraut; Harnwindkraut (Nd.-Ö.), Schawa (Nd.-Ö.), Schabab oder Tschobob (Obersteiermark), Eggenkraut (Kärnten) ⁋ *Senecio Jacobaea* Jakobs-Kreuzkraut; Feuerfahne (Westfalen), goldner Wiederkomm (Gotha), gäle Ringala (Schwäb. Alb), Herrgottsnagel (Eifel) ⁋ *Senecio vernalis* Frühlings-Kreuzkraut, Orientalisches Kreuzkraut; Wucherblume (Ost- und Westpreußen) ⁋ *Senecio vulgaris* Gemeines Kreuzkraut; Kruzkrut, -wort, -wurtel (plattdeutsch), Krüzert (Westfalen), Kruizebôhm (Braunschweig), Krützbömke, -kruttsche (Niederrhein), Kreuzwurzel (z. B. Rheinlande, Gotha), Kreuzkräutchen (Eifel), Kraitskraitek (Schlesien, bei Gleiwitz), Kreizkreitchen, Kritzelkrut (Lothringen), Krötenkraut; Chnöpflichrut (Thurgau), gelbe Hemderknöpfle (Baden), Goldkraut (Schwäb. Alb), fedde Kutt, Fettsteert, Fettlook (untere Weser), Fettkuttge (Oldenburg, Bremen); Schmalzdistle (Churfirstengebiet), Dräckröwen (Westfalen), Schißmader (Thurgau), Hutschakraut (Riesengebirge), Krötengras (Nordböhmen), Chrottechrut (Aargau), stinken Hinnerk, stinken Jan Hinnerk, stolten Hinnerk (Oldenburg, Schleswig), lustgen Hinrik (Lübeck); Vagelkrut (Mecklenburg), Vögelichrut (Schweiz), Vogeldistel (St. Gallen), Kanarienblom (Insel Juist); Schwulstkrut (Mecklenburg), Dickkopp (z. B. Lübeck, Rotenburg a. d. Wumme), Dickkopp(s)krut, -gras (plattdeutsch); Bei(n)brech (Baden, Aargau),

Chnübrech (Zürich), Heide(n)brest, Eierbrest (Zürich), Harzpreste, Heißbrünsti (Thurgau); Stufer (Ostfriesland), Stöwkruud (Hannover: Stade), Spiggefaut (Westfalen); Berwurz, Machtheil, Mägdehülle ⁋ *Petasites hybridus* Gemeine Pestwurz; Kraftwurz, Neunkraftbladt (Nordbühmen), Lörkenblatt (Schleswig), Laddikenbläe (Braunschweig), Brandlottkeblätter (Ostpreußen), Bachlatte (Oberhessen, Nahegebiet), Lattchen, Lättichblätter (Gotha), Lattche (Rheinland), Lakte (Baden), Huatplotschen (Kärnten), Blacke, Blackete, Hirtblacke, Blackechnöpf, Geschlätterblacke (Schweiz), Pflacke (Baden), Dittiplacke (Basel); Sonnedächle (Baden, Aargau), Paleplee (Oberhessen), Parisöler (Schweiz: Waldstätten), Pfâdloutschen (Nordböhmen), Tabaksbläar (Westfalen), Adamsbläar (Osnabrück), Hoofkeblad (Ostfriesland), Huafplotschen, -plätschen (bayr.-ö.), Roßhuebe (Maulburg i. W.), Bullerblad (Ostfriesland), Bachblätter (Baden, Oberhessen), Peddenbläer, Peddenblätter (Westfalen), Kuckuck (Glatz), Kuckucksblume (Mark Brandenburg) ⁋ *Petasites paradoxus* Alpen-Pestwurz; Wißblakte (St. Antöniertal im Prättigau, Schweiz), Weiße Goaskrapfeln (Berchtesgaden), Fusterblacke (Muottatal, Schweiz) ⁋ *Petasites albus* Weiße Pestwurz; Sandblakte (St. Antöniertal im Prättigau, Schweiz) ⁋ *Homogyne discolor* Zweifarbiger Alpenlattich; Rahmplötscherl, -blätscherl (Nd.-Ö.) ⁋ *Homogyne alpina* Gemeiner Alpenlattich; Neunkraft, Groschenblatt (Schlesien), Zisiblüeme, Ribibliemli (Waldstätten) ⁋ *Adenostyles Alliariae* Grauer Alpendost; Lattich (Schlesien), Waldplacke (Baden), Waldblern (Nd.-Ö.), Huaflplotschen (Kärnten), Rahmblotschel (Steiermark); Wilde Sarniggel (Schweiz: Waldstätten), Schinderchrut, Schißkraut (Graubünden), Scheißblattl (oberbayr.) ⁋ *Solidago Virga aurea* Gemeine Goldrute; Wundkrut, Heidnisch Wundkrout (Braunschweig), Wundkraut (Schwäb. Alb, Kärnten), Heilwundkrut (Göttingen), Heidnisch Wundchrut (Schweiz); Heidnisch Schwummchrut (Graubünden); Petrusstab (Riesengebirge), Himmelbrand (Nd.-Ö.); Unsegenkraut (Böhmerwald), Schoßchrut (Aargau), Pferdskraut, Ochsebrot (Nahegebiet) ⁋ *Tussilago Farfara* Gemeiner Huflattich, Pferdefuß, Brustlattich; Hofbläder, Neelandsbläder, Hoofkebladen, Hoofladdik (plattdeutsch), Huflarje (Anhalt), Bolzebläder (Bidgau i. d. Eifel), Hoiken-, Hoiwekenblad (Göttingen), Huetbläggte (St. Gallen), Huweken (Oberharz), Hufblâer, Hüffkesblad (bergisch), Huafblëida, -bleïka, -potz'n (Böhmerwald), Hufblätschen, -blotschen (bayr.-ö.), Hufele, Roßhuaba (schwäbisch), Roßhube, Roßhuebeblüemli (Schweiz), Fahlenföt (Schleswig), Fülifüeß (St. Gallen), Füllifues (Liechtenstein), Roßschüegel (Elsaß), Plotschen, Blagge; Lödding (Lübeck), Laddeken (Braunschweig), Latke (Westpreußen), Lattech, Lötschesbläder (bergisch), Lothjehn (Eifel), Lattich (Riesengebirge), Lattenblattl (Erzgebirge), Laddch (Gotha), Lakte (Baden), Loggebletter (Thurgau), Eselslatche (Oberhessen), Feldlattche (Rheinland), Chuelattich (Thurgau), Plate (Oberhessen), Huidblödschen (Nd.-Ö.), Chueblagge, Huetblagge(te) (Thurgau), Roßblacke (Waldstätten), Butterlatten (thüring. Niederhessen), Schmantlatn (Eichsfeld), Butterblätter (Schwäb. Alb), Mehlbläda (Südostböhmen), Wullblüemli (Baden), Samtblacke (St. Gallen), Hasetatze (Thurgau), Luorkenbläer (Westfalen), Schnäggeblätter (St. Gallen), Lemblëd (Lübeck), Lehmblüamli (St. Gallen), Neelandsbläer (Oldenburg), Broochblume (Nahegebiet), Bachlôwas'n (Kärnten), Bach-, Sand-, Schlipfblüamli (St. Gallen); Märzenbleaml (Nd.-Ö.), Merze(n)blüemli (al.), Märzbecher, -Negel (Baden), Ziträsli (Waldstätten), Maiaschupf (Egerland), Sommertürlein (obersächsisch), Sommersäckelcher (Eifel), Summertêlechen, -têren, -pitz (Thüringen), Sohn vor dem Vater (Aachen), Hoilablätter (Böhmerwald), Hoalbleda (Nd.-Ö.), Heilchrut (Thurgau), Doktorbliemli (Nidwalden), Teeblümla (Glatz), Teeblüamli (Schweiz), Noinkraftblatt (Nordböhmen), Brandlappe, -lattich (Hessen), Brandbletter (Thurgau), Aiterplotzen, Eïtazoia (Egerland), Eitableda (Nd.-Ö.), Aßbladl

(Nd.-Ö.), Hustenkraut (Kärnten), Longablimla (Glatz), Lungenkraut (Kärnten), Schwinzichblimla (Glatz), Tabaksblatt (bergisch) ❡ *Arnica montana* Wohlverleih; Wolfsblom (Hannover); Feuer-, Stern-, Johannisblume; Fall-, Stichkraut; Viehwurzel; Tabaks-, Nießblume; Schneeberger ❡ *Calendula officinalis* Ringelblume, Totenblume, Sonnwendblume; Ringelken (Göttingen, Braunschweig), Ringeli (St. Gallen), Ringelröschen (untere Weser), Ringelröserl (Kärnten, Steiermark), Ingelbluome (St. Gallen), Kringelblume (balt.); Gülke (Westpreußen), Gölling, Gähl Gölling (Mecklenburg), Goldblöme (plattdeutsch), Goldrose (Nahegebiet, Elsaß), Sonneblom (Moselgebiet), Morrnrod un Abendrod (Lübeck), Ziegelbluem (Elsaß), Gelbsuchtröserl (Steiermark), Buckseknopp (Nahegebiet), Weckbrösele (Henneberg), Kirchefblum (Lothringen), Marienrose (Nahegebiet), Malljeblom (Rheinlande: Trimbs), stinkende Hoffart (Zug: Menzingen), Hofartscheißer (Württ.: Ehingen), Weinbleaml (Nd.-Ö.); Studentenblume; Schreinersblum (Rothenburg) ❡ *Arctotis* Bärenohr · Benediktenkraut · Saflor · Artischocke ❡ *Echinops sphaerocephalus* Bienen-Kugeldistel, Speerdistel; Rauhe Distel (Inntal), Dunderkugel (ebendort); Unruhe (Anhalt) ❡ *Carlina acaulis* Stengellose Eberwurz, Silberdistel, Jägerdistel, Wetterdistel; Silbertischle (St. Gallen), Silberwurz (Schwäb. Alb), Oanhag'n, Oanhagelwurz'n (bayr.-ö.), Dornrosen (Kärnten), Ägertadistla, Eg (Schwäb. Alb) Saudistel (Baden), Frauadistla (Schwäb. Alb), Strähl (St. Gallen), Stächer, Heustächer (St. Gallen), Stüpfi (Luzern: Entlebuch) · Die verdorrten Blütenköpfe heißen Bürsteln (Böhmerw.), Bürsteli (Schweiz), Sonnenrosen, Sunnrosen (Kärnten), Sonnenwenddistel (Nd.-Ö.), Sonnenblume (bayr. Schwaben), Wetterdistel, -rosen (bayr.-ö.), Dunderwurzle (Baden), Donnerkäse (Riesengebirge), Destelbrutla (Riesengebirge), Johannisbrutlan (Riesengebirge), Jagerbrot (Steiermark), Käslein (Riesengebirge), Wiesenkas (Kärnten), Wichrkashe (Krain: Gottschee), Alpechäs (St. Gallen), Käs-Dorn (Graubünden), Kraftwurz (bayr. Schwaben), Eberdistel (in verschiedenen Gegenden) ❡ *Carlina vulgaris* Gemeiner Eberwurz, Stengel-Eberwurz, Sodkraut; Eberwurz (z. B. Böhmerwald), Strähl (Churfirstengebiet), Wetterdistel (Gotha), Sonnrose (Steiermark), Dunnerdistel (z. B. Unterfranken), Stächbolle (Luzern), Golddistel (z. B. Gotha, Baden, Schweiz), Finkendistel (Egerland), Herrgottskrone (bayr. Schwaben), Herrgottsnägele (Baden), Nagelchrut (Waldstätten); Distel (Anhalt) ❡ *Carduus nutans* Nickende Distel; Diessel (Ostfriesland), Dischle (Schweiz), Koh-, Koll-, Piärdissel (Westfalen), Stickel (Ostfriesland), Hunne-, Lusedissele (Göttingen), Veitsblätter, -Distel, Feixdistel (Nordböhmen), Pudlhund, Bullenbeißer (Westböhmen), Tondrtistl (Eichsfeld), Lanzchnächt (St. Gallen) ❡ *Cirsium lanceolatum* Gemeine Kratzdistel; Diessel, Diestel (nddt.), Dessel (Elberfeld), Deustle (Hildesheim), Stikel (Ostfriesland), Gstechate Dörn (Schweiz), Peer-, Fürdissel (Schleswig), Kroll-, Hattdiessel (Westfalen), Môrdissele (Göttingen), Hunnedistl (nddt.), Wolfsdistla (Schwäb. Alb), alter Knecht (Riesengebirge), alter Junggeselle (Böhmerwald), Brake, Brogge, Bratte (Nahegebiet) ❡ *Cirsium eriophorum* Woll-Kratzdistel; Koller-, Kullerdistel, Mannstreu (Provinz Sachsen) ❡ *Cirsium palustre* Sumpf-Kratzdistel; Poggendistel (Schleswig), Ruch-, Stechdistel (St. Gallen), Säu-Swinskrudich (Kleinschmalkalden), Bauernköpfl (Kärnten), Lands-chnecht (Schweiz: Sargans) ❡ *Cirsium heterophyllum* Alant-Distel, Verschiedenblätterige Kratzdistel; Weiße Drachenwurzel (Riesengebirge), Weißblätter (Böhmerwald), Trommelschlägel (ebenda), Schwalbenschwanz, Maurerpinsel (Erzgebirge) ❡ *Cirsium oleraceum* Kohldistel; Wiesendistel (z. B. Eifel, Schweiz), Matte(n)distel (Schweiz), Schar (Gotha), Schârkraut (Kärnten), Schorkrettich, -blätter, -kopf (Riesengebirge), Scharpflug, Pflugschar (Nordböhmen), Schartiblacke, Scharte, Wasser-, Bach-, Wiese-, Mattscharte (Schweiz), Sägendissel (Schleswig), Saudistel (Kärnten), Schwi-

Suscharte, -schwarte (St. Gallen), gelbe Distel (Böhmerwald), Otterkopf (Riesengebirge), Trummeschlegel (Schweiz), Trummechnebel (St. Gallen, Schwyz), Kuller-, Buller-, Trull-, Drildistel (Magdeburger Gegend), Chuckraut, Kapezinerstrick, Stüpfere, Barbarachrut (Schweiz), Finkendistel (Luzern), Pfaffeseckel (Schaffhausen: Ramsen) ❡ *Cirsium spinosissimum* Alpen-Kratzdistel; Oanhak'n (Ob.-Ö.), Einhack(l) (Kärnten), Wiesdorn (Graubünden), Stüpfi ❡ *Cirsium arvense* Ackerdistel; Felddissele (Göttingen), Felddistel (Schwäb. Alb), Kornnägala (Schwäb. Alb), Chorndistel (St. Gallen), Haberdistel (Böhmerwald), Habergaisa, -Distla (Schwäb. Alb), Ruch-, Stechdistel (St. Gallen), Spitzdisteln (Hannover), Mausdissele (Göttingen), Landschnecht (Schweiz), Koh-, Piärredissel (Osnabrück) ❡ *Silybum Marianum* Mariendistel, Mergen-, Frauen-, Milch- oder Silberdistel; Christi Krone (Westfalen: Rheine), Heilandsdistel (Vogtland), Gottesgnadechrut (Zürichsee), Stekkrût, Stekkürn, Stekköörn, Stichkürn (nddt.), Stichsamen (Ost- und Westpreußen), rechte Diessel (Bremen), Venusdistel (Schmalkalden), Rûhackel, Rûheckele (Göttingen) ❡ *Onopordon Acanthium* Gemeine Eselsdistel, Krebsdistel; Pudlhund (Egerland), Faule Knechte, Wildemannsstöck (Baden) ❡ *Serratula tinctoria* Färberscharte: Schaar (Bremen, Oldenburg) ❡ *Rhaponticum scariosum* Alpenscharte, Flecken- oder Rübendistel; Großtrummechnebel (St. Gallen), Schafzungen (Samnaun) ❡ *Centaurea Jacea* Gemeine, Wiesen-Flockenblume; Knopfblume, Hartkopp (Eifel), Dickkopf (Unterfranken), Knopf (Böhmerwald), Rostkopp (Riesengebirge), Hosenknopf (Ob.-Ö.), Bettlerknopf (Steiermark), Mahderknopf (Elsaß), Wiesa-, Rietchnopf (St. Gallen), Trummechnebel, -schlegel (Schweiz), Pauke(n)schlegel (Schwaben), Fläschblume (Nahegebiet), Fleischbluem (Schweiz), Braunstock (Riesengebirge), Pferdsblume (Nahegebiet), Heu-, Grasnägeli, Heublume (Schweiz), Eisenkraut, Wannepappere, Wanneboppele, Galtkraut (Schweiz: Hinwil), Cholerablume (Anhalt), Hornesselblume (Nahegebiet), Bismetblueme (Schweiz: Rafz), Bismachutz (Toggenburg) ❡ *Centaurea Cyanus* Kornblume,·Zyane; Roggenblom (nddt.), Kornnägeli (Schwaben), Kornscheckl (Egerland), Kornbeißer (Schwäb. Alb), Kormutter (Lothringen), Troadveigl (Nd.-Ö.); Hunger, Hungerbluome (Braunschweig), Kornfresser (Schwäb. Alb); Tremse, Triems, Tremisse, Trämpsen, Strämpsen (nddt.), Schannelke (ostfriesisch), Ziegenbein, Zijabein (Schlesien, Nordböhmen), Schneider (Ob.-Ö.), Tobacksblom (Flensburg), Tabaksblaume (Braunschweig), Krüllke (Emsland), Blauchrut (Schaffhausen), Blaumützen (Hannover), Kaiserblume (z. B. Riesengebirge, Erzingen in Baden, Anhalt), Kreuzblume (Rheinlande), Herrgottsblümli, -krönli (Baden), Knopstrich (Bidgau i. d. Eifel); Schirmke, Ruschelmke (Hannover) ❡ *Centaurea Scabiosa* Scabiosen-Flockenblume, Flockenskabiose, Trommelschlägel; Knoop (Mecklenburg), Knauf (Eifel), Hartkopp (Rheinlande), Gantenpöppe (Osnabrück), Quade (Nassau), Wamschknopp (Lothringen), Dor(n)schlegel, Avemariaschlegel (Schwäb. Alb), Trummenstöcke (Westfalen), Trummelschlägel (Ob.-Ö.), Tromme(n)schlegel (Schwaben), Maurerpinsel (östl. Erzgebirge), Sonnenwirbel (Riesengebirge), Lämperrippen (Kärnten), Iserblomme (Rheinlande), Teufelsblume (östl. Erzgebirge), Trummechnebel, Tannenchnebel (St. Gallen); Papen-, Ochsenklöten (Mecklenburg) ❡ *Arctium Lappa* Klette; Kladde-busk, Klarre-busk (Ostfriesland), Klütern (Braunschweig), Kliddä (Baden), Kliewe, Klibe, Kliven (plattdeutsch), Kliebusk (Oldenburg), Klepper, Klepp'n (bayr.-ö.), Klabbere, Kliibe (Baden), Chläbere, Chlebchrut, Chläblüs (Schweiz), Kliester (Hannover), Klüsen, Klime (Braunschweig), Klinz'l (Kärnten); Kinderblätter (Eifel), Huotplotschen (Kärnten), Schneckablätter (Schwäb. Alb), Tubaksblad (Eifel); Lodiksblatt (Westpreußen), Lampâschenblatt (Göttingen), Laddek (Halberstadt), Lättichblätter (Gotha), Picker (bayr.-ö., Böhmerwald) · Die Blüten- bzw. Fruchtknöpfe heißen Zecken (bayr.-ö.),

Bettläus (bayr. Wald, Oberpfalz), Pracher Lüse (Braunschweig), Igl (Schwäb. Alb), Kratzenkugel (Elsaß), Bosenknôpp (Eifel), Bettelknopf (Böhmerwald), Popeknaep (Westpreußen), Soldateknöpfe (Niederrhein), Borren (Schleswig), Kirmsen, Kirmesgästchen (Eifel), Kianzl ❡ *Cichorium Intybus* Gemeine Wegwarte, Zichorie, Faule Gretl, Schlempekraut, Sonnenwedel; Weglunger(e) (Schweiz, Schwaben), Wegwiiser (Baden), Wegweis (Steiermark), Wegtreter (Baden), Wegtritt (Aargau), Wegmanna, -kraut (Schwäb. Alb), Wageleuchte (Nordböhmen), Wägstrüßli (Waldstätten), Hansl am Weg (Ob.-Ö.), Gretla om Wache (Riesengebirge), Hindläufte (Ob.-Ö., nur noch wenig volkstümlich, z. B. in Thüringen als Hinlüft); Zichojen, Zikojen, Zigurge, Zigûrn (nddt.), Zigori (bayr.-ö.), Schigorre (St. Gallen), Suckerei, Zuckerei (Westfalen), Zigeunerblume (Ob.-Ö.), Aechtern ud'n Gaorn (Münsterland), Kaffeeworze (St. Gallen), Wildi Kaffeewürze (Waldstätten), Daitschen (Braunschweig), Thädel, Hartmann (Nassau), Chlömpe-, Chrutstock (St. Gallen); Verfluchte Jungfer ❡ *Cichorium Endivia* Winter-Endivie; Andeaftje, Andeaftche (Oberhessen), Handifftche (Nahegebiet), Andivi, Antifi (bayr.-ö., schweizerisch) ❡ *Tragopogon pratensis* Wiesen-Bocksbart; Sunneblueme (St. Gallen), Sonnwendrose (Steiermark), Sonnewirbel, Sternechrut (Schweiz: Waldstätten), Ochse(n)gukel (Elsaß), Milchblume (Mittelfranken), Milchlig (Schwyz), Melcher (Baden), Milchner (bayr. Schwaben), Milchheiler, Chalber-Milch (Graubünden), Kuheuter (Schwarzwald), Schmettenwurzel (Riesengebirge), Schmettenblume (Nordböhmen); Süaßling (bayr.-ö.), Siaß (Baden), Süeßkraut, -mark (Elsaß), Süeßbengel (St. Gallen), Sießstirzel (Schweiz: Waldstätten), Zuckerblumen (Altbayern), Speckbluome (St. Gallen), Hasenbrot (z. B. obbayr., Elsaß), Himmelbrot (obbayr.), Kattenkees (untere Weser), Freßblumen (Schwaben: Ries), Bampfjackel (Altbayern), Soldatesurampfer (Elsaß), Kuckuck, Kuckezer (Altbayern), Guggauch, Güggäugele (Baden), Guckigauch, Gugelgaich, Gugelgau (schwäb.), Gugauche (Elsaß), Habermark, -march, -markele, -malch, -margste, -mauch, -mulche (al.), Bockvatz, Bochbatzer, Stockpfatzer (Mittelfranken), Popperorsch, Brabrarsch, Paperasch (Nürnberger Gegend), Sparakel, Sporakel, Rockaspor(n) (oberbayr.), Burzenstengel (bayr. Schwaben), Knaupel (Schwaben), Chnuppel (Schweiz: Waldstätten); Arnika (Anhalt) ❡ *Scorzonera hispanica* Spanische oder Garten-Schwarzwurzel, Vipernwurzel, Schlangengras; Schorsnêrwurtel (Ostfriesland), Schorzonere, Schötzeniere (Niederrhein), Schdoznärwozel (Kleinschmalkalden), Storzonerlein (Nürnberg), Schtozänehri (Bamberg), Stozenere (Elsaß), Skurzenäre (Lothringen), Sturtzeneri (Thurgau), Störzeneri (Schweiz), Artefifi (Schweiz), Raddefife (Straßburg), Süßwurz (bayr. Schwaben), Süßgras (Elsaß) ❡ *Taraxacum officinale* Gemeiner Löwenzahn, Mai-, Kuhblume, Ringelblume; Hundeblume (besonders im Mittel- und Niederdeutschen), Hundszunge (St. Gallen), Saubleaml (bayr.-ö.), Saustock (Böhmerwald), Saudätsch (Baden), Schwyblueme (Wallensee), Moreblüeme (Luzern), Krodnbleaml (z. T. Nd.-Ö.), Schwimeie (Wallis), Krottenblume (Baden), Chrottepösche (Schweiz), Pärdeblöme, Peerblom (plattdeutsch), Roßbluem (Schweiz), Ossenblaume (Westfalen), Düvelsblom (Schleswig), Teufelsblume (obbayr.), Tüfelsblueme (Schweiz); Butterblume (besonders in nieder- und mitteldeutschen Mundarten), Botterstock (Oberhessen), Schmalzblouma (Egerland), Schmalzblueme (Schweiz), Eierblöme, Eierbusch (fränkisch), Eierblesch, -pleisch, -flatsche, -blättche (Eifel), Ankeblueme (Waldstätten), Goldblôm (bergisch), Sunneblume, -wirbel (Baden), Ringelblaume (Braunschweig), Ringelblume (z. B. fränkisch, schweizerisch), Röhrlkraut (bayr.-ö.), Röhrlichrut (Aargau), Kettenstaude (Basel), Kettenblume (besonders im Niederdeutschen), Kettenbleisch (Eifel), Kietblume, Chettenblueme, Chettenstöck (Schweiz), Kettemestock (Baden), Hälestock (Schweiz); Brumma (Egerland), Hüppeblume (Baden), Pfe(n)gger (Tirol), Chlopfere (Schweiz), Lûsblôm (plattdeutsch), Loisblom (Oberhessen), Lusblueme (Schweiz); Saumelke (bergisch), Melchdistel (Oberhessen), Melcher, Milchbusch (Baden), Milchstöck (bayr.-ö., Schweiz), Milchling (Schwäb. Alb), Milechblacke (St. Gallen), Milechstöck (Thurgau). Milchingstöck (Schaffhausen); Kukuksblom (Siegerland), Guggauche (Baden), Guguche (Schaffhausen), Maisteckel, -blume (obersächsisch), Maidistl, -bleame, -buschn (bayr.-ö.), Maiebledeme, Merzeblome, Merzestock (Schweiz); Pißblom (bergisch), Seichkraut, -blume (Baden), Seicherin (Schwaben), Bettpisser (z. B. Hessen), Bettebrunzekraut (Baden), Bettbrunzersalat, Brunzer (Elsaß), Bettschisser (schwäb.), Pfaffebusch (Oberhessen), Pfaffenröhrl (Ob.-Ö.), Pappel (Mittelfranken), Pöpel (Nordostböhmen), Saupoppel, Maäpopel (Riesengebirge), Pappelstock (Oberfranken); Lichtblom (Oberhessen), Lichterblume (Baden), Lampe (bergisch), Luchten (Bremen), Liechtli (Thurgau, Schaffhausen), Golichter (Gotha), Laterne (z. B. Böhmerwald, Nordböhmen), Pustblume, Pusteblaume (plattdeutsch), Hubefädern (Wallis); Buggele (Ostschweiz), Franzosesalat (Basel, St. Gallen), Bisangli, Pißangli (Baden), Bissangi (Elsaß), Pumperlitschka, Pumpe (Schwaben), Pampes (Nordostböhmen), Pamperradl (Böhmerwald), Bumbelblume (obersächs.), Pampelblume (Schlesien), Bimbaume (Erfurt), Bammbusch, Bembelbosch, Bombesch, Bombeidel, Bombeilen (Gotha), Wei(h)efettig (Elsaß), Weifäke (Aargau), Dore[salat] (Nahegebiet); Pfaffenstiel; Riegelstock, Hopfe ¶ *Cicerbita alpina* Alpen-Milchlattich; Milchkraut (Kärnten), Milchdistel (Baden), Schmettenwurz (Riesengebirge), Chalberchernechrut (Oberes Tößgebiet), Tzou-gras ¶ *Sonchus arvensis* Acker-Gänsedistel, Saudistel; Sögestikel (Ostfriesland), Sugedissel (Osnabrück), Soegenkohl, Schwienkohl (Mecklenburg), Saumalk, -mark (Eifel), Souchrut (Schweiz), Hasescharte (Thurgau), Haasechöhl (Wallenstädt); Milchdistel (in verschiedenen Mundarten), Melkekraut (Niederrhein), Milchchrut (Schweiz), Milchstöck (Thurgau), Milchblume (Böhmerwald), Eiterdistel (Oberhessen), Miälkwuartel (Osnabrück); Mattdistel (Schweiz), Hasemattdistel, Gaßmattdistel (Schaffhausen), Mâradistel (Schwäb. Alb), Maidistel, Moadistel (bayr.-ö.), Aegarta-, Agerdistel (Schwäb. Alb), Düdissel (plattdeutsch) Daudistel (rheinfränkisch), Düdischle (Elsaß), Muesdistel, -Dischle (al., z. B. Schwäb. Alb, Elsaß ¶ *Lactuca perennis* Blauer Lattich; Tell, Krischpel, Steenkrischbel (Nahegebiet), Fluhsalat (am Bieler See), Chiswurze (Schaffhausen) ¶ *Lactuca sativa* Garten-Salat, Salat, Lattich; Latuke (Braunschweig), Lattichsalat (Gotha), Kroppschlaat (Niederrhein), Häupel, Happelsalat (bayr.-ö.) ¶ *Crepis aurea* Gold-Pippau, Rinderblume; Goldblueme (Churfirstengebiet), Goldritzli (Zürcher Oberland), Gamswurz (Tirol), Bohmbluome (St. Gallen), Ankeblüemli (Waldstätten) ¶ *Crepis biennis* Wiesen-Pippau, Grundfeste; Distel (St. Gallen), zahme Distel (Bern: Utzenstorf), Vogeldistel (St. Gallen), Mattdistel (Schaffhausen: Basadingen), Saudistel (Gottstadt), Wilder Spinat (Thurgau, Baselland), Hungertod (Utzenstorf), Wilde Benätsch (Schaffhausen: Hemmenthal) ¶ *Prenanthes purpurea* Purpur-Hasenlattich; Heirischwummchrut (Sargans im Rheintal) ¶ *Hieracium Pilosella* Langhaariges Habichtskraut, Mausohr, Mausöhrlein; Hasenohren (Oberharz), Hunnetungen (Hannover), Nodernkraut (Böhmerwald), Kaiserblume (östl. Erzgebirge), Augenwurz (niederbayr.), Dukatenröschen (Thüringen), Nagelkraut (Rheinland), Nagelkrut (Lichtenstein), Milchblüemli, wildi Süblüeme (Schweiz), Geltichrutblüemli (Nidwalden) ¶ *Hieracium murorum* Mauer-Habichtskraut; Haseorn (Gotha), Hasenöhrl (Böhmerwald), Ochsezung (Elsaß), Liäwerkrut (Westfalen) ¶ *Lampsana communis* Gemeiner Rainkohl, Hasenlattich; Milchen (Westfalen), Hasemus (Eifel), Blättleskraut (Schwäb. Alb); Niplewust (Brandenburg) ¶ *Leontodon autumnalis* Herbst-Löwenzahn; Bettseicher (Rheinprovinz), Hunneblome (untere Weser), Peint-

Saublume (Böhmerwald), Milchblueme (St. Gallen), Milchichrutt (Wallenstadt) ¶ *Picris hieracioides* Gemeines Bitterkraut; Säudistel (Gottstadt), Wolfsmilch (Andelfingen), Kleeteufel (Schweiz: Andelfingen, Henggart), Wegwarte.

3. Pflanzenteile.

Ableger · Absenker · Ähre · Ast · Beere [beim Weinstock], Trester · Blatt. Wedel · Blume · Blüte, Gescheine · Dolde · Faserwurzel · Fechser · Frucht · Geäst · Geize (Nebentrieb am Weinstock) · Gezweig · Halm · Kern · Knospe · Laub · Mandibel · Maxille · Pfropfreis · Ranke · Reis · Rinde, Bast · Schaft · Schößling, Sproß · Setzling · Stamm · Stengel · Stiel · Stock · Strunk · Stumpf, Stubben · Samen, Staubfäden, Sporen · Trieb · Wipfel · Wurzel · Zaserwurzel · Zweig ¶ Granne, Achel · Knolle · Knoten · Spelt · Stempel ¶ Fruchtarten: Eichel · Birne · Erbse · Nuß usw. · Fleisch des Obstes: pulpa ¶ Kerngehäuse: Bök, Butzen, Gäggis, Gnaus, Gräge, Griebs(ch), Gröbs, Grotz(en), Hunkel, Kitsch, Krunkel, Sprûthûs (Hannover), Ürbsi.

4. Pflanzenkrankheiten.

Brand · Fäule · Krebs · Rost · Schütte · Stockkrankheit · Meltau · Mutterkorn · Gummifluß · Kräuselkrankheit · Monilia.

5. Pflanzenanbau. *s. Landbezirk 1. 15. Erzeugung 5. 39. Berufe 16. 60. Einwohner 6. 4.*

ackern · anpflanzen · aufforsten · bauen · bebauen · bepflanzen · berasen · besäen · beschneiden · bestellen · bewirtschaften · brachen · düngen · eggen · einsetzen · eintun · felgen · herbsten · klecken · klengen · kultivieren · pflanzen · pflügen · roden · säen · streuen · wenden · zackern · Boden vorbereiten ¶ einheimsen · einholen · fechsen · ernten · lesen · mähen · pflücken · schilfen · schneiden · sicheln ¶ okulieren · äugele (Schweiz), pelgen, riesen, zweigen · pfropfen · pikieren · veredeln · weischen (Stoppeln umlegen schwäb.) ¶ ackerbar · bebaubar · ergiebig · ersprießlich · ertragreich · fruchtbar · pflügbar · urbar ¶ Ackerbauer · Ackersmann · Agrarier · Ansiedler, Kolonist · Bauer · Bauersmann · Blumenhändler · Deichbauer · Farmer · Förster · Forstmann · Gärtner · Grenzlandbauer, Frontbauer · Großgrundbesitzer · Gutsbesitzer · Inspektor · Kossät · Krautjunker · Landwirt · Ökonom · Pächter · Pflanzer · Siedler · Verwalter (Klutentrampler, Knollenfink, Stoppelhopser) · Weinbauer, Winzer s. Berufe 16. 60 Abt. 2. ¶ Dung, Dünger, Addel (rhein.) · Mist · Jauche, Pfuhl (hess.), Gülle (al.) · Sutter ¶ Dreschflegel · Dreschmaschine · Egge · Harke · Hippe · Kelter · Mähmaschine · Pflug · Pflugschar · Rechen · Sämaschine · Schwinge · Sense · Sichel · Spaten · Wanne ¶ Baumgarten · Baumschule · Beet · Garten · Gärtnerei · Gewächshaus · Mistbeet · Obstgarten · Park · Schrebergarten, Laubenkolonie · Treibhaus · Weinberg, Wingert · Wintergarten · Ziergarten ¶ Acker · Boden · Esch (südd.) · Feld · Flur · Gewann · Grund · Kulturboden · Parzelle · Scholle · Aussaat ¶ Allee · Alm · Anlage · Anpflanzung · Baumgarten · Baumschule · Beet · Busch · Garten · Hag · Hecke · Hufe · Laube · Lustwäldchen · Matte · Pflanzung · Plantage · Rabatte · Unterholz · Wiese ¶ Baumgruppe · Baumschlag · Dschungel · Forst · Gehölz · Gestrüpp · Hain · Hege · Holzung · Horst · Lichtung · Schonung · Wald · Waldung ¶ Erbhof · Gut · Herrschaft · Hof · Hofreite · Anwesen · Land-, Rittergut · Latifundien · Liegenschaft · Tenne · Molkerei · Scheuer, Scheune · Speicher *s. 4. 18; 17. 7.* ¶ Botanischer Garten · Herbarium ¶ Aust (ostpreuß.), Ernte · Gelege · Grund · Herbst · Heu · zweite Grasernte: Mahd, Grummet, Hamut · Schnitt · Zoche ¶ Ackerbau · Anbau · Bodenkultur · Feldbau · Försterei · Forstwirtschaft · Landbestellung · Landwirtschaft · Weinbau ¶ Reichsnährstand · Ernährungsfront · Erzeugungsschlacht ¶ G a r b e n s t a n d - N a m e n : Ostpreußen: a. *verbreitete Ausdrücke:* Hocken, Mandeln, Stiegen, Haufen, Puppen · b. *vereinzelt:* Kuxen, Buden, Schlieten, Dreibein · Vierbein, Kokoschken, Kapsen ¶ Mecklenburg: a. wie Ostpreußen · b. Gake, Buchweizenstück ¶ Hannover: a. wie die vorigen · b. Sturm-, Wind-, Kreuz-, Geest-Hocken; Bülten, Bult-Hocken: Doppel-Hocken; Schock, Doppelschocken; Stiege, Korn-, Getreide-, Lang-, Rundstiegen; Stuken, Windstuken; Schobben; Hucht; Gâ(r)st, Gäste; Docken; Diemen; Garbenreihe; Schof; Staffeln; Haupt; Hach; Höche; Spier; Langspier; Klump; Klee-Reiter; Busche; Buchweizen-Wibkes ¶ Westfalen: a. wie die vorigen · b. Garben-, Klachterhaufen; Spitz-, Roggen-, halbe Hocken; Richten, Lang-, Rund-, Flach-, Korn-, Schlag-, Garben-Richten · Halb-Stiegen; Schocke; Feime; Diemen · Dielen, Thielen, Getreide-Tile; Kitten-Hucker, Huckster; Dienken; Käppe; Pöterkes; Turm; Pyramiden; Drei-Bock; Ständer; Wimpern; Stuchen, Kurz-, Langband; Stucken; Docken; Reiter; Kapp-, Knick-Husten ¶ Hessen: a. Haufen, Hausten, Hüchel, Kasten · Außerdem: Sturz-, Leg-, Rost-, Korn-, Wetter-, Bund-, Buschel-, Stuk-, Garben-, Kreuz-, Stell-Haufen; Bock; Puppen; Stiege; Stauchen; Korn-, Wund-Hüchel (Heuchel, Hügel) · b. Garbe, Gärbchen; Bitze; Buschel; Gaube (Kauple); Sichling; Staupe; Staude; Neunling; Kegel; Botsche; Dreiangel; Rost ¶ Naunstadt (Hessen) sagt für Garbe von Korn: Sichling; von Flachs: Boßen; von Stroh: Bausch; von Wirrstroh: Ströher ¶ Rheinland: a. Kasten, Ga(r)st, Gäste, Haufen, Küpp (Kubb, Gubb, Guben, Guppen); Bock; Hausten; Hückel; Hüchel; Klobben; Schräge (Schläge) · b. Stiegen; Hocken; Schobben; Mandeln; Hüppel; Kotten; Heinzen (Höizen); Reihen; Gassen; Posten; Puppen; Puppenreihen; Feime (Femm); Krieger, Haferkrieger; Diele; Richten, Richthaufen; Reiter; Recke; Dieme; Rheinische, alte, Wind-, Kapp-Hausten; Hügel; Kasten-, Wetter-, Getreide-, Frucht-, Korn-, Richt-Haufen; Gehäuf; Frucht-, Korn-, Bock-, Halb-, Weizen- usw., Klecker-Kasten; Häuser (Hüskes); Korn-, Wind-Häuschen; Stuchen; Guschel; Gloffe; Männchen; Böckelchen; Stauben; Getreide-, Korn-Puppe; Band; Puken; Oppers; Holm; Tröppe; Wimpeln; Rost; Bonepertshut; Schränk; Geesch; Harfen; Stauden; Schilling; Kegel; Halfgäste ¶ Sachsen: a. Puppe; Korn-, Getreide-, Sommerpuppen; Puppenreihe; Mandel, Trauben; Schrägen; Bock, Böckchen · b. Stiege; Kreuzmandel; Reiter; Haufen; Reihe; Häuser; Stauchen (Stauken); Neuner, Fünfling, Fünftel; Dach-Kapelle; Hütte, Hundehütte; Siebentel; Halbschock; Garbenständer; Wischel.

6. Fruchtbarkeit. *s. Kind 2. 22. Zunahme 4. 3.*

sich ausbreiten · wuchern · zunehmen ¶ befruchten · bevölkern · fortpflanzen · vermehren · zeugen ¶ ergiebig · ertragreich · fruchtbar · geil · genetisch · schwanger · trächtig · üppig ¶ fortpflanzungsfähig · potent · zeugungsfähig ¶ Allmutter · Kaninchen · Milchkuh · Gebärmaschine ¶ Frucht · Kind ¶ Fruchtbarkeit · Segen · Potenz · Zeugungskraft.

7. Unfruchtbarkeit. *s. wenig 4. 24. unzureichend 4. 25. nutzlos 9. 49.*

geizen · stocken versagen ¶ entmannen · gelzen · kappen · kastrieren · sterilisieren · verschneiden ¶ baumlos · brach · dürr · ertragsunfähig · kahl · karg · nutzlos ·

öde · steril · trocken · unergiebig · unfruchtbar · wirkungslos · wüst ⁋ familienlos ·
kinderlos ⁋ Eunuch · Verschnittener · Hämling · Kapaun · Kastrat · Ochse ·
Wallach · Poularde · Hammel. — Hermaphrodit · Zwitter ⁋ Einöde · Leere ·
Sahara · Wildnis · Wüste · Wüstung ⁋ Sterilität · Unvermögen · brotlose Kunst.

8. Tier.

animalisch · tierisch · hündisch · viehisch · zoologisch ⁋ Bestie · Biest · Geschöpf ·
Getier · Kreatur · Tier · Vieh ⁋ erschaffenes Wesen · stummes, kriechendes,
lebendes Geschöpf · was da kreucht und fleugt ⁋ Herden usw. s. Gruppe 4. 17,
Verbindung 4. 33 ⁋ Fauna · Tierreich ⁋ Tierbeschreibung · Tierkunde · Zoologie
⁋ vergleichende Anatomie · Biologie · Entomologie · Helmintologie · Herpetologie ·
Ichthyologie · Malakozoologie · Ophiologie · Ornithologie · Paläontologie.

Übersicht über 2. 9. Tierarten.

Würmer 93	Fliegen 96	Fische 99
Krebse 93	Käfer 96	Lurche 100
Spinnen 94	Hautflügler 97	Kriechtiere 101
Insekten 94	Schnabelkerfe 98	Vögel 101
Schmetterlinge 95	Weichtiere 98	Säugetiere 124

9. Tierarten. (vgl. Bücherverzeichnis).

Protozoa Urtiere, Einzeller.

Flagellata Geißelträger, Geißelinfusorien, Geißeltierchen · *Euflagellata: Trypa-
nosoma gambiense* Erreger der Schlafkrankheit · *Euglena viridis* Augentierchen ·
Cystoflagellata: Noctiluca miliaris „Meeresleuchten" ⁋ *Rhizopoda* Wurzelfüßler:
Amoebozoa: Amoeba proteus Amöbe, Wechseltierchen · *Entamoeba histolytica*
„Amöbenruhr" · *Foraminifera* Kammerlinge · *Heliozoa* Sonnentierchen · *Radio-
laria* Strahltiere, Strahlentierchen, Strahlinge ⁋ *Sporozoa* Sporentierchen · *Plasmo-
dium vivax [malariae]* Malariaerreger ⁋ *Ciliata* Infusorien, Wimperinfusorien,
Wimpertierchen · *Paramaecium* Pantoffeltierchen · *Vorticella* Glockentierchen ·
Stentor Trompetentierchen ⁋ *Suctoria* Sauginfusorien.

Metazoa Gewebetiere, Vielzeller.

Porifera [Parazoa], Spongiaria Schwämme, Schwammtiere · *Calcispongiae* Kalk-
schwämme · *Silicispongiae* Kieselschwämme · *Cornacuspongiae* Hornschwämme,
Netzfaserschwämme · *Euspongia offizinalis* Badeschwamm · *Cliona* Bohrschwamm ·
Spongillidae Süßwasserschwämme.

Coelenterata Hohltiere (Pflanzentiere).

Cnidaria Nesseltiere · *Hydrozoa* Hydroidpolyp · Hydroidmeduse · Polypenstock ·
Hydra viridis Süßwasserpolyp ⁋ *Syphonophora* Schwimmpolypen, Röhrenquallen ·
Staatsquallen ⁋ *Scyphozoa: Stauromedusae* Becherquallen · *Lobomedusae* Lappen-
quallen · *Aurelia aurita* Ohrenqualle ⁋ *Anthozoa* Korallentiere, Riffbildner (Ko-
rallenriff) · *Alcyonaria* Lederkorallen · *Gorgonaria* Hornkorallen · *Pennatularia*
Seefedern · *Actiniaria* Seeanemonen · *Madreporaria* Steinkorallen · *Zoantharia*
Krustenanemonen · *Antipatharia* Dörnchenkorallen · *Ceriantharia* Zylinderrosen
⁋ *Acnidaria: Ctenophora* Rippenquallen.

Coelomata:
Vermes: Würmer, Gewürm.

Plathelminthes (Platodes) Plattwürmer · *Turbellaria* Strudelwürmer · Planarie · *Trematodes* Saugwürmer · *Diplozoon paradoxum* Doppeltier · *Fasciola hepatica* *[Distomum hepaticum]* Leberegel ¶ *Cestodes* Bandwürmer · *Dibothriocephalus latus* Breiter Bandwurm · *Taenia solium* Schweinebandwurm · *Moniezia expansa* Riesenbandwurm · *Taenia marginata* Hundebandwurm · *Taenia saginata* Rinderbandwurm · *Coenurus cerebralis* Drehwurm · *Echinococcus polymorphus* Hülsenwurm ¶ *Rotatoria* Rädertierchen ¶ *Nematodes* Fadenwürmer · *Anguillula tritici* Weizenälchen · *Anguillula aceti* Essigälchen, Kleisterälchen · *Mermes nigrescens* „Wurmregen" · *Filaria medinensis* Medinawurm, Guineawurm · *Filaria bancrofti* Blutfadenwurm · *Trichinella spiralis* Trichine, Darmtrichine, Muskeltrichine (Trichinose) · *Eustrongylus visceralis* Pallisadenwurm · *Ancylostoma duodenale* Grubenwurm, Hakenwurm, St. Gotthard-Wurm (Tunnel-Bergwerkskrankheit) · *Ascaris lumbricoides* menschl. Spulwurm · *Ascaris megolocephala* Pferdespulwurm · *Oxyurus vermicularis* Pfriemenschwanz, Madenwurm, Springwurm · *Trichiurus trichiurus* Peitschenwurm · *Strongylidae* „Lungenwürmer" ¶ *Acanthocephales* Kratzer · *Echinorhynchus hirudinaceus* (Gigantorhynchos) Riesenkratzer · *Nemertini* Schnurwürmer.

Annelida Ringelwürmer, Gliederwürmer.

Chaetopoda Borstenwürmer · *Eunice viridis* Palolowurm · *Aphrodite aculeata* Seeauge, Seemaus · *Arenicola marina* Fischerwurm, Sandgier · *Nereiden,* Raubwürmer · *Lumbricidae* Regenwürmer · *Lumbricus terrestris* gemeiner Regenwurm, Biermade, Polauke (Redlitz), Regenmade, Pier (niederrhein.), Maddik (meckl), Marring, Miere, Mettge (Pomm.), Pieresel, Pieratz (Berl.) ¶ *Hirudinea* Egel · *Rhynchobdellae* Rüsselegel · *Pisciolidae* Fischegel · *Glososiphoniidae* Plattegel · *Gnathobdellae* Kieferegel, *Haemopsis sanguisuga* Pferdeegel · *Hirudo medicinalis* (offizinalis) Blutegel · *Xerobdella lecomtei* Landblutegel.

Arthropoda Gliederfüßler.

Crustacea Krebse, Krebstiere · *Phyllopoda* Blattfüßer · *Branchipodidae* Kiemenfüßer · *Cladocera* Wasserflöhe, *Daphnia magna* Großer Wasserfloh · *Daphnia pulex* gem. Wasserfloh · *Bosminidae* Rüsselkrebse · *Copepoda* Ruderfüßer, Ruderfußkrebse · *Cyclopiidae: Cyclops* Hüpferling · *Ostracoda* Muschelkrebse · *Branchiura* Kiemenschwänze · *Argulus folicaeus* Karpfenlaus · *Cirripedia* Rankenfüßer · *Lepadidae* Entenmuscheln · *Balanidae* Seepocken · *Rhizocephala* Wurzelkrebse · *Thoracostraca* Schalenkrebse · *Schizopoda* Spaltfüßer · *Decapoda* zehnfüßige Krebse · *Carididae* Garneelen · *Crangon vulgaris* Garneele · *Astacus gammarus* *[Homarus vulgaris]* Hummer · *Potamobius astacus* Flußkrebs, Edelkrebs · *Potamobius torrentium* Steinkrebs · *Paguridae: Eupagurus bernhardus* Einsiedlerkrebs · Languste ¶ *Brachyura* Krabben, Kurzschwanzkrebse · *Cancridae: Cancer pagurus* Taschenkrebs · *Carcinus maenas* Strandkrabbe · *Eriocheir sinensis* Wollhandkrabbe · *Pinotheridae* Muschelwächter · *Stomatopoda* Maulfüßer · *Squillidae* Heuschreckenkrebse ¶ *Arthostraca* Ringelkrebse · *Anisopoda* Scherenasseln · *Isopoda* Asseln · *Asellus aquaticus* Wasserassel · *Asellus cavaticus* Höhlenassel. Grottenassel · *Limnoria terebrans* Bohrassel · *Oniscus asellus* Mauerassel · *Porcellio scaber* Kellerassel · *Armadillium vulg.* Rollassel · *Amphipoda* Flohkrebse · *Gammarus pulex* gemeiner Flohkrebs ¶ *Tardigrada* Bärtierchen.

Arachnoidea Spinnentiere.

Scorpionidea Skorpione · *Chelonethi* Afterskorpione · *Chelifer cancroides* Bücherskorpion · *Pedipalpa* Skorpionspinnen, Geißelskorpione · *Pseudoscorpiones* Afterskorpione · *Solifugae* Walzenspinnen (Südrußland) ¶ *Arancida* Echte Spinnen · *Opiliones* Weberknechte, Schneider · *Trogulidae* Brettkanker · *Nemastomidae* Fadenkanker · *Ischyropsalidae* Schneckenkanker · *Phalangiidae* Echte Weberknechte · *Arancina* Webespinnen · *Avicularis avicularia* Vogelspinne · *Drassidae* Glattbauchspinnen · *Thomisidae* Krabbenspinnen · *Attidae* Spring- oder Hüpfspinnen · *Dictynidae* Kräuselspinnen · *Pholcidae* Zitterspinnen · *Therediiae* Haubennetzspinnen · *Linyphiidae* Deckennetzspinnen · *Micryphantidae* Zwergspinnen · *Argiopidae* Radnetzspinnen · *Aranea diademata [Epeira]* Kreuzspinne · *Tetragnathidae* Kieferspinnen · *Amaurobiidae* Finsterspinnen · *Agelenidae* Trichterspinnen · *Ocyopidae* Scharfaugenspinnen · *Pisauridae* Raubspinnen · *Lycosidae* Wolfsspinnen: Altweibersommer, fliegender Sommer, Flugsommer, Frauensommer, Graswebe, Herbstfaden, Mädchensommer, Marienfaden, Mariengarn, Sommerfaden, Sommerflug ¶ *Acarina* Milben · *Ixodidae* Zecken · *Ixodes ricinus* Holzbock · *Bdellidae* Rüsselmilben · *Trombidiidae* Laufmilben · *Tetranychus telarius* Spinnmilbe · *Demodex folliculorum* Haarbalgmilbe · *Hydrachnidae* Wassermilben · *Sarcoptidae* Krätzmilben, *Sarcoptes scabiëi* „Krätze" · *Thyroglyphus siro* Käsemilbe; *Thyrogl. ferinae* Mehlmilbe *[Tyrolichus casëi]* ¶ *Myriapoda* Tausendfüßler · *Symphyla* Zwergfüßler · *Scolopendrella [= Scutigerella]* ·*immaculata* Zwergskolopender · *Chilopoda* Hundertfüßler; *Scutigeridae* Spinnenläufer · *Scutigera coleoptera* Spinnenassel · *Lithobiidae* Steinläufer · *Scolopendridae* Riesenläufer · *Geophilidae* Erdläufer ¶ *Diplopoda* Doppelfüßler · *Pselaphognatha* Pinselfüßler · *Chilognatha* Tausendfüßler · *Gervaisiidae* Stäbchenkugler · *Glomeridae* Saftkugler · *Polyzonidae* Saugfüßler · *Polydesmidae* Bandfüßler · *Inlidae* Schnurfüßler. — *Tarentula apulica* Tarantel.

Insecta Insekten, Kerbtiere, Kerfe (Geziefer, Ungeziefer).

Apterygota Urinsekten · *Ectognatha* Freikiefler · *Thysanura* Felsenspringer · *Zygentoma* Fischchen · *Lepisma sacharina* Zuckergast, Silberfischchen · *Entognatha* Sackkiefler · *Entomobrya [Degeeria] nivalis* Schneefloh · *Isotoma saltans* Gletscherfloh *[= Desoria glacialis]* ¶ *Pterygota* Fluginsekten · *Orthoptera* Geradflügler · *Forficulidae* Ohrwürmer · *Labidura diparia* Sandohrwurm · *Forficula auricularia* Gemeiner Ohrwurm, Ohrenpetzer, Ohrenklemmer, Ohrschlitz (hess.) · *Blattidae* Schaben · *Periplaneta* Küchenschabe, Schabe, Schwabe, Kakerlake · *Phasmatidae* Heuschrecke, Grashüpfer, Grasmücke, Graspferd, Grasschneider, Grille, Heupferd, Heuschnecke, Heuschnickeler, Heuspringer, Huppepferd (schles.), Kleehopser, Kohlhüpfer, Schneider, Springer, Warzenbeißer · *Mantidae* Fangheuschrecken · *Mantis religiosa* Gottesanbeterin · *Phasmatidae* Gespensterheuschrecken · *Phyllum siccifolium* Wandelndes Blatt · *Acridiidae* Feldheuschrecken · *Pachytylus migratorius* europ. Wanderheuschrecke · *Psophus stridulus* Wiesenschnarre · *Locustidae* Laubheuschrecken · *Locusta viridissima [Tettigonia]* Heupferd · *Ephippigera vitum* Sattelschrecke · *Achetidae* Grabheuschrecken · *Oecanthus pellucens* Weinhähnchen · *Liogryllus ampestris* Feldgrille · *Acheta [Gryllus] domestica* Hausheimchen · *Gryllotalpa gryllotalpa* Werre, Maulwurfsgrille ¶ *Thysanoptera* (Physopoda) Blasenfüßler · *Limothrips cerealium* Getreideblasenfuß ¶ *Corrodentia: Termitidae* Termiten, weiße Ameisen · *Psocidae* Holzläuse · *Atropos pulsatoria* Bücherlaus · *Mallophaga* Pelzfresser · *Pediculidae* Läuse · *Pediculus capitis* Kopflaus · *Pediculus vestimenti* Kleiderlaus · *Phthius pubis* Schamlaus, Filzlaus, Sackratten,

Huaderergsölln · *Haematopinus piliferus* Hundelaus · Lauseier: Nieß, Nisse · Ungeziefer (mil.): Bienen · Bismarckkäfer · unsre lieben Feldgrauen · Fremdenverkehr · Kupferl · Kostgänger · stille Marschierer · Mitesser · Müllerflöhe · Reichskäfer · Sand · Schwarthusar · Truppenverschiebungen · *Plecoptera* Uferfliegen, Steinfliegen · *Perlidae* Alfterfrühlingsfliegen ◖ *Odonata* Libellen, Wasserjungfern · *Libellula depressa* Plattbauch; Libelle, Bachschnirrer (Ob.-Hess.), Franzmadam, Glaser, Himmelsziege, Pfaffenköchin, Schillebold · *Ephemeridae* Eintagsfliegen, Hafte ◖ *Neuroptera* Netzflügler · *Raphidia ophiopsis* Kamelhalsfliege · *Megaloptera* Schlammfliegen · *Chrysopa perla* Florfliege · *Sialis flavilatera* Schlammfliege · *Sialis lutaria* Wasserflorfliege · *Hemerobius micans* Blattlauslöwe · *Myrmeleon formicarius* Ameisenlöwe · *Panorpidae* Schnabelfliegen · *Panorpa communis* Skorpion- oder Schnabelfliege ◖ *Trichoptera Phryganeïdae* Köcherfliegen, Frühlingsfliegen (Köcherfliegenlarve) · *Heterognatha* Wechselkiefler.

Lepidoptera Schmetterlinge. (Jugendformen: Raupe, Puppe.)

Iugatae: Micropterygidae Urmotten · *Hepialidae* Wurzelbohrer · *Hepialus humuli* Hopfenspinner (= Hopfen...) · *Frenatae: Tineïdae* Motten, Schaben (Minierraupen) · *Tinea granella* Kornmotte (Raupe = „weißer Kornwurm") · *Tinea pellionella* Pelzmotte · *Tineola biselliella* Kleidermotte · *Trichophaga tapetiella* Tapetenmotte · *Hyponomeuta evonymella* Spindelbaummotte · *Sesiidae* Glasflügler · *Torticidae* Wickler · *Tortrix viridana* Eichenwickler · *Grapholitha funebrana* Pflaumenwickler · *Carpocapsa pomonella* Apfelwickler · *Conchylis ambiguella* Traubenwickler (Raupe „Sauerwurm") ◖ *Cossidae* Spinnerartige Holzbohrer · *Pyralidae* Zünsler · *Galeria melonella* Wachsmotte, Bienenzünsler · *Aglossa pinguinalis* Fettschabe · *Pyralis farinalis* Mehlzünsler · *Ephestia kühniella* Mehlmotte · *Pterophoridae* Federgeistchen · *Zygaenidae* Widderchen · *Arctiidae* Bärenspinner (Bärenraupen) · *Arctia caja* brauner Bär ◖ *Geometridae* Spanner · *Abraxas grossulariata* Harlekin · *Hibernia defoliaria* Großer Frostspanner · *Bupalus primarius* Kiefernspanner · *Geometra papilionaria* Buchenspanner · *Operophthera brumata* Frostspanner ◖ *Noctucidae* Eulen, Nachtschmetterlinge · *Mamestra brassicae* Kohleule · *Panolis griseovariegata* Kieferneule · *Agrotis segetum* Saateule · *Agrotis pronuba* Hausmutter · *Catocala fulminea* Gelbes Ordensband · *Catocala nupta [elocata, sponsa]* rotes Ordensband · *Catocala fraxini* blaues Ordensband · *Plusia gamma* Gammaeule ◖ *Bombycidae* Spinner · *Bombyx mori* Maulbeerseidenspinner („Seidenraupenzucht") · *Saturnidae* Große Nachtschmetterlinge · *Saturnia pyri* großes Nachtpfauenauge · *Saturnia pavonia* kleines N. · *Lasiocampidae* Glucken · *Malacosoma neustria* Ringelspinner · *Macrothylacia rubi* Brombeerspinner · *Gastropacha quercifola* Kupferglucke · *Dendrolimus pini* Kiefernspinner · *Lymantriidae* Trägspinner · *Euproctis chrysorrhoëa* Goldafter · *Stilpnotia salicis* Weidenspinner · *Lymantria dispar* Schwammspinner · *Notodontidae* Zahnspinner · *Dicranura vinula* Gabelschwanz · *Stauropus fagi* Buchenspinner · *Thaumatopoea processionaria* Prozessionsspinner ◖ *Sphingidae* Schwärmer · *Acherontia atropos* Totenkopf · *Smerinthus ocellata* Abendpfauenauge · *Smerinthus populi* Pappelschwärmer · *Daphnis nerii* Oleanderschwärmer · *Sphinx ligustri* Ligusterschwärmer · *Sphinx pinastri* Kiefernschwärmer · *Celerio euphorbiae* Wolfsmilchschwärmer · *Pergesa elpenor* Weinschwärmer · *Deilephila galii* Labkrautschwärmer · *Macroglossum stellatarum* Taubenschwanz · *Pterogon proserpina* Nachtkerzenschwärmer · *Hemaris tityus* Hummelschwärmer · *Dilina tilii* Lindenschwärmer ◖ *Papilionidae* Ritter · *Papilio podalirius* Segelfalter · *Papilio machaon* Schwalbenschwanz · *Parnassius apollo* Apollofalter · *Pieridae* Weißlinge · *Pieris napae* Heckenweißling · *Aporia crataegi*

Baumweißling · *Pieris brassicae* Kohlweißling, Bibberhahn, Bibbernickel, Blindermaus, Bubeller, Buttervogel, Feipel, Fickefahn, Fifalter, Fifaumelte, Figvogel, Fillerte, Fippmopp, Flackvogel, Flantermaus, Flattermaus, Flickermaus, Flickert, Flintermaus, Flittermaus, Fluppeschisser, Fluttermaus, Kaditte, Leiendecker, Maivogel, Mippmopp, Molkendieb, Pannenvogel, Panneweber, Peipel, Piffel, Raupenschisser, Schmantleckert, Schnifelter, Sommervogel, Sonnenvogel, Spannenvogel, Ziegenmelker, Zwicker · *Euchloë cardamines* Aurorafalter · *Gonopteryx rhamni* Zitronenfalter · *Leptidia sinapis* Senfweißling · *Lycaenidae* Bläulinge · *Lycaena* Bläuling · *Chrysophanus* Dukatenvogel · *Nymphalidae* Fleckenfalter · *Apatura iris* Schillerfalter · *Limenitis populi* Eisvogel · *Araschnia levana* Landkärtchen · *Pyrameïs cardui* Distelfalter · *Pyrameis stalanta* Admiral · *Vanessa antiopa* Trauermantel · *Vanessa io* Tagpfauenauge · *Vanessa niticae* Kleiner Fuchs · *Vanessa polychloros* Großer Fuchs · *Argynnis paphia* Kaisermantel · *Argynnis aglaia* Großer Perlmutterfalter · *Argynnis latonia* Kleiner Perlmutterfalter.

Diptera Zweiflügler, Fliegen.

Mycetophilidae Pilzmücken · *Sciara militaris* (Larven = „Heerwurm") · *Culicidae* Steckmücken · *Anopheles maculipennis* Anopheles, Überträger d. Malaria · *Sinulium repans* Kriebelmücke ❡ *Psychodidae* Schmetterlingsmücken · *Cecidomyidae* Gallmücken · *Tipulidae* Schnaken, Gelse, Gnidde · *Tipula oleracea* Kohlschnake · *Ctenophora astrata* Kammücke · *Stratiomyidae* Wasserfliegen · *Tabanidae* Bremsen · *Tabanis bovinus* Rinderbremse · *Haematopoda pluvialis* Regenbremse · *Rhagionidae* Schnepfenfliegen · *Asilidae* Raubfliegen · *Bombyliidae* Hummelfliegen . *Empidae* Tanzfliegen · *Dolichopodidae* Langbeinfliegen · *Syrphidae* Schwebfliegen · *Phora incrassata* Faulbrutfliege (Parasit in Bienenlarven) · *Phatypezidae* Pilzfliegen . *Musca domestica* Stubenfliege · *Lucilia caesar* Goldfliege · *Calliphora erythrocephala* Brechfliege, Schmeißfliege, Brummer · *Pyrellia cadaverina* Aasfliege · *Stomoxys calcitrans* Stechfliege · *Sarcophaga canaria* Fleischfliege · *Oestrinae* Biesfliegen, Dasselfliegen · *Piophila caseï* Käsefliege · *Chlorops lineata* Weizenhalmfliege · *Drosophila funebris* Tauffliege · *Scatophaga stercoraria* Dungfliege · *Braulidae* Bienenläuse; *Pupipara* Lausfliegen · *Hippobosca equina* Pferdelausfliege · *Melophagus ovinus* Schafzecke · *Nycteribiidae* Fledermausfliegen ❡ *Siphonaptera* Flöhe · *Pulex irritans* Menschenfloh · *Ctenocephalus canis* Hundefloh.

Coleoptera Käfer.

Adephaga Cincindelidae Sandlaufkäfer, Sandläufer · *Carabidae* Laufkäfer · *Calosoma sycophanta* Puppenräuber · *Procrustes coriaceus* Lederlaufkäfer · *Elaphrus riparius* Uferläufer, Raschläufer · *Harpalus aëneus* Schnelläufer · *Brachynus creriparius* Uferläufer- Raschläufer · *Harpalus aëneus* Schnelläufer · *Brachynus crepitans* Bombardierkäfer · *Zabrus tenebrioides* Getreidelaufkäfer · *Dityscidae* Schwimmkäfer · *Ditiscus marginalis* Gelbrand · *Cyrinidae* Tummel-, Taumel-, Kreiselkäfer · ❡ *Polyphaga Staphylinidae* Kurzflügler, Kurzdeckflügler · *Pselaphidae* · Keulenkäfer · *Silphidae* Aaskäfer · *Necrophorus germanicus* Totengräber · *Histeridae* Stutzkäfer · *Lampyridae* Leuchtkäfer · *Lampyris noctiluca* Johanniswurm, Leuchtkäferchen · *Cleridae* Buntkäfer · *Trichodes apiarius* Bienenwolf · *Elateridae* Schnellkäfer, Schmiede (Larven = Drahtwürmer) · *Agriotes lineatus* Staatschnellkäfer · *Buprestidae* Prachtkäfer · *Chalcofora mariana* Kiefernprachtkäfer · *Anobiidae* Klopfkäfer · *Anobium punctatum* Totenuhr · *Stegobium paniceum* Brotkäfer · *Niptus hololeucus* Messingkäfer · *Dermestidae* Speckkäfer · *Dermestes lardarius* Gemeiner Speckkäfer · *Attergenus pellio* Pelzkäfer · *Anthrenus museorum* Kabinettkäfer · *Byrrhidae* Pillenkäfer ⁅ *Hydrophilidae* Wasserkäfer, Kolbenwasserkäfer · *Nitidulidae* Glanzkäfer · *Miligethes aeneus* Rapsglanzkäfer · *Endomychidae* Pilzkäfer · *Coccinellidae* Marienkäfer · *Coccinella septempunctata* Siebenpunkt, Brautwürmchen, Flimmflämmchen, Gottesgiebchen, Herrgottspferdchen, Himmelskindchen, Himmelswürmchen, Johanniskäfer, Maivögelchen, Martisvögeli, Motschekälbchen, Mohkühchen, Muferkübchen, Putthühnchen, Sommerkälbche, Sonnenkindchen, Unsrer lieben Frauen Güegli ⁅ *Oedemeridae* Engdeckenflügler · *Pyrochroa coccinea* Feuerkäfer · *Meliodea* Ölkäfer, Pflasterkäfer · *Meloë proscarabaeus* Ölkäfer, Maiwurm · *Lytta vesicatoria* Spanische Fliege · *Mordellidae* Stachelkäfer · *Tenebrionidae* Schwarzkäfer · *Blaps mortisaga* Totenkäfer · *Tenebrio molitor* Mehlkäfer (Larven = „Mehlwürmer") ⁅ *Cerambycidae* Bockkäfer · *Ergates faber* Mulmbock · *Prionus coriarius* Gerber · *Cerambyx cerdo* großer Eichenbock, Spießbock, Riesenbock, Heldbock · *Aromia moschata* Moschusbock · *Clytus arietis* Widderbock · *Callidium violaceum* Listbock · *Acanthocinus aedilis* Zimmerbock · *Lamia textor* Weber · *Saperda cacharias* Pappelbock · *Oberea linearis* Haselbock ⁅ *Chrysomelidae* Blattkäfer · *Hispella atra* Igelkäfer · *Donacia* Rohr-Schilfkäfer · *Crioceris asparagi* Spargelhähnchen · *Cassida viridis* Schildkäfer · *Melasoma populi* Pappelblattkäfer · *Agelastica alui* blauer Erlenblattkäfer · *Haltica oleracea* Erdfloh · *Leptinotarsa decemlineata* Kartoffel-(Colorado-)Käfer · *Lariidae* Samenkäfer · *Laria pisorum* Erbsenkäfer ⁅ *Curculionidae* Rüsselkäfer · *Bytiscus betulae* Rebenstecher · *Otiorhynchus niger* Fichtenrüsselkäfer · *Eutimus imperialis* Brillenkäfer · *Pissodes notatus* Kiefernrüsselkäfer · *Balaninus nucum* Haselnußbohrer · *Anthonomus pomorum* Apfelblütenstecher · *Calandra granaria* Schwarzer Kornwurm ⁅ *Ipidae* Borkenkäfer · *Platypus cylindrus* Eichenkernholzkäfer · *Scolytus scolytus* Ulmensplintkäfer · *Hylastes palliatus* Bastkäfer · *Hylesinus crenatus* Eschenbastkäfer · *Blastophagus piniperda* Waldgärtner, Kiefernmarkkäfer · *Ips typographus* Buchdrucker · *Lamellicornia* Blatthornkäfer ⁅ *Scarabaeidae: Lucanus cervus* Hirschkäfer, Schröter · *Lethrus apterus* Rebenschneider · *Geotrupes stercorarius* Roßkäfer · *Aphodius fimetarius* Dungkäfer · *Copris lunaris* Mondhornkäfer · *Scarabaeus sacer* Heiliger Pillendreher, Pillenkäfer · *Melolontha vulgaris* Maikäfer (Larve: Engerling); Klewwer (Hess.), Klawakkel (rhein.), Echekensnäbelken (Hannover), Maisebêlken, Maikaksch (Thür.), Laub-, Schmalzkäfer · *Polyphylla fullo* Walker · *Trichius fasciatus* Pinselkäfer · *Cetonia aurata* Rosenkäfer · *Oryctes nasicornis* Nashornkäfer · *Amphimallus solstitialis* Junikäfer.

Hymenoptera Hautflügler.

Tenthredinidae Blattwespen · *Athalia spinarum* Rübenblattwespe · *Lophyrus pini* Kiefernblattwespe · *Siricidae* Holzwespen · *Cephus pygmaeus* Getreidehalmwespe · *Sirex gigas* Riesenholzwespe · *Cynipidae* Gallwespen · *Rhodites rosae* Rosengallwespe · *Ichneumonidae* Schlupfwespen · *Chalcididae* Zehrwespen · *Blastophaga psenes* Feigengallwespe · *Chrysididae* Goldwespen ⁅ *Formicidae* Ameisen · *Camponotus herculeanus* Roßameise · *Formica rufa* Waldameise · *Lasius fuliginosus* Holzameise, Apitschen (Hann.), Migemelken (Hann.), Pissemiere (Bornum), Pissemese, Seechemese (Köthen), Miechening (Pomm.), Miente, Miemse, Miämchen (Thür.) · *Vespidae* Faltenwespen · *Vespa crabo* Hornisse · *Vespa vulgaris* Gemeine Wespe · *Sphegidae* Grabwespen ⁅ *Apidae* Bienen · *Chalicodoma muraria* Mörtelbiene · *Osmia cornuta* Mauerbiene · *Andrena cineraria* Erdbiene · *Xylocopa violacea* Holzbiene · *Apis mellifica* Honigbiene · *Bombus terrestris hortorum* Hummel · *Psithyrus rupestris* Schmarotzerhummel.

Rhynchota Schnabelkerfe ☫ *Hemiptera* Wanzen · *Gymnocerata* Landwanzen · *Pentatomidae* Schildwanzen · *Sehirus bicolor* Erdwanze, Tapetenflunder · *Pentatoma rufipes* gem. Baumwanze · *Eurydema oleraceum* Kohlwanze · *Coreidae* Randwanzen · *Lygaeidae* Langwanzen · *Pyrrhocoris apterus* Feuerwanze · *Capsidae* Blindwanzen · *Acanthiidae* Hautwanzen · *Cimex lectularius* Bettwanze · *Reduviidae* Schreitwanzen · *Reduvius personatus* Kotwanze · *Harpactor iracundus* Mordwanze · *Hydrometridae* Wasserläufer · *Cryptocerata* Wasserwanzen · *Nepidae* Wasserskorpione · *Notonectidae* Rückenschwimmer ☫ *Auchenorrhyncha* Zikaden, Zirpen · *Cicadidae* Singzikaden · *Fulgoridae* Leuchtzirpen · *Fulgora laternaria* Laternenträger · *Philaenus spumarius* Gem. Schaumzikade · *Membracida* Buckelzirpen · *Cicadula sexnotata* Zwergzikade · *Psylloidea* Blattflöhe · *Phytopthires* Pflanzenläuse · *Aphidae* Blattläuse · *Schizoneura lanigera* Blutlaus · *Pemphigus bursarius* Pappelwollaus · *Chermes abietis* Tannenlaus · *Phylloxera vastatrix* Reblaus · *Coccidae* Schildläuse · *Kermes ilicis* Kermesschildlaus (als Alkermes im Handel z. Rotfärben) ☫ *Tachardia lacca* (auf Ficus religiosa, die Bildung von Schellack bewirkend) · *Coccus cacti* Cochinillalaus · *Porphyrophora polonica* Polnische Cochenille, Johannisblut.

Mollusca Weichtiere.

Amphineura Urmollusken · *Placophora* Käferschnecken · *Chiton elegans* Elegante Käferschnecke (Brehm) ☫ *Gastropoda* Schnecken (Schnecken ohne Haus: Schnegel) · *Streptoneura* (Prosobranchia) *Patellidae* Napfschnecken · *Fissurellidae* Spaltnapfschnecken · *Haliotidae* Seeohren · *Solariidae* Perspektivschnecken · *Scalariidae* Wendeltreppen · *Paludinidae* Flußkiemenschnecken · *Turritellidae* Turmschnecken · *Vermetidae* Wurmschnecken · *Cypraeidae* Porzellanschnecken · *Strombidae* Flügelschnecken · *Tritomidae* Tritonshörner · *Muricidae* Wulst-Stachelschnecke · *Purpura lapillus* Purpurschnecke · *Volutidae* Faltenschnecken · *Terebridae* Schraubenschnecken · *Conidae* Kegelschnecken · *Heteropoda* Kielfüßer · *Euthyneura: Aplysiida* Seehasen · *Pulmonata* Lungenschnecken · *Limnaea stagnalis* Schlammschnecke · *Succinea putris* Bernsteinschnecke · *Helix pomatia* Weinbergschnecke · *Helix nemoralis* Hainschnecke · *Helix hortensis* Gartenschnecke · *Arion empiricorum* Schwarze Wegschnecke ☫ *Lamellibranchiata* Muscheltiere, Muscheln · *Unionidae* Flußmuscheln · *Unio pictorum* Malermuschel · *Margaritana margaritifera* Flußperlmuschel · *Anodonta cygnea* Teichmuschel · *Cardiidae* Herzmuscheln · *Solenidae: Solen vagina* Messerscheide · *Myidae: Mya arenaria* Klaffmuschel · *Pholadiidae: Teredo navalis* Schiffsbohrwurm · *Aviculidae: Meleagrina margaritifera* Perlmuschel (Perlen, Perlmutter liefern) · *Oestreidae: Ostrea edulis* Auster · *Mytilidae: Mytilus edulis* Miesmuschel · *Pectinidae* Kammuscheln · *Pecten jacobaeus* Pilgermuschel · ☫ *Cephalopoda* Kopffüßer, Kraken · *Lepiidae: Sepia officinalis* Tintenfisch · *Deuterostomia Enteropneusta* Schlundatmer · *Helminthomorpha* Eichelwürmer · ☫ *Echinoderma* Stachelhäuter · *Cystoidea* Beutelstrahler · *Blastoidea* Knospenstrahler · *Crinoidea* Haarsterne, Seelilien · *Asteroidea* Seesterne · *Ophiuroidea* Schlangensterne · *Echinoidea* Seeigel · *Clypeastridae* Schildigel · *Holothurioidea* Seewalzen, Seegurken · *Chaetognatha* Borstenkiefer · *Sagittoidea* Pfeilwürmer · *Chordonia (Chordata): Tunicata* Manteltiere · *Tethyodea [Ascidiacea]* Seescheiden · *Pyrosomatidae* Feuerwalzen · *Thaliacea* Salpen · *Acrania* Schädellose · *Branchiostoma lanceolatum* Lanzettfischchen (Amphioxus).

Vertebrata Wirbeltiere.

Cyclostomata Rundmäuler · *Petromyzontidae* Neunaugen · *Petromyzon marinus* Meerneunauge, Lamprete · *Lampetra fluviatilis* Flußneunauge, Pricke · *Lampetra planeri* Kleines Neunauge · *Ammocoetes branchialis* Querder (Larve), Bachneunauge.

Pisces Fische (Quatze [=kleiner Fisch]).

Selachii Haie · *Hexanchus griseus* Grauhai · *Scylliorhinidae* Hundshaie · *Galeidae* Glatthaie · *Prionace [Carcharias] glauca* Blauhai · *Carcharias lamia* Menschenhai · *Sphyrna zygaena* Hammerhai · *Lamnidae* Riesenhaie, Heringshai, Fuchshai, Riesenhai, Rauhhai · *Acanthias vulgaris* Dornhai, Eishai · *Rhinidae* Meerengel · *Pristis pristis* Sägefisch · *Torpedinidae* Elektrische Rochen, Zitterrochen · *Dasyatidae* Stechrochen · *Myliobatidae* Adlerrochen · *Holocephali Chimaeridae* Seekatzen ¶ *Teleostomi Dipnoi* Lurchfische · *Brachioganoidea* Quastenflosser · *Polypteridae* Flösselhechte · *Chondroganoidea* Störe · *Accipenser sturio* Stör · *Accipenser ruthenus* Sterlet, Störl · *Huso huso* Hausen · *Polyodontidae* Löffelstöre · *Lepisosteus osseus* Knochenhecht · *Amiatus calvus* Kahlhecht · *Teleostei* Knochenfische ¶ *Percidae* Barsche: *Perca fluviatilis* Barsch, Flußbarsch, Streifbarsch, Bars, Bürschling, Perschke, Egli, Krätzer, Schranzen · *Lucioperca sandra* Zander, Sandart, Sandau; Nagemaul, Sandbarsch, Schill, Amaul, Fogosch · *Morone labrax* Seebarsch · *Acerina cernua* Kaulbarsch, Rotzbarsch, Schroll, Pfaffenlaus · *Acerina schraetser* Schrätzer, Schratz, Schraiterz · *Grystes nigricans* Schwarzbauch · *Grystes salmoides* Forellenbarsch · *Eupomotis aureus* Sonnenbarsch · *Aspro zingel* Zingel · *Aspro streber* Streber ¶ *Cottidae* Groppen · *Cottus gobio* Groppe, Koppe, Kaulkopf, Dickkopf, Müllerkoppe · *Coppus poecilopus* Buntflossenkoppe, Steinquappe, Steingroppe · *Myoxocephalus scorpius* Seeskorpion · *Cyclopterus himpus* Seehase ¶ *Gasterosteidea* Stichling: *Gasterosteus aculeatus* Großer Stichling, Steekling, Steckbüdel · *Gasterosteus pungitius* Kleiner Stichling · *Gasterosteus spinachia* Seestichling · *Anacanthini* Kehlweichflosser ¶ *Gadidae* Schellfische · *Gadus callarias* Dorsch, Dösch, Pomuchel, getrocknet: Stockfisch; gesalzen: Laberdan · *Lota vulgaris* Quappe, Aalraupe, Rutte, Ruppe, Trüsche, Treische, Aalquappe · *Melanogrammus aeglefinus* Schellfisch · *Scombridae* Makrelen · *Scomber scombrus* Makrele · *Thynnus thynnus* Thunfisch · *Xiphias gladius* Schwertfisch · *Zeidae: Zëus faber* Petersfisch, Heringskönig · *Pleuronectidae* Seitenschwimmer · *Hippoglossus hippoglossus* Heilbutt, Grootbutt · *Rhombus maximus* Steinbutt · *Pleuronectes platessa* Scholle, Goldbutt · *Limanda limanda* Kliesche · *Pleuronectes flesus* Flunder, Flinder, Sandbutt, Struffbutt, Graubutt, Flunner · *Solea vulgaris* Quensel, Seezunge · *Gobiidae* Meergrundein · *Echeneis naucrates* Schiffshalter · *Triglidae* Knurrhähne · *Priolotus evolans* · *Lophius piscatorius* Seeteufel · *Balistes* Hornfisch, Petermännchen (grüne Gräten!) ¶ *Physostomi* Bauchweichflosser; *Anguillidae* Aale · *Anguilla vulgaris* Flußaal, Aal, „Haifisch" · Zitteraal · Muräne ¶ *Salmonidae* Lachsartige: *Osmerus eperlanus* Stint, Seestint · *Salmo salar* Lachs, Salm · *Salmo trutta* Meerforelle, Lachsforelle, Silberlachs · *Salmo lacustris* Seeforelle, Grund-Lachsforelle, Schwebforelle · *Salmo fario* Bachforelle, Wald-, Berg-, Stein-, Flußforelle; *Salmo shasta [irideus]* Jordan Regenbogenforelle; *Salmo hucho* Huchen, Donaulachs, Rotfisch · *Salmo salvetinus* Saibling, Salbling, Rotforelle, Röteli, Ritter · *Salmo fontinalis* Bachsaibling · *Thymallus vulgaris* Äsche · *Coregonus albula* kl. Maräne, Marenke · *Coregonus generosus* Edelmaräne · *Coregonus lavaretus* Große Maräne · *Coregonus lavaretus var.* oxyrhynchos Nordsee-Schnäpel, Schnesen, Tielmann · *Coregonus Wartmanni* Blauteufelchen, Große Schwebrenke, Balche, Belche · *Coregonus macrophthalmus* Gangfisch, kl. Schwebrenke · *Coregonus fera* Sandfelchen, Weißfelchen, Silberfelchen, Große Bodenrenke · *Coregonus acronius* Kilch, kl. Bodenrenke, Kropffelchen, Kröpfling ¶ *Clupeidae* Heringe · *Alosa vulgaris* Maifisch, Alse · *Alosa finta* Finte, Pergel, Elf, Staffhering · *Clupea harengus* Hering · Schneiderkarpfen; geräuchert: Bücking, Bückling · *Clupea sprattus* Sprott, Sprotte · *Engraulis eurasicholus* Sardelle, Anchovis · *Abausa pilchardus* Sardine ⁋ *Cyprinidae* Weißfische · *Cyprinus carpio* Karpfen, Karpf · *Carassius vulgaris* Karausche, Giebel; Schneiderkarpfen, Gareisl · *Tinca vulgaris* Schleie, Schlei · *Gobio fluviatilis* Gründling, Gresse, Grundel, Greßling · *Gobio uranoscopus* Steingreßling, Steinkresse · *Barbus fluviatilis* Barbe, Flußbarbe · *Phoxinus laevis* Elritze, Bachelritze, Pfrille, Pfelle, Spierling, Butt · *Phoxinus percnurus* Sumpf-, Moor-Elritze · *Telestes Agassizi* Strömer, Laube, Lauge, Rißling · *Chondrostoma nasus* Nase, Näsling, Schwarzbauch, Speier, Makrele (Rhein) · *Chondrostoma genei* Lau · *Idus melanothus* Aland, Nerfling, Orse, Küchling, Gauzling, Jesen · *Squalius cephalus* Döbel, Aitel, Dickkopf, Schuppfisch · *Leuciscus leuciscus* Hasel, Häsling, Weißfisch, Rüßling, Märzfisch · *Leuciscus Meidingeri* Perlfisch, Frauenfisch · *Leuciscus virgo* Frauenmerfling, Frauenfisch, Nerfling · *Leuciscus rutilus* Plötze, Rotauge, Schmahl · *Scardinius erythrophthalmus* Rotfeder, Unechtes Rotauge, Roddow, Rottelen, Rötel · *Leucaspius delineatus* Moderlieschen, Zwerglaube, Schneiderkarpfen · *Rhodeus amarus* Bitterling · *Abramis vimba* Zährte, Zehrte, Silberzehrte, Rußnase · *Abramis ballerus* Zoge, Schwuppe, Pleinzen · *Abramis sapa* Zobel, Kanov, Scheibpleinzen, Halbbrachsen · *Abramis brama* Blei, Brachsen, Bressen, Brassen, Breitling · *Blicca bjorkna* Güster, Blicke, Gieben, Halbbrachsen, Zobelplinzen · *Pelecus cultratus* Ziege, Sichling, Messerfisch · *Apius rapax* Rapfen, Schmied, Raape, Mülze, Zalat · *Alburnus mento* Mairenke, Schiedling · *Alburnus bipunctatus* Alandblecke, Schußlaube, Stronze, Schneider · *Alburnus lucidus* Ukelei, Laube, Laugele, Okel, Weißfisch, Wieting, Dick-, Mund-, Marien-, Zwiebel-, Schuppenfisch; Weiß-, Schneider-, Westling; Wietig; Albe, Alve, Almt; Winde-, Donau-, Spitzbube; Blinke, Bleck, Schupper, Fliege, Läge, Plinte, Zungel, Mort, Postknecht ⁋ *Cobitidae* Schmerlen: *Cobitis fossilis* Schlammpeitzger, Schlammspitzger, Wetterfisch, Bißgurre · *Cobitis barbatula* Bartgundel, Schmerle, Grundel · *Cobitis taenia* Steinbeißer, Dorngrundel, Steinpitzger ⁋ *Siluridae* Welse: *Silurus glanis* Wels, Weller, Waller, Scheid, Schaiden, Schaden, Schare · *Amiurus nebulosus* Zwergwels · *Malopterurus electricus* Zwitterwels · *Callichthys* Panzerwels ⁋ *Esoidae* Hechte: *Esox lucius* Hecht ⁋ *Umbridae* Hundfische · *Umbra krameri* Hundfisch.

Amphibia Lurche (Gezücht).

Gymnophiona Blindwühler, Schleichenlurche ⁋ *Urodela* Schwanzlurche · *Proteus anguinus* Grottenolm · *Salamandridae: Salamandra maculosa* gefleckter Erdsalamander, Feuersalamander · *Salamandra atra* Alpensalamander · *Molge cristata* Kammolch · *Molge alpestris* Alpenmolch · *Molge palmata* Fadenmolch ⁋ *Anura* schwanzlose Lurche, Frösche: *Discoglossidae Bombinator pachypus* Bergunke · *Alytes obstetricans* Geburtshelferkröte · *Bombinator igneus* Tieflandunke, Unke · *Pelobatidae: Pelobates fuscus* Knoblauchkröte · *Bufomidae: Bufo viridis* Wechselkröte · *Bufo vulgaris* Erdkröte · *Bufo calamita* Kreuzkröte (Padde rhein., Pogge Hann., Protz, Itsche, Lork, Murrkechs, Anhalt) · *Hylidae: Hyla arborea* Laubfrosch · *Ranidae: Rana esculenta* Wasserfrosch · *Rana ridibunda* Seefrosch · *Rana temporaria* Grasfrosch · *Rana arvalis* Moorfrosch · *Rana agilis* Springfrosch · *Rana catesbyana* Ochsenfrosch · Vorform: Kaulquappe: Dickköppe, Pilepongen (Hann.), Aalquappe, Aulquappe, Bulzkopf, Frosch, Froschbrut, Froschchen, Froschlöffel, Gaulskopf, Gaulsquake, Gaulsquappe, Itsche, Itschegeschlecker, Julkopf, Julquappe, Kaularsch, Kaulax, Kaulbatsch, Kaullebsch, Kaullepper, Kauler, Käuler, Kaulkopf,

Kaulmetz, Knühling, Kullax, Kullmops, Mulquappe, Pfannenstiel, Pulskepetten, Quacke, Rotzkober, Schnöweritze, Schwarzkopf, Teufelskopf, Uhlenkopf, Viergebein.

Reptilia Kriechtiere.

Ichthyosaurus · Plesiosaurus · Dinosaurier: Brontosaurus · Iguanodon · Diplodocus · Pterosaurus · *Rhynchocephalia: Spenodon punctatum* Brückenechse · *Testudinata* Schildkröten · *Clemmys caspica* Flußschildkröte · *Emys orbicularis* Sumpfschildkröte · *Testudo graeca* Griechische Landschildkröte · *Chelidoniidae* Seeschildkröten · *Chelonia Midas* Suppenschildkröte · *Chelonia imbricata* Karettschildkröte ❡ *Emydosauria* Krokodile · *Anguidae: Anguis fragilis* Blindschleiche · Geckon · Leguan · Waran · Basilisk ❡ *Lacertidae* Eidechse, Dabb, Vierbeiner (schles.) · *Lacerta agilis* Zauneidechse · *Lacerta viridis* Smaragdeidechse · *Lacerta muralis* Mauereidechse · *Lacerta ocellata* Perleidechse · *Scincidae* Wühlechsen · *Scincus* Apothekerskink · *Ablepharus pannonicus* Natterauge · *Chamaeleontidae* Chamäleon ❡ *Ophidia* Schlangen: Anakonda · Python · *Boa constrictor* Riesenschlange· *Colubridae: Tropidonotus natrix* Ringelnatter · *Tropidonotus tesselatus* Würfelnatter · *Coluber longissimus* Äskulapnatter · *Coronella austrica* Glattnatter · *Naja tripudians* Brillenschlange · *Naja haje* Schlange der Kleopatra · *Diperidae* Vipern · *Vipera ursinii* Spitzkopfotter · *Vipera berus* Kreuzotter · *Vipera ammodytes* Sandviper · *Crotalus horridus* Klapperschlange.

Aves Vögel (Piepmatz). Federvieh. Federwild.

Ornithurae: Struthio camelus Strauß · *Rhea americana* Nandu · Kasuar · Emu · *Apteryx australis* Kiwi · Moa (Neuseeland).

Corvidae Rabenvögel.

Corvus corax Kolkrabe; Kohl-, Edel-, Gold-, Joch-, Kiel-, Volk-, Stein-, Wald- und großer Aasrabe, Kosak, Kolk, Rav, Galgenvogel, Plagvogel, Korak, Aasvogel, Kruk, Gak, Kielrapp, Kohlrapp, Kohlkrapp, große Krähe, Golker, Rauhe, Raw, Rapp, Ramm, Rob, Krake, Klunkrov, Wotansvogel.

Corvus corone corone Rabenkrähe · Kroe, Rab, Kroah, Krame, Feld- und Mittelrabe, zwart Krei, Gake, Schwarz-, Aas-, Haus- und Raubkrähe, Krupe, Krapp, Quake, Krähenrabe, Kräge, Krade, Kreye, Krache, Krack, Tayen, Krah, Krabbe, Schwertrauk, Rack, Ruck.

Corvus corone cornix Nebelkrähe; Schild-, Winter-, Sattel-, Gaak-, Aas-, Luder-, Mantel-, Toten-, Grau-, Schnee-, Ast-, Holz- und schwedische Krähe, Kroh, Grohe, Krahne, Gaake, Kroche, Aaskroche, Aassack, Krake, graag Krei, Aaskrei, Kroe, Mehl-, Nebel- und grauer Rabe, Nebelkrapp, Graumantel, Graurücken, Kräge, Luderkrah, Kreih, Assack, Buntrauck, Tager, Rab, Totenkrooh, Starbvogel.

Corvus frugilegus Saatrabe; Feld-, Hafer-, Acker- und Gesellschaftskrähe, Kroe, Rooke, Ruch, Ruck, Röck, Roch, Rauch, Räche, Karachel, Kurak, Krauweitel, Grind- und Nacktschnabel, Haberkrah und -rickchen, Gaake, Aaskroche, Saatkrei, Korrock, Korroken, Haferräcke, Krähenreitel, Karechel, Haferrucke, Kronweil, pommerscher und sächs. Rabe, Krahenveitel, groot wart Kauk, Wurmkrähe, Dreckvogel, Rügen, Blaurock, Tager, Rab, Harstkrain.

Coleus monedula Dohle; Thale, Thole, Thule, Talke, Täle Älke, Turmrabe, Tuhrle, Duller Jakob, Thalicke, Krucke, Kefka, Kaaks, Turmkrähe, Thalekee, Schneekrähe, Dahlekin, Klaas, Kaffke, Kajack, Dahle, Dohlenrabe, Dachlike, Elke, Geile, Gäcke, Kayke, Klaus, Duchte, Taperl, Tschoikerle, Tschockerl, Schneegäcke, Gaike, Doel,

Tagerl, Kauk, Dachl (bayr.), Dalle, Dagerle, Dälche, Dachne, Deilche, Turmvögele, Hilka, Hillekahne, Bürger, Hannicke, Kridekrei, Pannrotten, Domrabe.

Pica pica Elster; Aglaster, Algaster, Scholaster, Schalaster, Algorte, Atzel, Atzle, Alaster, Selpalaster, Hätze, Alster, Galster, Ad, Olester, Häckster, Haberhetsche, Diebst, Häster, Heister, Schackelster, Schacke, Trillelster, Heister, Heester, Schalhäster, Spitzbauer, Grückelster, Gräckelster, Gartenkrähe, Schätterhex, Gartenrabe, Agerst, Ägerschte (alem.), Adelster, Alparte, Ezester, Argerst, Agerluster, Agelhetsch, Hutsche, Keckersch, Käckeretze, Langstiel, Käkersch, Schäkerhex, Doalaster, Oklaster, Sepalalster, Husheister, Jängster, Olaster, Alsterkarl.

Nucifraga caryocatactes Tannenhäher; Nuß- und Zirbelhäher, gefleckter und türkischer Häher, Nußhacker, -hecker, -picker, -brecher, -hart und -krähe, türkischer und russischer Holzschreier oder Markward, Waldstarl, Tannenelster, Nussert, Nußrabe, Doppelstar, Nötknacker und -häher, schwart Holtschrage, Nußbeißer, -prangl und -jäägg, Spechtrabe, Stein-, Schwarz-, Berg- und Birkhäher, Zirbelkrähe und -krach, Zirmgratschen, schwarzer Markolf, Bergjäck, Bergzück, Nußkrelchen, schwarzer Holzschreier.

Garrulus glandarius Eichelhäher; Nußhäher, -hecker, -hacker, -här, Holzschreier, Herrenvogel, Hehrsch, Hätzler, Buchner, Buchelt, Bucholt, Eichelgabsch, Tatu, Markolf, Markolfus, Herold, Markwart, Jäck, Hähre, Nußjack, Holzhäher, Eichelkrähe und -rabe, Eichelhäher, Eichelhabicht und -gacksch, Gabsch, Gätsch, Nußheikel, Holtschere, Harusch, Wald- und Blauhäher, Fack, Geckser, Gäpert, Hazler, Baumhatzel, Hayart, Brufarten, Hezler, Eichelkehr, Holzschraat, Horrevogel, Herrenvogel, Markelfuß, Heger, Hägert, Holzheister, Holzhacker, Murkolf, Baumhayel, Spiegelhäher, Haßler, Kratzelster, Herre, Matschke, Bräfaxter, Herrengäger; Gäckser, Tschäker, Tschui.

Unglückshäher: Rotschwanz-, Meisen- und Flechtenhäher, Unglücksvogel und -rabe.

Pyrrhocorax pyrrhocorax Alpenkrähe, Steinkrähe; Schweizer Krähe, Stein-, Bergund Alpenrabe, Steinsage, Eremit, Klaus- und Feuerrabe, Turmwiedehopf, schwarzer Geist, Stein- und Krähendohle, Klaus- und Waldrapp, Schneekrähi; Duhle, Tahr, Felstahel, Schwarzer Geist mit feurigen Augen.

Pyrrhocorax graculus Alpendohle; Schnee-, Berg-, Stein-, Felsen- und Amseldohle, Schneekrähe, Steindachen, Bergdulle, Alpenamsel, Flütäfi, Alpkachel, Alprapp, Küster, Bernen- und Feuerrabe, Chuchty, Guchty, Täfi, Dufi, Mildetul, Rynstern, Tahen, Schneetahe, Schnee- und Winddachl, Almamsel, Bernen, Riester- und Bergkäfe, Diechle, Flühekrähe.

❡ Sturnidae Stare.

Sturnus vulgaris Star; Starmatz, Starl, Stärlein, Wiesenstar, Spree, Sprehe, Sprehm, Sprah, Rinderstar.

Pastor roseus Rosenstar; Rosendrossel, Staramsel, Heuschreckenvogel, Viehstar, Viehamsel, Ackerdrossel, Vieh- und Hirtenvogel, Hirtenstar, Seestar, Triftling, Rosenkrametsvogel, Neumodivogel.

Oriolus oriolus Pirol; Goldamsel, -merle und -drossel, Kirschpirol, Kirschdrossel, Kirsch-, Pfingst- und Gottesvogel, Bierhole, -holt, -ol und -eule, Beerholdt, Kirschholdt, Kirschenspecht, Pirreule, Wittewale, Regenkatze, Wiedewall, Wittewald, Vogel Bülow, Schulz von Bülow, Schulze Bülow, Koch von Kulo, Schulz von Prierow, Herr von Bülow, Wäwala, Krischan, Füerhak, Bierhahn, Bieresel, Flautenbülow, Kückebülow, Pfingstdrossel, Gelbvogel, Gelbling, Schulz von Thurau, Pirold,

Bruder Byrolf oder Berolft, Bruder Weihrauch, Weihrauchsvogel, Vetter Loriott, Gugelfahraas, Gugelsiehaus, Pfeifholder, Feigenfresser, Gold- und gelbe Racke, Kirschdieb, Sommerdrossel, Tirolk, Püloh, Regenvogel, Gugler, Wigelwagel, Kugelfiehaus, Galbulavogel, Chlorision, Gut- und Olivenmerle, Kersenrife, Guldomaschel, Guglawa, Olivenmerle, Kersenrife, Guldomaschel, Goldamsel, Guglawa, Werchvogel, Karschavugl, Goiß- und Kaiservogel, Gugvieraus, Guglfrühauf, Vogel vom Haus, Vogel fürs Haus, Vogelbierhaus, Füerhaken.

¶ *Fringillidae* Finkenvögel.

Kirschkernbeißer: Kirschknacker, Kirschfink, Kirschenschneller, Bullenbeißer, Kernknacker, Dickschnabel, Laske, Leske, Lysklicker, Lässig, Lessing, Kirschlasig, Kirschvogel, Knacker, Karnbieter, Kirnbieter, Kirschenröver, Steenknacker, Klepper, Dickkopf, Steinbeißer, Nußbeißer, Finkenkönig, Elfke, Kirschknöpper und -klöpfer, Kirschpicker, Bollenpick.

Chloris chloris Grünfink; Grünling, Grünhänfling, Grünhanferl, Zwuntsche, Grünzling, grüner Kernbeißer, Grünitz, Grünvogel, welcher Hanfling, Hirschfink, Hirschvogel, Schwanis, Kort Gühl, Zwunschig, Quuntscher, Gunsche, Grüner, Stockfink, Grönzeisig, Grönzisk, Grünsel, Ziesk, röm. Zeisig, Grünschwanz, Raps- und Hirsenfink, Hirsen-, Kot-, Hut-, Kut- und Grünvogel, Klütjer, Schwanschel, Schwanzke, Schwoinz, Tutter, Schaunz, Schaunsch, Grünesen, Grönnitz, Wonitz, Dickschnäbler, Grön-Iritsch, Rappfink.

Carduelis carduelis Stieglitz; Distel-, Gold-, Kletten- und Distelvogel, Disteli (Schweiz), Distelzeisig, Stieglitzke, Sterlitz, Stieglitsch, Stichlitz, Stechlitz, Stillitz, Stielitze, Stachlick, Sterlitz, Truns, Rotvogel, Kletterhals, Klettenklauber, Gelbflügel, Stigalitsch, Jupiterfink.

Carduelis spinus Erlenzeisig; Zeisla, Zeiserl, Zeislein, Zensle, Zeisker, Zißle, Ziesing, Ziesk, Zieschen, lütt Zeischken, Sischen, Ziesel, Zizchen, Geel- und Ellernvogel, Erlen- und Erdfink, Angelches, Gael, Idel, Strumpfwirker, Leinenweber, Ziz, Grie- und Grünzeisig, Zaus, Pringerl, Schuhmächerle.

Carduelis canabina Bluthänfling; Rot-, Baum-, Stock-, Kraut-, Braun-, Graa- und Rotbosthänfling, Hänferling, Haniferl, Hämperling · Hämpling, Hanferle, Hänflick, Rothänflich, Flachs- und Rübsenfink, Grau-Iritsch, Artsche, Grauer, Schößle, Irdisk, Gelb-, Mehl- und Weißhänfling, Gyntel, Rotbruster, Rotpriester, Rubin, Rotkopf, Hanffink, Hanifl, Hanfvogel, Hanfer, Artsche, Schößling, Hanfmeise, Saatfink, Zibeber, Blutartsche, Fanellen, Fornelle, Schusserl, Schußvogel, Rotblattel, Grauatze, Geschößle, Blutgschößle, Tuckert, Leinfink.

Carduelis flammea Birkenzeisig; Leinzeisig, Tschätscher, Zetscher, Tschezke, Schättchen, Zötscherlin, Tschätscherling, Schösserle, Zizeränchen, Zitzerenakin, Ziesk, Zisserling, Iritsch, Flachs-, Stock-, Karmin-, Lein- und Lünhänfling, Bergzeisig, Flachs- und Leinfink, Toten- und Mäusevogel, Zwitscherling, Meer- und Nesselzeisig, Nesselzeischen, kleiner Rotkopf, Schwarzbärtchen, Rotplättle, Plättle, Grasel, Schitscherling, Steinschößling, Reb- und Blutschößlein, Granat-, Rot- und Blattzeisl, Pläckle, Blutströpfle.

Carduelis citrinella Zitronenzeisig; Zitrönli, Zitreinle, Zitrinchen, Zitrinelle, Zitronenfink und -vogel, Venturon, Zitrill, Tannenzeisig, Schneevögeli, italien. Kanarienvogel, Ciprinlein, Herbstfink, Citrill.

Kanarienhänfling: Kanario (Männchen), *Kanaria* (Weibchen), Kanarienvogel, Zuckervogel, Holländer, Trompeter.

Serinus canaria Girlitz; Hirngrille, Hirngritterl, Niesel-, Sonnen-, Meer-, Rüben- und Kanarienzeisig, Goldhahn, Zwerggrünling, Fädemlein, Schwäderlein-, Erd-, Gras-, Möhren- und Schweizer Zeisig, Zwirslich, Zschädrich, Regenvogel, Hirngirl, Grilisch, Girlitzhänfling, Garten- und Samenzeisig, Cini, Cinit, italienischer Kanarienvogel, kleiner Grünling, Kanarienzeischen.

Pyrrhula pyrrhula Gimpel; Dompfaff, Domherr, Thumherr, Thumpfaffe, gelehriger Kernbeißer, Rotvogel, Bullenbeißer, Blut-, Luh- und Lohfinke, Gold- und Rotfink, Gieker, Liebich, Luch, Halle, Golle, Pfaffe, Rotgimpel, Blaugimpel, Plattmönch, Paapche, Pfäfflein, Rotbost, Rotschläger, Deitschfink, Güper, Luftgimpel, Schnil, Schnigel, Broinmeis, Brommeiß, Laub- und Quietschfing, Gumpf, Lüff, Lich, Geld- und Quetschfink, Gücker, Kicker, Hoylen und Schwarzlob, Gemeiner Waldgimpel.

Carpodacus erythrinus Karmingimpel; Karminhänfling, Karmin- und Brandfink, Rotzeisig, Rosengimpel.

Hakengimpel: Fichtengimpel, Fichtenkernbeißer, Fichtenhacker, Kernfresser, Haken- fink, Hakenkreuzschnabel, finnischer und Pariser Papagei, Parisvogel, Hartschnabel, Kräppenfresser, Fintscherpapagei, finnischer Dompfaff und Dickschnabel, großer Rotschwanz, Nachtwache, Talbit und Talbitar.

Loxia curvirostra Fichtenkreuzschnabel; Krummschnabel, Wald-, Tannen- und deutscher Papagei, Tannenappelfräter, Zapfenbeißer, Kreuz- und Tannenvogel, Krienitz, Grünitz, Krimaß, Griens, Grüms, Grünerz, Krönitz, Krones, Krempel, Zapfennager, Winter-, Kreuz- und Christvogel, Borrfink, Krünitz.

Fringilla coelebs Buchfink; Edel-, Rot-, Wald-, Garten-, Busch-, Berg-, Bot-, Dorf-, Döry-, Schild-, Spreu-, Wetter-, Regen-, Reiter-, Sprott-, Bauk-, Book-, Spiegel- und Schlagfink, Würzgebühr, Reitschier, Biergänger; Feink, Wintsche, Finke, Rotbuch- fink, Holzjockl.

Fringilla montifringilla Bergfink; Tannen-, Wald-, Winter-, Gold-, Quätsch-, Mist- Kot-, Rot-, Laub-, Baum-, Schnee-, Quätsch- und Dahnfink, Quäker, Finkenquäker, Queck, Quecker, Quieker, Gogler, Gegler, Böhmer, Harz-, Band- und Kärntnerfink, Böhammer, Bohämmer, Gägler, Gäpler, Gopler, Kechler, Nikabiz, Pineken, Wäckert, Zetscher, Zerling, Kegler, Schwedengast, Ikawetz, Nikawiß, Rowert.

Montifringilla nivalis Schneefink; Stein- und Alpenfink, Schneevogel.

Petronia petronia Steinsperling; Ringel-, Steinspatz, Graufink, Steinfink, Gelbkehl- sperling, Berg- und Felsensperling, Ringsperling.

Passer montanus Feldsperling; Ringel-, Rohr-, Wald-, Holz-, Berg-, Busch-, Baum-, Weiden-, Rot-, Braun-, Nuß-, Fricke- und Muschelsperling und -spatz, Feld-, Baum-, Kark- und Ringelfink, Spuntzig, Rohrsperlich, Wald- und Feldspink, Feld- und Gerstendieb, Boomsparling, Feldmännel, Braunkopf, Rohrleps, Holzmuhschel, Jagelsk, Holzmüschel, Boomlün, Feldspink.

Passer domesticus Haussperling; Spatz, Spatzker, Sperlich, Sparg, Sperg, Spirch, Dach-, Hof-, Essen-, Rauch-, Faul- und Kornsperling und -spatz, Sprole, Lüning, Leps, Spar, Haus- und Mistfack, Kollitsch, Kolsch (Anhalt), Gerstendieb, Sperr, Rauchkaspar, Schkengs, Spitzboov, Stratenbengel, Hussparling, Jochen, Johann- driest, Pasters Jochen, Mösch, Musch, Spratjen (Hann.), Böling, Dacklünk, Dack- peter, Gierjalk, Girlitz, Haus-, Feld- und Speicherdieb, Haus- und Mistfink, Hus- lünk, Kernwerfer, Kornbuck (Hann.), Dachscheißer, Jipper (Hann.).

Emberiza calandra Grauammer; Gerstvogel, Strumpfwirker, Strumpfweber, Klit- scher, Gerstling, Gersthammer, Gersten-, Wiesen-, Lerchen-, Fett-, Weber-, Winter-, Hirsen-, großer und welscher Ammer, dick Trien, dicke Diert, grauer und Winterortolan, Boomlewark, Braßler, Krautvogel, Dickkopf, Trillerjahn, Knipper, Kerust, Winterling, Gassenknieper, Kornquarker, Knust, Knustknipper, Gergvogel.

Emberiza citrinella Goldammer; Geel-, Gaul-, Gaal, Gohl- und Gollammer, Emmerling, Ammerling, Gehlemmerich, Goldermännel, Goldalmer, Goldjutsche, Golditsche, Embritz, Emmeritz, Amritz, Grünschling, Grünzling, Geelgerst, Golitschke, Hämmerling, Geelgast, Gelogissel, Geelgössel, Grünsel, Gelbgans, Geelgans, Gählgoos, Gälgöschen, Dörpfink, Geelfink, Geelemmerle, Gelbling, Gröning, Stroh-, Korn- und Gerstenvogel, Golmer, Goldhammer, Geelämmerich, Gilbling, Gilberig, Gilberschen, Gehling, Gorse, Gurse, Grinschel, Vetter, Sternardt, Lemmeritz (schwäb.), Schneegitz (schwäb.), Gjähl Klütjer.

Emberiza cia Zippammer; Rot-, Wiesen- und Bartammer, Stein- und Wiesenemmerling, Wiesenmerz, Wiesenemmeritz, Knipper, Narr, Zäppa, Geelgöschen und dummer Zirl.

Emberiza cirlus Zaunammer; Pfeif-, Hecken-, Zirl-, Zirb- und Frühlingsammer, Stein-, Zaun- und Wiesenemmerling, Waldemmeritze, Zizi, Zaungilberig, Hagspatz, Cirlus, Moosbürz, Wiesenammerling.

Emberiza hortulana Ortolan, Gartenammer; Utlan, Klitscher, Windsche, Kaß- und Kornfinke, wendische Goldammer, Urtulan, Sommervogel, Ulan, Tikkerassien, dick Trien, Orgelan, Fett-, Gersten-, Feld- und Sommerammer, Hut- und Jutvogel, Hortolan, Gärtner, Grünzling, Heckengrünling, Trossel- und Brachamsel.

Emberiza schoeniclus Rohrammer; Rohrspatz, Rohr- und Wassersperling, Sperlingsammer, Ringelsperling, Schwarzkehl, Schiebchen, Rohrspar, Rohrleps, Niezer, Schilfschwätzer, Moos-, Schilf-, Ried- und Reitsperling, Schilfvogel, Rohrleschspatz, Rohr- und Moosemmerling, Mosmerling, Meerspatz, Rohrammering, roter Ammer, Rohrdrossel und Riedmeise.

Plectrophenax nivalis Schneeammer; Eis-, Zwei-, Berg- und Sporenammer, Schneesporner, Schnee-, Streit- und Neuvogel, Winterling, gescheckter Emmerling, Schneefink, Schneeortolan, Schneeammerling, Schneelerche, Wintersperling, Seelerche, Meerstieglitz, Seiling.

¶ *Alaudidae* Lerchen.

Galarida cristata Haubenlerche; Kupp-, Kopp-, Kobel-, Stutz-, Poll-, Rot-, Heubel-, Straßen-, Wege-, Schopf-, Zopf-, Mist-, Kot-, Dreck-, Stutz-, Strauß-, Sträußchen-, Kamm-, Toll-, Hollen-, Kupp-, Töppel-, Sau-, Schups-, Haus-, Dach-, Hup-, Dung-, Salat-, Wein- und Zobellerche, Bürle, Töpellewark, Töppelwak, Lehringe, Schietlarch, Schoster von Giewitz, Kotmönch, Topplevchen, Kotmönch.

Lululla arborea Heidelerche; Baum-, Lull-, Berg-, Wald-, Busch-, Holz-, Gereut-, Stein-, Dull-, Dudel-, Döll-, Lüd-, Lüdel-, Liedel-, Lüdudel-, Schleier-, Karbel- und Mittellerche, Lerch, Boomlewark, Piddl, Lehringe, Wald- und Heidenachtigall, Schneevogel.

Alauda arvensis Feldlerche; Korn-, Saat-, Acker-, Edel-, Luft-, Himmels-, Sing-, Brach-, Tag- und Wiesenlerche, Feld-, Sing- und glattköppig Lewark, Leink, Lerch, Lörch, Lirche, Lärke, Lowark, Lark, Lewink, Lewchen, Lortsk, Sössellewak. *Eremophila alpestris* Ohrenlerche; Horn-, Alpen-, Winter-, Schnee-, Berg-, Küsten-, Gürtel-, Priester-, nordische, russische und gelbbärtige Lerche, Berglorsk, Priestergürtel.

❡ *Motacillidae* Stelzen.

Anthus campestris Brachpieper; Feldpieper, Brachbachstelze, Brach- und Feldstelze, Brach-, Kraut-, Spieß-, Stoppel-, Gereut- und Sandlerche, Brachspitzlerche, Stoppelvogel, Stöppling, Hüfter, Gickerlein, Greinerlein, Stöpplich, Jickerlein, Hüster, gefleckter Steinschmätzer, Lütj Brief, Guckerlein und Grienvögelein.

Anthus trivialis Baumpieper; Spitz-, Piep-, Grillen-, Baum-, Gereut-, Spieß-, Lein-, Holz-, Busch-, Piep-, Grein-, Grün-, Brein-, Garten-, Wald-, Grillen-, Wiesen-, Kreut- und Krautlerche, Waldbachstelze, Waldkanari, Deutscher und wilder Kanarienvogel, Busch-, Wald- und Weidenpieper, Schmal- und Stoppelvogel, Isperling, Stöpling, Pin Harrofs, Greinerlein, Grienvögelchen, Waldgimser, Ziepe und Schmelchen, Rotkehlpieper, Roadhalßed Harrofs.

Anthus spinoletta Wasserpieper; Berg- und Felsenpieper, Moor-, Sumpf-, Wasser-, Dreck-, Kot-, Schnee- und Alpenlerche, Schneevogel, Spinolette, Pispolette, Gipser, Weißler, Herdvögelchen.

Anthus pratensis Wiesenpieper; Wiesenspitzlerche, lütt Wischepieper, Wiesen-, Sumpf-, Wasser-, Grillen-, Kreut-, Schaf-, Stein-, Zip-, Zwitsch-, Bruch- und kleine Spitzlerche, Gickser, lüttj Harrofs, Hüster, Pisperling, Pasperling, Wisperle, Greinvögelchen, Hisser, Isterling, Gückerli, Stoppelvogel, Stöpling, Isperle, Isperling, Schnitzerlein, Ißtvögelein, Himser, Rindgimser, Krautfießper, Krautfieper, Grashupper, Kraut- und Kohlwistlich.

Motacilla flava Schafstelze; Viehstelze, gelbe Bachstelze, geeles Ackermännchen, gelber Wippsterz, Kuh-, Wiesen-, Rinder-, Lämmer-, Trift- und Weidenstelze, gelber Sticherling, Frühlingssticherling, grauköpfige und kurzschwänzige Bachstelze, Kuhscheiße, Kuhspinken, Kuhhirt (Pomm.), blühoaded Gühlblabber, gel Quakstart, Quickstärz, Wepstart und Wepstiert.

Motacilla cinerea Gebirgsstelze; Bergstelze, graugelbe, schwefelgelbe, schwarzkehlige und langschwänzige Bachstelze, Frühlings-, Winter-, Wald-, Gilb- und Wasserstelze, Wedelschwanz, Irlin, gühl Lungen, Wassergiemer, gelbes Ackermännchen.

Motacilla alba Bachstelze; Weiße, graue, blaue, gemeine und schwarzkehlige Bachstelze, Ackermännchen, Stifts- und Klosterfräulein, Klosternonne, Wipp- und Bebeschwanz, Blechsterz, Blickstät, blag Webstaart, grag Wegstiert, Wippsterz, Quäksterz, Plogsteert, Wiebsterten, Wackelschwanz, Swienhüder, Haus-, Queck-, Wasser-, Stein- und Wegstelze, Schäfer (Pomm.).

❡ *Certhiidae* Baumläufer.

Tichodroma muraria Mauerläufer; Rostflügelige-, Alpen-, Mauerklette, Mauerklän, Rotflügel, Felsenläufer, Alpen-, Karmin-, Kletter- und Mauerspecht, Alpenrose.

Certhia familiaris Waldbaumläufer; Bamhäckel-, rutscher, -reiter, -klette, kletterer-, -ritscher, -grille, -steiger, -hutscher, -kleber, -grasmerli, -kraxler, Boomlöper, Boomlooper, Mäusespecht, Sichler, Grieper, Krüper, Rindenkleber, Hirngrille, Sichelschnäbler, Kletterspachtel, Schindelkriecher, Grau- und Kleinspecht, Brunnenläufer, Baumhakel.

Certhia brachydactyla Gartenbaumläufer, wie beim Waldbaumläufer.

❡ *Sittidae* Kleiber.

Sitta europaea Kleiber; Spechtmeise, Blauspecht, Kleber, Baumpicker und -rutscher, Nußhacker und -picker, Sautreiber, Holzhacker, Rückwärtslöper, Maispecht, Blauplattel, Baumklähn, Kottler, Tottler, Blindchlän, Blaulutz, Baumritter, Klener, Klauber, Kleberblauspecht, Sittvogel, blauer Schuster, Wandschopper, Schmalzbettler, altes Weib, Boomlist, bloer Tschokrich, Duttchen, Düttchen, Gagelak, Quicksterz.

¶ *Paridae* Meisen.

Parus major Kohlmeise; Spiegelmeise, Speck-, Brand-, Schlosser-, Fink-, Pimpel-, Bienen-, Pink-, Pick-, Schinken-, Wald-, Koll-, Braut-, Roll-, Gras-, Pumpel-, Bi-, Talg- und Immenmeise, große Meise, Kohlhahn, Feilschmied, Schwarzköpfchen, Pink- und Schlosserhahn, Sägefeiler, Frühlingsglöckchen, Zipfelsgerg, Schiet in't Hei, Kiek in't Ei, Talglicker, Meisenfink, Kohlmeesch, Geelmeesch, Tallimöschen, Tallibieter.

Parus caeruleus Blaumeise; Bloo-, Mehl-, Käs-, Bümbel-, Bien-, Pimpel-, Müller-, Jungfern-, Hunds-, Himmels-, Blei-, Ringel-, Merl-, Zümbel-, Blob-, Pumpel- und Blagmeise, Blagmeesk, Blauköpfel, Blaumüller, Bläule, Blöberl.

Parus cyaneus Lasurmeise; Porzellan und Prinzchenmeise, Spucknäpfchen.

Parus ater Tannenmeise; Busch-, Hunds- und Tschätschmeise, Sichelschmied, Schwarz-, Grau-, Pech-, Harz-, Spar-, Speer-, Ton-, Tschitsch-, Stock-, Holz-, Wald-, Kreuz- und kleine Kohlmeise, Klemesel, Dannenmees.

Parus cristatus Haubenmeise; Strauß-, Zippel-, Schopf-, Kobel-, Häubel-, Kupf- und Heidenmeise, Koppmeese, Gensdarmle, Stützel-, Hörner-, Kopper-, Kuppen-, Spitz-, Toll- und Hollenmeise, Meisenkönig, Töppelmeesk, Topp- und Pollmeesch.

Parus palustris Sumpf-, Nonnenmeise; Mönchs-, Grau-, Platten-, Kehl-, Murr-, Asch-, Kot-, Rind-, Hanf-, Müller-, Schwarzkopf-, Blei-, Garten-, Blech-, Mauer-, Glatt-, Rohr-, By-, Pfütz-, Schwarz-, Reit-, Mehl-, Rinds-, Hunds- und Grasmeise, Meister Hämmerlein, Meisenkönig, Tümpelmeisk, Klemesel, Mönch, Nonne, Zizigäg.

Parus atricapillus Weidenmeise; Erlkönigsmeise für die Sumpf- und Bergmönchs-'oder Gebirgssumpfmeise für die Gebirgsform.

Remizus pendulinus Beutelmeise, polnische Meise.

Panurus biarmicus Bartmeise; Bartmännchen, Grenadier, Bartsperling, Langschwanz, Rohrmeise, Bartrohrmeise.

Aegithalos caudatus Schwanzmeise; Pfannenstiel, -stieglitz, -stößer, Teufelsbolzen, Zahl- und Bergmeislein, Schnee- und Schleiermeise, Stirtmeeschen, Elstermeise, Zagel-, Mohr-, Ried-, Mehl- und Pelzmeise, Teufelspelz, Weinzapfer, Backofendrescher, Müller-, Löffel-, Schweif-, Querrel-, Stangen- und Balanziermeise, Seegestert, Müllerbursch, Langschwanz, Binderschlägel, Rührlöffelschwanz.

Regulus regulus Wintergoldhähnchen; Goldhähnel, Meisen- und Sommerkönig, Ochsenäuglein, Safranköpfchen, Tannenmeislein, Waldzeislein, Sträußlin, gekrönter Sänger, Piepmeischen, Tannen- und Fichtenluser, Sträußchenkönigin, Haubenkönig, Goldämmerchen, Goldhämmel, Goldvögelchen, Goldpiepchen, Königlein, Goldhändlein, Lütj Müüsk, Parra, Ziszelberte, Goldsträußlein, Haubenzaunkönig.

Regulus ignicapillus Sommergoldhähnchen; Feuerköpfchen, Orangeköpfchen, Goldköpfchen, Feuerkronsänger, Rubinkrönlein.

¶ *Laniidae* Würger.

Lanius minor Schwarzstirnwürger, Grauwürger; Dickkopf, Schäfer- und Schäferdickkopf, kleiner Dorndreher, kleine Steinelster, Sommerkrickelster, Radbrecher, spanischer und italien. Dorndreher, Wierga, Blaukopf, Berg-, Drill-, Schäck- und Krieckelster, Rosenwürger, Quarkringel, welsche Agelaster, blauer Neuntöter.

Lanius excubitor Raubwürger; Großer Grauwürger, Krick-, Kriegs-, Berg-, Busch-, Strauß-, Stein-, Kruck-, Kriegel-, Sper-, Kraus-, Strauch- und Wildelster oder -Agelaster, Luckatze, großer Dickkopf, Dorndreher, Neuntöter und Nägenmürer, Würgengel, Birkkrähe, Würgvogel, Buschfalk, Dornspießer, blauer Neuntöter, Wächter, Metzger, Schlächter, Wildwald, Wildkater, Häzenbarrenkönig, Häzenkönig, Schätterhäz, Wahr- und Ottervogel, Abdecker, Scharfrichter, Waldherr, Dornkrätzer, Thornkraser, Afterfalke, Workrungel, Wankrengel, Winterkrieckelster, Spatzenstecher, Masenkönig, Brägenbieter, Kraastecher, Radbraker, Bußjäg.

Lanius senator Rotkopfwürger; Rotkopf, Finkenwürger, Waldelster, Waldkatze, Pommeraner, Alsterweigl, spanischer Dornreiher, Steinelster, roter Warkengel, Finkenbeißer, Pommerscher Würger.

Lanius collurio rotrückiger Würger, Dorndreher; Neuntöter, Spottvogel, Spießer, Neststörer, Haingrinklich, Dickkopf, Breitarsch, welsche Elster, Nägenmürer, Neegendöter, Millwürger, Würgengel, Strangkatze, Finkenbeißer, Singwürger, Schäcker, Dorntreter, Dorndrechsler, Dornhäher, Dornreich, Warkengel, Dorngreul, Blaukopf, Buntjäckel (Hann.), Großkopf, Ochsenkopf, Schäckerdickkopf, scheckiger Würger, Käferfresser, Dornstecher, Wagenkrinklich, Wagengänger, Stromkatze, Strangkatze, Dorndrall, Alterweigl, Staudenkratzer, Staudenral, Dorngansl, Dornkralle, Stegemörder, Neunmörder, Atzelneunmörder, Radbrecher, Quark, Quarkvogel, Dornracher, Hackenkralle.

¶ *Bombycillidae* Seidenschwänze.

Bombycilla garrulus Seidenschwanz; Hauben- und Winterdrossel; Seidenschweif, Sirenswanz, Fries, Frieslich, Böhmer, Horndrossel, Quitschenfräter, Behmele, Frefe, Schneeleschke, Schnee-, Pfeffer-, Paß-, Pest-, Kreuz-, Pestilenz-, Kriegs-, Seiden-, Winter- und Sterbevogel, Zinzirelle, Goldhähnel, Zuser, Sidenswenke, Frieser, Zieser, Schwätzer.

¶ *Muscicapidae* Fliegenschnäpper.

Muscicapa striata Grauer Fliegenschnäpper; Gartenfliegenschnäpper, Sticherling, Fliegenschnaps, Fliegen- und Mückenstecher, Mückenfänger, Nesselfink, Hüting, Schureck, graag Fleigensnäpper, Husfründ, Kotfink, Pipsvogel, Hausschwätzer, Schlappfittich, Spießfink, Regenpieper, Toten- und Pestilenzvogel, grauer Hüttick, Hüßbeskütsk, Gruschotele.

Muscicapa hypoleuca Trauerfliegenschnäpper; Trauer- und Totenvogel, schwarzer Fliegenschnapfer, Nösselfink, Baum-, Finken- und Schwalbengrasmücke, Feigenfresser, Baumschwalbe, Mohrenköpfchen, swart Fleigensnäpper, Loch- und Dornfink, Totenköpfchen, Meerschwarzplättchen, Wald- und Gartenscheck, Bekkafige, schwarzer Fliegenstecher, Wüstling, Weißling, Rotauge, kleiner Holzfink, Bamfink, Bamschwache, Schlappfittich, Swart Beskütsk.

Muscicapa albicollis Halsbandfliegenschnäpper; Wüstling, weißkehliger und weißhalsiger Fliegenschnäpper, Kragenschnäpper.

Muscicapa parva Zwergfliegenschnäpper; Spanisches Rotkehlchen und Rotkröpsel, kleiner Feigenfresser, polnisches Rotkehlchen, kleiner Fliegenfänger, lütj Beskütsk.

¶ *Sylviinae* Grasmücken.

Phylloscopus sibilatrix Waldlaubsänger; Waldvöglein. Buchenlaubvogel, Blätterkönig, schwirrender, zirpender und grüner Laubvogel, grüner Spötterling, Siebenstimmer, Gühl Fliegenbitter, Backöfchen, Seidenvögelchen, Spaliervögelchen, Schwirrlaubvogel, Walpert, Schmiedel, Bliederfilchen, Sibchen, Wifezer.

Phylloscopus bonelli Berglaubsänger; Weißbauchiger, brauner und grünsteißiger Laubvogel, Bonellis Laubsänger.

Phylloscopus collybita Weidenlaubsänger; Zilzalp, Weidenlaubvogel, Backöfel, Backhäusken, Weidenzeisig, Weidenblättchen, Tannenlaubvogel, Timtam, grauer Weidensänger, Hainsänger, Fleigensnäpper, Schilpschalp, Erdzeisig, Mitwaldlein, grauer Laubvogel, Stotterer, grauer Zaunkönig, Tyrannchen, Weidenmücke, grüner König, Muckenschnapperle, Läufer, brauner Fitis, Schmittl, Schmiedel, Zimzel, Ardzeisel, Waldsperling, Tschiltschalg, Tschimtscham, Sommerkönig, Zinszahler, Fifetzer, Zippzapp, Zizelterle, Flinderling.

Phylloscopus trochilus Filtis; Backöfel, Weidenzeisig, Erdpipser, Birkenlaubsänger, großes Weidenblatt, Wisperlein, Maivögelchen, Lütj Fliegenbitter, Schmittl, Flötenlaubvogel, Sommerkönig, Fitingzeisig, Weidenmücke, Asylvogel, Sauerkönig, Sonnenkönig, Fitichen, Wuitelen, Barmherzge, Ardzeischgel, Ardweißlich, Tannenspötter, Ganggangle.

Locustella naevia Feldschwirl; Heuschreckensänger, Buschrohrsänger, Schwirl, Grillensänger, Grashüpfer, Heuschreckenlerche, Busch- und Korngrille, Lerchenspitzkopf, Buschschwirk.

Locustella fluviatilis Schlagschwirl; Flußrohrsänger, Leirer, Flußschwirl, Rohrschirf.

Locustella luscinoides Rohrschwirl; Nachtigallrohrsänger, Weidenrohrsänger, Nachtigallschwirl, italienischer Heuschreckensänger.

Acrocephalus paludicola Seggenrohrsänger; Binsenrohrsänger, Binsen- und Seggensänger, Gelbschwirl, Weiderich, Schilfschmätzer, gestreifter Rohrschirf, Rohrschliefer.

Acrocephalus schoenobaenus Schilfrohrsänger; Seegrasmücke, Uferschilfsänger, kleiner Rohrsperling, kleiner Weidenzeisig, gefleckter Weiderich, Spitzkopf, Rohrschmätzer, Wasserweißkehlchen, Schilfgrasmücke, kleiner Rohrschirf.

Acrocephalus palustris Sumpfrohrsänger; Rohrsprachmeister, Rohrzeisig, Rohrplattel, Rohrspotter, Rohrspottvogel, Seenachtigall, Himbeersänger, grauer Rohrschirf, Sumpfspötter, Rohrgrasmücke, Weiderich, Rohrschmätzer, Weidenpfeiferchen, Wassergratsch, Nachtsänger.

Acrocephalus scirpaceus Teichrohrsänger; Rohrspatz, Rohrsperling, Seegrasmücke, Ixel, Rohrschlüpfer, Zepste, Weiderich, Rohrschmätzer, Weidenzinker, Weidenmücke, Rohrzeisig, Wasserdornreich, Weidengucker, Rohrschliefer, Teichlaubvogel, Wasserweißkehlchen, Reitpieper.

Acrocephalus arundinaceus Drosselrohrsänger; Rohrdrossel, Karrekiek, großer Rohrspatz und -sperling, großer Rohrschirf, Karlkiek, Rohrsprosser, Reetmees, Weidendrossel, Rohrschwätzer, Bruch- und Schilfdrossel, Sumpf-, Fluß-, Rohr- und Wassernachtigall.

Hippolais icterina Gelbspötter; Gartenlaubvogel, Sprachmeister, Bastardnachtigall, gelber Sticherling, Ixlein, Ichterchen, Spötterling, Jungfer Lieschen, Lieschen allerlei (holst.), Vetterdaft, Spottvogel, Gelbbrüstchen, gelbe Grasmücke, Tausendkünstler, dei lütt Stücke drei, Groot gühl Fliegenbitter, Siebenstimmer, Titeritchen, Gartensänger, gelber Laubvogel, Titerinchen, Schackrutchen, Mehlbrust, gelber Hagspatz, Fuhrmandla, Bliederfilchen.

Sylvia nisoria Sperbergrasmücke; Welsche, spanische und schuppische Grasmücke, Sperbernachtigall, Brillengrasmücke, Spanier, Feigenfresser, Edelgrasmücke.

Sylvia borin Gartengrasmücke; Grasemische, Graukehlchen, große Grasehitsche, Staudenquatscher, Gorengrasmügg, graue Grasmücke, Baumnachtigall, Sprachmeister, Weißkehle, Staudenvogel, Dornreich, Grashetsche, grauer Spötter, Hagspatz, Heckenschmätzer.

Sylvia atricapilla Mönchsgrasmücke; Plattmönch, Mönch, Schwarzplättchen, Plattel, Schwarzkopf, Mönchlein, Grasespatz, Klostervogel, Klosterwentel, Nonne, Nonnen-Baum- und Schwalbengrasmücke, Afternachtigall, braune Grasmücke, Mauskopf, Mohrenkopf, Schwarzkappe, Kardinälchen, Pfaff, Schwarzkuppe, Flötenschläger, Baumfink, Murrmeise, Meisenmünch.

Sylvia curuca Zaungrasmücke; Weißkehlchen, Weißkätel, Müllerchen, Klappergrasmücke, Klappersänger, Müllergrasmücke, Eiserling, Schwätzer, Plappergrasmücke, Weißbärtel, Heckenschmätzer, Waldsänger, Hagspatzel, kleiner Orpheus, kleiner Dornreich, Klappernachtigall, kleiner Dorngreul, Weißmüller, Holzgrasmücke, Weißblattel, Blauköpfle, kleine Hetsche, Heckenschlupfer, Liedler, Spötterl, Arfenbieter.

Sylvia communis Dorngrasmücke; Dornschmätzer, Fliegenstecher, Grasemischer, Staudengatzer, Staudenquatscher, Weißkätchen, graue Grasehitsche, fahle und graue Grasmücke, großes Weißkehlchen, großes Müllerchen, Grashucke, Dorngätzer (hess.), Schnetsche (hess.), Schatterchen (Elsaß), Brillen- und Sperlingsgrasmücke, Nesselfink, Heckenschmätzer, Smielentrecker (westfäl.), Kuckucksamme, Schnepfle, Waldsänger, Zaunhitscher, Hagschlüpfer, Nachtsänger, Hofsinger (fries.), Skugsknert, Staudenfahrer, Kupfergrasmücke, Zeilerspatz, Zeilhecke, Dornreicherl, Orgelhetsche.

¶ Turdinidae Drosseln.

Turdus pilaris Wacholderdrossel; Krammetsvogel, Weckholdervogel, Schnärre, Schacker, Großziemer, Dreck- und Zimmerdrossel, Schnurre, Blauziemer, Birkendrossel, Kanabit, Kranabeter, Schomerling, Reckholdervogel, Zäumer, Zeuner, Zierling, Kranvitvogel, Kronawetter, Beinauka.

Turdus viscivorus Misteldrossel; Schnarre, Schnärre, Schnarrdrossel, Mistelziemer, Groß- und Doppeldrossel, Schacke, Klebbeerenfresser, Schnarrziemer, Schneekater, großer Krammetsvogel, Zaritzer, Zehrer, Zierling, Brakvogel.

Turdus musicus Rotdrossel; Weindrossel, Weinvogel, Heide-, Pfeif-, Wind-, Berg-, Blut-, Bunt- und Heudrossel, Gißerle, Klein-, Rot- und Heideziemer, Quitschel, Bäuerlein, Winze, Winfräter, Weinzippe, Weingart und Wingertvogel, Gizerle, Böhmle, Beimle, Bitter, Weißlich, Winsel, Gernle, Böhmerziemer.

Turdus ericetorum Singdrossel; Zippe, Zier- und Weißdrossel, kleiner Mistler, Droschel, Drostel, Drustel, Weißamsel, Sommerdrossel, Drossig, Berg-, Krap-, Gesangs- und Walddrossel, Davidzippe, Grag-, Ziep- und Pfeifdrossel, Drescherl, Holtdrossel.

Turdus torquatus Ringdrossel; Ringamsel, Berg-, Schild-, Winter-, Alpen-, Schnee-, Meer- und Roßamsel, Berg-, Rohr-, Rost-, Schild-, Kragen-, Schneedrossel, Ringmerle, Dianen-, Beeren-, Stick-, Kranz- und Strauchamsel, Stockziemer, Jochköppl, Kureramsel, Sing- und Krammetsmerle, Kribgelt, Trooßel, Stabziemer, Offizierkragen.

Turdus merula Amsel; Omsel, Omstel, Amschel, Amelze, Merle, Amsch, Amutze, Stock- und Kohlamsel, Schwarzamsel, Schwarzdrossel (Pomm,), Ramisch, Dreckamsel, Lyster, Graudrossel, Merlane, Braunmerle, Gälneb.

Monticola saxatilis Steinrötel; Steinamsel, Steinmerle, Steindrossel, Steinreutling, Großrotschwanz, Hochamsel, Bergamsel, Feldschmätzer, Unglücksvogel, großer roter Spötter, großer Rotwüstling, rotbauchiger Steinschmätzer.

Monticola cyanus Blaudrossel; Blaumerle, -amsel, -ziemer, einsamer Spatz, blauer Einsiedler.

Oenanthe oenanthe Steinmätzer; Steinpicker, Steinkletsche, Steinfletsche, Steinpletsche, Weißschwanz, Weißkehlchen, Steinklitscher, Steinsänger, Hitiker, Steinätschke, Steinwipper, Steinbeißer, Steinschäker, Steinquäker, Weißbürzel, Steinklatscher, Steinquaker, Steinfletschker und Schwaker.

Saxicola torquata Schwarzkehlchen; Schollenhüpfer, Krautfletsche, Christöffel, Strauch- und Heideschmätzer.

Saxicola rubetra Braunkehlchen; Krautvöglein, Krautlerche, Wiesenfletsch, Wiesenquitscher, Kohlvögelchen, Wiesensteinpicker, Grotjochen, Nettelkönig, Brunkelken, Braunellert, Gstattenschläger, Fliegenvogel, Fliegenstrecker, Nesselfink, Pfäffchen, Totenvögelchen.

Phoenicurus phoenicurus Gartenrotschwanz; Wald-, Busch-, Baumrotschwänzchen, Weißplättchen, Hüting, Rot- und Waldwistling oder Wistlich, Gartenrötling, Schwarzkehlchen, türkische Nachtigall, Flöter, Seidenschwanz, Bienenschnapper, Rotstart, Schwader, Rotstiert, Immenröwer, Fritzchen, Sommerrötele, Baumrötling, Bläsler und Baumrotwadel, Rotsterzchen, Rotzagl, Rotzahl, Rütling, Saulocker, Rotbrüstlein, Rotbäuchlein, roter Rotschwaf, Waldrotschweifel.

Phoenicurus ochruros Hausrotschwanz; Schwarzwistlich, Schwarzpisber, Rutsterz, Rotwispel, Schwarzwistling, Hausrötling, Schwarzbrüstchen, Lochbrüter, Frühhupp, Rotstiert, Quabbelarsch, Rotzügel, Stadtrötling, Sommerrötele, Steinrötling, Rotzarel, Pechrotschwanz, Schwarzwadel, Hausrotwadel, Branderl, Jochbrantel, Röttele, Mauernachtigall, Hüting, Nachtrotschwanz, blauer und schwarzer Rotschwanz, Schwarzkehlchen, Swisdek, Sauhocker, Wüstling, Bienenschnapp.

Luscinia megarhynchos Nachtigall; Kleiner, rote, echte Wald-, Berg-, Wasser-, Garten-, Tagnachtigall, Nachtspinkerier, Dörling, Philomele, Rotvogel.

Luscinia luscinia Sprosser; Graue, große, ungarische, polnische Sumpf- und Aunachtigall, Nachtphilomele, Sproßvogel, Rotvogel.

Luscinia suecica Blaukehlchen; Blaukropf, Blaukröpfel, Blaukatel, Halbrotschwanz, Blaubruster, Erdwistling, schwedische Wasser- und Silbernachtigall, Blaghals, Blaubrüstchen, Schildnachtigall, Wegflecklin, Karlsvogel, Nachtigallenkönig, Silbervogel, Spiegelvögelchen, Bleikehlchen, Weinguckerlein, Blühemmelfink.

Erithacus rubecula Rotkehlchen; Rotkröpfel, Rotbrüstchen, Rotkatel, Rotkätchen, Rotbart, Rötel(e), Katel, Frühsinger, Rötelein, Waldrötel, Kehlrötling, Winterrötchen, Rotbüschen (Hann.).

Prunellidae Braunellen.

Prunella collaris Alpenbraunelle; Alpenflüevogel, Schnee-, Stein-, Alpen- und Flüelerche, Blümtvogel, Blumtürli, Blüttlig (letztere drei Namen in der Schweiz üblich). lerche, Flüespatz, Bergspatz, Jochdollerer (Tirol), Alpenstar, Gadenvogel, Blümt-

Prunella modularis Heckenbraunelle; Blei- und Graukehlchen, Heckensperling, Schieferbrüstchen, Eisenkrämer, Isserling, Zerte, Russerl, Wollentramper, Speckspanier, großer Zaunkönig, Strauch- und Moorgrasmücke, Prunelle, Brunellchen, Hecken- und Winternachtigall, Zaunschliefer, Eisen- und Zaunsperling, Krauthänfling, Tilling, Strohkratzer.

Troglodytidae Zaunkönige.

Troglodytes troglodytes Zaunkönig; Schnee-, Dorn-, Winter-, Mäuse- und Nesselkönig, Zaunschlüpfer, Zaunschlipflein, Dornkriecher, Baum- und Heckenschlüpfer, Mausvogel, Mauskönig (Rhein- und Saargebiet), Schmetz, Schnerz, Schniggerkönig, Tunkrüper, Tunkönig, Grotjochen, Grotjohann, krup dörch'n Tun, lütt Musbuck, Zaunschliefer, Zaunschnurz, Zaunsänger, Tannen-, Meisen-, Schlupf- und Schuppenkönig. Troglodyt, Konickerl, Vogelkönig, Thomas im Zaune, Pfutschekönig, Pfutschepfeil, Künige, Künigevögerl, Schneekiniger (Sudetenland), Schnikinch, Tschürrn, Backöfelchen, Winterkönig (Niederrhein).

Cinclidae Wasseramseln.

Cinclus aquaticus Wasserschmätzer; Wasseramsel, Bachamsel, Wasserstar, Wasserschmätzer, Waterspreen, See- und Schildamsel, Wasserstelze, Quecksterz, Stromamsel, Wassermerle, Wasserdrossel, Wassersänger, Stromdrossel, Bachsprehe, Wätertroosel.

Hirundinidae Schwalben.

Hirundo rustica Rauchschwalbe; Dorf-, Gabel-, Stachel-, Spieß-, Edel-, Bauern-, Stuben-, Bruche-, Sch'ot-, Blut-, Rötel-, Küchen-, Feuer-, Kuh-, Ruß-, Dreck-, Lehm- und Schornsteinschwalbe, Schwalmel, Cübelschwalm, Rookschwälk, Swoalk, Schwälke.

Chelidon urbica Mehlschwalbe; Haus-, Stadt-, Fenster-, Dach-, Kirchen-, Giebel-, Spiek-, Lehm-, Spirk-, Leim-, Lauben-, Maurer- und Ritscherschwalbe, Swälk, Husswälk, Schwölk, Husschwölk, Finsterschwölk, Swaalk, Swöwelk, Weißspyr, Wittswolk.

Riparia riparia Uferschwalbe; Erd-, Sand-, Loch-, Rain-, Wasser-, Meer-, Gstetten-, Dreck-, Strand-, Berg- und Kotschwalbe, Rheinvogel, braune Schwalbe, Ihrzvälk, Ird-, Sand- und Wetterswölk und -swälk.

Riparia rupestris Felsenschwalbe; Berg- und Steinschwalbe.

¶ *Picidae* Spechte.

Picus viridis Grünspecht; Grasspecht, grüner Baum- und Holzhacker, Zimmermann, Ameisenspecht, Hohlkrähe, Erdspecht, Ir- und Greunspecht, Wieherspecht, Regenvogel, Immenwolf.

Picus canus Grauspecht; Gras- und Erdspecht, Zimmermann, Graukopf, norweg. Specht, kleiner Ameisenspecht, Berggrünspecht.

Dryobates major Rotspecht, großer Bunt-; Schild-, Band-, Wald-, Weiß-, Groß-, Hacke- und Elsterspecht, gesprenkelter Specht, Zimmermann, Boomhacker, Baumreiter, Harlekin, Atzel- und Aglasterspecht, Baumhackel, Baumhacker und -picker, Bollenpicker, Holtbecker, Holtfreeter, Kohlhoahn, Fleckspecht, Bamhäckl, Gießer, Schnaivogel.

Dryobates leuconotus Weißrücken- und Weißspecht; Elsterspecht.

Dryobates minor Klein-, Zwergspecht; Sperlings-, Grase-, Schild-, Garten-, Husaren- und Harlekinspecht, kleiner Baumhacker und -picker.

Dryobates medius Mittelspecht; Mittlerer Rotspecht, mittlerer Buntsprecht, Weiß- bunt-, Weiß-, Hacke- und rothaariger Specht, Halbrot- und Kleinschildspecht, Elster- und Agastspecht, Schildkrähe, Ziemer.

Picoides tridactylus Dreizehenspecht; Gelbkopf-, Star- und Goldspecht, scheckiger Baumhacker, Dreizeh, Stummelspecht.

Dryocopus martius Schwarzspecht; Holzkrähe und -krahe, Holzhuse, Krähen- und Krahspecht, Waldpferd, Hohl- und Lochkrähe, Holzvogel, Baumroller, tapferer Specht, Kriegsheld, Speffzk, Tannenroller und -huhn, Waldhuhn, Holzpäppel, Berg- und Budenspecht, Gießvogel, Regenvogel, Hohlrabe, hoh Grohe, Baumkrähe, Hohl- krähe, Zimmermann, schwarzer Baumhacker, Zwart- und Swartspecht, Luderspecht, Holzgüggel, Füselier, Hollakragen, Advokatenspecht, Holderkrah, Huhlkrohe, Holz- ganz und -gieker, Krappenspecht, Märzefühele, Rüttelweibel, Totenvogel, Schwarz- hahnl, Waldhähnle, Wetterhansl, Zimmermeister, Wangerer, Gott vom Dorf Wangen, Nirgel.

Jynx torquilla Wendehals; Wind- und Drehhals, Nattern- und Otternwendel, Dreh- schlunk, Weibermann, verdrehtes Wagenrad, Holzdreher, Langzüngler, Leiren- bendel, Drehvogel, Halsdreher und -winder, Nadlenwindel, Regenspatz, Regen- und Wettervogel, Fratzenzieher, Berlhans, Rittelweib, Erdspecht, Drei- und Wruk- hals, Drägehals (Zerbst), Jammervogel, Wangehals, Nackenwindel, Natterzwang und -zange, Wihals, Dreiherfink, Märzenfülle · Tukan (Südamerika).

Micropodidae Segler.

Micropus apus Mauersegler; Turm-, Kreuz-, Feuer-, Sick-, Raub-, Kirchen-, Pier-, Riesen-, Spur-, Ger-, Quiek-, Stein-, Geier- und Spyrschwalbe, Spyrn, Mauerhäkler, Torenschwälk, Schornsteinfeger, Muerswälk, Spierschwalken, Peersschwalken, Tierkater.

Upupidae Hopfe.

Upupa epops Wiedehopf; Hupphupp, Hupper, Kuckuckslakai, -knecht und -küster, Stink-, Kot-, Dreck-, Mist- und Bubbelhahn, Scheißdreckskrämer, Wiedehuppe, Hupatz, Stink-, Dreck-, Kotvogel, Weidenhopf, Rotschopf, Ocksenpuper, Weghob, Küster, Ossepupa, Wählhopp, Toppelwerhopp, Wehrhahn, Baumschnepfe, Gänse- hirt, Hirschkuckuck, Kuckucksküster, Heervogel, Dreck- und Stinkhenne, Wildhoff, Butbut, deutscher Kakadu, Fulhup, Hupak, Herdenvogel, Huppmatz, Kuhhirt, Luppe, Kuckucksroß und -bote, Leaph, Pugvogel, Puphahn, Schmutzhahn, Pupper- gesell, Saulocker, Schmähknecht, Schuithäpek, Stinker, Stinkerwitz, Stolhüppi, Udeb, Pupu, Pupoß (Hann.), Wüdwud, Weidenhüpfer, Wiesenhopf, Wedehupp, Wachmeister.

Meropidae:

Merops apiaster Bienenfresser; Spint, Immenvogel, Bienewolf und -schwalbe, Bienenjäger, Seeschwalm, Immenfraß, Bienen- und Heuvogel, Goldstar, Kardinal, Schwanzeisvogel, Heuvogel und -mäher.

Alcedonidae:

Alcedo atthis Eisvogel; Königsfischer, Wasserspecht, Uferspecht, Martinsvogel, Isenvogel, Alcyon, Wasserhennle, Eisenpart, Eisengart, Blauspecht, Fischschnapper,

Isvagel, Fischermartin, Wassermerl, Fischdieb und -fresser, Ischvogel, Biekschwalve.

Coraciidae:

Coracias garrulus Blauracke; Blaue und Mandelkrähe, blauer Rabe, Racker, Rache, Holzkrähe, deutscher Papagei, Golkregel, Galgenvogel, Heiden- und Kugelelster, Blaurock, Birkheher, Mandelkrei, Blagracker, Poller, Blauhäher, Garbenkrähe, Gold- und Grünkrähe, Küchenelster, Meerhäher, Golk-, Helk- und Halsvogel, Racker- vogel, Birk, Galgenrackel, Straßburger Krähe, Gelsvogel, Kriechelster, Blabrack, Plauderracker.

Cuculus canorus Kuckuck; Gauch, Gugug, Gucker, Guckauch, Gutzgauch, Guckufer, Gucke, Waldlump, Europäischer, singender, aschgrauer Kuckuck..

Caprimulgus europaeus Ziegenmelker; Tagschlaf, Nachtschatten, -rabe, -schwalbe, Nachtrücklin, Pfaff, Mulkedieb, Waldschäde, Himmelsziege, Geißmelker, Nachtviole, Hexe, Dhauschnarre, Dagzlap, Dagschlop, Meckerzieg, Nachtschwälk, Brillennase, Bartschwalbe, Nachtwanderer, Kindermelker, Ziegen-, Kuh-, Milchsauger, Kalfater, Läpsch, Weheklage, Hawerzäg (Pomm.), Hexe, Großmaul.

❡ *Strigidae* Eulen.

Nyctea scandiaca Schnee-Eule; Schneekauz, Harfäng, Blinzeleule, weiße Tageule, Haff- und Fischuhl.

Bubo bubo Uhu; Auf, Schuhu-, Buhu-, große Ohr-, Berg- und Adlereule, große Horneule, Gnuf, Schufut, Heun, Buhuo, Puhuy, Großherzog.

Asio otus Waldohreule; Rotgelb-, Gold-, Fuchs-, Katzen-, Horn-, Hörner-, Knapp-, Ranz- und Uhreule, Ohrkauz, kleiner Schuhu und Auf, Tschusch.

Asio flammeus Sumpfohreule; Kohl-, Rohr-, Bruch-, Wiesen-, Brand-, Schnepfen-, Brach-, Feld-, Feem-, Stein- und Mooreule, Wischenuhl, Wiesenuhu, gehörnte, kurzöhrige Eule.

Otus scops Zwergohreule; Ohrenkäuzchen, Waldteufel, Possen- und krainische Eule, Ohrkauz, Waldäuferl, Tschuk.

Athene noctua Steinkauz; Käuzchen, Wichtel, Totenvogel, Leichenvogel und -hühnchen, Kommittchen, Nacht- und Unglücksvogel, Nacht- und Sperlingskauz, lütt Nachtuhl, Liekenuhl, Liekhön, Menscheneule, Wehklager, Lerchen-, Stock-, Haus- und Scheunenkauz, Leichen- und Toteneule, Klagemutter, Wald-, Stock-, Stein- und Spatzeneule.

Aegolius funereus Rauhfußkauz; Nacht-, Fichten- und Langschwanzkauz, Katzen- locker, Tengmalmskauz, kleiner Waldkauz, langschwänziges Käuzchen.

Glaucidium passerinum Sperlingseule; Zwerg- und Sperlingskauz, Zwerg- und arkadische Eule, Wald-, Tag- und Tannenkäuzchen.

Surnia ulula Sperbereule; Habichts-, Falken-, und Trauereule, Eulenfalk, Geiereule.
Strix aluco Waldkauz; Nacht-, Busch-, Baum-, Heul-, Kulp-, Knapp-, Knarr-, Zisch-, Fuchs-, Grab-, Geier-, Pausch-, Huhn-, Maus-, Weiden-, Stock-, Kirr-, Huh-, Puh-, Punsch-, Toten-, Brand-, Wald- und Holzeule, Nacht- und Baumkauz, Holt-, graag und gris Uhl, Kuly, Fuchskauz, Waldäufl, Kieder, Nachtrapp, Melker, Milchsauger, Kattuhl.

Strix uralensis Habichtskauz; Uralkauz, Ural- und Habichtseule, Haburgeis.
Tytonidae:

Tyto alba Schleiereule; Perl-, Perücken-, Herz-, Turm-, Kirchen-, Gold-, Feuer-, Schlaf-, Schnarch-, Flammen-, Klag-, Ranz-, Nacht-, Schläfer-, Katzen-, Nonnen- und Kindereule, Schleier-, Perl-, Schnarchkauz, Ul-, Schünen-, Katt- und Husuhl, Totenkopf, Schleieraffe.

¶ *Accipitres* Raubvögel.

Falco peregrinus Wanderfalke; Schwarzbacken, Taubenstößer, Spitzflügel, Klemmer, Duwenhawk, Tauben-, Bart-, Tannen-, Edel-, Pilgrims-, Berg-, Wald-, Blau-, Stein-, Snepp-, Blei-, Beiz-, Hühner- und Kohlfalke.

Falco rusticolus Jagdfalke; Edelfalke, weißer Falke, Polarfalk, Isländischer, Grönländischer Falk, Schwimmerfalk, Großer Schlachter.

Falco cherrug Würgfalke; Blaufuß, Lanner, Schlachter, Sacker-, Stern-, Schlacht- und Großfalke, Britischer Falk, Raro, Lanette, Großer Merlin.

Falco subbuteo Baumfalke; Lerchen-, Hecht-, Schmerl- und Stoßfalke, Schwarz- und Weißbäckchen, Lerchen- und Schwalbenstößer, kleiner Bart- und Wanderfalk, Lerchenhabicht, Sprinz, Stoothawk, Schmerl.

Falco columbarius Merlin; Zwerg-, Stein-, Blau- und Spatzenfalk, Schmerlein, Grigri, Zyrenzchen, Smirill, Myrle, kleiner Lerchenstößer, kleiner Sperber.

Falco tinunculus Turmfalk; Rüttel-, Mauer-, Kirchen-, Rot-, Mäuse- und Trillerfalk, Rüttelweib, Rüttelweihe, Rüttelgeier, Windweher, Triller-, Torm- und Stoothawk, Graukopf, Wannenweher, Sperlingshabicht, Wiegwehe, Sterengall, Rötelhuhn und -weibchen, Steinschmack und -schmatz, Wandweher, Windwahl und -wachl, Schwimmer.

Falco naumanni Rötelfalk; Gelbklauiger Falke, italienischer, kleiner Turmfalke, kleiner Rotfalk.

Falco vespertinus Rotfußfalk; Abendfalk, Kobez.

Aquila chrysaëtos Steinadler; Gold-, Berg-, Hasen-, Rauhfuß-, Stock-, Hosen- und Ringelschwanzadler, Aar, Kurzschwanz, brauner, schwarzbrauner Adler.

Aquila heliaca Kaiseradler; Schwarzer und Königsadler.

Aquila pomarina Schreiadler; Rauhfuß-, Frosch-, Kaffee- und Entenadler, großer Bussard, Schreier, hochbeiniger und gescheckter Adler.

Aquila clanga Schalladler, Großer Schreiadler, Prachtadler.

Buteo buteo Mäusebussard; Mauser, Geier, Stößer, Mäuseaar, -habicht und -falke, Bußaar, Rüttelweihe, Howik, Hak, Moosweihe, Mäusegeier, Brook- und Braukwieh, Sumpfwieh, Müsjäger, Maus- und Waldgeier, Katzenadler, Unkenfresser, Wasservogel, Waldbussard, Schlangenfresser, Rundschwanz, Hühnervogel, Hakstocker, Bottühl.

Buteo lagopus Rauhfußbussard; Rauchfuß, rauhbeinige Weihe, Schneebussard, -geier, -aar, Moos- und Nebelgeier, Graufalke.

Circus aeruginosus Rohrweihe; Sumpf-, Schilf-, Wasser-, Brand-, Rost-, Rot-, Moos-, Moor- und Frostweihe, Sumpfbussard, Rostfalke, Enten- und Fischgeier, Weißkopf, Eierdieb, Fisch- und Rohrvogel, -geier und -falke, Grauschwanz, Reitklemmer, Lungbaned Hoafk.

Circus cyaneus Kornweihe; Blaue und weiße Weihe, witt Hawk, Wittkittel, Blau- und Bleifalk, Halbweihe, Lanette, Mehl- und Müllerweihe, Mehl- und Blauvogel, Stothaft, Revierjäger, blauer Habicht, Weißfalke, Schwarzflügel, Kornvogel, Ringelfalke, -geier und -schwanz, Spitz- und Steingeier, Martinsvogel, Weißsperber, Weißfleck, Blauklemmer, Getreideweihe, Hühnerdieb.

Circus pygargus Wiesenweihe; Bandweihe, Bleifalk, Hanjücker.

Circus macrouros Steppenweihe; Blaß- und Mittelweihe.

Accipiter gentilis Hühnerhabicht; Taubenhabicht, Stock- und Hühnerfalk, Hühnerweihe, Sperberfalk, Langschwanz, Fasanenmeister, großer Stößer und Stießert, Stossert, Stössel, Tauben-, Hühner- und Hasenstößer, Howik, Hacht, Stoßfalk, Hühnerdieb, Taubenaar, grot Hawke, Duwen- und Heunerhawk, Doppelsperber, Pfeilfalke, Stech- und Eichvogel, Taubengeier, Rebhühnerstößer, Eichvogel.

Accipiter nisus Sperber; Finkenhabicht und -falk, Tauben- und Sperlingsstößer, Wachtelhabicht, Spatzenstecher, Sprinz Finkenstößer, kleiner Stößer und Stoeßert, lütt Hawke, Sprezchen, Sperlingsfalk, Vogelhabicht, Häfk, der „Vogel", Schmirn, Schwalben-, Vogel-, Berg- und Stockstößer, Blaubäckchen, Goldfuß, Luftschiffer, Schwalben- und Vogelgeier.

Milvus milvus Gabelweihe, roter Milan; Königs- und Hühnerweih, Schwalbenschwanz, Hühnerdieb, Ha-, Ho- und Scherenweihe, Howik, Hak, Zwärtstart, Wieh-, Horn-, Sche- und Schawieh, geel Tweelstart, Twelstiert, Hawk, Gabel- und Rüttelgeier, Rötel-, Hole- und Kürweihe, Habelschwanz, Habler, Bottühl, Stein-, Stoß- und Hühnergeier, Schwimmer, Krümmer, Grimmer, Stert, Tyverl, Schwerschwänzel, Heu- und Hühneraar, Weich- und Wasserfalke, Stoßvogel, Kur- und Hulewy, Kückendieb, Wüw.

Milvus migrans Milan; schwarzer Milan und Hühnerdieb, braune Weihe, schwarze Gabelweihe, Hühnerweihe, Howiehe, Wieh, Hawk, Howik, Hak, zwartbrun Wieh, schwart Tweelstartwieh, Waldgeier, Gabelgeier, Mäuseaar.

Pandion haliaëtus Fischadler; Blaufuß, Karpfenschläger, -heber und -adler, Weißbauch, Fischgeier, -weihe, -aar und -habicht, Fluß- und Karpfenadler, Plumpser, Entenstößer, Blaagfoot, Fischarler, grot Jochen, Moosweihe, Entenadler, See- und Rohrfalke.

Haliaëtus albicilla Seeadler; Weißschwanz, Gänseadler, Hasen- und Gänseaar, Hasengeier, Bein- und Steinbrecher, Gußaar, Fisch- und Steingeier; Meeradler, Josor, Fischjäger.

Pernis opivorus Wespenbussard; Wespenfalk, -weihe, -geier, Frosch- und Bienengeier, Honigbussard und -falke, Krähengeier, Sommermauser, Läuferfalke, Wespen- und Bienenfresser und -falk, Mäusewächter, Vogelgeierle.

Circaëtus gallicus Schlangenadler; Schlangenbussard, Natternadler, Blaufuß, weißer Hans, Lerchengeier.

Gypaëtus barbatus Bartgeier; Lämmer-, Joch- und Gemsengeier, Geieradler.
Gyps fulvus Gänsegeier; Weißkopf-, Wollkopf-, Fahl-, Alpen- und Erdgeier, Kondor, Kutten-, Mönchsgeier, Kahlkopf.

¶ *Ciconidae* Störche.

Ciconia ciconia Weißer Storch; Hausstorch, Klapperstorch, Adebar, Elbinger, Honneter, Lang-, Dürr- und Klapperbein, Sturk, Hailebart, Aehbär, Odebär, Heilebar.
Ciconia nigra Schwarzstorch; Waldstorch, Brand- und Feuerstorch, schwarzer Adebar, Reiher oder Klapperstorch, brauner, kleiner und wilder Storch, Aist.

Plegadidae Ibisse.

Plegadis falcinellus Sichler; Brauner Ibis, Sichelschnäbler, türkische Schnepfe, schwarzer Brachvogel, Sichelreiher, Nimmersatt, brauner, schwarzer Brachvogel, Storchschnepfe, Schwarzschnepfe, schwarzer Keilhaken.

Platalea leucorodia Löffler; Löffelreiher, Löffelgans, Schaufler, Spatelgans, Palette, Lebler, Schufler.

Ardeidae Reiher.

Ardea cinerea Graureiher, Fischreiher; Kamm-, Schild-, Berg- und Rheinreiher, Reigel, Rager, Herr- und Goargans, Schüttreiher, Schit'edreier.

Ardea purpurea Purpurreiher; Zimmetreiher, roter und brauner Reiher.

Egretta alba Silberreiher; Schnee- und Edelreiher, große Aigrette, Federbuschreiher, weißer Reigel.

Egretta gazetta Seidenreiher, Straußreiher, kleine Aigrette, Garzette, kleiner Silberreiher.

Ixobrychus minutus Zwergrohrdommel; Zwerggreiher, Kot- und Staudenreiher, kleiner Rohrtump, Rohrreiher, Mooskuh.

Botaurus stellaris Große Rohrdommel; Rohrtrummel, -dump und -brüller, Mooskuh und -reiher, Ried- und Wasserochse, Rohrbrüller, Bull, Sterngucker, Iprump, Reitrumper, Hortikel, Fluder, Raitrumper, Freesmarker, Eer- und Bullpump.

Nycticorax nycticorax Nachtreiher; Focke, Nachtrabe, Quack- und Schildreiher, Graue Rohrdommel, Quarker.

Phalacrocorax carbo Kormoran; Scharbe-, See- und Wasserrabe, Schlucker, Schalucher, Vielfraß, Feuchtarsch, Morfex, Bisamvogel, Gänstaucher, schwarzer Pelikan, Haldenente.

Pelikan Kropfgans, Nimmersatt, Eselvogel, Vogel Heine, Schwanentaucher, Sack- und Beutelgans, Wasservielfraß, Eselschreier.

Baßtölpel, weißer Seerabe, Schottengans, Gannet, Gent, Solend.

❡ *Anseres* Entenvögel.

Cygnus cygnus Singschwan; Nordischer, isländischer, gelbnasiger und gelbschnäbliger Schwan, Wildschwan.

Cygnus olor Höckerschwan; Wildschwan, stummer, schwarznasiger und rotschnäbliger Schwan, Swoan, Ölb, Elbs, Kaspischer, zahmer, südlicher Schwan, Franki (berl.).

Anser anser Graugans; Wilde, Stamm-, März-, Hagel- und Heckgans, große und blaue Gans, Sommergans.

Anser fabalis Saatgans, Schnee-, Winter-, Feld-, Zug-, Moor-, Roggen-, Hagel-, Bohnen- und ringschnäblige Gans, grü Guß, Geelfaut-, Schlacker-, Schlecker- und schwarze Gans.

Anser albifrons Bläßgans; Weißstirnige und polnische Gans, Nord-, Lach-, Helsing-, Kohl-, See und Trappgans.

Branta bernicla Ringelgans; Rott-, Meer-, Bernikel-, Brant-, Brent-, Kloster-, Mönchs- und Baumgans, Raad- und Horragans, Grauente, Bronk, Karakas, Rotjes, Kravant.

Branta leucopsis Nonnengans, schottische Nord- und Weißwangengans, Bernache, Baum-, See-, Muschelgans.

117

Tadorna tadorna Grabgans; Brand-, Fuchs-, Höhlen-, Loch-, Erd-, Kracht- und Wühlente oder -gans, Scheldrak.

Hausgans Wullewulle, die Tott (Pomm.); Gänserich, Ganter, Ganser; junge Gans: Gössel (Hannover).

Anas platyrhynchos Stockente; Wild-, März-, Spiegel-, Grünkopf-, Gras-, Blau-, Moos-, Busch-, Hag-, Stoß-, Sturz-, Blumen- und Rütschente, Antvogel, Blaukopf, Groß-, Marsch- und Sterzente.

Anas querquedula Knäckente; Schnärr-, Halb-, Zirp-, Kraut-, Scheck- und Trasselente, große Krickente, Kernell, Weißmergele, Krüzele, Kleffeli, Ratscherle.

Anas crecca Krickente; Zwerg-, Kriach-, Krupp-, Krupel-, Klein-, Franz-, Schaps-, Schar-, Kreuz-, Spiegel-, Schmiel-, Halb-, Wachtel- und kleine Trasselente, Grau-, Mur- und Sorentlein, Kricke, Trösel und Socke, Griesantel, Birkilchen, wilde Pille, Mergle, Pfeiferle, Uart, Wöcke.

Anas strepera Schnatterente; Mittel-, Nessel-, Schnarr-, Scherr-, Lärm-, Brein-, Reid-, Roß- und braune Ente, Knarrant, Leiner, Locker, Polka und Weißspiegel.

Anas penelope Pfeifente; Rot-, Rotbrust-, Rothals-, Brand-, Piep-, Speck-, Bläß- und Schmüente, Penelope, Weißstirn, Schmünte, Rotmohr, Piepäne, Perl-, Braun- und Kupferente, polnische Ratschen, Doppelkricke und Wischplante.

Anas acuta Spießente; Spitz-, Pfeil-, Spieß- und Nadelschwanz, Spitz-, Schwalben-, Fasan-, Strich-, Schnepfen-, Pfriemen-, Schwelm- und Lerchenente, große und graue Mittelente, Pylsterz, Pylwähne, Spitzackel, Perl- und Dreiviertelsente, Langhals, Grauvogel.

Ipatula clypeata Löffelente; Schild-, Spatel-, Schall-, Moos-, Moor-, Mur-, Mugg-, Fliegen-, Mücken- und Blauflügelente, Groß-, Breit- und Langschnabel, Seefasan, deutscher Pelikan, Resien- und Resienkopf, Taschenmaul, Löppelschnute und -gans, Sloppen.

Nyroca ferina Tafelente; Brand-, Knoll-, Rothalsente, Braun- und Rotkopf, Quellje, Rotmoor, rote Mittelente und Kohltüchel, Bile (hess.), Geit (bayer.), Katsch (Pomm.), Rätsche (schles.); Erpel, Enterich, Drake (Hann.), Wik (westf.), Wedik (preuß.), Antrick · Junge Ente: Antgössel (Hann.) · Wildente.

Nyroca nyroca Moorente; Weißauge, Braunkopf, Sumpf-, Don-, Moder-, Braun- und Mierente, Brandtüchel, Mürle.

Nyroca fuligula Reiherente; Strauß-, Schimmel-, Muschel-, Asch- und Alpenente; Fresake, Zopf-, Reiger-, Hauben-, Schups-, Kuppen-, Moder-, Schlief- und Kiebitzente, Schwarzkopf, Schwartztüchel, Porzellanschnecke.

Nyroca marila Bergente; Asch-, Schimmel-, Muschel-, Schaufel- und Alpenente.

Bucephala clangula, Schellente; Baum-, Birken-, Schall-, Klang-, Klingel-, Klapper-, Hohl-, Kobel-, Quak- und weißbunte Ente; Wisssitted Quaker, Schreier, Klinger, Dickkopf, Köllje, Knobbe, Backelmann, Scheke · Für das Weibchen: Vier- und Goldäuglein, Braunkopf.

Clangula hiemalis Eisente; Winter-, Schwanz-, und isländische Ente, Lang-, Pfeil-, Spitz-, Spieß- und Singschwanz, Angeltasche, Karkeliter, Weißback, Kotschnabel, Pihlstaart, Kirre, Gadelbusch, Alvogel, Hanick und Glashanick, Gaulitz, Schremel, Kongeke, Graulinsk, Klashahn, Klashanig, Weißback mit langem Schwanze.

Oidemia nigra Trauerente; Mohren-, Raben- und schwarze Ente, Seerabe, Korrakus, Knobbet, Bührn, Nachtvogel, Swantant.

Oidemia fusca Sammetente; Ruß- und Fliegenente, Topane, Turpane, Trauerente.
Somateria mollisima Eiderente, Eidergans, Eddergans, Eidervogel, Sankutberts-
ente, russische Ente, weichfedrige Ente, Grönlandsente.

Mergus merganser Gänsesäger; Großer Säger, Ganner, Baum- und Sägegans,
Baum- und Sägeente, Ganztaucher, Tauchersäge, Kneifer, Kariffer, Meerrachen,
Merch, Winternörks, Schnarrgans, Bottervogel, Scheltrake, Stech- und Bieberente
oder Taucher · Muschelkönig, Vielfraß, Seekatz und -geiß.

Mergus serrator Mittelsäger; Zopfsäger, Halsbandsäger, langschnäbliger Säger,
Spießer, Langschnabel, Schlucht- und Schlichente, Fischtreiber, Scharbeje,
Haubensäger.

Mergus albellus Zwergsäger; Kleiner und weißer Säger, Elster, Rhein- und Möven-
taucher, Nonnenente, Eis- und Mercherkönig, Kreuz-, Stern-, Wiesel- und Weißente.

¶ *Gyrantes (Columbidae)* Tauben.

Turtur turtur Turteltaube; Rhein-, Weg- und wilde Lachtaube, lütt Wilduw, Turtel,
Turteldüwe, Hirsetäubchen, Roller, Ruckes, Tümmler.

Columba palumbus Ringeltaube; Große Wald-, Wild-, Holz- und Schlagtaube, Wil-
und Ringelduw, Bloch-, Kohl-, Kuh- und Pfundtaube.

Columba oenas Hohltaube; Kleine Holz- und Wildtaube, Loch-, Wald-, Fels-,
Böock- und Blautaube, lütt Hosduw.

¶ *Rasores* Scharrvögel

Phasianus colchicus Jagdfasan; Kupferfasan, Fasanenvogel, Edel- und böhmischer
Fasan, Phasian.

Perdix perdix Rebhuhn; Repp-, Feld-, Wild-, Ruf- und Raubhuhn, Rapp- und
Raubhaun, Hohn (pl. Heuner).

Coturnix coturnix Wachtel; Schlag-, Mohren-, Sand-, Kupfer- und Scharrwachtel.
Lagopus albus Moorschneehuhn; Grouse, Weiden-, Tal- und Morastschneehuhn,
weißes Birk-, Reb-, Wald- und Haselhuhn, Vennhuhn, Ellernhuhn, Schottenhuhn,
Hasenfuß.

Lagopus montanus Alpenschneehuhn; Berg- und Felsenschneehuhn, Steinhuhn,
Weißhuhn, Ptarmigan.

Tetrao urogallus Auerhuhn; Ur-, Wald-, Wall-, Gurgel-, Spill- und Riethahn,
wilder Hahn, Pechvogel, Bergfasan, großer Hahn, Ohr-, Alp-, Brom-, Holz-, Krugel-
und Federhahn.

Lyrurus tetrix Birkhuhn; Spiel-, Laub-, Moos-, Spiegel-, Schild-, Baum-, Moor-
und Brummhahn oder -huhn, Barkhaun, Leierschwanz, Kurre.

Tetrastes bonasia Haselhuhn: Rot- und Waldhuhn, Berg- und Waldhühnle, Hasel-
hinkel, Buchenhenn, Zarpe, Hjärpe, Alpenschneehuhn.

Rackelhuhn: Bastardauerhahn, Mittelwaldhuhn, Schnarchhuhn.

Haushuhn: Kambibele (hess.), Puttputt, Pipi (Kinderspr.), Hinkel, Mistkratzele
(bad.), Hahn, Gickel, Gockel, Gülle (schweiz.), Kikeriki · Kapphahn, Kapaun ·
Henne, Glucke · Küken, Schippchen.

Cursores Laufvögel.

Otis tarda Großtrappe; Trapp, Trappvogel, Trappgans, Trapphahn, Ackertrappe.
Grus grus Kranich; Kranch, Kreon, Scherian, Tsuri, Krannich, Kranig.

Otis tetrax Zwergtrappe; Kleintrappe, Trappenzwerg.

Scolopacidae Schnepfenvögel.

Scolopax rusticola Waldschnepfe; Stein-, Dorn-, Ried-, Holz-, Busch-, Gras- und Bergschnepfe, Schnepfhuhn, Blaufuß, Eulenkopf, Schneppe, Großschnepfe, Bekasse.

Gallinago media Doppelschnepfe; Bruch- und Mittelschnepfe, große Bekassine, Stickup, Dublette, Dreidecker, großer Gräser.

Capella gallinago Bekassine; Heer-, Herren-, Fürsten-, Moos- und Kätschschnepfe, Himmelsziege, Haberbock, -geiß und -zicke, Hätscher, Tschater, Schnibbe, Hawerblatt, Moorlamm, Schorrebock.

Limnocryptes minimus Zwergschnepfe; Haar-, Halb-, Pudel-, Moor-, Maus- und Fledermausschnepfe, stumme Schnepfe oder Bekassine, Stumme, Filzlaus, Haarpudel, Bockerle, Muusbekassin.

Limosa limosa Schwarzschwänzige Uferschnepfe; Storch-, See-, Geißkopf-, Lodjo- und Schwarzschwanzschnepfe, Sumpfwater, Osttüte, große Limose, groot Marling, Greta, Grütta · Rostrote Uferschnepfe, Pfuhlschnepfe, Leppländische und rostrote Schnepfe, kleine Limose, Fuchsschnepfe.

Numenius arquatus Großer Brachvogel; Kronschnepfe, Keilhaken, groot Reintüter, Bracher, Goiser, Güloch, Jütvogel, Gewitter- und Regenvogel, Regenwulz, Fastenschlier, Brach- und Sicherschnepfe, Feldmäher, Königs- und Kaiserschnepfe.

Burhinus oedicnemus Triel; Dickfuß, Nachttrappe, Glotzauge, Eulenkopf, Steingnodel, Griel, Klut, Erdbracher, Brachhuhn, Dick-Kule, dickbeinige Trappe, Grünschnäbler, Fastenschlyer.

Numenius phaeopus Regenbrachvogel; Kleiner Keilhaken oder Brachvogel, lütj Reintüter, Halbgrül, Kücker, Gäcker, Blaufuß, Wimgrell, kleine Kron- oder Regenschnepfe, Blaubeerschnepfe.

¶ *Limicolae* Sumpfvögel.

Tringa glareola Bruchwasserläufer; Giff und kleiner Weißsteiß.

Tringa hypoleucos Flußuferläufer; Strandpfeifer, trillernder und kleiner Wasserläufer, Sandläufer, Steinbeißer, Lyßkücker, Pfeiferle, Fisterlein, Knellesle, Steinpicker, Uferlerche, Bachpfeifer.

Tringa totanus Rotschenkel; Gambett-Wasserläufer, Tütschnepfe, Düttchen, Rotbein, rotfüßiger Wasserläufer, Züger, Blühe, Kleer, Pfeifer, Zürger, Zitterschnepfe.

Tringa erythropus Dunkler Wasserläufer; Schwarzschnepfe, Moorwasserläufer, großer Rotschenkel, swart Juhlgutt, Napoleonschnepfe, Viertelsgrül, Zipter.

Tringa nebularius Heller Wasserläufer; Glutt, Grünschenkel, großer Wasserläufer, Hemick, witt Juhlgutt, Pfeifschnepfe, Meerhuhn, Grünbein, Züger, Mattknillis, Sand- und Wasserschnepfe.

Tringa ochropus Waldwasserläufer; Getüpfelter, punktierter und grünfüßiger Wasserläufer, kleiner Grünschenkel, Grünfüßel, schwarzer Sandläufer, Schwalbenschnepfe, Weißarsch, Tluit, Wasserbekassine, Weißsteiß, Weißbürzel, Wittediewel, Schwarzflügel, Steingällel, Sievenwiewelken.

Philomachus pugnax Kampfläufer; Kampf-, Streit-, Kuller-, Burr-, Brauns-, Strauß-, Bruch- und Kludderhahn, Heidehuhn, Seepfau, Hausteufel, Renommist, Tanztaube, Krösler, Kampf-, Streit-, Strahl- und Brausekohlschnepfe, Mömck, Bruushöhn (Helgoland), Begine (Weibchen) und engl. Strandläufer (Jungvogel).

Calidris alpina Alpenstrandläufer; Meerlerche, Schwarzbrust, Schwarzbauch, Stenwick, Gropper, braunes Sandläuferchen, kleiner Krummschnabel, Schnepfensandläufer, Dunlin, Brünette.

Calidris maritima Seestrandläufer; Kanelk.

Calidris subarcuata Bogenschnäbliger Strandläufer; Rotbauch, ro⁺brüstiger Strandläufer, Zwergbrachvogel, Lerchenschnepfe, Rotbrustschneofe, großer Gropper.

Calidris minuta Zwergstrandläufer; Sandläuferchen, F r, Zwergreuter, kleine Meerlerche.

Calidris temmincki Lerchenstrandläufer; Kleinste Meerlerche, graues Strandläuferchen oder Naßler.

Limicola platyrhyncha Sumpfläufer; Zwerg- und Lerchenschnepfe, Schnepfenstrandläufer, Bastardbekassine.

Charadriidae Regenpfeifer.

Charadrius dubius curonicus Flußregenpfeifer; Sandkiebitz, Allerweltsvogel, lütj Küker, Grieshennel, Sandhühnchen und -vogel, Seelerche, Tullfiß, Geelfissel.

Charadrius hiaticula Halsbandregenpfeifer; Sandregenpfeifer, Strandpfeifer, Buntschnabel, Sandler, Kräglein, Grieslein, Griesläufer und -henne, Sand- und Kobelregerlein, Uferlerche, Oostvogel, Küker.

Charadrius apricarius Goldregenpfeifer; Tüte, Goldtüte, Brachhuhn, Brach- und Saatvogel, Welster, Heidenpfeifer, Fastenschleicher, Grillvogel, Dittchen, Dürten, Pardel, Pulros, Alwargrin, Pfeifschnepfe, Goldkiebitz, Seetaube, Keilhaken.

Charadrius squatarola Kiebitzregenpfeifer; Silber- und Schweizerkiebitz, Kaulkopf, witt Welster, Scheck, Buntschnepfe, Brachamsel.

Phalaropus lobatus Wassertreter; Odinshenne, Schwimmschnepfe, Schwimmstrandläufer, Eiskibitz, Wasserdrossel, Schwimm- und Wasserlerche, kleiner, grauer und rothalsiger Wassertreter.

Charadrius morinellus Mornellregenpfeifer; Düttchen, Sandhuhn, kleiner Brachvogel, Mornellchen, Mornellkiebitz, Bergschnepfe, Possenreißer, Pomeranzen- und Zitronenvogel, sibirischer und dummer Regenpeifer, Rauphähnel, Steintüter, Bierschnepfe.

Vanellus vanellus Kiebitz; Kiewitt, Piedewitt, Guibitz, Piewitz, Geisvogel, Gyfitz, Pardel, Feldpfau, Ziesitz, Riedschnepfe.

Himantopus candidus Stelzenläufer; Storchschnepfe, Strandreiter, Riemenfuß, Langbein, türkische Schnepfe.

Recurvirostra avosetta Säbelschnäbler; Säbelschnabel, Schustervogel, Avosette, Wassersäbler, Krumm- und Schabbelschnabel, Schäffelgreet, Lovogel.

Haematopus ostralegus Austernfischer; Strand- und Meerelster, Elsternschnepfe, See- und Wasserelster, Liiew, Meer- und Strandheister, Heisterschnepfe.

Crocethia alba Sanderling; Sandläufer, weißer Strandläufer, witt Stennick.

Glareola pratincola Brachschwalbe; Halsbandgiarol, Sand- und Brachflughuhn, Schwalbenstelze, Steppenralle, Steppenschwalbe, geflecktes Seerebhuhn.

Strepsilas interpres Steinwälzer; Seemannche, Scharik, Steindreher, Seemornell, Dolmetscher, Schwarzschnabel, Seelerche.

◖ Rallidae Rallenartige.

Fulica atra Bläßhuhn; Weißblässe, Rohr-, Wasser- und Moorhuhn, Bläßente, Böll-henne, Seeteufel, Horbel, Pfaff, Lietze, Hurbel, Waterhennick, Wasserrabe, Plärrer, Timphahn, Kritschäne, Blaßgieker, Zapp, Zopp, Bläßle, Bläßhendl, Bläßkater und -jakob, Blißnörke, Zabbe, Ducker, schwarzer Kasper, Schnärper.

Rallus aquaticus Wasserralle; Schwarzer Wassertreter oder Wasserstelze, Kasper, langschnäbliges Wasserhuhn, Asch- und Sammethuhn, blü Ackerhennick, Wasser-könig, Miethuhn, Blutschnepfe, Schnepferl, Teermann, schwarzer Wiesenknarrer.

Crex crex Wiesenralle; Wachtelkönig, Schnärz, Schnerper, Schnarrwachtel, Wiesen-sumpfhuhn, Wiesenschnarre, knarrendes Rohrhuhn, Tau- und Kornschnarre, Gras-rätsche, Heckschnärr, Arpschnarp, Ginsterralle, Mädderhex, alter Knecht, faule Magd, Kreßler, Ackerhennick, grauer Kaspar, Feldwächter, Wiesenläufer und -schnarcher, Grasrutscher, Knarrer, Eggenschär, Schoyk, Stroh- und G'hackschneider, Nachtschreier, Stosch, Grasschnepf, Sensenwetzer, Knecht mähl, Zütsche, Korn-hühnel, Snarrendart, Gerstenratzer.

Porzana porzana Tüpfelsumpfhuhn; Porzellanhühnchen, Perlenralle, Makosch, Winkernell, geflecktes und gesprenkeltes Rohr- oder Sumpfhuhn, kleines Wasser-hühnchen, Matkern, Waterküken, Blätterhendl.

Motthühnchen: Kleines Sumpf- oder Rohrhuhn, Mond- und Bruchhühnchen, Sumpfschnerz.

◖ Longipennes Seeflieger.

Laridae Möven.

Larus ridibundus Lachmöve; Haff-, Hut-, Kirr-, Fisch- und Speckmöve, Rot-schnabel und -bein, Braun- und Mohrenkopf, Seekrähe, Pfaff, Holbrod, Gyritz, Allenböck.

Larus minutus Zwergmöve; Kleine Möve · Sturmmöve, Wintermöve, graue und blaufüßige Möve, Sturm- und Stromvogel, Piepmöve.

Larus canus Sturmmöve; Winter-, blaue, graufüßige Möve, Piepmöve, Stromvogel.

Larus fuscus Heringsmöve; Korallen-, große Haff- und gelbfüßige Möve, kleiner Schwarzmantel, Ratsherr, braunfleckige Möve (Jugendkleid).

Larus marinus Mantelmöve; Fisch-, Gänse-, Falken- und Riesenmöve, große See-möve, großer Schwarzmantel, Wapel, Oberbürgermeister, Haffstrut.

Larus argentatus Silbermöve; Kobbe, Blaumantel, Raukallenbeck, Buttlaken, große Sturmmöve.

Larus glaucus Eismöve; Weißschwingige und Bürgermeistermöve.

Rissa tridactyla Stummelmöve; Dreizehn- und Fischermöve, Kittiwaka, Kutgejef, Wintermöve.

Stercorarius scua Skua; Große Raubmöve, groot Skeetenjoager, Riesenraubmöve, Port-, Egmonts-Henne.

Stercorarius parasiticus Schmarotzerraubmöve; Strandjäger, Skeetenjoager, Strunt- und Polmöve, Mövenbüttel, Nordvogel, Labbe, Jodieb, Scheißvogel, -falke.

Stercorarius cepphus Falkenraubmöve; Kleine lang- und lanzettschwänzige Raub-möve, lütj Skeetenjoager, kleiner Strunt- und Strandjäger, kleiner Labbe, Strand-falke, Kreischraubmöve, Patoffelmöve.

Hydrochelidon leucopareia Bartseeschwalbe; Bleigraue und Schnurrbartseeschwalbe.
Hydrochelidon leucoptera Weißflügelseeschwalbe; Weißschwingige Wasserschwalbe.

Hydrochelidon nigra Trauerseeschwalbe; Schwarze Seeschwalbe, Schwarz- und Amselmöve, Spaltfuß, Mübeßlin, Brand- und Maivogel, Girr- und Maimöve, lütj swart Kerr, Kleinmövchen, Blaubacker, schwarte Bicker.

Sterna albifrons (minuta) Zwergseeschwalbe; Kleine Fisch- und Schwalbenmöve, kleines Fischerlein, lütj Kerr, Steenbicker, lütje Backer, Plitik, Schirtmöve.

Sterna hirundo Flußseeschwalbe; Spieß-, Rohr- und Schwalbenmöve, Rohrschwalm, Schwarzkopf, Spierer, Schirring, Tärne, Tänner, Seekrähe, Allenbeck, Krija, Fischmeise, Kirre, Pinkmeev, Kasteen.

Sterna paradisea Küstenseeschwalbe; Bößzicker, nordische, arktische oder silbergraue Seeschwalbe.

Sterna nilotica Lachseeschwalbe; Lunkerr, kleine Lachmöve, englische, baltische oder dickschnäblige Seeschwalbe, Acker- und Spinnenmeerschwalbe.

Sterna cantiaca Brandseeschwalbe; Kentische und Sandwich-Seeschwalbe, Haffzicker.

Sterna paradisea Paradiesseeschwalbe; Dougalls Seeschwalbe.

Sterna tschegrava Raubseeschwalbe, Kreisch- und Wimmermöve, groot Kerr, große Haffbacke, Tiarenk.

Procellaria laricollor Eissturmvogel; Fulmar, Mallemucke, Seepferd.

Hydrobates thalassidroma Petersvogel; Kleine Sturmschwalbe, Peters Läufer, Mutter Kareys Henne, lütj Stoarmswoalk, Orkanmövchen, Sturmfink, Zwergsturmvogel, Petrell, Sturmverkünder, Ungewittervogel.

Puffinus vulgaris Wasserscherer; Marmuck, Tauchersturmvogel, Puffin.

❡ *Colymbidae* Taucher.

Columbus arcticus Polartaucher; See- und Meergans, schwarzkehliger Taucher, Fensterflügel, Polarente und -lumme, Ostseetaucher, gestreifte Halbente, gesprenkelter Lom, Lump, Lomme, Seehahntaucher, Seebull, doppelter Schrömer, Aalraw.

Urinator septentrionalis Nordsee-Taucher; Rotkehliger Taucher, Schremel, Aalschrowel, rothalsige Lumme, Ententaucher, Sternlumme, gesprenkelter Seetaucher.

Urinator glacialis Eistaucher; Große Meergans, Imber- und Immertaucher, isländischer, schwarzköpfiger und schwarzhalsiger Seetaucher, Seehahn-, Winter-, Halsband- und Riesentaucher, Meernöhring, Hymber, Hymbrine, Imbergans, großer Seefluder, Adventsvogel, Studer, Schnurrganz, Loom.

Podiceps cristatus Haubentaucher; Kronen-, Kragen-, Kappen-, Kobel-, Straußund Erztaucher, gehörnter Seehahn, Seedrache und -teufel, Meerhase und -rachen, Arschfuß, Schlaghahn, Blitzvogel, Fluder, Lorch, Zorch, Merch, Noricke, Nericke, Work, Rug, Rurch, Deuchel, Düchel, Tunker, Greve, Greben, großer Lappentaucher, Erztaucher, Ötzer, Rohatsch.

Podiceps ruficollis Rothalstaucher; Graukehliger und kurzschopfiger Steißfuß oder Taucher, Hengst- und Ruchtaucher, Siedn, Kastanienhals, Pausbackenvogel.

Columbus cornutus Horntaucher; Ohren- und Hornsteißfuß, gehörnter Lappentaucher, kleiner Krontaucher, nordischer Taucher, Ötzer.

Podiceps nigricollis Schwarzhalstaucher; Goldohr, Duchente, geöhrter Lappentaucher, Schwarztaucherle, Käferentle, Rohrhacker.

Columbus minor Zwergtaucher; Zwergsteißfuß, kleiner Lappentaucher, Tauchentlein, Lütj Siede, Kastanien-, Fluß-, Sumpf- und schwarzer Taucher, Ducker,

Plümple, Haar- und Käferentchen, Tunkentli, Müderli, Grundruch, Zwergpierkenküken, Pürkügel, Buttarsch, Schrotbeutel.

Uria lomvia Trottellumme; Gemeine, schmalschnäbelige und dumme Lumme, Troillumme und -taucher, Lomb, Lorm, dummes Tauchhuhn, Tauchermöve, Mövenschnabel, Mallemuk, Meerschnäbler.

Uria cepphus Gryllteist; Teiste, schwarze Lumme, Rotjer, Gryll-Lumme und -taucher, Taubenlumme, grönländische Taube, Stechente, Kajuhrvogel.

Mergulus arcticus Krabbentaucher; Krabben- oder Alkenlumme, Zwergalk und -Lumme, kleine Seetaube, Trollvogel, Murre, Rotter, Alkenkönig, Peter Drikker, lütj Dogger.

Fratercula arctica Lund; Papagei- und Larventaucher, Brüderchen, Buttelnase, Meer- und Seepapagei, Weißlack, Mormone, Buttelstampfe, Goldkopf, Polarente, Mönch, Stumpf-, Pflugscharnase.

Alca torda Tordalk; Eis- und Heisteralk, Alike, Klubulk, Scher- und Schermesserschnäbler, Korrid (Sommerkleid) und Dogger (Winterkleid) ⁅ Albatros.

⁅ Außereuropäische und Exoten:

Hydrobatinae Sturmschwalben · Sturmsegler · Meerläufer ⁅ *Steganopodes* Ruderfüßer · *Phaëton* Tropikvogel ⁅ *Plotus rufus* Schlangenhalsvogel ⁅ *Fregata* Fregattvogel ⁅ *Pelicanus* Pelikan ⁅ *Canchroma* Kahnschnabel · *Balaeniceps* Schuhschnabel („Abu Markúb") ⁅ *Scopus* Schattenvogel ⁅ *Lepteptilus* Marabu · *Pseudotantalus* Nimmersatt · *Ibis* Heiliger Ibis · *Phoenicopterus* Flamingo · *Phoen. rosus* Rosenroter Flamingo · *Palamedeae* Wehrvögel, Hornwehrvögel ⁅ *Sarcorhamphus* Kondor ⁅ *Serpentarius* Sekretär · *Gypaëtus barbatus* Lämmergeier ⁅ *Helotarsus* Gaukler ⁅ *Thrasaëtus* Harpyie ⁅ *Megapodiidae* Wallnister · *Megapodius* Furbelwallnister oder Großfußhühner ⁅ *Chionis* Seidenschnabel ⁅ *Glareola pratincola* Brachschwalbe · *Cursorius* Wüstenläufer ⁅ *Rhynchops* Scherenschnabel ⁅ *Musophagidae* Pisang- oder Bananenfresser · *Turacus* Helmvogel · *Musophaga* Bananenfresser · *Schizorhis* Lärmvogel · *Psittaci* Papageien · *Loriinae* Loris · *Cyclopsittacinae* Rundschnabelpapageien · *Stringopinae* Eulenpapageien · *Cacatuinae* Kakadus · *Calopsittacus* Nymphensittich · *Conuropsis* Karolinasittich · *Ara militaris* Soldatenara · *Melopsittacus* gem. Wellensittich · ⁅ *Trochilidae* Kolibris · *Trochilus* gem. Kolibri · *Topaza pella* Topaskolibri · *Heliothrix* Blumenküsser ⁅ *Bucconinae* Faulvögel · *Malacoptila fusca* Gemeiner Trappist · *Indicator indicator* Honiganzeiger · *Rhamphaotos* Pfefferfresser (Tukane) · *Cotingidae: Procnias nudicollis* Glockenvogel · *Funarius: Funarius rufus* Töpfervogel · *Menuridae* Leierschwänze · *Ploccidae* Webervögel · Zebrafink · Amarant · Astrild · Paradieswitwe · *Nectariniidae* Honigsauger.

⁅ *Mamalia* Säugetiere, Säuger.

Monotremata: Kloakentiere · *Echidnidae:* Schnabeligel, Ameisenigel, Haarigel · *Ornithorhynchidae* Schnabeltiere.

Marsupialia Beuteltiere · *Polyprotodontia:* Vielvorderzähner · Beutelratten · *Didelphys virginiana* Oppossum · *Dasyuridae:* Raubbeutler · Ameisen-Spitzbeutler · Beutelspitzmäuse · *Dasyurus:* Beutelmarder · Bärenbeutler, Beutelteufel · Beutelwolf, Zebra- oder Beutelhund · Beutelmaulwurf, Beutelmull · Beuteldachse, Nasenbeutler · Schweinsfuß, Stutzdeutler · *Diprotodontia:* Zweivorderzähner · Rüsselbeutler · Kleinbeutler · Schlafmausbeutler · Flugbeutler, Beuteleichhörnchen · Fuchskusu, Beutelfuchs · Beutelbär · *Macropodidae:* Springbeutler · Greiffußhüpfer · *Macropodinae* Känguruhs · Hasenkänguruh, Hasenspringer · Brillen-känguruh.

Monodelphia (Placentalia):

Insectivora Insektenfresser, Kerfjäger · *Centetidae* Borstenigel · *Potamogalidae* Otterspitzmäuse · *Chrysochloridae* Goldmulle · Hottentottenmull · *Soricidae* Spitz-mäuse · *Sorex araneus* Waldspitzmaus · *Sorex alpinus* Alpenspitzmaus · *Sorex minutus* Zwergspitzmaus · *Neomys fodiens* Wasserspitzmaus · *Crocidura russulus* Hausspitzmaus ❡ *Talpidae* Maulwurfartige · *Talpa europaea* Maulwurf, Mull, Mulworm (Pomm.) ❡ *Erinaceinae* Igel · *Erinaceus europaeus* Igel, Ilk, Swinegel, Tunegel (Hann.) ❡ *Macroscelidae* Rüsselspringer · Elefantenspitzmaus · Rüssel-hündchen ❡ *Tupaiidae* Spitzhörnchen.

Dermoptera Pelzflatterer · Flattermaki.

Chiroptera Flattertiere, Handflügler ❡ *Macrochiroptera* Flughundartige · Flug-hunde, Flugfüchse.

Microchiroptera Fledermäuse, Kleinflatterer.

Rhinopomidae Klappnasen, Langschwanzfledermäuse · *Emballonuridae* Glattnasige Freischnauze · Taschenfledermäuse · Grabflatterer · *Noctiliomidae* Hasenmaul-flatterer, Fischfledermäuse · *Phyllostomidae* Blattnasen, Vampire · Blutsauger · *Rhinolophidae* Hufeisennasen · *Rhinolophus hipposideros* Zwerghufeisennase · *Rhinolophus ferrum-equinum* Große Hufeisennase · *Vespertilionidae* Glattnasen · *Barbastella barbastellus* Mopsfledermaus · *Plecotus auritus* Graufledermaus, Groß-ohr, Langohr · *Pipistrellus pipistrellus* Zwergfledermaus, Buschsegler · *Pterygistes noctula* Waldfledermaus, Abendsegler, Waldsegler, Frühfliegende · *Eptesicus serotinus* Spätfliegende Fledermaus · Kletterfledermaus · Röhrennase · *Leuconoë daubentoni* Wasserfledermaus, Rotkurzohr · Mausohren · *Myotis myotis* Mausohr, Gemeine Fledermaus, Großer Nachtschwirrer, Riesenfledermaus ❡ *Tubulidentata* Röhrchenzähner · *Orycteropodidae* Erdferkel.

Pholidota Schuppentiere ❡ *Xenarthra: Dasypodidae* Gürteltiere · Kugelgürtel-tier · Gürtelmulle · Gürtelmaus · Mantelgürteltier, Schildwurf ❡ *Myrmecophagiadae* Ameisenfresser · *Myrmecophaga tridactyla* Großer Ameisenbär (Yurumi) ❡ *Bra-dypodidae* Faultiere · *Bradypus tridactilus* Dreizehenfaultier.

Rodentia Nagetiere, Nager.

Duplicidentata Doppelzähner ❡ *Ochotonidae* Pfeifhasen ❡ *Leporidae* Hasen ❡ *Oryctolagus* Kaninchen, Karnickel · *Oryctolagus cuniculus* Hauskaninchen: Englische Schecken, Holländer, Angorakaninchen, Widderkaninchen, Belgische Riesen (Pelze daraus: Seelöwe, Alaskalöwe, Chinchilla, Kaninnerz) · *Lepus arcticus* Polar-Schneehase, arktischer, weißer Hase · *Lepus timidus* Nordischer Schnee-hase · *Lepus varronis* Alpenschneehase · Lepus europaeus Feldhase, Lampe (Ramm-ler, Häsin oder Satzhase · Dreiläufer).

Simplicidentata Einfachzähnige.

Caviidae Meerschweinchenartige · *Cavia porcellus* Meerschweinchen (Strupp- und Angorameerschweinchen) ❡ *Coëndidae* Baumstachelschweine, Baumstachler · Quastenstachler · Greifstachler ❡ *Hystricidae* Erdstachelschweine · *Hystrix cristata*: Stachelschwein ❡ *Octodontidae* Trugratten ❡ *Myocastor coypus* Biber-ratte, Sumpfbiber, Nutria (= Otter) ❡ *Pedetidae* Springhasen ❡ *Jaculidae* Springnager; Springmäuse · Pferdespringer ❡ *Siciste subtilis* Streifen- oder Birken-maus ❡ *Geomydae* Taschenratten.

Muridae Mausartige Nager ¶ *Microtinae* Wühlmäuse ¶ *Elobius talpinus* Mülllemming . *Lemmus lemmus* Berglemming ¶ *Fiber zibethicus* Bisamratte, Ondatra · *Arvicola terrestris* Wasserratte, Scher-, Reut-, Hamster- und Mollmaus, Kanalforelle ¶ *Microtus agrestis* Erdmaus ¶ *Microtus arvalis* Feldmaus ¶ *Evotomys hercynicus* Waldwühlmaus, Rötelmaus ¶ *Cricetinae* Hamster (Cricetus) ¶ *Murinae* Echte Mäuse ¶ *Epimys rattus* Hausratte ¶ *Epimys norwegicus* Wanderratte ¶ *Mus musculus* Hausmaus, Mus ¶ *Mus silvaticus* Waldmaus ¶ *Micromys agrarius* Brandmaus, Zwergmaus ¶ *Micromys minutus* Echte Zwergmaus ¶ *Myoxinae* Schlafmausartige oder Bilche ¶ *Glis glis* Siebenschläfer, Bilch ¶ *Dryomys nitedula* Baumschläfer ¶ *Eliomys quercinus* Gartenschläfer, Gartenbilch, Große Haselmaus, Nitela ¶ *Muscardinus avellanarius* Haselmaus, Mausbilch.

Castoridae Biberartige ¶ *Castor fiber* Biber ¶ *Aplodontidae* Biberhörnchen ¶ *Sciuridae* Hörnchenartige ¶ *Marmota marmota* Alpenmurmeltier, Alpenmaus, Murmeltier, Mankei, Murmeli, Murmentli, Mistbelleri, Marbetle, Munk ¶ *Oynomys socialis* Präriehund ¶ *Citellus citellus* Ziesel (der oder das) ¶ *Sciurus vulgaris* Eichhorn, Eichkatze, -kätzchen (Feh) · Kateger, Katzelgeken (Hann.) ¶ *Sciuropterus russicus* Flughörnchen.

Carnivora Raubtiere ¶ *Viverridae* Schleichkatzen ¶ *Mungo ichneumon* Ichneumon ¶ *Mungo mungo* Mungo, Manguste ¶ *Hyänidae* Hyänen ¶ *Felidae* Katzen · *Felis leo* Löwe; Berberlöwe, Senegallöwe, Somalilöwe, Massailöwe, Perserlöwe · *Felis tigris* Königstiger · Ineltiger; Ostsibirischer Tiger · *Felis concolor* Puma · Silberlöwe · *Felis pardus* Leopard · *Felis onza* Jaguar · *Felis silvestris* Wildkatze, Kuder · *Felis ocreata* Falbkatze · *Felis ocreata domestica* Hauskatze · Angorakatze, Mankatze (Stummelschwanzkatze) · Kartäuserkatze; (Busi, Kitze (Hann.), Miau, Mieze; Kater, Bolgen (Hann.), Mallert, Murner, Murr, Rolli); Siamesenkatze ¶ *Lynx lynx* Luchs ¶ *Canidae* Hundeartige · (Junge Caniden: Welpen) ¶ *Canis vulpes* Fuchs, Rotrock, Reineke, Henabua, Henading, Henaloinl, Lis, Loinl · Füchsin: Fähe · Silberfuchs, Kreuzfuchs · Schakal ¶ *Canis lupus* Wolf, Isegrim ¶ *Canis familiaris* Haushund; Kläffer, Köter, Rôe (Hann.), Tewe (Hann.); Hündin: Lärge (schles.), Läutsch (schweiz.), Petze, Tache, Tachel (Hann.), Tebe, Tiffe, Töle, Zaupe, Zohe, Zuppe · Kleiner Hund: Zipp (Hann.) · *Hunderassen:* Torfspitz; Schlittenhund; Dogge; Hirtenhund; Jagdhunde; Schäferhunde · Windhunde, Windspiel · Bernhardiner · Bracke · Boxer · Bullenbeißer · Colly · Dackel (Teckel) · Dobermann · Dogge · Foxl · Mops · Neufundländer · Pinscher · Pudel · Rüde · Scherenschleifer · Schnauzer · Setter · Spaniel · Stöber · Spitz, Pommer, Sprolen (siegerld.) · Terrier · Vorstehhund · Dingo (Austral.) ¶ *Mustelidae* Marder · *Martes martes* Edelmarder ¶ *Martes foina* Steinmarder ¶ *Martes zibellina* Zobel ¶ *Mustela putorius* Iltis, Stinkmarder ¶ *Mustela putorius furo* Frett, Frettchen ¶ *Mustela nivalis* Wiesel ¶ *Mustela erminea* Hermelin ¶ *Mustela lutreola* Nerz, Nörz ¶ *Mustela sibirika* sibirischer Nerz ¶ *Meles meles* Dachs, Grimbart ¶ *Lutra lutra* Fischotter ¶ *Procyonidae* Kleinbären ¶ *Procyon lotor* Waschbär ¶ *Ursidae* Bären · Mutz · *Ursus arctos* Landbär · *Ursus horribilis* Grizzlibär · *Ursus maritimus* Eisbär.

Pinnipedia Robben, Flossenfüßer ¶ *Ennetopias jubatus* Stellers Seelöwe ¶ *Otaria byronia* Mähnenrobbe, Seelöwe ¶ *Arctocephalus ursinus* Seebär, Bärenrobbe ¶ *Phocidae* Seehunde ¶ *Halichoerus grypaps* Kegelrobbe · *Phoca vitulina* Gemeiner Seehund · *Phoca hispida* Ringelrobbe ¶ *Phoca groenlandica* Sattelrobbe ("Winterseehunde", "Russenseehunde") ¶ *Cystophora cristata* Klappmütze, Mützenrobbe ¶ *Macrorhinus* Elefantenrobbe, Rüsselrobbe, See-Elefant ¶ *Odobenidae* Walrosse · *Odobenus* Walroß, Morse.

Cetacea Wale ❡ *Odontoceti* Zahnwale ❡ *Platanista gangetica* Schnabeldelphin ❡ *Delphinidae: Delphinus delphis* Delphin, Schweinsfisch ❡ *Tursiops tursio* Tümmler, Taumler, Großer Tümmler ❡ *Orcinus orca* Schwertwal ❡ *Phocaena phocaena* Tümmler · *Monodon monoceros* Narwal · *Physeter catodon* Pottwal (Amber, Ambra, Walrat) · *Hyperoodon ampullatus* Entenwal, Dögling.

Mysticeti Bartenwale ❡ *Balaenoptera acuto-rostrata* Zwergwal ❡ *Balaenoptera physalus* Finnwal ❡ *Balaenoptera musculus* Blauwal ❡ *Balaena mysticetus* Grönlandwal, Glattwal.

Proboscidea Elefanten, Rüsseltiere, Rüsselträger (Mammut) ❡ *Loxodonia africana* Afrikanischer Elefant ❡ *Elephas maximus* Indischer Elefant, Jumbo · Mammut · Mastodont ❡ *Sirenia* Sirenen, Seekühe.

Ungulata Huftiere.

Hyracoidea Klippschliefer · Baumschliefer ❡ *Artiodactyla* Paarhufer ❡ *Nonruminantia* Nichtwiederkäuer: *Suidae* Schweine · *Sus scrofa* Wildschwein (Keiler, Bache, Frischling) ❡ Wildschwein · Eber, Frischling, Überläufer, Kämpe, Keiler, Spießer · Wildsau, Lehne · Hausschwein: Polnisches Schwein; Hannöversch-braunschweigisches Landschwein; kleinohriges chinesisches Schwein; Deutsches Edelschwein · Deutsches veredeltes Landschwein · Borstenvieh, Hütschi, Pock, Polk, Säckl, Wutz · Bär, Baier, Barch (verschnitten), Eber, Hacksch, Hauer, Kämpen, Keiler, Mohr, Saubär, Watz · Bache, Docke, Kosel, Lehne, Loose, Muck(e), Mutt, Range, Säg, Sau; Gelze, Spansau, Hutzifackl (bayr.) · Ferkel, Spanferkel, Nutscher, Buzele, Faggeli, Fasel, Läufer, Milchsäule, Sugerle (schwäb.), Faselschwein; Hannover: Farken (bis zu 10 Wochen), Stangen (von da bis zu einem halben Jahr), Geldjen (bis zum Ferkeln), Schößling (¹/₂ Jahr, Hessen), Sprenger (Hessen: 6—8 Wochen, angehendes Schwein 2 Jahre, hauendes Schwein 3—4 Jahre), Hauptschwein · kastriert: männlich: Borg, Bork, Bark; weiblich: Nonne.

Hippopotamidae Flußpferde ❡ *Choeropsis liberiensis* Zwergflußpferd ❡ *Hippopotamus amphibius* Flußpferd, Nilpferd, Schwabbel, Knautschke.

Ruminantia Wiederkäuer ❡ *Camelidae* Kamele · *Camelus dromedarius* Dromedar · *Camelus bactrianus* Zweihöckeriges Kamel ❡ *Lama glama* Lama ❡ *Cervidae* Hirsche · Edelhirsch · Hinde · Damhirsch · 1 Jahr alt: Kalb · Spießer; 2 Jahre alt: Gabler; 3 Jahre alt: Sechsender · Platzhirsch ❡ *Capreolus capreolus* Reh · Rehbock; Schmalreh, Rehlamm, Hippel, Hitjen (Hann.) · Rehkitz · Ricke ❡ *Alces* Elche · *Alces alces*, Europäischer Elch · Elchbulle, Elchkuh ❡ *Rangifer tarandus* Renntier, Renn ❡ *Dama dama* Damhirsch ❡ *Cervus canadensis* Wapitihirsch · *Cervus elaphus* Edelhirsch ❡ *Giraffa camelopardalis* Giraffe ❡ *Bovidae* Horntiere · Buschbock · Antilope ❡ *Taurotragus oryx* Elenantilope, Riedbock · Wasserbock · Pferdeantilope · Säbelantilope · Hartebeest · Gnu · Echte Antilope · Gazelle · Springbock ❡ *Rupicapra rupicapra* Gemse, Gams · Gamsbock · Hausschaf: Milchschaf · Heidschnucke · Merinoschaf ❡ *Ovidae* Schafe: Betzer, Hammel, Schafbock, Schöps, Stär, Suggel, Widder; Aue, Mutterschaf; Lamm · Gugnako · Mufflon · Thar (Indien) ❡ *Capra* Ziege · Steinbock; *Capra ibex* Alpensteinbock · Hausziege, Meckmeck, Mick; Bock, Geißbock, Alpakaheppe, Hermen, Ramm, Rammbock, Ziegenbock; Geiß, Hippe, Hitte, Ziege; Hettel, Kitz, Kitze, Schnucke ❡ *Ovibos* Moschusochse ❡ *Boves* Rinder · Büffel: Hausbüffel, Kaffernbüffel · Hausrind: (Auerochse, Ur) · Damara-Rind; Steppenrind · Ostfriesen; Simmentaler · Allgäuer · Frankenvieh · Alpenvieh · Rind · Rindvieh, Muh · Bulle, Fasen, Fissi, Stier, Ochse, Molle, Muni (bad.), Geltling · Farren · Kuh, Kros (Pomm.) ·

Sterke · Färse; Kalb, Anbinner (Hann.); Buschi, Busel, Hummel, Johriget (Hann.), Muschchen, Reibling · Büffel · Zebu ⁋ *Bison bonasus* Wisent · *Bison bison* Bison. *Perissodactyla* Unpaarhufer ⁋ *Rhinozeros unicornis* Indisches Nashorn · Panzernashorn · Tapier ⁋ *Equus zebra* Zebra ⁋ *Equus asinus africanus* Nubischer Wildesel ⁋ *Equus asinus* Hausesel, Langohr, Grautier · Eselhengst + Pferdestute = Maultier, Muli; Pferdehengst + Eselstute = Maulesel ⁋ *Equus equus* Pferd · Spanisches, arabisches, englisches Vollblut · Ostpreußen · Hannoveraner · Oldenburger · Kaltblut usw. · Bock · Bukephalus · Gaul · Gefechtsesel · Hafermotor · Hottebrr · Hottehü · Houynhnhun (Swift, Gulliver) · Klafter (altes Pferd) · Klepper · Jubelkuh · Kloben · Kracke · Mähre · Mustang · Pegasus · Renner · Rennpferd · Rosinante · Roß · Saumroß · Schinder · Zelter · Zosse. — Gurre, Heiß, Hengst, Körhengst · Geltling, Lepper, Wallach · Stute, Môrperd (Hann.) · Fohlen, Füllen: Gisemann, Hischen, Hischmann (Hann.) · Falber · Fuchs · Jucker · Pony · Rappen · Schecke · Schimmel.

Prosimiae: Halbaffen · Maki · Lori.

Simiae: Affen · Callithrix: Pinseläffchen · Spring-, Nachtaffen · Schlaffschwänze · Brüllaffen · Meerkatzen · Rhesus-Äffchen ⁋ *Papio hamadryas* Mantelpavian, Waldteufel · Babuin · Mandrill.

Pongidae Menschenaffen: *Pongo* Orang-Utan · *Pan chimpanse* Schimpanse · *Gorilla* Gorilla.

Anthropinae: Pithecanthropus erectus · Homo primigenius · Homo sapiens Mensch.

10. Tierzucht. *s. Tierwohnungen 17. 1.*

abrichten · bändigen · domestizieren · dressieren · herabzüchten · kreuzen · pflegen · verbessern · veredeln · warten · zähmen · züchten · zureiten · das Blut auffrischen · aufkreuzen ⁋ abrichtbar · dressierbar · gelehrig ⁋ bukolisch, pastoral ⁋ Kunstreiter · Tierbändiger, Dompteur · Züchter · Cowboy · Hirte · Schäfer ⁋ Reitbahn · Reitschule · Zirkus ⁋ Wildbahn ⁋ Aquarium · Brutanstalt · Farm · Fasanerie · Gestüt · Hühnerhof · Käfig · Menagerie · Stall · Vogelbauer · Vogelhecke · zoologischer Garten, Zoo, Tiergarten, Tierpark ⁋ Brut · Kreuzung · Paarung · Haustier · Zuchttier · Bastard, Halbblut, Mischling · Viehstand · Viehstock ⁋ Viehfutter *s. essen 2. 26* ⁋ Anzucht · Aufzucht · Dressur · Reinzucht · Zucht.

11. Tierkrankheiten.

Bräune · Kog, Schelm (Vieh) · Kolik · Mauke (Pferd) · Maul- und Klauenseuche · Ohrenzwang · Pips · Räude (Hund) · Rotlauf · Rotz (Pferd) · Staupe (Hund) · Viehseuche ⁋ Tierarzt · Veterinär ⁋ Tierheim.

12. Jagd. *s. töten 2. 46.*

ausrotten · erlegen · fangen · harpunieren · hetzen · jagen · pürschen · angeln · fischen · wildern ⁋ Förster · Jäger · Nimrod · Weidmann · Fallensteller · Schütze · Sonntagsjäger · Wildschütz · Trapper · Treiber · Angler · Fischer · Falkner · Wilderer · Aasjäger · Meute ⁋ Ansitz · Anstand · Kanzel ⁋ Angel · Elger (für Aalfang) · Reuse · Lasso · Netz · Schlinge · Falle ⁋ Gehege · Wild(pret) ⁋ Beize, Falknerei · Birsch (Pürsch) · Halali · Hatz · Hetzjagd · Jagd · Jagdruf · Jagdwerk · Jägerei · Parforcejagd · Strecke · Treibjagd · das edle Weidwerk.

13. Mensch. s. *Mitbürger 16. 4—6.*

anthropomorphisieren · personifizieren · verleiben · vermenschlichen · menschliche Gestalt beilegen ⁋ allgemeinmenschlich · anthropomorph · erdgeboren · ewigmenschlich · irdisch · menschlich · staubgeboren · menschenähnlich ⁋ Einer · Einwohner · Erdbewohner · Erdenbürger · Erdenkloß · Erdensohn · Erdenwurm · Geschöpf · Jemand · Individuum · Mensch · Mitmensch · Person · Persönlichkeit · Seele · Staubsohn · Sterblicher · Subjekt · menschliches Wesen · Herr der Schöpfung · Krone der Schöpfung ⁋ Generation · Geschlecht · Bevölkerung · Gesellschaft · Leute · Menschheit · Publikum · Völker · Welt ⁋ Anthropologie · Ethnographie, Ethnologie, Völkerkunde · Menschenkunde · Psychologie.

14. Mann. s. *Jugend 2. 22. zugehörig 4. 48. Einwohner 16. 4. Fremder 16. 5. Gatte 16. 11. Junggeselle 16. 12.*

männlich · maskulin · viril ⁋ -erich · *Masculinum* ⁋ Bursche · Er · Herr · Kerl · Mann · Mannsbild · Männchen · Vertreter · Milcher (Fisch) · Herr der Schöpfung ⁋ Männerwelt · das starke Geschlecht ⁋ Männlichkeit.

15. Weib. s. *Jugend 2. 22. Liebe 11. 53. Verwandte 16. 09. Gattin 16. 11.*

fraulich · jungfräulich · mädchenhaft · weiblich · weibisch ⁋ -in · -erin · -sche z. B. die Müllersche = Frau Müller (mitteldt.) · *Femininum* ⁋ Besen · Dame · Dirn · Frau · Frauennatur · Frauenwesen · Frauenzimmer · Fräulein · die Gnädige · Ische · Jungfer · Jungfrau · Lady · Madame · Mädchen · Mädel · Mägdelein · Maid · Mamsell · das Mensch · Miesel (Goethe) · Miß · Nymphe · Person · Pussel · Rechen · Rippe · Scherbe (al.) · Schickse · die Schönen (18. Jh.) · Sie · Stück · Weib · Weibchen · Weibsbild · Weibstück · Weibsmensch · Wittib · Witwe · Rogner (Fisch) · Schmaltier · die Krone der Schöpfung · ein Wesen ⁋ das Ewig-Weibliche · das schöne, schwache, zarte Geschlecht · die holde Weiblichkeit ⁋ bunte Reihe.

16. Körperteile. s. *Speisen 2. 27.*

Körper · Leib · Gebäude (jäg.) · Rumpf · somatisch ⁋ Bein · Flechse, Gelenk, Gebeine · Gerippe · Knochengerüst · Knorpel · Mark · Rippe · Sehne · Skelett · Wirbel ⁋ Fleisch · Muskel · Muskulatur · muskulär ⁋ Feist (jäg.) · Fett · Inselt (jäg.) · Speck · Talg · Weiß (jäg.) ⁋ Nerven · Sehnen · Drüsen ⁋ Blut · Schweiß (jäg.) ⁋ Balg · Decke (jäg.) · Epidermis · Fell · Haut · die Pelle · Pelz · Schale · Schwarte · Vließ · kutan ⁋ Behaarung · Haar · Flausch · Mähne · Wolle · Zotte · Borten · Federn · Gefieder · Bast · Gehääre · Schürze · Grannen ⁋ Ader · Blutgefäß · Vene · arteriell · intravenös ⁋ Extremitäten · Glied · Gliedmaßen ⁋ Kopf · Ballon · Batterie · Birne · Dach · Dez · Domino (els.) · Fernzel (Odenwald) · Gedankenscheune · Grind · Grützkasten · Haupt · Hirnkasten · Hirnschädel · Hirnschale · Kabbes (rhein.) · Keeg (berl.) · Knern · Kohlrabi (mil.) · Kopf · Kübel · Melone · Molle · Nischel · Platte · Quadratschädel · Rubel (schwäb.) · Schädel · Simri · Sumser (bayr.) ⁋ Gehörn · Gestänge · Geweih · Gewaff · Gewehr · Gezier · Aufsatz · Krickel · Krücke · Rosenstock · Gewicht · Horn · Krone · Enden · Sprosse · Achter · Sechser usw. · Schaufeln · Spieß · Stange ⁋ Frisur · Locke · Mähne · Künstlermähne · Peies · Rolle · Sardellen · Scheitel, Lausallee, Durchzieher, Poposcheitel · Schopf · Skalp · Struwel-, Wuschelkopf · Titus · Tolle · Schmalztolle · Zopf, Wilhelm · Hängezöpfe · Herrenschnitt · Innen-, Außenrolle · Dutt · Strizzel · Perücke, Katerl (österr.) · Atzel · Toupet · Bubikopf, Page · Schnecken · Gretchen · Tonsur *s. Glatze 2. 41.* ¶ Brägen · Gehirn · Hirn · zerebral ¶ Angesicht · Antlitz · Fassade · Flabbe · Fratze · Fresse · Gesicht · Miene · Physiognomie · Visage · Zifferblatt · fazial ¶ Stirn · frontal ¶ Schläfe ¶ Backe · Wange · Kiefer, Kinnlade ¶ Mund: Briefkasten · Brotladen · Brutsche · Flabbe · die Foz'n (bayr.) · das Gefräß · Freßlade · die Fresse · Futterluke · Freßmaschine · Geäse (jäg.) · die Gosche (alem.) · Haffel (nd.) · Klappe · Labbe · Lefze · Ledsche (schwäb.) · Lippe · Maul · Muffel, Fang · Muppe (schles.) · Nuge · Nusche (berl.) · Pee · Rachen · Raffel · Reisetasche · Schnabel, Stecher · Schnull (alem.) · Schnauze · Schneuel · Schnure (alem.) · Schnute · oral ¶ Gebiß · Geäse, Äser (jäg.) · Beißer · Gewehr, Häderer, Hauer, Haken (jäg.) · Zahn · Schippe · Backenzahn, Stockzahn · Milchzahn · Weisheitszahn · Wurzel, Stumpen · dental · Zunge · Graser, Lecker, Waidlöffel · linguar · Gaumen · palatal ¶ Kinn ¶ Bart · Flaum · Henri IV. · Knebel · Spitzbart · Koteletten · Mücke · Schnauz (alem.), Schnurrbart, Schnurres (hess.) · Zahnbürste · zugewachsene Oberlippe · Backenbart, Bettvorleger, Biber, Kinnmatratze, Oberförster, Fußsack, Gesichtspersianer, Rauschebart, Sauerkohl, Weihnachtsmann · Manneswürde ¶ Auge · Fenster (jäg.) · Gucker · Licht (jäg.) · Scheinling (rotw.) · Seher (jäg.) · Sperrhölzer · Sterne · okular · Braue · Lid · Wimper · Hornhaut · Linse · Bindehaut · Sehnerv · Netzhaut · blinzeln ¶ Nase: Ballon · Gesichtserker · Giebel · Glühbirne (berl.) · Gurke · Helmspitze · Kiemen · Knospe · Kartoffel · Kolben · Kuse · Lichterträger · Löschhorn · Muffer · Nüff (nd.) · Nüster · Nuß · Balkon · Richtungsanzeiger (berl.) · Riechbolzen · Riecher · Rüssel · Tröpfelapparat · Tulpe · Wegweiser · Windfang (jäg.) · Zinken · Hakennase · Stupsneese · nasal ¶ Ohr · Ohrwaschel · Trommelfell · Behang, Lappen, Lauscher, Geöhr, Losse, Löffel, Luser, Schüsseln (jäg.) ¶ Hals · Kragen · Träger (b. Hirsch) ¶ Anke · Genick · Nacken · zervikal ¶ Drossel · Gurgel · Kehle · Schlund · Schlung (berl.) · Schnörjel · tracheal ¶ Mandel · tonsillar · Adamsapfel · Adamskrutzen (hess.) · Kehlkopf, Drosselkopf · Schilddrüse ¶ Rumpf ¶ Brust · Brustkorb, Blattstich, Flämen, Korb · thorakal · pektoral · Schlüsselbein · clavicular ¶ weiblicher Busen: Ansatz, Büste usw. · beim Tier: Euter · Zitze · Bries · starker Busen: viel Holz bei der Herberge, bei der Wand, bei der Hütten, vor der Tür · viel Herz · ist von Tuttlingen · wie eine wendische Amme · Gegenteil: von Gladbach, von Bretten (bad.) ¶ Brustwarze, Herzjesubinkerl ¶ Bauch *s. dick 4. 10* · Leib · Magengegend · Mollenfriedhof · Plauze (nordd. = Blunze, nd.) · Ranzen · Schmeer(bauch) · Schoß · Unterleib · Wampe · Wampse · Wanst · ventral · abdominal ¶ Nabel · Knöpfle ¶ Flanke · Dünnung · Wannung · Hanke · Hüfte · Lende · Leiste · Lumbe · Weiche · lumbal ¶ Rücken · Hucke · dorsal ¶ Schulter · Buckel · (Schulter)blatt · skapular · akromial ¶ Achsel ¶ Kreuz · Schloß, Eisbein (jäg.) ¶ Gesäß: Ääs, Gatt (westf.) · After · Allerwertester, A . . ., Becken · Bürzel · Bupper (els.) · Bütterich (schweiz.) · Dokes · Dutsch · Fetzer · Füdele (alem.) · Fußtrittfänger (rotw.) · Gereit (schweiz.) · Gesäß · Glutäen · Herodes (bayer.) · Hinterer · Hinterbacken, -quartier, -teil, der Hinterste · Hügeldepot · Kimme (sold.) · Krakau (lux.) · Kunte (Soest, Iserlohn, Paderborn) · Mörteltrog · Mond (rotw.) · Nörsing · Mors · nates · Po, Podex, Pöker, Pörchel, Popo, posteriora · Schinken · Sitzfleisch, -leder · Blume · Spiegel (jäg.), Steiß, Sterz, vier Buchstaben, Weidloch (jäg.) · das andere Gesicht · wo der Rücken aufhört, einen anständigen Namen zu führen · pädagogische Fläche usw. · anal · rektal · mageres Gesäß: ist von Messel (Darmstadt) ¶ Genital-, Sexualsphäre · Gemächt · Genitalien · Geschäft · Unterscheidungszeichen · genital ¶ männliches Glied: Meister Iste (Goethe) usw. · Hoden: Schellen (bayr.) usw. **testikular**

❡ Scheide: Miß Brown usw. · vaginal ❡ Arm · Watschenbaum (bayr.) · Blatt (jäg.) · Oberarm · brachial · Biceps ❡ Ellenbogen · Judenknochen, Musikantenknochen, Narrenbein · Mäuschen ❡ Unterarm · Elle · ulnar · Speiche · radial ❡ Hand: Datsch (Kand.) · Dobe (alem.) · Faust · Flosse · Honkel · Klamotten · Klaue · Patsche (Kinderhand) · Pfote · Pranke, Brante · Pratze · Tatze · Vorderflosse · manuell · Ballen ❡ Finger · digital · Daumen · Zeigefinger · Mittelfinger, Langmann (westf.), der große Peter · Gold-, Ringfinger · Kleiner Finger · Nagel · Kralle, Waffe · Kuppe · Möndchen ❡ Flügel · Fittich · Schwinge, *s. 8. 6.* ❡ Bein · Flurschaden-hölzer · Graitel (bayer.) · Knochen (milit.) · Lauf · Schleifsäbel (milit.) · Strampel (sächs.) · Gebrüder Beeneken · Haxen · Gehwarzen · Hammelbeine ❡ Schenkel ❡ Knie · Kniekehle ❡ Wade · Schienbein · Fessel · Knöchel, Hanke, Hechse, Enkel (ostpr.) ❡ Fuß · Huf · Latschen · Limburger · Patterchen · Pedal · Plätteisen · Quanten · Schwimmer (sold.) · Spazierhölzer · Schale · Brante, Strahl (jäg.) · bei Vögeln: Fänge · Klauen · Latschen · Ständer · Tritte · große Füße: Trottoir-beleidiger, Quadratlatschen ❡ Reihen · Rist · Spann · Ferse, Hachse, Hacken (nordd.) · Sohle · Zehe ❡ Schwanz · Bengel · Blick · Besen · Blume · Burzel · Fächer · Fahne · Fisel · Leier · Lunte · Pinsel · Ruder · Rübe · Rute · Schere · Schweif · Schwoof · Spiel · Standarte (b. Wolf) · Sterz · Stoß · Wadel · Wedel · Zagel · kaudal ❡ Eingeweide, Gedärm, Gekröse, Gelunge, Geräff, Geräusch, Ge-schlinge (jäg.) · intestinal · Herz · kardial · Lunge, Kiemen · atmen, schnaufen usw. *s. 7. 60* · kleines Gescheide (jäg.) · Zwerchfell · diaphragmatisch ❡ Blinddarm · Darm · Dünndarm · Grimmdarm · Magen (Pansen, Weidsack) · Mastdarm · Ver-dauungsorgan ❡ Leber · Gallenblase · hepatisch · Harnröhre · Niere · renal · Milz · lienal · Bauchspeicheldrüse · pankreal ❡ verdauen usw. *s. 2. 35.*

17. Leben. *s. sein 5. 1.*

atmen · bestehen · existieren · fortleben · leben · pulsieren · sich des Lebens freuen · das Licht sehen · sein Wesen treiben ❡ geboren werden *s. entstehen 5. 26* · zum Bewußtsein kommen ❡ beleben · gebären · wiederbeleben · das Leben geben ❡ vital · biologisch · animalisch · atmend · belebt · kernhaft · lebend · lebendig · lebensfähig · organisch ❡ Atem · Fleisch und Blut · Herzblut · Lebenssaft · Puls · Hormon · Plasma ❡ Geschöpf · Kreatur · Lebewesen · Organismus ❡ Leben · Lebensflamme · Lebensfunke · Lebenskraft · Vitalität · Hauch des Lebens ❡ Da-sein · Erdentage · Erdenwallen · Jammertal · Lebenszeit · Lebtag · die Zeitlich-keit ❡ Biologie · Physiologie · Existenzphilosophie.

18. Fortpflanzung. *s. fruchtbar 2. 6. sich mehren 4. 3.*

brüten · laichen · knospen ❡ Parthenogenese · Knospung · Teilung.

19. Begattung. *s. Liebe 11. 53. Vermählung 16. 11. Liebkosung 16. 43.*

beiwohnen · erkennen · Umgang haben usw. · beschälen · vergewaltigen · be-schlagen · bespringen · decken ❡ Liebesvereinigung usw. · Abenteuer · Fehltritt · Verkehr.

20. Schwangerschaft.

schwanger gehn · austragen ❡ sie ist verfangen (schles.) · in andern Umständen · in gesegneten Leibesumständen · mit Appetit befallen · zu Fall gekommen · schwer zu Fuß · ins Sommerfeld gesprungen (vor der Ehe schwanger geworden: Ermland) · verbubanzt · auf ander Wetter · guter Hoffnung · gesegneten Leibes · sie erwartet ·

9*

sie spürt Leben · sie füttert zwei · hat ein Päckchen · der haben se wat up en
Stapel gesetzt (rhein.) · sie geht nicht mit sich allein · sie hat Hoffmannstropfen
getrunken · sie trägt etwas unter der Schürze · bei ihr ist zugesagt · es hat geschnappt · dreiviertel Packung (milit.) · ihr wird die Schürze zu kurz · sieht einem
freudigen Ereignis entgegen · sie hat einen Fußball, einen Luftballon, ein Quellkorn verschluckt · hat einen Bug im Hemd, hat ebbes im Schublädle (schweiz.) usw.
¶ in die Höhe gehn = geschwängert werden · Mutter werden ¶ schwängern *s. 2. 19*
¶ baddisch · geschwollen · gravid · schwanger · trächtig · gesegneten Leibes ·
(hoch)tragend ¶ Gravidität · Schwangerschaft · die Folgen.

21. Geburt. *s. allmähliche Entwicklung 5. 26.*

abferkeln · ablegen · fohlen · frischen (beim Schwein) · gebären · genesen · hecken ·
jungen · kalben · kreißen · lammen · niederkommen · werfen · ins Kindbett kommen · in die Wochen kommen · ist vom Storch ins Bein gebissen · sich legen ·
das Leben geben, schenken · zur Welt bringen ¶ zur Welt kommen · das Licht
der Welt erblicken · es ist etwas (Kleines) angekommen ¶ entbinden · abnabeln
¶ Mutter · Kind, das Junge · Brut · Embryo · Foetus · Leibesfrucht · das Innerste
im Hühnerei: der Hahnentritt ¶ Geburtshelfer · accoucheur · Hebamme, Wehmutter, weise Frau · Klapperstorch ¶ Geburt · Entbindung · Kindbett · Niederkunft · Satzzeit · die Wehen · Wochenbett · die schwere Stunde · frohes Ereignis
¶ Fehlgeburt · Mißfall · fausse couche · totgeborenes Kind ¶ abtreiben · Kippe
machen · Abortus ¶ ausbrüten.

22. Kind, Jugend. *s. klein 4. 4. Herkunft 5. 41. lernen 12.36.*

aufblühen · sich entfalten, sich entwickeln · erwachen · heranwachsen · keimen ·
knospen · sich mausern · in den Kinderschuhen stecken · er muß sich noch die
Nase putzen lassen · liegt noch trocken mit den jungen Gänsen im Streit (ganz zarter Bart-
flaum) · ist noch nicht trocken hinter den Ohren · zurückbleiben · der hat noch
den Ring am A. (schwäb.: vom Topf, auf dem die kleinen Kinder sitzen) · hat noch
das Wiegenstroh am Hintern ¶ jungen (alem. = jung werden) ¶ verjüngen
¶ Nachwuchs – · bartlos · flügge · grün · halbwüchsig · infantil · jugendlich · jung ·
kindisch · kindlich · klein, lütt · knabenhaft · knospenfrisch · jungenhaft · mädchenhaft · minderjährig, minoren · blutjung · morgenfrisch · primitiv · taufrisch (Auer-
bach) · unentwickelt · unreif · urtümlich · pudeljung · in zartem Alter · rein · unschuldig · zurückgeblieben ¶ Kind · Föhle (schwäb.) · Spuddle (schwäb.) · der Gôf
(schweiz.) · Plag · das Putt · Quaß (Köln) · Sproß · Sprößling ¶ kollektiv: das
Gezäppel, Gewerzel, Kroppzeug (Frankfurt) · die Pansen (rhein.) · Bamsen
(schles.) · Nachwuchs · Junges Blut · Frühgemüse · Jungholz · die Kleinen
¶ Pflanzen: Keim ¶ Tiere: Brut · Ei · das Junge · Kaulquappe ·
Laich · Larve · Puppe · Rogen · Ferkel · Fohlen · Füllen · Frischling · Kalb ·
Kitze · Zicklein · Lamm · Küken · Wurf · Satz · Geheck · Gelege ¶ Embryo ·
Foetus ¶ Baby · das Balg, Mehrzahl: die Bälger · Bams · Bankert · Buschi
(Schweiz) · Bobele (bad.) · Säugling · Stammhalter · Wickelkind · Wonneproppen ·
das Wurm · junger Erdenbürger ¶ ABC-Schütze · Bengel · Benjamin · Borzel ·
Buzel · Murkel · Bub(i) · der Bündel · Dreikäsehoch · gamin · Garant · Gerne-
groß · junger Hecht · Hemdenmatz · Hosenmatz · Hosenscheißer · Junge · Kiek-
in-die-Welt · Knabe · Knirps · Lausbub · Nesthäkchen · Pimpf · Prügel · Rotznase · Schlingel · Spielkind · Springinsfeld · Steppke · Dusel, Dötzken (berg.) ·
Fant · Flegel · Gelb-, Grünschnabel · Halbstarker · Jüngling · Jugendlicher · Ka-

dett · Laffe · Lehrbub · Milchbart, -gesicht · Quadudder (Frankf.: coadiutor) · Schneider (junger Hirsch) · Schnösel · Schnurebub (schweiz.) · Schwengel, Schwung (junger Kaufmann) · Stift · junger Dachs ¶ Backfisch · Biele (berl.) · Ding (plur. Dinger) · Flitscherl (ö.), Flittchen · der Fratz · die Gestecker · Gemüse · Göhre · Grasaff · Kalbfleisch · Krott · Mädchen · Maid · Mieken · Pflanze · Pipimädchen · Puppe · Range · Schneegans · Straßenbriet · Strunze · Suppengrün · (höhere) Tochter · die Maiden · das Weit (berg.) ¶ Blüte · Flegeljahre · Jugend(zeit) · Kindheit · Knaben-, Jünglings-, Mädchenalter · Pubertät · das junge Blut · Frühlings Erwachen · Mannbarkeit ¶ Jugend · Nachwuchs · Zukunft.

23. Erwachsen.

reifen · ist aus den Kinderschuhen heraus · groß werden ¶ ausgebildet · ausgewachsen · entwickelt · erwachsen · flügge · großjährig, majorenn · heiratsfähig · herangewachsen · männlich · mannbar · mündig · reif · volljährig · fraulich ¶ Mann · Herr · Frau · Dame · Platzhirsch · die Großen ¶ Mannesalter · Reife.

24. Mittleres Lebensalter.

steht in den besten Jahren · hoch in den 29 · schon reifer · in die Jahre kommen · ist schon etwas vorgerückt · ist auch kein heuriger Hase mehr · ist im besten Saft, aus dem Schneider (Zahl 30 im Skatspiel), schon leicht angekratzt · der Schmelz der Jugend geht dahin · in den Sielen sterben ¶ gesetzt ¶ ein jüngerer Mann · Triarier · älteres Semester · Dickkopp (oberhess.) · kein Backfisch mehr · ein älterer Herr · Matrone · bemoostes Haupt · Frauenschaft, Krampfadergeschwader ¶ der zweite Lenz, die zweite Jugend · Mittelalter · Jahre der Reife.

25. Hohes Alter.

steht an der Neige des Lebens, mit einem Fuß im Grabe · ist aus der Mottenkiste vorgeholt, längst gestorben ¶ altern · ergrauen · reifen · schrumpfen · verfallen · verkalken · verkindschen · verknöchern · welken · zu (hohen) Jahren kommen · sie hat eingepackt ¶ auf Abbruch heiraten ¶ abgelebt · abgetakelt · abgezehrt · alt · ältlich · bejahrt · betagt · dekrepit · dienstunfähig, pensionsberechtigt · hinfällig · invalid · kaputt · klapprig · senil · siech · taprig · verbraucht · verhutzelt · verschrumpelt · vertrocknet · wacklig · welk · im Silberhaar ¶ Ur- · Graubart · Krauter(er) · Tapergreis · graues Haupt · Greis · Großvater · Opa · Karkasse · Knacker · Knickstiefel · Kracher · Kracker · Mummelgreis (berl. Mimmelgreis) · Patriarch · Ruine · Schabracke · Senior · Veteran · Wrack · Methusalem · Nestor ¶ Hexe · Matrone · Mütterchen · Tante · Vettel · spätes Mächen (berl.) · alte Schachtel · alte Drossel · Oma · Fregatte · Suppenhuhn ¶ Alter · Greisenalter · biblisches, gesetztes, hohes Alter · Lebensabend · Weisheit · Marasmus · Welke · Zahn der Zeit ¶ Überalterung · Vergreisung.

26. Essen. Mahlzeiten. *s. Hunger 10. 10 und 11. Gastlichkeit 16. 64.*

acheln · äsen · aufessen · aufzehren · beißen · sich delektieren · einfahren · einhauen · einkacheln · essen · fressen · frühstücken · futtern · etwas genießen · zu sich nehmen · grasen · sich hermachen über · herunterwürgen · hineinpampfen · hineinpanschen · hinunterschlingen · jausen · knabbern · kollatzen (ostpreuß.) · konsumieren · kosten · löffeln · mampfen · muffeln · nachtmahlen (österr.) · nagen · naschen · zu sich nehmen · nippen · pappen · picken · präpeln · rinlegen (berl.) · schlemmen · schlingen · schlucken · schmausen · schnabulieren · schwelgen ·

spachteln · speisen · stopfen · tafeln · verdrücken, verkasematukkeln, -knacken ·
sich verlustieren · sich vernüchtern (nordd.) · verschlingen, -schlucken, -speisen,
-tilgen · verzehren · vespern · wampen · wegmachen · wegstoppen (berl.) · weiden ·
zulangen · zusprechen · sich stärken, den Leib vollschlagen, den Wanst vollhauen ·
gut vorlegen · Grundlage schaffen · den ersten Hunger stillen · bei Tische sein ·
sich gütlich tun · läßt es sich schmecken, sich nichts abgehn · macht Fettlebe ·
reinen Tisch machen · gutes Wetter machen · dem Magen etwas anbieten · Essen
fassen (mil.) · backen und banken (seem.) · auf die Zahngasse gehn (mil.) ¶ kauen ·
ketschen (al.) · knatschen · schmatzen · mahlen, wiederkäuen · lutschen, schlotzen
(al.), suggeln ¶ atzen · auftischen · auffahren lassen · aufziehen (Tier) · beköstigen ·
bewirten · erfrischen · laben · peppeln · pflegen · regalieren · den Tisch decken ·
die Tafel aufdecken · ernähren · füttern · mästen · nähren · nötigen · sättigen ·
verköstigen · verpflegen · weiden · satt machen · Futter schütten · in Nahrung
setzen ¶ anrichten · servieren · zurechtstellen · etwas mitgeben · es gibt was
Küche und Keller hergeben ¶ eßbar · fein · genießbar · lecker · nährend · nahrhaft ·
peroral · saftig s. *Wohlgeschmack 10. 8.* ¶ gefräßig · gierig · verfressen · hat einen
hohen Leibzoll · schlägt eine gute Klinge ¶ Esser · Freßsack · Fresser · Genießer ·
Giermagen · Gierpansch · Gierschlung · Gourmand · Gourmet · Lebenskünstler ·
kein Kostverächter · Leckermaul · Schlecker · Schlemmer · Vielfraß ¶ Koch ·
Küchenchef · Wirt ¶ Weide · Krippe ¶ Bäckerei · Feinbäckerei · Café · Konditorei ·
Küche, Kombüse (seem.) · Futterkneipe · Gasthaus · Gaststätte · Kantine ·
Mensa · Speisehaus · Stampe · Volksküche · Wirtschaft · Automatenrestaurant ·
Gulaschkanone · Speisewagen ¶ Abfütterung · Anlaß (schweiz.) · Bankett · Ein-
ladung · Essen · Fest · Fraß · Gasterei · Gastmahl · Gesellschaft · Imbiß · Mahl ·
Mahlzeit · Schmaus · Tafelfreuden · Wirtstafel · Zecherei · Massenspeisung · Pick-
nick ¶ Frühstück · Morgenkaffee ¶ Zweites Frühstück: Vesper (schwäb.), Z'nüni
(schweiz.) · Zwischenmahlzeit ¶ Diner · Gabelfrühstück · Lunch · Mittagbrot ·
Mittagessen · Mittagtafel · Table d'hôte · etwas Warmes ¶ Fife-o-clock · Jause
(österr.) · Vieruhr · Zoben (al.) · Nachmittagstee · Unnern (hess.) · Vesper ¶ Abend-
brot (nordd.) · Abendessen · Abendtisch · Nachtessen · Nachtmahl (österr.) · Souper
¶ volle Verpflegung, Pension ¶ Bedarf · Essen · Eßware · Fourage · Fressalien ·
Futter · Kost · Lebensmittel · Lebsucht · Mundvorrat · Nahrung · Nahrungsmittel ·
Proviant · Speise · Unterhalt · Verpflegung · Zehrung · Zufuhr · eiserne Ration
¶ Eiweiß · Kohlehydrate · Leguminosen usw. ¶ Kalorie · Vitamin ¶ Äsung ·
Atzung · Fraß · Fressen · Futter ¶ Karte · Menü · Speisefolge ¶ Gang · Gericht ·
Platte · Portion · Schüssel ¶ Vorgericht · Vorspeise · Zwischengericht · Dessert,
Magenschluß, Nachtisch ¶ Bissen · Erfrischung · (Kost-)Happen · Imbiß · colla-
zione ¶ Ernährung · Fütterung · Mast · **Stärkung.**

27. Speise, Gerichte. *s. Pflanzen 2. 2. Tiere 2. 9. Wohlgeschmack 10. 8.*

B r o t : Hanf, Legum, Lehm (rotw.) · Laib · Schwarz-, Roggen-, Schrot-, Weiß-,
Knäckebrot · Kommisbrot: Barraß, Karo, Küpper, Oskar, Polster, Bismarcktorte,
Königskuchen, Weixel (alles mil.) · Pumpernickel · Brotrand: Brotsch, Gickele, Kam-
pen, Kante, Kerst, Knatz, Knaust, Knorz, Knust, das Kristl (schles.), Kruste, Kürste,
Ranft, Renken, Rinde, Runks, Scherzl, Stutzen · Inneres: Brosam(e), Datsch,
Krume, das Linde (St. Gallen), Musel, Schmolle (bayr.), das Weiche · Stück Brot:
Runks(en) · die Schnitte · Hindenburgtorte (mil.) · Befchen (Thür.) ¶ B r ö t -
c h e n : Billenbrot, Burjunge, Knowwe (Harz) · Prillecken, Stützel (Harz), Schrippe,
Knüppel (Berlin), Weck, Semmel · Striezel (ö.) · Salzkuchen, Schusterjunge (Berl.) ·

Kümmelstange · geriebene Semmel: Brosamen, Krumen, Brösel, Kracherle · Belegt: Butterbrot, Stulle (berl.), Bemme (sächs.), Bumme (Anhalt) · Sandwich ¶ G e - b ä c k : (Backwerk, Bäcksel) Babe (schles.) · Teilchen (rhein.), Mürbes (Hess.) · Baiser, meringue · Biskuit · Blätterteig · Blechkuchen, Bienenstich · Brente, Prusten · Brezel · Einback · Eclair, Hasenpfötchen, Liebesknochen · Fladen · Fleurons · Hippen · Hörnchen, Kipfel (ö.) · kalte Schnauze, kalter Hund(Schichtengebäck, Zerbst) · Keks · Krapfen, Kräppel, Berliner Pfannkuchen, -Ballen · Kameruner, Reh-pfötchen · Kranz · Kringel · Kuchen · Baumkuchen · Königskuchen · Napf-, Bund-, Asch-, Topf-, Radonkuchen, Gugelhupf (ö.) · Basler Leckerli · Lucca-Augen · Makrone · Maultaschen, Powidltatschkerln (ö.) · Mögge (schweiz.) · Mohnmese · Mohrenkopf · Negerkuß · Nonnen(fürzchen) · Obstkuchen, Datschi (schwäb.) · Pa-stete · Petits fours · Pfeffernüsse · Pflanzerl (ö.) · Platz · Plätzchen · -rolle · Sahnen-rolle · Sandtorte · Schillerlocke · Schmalzgebackenes · Schnecke · Schnitte · Schoggi-bolle (schweiz.) · Springer · Spritz-, Schürzkuchen · Stange · Stollen, Schittchen (thür.) · Streuselkuchen · Striezl · Tautäffchen (Naumburg) · Wähen (alem.) · Waffel · Windbeutel · Zwieback, Moschükken (Pomm.) · Zopf · Lebkuchen, -zelten · Herzen · Honig-, Pfefferkuchen · Pflastersteine · Speculatius. O b s t k u c h e n : Apfel-, Blaubeer-, Pflaumen-(Unterleibs-). T o r t e n : Aprikosen-, Erdbeer-, Kirsch-, Nuß-, Pfirsich-, Stachelbeer-, Johannisbeer-, Mandel-, Rhabarber-, K ä s e - k u c h e n : Klatschkäse (rhein.), Zwiebelkuchen. Falls mißraten: Klotsch ¶ M i l c h - p r o d u k t e : Rahm, Sahne *s. 2. 30* · Schlagsahne, Schlagobers (ö.) · Butter, Anke (alem.) · Weißer Käse: Glumse (ostpr.), Quark, Zieger, Schotten, Topfen (ö.), Schmierkäse, Matte (hess.), Käsmatte, Mazzenkäse (Anhalt), Zibbeleskäs (fränk.), Lukeles-, Bibeleskäs (alem.) ¶ K ä s e : Hand-, Backstein-, Kümmel- usw., Camem-bert · Emmentaler usw. ¶ A u f s t r i c h : Butter · Fett · Gelee · Honig · Jam · Kompott (bad.) · Konfitüre · Kraut · Latwerge, Leckweise (hess.) · Margarine (Be-amtenfett, -butter, Mariechen) · Marmelade, Verdunkelungsbutter · Melasse · Mus · Pflaumenmus, Powidl (tschech., ö.) · -paste · Pflanzenfett · Saft · Schmalz · Sirup · Kunsthonig (Magenbeton, Stiefelwichse) ¶ S u p p e (Bratenschoner): Bouillon, Brühe, Fleischbrühe, Kraftbrühe · Kaltschale · legierte Suppe · Schleim · Eintopf ¶ M e h l p r o d u k t e : Gries · Nudeln (Bandwürmer, Gardelitzen, Regen-würmer, mil.) · Makkaroni · Spaghetti (Jesuitengedärm) · Fleckerln · Spätzle · Nockerln · Buchteln · Dampfnudeln · Gollatschen · Hefeklöße · Knödl · Rohrnudeln · Talken (Dalken) ¶ E i : Verlorene Eier (uneheliche Kinder) · Setz-, Spiegelei, Ochsenauge · Solei · Russische Eier · Rührei · Eierkuchen, Omelette, Plinsen, Pfannkuchen, Palat-schinken (tschech., ö.), Frittate (ö.), Schmarrn · Eierstich · Schwämmchen · Außer Hühnereiern auch von Gans, Ente, Möve, Kiebitz ¶ F i s c h e (*s. S. 99*): Aal · Äsche · Barbe · Barsch · Blei · Butte · Dorsch · Felchen · Flunder · Forelle · Hausen · Hecht · Heilbutt · Hering (Matjes-, Bismarck-, marinierter, Bück(l)ing, Rollmops) · Hornfisch · Kabeljau · Karausche · Karpfen · Klippfisch · Köhler · Knurrhahn · Lachs · Maifisch · Makrele · Maräne · Neunauge · Plötze · Quappe, Aalraupe · Presse · Renke · Roche · Sardelle, Anchovis · Sardine · Schillerlocken (sächs.) · Schellfisch · Schleie · Schnepel · Scholle · Seezunge · Sild · Sprotte · Stein-butt · Stockfisch · Stör · Thunfisch · Tintenfisch · Weißfisch · Weißling · Wels · Zander ¶ Kaviar · Rogen · Ferner: Hummer · Krabbe · Krebs · Languste · Auster · Muschel · Schnecke · Froschschenkel · Schildkröte ¶ F l e i s c h vom Hammel · Lamm · Geiß, Gitzi (alem.), Zickel · Kaninchen · Schwein · Spanferkel · Pferd · Rind · Ochse · Kalb ¶ W i l d (pret) · Hase · (Wildkaninchen) · Reh · Hirsch · Wild-schwein, Spießer ¶ G e f l ü g e l · Gans · Ente · Taube · Wachtel · Fasan · Lerche · Viele Hühnerarten (*s. S. 119*) · Masthuhn, Poularde · Kapaun · Schnepfendreck

¶ F l e i s c h g e r i c h t e : Beafsteak, Lendenschnitte · Beinfleisch · Blatt, Bug; Schulter · Braten · Brust · Chateaubriand, Rindsdoppel · Cotelette · Eisbein · Entrecôte · Fricandeau · Frikassee · Gulasch · Kaiserbein · Keule, Schlegel · Lende, Filet · Pfaffenauge (beim Schinken) · Pfaffenschnitt (beim Huhn) · Ragout, Pichel-steiner · Rippchen · Roulade · Rücken · Rumsteak · Schinken · Schnitzel · Spitz-bein · Steak · Ziemer · Speck · Speckschwarte · Speckseite · G e r ä u c h e r t e s · Gepökeltes: Lachsschinken · Spickgans · Gänsebrust · Solper · (Kasseler) Rippespeer · Schäufele (alem. Schulter geräuchert) · N e b e n t e i l e , I n n e r e s , ausnehmen, ausweiden, aufbrechen: Höschen · Ohren · Geschlinge · Innerein (ö.): Beuschel · Bregen · Hirn · Bries, Milch(er), Soog, Schweser (hamb.) · Eingeweide · Fleck · Fuß · Gekröse · Gelünge (schles.) · Herz · Kaldaunen · Kidding · das Klein, Weiß-sauer, -pfeffer · Kopf · Kutteln, Sülze (bad.) · Leber · Lummel · Liesen (berl.), Grammeln (ö.), Grieben, Bräumling, Grämen, Gränten, Graupe, Gruntschel, Krätzen, Kräuspe, Körslein, Krüspeling, Lispeln, Praschen, Schwarte, Sparke, Specklein · Lunge · Magen · Mark · Niere · Zunge ¶ F l e i s c h k l ö ß e , Fleisch-brodl, G e h a c k t e s : Bubespitzle, Bunde, Dickermann, Pflunde (alem.) · Brisolett · Bulette · Deutsches Beefsteak · Jägersteak · Gedrängte Wochenübersicht · Faschiertes · Falscher Hase · Saftbraten · Semmelhase · Frika(n)dellen, Hacke-peter · Haschee · (Königsberger) Klops · Kloß · Knödel · Labskau (seem.) · Mett · Schlauderkauz (bad.) · Tatarbeafsteak · Tolatschen (Pomm.) · Schabefleisch · Wiener Braten ¶ W u r s t : Aufschnitt · Belag · Bier-, Bock-, Brat-, Hirn-, Knack-, Leber-, Mett-, Schinken-, Schlack-, Tee-, Weiß-, Zervelatwurst · Blutwurst, Mett · Schlauderkauz (bad.) · Tatarbeefsteak · Tolatschen (Pomm.) · Schabefleisch · Salami ¶ A u f g u ß : Beiguß · Saft · Schwitze · Sauce, Soße · Seim · Tunke · Béarnaise, Cumberland- usw. · Majonnaise · Remoulade · Jus · Aspik · Gallert · Bibber · Gelee · Sülze ¶ B r e i : Grütze · Koch · Mus · Pamps · Paste · Püree · Schleim · Sterz (ö.) · Birchermüsli · Porridge · Quetschkartoffeln ¶ N ä h r m i t t e l · Buchweizen · Flocken · Graupen, blauer Heinrich · Grünkern (Dinkel) · Hafer · Hirse · Hollunder · Kartoffelmehl · Mais, *s. S. 21* · Reis; Pilaw; Risotto · Sago, Tapioka · Topinambur, Erdschocke ¶ G e m ü s e : Artischocke · Beete · Blumenkohl, Karfiol · Bohne, Fisole (ö.) · Prinzeß-, Sau-, Wachs-, grüne Bohnen · Erbsen, Schoten (norddt.) · Gelbe Rübe, Möhre, Mohrrübe, Karotte, Burkanen (ostpreuß.) · Polizeifinger, Wolfs-, Wurzeln (hamb.) · Fenchel · Gurke, Gummer · Kartoffel *s. S. 71* · Bratkartoffeln (norddt.), Geröstete (westdt.), Geröste (ö., süddt.) · Kar-toffelschmarren (ö.) · Kastanie, Marone · Kohl (norddt.), Kappes (rhein.), Kelch (ö.), Kraut (süddt.) · Kraus-, Winterkohl · Kohlrabi · Kohlrüben, Dotschen (bayr.), Schnittkohl, Steckrüben · Kukuruz, Mais · Linsen · Mangold, Römischkohl · Meer-rettich, Kren · Melde · Pastinak · Porree, Lauch · Rosenkohl, Kohlsprosserln (ö.) · rote Rübe, Rahnen · Rotkraut, Rotkohl · Sauerampfer · Schwarzwurz · Sellerie · Spargel · Spinat · Stachis · Tomate · weiße Rüben · Weißkraut · Wruken · Ziest · Zwiebel, Roggenbolle, Schalotte · Wildgemüse: Brennessel · Baumblätter · Dörr-gemüse ¶ P i l z e , Schwämme · Champignon, Drieschling · Morchel · Pfifferling · Steinpilz · Trüffel · Grünling usw. ¶ G e r i c h t e : Irish Stew, Hammelkohl · Krautwickel · Sauerkraut · Hoppelpoppel · Himmel und Erde · Schlesisches Himmel-reich usw. ¶ S a l a t e : Endivie · Rapunzel, Feldsalat, Nüßchen · Kresse · Lattich · (grüner, frischer) Kopfsalat · Rettich, Radi (bayr.) · Radieschen · Löwenzahn, Pissenlit · Rohkost ¶ F r ü c h t e , Obst: Amarelle, Ammer, Sauerkirsche, Schatten-morelle · Ananas · Apfel (Sorten: Kalville · Parmäne · Schöner von Boskop · Reinette · Schafsnase usw.) · Apfelsine, Orange · Aprikose, Marille · Banane · Birne (Sorten: Bergamotte, gute Luise, Mollebusch usw.) · Brombeere, Brömele (rhein.)

Grape fruit, Pampelmuse · Dattel · Erdbeere · Erdnuß, Kichererbse · Feige · Hage-butte · Haselnuß · Heidelbeere, Bick-, Blau-, Schwarz-, Wald- · Himbeere · Hollun-der · Ingwer · Johannisbeere, Ribisln (ö.) · Kirsche · Kokosnuß · Kürbis · Manda-rine · Mandel · Melone · Mirabelle · Nuß (Wal-, Paranuß) · Pfirsich · Pflaume, Quetsche, Zwetsch(g)e · saure Pflaumen: Arschmarterln · Pomeranze · Preisel-beere · Quitte · Reineclaude, Ringlo (süddt.) · Stachelbeeren, Agrasln (ö.) · Traube, Rosine, Korinthe · Zitrone, Limone (ö.) · Rhabarber ¶ Eingemachtes: Kom-pott, Dunst-, Essigobst · Most, z. B. Buttenmost · Backobst, Klötzen (ö.) ¶ Nach-tisch: Mehl-, Nach-, Süßspeise, Dessert, Speise (berl.) · Apfel im Schlafrock · Auflauf *s. Gebäck* · Baiser · Charlotte russe · Creme · Crêpe · Dampfnudeln · Eierspeisen *s. o.* · Faseküchle · Flammeri · Flan · Gelee · Götter-, Himmelsspeise · Rote Grütze · Käsekeilchen · Kirchenmichel · Plumpudding · Pudding · Arme Ritter · Scheiterhaufen · Mohr im Hemd · Reis à la Trautmannsdorf · Schmarren · Schneckennudeln · Schnee · Schwesternküsse · Sorbet · Spanischer Wind · Strudel · Versoffene Jungfer · Wackelpeter · Wonnekleister · Zabaglione usw. ¶ Eis · Eis-bombe, -crême, -waffel · Fruchteis · Fürst Pückler · Gefrorenes · Glace (schweiz.) · Pfirsich Melba · Punsch romaine usw. · Konfitüren, Leckereien, Näschereien, Nasch-werk ¶ Konfekt *s. Gebäck* · Boltchen · Bonbon · Brustleder · Däfeli (schweiz.) · Drops · Fondant · Guts (süddt.) · kandierte Früchte · Kandis · Karamel · Klümp-chen · Kluntscher · Knusperchen · Konfitüren · Krachmandeln · Krokant · Lakritze, Süßholz · Lukumi · Malz · Marzipan · Mocken · Nugat · Pasten · Persipan · Pra-linen · Schokolade · Toffee, türkischer Honig · Zeltchen · Zuckerl · Zuckerstein *s. süß 7. 66.*

28. Gewürz.

pfeffern · salzen · süßen · würzen · versalzen ¶ kräftig · würzig · anregend · herz-haft ¶ Gewürz · Würze · Zutat ¶ Kräuter: *s. 7. 2* · Basilikum · Beifuß · Bibernelle (Pimpernell) · Bohnenkraut · Borretsch (Gurkenkraut) · Dill · Estragon · Kerbel · Knoblauch(zehe) · Koriander · Liebstöckel · Majoran · Melisse · Minze · Peter-silie · Quendel · Salbei · Schnittlauch · Thymian · Tripmadam · Waldmeister, Mai-kraut · Ysop · Zwiebel ¶ Anis · Essig · Ingwer · Kapern · Kardamom · Kümmel · Lorbeerblatt · Mandeln · Mohn · Muskat · Nelke · Orangeat, Sukkade · Paprika · Parmesan · Pfeffer · Piment · Rosine · Salz · Senf, Mostrich · Sultanine · Vanille · Wacholder(beere) · Zim(me)t, Kaneel · Zitronat · Zitrone · Zucker · Sacharin, Süß-stoff · und eine Anzahl Präparate.

29. Fasten. *s. Hunger 10. 10. Mäßigkeit 11. 12. Askese 20. 13.*

hungern · (strenge) Diät halten · darben · sich durchhungern · schmachten · Hunger-künstler ¶ hungrig · ungefrühstückt · nüchtern · auf flauen Magen ¶ Hungerkur · Fasttag · Butterwoche · Fastenzeit.

30. Trinken, Getränke. *s. Flüssigkeit 7. 54. Alkohol trinken 2. 31. ein-saugen 8. 23. Durst 10. 13.*

hinuntergießen, -stürzen · lappen · lecken · nuckeln · nippen · saufen · saugen · schlappen · schlucken · schlürfen · schöpfen (beim Tier) · trinken · den Durst stillen, löschen ¶ einflößen · erquicken · laben · letzen · netzen · säugen · schweigen · stillen · tränken · die Brust geben · Amme, Vorgängerin (Basel) ¶ Erquickung · Gesöff · Getränk · Labe · Medizin · Trank · Trunk ¶ Wasser, Brunnewitzer, Gänse-

wein, Lauterbrunner, Pumpenheimer („Schattenseite") ⁊ alkoholfreie Getränke:
Brause, Brunnen · Mineralwasser, Säuerling, Selters, Soda, Sprudel, Siphon, Prole-
tariersekt · Orangeade usw. ⁊ Milch, Kuhsaft · saure Milch, Dickmilch, gestandene
Milch, gebrochene, gestockte M.- Schlippermilch (thür.), Schlottermilch, Stockmilch ·
Buttermilch, Ankenmilch, Rumpelmilch, Schlegelmilch, Schlemilch · Magermilch ·
Kefir · Joghurt · Kumyß · Rahm, Flott, Niedel (schweiz.), Obers (ö.), Sahne (nordd.),
Schmand, Schmetten · Haut auf der Milch: Hexe, Schlempe, Pelle, Milchmanns-
hose (hamb.) ⁊ Kaffee, Mokka · Schale Gold · Blümchen · Verkehrt · Lorche, Lorke,
Plurre, Plempe, Koffitzke (alles ostpr. für schlechten Kaffee); Schlamm, Neger-
schweiß (sold.) · Mazagran · Melange · Schale Haut (Wien) · Kapuziner, Nuß-
brauner · Halb und Halb ⁊ Kakao · Schokolade · Tee, Chinesenschweiß (mil.) ·
Wiese (f. schlechten Tee) ⁊ Fruchtsaft · Limonade · Sirup · Most · Süßmost.

31. Alkohol trinken. *s. Vergnügungen 16. 55. Wirtschaft 16. 64.*

bechern · bürsten · einheizen · kneipen · kümmeln · picheln · pietschen · pokulieren · pullen · saufen · schnapsen · trinken · trudeln (nordd.) · zechen ⁊ begießen · feiern ⁊ eine Flasche anstechen, auspicheln · einer Flasche den Hals
brechen · durch die Gurgel jagen · in die Kanne steigen · Salamander reiben ·
einen bezähmen, bürsten, genehmigen, heben, hinunterspülen, kippen, knorpeln,
nehmen, pfeifen, plätschern, riskieren, schmettern (nordd.), schnaffeln, spendieren,
verdrücken, verlöten, vertilgen, zischen, zwitschern · einen zu Gemüte führen, hinter
die Binde gießen, einen dudeln gehn, verhaften, auf die Lampe gießen · mit der
Sodafontäne unter die Jacke brausen · die Leber feuchten · einen hinter den
Knorpel schlippern · einen stemmen, schmieren, tuten, töten, nippen, auf den
Diensteid nehmen · einen auf die Pfanne setzen · einen durch die Kehle hetzen ·
die trockene Kehle baden · zieht die Uhr auf · einen hinters Chemisett kippen ·
einen in die Suppe rühren · noch einen zum Abgewöhnen · sich einen gönnen,
biegeln · die Achse schmieren · hinter die Weste plätschern · Kehle anfeuchten ·
sich eins in die Figur schütten · einen anständig auf die Pauke hauen · im Becher
Vergessenheit, Zerstreuung suchen, den Kummer im Wein ersäufen · einen guten
Zug tun · den Humpen leeren ⁊ Gestatte mir · ein ganz spezielles · auf Ihr Wohl
⁊ zuprosten · vorkommen · die Blume bringen · Bescheid tun · sich löffeln · nachkommen · spinnen, in die Kanne steigen ⁊ Bierdimpf, Bimpf (bayr.) ⁊ Bar ·
Bierhaus · Destille · Kneipe · Likörstube · Weinstube · Wirtschaft *s. 16. 64*
⁊ Bacchanal · Bierreise · Gelage · Kneipe · Kneiperei · Kommers · Sauferei · Frühschoppen · Sektfrühstück · Abendschoppen, Dämmerschoppen · Zecherei ⁊ alko-
holische (anregende, berauschende, geistige) Getränke · Spirituosen · Stoff · Tropfen · Bacchus' Gabe ⁊ Aperitiv · Schorlemorle, Gespritzter (ö.) ⁊ Bier: Ale · Bock ·
Bräu · Gerstensaft · Gose · Ingwerbier · Märzen · Münchener · Pils · Met · Weiß-
bier, kühle Blonde (mit Schuß, mit Strippe) · Export · Ausstoß · Dünnbier ·
Porter · Schnitt · Molle · Schlechtes Bier: Dividendenjauche · Gambrinus ⁊ Obstwein · Apfelwein, Steffche (Frankf.), Zider. Hohenastheimer ⁊ Wein: Bocksbeutel · Gewächs · Federweißer · Heuriger · Most · Neuer · Junger · Rauscher ·
Sauser · Süßer · Auslese · Muskateller · Riesling · Rotspon · Süßwein · Malaga ·
Sherry · Wermut · Spätlese · Natur- ⁊ Dreimännerwein · Gesöff · Krätzer ·
Kutscher · Purlegîger (els.) · Rachenputzer · Rambaß · Sauerach · Surius ⁊ Champagner · Schampus · Schaumwein · Schumm · Sekt · ne Pulle (nordd.) ⁊ Gewürzwein · Hippokras · Bischof · Bowle · kalte Ente · Essenz · Glühwein · Grog · Hoppelpoppel · Kardinal · Krambambuli · Maitrank · Punsch · Schabau · Eisbrecher ·

Seelenwärmer · Seehund · Karmelitergeist ⁣❡ Schnaps · Branntwein · Finkeljochem ·
Fusel · Likör · Lippentriller (berl.) · Lüttlelag · Magenbitter · Offensivgeist ·
Schluck aus der Pulle · Sorgenbrecher ❡ e Werfche (oberhess.) · Weinbrand · Wupp-
dich ❡ Absinth · Aquavit · Arrak · Kirsch · Knickebein · Kognak · Köm · Korn ·
Strippe · Sliwowitz, Rakija · Schimmel und Brauner (Bier mit Schnaps) · Kümmel ·
Maraschino · Rum · sanfter Heinrich · Whisky · Wuttki usw. · Schnapsflasche:
Karline ❡ Cobbler · Cocktail · Flip · Granit · Scherbett (Sorbet).

32. Trunksucht.

er säuft, trinkt · alkoholisieren · sumpfen · er hat einen Schwamm im Magen, ein
gutes Gefälle, eine durstige Leber · tut mal gerne was fürn Kranken · er kann
die vollen Gläser nicht leiden · er kann kein leeres Glas sehen · er kann keinen
Wein leiden: wo er ihn trifft, vertilgt er ihn · er kann an keinem Wirtshaus
vorbei · er trinkt einen guten Stiebel, einen guten Streifen · kann viel vertragen
❡ er säuft wie ein Bürstenbinder, Domherr, Igel, wie ein (offenes) Loch, wie eine
Spritze, eine Teke (Unke) · ist dem Trunk ergeben, verfallen · § 11, d. h. es wird
fortgesoffen · Schlund wie die Einkommensteuer · hat einen kräftigen Zug ❡ feuchtfröhlich · säuferisch · sauflustig · trinklustig · versoffen ❡ Alkoholiker · Bacchant ·
Bacchusfreund · Bierfaß · Branntweinvertilger · Faß · Gambrinusverehrer · Ge-
wohnheitstrinker · Quartalssäufer · Säufer · Saufaus · Saufeule · Saufkumpan ·
Schnapsbruder · Schoppenstecher · Schwamm · Süffel · Sumpfhuhn · Trinker ·
Trunkenbold · Weinfaß · Zecher · Zechkumpan · durstige Seele · nasse Brüder
❡ Alkoholismus · Säufertum · Suff · Trunk(sucht) · Versoffenheit · Völlerei · Deli-
rium. — Entziehungsanstalt.

33. Trunkenheit. *s. verrückt 12. 57.*

mit dem Herzen auf der Zunge · mit beschwerter, lallender, mit vom Wein ge-
löster Zunge ❡ schwanken · doppelt sehen · den Himmel für eine Baßgeige, für
ein blaues Kamisol ansehen · kann auf keinem Bein mehr stehen, nicht mehr
gerade(aus) gehn · verträgt nichts · er schwingt eine Kiste · zeigt starke Schlagseite · er schielt mit den Beinen · er hot (rufen die Kinder hinterher) · er hat die
Mütze schief sitzen · er hat auf, hoch (bayr.), einen Affen, einen Ballon, einen
Bollen, einen Ditto, eine Dohle, etwas im Dach, eine Fahne, er hat genug, ein
bißchen zu viel, einen Glanz, einen Käfer, Klepper, Zacken in der Krone, eine
Krehle (schles.), Öl am Hut, einen Hieb, einen Item, einen Rausch, einen Schädel,
Schieber, Schlag, eine Schleuder, einen Schnurren, einen Schuß, einen Schwips,
einen Spitz, einen Stich, Strich, einen Talis, er hat sein Teil, einen Zacken, einen
Zopf, er hat sich einen angekrümelt, hat schief geladen, schwer geladen, er hat
einen weg, einen sitzen, einen im Krönchen, im Kreuz, mehr als genug, zuviel
intus, hat das graue Elend · er hat des Guten zuviel getan, hat zu tief ins Glas
geguckt, hat etwas im Timpen · er ist belzig, blau (wie ein Veilchen), duhn, fertig,
im Dalles, fett, fisselig, gedeckt, geliefert, glücklich, grau, halb drüber, hin, hinüber, illuminiert, knüll, molum, rahmig, satt, schicker, schräg, selig, toll und voll
(sternhagelvoll, sternkanonenvoll) · weinblind · im Dampf, im Frack, im Schumm,
im Tran, in gehobener, weinseliger Stimmung, im siebenten Himmel · voll wie
ein Dudelsack, wie ein Schwein, wie eine Spritze, Haubitze, wie eine Strandkanone, es hat ihn · er ist voll süßen Weines · hat das Gleichgewicht verloren · er
schlägt scharfe Kurven ❡ sich bedudeln · sich begigeln (nordd.) · sich behammeln ·
sich beknüllen · sich beknüppeln · sich bekümmeln · theken · sich einen antheken · sich

besaufen · sich besäuseln · sich beschickern · sich beschwipsen · sich betrinken · sich bezechen · sich einweichen · sich einen ansausen · zu tief ins Glas (in die Kanne) gucken · der Wein steigt ihm zu Kopf · sich die Nase begießen · sich übernehmen ¶ berauschen · einseifen · einweichen · vollmachen · unter den Tisch trinken · einen Affen anhängen · unter Alkohol setzen ¶ angeäthert · angeduselt · angeheitert · angerauscht · angerissen · angesäuselt · angetrunken · angetüdelt (hamb.) · animiert · bedudelt · beduselt · befiselt · bekneipt · benebelt · benibbelt · benommen · berauscht · besäuselt · beschickert · beschmort · beschnurjelt · beschwipst · besoffen · betimpelt · betrunken · bezopft · stink-, stockbesoffen · whisky-selig ¶ Bierleiche · 'ne scheene Mittelleiche · Vater Noah ¶ Besoffenheit · Dusel · Kapuzinerrausch · Rausch · Schwips · Spitzer · Weinlaune · das heulende Elend · Delirium · Haarbeutel · Haarspitzenkatarrh · Kater · Katzenjammer · Ölkopp · Moralischer · Datterich.

34. Tabak.

schnupfen · Prise ¶ priemen · Kautabak · Kaugummi · Schick · Stift · Twist · schwarzer Krauser · Schmalzler ¶ flöfen (rhein.) · paffen · plotzen · qualmen · rauchen · schmauchen · schmorren (rhein.) · ziehen · Tabak trinken ¶ Zigarre, Glimmrolle, Glühzulp, Knasterkerze, Lippenbürste, Mundklistier, Nikotinspargel · Qualmbolzen, Rauchrolle, Rauchkolben · Importe · Havanna · Festrübe · schlechte Marke: Giftnudel · Knallerballer · Knäller · Kutscherzigarre · Liebesgabe (schon 1870) · Rakete · Schnuller · Stinkadores · Stinkbolzen · Marke Buchenlaub · deutscher Wald · Marke Bahnwärter: bei jedem Zug raus · Marke Dienstmädchen: geht gern aus · Dreimännerzigarre: drei ziehn, eener spukt · Marke Erlkönig: erreicht den Hof mit Müh und Not · Marke Freimaurer: wird selbst von Maurern nur im Freien geraucht · Marke Handgranate: anzünden und wegwerfen · Marke Laffette: unter jeder Kanone · Marke Hannibal: ante portas · Marke Heideröslein: Knabe sprach „ich breche mich" und der wilde Knabe brach · Marke Petrus: er ging hinaus und weinte bitterlich · Marke Wer hat dich, du schöner Wald · Marke Der Mann muß hinaus · Marke Rauchdusie · Siedlerstolz ¶ Stumpen · Zigarillo · Sargnagel · Zigarette, Spreize (bayr.), Stäbchen, Glimmstengel, Flöte (sold.) · Kippe (ausgedrückte Zigarette), Hugo (aus 6 Hugos kann man eine neue Zigarette machen) · Pfeife, Tschibuk (österr.), Kloben · Wasserpfeife.

35. Verdauung, Ausscheidungen usw. *s. Körperteile 2. 16.*

absondern · aussondern · ausscheiden · schwitzen · ¶ Absonderung · Ausscheidung · Exsudat · Produkt · Sekret ¶ Schweiß: im Schweiße seines Angesichts · schwitzen · transpirieren · wie ein Tanzbär, eine Sau · es läuft ihm das Wasser herunter ¶ Träne, Perle, Zähre ¶ Ohrenschmalz ¶ Mund und Luftwege: rotzen, schnauben · schneuzen · schnuffeln ¶ Butz · Kenkel · Licht · Popel · Qualster · Rotz · Rotzglocke (wenn's herunterhängt) · Schleim · Auster ¶ hatschi! hazih! pschi! · niesen ¶ sabbern · sallvatzen · speisen · speuzen · spucken · qualstern ¶ Geifer · Guscht (hess.) · Speichel, Spucke, Aule (schles.) ¶ räuspern · husten · hüsteln ¶ Auswurf · expektoral · speien · spucken ¶ Erbrechen: aufstoßen · rülpsen · gaksen · grebretzen (östr.) · Upsala · hat ne Pogg im Hals (rhein.) · Schluckauf · Hetscher ¶ sich brechen, erbrechen · gärben · kapöberle (schweiz.) · köken · körbeln · közen · kotzen · ullriche (hess.) · reihern · speien · sich übergeben · Kotzebues Werke studieren · dem Ozean Tribut zahlen · nach Speier appellieren · wie ein Reiher · den hl. Ulrich anrufen · Bröckchen lachen · so ist's recht, immer das A-loch geschont (Mannheimer Arbeiter teilnahmevoll zu einem Heidelberger Studenten) · ¶ seekrank ⁊ Erbrechen · Brechmittel · Vomitiv · Hühnerfutter · ist aus dem Gesicht gefallen ⁊ Kullern im Bauch: die Spielmänner zerschlagen sich · Frösche im Bauch ⁊ Verdauung: austreten · verschwinden · muß (will) hinaus usw. ⁊ harnen · urinieren usw. · abhalten · Lockruf: ws ws ws · Harn · Urin · ⁊ Wind: farzen, fisten usw. ⁊ Stuhlgang: defäzieren usw. ⁊ abführen ⁊ faeces · Kegel (jäg.) · Kot · Losung (jäg.) · Stuhl usw. ⁊ Tante Meier usw. ⁊ Defäkation · Öffnung · Stuhlgang · Verdauung ⁊ Sperma, Pollen, Samen, Sporen usw. ⁊ Menses: unwohl sein usw.

36. Schlafen. *s. Ruhe 9. 36.*

bremsen · dachsen · dösen · filzen (seem.) · lunzen · nicken · nulschen (marinespr.) · pennen · schlafen · schlummern · schnarchen, sägen, schnorcheln · schnubbeln · torfen · träumen · Siesta halten · in Morpheus' Armen ruhen · sich des Schlafes nicht erwehren können · schläft wie ein Beamter, wie ein Bär, ein Murmeltier, ein Sack, Ratz · an der Matratze horchen · auf den Federball gehen · in Schlaf fallen ⁊ eindunseln · einduseln · einnicken · einschlafen · einschlummern · entschlummern · gähnen · umfallen · sich aufs Ohr legen · die Augen schließen · vom Schlaf überwältigt werden · der Sandmann kommt · gleich weg sein ⁊ einlullen · einschläfern · wiegen · Eia popeia ⁊ Dusel · Halbschlaf · Indolenz · Lethargie · Nickerchen · Rast · Rucks · Ruhe · Schlaf · Schlafsucht · Schlummer · Siesta · Traum *s. 12. 28* · Nur ein Viertelstündchen · der Schlaf des Gerechten ⁊ Ätherrausch · Narkose *s. 10. 3.*

37. Wachen. *s. Bewußtsein 11. 1.*

aufbleiben · wachen · ist auf den Beinen ⁊ erwachen · zu sich kommen ⁊ erwecken · wecken · alarmieren · aufstören ⁊ munter (nordd.), wach · aufgekratzt · hell wach ⁊ Nachtwache · Posten.

38. Gesundheit. *s. dick 4. 10. Kraft 5. 35. heiter 11. 12.*

in alter Frische ⁊ blühen · gedeihen · strotzen · sich wohl befinden, behaben · aussehen wie Milch und Blut, wie das Leben · er ist auf dem Damm, auf der Höhe, gut beisammen, die Gesundheit selbst, gut imstande · es geht ihm gut · kann nicht klagen ⁊ abhärten · ertüchtigen · stählen ⁊ alert · derb · forsch · frisch · frischfarbig · gesund · kerngesund · kräftig · kraftstrotzend · mopsfidel, quietschfidel · munter · pudelwohl · quick(lebendig) · rüstig · springlebendig · strotzend · wohl · wohlauf · wohlgemut · gesund und munter · wie eine Eiche ⁊ heil *s. ganz 4. 41* · unbeschädigt · unverkrüppelt · unversehrt · wohlauf · unverwüstlich · widerstandsfähig · wohlbehalten · zäh · zählebig · wie der Fisch im Wasser · zum Bäume ausreißen · k. v. = kriegsverwendungsfähig, reif zum Abtransport, schützengrabenverdächtig (mil.) · nicht tot zu kriegen ⁊ Befund · Habitus · Körperbau · Konstitution ⁊ Gesundheit · Wohlbefinden · Wohlergehen · Wohlsein · blühendes Aussehen · gute (Mords-)Natur · Kraftreserve.

39. Ermattung. *s. schwach 5. 37. Anstrengung 9. 40.*

jappen · japsen · keuchen · lechzen · nachhinken · pusten · schmachten · schnaufen · schwitzen · abgespannt sein · nicht nachkommen können · nach Luft schnappen · ab, kaputt, down, gerädert, erledigt, fertig sein · kann nicht mehr · sich langeweilen · gähnen · Tobias 6 Vers 3 ⁊ abbauen · abmachen · kann nicht mehr bapp, piep sagen · jachern · Zunge hängt aus dem Mund heraus · hat keine Puste

mehr ❡ erlahmen · erliegen · ermatten · ermüden · erschlaffen · nachlassen ·
niederbrechen · sich überarbeiten · unterliegen · vergeben · versagen · wegbleiben
(schles.) · zurückbleiben · zurückfallen · den Atem verlieren · außer Atem kommen ·
ohnmächtig, schläfrig werden · schlappmachen · der Atem geht aus · die Ohren,
die Flügel hängen lassen · zusammenknacken, -brechen · umsinken ❡ abhetzen ·
abmühen · angreifen · auftreiben · entkräften · ermüden · erschöpfen · mitnehmen ·
placken · plagen · schlauchen · schwächen · überarbeiten · überbürden · überladen ·
die Kraft benehmen · zermürben · zuschaden reiten, treiben ❡ abgearbeitet, -hetzt,
-gekämpft, -gequält, -gespannt · abgetrieben · angeschlagen · angestrengt · erschöpft ·
impotent · marode · matt · müde · schlapp · überarbeitet · zerschlagen ❡ atemlos ·
aufgerieben · entkräftet · erhitzt · erholungsbedürftig · ferienreif · früh gealtert ·
gebrochen · geknickt · hinfällig · invalide · keuchend · kraftlos · lechzend · ruhebedürftig · schwach · schweißtriefend · übermüdet · ungelabt · verbraucht · verdrießlich · welk · wie tot · schlapp wie ein nasses Handtuch ❡ benommen · angeschlagen · angeknockt · groggy ❡ *Von Sachen:* langweilig · lästig · *s. unangenehm
11. 13* ❡ Alpdrücken · Asthma · Atemnot · Beklemmung · Beschwerde · Kollaps ·
Lungenödem · Neurasthenie · Ohnmacht ❡ Ermattung · Kräfteschwund · Müdigkeit · Schwäche · Schweiß · Zusammenbruch · Verfall der Kräfte · „Aus".

40. Erholung. *s. Heilung 2. 44. Ruhe 9. 36. Vergnügen 16. 55.*

sich aufraffen · sich erholen · genesen · sich sammeln · sich rausrappeln (berl.)
❡ Kräfte sammeln · besser werden · ❡ auffrischen, -muntern, -pulvern · beleben ·
bessern · erfrischen · erneuern · erquicken · kräftigen · laben · stärken · verjüngen ·
wiederherstellen · gut tun ❡ frisch · kräftig · neubelebt · unermüdlich ❡ balsamisch ·
erquickend · labend ❡ Imbiß · Labetrunk · Labsal · Satteltrunk · Stehschoppen ·
Trank der süßen Labe ❡ Ferienkolonie · Sommerfrische · Spaziergang · Landverschickung ❡ Erfrischung · Erholung · Erleichterung · Freizeit · Genesung ·
Labung · Linderung.

41. Krankheit. *s. dünn 4. 11. schwach 5. 37. Schmerz 11. 13. häßlich 11. 28.*

darniederliegen an · fiebern · klagen über · korksen · krächzen · krexen · kränkeln ·
kranken an · hüsteln · laborieren · leiden an · liegen · phantasieren · quiemen (berl.) ·
siechen · ist unpaß, unpäßlich, nicht in Ordnung, nicht auf dem Posten, marode,
schlapp, klapprig ❡ das Bett, Zimmer hüten · ist bettlägerig, in Behandlung, nicht
kapitelfest, daneben, nicht recht zu Weg · es ist ihm nicht wohl, unwohl, nicht so
recht, komisch, flau · er hat was · mit einem Fuß im Grabe stehen · den Todeskeim in
sich tragen · ist zum Tode verurteilt · es fehlt ihm was · es steckt etwas in ihm ·
er hat einen Knacks · steckt in keiner guten Haut · ausgemergelt aussehen oder:
ausgenommen, durchsichtig eingefallen, hohl(wangig), kümmerlich, blaß, bleich,
verboten, verhurt, verkatert, verkorkst, verschwiemelt, wie frisch gekotzt, wie eine
Leiche · hat ein Gesicht wie Braunbier und Spucke · man zweifelt an seinem Aufkommen · kann nicht leben und nicht sterben · es steht schlecht mit ihm · ist nicht
mehr viel los mit ihm ❡ sich anstecken · fangen · sich erkälten, verkühlen ·
erkranken · sich übernehmen · sich verderben · befallen werden · heimgesucht
werden · auf sich hereinhausen · etwas abkriegen · mit sich aasen · sich etwas
holen, zuziehen · sich schön bezahlen · einen Treff bekommen · den Todeskeim
empfangen ❡ anstecken · infizieren · verseuchen · etwas nimmt einen stark mit ·
die Gesundheit beeinträchtigen, erschüttern, schädigen ❡ abgezehrt · altersschwach · anfällig · angegriffen · armselig · behaftet mit · bresthaft · elend · er-

kältet · gebrechlich · heruntergekommen · hinfällig · invalid · kraftlos · krank · kränklich · leidend · matt · piepsig · schwächlich · siech · süchtig · (tod)sterbens- krank · ungesund · unrettbar · unwohl · verschnupft ⁋ bedenklich · ernst · ge- fährlich · infaust · lebensgefährlich · unheilbar ⁋ ansteckend · bösartig · epide- misch · erblich · gesundheitswidrig · giftig · lebenzerstörend · nachteilig · pesti- lenzialisch · schädlich · schleichend · tödlich · übertragbar · ungesund · unheilsam · unverdaulich · verderblich ⁋ Badegast · Brunnengast · Fall · Hilfsbedürftiger · Invalide · klinischer Fall · Kranker · Kriegsbeschädigter · Krüppel · Kurgast · Patient · Siecher · Todeskandidat, Moribundus · Rekonvaleszent · Schwach- maticus ⁋ -itis · -ose · Affektion · Anfall · Anwandlung · Auflösung · Beschwerde · Entzündung · Erbteil · Erkältung · Erkrankung · Gebrechen · Gebreste · Hin- fälligkeit · Infektion · Kollaps · Krampf · Krankheit · Kreuz · Krisis · Leiden · Nachtschweiß · Ohnmacht · (entzündlicher) Prozeß · Reizung · Schaden · Schwäche · Siechtum · Störung · Übel · Übelfinden · Übelkeit · Unwohlsein · akutes, chronisches Leiden · Verfall der Kräfte · Gewichtsverlust · Rückfall ⁋ Krankheitsstoff · Bazillus · Erreger · Virus.

Mißbildungen: Spitzkopf · Turmschädel · Zwerg- · Wasserkopf · Säufer- · Himmel- fahrts- · Sattelnase · Schielen: Silberblick · guckt mit dem linken Auge in die rechte Westentasche, schielt, daß ihm die Tränen kreuzweise über'n Rücken laufen · Gerecke (schles.) · scheel · Hasenscharte · Wolfsrachen · Hühnerbrust · Schuster- oder Trichterbrust · Buckel, Ast, Knast, Knarren, Höcker, Kriegskasse (mil.) · O-Beine · verwundete Beine *s. krumm 3. 46* · X-Beine · Bäckerbeine · Mädchen mit verbogenem Fahrgestell (Fliegerspr.) · Knieradler (ö.) · Linkser, Linksdootsche (schles.).

Bewegungsapparat: Rachitis · englische Krankheit · Knochenverkrümmung · Wirbel- säulenverkrümmung (Skoliose, Kyphose, Lordose) · ⁋ Knochenmarksvereiterung · Knochenerweichung · Knochenfraß · Knochentuberkulose · Knochenhautentzündung ⁋ *Gelenkerkrankungen:* Gelenkmaus · Meniskusverletzung · Bänderzerrung · -riß · Arthritis · Gelenkentzündung · Schlottergelenk · Verrenkung, Luxation · Ver- stauchung, Distorsion · Überbein · Schleimbeutelentzündung · Sehnenscheiden- entzündung ⁋ Muskelschwund ⁋ Knochenbruch · Fraktur · einfacher (geschlos- sener) · komplizierter (offener) Knochenbruch ⁋ Verkürzung · falsches Gelenk · Pseudarthrose ⁋ Gicht · Chiragra · Podagra · Zipperlein; gichtbrüchig ⁋ Rheuma- tismus: Gliederreißen, das Reißen, Reißmatichtig, Reißmattheis (Odenwald), die Flöß (hess.) · Gliederfluß · Hexenschuß · Ischias · steifer Hals ⁋ lahm · hinken · lahmen · schnappen · tritt in die Kuhle · Klump- · Platt- · Spreiz- · Hohl- · Knick- fuß ⁋ verkrüppelt · Krüppel.

Haut: Albinismus · Kakerlake · lichtscheu · Sommersprossen: da hat der Teufel durchs Sieb geschissen ⁋ Verbrennung · Sonnenbrand · Gletscherbrand ⁋ Haar- ausfall · Glatze: Platte · Kahlkopf · Billardkugel · Vollmond · Baustelle (berl.) · die Stirn wächst in den Rücken hinein · die Kniescheibe kommt durch den Kopf · kann sich mit dem Schwamm frisieren · Glatze mit Gartenzaun · Bubikopf mit Spielwiese · Geheimratsecken · Sardellen · hat eine Braut mit rauhen Ober- schenkeln ⁋ Schweißfuß, Limburger ⁋ Erfrierung · Frostbeule ⁋ Schuppen, Schinnen · Mitesser · Pinnagel · Hornhaut · Schwiele · Wimmerl · Hühnerauge · Leichdorn ⁋ Grieben · Hiwwel · Lieschen · Pickel · Poche · Papel · Pluster · Quaddel · Quese · Bläderle · Pfipferle (bad.) · Geiben (hess.) ⁋ Leberfleck · Mal · Muttermal · Warze · Feigwarze · Finne ⁋ Milchschorf der Kinder: Kneiß (hess.)

143

¶ Furunkulose · Furunkel, Aisse (alem., bayr.) · Karbunkel · Karfunkel (volkst.) ·
Schwären · Schwager (Schles.) · Geschwür · Abszess · Eiter ¶ unterkittig · böser,
schlimmer Finger · Umlauf · Panaritium ¶ Brand · Nekrose ¶ Fistel · Zellgewebs-
entzündung · Nesselsucht · Nesselfieber ¶ Rose · Rotlauf ¶ Lupus · Hauttuberkulose ¶ *Schmarotzer:* Flöhe · Wanzen · Läuse · Kopflaus · Weichselzopf · Filzlaus, Filzbeine (mil.), Sackratten (mil.), Pipelchen ¶ Krätze · Flechte · Schuppenflechte · Bartflechte · Ekzem, Ausschlag ¶ Geschwulst · Tumor ¶ weicher Schanker
¶ Krebs · Carcinom · Ca ¶ Sarkom ¶ Myom.

Fieber: intermittierend · hektisch · Schüttelfrost · Delirium · Bettelmann · Schüttler ·
fliegende Hitze.

Blut: Anämie · Bleichsucht · Chlorose · Bluter · Leukämie · Milzschwellnug
¶ Skorbut.

Kreislaufapparat: Aderverkalkung, Zementschnuppen (berl.) · Kreislaufstörung ·
Herzklappenfehler · Herzverfettung · Herzbeklemmungen · angina pectoris · Herz-
klopfen · Hochdruck · Hypertonie · Thrombose · Venenentzündung · Embolie
¶ Gefäßerweiterung · Krampfadern.

Atmungsapparat: Kehlkopf · Adamsapfel · Stimmbänder · Nasenbluten ¶ Katarrh ·
Erkältung · sich erkälten, verkühlen · Nasenkatarrh · Pfnüssel · Rotznase ·
Schnupfen · das Geschnitter · Ozäna · Polyp ¶ Rachenkatarrh · Husten · hüsteln
¶ Sängerknötchen · Kehlkopfkatarrh · Luftröhrenkatarrh · Bronchitis ¶ Asthma ·
Atemnot · hat es auf der Brust ¶ Rippenfellentzündung (feuchte, trockne R.) ·
Seitenstechen · Lungenentzündung ¶ Lungentuberkulose (Tb) · Spitzenkatarrh ·
spezifischer Prozeß · Auszehrung · Schwindsucht · galoppierennde Schwindsucht ·
Miliartuberkulose · Tuberkelbazillus, Maikäfer (sold.) · Pips.

Verdauungsapparat: Zahn: -fistel · -karies · -wurzelgranulose · Paradentose ¶ Mundfäule · Aphthen ¶ Sodbrennen · Speiseröhren- ¶ Schlucken: Schlucksen · Schluckauf · Gluckser (bad.) · hat den Hecker (schwäb.) · aufstoßen · rülpsen · gaksen
¶ Magenkatarrh · Magenverstimmung · Erbrechen, Kotzen *s. 2. 35* ¶ Magen:
-blutung · -erweiterung · -verengerung · -geschwür · -krebs · -pförtner · Zwölffinger-
darm ¶ Darmkatarrh · Brechdurchfall · das Abweichen · Beschleunigung ·
Diarrhoe · der Dünne · Dünnschiß · Durchmarsch · Flodder (rhein.) · schnelle
Kathrine · SKH · Schnellemachfixe · die Schwarzn (ö.) · sch... über sieben Beete
¶ Dysenterie · Ruhr · Cholera ¶ Verstopfung · Obstipation · hartleibig · verstopft ·
vermauert · hat keine Losung (jäg.) ¶ Hämorrhoiden · Goldadern · Zacken
¶ Bruch · Leisten- · Hoden- · Wasser- ¶ Bandwurm · Spulwurm · Fadenwürmer ·
Würmer ¶ Bauchfellentzündung · Blinddarmentzündung, Appendizitis · per-

Verdauungsdrüsen: Zucker(krankheit) · Gelbsucht · Gallensteine · Gallenblasen-
entzündung · Leberschrumpfung.

Harnapparat: Blasenkatarrh · katheterisieren · Nierenentzündung · Nierenbecken-
entzündung · Nierenschrumpfung · Schrumpfniere ¶ Nierensteine · Harnleitersteine · Blasensteine ¶ Phimose.

Nervensystem: Schwindel · Drehwurm · Drehkater · Migräne · Kopfschmerzen ·
Brummschädel ¶ Nervenentzündung · Neuritis · Gürtelrose · Neuralgie · Ischias ·
Beri-Beri ¶ Paralyse · Hirnerweichung · Rückenmarksdarre · Tabes dorsalis ¶ Schlag-
anfall, Apoplexie · Sonnenstich · Hitzschlag · Schlagfuß · Hirnhautentzündung ·
Gehirnerschütterung · Commotio · Kontusion ¶ Platzangst usw. · Nervosität · Neu-

rose · Hysterie · Neurotiker · Rentenneurotiker · Schüttler · Hypochonder · Psychopath, *s. verrückt 12. 57* ⁊ Stottern *s. 13. 14* ⁊ Schwachsinn ⁊ Psychose · Manie · Schwermut · Melancholie · Depression · Schizophrenie · jugendliches Irresein · Geisteskrankheit · Größenwahnsinn · Paranoia ⁊ Süchte z. B. Morphinismus ⁊ Krampf · Zuckung · Epilepsie · Fallsucht · die Kränke ⁊ Veitstanz · Albdruck · Schrätteli (alem.) *s. Geister 20. 5.*

Sinnesorgane. Augen: Bindehautentzündung · tränen · triefäugig ⁊ schwachsichtig *s. 10. 17* ⁊ Gerstenkorn · Hagelkorn · Wehschisser · Wern · Körnerkrankheit · Trachom · ägyptische Augenkrankheit · Star · grauer (Alters-)Star · grüner Star (Glaukom) · Blindheit *s. 10. 18* ⁊ *Ohren:* Mittelohrentzündung · Ohrlaufen · Taubheit *s. 10. 20.*

Geschlechtsorgane: Gonorrhoe, Tripper usw. · weißer Fluß.

Drüsen: Kropf · Adamsapfel · Binkerl · Saufknorrn · Basedow · Ziegenpeter · Mumps · Wochendippel.

Allgemeine Infektionskrankheiten: Masern · Scharlach · Röteln · vierte Krankheit · Windpocken · Wasserpocken · Schafblattern · Keuchhusten · Angina · Diphtherie · (schwarze) Pocken · Blattern · Kinderlähmung ⁊ Grippe · Influenza · spanische Krankheit · grippös ⁊ Blutvergiftung · Sepsis · septisch · Vergiftungen *s. 2. 43* ⁊ Gelenkrheumatismus · Paratyphus ⁊ Typhus · Unterleibstyphus · Flecktyphus · Fleckfieber ⁊ Trichinen · Ruhr · Dysenterie · Cholera ⁊ Tollwut · Rotz · Strahlenpilz · Milzbrand ⁊ Starrkrampf · Tetanus · Genickstarre · Gasbrand ⁊ Pest · Lungen- · Bubonen- · der schwarze Tod ⁊ *Tropenkrankheiten:* Malaria · Schwarzwasserfieber · Malaria tropica · Schlafkrankheit ⁊ Gelbfieber ⁊ Aussatz · Lepra ⁊ *Geschlechtskrankheiten:* türkische Musik ⁊ Syphilis: Lues · Franzosenkrankheit · die große Galanterie · böse Krätze · Hurenspiegel · Lustseuche · die ganze Muse · Pauken (und Trompeten) · das große S · venerisch ⁊ harter Schanker, Primäraffekt.

42. Verletzung. *s. scharf, spitz 3. 55. prügeln 16. 78. quälen 16. 79.*

bluten · schweißen (jäg.) · verunglücken ⁊ verbrennen · verletzen · versehren · verwunden · beißen · verzerren ⁊ den Fuß brechen · verknacksen · vertauschen · vertreten · verrenken · sich klemmen · quetschen · sich reißen ⁊ traumatisch · weh · wund ⁊ Amputierter · Invalide · Krüppel · Kriegsbeschädigter (1914) · Versehrter (1941—44) · Verletzter · Verwundeter ⁊ Beule, Bausen · blauer Fleck · Erguß · Fissur · Hautabschürfung · Hecker (schles.) · Quetschung · Kratzer · Leibschaden · Mal · Narbe · Reizung · Riß · Scharte · Schmarren · Schmiß · Schramme · Schnitt · Stelle · Schrunde · Schwiele · Striemen, Riegel (österr.) · Wunde · Verletzung · Verwundung · Weh-Weh (kindl.) · Heimatschuß · Kriegsandenken ⁊ Wolf · sich wundlaufen · offenes Bein ⁊ Splitter · Schliwwer (hess.) · Schiefer · Splinter · Spreissel (fränk.) ⁊ Kriegsbeschädigung · Unfall · Unglück · Blutverlust · Gehirnerschütterung.

43. Gifte. *s. beschädigen 9. 63.*

anstecken · vergasen · infizieren · vergeben mit · vergiften · verseuchen · ein welsches Süpplein kochen · eine tödliche Dosis versetzen ⁊ giftig · venenös · virulent ⁊ Giftmischer(in) · Drache · Giftschlange · Otter · Skorpion · Viper ⁊ Bazillenträger ⁊ Seuchenherd ⁊ Gift · Giftstoff · Krankheitserreger · Pflanzengift · Tiergift · Aqua Tofana · Arsenik · Blausäure · Bleiweiß · Curare, Pfeilgift · Drachenblut ·

Gallapfel · Krähenauge · Leichengift · Rattengift · Rauschgift · Scheidewasser ·
Schierling · Schlangengift · Strychnin · Sublimat · Tollkirsche · Upas · Zyankali
◀ Alkohol · Nikotin · Koffein ◀ Ansteckungsstoff · Bakterie · Bazillus · Fieber-
erreger · Kokke · Krankheitsträger · Miasma · Pilz · Seuchenüberträger · Spiro-
chäte · Spore · Tuberkel · Virus ◀ Kerkerluft · Pesthauch · Rauchvergiftung ·
Kohlengas ◀ Ansteckung · Infektion · Inkubation · Kampfstoffe · Gase · Gelb- ·
Blau- · Grünkreuz usw. · chemischer Krieg ◀ Gegengift, Antitoxin: Theriak usw.
◀ Seuche · Übertragung · Vergiftung · ◀ Giftlehre · Toxikologie.

44. Heilung. *s. Hilfe 9. 70. Erfolg 9. 77.*

verhüten · vorbeugen · immunisieren · schutzimpfen ◀ kuren · kneippen ◀ anschlagen · bessern · heilen · helfen · kräftigen · kurieren · stützen · wiederherstellen ·
verarzten · verjüngen · in Ordnung bringen · wieder auf die Beine stellen · wiederbeleben · neues Leben einflößen · die Gesundheit wiedergeben · die Kraft, Lebenslust herstellen · über den Berg bringen ◀ arzten · (ärztlich) behandeln · praktizieren · quacksalbern ◀ beruhigen · beschwichtigen ◀ eingeben · einspritzen ·
impfen · verorden · verschreiben ◀ bedienen · bestrahlen · betäuben · betreuen ·
besuchen · chloroformieren usw. · desinfizieren · einschläfern · erleichtern · hypnotisieren · katheterisieren · mildern · narkotisieren · operieren · päppeln · pflegen ·
purgieren · schröpfen · zur Ader lassen · warten · wiederherstellen ◀ sich aufraffen ·
aufleben · sich beleben · sich erholen · sich be-, erkobern · erstarken · genesen · gesunden · sich wieder hochrappeln · sich machen · sich herausmachen · sich heraus-
mausern · sich fassen · sich sammeln · wieder aufkommen ◀ besser werden · er ist
wieder auf · ist auf dem Weg der Besserung · ist über den Berg, ist noch einmal
davongekommen · er wird wieder · er hat das Schlimmste hinter sich ◀ verharschen,
vernarben · die Krankheit überdauern, übernuppen, überstehen, überwinden ◀ gut
bekommen ◀ arzneilich · förderlich · gedeihlich · gesund · heilkräftig · heilsam ·
kräftigend · nahrhaft · offizinell · wohltätig · zuträglich · aufbauend · vitaminreich
◀ bekömmlich · harmlos · unschädlich · unschuldig · nicht ansteckend ◀ antiseptisch ·
blutdrückend · heilend · hygienisch · krankheitverhütend · nahrhaft · prophylaktisch · schmerzstillend ◀ Apotheker · Chemiker · Drogist · Provisor ◀ Tierarzt ·
Veterinär · Vieharzt ◀ Anatom · [prakt.] Arzt · Chirurg · Doktor · Facharzt · Feld-
scher · Geburtshelfer · Gynäkolog · Hautarzt · Heilkünstler · Homöopath · Internist ·
Mediziner · Naturheilkundiger · Psychiater · Schröpfer · Spezialist · Wasserdoktor · Wundarzt · Zahnarzt · Dentist, Zahntechniker ◀ Heilpraktiker · Magnetopath ◀ Sanitäter *s. 16. 74* · Ambulanz ◀ Geburtshelferin · Hebamme · Wehfrau ·
Wehmutter · die weis(s)e Frau · Grabbelmutter · Storchentante ◀ Bader · Hufschmied · Kurpfuscher · Quacksalber · Schäfer · Gesundbeter · Wunderdoktor · Medizinmann ◀ Militärarzt · Stabsarzt · Eisenbart · Karbolfähnrich · kv-Fabrik ·
Knochenschuster · Menschenflicker · Messerheld · Urinprophet · Knochenbrecher · Schinder · Rauf (sold.) · Spitzeflicker ◀ militärärztliche Untersuchung:
Christenverfolgung · Heldenauskämmkommission · Heldensieb ◀ Anti- · Anti-
pyrine · Antiseptika usw. · -mittel · Arznei · Chemikalien · Drogen · Emulsion ·
Expectorans · Gegengift · Heilmittel · Medikament · Medizin · Mittel · Narkotikon ·
Palliativ · Pille · Präservativ · Pulver · Rezept · Salbe · Schlafmittel · Schutzmittel ·
Serum · Tropfen · Verordnung · Zahneinlage · *Viele volkstüml. Bezeichnungen der*
einzelnen Heilmittel s. Büchernachweis ◀ Absud · Aufguß · Balsam · Elixier ·
Essenz · Extrakt · Heiltrank · Tee ◀ Abführmittel · Purgativ · Brechmittel ◀ Ader-
laß · Blutegel · Einreibung · Einspritzung · Injektion · Klystier · Einlauf · Eingriff ·

Operation · Schröpfkopf ⁊ Aufschlag · (Mull)Binde · Scharpie · Zupflinnen · Heft-
pflaster · Kataplasma · Leukoplast · Pflaster · Schönheitsmittel · Stift · Umschlag ·
Verbandszeug · Watte · Wickel · Wundfäden · Wundmittel ⁊ Radium · Röntgen-
strahlen · X-Strahlen · Höhensonne · Blaulicht · Quarzlampe · Kurzwelle ⁊ Attest ·
Rezept ⁊ Apotheke · Drogerie ⁊ Ambulatorium · Anstalt · Badeort · Badeplatz ·
Brunnen · Feldspital · Heilanstalt · Heilquelle · Hospital · Klinik · Krankenhaus ·
Kurhaus · Kurort · Lazarett: Karbolkaserne · Haferschleimvilla · Hungerkloster ·
Knochenbude (sold.) · Revier · Poliklinik · Sanatorium · Seebad · Siechenhaus ·
Spital · Sprudel ⁊ Badekur · Badereise · Bantingkur · Behandlung · Bestrahlung ·
Brunnenkur · Dampfbad · Diät · Elektrotherapie · Hungerkur · Hypnose · Kneipp-
kur · Luftkur · Massage · Naturheilverfahren · Sandbad · Solbad · Wasserkur ·
Roßkur · Pferdekur · Gäulskur (hess.) ⁊ Gesundheitspflege · Hygiene · Kräftigung ·
Orthopädie · Prophylaxis · Vorbeugung · Therapie, Behandlung · Diagnose, Krank-
heitsbezeichnung · Prognose ⁊ Bäderlehre · Balneologie · Chirurgie · Dermatologie ·
Diätetik · Elektrotherapie · Gesundheitslehre · Heilkunde · Heilkunst · Medizin ·
Magnetismus · Naturheilkunde · Neurologie · Pharmakologie · Wundarzneikunst ·
Zahnheilkunde ⁊ Allopathie · Homöopathie · Biochemie.

45. Sterben. *s. Ende 3. 27. aufhören 9. 33.*

ab- · ver- · abfahren · abgehen · abhauen · abkratzen · (sich) abmachen · abnibbeln
(sächs.) · abrutschen · abschnappen · absterben · abtreten · sich auflösen · auslöschen · drankommen · dahin- · draufgehen · sich davonmachen · eingehen · ein-,
hinüberschlummern · enden · entschlafen · erblassen · erliegen · erlöschen · ersterben · heimgehen · heimkehren · hinübergehen · krepieren · peigern · scheiden ·
sterben · totgehen · veratmen · verenden · verhauchen · verrecken · verröcheln ·
verscheiden · versterben · vollendet haben · zugrundegehen · treiben gehen (Post-
schaffner) · wegbleiben (bei Operation) · die Augen schließen · an die Reihe kommen · (von Gott) abberufen werden · sein Leben aushauchen · in die ewigen Jagdgründe eingehen · den A. zukneifen · sich in den Himmel lachen · sich von der
Verpflegung abmelden · in die Hölle fahren · in das ewige Licht eingehen ·
etwas mit dem Leben bezahlen · in die Nüsse gehn · sein Leben aushauchen · wird
ein Fraß der Fische · mit Mann und Maus untergehen · ins Grab sinken · in die
Gruft steigen · in Abrahams Schoß, in die Ewigkeit eingehen · zur großen Armee
abgehen · die Augen schließen · in die Ewigkeit abberufen werden · den Geist
aufgeben · ins Gras beißen · das Paraplü zumachen · in die Grube, gen Himmel
fahren · der Tod tritt an ihn heran · seine Tage, sein Dasein beschließen · zu
Staub werden · zu seinen Vätern, zu den himmlischen Heerscharen versammelt
werden · den Weg alles Fleisches, alles Irdischen gehen · sein (letztes) Stündlein
ist gekommen, hat geschlagen · das Zeitliche segnen · er geht von uns · eines
natürlichen Todes sterben · des Todes sterben · muß dran glauben · es ist schnell
gegangen ⁊ Spiegel verhängen · Uhren anhalten ⁊ abstürzen · erfrieren · ersticken · ersaufen · ertrinken · untergehen · umkommen · verbrennen · verbluten ·
verdursten · ve.hungern · verunglücken · über Bord gehen · das Genick brechen
⁊ es ist Matthäi am letzten · er ißt kein Pfund Mehl mehr · er zieht (ö.) · er
muß in die Pappelallee (sächs.) · Abschied für immer nehmen · der Welt Ade,
Valet sagen · es geht mit ihm zum Sterben · der macht's nimmer lang · wenn mir
etwas Menschliches begegnet · versacken · sein Haus beschicken, -bestellen · ein
Kind des Todes sein · sein Testament machen · seine letzten Verfügungen
treffen · alles regeln · geht mit ihm zu Ende · in den letzten Zügen liegen · das

hippokratische Gesicht zeigen · röcheln · ist am Abflattern, Abschnappen · steht
mit einem Fuß im Grab · Schwanengesang · es ist nichts mehr zu machen, zu
hoffen · seine Uhr ist abgelaufen · ist geliefert, erledigt · er riecht nach Tannen-
holz · der hört den Kuckuck nicht mehr schreien · die meisten Leute sind ihm begegnet · pfeift auf dem letzten Loch · hats letzte Brötche gefresse ⊄ modern · verwesen · er ist dahingegangen, ist von uns gegangen, verblichen, verfault, uns vorausgeeilt · er schnauft nimmer · hat den Löffel weggeworfen · er ißt mit Kulman
(mecklb.) · hat einen hölzernen Rock, ein grünes Kleid angezogen · sieht die Radieschen von unten wachsen · ist in ein besseres Jenseits (Welt) gegangen · hat
einen kalten A... · seinen Lebenslauf beendet · es gibt für ihn kein Erwachen
mehr · hat zur letzten Ruhe gefunden · er ist auf dem Rücken in die Kirche gegangen · ist hin(über) · ist ein stiller Mann · schläft den letzten Schlaf · ruht für
immer, hat ausgekämpft, ausgelitten, ausgerungen · ist erlöst · ist nicht mehr · ihn
deckt der (kühle, grüne) Rasen · ist am A... · den hat's erwischt, gefaßt, geholt,
dermatscht · mit dem ist's vorbei, zu Ende, aus und gar · der ist gewesen · ist ein
Haufen Asche · hat uns verlassen · hat vorzeitig abbrechen müssen · hat das Haus
nur als Toter verlassen · stieg in die Gruft · ist seinen Verletzungen erlegen · ist in
der Blüte des Lebens geknickt · da, wo es kein Erwachen mehr gibt · es ist aus · er
hat genug · den hat's gerissen · den hät's butzt (schweiz.) · ihm tut nichts mehr weh,
kein Zahn mehr weh, ist im Himmel, in Walhall ⊄ letal · makaber ⊄ abgestorben ·
fertig · frühvollendet · kalt · kaputt · leblos · mause(tot) · still · Gott hab ihn selig ·
der teure Entschlafene, Verschiedene · Todeskandidat ⊄ der selige, der verewigte,
weiland X ⊄ Aas · Asche · Balg · Erblasser · Erde · Gebeine · Kadaver · Körper ·
Leib · Leiche · Leichnam · Mumie · Skelett · Staub · Rabenfutter · Toter · der Ver-
blichene · die sterblichen Überreste · was sterblich an ihm war ⊄ Geist · Manen ·
Schatten *s. 20.10 f.* — Totentanz ⊄ Agonie, Todeskampf · Leichenstarre · Auflösung ⊄ Ableben · Ende · Exitus · Heimgang · Hinscheiden · Hinschied (schweiz.) ·
Tod · Todesfall · Tragödie · Verlust · Untergang · die traurige Gewißheit · *Nachlaß*
s. 18.5 ⊄ Freund Hein (Matthias Claudius) · Knochenmann · Sensenmann · Würger · Schnitter Tod ⊄ Abgang · Mortalität · Sterblichkeit.

46. Töten. *s. Jagd 2.11. Krieg 16.73. Strafe 19.32.*

ab- · hin- · nieder- · abmurksen · aufreiben · ausrotten · austilgen · beseitigen ·
sich jemands entledigen · erledigen · erlegen · ermorden · erschlagen · hinmachen ·
hinopfern · hinrichten · kaltmachen · killen · lynchen · massakrieren · metzgern,
metzen, metzeln · opfern · schächten, schlachten · meucheln · morden · richten ·
still, stumm, zunichte machen · töten · umbringen · umlegen · vernichten · vertilgen · ins Jenseits befördern · um die Ecke bringen · unter die Erde, unter den
Rasen bringen · über die Klinge springen lassen · den Odem, das Lebenslicht
ausblasen · dem Tode weihen · zur Strecke bringen · den Garaus machen · aus
dem Wege räumen · zu seinen Ahnen senden · vom Leben zum Tode bringen ·
in den Tod jagen · Köpfe rollen lassen · im Blute waten (Psalm 68, 24) · kurzen
Prozeß machen · in Stücke reißen · zu den Fischen, in die Hölle, in den Hades
schicken · für vogelfrei erklären ⊄ enthaupten, köpfen, einen Kopf kürzer machen ·
erschlagen, niederhauen, niedermachen, niedermetzeln, niedersäbeln, niederschlagen, niederstrecken · totschlagen · aufspießen, durchbohren, erdolchen, erstechen, totstechen, den Fang(schuß) geben, den Rest, den Gnadenstoß geben ·
aufhängen, aufknüpfen, erhängen, hängen · henken · erdrosseln, erwürgen, strangulieren · Schlinge um den Hals legen · erdrücken, totdrücken · ersäufen, ertränken ·

absacken lassen · ersticken · erschießen, füsilieren, abknallen, totschießen, eine Kugel durch den Kopf jagen, über den Haufen schießen · an die Wand stellen · kreuzigen · lebendig begraben · pfählen · rädern · steinigen · totschmeißen · wollen dem Herrn einen Scheitel ziehen · totprügeln · totpeitschen · totquälen · totfahren, überfahren · tothetzen · verbrennen · vergasen, vergiften, s. 7 43 · vierteilen · den Hals umdrehen · das Genick brechen · zerdrücken · zertreten ℂ hat ihn auf dem Gewissen ℂ weißbluten · ums Leben kommen · sein Leben lassen · sein Schicksal besiegeln · keines natürlichen Todes sterben · (auf dem Platz) bleiben · den Tod finden · ins Gras beißen · (Kind) des Todes sein · zu Tode kommen · auf der Strecke bleiben · den Heldentod sterben · fallen · sein Leben lassen, hingeben, opfern · in Walhall eingehen · auf dem Feld der Ehre fallen · einen ehrlichen Soldatentod sterben · Blutzoll entrichten ℂ Opfer fordern · es kostet das Leben, den Kopf ℂ tödlich verwundet · entseelt · besorgt und aufgehoben · es hat ihn (weg)gerissen ℂ blutdürstig · blutgierig · blutig · mörderisch ℂ lebensgefähılich · todbringend · tödlich ℂ Amokläufer · Attentäter · Bluthund · Bravo · Kopfjäger · Meuchler · (Raub-) Mörder · Würger ℂ Freiknecht · Freimann · Henker · Henkersknecht · Nach-, Scharfrichter · Metzger s. 16. 60 · Liquidierungskommando ℂ Abdecker · Schinder · Wasenmeister · Kafiller · Kleemeister · Kammerjäger ℂ Engelmacherin ℂ Lustmörder · Blaubart · Haarmann ℂ Einsatzgruppe · Himmelfahrtskommando · hohe blutige Verluste · Ausfälle · Kanonenfutter · Märtyrer · das Opfer · Schlachtvieh ℂ Anschlag · Attentat · Blutbad · Blutrache · Bluttat · Blutvergießen · Endlösung · Familiendrama · Liebestragödie in der ... straße · Exekution · Feme · Gemetzel · Jagdschein · Massaker · Metzelei · Meuchelmord · Mord · Mordtat · Pogrom · Standrecht · Terrorangriff · Tötung · Totschlag · Vergeltungsmaßnahmen, Repressalien · Mord und Totschlag · tödlicher Ausgang ℂ Abdeckerei · Walstatt · KZ · Vergasungswaggon · Gaskammer · Vernichtungslager · Todeszelle ℂ Autodafé · Flammentod · Verbrennung ℂ die Strecke · Verlustziffer, -quote · Blutsaat.

47. Selbstmord.

sich entleiben · sich umbringen · aus dem Leben gehen, flüchten · sich dem irdischen Richter entziehen · die Waffe gegen sich selber kehren · den Tod suchen · sein Leben mit dem Tode sühnen · sich opfern · sich entleiben · sich selbst richten · zur Pistole greifen · sich das Leben nehmen · sich ein Leids, etwas antun · Hand an sich legen · ins Wasser gehn · ein Ende, Schluß machen · von eigener Hand sterben ℂ amerikanisches Duell · Freitod · Harakiri · Selbstmord · Seppuko, Zibaku.

48. Bestattung. *s. verbrennen 7. 36—37. Klage 11. 33. Ehrung 16. 87.*

aufbahren · auslegen · aussegnen · ausstellen · beerdigen · begraben   beisetzen · bestatten · betten · einäschern · einbuddeln · einsargen · einscharren · einschaufeln · überführen · verbrennen · verscharren · in den Grund versenken · der Erde, dem Staube wiedergeben · zur letzten Ruhe bringen, geleiten · zu Grabe tragen · die letzte Ehre erweisen · das letzte Geleit geben ℂ drei Salven übers kühle Grab · Hier ruht in Gott, in Frieden ℂ ausgraben · ausscharren · exhumieren · umbetten · umtoppen ℂ Leichenbitter · Totengräber, Versenkungsrat ℂ Leichenzug · Leichenparade ℂ Bahre · Ehrenbett · Katafalk · Kranzspende · Leichenwagen · Leilach · Sarg · Sarkophag · Schragen · Leichentuch · Bahrtuch · Grabtuch · Totenbrett · sechs Bretter · vier Bretter und zwei Brettlein · Tumba · Schweißtuch · Totenhemd · Trauerflor · Trauergerüst ℂ Armesünderglöcklein, Sterbeglöcklein,

Totenglocke, Zügenglöcklein · Ehrensalut · Geläute · Halbmast · Leichengedicht ·
Leichengesang · Leichenpaß · Leichenrede · Nachruf · Requiem, Seelenamt,
Totenamt, Totenmesse · Totenklage · Totenwacht · Trauermarsch ¶ Beerdigung ·
Begräbnis · Bestattung · Beisetzung · Einäscherung · Feuerbestattung · Leichen-
begängnis · -feier · -schmaus, -verbrennung · Scheiterhaufen · das Trauergefolge ·
die schöne Leich' (hess.) · der letzte Gang · Überführung ¶ Aschenkrug, Urne
¶ Begräbnisstätte · Beinhaus, Ossarium, Korner, Kerner · Erbbegräbnis · Friedhof,
Gottesacker, Kirchhof · Grab · Grube · Gruft · Katakomben · Krematorium ·
Leichenhalle · Mausoleum · Schädelstätte · Schindanger · Massengrab · (letzte)
Ruhestätte ¶ Morgue, Schauhaus · Tempel · Totenhaus · Urnenhain · das feuchte
Seemannsgrab ¶ Denkstein · Dolmen · Grabdenkmal · Grabmal · Grabschrift ·
Grabstein · Tafel · Kreuz · Platte · abgebrochene Säule · Steinhaufen · Hügel.

Erinnerungsmale für Verunglückte und Ermordete: Allerheiligenhäuschen · Aller-
seelentaferl · Am (Kreuzle, Feldstein, Totgefahrenen) · Ambrosiuskreuz · An-
denken · Armeseelensàule · Armeseeltäfeln · Armesünderpost (-pfosten) · Armer-
seelenstöckl · NN-Baum: Totenbaum, Unglücksbaum · Baumbild ¶ Bei den Ochsen
(Ochsenfuhrwerk verunglückt) · Beim NN-Herrgott · Beim erwürgten Jungen ·
Beim Gehenkten · Beim Rube · Beim Student · Ben tud Jonge ¶ Bild, NN-Bild:
Baumbild, Erinnerungsbild, Gedenkbild, Heiligenbild, Hilfbild, Kreuzbild,
Marienbild, Marterbild, Muttergottesbild, Steinbild, Unglücksbild · Bildbaum ·
Bildbuche · Bildeiche · Bildfichte · Bildföhre · Bildhäuschen · Bildkiefer · Bild-
kreuz · Bildsäule · Bildstein · Bildstock · Bischofskreuz · Blitzpfosten · Blitz-
stein · Blutbuche · Brautbuche · Brett: Leichbrett, Seelenbrett, Totenbrett ·
Brüdersäule · NN-Buche: Mutterbuche, Schildbuche, Totschlagbuche · Denkmal: NN-Denkmal, Morddenkmal · (Denkmalsschlag) · Ehrenmal · Eichenkreuz ·
Erinnerungsbäumchen · Erinnerungsbild · Erinnerungshügel · Erinnerungskreuz ·
Erinnerungsstein · Erinnerungstafel · Erinnerungszeichen · Erlöserkreuz · Feldkreuz · Feldstein · Figur · (Findling, Findlingsblock) · Fürbittafel · Fußfall, Fußfällche · Zum Gedächtnis · Gedächtniskreuz · Gedenkbild · Gedenken · Gedenkkreuz · Gedenksäule · Gedenkstein · Gedenktafel · Gedenkzeichen · Beim Gehenkten · Gottesauge · Grab: Jungferngrab, Zigeunergrab · Grabkreuz · Grabstein · (NN-Halde) · Das gekrönte Haupt · Hegerkreuz · Heidenkreuz · Heiligen,
Helche (Hällche), Helerchen · Hciligenbild · Heiligenhäuschen · Heiligensäule ·
Heiligenstein · Heiligenstock · Heiligentaferl · Beim NN-Herrgott · (NN-Hill) ·
Hilfsbild · Dat höltern Krüz · Holzsaul · Jägersheiligen · Beim erwürgten, er-
schlagenen, toten Jungen · Jungferngrab · Kapelle: NN-Kapelle, Erinnerungskapelle, Feldkapelle, Gedenkkapelle, Marterkapelle, Muttergotteskapelle, Sühnekapelle, Wegkapelle · Kreuz, NN-Kreuz: Ambrosiuskreuz, Bildkreuz, Bischofskreuz, Bonifaziuskreuz, Cholerakreuz, Christuskreuz, Denkkreuz, Eichenkreuz,
Erinnerungskreuz, Erlöserkreuz, Feldkreuz (nur an Hinrichtungsstätten: Galgenkreuz, Schächerkreuz), Gedächtniskreuz, Gedenkkreuz, Grabkreuz, Hegerkreuz,
Heidenkreuz, dat höltern Krüz, Kreuzstein, Landkreuz, Marterkreuz, Mordkreuz, Mordsteinkreuz, Pestkreuz, Rotes Kreuz, Schwedenkreuz, Steinkreuz, Sühnekreuz, Totenkreuzl, Totschlagkreuz, Unglückskreuz, Waldkreuz, Wegkreuz, Weißes
Kreuz (angeführt, aber nicht zu den Totenmalen gehörig: Hagelkreuz und Wetter-
kreuz) · Kreuzbild · Kreuzmarterl · Kreuzsäule · Kreuzstöckerl · Landkreuz · Lindel
(Leonhardtafel) · Leichbrett · Mal: Denkmal, Merkmal, Unfallmal · Maltafel ·
Mariahilf · Marienbild · Marter, Marterl: NN-Marter, Waisenmarter · Marterbild ·
Marterkapelle · Marterkreuz · Marterlinde · Martersäule · Marterstein · (Marter-

stelle) · Marterstock · Martertafel · Marterzeichen · (Marthaloch [Flr.]) · Memento mori · Merkmal · Merkzeichen · Messerkerl · Monument · Morddenkmal · Mordgrund · Mordkiefer · Mordkreuz · (Mordlinie) · Mordplatte · Mordstein · Mordsteinkreuz · (Mordstelle) · Mordtanne · Mordwange (auf Rügen, mittelalterlich für Mordkreuz; vgl. Schuldwange) · (Mordweg) · Muttergottesbild · Muttergottestanne · NN (Eigenname des Verunglückten): NN.s Ruh · Notschrei · Obelisk · Pestkapelle · Pestkreuz · Pestsäule · Pfahl: NN-Pfahl · (Pflasterkreuz, aus Pflastersteinen in die Dorfstraße eingelassen) · Pfosten: Blitzpfosten · Platte · (NN.s Richtstatt) · NN.s Ruh · Beim Rubel · Säule, NN-Säule: Armeseelensäule, Bildsäule, Brüdersäule, Gedenksäule, Heiligensäule, Holzsaul, Kreuzsäule, Martersäule, Pestsäule, Steinsäule, Unglückssäule · Schachen (Waldkapelle) · Schild · Schildbuche · Schuldwange · Schwedenkreuz · Schwedenmord · Schwedenstein · Seelenbrett · Seelenstöckel · Seelentäfele · Seufzerl · Station · Statue · Stein, NN-Stein: Bildstein, Blitzstein, Die drei Steine, Denkstein, Ehrenstein, Erinnerungsstein, Feldstein, Gedächtnisstein, Gedenkstein, Grabstein, Heiligenstein, Katzenholz (so heißt ein Stein), Kreuzstein, Leichenstein, Marterstein, Mönchstein, Mörderstein, Mordstein, Mordsteinkreuz, Prinzenstein, Schwedenstein, Steinbild, Steinkreuz, Steinsäule, Steintafel, Sühnestein, Taubenstein (nach zwei tauben Hausierern benannt), Tote-Mannstein, Totenstein, Unglücksstein, Wegstein, Wolfstein · Stern · Stieb, Stiepel (sonst Wort für gegabelte Stütze) · Stock: NN-Stöckl · Stöckl — Kreuzl: Armeseelenstöckl, Bildstock, Heiligenstock, Kreuzstöckerl, Marterstock, Seelenstöckle · Beim Student · Sühnekreuz · Tafel: Allerseelentaferl, Armeseeltafel, Erinnerungstafel, Fürbittafel, Gedenktafel, Heiligentafel, Maltafel, Martertaferl, Seelentäfele, Steintafel, Totentafel, Unglückstafel · NN-Tod · Todeskennen · Totemannstein · Totenbaum · Totenbrett · Totenkreuzl · Totenkanzel · Totentafel · (Totenwiese) · Toter Fischer · Toter Mann · Am Totgefahrenen · Totschlag: Totschlagbuche, Totschlagkreuz · Unfall: Unfallmal · Unglücksbaum · Unglücksbild · Unglückskreuz · Unglückssäule · Unglücksstätte · Unglücksstein · Unglücksstelle · Unglückstafel · Waisenmarter · Waldkreuz · (Waldschlag [Flrn., sekundär Unglücksstelle]) · (NN-Weg) · Wegkapelle · Wegkreuz · Wegstein · NN-Weiche (Eisenbahnweiche, nach dem Verunglückten benannt) · (Wetterkreuz, wie Hagelkreuz kein Totenmal, s. Kreuz) · NN-Wiese (obwohl dort ein Stein, sagt man NN-Wiese) · Zeichen: Erinnerungszeichen, Gedenkzeichen, Marterzeichen, Merkzeichen · Zigeunergrab · Zum Gedächtnis.

Namen der Stein- und Reisighaufen als Totenmale: Am Julius, am toten Kind · an der toten Frau, am toten Pfaffen · Armer-Sünder-Grab · Bei dem Armenier, beim Griechen, beim Schwedenkreuz, beim Totgeschlagenen, bi de nacklichte Fru, bei den Welschen · Bergmannshaufen · Gedenksteine · NN-Grab: Grab des armen Mädchens, Kantorgrab · Beim Griechen · Der Haufen; NN-Haufen · Henker · Im Julius (NN) · Alter Jude · Judengraben · Jungferngrab · Kehlabschneider · Klattengrav · Knüppelberg · Kramerin · Kreuz (mit Stein- bzw. Reisighaufen) · Marterl (ebenfalls als Name für den Haufen) · Martersteine (Steinhaufen) · Der Mord · Mordhaufen · Mörderhaufen · Mordhügel · Mörderkuhle (ein Reisighaufen) · Mordstelle · Mordtanne · Mordteich (dort ein Reisighaufen, der so benannt) · NN (bei Balke, bei Julius usw.) · Peststeine (große Steinhaufen) · Reisighaufen (Reishaufen, Riishoop) · Reitergrab (ein Steinhaufen) · Riadlhaufn · Rodebeule (ein Steinhaufen) · Schandstelle, Schandfleck (Steinhaufen) · Schwedengrab · Beim Schwedenkreuz · Sprockenkrüz, Sprockkrüz · Strauchhaufen · Sühnesteine (wohl wie bei Kreuz und Marterl: Steine hinzugeworfen) · Sündenhaufen · NN.s Tod · Todruten · Toter

Böttcher · Toter Fischer · Tote Frau · Toter Haufen, Totenhaufen (dodä Huppä) ·
Totenhügel · Totenhümpel · Toter Junge · Toter Kerl · Totes Kind · Totes Mäd-
chen · Tote Magd · Toter Mann · Tote Marie · Toter Mielscher (Müllergeselle) ·
Am Toten Pfaffen · Totenplatz · Totenreisig · Totschlag (polnisch: sabick): NN.s
Totschlag, beim Totgeschlagenen, Totgeschlagenenhaufen, Totschlagsmal · Toten-
tanger · Toter Trompeter · Unglücksstelle · Bei den Welschen · Zimmermannsgrab.

Erinnerungen an Stein- und Reisighaufen in Flurnamen: NN-Berg · Brautberg ·
Die mann-versoffene Brücke · Erfrorener Mann · Franzosenschlag · Galgenberg · Im
Gehenkten · Gespensterberg · NN-Graben · Die Hohle Gruft · Gurgelberg · NN-
Hang · Hexenberg · Mörderberg · (Mordkeller, Mordwinkel) · Mordkuhl · Mord-
schonung · Mordstieg · Mordstraße · Streithecke · NN-Tannen · Teufelsberg ·
Totfeld · Tote Frau · Totenuhr · Totenloch · Toter Mann , Totemann, Totemann-
weiher, Totemannswiese · Toter Soldat · Totenwasen · Totenweg · Totenwiesel ·
Ulanensteig · Versäuferbrücke · Wilder Mann.

Bezeichnungen für die geworfenen Steine oder Zweige: Armesünderstein · Bußsteine [die man als Last hinträgt] · Drei Steine geworfen · Gedenksteine · Martersteine · Stoa zum Mirka (zum Merken) · Peststeine · Todruten · Totenreisig.

3. Raum. Lage. Form

Raum:

3. 1. Raum, Weite
3. 2. Lage, Orte
3. 3. Anwesenheit
3. 4. Abwesenheit
3. 5. Nirgends
3. 6. Vielerorts
3. 7. Überall
3. 8. Entfernt
3. 9. Nähe
3. 10. Zwischenraum

Lage:

3. 11. Senkrecht
3. 12. Waagrecht.
3. 13. Schräg
3. 14. Parallel
3. 15. Kreuzung
3. 16. Stützung
3. 17. Schwebe
3. 18. Außen
3. 19. Innen
3. 20. Bedeckung
3. 21. Füllung
3. 22. Entblößung
3. 23. Umgrenzung, Rand
3. 24. Umgeben
3. 25. Dazwischen
3. 26. Vorderseite
3. 27. Rückseite
3. 28. Mittelpunkt
3. 29. Seite

3. 30. Links
3. 31. Rechts
3. 32. Gegenüber
3. 33. Oben
3. 34. Unten
3. 35. Reihe
3. 36. Unterbrechung
3. 37. Ordnung
3. 38. Unordnung

Form:

3. 39. Linie
3. 40. Gerade
3. 41. Fläche
3. 42. Körper
3. 43. Winkel
3. 44. Furche
3. 45. Falte
3. 46. Kurve
3. 47. Kreis
3. 48. Wölbung
3. 49. Höhlung
3. 50. Walze, Kegel, Kugel
3. 51. Ebene
3. 52. Glatt
3. 53. Rauh
3. 54. Zart
3. 55. Scharf, spitz
3. 56. Stumpf
3. 57. Öffnung
3. 58. Geschlossenheit
3. 59. Ebenmaß
3. 60. Asymmetrie

1. Raum, Weite. *s. Weltall 1. 1. Landesteile 1. 15. Ebene 3. 51. Größe 4. 2. unzählig 4. 40. Reise 16. 6—7.*

ins Freie gehen · im Wald und auf der Heide · unter freiem Himmel · geometrisch · lokal · räumlich ⟨ ausgebreitet · ausgedehnt · breit · geräumig · weit · weitläufig ⟨ bodenlos · grenzenlos · himmelhoch · leer · meilenweit · schrankenlos · unbegrenzt · unbeschränkt · unendlich · unergründlich · unermeßlich · weltenweit ⟨ Ausdehnung · Ausmaß · Bereich · Bezirk · Breite · Dimension · Erstreckung   Expansion · Feld · Fläche · Gebiet · Grundfläche · Lebensraum · Raum · Sphäre · Spielraum · Strecke · Umfang · Weichbild · Weite · offenes Meer · hohe See · (Gottes freie) Natur ⟨ Abgrund · Leere · Luft · Öde · Öffnung · Unendlichkeit.

2. Lage, Ort. *s. liegen 4. 18; 8. 3. Arbeitsplatz 9. 23. Aufenthalt 16. I. Wohnung 17. 1. Behälter 17. 6.*

lokalisieren · örtlich bestimmen, festlegen · orten ⟨ lokal · örtlich ⟨ Lage · Ort · Örtlichkeit · Platz · Posten · Punkt · Richtung · Sitz · Stand(ort) · Standpunkt · Stätte · Stelle · Stellung · Unterkunft · Verbleib · Verlagerung · arithmetischer, geometrischer, trigonometrischer Ort.

3. Anwesenheit, Standort. *s. nah 3. 9. Umgrenzung 3. 23. voll 4. 21. sein 5. 1. befördern 8. 3. Einwohner 16. 4.*

an · auf · bei · in · unter · zu ⟨ allda · allhier · da(selbst) · dabei · daheim · dahier · hier · wo · an Bord · zu Hause · in seinen vier Wänden · an Ort und Stelle · vor den Augen · von Angesicht zu Angesicht · im Beisein · vor der Nase ⟨ sich aufhalten · auftreten · sich befinden · beiwohnen · bevölkern · bewohnen · biwakieren · sich (häuslich) einrichten, es sich behaglich, gemütlich machen · hausen · herbergen · hocken · horsten · lagern · leben · logieren · nächtigen · nisten · sein · siedeln · sitzen · übernachten · wechseln (jäg.) · weilen · wohnen · zugegen sein · eine Stelle einnehmen · inne haben · seinen Wechsel haben · sein Wesen treiben · den Tag, sein Leben verbringen ⟨ absteigen · sich anbauen · sich (an)melden · sich ansiedeln · besetzen · besuchen · bevölkern · bleiben · einkehren · sich einquartieren · einwurzeln · sich festsetzen · beziehen · mieten · sich niederlassen · vorsprechen · sich seßhaft machen · sein Lager, seine Zelte aufschlagen · Fuß fassen · Wurzel fassen · Hütten bauen · sich (häuslich) einrichten · es sich behaglich, gemütlich machen ⟨ anfüllen · bedecken · durchdringen · erfüllen · füllen ⟨ ablegen · anbringen · ansetzen · aufstellen · behausen · beherbergen · betten · deponieren · einbürgern · einlagern · einquartieren · einreihen · einschalten · einstallen · einstellen · garnisonieren · hinterlegen · kasernieren · legen · niederlegen · setzen · stellen · unterbringen · verankern · verlegen ⟨ anpflanzen · einpflanzen · pflanzen · umpflanzen · verpflanzen · einen Platz anweisen · einmieten · festsetzen · fixieren · unterbringen ⟨ aufspeichern · eindämmen · einkellern · einstecken · hineinpressen · installieren · packen · transportieren · verfrachten · verladen · verpacken · verstauen ⟨ belegen · bemannen · besetzen · kolonisieren · vermieten ⟨ einsetzen · ernennen · berufen · eine Stelle besetzen ⟨ ansässig · anwesend · befindlich · dasig · dortig · einheimisch · gebürtig · gegenwärtig · gelegen · greifbar · heimisch · hiesig · ortsgebunden · seßhaft · vorhanden · wohnhaft ⟨ Ankömmling · Anwesender · Augenzeuge · Begleiter · die Umstehenden · Zeitgenosse · Zeuge · Zuschauer ⟨ Adresse, Anschrift · Aufenthaltsort · Garnison · Standort · Wohnung ⟨ Anwesenheit · Besitznahme · Besuch · Einkehr · Existenz · Gegenwart · Vorhandensein ⟨ Ausbreitung · Ausstrahlung · Frequenz · Verbreitung.

4. Abwesenheit. *s. entfernt 3. 8. leer 4. 26. unsichtbar 7. 3. Abreise 8. 18. hinausbefördern 8. 24. Abneigung 9. 5; 11. 59. Verneinung 12. 48. Verlust 18. 15.*

ohne · mangels ¶ anderswo · anderwärts · auswärts · draußen · drüben · fort · hinweg · nirgends · sonstwo · weg · in Dingsda, Dingskirchen · auf Reisen ¶ sich draußen halten · fehlen · sich fernhalten · fernbleiben · fortbleiben · mangeln · meiden · umherirren · vagabundieren · wandern · wegbleiben · noch ausstehen · durch Abwesenheit glänzen · ist nicht zu finden, nicht aufzutreiben, abgängig · läßt sich entschuldigen · ist über alle Berge · geht mir ab (östr.). ¶ vermissen · jmd. sehen, der nicht da ist · in contumaciam verurteilen ¶ ab- · aus- · ent- fort- · abdecken · abführen · abschieben · aufstören · ausdingen · ausmieten · auspacken · ausquartieren · ausschütten · ausweisen · beseitigen · entfernen · entladen · enttrümmern · entvölkern · evakuieren · fortbringen · fortjagen · fortschieben · fortspülen · herausnehmen · hinauswerfen · kündigen · leeren · räumen · relegieren · schassen · verbannen · verpflanzen · verschieben · versetzen · vertreiben · verwehen · wegfegen · wegkehren · wegräumen · wegschieben · wegschwemmen · wegwerfen ¶ heimatlos · verfemt · verlassen · verstoßen ¶ abgemeldet · abwesend · anderweitig · ausgeflogen · ausständig · auswärtig · entfernt · erledigt · fehlend · tot · überfällig · untergetaucht · verloren · vermißt · verschollen · verschwunden · verzogen · futsch in die Versenkung ¶ *vom Objekt:* blank · bloß · entblößt · entvölkert · kahl · leer · nackt · öde · unausgefüllt · unbesetzt · unbewohnt · verlassen · wüst ¶ niemand · kein Aas (berl.) · kein Bein · kein Mensch · kein Pferd · keine Seele · kein lebendes Wesen ¶ Fehlbetrag · Plattfuß (Autoreifen) · ¶ Abwesenheit · Alibi · Fehlanzeige · Einöde · Leere · Mangel · Nichts · Nirwana · Öde · Schulden · Vakanz · Vakuum.

5. Nirgends. *s. entfernt 3. 8. unmöglich 5. 3. nie 6. 5. Täuschung 12. 27. Verneinung 12. 48; 13. 29.*

nirgendwo · ja sonstwo · wo die Hunde mit dem Schwanz bellen · in Nirgendheim · da muß man weit laufen · da kannste lange warten · in Lethes Fluten ¶ eitel · leer ¶ Fata morgana · Gaukelbild · Gedankenspiel · Hirngespinst · Ideal · Irrwahn · Luftgebilde · Luftgesicht · Luftgespinst · Luftschloß · Märchenland · Nirgendheim · Nirwana · Orplid · Phantom · Schimäre · Seifenblase · Traum · Trug · Trugbild · Unding · Utopie · Utopien · Wolkenkuckucksheim · Wahn · Wahngebilde.

6. Vielerorts. *s. überall 3. 7. viel 4. 21. Gesamtheit 4. 41. immer 6. 6. häufig 6. 31.*

Multipräsenz · participation mystique.

7. Überall. *s. vielerorts 2. 6. Gesamtheit 3. 41. immer 6. 6.*

allenthalben · allerorts · aller Orten · allerwärts · durchaus · durchweg · rings(um) · überall · nah und fern · hinten und vorne · alle Naselang · rechts und links · um und um · weit und breit · an allen Ecken und Enden · wo man hinguckt, hinhört, hinspuckt, hintritt · von allen Seiten · von allen Ecken und Kanten · quer durch alle · nach allen Winden · in allen Gauen · in allen Landen · von Pol zu Pol · von Ort zu Ort · von Haus zu Haus · in Haus und Hof · in Feld und Wald · in Wald und Busch · in Busch und Feld · auf Schritt und Tritt · bei hoch und niedrig, jung und alt, bei reich und arm · in Dorf und Stadt · auf der ganzen Linie

¶ eine Erscheinung *geht vollkommen durch,* d. h. findet sich überall ¶ abklopfen ¶ allgegenwärtig · epidemisch · ubiquitär · unvermeidlich · utraquistisch ¶ Allerwelts- · Hansdampf in allen Gassen · Geschaftlhuber · Zachaeus auf allen Kirchweihen (Luk. 19, 4) · die dabei gewesen sein müssen ¶ Gemeingut · Völkergedanke ¶ Allgegenwart · Ubiquität · Vereinsmeierei · Vielgeschäftigkeit.

8. Entferntsein. *s. trennen 3. 34. weggehen 8. 18. befördern 8. 3. Verlust 18. 15.*

abseits · addio · auswärts · fort · (hin)weg · jenseits · auf und davon · über alle Berge · aus dem Wege · außer Reichweite · außer Sicht · weit voneinander · auf dem Mars, Mond · irgendwo · anderswo · wo sich die Füchse gute Nacht sagen · weit hinten in der Türkei · jenseits der Dinge ¶ reichen bis · nicht in Berührung kommen · das ist eine ganze Ecke, ein ganzes Ende (berl.) ¶ entfernen · entfremden · trennen · versetzen · zerstreuen ¶ ablegen · ausländisch · auswärtig · entfernt · entlegen · fern · fremd · getrennt · unberührbar · unnahbar · unerreichbar · unzugänglich · weit ¶ Antipode · Ausländer · Auslandsdeutscher · Auswanderer · Fremder · Fremdling · Vorposten · Ausland · Außenwelt ¶ Diaspora · Ferne · Fremde · Übersee · Buxtehude ¶ Abstand · Distanz · Entfernung · Parallaxe · Spannung · Strecke · Weite · Zwischenraum · Außengrenze · Himmelrand, Horizont · Kimm (seem.) · Schußweite ¶ Abgelegenheit · Entferntheit · Unerreichbarkeit.

9. Nähe, Fühlung. *s. Anwesenheit 3. 4. Rand 3. 23. Seite 3. 29. kurz 4. 7. eng 4. 9. Zusatz 4. 28. sammeln 4. 29. Verbindung 4. 33. nahe Zukunft 6. 24. Kontinuität 6. 34. sich nähern 8. 19. Hilfe 9. 70.*

an · bei · neben ¶ beisammen · daneben · dicht dabei · dicht bei dicht · gegenüber · haarscharf nebenan · hart an, vor · nebenbei · zusammen · Seite bei Seite · von Angesicht zu Angesicht · in Hörweite, Reich-, Sehweite · Kopf an Kopf, Mann an Mann · einen (Katzen)sprung · um die Ecke ¶ an · annähernd · annäherungsweise · à peu près · bald · beiläufig (östr.) · beinahe · bereits (alem.) · circa · etwa · fast · gegen · nahebei · nahezu · praeter propter · rund · sagen wir · schätzungsweise · so etwa · schier · summa summarum · ungefähr · ein Stücker vier · in Bausch und Bogen · um ein Haar ¶ angrenzen · anschließen · anliegen · anstoßen · anstreifen · begegnen · berühren · grenzen (an) · streifen · treffen · vor die Flinte kommen · auf den Fersen sein · Fühlung halten · auf dem Fuße folgen · sich an die Sohlen heften · im Anzug sein · ist zum Greifen nah ¶ annähern · anspülen · begrenzen · näher bringen · packen · zusammendrängen · zusammenfassen ¶ anfassen · betasten · dranlangen · fassen · greifen ¶ aneinandergereiht · angrenzend · anstoßend · benachbart · kontingent · nahe · nahestehend · approximativ ¶ Altersgenosse · Anlieger · Anrainer · Anwohner · Einwohner · Grenznachbar · Mitbürger · Mitmensch · Nachbar · Nächster · Nebenstehender · Umwohner · Zuschauer ¶ *nahe Umgebung:* Außenbezirke · Bannmeile · Burgfriede · Grenzland · Nachbarschaft · Stadtbezirk · Umgegend · Umkreis · Vorort · Vorstadt · Weichbild ¶ *Maß:* Armeslänge · Haaresbreite · Spanne · Stimm-, Wurfbereich ¶ Ankunft · Annäherung · Begegnung · Berührung · Fühlung · Kontakt · Kontiguität · Konvergenz · Konzentration · Landung · Nähe · Tuchfühlung · Vereinigung · Zusammentreffen · kurze Entfernung · ein Schritt.

10. Zwischenraum. *s. Inneres 3. 19; 25. Furche 3. 44; 3. 57. trennen 4. 34.*

zwischen. — dazwischen · mitten inne · zwischenein ¶ gähnen · klaffen ¶ dazwischenfallen, -treten · trennen ¶ Abstand · Abteilung · Bauwich · Bresche · Bruch ·

Distanz · Einschnitt · Engpaß · Hiatus · Hohlweg · Kehle · Klamm · Kluft · Krater · Leck · Lücke · Narbe · Nute · Öffnung · Paß · Pause · Rille · Riß · Ritz · Ritze · Scharte · Schlitz · Schlucht · Schnitt · Schramme · Spalt · Spalte · Tal · Unterbrechung · Wegenge · Wunde · Zwischenraum.

11. Senkrecht. *s. kreuzen 3. 15. hoch 4. 12.*

emporragen · geradestehen · hochragen · ragen · sich recken · stehen · sich in die Brust werfen · den Kopf hochhalten ¶ aufpflanzen · aufrichten · einrammen · geradestellen · stützen · emporrichten ¶ die Senkrechte errichten, fällen ¶ aufrecht · gerade · gereckt · gesteil · jäh · kerzengerade · lotrecht · rechtwinklig · scheitelrecht · schlank · schroff · seiger (bergm.) · senkrecht · steil · stark · straff · stramm · vertikal ¶ Kathete · Normallinie · Ordinate · Scheitelhöhe · Scheitelkreis · Scheitellinie · Senklinie · Senkrechte · Vertikale ¶ Abhang · Mauer · Pfeiler · Säule · Turm · Wand ¶ senkrechte Lage · rechter Winkel.

12. Waagrecht. *s. flach 3. 51. glatt 3. 52. fallen 8. 31.*

lagern · liegen · ruhen · auf dem Rücken liegen · auf allen Vieren kriechen ¶ abflachen · abplatten · ausbreiten · ausdehnen · ausstrecken · bahnen · balanzieren · bügeln (südd.) plätten (nordd.) · dielen · ebnen · glätten · niederlegen · nivellieren · pflastern · rasieren · richten · täfeln · trimmen · walzen · dem Erdboden gleichmachen ¶ ausgebreitet · eben · flach · glatt · hingestreckt · horizontal · platt · söhlig (bergm.) · waagerecht · wasserrecht ¶ Abszisse · Ebene · Fläche · Horizontale · Kimmung · Waagrechte · Wasserhöhe ¶ Brett · Flachland · Flur · Fußboden · Hochantenne · Kegelbahn · Plattform · Rost · Sandbank · Straße · Tafelland · Terrasse ¶ Wasserwaage.

13. Schräg. *s. durchkreuzen 3. 15. sich beugen 4. 13. aufsteigen 8. 28. abfallen 8. 30.*

übereck · sich lehnen, neigen · überhängen · allmählich verlaufen. — schielen · Schlagseite haben ¶ abböschen · abdachen · abschrägen · neigen ¶ auseinanderlaufend · gegabelt · schneidend ¶ abfallend · abgedacht · abschüssig · aufsteigend · diagonal · geneigt · jäh · quer · schief · schräg · schroff · steil · überhängend · überzwerch ¶ Auffahrt · Aufgang · Erhöhung · Schwellung · Steigung · Stufengang · Ufererhöhung · Zunahme ¶ Abdachung · Abfall · Abhang · Biegung · Dossierung · Fall · Gefälle · Neige · Senkung · Trub ¶ Abgrund · Absturz · Berglehne · Berme · Böschung · Felswand · Halde · Hang · Jähe · Lehne · Rampe · Wand ¶ Diagonale · Hypotenuse · Schlagseite · Spannseite · Winkel.

14. Parallel. *s. ähnlich 5 17.*

entlang · längs · immer die Wand lang (nordd.) ¶ nebeneinander · in gleicher Richtung · Seite an Seite · Reihe an Reihe ¶ ausrichten ¶ entsprechend · gleichläufig · gleichlaufend · gleichgerichtet · gleisig · homolog · konzentrisch · parallel · zugeordnet ¶ Gleichlauf · Parallelismus · Parallität. — Paradeaufstellung.

15. Durchkreuzung. *s. mischen 1. 21. senkrecht zu 3. 11. Unordnung 3. 38. Winkel 3. 43. konvergieren 8. 19. divergieren 8. 18; 8. 22. begegnen 8. 21. ·*

durch · über ¶ herüber · hindurch · kreuzweise · quer herüber · schräg herüber · schräh (berl.) · überquer · überzwerch · kreuz und quer ¶ durch-:-kreuzen · durchqueren, -schneiden, -weben, -ziehen · einschwalben · flechten · häkeln · ineinanderfügen · ineinanderschlingen · klöppeln · knoten · knüpfen · kreuzen · spinnen · sticken · stricken · überschneiden · verfilzen · verheddern · verknoten · (ver)weben · verwickeln · verwirren · verzapfen · winden ⊄ in die Quere kommen, *s. hindern* 9. 73 ⊄ durchbrochen · gewürfelt · gitterförmig · großmaschig · kariert · kreuzförmig · netzartig · vergittert · verschlungen · verwickelt · verwirrt ⊄ *Mittel:* Kunkel · Spinnrad · Spinnrocken · Webstuhl ⊄ Quer- · Diagonale · Durchstich · Durchschnitt · Querbalken · Quergasse · (Quer)Schnitt · Sekante · Transversale ⊄ Drahtzaun · Einschlag · (Ein-)Schuß · Kette · Zettel · Werft · Filigran · Flechte · Gatter · Geflecht · Gespinst · Gewebe · Gewirk · Gitter · Haarnetz · Häkelei · Knüpfwerk · Korb · Krawatte · Kreuz · Kreuzstich · Masche · Matte · Netzwerk · Raster · Schleier · Schleife · Schlupf · Stickerei · Stoff · Zopf.

16. Stützung. *s. niedrig 4. 13. Hilfe 9. 70. Möbel 17. 3.*

unter · unten · zu unterst ⊄ (sich) anlehnen · anliegen · basieren · bauen auf · beruhen · fußen · (sich) gründen auf · ruhen · sitzen · stehen · wurzeln ⊄ fundieren · fundamentieren · halten · stützen · tragen · unter-: -bauen, -fangen, -kellern, -mauern, -stellen · unterstützen. — aufrecht halten ⊄ Grund- · Unter-Basis · Boden · Deck · Erde · Festland · Fundament · Fuß · Gestell · Grund · Grundfläche · Grundlage · Grundmauer · Grundpfeiler · Grundstein · Plattform · Postament ⊄ Kiel · Konsole · Lehne · Nadir · Pfeiler · Pfosten · Piedestal · Planke · Sockel · Sohle · Ständer · Strebe · Stütze · Stützpunkt · Träger · Unterbau · -gestell · Untergrund · Unterlage · Untersatz · Unterschicht · Wurzel · Astgabel · Baumstütze · Tragepfeiler · Tonnengewölbe.

17. Schwebe, hangen. *s. Schwanz 3. 27; 4. 28. hoch 3. 33; 4. 12. Schmuck 15. 7.*

bammeln · baumeln · flattern · fliegen · hängen · hangen · oszillieren · pendeln · schaukeln · schwänzeln · schwanken · schweben · schwingen · tanzen · wedeln ⊄ anschlingen · aufhängen · einhaken · hängen · henken · hinaufziehen · nachschleppen · schaukeln · schwenken · schwingen ⊄ flatternd · fließend · frei · schlaff · schlapp · schlotterig · wacklig ⊄ Haken · Knopf · Nagel · Ring · Schlinge · Spannhaken · Stengel · Stiel· Zapfen ⊄ Aufzug, Fahrstuhl, Lift, Paternoster · Flaschenzug · Gangspill (seem.) · Hebemaschine · Hebewerk · Kran · Rolle · Schiffswinde · Schwebebahn · Winde ⊄ Büstenhalter · Suspensorium. — *Turngeräte 16. 57* ⊄ Anhänger · Berlocke · Gehänge · Bommel · Franse · Glocke · Kette · Klingelzug · Klunker · Kronleuchter · Locke · Pendel · Perpendikel · Quaste · Schaukel · Schleppe · Schösse · Schwanz · Schweif · Schwengel · Troddel · Unruhe · Zopf.

18. Außen. *s. 3. 8. Decke 3. 20. Grenze 3. 23. Umgebendes 3. 24. Aussehen 7. 2. wegbefördern 8. 18. offenbaren 13. 3. Abbildung 15. 4.*

außerhalb ⊄ außen · auswärts · buten (ndd.) · draußen · hinaus · obenhin · außer dem Hause · nach außen hin · zu äußerst. — unter freiem Himmel · bei Mutter Grün (berl.) · im Freien · an der Luft · in der Natur · am Busen der Natur ⊄ zur Schau tragen · auswärts kehren ⊄ äußerlich · auswendig · oberflächlich · peripher · ⊄ Außenseite · Außenteile · Äußeres · die Äußerlichkeiten · die Dehors · das Exterieur · Fassade · Gesicht · Gestalt · Grenze · Haut · Kontur · Oberfläche · Oberschicht · Pelle · Peripherie · Rand · Schale · Schliff · Überzug · Vorderseite ⊄ Umfang · Umfassungslinie · Umkreis · Umriß · ⊄ Abriß · Grundriß · Mauer · Profil · Schattenriß · Seitenansicht · Silhouette · Skizze.

19. Innen. *s. Körperteile 2.16. anwesend 3.3. Mitte 3.28. Höhlung 3.49. Inhalt 4.19. zugehörig 4.48. Hauptsache 5.10. Bewußtsein 11.1; 12.1. verbergen 13.4.*

in · innerhalb · zwischen ❡ binnen · darin · daheim · dazwischen · drinnen · innen · innerhalb · zuinnerst · unter der Haut · im Blute · zu Hause · im stillen Kämmerlein · in seinen vier Wänden · tief drinnen ❡ innewohnen ❡ bergen · einschließen · enthalten · fassen · halten · verschließen ❡ durchdringen · eindringen ❡ aufgestaut · eingewurzelt · enthalten · immanent · inländisch · der innere · innerlich · der innerste · intern · inwendig · latent · subkutan · unterirdisch · verborgen · zentral ❡ einheimisch · gebürtig · heimatsberechtigt · heimisch ❡ beiliegend · eingeschlossen · einliegend ❡ Bauch · Blut · Busen · Dotter, Eigelb · Eingeweide · Eiweiß · Gehalt · Gekröse · Grund · Herz · Innenraum · Innenseite · Inneres · das Innerste · Kern · Kraft · Lebenskraft · Lebenssaft · Mark · Mutterschoß · Röntgenbild · Saft · Seele · Substanz · Unter-, Tiefenschicht · Zwischenraum ❡ Binnenland · Binnenmeer · Binnenraum (Rilke) · Inland · Höhle · Nische · Vertiefung.

20. Bedeckung. *s. Rand 3.23. schließen 3.58. verbergen 13.4. Gebäude 17.1. Behälter 17.6. Webstoffe 17.8. Kleidung 17.9.*

ein-, über-, um-, ver-, voll-, zu- ❡ ankleiden · anlegen · anstreichen · anziehen · ausschlagen mit · ausstaffieren · bedachen · bedecken · bekleben · bekleiden · bekritzeln · belegen · bemalen · beschmieren · beschreiben · beschuhen · bepflastern · bespannen · bestreichen · bestreuen · bewerfen · decken · einbinden · einbröseln, panieren · einsargen, -kapseln, -krusten, -packen · einrollen · einsacken · einschlagen · einwickeln · federn · firnissen · furnieren · grundieren · lackieren · panzern · pflastern · pudern · rösten · schminken · täfeln · tapezieren · überdachen · überfangen (Glastechnik) · übermalen · überpflastern · überstreichen · übertünchen · überziehen · umbinden · umhängen · umhüllen · umkleiden · umpanzern · umwickeln · um-, verdecken · vergolden · versilbern usw. · verhängen · verhüllen · verkleiden · verpacken · verschlagen · verschmieren · verstreichen · vollkleben · vollschmieren · vollschreiben · zudecken · zumachen · zuschmieren · zuwickeln ❡ etwas anhaben · nicht ablegen · anbehalten · aufbehalten · bedeckt bleiben. — oxydieren · rosten ❡ angetan mit · aussätzig · behaart · belegt · bemoost · bereift · flaumig · gefiedert · geharnischt · gepudert · haarig · schimmlig · schuppig · überzogen mit · wollig ❡ Humus ❡ Bedeckung · Dach · Dachpappe · Decke · Deckel, Stülpe, Stürze (nordd.) · Gewölbe · Himmelsgewölbe · Obdach · Schieferdach · Schindeln · Strohdach · Zelt Ziegeldach ❡ Balg · Behang · Bettdecke · Bezug · Briefumschlag, Couvert · Decke · Düte · Einband · Epidermis · Feder · Fell · Furnier · Gefieder · Gehäuse · Haar · Haube · Haut · Hülle · Hülse · Kapsel · Kasten · Kiste · Lambrequin · Leder · (Augen-)Lid · Pelz · Pergament · Pferdedecke · Schale · Scheide · Schoner · Schote · Tapete · Teppich · Tischdecke · Überzug · Umschlag · Verkleidung · Verpackung · Vlies · Vorhang, Gardine ❡ Ansatz · Borke · Rinde · Grind, Schorf · Grünspan · Kruste · Patina · Edelrost · Rost · Schimmel · Pflaster · Verband ❡ Anstrich · Bewurf · Blendung · Deckfarbe · Emailfarbe · Firnis · Getäfel · Guasch · Lack · Mörtel · Moos · Oberschicht · Politur · Puder · Schmelzglas · Schminke · Stuck · Stuckateur · Täfelung · Tünche · Verglasung · Verkleidung · Verputz · Verschalung ❡ Ausschlag · Aussatz · Ekzem *s. Krankheit 2.41.*

21. Füllung. *(von innen) s. essen 2.26. dick 4.10. voll 4.21.*

farcieren · füllen · ausfüllen · auslegen · ausstopfen · füttern · mästen · polstern · stopfen · unterlegen · voll-: -gießen, -schütten · wattieren ❡ massiv · satt · voll ❡ Füllsel · Füllung · Futter.

22. Entblößung. *s. glatt 3. 52. offenbar 3. 57; 13. 3. entdecken 12. 20.*

ab-, aus-, ent-, heraus- ℭ abbalgen · abmontieren · abpellen · abschälen · abstreifen · aushülsen · auskleiden · ausziehen · entblößen · entkleiden · entblättern · entfiedern · enthüllen · rasieren · scheren · häuten, herauswickeln · pellen · rupfen · schälen · scheren · schuppen ℭ abdecken · abkratzen · abräumen · abtakeln · abtragen · aufdecken · ausgraben · dekolletieren · demaskieren · entlarven · entmummen · entschleiern · freilegen · zücken · vom Leder ziehen · aus der Scheide, dem Futteral nehmen ℭ ablegen · sich ausziehen · sich frei machen · sich mausern · seine Reize enthüllen ℭ abzoge (alem.) · antik · sehr ausgeschnitten · ausgezogen · bar · barfüßig · barhäuptig · bloß · blutt (alem.) · hüllenlos · kahl · nackend · nackig · nackt · offen · offenherzig · unbekleidet · pudelnackt · splitter(faser)nackt · barfuß bis an den Hals, nur mit dem Bonbon im Mund, wie sie auf die Welt gekommen ist · wie uns Gott erschaffen · oben nischt und unten nischt · im Evakostüm · Adamskostüm · im Naturzustand · in puris naturalibus · klar über und nischt drunter · nur mit ihrer Unschuld bekleidet ℭ bartlos · baumlos · blattlos · fadenscheinig · federlos · geschunden · glatzköpfig *s. Krankheit 2. 41* · graslos · haarlos · hemdärmelig · obdachlos · rindenlos · schäbig · strauchlos · unbehaart · unflügge · ungefiedert ℭ Nackedei · Nacktfrosch · Naturmensch · Nudist · Akt ℭ *Mittel:* Ballkleid · Abendkleid ℭ Ausschnitt · Blöße · Decolleté · Nuditäten ℭ Freikörperkultur · Musterung · Nacktkultur · Revue · Saftladen ℭ Nacktheit · Entblößung · Entkleidung. — Exhibitionismus.

23. Umgrenzung, Rand. *s. Ufer 1. 16. Standort 3. 3. nah 3. 9. bedecken 3. 20. verschließen 3. 58. Ende 9. 33. Hindernis 9. 73. Gefangenschaft 16. 117.*

ein-, um- ℭ abgrenzen · abschreiten · absperren · begrenzen · beschränken · einbetten · eindämmen · einfassen · einfriedigen · eingrenzen · einkerkern · einlassen · einmauern · einpacken · einpferchen · einrahmen · einschalten · einschließen · einschränken · einsperren · einzäunen · garnieren · hemmen · limitieren · rahmen · säumen · umgeben · umgürten · umhegen · ummauern · umrahmen · umranden · umsäumen · umschließen · umzäunen · vergraben · vermauern · versiegeln · zernieren ℭ Gemäuer · Mauer · Schanze · Rand · Wall · Wand · Zaun · Zingel · äußerster Bereich ℭ Banngrenze · Baulinie · Demarkationslinie · Gemarkung · Grenze · Grenz: -fluß, -gebirge, -linie, -mark, -sperre, -stein, -strich, -wall · Limes, Pfahlgraben · Lisiére · Mark · Chinesische Mauer · Rubikon · Scheidelinie · Schranke ℭ Besatz · Bord · Borte · Einfassung · Garnierung · Kante · Krempe · Kruste · Küste · Lahnung · Rahmen · Rand · Ranft · Reif · Saum · Scherzl (nordd. beim Brot, *s. Speisen 2. 27*) · Schneide · Seite · Ufer.

24. Umgeben. *s. überall 3. 7. nah 3. 9. Bedeckung 3. 20. Umgrenzung 3. 23. im Bogen 8. 32. Schutz 9. 76. Gefangenschaft 16. 117. Behälter 17. 6.*

um(—herum) · rings, ringsum, umher, (rund) herum, auf jeder Seite · von allen Seiten · an allen Ecken und Enden · in der Runde · rechts und links · begraben in ℭ belagern · einschließen · ersäufen in · umfriedigen · umgeben · umgürten · umkreisen · umranken · umringen · versenken in · umschanzen · umspülen · umzingeln · in sich begreifen · rund herum liegen ℭ allseitig ℭ Nachbar · Umwohner . — Umwelt · Milieu ℭ Atmosphäre · Aura · Außenwelt · Druse (um eine Metallader) · Dunstkreis · das Drum und Dran · Fluidum · Folie · Hintergrund · Kreis · Luftkreis · Nimbus · Rahmen · Staffage · Umgebung · Umkreis · Vorstadt. Weichbild ℭ Bund ·

Feldbinde · Gurt · Gürtel · Hosenschnalle · Koppel · Leibbinde · Schärpe · Socken-
halter · Strumpfband ¶ Belagerung · Blockade · Postenkette · Umgürtung · Um-
zingelung · Verpfählung · Zernierung ¶ Balustrade · Bollwerk · Einzäunung ·
ein Kranz vor · Etter · Galerie · Gatter · Gehege · Geländer · Gitter · Hag · Hecke ·
Hürde · Lehne · Mauer · Palisade · Pferch · Rabatte · Ring · Schranke · Spalier ·
Stakete · Tor · Türe · Umfriedung · Umzäunung · Verhau · Verschanzung · Wall ·
Wand · Zaun · Zinne ¶ Bannmeile · Boulevard, Ring(straße) · Burggraben ·
Brüstung · Brustwehr · Damm · Deich · (Stadt)graben · Vorstadt · Weichbild
¶ Halo · Mondhof · Nebelring · Zone.

25. Dazwischen liegen. *s. Zwischenraum 3. 10. Mitte 3. 28. unterbrechen 3. 36; 9. 33. trennen 4. 34. Zwischenzeit 6. 15. Schutz 9. 76. Intervention 16. 49. Verteidigung 16. 77.*

unter · zwischen · mang (berl.) ¶ darin · drin · darunter · dazwischen · in Klam-
mer(n) · zwischen Gedankenstrichen · binnen · inmitten · innen · mitten inne ·
zwischen inne ¶ dazwischen-, hinein- · eindringen · sich einmengen · einkeilen ·
einklemmen · einsaugen · einschreiten · einwerfen · unterbrechen · in die Rede
fallen · dazwischenkommen, -treten · hineingeraten ¶ durchschießen · einflechten ·
einflößen · einfügen · einklemmen · einsaugen · einschalten · einschieben · eintragen · einwerfen · einzwängen · hineinknäulen · interpolieren · einfließen lassen
¶ beigeschlossen · eingeschoben · zwischenliegend ¶ Dritter · Eindringling · Mittel-
person · Vermittler · Zwischenträger ¶ Absteigequartier · Kohlenstation · Rastplatz · Sammellager · Station · Proviantplatz ¶ Barrikade · Brandmauer, Feuermauer · Graben · Mauer · Querwand · Scheidelinie · Scheidewand · Wall · Wand
¶ Einlage · Einschiebsel · Einschub · Enklave · Glosse · Intarsie · Interpolation ·
Klammer · Lasche · Pleiße · Zunge · Parenthese · Pufferstaat · Splitter · Zwischenbemerkung · Zwischensatz · Zwischenzeit · Schiedsgericht ¶ Vermittlung ·
Zwischenkunft.

26. Vorderseite. *s. Äußeres 3. 18. vorher 6. 11. Gesicht 7. 16. vorangehen 8. 13. vorwärts 8. 16. Anfang 9. 29.*

vor · diesseits. — voran · vorn · zuvörderst · von vorn · en face · vor den Kulissen
¶ anblicken · sich darbieten · gegenüberstehen · vorangehen · schützen · verteidigen. — vor jemanden treten · die Stirn bieten ¶ der vordere · frontal ¶ Avantgarde · Pionier · Spitze · Vorläufer · Vorposten · Vortrab ¶ Ansicht · Bildseite ·
Butterseite · Fassade · Frontgesicht(sseite) · Hauptseite · Oberseite · Schaufläche ·
Stirnseite · Titelseite · Vordergrund · Vorderseite · Vorderteil · Wappen · Zifferblatt. — Proszenium ¶ Bug · Bugspriet · Gabelstange · Galion · Kopf · Schiffsschnabel · Schnabel · Vorderdeck · Vordersteven · Vorderkastell.

27. Rückseite. *s. Körperteile (Rücken, Podex, Schwanz) 2. 16. nachher 6. 12. nachfolgen 8. 15. Ende 9. 33. geheim 13. 4.*

hinter · nach · jenseits ¶ achtern · hinten · nachher · rückwärts · zurück · hinterrücks · meuchlings · zuhinterst · auf der Ferse · hinter dem Rücken ¶ sich bergen ·
sich decken · sich ducken · sich schützen hinter · zurückbleiben · unten liegen · den
Rücken kehren ¶ der hintere · rückwärtig ¶ Etappenschwein · Nachzügler ·
Reservist ¶ Hinterseite · Kehrseite · Revers · Rücken · Rückseite · Schattesite
(schweiz.) · Schlußseite ¶ Ersatz · Etappe · Hinterglied · Hinterland · Hinter-

reihe · Hintertreffen · Nachhut · Nachschub · Nachtrab · Reserve · Rückendeckung · Schwamm (mil.) · Troß ⁋ Achter-, Backbord · Heck · Hinterdeck · Ende · Hintergrund, Folie · Kielwasser · Lee · Salbend · Stern · Steuerbord · Tamp.

28. Mittelpunkt. *s. innen 3. 19. sammeln 4. 18; 4. 29. Hauptsache 5. 10. wichtig 9. 44. Stadt 16. 2.*

inmitten · mitten inne · im Herzen ⁋ konzentrieren · vereinheitlichen · zusammenziehen · in einen Brennpunkt sammeln · einheitlich gestalten ⁋ -zentrisch · der innere · innerlich · konzentrisch · der mittlere · monistisch · zentral zentripetal ⁋ Innen-, Median-, Mittel- · Achse · Brennpunkt · Fokus · Herz · Kern · Kernpunkt · Metropole · Mitte · Mittelpunkt · Mittelstück · Nabel · Radnabe · Sammelort · Sammelpunkt · Schwerpunkt · Seelenachse · Sonne (im Planetensystem) · Stammort · Standort · Standquartier · Zentrale · Zentrum · Mittelstand ⁋ Einheit · Sammlung · Zentralisation · Zusammenschluß.

29. Seite. *s. rechts 3. 31. links 3. 30. Teil 4. 42. hin und her 8. 33.*

an · bei · entlang · -lang · längs · neben · -seits · zur Seite von ⁋ abseits · aneinander · daneben · daran · diesseits · drüben · jenseits · nebeneinander · seitab · seitwärts · Seite bei Seite · Hand in Hand · dicht bei dicht ⁋ anlegen · kreuzen · lavieren · schneiden · flankieren. — lehnen ⁋ seitlich ⁋ Neben- · Seiten- · Backe, Wange · Flanke · Flügel · Hand · Hüfte · Lende · Luv, Lee · Profil · Seite · Silhouette · Weiche · Seitengalerie · Seitentisch · Seitenwind · Windseite · anstoßendes Zimmer.

30. Links.

Kutscherrufe: hü! harr! hist! wüst! ⁋ links · zur Linken · innen (bei Stoffen) ⁋ der linke · linkshändig ⁋ Linkser ⁋ Backbord · Herzensseite · die Linke · linker Flügel.

31. Rechts.

Kutscherruf: hott! ⁋ rechts · zur Rechten · außen ⁋ der rechte · rechtshändig ⁋ Ehrenseite · die Rechte · Steuerbord · grüne Seite · rechter Flügel · das schöne Händchen.

32. Gegenüber. *s. Himmelsrichtungen 1. 12 Gegensatz 5. 23. umkehren 8. 17. sich nähern 8. 19. Streit 16. 67.*

gegen · wider · gegenüber, vis-à-vis · schräg-à-vis (berl.) · Auge in Auge ⁋ entgegen · von Angesicht zu Angesicht · vor der Nase ⁋ kontrastieren ⁋ entgegensetzen · gegenüberstellen · konfrontieren · kontrastieren · in Gegensatz bringen ⁋ entgegengesetzt · polar ⁋ Anti-, Gegen- · Antipode, Gegenfüßler · das Gegenüber · Vis-à-vis ⁋ Elektroden · Pole. · Gegenpol · Gegenpunkt · Gegensatz · Gegenseite · Gegenüber · Kontrast · Opposition ⁋ Kontraposition · Opposition · Polarität.

33. Oben. *s. Kopf 2. 16. hoch 4. 12. fliegen 8. 6.*

auf · oberhalb · über ⁋ darüber · droben · oben · oben auf ⁋ aufwärts · empor · himmelan · hinauf · wolkenwärts ⁋ gipfeln · kulminieren · fliegen · schweben ⁋ der obere ⁋ Adlerhorst · Ausguck · First · Gipfel · Horst · Joch · Kamm · Koppe · Kuppe · Mastkorb · Parnaß · Scheitel · Senne · Spitze · Top · Wasserscheide ·

Wipfel · Wolke · Zenith ❡ Drehpunkt · Höhepunkt · Kulmination · Scheitelpunkt · Wendepunkt · höchste Stufe ❡ Haupt · Helmbusch · Kamm · Kopf · Krone ·
Schädel · Schopf · Stirn ❡ Abakus . Architrav · Bindebalken · Dach · Decke ·
Fries · Gesims · Giebel · Kapitell · Karnies · Oberplatte · Querbalken · Säulenknauf · Sims · Söller · Top · Zinne.

34. Unten. *s. Fuß 2. 16. Stütze 3. 16. niedrig 4. 13. tief 4. 14.*

unter · unterhalb ❡ dal (ndd.) · drunten · unten · unterhalb · zuunterst · tief
unten · zutiefst · zuunterst · unten drunter · in der tiefsten Tiefe ❡ abwärts ·
herab · herunter · hinab · hinunter · nieder · niederwärts ❡ hocken · kauchen ·
kauern · knien · liegen · sitzen · saß auf einem Kützche wie e Häufche Unglück
(köln.), wie das leibhaftige Elend ❡ der untere ❡ Basis · Boden · Bodensatz · Fundament · Fuß · Grund(lage) · Mulde · Pflaster · Sockel · Sohle · Tal · Untergestell ·
Unterlage · Untersatz · Unterschicht · Wurzel ❡ Hockerstellung.

35. Reihe. *s. Ordnung 3. 37. gerade 3. 40. nachher 6. 12. Kontinuität 6. 84. fortfahren 9. 30.*

hintereinander · in einer Flucht ❡ (sich) anschließen · aufeinander folgen · nachfolgen · zusammenhängen. — eine Reihe bilden · es reißt nicht ab ❡ abstufen ·
aufschichten · einreihen · fortsetzen · reihen. — aufzählen ❡ sukzessiv · ununterbrochen · zusammenhängend ❡ Aufmarsch · Aufzug · Festzug · Gefolge · Kavalkade · Prozession · Reihe · Reihenfolge. — Heeressäule · Kolonne · Schlachtlinie. — Faden · Flucht (z. B. Zimmer-) · Folge · Gänsemarsch · Gebirgszug ·
(Berg-)Kette · Liste, Verzeichnis, Rolle · Priamel · Reigen · Reihe · Reihenfolge ·
Säulengang · Stufengang · Schlange (beim Anstehen) · Schnur · Spalier · Stufenleiter · Treppe · Zeile · Zug ❡ Aufeinanderfolge · Fortgang · Reihenfolge · Sukzession · Verbindung · Verkettung.

36. Unterbrechung. *s. Dazwischenliegendes 3. 25. manchmal 6. 30. Ende 9. 33. Ruhe 9. 36. hindern 9. 73.*

absetzen · abbrechen · abreißen · abschweifen · abwechseln · anhalten · aufhören · aussetzen · bremsen · einhalten · halten · pausieren · stocken · stoppen ·
stottern · streiken · unterbrechen ❡ abdrehen · ausschalten · anhalten · aufhalten ·
bremsen · dazwischentreten · einhalten · hemmen · hineinplatzen · sperren · still-
legen · stoppen · trennen · unterbrechen · zudrehen. — in die Rede fallen · das
Wort aus dem Munde nehmen · ins Wort fallen ❡ abgerissen · abrupt · asyndetisch · desultorisch · locker · lückenhaft · sprunghaft · unbeständig · unstet · unverbunden · unzusammenhängend · zusammenhanglos ❡ Gedankenstrich · Klammer
auf · Punkt · Absatz ❡ Anakoluth · Asyndeton · Bruch · Bruchstelle · Diärese ·
Hiatus · Intervall · Lücke · Zäsur. — Abschweifung · Einschaltung · Episode ·
Pause · Sprung · Unterbrechung · Wechsel · Zwischenbemerkung ❡ Abgerissenheit ·
Verwerfung (geolog.).

37. Ordnung. *s. Klasse 4. 47. Regel 5. 19. Methode 9. 25. richtig 12. 26. lehren 12. 33. verständig 12. 52. leiten 16. 96. Polizei 16. 101; 19. 29.*

Schritt für Schritt · nach der Reihe · in Reih und Glied, s. gerade 3. 40. ❡ im Gleis,
in Lote, in Ordnung, in der Reihe sein ❡ anordnen · arrangieren · aufbauen ·
aufgliedern · aufräumen · ausbauen · aufstellen · ausrichten (mil.) · aussondern ·

disponieren · disziplinieren · eingliedern · einreihen · einrichten · einteilen · entfädeln, -rümpeln, -trümmern, -wirren · formen · gestalten · gleichschalten · gliedern · gruppieren · klären · klassifizieren · normalisieren · ordnen · organisieren · regeln · regulieren · richten · rubrizieren · schulen · sichten · sortieren · staffeln · systematisieren · uniformieren · unterbringen · vereinfachen · zuteilen . — in Ordnung bringen · sein Haus beschicken, bestellen · unter einen Hut bringen ⁋ akkurat · baumeisterlich · deutsch · einheitlich · exakt · folgerecht · klar · korrekt · methodisch · normal · ordentlich · organisch · planmäßig · planvoll · rational · regelmäßig · regelrecht · ruhig · sacht · sinnvoll · straff · systematisch · überlegt · übersichtlich. — bürokratisch · pedantisch · peinlich ⁋ allmählich · sacht · schrittweis · stetig · stufenweis ⁋ Führer · Generaldirektor · Leiter · Lenker · Manager · Macher · Ordner · Organisator · Spiritus rector · Veranstalter. — Gastgeber · Wirt. — Geist, Seele einer Sache. — Musterknabe · Pedant · Schulfuchs. — Polizei ⁋ Liste · Rangliste · Register · Stammrolle · Tabelle · Verzeichnis. — Methode · Plan · Theorie ⁋ Anordnung · Aufstellung · Einreihung · Einrichtung · Einteilung · Entwirrung · Gliederung · Gruppierung · Ordnung · Organisation · Regelung · Sichtung usw. ⁋ Amtsschimmel · Schablone · Schema F ⁋ Disziplin · Ebenmaß · Geordnetheit · Gleichförmigkeit · Gleichmäßigkeit · Gliederung · Methode · Ordnung · Planmäßigkeit · Rhythmus · System · Unterordnung · Zucht ⁋ Bürokratismus · Formalismus · Preußentum · Ordnungswut · Entrümpelung · Trümmerfrau.

38. Unordnung. *s. Mischung 1. 21. Lärm 7. 26. hin und her 8. 33—34. 9. 43. Mißstand 9. 51. falsch 12. 27. verrückt 12. 57. Streit 16. 57 Revolution 16. 116.*

blindlings · durcheinander · kreuz und quer · unterst zu oberst · wie Kraut und Rüben · wie die ersten Menschen ⁋ durcheinander- · herum- · ver- · zer- · gären · brodeln · schlampen · wirbeln. — bunt zugehen · aus Rand und Band sein · drunter und drüber gehn · aus den Fugen sein · im argen liegen · es geht alles aus den Angeln ⁋ aufwiegeln · aufwühlen · beunruhigen · desorganisieren · durcheinanderschütteln, -werfen · erschüttern · fortwursteln · manschen · stören · überstürzen · umherstreuen, umherwerfen · umkehren · umrühren · umstürzen · verdrehen · verhaspeln · verheddern · verkehren · verlegen · vermengen · vermischen · verrücken · verknoten · verkrümeln · verkuhwedeln · verschlampen · vertauschen · verwechseln · verwirren · zerknautschen · zerknittern · zerknüllen · zerrütten · zerzausen · zerwühlen · zusammenwerfen · in einen Topf werfen · vom Hundertsten ins Tausendste kommen ⁋ aufgeregt · chaotisch · erratisch · konfus · kunterbunt · malerisch · planlos · quer · regellos · regelwidrig · sprunghaft · strubbelig · stürmisch · ungemacht (Haare) · unrhythmisch · unsymmetrisch · unklar · unmethodisch · unordentlich · unregelmäßig · unsystematisch · tumultarisch · turbulent · unübersichtlich · verfilzt · verfitzt · verknotet · verworren · willkürlich · wirr · wüst · wuselig ⁋ subj. fahrig · flatterhaft · schlampig · zerfahren ⁋ Konfusionsrat · Quatsch-, Quer-, Wirrkopf · die Schlamp (südd.), Schandudel, Slutsch ⁋ polnischer Reichstag · babylonischer Turmbau · Labyrinth · Judenschule ⁋ Allerlei · Ameisenhaufen · Anarchie · Aufregung · Aufruhr · Aufstand · Chaos · Charivari · Durcheinander · Gärung · das Ge-, z. B. Getümmel, Gewussel, Gewurstel · Hexenküche · Hexensabatt · Höllenbreughel · Knäuel · Konfusion · Krawall · Krise · Kuddelmuddel · Mischmasch · Olla potrida · Quatsch · Quidproquo · Rattenkönig · Sammelsurium · Sauhaufen (mil.) · Saustall · Schlamperei · Schweinerei · Tohuwabohu · Tumult · Wildnis · Wirren · Wirrnis · Wirrsal · Wirrwarr · Wust · Zores ⁣❡ Gedankenflucht · Regellosigkeit · Vermengung · Vermischung · Verwechslung · Verwirrung · Vervorrenheit · weibliche Logik · Willkür · Zerstreutheit · polnische Wirtschaft · Harems-, Weiber-, Zigeunerwirtschaft · Promiskuität · die kaiserlose, schreckliche Zeit.

39. Linie. *s. Umgrenzung 3. 23. Furche 3. 44. Falte 3. 45. Beschaffenheit 5. 8. Zeichen 13. 1.*

zeichnen ❡ eindimensional · linear ❡ Geleise · Kontur · Linie · Strich · Umriß · Zeile · Zug.

40. Gerade. *s. Ordnung 3. 37. eben 3. 51. glatt 3. 52. direkter Weg 9. 79.*

geradeaus · geradewegs · geradezu · pfeigrad (bayr.) · stracks · schnurstracks · der Nase nach · bolzengerade · ohne nach rechts oder links zu sehn · Richt' euch! ❡ aufrichten · aufrollen · auseinanderlegen · ausstrecken · entrollen · planieren · richten · straffen · strecken · eine Kurve schneiden ❡ aufrecht · direkt · gerade · geradlinig · schnurgerade · strack · straff · stramm · ungebeugt · ungebogen ❡ gerade Linie · Luftlinie · Richtung (mil.) · Strahl · Streif.

41. Fläche. *s. Ebene 3. 51.*

zweidimensional ❡ Geometer. ❡ Geometrie · Planimetrie · Feld-, Landmesserei.

42. Körper. *s. etwas 5. 1.*

dreidimensional · greifbar · kompakt.

43. Winkel. *s. Durchkreuzung 3. 15. Zahl 4. 35 ff.*

zickzack ❡ divergieren · sich gabeln · sich verzweigen · sich voneinander entfernen ❡ auskerben · auszähnen · beugen · biegen · brechen · einkerben · einschneiden · einzähnen · falten · falzen · kerben · knecken (südd.) · knicken · kröpfen · spitzen · zacken. — verkrumpeln · zerknittern · zerknüllen ❡ um 90° versetzen ❡ drei-, vier- usw. -eckig · eckig · faltig · gabelförmig · gebogen · gekröpft · gekrümmt · gewunden · gezackt · gezahnt · gotisch · hakenförmig · kantig · kariert · keilförmig · knotig · runzelig · sägenförmig · schartig · schlangenförmig · sichelförmig · winkelig · zackig ❡ Auszackung · Beuge · Biegung · Bruch · Bug · Ecke . Ellbogen · Eselsohren (an Buchseiten) · Falte · Forke, Gabel, Gaffel · Fuge · Grat · Grübchen · Haken · Kante · Kerbe · Knick · Krakel · Krümmung · Nocke · Rasur · Raute · Scharte · Schnabel · Spalt · Spitze · Windung · Winkel. · Spitzbogen · Tudorbogen · Gotik. — Keil · Spitzsäule. — Winkelhaken · Winkelmesser ❡ Dreieck · Viereck, Karo · Parallelogramm, Raute · Rhombus · Trapez · Rechteck · Quadrat · Fünfeck, Pentagramm, Drudenfuß · Vieleck, Polygon usw. · Pyramide, Tetraeder · Hexaeder · Würfel, Kubus usw. ❡ Eckigkeit · Winkligkeit.

44. Furche. *s. Zwischenraum 3. 25. rauh 3. 53; 3. 57. Wasserweg 7. 56.*

auskehlen · fräsen · furchen · kerben · pflügen · ritzen · schnitzen · schrämen ❡ gefurcht · gerippt · narbig ❡ Falz · Furche · Fuge (nordd.) · Graben · Kanal · Mulde · Riefe · Rille · Rinne · Schlucht · Senke · Tobel (schweiz.) · Trog ❡ Kerbschnitzerei · Linoleumschnitt.

45. Falte. *s. rauh 3. 53.*

schrumpeln · Falten werfen ⁋ einreihen (beim Nähen) · einschlagen · fälteln · falten · falzen · kräuseln · plissieren · rümpfen (die Nase) · um(ein)biegen · umschlagen · runzeln · zerknautschen · verkrumpeln · zerknittern · zusammenlegen ⁋ faltig · krumplig · zerklüftet · zerlappt ⁋ Biegung · Bruch · Bucht · Bug · Einbug · Ellbogen · Falbel · Falte · Falz · Flechte · Klappe · Knoten · Korkzieherhosen · Krähenfüße · Krause · (Esels-)Ohr · Plissee · Runzel · Saum · Umschlag · Windung.

46. Kurve. *s. Bogen 8. 32.*

neben heraus ⁋ sich schlängeln · wogen ⁋ abbiegen · einbiegen · sich neigen · sich ringeln · sich rollen ⁋ aus-, ein-, über-, um-, ver- · beugen · biegen · (Haare) brennen, kräuseln · drehen · flechten · krümmen · locken · ringeln · rollen · wellen · winden ⁋ adler-, krummnasig · ankerförmig · arabeskenartig · ausgeschweift · barock · bogenförmig · bucklig · (aus-, ein-, um-)gebogen · geschnörkelt · geschweift · gewellt · gewunden · kraus · krumm(beinig) · säbelbeinig · lockig · romanisch · verbogen · verschlungen · wellig · wogend · wurmförmig ⁋ Arabeske · Beugung · Biegung · Bogen · Drall · Drehung · Einbiegung · Halbkreis · Halbmond · Haken · Hyperbel · Kehre · Kurve · Locke · Mäander · Muschellinie · Parabel · Rank (alem.): *den Rang ablaufen* · Ringelform · Schlangenlinie, Serpentine · O-, Radler-, Säbel-, Courths-Mahler-Beine (erst haben sie sich, dann gehn sie auseinander und dann haben sie sich wieder) · X-Beine, verbogenes Fahrwerk. Fahrgestell (mil.) · Schlaufe · Schleife · Schlinge · Schnecken(windung) · Schnörkel · Schweifung · Schwenkung · Seitenwendung · Segment · Spirale · Wellenlinie · Windung · Wirbel ⁋ Barock · Braue · Bretzel · Geflecht · Gewinde, Schraubengang · Hufeisen · Klaue · Kralle · Kranichhals · Korkzieher · Netzwerk · Rokoko · Schwibbogen · Sichel · Welle · Wendeltreppe ⁋ Irrgang, Irrgarten, Labyrinth ⁋ Gewundenheit · Krümmung · Verschlungenheit.

47. Kreis. *s. umgeben 3. 24.*

umgeben · umkreisen ⁋ abrunden · abzirkeln · runden ⁋ eirund · elliptisch · (ab)gerundet · geschlossen · kreisförmig · kreisrund · oval · radlinig · reif-, ringförmig · rund ⁋ Kreis(form) · Peripherie · Runde · Rundung ⁋ Äquator ⁋ Amphitheater · Arena · Karussell, Reitschule, Ringelspiel · Amband · Auge · Binde · Diadem · Ei(linie) · Ellipse · Felge · Gewinde · Girlande · Gürtel · Halsband · Kranz · Kringel · Krone · Oval · Piste · Planetenbahn · Rad · Reif · Ring · Rundlauf · Schleife · Schlinge · Stirnband · Zirkel · Zirkus · Zone · Zykloide ⁋ Rundheit.

48. Wölbung. *(konvex). s. Körperteile 2. 16. Schwangerschaft 2. 20. Krankheiten 2. 41. dick 4. 10. hoch 4. 12.*

sich (auf)sträuben · aus-, herauswachsen · hervorragen · überhängen · vorspringen · vorstehen · sich wölben ⁋ anschwellen · auflaufen · herauswachsen · schwellen ⁋ (auf)blähen · aufblasen · auftreiben · aufwerfen · bossieren · erhöhen · schwellen · wölben · ziselieren ⁋ aufgeblasen · aufgebauscht · bauchig · bossiert · erhaben · gebogen · gehörnt · gekröpft · (auf)getrieben · gewölbt · gezähnt · halbrund · hochrund · höckerig · knotig · (bi)konvex · vorragend · vorspringend ⁋ Ausbauchung · Auswuchs · Bogen · Buckel · Ellbogen · Erhöhung · Grat · Höcker · Huppel · Kegel · Knauf · Knopf · Knoten · Klumpen · Linse · Nocke · Pickel

Schwellung · Spitze · Sporn · Vorsprung · Wölbung · Zahn · Zuckerhut ⁊ *krankhafte am Körper:* Beule · Blähhals · Blase · Blatter · Finne · Geschwür · Geschwulst · Hühnerauge, Leichdorn · Karbunkel · Knollen · Kropf · Schwären · Schwiele · Überbein · Warze ⁊ Pilz · Schwamm ⁊ *Körperteile:* Adamsapfel · Bauch · Brust · Busen · Cul de Paris · Drüse · Ell(en)bogen · Gesäß · Lippe · Nale · Rücken · Rüssel · Schnabel · Schnauze · Ständer · Schulter · Wulst · Zitze ⁊ Altan · Balkon · Dachrinne · Dom · Erker(fenster) · Gipfel · Grat · Kandel · Knopf · Knospe · Kuppe · Kuppel · Rippe · Traufe · Überhang · Vordach · Vorsprung · Zinke · Zinne ⁊ Flachrelief · Hochrelief · Kamee · getriebene Arbeit ⁊ *geograph.:* Anhöhe · Berg · Hügel · Kap · Landspitze · Landzunge · Vorgebirge.

49. Höhlung. *(konkav). s. Loch 3. 57. Fluß 7. 55. Haus 17. 1. Gefäße, Behälter 17. 6.*

aus-, abteufen · ausbaggern · ausbohren · ausbuchten · ausheben · (aus)höhlen · auskehlen · (aus)spülen · ausstechen · auswaschen usw. · buddeln · einbiegen · furchen · graben · kannelieren · lochen · minieren · pflügen · schürfen · vertiefen ⁊ ausgehöhlt · blatternarbig · buchtig · eingebogen · (becher-, glocken-)förmig · hohl · (bi)konkav · vertieft ⁊ Einbauchung · Einbiegung · Einschnitt · Fuge · Furche · Graben · Grube · Grübchen · Höhlung · Loch · Kaute · Kelch · Lücke · Luke · Meniskus · Minusbauch · Model (zum Backen) · Mulde · Nische · Rinne · Schacht · Trichter · Unterstand · Vertiefung · Wabe · Zelle ⁊ Alkoven · Nische · Becken · Binge, Pinge · Bucht · Busen · Erosion · Flußbett · Gosse · Grotte · Höhle · Kar · Kessel · Klamm · Kluft · Krater · Sackgasse · Schlucht · Schluft · Tal(sohle) · Tobel.

50. Walze, Kegel, Kugel. *s. Frucht 2. 3. Speisen 2. 27. Bogen 3. 46. Wölbung 3. 48.*

kugeln · kullern · rollen ⁊ ballen · drechseln . drehen · knäueln · (ab)runden ⁊ eiförmig · knollig · oval. — konisch. — kreisrund · rund · sphäroidisch. — walzenförmig · zylindrisch · zylindroidisch ⁊ Bolzen · Büchse · Faß · Haspel · Lauf · Peiler · Pfosten · Rolle · Säule · Scheibe · Spule · Trommel · Tubus · Walze · Welle · Wirtel · Wurm · Zylinder · Zylindroid ⁊ Apfel · Birne · Glocke · Kegel · Konoid · Konus · Zuckerhut · Zwiebel ⁊ Ball · Blase · Bläschen · Bollen · Ei · Ellipsoid · Erbse · Erdkugel · Globus · Kartoffel · Knolle · Knäuel · Knopf · Knorren · Knoten · Kugel(form) · Mond · Pastille · Perle · Pille · Rundschädel · Schrot · Sphäre · Sphäroid · Sonne · Stecknadelkopf · Tomate · Tropfen · Zitronenform ⁊ Rundheit · Rundung.

51. Ebene. *s. Gegend 1. 15. waagrecht 3. 12. glatt 3. 52. Schicht 4. 43.*

abplatten · ausbreiten · ausfalten · (ein)ebnen · entfalten · entrunzeln · flächen · glätten · hobeln · nivellieren · planieren · (Festung) schleifen ⁊ eben · flach · glatt · plan · platt · poliert ⁊ Ebene · Fläche · Plan · Plateau · Platte · Plattform · Schicht · Tal · (Wasser-)Spiegel ⁊ Flachheit · Glätte.

52. Glatt. *s. Entblößung 3. 22. eben 3. 51. Glanz 7. 4. Fett 7. 52.*

asphaltieren · ausgleichen · bahnen · bohne(r)n · bügeln (südd.), plätten (nordd.) · ebnen · einölen · feilen · firnissen · glasieren · glätten · hobeln · kämmen · lackieren · (ab)mähen · makadamisieren · ölen · polieren · rasieren · scheren · schmieren ·

schleifen · strählen · streichen · verputzen · wichsen · wischen · zementieren
❡ gleiten · glitschen · kascheln (schles.), schinschern (Posen), schleifen, schliddern ·
rutschen ❡ eben · faltenlos · fett(ig) · flach · eisglatt · geschmiert · gleich · glitschig ·
ölig · poliert · runzellos · sanft · samten · schlüpfrig · schmierig · seidig · spiegelglatt · weich · zart ❡ Bügel-, Plätteisen, die Plätte · Mangelholz, Nudelkulle (schles.),
Welgerholz (hess.) ❡ Gelenkwasser · Maschinenöl · Schmiere · Schmieröl · ❡ Eisbahn · Eisfläche · Glatteis · Parkett · Rutschbahn, Schleifbahn, Schleife · Glasfläche ·
Atlas · Samt · Seide · Spiegel. — Ki(nder)po(po) (= frisch rasiert) ❡ Schlitten
❡ Glanz · Glasur · Glätte · Politur · Schliff · Schlüpfrigkeit.

53. Rauh, Reibung. *s. Hautkrankheit 2. 41. Bedeckung 3. 20. Winkel 3. 43. Falte 3. 45. unangenehm 11. 14. Kleid 17. 9.*

gegen den Strich ❡ abwetzen · sich (auf-)sträuben · kratzen · reiben · ribbeln ·
schaben · scharren · scheuern · schrappen (z. B. Rüben) · wetzen ❡ auffasern ·
(auf)rauhen · zerknautschen · zerkrümeln · pflügen · rigolen (= tief pflügen)
❡ buckelig · gefurcht · grob · höckerig · holprig · knollig · knotig · kraus · (blatter)-
narbig · rauh · runzelig · schartig · schroff · stachelig · struppig · uneben · warzig ·
zerklüftet · zerrissen ❡ bärtig · befiedert · behaart · bewimpert · borstig · buschig ·
faserig · filzig · flockig · fransig · gesträubt · haarig · rauch · rauh · stopplig ·
wollig · zackig · zottig ❡ Abzweigung · Belaubung · Bürste · (Weber-)Distel ·
Granne · Hechel · Kardätsche · Karde · (Woll-)Kamm · Klette · Moos · Zacke(n) ·
Stoppelfeld ❡ Backenbart · Bart · Fliege · Mähne · Schnauz-, Schnurrbart · Stoppeln · Vollbart ❡ Balg · Borste · Bürste · Fell · Fließ · Locke · Luffa · Pelz · Vließ ·
Wolle ❡ Feder · Gefieder · Schopf ❡ Schotter · Katzenköpfe (holpriges Pflaster) ·
Stuckerpflaster · Schlaglöcher! · Rauhputz · Rustica ❡ Rauhheit · Reibung · Uneben-
heit · Widerstand.

54. Zart. *s. weich 7. 50.*

lind · mollig · rosig · samten · sanft · seidig · weich · zart ❡ Daune · Eiderdaune ·
Flaum · Flaumfeder · Pfirsichhaut · Plüsch · Sammet · Seide · Wimper ❡ Sanftheit · Weichheit · Zartheit.

55. Scharf, spitz. *s. Insekt 2. 9. Waffen 17. 11.*

pieken · pieksen · schneiden · stechen ❡ (an-, zu)spitzen · dengeln · feilen · schärfen · schiften · schleifen · wetzen ❡ borstig · dornig · eckig · facettiert · (zu)gespitzt ·
kantig · scharf · scharfkantig · schliffig · schneidig · spitz(ig) · stach(e)lig. —
gezackt · gezähnt · konisch ❡ haar-, messerscharf · scharf wie Gift, wie ein Rasiermesser · nadelspitz ❡ Pfeilschifter ❡ Angel · Bajonett · Borste · Dorn · Facette ·
Grat · Gräte · Gufe (= Sicherheitsnadel) · Haken · Haspel · Horn · Nadel · Nagel ·
Pflugschar · Sense · Sichel · Spitze · Splitter (Bombe) · Sporn · Stachel · Stift ·
Widerhaken · Zahn · Zinken ❡ Ahle, Pfriem · Axt · Barte · Beil · Bohrer · Grabstichel · Hobel · Keil · Klinge · Knicker (feststehendes Taschenmesser) · Lanzette ·
Meißel · Messer · -messer · Schere · Schneide · Schneideinstrument usw. · Stemm-
eisen ❡ Biene · Bremse · Brennessel · Distel · Granne · Igel · Moskito · Schnake ·
Stechfliege · Stachelschwein ❡ Schärfe · Spitzigkeit.

56. Stumpf.

auf dem Messer kann man reiten · das Messer schneid't kalt Wasser ohne gewärmt
(Darmstadt) ❡ abrunden · abstumpfen ❡ schartig · stumpf ❡ Scharte. — Ab-
stumpfung · Stumpfheit.

57. Öffnung. *s. Körperteile 2. 16. Furche 3. 44. Weg 7. 56; 8. 11. auseinander 8. 22. Weg hindurch 8. 25. entdecken 12. 20. offenbar 13. 3.*

gähnen · klaffen · lecken · auf sein (sperrangelweit) · aufstehen · die Türe kläfft · da kann eine Kuh draus saufen (großes Loch) · Madame, es blitzt ⁋ aufgehen · aufspringen · auffliegen · sich öffnen · (zer)bersten · platzen ⁋ auf-, aus-, durch-, ein- · anbohren · anbrechen · anstechen · anzapfen · äufnen (schweiz.) · aufbrechen, -decken, -drehen, -lassen, -machen, -reißen, -rollen, -schlagen, -schließen, -schürzen, -sperren, -sprengen, -stechen, -tun, -wickeln · aushöhlen · auspacken · bohren · drillen · durchlöchern · durchschlagen · einschlagen · einstechen · einstoßen · entkorken, -riegeln · erschließen · öffnen · knacken (Nuß, Geldschrank) · sprengen · punktieren (mediz.) · Türe kläffen · untergraben · Tür und Tor öffnen ⁋ aufgeschlossen · durchlässig · frei · gangbar · hohl · leck · locker · löcherig · lückenhaft · offen · porös · trichterförmig · schwammartig · undicht · unversperrt ⁋ Einbrecher · Geldschrankknacker — Portier *s. 16. 60* ⁋ Nachschlüssel · Plisteti (von der anderen Seite) · Diebeshaken, Dietrich · Bohrer, Brustleier. — Brechstange · Nußknacker · Büchsenöffner · Schränkzeug · Schneidbrenner · Pfropfenzieher · Sauerstoffgebläse · Schlüssel, Hausknochen · Werkzeug ⁋ Ablaß (beim Wasser) · Auge · Auspuff · Bresche · Bullauge · Düse · Fenster · Luke · Hahn · Kluft · Laterne (in der Kuppel) · Laufmasche, Flohleiter · Leck · Loch · Lücke · Mausloch · Nadelöhr · Öffnung · Öhr · Pore · Riß · Ritz(e) · Schlitz · Schlüsselloch (Gaunerspr.: Pißchenpee) · Spalte · Spund(loch) · (Ein-, Aus-)Stich · Türe · Ventil · Wagenschlag · Zwischenraum ⁋ Aus-, Durch-, Ein-, Zugang · Ausweg · Einlaß · Luke · Weg ⁋ After · Kehle · Maul · Mund · Nase *(s. Körperteile 2. 16)* · Ausfalltor · Bogengang · Drehgitter · Falltür · Pforte · Portal · Säulengang · Schlüsselstellung · (Gitter-, Gatter-)Tor · Torweg · Türe (Flügel-, Seiten-, Tapeten-) ⁋ Bohrloch · Einstich · Durch-: -bruch, -gang, -laß, -stich, -stoß · Galerie · Grube · Höhle · Kamin · Kanal · Krater · Mine · Punktur · Rauchfang · Röhre · Schacht · Schwalch · Stollen · Tunnel · Zeche ⁋ Durchschlag (hess.), Reiter (alem.), Seiher, Seiger, Sieb · Trichter · Filter ⁋ Gitter · Raumgitter. — Netz ⁋ Fistel · Eitergang ⁋ Ausguß (an Gefäßen): Schnabel, Schnute. Tülle, Zotte (hess.) ⁋ Anstich · Durchlochung · Erschließung · Kathetrisierung · Obduktion · Punktion.

58. Geschlossenheit. *s. Inneres 3. 19. ausbessern 9. 58. Schutz 9. 76. verbergen 13. 4. Haus 17. 1.*

zu sein ⁋ ab- · zu- · abdichten · abdrosseln · abriegeln (mil.) · (Verbindung) abschneiden · absperren · ausfüllen · blockieren · (er)drosseln · ein(ab)dämmen · dicht machen · einschließen · füllen · imprägnieren · kalfatern · plombieren · schließen · (ver)sperren · verkitten · verkorken · vermauern · verrammeln · (ver)riegeln · verschließen · versichern (südd.) · versiegeln · (ver)stopfen · würgen · zubinden, -decken, -drehen, -kleben, -lassen, -machen · zunähen · zunageln · zuriegeln · zuschieben, -schlagen, -schmeißen, -schmettern, -schnallen, -schnüren, -sperren (bayr.) · der Riegel ist gestoßen (alem.) ⁋ dicht · fest · luftdicht · undurchlässig · undurchsichtig, -dringlich · ungeöffnet · unporös · versperrt · wasserdicht · zu ⁋ pfadlos · unzugänglich · hermetisch verschlossen ⁋ Beschließer · Hausmeister · Küster · Mesner · Portier · Türhüter · Wart · Kerberos · Petrus · Engel mit dem Flammenschwert ⁋ Bajonettverschluß · Damm · Druckknopf · Barre · Barriere · Decke(l) · Drehkrug · Geländer · Gatter · Gitter · Haag · Hahn · Hecke · Hindernis · Hosenladen, -latz, -stall (hess.), Kascher (schles.) · Hülle · Jalousie, Rolladen · Klappe · Knopf · Kolben · Kork(en), Stopfen (südd.), Zapfen · Öse + Haken, Rist (hess.: Krappe + Schlink) · Pflock · Pfropfen

Planke · Plombe · Reißverschluß · Riegel · Rouleau · Scheide · Schlagbaum · Schleuse · Schließhaken · Schloß · Schlüssel · Schnalle · Siegel · Stöpsel · Stopfen · Store · Überfall · Ventil · Verharschung · Verschluß · eiserner Vorhang · Yale · Zapfen · Zaun ⁊ blinde Gasse · Sackgasse ⁊ Abdämmung · Blockade, Seesperre · Blockierung · Dichtung · Riegelstellung · (Grenz-, Zoll-(Sperre) · Scheide(linie) · Ab-, Ein-, Umschließung · Schutz gegen · Wasserdichtigkeit.

59. Ebenmaß. *s. richtiger Umfang 4. 23; 9. 48. geeignet 9. 48. schön 11. 17.*

anliegen · harmonieren · (gut) sitzen · passen ⁊ anpassen · ausgleichen · glätten · harmonisieren · regeln · richten ⁊ anliegend · ausgeglichen · ebenmäßig · einheitlich · glatt · gleichförmig · harmonisch · klassisch · kristallinisch · symmetrisch · wohlgeformt · wohlproportioniert · wie angegossen ⁊ gut gewachsen ⁊ Goldener Schnitt ⁊ Ebenmaß · Gleichförmigkeit · Gleichgewicht · Regelmäßigkeit · Symmetrie.

60. Asymmetrie. *s. Kurve 3. 46. regellos 8. 34. Verschlechterung 9. 61. häßlich 11. 28.*

karikieren · verbiegen · (ver)krümmen · verzerren · verziehen ⁊ abweichend · amorph · anomal · anormal · buckelig · degeneriert · einseitig · formlos · höckerig · grotesk · inkonzinn · irregulär · krumm · mißförmig · regelwidrig · schief · schwulstig · ungestalt · unproportioniert · unregelmäßig · unförmig · unsymmetrisch · vertrackt ⁊ Krummstiefel · Mißgeburt · Mißgestalt · Spottgeburt ⁊ Abweichung · Asymmetrie · Auswuchs · Entstellung · Karikatur · Krümmung · Schwulst · Verdrehung · Verzerrung · Zerrbild ⁊ Astigmatismus.

4. Größe. Menge. Zahl. Grad

4. 1. Größe, Umfang
4. 2. Großer Umfang
4. 3. Wachsen
4. 4. Klein
4. 5. Kleiner werden
4. 6. Lang, Längenmaße
4. 7. Kurz
4. 8. Breit
4. 9. Eng, schmal
4. 10. Dick
4. 11. Dünn
4. 12. Hoch
4. 13. Niedrig
4. 14. Tief
4. 15. Seicht
4. 16. Flächenmaße
4. 17. Anzahl, Menge
4. 18. Material, Vorrat
4. 19. Inhalt, Hohl- und Kubikmaße
4. 20. Viele
4. 21. Voll
4. 22. Zu viel
4. 23. Genug
4. 24. Wenig
4. 25. Zu wenig
4. 26. Nichts, Null

4. 27. Gleiche Größe und Menge
4. 28. Hinzufügen
4. 29. Versorgen
4. 30. Wegnehmen
4. 31. Verbrauchen
4. 32. Rest
4. 33. Verbinden
4. 34. Trennen
4. 35. Zahl
4. 36. Eins
4. 37. Zwei, der Zweite
4. 38. Drei
4. 39. Vier usw.
4. 40. Unendlich viel, unendlich groß
4. 41. Gesamtheit
4. 42. Teil
4. 43. Schicht
4. 44. Faser
4. 45. Zweiteilung, dritteln usw.
4. 46. Unvollständig
4. 47. Klasse
4. 48. Zugehörig
4. 49. Nicht zugehörig
4. 50. Hoher Grad
4. 51. Höherer Grad
4. 52. Geringerer Grad

1. Umfang, Größe. *s. dick 4.10. Menge 4.17. Steigerung 4.51. Beschaffenheit 5.8.*

sich ausdehnen · ausmachen · enthalten · fassen · sich erstrecken · umfassen ⁋ quantititiv ⁋ Abmessung · Ausdehnung · Ausmaß · Dimension · Fassungskraft, Kapazität · Format · Gehalt · Gestalt · Größe · Größenverhältnis · Inhalt · Kaliber · Leibung · Maß · Masse · Pegel · Raum(-gehalt, -inhalt, -maß) · Schwere · Statur · Tonnenmaß · Tragfähigkeit · Umfang · Volumen · Weite.

2. Großer Umfang. *s. dick 4.10. hoher Grad 4.51. Kraft 5.35. schwer 7.41. bedeutend 9.44. Überlegenheit 16.84.*

wuchten ⁋ achtunggebietend · ansehnlich · ausgedehnt · außergewöhnlich · außerordentlich · bändereich · bedeutend · beträchtlich · enorm · erdrückend · erheblich · exorbitant · geräumig · gewaltig · gigantisch · großmächtig · kapital · lastend · groß · kolossal · imposant · mächtig · majestätisch · massig · massiv · monströs · monumental · riesig · titanisch · übergroß · überwältigend · ragend · riesenhaft · riesengroß · riesig, riesisch · stattlich · übergroß · übermäßig · übermenschlich · umfänglich · unbegrenzt · unbeschränkt · unendlich · unermeßlich · ungefüge · ungeheuer · ungeschlacht · ungewöhnlich · vielumfassend · voluminös · weit · weitreichend · weitverzweigt · wuchtig · zyklopisch ⁋ Heiden-, Mords-, Monstre-, Riesen- · in folio ⁋ Athlet · Bulle · Elefant · Gigant · Goliath · Heldengestalt · Herkules · Hüne · Koloß · Leviathan · Mammut · Mordskerl · Riese · Ungeheuer · Untier · Viech · Walfisch ⁋ *weibl.:* Donnerbusen · Dragoner · Fregatte · Germania · Berolina · Juno · Husar · Maschine · Kasten · Walküre ⁋ Berg · Block · Gebirge · Gebirgsstock · Haufen · Klotz · Klumpen · Kubus · Massiv · Tonne · Wälzer ⁋ Majuskel · Initiale ⁋ Beträchtlichkeit · Fülle · Größe · Imposantheit · Kolossalität · Monumentalität · Riesengröße · Riesenhaftigkeit · Riesenmaß · Übermaß · Umfänglichkeit · Wucht.

3. Wachsen, steigern. *s. Fortpflanzung 2.18. Größe 4.2. breit 4.8. viele 4.20. Zusatz 4.23. hoher Grad 4.51. allmähliche Entwicklung 5.26. Aufstieg 8.28. Begier 11.36.*

crescendo ⁋ auf- · auseinander- · anlaufen · anschwellen · ansteigen · anwachsen · aufblühen · aufgehen · aufkommen · aufschießen · aufsteigen · sich ausbreiten · sich ausdehnen · auseinandergehen · sich entfalten · sich entwickeln · erblühen · sich dehnen · drängen · fortschreiten · gedeihen · grassieren · keimen · knospen · platzen · schwellen · sprießen · steigen · treiben · überhandnehmen · vorschreiten · wachsen · sich weiten · werden · wuchern · wüten · zunehmen · (um sich) fressen, -greifen · überspringen · die Schale sprengen · sich strecken und recken · aus den Kleidern wachsen · nimmt immer größere Dimensionen an · ins Aschgraue · geht in die Länge, Höhe, Breite · Fortschritte machen · ins Kraut schießen · die Welt gewinnen ⁋ aufbauschen · aufblähen · aufblasen · aufspannen · auftreiben · ausbreiten · ausdehnen · ausfüllen · ausspannen · ausstopfen · ausweiten · blähen · dehnen · eingemeinden · einverleiben · entfachen · entfalten · entwickeln · erhöhen · fördern · erweitern · mästen · mehren · multiplizieren · potenzieren · stärken · steigern · strecken · verbreitern · verdicken · verdoppeln · verdünnen (bei Flüssigkeiten) · vergrößern · verlängern · vermehren · verschlimmern · vervielfachen · vervielfältigen · ver-x-fachen · vorschuhen · weiten · den Teufel durch Beelzebub austreiben ⁋ größer sein *s. 4.51* ⁋ *Komparativ:* -er · mehr · x-fach · x-fältig · x-malig ⁋ bauschig · dehnbar · expansiv · progressiv · sprunghaft · im Quadrat ·

hoch x ◖ Ansammlung · Anschwellung · Anwuchs · Aufstieg · Ausbauchung · Auswuchs · Bausch · Schwellung · Wulst ◖ Einwanderung · Entfaltung · Entwicklung · Erhöhung · Erweiterung · Evolution · Expansion · Fortgang · Fortkommen · Fortschritt · Förderung · Grenzberichtigung · Genese · Kräftigung · (geometrische, arithmetische) Progression · Segen · Steigerung · Überschwemmung · Verbreit(er)ung · Vermehrung · Wachstum · Weiterentwicklung · Werdegang · Zufluß · Zunahme ◖ Auftrieb · Drang · Pan-ismus · Drang ins Weite · das größere X-land · gelbe Gefahr.

4. Klein. *s. Kind 2. 22. kurz 4. 7. wenig 4. 24. Teil 4. 42. Inferiorität 4. 52; 16. 83; 16. 92—94. mangelhaft 9. 60.*

herumkribbeln · steckt noch in den Kinderschuhen ◖ beschränkt · daumengroß · eingeschränkt · embryonal · erbsengroß · gering · geringfügig · geringhaltig · klein · knapp · kurz · liliputanisch · lütt (ndd.) · niedlich · numprig (schles.) · nuttig · puppig · rudimentär · taschengroß · tragbar · unansehnlich · unbedeutend · unbeträchtlich · unscheinbar · verkrüppelt · vermickert · winzig · zierlich · zwerghaft ◖ infinitesimal · kleinst · klimperklein · mikroskopisch · minimal · molekular · ultramikroskopisch · unbemerkbar · unsichtbar · unwägbar · verschwindend ◖ -chen · -lein · -ke, -ing (ndd.) · -le (schwäb.-alem.) · -li (schweiz.) · -l (bair-östr.) ◖ Bantam- · Duodez- · Miniatur- · in der Westentasche ◖ *kleiner Mensch:* Bauchwarze (milit.) · Berzerl, Berzer (hess.) · Däumling · Dobcher (hess.) · Dreikäsehoch · Furz · Gnom · Homunkulus · Kind · das Kleinchen · Kneckes · Knirps · Liliputaner · Männchen · Menschlein · Nickel · Piccolo · Pritzes · Puppe · Pygmäe · Quadudder (frankf. = *coadiutor*) · Sterzl · Stoppe (hess.) · Stumpe (hess.) · Wicht · Wichtelmännchen *s. 20, 5—6* · Zapf (schweiz.) · Zwerg · Zwickel · Zwuckel (alem.) · abgebrochener Riese ◖ Bakterie · Bazillus · Floh · Infusorie · Insekt · Maus · Mikrobe · Milbe · Mücke · Taschenkrebs · Zaunkönig ◖ Gewurzel · Gezeppel · Geziefer · Zwergobst ◖ Atom · Augenpulver *(kleine Schrift)* · Bißchen · Bröselein · Brosamen · Elektron · Erbse · Existenzminimum · Fäserchen · Fliegenscheiße · Gerstenkorn · Grenzwert · Häppchen · Idee · Ion · Körnchen · Krümel · Maulwurfshügel · Minimum · Minuskel · Molekül · Monade · ein Nichts · Nußschale · Partikel · Priepsel (berl. kleines Stück) · Pulver · Quante · Samenkörnchen · Sandkorn · Schwellenwert (Psychologie) · Senfkorn · Sonnenstäubchen · Stecknadelkopf · Teilchen · Tropfen · Tupfen ◖ Detail · Einzelheit ◖ Lupe · Mikrometer · Mikroskop ◖ Geringfügigkeit ◖ Kleinformat · Kleinheit · Kümmerwuchs · Kürze · Unscheinbarkeit · Winzigkeit.

5. Kleiner werden. *s. altern 2. 25. krank 2. 41. klein 4. 4. nichts 4. 26. teilen 4. 42. Subtraktion 4. 30. Rest 4. 32. zerstören 5. 42. arm 18. 4.*

ab- · ein- · ver- · zusammen- · abbröckeln · abebben · abflauen · abmagern · abnehmen · absinken · ausgehen · aussterben · austrocknen · ebben · einfallen · eingehen · einlaufen · einschrumpfen · herunterkommen · hungern · nachgeben · nachlassen · niedergehen · schrumpeln · schrumpfen · schwinden · siechen · sinken · verdorren · verfallen · verkümmern · versiegen · vertrocknen · weichen · welken · zurückbleiben · zurückgehen · einen Pflock zurückstecken · zusammenfallen · zusammenschmelzen · sich zusammenziehen · steht auf dem Aussterbeetat · aus der Mode kommen · unmodern werden · zur Neige gehen · ist in Rückbildung begriffen · schmelzen wie Butter an der Sonne ◖ sich leeren · es gibt Luft · abgängig werden · veröden ◖ kleiner sein *s. 4. 52* ◖ abbauen · abdingen · abmergeln ·

abnutzen · abreiben · abschürfen · abschwächen · abtragen · abtreten · abwetzen · abzehren · ausdörren · beengen · dämmen · drosseln · drücken · einengen · einpressen · einschränken · erniedrigen · halbieren · herabdrücken · herabmindern · herabsetzen · kneifen · komprimieren · kondensieren · konzentrieren · kürzen · leeren · lichten · lokalisieren · mindern · modifizieren · pressen · quetschen · raffen · reduzieren · schmälern · schmelzen : schnüren · schwächen · senken · unterbinden · verdichten · verdicken · verkleinern · verkrüppeln · verkürzen · vermindern · verringern · zersetzen · zusammenlegen · zusammenpressen · zusammenziehen · zwicken ❡ siech · verhutzelt · weniger ❡ *Diminutiv:* Miniaturausgabe · Taschenausgabe · Verkleinerung · Hutzel (getrocknete Birne (schwäb.) ❡ Bantingkur · Diät · Hunger · Presse ❡ Abbau · Abnahme · Abnutzung · Atrophie · Auszehrung · Beschränkung · Ebbe · Einschränkung · Erniedrigung · Erosion · Flaute · Hinfälligkeit · Mangel · Minderlieferung · Nachlassen · Nanismus · Niedergang · Rückgang · Schmälerung · Schmelze · Schwächung · Schrumpfung · Schwindsucht · Schwung · Senkung · Unvollkommenheit · Verfall · Verknappung · Welke · Zersetzung.

6. Lang, Längenmaße. *s. wachsen 4. 3. hoch 4. 12. Ausführlichkeit 13. 43.*

sich ausdehnen · sich erstrecken · reichen bis ❡ ausdehnen · aushämmern · ausrecken · ausspinnen · auswalzen · ausziehen · längen · langziehen · prolongieren · recken · strecken · verlängern ❡ ausgedehnt · ausgezogen · gestreckt · lang · länglich · linear longitudinal · oblong ❡ endlos · unendlich ❡ Barre · Latte · Lineal · Linie · Mast · Radius · Speiche · Stab · Stange · Stecken · Stengel · Stift · Stock · Strahl · Strecke · Streifen ❡ Millimeter · Zentimeter · Zoll · Dezimeter · Spanne · Fuß · Elle · Schritt · Meter · Klafter · Rute (= 3,76 m) · Kilometer · Meile · Lichtjahr. — Schraube ohne Ende ❡ *Schriftgrade:* Diamant · Perl · Nonpareille · Kolonel · Petit · Borgis · Korpus · Cicero ❡ Dehnung · Elongation · Erstreckung · Expansion · Länge · Längengrad · Spannung.

7. Kurz. *s. Asthma 2. 41. klein 4. 4. Wegnahme 4. 30. vergänglich 6. 8. weglassen 9. 19. bündig 13. 39.*

ab- · weg- · abkürzen · abmähen · abschneiden · abstoßen · auslassen · behauen · beschneiden · einschränken · elidieren · kappen · kippen · kürzen · pressen · schmälern · streichen · stutzen · verkürzen · vermindern · weghauen · wegnehmen · zusammendrängen ❡ den Rang ablaufen · abschneiden ❡ klein · knapp · kurz ❡ Abbreviatur · Auszug · Elision · Ellipse · Extrakt · Kürzung · Sigel · Leitfaden · Sprung (im Theaterstück) · Streichung · Stumpf ❡ Richtweg, Schriemweg (schles.) ❡ Kürze · Kürzung · Reduktion · Kurzschrift, Stenographie · Stiftekopp, stichelhaarig.

8. Weit, breit. *s. Ausdehnung 4. 3.*

der Rock sitzt etwas vollkommen · schlottern ❡ anschwellen · auflaufen · überschwemmen ❡ ausbreiten · ausdehnen · ausstrecken · auswalzen · breiten · breittreten · erweitern · spationieren · verbreitern · wälgern · weiten ❡ ausgestreckt · breit · fächerartig · geräumig · weit ❡ Amplitude · Ausdehnung · Breite · Expansion · Kaliber · Latitüde · Spielraum · Weite.

9. Eng, schmal. *s. nah 3. 9. dünn 4. 11. wenig 4. 24. Durchgang 8. 25.*

keinen Spielraum haben · prall sitzen · anliegen · wie die Heringe · dicht bei dicht ❡ beengen · ein-: -engen · -keilen · -klemmen · -pferchen · -zwängen · auf Taille arbeiten · zusammendrängen ¶ begrenzt · beschränkt · eng · eingekelt · gedrängt · gepökelt · knapp · schmal ¶ Ader · Grat · Haaresbreite · Streifen · Saumpfad · Hohlweg ¶ Beschränkung · Dürre · Enge · Raummangel.

10. Dick. *s. Körperteil 2. 16. Schwangerschaft 2. 20. krank 2. 41. Wölbung 3. 48. wachsen 4. 3. schwer 7. 41.*

strotzen · steht in den vier Ecken · ist gut im Stande · steht gut im Futter, in einem guten Stall · da ist etwas dran ¶ ansetzen · auseinandergehen (wie ein Kräppel) · auseinanderlaufen · sich herausfuttern · schwellen · sich gut erholen · verfetten · verlaufen · zunehmen · Fett ansetzen · aufgehn wie ein Pfannkuchen · aus den Fugen gehen ¶ aufpumpen · auftreiben · aufschwemmen · fetten (Druckerspr.) · fettfüttern · herausfüttern · mästen · nudeln · stopfen ¶ beleibt · breit · breitschultrig · derb · dick · drall · erdrückend · feist · fett · flapsig (schles.) · fleischig · füllig · gedrungen · gedunsen · gepolstert · grob · korpulent · kugelrund · macklig · massig · plump · prall · pyknisch · quammig · quappig · rund(lich) · schwammig · schwerfällig · speckig · stämmig · stark · stattlich · stramm · strotzend · stucksig · üppig · unbehilflich · ungelenk · untersetzt · vierschrötig · voll · vollschlank · wampet (bayr.) · wattiert · wohlbeleibt · wohlgenährt · wohlhäbig · wuchtend · überwältigend ¶ aufgedunsen · aufgeschwemmt · aufgetrieben · dickwangig · gedunsen · geschwollen · pausbäckig · schmerbäuchig · wassersüchtig ¶ Mast-, z. B. *Mastvieh* ¶ Brocken · Bulle · Dampfnudel · Dickbauch · Dicksack · Dickwanst · Elefantenküken · Falstaff · Faß · Fettwanst · Fettwanze · Kasten · Klotz · Maltersack · Moppel · Posaunenengel · Pummel · Pummer · Pykniker · Rollmops · Rugele (alem.) · Schmalzamor · Schwammbuckel · Schwammerl (österr.) · Strampel · Speckank (hess.) · Stiernacken, Satthals · Tank · Tonne · Trumm · das Trumpelchen · Venus von Kilo · Vollmond · Wämmert (thür. dickes Kind), Druffappel (dass. pomm.) · Walroß · Watz. — Achtung, Dampfwalze · e recht's Knöpfle (schwäb.) · dicker Proppen · ne schöne Maschine ¶ Keule · Knüppel. — Schinken · Wälzer ¶ Auswuchs · Bauch · Beule · Blähung · Doppelkinn · Embonpoint · Geschwulst · Hängebauch · Hypertropie · Kartoffelbauch · Knoten · Knüppel · Kropf · Ödem · Rundung · Schmerbauch, Mollenfriedhof, Ränzlein · Schwellung · Speck · Kummerspeck · Wanst · Wasserkopf · Wucherung · Wulst ¶ Beleibtheit · Dicke · Elefantiasis · Fülle · Korpulenz · Leibesfülle · Mächtigkeit (einer Schicht) die Mast · Molligkeit · Verfettung · ziemlicher Umfang.

11. Dünn. *s. abnehmen 4. 5. lang 4. 6. eng 4. 9. schwach 5. 37.*

ist nur ein Strich, nur ein Hauch, ein dürrer Hecht, Specht · sieht aus wie der Tod von Basel · wie die teure Zeit, wie's Leiden Christi · sie fallt us de Kleider (els.) · kann einen Bock zwischen die Hörner küssen ¶ (ein)schrumpfen · einlaufen · eintrocknen · spitz zulaufen · sich verjügen · herunterkommen · verkümmern · fällt vom Fleisch · hat die Zehrung ¶ einengen · einschränken · pressen · schmälern · schnüren · verengen · vermindern · zusammendrängen · zusammendrücken · zusammenziehen ¶ abschaben · flachklopfen · walzen · mangeln, wälgern ¶ abgezehrt · asthenische · ausgehungert · ausgemergelt · biegsam · dünn · dürr · engbrustig · fleischlos · gertenschlank · geschmeidig · grazil · hager · hektisch · klapperdürr · knochig · kümmerlich · leptosom · mager · mickrig · rank · schlank · schmächtig · schmal · schwindsüchtig · spindeldürr · storchbeinig · unterernährt · zart ¶ aalförmig · drahtförmig · drahtig · dünn · eng · faden-

förmig · faserig · fein gesponnen · haarförmig · kapillar · schlangenförmig ⁊ lang
wie eine Bohnenstange, Hopfenstange · dünn wie ein Faden, Zwirnsfaden, Laternenpfahl · ist so mager, daß er bald durchbricht · durchsichtig wie ein Schatten,
ein Mohnblatt · so dick wie ein Hering, wie eine Stricknadel, wie ein Plättbrett ·
wie ein Blatt Papier, eine Oblate · kaum sichtbar ⁊ Gerippe, Skelett · Hecht ·
Sperber · Mumie · lange Latte · tapezierte Latt · Storchenbein · Suppenkaspar ·
moderne Linie · Gelbstern · ein Strich · *kleiner dürrer Mensch:* fiebig (obersä.) ·
gipig · hiefrig · hipperig · kniefig · mickrig · mieselig (obersä.) · murklig · murksig ·
nipplich (desgl.) · schitterig · spiebrig (obersä.) · spillerig (ostpr.) · spillig (obersä.) ·
spittlich (obersä.) · vermickert · vermißquiemt ⁊ Bindfaden · Draht · Faden · Faser ·
Fiber · Haar · Haarstrich · Lahn · Schnur · Seil · Sommerfäden · Staubfaden ·
Strick · Zasel ⁊ Scharpie · Engelshaar · Flachs · Hanf · Jute · Webstoff ⁊ Ast ·
Band · Binde · Latte · Splinter · Splitter · Streifen ⁊ Blatt · Blech · Faden · Film ·
Hammerschlag · Haut · Hobelspan · Membran · Oblate · Papier · Schatten ·
Streifen · Schleier ⁊ Hals · Kegelform · Wespentaille . nichts als Haut und
Knochen ⁊ Dünnheit · Schlankheit ⁊ Auszehrung · Unterbindung.

12. Hoch. *s. senkrecht 3. 11. schräg 3. 13. oben 3. 33. Wölbung 3. 48. Größe 4. 2. Länge 4. 6. dünn 4. 11. steigen 8. 28.*

ansteigen · sich aufschwingen · aufsteigen · aufstreben · bedecken · sich erheben ·
emporragen · ragen · sich recken · überragen · übersteigen. — einen Ort, Punkt
beherrschen, überschauen · hat das Gardemaß · den Bau krönen · sieht mit dem
Kopf über den Wald ⁊ ins Kraut schießen · in die Höhe schießen, *s. wachsen 4. 3*
⁊ erhöhen · heben · prellen · hissen · überhöhen ⁊ bergig · gebirgig · hügelig ·
erhaben · gigantisch · hoch · kolossal · luftig · ragend · riesig. — baumlang · haushoch · hochaufgeschossen · hochgewachsen · kerzengerade · turmhoch ⁊ Bohnenstange ·
Flügelmann · Gardist · Giraffe · Goliath · Grenadier · Koloß · Labammel (pom.) ·
Labommel (ostpr.) · Latte · Rebbel (ostpr.) · Riese · Riesentier · Schlagadodro ·
Schlaks · Schlorks (pom.) · langer Juchhei (ostpreuß.) · lange Kerls · Laban, langes
Elend, Laster · Lulatsch · Plurksch (ostpr.) · Enaksohn. — *weibl.* die Schragn
(östr.) · Fregatte ⁊ Himmel · Kimmung · Siedepunkt · Zenith ⁊ Abhang · Alpenzug · Anhöhe · Bank · Berg · Bergriese · Buckel · Bühel · Dschebel (arab.) ·
Düne · Eisberg · Erhöhung · Erdrücken · Fels · Firn · Flut · Gebirge · Gelände-
unregelmäßigkeit · Gipfel · Gletscher · Hochgebirge · Hochland · Höhe · Höhenweg · Hügel · Jähe · Klippe · Kuppe · Massiv · Piz · Riff · Rücken · Sandbank ·
Schneeberg · Spitze · Steigung · Steile · tell · Vorgebirge · Wand · Zacke ⁊ Hochflut · Springflut · Wasserhose ⁊ k ü n s t l i c h : Bautasteine · Belfried, Berg-
fried · Boden, Diele, Estrich, Speicher · Bühne · Kanzel · Tribüne · Dach · Dach-
fenster · Dachstube · Decke · Denkmal · Dom · Funkturm · Galerie · Gewölbe ·
Giebel · Glockenturm · Hausgiebel · Hochantenne · Kampanile · Kanzel · Kuppel ·
Mansarde · Menhir · Minaret · Obelisk · Pfeiler · Säule · Söller · Stockwerk ·
Turm · Wolkenkratzer · Zeder · Zinne ⁊ Freiheits-, Maibaum · Mast · Stange
⁊ Blindendruck · Relief ⁊ Aufflug · Größe · Höhe · Wuchs · beherrschende Lage. —
Vollmast.

13. Niedrig. *s. Körperteile 2. 16. unten 3. 34. klein 4. 4. kurz 4. 7. fallen 8. 31.*

sich ·beugen, bücken, ducken · kauern · krauchen · kriechen · im Staube kriechen ·
zu Füßen liegen · sich klein machen ⁊ niederdrücken ⁊ blattförmig · breit · faserig ·
flach · flözförmig · niedrig · platt · tafelförmig ⁊ Abdachung · Bett · Boden ·

Decke · Flies · Flöz · Flur · Lage · Lager · Platte · Schicht · Tafel · Zone ⊄ Blatt · Bogen · Bohle · Bort · Brett · Diele . Fell · Fläche · Häutchen · Lamelle · Oblate · Planke · Plättchen · Schäbe (Flachsstengelsplitter) · Scheibe · Schnitte · Schuppe · Span ⊄ Fläche · Grundfläche · Ebene · Koog · Sandfläche · Spiegel · Tafelland · Verdeck · Wasserfläche ⊄ Flachland · Gesenke · Kessel · Küstenland · Maulwurfshügel · Niederung · die Senke · Sohle · Tal · Tiefebene · Tiefland · Tiefstand · Uferland · Versenkung · Vertiefung ⊄ Erdgeschoß · Fußboden · Keller · Kielraum ⊄ Niedrigkeit. — Halbmast.

14. Tief. *s. Furche 3. 44. hohl 3. 49. Öffnung 3. 57. niedrig 4. 13. fallen 8. 31.*

ab · hinab · hinter · unter ⊄ einsinken · sinken · untertauchen · versacken · versinken ⊄ abteufen · ausgraben · aushöhlen · ausschöpfen · baggern · begraben · einrammen · einsenken · einsetzen · loten · pflanzen · senken · überschwemmen · versenken · vertiefen ⊄ auspeilen · loten · sondieren ⊄ abgründig · begraben · bodenlos · grundlos · kellertief · knietief · tief · unergründlich · unterirdisch · unterseeisch · versenkt · versunken ⊄ Bathometer · Lot · Senkblei · Tiefenmesser · Tiefseeforschung. — Pflock ⊄ Abgrund · Becken · Brunnen · Grube · Höhle · Höllentiefe · Kaule · Kaute · Kessel · Kluft · Krater · Kuhle · Loch · Mulde · Nadir · Schacht · Schlucht · Schlund · Tal · Teufe · Tobel · Verließ · Zisterne ⊄ Ahming · Kielgang · Tiefe · Tiefgang · Versenkung.

15. Seicht. *s. Verminderung 4. 5. niedrig 4. 13. Gewässer 7. 54.*

austrocknen · ebben · fallen · sinken · trocknen · versanden · versickern · versumpfen · zurückgehen · zurücktreten ⊄ flach · gesunken · niedrig · oberflächlich · seicht · untief · versandet ⊄ Barre · Ebbe · Furt · Hungersteine · Lache · Lagune · Sandbank · Schaar (nddt.) · Suhle · Untiefe · Watt ⊄ Pfütze · Tümpel · niedriger Pegel, Wasserstand.

16. Flächenmaße. *s. Landbezirk 1. 15.*

Quadrat-millimeter, -zentimeter usw. *s. 3. 6*, im Geviert ⊄ Ar = 10 m² · Acker · Hektar · Jagen · Joch · Jauchert · Morgen = 25 Ar · Tagwerk ⊄ *Papierformate:* Imperial · Folio · Quart · Din · Oktav · Duodez usw.

17. Menge, Anzahl. *s. wenig 4. 24. Verbindung 4. 33. Zahl 4. 35. Gesamtheit 4. 41. Gruppe 16. 16.*

allerhand, -lei · diverse · einige · endlich viele · et(z)liche · etwelche · gewisse · manche · mehrere · mehrfach · verschiedene · welche · ein paar · eine Handvoll ⊄ kollektiv · pluralistisch · quantitativ ⊄ einsammeln · sammeln ⊄ brauner Glücksmann · Abzeichen · Plakette · Sammelbüchse ⊄ Anzahl · Garnitur · Gruppe · Kollektivum · Mehrheit · Mehrzahl · Meise (Rundzahl) · Menge · Pluralität · Quantität · Quantum · Schar · Zahl · -erei · -schaft ⊄ *von Menschen:* Ausschuß · Bevölkerungsdichte · Gremium · Kollegium · Komitee · Kommission · Kommando · Kongreß · Konklave · Konvent · Konzil · Parlament · Rat · Versammlung · Volksvertretung ⊄ *von Tieren:* Gespann · ein Gesperr Fasanen · ein Geheck junge Wildenten · eine Kette Hühner · Herde · Meute · Rotte · Rudel · Schoof Enten ⊄ *von Sachen:* -icht, z. B. Kehricht, Binsicht · Ähre · Ballen · Batterie Flaschen · Besteck · Bündel · Bund · Bürschel · Busch · Dolde · Flaus · Faszikel · Galerie von Waren · Garbe · Gebinde · Gedeck · Gelege · Haufe(n) · Komplex · Konglomerat · Kontingent · Ladung · Lager · Pack · Paket · Portion · Reihe · Ries · Satz · Stapel · Sternbild, -gruppe · Strauß, Bukett · Vorrat · Wolke. — Nebel ⁋ Album · Anthologie · Auslese · Auswahl · Blumenlese · Blütenlese · Chrestomathie · Kompilation · Musterlese · -schatz, z. B. Liederschatz, Wortschatz · Zusammenstellung ⁋ Ausstellung · Galerie · Kunsthalle · Menagerie · Museum · Pinakothek · Sammlung · Schau · Tiergarten, Zoo.

18. Material, Vorrat. *s. versorgen 4. 29. etwas 5. 1. Erhaltung 5. 43. Behälter 17. 6. sparsam 18. 10. Barschaft 18. 21.*

bergen · horten · konzentrieren · sammeln · zentralisieren · unter Dach und Fach bringen · hamstern ⁋ Hamster(er) ⁋ Bedarf · Bestand · Feuerung · Futter · Lebensmittel · Material · 5 Mundvorrat · Munition · Nahrung · Rohstoff · Stoff · Substanz · Verstärkung · Vorrat · Zehrung · Zeug ⁋ Bestand · Ersparnis · Fahrnis · Gepäck · Gerät · Güter · Habe · Hausgerät · Küchengerät · Ladung · Lager · Mammon · Möbel · Reisegut · Warenvorrat · Hab und Gut · Sack und Pack ⁋ Arsenal · Aufbewahrungsort · Bank · Bezugstelle · Boiler · Butterei · Depot · Fundgrube · Geheimfach · Getreidekammer · Kohlenstation · Kornspeicher · (reich assortiertes) Lager · Lagerhaus · Magazin · Menagerie · Munitionskammer · Museum · Niederlage · Rüstkammer · Sammelort · Sammlung · Kollektion · Schüttboden · Silo · Scheuer · Scheune · Schober · Speicher · Speisekammer · Stock · Treffpunkt · Viehstand · Vorratshaus · Vorratskammer · Wasserstation · Weide ⁋ Brunnen · Mühlteich · Pumpe · Schleuse · Setzteich · Zisterne, Regentonne ⁋ Blaubuch · Gelbbuch usw. · Liste · Plan · Register · Sammelwerk · Spielplan · Verzeichnis ⁋ Ader · Bergwerk · Diamantfeld · Fundgrube · Mine · Quelle · Grube · Hütte · Zeche ⁋ Fortunatushütchen · Heckpfennig · Hecktaler · Wunschhütchen · Dukatenmännchen · Milchkuh · Fleischtöpfe Ägyptens ⁋ Besitz · Bestand · Deckung · Depositenkasse · Grundvermögen · Kapital · Kasse · Rücklage(kasse) · Schatz · Vermögen · Zusammenballung.

19. Inhalt, Hohl- und Kubikmaße. *s. Inneres 3. 19. Behälter 17. 6; 7.*

beladen · belasten · bepacken · einlegen · füllen ⁋ Ballast · Ballen · Einlage · Fracht · Güter · Inhalt · Kargo · Kolli · Ladung · Last ⁋ Fuder · Scheffel · Kubikmeter · Festmeter · Ster ⁋ Schluck · Mundvoll · Schoppen · Liter · Doppelliter · Hektoliter · Ohm · Oxhoft · Stange (Bier) · Stück.

20. Viel. *s. überall 3. 7. Unordnung 3. 38. wachsen 4. 3. voll 4. 21. reich 18. 3.*

zu hunderten und zu tausenden · en masse · in rauhen Mengen · noch und noch ⁋ grassieren · hageln · schwärmen · strömen · wimmeln · sich drängen · sich häufen · überall begegnen · es prasselt nur so von · es nimmt kein Ende ⁋ anschwellen · anwachsen · gebären · jungen · sich läppern · sich summieren · sich vermehren · überhandnehmen · wuchern · zunehmen · ins Kraut schießen · schießt wie Pilze aus dem Boden. — wie die Kaninchen ⁋ häufen · mehren · vermehren · vervielfachen · vervielfältigen. — auskramen · zudecken mit ⁋ allerhand · dutzendweise · endlos · fuderweise · klotzig · legionsweise · massenbach · massenhaft · millionenweise · reich(haltig) · reichlich · scharenweise · scheffelweise · schockweise · tonnenweise · überreichlich · uferlos · unerschöpflich · üppig · ungezählt · viel · vielfach · zahllos · zahlreich · -zig (berl.) C wie Heu · wie Sand am Meer · in Schwärmen · wie im Bienenhaus · in Strömen · mehr als genug · in Hülle und Fülle · wie die

Sterne am Himmel · 'ne ganze Mütze voll · in hellen Haufen · reich gesät · Gott weiß wieviel · dicht wie Hagel · Scharen · mehr als lieb ℂ Notenpresse ℂ -spiel, *z. B. Kattunspiel* · eine Welt von · ein ganzes Nest von ℂ Ameisenhaufen · Andrang · Anhäufung · Ansammlung · Anzahl · Auflauf · Bande · Bevölkerung · Blut · Flut · Fülle · Gedränge · Getriebe · Getümmel · Gewimmel · Gewirre · Gewühl · Gruppe · Haufen · Heer(schar) · Herde · Hochflut · Hunderte · Knäuel · Legion · ein gerüttelt Maß · Masse · Menge · Meute · Millionen · Myriaden · Posten · Rattenkönig · ganze Regimenter · Rotte · Rudel · Schwaden · Schwarm · Stapel · Stoß · Taubenschlag · Tausende · Unmasse · Unmenge · Unsumme · Unzahl · Versammlung · Volk · Zulauf · astronomische Zahlen · eine Welt von ℂ Poly-Auftrieb · Gottes Segen · Inflation · Vielfältigkeit · Vielheit.

21. Voll. *s. überall 3. 7. dick 4. 10. viele 4. 20. ganz 4. 41. (leer s. 3. 4).*

platzen vor · wimmeln ℂ anfüllen · füllen · hereinpressen · plombieren · vollpfropfen · stopfen ℂ -haltig · ausverkauft · besetzt · gehaltvoll · inhaltsreich · komplett · voll · prall ℂ brechend, gedrängt, gehagelt, gepfropft, gequetscht, gerammelt, gerappelt, gesteckt, gestopft voll ℂ proppevoll · zum Platzen voll · zum Überlaufen · daß kein Apfel zur Erde kann · in drangvoll fürchterlicher Enge · kein Durchkommen ℂ Andrang · Fülle.

22. Zu viel. *s. hoher Grad 4. 51. Eßgier 10. 11. Überhebung 16. 9. Habsucht 18. 7. unerwünscht 11. 14. Unmäßigkeit 11. 11. schwatzen 13. 22. übertreiben 13. 52. verschwenden 18. 14.*

mehr als genug · überenzig (hess.) · übergenug · über und über · nicht zum Aushalten · das ist allerhand · viel zu viel ℂ überall begegnen · den Markt drücken · strömen · triefen · überfluten · überwuchern · sich eindrängen · sich einnisten ℂ anpfropfen · überfüllen · überladen · übersättigen · überschwemmen · übertreiben · verschwenden · vollstopfen · Wasser in den Fluß schöpfen · Eulen nach Athen tragen · sich übertun · leeres Stroh dreschen · schießt über das Ziel hinaus. — das Kind mit dem Bade ausschütten ℂ hyper- · über- · erdrückend · geil · kraß · lästig · maßlos · outriert · reichlich · sattsam · strotzend · überflüssig · überfüllt · überladen · übermäßig · überreichlich · übersetzt · überschwenglich · übertrieben · überzählig · unbescheiden · unerschöpflich · ungeheuer · unmäßig · unversiegbar · unzählig · üppig · verschwenderisch · wuchernd · zahllos · zu viel · erstickend voll ℂ Hyper- · Super- · Über- · Andrang · Anhäufung · Anschwellung · Elefantiasis · Erguß · Fülle · Hypertrophie · Inflation · Pleonasmus · Reichtum · Schwall · Schwulst · Superfötation · Tautologie · Überfluß ℂ -griff, -ladung, -maß · Überproduktion · Überschreitung · Überschwang · Ungeheuerlichkeit · Üppigkeit · Wassersucht · Wucherung · Zuviel · Zu starke Dosis · Überflutung, Überfüllung des Marktes ℂ Flut · Guß · Strom · Unmasse · Unmenge · Unzahl ℂ Schwelgerei · Übertreibung · Unmäßigkeit · Übersättigung · Verschwendung.

23. Genug. *s. Maßhalten 4. 38. mittelmäßig 9. 59. Sättigung 10. 14. zufrieden 11. 16.*

genug · was man braucht · so für den ersten Hunger · lang gut (südd.) · allermeist (nordd.) · gerade so · vollauf ℂ auskommen · auslangen · ausreichen · genügen · hinreichen · langen · reichen · zur Genüge haben · sich nach der Decke strecken ·

es geht, schickt · (sich) aus- · -schlafen · herumkommen ⁊ angemessen · ausreichend · befriedigend · entsprechend · erklecklich · genügend · gültig · hinlänglich · hinreichend · reichlich · satt(sam) · voll · völlig · vollkommen · vollständig · ziemlich · zuständig ⁊ ausgiebig · bemittelt · ergiebig · fruchtbar · vermögend · wohlhabend · in behaglichen Umständen ⁊ erträglich · leidlich · mäßig · mittelmäßig ⁊ tägliches Brot · Wohlstand · goldene Mittelstraße ⁊ Auskommen · Befriedigung · Ertrag · Genüge · Mittelmaß · Sättigung · Vollständigkeit.

24. Wenig. *s. klein 4. 4. Abnahme 4. 5. zu wenig 4. 25. Teil 4. 42. zerstören 5. 42. selten 6. 29. unwichtig 9. 45. mittelmäßig 9. 59. geizig 18. 11. teuer 18. 27.*

kann man an den Fingern herzählen · das kann ein Spatz auf dem Schwanz forttragen · das trägt die Katz auf dem Zagel weg (ostpr.) · ist nicht gefährlich · sehr mit Auswahl · nicht der Rede wert · nur auf den hohlen Zahn · steht auf dem Aussterbeetat ⁊ ausdünnen · einschränken · lichten · roden · vermindern · verringern ⁊ nippen. — rinnen · siegen ⁊ dünn · dürftig · embryonal · gering · homöopathisch · karg · knapp · licht · selten · spärlich · dünn gesät · unbeträchtlich · versprengt · leicht zählbar · ein bißchen ⁊ Minderheit · Minorität · kaum einer · ein kleiner Bruchteil ⁊ Anflug · Ansatz zu · eine hauchdünne Schicht · Existenzminimum · Fingerhutvoll · Häppchen · Hauch · Idee · Kleinigkeit · Minimum · Mundvoll · Oase · Prise · Quäntchen · Schlückchen · Schuß · eine Spur · Tropfen · x-fache Verdünnung · eine Messerspitze voll ⁊ Kostbarkeit · Seltenheit · Spärlichkeit · Wenigkeit.

25. Zu wenig. *s. fehlen 3. 4. wenig 4. 24. wegnehmen 4. 30. schwach 5. 37. unvollständig 9. 34. minderwertig 9. 60. Hunger 10. 10. arm 18. 4.*

bloß · lediglich · nur · schlecht und recht · nicht so recht ⁊ darben · dürsten · entbehren · fasten · hungern · kargen · missen · schmachten ⁊ ermangeln · gebrechen an · mangeln · nicht genügen · sich eine Blöße geben · sich kümmerlich behelfen · sich einschränken · einteilen · entraten müssen · am Hungertuch nagen · im Druck sein · in der Tinte sitzen · an den Hungerpfoten saugen · in der Klemme · da ist Schmalhans Küchenmeister · das ist alles, mehr gibts nicht ⁊ verarmen · verhungern · zurückkommen · auf den Hund kommen ⁊ entbehren ⁊ abspeisen mit · vorenthalten · aushungern · den Brotkorb höher hängen · fehlen lassen · kärglich zumessen · planen · rationieren ⁊ billig · dünn · dürftig · dürr · kärglich · knapp · kümmerlich · leer · lückenhaft · mager · mangelhaft · spärlich · trocken · ungenügend · unmaßgeblich · untüchtig · unvollkommen · unvollständig · unzulänglich · unzureichend · zu wenig ⁊ arm · ärmlich · bedürftig · beengt · beschränkt · besitzlos · brotlos · elend · heruntergekommen · hilfsbedürftig · hungrig · mittellos · notleidend · schäbig · unbemittelt · unversorgt · verarmt ⁊ Fasttag · Hungerkur ⁊ Armut · Bedrängnis · Blöße · Bruch · Drangsal · Dürre · Durst · Elend · Engpaß · Entbehrung · Entkräftigung · Hunger · Hungersnot · Knappheit · Mißernte · Mittellosigkeit · · Not · Schlamassel · Schwulität · Teuerung · Verknappung · Verlegenheit · beschränkte Umstände · gedrückte Verhältnisse ⁊ Ausfall · Ebbe · Fehlbetrag · Klemme · Leere · Lücke · Mangel, Verarmung ⁊ Diät · Spitalkost · halbe Kost · knurrender Magen · magere Küche · Existenzminimum ⁊ ein Tropfen ins Meer, auf einen heißen Stein ⁊ Einschränkung · Kontingentierung · Kürzung · Nichtentsprechen · Sparsamkeit · Unfähigkeit · Ungenüge · Unvollkommenheit · Unvollständigkeit · Minderlieferung.

26. Nichts, Null. *s. Abwesenheit, leer 3. 4. kleiner werden 4. 5. allein 4. 36. aufhören 9. 33. ungültig 12. 27. verneinen 13. 29. Verlust 18. 15.*

fehlen · mangeln · weg sein ⁋ sich auflösen · sich verflüchtigen · verschwinden · in Rauch aufgehen · alle werden · aussterben ⁋ aufheben · vernichten · leeren · räumen ⁋ abwesend · negativ ⁋ keiner · niemand · kein Aas, kein Luder, kein Mensch, kein Bein, kein Hund, keine Maus, kein Pferd, kein Schwanz · nicht ein Schatten · nicht eine Seele weit und breit ⁋ nichts · Leere · Lücke · Mangel · Nirwana · Öde · Wüste· Fehlanzeige · kein Funke · keine Spur · keine Idee · null · Vacuum · Zero · gähnende Leere · zu wenig · rein gar nichts · nichts und wiedei nichts · Null Komma nichts ⁋ Ausverkauf · Leerung · Räumung.

27. Gleiche Größe und Menge. *s. Ebenmaß 3. 59. gleichförmig 5. 16.*

= *(ist gleich)* · aufwiegen · entsprechen · gleichkommen, -stehen usw. · kompensieren · passen · übereinstimmen · wetteifern · die Waage halten · kommt auf eins heraus (hinaus) ⁋ quitt sein · gewachsen sein · steht 50 zu 50 ⁋ angleichen · ausgleichen · egalisieren · eineben · gleichmachen · nivellieren ⁋ angemessen · ebenbürtig · ebensogroß · ebensoviel · ebenwertig · egal · gleich · gleichgroß . gleichwertig · konform · kongruent ⁋ Ebenwert · Gegenwert · Gleichgewicht · Gleichheit · Gleichung ⁋ Ausgewogenheit.

28. Hinzufügen. *s. Nähe 3. 9. Wachstum 4. 3. Rest 4. 32. Verbindung 4. 33. Trabant 4. 37. Gesamtheit 4. 41. vereinigen 8. 21. Einschaltung 8. 26. unwichtig 9. 45. Schmuck 15. 7. Gewinn 18. 5. geben 18. 12.*

+ *(= plus)* · nebst · mit · mitsamt · samt ⁋ auch · und · noch ⁋ außerdem · darüber · dazu · desgleichen · des weiteren · ebenfalls · eingerechnet · einschließlich · extra · ferner · fürder(hin) · gleichfalls · hinzu · inklusive · item · nicht nur ... sondern auch · notabene · obendrein · plus · sodann · sowohl ... als (auch) · überdies · ungerechnet · weiters (österr.) ⁋ an- · bei- · dazu- · hinzu- · zu- · addieren · angliedern · anhängen · anheften · anknüpfen · anreichern · anstücken · aufkleben · aufsummen · ausstatten mit · beifügen · beilegen · beiordnen · beipacken · beischließen · beisteuern · einmengen · einmischen · einreihen · einrühren · einvei leiben · ergänzen · garnieren · hinzufügen, -setzen · nachliefern · summieren · zusammenrechnen · zusammenzählen ⁋ anschließen (Kristall) · begleiten · beifolgen · beiliegen ⁋ akzessorisch · anhangsweise · supplementär · zusätzlich ⁋ An-, Bei-, Nach-, Zu- · Anhängsel · Anhang · Anmerkung · Annex · Appendix · Apposition · Augment · Beisatz · Beisteuer · Beiwerk · Dreingabe · Endung, Suffix · Epitheton · Ergänzung · Koda · Komplement· Mehr · Nachsatz · Nachschrift · Nachtrag · Note · Plus · Postscriptum · Präfix, Vorsilbe · Prozente · Summand · Supplement · Vorort · Vorstadt · Zubehör · Zugabe · Zulage · Zusatz · Zuwachs · Zuwaage · Zuzug ⁋ Glosse · Lückenbüßer · Miszelle · Nebenfrucht · Parergon · Randvermerk · Späne ⁋ Addition · Anschluß · Beifügung · Beitritt · Hinzufügung.

29. Versorgen. *s. Vorrat 4. 18. erhalten 5. 43. Besitz 18. 1.*

sparen · vorsorgen ⁋ auftreiben · ausrüsten · ausstatten · ernähren · garnieren · möblieren · nähren · versehen · versorgen ⁋ anhäufen · anschaffen · anwerben · aufbewahren, -sparen, -speichern-, stapeln · beiseite legen · einlagern · -scheuern · ergänzen · ersparen · hamstern · organisieren · raffen · requirieren · sammeln · speichern · (zusammen)sparen ⁋ besorgt · fürsorglich · häuslich · hilfsbereit · rührig sparsam · umsichtig ⁋ (gut) aufgehoben · bewahrt · versehen mit · vorgesehen · wohlversorgt ⁋ Lagerhyäne · Lagerist · Marketender · Proviantmeister · Quartiermeister · Rastmeister · Schirrmann · Verpflegungskommissar · Vorratsverwalter · Kompaniemutter ⁋ Erhalter · Ernährer · Fütterer · Gastgeber · Krüger · Nährvater · Wirt ⁋ Hilfsquelle · Konvikt · Speisehaus · Verpflegungsanstalt · Versorgungshaus · Altersheim ⁋ Futter · Lebensmittel · Mundvorrat · Verpflegung ⁋ Pension, Ruhegehalt · Versicherung · Rente, -rente ⁋ Anschaffung · Aushilfe · Einkauf · Ergänzung · Sparsamkeit · Versorgung · Vorkehrung · Vorsicht · Vorsorge.

30. Wegnehmen. *s. essen 2. 26. kleiner werden 4. 5. trennen 4. 34. wegbefördern 8. 18. nehmen 18. 6. stehlen 18. 9. verlieren 18. 15.*

— (= *minus*) · ' (= *Apostroph*) · bis auf ein Minimum ⁋ abgerechnet · abzüglich · außer · ohne · minus · weniger · mit Ausschluß von ⁋ unterbleiben · wegfallen · in Wegfall kommen · auf den Aussterbeetat gesetzt sein ⁋ ab-, aus-, fort-, weg-: -knappsen, -rechnen, -reiben, -schaben, -scheren, -streichen, ziehen · amputieren · ausmustern · ausschalten · ausschließen · ausscheiden · ausschneiden · beschneiden · beseitigen · dezimieren · einschränken · eliminieren · entfernen · entmannen, vergelzen, verschneiden, kappen, kastrieren · entnehmen · extrahieren · ziehen (Zähne) · jäten *s. 7. 5.* · kontingentieren · kürzen · lichten · merzen · rasieren · rationieren · repartieren · säubern · schälen · scheren · schöpfen · schröpfen · sichten · sieben · streichen, löschen · stutzen · tilgen · subtrahieren · verkürzen · verstümmeln · wegnehmen · wegräumen ⁋ bar ⁋ Abstrich · Abzug · Agio · Diskont · Minus Prozente · Rabatt ·Skonto · Subtrahent ⁋ Amputation · Apokope · Auslassung · Ausscheidung · Beschneidung · Ellipse · Fortfall · Entfernung · Kastration · Kontingentierung · Operation · Resektion · Sichtung · Subtraktion · Verstümmelung.

31. Verbrauchen. *s. Erfordernis 9. 81. arm 18. 4. verschwenden 18. 14.*

auslaufen · verarmen · ⁋ abnützen · aufbrauchen · aufessen · aufzehren · ausgeben · ausnützen · austrocknen · erschöpfen · konsumieren · leeren · veraasen · verbrauchen · vergeuden · verlieren · verschleudern · verschütten · verschwenden · verteilen · vertun · verzehren ⁋ benötigen · erfordern ⁋ freigebig · verschwenderisch ⁋ Abnehmer · Esser · Käufer · Kunde · Verbraucher · Publikum ⁋ Abfluß · Abgang · Abnahme · Abnützung · Aufwand · Ausgabe · Auslage · Bedarf · Beschädigung · Erschöpfung · Konsum · Mißbrauch · Verbrauch · Verlust · Verteilung · Verzehr · Zehrung.

32. Rest. *s. hinzufügen 4. 28. überflüssig 9. 49. Schulden 18. 17.*

außerdem · noch · überdies ⁋ bleiben · restieren · überleben · übrigbleiben · verbleiben ⁋ abfallen · sich ablagern · sich niederschlagen · sich setzen ⁋ ausschließen · lassen ⁋ behalten · erübrigen ⁋ entbehrlich · der letzte · restlich · rudimentär · rückständig · überzählig · übrig ⁋ der letzte der Mohikaner ⁋ das Pünktchen auf dem i · Rumpf- · Abfall · Abhub · Abschaum · Absonderung · Alluvium · Asche · Ausschuß · Ausspülung · Auswurf · Bärme · Bodensatz · Brack · Brocken · Bruchstück · Eierschalen · Ende · Erbe · Erbstück · Ergebnis · Erübrigtes · Fragment · Grund · Hefe · Minderzahl · Moder · Nachlaß, Neige · Niederschlag · Ramsch · Reliquie · Residuum · Rest · Rücklaß · Rückstand · Rudiment · Ruine · Rumpf · Rumpfparlament · letzte Säule · Saldo · Satz · Scherben · Schlacken · Schlamm ·

Schlempe · Skontro · Spitze (bei Verrechnung) · Stoppel · Stummel · Stumpf · Survival · Torso · Treber · Trümmer · Überbleibsel, -lebsel, -rest · Übriges · Wrack · schäbiger Rest · letzter Rest vom Schützenfest ¶ Überfluß · Übermaß.

33. Verbinden. *s. Mischung 1. 21. nah 3. 9. Zwischenraum 3. 25. Gruppe 4. 17; 4. 33. Gesamtheit 4. 41. hinzufügen 4. 28. fest 7. 43. Weg 8. 11. Helfer 9. 70. Vermählung 16. 11. Gruppe 16. 16. Eintracht 16. 40.*

mit · nebst · samt ¶ erstens, erstlich · zweitens usw. · dann · ferner · außerdem · und · zudem · überdies · sowohl .. als auch · nicht nur .. sondern auch · Arm in Arm · Hand in Hand · miteinander · selbander · zusammen ¶ kleben · kommunizieren · mitmachen · zusammenhalten · zusammenhängen ¶ anknüpfen · anlegen · sich anschließen · anwachsen · beitreten · heiraten · sich gesellen · sich paaren · sich verbinden, verbünden, verehelichen, vereinigen, verheiraten, verloben · sich verschwören · sich zugesellen · verwachsen mit · zusammenstoßen · Fühlung nehmen ¶ an-, aneinander-, ein-, fest-, zusammen- · anbinden · anbolzen · aneinanderheften, -reihen · anfesseln · angliedern · anhaken · anklammern · ankleben · ankleistern · anpappen · anpicken (östr.) · anklopfen · anknüpfen · anlegen · anleimen · anlöten · annadeln · annageln · annähen · anpfählen · anreihen · anschirren · anschließen · anschmieden · anschnallen · anschnüren · anschrauben · anschürzen · anschweißen · ansetzen · anspannen · anstecken · anstoßen · anschließen · antakeln · aufstecken · aufstellen · ballen · bandagieren · befestigen · beigesellen · binden · broschieren · einbinden ·einen ·einfalzen · einflechten · einfügen · einigen · einkeilen · einklinken · einrenken · einschieben · einsetzen · einverleiben · einweben · fassen · fesseln · festhalten · festmachen · feststecken · flicken · häkeln · heften · hinzufügen · kartellieren · kartonieren · kitten · kleben · kleistern · kombinieren · konzentrieren · kreuzen · leimen · löten · nähen · okulieren · paaren · pappen · pfropfen · schienen · schließen · schweißen · spleißen · steppen · stücken · überbrücken · ver-: -binden · -bünden · -ehelichen · -einigen · heiraten · keten · -knüpfen · -loben · -mählen · -nieten · -quicken · -schweißen · -täuen · vertrusten · verwickeln · zugesellen · zusammen-: -binden, -fügen, -halten, -hängen, -heften, -knöpfen, -koppeln, -kuppeln, -packen, -schmelzen, -setzen, stecken, -stellen, -stoßen, -stricken ¶ anschließend · dicht · fest · gemeinsam · gemeinschaftlich · kompakt · synthetisch · unauflöslich · unlösbar · unteilbar · untrennbar · unzerbrechlich · verheddert · verpinkert ¶ Bändel · Band · Befestigung · Bindfaden · Kordel , Leine, Schnur, Spagat (östr.), Strippe (nordd.) · Drahtseil · Faden · Faser · Fessel · Festigung · Garn · Haar · Kabel · Kette · Lasso · Lein · Riemen · Saite · Schnur · Seide · Seil · Senkel · Strang · Strick · Takelwerk · Tau · Tauwerk · Zwirn ¶ Binde · Druckknopf · Gürtel · Gurt · Haarband · Hosenband · Hosenträger · Kette · Knieband · Knopf · Knoten · Koppel · Kuppelung · Masche · Naht · Nestel · Saum · Schärpe · Schlaufe · Schleife · Schlinge · Schlupp · Schnalle · Schnürsenkel · Stich · Strumpfband ¶ Bindemittel · Fischleim · Gips · Gummi arabicum · Kalk · Kitt · Klebe · Klebstoff · Kleister · Leim · Mörtel · Speiß (mitteld.) · Spucke · Syndeticon · Wasserglas · Zement ¶ Angel · Bolzen ¶ Dollen · Dübel · Haken · Klammer · Kloben · Krampen · Lötung · Lot · Nadel · Nagel · Riegel · Scharnier · Schloß · Schraube(ngewinde) · Splint · Stift · Zwecke · Pinne · Reißnagel · Wanze · Zapfen ¶ Bindeglied · Flechse · Gelenk · Genick, Anke (mitteld.), Hals · Nacken · Glied · Scharnier · Sehne · Wirbel · Zapfen ¶ Bindewort · Konjunktion · Kopula · Hyphen · Krasis · Koronis · Synaloephe · Synizese ¶ Ligatur ¶ Legato ¶ Arm · Brücke · Durchgang · Durchstich · Gasse · Isthmus, Landenge · Kanal ·

Meerenge · Straße · Tunnel · Verbindungsweg · Wasserweg · Weg ⁋ Aggregation ·
Blase (stud.) · Bund · Burschenschaft · Brüderschaft · Gemeinschaft · Genossenschaft · Gesellschaft · Kartell · Klique · Klub · Komplott · Körperschaft · Kongregation · Konzern · Korporation · Korona · Korps · Kränzchen · Kranz · Kreis ·
Landsmannschaft · Orden · Reihe · Ring · Trust · Turnerschaft · Verband · Verbindung · Verein · Vereinigung · Verschwörung · Wehrschaft ⁋ Einimpfung ·
Impfung · Okulation, Propfung ⁋ Angelpunkt · Berührungspunkt · Fuge ⁋ Adhäsion · Dichtigkeit · Festigkeit · Gedrängtheit · Kohärenz · Undurchdringlichkeit
⁋ Annäherung · Anschluß · die Achse · Bündnis · Begegnung · Beifügung · Befestigung · Bindung · Dichtung · Einimpfung · Einmündung · Fusion · Konglomerat ·
Kreuzung · Paarung · Symbiose · Synthese · Union · Vereinigung · Verkettung · Verknüpfung · Verschachtelung · Vertrag · Zulauf · Zusammenfassung · Zusammenfluß · Zusammengehörigkeit · Zusammenhang · Zusammenschluß.

34. Trennen. *s. Zwischenraum 3. 25. öffnen 3. 57. wegnehmen 4. 30. Rest 4. 32. allein 4. 36. Teil 4. 42. schmelzen 7. 50. weggehn 8. 18. Ehescheidung 16. 15. Zwietracht 16. 67. abdanken 16. 105.*

an und für sich · entzwei · für sich · besonders · einerseits .. andrerseits ⁋ *zerteilen:*
auf- · auseinander- · entzwei- · voneinander- · zer- · analysieren · aufbrechen ·
aufdrehen · aufdröseln · auffasern · aufhauen · aufklopfen · aufknöpfen · aufknoten ·
aufknüpfen · auflösen · aufreißen · aufschlagen · behauen · einteilen · entzweien ·
filtern · hacken · halbieren · knicken · pulverisieren · scheiden · schlitzen ·
schnitzeln · separieren · sezieren · sondern · spalten · sprengen · stutzen · teilen ·
tranchieren · trennen · verteilen · zerfleischen · zergliedern · zerkleinern · zermalmen · zermürben · zernagen · zerpellen · zerpulvern · zerreiben · zerrupfen ·
zersägen · zerschmettern · zersetzen · zerspellen · zerpleißen · zersplittern · zerstoßen · zerstreuen · zerstückeln · zerteilen · zerzausen · einen Keil treiben
zwischen · die Spreu vom Weizen, die Böcke von den Schafen ⁋ *absondern:* ab- ·
aus- · ent- · los- · abbrechen · abbröckeln · abfeilen · abgrenzen · abhalftern · abhobeln · abmachen · abmähen · abreißen · absägen · absatteln · abschaben · abscheiden · abschnallen · abschneiden · abschrauben · absondern · abteilen · abtreiben ·
abtrennen · abzweigen · abzwicken usw. · ausdrehen · ausraufen · ausrenken · ausschalten · ausscheiden · ausschirren · ausspannen · befreien · entbinden · entfesseln · entrücken · entwirren · freisetzen · isolieren · kappen · lösen · losbinden ·
loseisen · losknöpfen · loslassen · losmachen · losschnüren · losschrauben · losschürzen · loswerden · mähen · pflücken · scheren · schneiden · sondern ⁋ abdanken · beurlauben · entlassen · entsetzen · verabschieden · verstoßen · das Tischtuch zerschneiden ⁋ *intrans. sich zerteilen:* aufbrechen, aufspringen · bersten ·
fusseln · grätschen · knicken · sich lockern · loswerden · modern · springen · zersplittern · sich in Wohlgefallen auflösen · zermürben ⁋ *sich absondern:* abbrechen ·
abbröckeln · abdanken · abreißen · abschnappen · abspringen · ausschalten · ausscheiden · austreten · fortkommen · loskommen · sich losmachen · scheiden · verlassen · eigene Wege gehen ⁋ analytisch · locker · los · luftig · mehrteilig · polymer ·
porös · ungebunden · unzusammenhängend · vielteilig · zersplissen ⁋ auflösbar ·
lösbar · teilbar · trennbar ⁋ abgeschlossen · allein · berührungslos · beziehungslos ·
einsam · einzeln · frei · insular · separat · ungebunden · ungeniert · unvereinbar ·
verbindungslos · vereinsamt · vereinzelt · verlassen · weltabgeschieden · fahnenflüchtig ⁋ Apostat · Ausreißer, Deserteur · Außenseiter · Fernstehender · Fremder ·
Häretiker · Ketzer · Kauz · Nebenläufer · Partikularist · Querkopf · Refraktär ·

Separatist · Selberaner · Sezessionist · Strohwitwer · Überläufer · Verbannter
¶ Einsiedler · Eremit · Hagestolz · Klausner · Sonderling · Uneingeweihter
¶ Häresie · Sekte · Sezession · die Juryfreien ¶ Abschnitt · Bresche · Bruch ·
Diärese · Durchbruch · Einbruch · Einschnitt · Fuge · Insel · Leck · Riß · Ritze ·
Schlitz · Spalt · Spalte · Sprung · Zäsur ¶ Abfall · Bruchstück · Fragment · Span ·
Splitter · Überbleibsel ¶ Ferment, Sprengstoffe s. 8. 22 · Scheidebrief ¶ Interpunk-
tion · Teilungszeichen · Trennungszeichen ¶ Grenze · Scheide · Scheidelinie ·
Schibboleth · Wand · Wasserscheide · Fahne · Flagge · Symbol ¶ Analyse · Atomis-
mus · Auflockerung · Auflösung · Dekomposition · Entzweiung · Isolierung · Locke-
rung · Obduktion · Scheidung · Schisma · Separation · Sezession · Sonderung ·
Spaltung · Strahlung · Teilung · Trennung · Uneinigkeit · Verstreuung · Zergliederung · Zerklüftung · Zerlegung · Zersprengung · Zersetzung · Zerstreutheit · Zer-
stückelung · Zerteilung · Zwiespalt ¶ Abfall · Abgeschiedenheit · Absonderung ·
Ausschluß · Autarkie · Beseitigung · Einsiedlertum · Entbindung · Loslösung ·
Ungebundenheit.

35. Zahl. *s. Menge 4. 17. messen und rechnen 12. 12. Geld 18. 21.*

sich belaufen auf · betragen · sich beziffern · machen · zählen ¶ aufstellen · auf-
zählen · ausrechnen · berechnen · beziffern · kalkulieren · numerieren · rechnen ·
verrechnen · zählen · paginieren ¶ Mathematiker · Arithmetiker · Rechner ·
Rendant · Rechenmeister ¶ Rechenexempel ¶ Nummer · Zahl · Ziffer · Formel. —
Zahlenreihe. — Logarithmentafel · Rechenmaschine ¶ Differential(quotient) · Ex-
ponent · imaginäre Zahl · Integral · Kubus · Logarithmus · Polygonalzahl · Potenz ·
Pyramidalzahl usw. · Quadrat · Wurzel ¶ Einmaleins · Regel de tri · Algebra ·
Analysis · Arithmetik · Mathematik.

36. Eins. *s. unvermischt 1. 22. trennen 4. 34. Gesamtheit 4. 41. absolut 5. 14. selten 6. 29. Menschenscheu 11. 63.*

1 · I · A · a ¶ solo — an sich · für sich · an und für sich · ohnegleichen . (einzig
und) allein · besonders ¶ (ab)sondern · isolieren · vereinheitlichen · vereinzeln
¶ mono- · uni- · allein · besonderer · einerlei · einfach · einheitlich · einmalig ·
einsam · einteilig · einzeln · einzig(artig) · gesondert · haploid · insular · isoliert ·
losgetrennt · monistisch · selbstgenügsam · singulär · vereinzelt · verlassen ¶ der
erste ¶ ehelos · ledig · ungepaart · unpaar ¶ unauflösbar · unteilbar · untrennbar
s. fest 7. 43 ¶ Mono- ¶ Einer · jemand · Individuum · Person. — Einspänner · Junggeselle · Hagestolz · Mönch · Solist. — Einzelgänger · Alleingänger · Eigenbrötler ·
Outsider ¶ Atom · Einheit · Eins · Monade ¶ Beispiel · Einzelfall · Exemplar ·
Muster · Probe · Unicum ¶ Einzahl · Singular ¶ Einheit(lichkeit) · Einsamkeit ·
Einzigkeit · Einssein · Monismus.

37. Zwei. *s. verbinden 4. 33. Hälfte 4. 45. zugehörig 4. 48. ähnlich 5. 17. wiederholen 6. 28. fortfahren 9. 30. Mitwirkung 9. 69. Ehe 16. 11.*

2 · II · B · b ¶ bei · mit · samt ¶ doppelt ¶ selbander · zusammen · Arm in Arm ·
Hand in Hand · Schulter an Schulter · Seite an Seite. — unter vier Augen ¶ abermals · da capo · zweimal · noch einmal · zum andern · zweitens ¶ (sich) anschließen · begleiten · sich beigesellen · sich beteiligen · (sich) einhängen · Schritt
halten ¶ abkommandieren · beiordnen. — paaren · zusammenspannen ¶ erneuern

repetieren · verdoppeln · verzweifachen · wiederholen · wiederaufnehmen. — ins Quadrat erheben ¶ bi- · zwei- · beide · binomisch · dimorph · doppelt (gemoppelt) · dualistisch · gedoppelt · gegabelt · gepaart · paarig · paarweise · wiederholt · zweifach · zweigestaltig · zweigliedrig · zwiefach · zwiespältig . — zween, zwo, zwei ¶ der zweite, andere ¶ rückfällig · zweimalig · zweiseitig ¶ Sancho Pansa ¶ Anhänger · Begleiter · Bewachung · Ehegatte · Ehehälfte · Ehrendame · Freund · Gefährte · Gefolge · Gefolgsmann · Geleite · Gespons · Kamerad · Gesell · Nachfolger · Schatten · Satellit · Trabant. — Amtsgenosse · Amtsbruder · Beteiligter · Kollege · Kompagnon · Komplize · Mitbruder · Teilhaber · u. Co. ¶ Klette · Parasit · Nassauer. — Vielliebchen · Zwilling. — Doppelgänger ¶ Abklatsch · Abschrift · Doppelausfertigung · Doppelstück · Dublette · Duplikat · Kopie, ein Doppel, Durchschlag ¶ Dioskuren · Dialog · Duett · Duo · Gespann · Januskopf · Joch · Paar · Rotte (milit.) · Zwei · Zweibund · Januskopf · Distichon ¶ Zweiheit · gerade Zahl · Duplizität (der Fälle) ¶ Dualismus · Gegensätzlichkeit · Polarität · Zwiespalt · Dilemma · Weiche ¶ Doppelung · Erneuerung · Gabelung · Gemination · Reduplikation · Verdoppelung. — Wieder- · Wiederaufnahme(verfahren).

38. Drei.

3 · III · C · c ¶ dreimal · zu dreien · zu dritt · drei Mann hoch · drittens ¶ verdreifachen · ins Kubik erheben ¶ drei · dreierlei · dreifach · dreifältig · dreimalig · gedrittelt · triadisch ¶ Drei · Dreiblatt · Dreibund, Dreimächtepakt · Dreieck · Dreieinigkeit · Dreifaltigkeit · Dreiheit · Dreiklang · Dreiverband · Kleeblatt · Kubus · Skat · Kümmelblättchen · Terz · Terzett · Terzine · Trias · Trilogie · Trimeter · Trinität · Trio · Triole · Tripelallianz · Triplizität · Triumvirat · Triangel · Troika. — Grazien ¶ Drilling · Triumvir.

39. Vier usw. *s. Viereck 3. 43.*

4 · IV · D · d usw. ¶ viermal · zu vieren · zu viert · vier Mann hoch ¶ vervierfachen ¶ vierfach · vierfältig · viermalig ¶ Quadrupelallianz · Quart · Quartett · Vier · Vierzahl · Glückskleeblatt ¶ F ü n f · Quinte · Quintett. — Lustrum, Jahrfünft · Pentade · Pentagramm · Pentateuch ¶ S e c h s · Sexte · Sechseck, Hexagon · Sextett. — Hexaeder. — Hexameter · Senar · halbes Dutzend ¶ S i e b e n · Septett · Heptade ¶ A c h t · Oktett · Oktave ¶ N e u n · None ¶ Z e h n · Dekade · Jahrzehnt, Dezennium · Decemvirat ¶ E l f · Elft, kleines Dutzend ¶ Z w ö l f · Dutzend · Dodekapolis usw. ¶ F ü n f z e h n , Mandel ¶ Z w a n z i g , Spiel · Stiege Eier (20) · Dreißig, Schneider · Vierzig · Fünfzig · Sechzig, Schock · Siebzig, Siebenzig · Achtzig · 88, dicke Lotte · Neunzig ¶ H u n d e r t · Hunderter, blauer Lappen (= 100,— M.) · Centurie · Hundertschaft · Jahrhundert · Säkular-, Zentenarfeier ¶ H u n d e r t z w a n z i g , Großhundert · 144, ein Gros(dutzend) · T a u s e n d , Mille · Million · Milliarde · Billion · Trillion usw.

40. Unendlich viel, unendlich groß. *s. Viele 4. 20. ewig 6. 6.*

∞ ¶ ad infinitum · bis in die Puppen · bis ins Unendliche ¶ endlos · grenzenlos · unbegrenzt · unberechenbar · unbestimmbar · unendlich · unergründlich · unermeßlich · unerschöpflich · ungezählt · unmeßbar · zahllos ¶ Äther · Universum · Weltenraum · Weltenschoß · Ewigkeit · die Unendlichkeit. — das große Los ¶ Unbestimmbarkeit · Unendlichkeit · Unmeßbarkeit · Unzählbarkeit.

41. Gesamtheit. *s. Welt 1. 1. überall 3. 7. voll 4. 21. hinzufügen 4. 28. verbinden 4. 33. eins 4. 36. immer 6. 6. vollenden 9. 35.*

buchstäblich · direkt · durchaus · durchgehends · geradeaus, geradezu · insgemein · kurzweg · längelang · pfeigrad (bayr.) · platterdings · schlechterdings · schlechthin . totaliter · bis auf die Wurzel ⁋ Von A bis Z · durch die Bank · durch und durch · ganz und · in extenso · in seiner ganzen Breite · in (zur) Gänze · mit Haut und Haar · mit Schuh' und Strümpf' · von Kopf bis Fuß · mit Leib und Seele · von oben bis unten · bis über die Ohren · vom Scheitel bis zur Sohle · mit Sack und Pack · sage und schreibe samt und sonders · über und über · voll und ganz (Freiheitskriege) · mit Pauken und Trompeten · in Grund und Boden · mit Stumpf und Stiel · von Grund aus · ratzebutz · en bloc · ohne Ausnahme · bis aufs Hemd · bis auf die Haut, auf die Knochen, bis auf den letzten Groschen · bis zur Neige. — von der Pike auf ⁋ alles in allem · kurzum · überhaupt · im ganzen genommen · in Summa · summa summarum ⁋ er-, auf-, aus- ⁋ sich belaufen auf · betragen · erreichen · macht so und soviel · umfassen · ein Ganzes bilden ⁋ abrunden · anfüllen · ansetzen · anstückeln · aufarbeiten, -essen, -fressen, -füllen · ausarbeiten · ausbauen · ausbessern · ausfüllen · beendigen · ergänzen · erschöpfen · fertigstellen · füllen · herrichten · sammeln · vereinigen · vervollständigen · vollbringen · vollenden · zusammenfassen · aufs Ganze gehen ⁋ holo- · pan-x-istisch ⁋ absolut · allgemein · allumfassend · ausnahmslos · durchgängig, -gehend, -greifend · einheitlich · einhellig · fertig · ganz · gänzlich · generell · gesamt · geschlossen · gründlich · grundsätzlich · grundstürzend · heil · hundertprozentig · integral · komplett · lauter · lückenlos · methodisch · ökumenisch · planmäßig · radikal · restlos · sämtlich · schlechthinnig (Schleiermacher) · systematisch · total(itär) · völlig · vollkommen · vollständig · vollzählig · ungeteilt · ungetrennt · universal · unverkürzt · unverletzt · unversehrt ⁋ alle · jede · jeder · jedermann · jedweder · jeglicher · männiglich · wer auch immer ⁋ -heit, z. B. Menschheit · -schaft, z. B. Verwandtschaft · Brutto- · General- · Gesamt- · Voll- · für, z. B. Mann für Mann · um, z. B. Zug um Zug ⁋ die Allgemeinheit · Freund und Feind · Front und Heimat · Haus und Hof · groß und klein · hoch und niedrig · jung und alt · Kind und Kegel · Mann und Maus · reich und arm · urbi et orbi · die ganze Blase · das ganze Nest · alles, was Beine hat ⁋ was da kreucht und fleucht. — eine geschlagene Stunde ⁋ das All · der ganze Kitt, der ganze Laden, die ganze Wichs · der ganze Mist, Kram, Lehm · das Ganze · das Gesamt · Universum ⁋ Gesamtheit · Produkt · Summe · Ganzheit · System · Katholizität · Totalität · Universalität · Vollständigkeit · Kodifikation.

42. Teil. *s. Landbezirk 1. 15. Rand 3. 23. klein 4. 4. Rest 4. 32. trennen 4. 34. Auszug 14. 12.*

Schritt für Schritt · löffelweise ⁋ zer- · aufgliedern · aufschlüsseln · ausgliedern · austeilen · dividieren · einteilen · parzellieren · teilen · unterteilen · zerlegen · zuteilen. — radizieren ⁋ allmählich · (bruch)stückweise · geteilt · mehrgliedrig · partiell · teilhaft · grad-, tropfenweise · tropfenweise · zerbrochen ⁋ -tel · Neben- · Seiten- · Tochter-, Zweig- · Absatz · Abschnitt · Abteilung · Ausschnitt · Buch · Kapitel · Klausel · Paragraph · Partie · Passage · Unterabteilung · Vers ⁋ Gros · Grundstock · Hauptteil ⁋ Bestandteil · Bissen · Bramme, Luppe (= Guß-Stück) · Brocken · Brosamen · Brösel · Bruchstück · Bruchteil · Einzelheit · Fragment · Detail · Dosis · Element · Fetzen · Flocken · Happen · Kleinigkeit · Körnchen · Kontingent · Krümel · Krume · Lappen · Mocken · Mundvoll · Muffel · Quader ·

Ranken (Brot) · Scheibe · Schluck · Schippel · Schnitte · Schnitz · Schnitzel · Stück · Tropfen · Trumm · Überbleibsel ¶ Bohle · Brett · Scheit · Span, Schiefer, Schliwwer, Spreißel ¶ Konfetti ¶ Klacks · Portion · Posten · Ration · Schlag (sold.). — Parzelle. — Segment · Sektor. — Bruch · Dezimalbruch · Wurzel aus · Quotient · Bruchteil · Divisor · Dividend ¶ das Moment (= abstrakter Teil) · Etappe · Schritt ¶ Aktie · Anteil · Beitrag · Dividende · Kux · Prozentsatz · Quote · Tantiéme ¶ Glied · Arm · Ast · Ausläufer · Blatt · Schößling · Schoß · Sproß · Teil-, Zweig-, z. B. -unternehmen · Filiale, Tochterhaus ¶ Flügel (bei Gebäuden, beim Heer) · Schiff. ¶ Abteil, Coupé. — Bezirk · Gegend · Region · Provinz ¶ Division · Teilung.

43. Schicht.

blätterig · tafelförmig ¶ Auflage · Blatt · Brett · Fell · Fläche · Haut ¶ Bohle ¶ Belag · Flöz · Lage · Maser · Platte · Schicht · Schichte · Schuppe · Spreit(e) · Tafel.

44. Faser. *s. dünn 4. 11. Verbindung 4. 33.*

faserig · haarig · kapillar ¶ Ader · Band · Bast · Draht · Faden · Faser · Fiber · Flachs · Fussel · Haar · Kabel, Seil, Tau · Span · Splinter · Splitter.

45. Zweiteilung usw. *s. Verdoppelung 4. 37.*

0,5 · 50 % · 1/2 · — halbwegs ¶ sich gabeln · abzweigen · sich spalten ¶ durchteilen · hälften · halbieren · spalten · zweiteilen ¶ zwei- · dichotomisch · gabelförmig · halb · halbiert · zweierlei · zweigeteilt · zweigliedrig · zweiteilig ¶ Halbheit · Hälfte ¶ Scheidelinie · Scheideweg · Weiche.
D r e i t e i l u n g. dreiteilen · dritteln ¶ dreiteilig · dritte ¶ Dritteil · Drittel.
V i e r t e i l u n g. vierteilen · vierteln ¶ Quartal · Viertel.
Fünfteilung, Sechsteilung usw. · Prozent · Promille.

46. Unvollständig. *s. jung 2. 22. Nähe 3. 9. zu wenig 4. 25. Wegnahme 4. 30. zerbrechen 5. 38. minderwertig 9. 60. Verlust 18. 15.*

bei weitem nicht · im Begriffe · im Entstehen · in Ermangelung von ¶ die Eierschalen hinter den Ohren haben ¶ entbehren · fehlen · fehlen lassen · hinken · mangeln · entzwei sein · kaputt sein · ist noch nicht ganz ausgekrochen ¶ beschränkt · defekt · eingeschränkt · fehlerhaft · grün · hohl · inkomplett · jugendlich · lahm · lückenhaft · mangelhaft · unbeendigt · unentwickelt · unerfahren · unfertig · ungenügend · unvollkommen · unvollständig · unzulänglich · unzureichend · noch nicht trocken hinter den Ohren ¶ Abzug · Ausfall · Defekt · Entbehrung · Fehler · Gebrechen · Kürzung · Mangel ¶ Gesprächsfetzen ¶ Unvollkommenheit · Unvollständigkeit · Unzulänglichkeit · Verminderung.

47. Klasse. *s. Ordnung 3. 36. Beschaffenheit 5. 8. Gruppe 16. 16 Kaste 16. 91 Kasten 17. 4.*

aufgliedern · eingliedern, -ordnen, -reihen, -teilen · klassifizieren · rubrizieren ¶ Abart · Abteilung · Art · Bereich · Departement · Dialekt · Fach · Familie · Gattung · Genus · Geschlecht · Gruppe · Kategorie · Klasse · Linie · Rasse · Reihe · Rubrik · Schlag · Schubfach · Sektion · Sippe · Sorte · Sonderart · Sonderklasse · Spalte · Species · Stamm.

48. Zugehörig. *s. Verbindung 4. 33. der Zweite 4. 37. Teil 4. 42. Beziehung 5. 13. Einwohner 16. 4. Freund 16. 41.*

alles in allem · einbegriffen · eingeschlossen · einschließlich · im ganzen genommen · inbegriffen · inklusive · mitenthalten · mitgerechnet ¶ angehören · sich anschließen · beitreten · bestehen aus · bilden · gebildet werden aus · ausmachen · zugehören · verhaftet sein · zusammengesetzt sein aus ¶ in sich aufnehmen · begreifen · einbeziehen · eingemeinden · einschließen · enthalten · in sich fassen · in sich schließen · umfassen · zulassen ¶ beifügen · beizählen · eingliedern · einordnen · einpfarren · einreihen · gleichschalten · hinzufügen · mitrechnen · rubrizieren · zuteilen · zuzählen ¶ eigen · heimatlich · heimisch · lokal · zugeordnet · zugehörig ¶ Angehöriger · Genosse · Geselle · Geschäftsfreund · Geschäftsgenosse · Kumpan · Mitglied · Parteigenosse · Teilhaber · Teilnehmer · Volksgenosse ¶ Einschaltung · Klammer · Parenthese · Enklave · Exklave ¶ Koordination · Zugehörigkeit · Zulaß · Zuteilung · Zutritt ¶ Bedarf · Beilage · Einlage · Inhalt · Zubehör ¶ Anschluß · Aufnahme · Beiordnung · Beitritt · Einreihung · Einschluß · Eintritt · Gleichstellung · Umfassung · Verreichlichung.

49. Nicht zugehörig. *s. trennen 4. 34. wegbefördern 8. 18. unrein 9. 67. Fremder 16. 5. entlassen 16. 105.*

außer · ohne ¶ abgesehen von · ab- · -grenzen · ausgenommen · ausgeschlossen · ausschließlich · exklusive · ungerechnet · auswärts · von auswärts · außerhalb ¶ abbauen · aberkennen · abschaffen · absondern · ächten · auslassen · auslesen · ausmustern · ausschalten · ausschließen · aus seinen Reihen stoßen · aussetzen · aussichten · aussperren · ausstoßen · ausstreichen · ausweisen · bannen · beschränken · beseitigen · exkommunizieren · exmatrikulieren · herausbeißen · hinausekeln lassen · reinigen · übergehen · übersehen, schneiden · verbannen · verfemen · verlassen · vernachlässigen · verrücken · versetzen · versehen · verwerfen · wegjagen · weglassen · zurückweisen ¶ ausjäten · ausreuten · ausroden · ausscheiden · ausschneiden · beiseite legen · hinwegnehmen · trennen. — räumen · säubern ¶ artfremd · ausländisch · auswärtig · exotisch · fern · fernliegend · fremd · fremdartig · fremdrassig · geächtet · hergelaufen · heterogen · heteronom · ortsfremd · ungewohnt · unzugehörig · unzulässig ¶ Nicht- · Außenseiter · Bönhase · Paria ¶ Achtbrief · Bannbulle · der blaue Brief · Scheidebrief ¶ Fremdkörper ¶ Abbau · Aussonderung · Entlassung · Pensionierung · Ruhestand · Zurruhesetzung ¶ Ablehnung · Absage · Abschaffung · Acht · Ächtung · Auslassung · Ausschließung · Ausschluß · Aussperrung · Ausstoßung · Bann · Bannfluch · Bulle · Entlassung · Exkommunikation · Fehme · Reichsacht · Unzulässigkeit · Verbannung · Versetzung · Verweisung · Verwerfung ¶ Boykott · schwarze Liste, *s. Kauf 18. 22.*

50. Hoher Grad. *s. viele 4. 20. zu viel 4. 22; 5. 36. genug 4. 23. ganz 4. 41. Hauptsache 5. 10. Heftigkeit 5. 36. Eifer 9. 38. wichtig 9. 44. Erregung 11. 5. verrückt 12. 57. Beteuerungen 13. 28. Tadel 16. 33.*

anders · baß · besonders · denkbar · direkt · durchaus · einfach · extra · fein · gar · genug (nachgestellt) · geradezu · herzlich · höchlich · höchst · pfeigrad (bayr.) · schlechthin (nachgestellt) · staunend · überaus · wahrlich · weidlich · schwer · sehr · so · über und über · ziemlich · zu ¶ möglichst · tunlichst ¶ so recht (eigentlich) · in hohem Grad, Maß · aus der Maßen · aus der Weis' (bayr.) · wie der Teufel · wie verrückt · aber nicht zu knapp · aber schwer, vastehste · nicht zu sagen · über alle Beschreibung · daß es eine Art hat · daß die Fetzen fliegen · daß es nur so raucht · daß einem die Augen übergehen · auf Deibel komm raus · als ob er's bezahlt bekäme · wer weiß wie · wie sonst was · den Rekord schlagen · bis zum tz · bis dorthinaus · zum Davonlaufen, Lachen, Weinen · da wackelt die Wand · was das Zeug, das Leder hält · nach Noten · nach St(r)ich und Faden · aus dem ff. · von Grund auf · ich sage bloß . . . weiter sag' ich nichts · und das will etwas heißen · funditus ⁋ hat ihn gesucht wie all nichts Gutes, wie eine Stecknadel · er hat Augen wie ein Luchs, wie ein Gabelweih · hat Geld wie Heu · hat Nerven wie Batzenstricke, wie Schiffseile, wie ein Gaul · er arbeitet wie ein Pferd · ausbieten wie saures Bier · blutet wie ein Schwein · brennt wie Feuer · brüllt wie ein Löwe, wie wenn er am Spieße stäke · flucht wie ein Türke · friert wie ein Schneider · furzt wie ein Waldesel · freut sich wie ein Schneekönig · frißt wie ein Scheunendrescher · geht drum herum wie die Katze um den heißen Brei · gerbt wie ein Reiher · haßt ihn wie die Nacht, Pest · hausen wie die Schweden · heult wie ein Schloßhund · kleben zusammen wie die Kletten, wie Pech und Schwefel · läuft wie Lampe · lügt wie gedruckt · paßt auf wie ein Schießhund, wie ein Heftelmacher (Hechelmacher) · raucht wie ein Schlot · redet wie ein Buch, wie ein Alter · reitet wie der Teufel · rennt wie ein Wiesel, als ob er gestohlen hätte . sauft wie ein Bürstenbinder, wie ein Loch, wie das liebe Vieh · schafft wie ein Brunnenputzer · schmilzt wie Wachs · schnattert wie eine Gans · singt wie eine (Heide-)Lerche, Nachtigall · schimpft wie ein Rohrspatz · schläft (schnarcht) wie ein Bär, wie ein Beamter, wie ein Ratz · stiehlt wie ein Rabe, wie eine Elster · stinkt wie ein Bock, wie die Pest, wie ein Wiedehopf · tobt wie ein Berserker, wie ein Wilder, wie zehn nackte Wilde im Schnee ⁋ *Mit Wortspiel:* er hat Einfälle wie ein altes Haus · hats Geriß wie ein altes Paar Stiefel · er ist durch wie ein Blasrohr · er ist weg wie 'm Papa sei' Dos' (hess.) · grient (= *grinst*) wie ein Blumentopf · raucht wie ein Schlot · reißt aus wie Schafleder (oder Waschleder) · strahlt wie der Mond, die Sonne ⁋ blitz-: -schnell, -sauber, -blank, -blau, -wenig · blut: -jung, -rot, -arm, -sauer, -wenig · cheibe- (schweiz.): — extra-: -fein, -billig · grund-: -falsch, -gelehrt, -gütig, -schlecht · haar-: -genau, -klein, -scharf · heiden-: -froh, -schwer · hoch-: -erfreulich, -fein, -komisch, -modern, -prozentig, -rot, -wichtig · hunds-: -dumm, -gemein · kern-: -deutsch, -gesund · knall-: -rot, -blau · kreuz-: -brav, -dämlich, -fidel, -unglücklich · mords-: -teuer, -schwer · mutter-: -nackt, -seelenallein · piek-: -fein · pudel-: -naß, -nackt · sau-: -kalt, -teuer, -schwer · seelen-: -gut, -froh, -ruhig · spott-: -billig, -wenig · stein-: -hart, -reich, -alt · stink-: -faul, -besoffen, -müde · stock-: -dunkel, -finster, -blind, -taub, -französisch, -katholisch · über-: -deutlich, -genug, -reichlich, -voll · ur-: -alt, -gemütlich, -komisch, -kräftig, -plötzlich · tod-: -müde, -fein, -nobel, -schick, -sicher ⁋ aalglatt · bettelarm · bitterböse · bombenfest · brühwarm · eiskalt · federleicht · felsenfest · feuerrot · fuchs(teufels)wild · gallenbitter · grasgrün · großmächtig · hageldicht · himmelangst · jammerschade · kerzengerade · kinderleicht · klapperdürr · klitzeklein · knüppeldick · kohlrabenschwarz · krebsrot · kreideweiß · leichenblaß · liebwert · mäuschenstill · mausetot · oberfaul · pechschwarz · pfeilgeschwind · pitsch-, patschnaß · quietschvergnügt · rabenschwarz · ratzenkahl · ritzerot · schnurgerade · sperrangelweit · spinnefeind · splitternackt · stichdunkel · tolldreist · turmhoch · wildfremd · zentnerschwer ⁋ *Komparativ mit:* ungleich ⁋ *Komparativ und Superlativ mit:* unvergleichlich, weit(aus), bei weitem ⁋ *Superlativ mit:* aller-· ungefähr das ⁋ *Litotes* (verneinendes Gegenteil): nicht un- ⁋ -mäßig: cheibemäßig (schweiz.) · heidenmäßig · hundemäßig · mordsmäßig · saumäßig · teufelsmäßig ⁋ abscheulich · ein anderer (süddt.) · anständig · arg ·

äußerst · aufgelegt · ausgemacht · ausnehmend · außerordentlich · bannig (nordd.) · barbarisch · bemerkenswert · beträchtlich · blödsinnig · bodenlos · damisch (bayr.) · deftig · durchgreifend · einzig · einzigartig · eklig · elementar · elend · eminent · enorm · erbärmlich · erheblich · erklecklich · erstaunlich · exorbitant · fabelhaft · fest · fürchterlich · furchtbar · gehörig · gewaltig · gottserbärmlich · gottsträflich · gräßlich · grenzenlos · grimmig · gründlich · haarig · hanebüchen · happig · hervorragend · hochgradig · heillos · höllisch · immens · intensiv · irrsinnig · jämmerlich · klobig · klotzig · knollig · kolossal · komplett · kraß · kriminalisch · lausig · mächtig · mörderlich · mörderisch · maßlos · ordentlich · phänomenal · phantastisch · polizeiwidrig · pyramidal · qualifiziert · rasend · recht · regelrecht · reichlich · respektabel · richtig(gehend) · riesig · säuisch · saftig · schauderhaft · schaurig · schmählich · schön · schrecklich · stark · stupend · toll · total · verblüffend · verdammt · verflixt · verflucht · verheerend · geradezu verrückt · verteufelt · verwünscht · viehisch · vollkommen · wahnsinnig · wahrhaft · weitgehend · wüst · zentral · zünftig ❡ *Negative:* konkurrenzlos · maßlos · namenlos · polizeiwidrig · unbegreiflich · unbegrenzt · unbeschreiblich · uneingeschränkt · unerhört · unfaßbar · ungemein · ungewöhnlich · unglaublich · unmäßig · unmenschlich · unnennbar · unsäglich · unsagbar · unüberbietbar · unübertrefflich · unverschämt · unvorstellbar · unwahrscheinlich · verboten · noch nicht abzusehen ❡ alt wie Methusalem · arm wie eine Kirchenmaus · bekannt wie ein bunter Hund · bleich wie der Tod · blind wie ein Huhn · dahinter wie ein Geier · dumm wie Bohnenstroh, wie die Nacht, Sünde · falsch wie eine Schlange · finster wie in einer Kuh · frech wie Dreck, wie Oskar · geputzt wie ein Pfingstochse · eitel wie ein Pfau · geduldig wie ein Lamm · giftig wie eine Kröte · klar wie dicke Tinte · klein wie ein Ohrwürmchen · munter wie ein Davidchen · neugierig wie ein Spitz · rot wie Blut, ein Krebs, Zinshahn · schlank wie eine Tanne · still wie ein Mäuschen · stolz wie ein Spanier · stumm wie ein Fisch · verliebt wie ein Stint · vergnügt wie ein Seifensieder · verschwiegen wie das Grab · weg wie der Wind · weiß wie Schnee · frech wie Oskar · so schnell wie der Hund gauzt · durcheinander wie Kraut und Rüben · eingepfercht wie die Heringe · erpicht darauf wie der Teufel auf eine arme Seele · glatt wie ein Aal · häßlich wie die Nacht · gesund wie ein Fisch im Wasser · klug wie ein Torschreiber · rar wie Maurerschweiß · schwarz wie der Teufel, wie die Nacht · so sicher wie das Amen in der Kirche · treu wie Gold · verborgen wie ein Veilchen ❡ *Mit Wortspiel:* abgerissen wie ein Galgenstrick · gerührt wie Apfelmus · gespannt wie ein Regenschirm, ein Flitzbogen · grob wie Bohnenstroh · klar wie Kloßbrühe, wie dicke Dinte, wie Ziegenmilch · verschmitzt wie eine Fuhrmannspeitsche · aufgeblasen wie ein Luftballon ❡ *betonter Artikel* ❡ Affenschande · Bomben-: -gelder, -geschäft, -hitze · Erz-: -gauner, -halunke, -katholisch · Haupt-: -erfolg, -kerl, -macher · Heiden-: -lärm, -geld, -spaß · Mords-: -radau, -blumenstrauß, -schweinerei · Ober-: -schwindler · Höchstgrad, -maß · das Nun plus ultra · Quadrat-: -esel, -schnauze · Riesen- · Sau-: -kälte, -geld · Schweine-: -glück, -hitze, -geld · Staats-: -hut, -strauß · Un-: -masse, -menge, -summe, -zahl · Voll-: idiot · Bärenhunger · Perle der Seebäder · Napoleon der Seifenfabrikanten usw. · hohes Maß von · Rekord in · erster Klasse · mit Eichenlaub und Schwertern · nicht von schlechten Eltern · nicht von Pappe · sondergleichen · par excellence · εξοχην · zu Pferde · hoch zwei · im Quadrat · auf der Polhöhe · wie er im Buch steht · der sich gewaschen hat · vom reinsten Wasser · einer mit Ärmeln ❡ hoher Grad · Grenzfall · Format · Höhepunkt · Kaliber · Klasse · das ist ein Ding, 'ne Sache ❡ Erheblichkeit · Exorbitanz · Intensität · Stärke ❡ -schlacht, z. B. Erzeugungsschlacht.

51. Höherer Grad. *s. Zunahme 3. 3. hinzufügen 3. 28. über (-hinaus) 8. 27. Eifer 9. 38. besiegen 16. 84.*

darüber hinaus · drüber · insbesondere · mehr · obendrein · selbst · sogar · vor allem andern · vorwiegend · vorzugsweise · erst recht · nicht nur, sondern auch ℭ ausstechen · sich auszeichnen · entwachsen · überbieten · überflügeln · überholen · übertragen · überstrahlen · übertreffen · übertrumpfen · überwiegen · verdunkeln · versägen (= mit Auto überholen) · zurücklassen · jmd. in die Tasche stecken · in den Schatten stellen ℭ anfachen · anfeuern · befeuern · entfachen · erhöhen · heben · hetzen · intensivieren · steigern · verschärfen · verstärken · Öl ins Feuer gießen ℭ -er (*Komparativ, mit den Zusätzen:*) unvergleichlich · viel · weitaus · bei weitem ℭ ausnehmend · ausschlaggebend · äußerst · beispiellos · besonders · erhaben über · größer · hauptsächlich · höher · maßgebend · maximal · mehr · überlegen · unübertroffen · vollwertig · vorzüglich · vorzugsweise · wichtig ℭ Hahn im Korb · Majorität · Mehrheit · Mehrzahl · Überzahl ℭ Löwenanteil · Übergewicht · Überlegenheit · Übermaß · Vorrang · ℭ Meta-, z. B. Metageographie · Amplifikation · Steigerung.

52. Geringerer Grad. *s. klein 4. 4; 4. 5. zu wenig 4. 25. wegnehmen 4. 30. unvollständig 4. 46. Mäßigung 5. 38. anfangen 9. 29. mittelmäßig 9. 59. schelten 16. 33. unterliegen 16. 83. billig 18. 28.*

unter. — einigermaßen · minder · weniger · mit Maß und Ziel ℭ den kürzeren ziehen · nicht einholen · nicht erreichen · nachstehen · schlecht wegkommen · zu kurz kommen · reicht ihm nicht das Wasser · ist ein Waisenknabe gegen ihn · kann einpacken · kann sich verstecken ℭ sinken · zurückbleiben ℭ herabstimmen · senken · unterbieten · zügeln ℭ halb- (halbhoch) · unter- -lich, z. B. dicklich, bräunlich ℭ bedingt · gehandicapt · halbwertig · jünger · kleiner · leidlich · minder · minderjährig · minderwertig · relativ · untergeordnet · zurückgeblieben · gut, aber nicht gut genug ℭ *Diminutiv:* Sonntags-, z. B. -jäger · Junges · Kind · Miniaturausgabe · Mittelding zwischen · Taschenausgabe · Verkleinerung ℭ Preisdrücker.

5. Wesen. Beziehung. Geschehnis

5.	1.	Sein, Etwas, Wirklich	5.	25.	Veränderlich
5.	2.	Möglich	5.	26.	Allmähliche Entwicklung
5.	3.	Unmöglich	5.	27.	Plötzliche Veränderung
5.	4.	Wahrscheinlich	5.	28.	Vertauschung
5.	5.	Unwahrscheinlich	5.	29.	Ersatz
5.	6.	Gewiß	5.	30.	Rückverwandlung
5.	7.	Ungewiß	5.	31.	Ursache
5.	8.	Beschaffenheit, Art	5.	32.	Bedingung
5.	9.	Eigenschaft	5.	33.	Ursachlos
5.	10.	Das Wesentliche	5.	34.	Wirkung
5.	11.	Verhalten	5.	35.	Kraft
5.	12.	Bewandtnis	5.	36.	Heftigkeit
5.	13.	Beziehung	5.	37.	Schwäche
5.	14.	Absolut	5.	38.	Mäßigung
5.	15.	Identität	5.	39.	Erzeugung
5.	16.	Gleich	5.	40.	Wiedererzeugung
5.	17.	Ähnlich	5.	41.	Herkunft
5.	18.	Nachahmen	5.	42.	Zerstörung
5.	19.	Regel	5.	43.	Erhaltung
5.	20.	Ausnahme	5.	44.	Geschehnis
5.	21.	Verschieden	5.	45.	Schicksal, Zufall
5.	22.	Mannigfaltig	5.	46.	Glück
5.	23.	Gegensatz	5.	47.	Unglück
5.	24.	Veränderung			

1. Existenz, etwas, wirklich. *s. Anwesenheit 3. 3. wahr 12.26. (Gegensätze: nichts 4. 26. werden 5. 26. Schein 12. 23. Negation 13. 29.) Gestaltung 15. 1.*

entschieden (adv.) ⁊ sich abzeichnen · atmen · auftauchen · auftreten · begegnen · bestehen · bilden *(z. B. ein Hindernis)* · da sein · darstellen · existieren · figurieren · ist zu verzeichnen · sich (be-, vor-)finden · gegeben sein · es gibt, hat (südd.), herrscht *(z. B. Hitze)* · es handelt sich um · leben · los sein · sein · stattfinden · statthaben · vor-, zuhanden sein · vorkommen · vorliegen · (ob)walten · wesen *(gehoben)* · sein Wesen treiben · der Fall sein · Platz greifen · ist vertreten · leben und weben ⁊ *ideell:* gelten ⁊ ent-, erstehen *s. 5. 26* ⁊(er)schaffen *s. 5. 39* ⁊ anerkannt · anwesend · dinghaft ·effektiv · einwandfrei · empirisch · essentiell · evident · faktisch · faßbar · greifbar · gültig · handgreiflich · handhaft · körperhaft · konkret · lebend(ig) · leibhaftig · materiell · ontisch · real · richtiggehend (scherzh.) · sinnfällig · sichtbar · substantiell · tatsächlich · unanfechtbar · unleugbar · vorhanden · wirklich · zweifellos. — von Fleisch und Blut · von dieser Welt ⁊ Exponent · Geschöpf · Kreatur · Person ⁊ Ding · Erscheinung · etwas · Gebilde · Gegenstand · Inkarnation · Verkörperung · Körper · Objekt · Organismus · Phänomen · Sache · Stoff · Substanz · Tatsache · Motiv · Welt der Erfahrung ⁊ *Slang:* Angelegenheit · Geschichte · iwes (hess.) · Kiste · Mimik · Möbel · das Zeugs. — das rasende Leben, die Welt der Tatsachen ⁊ Faktor · Ferment · das Moment · Punkt ⁊ Anwesenheit · Bestehen · Dasein · Existenz · Gegebenheit · Praxis · Realität · Sein · Tatsächlichkeit · Wahrheit · Wirklichkeit ⁊ Ontologie · Phänomenologie.

2. Möglich. *s. Bedingung 5. 32. können 5. 35. Zukunft 6. 23. Absicht 9. 14. Gefahr 9. 74. ungewiß 12. 23. vermuten 12. 24; 29. 42.*

allenfalls · möglicherweise · vielleicht · wenn es die Umstände gestatten · so Gott will · wer weiß? · unter Umständen · im Zweifel (süddt.) ⁊ im Bereich der Möglichkeit liegen · gehen · kann sein ⁊ befähigen · erlauben · ermöglichen · gestatten · hoffen · wagen · zulassen · Gelegenheit bieten ⁊ -bar · -lich · anwendbar · ausführbar · besiegbar · denkbar · erhältlich · erreichbar · erzwingbar · eventuell · hypothetisch · möglich · fakultativ · potentiell · tauglich · tunlich · überwindbar · vermutlich · virtuell · wahrscheinlich ⁊ das Potential ⁊ Möglichkeit · Potentialität.

3. Unmöglich. *s. nichts 4. 26. schwierig 9. 55. mißlingen 9. 78. Phantasie 12. 28. verneinen 13. 29.*

gar nicht · durchaus nicht · mit nichten · ohne · niemals *(s. 6. 5)* · in keiner Weise, in keinerlei Beziehung · keinesfalls · keineswegs · ganz und gar nicht · weit entfernt · nicht im geringsten, nicht im mindesten · kein Gedanke daran · keine Spur · nicht daran zu denken · auf keinen Fall · nein usw. · erst können (vor Lachen) · ni(s)cht zu machen · is nich ⁊ außerstande sein · kommt nicht in Frage, in Betracht · keine Aussicht haben · geht über die Kraft · damit ist es Essig · ich fresse einen Besen, wenn · das geht nicht · da kann man sich auf den Kopf stellen ⁊ durchfallen ⁊ die Aussicht benehmen *s. hindern 9. 73* ⁊ ausgeschlossen · aussichtslos · hoffnungslos · sinnlos · unausführbar · unbegreiflich · undenkbar · indiskutabel, undiskutierbar · unerfüllbar · unerhört · unerreichbar · unglaublich · unlösbar · (platterdings) unmöglich · unstatthaft · untunlich · unüberwindlich · unvernünftig · unvorstellbar · wunderbar · zwecklos ⁊ Luftschlösser · frommer Wunsch · Zukunftsmusik · ein Ding der Unmöglichkeit · Unding · böser Fall · Quadratur des Kreises · Perpetuum mobile · Wunder.

4. Wahrscheinlich. *s. ungefähr 3. 9. Ungewißheit 12. 23. vermuten 12. 24. Eintreffen 12. 44.*

dem Anschein nach · über kurz oder lang · billigerweise · der Erwartung gemäß · zehn gegen eins · wie anzunehmen ist ❡ erwarten · vermuten ❡ *Vom Objekt:* wirken als ob · einleuchten · in Aussicht stehen · die Annahme rechtfertigen · danach aussehen · den Anschein haben, erwecken · den Eindruck machen · dürfte · wird wohl · ist auf gutem Wege · im richtigen Fahrwasser · naheliegen · läßt sich hören, es läßt sich darüber reden · ❡ akzeptabel · anscheinend · denkbar · diskutabel · durchaus möglich · einleuchtend · glaublich · glaubwürdig · hoffentlich · plausibel · probabel · vermutlich · wahrscheinlich · wohlbegründet ❡ Annahme · Aussicht · Wahrscheinlichkeit.

5. Unwahrscheinlich. *s. staunen 11. 30.*

kaum · schwerlich ❡ damit rechnet niemand · kann nicht angehn · hängt in der Luft ❡ unfaßbar unglaublich · unlogisch · unwahrscheinlich · kaum denkbar ❡ Zentaur · Sirene · die Muse persönlich ❡ Wunder · Märchen.

6. Gewiß. *s. sein 5. 1. Vertrauen 11. 35. eintreffen 12. 44. behaupten, ja 13. 28. beweisen 13. 46. Zusicherung 16. 23.*

erwiesenermaßen · natürlich · selbstredend · zweifelsohne · naturgemäß ❡ fürwahr · gewißlich · wahrlich · bei Gott! · auf alle Fälle · jedenfalls · jawohl ❡ um jeden Preis · mit tödlicher Sicherheit ❡ in flagranti · auf frischer Tat · dafür laß ich mich totschlagen · wetten, daß · da kannst du Gift drauf nehmen · das muß ihm der Neid, der Feind lassen · ist und bleibt ❡ förmlich · geradezu ❡ feststehen ❡ glauben an · vertrauen · die Hand ins Feuer legen für ❡ bedarf für Nichtgelehrte keines Be-weises · beglaubigen · beweisen · bezeugen · es liegt in der Natur der Sache · erfahren · erleben · feststellen · kann ein Lied davon singen · klären ❡ überzeugen · versichern · den Zweifel benehmen · die Hand dafür ins Feuer legen · außer Zweifel stellen · absolut · affirmativ · amtlich · apodiktisch · augenscheinlich · ausdrücklich · ausgemacht · behördlich · besiegelt · bestimmt · definitiv, endgültig · direkt · dog-matisch · entschieden · ersichtlich · erwiesen · fraglos · gewiß · glaubwürdig · hand-greiflich · kategorisch · klar · klipp und klar · offenbar · offenkundig · offensichtlich · offiziell · real · schlechthinnig · sichtlich · selbstverständlich · sicher · tatsächlich · tod-sicher · unabdingbar · unausbleiblich · unausweichlich · unbedingt · unbestreitbar · unfehlbar · unfraglich · unleugbar · unstreitig · untrüglich · unumstößlich · unver-kennbar · unvermeidlich · unwiderleglich · unwidersprochen · unzweideutig · un-zweifelhaft · verläßlich · wahr · wahrhaftig · wirklich · zuverlässig · zweifellos · zweifelsfrei · so sicher, wie $2 \times 2 = 4$ ist, wie das Amen in der Kirche ❡ Papst · höchste Instanz ❡ Bibel · Evangelium · Glaubenssatz · Heilige Schrift · Tatsache · Ultimatum · Wahrheit ❡ Erfahrung · Überzeugung · Vertrauen · Zuversicht.

7. Ungewiß. *s. ungefähr 3. 9. Zukunft 6. 23. Forscher 12. 8. Zweifel 12. 23. Frage 13. 25. undeutlich 13. 35.*

tja · na, na · vielleicht · wees mersch? — · etwa · gewissermaßen · nahezu · noch nicht · ungefähr · in gewissem Grade · sozusagen · in der Nähe von · angrenzend an · sicher ❡ an · bis · fast · um ❡ non liquet · ausstehen · es steht dahin · das muß so sein · das ist sicher so · ist in der Schwebe · der Erledigung harren · bleibt offen ·

es könnte, müßte, dürfte sein · in Frage stehen · die Frage erhebt sich, taucht auf, besteht ⁊ anstehen · schwanken · zaudern · zweifeln · es darauf ankommen lassen · unschlüssig sein · Anstoß nehmen · im Finstern tappen · zwischen Wachen und Träumen · die Besinnung verlieren · die Geistesgegenwart verlieren · den Kopf verlieren ⁊ anfechten · antasten · bestreiten · bezweifeln · verdächtigen · verwirren · dahingestellt sein lassen · im dunkeln lassen · auf sich beruhen lassen · ick jebs kleene Ehrenwort (berl.) · in Frage stellen ⁊ anhängig · heikel · prekär · unbestätigt · unbestimmt · unentscheidbar · unentschieden · ungeklärt · ungewiß · unsicher · wacklig · zufällig · zweifelhaft ⁊ anfechtbar · ausdruckslos · bestreitbar · dehnbar · doppelsinnig · fehlbar · fraglich · halbschürig · hypothetisch · problematisch · rätselhaft · schlüpfrig · schwankend · undeutlich · verdächtig · zweideutig · nicht geheuer · nicht stichfest · weder Fisch noch Fleisch · nicht gehauen und nicht gestochen · noch nicht über den Berg ⁊ Chamäleon · Spinx ⁊ Dilemma · Glücksspiel ⁊ Doppelsinn · Orakel · Orakelspruch · Rätsel · Traum · dunkler Punkt · delphisches Orakel · offene (schwebende) Frage ⁊ Dämmerschein · Zwischenzustand · Vergangenheit ⁊ Zweifel · dämmernde Erinnerung.

8. Beschaffenheit, Art, Form. *s. Stoff 1. 20. Ordnung 3. 37. Klasse 3. 47. Dimension 4. 1. allmähliche Entwicklung 5. 26. Aussehen 7. 2. seelische Artung 11. 2. bezeichnen 13. 16. gestalten 15. 1.*

so · wie · was für ein ⁊ jmden. abgeben · etwas darstellen · dienen als · fungieren · geartet sein · gebildet sein · stellt sich dar als · ist aus dem Holz geschnitzt, aus dem man · beinhalten · insolvieren ⁊ werden zu *s. Entwicklung 5. 26* ⁊ mit der Muttermilch einsaugen ⁊ machen zu *s. erzeugen 5. 39* ⁊ ausrichten · formen · frisieren · gestalten · modeln · stilisieren · qualifizieren · charakterisieren ⁊ -isch · -lei · -lich · -oid · -artig · -haft · arteigen · beschaffen · demgemäß · dergestalt · so geartet · solch · sotan · unübersetzbar · unvertauschbar ⁊ Anlage · Art · Abart · Artgefüge · Artung · Aufbau · Ausdruck · Ausrichtung · Aussehen · Bau · Beschaffenheit · Bildung · Charakter · Eigenart · Einrichtung · Erbmasse · Figur · Form · Formation · Geblüt · Gepräge · Gesicht · Gestalt · Gestaltung · Habitus · Individualität · Kategorie · Kolorit · Konstitution · Kontur · Marke · Modell · Modalität · Modus · Muster · Natur · Nenner · Nummer · Organisation · Persönlichkeit · Physiognomie · Prägung · Profil · Qualität · Rasse · Schablone · Schlag · Schnitt · Sonderart · Sorte · Spielform · Stamm · Statur · Stil · Struktur · Textur · Typ · Typus · Umriß · Varietät (*so sagte man früher statt: Rasse*) · Weise · Wesen · Wesensart · Wesensgefüge · Zusammensetzung · Zuschnitt. — ältester oder neuester Observanz · das Sosein · das Wie.

9. Eigenschaft. *s. Form 5. 8. zeigen 13. 3.*

eignen · inhärieren · anhaften · aufweisen · haben · ausgezeichnet durch, versehen sein mit · innewohnen · eigen sein · liegt im Blut · schlägt wieder durch · an sich haben ⁊ an den Tag legen ⁊ so werden 5. 26 · etwas lernen 12. 35 · erben mit der Geburt kriegen ⁊ lehren 12. 33 · beeinflussen 9. 12 · vererben ⁊ arteigen · bezeichnend · charakteristisch · eigentümlich · kennzeichnend · immanent · typisch · wesenhaft ⁊ Atavismus · Attribut · Besonderheit · Charakteristikum · Detail · Eigenschaft · Eigentümlichkeit · Einzelheit · Grundzug · Kennzeichen · Leitkomponente · Note · Prädikat · Requisit · Seite · Zug ⁊ Erbe · (Erb-)Fehler · Laster · Merkmal · Rückbildung · Spezifikum · Symptom · Tugend · Vorzug ⁊ Vererbung.

10. Das Wesentliche. *s. Mittelpunkt 3. 28. wichtig 9. 44. Nebensache 9. 45. Führer 16. 96.*

letztlich · letzthin · nur ·˙zutiefst · im Grunde (genommen) · letzten Endes · in letzter Linie · streng genommen · genau besehen · letzten Grundes · so recht eigentlich · an (und für) sich · tatsächlich · schließlich · sozusagen · bei Licht betrachtet · in Wirklichkeit ❡ ankommen auf · dominieren · prävalieren · vorwiegen · da liegt der Hund begraben · steht und fällt mit etw. · hinauslaufen, -wollen auf ❡ eigentlich · essentiell · innerlich · innerst · wesentlich ❡ der Held des Romans, des Stückes ❡ Haupt-, z. B. Hauptgrund · Hauptsache · Grund- · Dominante · Endergebnis · das eigentliche Ich · Kardinal-, Kern-: Kernpunkt · Leitmotiv · Pointe · das A und O · Kernstück · Knalleffekt · punctum puncti · Quintessenz · Schwergewicht · Schwerpunkt · Seele · Selbst · Wesen(heit) · der springende Punkt · des Pudels Kern · das Um und Auf · das Letzte · Ding an sich · innere Form · der Witz der Sache · der langen Rede kurzer Sinn · Tenor · Thema.

11. Verhalten.

sich aufführen · auftreten · sich benehmen · sich betragen · sich führen · sich gebärden · sich gebaren · fungieren · sich gehaben · sich gerieren · sich halten · es so halten mit · reagieren · verfahren · sich verhalten · Stellung nehmen ❡ Art und Weise · Auftreten · Benehmen · Benehmigung · Benimm · Betragen · Führung · Gang · Gebaren · Gehaben · Habitus · Haltung · Kinderstube · Allüren · Manieren · Pose · Verhalten.

12. Bewandtnis. *s. Zeit 6. 1. Lage 3. 2. Geschehnis 5. 44.*

bedingt, bewandt sein · was los ist · woran man ist · es steht (liegt) so, daß ❡ weiß, was es geschlagen hat ❡ unwägbar ❡ Atmosphäre · Aura · Bedingung · Begleitumstände · Bewandtnis · Das Drum und Dran · Fluidum · Gefühlston · Imponderabilien · Milieu · die Luft um die Dinge · die Unwägbarkeiten · Gefühlswerte ˊ Stimmung ❡ Gelegenheit · Konjunktur · Konstellation · Lage · Ort · Phase · Sachlage · Sachverhalt · Situation · Stadium · Stand · Stellung · Stufe · Tatbestand · Zeit · Zustand · Umstand · Verhältnisse · Verumständung.

13. Beziehung. *s. Kategorie 4. 47. zugehörig 4. 48. Wechselwirkung 9. 71.*

betreffs · hinsichtlich · à propos · rücksichtlich · über · von · in bezug auf · mit Rücksicht auf · im Hinblick auf · was (an)betrifft, anbelangt, anlangt · im Zusammenhang mit ❡ angehen · anlangen · berühren · betreffen · sich beziehen auf · entsprechen · zusammenhängen mit · Bezug haben auf ❡ in Beziehung setzen · relativieren · verbinden · verknüpfen ❡ (dies)bezüglich · gegenseitig · pertinent · relational · relativ ❡ Affinität · Aspekt · Band · Belang · Bedingung · Berührung · Berührungspunkt · Betreff · Beziehung · Bezug · Bezugnahme · Bezugsverhältnis · Gesichtspunkt · Hinsicht · Konnex · Rapport · Relation · Proportion · Verbindung · Verhältnis · Verknüpfung · Zusammenhang.

14. Absolut. *s. Eins 4. 36. Gesamtheit 4. 41. ursachlos 5. 33. führen 8. 13; 16. 98. Strenge 16. 108.*

durchaus · schlechthin, -weg · reinweg · ohnehin · sowieso · so und nicht anders · an sich · an und für sich ❡ auf eignen Füßen stehn · sich selbst genügen ❡ absolut · autark · autonom · eigen · eigenständig, -wüchsig · gegeben · genuin ·

geschlossen · losgelöst · selbständig · selbstgenugsam · unabhängig · unbedingt · urtümlich · voraussetzungslos · zeitlos · zweckfrei ⁋ Bahnbrecher · Pfadfinder · Selberaner · Pionier ⁋ Urphänomen · Ding an sich · Axiom ⁋ Absolutheit · Autarkie · Autonomie · Gegebensein · Selbständigkeit · Selbstzweck · Unabhängigkeit · Unbedingtheit · Voraussetzungslosigkeit.

15. Identität. *s. Dauer 1. 7. involvieren 5. 31.*

eh' (östr.) · eo ipso · so wie so · d. i. d. h. ⁋ eins sein · übereinstimmen · zusammenfallen. — in dieselbe Kerbe hauen · sich decken ⁋ gleichsetzen · identifizieren · in eins setzen ⁋ derselbe · eben dies · ein und derselbe · einerlei · identisch · der nämliche · gleichbedeutend mit · selbiger · synonym · genau, haarscharf derselbe · kein anderer ⁋ Invariante · Konstante ⁋ Einerleiheit · Identität · Ineinssetzung · Koinzidenz · Selbigkeit · Übereinstimmung. — Tautologie.

16. Gleich. *s. eben 3. 51. gleiche Größe und Menge 4. 27. dauernd 6. 7. Kontinuität 6. 34. Beharrlichkeit 9. 8. Gewohnheit 9. 31. angemessen 9. 48. gleichgültig 9. 45; 11. 8. langweilig 11. 26.*

„Vielliebchen" (wenn 2 Personen zufällig genau dasselbe aussprechen) ⁋ ebenso · desselbigengleichen · wie gehabt ⁋ gleichen · wie ein Ei dem andern · das ist Jacke wie Hose, wie Schlump und Latsch (thür.), gehauen wie gestochen · das ist das alte Lied, die alte Leier · aus demselben Guß · gehüpft wie gesprungen · läuft auf dasselbe hinaus · ist von der Stange gekauft ⁋ sich angleichen · Schritt halten ⁋ gleich-, z. B. gleichschalten · angleichen · egalisieren · einebnen · nivellieren · normen · normieren · typisieren · uniformieren · über einen Kamm scheren · auf einen Nenner bringen · in einen Topf werfen · auf gleiche Stufe stellen · Les terribles simplificateurs · gleiche Brüder, gleiche Kappen · über einen Leisten schlagen ⁋ derselbe · einförmig · einheitlich · gleich · gleichbedeutend · gleichförmig · gleichmäßig · konform · monoton · paritätisch · regelmäßig · typisch · unterschiedslos · unverändert ⁋ Doppelgänger · Ebenbild · Serien- · Vielliebchen · Zwilling (eineiig) ⁋ Spiegel. — Einstand (Tennis) ⁋ Einerlei · Formgleichheit · Gleichförmigkeit · Gleichheit · Gleichmacherei · Kongruenz · Konzinnität · Uniformität. ⁋ Duplizität · Status quo.

17. Ähnlich. *s. nahe 3. 9. gleich 5. 16. abstammen 5. 37. sich täuschen 12. 27. Freund 16. 41.*

als ob · (etwa) wie · einigermaßen · gleichsam · nahezu ⁋ ähneln · ähnlich sehen · anklingen, erinnern, gemahnen an · sich berühren mit · darstellen · entsprechen · erben · sich nähern · nachschlagen · passen · vorstellen · er ist der gespeuzte, der gesch., leibhaftige X · wie er leibt und lebt · ganz der Papa · ist auf gleicher Höhe · ist ihm gewachsen · wie aus einem Stück · aus gleichem Holz, vom gleichen Stamm · täuschend echt · wie aus dem Gesicht geschnitten · schlägt wieder durch · · ist dasselbe in Grün ⁋ anähnlichen · assimilieren · anpassen ⁋ -oid · ähnlich · analog · annähernd · anscheinend · dergleichen · derlei · homolog · kommensurabel · parallel · scheinbar · solch · verwandt. — ebenbürtig · geistverwandt · geistesgleich · gleichgestimmt · wahlverwandt · verschwistert. — ausgesprochen, sprechend, zum Verwechseln ähnlich, herunter gerissen ähnlich ⁋ Ableger · Avatar · Bruder . Doppelgänger · Double · Genosse · Geschwister · Nachkomme · Schwester · Zwilling · X. und Konsorten ⁋ Abbild · Ebenbild · Gegenstück, Pen-

dant · Seitenstück · Widerspiel ❡ Alliteration, Stabreim · Anklang · Assonanz ·
Reim ❡ Bild · Gleichnis · Metapher · Vergleich ❡.Ähnlichkeit · Affinität · Analogie ·
Anklang · Atavismus · das Erbe · Familienähnlichkeit · Gleichheit · Wahlverwandt-
schaft.

18. Nachahmen. *s. ähnlich 5. 17. falsch 12. 27. lernen 12. 35. übersetzen 13. 53. schreiben 14. 5. Kunst 15. 1. Betrug 16. 72. prellen 18. 8. stehlen 18. 9.*

wörtlich · Wort für Wort · genau · frei nach · à la ❡ ab- · nach- · -isieren (z. B.
französisieren) · -eln · -ern (z. B. engländern) · abbilden · abdrucken · abformen ·
abgießen · abgucken · abklatschen · ablauschen · abmalen · ablernen · abschreiben ·
absehen · abspiegeln · abzeichnen · äffen · angleichen · sich genau anschließen
an · durchpausen · durchschlagen · abziehen · aufwärmen · ausschreiben · borgen ·
sich einfühlen · fälschen · sich halten an · imitieren · konterfeien · kopieren ·
malen · markieren · mimen · nachahmen · nachbeten · nachbilden · nachdrucken ·
nacheifern · nachempfinden · nachformen · nachmachen · nachmalen · nachschaffen · nachtun · plagiieren · porträtieren · reproduzieren · sich richten nach ·
simulieren · spiegeln · spielen · wiedergeben · wiederholen · wiederkäuen. —
transponieren · umsetzen · übersetzen · übertragen · zitieren. — in jemands Fußstapfen treten · auf des Meisters Worte schwören · mit fremdem Kalbe pflügen ·
sich mit fremden Federn schmücken ❡ ist nicht auf eigenem Acker (Mist) gewachsen · es mahnt (erinnert) an ❡ anstecken · beeinflussen · infizieren · Schule
machen · Mode sein ❡ imitativ · künstlich · naturgetreu · stereotyp · synthetisch
❡ -ianer (z. B. Kantianer) · -ist · Abschreiber · Abschriftsteller · Anempfinder ·
Epigone · Kopist · Nachahmer · Nachbeter · Nachempfinder · Nachfahre · Plagiator ·
Simulant ❡ Affe · Papagei · Wellensittich ❡ Ersatz- · Pseudo- · Simili- · Talmi · Abbild · Abdruck · Abglanz · Abguß · Abklatsch · Abschrift · Abzug · Äquivalent · Anklang · Anleihe · Bild · Bürstenabzug · Doppel · Doublé · Dublette · Duplikat ·
Durchschlag · Echo · Entlehnung · Ersatz · Falsifikat · Kopie · Nachahmung · Nach-
bild(ung) · Nachdruck · Pause · Photographie · Plagiat · Porträt · Reflex · Reminiszenz · Replik · Reproduktion · Schule · Simili · Spiegelbild · Surrogat · Vervielfältigung · Widerhall · Wiedergabe · Wiederholung · Zitat · Faksimile ❡ Mimikry · Schutzfarbe ❡ Ur- · Archetypus · Beispiel · Idee · Modell · Muster · Musterbild · Negativ · Original · Paradigma · Prototyp · Urbild · Urform · Ur(hand)schrift ·
Vorbild · Vorlage · Zitat · *s. Ursache 5. 31 · Führer 16. 98* ❡ Klischee · Schablone ·
Stempel ❡ -erei (z. B. Engländerei) · Alexandrinertum · Abschreiberei · Gedankenraub · Manier · -ismus.

19. Regel. *s. Ordnung 3. 37. nachahmen 5. 18. immer 6. 6. oft 6. 31. regelmäßig 6. 33. Methode 9. 25. Rückfall 9. 62. Gewohnheit 9. 31. Langeweile 11. 26. Grund-satz 12. 17. Regel als Vorschrift 19. 19.*

so · der Regel nach · gemeinhin · immer · immerfort · in der Regel · meist ·
meistens · zumeist · ohne Ausnahme · im großen und ganzen ❡ sich anbequemen ·
beobachten · breittreten · sich einordnen · sich finden in · folgen · sich gewöhnen ·
mit den Wölfen heulen — mit dem Strom schwimmen · sich regeln · sich richten
nach · übereinstimmen · gang und gäbe sein · kommt so sicher wie das Amen in
der Kirche ❡ abgedroschen · abgenutzt · allgemein · alltäglich · anerkannt · anwendbar auf · ausnahmslos · banal · beständig · bestimmt · derartig · festgestellt ·
gebräuchlich · geheiligt · gemein · gewöhnlich · gleichmäßig · gleichförmig ·
häufig · kanonisch · nämlich · natürlich · periodisch · regelmäßig · regelrecht ·

starr · stetig · streng · trivial · übereinstimmend · überwiegend · unveränderlich · vertraut · vorherrschend · vorschriftsmäßig · wohlbekannt ⁋ Brauch · Devise · Formel · Gebrauch · Gemeinplatz · Gesetz · Grundsatz . Kanon · Konvention · Maxime · Natur · Norm · Prinzip · Regel · Richtlinien · Richtschnur · Schablone · Schema · Sitte · Standard · Typus · Uhr · Vorbild · Zopf ⁋ Alltagsleben · Form · Gesetz · Gewohnheit · Gleichförmigkeit · Grundton · Routine · Vorschrift ⁋ Beständigkeit · Einklang · Gleichartigkeit · Gleichförmigkeit · Regelmäßigkeit · Regelung · Übereinstimmung · Wiederkehr · Gesetz der Serie.

20. Ausnahme. *s. verschieden 5. 21. Gegensatz 5. 23. selten 6. 29. erstaunen 11. 30. verrückt 12. 57. Zugeständnis 16. 24.*

außer · ausgenommen · außer(dem), daß · es sei denn ⁋ aber · demungeachtet · dennoch · doch · jedoch · sondern · andernfalls ⁋ anders ⁋ auffallen · herausfallen · eine Ausnahme bilden, machen · gegen die Regel verstoßen · ohne Vorgang sein · ist einzig in seiner Art · ausgenommen bleiben · aus dem Rahmen fallen · aus der Reihe tanzen ⁋ abnorm · absonderlich · abweichend · anders · normal · auffallend · aufsehenerregend · ausgefallen · ausländisch · ausnahmsweise · außergewöhnlich · befremdend · beispiellos · besonders · bizarr · eigenartig · eigentümlich · exotisch · exzentrisch · exzeptionell · fremdartig · grillenhaft · grotesk · hybrid · individuell · kraß · pervers · privat · rar · regelwidrig · selten · seltsam · singulär · sonderbar · spezial · speziell · übernatürlich · überspannt · unerhört · ungewöhnlich · ungewohnt · ungleichförmig · unnatürlich · unregelmäßig · unvereinbar · vereinzelt · willkürlich · wunderlich ⁋ Konzessions-. — Besserwisser · Eigenbrötler · Eigener · Einspänner · Einzelgänger · Gurke · Gurkenhobel · Kauz · Knopf · Kruke · Narr auf eigene Hand · Original · Sonderling · toller Christ · wunderlicher Heiliger ⁋ Chimäre · Einhorn · Fabelwesen · fliegender Fisch · Flügelroß · Hirngespinst · Kentaur · Meermädchen · Minotauros · Naturspiel · Phänomen · Phönix · Parität · Seeschlange · Seltenheit · Sphinx · weißer Rabe · Weltwunder · Wunder · das blinde Huhn, das ein Korn findet ⁋ Abart · Abirrung · Abweichung von der Regel · Ausnahme · Gesetzesbruch · Lichtblick · Lokalerscheinung · Oase · Spielart · Unikum · Unregelmäßigkeit · Verirrung ⁋ Besonderheit · Eigenart · Eigentümlichkeit · Kuriosität · Sondertümlichkeit · Sondertümelei · Unförmlichkeit · Ungleichförmigkeit · Unregelmäßigkeit · Willkür. — Belagerungszustand.

21. Verschieden. *s. Sonderart 5. 8. Ausnahme 5. 20. Änderung 5. 24. bunt 7. 23. ungeeignet 9. 51. Vergleich 12. 10. Unterscheiden 12. 11. Urteilskraft 12. 14. Menschenfeind 11. 63.*

anders. — anderweit · sonst. — je nachdem · je nach den Umständen · von Fall zu Fall ⁋ sich abheben · abstechen · abweichen · auffallen · sich unterscheiden · differieren · divergieren · konstrastieren · schwanken · überraschen · in die Augen fallen, stechen · macht etwas aus ⁋ auseinandergehen · hat nichts miteinander zu tun · steht auf einem ganz andern Blatt · ist gar nicht in einem Atem zu nennen · ja Bauer, das ist ganz was anderes · ist ein Unterschied wie Tag und Nacht · es liegen Welten zwischen · ist auf einem andern Stern geboren · liegt anders, auf einer andern Ebene · das sind zwei paar Stiefel · nicht stimmen zu ⁋ abarten · variieren · wechseln · ein anderes Gesicht bekommen ⁋ ändern s. 5. 24 ⁋ abtönen · differenzieren · hervorheben · individualisieren · kennzeichnen · markieren · scheiden · spezialisieren · staffeln · stufen ⁋ anderer · differentiell · disparat ·

diverse · fremd · fremdartig · heterogen · individuell · inkommensurabel · inkongruent · mannigfach · neu · neuartig · pervers · überraschend · ungleich · unpassend · unterschiedlich · unvergleichbar · innerwechselbar · verschieden · verschiedenartig · wesensverschieden. — himmelweit verschieden · grundverschieden · toto coelo verschieden ❡ anderweitig · sonstig ❡ Außenseiter ❡ Kauz · Original · räudiges Schaf · Unikum ❡ Abart · Abschattung · Abstufung · Abtönung · Nebenart · Nebenform · Neuerung · Neuheit · Nuance · Schattierung · Spielart · Umbildung · Variante · Variation · Varietät · neue Bahnen ❡ Abstand · Abweichung · Besonderheit · Differenz · Divergenz · Inkongruenz · Nichtübereinstimmung · Unähnlichkeit · Ungleichheit · Unterschied · Verschiedenheit · Wechsel · Zwiespalt · grundstürzender Unterschied ❡ Nationalismus · Partikularismus · Regionalismus.

22. Mannigfaltig. *s. Mischung 1. 21 Unordnung 3. 28. bunt 7. 23.*

variieren · schwanken ❡ komplizieren · variieren ❡ -lei, z. B. zweierlei, dreierlei poly-, z. B. -morph, -phon · viel- · allerhand · allerlei · bunt · buntscheckig · kunterbunt · malerisch, pittoresk · mannigfach · mannigfaltig · uneinheitlich · ungleichartig · unregelmäßig · verschiedenerlei · vielerlei · vielfach · vielfältig · vielförmig · vielgestaltig · wechselvoll · zusammengewürfelt ❡ alles mögliche ❡ Mannigfaltigkeit · Unregelmäßigkeit · Variation · Verschiedenes · Verschiedenheit · Vielförmigkeit.

23. Gegensatz. *s. verschieden 5. 21. Gegenwirkung 9. 72. Hass 11. 62. Meinungsverschiedenheit 12. 48. Antwort 13. 26. Einschränkung 13. 48. nein 13. 29. Widerlegung 13. 47. Feindschaft 16. 65—67.*

gegen · wider. — dagegen · entgegen · auseinander. — im Gegenteil ❡ allerdings · freilich · zwar ❡ bei · trotz · ungeachtet ❡ obgleich · obschon · obwohl · obzwar · sondern · wenn auch · wenngleich · wiewohl ❡ aber · allein · dem gegenüber · demungeachtet · dennoch · doch · sogar · trotzdem ❡ auseinander- · entgegen- zuwider · auseinandergehen · divergieren · kontrastieren · streiten mit · widersprechen · widerstreben · widerstreiten · zuwiderlaufen · uneins sein · Hohn sprechen · es ist ein Schlag ins Gesicht · läßt sich nicht vereinigen mit · einander ausschließen ❡ entgegenstellen · umkehren · verdrehen ❡ abweichend · antinomisch · antithetisch · dialektisch · disparat · divergent · entgegengesetzt · entgegenstehend · gegenteilig · gegnerisch · kontradiktorisch · konträr · polar · umgekehrt · unvereinbar. — diametral, geradewegs entgegengesetzt · wie schwarz und weiß · wie Tag und Nacht ❡ Anti- · Gegen- · Wider- ❡ Antipode · Gegner ❡ Antithese · Gegenpol · Gegensatz · Gegenstück · Gegenteil · Kehrseite · Revers ❡ Antagonismus · Antinomie · Antithetik · Diskrepanz · Dissonanz · Divergenz · Gegensatz · Gegensätzlichkeit · Kontrast · Polarität · Unstimmigkeit · Widerspruch · Widerstreit · Zwiespalt.

24. Veränderung. *s. verschieden 5. 21. umkehren 8. 17. launisch 9. 9. Zauberei 20. 20.*

abarten · abweichen · sich brechen · sich ändern · sich einpuppen · entarten · sich entpuppen · sich entwickeln · sich mausern · mutieren · umsatteln · sich verändern · sich verpuppen · sich (ver)wandeln · wechseln ❡ eine andere Wendung nehmen · anders kommen · andere Saiten aufziehen · ein anderes Gesicht bekommen · die Rollen tauschen · aus der Art schlagen · das Blättchen wendet sich ❡ um- · abändern · abwandeln · ändern · entzaubern · erneuern · erschüttern ·

neuern · permutieren · stören · transformieren, -ponieren · umbilden, umdrehen, umformen · umgestalten, -kehren · ummodeln · umordnen · umschaffen · umstellen · umstoßen · umstülpen · umstürzen · umwandeln · umwenden · umwerten · verändern · verdrehen · verhexen · versetzen · vertauschen · verwandeln · verwechseln · verzaubern · wechseln · Wandel schaffen ⁊ aus dem Saulus ist ein Paulus geworden ⁊ Austausch · Entwicklung · Evolution · Gestaltswandel · Krisis · Metamorphose · Modifikation · Modulation · Motion · Mutation · Neuerung · Neuorientierung · Permutation · Revolution · Tausch · Übergang · Umbildung · Umbruch · Umschlag · Umschwung · Umstellung · Umsturz · Unbestand · Variation · Veränderung · Wandel · Wandlung · Wechsel · Wende · Wendung · Höhe- und Wendepunkt · Zeitwende . neue Bahnen ⁊ Metempsychose · Seelenwanderung · Transsubstantiation ⁊ Glücksrad.

25. Veränderlich. *s. Bewegung 8. 1. unentschlossen 9. 7. Trug 12. 27; 18. 8. Unredlichkeit 19. 8. (unveränderlich s. 1. 7).*

bald so, bald so · heute so, morgen anders ⁊ sich ändern · flattern · fluten · irrlichtelieren · schwanken · spielen (in) · verfliegen · vergehen · wanken · wechseln · welken · wogen · zittern ⁊ umfallen · vor dem Wind lavieren · mit dem Strom schwimmen · den Mantel nach dem Winde hängen · sich drehen und wenden · mit den Wölfen heulen · sich umstellen · sich auf den Boden der Tatsachen stellen · der versteht's · Marke Krebs: außen braun innen rot ⁊ alles fließt ⁊ beweglich · charakterlos · flatterhaft · flüchtig · friedlos · holometabol · launenhaft · launisch · mobil · opportunistisch · rastlos · ruhelos · schwankend · tauschbar · unbeständig · unruhig · unstet · unzuverlässig · veränderlich · vorübergehend · wandelbar · wankelmütig · wechselnd · wetterwendisch · gebrechlich · vergänglich ⁊ bebend · regellos · schlüpfrig · unbestimmt · unentschlossen · zitternd · (un)beständig wie Aprilwetter ⁊ Aprilwetter · Chamäleon · Flugsand · Hanswurst · Irrlicht · Irrwisch · Proteus · Quecksilber · Sanguiniker · Schillereidechse · Schmetterling · Strömung · Wetterfahne · Ebbe und Flut · Blatt im Wind ⁊ Abnahme · Aufregung · Bewegung · Kreislauf · Laune · Oszillation · Unbestand · Unentschlossenheit · Unrast · Unruhe · Unstetigkeit · Variationsbreite · Veränderlichkeit · Wankelmut · Zunahme ⁊ Mimikry · Schutzfarbe.

26. Allmähliche Entwicklung. *s. Geburt 2. 21. krank werden 2. 41. Wachstum 4. 3. höherer Grad 4. 51. Erschaffung 5. 39. Ursprung 6. 2; 9. 29. langsam 8. 8. besser werden 9. 57. schlechter werden 9. 61.*

mit der Zeit · bei kleinem (nordd.) ⁊ aufgehen · ausreifen · sich auswachsen zu · blühen · sich entfalten · entstehen · sich entwickeln · gären · heraufdämmern · sich herausbilden, -schälen knospen · sich konsolidieren · leben · reifen · sprießen · wachsen · werden · wesen · in (die) Erscheinung treten · Gestalt, Form gewinnen ⁊ abnehmen · sich auflösen · sich beruhigen · nachlassen · schmelzen · sich verflüchtigen ⁊ ausarten · entarten ⁊ abstufen · angleichen · assimilieren · ausbilden · bekehren · erneuern · (neu-)gestalten · heranbilden · reformieren · umarbeiten · umformen · umgestalten · umwandeln ⁊ allmählich · gestuft · langsam · organisch · unmerklich · schrittweise · stufenweise ⁊ Hefe, Bärme, Gärstoff, Geest, Germ · Sauerteig · Spaltpilz ⁊ -gonie, z. B. Kosmogonie · Aufklärung · Bekehrung · Entwicklung · Erweichung · Evolution · Fortschritt · Genesis · kalter Putsch · Kultur · Reform(ation) · Übergang · Werdegang ⁊ Assimilation · Reduktion · chemischer Prozeß ⁊ Alchimie · Chemie · Goldmacherkunst · Scheidekunst.

27. Plötzliche Veränderung. *s. Schicksal 5. 47 sofort 6. 14 schnell 8. 7. Streit 16. 70.*

perlicke, perlacke · hokus pokus ¶ sich entscheiden · sich wenden ¶ zum Austrag bringen · den Ausschlag geben ¶ impulsiv · launenhaft · launisch · rebellisch · revolutionär umstürzlerisch · unruhig · dramatisch · himmelhoch jauchzend, zu Tode betrübt · plötzlich · ruckweise · schlagartig · von heut auf morgen · sprunghaft · stoßweise stürmisch · überstürzt · unvermittelt ¶ Debakel · Empörung · Explosion · Fall · Gegenrevolution · Katastrophe · Konvulsion · Krampf · Peripetie · Putsch · Rebellion · Revolte · Revolution · Ruck · Schock · Sprung · Staatsstreich · Stoß · Sturz · Überfall · Übersetzung · Überrumpelung · Umschlag · Umschwung · Umsturz · Umwälzung · Unruhe · Wendepunkt · Zusammenstoß ¶ Ausbruch · Bergsturz · Dammbruch · Erdbeben, -rutsch, -stoß · Erschütterung · Felssturz · Flut · Lawine · Sintflut · Sturm Überschwemmung · Vulkanausbruch ¶ Gaukelei · Hexerei · Hokuspokus · Kunstgriff · Taschenspielerei · Zauberei.

28. Vertauschung. *s. Vergeltung 16. 80. Tausch 18. 20. Kauf 18. 22.*

vice versa · wechselweise · wie du mir, so ich dir · eines für das andere. — dafür · dagegen ¶ auswechseln · handeln · kaufen · permutieren · tauschen · umsetzen in · unterschieben · verhandeln · verkaufen · vertauschen · verwechseln ¶ geben und nehmen · zahlen ¶ beiderseitig · gegenseitig · umtauschbar · vertauschbar · wechselseitig ¶ Wechselbalg ¶ Gegengabe · Preis ¶ Austausch · Gegenseitigkeit · Handel · Tausch · Tauschhandel · Verwechslung · Wiedervergeltung · Zwischenhandel.

29. Ersatz. *s. Nachahmung 5. 18. vertauschen 5. 28. Stellvertreter 16. 104.*

anstatt · für · gegen · an Stelle von · als Ersatz für · in Ermangelung von ¶ auftreten für · ausfüllen · einstehen · erscheinen · ersetzen · nachfolgen · verdrängen · vertreten ¶ auswechseln · einstellen · substituieren ¶ ersetzbar · gleichwertig · reziprok · stellvertretend ¶ Behelfs-, Ersatz- · Hilfs- · Vize- · i. V. · i. A. ¶ Abgeordneter · Agent · Bevollmächtigter · Ersatzmann · Sprecher · Stellvertreter · Substitut · Vertreter · Verweser · Vikar ¶ Doppelgänger · Lückenbüßer · Sitzredakteur · Strohmann · Unterschiebling, Wechselbalg ¶ Ersatz- · Pseudo- · Simili- · Talmi- · Äquivalent · Aushilfe · Austauschstoffe · Ausweg · Behelf · Brücke, Krone (Zahn) · Ersatz · Gegenstück · Imitation · Notmast · Notnagel · Prothese · Stiftzahn · Surrogat ¶ Metapher · Metonymie ¶ Umleitung.

30. Rückverwandlung. *s. Genesung 2. 44. rückwärts 8. 17. Reue 19. 5.*

sich bekehren · bereuen · umkehren · sich wenden · zurückkehren · zurückprallen ¶ verkehren · wiederherstellen · zurückschrauben ¶ rückfällig ¶ Verlorener Sohn · reuiger Sünder ¶ Drehungspunkt · Höhepunkt · Krisis · Wendepunkt ¶ Status quo ¶ Re- · Rück- · Reaktion · Restauration · Reue · Rückbildung · Rückfall · Rückkehr · Rücklauf · Rückprall · Rückschritt · Umkehr · Verwandlung · Wiedereinsetzung · Wiederherstellung.

31. Ursache, *s. entstehen 5. 26. erzeugen 5. 39. veranlassen 9. 12. Absicht 9. 14. beginnen 9. 29. Mitwirkung 9. 69. helfen 9. 70. begründen 12. 15. Vorwand 13. 51. Einfluß 16. 95. Befehl 16. 106. Schuld 19. 11.*

denn · nämlich. — daher · darum · deshalb · deswegen · infolgedessen ¶ anläßlich · (z. B. aus Furcht) · dank · gemäß · halber · infolge · kraft · laut · vermöge · in seiner Eigenschaft als · qua · wegen · in Anbetracht · um — willen · zu lieb · nicht umsonst ⁋ alldieweil · da · indem daß · maßen · sintemal(en) · weil · zumal ⁋ anregen · anrichten · anzeigen · anstiften · auslösen · bedeuten · bedingen · bewerkstelligen · bewirken · deichseln · managen · fingern · entfesseln · erregen · erschaffen · erwecken · erzeugen · gereichen zu · gründen · heraufbeschwören · herbeiführen · hervorrufen · involvieren · leisten · pflanzen · reizen · säen · schaffen · veranlassen · verursachen · zeitigen · zur Folge haben · zugrunde liegen · im Gefolge haben · nach sich ziehen · mit sich bringen · er kann dafür · hat Gevatter gestanden · den Ausschlag geben ⁋ ätiologisch · entstehungsgeschichtlich · kausal · pragmatisch · ursächlich ⁋ ausschlaggebend · grundlegend · maßgebend · treibend · wirksam ⁋ Drahtzieher · Macher · Manager · Treiber · Urheber · Vater · Vorbedingung. — Karnickel ⁋ Agens · Anlaß · Anregung · Anreiz · Anstoß · Antrieb · Basis · Bedingung · Beweggrund · Boden · Brutstätte · Ei · Einfluß · Erreger · Faktor · Ferment · Gefäß · Grund · Hebel · Heimat · Keim · Komponente · Motiv · Mutter(schoß) · Nährboden · Nest · Pflanzstätte · Quelle · Reiz · Samen · Sporn · Stachel · Stimulans · Substrat · Triebfeder · Ursprung · Veranlassung · Voraussetzung · das Warum · Wiege · Wurzel ⁋ Ätiologie · Genesis · Kausalzusammenhang · Kausalität · Werdegang · Werden.

32. Bedingung, *s. möglich 5. 2. notwendig 9. 3. juristische Bedingung 9. 15. Erfordernis 9. 81.*

falls · (in)sofern · wofern · wenn · im Fall, für den Fall, daß · wenn im Fall (bad.) · unter der Voraussetzung, daß · in der Annahme, daß · vorausgesetzt, daß · je nachdem · nach Maßgabe · ⁋ *Inversion:* sollte ... Ist A größer als B, so ⁋ ist aufgebaut auf ⁋ hypothetisch · konditional ⁋ Bedingung · Substrat · Voraussetzung · Vorbedingung · Vorbehalt.

33. Ursachlos. *s. Absolut 5. 14. automatisch 9. 16. kostenlos 18. 29.*

von selbst · von selber · allein · von allein · von ungefähr · eo ipso · durch eigene Kraft · das schlechthin Erste · Gott ⁋ abschnurren, geht wie am Schnürchen · ⁋ autogen · automatisch · mechanisch · selbsttätig · sich selbst tragen · spontan · unbewußt · zufällig · zwangsläufig.

34. Wirkung. *s. Herkunft 5. 41. notwendig 9. 3. Zweck 9. 14. Folgerung 12. 16. Erwerb 18. 5.*

abhängen · bedingen · auf etwas beruhen · aus etwas entspringen · entsprossen · entstehen · erfolgen · sich ergeben · erwachsen · fließen aus · folgen · gründen in · hängen an · herauskommen · herkommen · sich herleiten · herrühren · sich herschreiben von · herstammen · hervorgehen aus · kommen von · liegt daran, daß · resultieren ⁋ reagieren · auswerten ⁋ -gen · z. B. haematogen · abhängig · begründet, motiviert, verursacht · unausbleiblich · zurückzuführen, zuzuschreiben, zu danken · zwangsläufig ⁋ Ausfluß · Auswirkung · Echo · Effekt · Ende · Endwirkung · Erfolg · Ergebnis · Errungenschaft · Ertrag · Erzeugnis · Fabrikat · Folge · Frucht · Funktion · Geschöpf · Kind · Konsequenz · Leistung · Nachwehen · Nachwirkung · Niederschlag · Produkt · Reaktion · Reflex · Resultat · Rückwirkung · Saat · Schöpfung · Tat · Tragweite · Werk · Widerhall · Wirkung.

35. Kraft. *s. heilen 2. 44. dauerhaft 6. 7. Größe 4. 2. hochgradig 4. 50. höherer Grad 4. 51. hart 7. 44. geeignet 9. 48. wiederherstellen 9. 58. Einfluß 16. 95.*

können · vermögen · wirken ¶ fähig · imstande sein · zustande bringen · fertig bringen · seinen Mann stehen · ist Manns genug · hat Armschmalz, Muskeln, Maue, Matthes (rhein.), Bouillon, Mumm, Murr in den Knochen · Macht ausüben. — überwiegen ¶ auffrischen · aufmöbeln · befähigen · befestigen · begaben · bevollmächtigen · erfrischen · kräftigen · beleben · stählen · stärken · verstärken · waffnen · wappnen · wiederherstellen ¶ Kraft geben · verleihen ¶ die Eigenschaft erteilen ¶ allvermögend · anregend · bewährt · bügelfest · deftig · derb · dynamisch · eisern · elementar · erdrückend · erprobt · energisch · gigantisch · handfest · hart · herzhaft · kräftig · kraftvoll · lebhaft · mächtig · machtvoll · nachdrücklich · saftig · stählern · stark · stramm · suggestiv · tauglich · tüchtig · überwältigend · unauslöschlich · unbändig · unbezwinglich · unerschöpflich · unüberwindlich · unwiderstehlich · vital · wacker · wirksam · wirkungsvoll ¶ arbeitsfähig · baumstark · breitschultrig · diensttauglich · hünenhaft · gedrungen · kv · maskulin · muskulös · nervig · potent · reckenhaft · riesig · sehnig · stämmig · stucksig · untersetzt · verschrötig ¶ mannhaft · männlich · mutig · standhaft · unbesiegbar · unerschütterlich · ungeschwächt ¶ Athlet · Bulle · Bomben-, Fetzenkerl (hess.) · Gewaltmensch · Hüne · Kerl · Kraftmensch · Riese · Schlagetot · Übermensch ¶ Atlas · Gigant · Goliath · Herkules · Kyklop · Simson ¶ Adamant · Baum · Eiche · Eisen · Fels · Stahl · ¶ Stütze · rechter Arm ·rechte Hand ¶ Blut · Flechse · Mark · Muskel · Nerv · Säfte · Sehne ¶ Betriebskraft · Energie · Gewalt · Götterstärke · Kraft · Kriegspotential · Macht · Mana · Orenda · Potenz · Stärke · Strom · Trieb · Riesenstärke · Totenstärke · Übergewicht · Übermacht · Wucht ¶ Befugnis · Begabung · Eigenschaft · Einfluß · Fähigkeit · Gabe · Vermögen · Wirken · Wirkungsvermögen ¶ Anziehung · Ausdehnung · Biomagnetismus · Dampf · Dehnung · Dichte · Dichtigkeit · Drall · Druck · Elastizität · Elektrizität · Federkraft · Feuer · Galvanismus · Gas · Hochdruck · Hochspannung · Impetus · Magnetismus · Naturgewalt · Sprungkraft · Stoß(kraft) · Schmiß · Schuß · Schwere · Schwung · Spannung · Vollkraft · Wuppdich · Wuppdizität · Zenith · Aufgluten des Lebens ¶ Pferdestärke, PS · Ampere · Ohm · Volt · Watt · Kilowattstunde ¶ Erfrischung · Stärkung · Zuzug · *s. Unterstützung 9. 70* ¶ Dynamik, Lehre von der Kraft · Mechanik · Physik · Statik ¶ Dynamometer · Manometer.

36. Heftigkeit. *s. hoher Grad 4. 50. sofort 6. 14. Sturm 1. 6. Getöse 7. 26. schnell 8. 8. Stoß 8. 9. Erregung 11. 5. Zorn 11. 31. grob 16. 53.*

ohne Maß und Ziel · Hals über Kopf · wie von der Tarantel gestochen, wie vom wilden Affen gebissen · ohne Sinn und Verstand · übers Ziel hinaus ¶ branden · brausen · gären · glühen · kochen · rasen · schäumen · sieden · stürmen · toben · tollen · tosen · wallen · wogen · wüten · Gift und Galle speien · ist außer Rand und Band · mit der Tür ins Haus fallen ¶ auf-, losbrausen · auffahren, -fliegen · aufspringen · aufwallen · ausbrechen · bersten · explodieren · heranstürzen · losplatzen · platzen · zerkrachen · Feuer fangen · in Flammen geraten · in Zorn losbrechen · übers Knie brechen · in die Luft gehen · es geht mit ihm durch ¶ anfachen · anfeuern · anspornen · anstecken · aufbringen · aufhetzen · aufregen · aufreizen · aufstacheln · empören · entrüsten · entzünden · erregen · erschüttern · erzürnen · reizen · verschärfen · Öl ins Feuer gießen · auf die Spitze treiben ¶ un- · aufgebracht · aufrührerisch · besinnungslos · blind · brutal · eifrig · erhitzt · fanatisch · feurig · geräuschvoll · gewaltsam · grimmig · heftig · heiß · heißblütig · hemmungslos · hitzig · hochgehend · hochgradig · hysterisch · jäh · jähzornig · leidenschaftlich · maßlos · plötzlich rasch · rauh · roh · scharf · stürmisch · tobsüchtig toll · übermäßig · überspannt · überstürzt · unausgeglichen · unbändig · unbeherrscht · ungebärdig · ungestüm · ungelenk · unruhig · unsanft · unwiderstehlich · unzähmbar · unzart · verzweifelt · wild · wütend · zornig · zügellos · wie aus der Pistole geschossen · wie ein Puter · wie ein Tiger ⁋ konvulsivisch · krampfhaft · meteorisch · stürmisch · vulkanisch ⁋ Berserker · Bullenbeißer · Heißsporn · Rufer im Streit · Scharfmacher · Tiger · Unband ⁋ Dämon · Furie · Hyäne · Megäre · Rachegöttin · Rotte Korah ⁋ Krater · Vulkan · feuerspeiender Berg. — Bombe · Mine ⁋ Aufruhr · Ausbruch · Berserkerzorn · Bosheit · Feuer · Gärung · Getümmel · Gewalt · Glut · Heftigkeit · Kampfeswut · Krampf · Paroxysmus · Tobsucht · Ungestüm · Unruhe · Wut · Zorn ⁋ Blitzschlag · Bö · Donnerwetter · Erdbeben · Gewitter · Luftbombardement · Niederprall · Orkan · Sturm · (Un)-wetter · Windsbraut · Windstoß · Wirbelwind · Zyklon ⁋ Entladung · Eruption · Explosion · Handstreich · Knall · Krach · Macht · Ruck · Stoß · rohe Gewalt · physische Kraft · plötzlicher Anprall ⁋ Eile · Intensität · Ungestüm · Vehemenz · Wucht.

37. Schwäche. *s. Ermattung 2. 39. krank 2. 41. klein 4. 4. zu wenig 4. 25. weich 7. 50. langsam 8. 8. unentschlossen 9. 7. unwichtig 9. 45. schwierig 9. 55. empfindlich 11. 7. Angst 11. 42. Unterlegenheit 16. 83. dienstbar 16. 111.*

hinken · nachgeben · versagen · ist so wie so nur eine halbe Portion · besteht aus Knochenleim · altern ⁋ abnehmen · entsagen · erlahmen · nachlassen · verblassen · vergehen · verkommen · versagen · verschmachten · verwelken ⁋ die Flügel hängen lassen · die Flinte ins Korn werfen · den Mut sinken lassen · mildere Saiten aufspannen · es nicht übers Herz bringen · die Kraft versagt ⁋ abschwächen · abtöten · abzehren · angreifen · drosseln · entkräften · entmannen · entnerven · entwaffnen · erschöpfen · erschüttern · ersticken · gelten, gelzen · kastrieren · verschneiden · wallachen · lähmen · lahmlegen · schwächen · töten · unterdrücken · verkrüppeln · verstümmeln · zerstören · der Kraft, Macht berauben · die Flügel beschneiden, stutzen · lahm legen ⁋ unbegabt · unfähig · unfruchtbar · ungeeignet · untauglich · unvermögend · unzulänglich ⁋ belanglos · harmlos · unmaßgeblich · unschuldig · waffenlos ⁋ erfolglos · fruchtlos · unwirksam · wirkungslos ⁋ abgelebt · abgemagert · abgenützt · abgespannt · abgezehrt · altersschwach · anfällig · apoplektisch · asthenisch · ausgedient · ausgemergelt · bebend · blaß · bleichsüchtig · blutarm · blutlos · bresthaft · dekadent · dienstunfähig · einflußlos · energielos · entkräftet · entnervt · erschöpft · fadenscheinig · flau · g. v. (garnisonverwendungsfähig) · gebrechlich · gebrochen · gefügig · gichtbrüchig · haltlos · hinfällig · impotent · infantil · invalid · kraftlos · kränklich · lahm · flügel-, lendenlahm · lasch · machtlos · marklos · matt · miesepieprig · morsch · mutlos · ohnmächtig · paralytisch · pimpelig · schlaff · schwach · schwächlich · schwindsüchtig · siech · unfähig · unhaltbar · unmaßgeblich · unvermögend · verfault · verhärmt · verlebt · verpäppelt · verrottet · verweichlicht · verwöhnt · verzärtelt · weibisch · weichlich · zart · zerrüttet · zitternd · zum Umblasen ⁋ elternlos · freundlos · hilflos · schutzlos · unbefestigt · unbewaffnet · ungestützt · wehrlos ⁋ an Hand und Fuß gebunden · mit einem Fuß im Grabe · auf tönernen Füßen · auf Sand gebaut ⁋ Schatten-, z. B. -kaiser · Bubi · Epigone · Eunuch, Hämling, Kapaun, Kastrat, Verschnittener · Fingerbiebche (Frankf.) · Jammerlappen · Muttersöhnchen · Schlappschwanz · Schwachmaticus · Schwächling · Staatskrüppel · Steifschechter (hess.) · Weichling · Wrack ⁋ Pantoffelheld · Paulchen · Siemandl, Tinterl (östr.) · Wurzen (bayr.) ⁋ Findling · Waise(nkind) · Waisenknabe ⁊ Binse · Kartenhaus · Strohhalm · Zwitterding · morsche Stütze · dünner Faden · Koloß auf tönernen Füßen · leichte Beute · Spielball (fremder Interessen) ⁊ Abnahme · Abspannung · Anämie · Apoplexie · Auszehrung · Blutarmut · Blutverlust · Entkräftigung · Ermattung · Erschöpfung · Gebrechen · Halbheit · Hemmungen · Hinfälligkeit · Lähmung · Mattigkeit · Nervosität · Neurasthenie · Ohnmacht · Schwäche · Siechtum · Unvermögen · Verfall · Zartheit ⁊ Charakterschwäche · Gefügigkeit.

38. Mäßigung. *s. Geringerer Grad 4. 52. Gegenwirkung 9. 72. Mäßigkeit 11. 12. Vorsicht 11. 40. einfach 11. 46. bescheiden 11. 47. Milde 16. 109. sparsam 18. 10. Gerechtigkeit 19. 18.*

an sich halten · zurückhalten · sich einschränken ⁊ abschwächen · abstumpfen · begütigen · beherrschen · beruhigen · besänftigen · beschönigen · beschränken · beschwichtigen · bezwingen · dämpfen · ebnen · eindämmen · einschläfern · entwaffnen · erleichtern · erweichen · glätten · hemmen · lindern · lullen · mäßigen · mildern · stillen · unterdrücken · zähmen · zügeln · zurückhalten · das Gebiß, den Zaum anlegen · Balsam in die Wunde gießen · Öl auf die Wogen schütten · einen Dämpfer aufsetzen · zur Besinnung, Vernunft bringen · Frieden machen, schließen, stiften ⁊ bedachtsam · beruhigend · besonnen · ernst · friedfertig · friedlich · friedsam · geduldig · gelassen · gelind · gemach, gemessen · gemäßigt · geruhig · geruhsam · gesetzt · glimpflich · kühl · langsam · lind · mäßig · milde · nachsichtig · nüchtern · quietistisch · ruhig · sanft · still · stoisch · tolerant · überlegt · vernünftig · verständig · vorsichtig · zahm · zart · sanft wie ein Lamm · zart wie die Rose ⁊ Engel · Lamm · Pazifist ⁊ Baldrian · Balsam · Beruhigungsmittel · Blutdruckmittel · Brausepulver · Dämpfer · Linderungsmittel · Milch · niederschlagendes Mittel · Opiat · Palliativ · Schlafmittel · Schlaftrunk · Schlummerlied ⁊ Friede · Geduld · Mäßigung · Milde · Ruhe · Sanftheit · Sanftmut · Stille · Vernunft · die goldene Mittelstraße · Maß.

39. Erzeugung. *s. Fruchtbarkeit 2. 6. Fortpflanzung 2. 18. Ursache 5. 31. Tätigkeit 9. 18. Arbeit 9. 22. dichten 14. 2. gestalten 15. 1; 15. 4. Ware 18. 24.*

anfertigen · aufbauen · aufrichten · ausarbeiten · sich ausdenken · ausführen · auslösen · basteln · bauen · behauen · bewirken · bilden · dichten · drechseln · einrichten · erfinden · errichten · erschaffen · ersinnen · erzeugen · erzielen · fabrizieren · formen · gestalten · gießen · herstellen · hervorbringen · hervorrufen · hervorzaubern · kneten · konstruieren · leisten · liefern · machen · malen · meißeln · modellieren · münzen · prägen · produzieren · schaffen · schmieden · schnitzen · spinnen · verbrechen · (ver)fertigen · vollenden · vorbereiten · weben · wirken · zeitigen · zubereiten · zusammenstellen ⁊ ausbrüten · hecken · beleben · beseelen · erregen · erwecken · gebären · zeugen · brüten · fohlen · reifen · treiben · wuchern · Früchte tragen · Ei legen · ausgiebig sein · ins Leben, Bewußtsein rufen · zur Welt bringen · Atem, Leben einhauchen, schenken ⁊ auffüttern · (auf)ziehen · entwickeln · erziehen · fortbringen · züchten ⁊ fruchtbar · produktiv · schöpferisch ⁊ Arbeiter · Autor · Bildner · Erbauer · Erfinder · Erzeuger · Former · Gründer · Hersteller · Macher · Meister · Schaffender · Schöpfer · Unternehmer · Urheber · Vater, Papa · Verfasser · Züchter · Welt der Arbeit ⁊ Allmutter · Erde · Natur · Schoß ⁊ Treibhaus · Werkstatt *s. Arbeitsplatz 9.23.* ⁊ Anfall · Arbeit · Artefakt · Ausstoß · Création, Modell · Entdeckung · Erfindung · Ergebnis · Erzeugnis · Fabrikat · Frucht · Gebilde · Gut · Handarbeit ·

Leistung · -werk: Bild-, Mach-, Schnitz-, Zier- · okkultes Plasma · Produkt ·
Steigerung des Produktionsvolumens · Stück · Ware · Werk · Werkarbeit · Kunstgebild
◀ Aufbau · Bau · Bildung · Gründung · Industrie · Schöpfung · Urheberschaft ·
Erzeugungsschlacht · Vierjahresplan ◀ Empfängnis · Entbindung · Entwicklung ·
Erzeugung · Fortpflanzung · Geburt · Materialisation · Niederkunft · Produktion ·
Verbreitung · Wachstum · Wuchs ◀ Bildungstrieb · Fruchtbarkeit · Schwanger-
schaft · Vaterschaft ◀ Bildungslehre · Biologie · Darwinismus · Entwicklungs-
geschichte · Zuchtwahl.

40. Wiedererzeugung. *s. heilen 2. 44. nachahmen 5. 18. mehrmals 6. 28.*
wiederherstellen 9. 58.

auferstehen · aufleben · aufwachsen · sich erholen · wiedererscheinen · Urständ
feiern ◀ auffrischen · aufwärmen · ausgraben · erfrischen · erneuern · fortpflanzen ·
nachbilden · restaurieren · retablieren · verjüngen · wiederaufbauen · wiederbeleben · neues Blut zuführen ◀ Phönix aus der Asche ◀ Re- · Auferstehung ·
Neubeleibung · Regeneration · Renaissance · Restauration · Rückverwandlung ·
Seelenwanderung · Wiederbelebung · Wiedergeburt. — Bluttransfusion.

41. Herkunft. *s. Kind 2. 22. Ursache 5. 31. erklären 13. 44. begründen 12. 15.*
Verwandtschaft 16. 9.

abstammen · entquellen · entsprießen · entspringen · entstammen · herkommen ·
sich herleiten ◀ genetisch · genealogisch ◀ Abkömmling · Ableger · Absenker ·
Brut · Derivat · Ehesegen · Enkel, Kindeskind · Kind · Laich · Leibeserbe · Nachfahre · Nachkomme · Nachkommenschaft · Reis · Same · Schoß · Schößling ·
Sohn · Sprößling · Tochter · Zweig · Linie ◀ Abkunft · Abstammung · Ahnen-
stamm · Deszendenz · Etymologie · Genealogie · Genesis · Herkunft · Stammbaum · Ursprung · Urstoff · Vaterschaft ◀ Abstammungslehre · Ätiologie · Etymologie · Wortforschung · Genealogie · Herleitung · Fragebogen.

42. Zerstörung. *s. töten 2. 46. beseitigen 3. 4. einebnen 3. 51. Feuer 7. 36.*
Gegenwirkung 9. 72. abnutzen 9. 63. Angriff 16. 76. Verlust 18. 15. Frevel 19. 9.

ab- · aus- · hin- · nieder- · ver- · zer- · zusammen- · abbrechen, -reißen, -schaffen,
-tragen, -wracken · auflösen · aufräumen mit · ausbomben · ausbrennen · auslöschen · ausmerzen · ausrotten · ausstreichen · beseitigen · demolieren · demon-
tieren · devaschdiere (württ.) · durchscheuern · einreißen · einschmelzen · einstampfen · eliminieren · entwurzeln · erdrücken · ersticken · fressen · frikassieren ·
jäten · kapponieren · niederreißen · niederschlagen · opfern · radieren · ramponieren · rasieren · roden · ruinieren · sabotieren · schleifen · schrotten · sprengen · (ver)tilgen · überwältigen · überwinden · umreißen · umstürzen · umwerfen ·
unterdrücken · unterjochen · verbomben · verderben · verheeren · vernichten ·
verschütten, unter sich begraben · verschwenden · verwischen · verwüsten · wegfegen · zerballern · zerbrechen · zerbröckeln · zerdrücken · zerfasern · zerfetzen ·
zerfleischen · zerknicken · zermalmen · zermürben · zerquetschen · zerreden · zerreißen · zerrütten · zerrupfen · zerschlagen · zerschmettern · zersetzen · zersplittern · zerstören · zerstoßen · zerteppern · zertrampeln · zertreten · zertrümmern ◀ abbrennen · auffressen · aufwühlen · aussaugen · brandschatzen · einäschern · erschöpfen · niederschießen · plündern · töten · untergraben · verbrennen ·
verschlingen · versenken · verzehren ◀ ein Ende machen · kurz und klein schlagen ·
beiseite, aus der Welt schaffen · aus dem Wege räumen · Hackfleisch machen aus

jemand · dem Erdboden gleich machen · in Trümmer legen · reinen Tisch machen ·
in Stücke brechen, reißen · keinen Stein auf dem andren lassen · zu Brei zermalmen · in den Grund bohren · mit Stumpf und Stiel vertilgen · in Grund und
Boden zerstören · in die Luft sprengen · zu Fall bringen · mit Füßen treten ·
über Bord werfen · in Asche legen · in alle Winde zerstreuen · rauben und
morden · sengen und brennen · mit Feuer und Schwert verwüsten · hausen wie
die Schweden, wie die Hunnen · das Unterste zu oberst stülpen · zugrunde richten ·
zu nichts machen · in Scherben schlagen ❡ umkommen · untergehen · vergehen ·
verhageln · veröden · verregnen · zerfallen · zusammenbrechen · -fallen · -stürzen
s. sterben 2. 45 · fallen 8. 31. · in die Brüche gehen · zerschellen, anrennen, Kleinholz machen · zugrundegehen · zur Beute fallen · verwittern ❡ ist im Arsch, ausgebombt, verbombt, entzwei, futsch, futschikato, hin, hops, kapores, kaputt ❡ Barbar · Bilderstürmer · Bluthund · Gottesgeißel · Hunne · Nachtpirat, Luftgangster,
Luftangriff · Melac · Moloch · Rohling · Satan · Teufel · Tiger · Vampir · Vandale · Verderber · Verheerer · Vertilger · Verwüster · Zerstörer ❡ Henker · Mörder ·
Nachrichter · Scharfmacher · Scharfrichter ❡ Alter · Gifthauch · Holzwurm · Kälte-,
Hitzewelle · Lawine · Meltau · Pest · Brand · Dürre · Hungersnot · Trockenheit ·
Zahn der Zeit ❡ Schlachtfeld · Trümmerstätte · Walstatt · Wrack · Saustall · Bild
der Zerstörung ❡ Auflösung · Dammbruch · Demontage · (Ein)sturz · Explosion ·
Fall · Großfeuer · Hochwasser · Inflation · Katastrophe · Kladderadatsch · Ruin ·
Schiffbruch · Sintflut · Sturmflut · Tod · Tragödie · Überschwemmung · Umsturz ·
Umwälzung · Untergang · Verderben · Vernichtung · Verschleiß · Zerfall · Zer-
störung · Zusammenbruch ❡ Bildersturm · Blitzschlag · Blutbad · Brandschaden ·
Erdbeben · Fluch · Gemetzel · Opfer · Todesstoß · Volltreffer · Weltuntergang
❡ Sterilisation.

43. Erhaltung. *s. heilsam 2. 44. Schutz 9. 76; 16. 77.*

aushalten ❡ aufbewahren · aufheben · bewahren · einbalsamieren · einkochen ·
einlegen · einmachen · einpökeln · einsalzen · einwecken · erhalten · hamstern ·
hegen · kandieren · konservieren · marinieren · mumifizieren · räuchern · schonen ·
sparen · sterilisieren, entkeimen · trocknen · verwahren · luftdicht verschließen ·
auf Eis legen · nicht rütteln an ❡ unterstützen ❡ gepökelt · geräuchert · unbeschädigt · unverdorben · wohlerhalten ❡ prophylaktisch ❡ bezopft · konservativ ·
rückständig · spießbürgerlich · spießerhaft ❡ Amulett · Talisman ❡ Büchsen- ·
Dörr- · Pökel- · Trocken-: Konserve · Mumie ❡ Befreiung · Erlösung · Rettung ·
Unterstützung ❡ Aufrechterhaltung · Bewahrung · Erhaltung · Pflege · Unter-
halt(ung).

44. Geschehnis. *s. sein 5. 1. Bewandtnis 5. 12. Erzählung 14. 1.*

sich abspielen · sich abspinnen · aufstoßen · ausfallen · ausgehen · sich begeben ·
begegnen · sich darbieten · sich einstellen · eintreten · sich entspinnen · sich ereignen · erfolgen · geschehen · hergehen · passieren · stattfinden · unterlaufen ·
sich vollziehen · vorfallen · vorgehen · vorkommen · widerfahren · zugehen · zustoßen · sich zutragen · der Fall sein · vonstatten gehen · es tut sich etwas · los
sein · es blüht ihm ❡ durchmachen · erdulden · erfahren · erleben · erleiden · schaffen ·
verrichten · zu befahren haben ❡ faktisch · real · tatsächlich · wirklich ❡ Abenteuer ·
Affäre · Aktualitäten · Angelegenheit · Auftritt · Ausgang · Begebenheit · Begebnis ·
Begegnung · Einzelheit · Episode · Ereignis · Erfolg · Ergebnis · Erlebnis · Er-

scheinung · Faktum · **Fall** · das Geschehen · Geschehnis · Geschichte · Hergang · Sache · Situation · Szene · Tatbestand · Tatsache · Umstand · Verfahren · Verrichtung · Vorfall · Vorgang · Vorkommnis · Wendung · Zufall ⁋ Unfall · Zwischenfall.

45. Schicksal, Zufall. *s. Zwang 9. 3. Gott 20. 7.*

halt (östr.) *s. Verzicht 9. 20* ⁋ von ungefähr · wie's trifft ⁋ nach dem Gesetz, nach dem du angetreten ⁋ es ist ihm beschieden, bestimmt, verhängt · steht in den Sternen · es hat so kommen sollen · trägt ihm ein ⁋ gegeben · schicksalhaft · zufällig ⁋ Bestimmung · Fatum · Fügung · Gegebenheit · Geworfenheit · Geschick · Karma · Kismet · Los · Notwendigkeit · Prädestination · (unerforschlicher) Ratschluß Gottes · Rätsel · Schicksal · Schicksalsschluß · Schickung · die Sterne · das Unbegreifliche · Verhängnis · Vorherbestimmung · Vorsehung · das Wunder · die Zeitläufte · Zufall · Buch des Lebens, des Schicksals · Gottes Wille · der Wille der Götter · das Walten der Mächte.

46. Glück. *s. Erfolg 9. 77. Lustempfindung 11. 9. Freude 11. 21. Liebe 11. 53. reich 18. 3. Gewinn 18. 5.*

blühen · florieren · gedeihen · glücken · grünen · wachsen ⁋ sich in guten, behaglichen Umständen befinden · beruhigt der Zukunft entgegensehen · sein Auskommen finden, haben · warm, in der Wolle sitzen · die Gunst, Huld des Schicksals erfahren · im Trockenen, im Speck sitzen · vom Glück gehoben, verwöhnt werden · Schwein, Dusel haben, Massel haben · er hat einen furchtbaren Torkel · dem kalbt der Holzschlegel · der Schornstein raucht · es ist ihm vergönnt · es geht aufwärts · hat's geschafft · das Heu herein haben ⁋ goldene Zeit haben · herrlich und in Freuden leben · hat es gut · ist fein heraus · hat ausgesorgt · einen guten Tag, wie Gott in Frankreich leben · sich des goldenen Sonnenscheins erfreuen · vom Himmel gesegnet sein · ist im richtigen Fahrwasser · der versteht's, schwimmt oben · in seinem Element, Fett · wie die Made im Speck · wie der Mops im Haberstroh · jeden Wunsch erfüllt sehen · ernten, ohne zu säen · in Saus und Braus leben ⁋ aufblühen ⁋ vorwärts kommen · sein Fortkommen finden · Karriere machen · es zu etwas bringen · sich zum Besten wenden · sein Schäfchen ins Trockene bringen · sein Nest warm ausfiedern · vom Glück begünstigt sein, werden · von Fortuna angelächelt werden · die Treppe hinauffallen ⁋ *Vom Subjekt:* beglückt · begnadet · beneidenswert · erfreulich · gedeihlich · gesegnet · glücklich · glückselig · gottbegnadet · himmelhoch jauchzend · selig · sorgenfrei · zufrieden · von der Sonne angelächelt · vom Glück verhätschelt · mit heiler Haut, mit einem blauen Auge davonkommen · mit der Wünschelrute geboren ⁋ *Vom Objekt:* arkadisch · günstig · halkyonisch · himmlisch · paradiesisch · selig · sturmlos · südlich · windstill · wonnevoll · wonnig ⁋ Emporkömmling · Glücklicher · Glückskind · Glückspilz · Parvenu · Sonntagskind · das Glück in Person · Günstling, Liebling des Glücks · Belami · gemachter Mann ⁋ Erfolg · Fortuna · Freudenleben · Fügung des Himmels · Gedeihen · Glück · Glücksfall · Glücksstern · Glückswendung · Honigmond · Flitterwochen · Paradies auf Erden · Segen · Sonnenschein · Wohlergehen · Wohlfahrt · Wohlsein · Wonneleben ⁋ erwärmender Anblick · günstiger Wind · goldene Zeiten · wonnige Tage · aufgehender Glücksstern · Tage der Rosen.

47. Unglück. *s. schwierig 9. 55. Mißerfolg 9. 78. Schmerz 11. 13. Trauer 11. 32. Tadel 16. 33. Armut 18. 4. Verlust 18. 15. Bankrott 18. 19.*

elendiglich · auf abschüssigem Wege, schiefer Bahn · am Rande des Verderbens · Scheiße · schöne Bescherung ⁋ Pech haben · in einer bösen, schlimmen, unglücklichen Lage sein · es bricht herein über · vom Schicksal hart mitgenommen werden · vom Unglück heimgesucht werden · an die Reihe kommen · trübe Zeiten durchmachen, erleben · vom Unglück verfolgt werden · ist nicht auf Rosen gebettet · schwere Prüfungen erleiden · mit Not und Elend kämpfen · sitzt in der Tinte, in der Patsche, in der Schokolade, auf dem Trocknen · bessere Tage gesehen haben · den Kelch des Leidens leeren · Tantalosqualen ausstehen · rettungslos verloren sein · ist gestraft mit ⁋ drankommen · herunterkommen · untergehen · verkommen · zurückkommen · von Stufe zu Stufe sinken · den Krebsgang gehen · auf den Hund kommen · vor die Hunde gehen · an den Bettelstab kommen · zugrundegehen, kommt auf die Schokoladenseite · eine Beute des Elends, Kummers werden · schmählich (seine Tage be-)enden · es geht um den Hals · sein Glücksstern geht unter · das Glück hat ihm den Rücken gekehrt · es geht schief, bergab, an den Kragen · kann einem leit tun · aufs tote Gleis geschoben werden · es wird nichts mehr · es ist vorbei, aus · das Schicksal ist besiegelt · nichts mehr zu machen · jmd. hineinreiten ⁋ *Von Personen:* arm · aufgeschmissen · bedauernswert · bejammernswert · beklagenswert · betroffen · elend · erledigt · fatal · freudlos · geliefert · getroffen · mitleiderregend · passée · ruiniert · unglücklich · verloren · unter einem Unstern geboren · mühselig und beladen · in seinen Hoffnungen betrogen · immer tiefer sinkend · vom Unglück verfolgt ⁋ *Von Sachen:* aussichtslos · bitter · böse · dornenvoll · dumm · fatal · kläglich · lätz · mißlich · pechös · schrecklich · trostlos · unglücklich · unselig · verhängnisvoll · wie verhext · widrig ⁋ Dämon · Schädling · Unglücksprophet · Unglücksrabe · Unglücksverkünder · Unglücksvogel · übler Genius · böser Engel · böser Geist · Hexe ⁋ Pechvogel · Schlemihl · Unglücksrabe · Unglückswurm · geknickte Lilie ⁋ Kassandra · Käuzchen · Unke · schlechtes Omen ⁋ Gebresten · Leiden · Quetschung · Verstümmelung · Wunde ⁋ *Ursache des Bösen:* Anstiftung 9. 12. Übelwollen *11. 60* ⁋ Blitz aus heiterem Himmel ⁋ Bedrängnis · Beschwerde · Bredouille · Bürde · Dalles · Drangsal · Elend · Fluch · Flur- usw. -schaden · Heimsuchung · Hundeleben · Jammer · Katastrophe · Kreuz · Leiden · Leidenskelch · Leidensschule · Leidensweg · Malör · Mißgeschick · Mühsal · Niedergang · Pandorabüchse · Pech · Pechsträhne · bittere Pille · Plage · Prüfung · Qual · Reinfall · Rückschlag · Ruin · Schicksalsschlag · Schiffbruch · Schlag · Schlamassel · schwarzer Tag · Übel · Ungemach · Unglück · Unheil · Unsegen · Untergang · Verderben · Verhängnis · Verheerung · Vernichtung · Zerstörung · Zusammensturz · schöne Bescherung ⁋ Angst · Bekümmernis · Betrübnis · Fatum · Kummer · Mangel · Marter · Not · Pein · Schicksals-Tücke · Sklavenleben · Sorge · Unglücksstern · Unstern.

6. Zeit

6. 1. Zeitraum
6. 2. Anfangszeit
6. 3. Mitte
6. 4. Spätzeit
6. 5. Nie
6. 6. Immer
6. 7. Dauer, Beständigkeit
6. 8. Vergänglich
6. 9. Zeitmessung
6. 10. Fehldatierung
6. 11. Vorher
6. 12. Nachher
6. 13. Gleichzeitig
6. 14. Sofort
6. 15. Zwischenzeit
6. 16. Gegenwart
6. 17. Andere Zeit, Irgendwann
6. 18. Restzeit
6. 19. Vergangenheit

6. 20. Nahe Vergangenheit
6. 21. Ferne Vergangenheit
6. 22. Ganze Vergangenheit
6. 23. Zukunft
6. 24. Nahe Zukunft
6. 25. Ferne Zukunft
6. 26. Neu
6. 27. Alt
6. 28. Mehrmals
6. 29. Selten
6. 30. Manchmal
6. 31. Häufig
6. 32. Unregelmäßig
6. 33. Regelmäßig, periodisch
6. 34. Kontinuität
6. 35. Früh, pünktlich
6. 36. Spät
6. 37. Rechter Zeitpunkt, Gelegenheit
6. 38. Unzeit

Zeit

1. Zeiträume. *s. Zeitmessung 6. 9.*

-lang: stundenlang, jahrelang · -ig: sechsminutig, dreistündig, viertägig, achtwöchig, mehrmonatig, fünfjährig ¶ *unbestimmte:* Augenblick, Moment, Zeitpunkt · eines Gedankens Länge · Frist, Weile, Zeit · Zeitraum · Abschnitt, Epoche, Periode · Ära · Phase · Studium · Zeitalter · Weltalter · Weltenjahr, Äon, Ewe (*in jeder Ewe* ist nur ein Gott, Stef. George) ¶ *bestimmte:* Sekunde · Minute · Glas (seem. = halbe Stunde) · Tag · Morgen · Vormittag · Mittag · Nachmittag · Abend · Nacht · In verschiedenen Gegenden ganz verschieden abgeteilt, z. B. 16.00 Uhr im Spessart: um vier Uhr die Nacht, in Hessen: Mittags vier Uhr · Mitternacht · Monat · Woche · Monat, Mond ¶ Jahreszeiten: Frühling, Frühjahr, Lenz · Sommer · Herbst · Winter ¶ Vierteljahr, Quartal, Trimester · Tertial · Halbjahr, Semester · Jahr (Mond-, Sonnen-, Schaltjahr) · Jahrfünft, Lustrum · Jahrzehnt, Dezennium · Generation, Menschenalter · Jahrhundert · Jahrtausend.

2. Anfangszeit. *s. jung 2. 22. Ursache 5. 31. ferne Vergangenheit 6. 21. früh 6. 35. beginnen 9. 29.*

morgens · vor Tag · vorab · vornehmlich · zunächst · zuerst ¶ dämmern, grauen, tagen · anbrechen · heraufziehen ¶ früh · lenzhaft · morgendlich · erstmalig ¶ Initial- · Anbruch · Anfang · Auftakt · Beginn · Dämmerung · Frühe · Frühstunde · Grauen · Morgen · Morgengrauen, Morgenrot, Morgenstunde, Sonnenaufgang · Schöpfungsmorgen · Tagesanbruch · Frühjahr, Frühling, Lenz · Frühzeit · Neujahr.

3. Mitte. *s. Mittelpunkt 3. 28. hoch 4. 12. Tag 7. 4. warm 7. 35.*

in der Vollkraft des Lebens ¶ mittäglich · sommerlich ¶ Mittag · Mittagswende · Blütezeit · Rosenzeit. — der längste Tag.

4. Spätzeit. *s. neu 6. 26. spät 6. 36. Nacht 7. 7. Ende 9. 33.*

zwischen Nacht und Dunkel ¶ der Tag neigt sich · zur Rüste gehen ¶ abendlich · dämmerig · herbstlich · spät, als 'Symptom einer Spätzeit': *Barock ist späte Kunst* ¶ Lumpensammler, (letzte Fahrgelegenheit aus der Großstadt) ¶ Abend, Abenddämmerung, Abendfrieden · Abendglanz, Abendröte, Abendrot, Abendruhe, Abendsonne, Abendstille · Nachmittag · Spätnachmittag · Sonnenuntergang · Schummerstunde (nordd.) · Zwielicht · Einbruch der Nacht · Neige des Tags · vorgerückte Zeit ¶ Herbst · Reifezeit · Spätzeit.

5. Nie. *s. nirgends 3. 5. unmöglich 5. 3. vergänglich 6. 8. unbekannt 12. 37. nein 13. 29.*

nie · niemals · kaum · nun und nimmermehr · eher bricht die Welt zusammen · wenn die Böcke lammen · wenn die Hunde mit dem Schwanze bellen · am Sankt Nimmerleinstag · zu Pfingsten auf dem Eise · wenn's Katzen hagelt · wenn Zigeunerjungen aus dem Himmel fallen · uff'n zweeunddreißigsten (berl.) · eher fällt Ostern und Pfingsten auf einen Tag · *ironisch:* morgen ¶ ad kalendas graecas verschieben ¶ unmöglich · noch nie dagewesen.

6. Immer. *s. überall 3. 7. Dauer 6. 7. Wiederholung 6. 28. Kontinuität 6. 34.*

allewege · alls · allsfort (mitteldeutsch) · allzeit · egal (sächl.) · ewig und drei Tage · fort und fort · für und für · immer · immerdar · immerfort · immerzu · jahraus jahrein · jederzeit · jetzund und immerdar · stets · zu jeder Zeit, Stunde · ohne

14·

211

Unterlaß · ewiglich ·all sein Lebtag · Tag aus, Tag ein ¶ endlos · ewig · immerwährend · ständig · unausrottbar · unendlich · unsterblich · unvergänglich · unzerstörbar · zeitlos ¶ roter Faden · Leitmotiv ¶ Dauer · Ewigkeit · Unendlichkeit · Unsterblichkeit · Wiedergeburt.

7. Dauer, Beständigkeit. *s. Zeiträume 6. 1. immer 6. 6. häufig 6. 31. regelmäßig 6. 33; 5. 19. Kontinuität 6. 34. Festigkeit 7. 43. zäh 7. 46. beharrlich 9. 8. Ruhe 9. 36. Gewohnheit 9. 31. Geduld 11. 8. Ungeduld 11. 27. Erwartung 11. 35.*

durch · während ¶ noch und noch (berl.) · des längeren · zeitlebens · auf lange Sicht · den ganzen lieben, langen Tag · ohn' Unterlaß ¶ fort-: fortdauern, fortwähren · weiter-: weiter bestehen, weiterleben · andauern · ausdauern · dauern · anhalten · aushalten · beharren · sich behaupten · bestehen · bestehen bleiben · bleiben · durchhalten · sich erstrecken über · feststehen · halten · heben (alem.) *der Haken hebt* (= hält) *wieder für ein paar Jahre* · harren · sich hinschleppen · perennieren · überdauern · überleben · den Löffel lang anfassen (= lang leben) · verharren · währen · warten · nicht ablassen · nicht auslassen (bayr.) · kann nicht aus seiner Haut heraus *s. 9. 8* · auf 99 Jahre pachten · sich die Beine in den Leib stehen · es dauert eine Ewigkeit und drei Tage ¶ sich durchsetzen: Wurzel fassen ¶ ausdehnen · hinziehen · prolongieren · verlängern ¶ annageln · befestigen · bewahren · erhalten · fixieren · konservieren · ordnen · perpetuieren · stabilisieren · (ver)festigen ¶ beharrlich · beständig · bombenfest · chronisch · dauerhaft · definitiv · ehern · endgiltig · eingewurzelt · felsenfest · fest · fix · haltbar · hartnäckig · konservativ · lang · langfristig · langjährig · langlebig · langweilig · langwierig · laufend · lebenslänglich · permanent · schleichend · schleppend · seßhaft · solid · stabil · standhaft · starr · stationär · stet · stetig · treu · unausgesetzt · unablässig · unaufhörlich · unauslöschlich · unbeweglich· unentwegt · unerledigt (etwa von nie aufgearbeiteten Akten) · unsterblich · unveränderlich · unverändert · unverrückbar · unwandelbar · unzerstörbar · unzerstört · zäh ¶ lange Zeit *s. Zeiträume 6. 1.* · Jahr und Tag · eine geschlagene Stunde ¶ Eiche · Fels · Fundament · Pfeiler · Turm. — eiserne Ration · rocher de bronze. — Invariante ¶ Ausdauer · Beharrlichkeit · Bestand · Beständigkeit · Dauer · Dauerhaftigkeit · Festigkeit · Fortbestand · Fortdauer · Geduld · Härte · Konservatismus · Langlebigkeit · Lebensfähigkeit · Sitzfleisch · Stabilität · Stetigkeit · Ruhe · Schlaf · Tretmühle · Unveränderlichkeit — Alltag · des Dienstes ewig gleichgestellte Uhr.

8. Vergänglich. *s. wechseln 4. 24. zerstören 4. 42. Zeiträume 6. 1. sofort 6. 14. sterben 7. 45. schnell 8. 7. weggehn 8. 18. aufhören 9. 33.*

nur auf ein Ständerle · auf eine Zigarette (schwäb.) · auf einen Sprung · ¶ enteilen · entschwinden · gastieren · verfliegen · vergehen · verblühen · verdampfen · verrinnen · verwehen · verwelken · vorübergehen · welken · ein Ende nehmen · zu Staub werden · sich verflüchtigen · eine Gastrolle geben · ein Ständchen halten · die Zeit verstreicht, geht hin, rinnt · das Leben geht weiter ¶ auf Sand bauen ¶ ephemer · flüchtig · gespensterhaft · hinfällig · irdisch · kurz · kurzlebig · kursorisch · temporär · unbeständig · vergänglich · wandelbar · zeitlich · zeitweilig ¶ Dunst · Eintagsfliege · Kartenhaus · Meteor · Schatten · Schemen · Schaum · Seifenblase · Staub und Asche · Strohfeuer · Traum · Zahn der Zeit ¶ Augenblick · Moment · Nu *s. 6. 1.* · Gastrolle · eines Gedankens Länge ¶ Flüchtigkeit · Hinfälligkeit · Kürze · Kurzlebigkeit · Vergänglichkeit · Unbeständigkeit · Wandelbarkeit · Zeit (kirchl. gegenüber der Ewigkeit) · Zeitlichkeit.

9. Zeitmessung und -festsetzung. *s. Zeiträume 6. 1.*

ansetzen · datieren · periodisieren · die Zeit angeben, befristen, berechnen, bestimmen, fixiren · zeitlich festlegen. — Frist setzen, Termin anberaumen. — das Jahr · schreiben · Takt angeben, halten, schlagen ⁊ annalistisch · chronologisch · zeitlich ⁊ Annalist · Chronist ⁊ Chronometer · Regulator · Stundenglas · Uhr · Armband-, Pendel-, Sand-, Sonnen-, Stand-, Stutz-, Stopp-, Taschenuhr, Käse, Bolle, Kartoffel, Zwiebel (Schülerspr.) · Turmuhr · Wanduhr · Wasseruhr · Metronom · Pendüle · Zeitansage ⁊ Almanach · Kalender · Jahrbuch. — Annalen · Chronik · Regesten · Tagebuch *s. Buch 14. 11* ⁊ Frist, Termin · Ziel ⁊ Datum · Ära · Geburtstag · Gedenktag · Jahrestag · Namenstag · Chronologie · Zeitrechnung · Welche Zeit ist es? Wortgeographische Verschiedenheiten zwischen Nord- und Süddeutschland. Norddt.: wie spät ist es? was ist die Uhr? süddt.: wieviel Uhr ist es? 14.45 heißt teils: dreiviertel drei, teils: viertel vor drei; 15.15 teils: viertel nach (Schweiz ab) drei, viertel (auf) vier ⁊ Montag. — Dienstag (Zischdig alem., Ertag bayr.). — Mittwoch. — Donnerstag (Pfinztag bayr.). — Freitag. — Samstag, Sonnabend (nordd.), Sabbat. — Sonntag ⁊ Januar, Jänner (ö.), — Februar, Feber, Hornung. — März. — April — Mai, Wonnemond. — Juni. — Juli. — August. — September. — Oktober. — November. — Dezember.

10. Fehldatierung. *s. Irrtum 12. 27.*

vordatieren · zurückdatieren ⁊ anachronistisch · zeitwidrig ⁊ Anachronismus · zeitliche Unmöglichkeit · Hysteronproteron · Zeitfehler.

11. Vorher. *s. Vorbild 5. 18. Ursache 5. 31. Vergangenheit 6. 19. Vorbereitung 9. 26. Vorbedingung 9. 81. vorhersagen 12. 43. Sieg 16. 84. Leiter 16. 98. Vorrecht 19. 22.*

vor. — bevor · ehe ⁊ eh(er) · erst · früher · noch · vorab · im voraus · im vorhinein (östr.) · vorher · von vornherein · vorneweg · vor Tische · vorweg · zuerst · zuvor. — bereits · schon ⁊ *Praeteritum:* -te oder *„stark"* z. B. ich trage, ich trug; oder *umschrieben* z. B. ich habe getragen, bin gerannt ⁊ einleiten · präludieren · vorausgehen · vorhergehen · zuvorkommen · Weg abschneiden · die Vorhand haben · antizipieren ⁊ älter · früher · primär · proleptisch · prophylaktisch ⁊ Erstling · Vorbote, -gänger, -läufer · Sturmvogel ⁊ Vor- · Handicap · Einleitung · Präliminarien · Präludium · Vorfrucht · (Haupt-, Kost-)Probe · Vorspiel · die Antezedentien · Vorgeschichte ⁊ Polterabend · Vorfeier · Präzedenzfall · Status quo · Vorgang · Vorform ⁊ Präexistenz · Priorität · zeitliches Prius.

12. Nachher. *s. hinter 3. 27; 8. 15. nachahmen 5. 18. Wirkung 5. 34. spät 6. 36. langsam 8. 8. Schüler 12. 35.*

in, z. B. in einer Woche · nach · seit · — als · nachdem · seitdem daß ⁊ danach · dann · darauf · fortan · hernach · hinfort · hinterher · nachher · seitdem, -her · später · nach Jahr und Tag · als Gott den Schaden besah · nach Tisch · nacheinander · post festum ⁊ nach-: -folgen · -klappen · nachkommen · folgen · fortleben ⁊ anstehn lassen · aufschieben · hintanhalten · prolongieren · stunden · verlängern · vertagen · auf die lange Bank schieben · etwas hat Zeit. — hinterlassen · vererben ⁊ hinterlassen · nachgeboren · nachherig · nachmalig · nachträglich · posthum · sekundär · später · sukzessiv. — wechselweise ⁊ Enkel · Epigone · Erbe · Nachfahre, -folger, -treter, -komme, -läufer, -welt · Spätling · Anfänger · Apostel · Jünger · -aner, z. B. Kantianer ⁊ (Erb-, Nach-)Folge · Wirkung · Nachwehen · Folgezeit.

13. Gleichzeitig. *s. parallel 3. 14. Verbindung 4. 33. Zwischenzeit 6. 15. Gegenwart 6. 16 Zusammenwirken 9. 69.*

als · bal (bayr.) · dieweil · indem · solange · während · wenn ⁊ da · zugleich · damals · dann · zumal · zusammen · auf einmal · unisono · auf einen Schlag, Streich · a tempo · inzwischen · mittlerweile · unter-, währenddessen · unter der Zeit · Hand in Hand mit · Zug um Zug ⁊ begleiten · koexistieren · zusammenfallen, -treffen · Schritt halten · ist ein Aufwaschen ⁊ gleichzeitig · koexistent · simultan ⁊ Mit-, Nebenwelt · Zeitgenosse · Altersgenosse ⁊ Synchronismus ⁊ Gleichzeitigkeit · Koexistenz · Nebeneinander · Simultaneität.

14. Sofort. *s. plötzlich 5. 27. baldige Zukunft 6. 24. schnell 8. 7. Eile 9. 39.*

a tempo · alsbald · alsobald · frischweg · gleich · kurzerhand · schnurstraks · schon · sofort · sogleich · spornstreichs ; stracks · unbesehen · unverweilt · auf dem Fleck · vom Fleck · auf der Stelle · Knall und Fall · stehenden Fußes · von heute auf morgen · wie er geht und steht · berlicke-berlocke · brühwarm · gesagt getan · in medias res · auf Anhieb · aus dem Stegreif · im Handumdrehen · über Nacht · im Hui · im Nu · wie mit einem Schlag · ein Schlag und . . . · im Augenblick · im Husch · stantepe(de) · mit einem Male · gegen bar · netto Kasse · durch Eilboten ⁊ aufblitzen · nicht anstehn · kurze Fünfzehn machen · nicht lange fackeln · überrumpeln · nicht viel Federlesen machen · folgt auf dem Fuße ⁊ alsbaldig · augenblicklich · blitzartig · fristlos · plötzlich · postwendend · schlagartig · schlagfertig · sofortig · ultimativ · umgehend · ungesäumt · unvermittelt · unverzüglich ⁊ Geistesgegenwart · Handstreich · Überrumpelung · Staatsgespräch · Ultimatum.

15. Zwischenzeit. *s. dazwischen (örtlich) 3. 25. später 6. 12. langsam ·8. 8. warten 12. 41.*

binnen · innerhalb · innert (alem.) ⁊ derweil · einstweilen · indessen · inzwischen · mittlerweile · nebenbei · unterdessen · vorerst · währenddessen · zunächst · zwischendurch · auf Widerruf · auf Sicht · eine Zeitlang · für eine Weile · vorderhand · bis auf weiteres ⁊ Zeit gewinnen · befristen ⁊ behelfsmäßig · einstweilig · interimistisch · kommissarisch · probeweise · provisorisch · versuchsweise · vorläufig · vorübergehend · zeitweilig · zeitweise ⁊ Behelfs-, Hilfs-, Not-, Versuchs-, Zwischen- ⁊ Aushilfe · Platzhalter · Lückenbüßer · Lückenstopper · Ersatz ⁊ Z e i c h e n : Gedankenstrich · Komma · Punkt · Semikolon, Strichpunkt ⁊ Atempause · Bedenkzeit · Einlage · Episode · Ferien · Fermate · Frist · Füllsel. · Interim · Intermezzo · Interregnum · Moratorium · Pause · Probezeit · Provisorium · Rast · Ruhepause · Spannung · Stadium · Unterbrechung · Zeitabstand · Zwischenspiel · Zwischenzeit.

16. Gegenwart. *s. gleichzeitig 6. 13. neu 6. 26. wichtig 9. 44.*

alleweil · derzeit (öftr.) · eben · gerade · heuer (öftr.) · heute · heutzutage · itzt · jetzo · jetzt · jetzund (er) · nachgerade · nunmehr · z(ur) · Z(eit) · neuerdings · heutigen Tages · wirklich (schwäb., Schiller, Fiesko Akt II, 17: *Und was ist wirklich Ihres Pinsels Beschäftigung?*) · laufenden Jahres, a. c., den x-ten dieses ⁊ *Praesens* ⁊ brennen · drängen · ist auf der Tagesordnung · ⁊ aktuell · augenblicklich ·

derzeitig (östr.) · diesjährig · heurig (östr.) · heutig · jetzig · modern · momentan · nunmehrig · zeitgenössisch · gegenwärtig ❡ Zeitgenosse · Mitwelt ❡ Gegenwart · Jetztzeit · die Mode · die Moderne · Neuzeit · das Zeitgeschehen.

17. Andere Zeit, Irgendwann.

sonst · alias · einmal · einst · irgendwann · eines schönen Tags ❡ sonstig.

18. Restzeit. *s. Zukunft 6. 23. fortsetzen 9. 30.*

fortan · hinfort · künftighin · nunmehr · von jetzt ab · von Stund an · fürderhin · in der Folge · auf ewig · auf immer. — seither · fort und fort · für und für ❡ fortfahren · fortsetzen ❡ seitherig.

19. Vergangenheit. *s. früher 6. 11. alt 6.27. Gedächtnis 12. 39. Geschichte 14. 1.*

als · nachdem ❡ damals · dermal(en) · ehedem, -mals · einmal · früher · bereits · längst · schon · s(einer) Z(eit) · vor unserer Zeit · sonst · vorher, -mals, weiland ❡ I m p e r f e k t ; P e r f e k t ❡ entdämmern · entschwinden · erlöschen · veralten · verdämmern · vergehen · versinken · verwehen · zurückdatieren (intrans.) · zurückliegen · liegt hinter uns · (da)hin, (her)um, vorbei, vorüber sein · es war einmal · ist nicht mehr · ist passé · sich jähren · die Zeit ist um, abgelaufen, vorbei · hat so'n Bart (mit Gebärde) ❡ damalig · einstig · früher · gestrig · gewesen · historisch · überholt · unwiederbringlich · verflossen · vergangen · vergessen · verwichen · vorig ❡ Ahnen · Alten · Altvordern · Vorfahren ❡ (gute) alte Zeit · überwundener Standpunkt (D. F. Strauß) · Vorgeschichte · Vorwelt · Vorzeit. — Geschichte, Historie · Gedächtnis.

20. Nahe Vergangenheit.

eben noch · erst · gerade · just · ehegestern · vorgestern · gestern · heint, necht (alem. = vorige Nacht) · jüngst · kürzlich · letzthin · neuerdings · neulich · soeben · unlängst · vorhin · zuletzt · dieser Tage · in der letzten Zeit · der Tag zuvor ❡ gestrig · kürzlich · neuerlich ❡ Vorjahr · -tag · -woche.

21. Ferne Vergangenheit. *s. Anfangszeit 6. 2. alt 6. 27. Bodenschichten 7. 14.*

einst · einstens · einstmals · vor Alters · vor Jahr und Tag · als der Großvater die Großmutter nahm · als der Alte Fritz noch Gefreiter war · zu Olims Zeiten · in unvordenklicher Zeit · vor Zeiten · anno dazumal · anno Tobak · in jenen Tagen · von dunnemals ❡ es ist lange her · liegt weit zurück · ist schon gar nicht mehr wahr ❡ prähistorisch · urtümlich · vorgeschichtlich · vorsintflutlich · ganz früh ❡ Proto-, z. B. Protorenaissance = früheste Anfänge der Renaissance · Altertum · Antike · Diluvium · Mittelalter · Steinzeit · Eiszeit · Urzeit · Vorzeit · das graue Altertum · die gute alte Zeit · goldenes Zeitalter ❡ Altertumskunde · Archäologie · Frühgeschichte · Geologie · Paläontologie · Prähistorie · Urgeschichte · Vorgeschichte.

22. Ganze Vergangenheit. *s. immer 6. 6.*

bisher · bislang · von der Pike auf · bis heute ❡ bisherig.

23. Zukunft. *s. nachher 6. 12. Restzeit 6. 18. Absicht 9. 14. voraussagen 12. 43.*

dereinst · früher oder später · morgen · nachher · vielleicht einmal · in Hinkunft · über kurz oder lang · immerdar ❡ *Futurum: ich werde . . .* ❡ bevorstehen · drohen · harren · herankriechen · heraufdämmern · kommen · (sich) vorbereiten · werden. —

noch ausstehen · liegt noch vor uns · nach uns kommt ¶ kommen · nahen · im Anzug sein · im Begriff stehen · in petto haben · liegt im Schoße der Zeiten · im Werden sein · steht zu erwarten · fortleben ¶ ahnen · entgegensehen · erwarten · (be-)fürchten · sich freuen auf · gewärtigen · harren · (er)hoffen ¶ dereinstig · kommend · (zu)künftig · später · voraussichtlich · vermutlich · wahrscheinlich ¶ Zukunft · Nachwelt · kommende Zeit ¶ Anwartschaft · Aussicht · Hoffnung ¶ Prophezeiung · Orakel · Vorahnung, -aussicht, -gefühlt · zweites Gesicht.

24. Baldige Zukunft. *s. nahe 3. 9. sofort 6. 14. Zwischenzeit 6. 15. schnell 8. 7. Vertrag 19. 14.*

bald . demnächst · gleich · morgen · nächstens · übermorgen · binnen kurzem · in absehbarer Zeit · dieser Tage · über Nacht · in Bälde · über ein kleines · in der nächsten Zeit · über kurz oder lang. — einen Augenblick bitte, eine Sekunde usw. · Sie werden gleich rasiert ¶ bevorstehen · steht vor der Tür, steht zu erwarten, in Aussicht · nahen · näher kommen, in Sicht sein ¶ *subj.* im Begriff stehen · am Vorabend stehen · ist drauf und dran. — ankündigen. — fixen ¶ baldig · demnächstig · kurzfristig · morgig · nah ¶ Lieferungsgeschäft · Termingeschäft · Zeitgeschäft.

25. Ferne Zukunft.

bis dahin fließt noch viel Wasser ins Meer · auf lange Sicht · einst · dereinst · einmal · töwen (ndd.) · in der Ewigkeit ¶ warten, bis man schwarz wird *s. Unzufriedenheit 11. 27* ¶ eschatologisch ¶ Götterdämmerung · Menschheitsdämmerung · Endzeit · Weltende · das Ende aller Tage · der jüngste Tag · das jüngste Gericht.

26. Neu. *s. jung 2. 22. Gegenwart 6. 16. beginnen 9. 29.*

aufkommen · einreißen · Mode sein · man trägt jetzt ¶ erneuern · modernisieren · reformieren · lüften ¶ brühwarm · eben herausgekommen. — frisch · lebendig · modern · neu · neuartig · neuerlich · neugebacken · (neu)modisch · neuester Observanz · fabrikneu · frisch (gebacken) · wie aus dem Ei gepellt · (funkel)nagelneu · streng modern ¶ Anfänger · Greenhorn · Kadett · Küken · Lehrling · Neuling · Novize ¶ Neuerscheinung · Neuheit · Neuigkeit · Nouveauté · Novität · Novum · Première · dernier cri ¶ Erst-, Ur- · Neuheit.

27. Alt. *s. Greisenalter 2. 25. Vergangenheit 6. 19. kleiner werden 4. 5. minderwertig 9. 60.*

rosten · schimmeln · schrumpeln · veralten · verkalken · verknöchern · versauern · verwittern · hat en Bart mit Dauerwellen ¶ abgekommen · antik · alt · altertümlich · altfränkisch · aufgewärmt · fossil · klapprig · klassisch · obsolet · überholt · verkalkt · vorsintflutlich · vorweltlich · wacklig · zopfig · steinalt · morsch · spack · urtümlich · verzopft · von der alten Schule · noch aus der alten Zeit · aus der Mottenkiste · verstaubt ¶ archaisch · gebunden · primitiv · streng ¶ antiquarisch · gebraucht · verschlissen · zurückgesetzt ¶ bewährt · ehrwürdig · vertraut ¶ Altertümer · Antiquitäten · Fossil · Ladenhüter · Überbleibsel · überwundener Standpunkt · vieux jeu · olle Kamellen ¶ Alter.

28. Mehrmals. *s. häufig 6. 31. Wiederkehr 8. 17.*

-mal: x-mal · abermals · da capo · nochmals · des öfteren · verschiedentlich ¶ (sich) erneuern · repetieren · (sich) wiederholen · wiederkehren ¶ aufwärmen · erneuen ¶ x-fach, -fältig, -malig · erneut · iterativ · mehrmalig · neuerlich · rückfällig · verschiedentlich · wiederholt · zeitweilig ⁊ der angedeutete, besagte, betitelte, behandelte, a. O., betreffende, bezeichnete, fragliche, genannte, obige, in Rede stehende Gegenstand ⁊ dagewesen · stereotyp ⁊ alte Leier ⁊ Rückfall · Turnus · Wiederholung · Wiederkehr.

29. Selten. *s. wenig 4. 24. Ausnahme 5. 20. manchmal 6. 30. gute Qualität 9. 56.*

kaum · alle Jubeljahr · ein oder das andremal · so gut wie gar nicht ⁊ einmal und nicht wieder · das erste und das letzte Mal ⁊ vorkommen · sind an den Fingern zu zählen · sich mal verirren nach ⁊ außergewöhnlich · beispiellos · dünn gesät · gelegentlich · gesucht · isoliert · merkwürdig · rar · schütter · selten · stellenweise · unerhört · ungewöhnlich · vereinzelt · wenig · zeitweise ⁊ Ausnahme · Bückware · Kostbarkeit · begehrte Mangelware · Kuriosum · Rarität · seltener Vogel · Sehenswürdigkeit · Seltenheit · Unicum · weißer Rabe · Vogel Phönix · begehrte Mangelware ⁊ Isoliertheit · Seltenheit · Vereinzeltheit.

30. Manchmal. *s. Ausnahme 5. 20. mehrmals 6. 28. selten 6. 29.*

ab und an · ab und zu · alles (-einmal) (mitteldt.) · bisweilen · dann und wann · da und dort · hie(r) und da · hin und wieder · manchmal · mehrmals · mitunter · öfters · passim · von Zeit zu Zeit · zu Zeiten · zuweilen · an hohen Fest- und Feiertagen ⁊ vorkommen ⁊ gelegentlich.

31. Häufig. *s. überall 3.7. Menge 4.20. immer 6.7. regelmäßig 6.33; 5.19. mehrmals 6. 28. Gewohnheit 9.31.*

alls (-fort) (südd.) · gemeinhin · gemeiniglich · immerfort · immer wieder · jederzeit · manchesmal · noch und noch · in einem Stück · mit konstanter Bosheit · bis zum Überdruß · oft · öfters · vulgo · verschiedene Male · x-mal · wieder und wieder · auf Schritt und Tritt · wo man geht und steht · alle Nasen lang · je und je · alle Augenblick · alle Fingerlang · alle Schlag lang ⁊ gang und gäbe sein · überláufen · das Haus einlaufen · ein- und ausgehn · verkehren ⁊ um sich werfen mit ⁊ beständig · endemisch · gangbar · häufig · jedesmalig · landläufig · üblich · unentwegt · unvermeidlich · viel ⁊ ständiger Gast ⁊ Repertoirstück · Zug-, Kassenstück · Wiederholung ⁊ Steckenpferd.

32. Unregelmäßig. *s. 3. 36. Unordnung 3. 38. manchmal 6. 30. Laune 9. 10.*

in Abständen · in Zwischenräumen · mit Pausen ⁊ aussetzen · spucken (beim Motor) versagen · intermittieren ⁊ desultorisch · launenhaft · ruckweise · sporadisch · sprungweise · willkürlich · zeitweise ⁊ Synkope.

33. Regelmäßig. *s. gleich 5. 16. Regel 5. 19. häufig 6. 31. Gewohnheit 9. 31. abwechseln 9. 71.*

-s: z. B. nachmittags, nachts, mittwochs · -lich: minutlich · stündlich · (all)täglich, -nächtlich, -wöchentlich, monatlich, -jährlich · für: Jahr für Jahr · Tag für Tag · tagtäglich · jahraus jahrein · jedesmal · heute und morgen ⁊ kreisen · rotieren · pulsieren · pendeln · kommt so sicher wie das Amen in der Kirche · wie eine Uhr, eine Maschine ⁊ regeln · regulieren · rhythmisieren · taktieren ⁊ metrisch · periodisch · pünktlich · regelmäßig · rhythmisch · systematisch · umschichtig · zyklisch ⁊ Abonnent · Quartalsäufer · Stamm-: -gast, -kunde, -publikum ⁊ Ebbe und Flut ·

Gezeiten · Kreislauf · Kehrreim, Refrain · Metronom · geometrischer Ort · Pendel · Puls ❡ Gleichmaß · Periodizität · Regel(mäßigkeit) · Rhythmus · Takt · Wiederholung · Wiederkehr · Zyklus. — (manischer) Schub.

34. Kontinuität. *s. Reihe 3. 35. Dauer 6. 7. häufig 6. 31. fortsetzen 9. 30.*

immerzu · immer wieder · in einem fort, Stück · in einer Tour · ohne Abreißen · ohne Unterlaß · den lieben langen Tag · hintereinander weg · auf einen Sitz · auf einmal · von einem Tag zum andern · nacheinander · eins nach dem andern · in Permanenz · Schlag auf Schlag · ad infinitum ❡ fort- · weiter- · es reißt nicht ab · bleibt beim alten ❡ andauernd · anhaltend · beharrlich · beständig · bleibend · dauernd · endlos · ewig · fortgesetzt · fortlaufend · fortwährend · gleichmäßig · immerwährend · konstant · kontinuierlich · laufend · linear · lückenlos · pausenlos · periodisch · permanent · perpetuierlich · progressiv · rastlos · regulär · ständig · stet(ig) · unablässig · unaufhörlich · unausgesetzt · ununterbrochen · unverwandt ❡ Dauer-, z. B. Dauerregen · Invariante · Kettenbruch ❡ Deszendenz · Folge · Kontinuität · Reihe · Serie · Strähne · Strippe · Flöte (Skat).

35. Früh, pünktlich. *s. Anfang 6. 2.; 9. 29. vorher 6. 11. schnell 8. 7.*

bald · ehest. — bereits, schon. — bei Zeiten · zur Zeit · auf die Minute · Punkt, nach der Uhr · (mit dem Glocken-)Schlag ... · vor Tau und Tag · in aller Herrgottsfrühe wenn die Hähne krähen · lieber fünf Minuten zu spät als ❡ aufstehen · sich beeilen · drängen · vorbauen · vorgreifen · zuvorkommen · mit den Hühnern aufstehen, schlafen gehn · einen Platz belegen, bestellen, reservieren · vorwegnehmen · die Uhr geht vor · antizipieren · beeilen · beschleunigen ❡ baldig · früh(zeitig) · plötzlich · präzis · prompt · pünktlich · rechtzeitig · soldatisch · zeitig ❡ Präzision · Promptheit · Pünktlichkeit · Rechtzeitigkeit.

36. Spät. *s. nachher 6. 12. Unzeit 6. 38. langsam 8. 8. warten 12. 41.*

endlich · erst · zuletzt · in elfter Stunde · kurz vor Torschluß · post festum · wenn das Kind in den Brunnen gefallen ist · c. t., mit akademischem Viertel · in letzter Minute · 5 Minuten vor zwölf ❡ sich aufhalten · aufgehalten werden · ausbleiben · noch ausstehen · sich besinnen · nachhinken · nachzotteln · säumen · sich verspäten · verziehen · sich verzögern · (sich) verweilen · zaudern · zögern · auf sich warten lassen · sich Zeit lassen, nehmen · ist im Rückstand · ist im Verzug ❡ anstehen lassen · aufschieben · beschlafen: *die Anlegenheit muß man erst einmal beschlafen* · hinausschieben · hinhalten · stunden · verlängern · verschleppen · verschieben · vertagen ❡ es ist hohe Zeit, höchste Zeit, höchste Eisenbahn · es wird Zeit · es brennt auf den Nägeln · es hat geschnaggelt (frankfurt.) · es wird Zeit ❡ allmählich · gemächlich · gemütlich · langsam · pomadig · rückständig · säumig · saumselig · spät · unpünktlich · unzuverlässig · verspätet ❡ hinkender Bote ❡ Treppenwitz ❡ Aufschub · Galgenfrist · Moratorium · Stundung · Verspätung · Torschlußpanik.

37. Rechter Zeitpunkt, Gelegenheit. *s. früh 6. 35. nötig 9. 3; 9. 81. nützlich 9 46.*

bei guter Zeit · jetzt oder nie ❡ zugreifen · zupacken · die Gelegenheit benutzen, ergreifen, beim Schopfe, bei der Stirnlocke fassen · eine Gelegenheit bieten · einen Tip geben ❡ gelegen kommen · zu paß kommen ❡ gelegen · günstig · rechtzeitig · zeitgemäß ⁋ Gelegenheit · Konjunktur · Rechtzeitigkeit · Saison · Hochsaison.

38. Unzeit. *s. spät 6. 36. zu schnell 8. 7. zu langsam 8. 8. unpassend 9. 51. überraschen 12. 41.*

zu nachtschlafender Zeit · bei hellichtem Tag · bei Nacht und Nebel · vor der Zeit ⁋ es ist nicht an der Zeit, nicht die Zeit, nicht am Platz, fehl am Ort · die Zeit verstreichen lassen, verschwenden ⁋ belästigen · hereinplatzen. — patzen (Musikbegleitung) · stören · übel ankommen · mit der Tür ins Haus fallen ⁋ *zu früh:* übereilen · überhasten · überstürzen · übers Knie brechen ⁋ *zu spät:* verfehlen · verpassen · versäumen · verschlafen · sich verspäten · kommt hintennach wie die alt Fasnacht, wie die Fraa von Bensheim (hess.) · Zapfen wichsen, über den Zapfen hauen · in Verzug geraten ⁋ unmodern · unzeitgemäß · unzeitig ⁋ *zu früh:* altklug · naseweis · überhastet · überstürzt · unausgetragen · unerwartet · unreif · verfrüht · voreilig · vorschnell · vorzeitig ⁋ Siebenmonatskind · Vorschußlorbeeren ⁋ Unzeit.

7. Sichtbarkeit. Licht. Farbe. Schall. Temperatur. Gewicht. Aggregatzustände. Geruch. Geschmack.

Sichtbarkeit · Licht

7. 1. Sichtbar
7. 2. Aussehen
7. 3. Unsichtbar
7. 4. Licht
7. 5. Lichtquelle
7. 6. Halbdunkel
7. 7. Dunkel
7. 8. Durchsichtig
7. 9. Halbdurchsichtig
7. 10. Undurchsichtig

Farbe:

7. 11. Farbe
7. 12. Farblos
7. 13. Weiß
7. 14. Schwarz
7. 15. Grau
7. 16. Braun
7. 17. Rot
7. 18. Grün
7. 19. Gelb
7. 20. Orange
7. 21. Blau
7. 22. Violett
7. 23. Bunt

Schall:

7. 24. Schall
7. 25. Widerhall
7. 26. Starkes Geräusch
7. 27. Leise
7. 28. Lautlos
7. 29. Knall
7. 30. Längerdauernde und wiederholte Geräusche
7. 31. Mißton
7. 32. Zischen
7. 33. Tierlaute
7. 34. Stimme

Temperatur:

7. 35. Wärme
7. 36. Feuer

7. 37. Brandstätte
7. 38. Brennstoff
7. 39. Kochen, backen
7. 40. Kälte

Gewicht:

7. 41. Schwer. Gewichtsmaße
7. 42. Leicht

Aggregatzustände:

7. 43. Fest, dicht
7. 44. Hart
7. 45. Elastisch
7. 46. Zähigkeit
7. 47. Spröde
7. 48. Locker
7. 49. Pulver
7. 50. Weichheit
7. 51. Breiig
7. 52. Fett
7. 53. Pech, Harz
7. 54. Flüssigkeit
7. 55. Fließen
7. 56. Wasserweg
7. 57. Feucht
7. 58. Trocken
7. 59. Schaum
7. 60. Verdunstung, Gasförmigkeit
7. 61. Luftweg

Geruch:

7. 62. Geruch
7. 63. Wohlgeruch
7. 64. Gestank

Geschmack:

7. 65. Geschmack
7. 66. Süß
7. 67. Sauer
7. 68. Scharf, salzig, bitter
7. 69. Schal, fade

1. Sichtbar. s. *wirklich 5. 1. sehen 10. 15. offenbar 13. 3.*

vor aller Augen · in voller Sicht · wie Figura zeigt ❧ sich abheben · abstechen · sich aufdrängen · sich entpuppen · figurieren · hervorragend · hervortreten ❧ auft· :chen · auftreten · sich bloßstellen · erscheinen · hervorkommen · sich verraten · sich zeigen · in Sicht kommen · sich erkennen lassen · sich sehen lassen · sich wahrnehmen lassen · die Augen auf sich ziehen · Form annehmen · Gestalt gewinnen · ans Licht kommen · durch die Wolken brechen · zutage, in Erscheinung treten · in die Augen springen, stechen · der Blick fällt auf ❧ aufweisen · bezeigen · erweisen · veranschaulichen · zeigen. — auskramen · auslegen · den Blick aussetzen · den Augen preisgeben · zur Schau stellen ❧ augenfällig · bemerkbar · deutlich · erkennbar · ersichtlich · evident · klar · offenbar · offenkundig · offensichtlich · sehbar · sichtbar · sichtlich · unterscheidbar · unverkennbar ❧ panoramisch · periskopisch ❧ Auslage · Ausstellung · Panorama · Schau · Schaufenster · Schaustellung ❧ Augenschein · Gesichtsfeld · Horizont · Sehbereich · Sehweite · Konkretisierung · Materialisation · Offenbarung · Erkennbarkeit · Sichtbarkeit. — Diesseits.

2. Aussehen. s. *Beschaffenheit 5. 8. Täuschung 12. 28; 16. 72.*

dem Anschein nach · beim ersten Blick ❧ aussehen · erscheinen · sich geben · sich gehaben · prunken · scheinen · wirken · sich zeigen. — den Anschein haben · sich den Anschein geben · zur Schau tragen · das Gesicht wahren ❧ anscheinend · eingebildet · scheinbar ❧ Ausstellung · Schau · Bühne · Guckkasten · Prospekt · Szene · Raritätenkabinett ❧ Aufzug · Bühnenwerk · Diorama · Gegend · Gemälde · Landschaft · Panorama · Phänomen · Schauspiel · Spektrum · Spiegelbild ❧ Gespenst · Hirngespinst · Phantasma · Phantom · Schemen · Trugbild · Vision ❧ Anblick · Aspekt · Aussicht · Ausstellung · Beleuchtung · Fernsicht · Perspektive · Seitenansicht · Sicht · Vogelschau ❧ Anzeichen · Erscheinung · Vorzeichen. — Einbildung · Vorstellung ❧ Anschein · Ausdruck · Aussehen · Benehmen · Form · Gangart · Haltung · Miene ❧ das Äußere · Außenlinie · Durchschnitt · Figur · Gesicht · Gestalt · Kontur · Linie · Physiognomie · Profil · Querschnitt · Umriß · Züge.

3. Unsichtbar. s. *abwesend 3. 4. bedecken 3. 20. klein 4. 4. zerstören 5. 38. weggehen 8. 18. heimlich 13. 4.*

hinter den Kulissen ❧ außerhalb des Gesichtskreises stehen · auf der Lauer liegen ❧ ver- · sich auflösen · entdämmern · entschwinden · fortkommen · untertauchen · verbleichen · verdämmern · verduften · verfließen · verflüchtigen · vergehen · sich verlieren · verloren gehen · verschwimmen · verschwinden · vorübergehen · von der Bühne abtreten · dem Blick, in der Versenkung entschwinden · aus den Augen kommen ❧ auskratzen · auslöschen · ausradieren · ausreiben · ausstreichen · streichen · tilgen · vernichten · verschleiern · versenken · verwischen · wegwischen ❧ verbergen. — verlieren. — vermissen ❧ flüchtig · spurlos · unauffällig · vergänglich · nicht vorhanden · ultraviolett · unerkennbar · unmerklich · mikroskopisch klein ❧ Blindstempel · Wasserzeichen ❧ Finsternis · Nebel · Neumond · Verlust ❧ Bedeckung · Verdunkelung · Tarnkappe · Versenkung ❧ Luftschutz.

4. Licht, Glanz s. *weiß 7. 13. Feuer 7. 36.*

blenden · blinken · blitzen · brennen · flackern · flammen · flimmern · funkeln · glänzen · gleißen · glimme(r)n · glitzern · glosten · glühen · leuchten · lodern · lohen · phosphoreszieren · scheinen · schillern · schimmern · schwelen · strahlen ❧ Licht verbreiten, Licht ausstrahlen ❧ aufflackern · aufheitern · aufhellen · sich aufklären · auflodern · dämmern · emporlodern · sich entwölken · erglänzen · erglühen · erstrahlen · grauen · tagen ⁊ ableuchten · anknipsen, -zünden · beleuchten · bescheinen · bestrahlen · entzünden · erhellen · erleuchten · illuminieren · einschalten · jemandem zünden (alem.) · Feuer anmachen ⁊ besternt · blank · entwölkt · feurig · gestirnt · glänzend · heiter · hell · klar · leuchtend · licht · meteorisch · poliert · radioaktiv · selbstleuchtend · sonnig · spiegelblank · sternenreich · taghell · umstrahlt · unbewölkt · unverfinstert ⁊ Beleuchtung · Himmelslicht · Lichtflut · Lichtmeer · Lichtquelle · Mittagslicht · Sonnenschein · Sonnenstrahl · Strahlenkegel · Tag · Tageshelle · Tageslicht ⁊ Abendröte · Dämmerung · Morgenrot · Tagesanbruch ⁊ Blitzstrahl · Brand · Feuer · Feuergarbe · Feuermeer · Feuersäule · Flamme · Funke · Glut · Schein. — Email · Glasur ⁊ Beleuchtung · Geflimmer · Gefunkel · Glanz · Glast · Helle · Helligkeit · Klarheit · Licht · Schein · Schimmer · Strahlung ⁊ Kerze(nstärke) ⁊ Aberration · Brechung · Elektrizität · Farbenbrechung · Fluoreszenz · Lichtverteilung · Reflex · Strahlenbrechung · Widerschein ⁊ Optik.

5. Lichtquelle. *s. Feuer 7. 36.*

Aerolith · Blitz · Elmsfeuer · Irrlicht · Irrwisch · Kugelblitz ⁊ Komet, Haarstern · Feuerfliege · Glühwürmchen · Leuchtkäfer · Meteor · Sternschnuppe · Milchstraße · Mond · Nebensonne · Nordlicht · Polarlicht · Protuberanz · Sonne, Feuerball · Sonnenring · Stern · Wetterleuchten ⁊ Heiligenschein · Nimbus · Strahlenkranz ⁊ Azetylen · Batterie · Benzin · Gas · Karbid · Öl · Petroleum · Phosphor · Quarz · Radium · Spiritus · Strom · Stearin · Tran · Wachs ⁊ Leucht-, z. B. -pedal, -plakette, -bombe, -kanone · Licht, z.B. -reklame · Ampel · Armleuchter · Beleuchtungskörper · Birne · Blende · Blendlaterne · Bogenlampe · Brenner · Diebs-, Taschen-, Stall-laterne · Docht · Fackel · Feuerwerk · Feuerwerkskörper (Schwärmer usw.) · Flamme · Funsel · Glühlicht · Grubenlampe, das Geleucht · Kalklicht · Kandelaber · Kerze · Kienspan · Kronleuchter · Lampe · Lampion · Laterne · Latüchte · Leuchte · Leuchter · Leuchtkanone · Leuchtkörper · Leuchtkugel · Leuchtturm, Pharus · Licht · Lichtmast · Lüster · Nachtlicht · Ölkrusel · Rakete · Scheinwerfer · Seeleuchte · Strumpf · Taschenlampe · Wandarm · die Zünde · Zündholz *s. 7. 38.* — indirekte Beleuchtung ⁊ Spiegel · Rückstrahler, Katzenauge.

6. Halbdunkel *s. spät 6. 4; 6. 36. unscharf 7. 9; 7. 10.*

zwischen Nacht und Dunkel · zwischen Nacht und siehgst mi net (bayr.) ⁊ dämmern · düstern · grauen · schummern. — glimmen · kohlen · schwelen ⁊ die Lampe: blakt, flammt, pflanzt, schmaucht, schwadmet, schwalgt, geht aus · flämmt (hess.) ⁊ abblenden · abschatten · schattieren · beschatten · bewölken · trüben. — dekatieren · entglänzen · krümpen ⁊ bewölkt · bleifarbig · blind · dämmerig · diesig · dunstig · düster · fahl · gebrochen · glanzlos · grau · matt · neblig · opak · schattenhaft · schattig · schummrig · schwach · trübe · undurchsichtig · unklar · verhangen · verschwommen · wolkig ⁊ Augenklappe · Blende · Blendleder · Blendscheibe · Fensterladen · Feuerschirm · Gardine · Gelbscheibe · Jalousie · Larve · Lichtschirm · Maske · Nebel · Rollo, Rouleau · Scheuklappe · Schleier · Sonnenbrille · Tarnscheinwerfer · Vorhang · Wolke. — spanische Wand ⁊ Kernschatten · Lichtschatten · Schattierung, Schattengebung . Schlagschatten ⁊ Dunst · Nebel · Rauch · Wolke ⁊ blaues Licht · rote Lampe · Tranfunzel ⁊ Dämmer(ung) · Dämmerlicht · Düsternis · Dunkelkammer · Halbdunkel · Halblicht · Helldunkel, Rembrandtdunkel · Mondlicht · Schatten · Sternenlicht · Trübheit · Ulenflucht · Verschwommenheit · Zwielicht · Dämmer-, Schummerstunde. — halbe, matte Töne.

7. Dunkel. *s. schwarz 7. 14.*

Licht aus ⁅ dunkeln · finstern · nachten ⁅ ausgehen · dunkeln · entdämmern · erlöschen · nachten · verdämmern · sich verdunkeln, sich verfinstern · verlöschen ⁅ ablichten · auslöschen · löschen · verdunkeln ⁅ beschattet · dunkel · düster · duster · finster · lichtlos · nächtig · nächtlich · umschattet · unbeleuchtet · unerleuchtet · stichdunkel · stockfinster · wie in einem Sack, wie in einer Kuh · wie in einem Mohrenarsch (mil.) · daß man die Hand nicht, keine Hand breit vor Augen sieht ⁅ ausblasen · auslöschen · benachten · beschatten · bewölken · löschen · schattieren · überwölken · umschatten · verdunkeln · verdüstern · verfinstern · das Licht abdrehen, ausblasen ⁅ Luftschutz · Lichtschleuse ⁅ Erebos ⁅ Dunkel · Dunkelheit · Düsterkeit · Düsternis · Finsternis · Lichtlosigkeit · Mitternacht · Nacht · Schatten · ägyptische, stygische Finsternis.

8. Durchsichtig. *s. schönes Wetter 1. 5. Öffnung 3. 57. optische Instrumente 10. 16.*

durchscheinen · durchschimmern ⁅ ätherisch · durchsichtig · gläsern · hell · klar · kristall(in)isch · reinsichtig · transparent · wolkenklar ⁅ Röntgenstrahlen ⁅ Äther · Fenster · Glas · Kristall · Lasur · Luft · Netzwerk · Filet · Tüll · Wasser · Zellophan · heiterer Himmel · Astralleib ⁅ Diapositiv · Lichtbild · Transparent ⁅ Durchsichtigkeit · Fernsicht · gute Sicht · Klarheit · Transparenz.

9. Halbdurchsichtig. *s. undeutlich 13. 35.*

durchscheinend · halbklar · mattiert · milchig · nebelhaft · nebelig · schattenhaft · unklar ⁅ Fensterpapier · Film · Gaze · Gelatine · Hornbild · Mattscheibe · Milchglas · Ölpapier · Papier · Pause · Schildkrotplatte, Schildpatt · Schleier · Stullenpapier · Zelluloid, Zellhorn.

10. Undurchsichtig, *s. Halbdunkel 7. 6.*

trüben · verschleiern · ein-, vernebeln ⁅ belegt · blind · dick · diesig · dunstig · glasig · neblig · trübe · undurchsichtig · unsichtig ⁅ dunkle, verschleierte Existenz ⁅ Belag · Dunst · Hecht · Nebel · Trübung · Wolke · Gewölk · Wolkendecke · englischer Nebel · Waschküche, dicke Suppe (mil.) ⁅ Dichte · Dichtigkeit · Trübe · Undurchsichtigkeit.

11. Farbe. *s. bunt 7. 23. Malerei 15. 4.*

anmalen · anstreichen · beizen · bemalen · bepinseln · färben · kolorieren · lackieren · malen · schminken · streichen · tätowieren · tönen · tünchen ⁅ beflecken · beklecksen · beschmieren ⁅ blendend · brennend · bunt · farbenfreudig · farbig · frisch · gefärbt · grell · knallig · kräftig · lebhaft · mehrfarbig · prismatisch · satt · leuchtend · schreiend · vielfarbig ⁅ aderlos · einfarbig · ungeadert · ungemasert · ungemustert · uni · zarte, kalte, warme, stumpfe Töne ⁅ Anstreicher · Dekorationsmaler · Maler · Tüncher ⁅ Anstrich · Beize · Deckfarbe · Farbstoff · Lack · Leimfarbe · Ölfarbe · Pigment · Schminke · Tinte · Tünche · Tusche · Wasserfarbe ⁅ Anilinfarbe · Farbe · Farbstoff · Naturfarbe · Nebenfarbe · Stift · Urfarbe ⁅ Anflug · Anhauch · Couleur · Farbe · Farbenbrechung · Farbgebung · Farbton · Färbung · Farbwert · Farbwirkung · Kolorit · Prisma · Spektrum · Schattierung · Schimmer · Stich · Ton · Valeur ⁅ Chromatik · Farbenlehre.

12. Farblos. s. *Langeweile 11. 26.*

abfärben · abgehen · ausgehen · sich entfärben · (er)blassen · (er)bleichen · schießen · verblassen · sich verfärben · verschießen · verschwimmen · (ver)welken · die Farbe verlieren ⁊ abschminken · bleichen · entfärben · verwischen ⁊ achromatisch · aschenfarbig · blaß · bleich · bleifarbig · fahl · falb · farblos · gebrochen · herbstlich · matt · schneefarbig · ungefärbt · verschossen · verschwommen · welk · grau in grau ⁊ blaßwangig · bleichsüchtig · blutarm · geisterhaft · gespensterhaft · kreidebleich · leichenfarbig · bleich wie der Tod · wächsern ⁊ Albino, Kakerlake · Bleichgesicht ⁊ Stadtfarbe ⁊ Achromatismus · Blässe · Bleichheit · Farblosigkeit · Pigmentmangel · Weiße.

13. Weiß. s. *hell 7. 4.*

erblassen · erbleichen · schimmeln ⁊ bleichen · tünchen · weißen · weißwaschen bereift · blank · blaß · bleich · hell · käsig · schneeig · silberig · silbern · weiß ' weißlich · kreidebleich · lilien-, schloh-, schnee-, silberweiß · silbergrau ⁊ Schwan ⁊ Alabaster · Alpaka · Bleiweiß · Edelweiß · Elefantenzahn · Elfenbein · Kreide · Leichentuch · Lilie · Marmor · Milch · Papier · Perle · Reif · Schnee · Schimmel ' Silber · Schwan · Zinkweiß · Weißgold ⁊ Blässe · Milchfarbe · Weiß · Weiße · *Farbe der Unschuld.*

14. Schwarz. s. *dunkel 7. 7.*

Trauer tragen. — sich schwärzen · (nach)dunkeln ⁊ anschwärzen · berußen · schwärzen · verdunkeln · wichsen ⁊ dunkel · finster · geschwärzt · rußig · schwarz · schwärzlich · verräuchert ⁊ kohlrabenschwarz · negerschwarz · pechschwarz · tiefschwarz · schwarz wie die Nacht, wie die Sünde, wie der Teufel ⁊ Äthiopier · Farbiger · Melanesier · Mohr · Neger · Nigger · Nubier · Papua · Rabe · Rappe · Schornsteinfeger · Säulenstein · Stiefelwichse · Teakholz · Teer · Tinte ⁊ Bleifarbe · Dunkel · Patina · Schwarz · Schwärze · Schwärzlichkeit · *Farbe der Trauer.*

15. Grau. s. *Halbdunkel 7. 6.*

ergrauen ⁊ angegraut · aschgrau · bleifarbig · erdfahl · eis-, eselsgrau · fahl · feldgrau · grau · gräulich · griesgrau · helldunkel · isabellenfarben · mausgrau · meliert · mode-, sandfarben · perlgrau · schmutzgrau · schmutzigweiß · schwarzgrau · silbergrau · stahlgrau · taubengrau · weißgrau ⁊ Gräue · Pfeffer und Salz · *Farbe der Not.*

16. Braun.

sich bräunen ⁊ bräunen · bronzieren · brunieren. — backen · rösten ⁊ braun · bräunlich · bronzen · brünett · chamois · ehern · gold-, kastanienbraun · kognak · kupferfarben · kupfern · leberfleckig · mahagonibraun · maikäferbraun · sommersprossig · sonnverbrannt ⁊ Indianer, Rothaut · Indier · Malaie · Marokkaner · Mulatte. — Fuchs ⁊ Bronze · Kaffee · Kastanie · Khaki · Kupfer · Nuß · Schokolade · Sonnenbrand, Sonnencreme · Zim(me)t ⁊ Bister · Braun · Sienna · Umbra ⁊ Bräune.

17. Rot.

erglühen · erröten ⁊ röten ⁊ blaßrot · blutrot · bordeaux-, brand-, dunkelrot · entzündet · erdbeerfarben · erikarot · feuerrot · feurig · fleischfarben · fuchsrot · gelbrot · gold-, hellrot · hochrot · karmin · kirschrot · knall-, krebsrot · kupfer-,

mattrot · pfirsichfarben · purpurn · puterrot · ritzerot · rosa · rosenrot · rosig ·
rostrot · rot · rötlich · rubinfarben · scharlachrot · tiefrot · tomatenfarben · vermillon ·
weinrot · ziegelrot · zinnoberrot ❡ Abendgold · Abendröte · Abendrot · Alpenglühen · Blut · Granat · Inkarnat · Karfunkel · Karmoisin · Kirsche · Morgenrot ·
Puter · Rubin ·Schamröte · Ziegel · gesottener Krebs ❡ Lachsrot · Mennig · pom-
peianisch Rot · Rosa · Rot · Röte · Rötung · Entzündung · Sonnenbrand · Zinnober ·
Farbe der Liebe.

18. Grün.

grünen · sprossen · wachsen. — ergrünen ❡ blaßgrün · blaugrün · dunkelgrün ·
flaschengrün · gelbgrün · giftgrün · grasgrün · graugrün · grün · grünlich · hellgrün ·
mandel-, matt-, meer-, olivengrün · reseda · schilfgrün · tiefgrün ❡ Absinth · Beryll ·
Emerald · Grasteppich · Grünspan · Heliotrop · Jade · Laub(-Frosch) · Malachit ·
Salat · Smaragd · Vitriol ❡ Blattgrün · Chlorophyll · Grün · Pflanzengrün · *Farbe
der Hoffnung.*

19. Gelb.

(ver)gilben · erblonden ❡ aschblond · bastfarben · beige · blond · crème - écru · falb ·
gelb · gelbgrau · gelblich · golden · gülden · goldgelb · honig-, mais-, mattgelb ·
platinblond · quittegelb · sandfarben · semmelbond · strohgelb · weinfarben · weizengelb ❡ Mongole · Chinese · Japaner · Blondine ❡ Bernstein · Chlor · Chrom · Dotter ·
Elfenbein · Gelbholz · Gold · Gummigutt · Kanarienvogel · Mostrich, Senf · Nanking · Operment · Postkutsche · Rost · Safran · Schwefel · Stroh · Topas · Wasserstoffsuperoxyd · Zitrone ❡ Gallenfieber · Gelbsucht ❡ *Farbe des Neides.*

20. Organe.

hennablond · kupferglüh · orange · rotgelb ❡ Flamme · Gold · Henna · Kupfer ·
Ocker · Orange · Messing · Rost.

21. Blau.

blauen. — bläuen ❡ blau · bläulich · bleu · blitzeblau · himmelblau · knallblau ·
lavendel · marineblau · porzellanblau · taubenblau ❡ Himmelsblau · Kornblume ·
Saphir · Türkis · Vergißmeinnicht · blauer Äther ❡ Azur · Indigo · Kobalt · Smalte ·
Ultramarin · preußisch Blau · Berliner, Delfter, Kopenhagener Blau · Waschblau ·
Tintenblau ❡ Bläue · *Farbe der Treue.*

22. Violett.

lila · violett ❡ Amethyst · Flieder · Stiefmütterchen · Veilchen ❡ Bischofsfarbe ·
Kardinalblau · Lila · Pflaumenblau · Purpur · Rotblau · Veilchenblau · Violett.

23. Bunt. *s. mannigfaltig 5. 22.*

hinüberspielen · irisieren · opalisieren · schillern ❡ anspritzen · besprengen · besprenkeln · bespritzen · blümen · einlegen · flecken · karieren · marmorieren ·
masern · mustern · punktieren · rändern · sprenkeln · streifen · tätowieren · tigern ·
tüpfeln · wässern ❡ bunt · changeant · zwei-, drei-, vielfarbig · farbenreich · farbig ·
polychrom ❡ buntscheckig · feurig · fleckig · gescheckt · opalfarbig · opalisierend ·
prismatisch · regenbogenfarben · scheckig ❡ geädert · geblümt · gerändert · gestreift ·
getigert · getüpfelt · gewürfelt · kariert · meliert · moiré · punktiert · sommerfleckig ·

streifig ❡ Harlekin ❡ Chamäleon · Falter · Fasan · Kolibri · Leopard · Pfau · Schecke · Schillereidechse · Schmetterling · Tiger · Zebra ❡ Batik · Buntdruck · Buntschnitt · Farbendruck · Marmor · Mosaik · Opal · Perlmutter · Trikolore ❡ Farbenspiel · Iris ·Prisma · Regenbogen · Spektrum · Kaleidoskop ❡ Buntheit · Farbenreichtum · Farbenwechsel · Pfeffer und Salz · Polychromie · Scheckigkeit · Vielfarbigkeit.

24. Schall. *s. Ton 15. 11. Musikinstrumente 15. 15.*

erklingen · erschallen · ertönen · klingen · schallen · tönen · ans Ohr dringen ❡ einen Ton von sich geben · einen Ton erschallen lassen · einen Laut hervorbringen. — ein Schall pflanzt sich fort ❡ akustisch. — deutlich · hörbar · laut · vernehmlich ❡ hellhörig · schalldurchlässig ❡ Geräusch · Hall · Klang · Laut · Schall · Stimme. — gute Akustik ❡ Radio · Rundfunk · Schallwelle · Sender · Tonwelle ❡ Akustik · Phonetik · Lehre vom Schall.

25. Widerhall.

echoen · hallen · nachbeben · nachklingen · nachschwingen · nachtönen · nachzittern · schallen · widerhallen · widertönen. — hohl klingen ❡ Anklang · Echo · Fort-pflanzung · Geläute · Hall · Klangwirkung · Nachhall · Nachklang Resonanz · Rückschall · Widerhall.

26. Starkes Geräusch. *s. Knall usw. 7. 29—33. schlagen 8. 9; 16. 78. Reklame 16. 21. Streit 16. 17.*

crescendo (*s. zunehmen 3. 3*) · forte · fortissimo · aus vollem Halse · mit erhobener Stimme · daß die Fenster klirren · daß einem die Ohren gellen · daß der Kalk von der Decke fällt · aus Leibeskräften · mit voller Lautstärke ❡ aufschlagen · brausen · brüllen · bummern · bumsen · donnern · dröhnen · explodieren · gellen · hallen · johlen · klatschen · klirren · klopfen · knallen · krachen · kreischen · lärmen · läuten · poltern · rasseln · schallen · klingeln · schellen (östr. läuten) · schmettern · schrillen · stampfen · tosen · zetern · dringt durch Mark und Bein · schreien wie ein Zahn-brecher · um einen Toten aufzuwecken · die Hölle ist los ❡ sein eignes Wort nicht verstehn ❡ betonen · hervorheben · steigern ❡ betäubend · gell · geräuschvoll · grell · laut · ohrenbetäubend · ohrenzerreißend · schallend · schrill · klangreich · klangvoll · sonor ❡ Brandung · Donner · Stentorstimme · Sturmgebraus · Wind-stärke 12 ❡ Blasmusik · Heulboje · Lautsprecher · Megaphon · Riesenlautsprecher · Schalltrichter · Sprachrohr · Stentorstimme · Verstärker ❡ Ge- · Gejodel · Geläute · Geschmetter · Geräusch · Klamauk · Krach · Lärm · Radau · Ruhestörung · Skandal · der Spektakel· Trommelschlag · Trompetenstoß, Fanfare · Tumult · Tusch · nicht endenwollender Beifall · Zetermordio · Höllenlärm.

27. Leise. *s. Tierstimmen 7. 33. undeutlich 13. 34.*

piano · pianissimo · con sordino · mit erstickter Stimme · mit verhaltenem Atem · auf Zehenspitzen · auf leisen Sohlen · atmen · brummeln . einflüstern · flöten · flüstern · glucksen · gurgeln · kichern · knacken · knirschen · knistern · lispeln · murmeln · pispern ·rascheln · raunen · rieseln · säuseln · schettern · schwirren · summen · wispern · tacken · ticken · tuscheln · wimmern · winseln · zischeln. — in den Bart murmeln · beiseite reden. — sich einschleichen · sich heranpirschen, -stehlen · schleichen ❡ dämpfen · ersticken · unterdrücken · auf Zimmerstärke einstellen ❡ belegt · dumpf · gedämpft · geheim · halblaut · heiser · kleinlaut · leise · matt · sacht · sanft · schwach · still. — kaum hörbar · unvernehmlich. — schalldicht · schallsicher ❡ gestopfte Trompete · verhüllte Trommel, Trauerwirbel · zersprungene Glocke ❡ Dämpfer · Doppelfenster · Doppeltür · Telefonzelle · Watte · Dämpfung · Wattierung · Polstertüre ❡ Dumpfheit · Heiserkeit · Leisheit · Mattigkeit · Stille · Unhörbarkeit.

28. Lautlos. *s. schönes Wetter 1. 5. tot 2. 43. schweigen 13. 23.*

Zeigefinger vor die Lippen gestellt · bst! bst · Silentium! ❡ schweigen · Pan schläft · man hätte eine Nadel fallen hören ❡ verstummen · still werden ❡ beruhigen · beschwichtigen · knebeln · den Mund (ver)stopfen ❡ geräuschlos · lautlos · leise · ruhig · schweigsam · sprachlos · still · stumm · unvernehmbar · verschwiegen · wortlos. — beklemmend · bumsstill · mäuschenstill ❡ Abendruhe · Feldeinsamkeit · Friede · Friedhofsruhe · Grabesstille · Nachtruhe · Nachtstille · Totenstille · Waldeinsamkeit ❡ stummes Klavier ❡ Dornröschenschlaf · Ruhe · Schweigen · Stille · Stillschweigen · Stummheit · kein Mucks · kein Piep ❡ Zeichensprache.

29. Knall. *s. Schußwaffe 17. 12.*

bäng · bum · piff paff (puff) ❡ ballern · bellen (M.G.) · bersten · bullern · explodieren · klatschen · knallen · krachen · krepieren · losgehen · platzen · springen · zerbersten · zerknallen · zerplatzen · zerspringen ❡ abprotzen · feuern · schießen · sprengen ❡ das hat eingeschlagen ❡ Böller · Geschütz · Gewehr · Haubitze · Kanone · Knallerbse · Knallrohr · Mine · Mörser · Muskete · Petarde · Schießprügel · Schlüsselbüchse · Sektkorken · Zündblättchen ❡ Detonation · Entladung · Explosion · Sprengung · schlagende Wetter ❡ Bums · Donnerschlag · Klapp · Klatsch · Klopfen · Knall · Krach · Puff · Salve · Schlag · Stoß · Streich · Tritt · Schuß · Volltreffer ❡ Artillerie.

30. Längerdauernde und wiederholte Geräusche. *s. wiederholen 6. 28.*

ballern · bullern · brausen · brotzeln · dappeln (hess.) · donnern · dröhnen · fauchen · grollen · hämmern · hallen · klappern · klingen · klirren · klopfen · knarren · knattern · knirschen · knittern · kollern (im Bauch) · pauken · plappern · plätschern · pochen · poltern · prasseln · quietschen, rappeln · rasseln · ratschen · rattern · rauschen · rieseln · röcheln · rollen · rumpeln · sausen · schnarchen · schnarren · schnurren · schwirren · summen · tacken · ticken · trampeln · tröpfeln · trommeln · wirbeln ❡ bimmeln · klingeln · läuten · schellen ❡ Ge- · Brausen · Gebraus · Gebrüll · Gedröhne · Gedudel · Gefiedel · Gehupe · Gejodel · Geklapper · Geklirr · Geklopfe · Geknarr · Geknatter · Geplapper · Geplätscher · Gepolter · Geprassel · Gequietsch · Gerassel · Gerumpel · Gezeter. — Glockenläuten. — Kuckucksruf. · Ticktack · Trommelwirbel.

31. Mißton. *s. Dissonanz 15. 17.*

gellen · gröhlen · janken · jaulen · johlen · kläffen · klappern · klirren · knarren · knirschen · krächzen · kratzen · kreischen · piepsen · plärren · quäken · quaken · quarren · quiek(s)en · quietschen · rasseln · reiben · schaben · schettern · schlagen · schnarchen · schnarren · schreien · schrillen ❡ barsch · gell · gequetscht · grell · hart · quarrig · rauh · schrill · steinerweichend · verzerrt ❡ Fape · Fistel · Hormel ·

Heulboje · Hupe · Klapper · Knarre · Pfennigtrompete · Rassel · Ratsche · Schnarre · Sirene · Trillerrakete ⊄ Gedudel · Gepiepse · Haberfeldtreiben · Katzenmusik · Nebelhorn · Nebengeräusch (Radio) · Unkenruf · Übellaut.

32. Zischen, Pfeifen. *s. auspfeifen 16. 33.*

brummen · flöten · flüstern · keuchen · niesen · pfeifen · rascheln · rauschen · sausen · säuseln · schnalzen · schnaufen · schnorcheln · schnüffeln · schnuppern · schwirren · sirren · summen · sumsen · surren · ziehen (Keuchhusten, Asthma) · zischeln · zischen · zirpen ⊄ Sirene · Trillerpfeife *s. Zeichen 13. I.*

33. Tierlaute.

anschlagen, batzen, bauzen, belfern, bellen, bläffen, gauzen, kläffen, Hals oder Laut geben, wau wau (Hund) · balzen · blatten, fiepen, mahnen, schmälen, schrecken (Reh) · blöken · brüllen · brummen · fauchen · flöten · gackern · gaken (Gans) · girren, gurren · kollern, ruken (Taube) · glucksen · grunzen · Hals geben (jäg.) · heulen · jaulen · jaunern · kakeln (Hahn) · keckern (Fuchs) · klagen · knappen, schleifen (Auerhahn) · knerbeln (Schwalbe) · knurren · krächzen · krähen, kikeriki (Hahn) · locken, pisten, rucksen, rufen, spissen (Feldhuhn) · mauzen · meckern · knören, blasen, wetzen, klagen (Schwarzwild), melden, orgeln, rehren, röhren, schreien, trensen (Hirsch) · miauen, raulen (Katzen) · murxen, puitzen, quarren, quoxen (Waldschnepfe), murren · natten (Ente) · piepen, piepsen · quaken (brekekex koax) · queken (Hase) · quieken · rusen, schlagen (Nachtigall) · schackern (Amsel) · schilpen (Spatzen) · schmatzen · schnalzen · schnarren · schnattern · schnauben · schnurren · schreien · summen · trillern · trompeten · wiehern · winseln · zirpen · zischen · zwitschern.

34. Stimme. *s. lachen 11. 22. weinen 11. 33. sprechen 13. 21.*

ächzen · ausrufen · brüllen · frohlocken · gröhlen · gurgeln · jammern · jodeln · johlen · kichern · klagen · kreischen · lachen · röcheln · rufen · schluchzen · schnarchen · schreien · seufzen · singen · sprechen · stöhnen · vortragen · weinen · zetern ⊄ Deklamation · Gesang · Laut · Notschrei · Ruf · Sprache · Stimme · Urlaut · Vortrag.

35. Warm. *s. kochen 7. 39. schmelzen, tauen 7. 50. Hitzegefühl 10. 4.*

hw! hw ⊄ braten · dampfen · glühen · kochen · schmoren · schwitzen · sieden ⊄ backen · braten · dämpfen · erhitzen · erwärmen · heizen · kochen · rösten · schmoren · verbrühen · versengen · wärmen · verpimpeln · verweichlichen ⊄ drückend · glühend heiß · lau · linde · mild · mollig · schwül · sommerlich · sonnig · südlich · tropisch · überschlagen (südd.), verschlagen (nordd.) · warm. — glühend heiß · mordsheiß · es ist, um harte Eier zu legen ⊄ Heizer ⊄ Sonne. Thermophor · Thermosflasche · Wärmeflasche · Bettflasche · Diathermie *s. Brandstätte 7. 37* · Kunscht (alem.: Ofenbank) ⊄ Äquator · Äthiopien · Nubien · Sahara · Süden · Tropen · heiße Zone ⊄ Geisir · Therme · Dampfbad · Heißluftbad · Schwitzbad · Treibhaus. — Föhn · Scirocco ⊄ Hochsommer · Hundstage · Sommer ⊄ Kalorie · Wärmegrad ⊄ Glut · Heizung · Hitze · Schwüle · Siedepunkt · hohe Temperatur · Affenhitze · Bullenhitze · Hundehitze · Temperatur(zunahme) · Wärme · Wärmeübertragung · Zentralheizung ⊄ Isothermen · Kalorik · Thermochemie · Wärmelehre ⊄ Kalorimeter · Pyrometer · Thermometer · Thermoskop · Wärmemesser ⊄ Wärmegrad · Kalorie · Sauna.

36. Feuer.

brennen · brutzeln · flackern · flammen · glimmen · glühen · knistern · lodern · lohen · oxydieren · schmoken · prasseln · qualmen · schwelen · wabern · züngeln · in Flammen stehen · lichterloh brennen · wird ein Raub der Flammen ¶ angehen · aufflackern · sich entzünden · oxydieren · verbrennen · verkalken · verkohlen · verdorren · in Flammen aufgehen, ausschlagen · Feuer fangen · in Schutt und Asche sinken ¶ anblasen · anfachen · anstecken · anzünden · brennen · einäschern · einfeuern · einheizen · entfachen · entflammen · heizen · nachlegen · oxydieren · rösten · schüren · sengen · verbrennen · versengen · wärmen · in Brand stecken · Feuer machen · Feuer anlegen · einen Brand legen · nachlegen · den roten Hahn aufs Dach setzen ¶ brennbar · entzündbar · feuergefährlich · ungelöscht ¶ Brandstifter · Feuerwerker · Feuerpolizei · Brandmeister ¶ M i t t e l : *s. Brennstoff 7. 38 ·* ¶ Ort *s. Brandstätte 7. 37* · Krater · Vulkan ¶ Feuerwerk · Freudenfeuer ¶ Autodafé · Brand · Brandstiftung · Brodem · Dampf · Feuer · Feuersbrunst · Feuermeer · Flamme · Funke · Glut · Licht · Lohe · Lunte · Schadenfeuer · Waberlohe · Weißglut ¶ Oxydation · Verbrennungsprozeß · Kurzschluß ¶ Pyromanie.

73. Brandstätte. *s. Gefäße 17. 6.*

Bratspieß · Feuerzange · Schüreisen ¶ Brandstätte · Feuerbock · Feuerung · Finnüsken (rhein. kleiner Ofen) · Glutbecken · Heizkörper · Herd (Spliete, balt.) · Kamin · Kohlenpfanne · Ofen · Rost · elektrische Sonne, Heizsonne ¶ die Röhre (südd.), das Röhr (berl.) ¶ Bratpfanne · Brennhexe · Bunsenbrenner · Destillierkolben · Gaskocher · Kochapparat · Kessel · Kolben · Retorte · Schmelztiegel · Spirituskocher · Tiegel · Topf · (elektr.) Wärmeplatte ¶ Bäckerei · Backhaus · Backofen · Esse · Hochofen · Hütte · Kalkbrennerei · Kesselraum · Kohlenmeiler · Meiler · Schmelzhütte · Schmelzofen · Bessemerbirne ¶ Dampfbad · Darre · Treibhaus ¶ Krematorium.

38. Brennstoff. *s. Fossile 1. 26.*

Anthrazit · Anzünder · Benzin · Benzol · Brandbombe · Brander · Brandkugel · Braunkohle · Brennmaterial, -stoff · Brikett, Halbstein · Docht · Feuerbrand · Feuerung · Feuerzeug, Pötäterle · Fidibus · Gas · Granate · Heizstoff · Holz · Holzkohle · Kien · Kohle · Koks · Lohe · Lunte · Öl · Papier · Petroleum · Phosphor-, Schwefelhölzchen · Phosphorkanister · Reisig · Schwamm · Stearinkerze · Steinkohle · Streichholz, Zündholz, Kritzer (els.), Sticken, Strikspön (berg.), Strichbähncher · Torf · Wachs · Zunder · Zündstoff · Brandplättchen · Vergaserstoff, Treibstoff.

39. Kochen, backen. *s. Gewürze 7. 68. (Gegensatz:* roh). *Kochgefäße 17. 6—7.*

braten · bratzeln · brodeln · brotzeln · bullern · dampfen · kochen · rauchen · schmoren · sieden · aufquellen ¶ abbrühen · ansetzen · aufsetzen · ausbrennen · auslaugen · backen · bähen · bräägle (bad.) · braten · brühen · dörren · dünsten · kochen · rösten · schmoren · sieden · beimachen, übermachen (hess.), zusetzen ¶ P e r s o n e n *s* Berufe *16. 60* ¶ M i t t e l und O r t *s. Brandstätte 7. 37* ¶ E r g e b n i s *s. Speisen 2. 27* ¶ Absud · Auszug · Tee · *s. Getränke 2. 30* ¶ Asche · Backstein · Fayence · gebrannte Ware · Halbporzellan · Kachel · Majolika · Milchglas · Oxyd · Porzellan · Steingut · Terrakotta · Tonerde · Tongeschirr · Töpfergut · Ziegel.

40. Kalt. *s. Wetter 1. 4. frieren 10. 5.*

abkühlen · auskühlen · erkalten · erstarren · vereisen · vergletschern · Feuer erlischt, geht aus ¶ abkühlen · abschrecken · eisen · erfrischen · erquicken · fächeln · fächern · glacieren · härten · kühlen · kalt stellen · abhärten ¶ auslöschen · löschen · das Feuer dämpfen · das Feuer unterdrücken ¶ arktisch · bereift · eisig · frisch · frostig · kalt · kühl · polar · sibirisch · starr · unaufgetaut · vereist · winterlich · unter Null · eisgekühlt ¶ bitter kalt · eiskalt · grimmig kalt · hundekalt · naßkalt · schneidend kalt · saukalt · lausig kalt ¶ *vom Subj.:* klamm · zähneklappernd · verfroren ¶ Eis- · Eishaus · Eiskeller · Eiskühler · Eismaschine · Eisschrank · flüssige Luft · Frigidaire · Kälteindustrie · Kühlapparat · Kühler · Kühlhalle · Kühlhaus · Kühlraum · Sektkühler ¶ Abendkühle · Abkühlung · Kohlenmangel · Nachtfrost · Temperaturabnahme ¶ Eisgetränke · Eisbombe ¶ Eispunkt, Gefrierpunkt, Null · Kristallisation · Winter. — Eiszeit ¶ Eiszone · Norden · Nordpol · Arktis ¶ Eisberg · Eisfeld · Ferner, Firn, Firner · Gletscher · Grundeis ¶ Eis · Eisblumen · Eisscholle · Eiszapfen · Graupeln · Hagel · Rauhreif · Reif · Schloßen · Schnee · Schneeflocke · Schneegestöber · Schneewehe ¶ Frostbeulen · Gänsehaut ¶ Frische · Frost · (sibirische) Kälte · Kühle · Lauheit · Lause-, Sau-, Bärenkälte.

41. Schwer, Gewichtsmaße. *s. dick 4. 10. messen 12. 12.*

drücken · lasten · wiegen · wuchten zu Boden drücken · die Schale senkt sich · ins Gewicht fallen · den Ausschlag geben · hat Übergewicht (Porto) ¶ aufbürden · aufhalsen · aufjochen · aufladen · aufpacken · beladen · belasten · bepacken · beschweren · überbürden · überladen · überlasten ¶ aufliegend · bleiern · bleischwer · gewichtig · lästig · massig · massiv · schwer · schwül · stabil · wuchtig · unbewegbar · untragbar ¶ Atlas · Sisyphus. — Alp · Incubus · Mahr ¶ Ballast · Belastung · Blei · Briefbeschwerer · Bürde · Gebirge · Klumpen · Ladung · Last · Masse · Mühlstein · Tracht · Wucht · Zentnergewicht ¶ Milligramm · Quentchen · Gramm · Gran · Karat · Lot · Unze · Pfund · Kilo(gramm) · Zentner · Malter, Doppelzentner · Meterzentner · Tonne. — Atmosphäre ¶ Boxergewichte: Fliegen- · Bantam- · Feder- · Leicht- · Welter- · Mittel- · Halbschwer- · Schwergewicht ¶ Belastung · Druck · Gewicht · spezifisches Gewicht · Gravitation · Luftdruck · Schwere · Schwergewicht ¶ Gravitationslehre · Physik · Statik ¶ Brief-, Brücken-, Dezimalwaage · Waage.

42. Leicht. *s. dünn 4. 11.*

flattern · fliegen · huschen · schnellen · schweben · schwimmen · treiben · die Schale schnellt in die Höhe ¶ auftauchen · emportauchen ¶ abladen · beschwingen · entbürden · entlasten · erleichtern · leichtern ¶ ätherisch · aufgeblasen · beschwingt · duftig · flott · flüchtig · gewichtlos · graziös · leicht · luftig · schwimmend · tragbar · federleicht · leicht wie die Luft ¶ Elfe · Fee · Sylphe ¶ Antilope · Gazelle · Reh · Schmetterling ¶ Äther · Atom · Daune · Dunst · Eiderdaune · Feder · Flaum ·Flocke · Haar · Hauch · Kork · Luftblase · Phantom · Rauch · Schaum · Schneflocke · Seifenblase · Spinnenwebe · Spreu · Stäubchen · Strohhalm ¶ Gewichtlosigkeit · Leichtigkeit · Schwimmkraft.

43. Fest, Dicht. *s. Sicherheit 9. 75.*

sich ablagern · erstarren · gefrieren · kristallisieren · niederschlagen · sich setzen · verglasen · sich verhärten · verkäsen · verkalken · versteinern · sich zusammen-

ziehen · Kruste ziehen ❡ härten · kondensieren · konzentrieren · kristallisieren ·
(ein)pressen · verdichten · verdicken · versteinern · zusammenpressen · zusammenziehen ❡ stabilisieren · verankern ❡ derb · dicht · dickhäutig · faßbar · fest · gediegen · gedrängt · greifbar · hart · klotzig · knorrig · knotig · kohärent · kompakt · konkret · ledern · massiv · schier · solid · stabil · steinern · substantiell ·
undurchdringlich · undurchlässig · zäh · niet- und nagelfest ❡ unaufgelöst · unauflöslich · ungeschmolzen · unteilbar · untrennbar · unverflüchtigt ❡ Büffelhaut ·
Elefantenhaut · Gipsverband · Ritterrüstung · Stahlpanzer ❡ Bein · Block · Fladen ·
Kuchen · Klotz · Klumpen · Knochen · Knollen · Knoten · fester Körper · Masse ·
Schlacke · Scholle · Stein ❡ Bodensatz · Niederschlag · Petrefakt, Versteinerung ·
Sediment ❡ Dichte · Dicke · Festigkeit · Härte · Kohäsion · Kompaktheit · Kristalli-
sation · Zusammenhalt.

44. Hart. *s. Kraft 5. 35.*

gefrieren · es backt · sich verfestigen · sich verhärten · verknöchern · versteinern ·
sich versteifen ❡ betonieren · härten · stählen · steifen · strecken · versteinern
❡ diamanten · drall · ehern · eisern · erzen · felsig · fest · graniten · schroh · hart ·
hornig · spröde · stählern · starr · steif · strack · straff · stramm · unbiegsam · ungeschmeidig. — fossil. — felsenfest · marmor-, knall-, steinhart · hart wie Stein ·
steif wie ein Brett ❡ Schaltier ❡ Adamant · Bein · Beton · Dauk (hess.: Stein im
Acker) · Diamant · Eisen · Erz · Fels · Feuerstein, Flint · Granit · Kiesel · Knochen ·
Marmor · Schlick · Stahl · Stein ❡ Gipsverband · Maske · Panzer · Schale ❡ Glundern (harte Brocken im Brei) ❡ Festigkeit · Härte · Starrheit · Widerstand.

45. Elastisch.

abprallen · sich biegen · federn · wippen · zurückprallen · zurückschnellen · zuspringen · sich zusammenziehen ❡ dehnen · spannen · vulkanisieren ❡ alert ·
biegsam · dehnbar · elastisch · federkräftig · federnd · gelenkig · geschmeidig ·
nervig · prall · rank · schmiegsam · schwank · schwellend · sehnig · spannfähig ·
spannkräftig ❡ Ball · Elfenbeinkugel · Feder · Federstahl · Fischbein · Gummi
(elasticum) · Guttapercha · Kautschuk · Spiralfeder · Sprungfeder · Zelluloid ·
Sprungbrett · Gummizelle ❡ Elastizität · Federkraft · Schnellkraft · Spannkraft ·
Spannung · Widerstand.

46. Zäh. *s. dauerhaft 6. 7.*

dehnbar · fest · kohärent · lederartig · ledern · schroh · sehnig · widerstandsfähig ·
zähe · wie Sohlenleder · ist von einer alten Kuh, wie Elefantenhaut ❡ Katzenfleisch · Knorpel · Sehne ❡ Beharrlichkeit · Biegsamkeit · Dehnbarkeit · Kohäsion ·
Strengflüssigkeit (der Metalle) · Zäheit · Zähigkeit.

47. Spröd. *s. gerade 3. 40. rauh 3. 53. hart 7. 44.*

aufkrachen · aufspringen · ausreißen · bersten · brechen · knacken · knicken ·
krachen · platzen · splittern · springen · zerbrechen · zerbröckeln · zerspellen ·
zerschellen · zerspringen ❡ brechen · knacken · knicken · spalten · zerbrechen ·
zermürben ❡ brüchig · fettarm · gebrechlich · gläsern · locker · knusprig · krackelig ·
morsch · mürbe · rissig schiefrig · spaltbar · splitterig · spröde · storr · tönern · zerbrechlich · spröde wie Glas · mürb wie Zunder ❡ Karst ❡ Glashärte · Härte ·
Mürbheit · Sprödigkeit · Zerreibbarkeit.

48. Locker. *s. Loch 3. 57. trennen 4. 34.*

aufgehen (Teig) · sich auflösen · sich ausdehnen · bröckeln · modern · sich verflüchtigen ⁊ auflösen · aufblähen · ausdehnen · ausdünnen · ausweiten · erweitern ·
höhlen · lichten · lockern · lösen · pflügen · reuten · roden · umgraben · verdünnen ·
verfeinern ⁊ dünn · durchsichtig · fein · flüchtig · lasch · locker · lose · preßbar ·
schlaff · schlapp · unsubstantiell · verdichtbar · zart ⁊ durchlässig · flockig · halbdurchlässig · löchricht · los · porös · schwammig · aufgeblasen · ausgedehnt · hohl ·
bröckelig · brüchig · körnig ⁊ baufällig · wacklig ⁊ Hefe · Sauerteig ⁊ Karst ·
Löß · Lummer · Moräne · Stalagnit · Stalaktit · Tropfstein · Warzenstein ⁊ Düne ·
Gebröckel · Gerölle · Geschiebe · Sand · Schotter ⁊ Schnee von Eiweiß ⁊ Dünne ·
Dünnigkeit · Hohlheit · Lockerheit · Porosität · Undichte.

49. Pulver. *s. leicht 7. 42.*

verwittern · zerfallen · zerstäuben ⁊ abkratzen · abschaben · aufscharren · granieren · mahlen · pulverisieren · verreiben · zerkleinern · zerklopfen · zerkrümeln ·
zermalmen · zerpulvern · zerreiben · zerschlagen · zersetzen · zerstoßen ⁊ bröckelig ·
feinkörnig · grießig · kiesig · körnig · mehlig · pulverig · sandig · staubig · tonig ·
verwittert · zerknischt ⁊ Desintegrator · Feile · Kaffeemühle · Mörser · Mühle ·
Raspel · Reibe · Reibeisen · Stößel. — Raster ⁊ Bolus · Breccie · Dust · Gips ·
Grauwacke · Grieß · Kleie · Konglomerat · Krätze (beim Goldschmied) · Krume ·
Lehm · Mehl (Backpulver usw.) · Mergel · Nagelfluh · Puder · Pulver · Samen ·
Sand · Sandstein · Schutt · Späne · Staub · Steinmark ⁊ Granulierung · Pulverung ·
Verreibung · Zerklüftung.

50. Weich. *s. zart 3. 54. schwach 5. 37. Fett 7. 52.*

hat keine Knochen im Leib ⁊ aufweichen · erschlaffen · nachgeben · nachlassen ·
schmelzen · verweichlichen ⁊ aufweichen · ausdehnen · ausweiten · beugen · biegen ·
einweichen · erweichen · kneten · mildern · schmelzen · verpäppeln · verpimpeln ·
verweichlichen · verzärteln ⁊ beinlos · biegbar · biegsam · bildbar · breiig · dehnbar · elastisch · flaumig · formbar · fügsam · gelenkig · geschmeidig · grätenlos ·
hämmerbar · knetbar · labberig · mollig · morsch · mulmig · mürbe · nachgiebig ·
plastisch · quabblig · quammig · quappig · quebbig · reckbar · schlaff · schlapp ·
schmiegsam · schwammig · seidenweich · streckbar · tonig · wabbelig · weich ·
weichlich · zart · flaum-, wachsweich · wie Butter · zart wie Samt ⁊ Quaddel ·
Qualle · Molluske ⁊ Butter · Federbett · Gummi · Kissen · Lohe · Modelliermasse ·
Polster · Sam(me)t. · Schwamm · Teig · Ton · Wachs ⁊ Polsterstoffe: Daunen ·
Federung · Holzwolle · Kapok · Roßhaar · Seegras · Watte · Werg ⁊ Biegsamkeit ·
Elastizität · Plastizität · Schlappheit · Weiche · Weichheit.

51. Breiig. *s. glatt 2. 52. Verbindung 3. 33. Sumpf 6. 19. Speisen 7. 27.*

dicken · gerinnen · koagulieren · sich verdicken · verkäsen · verschlammen · verschleimen · versumpfen · zusammenlaufen · Kruste ziehen ⁊ buttern · verbreien ·
verdichten · verdicken · eine Sauce binden ⁊ breiig · dickflüssig · dicklich · gallertartig · glitschig · halbflüssig · harzig · käsig · klebrig · kleistrig · klierig · lehmig ·
leimig · milchig · molkig · morastig · pampig · pappig · pechig · sämig · schlammig ·
schleimig · seifig · seimig · sülzig · talgig · tatzig · teigig · viskos · zähe · zähflüssig
⁊ Agar-Agar · Albumin · Aspik · Brapsch · Brei · Brühe · Creme · Dicksaft · Eiweiß ·
Emulsion · Gallert · Gelatine · Gelee · Gerinnsel · Grütze · Harz · Honig · Kitt ·

Kleister · Knatsch · Kompott · Koch (östr. = Brei) · Kot · Latwerge · Lava · Lehm · Leim · Marmelade · Matsch · -milch · Modder · Molke · Moor · Morast · Mörtel · Mus · Pamps · Papp · Paste · Pech · Püree · Quas · Rahm, Flott, Niedel, Obers (östr.), Sahne (nordd.), Schmand, Schmetten · Saft · Sauce · Schlack · Schlagsahne · Schlamm · Schleim · Schlempe · Schmadder · Seim · Sirup · Stampes · Sülze · Sumpf · Suppe · Tauwetter · Teig · Tratsch · Zement.

52. Fett. *s. glatt 3. 52.*

(ein)fetten, -ölen · salben · schmieren ⁋ butterig · fetthaltig · fettig · glatt · ölig · salbig · schlüpfrig · schmalzig · schmierig · seifig · speckig · talgig · tranig · wachsig ⁋ Butter, Anke (alem.). — Creme · Elain · Erdöl, Petroleum · Fett, Schmuz (alem.) · Glyzerin · Harz · „Butter", Margarine *s. 7. 27* · Naphta · Öl · Paste · Pech · Pomade · Salbe · Schmalz · Schmeer · Schmiere · Seife · Speck · Stearin · Talg · Terpentin · Tran · Unschlitt · Vaselin · Wachs · Wichse ⁋ Fettung · Ölung · Salbung · Schmierung · Speisung.

53. Pech, Harz. *s. klebrig 4. 33.*

kolloid ⁋ Amber · Ambra · Asphalt, Erdharz, Erdpech, Erdwachs, Judenpech · Balsam · Baumwachs · Benzoe · Bernstein · Federharz · Geigenharz · Gummi · Guttapercha · Harz · Kautschuk · Kitt · Kolophonium · Kopalharz · Lack · Leim · Mastix · Myrrhe · Paraffin · Pech · Schellack · Siegellack · Siegelwachs · Teer · Wachs · Weihrauch.

54. Flüssig. *s. Getränk 2. 30. Ausscheidungen 2. 35. Öl 7. 42.*

schmelzen · tauen · zerfließen · zergehen · zerrinnen · in Fluß kommen, geraten ⁋ auflösen · auftauen · auslassen · schmelzen · verflüssigen · verlängern (z. B. Kaffee) · zerlassen · zersetzen ⁋ lutschen · saugen · suckeln · schlecken · schlotzen (alem.) · schlürfen · zullen ⁋ feucht · flüssig · lösbar · löslich · saftig · schleimig · schmelzbar · tropfbar · ungefroren · ungeronnen · unverdickt · wässerig ⁋ Alkoholmesser · Aräometer · Flüssigkeitsmesser · Galaktometer · Hygrometer · Milchmesser · hydraulische Presse · Senkwaage · Wasserwaage · Weinwaage ⁋ Absud · Aufguß · Ausscheidung · Bad · Beize · Blut · Brühe · Dekokt · Eiter · Elixier · Gewässer · Lauge · Lebenssaft · Lösung · Lymphe · das Naß · Saft · Sauce · Schleim · Sekret · Seewasser · Seim · Serum · Sirup · Sole · Süßwasser, Frischwasser · Tinktur · Tunke · Urin, Harn, Pisse · Wasser. — Infusion ⁋ Wassersuppe ⁋ Balneographie · Balneologie · Hydraulik · Hydrodynamik · Hydrostatik · Meereskunde.

55. Fließen. *s. Regen 1. 8. See 1. 18.*

bespülen · bewässern · durchlaufen · fließen · sich ergießen · fluten · glucksen · gurgeln · herausquellen · hervorbrechen · laufen · perlen · plätschern · quatschen · quellen · quirlen · rauschen · rieseln · rinnen · schwitzen · sickern · sintern · sprudeln · strömen · stürzen · suppen · tröpfeln · tropfen · überfließen · überlaufen · überschwappen · umfluten · umspülen · sich wälzen · wallen · wirbeln · wogen ⁋ abfließen · austreten · münden · überfließen · überschwemmen ⁋ gießen . schütten · träufeln · überschwemmen. — tanken · zapfen ⁋ ablassen · ableiten · abziehen · ausschütten · vergießen · zuleiten · die Schleusen öffnen ⁋ baden · panschen· planschen · puddeln. — gurgeln ⁋ Abwasser · Born · Bronnen · (artesischer) Brunnen · Brunnquell · Bohrbrunnen · Heilbrunnen · Oase · Plumpe (sächs.) ·

Pumpe · Quell · Quelle · Quickborn · Sodbrunnen · Solbad · Springquell · Sprudel
⁋ Dusche · Fontäne, Springbrunnen, Wasserspiele, Wasserkunst, Spritzbrunnen ·
Kaskade · Katarakt · Stromschnelle · Wasserfall. — Driftströmung · Golfstrom · Sog·.
Neer ⁋ Bach · Born · Brandung, Widersee · Ebbe · Erguß · Fall · Fluß · Flut ·
Nebenfluß · Quelle · Rinnsal · Schleuse · Seegang · Springfluß · Sprudel · Strömung ·
Strom · Strudel · Sturzbach · Sturzbad · Wasserader · Wildbach · Wirbel · Woge ·
Welle, Deining, Brecher. — Brause · Dusche · Gießkanne · Hydrant · Spritze ·
Strahl · Traufe ⁋ Belt · Kanal · Meerenge · Straße · Sund · Seearm · Furt · Sand-
bank · Untiefe. — Kielwasser.

56. Wasserweg. *s. Behälter für Flüssiges 17. 6.*

Abfluß · Ablaß · Ablauf · Aquädukt · Brause · Brunnenstube, -kammer · Durchlaß ·
Flett (hamb.) · Flußbett · Gang · Gosse, Rinnstein, Sod (köln.) · Gulli · Graben ·
Kanal · Kloake · Lauf · Mündung · Priel(e) · Rinne · Röhre · Rohr · Schleuse · Siel ·
Strombett · Teich · Traufe · Wasserleitung, fließend Wasser · Wasserweg ⁋ Ader,
Pore usw. *s. 2.16* ⁋ Hahn · Heber · Hydrant · Irrigator · Kniestück, Schotten ·
Schlauch · Spritze · Traufe · Trichter · Zerstäuber ⁋ Wehr, Wuhr.

57. Feucht. *s. Regen 1.7; 1.8. Ausscheidungen 2.35.*

pitsch · patsch ⁋ anlaufen · einsaugen · nässen · rieseln · schimmeln · schwitzen ·
sickern · tauen · triefen · tröpfeln · tropfen · Feuchtigkeit anziehen. — beschlagen
sein ⁋ waten · durchpatschen ⁋ anfeuchten · baden · befeuchten · begießen ·
bekleckern · benutzen · berieseln · bespritzen · betauen · betränen · beträufeln ·
betupfen · bewässern · durchnässen · einspritzen · eintauchen · infiltrieren · netzen ·
sabbern · säugen · sprengen · spritzen · tauchen · untertauchen · waschen · wässern ·
überschwemmen · verdünnen · zerstäuben ⁋ betaut dumpfig · feucht · naß · saftig ·
schlammig · spackig · tauig · ungetrocknet · wässerig. — durchnaß · klatschnaß ·
klitsch · patschnaß · pitschnaß · pudelnaß · bis auf die Haut · zum Auswringen ·
kein trockener Faden mehr am Leib ⁋ Feuchtigkeit · Nässe · Schweiß · Speichel
(*s.* 2. 25) · Stockfleck.

58. Trocken. *s. klares Wetter 1. 5. spröde 7. 46.*

ausdorren · austrocknen · (ein)trocknen · verdorren · versanden · vertrocknen ·
welken ⁋ abdämmen · abdeichen · ableiten · absorbieren · absperren · abtrocknen ·
abwischen · aufsaugen · auftrocknen · aufwischen · auswischen · auswringen ·
dörren · drainieren · dürren · einböschen · eindämmen · entwässern · hinwegwischen · kanalisieren · trocken legen · trocknen · tupfen · wegwischen ⁋ dürr ·
saftlos · trocken · wasserarm · welk · knochentrocken · wasserdicht ⁋ Hungersteine
⁋ Löschblatt · Lackmus · Waterproof. — Damm · Deich ⁋ Ableitung · Kanalisation ·
Darre · Drainage · Dürre · Ebbe · Trockenheit.

59. Schaum.

brausen · gären · kochen · mussieren · perlen · schäumen · sieden · sprudeln · wallen ·
zischen ⁋ aufbrausen · gären ⁋ dunstig · gischtig · schaumig · wolkig ⁋ Ferment ·
Brausepulver ⁋ Bärme · Blase · Feldwebel (auf Bier) · Flaum · Gäscht · Geifer ·
Gischt · Guscht (obhess.) · Schaum · Schlamm · Schnee (von Eiweiß) · Seifenschaum
⁋ Brodem · Dampf · Dunst · Haarrauch, Herauch, Höhenrauch · Lachgas · Nebel ·
Wolke ⁋ Champagner · Kohlensäure · Mineralwasser, Sprudel, Sauerbrunn · Schaum-
wein · Sekt · Sodawasser.

60. Gasförmigkeit, Verdunstung. *s. Ausscheidungen 2. 35.*

ab-, verdampfen · atmen · ausströmen · blasen · hauchen · verdunsten · verfliegen · sich verflüchtigen · vergasen · verpuffen · verrauchen · verziehen ❡ ausdünsten · aushauchen · ausschwitzen · destillieren · verflüchtigen · vergasen. — husten · niesen · p(r)usten · räuspern ❡ ätherisch · atmosphärisch · aufgebläht · aufgeblasen · dampfförmig · duftig · dunstartig · flüchtig · gasförmig · luftförmig · luftig · neblig · verdampfbar · wolkig ❡ Dampfkessel · Destillierapparat · Papinscher Topf · Retorte · Vergaser · Manometer ❡ Äther · Dampf · Dunst · Gas · Gewölk · Luft · Nebel · Rauch · Schwaden · Wolke · Wasser (berl. für Wasserdampf), Wrasen ❡ schlagende Wetter, Grubengas. — Ammoniak · Chlor · Edelgas · Helium · Kohlensäure · Leuchtgas · Luft · Knallgas · Kohlenoxyd · Ozon · Phosgen · Azetylen · Sauerstoff · Schwefelwasserstoff · Schweflige Säure · Stickstoff · Wasserstoff usw. ❡ Verdunstung · Vergasung. — Pneumatik ❡ Gasometer.

61. Luftweg. *s. Körperteile 2. 16. hinaus 8. 24.*

Abzug · Auspuff · Drosselklappe, Luftklappe · Dunstrohr · Esse · Kamin · Luftloch · Luftröhre · Luftschacht · Luftweg · Rauchfang · Windfang · Schlot · Schornstein · Wetterschacht ❡ Kehle · Luftröhre usw. *s. 7. 16* ❡ Blasebalg · Luftfang · Lunge · Ventilator · Windfang · Windrad.

62. Geruch. *s. Geruchssinn 10. 6.*

duften · riechen · die Luft schwängern ❡ Atmosphäre · Ausfluß · Duft · Dunst · Dunstkreis · Fährte · Geruch · Ruch · Spur · Witterung.

63. Wohlgeruch.

ah! · hazzi · hm! ❡ duften · wohlriechen · es grunelt (Goethe: Duften des feuchten Grases) ❡ anräuchern · durchduften · lüften · parfümieren · räuchern · würzen ❡ aromatisch · balsamisch · duftig · wohlriechend · würzig ❡ Blume(nstrauß) · Bukett · Flieder · Jasmin · Lilie · Nelke · Reseda · Rose · Veilchen usw. ❡ Hautcreme · Räucherkerze · Räucherpapier · Räucherpulver · Riechfläschchen · Riechkissen · Seife ❡ Ambra · Balsam · Bergamotte · Bisam · Esbouquet · Farn · Heliotrop · Klee · Lavendel · Moschus · Myrrhe · Narde · Patschuli · Räucherwerk · Rosenöl · Weihrauch. — Kölnisch Wasser, Eau de Cologne ❡ Aroma · Blume · Bukett · Duft · Ozon · Parfüm · Wohlgeruch · Arabiens Wohlgerüche · Osphresiologie.

64. Gestank. *s. Ausscheidungen 2. 35. mißfallen 11. 28.*

Nase zuhalten ❡ äks! · bäks! · pfui! · puh! · pfui Deibel · brr! · schlechte Akustik ❡ muffeln · riechen · stinken · verwesen. — blaken *s. 5. 6* · die Nase beleidigen · drei Meilen gegen den Wind ❡ verpesten · (ver)stänkern ❡ angebrannt · gasig · brenzlig · faul · faulig · infernalisch · mephitisch · modrig · muffig · penetrant · pestilenzialisch · ranzig · stinkig · übelriechend · ungelüftet · vermottet · widerlich ❡ Aas · Ammoniak · asa foetida · Bock · faule Eier · Jauche, Gulle · Schickel (balt.) · Odel (balt., fränk.) *s. Pflanzenanbau 2. 5* · Katzendreck · Kot · Löwenmist · Mist · Pest · Schiet · Schwefelwasserstoff · Stinkadores, Stinkmorchel, Stinkspargel (Zigarre) · kalter Rauch (Asche) · Stinktier · Stinktopf · Stinkbombe · faule Eier · Mottenpulver ❡ übelriechender Atem · Gasangriff · Gelbkreuz · Menstruum · Flatus

¶ Jauchegrube: Pröddel (pom.) · Rieselfeld · chemisches Labor ¶ Brodem · Dunst · Fahne (Alkoholgeruch) · Hecht · Ler · Meefz · Mief · Muff · Pflanz · Wolke ¶ Fäulnis · Gestank · Hautgout (bei Wild) · Verpestung · schlechte Luft · „Ozon".

65. Geschmack. *s. 10. 7 f.*

schmecken. — munden ¶ Gaumen · Zunge. — (Vor)Geschmack ¶ Aroma · Beigeschmack · Stich in.

66. Süß. *s. Speisen 2. 27.*

kandieren · süßen · überzuckern · versüßen · verzuckern · zuckern ¶ gezuckert · süß · süßlich. — honigsüß · zuckersüß ¶ Backware · Backwerk · Boltchen · Bollchen (hannov.) · Bonbon · Eingemachtes · Einmachfrüchte · Fruchtbonbon · Früchte · Honig · Honigwasser · Kamelle (köln.) · Karamelle · Kandelzucker · Kandis · Konfekt · Konfitüre · Lakritze, Süßholz · Marzipan · Melasse · Met · Näscherei · Naute (Honig mit Mohn, berl.) · Plätzchen · Saccharin, Süßstoff · Sirup · Süßigkeiten · Süßwein · Zeltchen · Zucker · Zuckerhut · Zuckerwerk · gestoßener Zucker: Farinen. — kandierte Früchte ¶ Guß · Überzug · Zuckerung ¶ Süße · Süßheit · Süßigkeit.

67. Sauer.

gären · säuern (intrans.) · übergehen. — einen Stich haben ¶ säuern (= sauer machen) ¶ essigsauer · hart · herb · sauer · säuerlich · scharf · unreif · zusammenziehend ¶ Alaun · Essig · Gurke · Herling, Schlehe · Holzapfel · Zitrone ¶ Rollmops · Salat ¶ Sauergärung · Säuerung ¶ Säuerlichkeit · Säure ¶ Sodbrennen.

68. Scharf, salzig, bitter. *s. übler Geschmack 10. 9.*

ätzen · beißen · brennen · prickeln. — den Mund zusammenziehen ¶ denaturieren · pfeffern · pökeln · salzen · vergällen · versalzen · würzen ¶ bitter . brenzlig · hart · herbe · salzig · scharf · versalzen ¶ Galle ¶ Dreimännerwein *s. 2. 31* · Fusel · Hering · Paprika · Pfeffer · Pökel · Senf · schlechter Tabak · *s. 2. 34* · Wermut ¶ Brackwasser · Lake · Lauge · Meerwasser · Salpeter · Salz · Salzwasser · Seewasser · Sole ¶ Bitterkeit · Herbe · Schärfe.

69. Schal, fade. *langweilig 11. 26.*

schmeckt wie eingeschlafene Füß', nicht nach ihm und nicht nach ihr, nach nichts · ohne Saft und Kraft ¶ Geschmack verlieren ¶ verdünnen · taufen ¶ abgestanden · abgekocht (Wasser) · fad · flau · geschmacklos · kraftlos · langweilig · labberig · lasch · reizlos · saftlos · salzlos · schal · ungewürzt ¶ unaromatisch · unabgeschmeckt · ungenießbar · vitaminarm · verlängert (Kaffee) · wässerig · würzelos · dünn · vergoren · (auf)gewärmt ¶ dritter Aufguß · Kanalbrühe · Limonade · Zuckerwasser ¶ Krankenkost · Wassersuppe · aufgewärmter Kohl.

8. Ortsveränderung

8. 1. Bewegung
8. 2. Halt
8. 3. Hinbefördern
8. 4. Wagen
8. 5. Schiff
8. 6. Flugzeug
8. 7. Schnell
8. 8. Langsam
8. 9. Antrieb, Stoß
8. 10. Rückstoß
8. 11. Lenken, Weg, Richtung
8. 12. Abweichung
8. 13. Vorausgehen
8. 14. Ziehen
8. 15. Nachfolgen
8. 16. Vorwärts
8. 17. Rückwärts
8. 18. Sich entfernen
8. 19. Näherung
8. 20. Ankommen
8. 21. Zueinander
8. 22. Auseinander
8. 23. Hinein
8. 24. Heraus
8. 25. Hindurch
8. 26. Dazwischen
8. 27. Über etwas hinweg
8. 28. Hinauf
8. 29. Springen
8. 30. Hinunter
8. 31. Fallen
8. 32. Im Bogen
8. 33. Hin und her
8. 34. Regellos

1. Bewegung. *s. glatt 3. 52. schnell 8. 7. langsam 8. 8. Reise 16. 6. Sport 16. 57.*

riez! (berl.) · tschupp · hoppla ℭ ein und aus · hin und her · unterwegs d. u. = dauernd unterwegs (mil.) ℭ dahin-, einher-, herum-, fort-, umher- · sich bewegen · bummeln · dappeln · eilen · fahren · fliegen · fliehen · fließen · gehen · gleiten · glitschen · gondeln · sich herumtreiben · irrlichtelieren · irren · klabastern · klaftern (weite Bewegungen machen, jäg.) · laufen · marschieren · onkeln (auf der Eisbahn ohne Schlittschuhe) · pilgern · sich regen · reisen · rollen · rücken · sich rühren · schieben · sich schlängeln · schlappen · schlendern · schnüren (jäg. vom Fuchs) · schweifen · spazieren · stampfen · stapfen · starten · steigen · stiefeln · stolzieren · strolchen · stromern · tänzeln · tippeln · toben · tosen · trampeln · trappen · trekken · trotten · turnen · umziehen · vagabundieren · vagieren · wackeln · wallen · walzen · wandeln · wandern · waten · wechseln (vom Wild) · ziehen ℭ *salopp:* asten · baden · botten · fejen · jondeln · klabastern · klettern · krebsen · latschen · olpern · pinschern · schesen · schlenkern · schwimmen · sejeln · socken · staksen · stapeln · stelzen · tapern · tendern · trudeln · tuckeln · zotteln · zigeunern · zittern · zuckeln ℭ sich verlagern · im Fluß sein ℭ an-, abfahren usw. ℭ antreten · aufbrechen · sich auf den Weg machen *s. 8. 18* ℭ bewegen · schieben · stoßen usw. *s. 8. 3, 8. 9* ℭ kinetisch · lokomotorisch · motorisch ℭ ambulant · beweglich · eriatisch · flüchtig · friedlos · lebendig · mobil · nomadisch ℭ Quecksilber · Perpetuum mobile ℭ Bewegung · Eile · Fahrt · Fortbewegung · Gang · Marsch · Ortsveränderung · Ruck · Strom · Unruhe · Wandel · Zug · Zuck ℭ Geschwindigkeit · Hast · Raumgewinn · Tempo · Zeitmaß ℭ Kinematik · Kinetik ℭ reiten; beritten · reisig ℭ schleifen · schliddern; rodeln ℭ Schlittschuh · Schneeschuh, Ski, Schi · Bobsleigh · Schlitten · Rodelschlitten.

2. Halt. *s. Schlaf 2. 36. Untätigkeit 9. 24. aufhören 9. 33. verhindern 9. 73.*

Rotes Licht ℭ down! · halt! · steh! · stopp! · kusch! · Platz! (zu Hunden) · brr · hü! · nicht von der Stelle · bis hierher und nicht weiter · wer weitergeht, wird erschossen ℭ ankern · bleiben · vor Anker liegen · rasten · ruhen · stagnieren · stehen · verweilen · wohnen · ist auf dem toten Punkt, auf dem toten Gleise · steht wäi e ald Kouh (hess.) ℭ anhalten · den Anker auswerfen · beidrehen · beilegen · bleiben · bremsen · ein-, innehalten · erstarren · landen · sich niederlassen · sich setzen · stehen (bleiben) · auf der Stelle treten · stocken · stoppen · zögern · ein Ende machen · Halt machen · zum Stillstand kommen ℭ anhalten · ansiedeln · aufhalten · festlegen · festnehmen · fixieren · pensionieren · in Ruhestand versetzen · unterbrechen · unterdrücken · Frieden stiften ℭ ablegen · beruhigen · ablagern · niederlegen (-setzen) ℭ apollinisch · behaglich · beharrend · bequem · eingewurzelt · eleatisch · erstarrt · fest(stehend) · indisch · kataleptisch · lethargisch · phlegmatisch · reglos · regungslos · ruhig · stabil · starr · stetig · stille · stockend · stoisch · unbeweglich ℭ felsenfest · wie aus Erz gegossen · wie festgenagelt · wie angeschmiedet ℭ Stop- · Ankerplatz · Aufenthalt(sort) · Bett · Biwak · Etappe · Garage · Hafen · Lager · Liegestuhl · Polster · Prellbock · Quartier · Rastplatz · Reede · Ruheort · cardanischer Ring · Wiege · Grab ℭ Aufschub · Beruhigung · Einhalt · Fermate · Halt · Pause · Rast · Ruhe(stand) · das reine Sein · Starrheit · Stille · Stillstand · Schluß · Stockung · Unterbrechung · Windstille ℭ Beharrungsvermögen · Sitzfleisch.

3. Beförderung. *s. Stoß 8. 9. Brief 14. 8. nehmen 18. 6. geben 18. 12.*

abschieben · bringen · deponieren · entfernen · expedieren · exportieren · (über)-führen · (an-, aus-, ein)fahren, -füllen · (ab-, auf-, über-, zu)geben · holen · klecken [= Getreide legen] · (aus-, ver)lagern · legen · leiten · (ein-, ab-, zu-, ver)schicken · setzen · spedieren · stecken · stellen ℭ (ein-, ver)senden · (ab-, aus-, fort-, weg-, über)tragen · transportieren · unterbringen · verfrachten · verladen · verschieben · verschiffen · zustellen, bestellen, austragen ℭ Gepäck aufgeben, expedieren · in Marsch setzen · auf den Schub bringen ℭ abzapfen · ausschiffen · (ab-, aus-, auf-, be)laden · leeren ℭ Kargo brechen · Ladung löschen ℭ überseeisch *s. fern 3. 8.* ℭ beweglich · erblich · mobil · (über)tragbar ℭ Absender · Empfänger, Adressat ℭ Austräger · Bote · Briefbote, -träger, -taube · Dienstmann · Eckensteher · Führer · Kellner · Laufbursche · (roter) Radler · Schaffner · Post ℭ Kaffeebrett · Speisekorb · Bahre *s. Traggeräte 17. 7* ℭ Bahn · Schiff · Wagen · Flugzeug · Flaschenzug ℭ Fracht · Fuhre · Ladung · Last · Bagage · Gepäck · die Sieben Sachen ℭ Schub · Verlegung · Versetzung · Übertragung ℭ Abfuhr · Ausfuhr · Beförderung · Durchfahrt · Durchlaß · Export · Fuhre · Transport · Überfahrt · Versand ℭ Einschleppung · Fortpflanzung · Infizierung · Übertragung · Verschleppung ℭ Auslieferung · Entfernung · Relegation · Verbannung · Verweisung · Wegräumung.

4. Wagen. *s. Schlitten 3. 52; 16. 57. Reise zu Land 16. 6.*

fahren · karriolen · kutschieren · karräteln (schles.) rollen ℭ Chauffeur · Fahrer · Fuhrmann · Kutscher · Lenker · Postillon, Schwager · Wagenführer ℭ Verkehrsmittel: Berline · Break · Britschka · Chaise · Comfortable (österr.) · Coupé · Dogcart · Draisine · Droschke · Eilwagen · Einspänner · Equipage · Fahrzeug · Fiaker · Fuhre · Fuhrwerk · Gefährt · Gig · Handwagen · Jagdwagen · Kalesche · Karch · Karosse · Karre · Karren · Kranz'n · Kremser · Kutsche · Landauer · Landaulett · Limusine · Mailcoach · Omnibus · Pferdebahn · Phaethon · Postkutsche, Diligence, Blamage (Darmstadt) · Quadriga · Viergespann · Rikschah · Ringbahn · Schedel · Schubkarren · Plan-, Stellwagen · Staatskutsche · Tandem · Tilbury · Troika · Vehikel · Visavis · Viererzug · Viktoria · Wagen · Zweispänner ℭ Aufzug, Fahrstuhl, Lift · Paternoster · Rolltreppe ℭ Auto, Automobil, Kraftwagen · PKW · Kabriolett · Phaethon · Roadster · Taxameter, Taxe, Taxi · Laster · LKW · Wagen · ein NN. (Firmenname) · Autobus · Bus · Grubenhund · *schlechtes Auto:* Gurke · Hodel · Schlitten · Gaskocher · Petroleumofen · Erdnußröster · Großmutter ℭ Anhänger ℭ Maschine, Motorrad, Chausseefloh (milit.), Benzinesel · Nuckelpinne · Beiwagen: Badewanne, Schatzkästchen · Soziussitz: (wien.) Pupperlhutschn · Mädchen auf dem Soziussitz · Klammeraffe, Auspuffprinzessin ℭ Bahn, Eisenbahn · Expreß · Zug: Bummel-, D-, Eil-, Extra-, Luxus-, Personen-, Pullman-, Schnellzug · Lokomotive, Maschine, Dampfroß; Tender; Waggon · Triebwagen · Lore · Schienenzepp · FD-Zug · Fliegender Hamburger · Straßenbahn, Elektrische, Tram ℭ Kinderwagen: Ehestandslokomotive, Adelskärtken (berg.) ℭ Draisine · Fahrrad: Bock, Drahtesel, Hirsch, Klamotte, Rad, Stahlroß, Tretomobil, Velo(ziped), Wadenzündung · Zwei-, Dreirad · Tandem · radeln · Schlitten. — Lafette ℭ Traktor · Schlepper · Trekker · Zugmaschine · Lastzug.

5. Schiff. *s. Schiffahrt 16. 7. Kriegsmarine s. 16. 74.*

fahren · gondeln · kreuzen · navigieren · paddeln · pullen · rudern · segeln · staken · treiben (vor dem Wind) ℭ den Anker lichten · die Segel hissen · in See stechen

❡ Aak · Ache · Arche · Ausleger · Aviso · Bark · Barkasse · Barke · Beiboot · Boot · Brander · Brigante, Brigantine · Brigg · Büse · Bunker · Dampfer · Dau · Dingi · Dogger · Dreidecker · Dreimaster · Dschunke · Einbaum · Eisbrecher · Ewer · Fähre · Faltboot · Feluke · Feuerschiff · Fischdampfer · Floß · Frachter · Fregatte · Gabarre · Galeasse · Galeere · Galeone · Gig · Gondel · Handelsschiff · Heringsfänger · Hulk · Jacht · Jolle · Grönländer · Handelsdampfer · Kabelleger · Kahn · Kajak · Kanadier · Kanu · Karawelle · Kasten · Kauffahrer · Ketsch · Klipper · Kogge · Korvette · Küstenfahrer · Kuff · Kutter · Leichter · Leuchtschiff · Lolle (bayr.) · Lugger · Monitor · Motorboot · Muckepicke · Nachen · Naue (al.) · Nußschale · Oberländer Kahn · Ozeanriese · Paddelboot · Pinasse · Piroge (karib. Einbaum) · Plätte (Alpen) · Ponte · Ponto · Punt · Prahm · Raddampfer · Rennboot · Rettungsboot · Ruderboot · Einer · Vierer · Achter · Schaluppe · Schelch (unterbad.) · Schinake (östr.) · Schiff · Schlauchboot · Schlepper · Schnau · Schnelldampfer · Schoner · Schraubendampfer · Schute · Seelenverkäufer · Segelboot · Segelschiff (Windjammer) · Smookuver (hamb.) · Segler · Skuller · Tanker · Traibler · Trajekt · Traft (= Weichselfloß) · Trampschiff · Transporter · Troßschiff · Turmschiff · Vollschiff · Weidling · Yawl · Zille ❡ Flotte · Geleitzug · Marine · Flottille · Geschwader ❡ Reeling · Fallreep · Brasse · Bug(spriet) · Heck, Hinterdeck · Kiel · Spanten · Deck ❡ Kabine · Kajüte · Kombüse · Kielraum · Koje · Zwischendeck · Verdeck ❡ (Besan-, Haupt-, Mittel-, Not-, Vorder)Mast ❡ Raa · Rahe · Ruder, Riemen · Segel · Steuer · Steuerbord · Tauwerk · Anker · Takelwerk usw. ❡ Anfahrt · Ankerplatz · Dock · Hafen · Helling · Kai · Reede · Werft *s. Ufer 1. 16* ❡ Binnen-, Flußschiffahrt.

6. Flugzeug. *s. oben 3. 33. Luftwaffe 16. 74.*

fliegen (*transitiv*) · hochschrauben ❡ aufsteigen · fahren · fliegen · gleiten · kurven · landen · Flugzeug hinsetzen · rollen · schweben · starten · steigen · trudeln · wackeln · seine Kreise ziehen · blind, nach dem Pinsel fliegen ❡ aerodynamisch · aeronautisch — (x-)motorig ❡ Aeroplan · Doppeldecker · Eindecker · Fallschirm · Flugboot · Flugzeug (Apparat, Fahrzeug, Kahn, Kiste, Koffer, Klamotte, Maschine, Mühle, Schlitten) · Ganzmetall-, Großflugzeug · Hochdecker · Hubschrauber · Langstreckenflugzeug · Luftriese · Saalflugmodell · Segelflugzeug · Storch · Tiefdecker · fliegende Untertasse (mythisch?) · Verkehrsflugzeug · Wasserflugzeug · Windmühlenflugzeug ❡ Ballon · Drachen · Freiballon · Luftballon · Luftschiff (starr, halbstarr) · Montgolfiere · Stratosphärenballon · Zeppelin · fliegender Koffer · Luftbrücke · Pulk · Teppich ❡ Bordfunker · Chefpilot · Einflieger · Fallschirmspringer · Flug: -gast, -insasse, -lehrer, -schüler · Kunstflieger · Luftschiffer · Pilot · Uhrmacher (schlechter Flieger) · Werkpilot · Wetterflieger ❡ Besatzung · Boden-, Flugzeug-, Lande-, Startpersonal ❡ Dädalus · Ikarus · Schneider von Ulm · Wieland ❡ Fahrgestell · Fahrwerk · Gondel, Korb · Kabine · Kanzel · Propeller, Latte · Rumpf · Schraube · Schwanz(flosse) · Steuer(säule), -knüppel · Steigfähigkeit · Tragfläche · Tragflügel · Verspannung · Wanne ❡ Flugplatz · Flugzeughalle, -schuppen · Hangar · Katapult · Luftschiffhafen · Rollfeld ❡ Landung, Zwischen-, Not-, Bauchlandung · Start ❡ Blindflug · Flug · Gleitflug · Kunstfliegen · Looping · Rolle *s. 8. 32* · Rückenflug · Segelflug · Sturzflug *s. 16. 74.* — Uhrmacherei (= schlechte fliegerische Leistung) ❡ Aeronautik · Aviatik · Fliegerei · Flugsport · Flugwesen · Luftkorridor · Luftpost · Luftverkehr · Modellflugzeugbau · Verkehrsluftfahrt.

7. Schnell. *s. plötzlich 5. 27. sofort 6. 14. sich entfernen 8. 18. Eile 9. 39. leicht 9. 54. lebhaft 11. 20.*

ehestens · eilends · im Flug · je eher je lieber · lieber heut als morgen · flugs · hille (Braunschweig) · hopp · husch husch (die Waldfee) · kopfüber · hild (seem.) · expreß · im Bruchteil einer Sekunde · ick haue rin so 120 Sachen · mit 100 in die Kurve · daß die Ohren schleifen · allegro · allegrissimo · vivace · presto · prestissimo · ruck-zuck (milit.) · zuckzuck (milit.) · schack schack in großen Sprüngen · schlupp · wupp-dich · wutsch ⊄ was der Wagen hergibt, hat viel drauf, hat tüchtig aufgedreht, hat eine große Naht drauf, eine Affennaht · wie ein (geölter) Blitz, wie ein Bürsten-binder, wie Lottche (hess.), wie aus der Pistole geschossen, wie der Teufel, wie ein Wiesel, wie der Wind, wie ein vergifteter Affe · wie toll, wie ein Lauffeuer, wie ein geölter Blitz · die Beine untern Arm · höchste Fahrt · mit einer Geschwin-digkeit von 0,5 · in gestrecktem Galopp · Hals über Kopf · haste was kannste · hast du mich (oder: nicht) gesehn · holter die polter · im Hui · im Nu · mit ver-hängten Zügeln · ohne Aufenthalt · über Stock und Stein · mit Volldampf (vor-aus) · um die Wette · mit affenartiger Geschwindigkeit (österr. Bericht über die Preußen 1866) · im vollen Karacho · daß die Absätze flattern, daß die Funken stieben, fliegen · schneller als die Maus ein Loch findet ⊄ allons! · dalli (poln.) · aber 'n bißchen plötzlich! · Beine in die Hand! · los! · weidli (alem.) · avanti · vorwärts · marsch marsch! · husch husch! ⊄ es fleckt · es flutscht · geht eins zwei drei ⊄ los- · atzen · ausgreifen · ausreißen · davon-, ent-, fortlaufen usw. *(s. auch weglaufen 8. 18)* · durchgehen · eilen · sich beeilen (nordd.) · fegen · fliegen · flitzen · galoppieren · hasten · hetzen · huschen · jagen · jackern · jechen (schles.) · kajeckern · laufen · loslegen · los-, zumachen · opeln (Frankf.) · pesen (nordd.) · preschen · rasen · sich regen · reisen (bad.) · rennen · reufle (schwäb.) · sich rühren · säckeln (bad.) · sausen · sauen (schwäb.) · schacken (nordd.) · sich schicken (bayr.) · schießen · schnellen · schnurren · sprengen · Tempo vorlegen · springen (südd.) · spritzen (milit.) · stieben · sich sputen · stürmen · stürzen · sich tauen (berg.) · traben · tschukken · sich tummeln · türmen (seem.) · sich überschlagen · vorankommen · wetzen · zumachen · kimmt geschosse wie en Blutvergießer (hess.) · Beine unter den Arm nehmen · läuft eine gute Zeit · eine bedeutende Schnelligkeit entwickeln · alle hinter sich lassen · abhängen, abstauben = über-holen mit Auto · mit der Tür ins Haus fallen ⊄ durchblättern · durchfliegen · über-blättern · überfliegen · übereilen · überstürzen · übers Knie brechen ⊄ aneifern, -spornen, -stacheln · beeilen · befeuern · beflügeln · beschleunigen · drängen · hetzen · jagen · scheuchen · Dampf, Feuer dahinter (unter den Schwanz) machen · (Voll)Gas geben · aufs Knöpfle drucke (württ.) · jmd. Beine machen · durchpauken · durchpeitschen (eine Gesetzesvorlage) ⊄ amerikanisch · atemberaubend · behende · beschwingt · blitzschnell · diffig (basl.) · eilig · elektrisch · flink · flott · flüchtig · gau (nordd.) · geflügelt · geschwind · hastig · hurtig · leichtfüßig · pausenlos · rasch · rege · regsam · rührig · schier (berg.) · schleunig · schnell · schnellfüßig · summa-risch · zeitsparend · zügig · pfeilgeschwind ⊄ überstürzt, *s. zu sehr 3. 21; 9. 39* ⊄ Blitz · Düsenjäger · Gazelle · Gedanke · Licht · Pfeil · Rakete · Sausewind · Siebenmeilenstiefel · Windspiel · Flugzeug · Gleitboot · Mauersegler · Rakete · Renner · Strauß · Triebwagen ⊄ Kompressor · Vierter Gang · Zeitraffer ⊄ Pferde-rennen · Wettrennen ⊄ Blitz-, z. B. Blitzkrieg · Eile · Eilmarsch · Endspurt · Flucht · Flüchtigkeit · Flug · Galopp · Geschwindigkeit · Hast · Hatz · Hetze · Hetzjagd · Jagd · (volle) Karriere · Lauf · Laufschritt · Lebhaftigkeit · Schnelle · Sturmlauf · Tempo · Torschlußpanik · Trab · Überstürzung · Zeitgewinn.

8. Langsam.   *s. spät 6. 36. Unentschlossenheit 9. 7. faul 9. 41. Langeweile*
11. 26. Vorsicht 11. 40.

gemach · pomali (wien.) · komm ich heut nicht, komm ich morgen · nach und
nach · mit der Schneckenpost. — adagio · breit · lento · ritardando · bei kleinem
(nordd.) · im Schritt · Schritt vor Schritt · eins nach dem andern · mit der Zeit ·
immer mit die Ruhe! · brr · so schnell schießen die Preußen nicht · ein alter Mann
ist kein D-Zug · nur keine jüdische Hast! ⁋ nach- · abwarten · sich aufhalten ·
sich besinnen · bremsen · bummeln · dackeln · drucksen · dudeln · (nach)hinken ·
hufen · humpeln · jockeln · krabbeln · krebsen . kriechen · lahmen · latschen ·
mähren (schles.) · motschen (schles.) · mudeln (schles.) · nachzuckeln · nödeln ·
nölen · säumen · schleichen · schlendern · schleppen (in d. Musik) · schlurfen ·
(nach)schnappe (hess.) · socken (bad.) · stagnieren · staksen · storchen · tandeln ·
trendeln · trödeln · trudeln · wackeln · wallen · watscheln · (sich ver)weilen ·
zaudern · zögern · zotteln · zuckeln · zurückbleiben · er hat Zeit · macht lange ·
reißt sich kein Bein aus · der hat's mit der Ruhe · da geht's aus dem Ochsenfuß ·
nicht vom Fleck kommen · sich Zeit gönnen, lassen, nehmen · sich nicht überstürzen
⁋ abmachen (hess.), schlappmachen · erlahmen · erschlaffen · nachlassen · von seiner
Schnelligkeit einbüßen ⁋ aufhalten · aufschieben · bremsen · hemmen · hinausschieben · hinziehen · lahmlegen · hinhalten · retardieren · sabotieren · stauen ·
stoppen · verlangsamen · verschieben · verschleppen · vertagen · vertrösten · verzögern · auf die lange Bank schieben · die Flügel stutzen · dilatorisch behandeln
⁋ allmählich · asiatisch · bedächtig · bequem · faul · flau · gelassen · gemächlich ·
indolent · lahm · langsam · langwierig · (nach)lässig · nödelig · östlich · orientalisch ·
phlegmatisch · pomadig · sacht · säumig · saumselig · schläfrig · schlapp · schleppend · schleppfüßig · schritt-, etappenweise · schwerfällig · träge · tranig · umständlich · wie wenn eine Ziege aufs Trommelfell sch.... ⁋ Drehpeter · Leimsieder · Schlafmütze · Tranlampe · (Tran)Suse · Trödelphilipp · Umstandskrämer,
-kommissar · en Kerl wäi en nasser Faz (hess.) · weibl. Tellemelle ⁋ Faultier ·
Kriechtier · Schildkröte · Schnecke ⁋ Amtsschimmel · Dienstweg · Instanzenweg ·
Bummelzug · Trauermarsch. — Zeitdehner · Zeitlupe ⁋ Flauheit · Hundetrab · Lauheit · Phlegma · Schlendrian · Schwäche · Zeitverlust.

9. Antrieb, Stoß.   *s. heftig 5. 36. zusammentreffen 8. 21. Veranlassung 9. 12.*
prügeln 16. 78. Waffe 17. 11.

anfahren · anlaufen · anprallen · auffahren · zusammenstoßen ⁋ sich abstoßen ·
ankurbeln, anlassen · anregen · anrempeln · anstoßen · anwerfen · bugsieren · däuen
(= schieben, köln.) · drängeln · drängen · drücken · jagen · kugeln · peitschen ·
pfeffern · prellen · reißen · rollen · schalten · schieben · schießen · schleudern ·
schnellen · schnicken · schubsen · schupfen · starten · stoßen · stumpen · stupfen ·
stuppen · stupsen · treiben · treten · wälzen · werfen · in Gang bringen · auf
Touren bringen · in Bewegung setzen · einen Stoß, einen Rand geben ⁋ baafen
(hess.) · hämmern · hauen · klopfen · schlagen · schmeißen · wesche (bad.) ⁋ dynamisch · kinetisch · mechanisch · motorisch ⁋ Anlasser · Starter(knopf) ⁋ Flegel ·
Hammer · Klöppel · Knüppel · Mauerbrecher · Pleuel (Bleuel) · Ramme · Schlegel ·
Schleuder · Stock · Stößel · Widder · Wurfgeschoß ⁋ Nasenstüber · Ohrfeige ·
Prügel · Schlag · Schneller · Schups · Stoß · Streich · Tritt · Wurf ⁋ Startschuß
⁋ Anlauf · Anprall · Anstoß · Ansturm · Antrieb · Bewegungstrieb · Drang ·
Druck · Durchschlag(kraft) · Entladung · Erdbeben · Erschütterung · Explosion ·

Gewalt · Heftigkeit · Karambolage · Perkussion · Schwung · Trieb · 'Triebkraft · Zusammenstoß · Fortbewegung ❡ Bewegungslehre · Dynamik · Kinetik · Mechanik ❡ Anregung · Eindruck.

10. Rückstoss. *Widerhall 7. 25. s. rückwärts 8. 17.*

gegen-, re-, rück-, wider-, zurück- · federn · reagieren · reflektieren ❡ ableiten · abprallen · abspringen · zurückprallen · zurückspringen ❡ abweisen · parieren · zurückdrängen · zurückgeben · zurückschlagen · zurückstoßen ❡ elastisch · prall ❡ Rückstrahler · Spiegel · Sprung (Feder) · Kardangelenk · Stoßstange ❡ Abglanz · Anprall · Aufprall · Echo · Gegenstoß · Gegenwirkung · Reaktion · Reflex · Retourkutsche · Rückfluß · Rücklauf · Rückprall · Rücksprung · Rückstoß · Widerschein ❡ Elastizität · Federkraft · Schnellkraft.

11. Lenken, Weg, Richtung. *s. Verbindung 4. 33. Durchgang 8. 25. Führer 16. 98.*

-wärts · durch · gen · nach · über · zu · auf etwas hin ❡ deuten · gehen · fahren · hinzeigen · peilen · steuern · strömen · treiben · weisen · ziehen · zielen · seinen Lauf nehmen · einen Weg einschlagen, betreten · seine Richtung haben · mit dem Finger deuten · seine Bahn ziehen ❡ führen · halsen (seem.) · leiten · lenken · lotsen · richten · steuern · wenden · etwas seinen Lauf geben · einen Weg andeuten, bezeichnen · anpeilen · über Stag gehen (seem.) ❡ Lotse · Lenker · Steuermann · Verkehrspolizist *s. 8. 4.* ❡ Bussole · Kompaß · Magnetnadel · Wegweiser ❡ Allee · Anlage · Autobahn, Avus · Avenue · Bahn · Baumgang · Boulevard · Brücke · Chaussee · Bürgersteig, Gehsteig, Trottoir · Damm · Durchgang · Einfahrt · Fahrstraße · Fahrwasser · Fahrweg · Fallreep · Furt · Fußpfad · Gasse · Geleise · Gracht · Hauptstraße · Hohlweg · Kanal · Korso · Knüppeldamm, Dammweg · Kreuzweg · Landstraße · Laubengang · Lauf(graben) · Leiter · Molo · Paß · Passage · Pfad · Promenade · Reitweg · Richt(ungs)linie · Ring · Rollbahn · Route · Sackgasse · Saumpfad · Schiene · Schiffstreppe · Schlagbrücke · Schneise · Seitengasse · Sommerweg · Spaziergang · Spur · Steg · Steig · Stollen · Straße · Strickleiter · Tor · Tür · Tunnel · Übergang · Unterführung · Viadukt · Wall · Wechsel · (Acker-, Feld-, Heer-, Spazier-) Weg · Wehrgang · Zeil · Zufahrt · Luftkorridor · Stellwerk ❡ Richtweg · Senne ❡ Hintertür · Umweg · indirekter Weg ❡ Stiege (österr., südd.), Staffel (schwäb.) · Treppe · Stufe · (Frei-, Doppel-, Hinter-, Neben-, Vorder-) Treppe · Wendeltreppe · Hühnerleiter ❡ Drift · Golfstrom ❡ Ausgang · Ausweg · Bestimmung · Eingang · Flug · Fortgang · Gang · Kurs · Lauf · Neigung · Richtung · Strömung · Trieb · Ziel · Zug · Zweck ❡ Adresse, Anschrift ❡ Azimut · Kompaßpunkt · Scheitelkreis · Windrose · Sonnenbahn · Tierkreis · Zodiakus.

12. Abweichung. *s. kreuzen 3. 15. auseinander 8. 22. Bogen 8. 32. Wahl 9. 11. Vergehen 19. 11.*

en passant (Schach) ❡ ab- · abbiegen · abfallen · abirren · abschwenken · abweichen · abzweigen · ausbrechen · ausweichen · beidrehen · drehen · einschwenken · entgleisen · fehlgehen · kreuzen · lavieren · schwenken · umkehren · sich verirren · sich verlieren · sich wenden · vom Weg abweichen · aus dem Wege gehen · die Richtung, den Kurs ändern · einen Bogen beschreiben, machen · einen Haken

schlagen · Kehrt machen · um die Ecke biegen · aus dem Gleise kommen ¶ ab- ·
abdrängen · ableiten · ablenken · biegen · brechen · drehen · krümmen · wenden
¶ erratisch · sprungweis · unbeständig · unstet · veränderlich ¶ Irrläufer ¶ Abweg · Abzweigung · Gabel · Holzweg · Kreuzung · Scheidelinie · Scheitel · Umleitung · Weiche · Winkel · Zweig ¶ Aberration · Ablenkung · Abstecher · Abweichung · Bogenlinie · Brechung · Deklination · Deviation · Divergenz · Gabelung · Inklination · Schwenkung · Umschweif · Umweg.

13. Vorangehen. *s. Vorderseite 3. 26. vorher 6. 11. Führung 16. 96.*

voran · vorn ¶ führen · leiten · vorangehen · die Spitze nehmen (jäg.), die Tête
bilden ¶ die Angriffsspitzen · Avantgarde · Herold · Rufer im Streit · Spitzenreiter · Vorkämpfer · Vorläufer · Pikör ¶ Leithammel · Spähtrupp · Spitze · Tête ·
Voiausabteilung · Vorhut · Vortrab · Vortrupp · Führung · Vortritt.

14. Ziehen. *s. veranlassen 9. 12. Liebe 11. 53.*

(heran-, herbei-, nach-) holen · raffen · schleifen · schleppen · trekken · zerren ·
(ein-, hoch-) winden · ziehen · zisseln · bei den Ohren herbeiziehen · ins Schlepptau nehmen ¶ anziehen · bannen · beschwören · hypnotisieren · locken · magnetisieren · reizen · verführen ¶ anziehend · magnetisch ¶ Rattenfänger · Trommler
¶ Traktor ¶ Magnet · Basiliskenblick ¶ Adhäsion · Anziehung(skraft) · Gravitation · Liebe · Magnetismus · Reiz · sex appeal · Verwandtschaft.

15. Nachfolge. *s. hinter 3. 27. nachnahmen 5. 18. nachher 6. 12. Jagd 7. 11. Schüler 12. 35.*

aufspüren · birschen · pürschen · folgen · hetzen · jagen · nach-: nacheilen · -gehen ·
-setzen · -steigen · -tasten · verfolgen · in die Fußstapfen treten · den Vortritt
lassen · die Verfolgung aufnehmen · auf den Fersen, auf der Fährte, auf der Spur
sein · hinterher sein · bei Fuß bleiben (vom Hund) · dicht auf, auf dem Fuß
bleiben · bedienen (beim Kartenspiel) ¶ Apostel · Jünger · Begleiter · Epigone ·
Hintermann · Jäger · Mitläufer · Nachzügler · Nachfolger · Nachhut · Nachschub ·
Nachzug · Satellit · Schatten · Trabant · Troß · Verfolger · Gefolgschaft ¶ Folge ·
Jagd · Nachfolge · Verfolgung · Erbfolge · Thronfolge.

16. Vorwärts. *s. wachsen 4. 3. Erfolg 9. 77.*

grünes Licht · freie Fahrt ¶ fort · fürbaß · gerade aus · voraus · vorwärts · weiter ·
gengst nuff (schles.) · frei weg · marsch · Tritt gefaßt! · avanti · en avant ¶ anrücken · fortkommen · fortschreiten · strömen · vormarschieren · vorrücken · vorwärtsdringen, -gehen, stürmen ¶ aufkommen · aufholen · überholen · zurücklassen · hinter sich lassen ¶ Fortschritte machen · auf einen grünen Zweig kommen
¶ fördern · frommen. — den Weg bahnen ¶ Draufgänger ¶ Angriff · Anlauf ·
Anmarsch · Flut · Fortgang · Fortschritt · Verfolg.

17. Rückwärts. *s. sich entfernen 8. 18. aufhören 9. 33. Rache 16. 80; 19. 32. Niederlage 16. 83. zurückgeben 18. 18.*

ärschlings · heim · heimwärts · retour · rückwärts · nach (von) hinten · nix wie
fort un heim! · zurück · zweimal · immer wieder · frisch · wie neu ¶ heim- · rück- ·
um- wieder- · zurück- · abtreten · drehen · kehren · sich umdrehen · umkehren ·
sich wenden · sich werfen · zurückblicken · zurückgehen · zurückschauen · zurück-

sehen · zurücktreten · sich zurückziehen ⊄ abgleiten · heimgehen · heimkehren · hufen · retirieren · umkehren · weichen · wenden · wiederkehren · zurückbleiben · zurückprallen ⊄ den Rücken bieten (kehren, zeigen, zuwenden) · kehrt machen · sich umgruppieren ⊄ zurückfallen in · wieder geraten auf · abgehen von ⊄ anheimfallen · zugute kommen ⊄ aufleben · bereuen · sich bessern · in sich gehen · sich versöhnen · ein neues Leben anfangen ⊄ eingehen · einschrumpfen · sich verengern *s. 4. 3; 4. 9* ⊄ entlassen · pensionieren · rückkaufen · (weg)streichen · rückgängig machen · den Spieß umdrehen ⊄ umdrehen · auf den Kopf stellen ⊄ aufgekrempelt · entgegengesetzt · retrograd · rückkäuflich · rückläufig · rückschrittlich · ungültig · verkehrt · atavistisch ⊄ Krebs · Till Eulenspiegel ⊄ Bumerang · Remittend ⊄ Ruhesitz · Schlupfwinkel · Witwensitz ⊄ Re- · Rück- · Heimfahrt · Heimkehr · Heimweh · Krebsgang · Sackgasse · Zapfenstreich ⊄ Echo · Reaktion · Reflex · Reugeld · Rückfracht · Rückkauf · Rücklauf · Rückprall · Rückschritt · Rückstrom · Rücktritt · Widerhall · Wiederkehr ⊄ Ebbe · Gegenmarsch · Rückfall · Rückgabe · Rückgang · Rückkehr · Rückschritt · Rücktritt · Rückwirkung · Rückzug · Umkehr · Wiederkehr ⊄ Inversion · Umkehrung ⊄ Abberufung · Berufung · Rückberufung · Widerruf ⊄ Bekehrung · Besserung · Umkehr · Umschlag · Vergeltung · Wechsel · Wendung ⊄ Auferstehung, Urständ · Renaissance · Restauration · Wiedergeburt · Klassizismus.

18. Sich entfernen. *s. entfernt 3. 8. trennen 4. 34. Bewegung auseinander 8. 22. Reise 16. 6. Gruß 16. 48. Niederlage, Flucht 16. 83.*

bei mir Khasana: ick verdufte · ab durch die Mitte · ab · auf und davon · dahin · fort · heidi · hin · hinweg · nichts als weg · über · von dannen · von hinnen · seitwärts · aus den Augen · ratzebutz ⊄ ksch! · addio · ade · adieu · also · behüt dich Gott · glückliche Reise · grüß dich (ö.) · grüß Gott · mit Gott · guten Tag · leb wohl · machs gut · Salü · Servus · auf Wiedersehn · kehrt · kehrt marsch · gehab dich wohl · alles Gute in diesem Sinne · Hals- und Beinbruch ⊄ marsch! · pack dich · zieh der e Dösche (köln.) · geb dem Mann sein Stecke (frankf.) · mach, daß du rauskommst ⊄ ab-, aus-, davon-, ent-, fort-, los-, ver-, weg-, weiter- · abdampfen · abfahren · sich abmachen · abpirschen · sich absetzen · absocken · abtreten (Bühne) · sich abtun (jäg.) · sich aufmachen · abbauen · abhauen · abrücken · abschieben · abwimmeln · abziehen · auskneifen · auskratzen · ausreißen (wie Schafleder) · ausrücken · sich beurlauben · davonfliegen · sich davonmachen · desertieren, drücken, dünn machen · durchbrennen · durchgehen · sich durchhauen · durchkommen · sich durchschlagen · durchwischen · sich empfehlen · enteilen · entlaufen · entrinnen · entwetzen · entwischen · (ent)fliehen · eschappieren · entschlüpfen · sich salvieren · (sich) flüchten · fortlaufen · sich fortbegeben, fortmachen, fortstehlen · lassen von · losgehen · losziehen · loszittern · marschieren · mufen (seem.) · (sich) packen · räumen · scheiden · sich scheren · schlitzen · starten · stiften gehen · sich trollen · türmen (nordd.) · sich verabschieden · sich verdrücken · (sich) verduften · verlassen · sich verkrümeln, verrollen · sich verlieren · verreisen · verschwinden · sich verziehen · wandern · (sich) wegmachen · sich wegscheren · weichen · witschen · ziehen. — von der Bildfläche, Bühne, in der Versenkung verschwinden · das Lager, die Zelte abbrechen · den (Heim)weg antreten · sich auf den Weg machen · seiner Wege gehen · den Rücken kehren · den Staub von den Füßen schütteln · Abschied nehmen · es ist seines Bleibens nicht · Druckpunkt nehmen · die Flucht ergreifen · Reißaus nehmen · durch die Lappen, stiften gehen · das Weite suchen · sich aus dem Staube, auf die Lappen, auf die Socken, Strümpfe machen · Fersengeld geben · das Hasenpanier ergreifen · sich französisch, englisch, hintenrum, still empfehlen · das Feld räumen · die Platt' putzen · da heißt es: Josef ließ den Rock im Stich und floh · Valet sagen · sein Heil in der Flucht suchen · das Feld räumen · seine Koffer packen · sich dünn machen · sich (seitwärts) in die Büsche schlagen · Leine ziehen · sich in Sicherheit bringen · sich davon, auf die Beine machen · mit genauer Not, mit einem blauen Auge davonkommen ❡ ist längst über alle Berge ❡ abfahren lassen · abfertigen · ablaufen lassen · abprallen lassen · abschlenkern · abweisen · abwimmeln · ausquartieren · evakuieren · beurlauben · entfernen · entlassen · entrücken · fortbewegen · herausbeißen · hinausekeln · hinauswerfen · scheuchen · schicken · senden · trennen · verabschieden · verbannen · verscheuchen · zurück-: zurückdrängen, zurückschlagen · zu Paaren (= barn) treiben · zurückweisen · den Marsch blasen · achtkantig, hochkantig hinaus-, herausschmeißen · vor die Tür, an die Luft setzen · zeigen, wo der Zimmermann das Loch gelassen hat · die Türe zeigen · zum Teufel jagen · den Stuhl vor die Türe setzen, *s. Beförderung 8. 3* ❡ zentrifugal ❡ Ausreißer · Deserteur · Flüchtling · Refraktär · Renegat · Überläufer ❡ Abgang · Abreise · Abschied · Abstand · Auszug · Entfernung · Flucht · Hedschra · Rückprall · Scheidung · Selbstevakuierung · Start · Urlaub · Verschickung · Weggang.

19. Sich nähern. *s. Nähe 3. 9. Zukunft 6. 23.*

heran- · her- · anfliegen · anrücken · aufmarschieren · dämmern · eintreffen · eintreten · entgegengehen · erreichen · herandrängen, -dringen · heraneilen · herannahen · sich ranschlängeln, -arbeiten, -pirschen, -schleichen · heraufziehen · (näher) kommen · (sich) nahen · sich nähern · näher rücken · sich anbiedern · auf den Leib rücken · im Anzuge sein · auf der Ferse folgen · vor den Schuß kommen ❡ zentripetal ❡ Asymptote ❡ Ankunft · Anstoß · Berührung · Landung · Verfolg · Zufluß · Zulauf · Zusammenlauf.

20. Ankommen. *s. Gruß 16. 38.*

daheim · zu Hause · hier · hierher · im Schoße der Familie · im Kreise der Seinigen ❡ an-, ein- · absteigen · ankern · ankommen · anlangen · anlegen · anschmieren · antanzen · antreffen · antreten · aufkreuzen · auftauchen · begegnen · beilegen · besuchen · sich einfinden · einlaufen · einmarschieren · einrücken · sich einstellen · eintreffen · einziehen · erreichen · erscheinen · kommen · landen · sich melden · vorfahren · vorsprechen · wassern · vor Anker gehen · hat wieder Boden, Land unter den Füßen · sein(e) Zelt(e) aufschlagen · er kommt angeflitzt, angeländert, angeprescht, angesetzt, angetanzt, angewackelt, angewalzt, angewetzt, angezottelt ❡ ausschiffen · einholen · einquartieren ❡ heimatlich · heimisch ❡ Bahnhof · Bestimmungsort · Hafen · Haltestelle · Heimat · Landungsplatz · Ruheplatz · (Reise-)Ziel · häusliche Schwelle, Herd ❡ Ankunft · Aufnahme · Einzug · Empfang · Heimkehr · Rückkehr · Willkomm.

21. Zueinander. *s. mischen 1. 21. Gruppe 4. 17; 16. 16. hinzufügen 4. 28.*

bums · aufeinander · ineinander · zusammen ❡ anecken · anfahren · anrempeln · anquasseln · kollidieren · prallen · stoßen zu ❡ begegnen · treffen · zusammen-: zusammenlaufen usw. ❡ kompilieren · konzentrieren · sammeln · stauen · vereinigen ❡ drücken · pressen · quetschen ❡ adstringierend ❡ Haufen · Menge ·

Versammlung · Meeting · Treffen · Tag(ung) ⁊ Aufmarsch · Begegnung · Berührung · Konzentration · Systole ⁊ Zusammenhalt · Zusammenkunft · Zusammenschluß · Zusammenrottung · Zusammenstoß · Karambolage · Kollision ⁊ Berührungspunkt · Sammelpunkt · Schnittpunkt.

22. Auseinander. *s. trennen 4. 34. Teil 4. 42. sich entfernen 8. 18. Umzug 16. 8. Scheidung 16. 16.*

hier und da · hin und wieder *s. manchmal 6. 30.* · auseinander-, zer-: -gehen usw. · ausstrahlen · sich entfalten · sich gabeln · bersten · explodieren · krepieren · platzen · quellen · schwärmen (mil.) · sprühen · stieben · streuen · wandern · zerfallen ⁊ auflösen · ausbreiten · ausgießen · ausschütten · aussenden · ausstreuen · losreißen · säen · scheiden · sprengen · streuen · trennen · verbreiten · vergießen · verschütten · versenden · verspritzen · verstreuen · verzetteln · zersprengen · zerstäuben · zerstreuen · zersplittern · unter die Leute bringen ⁊ abgesondert · doldenförmig · einzeln · lose · sporadisch · vereinzelt · versprengt · beziehungslos ⁊ Dynamit · Explosionsstoffe · Mine · Sprengladung · Rakete · Wunderkerze · usw. — Delta · Dolde · Garbe ⁊ Wegscheide ⁊ Auflösung · Ausbreitung · (Aus)strahlung · Brechung · Diaspora · Diastole · Streuung · Verbreitung · Zerstreuung.

23. Hinein. *s. verschlingen 2. 26. trinken 2. 30. Heilung 2. 44. Öffnung 3. 57. zudringlich 16. 90. nehmen 18. 6.*

einwärts · herein · hinein ⁊ ein- · herein- · hinein- · voll- · einbrechen · eindringen · einmarschieren · sich einschleichen · sich einschmeicheln · einsteigen · eintreten · hineingehen · hineinkommen · zudrängen · Quartier beziehen, einziehen, unter Dach und Fach bringen ⁊ einbeziehen · -blasen · -bringen · -führen · -füllen · -geben · -gießen · -hauchen · -keilen · -legen · -leeren · -rücken (Zeitung) · -schenken · -schmuggeln · -schwärzen · -treiben · -zeichnen · imputieren · installieren ⁊ einatmen · einlassen · einnehmen · einsaugen · empfangen · importieren · schnupfen · verstauen ⁊ befriedigen · füllen · mästen · sättigen · stopfen · absorbieren · aufnehmen · einatmen · inhalieren · resorbieren · saugen · schlucken · verbrauchen ⁊ Eindringling · Einbrecher · Fassadenkletterer ⁊ Irrigator, Einlauf, Klistier Spritze. — Bad ⁊ Fließpapier · Löschpapier · Rauchverzehrer · Schwamm ⁊ Einfahrt · Eingang · Einlaß · Pforte · Portal · Schwelle · Tor, Tür, Zugang. — Mund · Mündung ⁊ Bissen · Medizin ⁊ Einbruch · Einfall · Einlaß · Zulaß · Zutritt ⁊ Empfang · Erkundung · Invasion · Patrouille · Streifzug ⁊ Einwanderung · Eintritt ⁊ Aufnahme · Bezug · Einfuhr, Import · Einspritzung · Eingriff · Sog.

24. Hinaus. *s. Ausscheidungen 2. 35. leer 4. 26. Luftweg 7. 61. sich entfernen 8. 18. abdanken 16. 105. wegnehmen 18. 6.*

auswärts ⁊ auf- · aus- · empor- · ent- · fort- · heraus- · hervor- · hinaus- · weg- ⁊ auftauchen · ausbrechen · ausfließen · ausmünden · ausströmen · austreten · durchdringen · durchlaufen · durchsickern · entfließen · entquellen · entspringen · entströmen · gassi gehen (zum Hund gesagt) · herauskommen (-gehen) · hervorbrechen · rinnen · schwitzen · verdampfen · sich verflüchtigen · verrauchen · ins Freie machen (spazieren machen) ⁊ abblasen · ausgießen · ausscheiden · ausschütten · durchschlagen · durchsintern · entleeren · heraustreiben ⁊ aberkennen · ausstoßen · ausweisen · entlassen · fortjagen · hinauswerfen · strafversetzen · verbannen · verscheuchen · verstoßen · vertreiben · verweisen · verwerfen · an die Luft setzen · Kehraus machen ¶ ausscheiden · sich erbrechen · herausbrechen · von sich geben · geifern · speien · verströmen. — absondern · ausatmen · ausdünsten · aushauchen · aushusten · ausschwitzen · auswerfen · ausfegen · auskehren · ausladen · ausschiffen · ausschöpfen · ausschütten · auswaschen · bluten · verbluten · leeren · räumen · zapfen · zur Ader lassen ¶ abfüllen · abzapfen · abziehen · anzapfen · anstechen · ausbrechen · ausdrücken · ausgraben · auskeltern · auspressen · ausquetschen · ausreißen · ausringen · ausrupfen · ausscharren · auswinden · ausziehen · auszupfen · entfernen · entwinden · entwurzeln · extrahieren · versetzen · wegräumen · wegschaffen ¶ Zentrifuge ¶ Abszeß · Ausfluß · Auswurf · Eiterung. — Abgas ¶ Ausgang · Ausguß · Auslaß · Auspuff · Ausweg · Drain · Gosse, Rinnstein · Gully · Hahn · Kanal · Mündung · Pore · Rinne · Röhre · Ventil · wo der Zimmermann das Loch gelassen hat ¶ Abfluß · Abgang · Abzug · Ausbruch · Austritt · Blutsturz · Destillation · Eruption · Leckage · (Ab-)Tropfen · Weggang ¶ Ausfuhr · Ausmarsch · Emission · Export · Räumung · Schub · Verbannung · Versetzung.

25. Hindurch. *s. Öffnung 3. 57. trennen 4. 34. Weg 8. 11.*

durch. — querfeldein ¶ bahnen · durchbrechen · durchdringen · sich durchdrücken · durchgehen · sich durchhauen · durchlaufen · sich durchquetschen · durchschreiten · durchschweifen · durchtrippeln · durchziehen · sich durchzwängen · kreuzen · queren · seinen Weg erzwingen · eine Gasse machen · passieren ¶ durchleuchten · röntgen ¶ aufgabeln · aufpfählen · aufspießen · beuteln · durchbohren · durchbrechen · durchkreuzen · durchpressen · durchschleusen · durchseihen · durchziehen · einfädeln · filtrieren · sichten · sieben ¶ Winkelried ¶ penetrant. — porös · löschricht ¶ Bresche · Drehtür · Durchgang · Engpaß · Hof · Hohlweg · hohle Gasse · Kanal · Loch · Paß · Tunnel · Weg · Zufahrt ¶ Durchfahrt · Schuß durch · Durchreise.

26. Dazwischen. *s. Zwischenraum 3. 25. Zwischenzeit 6. 15. Vermittlung 16. 49.*

zwischen · mang · mittendrin ¶ dazwischen- · ein- · dazwischentreten · eindringen · eingreifen · sich einmengen · einnisten · eintreten · hineinfallen · intervenieren · knospen · (ver)sinken · sich einschalten ¶ festfahren · sich verfahren · stecken bleiben · nicht weiter können ¶ aufsaugen · baden · durchschießen · einbrocken · einfahren · einflößen · einfügen · einfugen · einführen · einkeilen · einmengen · einrammen · einschalten · einstopfen · eintauchen · eintunken · einweichen · hineinstecken · hineinwerfen · interpolieren · stippen · tauchen · taufen · titschen · tunken ¶ bestatten · vergraben · verscharren 2. 48 ¶ füllen · impfen · inokulieren · pflanzen · pfropfen · pökeln · schachteln · schwängern · spicken ¶ inter-, z. B. interkalar · interlinear · gegenseitig · wechselseitig ¶ Eindichter ¶ Einschiebsel · Einschub · Interpolation · Einschaltung ¶ Schalt- · Keil · Klammer · Schleuse · Isolierschicht · Luftschicht · Einlage (Zahn) ¶ Okulation. — Überschwemmung · Unterwanderung ¶ Dazwischenkunft · Vermittlung · Vermittler · der Dritte.

27. Über etwas hinweg. *s. Schall 7. 24. Anmaßung 11. 45; 16. 90.*

über- · ausschreiten · ausschweifen · queren · überfliegen · überfallen, überfliehen (jäg.) · überfluten · überholen · überkochen · überlaufen · überschäumen · überschreiten · überschwemmen · übertreffen · übertreten · über das Ziel hinausschießen · über die Stränge schlagen ¶ Aquädukt · Brücke · Fähre · Furt · Paß · Schneewächte. — lebender Kolumnentitel ¶ Durchquerung · Übergang · Übergewicht · Übergriff · Übermaß · Überschwenglichkeit · Übertreibung.

28. Hinauf. *s. oben 3. 33. wachsen 4. 3. hoch 4. 12. fliegen 8. 6. Gebäude 17. 2.*

auf · aufwärts · bergauf · empor · herauf · flußaufwärts · stromaufwärts ¶ auf- · empor- · hinauf- · hoch- · aufbaumen (= auf einen Baum fliegen, jäg.) · aufflammen · aufflattern · auffliegen · aufgehen · aufquellen · aufschnellen · sich aufschwingen · aufsitzen · aufsprießen · aufstehen · aufsteigen · aufstreben · auftauchen · sich auftürmen · sich bäumen · besteigen · emporkommen · sich erheben · klimmen · (er)klettern · (er)klimmen · lodern · fliegen · hangeln · sich hochschrauben · hüpfen · kraxeln · ragen · sich ranken · schwimmen · sprießen · springen · steigen · tanzen · wachsen · sich auf Fittichen erheben · in die Luft, gen Himmel fahren · sich in die Lüfte schwingen · sich auf die Hinterfüße stellen · Männchen machen · auf Stelzen gehen · hoch werden (jäg.) ¶ äufnen (alem.) · aufbauen · aufblähen · aufhängen · aufheben · aufplustern · aufrichten · aufschlagen · aufstocken · aufstülpen · aufwinden · aufziehen · baggern · emporbringen · erheben · erhöhen · · errichten · heben · hissen · heißen · hochschrauben · lüften · lüpfen · raffen · steigern · türmen · groß machen · auf die Beine bringen, stellen ¶ jäh · steil · stotzig ¶ Lerche · Rakete · Springquell · Fontäne · Geysir ¶ Aufzug · Elevator · Förderkorb · Hebel · Schiffshebewerk · Fahrstuhl, Lift · Flaschenzug · Winde · Bergbahn · Schwebebahn · Seilbahn · Zahnradbahn ¶ Leiter, Tritt · Stiege · Stufe · Treppe ¶ Aufsatz · Auftritt · Bühne · Empore · Podium ¶ Bau · Dach · Verdeck · Wagendach ¶ Aufstieg · Auftrieb · Bergfahrt · Himmel. — Erektion.

29. Springen *s. über hinweg 8. 27. Sport 16. 57. Tanz 16. 58.*

hop · hopla · hopsa · heissa ¶ gumpen (alem.) · hopsen · hüpfen · setzen über · springen · drüber wetzen · galoppieren. — tanzen ¶ Springer · Tänzer · Tanzmeister · Ballett ¶ Feder · Sprungbrett · -turm · -schanze- ¶ Aufprall · Bogensprung · Hupf · Luftsprung · Pirouette · Reigen · Reihen · Salto (mortale) · Looping the loop · Satz · Schuhplattler · Sprung · Tanz ¶ Elastizität · Federkraft · Schnellkraft · Spannkraft.

30. Hinunter *s. schräg 3. 13. tief 3. 14. unten 3. 34. zerstören 5. 42.*

abwärts · bergab · flußabwärts · herab · hinunter · stromabwärts · talwärts · vom Himmel hoch ¶ hinlegen! ¶ ab-, herab-, herunter-, hinunter-, nieder- · absacken · absitzen · abspringen · absteigen · aussteigen · gleiten · herabkommen · herabspringen · herabsteigen · hinabgehen · knicksen · niedergehen · niedersitzen · rutschen · sacken · sich setzen · sinken · tauchen · trudeln · untergehen ¶ sich beugen · sich bücken · dienern · sich ducken · knien · kriechen · sich verbeugen · sich verneigen · zusammenknicken · klappt zusammen wie ein Taschenmesser · Knicks machen ¶ ablegen · abnehmen · abreißen (Haus) · abwerfen · ausgleichen · bedrücken · beugen · ducken · ebnen · einsenken · erniedrigen · fällen · hinablassen · herabschleudern · herabsetzen · herunternehmen · herunterstellen · neigen · senken · versenken · vertiefen · welgern · dem Erdboden gleichmachen · in den Dreck treten · keinen Stein auf dem anderen lassen ¶ Fallschirmspringer ¶ Lawine · Wasserfall · Dusche ¶ Bergsturz · Einsturz · Erdrutsch · Talfahrt · Gleitflug · Sturzflug · Schußfahrt (Ski) ¶ Bodensatz · Niederschlag ¶ Niedergang · Sturz · Handkuß · Kniebeuge. — Gravitation · Schwerkraft · Abstieg · Gefälle.

31. Fallen. *s. Purzelbaum 16. 56.*

bauz · hopla · pardauz · patsch · plumps · holter dipolter · unterst zu oberst · langewegs · bei mir Niagara: alles stürzt nach unten ¶ ab- · hin- · um- · abstürzen · ausgleiten · durchsacken · fallen · glitschen · hinappeln · hindotzen · hineiern · hineisen · hinellern · hinfallen · hinfliegen · hinhauen · hinlerchen · hinsausen · hinschlagen · hinschmeißen · kentern · kippen · kollern · kullern · niederfallen · plumpen · plumpsen · purzeln · rutschen · schliddern · schwanken · stolpern · stranden · straucheln · stürzen · taumeln · torkeln · torzeln (hess.) · sich überschlagen · umfallen, -sinken · den Boden küssen, (sich längelang) hinlegen, das Gleichgewicht, die Balance verlieren · Kobolz schießen · nach Liegnitz kommen (schles.) · Kleinholz machen · ins Rollen, Rutschen kommen · Erdkunde studieren (mil.) ¶ fällen · hinlegen · kippen · knicken · mähen · niederlegen · niedermetzeln · niederschmettern · niedersetzen · schlagen (von Bäumen) · umhauen · umlegen · umstoßen · umstürzen · umwerfen · fallen lassen · nadeln (von Bäumen) · ein Bein stellen · auf den Sand setzen ¶ Fall · Fehltritt · Sturz.

32. Im Bogen. *s. umgeben 3. 24. Kurve 3. 46.*

um- · abschwenken · holländern (Eislauf) · kreisen · kurven · sich schlängeln · schlingen · schwenken · umgehen · umkreisen · umranken · umschiffen · umschlingen · umsegeln · umzingeln ¶ kollern · kreisen · sich kugeln · rollen · rotieren · tänzeln · tanzen · sich um seine Achse drehen · umlaufen ¶ abhaspeln · abwickeln · aufrollen · aufwickeln · drehen · drillen · kräuseln · kugeln · locken · rollen · rühren · schwenken · schwingen · spulen · wälzen · wenden · wickeln · winden · wirbeln · zwirbeln ¶ Strudel · Wasserhose · Wirbel · Wirbelwind · Tornado ¶ Gewerbe (südd.) = Haspe(l) · Korkzieher · Kreisel · Kringel · Kurbel · Rolle · Rotationsmaschine · Schraube · Spirale · Spule · Winde · Wendeltreppe ¶ Achse · Angel · Drehring · Töpferscheibe · Rad · Scharnier · Schraube · Spindel · Stift · Tanzknopf · Turbine · Welle · Windmühle · Zapfen ¶ Drall · Drehwurm, Schwindel · Taumel ¶ Rund- · Um- · Irrgang · Kolonnade · Kometenbahn · Kreislauf · Krümmung · Kurve · Looping · Rank · Rotunde · Rundreise · Schwenkung · Umfang · Umkreis · Umlauf · Umschweif · Umschwung · Umweg · Wellenlinie ¶ Ballistik.

33. Hin und Her. *s. unentschlossen 9. 7. Laune 9. 10.*

auf und ab · hin und her · klipp klapp · tick tack · landauf landab · Berlicke— Berlocke · im Zickzack ¶ bambeln · bammeln · baumeln · beben · dotzeln · erdröhnen · fächeln · flattern · geigen · geistern · hampeln · hummeln · fickeln · irrlichterieren · irren · kippeln · kreuzen · lavieren · oszillieren, schillern · pendeln · pulsieren · rollen · schaukeln · schlenkern · schunkeln · schwanken · schwänzeln · schwappen · schwingen · tanzen · taumeln · torkeln · trudeln · vibrieren · wabern · wackeln · wallen · wanken · sich wiegen · wimmeln · wippen · wogen · wriggen · wrubbeln · wuseln · zappeln · zittern · züngeln · ebben und fluten · hin und her gehen · ist ein Spiel der Winde · wackelt wie ein Sack Sülze, wie ein Kuhschwanz ¶ erschüttern · kippeln · schaukeln · schlenkern · schwenken · schwingen · wiegen · reiben · rubbeln ¶ undulatorisch ¶ Hampelmann ¶ Bommel · Espenlaub · Klunker · Magnetnadel · Pagodenmännchen · Pendel · Perpendikel, Unruh (Uhr) · Metronom · Quirl · Puls · Zitternadel ¶ Brandung · Gezeiten · Ebbe und Flut ¶ Schaukel · Wiege · Wippe · Rollsitz · Schaukelstuhl · Schalenwaage ¶ Erdbeben · Gewoge · Pulsschlag · Tanz · Schwindelanfall · Zickzackkurs.

34. Regellose Bewegung. s. *zwecklos 9. 51.*

aufbrausen · brausen · brodeln · flackern · gären · geistern · kochen · pochen · schäumen · sieden · sprudeln · treiben · wallen ℂ bebbern · bibbern · blubbern · bubbern · erheben · fiebern · frösteln · erschauern · nubbeln · schaudern · schlottern · schlingern · schuckern · stampfen · rollen · strampeln · wackeln · wirbeln · zähneklappern · zucken ℂ herum-, z. B. -fingern, -fummeln, -tigern · herumturnen · dotzeln (hess.) · fuchteln · schlendern · schlottern · stolpern · taumeln · torkeln · trudeln · beuteln · sich winden · wie ein Furz in der Laterne (mil.) · tanzt wie ein Korken auf dem Wasser · schwankt wie eine Nußschale ℂ erschüttern · quirlen · rütteln · schütteln · stoßen · werfen ℂ dormelig (hess.) · konvulsivisch · krampfhaft · quecksilbrig · rastlos · ruhelos · unruhig · unstet · wie ein Irrlicht · hat Quecksilber im A... ℂ Wackeltopf ℂ Schüttler · unruhiger Geist · Wrubbelpopo · Zappelphilipp · Zitteraal ℂ Treibgut ℂ Krater · Schlammtrichter ℂ Auflauf · Aufruhr · Erdbeben · Getümmel · Klamauk · Sturm · Trubel · Tumult · Unruhe ℂ Ansturm · Ruck · Stoß ℂ Anfall · Anwandlung · Epilepsie · Fieberkurve · Koller · Konvulsion · Krampf · Paroxysmus · Schauer · Seegang · Strudel · Wirbel · Veitstanz.

9. Wollen und Handeln

9. 1. Trieb
9. 2. Wille
9. 3. Unfreiwillig
9. 4. Bereitwillig
9. 5. Widerwille
9. 6. Entschlossen
9. 7. Unentschlossen
9. 8. Beharrlich
9. 9. Unbeständigkeit
9. 10. Laune
9. 11. Wahl
9. 12. Veranlassung, Beweggrund
9. 13. Scheingrund
9. 14. Absicht, Zweck
9. 15. Plan
9. 16. Absichtslos
9. 17. Abmahnung
9. 18. Tätigkeit
9. 19. Unterlassen
9. 20. Abstehen
9. 21. Unternehmen
9. 22. Arbeit
9. 23. Arbeitsplatz
9. 24. Untätig
9. 25. Methode
9. 26. Vorbereiten
9. 27. Unvorbereitet
9. 28. Versuch
9. 29. Beginn
9. 30. Fortsetzung
9. 31. Gewohnheit
9. 32. Abgewöhnung
9. 33. Aufhören
9. 34. Unvollendet lassen
9. 35. Vollenden
9. 36. Ruhe
9. 37. Energie
9. 38. Eifer
9. 39. Eile
9. 40. Anstrengung
9. 41. Faulheit
9. 42. Sorgfalt
9. 43. Nachlässig

9. 44. Wichtig
9. 45. Unwichtig
9. 46. Nützlich
9. 47. Vorteil
9. 48. Zweckmäßig
9. 49. Nutzlos
9. 50. Nachteil
9. 51. Unzweckmäßig
9. 52. Geschicklichkeit
9. 53. Ungeschickt
9. 54. Leicht
9. 55. Schwierig
9. 56. Gute Qualität
9. 57. Verbessern
9. 58. Wiederherstellung
9. 59. Mittelmäßig
9. 60. Minderwertig
9. 61. Schlechter werden
9. 62. Rückfall
9. 63. Beschädigen
9. 64. Vollkommen
9. 65. Unvollkommen, fehlerhaft
9. 66. Rein
9. 67. Unrein
9. 68. Zusammenwirken
9. 69. Mitwirkung
9. 70. Beistand
9. 71. Wechselwirkung
9. 72. Gegenwirkung
9. 73. Verhindern
9. 74. Gefahr
9. 75. Sicherheit
9. 76. Zuflucht
9. 77. Erfolg
9. 78. Mißlingen
9. 79. Direkter Weg
9. 80. Umweg
9. 81. Erfordernis
9. 82. Mittel
9. 83. Werkzeug
9. 84. Benutzung
9. 85. Nichtbenutzen
9. 86. Mißbrauch

1. Trieb. *s. Richtung 8. 11. Laune 9. 10. Absicht 9. 14. Erfordernis 9. 81. Wunsch 11. 36.*

drängen · hingravitieren · (hin)neigen · streben · tendieren · trachten · treiben · zielen ¶ besessen · dumpf · elementar · erfüllt von · impulsiv · instinktiv · irrational · mechanisch · spontan · traumhaft · triebhaft · triebmäßig · unbewußt · unterbewußt · unwillkürlich · ursprünglich · vital ¶ Bedürfnis · Bestreben · Drang · Gelüst · Hang · Impuls · Instinkt · Liebhaberei · Manie · Neigung · Regung · Schwäche · Steckenpferd · Streben · Strebung · Tendenz · Tick · Trieb · Wallung · Zug zu · Zuneigung · gesundes Volksempfinden.

2. Wille. *s. Wahl 9. 11. Absicht 9. 14. Hunger 10. 10. Wunsch 11. 27 und 36. Abstimmung 16. 102. Freiheit 16. 120.*

aus freien Stücken · von selbst · von sich aus · aus eigenem Antrieb · mit Fleiß · nach seinem Gusto · nach eigenem Ermessen · mit offenen Augen · auf eigene Faust · aus sich heraus · mit Willen · mit Vorbedacht ¶ begehren · beharren auf, bei · beschließen · bestehen auf · bezwecken · geruhen · streben · wollen · wünschen · mir beliebt · mich gelüstet · auf etwas aus sein · Lust haben · seine Meinung haben · auf etwas halten · gewillt sein · willens sein · Lust bekommen · er machts wie der Pfarrer Aßmann, Witwe Bolte ¶ voluntaristisch ¶ absichtlich · beabsichtigt · berechnet · bewußt · geflissentlich · spontan · vorbedacht · vorsätzlich · willentlich · willig · willkürlich ¶ frei · freiwillig · unaufgefordert · ungeheißen · ungezwungen ¶ Absicht · Vorsatz · Wille · Wollen · Wollung ¶ Affekt · Begehren · Begierde · Drang · Lust · Neigung · Trieb · Wunsch ¶ Belieben · Gesinnung · Laune · Stimmung · Willkür ¶ Freiheit · (freies) Handeln · Selbstbestimmung · Selbsthilfe · Selbsttätigkeit · Willensbestimmung · freies Ermessen · eigene Kraft ¶ Bewilligung · Entschluß · Wahl · Willensäußerung.

3. Unfreiwillig. *s. Schicksal 5. 45. absichtslos 9. 16. Erfordernis 9. 81. Befehl 16. 106. Zwang 16. 107. Armut 18. 4. Pflicht 19. 24.*

notwendigerweise · zwangsweise · blindlings · entweder — oder · ja oder nein · ohne Wahl · unter Druck ¶ sich behelfen · sich beugen · sich darein finden, schicken · sich forthelfen · sich fügen · gehalten · genötigt sein · er hat das zu tun · müssen · sich verpflichtet fühlen · nicht umhin können · sich bemüßigt fühlen · keine Wahl haben · es bleibt nichts anderes, nichts weiter übrig ¶ abpressen · aufdrängen, -halsen · bedrohen · bestimmen · einschüchtern · erpressen · etwas durchbringen, -drücken, -setzen, erzwingen · knebeln · nötigen · notzüchtigen · terrorisieren · tyrannisieren · unterjochen · veranlassen · vergewaltigen · zwingen ¶ es gilt · keine Wahl lassen · jmd. zu etwas pressen · die Pistole auf die Brust setzen · nichts anderes übrig lassen ¶ beschlossen · besiegelt · drängend · geboten · gegeben · gesetzlich · naturnotwendig · nötig · notwendig · pflichtgemäß · obligatorisch · unabwendbar · unausweichlich · unbedingt · unentbehrlich · unentrinnbar · unerläßlich · unumgänglich · unvermeidlich · unwiderruflich · unwiderstehlich · vorgeschrieben · zwangsläufig · zwingend ¶ automatisch · blind · unabsichtlich · unfreiwillig · vorsatzlos ¶ Muß-, z. B. Mußrömer · Kind seiner Zeit ¶ Enge · Fügung · Gebundenheit · Gewalt · Nötigung · Not · Notwendigkeit · Recht des Stärkeren · Schicksal · Terror · Verhängnis ¶ höhere Gewalt · Notfall · äußere, ernste, harte Notwendigkeit · das harte Muß · der gewiesene Weg · freiwilliger Zwang ¶ Determinismus · Fatalismus · Karma · Prädestination · Vorherbestimmung · Unterwerfung · Unvermeidlichkeit.

4. Bereitwillig. *s. Übereinstimmung 12. 47. ja 13. 28. zustimmen 16. 24.*
nachgeben 16. 110.

gern · herzlich gern · mit (größtem) Vergnügen · nichts lieber als · ohne mit der
Wimper zu zucken · stets zu Diensten · gerne für Sie beschäftigt · beehrn S' uns
wieder (österr., bayr.) · komme auf Postkarte · bitte schön ⸿ hinneigen zu · sich
verstehen zu · einverstanden sein · konform gehen · zugreifen · aufgelegt, gewillt
sein · willens sein · geneigt sein · erbötig sein · eine Ader dafür haben · Lust und
Liebe haben · Mumm dazu haben (berl.) · sich anheischig machen · ist dafür zu
haben · den Wünschen entgegenkommen, willfahren, auf halbem Wege begegnen ·
Avancen machen ⸿ aufmerksam · begierig · bereit · bereitwillig · disponiert · eilig ·
einsatzbereit · freudig · gelaunt · geneigt · gestimmt · höflich · kulant · ungezwungen · willfährig · willig · zuvorkommend · leicht zu behandeln ⸿ Anerbieten ·
Anlage · Bereitschaft · Bereitwilligkeit · Disposition · Einsatz · Entgegenkommen ·
Gelehrigkeit · Geneigtheit · Gewohnheit · Gönnerschaft · Gunst · Hang · Laune ·
Lust · Nachgiebigkeit · Neigung · Sinn · Stimmung · Voreingenommenheit · Vor-
liebe · Willfährigkeit · Zustimmung.

5. Widerwille. *s. Abmahnung 9. 17. Verzicht 9. 20. Unlust 11. 13. Unzufriedenheit 11. 27. Abneigung 11. 59. ablehnen 16. 27. Widerstand 16. 65.*

ungern · schweren Herzens · na ja · ohne mich · in Gottes Namen · sauersüß · der
Not gehorchend, nicht dem eignen Triebe · wohl oder übel · wenn es sein muß ·
nur aus Mitleid ⸿ anstehen · ausweichen · sich beherrschen · dagegen sein · einwenden · sich enthalten · sich entziehen · sich scheuen · schwanken · sich sperren ·
sich sträuben · stutzen · überlegen · sich weigern · sich widersetzen · zaudern · sich
zieren · zurückbeben · zurückfahren · zurückschrecken · abgeneigt sein · nicht
wollen · will nichts davon wissen · es müde, leid sein · ungewiß sein · hat keinen
Mumm (berl.) · ein Theater machen · Bedenken tragen · satt haben · kann es
nicht übers Herz bringen · ist mit dem Herzen nicht dabei · Ausflüchte suchen · sich
anders besinnen · sich abseits halten · Anstand nehmen · keine Lust haben · die
Nase rümpfen ⸿ sich abfinden · in Kauf, hinnehmen · sich zu etwas verstehen,
herbeilassen, bequemen · herausrücken · in den sauren Apfel beißen · sich schicken
in · seinem Herzen einen Stoß geben · über sich gewinnen · übers Herz bringen ·
sich überwinden ⸿ anwidern · widerstehen · sauer werden · schwer ankommen ·
gegen den Strich gehen · verleiden · verleidet werden, sein · schwer fallen · es graut
ihm davor ⸿ ablehnen · aufgeben · ausschlagen · sich enthalten · sich entschlagen ·
niederlegen · sich wehren · pfeifen auf · streiken · unterlassen · verweigern · verwerfen · verzichten · zurücktreten · zurückweisen ⸿ verderben · verleiden · vermiesen · die Lust benehmen ⸿ abgeneigt · angewidert · borstig · gleichgültig ·
unfreiwillig · ungefällig · unwillig · widerspenstig · widerstrebend ⸿ abstoßend ·
antipathisch · leidig · mißfällig · schauderbar · schauderhaft · unliebsam · verleidet · widerlich · widerwärtig ⸿ Abneigung · Abscheu · Antipathie · Aversion ·
Desinteressement · Einspruch · Ekel · Fisimatenten · Idiosynkrasie · Überdruß ·
Unlust(gefühl) · Gleichgültigkeit · Nachlässigkeit · Saumseligkeit · Widerspruch ·
Widerstreben · Widerwille ⸿ Anstand · Ausweg · Bedenken · Einrede · Einwurf ·
Enthaltung · Mißfallen · Ungewißheit · Zweifel.

6. Entschlossen. *s. ganz 4. 41. hoher Grad 4. 50. Kraft 5. 35. sofort 6.14. Wahl 9. 11. Energie 9. 37. Mut 11. 38. barsch 11. 58; 16. 53.*

frisch weg · nicht faul · dreist und gottesfürchtig · ohne Umschweife · ohne weiteres · ohne Säumen, Verzug · immer feste druff · durch dick und dünn · durch Feuer und Wasser · auf jede Art und Weise · unter allen Umständen · ein- für allemal · auf alle Fälle · da beißt keine Maus einen Faden ab · jedenfalls · fest · ohne (lange) zu fackeln · auf eigene Faust · biegen oder brechen · basta · Krieg bis aufs Messer! · abgemacht · raus oder rein · entweder — oder · ent oder weder · aut oder naut (hess.) · Enten oder Federn! · hier steht die Lampe · auf Gedeih und Verderb · mit Volldampf · hic Rhodus, hic salta ℭ beharren bei · bestehen auf · durchgreifen · festbleiben · sich dran halten · nicht lange fackeln · entschlossen sein · auf dem Plan sein · sich nicht abwendig machen lassen · sich nicht beirren lassen · nicht locker lassen · net auslassen (bayr.) · sich kurz fassen · nicht nachgeben · ist schnell bei der Hand · nicht viel Federlesen machen · kurze Fufzehn, kurzen Prozeß machen · die Gelegenheit beim Schopf fassen · geht ran an Speck · er ist Manns genug · auf die Spitze treiben · aufs Ganze gehen ℭ sich aufraffen · sich entscheiden · sich entschließen · sich ermannen · sich zusammennehmen, zusammenreißen · sich etwas in den Kopf setzen · den Dreh kriegen · ist mit sich im Reinen · zum Entschluß kommen ℭ beschließen · bestimmen · entscheiden · zu einer Wendung bringen, führen ℭ aktiv · beharrlich · beherzt · bestimmt · beständig · betriebsam · charakterfest · deftig · dufte (berl.) · energisch · entschieden · entschlossen · fest · forsch · gehörig · hartnäckig · herzhaft · keck · kraftvoll · männlich · mannhaft, martialisch · resolut · mutig · rücksichtslos · schneidig · standhaft · stramm · straff · tatkräftig · tüchtig · unbeugsam · unbeweglich · unerbittlich · unerschütterlich · unnachgiebig · unternehmend · unveränderlich · verbissen · willensstark · zielbewußt ℭ apodiktisch · besiegelt · bindend · definitiv · endgültig · ernstlich · gebieterisch · gemessen · kategorisch · nachdrücklich · peremptorisch · radikal · streng · unausweichlich · unbedingt · unfehlbar · unumstößlich · unwiderruflich · zuversichtlich ℭ felsenfest · fest wie eine Mauer ℭ Charakter · Draufgänger · Kerl · (harter) Mann · Persönlichkeit · Willensnatur · Willensmensch · ein rocher de bronze ℭ Festigkeit · Starrsinn · Unbeugsamkeit · Verstocktheit ℭ Ausdauer · Energie · Entschiedenheit · Entschlußkraft · Initiative · Kraft · Männlichkeit · Mut · Schneid (südd. die, nordd. der) · Selbstbeherrschung · Selbstvertrauen · Sicherheit · Tatendrang · Unternehmungsgeist.

7. Unentschlossen *s. Schwäche 5. 37. schwierig 9. 55. Furcht 11. 42. Ungewißheit 12. 23.*

sich den Kopf kratzen ℭ von ungefähr · in Ungewißheit, Zweifel · in innerem Zwiespalt ℭ anstehen · sich bedenken · sich besinnen · lavieren · schwanken · warten · zaudern · zögern · zweifeln · sich nicht entschließen können · ratlos, ungewiß, unschlüssig sein · fassungslos dastehen · mit sich selbst kämpfen · Anstand, Anstoß nehmen · steht wie der Ochs vorm Berge · Umstände machen · es noch einmal beschlafen · sich drehen und wenden · sich Zeit lassen · Bedenkzeit erbitten · es darauf ankommen lassen · sich um den Finger wickeln lassen · zu keinem Entschluß kommen · tausend Gründe vorschieben · ist kein Jung und kein Mädel · weiß nicht, was er will · sagt weder ja noch nein · nicht zu Stuhl kommen ℭ stutzig werden · abwarten · bedenken · hinhalten · überlegen · vertagen · es dabei belassen · alles gehen lassen ℭ apathisch · asthenisch · drehnig (schles.) · dumpf · energielos · ergeben · entwurzelt · flatterhaft · geduldig · gerecht · gleich-

gültig · halb · haltlos · indifferent · kraftlos · lahm · lau · launenhaft · miesepetrig ·
nervös · neurasthenisch · neutral · passiv · ratlos · saumselig · schlapp · schwach ·
schwerfällig · timplig · tolerant · träg · unbeständig · innerlich zerrissen · unbestimmt · unentschieden · unentschlossen · unfrei · unschlüssig · unselbständig ·
unstet · untätig · veränderlich · wandelbar · wankelmütig · weich · wetterwendisch ·
willenlos · willensschwach · ziellos · zweifelhaft · zwiespältig ¶ Drehpeter · Dreidraht (hess.) · Hamlet · Hampel(mann) · Leimsieder · Marionette · gebrochene
Natur · Pantoffelheld · Philosoph · Puppe · Relativist · Schlappschwanz · Schmetterling · Schneiderseele · Siemandl · Wetterfahne · die Wurz'n (bayr.) · Zweifler
¶ Herakles am Scheideweg · Fabius Cunctator · Buridans Esel ¶ Halbheit · Kompromiß ¶ Bedenken · Energielosigkeit · ewiges Hin und Her · innerer Kampf ·
innerer Konflikt · historischer Sinn · Neutralität · Ratlosigkeit · Schaukelpolitik ·
Schwäche · Unsicherheit · Verlegenheit · Wankelmut · Weichheit · Weltschmerz ·
Zaudern · Zwiespalt.

8. Beharrlich. *s. Dauer 6. 7. vollenden 9. 35. Energie 9. 37. Strenge 11. 61; 16. 108, enger Geist 12. 55. Freundschaft 16. 41. Widerstand 16. 65.*

gerade durch · mit eiserner Beharrlichkeit, Konsequenz · mit eisernem Fleiß ·
mit konstanter Bosheit · bis ins Aschgraue · nun gerade · erst recht · wer A sagt ... ·
so lange bis ¶ anhalten · aushalten · ausharren · bleiben bei · bocken · beharren ·
durchhalten · durchstehen · festbleiben · sich hingeben · sich klammern an · sich
steifen · trotzen · sich verbeißen · seinen Willen durchsetzen · sich nicht abbringen,
abwenden, irre machen lassen · einer Sache treu bleiben · dabei, bei der Stange
bleiben · sich mit Leib und Seele ergeben · sich verschreiben · (beharrlich) auf ein
Ziel lossteuern · auf dem einmal eingeschlagenen Wege verharren · nicht rechts
noch links sehen · Stich halten · aufs Ganze gehn · Hindernisse beseitigen, übersteigen · Schwierigkeiten aus dem Wege räumen · nicht ablassen · nicht nachlassen · nicht locker lassen · ruht nicht eher, als bis · auf seinem Willen beharren ·
nicht schwanken · auf sein Recht pochen · auf seinem Kopf, Sinn beharren, bestehen · hat seinen (eigenen) Kopf · muß alles nach seinem Kopf gehn · will mit
dem Kopf durch die Wand · ist nicht wegzuprügeln · weiß alles besser ¶ abtrotzen ·
ausführen · durch- · durchbiegen · durchfechten · durchführen, -kämpfen, -setzen,
-stehen · ertrotzen · erzwingen · festhalten · sich hingeben · sich widmen · den
Kopf darauf setzen, aufsetzen · erpicht, versessen sein auf · zustande bringen · nicht
aus dem Auge verlieren · dabei bleiben · sich dick hinpflanzen ¶ beharrlich · beständig · bestimmt · blindgläubig, orthodox · fest · gerade · hundertprozentig · konsequent · nachhaltig · standhaft · ständig · stetig · stur · systematisch · unabänderlich · unbeugsam · unerschütterlich · zäh · zielstrebig · zweckbewußt ¶ emsig ·
fleißig · geduldig · unermüdlich ¶ hartköpfig · blindwütig · bockbeinig · bockig ·
eifrig · eigensinnig · eigenwillig · fanatisch · halsstarrig · hartmäulig · hartnäckig ·
leidenschaftlich · querköpfig · radikal · starr(sinnig) · steifköpfig · störrisch · trotzig ·
unablässig · unbeirrbar · unbekehrbar · unbeugsam · unbeeinflußbar · unduldsam ·
unentwegt · unerbittlich · unermüdlich · ungehorsam · unlenkbar · unnachgiebig ·
verbiestert · verbissen · verbohrt · verhärtet · verhetzt · verrannt · versessen · verstockt · widerspenstig · wütig ¶ unabdingbar ¶ Büffel · Dickkopf · Dickschädel ·
Eiferer · Fanatiker · Haberecht · Heißsporn · Prinzipienreiter · Quadratschädel ·
Querkopf · Radikalinski · Rechthaber · Rigorist · Schwärmer · Starrkopf · Streiter ·
Trotzkopf · ein Unbedingter · Zelot · Kämpfer gegen die Zeit · Michael Kohlhaas
¶ Vorurteil · Wahn · fixe Idee ¶ Ausdauer · Beharrlichkeit · Beständigkeit · Emsig-

keit · Entschlossenheit · Fleiß · Geduld · Konsequenz · Stetigkeit · Unermüdlichkeit · Verbleiben ⁊ Eigensinn · Eigenwille · Festigkeit · Halsstarrigkeit · Hartnäckigkeit · Standhaftigkeit · Starrsinn · Störrigkeit · Trotz · Unnachgiebigkeit · Verstocktheit · Vorurteil · Widerspenstigkeit · Zähigkeit ⁊ Betörung · Bigotterie · Dogmatismus · Fanatismus · Intoleranz · Radikalismus · Unduldsamkeit · Verblendung.

9. Unbeständig. *s. ändern 5. 24. überreden 9. 12. Vergeßlichkeit 12. 40. unzuverlässig 19. 25.*

hin und her · aus den Augen, aus dem Sinn · heute so, morgen so ⁊ schillern · schwanken · den Mantel nach dem Wind hängen · mit den Wölfen heulen · sich auf den Boden der Tatsachen stellen · sich nicht bewähren ⁊ abfallen · abschreiben · desertieren · sich entloben · entsagen · übergehen · überlaufen · umkehren · den Sinn ändern · sich anders besinnen · andern Sinnes werden · besser überlegen · auf andere Gedanken kommen · zur ersten Liebe zurückkehren · sich fremden Göttern zuwenden · die Farbe wechseln · den Spieß umkehren ⁊ abbefehlen · abbestellen · abrufen · abschwören · aufgeben · ausstreichen · umstoßen · verzichten auf · widerrufen · zurücknehmen · rückgängig machen ⁊ abtrünnig · anpassungsbereit · beweglich · charakterlos · doppelzüngig · flatterhaft · flüchtig · haltlos · inkonsequent · jesuitisch · launenhaft · launisch · leichtsinnig · nachgiebig · unberechenbar · unbeständig · unstet · untreu · unzuverlässig · veränderlich · treulos · verzogen · wandelbar · wankelmütig · wetterwendisch · widerspruchsvoll · windig · zerfahren · ziellos ⁊ Chamäleon · Anschmecker · Irrwisch · Leichtfuß · Luftikus · Mantelträger · Proteus · Rohr (im Wind) · Schlüppchen · treulose Tomate · Wetterfahne · Wetterhahn · Windbeutel · Windfahne · Windhund · unruhiger Geist · unsicherer Kantonist · Hans in allen Gassen ⁊ Ausreißer · Deserteur · Überläufer ⁊ Abtrünniger · Bekehrter · Renegat · Rückfälliger · Konjunkturritter ⁊ Abfall · Abschwörung · Absage · Aufgebung · Aufhebung · Bekehrung · Entlobung · Entsagung · Fahnenflucht · Resignation · Reue · Sinnesänderung · Sinnwechsel · Strohfeuer · Umkehr · Unbeständigkeit · Verleugnung · Verzicht-(leistung) · Wankelmut · Widerruf · Zaudern · Zurücknahme ⁊ Aprilwetter.

10. Laune. *s. Empfindlichkeit 11. 7. verrückt 12. 57. Sonderling 16. 52.*

angeben · Zicken machen · sich mausig machen · sich haben · sich anstellen · es sticht ihn der Hafer · sich zersplittern · ⁊ grillenhaft · hysterisch · nervös · angeberisch ⁊ Allüren · Anfall · Anwandlung · Besonderheit · Bier-, Schnapsidee · Einfall · Faxen · Gehabe · Grille · Hirngespinst · Humor · Hysterie · Kaprize · Kateridee (stud.) · Koller · Laune · Manie · Marotte · Posse · Schelmerei · Scherz · Schrulle · Sparren · Spleen · Steckenpferd · Stimmung · Streich · Tick · Wallung · Zacken ⁊ Eigensinn · Einbildung · Flatterhaftigkeit · Grillenfängerei · Launenhaftigkeit · Phantastik · Seltsamkeit · Übermut · Unbeständigkeit · Wankelmut · Wunderlichkeit · leichter Sinn ⁊ Backfisch-, Flegeljahre.

11. Wahl. *s. allzu wählerisch 10. 12; 11. 19. fragen 13. 25. Angebot 16. 22. Zustimmung 16. 24. Ablehnung 16. 27. Abstimmung 16. 102.*

nach Belieben, Gutbefinden, Wunsch · nach eigenem Bedünken, Ermessen · vorzugsweise · vor allem andern · eher · früher · so oder so · eines oder das andere · entweder — oder · ad libitum · Hammer oder Amboß ⁊ (ab)stimmen · sich entscheiden · in Betracht ziehen · sich entschließen · die Wahl treffen · seine Stimme abgeben ⁊ ausersehen · aus(er)wählen · auslesen · aussondern · sich aussprechen für · aussuchen · ausziehen · ballotieren · bestimmen · bezeichnen · entscheiden · erkiesen · erküren · erlesen · ernennen · erwählen · kiesen · kören · küren · schwanken zwischen · sieben, seihen · sondern · verlesen · vorziehen · wählen · auf den Schild heben · an den Knöpfen abzählen ℭ verschmähen · zurücksetzen, s. 9. 5. ℭ anbieten · anheimstellen · freistellen · die Wahl überlassen · freie Hand lassen · Gelegenheit bieten ℭ freistehen · zur Wahl stehen · ist zu haben · in Frage kommen · steht in unserem Belieben ℭ ausschlaggebend ℭ beliebig · fakultativ ℭ frei · freiwillig · willkürlich ℭ wählbar · wahlberechtigt ℭ wählerisch · eklektisch ℭ Eklektiker ℭ Alternative · Dilemma · Kür · Option · Konklave · Scheideweg · Wahl · Wahlversammlung · Zwangslage · Zwickmühle · Kreuzweg · Scheideweg ℭ Auslese · Auszug · kitzliger Fall · Elite · das Beste · Blütenlese · Exzerpt s. 14. 12 · Treffer · Niete ℭ Auswahlsendung · Sortiment · à cond. ℭ Anerkennung · Ausspruch · Auswahl · Belieben · Bestimmung · Entscheidung · Gutdünken · Urteil · Vorliebe · Vorzug · Willkür · Wunsch · Zuspruch ℭ Beifall · Entscheidungspunkt · Mehrheit · Minderheit · Stimme · Wahlrecht ℭ Abstimmung · Ballotage · Kugelung · Erwähnung · Prüfung · Schilderhebung · Sonderung · Überredung · Wahl · Zuerkennung · Zusprechung ℭ Gnadenwohl · Prädestination ℭ Auslese · Selektion · Zuchtwahl.

12. Veranlassung, Beweggrund. *s. Ursache 5. 31. Herkunft 5. 41.*
ermutigen 11. 38. Rat erteilen 13. 9. bitten 16. 20. Einfluß 16. 95. zwingen 16. 107. Bestechung 18. 22.

eben · gerade, just darum · deshalb ℭ behufs · vermöge · wegen · z'wegen dem · infolge · unter dem Druck der öffentlichen Meinung, breiter Volkskreise · wer hat ihn bezahlt?, gekauft?, auf die Schulter geklopft? · mit Zuckerbrot und Peitsche ℭ da · weil · nachdem ℭ aneifern · anfachen · anfeuern · anregen · anreizen · anspornen · anstacheln · antreiben · anzünden · aufmuntern · aufrütteln · beeinflussen · begeistern · behexen · bestimmen · bewegen · bewirken · bezirzen · bitten · bringen auf · drängen · einladen · elektrisieren · entflammen · erhitzen · ermutigen · ersuchen · erwecken · fortreißen · frischen · gebieten · heißen · hinweisen · schicken · treiben · überzeugen · veranlassen · vorschieben ℭ anhalten um · anleiten · anstiften · auffordern · bereden · berücken · beschwatzen · bestechen · betören · bezaubern · breitschlagen · einstürmen auf · einwirken · ersuchen · gewinnen · herumkriegen · ködern · locken · quälen · reizen · schmieren · überreden · verführen · verleiten · zusetzen · Sorge tragen, daß ℭ etwas abbuhlen · abschmeicheln · anraten · aufdrängen · befürworten · diktieren · einflößen · einflüstern · eingeben · einreden · empfehlen · erkaufen · erwirken · hervor-, z. B. -rufen · nahelegen · vorschreiben · jemand an sich ziehen · mit Schmus besoffen machen · breit schlagen · in jmd. dringen · jemand empfänglich machen · sich hinter jemanden stecken · goldene Berge versprechen · in Versuchung führen · es jemand antun · eindringlich zureden · mit sich fortreißen · Lust erregen · den Weg zum Herzen finden · das Herz erobern · die Hand schmieren · das Feuer schüren · in Flammen setzen · jmd. etwas schmackhaft machen ℭ ausschlaggebend · bewegend · durchschlagend · maßgebend · triftig · verführerisch ℭ beeinflußt · empfänglich · nachgiebig · überredbar · weich · zugänglich ℭ *von Meldungen:* halbamtlich · aus besonderer Quelle · behördlich eingegeben · offiziös · hochortlich erflossen · inspiriert · Auflage- ℭ Anstifter · Aufwiegler · Brandstifter · Buhle · Rattenfänger · Treiber · Verführer · Versucher · Vogler · sein böser Geist ℭ Lovelace · Casanova — Hexe · Kirke · Frau Potiphar · Schlange · Sirene ·

Carmen · Lulu · Vamp · Cherchez la femme ⁊ Peitsche · Sporn · Stachel ⁊ Köder ·
Lockspeise · Magnet · Reizmittel · süße Worte · der Reiz des Verbotenen · ver-
botene Frucht ⁊ Anhaltspunkt · Anlaß · Beweggrund · Empfindung · Gefühl ·
Grund · Motiv · Reiz · Triebfeder · Ursache · Veranlassung · Vorstellung · das
Warum ⁊ Ansporn · Bann · Beispiel · Bitte · Drang · Ehrgeiz · Einladung · Er-
suchen · Geheiß · Gesuch · Neckerei · Quälerei · Rat · Schmeichelei · Überredung
⁊ Aneiferung · Anregung · Anziehung · Beeinflussung · Bezauberung · Einwir-
kung · Empfehlung · Ermahnung · Ermunterung · Herausforderung · Überredung ·
Verbindung · Verlockung.

13. Scheingrund, Vorwand. *s. Widerwille 9. 5. täuschen 13. 51; 18. 8. Propaganda 16. 21. nicht bezahlen 18. 19.*

der Leute wegen ⁊ hinhalten · vorwenden · motivieren mit · vorschützen · ein
X für ein U vormachen · bei der Nase herumführen · große Töne reden · mit
leeren Worten abspeisen · blauen Dunst vormachen · Sand in die Augen streuen ·
hinters Licht führen · einen Bären aufbinden · die Augen mit Dreck zuschmieren ·
zur Schau tragen ⁊ schaustellerisch · absichtsvoll ⁊ Ausflucht · Ausrede · Ausweg · Behelf · Beschönigung · Bluff · Entschuldigung · Finte · Fisimatenten ·
Flausen · Gerede · Handhabe · Maske · Nebenabsicht · Notlüge · Phrase · Schein-
grund · Schnack · Sophismus · Trugschluß · Verlegenheitsbrücke · Vorspiegelung ·
Vorwand ⁊ Gaukelei · Schwindelei · leere Redensarten · Sprüche · schlecht Geschwätz · Intrige · Geschmuse · Sums · Quatsch · Tiraden · leere Phrasen · faule
Fische · fauler Zauber · blauer Dunst · Potemkinsche Dörfer · Schwindel · Deckmantel · Fallstrick · Schlupfloch · Winkelzug · Wortmacherei, -geklingel.

14. Absicht, Zweck. *s. Wirkung 5. 34. Versuch 9. 28. zweckmäßig 9. 48. Gefahr 9. 74. Wunsch 11. 36.*

behufs · wegen · zwecks · im Verfolg, im Zuge von ⁊ damit · um zu · auf daß ⁊
darum · deshalb · deswegen ⁊ beschlossenermaßen · eigens · erst recht · expreß ·
extra · gerade · just · mit Fleiß · mit Vorbedacht · wohlweislich ⁊ vorschweben
⁊ *intransitiv:* aspirieren · sich befleißigen · gedenken · neigen · sinnen · streben ·
suchen · tendieren · überlegen · Lust haben, bekommen · auf dem Sprunge stehen ·
entschlossen, gemeint, gesonnen, gewillt, willens sein · Pläne schmieden · mit
der Wurst nach der Speckseite oder: nach dem Schinken werfen, zielen ⁊ *transitiv: in Richtung auf eine Tat:* abheben auf · abzielen · anspielen auf · anstreben · ausgehen auf · beabsichtigen · sich bewerben · bezwecken · erstreben · fahnden nach · für etwas sein · geizen · gieren · hinsteuern auf · hinzielen · intendieren · hinauswollen auf · sich konzentrieren auf · zu erreichen suchen · lechzen
nach · planen · schielen nach · verfolgen · sich interessieren für · trachten nach ·
sich tragen mit · umgehen mit · vorhaben · sich vornehmen · wünschen · im Auge
haben · ins Auge fassen · es anlegen auf · meint etwas ganz Bestimmtes · sein
Augenmerk richten auf · einen Zweck verfolgen · schwanger gehen mit · auf etwas
aus sein, hinauswollen · gewillt sein · im Sinne haben · auf dem Rohre haben ·
das Auge richten auf · hat es abgesehen auf · sich in den Kopf setzen · im Schilde
führen · aufs Tapet bringen · hat große Rosinen im Kopf · aufs Ganze gehen
⁊ *in Richtung auf ein Werk:* projektieren s. 9. 15 ⁊ überlegen · vor(her)bestimmen ·
abkarten · abmachen · ausmachen · verabreden · einstudieren · inszenieren · markieren · aufmachen ⁊ final · teleologisch ⁊ absichtlich · angelegen · ausdrücklich ·
berechnet (für) · bewußt · demonstrativ · erpicht · geflissentlich · macchiavellistisch ·

normativ · ostentativ · plangemäß · -mäßig · spekulativ · tendenziös · vorbedacht · vorsätzlich · zielstrebig · zweckrational · Nachtigall ick hör' dir laufen · Bestimmung · Beute · Endabsicht · Ende · Finalität · Ideal · Mission · Nebenabsicht · Scheibe · Sinn · Ziel · Zielpunkt · Zweck ⊄ Absicht · Ambition · Anschlag · Antrag · Aspirationen · Begehr · Berechnung · Ehrgeiz · Entschluß · Entwurf · Gedanke · Hintergedanke · Intention · Neigung · Plan · Projekt · Richtung · Streben · Studium · Tendenz · Dichten, Sinnen und Trachten · Trachten · Unterfangen · Unternehmen · Verlangen · Vorbehalt · Vorhaben · Vorsatz · Wunsch · Wunschziel · lustbetonte Idealvorstellung ⊄ Berechnung · Entschließung · Verabredung · Vorbedacht · Vorbereitung · Vorvertrag ⊄ Aberglaube · Fatalismus · Prädestination · Vorherbestimmung ⊄ Teleologie.

15. Plan. *s. Methode 9. 25.*

anordnen · ausarbeiten · entwerfen · erdenken · erfinden · ersinnen · erwägen · planen · skizzieren · umreißen · verzeichnen ⊄ abstecken · anbahnen · anlegen · anspinnen · anschlagen auf · ausgehen auf · ausgestalten · aushecken · ausknicheln · ausknobeln · ausstecken · einfädeln · einrichten · entwickeln · kalkulieren · organisieren · spekulieren · tracieren · verabreden · vorbereiten · vorsehen ⊄ Anstalt treffen · in Aussicht nehmen · den Weg bezeichnen, vorzeichnen · ausfindig machen · reifen lassen · Gedanken beherbergen, entwickeln, Plänen Raum geben ⊄ entgegenarbeiten *s. 9. 72* ⊄ Anordner · Erfinder · Intrigant · Plänemacher · Projektemacher ⊄ Geheimbund ⊄ Anordnung · Anschlag · Anstalten · Antrag · Entwurf · Kalkulation · Machination · Maßregel · Plan · Projekt · Prozedur · Schritt · System · Veranstaltung · Verfahren · Vorschlag · Vorsicht ⊄ Abriß · Anlage · Aufriß · Feldzug · Gerippe · Grundlage · Grundriß · Hauptlinie · Karte · Landkarte · Programm, Spielplan, Sendefolge · Riß · Skizze · Umriß · Voranschlag · die große Linie ⊄ List · Machination · Meisterstreich · Nebenweg · Schleichweg · Schlich · Trick · Verfahren ⊄ Absprache · Anschlag · Intrige · Kabale · Komplott · Machenschaften · Meuterei · Ränke · Staatsstreich · Umtriebe · Verschwörung ⊄ Führung · Leitung · Politik · Spiel · Strategie · Taktik · Vorbereitung.

16. Absichtslos. *s. Absolut 5. 14. Zufall 5. 45. Trieb 9. 1. Wille 9. 2. Unaufmerksamkeit 9. 65; 12. 13. Glücksspiel 16. 56. Rechtfertigung 19. 13.*

blindlings · auf gut Glück · aufs Geratewohl · aus Versehen · wie die Magd zum Kinde kommt · von ungefähr · ins Blaue hinein · mir nichts dir nichts · es geht, wie's geht ⊄ knobeln · losen · spielen · wagen · wetten · würfeln · es drauf ankommen lassen · dem Schicksal anheimstellen · aufs Spiel setzen · das Los, den Zufall entscheiden lassen · Ruck oder Schneid? (des Messers, schwäb.) ⊄ die Katze im Sack kaufen · einen blinden Kauf machen · den kürzeren (Stohhalm) ziehen · sich ver- · der Hand entfahren · herausfahren · dem Munde entschlüpfen · kann nichts dafür, dazu · sich nichts dabei denken, vorstellen ⊄ absichtslos · automatisch · bewußtlos · blind · harmlos · unbeabsichtigt · unbewußt · unmotiviert · unschuldig · un(ter)bewußt · unvorhergesehen · unvorsätzlich · versehentlich · vorsatzlos · ziellos · zufällig · zweckfrei · zwecklos ⊄ Abenteurer · Börsenspekulant · Glücksritter · (Hasard)Spieler · Spekulant ⊄ Glücksgreifen · Glücksrad · Glücksspiel · Los · Lotterie · Totalisator, Toto · Vabanque · Würfel ⊄ Abenteuer · Chance · Glückssache · Hasard · Schicksal · Spiel · Treffer · Ungefähr · Verhängnis · Wagnis · Wette · Zufall.

17. Abmahnung. *s. Widerwille 9. 5. Gegenwirkung 9. 72. Tadel 16. 33.*

abbringen · abhalten · abmahnen · abraten · abreden · abweisen · ausreden · bremsen · entmutigen · verbieten · verekeln · verleiden · vermissen · zügeln · zurückhalten ⁜ den Reiz benehmen · Abneigung beibringen · abfällig machen · abspenstig machen · ein Gebiß (Zaum) anlegen · die Hoffnung, den Mut benehmen · mit kaltem Wasser begießen ⁜ abkühlen · abregen · abstumpfen · beruhigen · erschüttern · mäßigen · vorstellen · warnen ⁜ zu bedenken geben · eine Ansicht, Meinung bekämpfen · jemandem Vernunft beibringen, den Kopf zurecht setzen · an den Verstand appellieren · Bedenken erregen · da ist noch ein Item ⁜ Miesmacher · Warner ⁜ Abhaltung · Einwand · Entkräftigung · Gegengrund · Gegeninstanz · Hemmung · Verhinderung · Abmachung · Abreden · Anstände · Bedenken · Beherrschung · Einhalt · Entmutigung · Furcht · Gewissensbiß · Skrupel · Vorstellung · Zaum · Zügel · Nachsicht · Weichheit.

18. Tätigkeit. *s. beginnen 9. 29. Energie 9. 37. Eifer 9. 38. Mut 11. 39.*

auf frischer Tat ⁜ angefaßt! · angepackt! · frisch drauf los! · hauruck! · alle Mann an die Spitze, an Deck! ⁜ sich abgeben, abmühen · agieren · arbeiten · sich befassen · sich beschäftigen · eingreifen · fungieren · funktionieren · handeln · hantieren · sich mühen · murksen · sich regen · sich rühren · schaffen · tun · verüben · werken · wirken · wirtschaften · begriffen sein · schalten und walten ⁜ amtieren · sich beteiligen · dienen · Hand anlegen · in Aktion treten · ein Amt ausüben, bekleiden, ausfüllen · einem Beruf gerecht werden · einer Stellung vorstehen · seine Pflicht erfüllen · die Gelegenheit wahrnehmen · seinen Weg gehen, machen · eine Rolle spielen, übernehmen · sich in (fremde) Angelegenheiten einmischen · Geschäfte machen · Werte schaffen · die Hand an den Pflug legen · die Zeit benützen · die Zügel in die Hand nehmen ⁜ in Betrieb, aktiv, im Gang, in Tätigkeit sein ⁜ anfassen · angreifen · befummeln (stud.) · besorgen · betreiben · bewerkstelligen · (er)zwingen · schaffen · unternehmen · verarzten · verrichten · vollbringen · vollenden · vollführen · sich angelegen sein lassen · in die Hand nehmen · sich beteiligen an · dem Ende, der Vollendung entgegenführen ⁜ beschäftigt mit · geschäftig · tätig ⁜ Akt · Aktion · Handlung · Leistung · Maßnahme · Rolle · Tat · Vorgehen ⁜ Angelegenheit · Branche · Beruf · Beschäftigung · Dienst · Dienstsache · Ernst des Lebens · Geschäft · Handwerk · Hantierung · Leistung · kleiner Nebenberuf · Prozeß · Sache · Unternehmung · Wirkung · Wirkungskreis ⁜ Diplomatenkunststück · Gewaltstreich · Großtat · Handstreich · Hauptaktion · Heldentat · Kunststück · Leistung · kleiner Nebenberuf · Manöver · Maßnahme · Maßregel · Operation · Prozedur · Schlag · Staatsaktion · Streich · Verfahren · Wohltat ⁜ Ausführung · Behandlung · Betätigung · Geschäftigkeit · Tätigkeit · Verrichtung ⁜ Handel und Wandel.

19. Unterlassen. *s. 16. 28. Abwesenheit 3. 4. Ruhe 9. 36. Pflichtverletzung 19. 25.*

mit verschränkten Armen · wozu? ⁜ absehen, abstehen von · abwarten · anstehen · sich aufgeben · aufhören · einhalten · glimmen · (herum)bummeln · träumen · überhoben sein · passiv bleiben · sich neutral verhalten · es dabei bewenden lassen · aus dem Wege gehen · sich (die Mühe er)sparen · etwas anderes zu tun haben · vom Leibe bleiben · sich mit anderen Dingen beschäftigen · die Hände in den Schoß legen, in die Tasche stecken · die Arme verschränken · Gewehr

bei Fuß stehen · den lieben Gott walten lassen · geschehen lassen ⁋ schwänzen ·
unterlassen · verabsäumen · vermeiden · versäumen · versagen · vorübergehen
lassen · schwach betreiben · auf sich beruhen lassen · Abstand nehmen · vom
Leibe halten · sich entfernt halten · bleiben lassen · unter den Tisch fallen lassen ·
schuldig bleiben ⁋ ausfallen, -stehen · entfallen · unterbleiben · der Erledigung
harren · sein Bewenden haben · kommt in Wegfall · Mittagessen fällt bei mir
immer flach (Berlin) · ins Wasser fallen · Fehlanzeige · es geht, wie es geht
⁋ abgestumpft · beschäftigungslos · blasiert · erhaben über · faul · fahrlässig ·
flau · gelangweilt · geschäftslos · gleichgültig · inaktiv · lässig · langsam · lau ·
lasch · leblos · matt · müde · müßig · passiv · phlegmatisch · satt · schlaff ·
schläfrig · schwach · schwerfällig · starr · stumpf · teilnahmslos · tot · träge · unbeteiligt · unlustig · untätig · verdrossen · widerspruchs-, widerstandslos · zahm
⁋ unbegonnen · ungeschehen · ungetan ⁋ Schneebrunzer · Versager · Pause · galva-
nisierte Leiche ⁋ Abspannung · Blasiertheit · Energielosigkeit · Erschöpfung ·
Furcht · Langeweile · Mißvergnügen · Sättigung · Teilnahmslosigkeit · Überdruß ·
Lethargie · Übersättigung · Unlust · Untätigkeit · Vermeidung · Widerwille ⁋ Anhänglichkeit · Beharrungsvermögen · Konservatismus ⁋ Nichtstun · Trägheit ·
Untätigkeit.

20. Abstehen. s. Fasten 2. 29. ermatten 2. 39. Mäßigung 5. 38. sich ent-
fernen 8. 18. aufhören 9. 33. Mäßigkeit 11. 12. Gleichgültigkeit 11. 37. Verzicht
16. 110. Verlust 18. 15.

abdizieren · abkommen von · abschwören · sich enthalten · entsagen · sich entschlagen · sich entziehen · nachlassen · verleugnen · vermeiden · versagen · sich
zurückziehen ⁋ abbrechen · absehen von · abstehen · sich abwenden · aufhören ·
ausweichen · fliehen · passen · scheuen · vorbeugen ⁋ aus dem Weg gehen · sich
entfernt halten · sich drehen und wenden · das Feld räumen · sich zufriedengeben
⁋ abblasen · abbrechen · abdanken · abschreiben · abtreten · aufgeben · fliehen ·
lösen · niederlegen · preisgeben · scheuen · verzichten auf · eine Gewohnheit abschütteln · im Stich lassen · unversucht lassen · vom Leibe halten · über Bord
werfen · die Hand abziehen von · verloren geben · an den Nagel hängen · die
Flinte ins Korn werfen · fertig sein mit · fahren, stehen, fallen lassen · das Verfahren einstellen · Prozeß niederschlagen · es dabei bewenden lassen · rückgängig
machen · sich aus dem Kopf schlagen ⁋ Abtretung · Abkehr · Aufgabe · Befreiung ·
Entlobung · Entsagung · Enttäuschung · Flucht · Hingabe · Preisgabe · Resignation · Rücktritt · Rückzieher · Unterbrechung · Verzicht.

21. Unternehmen. s. Geschehnis 5. 44. Tätigkeit 9. 18. beginnen 9. 29.
Plan 9. 14. Mut 11. 38.

auf eigene Faust ⁋ sich bemühen · sich erdreisten · sich erkühnen · sich unterfangen ⁋ einen Anlauf nehmen · einen Ansatz machen · Hand anlegen · an die
Arbeit gehen · sich die Aufgabe stellen · den ersten Schritt tun · im Begriff
sein · in den sauren Apfel beißen · das Eis brechen · ins Rollen bringen · seine
Hand im Spiele haben · ein Geschäft erhoffen · die Mine springen lassen · seine
Haut zu Markte tragen · die Verantwortung übernehmen · seinen Mann stellen ·
sich in Wagnisse stürzen · Abenteuer bestehen ⁋ das Unmögliche versuchen, aufbieten · den Stier bei den Hörnern fassen · das Blaue vom Himmel herunterholen ·
den Mond mit den Zähnen packen · den Rubikon überschreiten · ein Eisen im
Feuer haben ⁋ an- · anfangen · anfassen · angreifen · ankurbeln · anpacken · an-

streben · sich aufbürden · sich aufladen · (großartig) aufziehen · befummeln · beginnen · deichseln · drehen · sich einlassen auf · einleiten · einrichten · errichten · sich etablieren · fingern · gründen · managen · organisieren · schaukeln · schieben · starten · übernehmen · unternehmen · sich unterziehen · sich verlegen auf · vornehmen · ins Leben rufen · in die Wege leiten · in die Welt setzen · auf den Markt bringen · in Angriff, in die Hand nehmen · auf sich nehmen · sich daran, darüber machen · auf seine Schulter nehmen · in Betrieb, in Gang setzen · sich niederlassen · Geschäft eröffnen, Laden aufmachen · sich selbständig machen · in Bewegung bringen · dafür sorgen, daß ⁋ forschen · streben · wetteifern · es anlegen auf · anstreben · ausführen · durchführen · bestreben · betreiben · sich bewerben · eingehen auf · sich einlassen · erstreben · nachjagen · streben · suchen · übernehmen · unternehmen · veranstalten · verfolgen · sich verlegen auf · versuchen · vollbringen · vollenden · vollführen · vollstrecken · vollziehen · werben · wirken auf · zielen auf · in die Hand nehmen · der Spur folgen · dahinter her sein · auf der Fährte sein · nicht aus den Augen lassen · bei der Sache sein · sich auf den Weg machen ⁋ die Sache steigt (stud.) ⁋ aktiv · tätig ⁋ Anlauf · Anstoß · Antrieb · Antritt · Bemühung · Betrieb · Einleitung · Eröffnung · Inangriffnahme · Inbetriebnahme · Unternehmen · Unternehmung · Vorgehen · das Vorhaben · Vorstoß · Wagnis · Werk · der erste Schritt.

22. Arbeit. *s. erzeugen 5.39. Fleiß 9.40. helfen 9.70. Denkergebnis 12.4. Berufe 16.60. leiten 16.96. dienen 16.111. Ware 18.24.*

arbeiten · sich beschäftigen, betätigen · dienen · sich durchbringen · sich durchschlagen · sich ernähren · handeln · schaffen · verrichten · sich widmen · wirken · ein Amt bekleiden · den Kampf ums Dasein führen · ein Geschäft betreiben · sich in den Dienst einer Sache stellen · sich auf den Hals laden · seiner Arbeit, Beschäftigung, seinen Geschäften nachgehen · seinen Dienst machen · ist im Dienst · tut seine Schuldigkeit ⁋ amtlich · berufsmäßig · dienstlich · geschäftlich · handwerksmäßig ⁋ emsig · geschäftig · tätig · werktätig ⁋ -er · Agent · Ausführender · Betriebsleiter · Bevollmächtigter · Ehestifter · Macher · Praktikus · Täter · Unternehmer · Vermittler · Vollzieher ⁋ Künstler · Schaffender · Schöpfer · Wirkender ⁋ Altgeselle · Altmeister · Arbeiter · Architekt · Baukünstler . Baumeister · Blusenmann · Bursche · Diener · Gehilfe · Gesell · Handlanger · Handwerker · Ingenieur · Knecht · Kuli · Lehrjunge · Mechaniker · Meister · Werkführer · Kärrner · Taglöhner · Werktätiger · Mädchen für alles · Beschließerin ⁋ Beteiligter · Mitarbeiter ⁋ Handelswelt ⁋ Arbeitsbereich · Arbeitsgebiet · Bezirk · Disziplin · Fach · Feld · Machtbereich · Pflichtenkreis · Schauplatz der Tätigkeit · Wirkungskreis ⁋ Amt · Angelegenheit · Arbeit · Aufgabe · Auftrag · Bau · Beruf · Dienst · Fach · Geschäft · Leistung · Mühe · Obliegenheit · Pflicht · Rolle · Schöpfung · Sorge · Tagewerk · Tretmühle · Unternehmen · Verpflichtung · Verrichtung · Werk · saure Wochen ⁋ Beschäftigung · Bestimmung · Branche · Brotstudium · Dienst · Engagement · Erwerbszweig · Fach · Gewerbe · Gewerkschaft · Handwerk · job . Laufbahn · Lebenspfad · Lebensstellung · Metier · Platz · Posten · Sendung · Stand · Stellung · Verrichtung · Zweig ⁋ Arbeitsamt · Arbeitsbuch.

23. Arbeitsplatz. *s. Werkzeug 9.83; 17.15. Schule 12.36. Maschine 17.16.*

-erei · Arbeitshaus · Besserungsanstalt ⁋ Amtslokal · Anstalt · Arbeitslager · Arbeitsstube · Atelier · Backhaus · Bauhof · Betrieb · Branntweinbrennerei · Brauhaus · Büro · Dienstraum · Institut · Dock · Druckerei · Fabrik · Faktorei ·

Färberei · Fliegerhorst · Gießerei · Güterhalle · Hammerwerk · Kai Kommandobrücke · Küche · Kunstanstalt · Laboratorium · Laden(tisch) · Landungsstelle ·
Löschplatz · Mühle · Münze · Packraum · Raffinerie · Schiffswerft, Werft, Helling ·
Trockendock · Schmelzhütte · Schmiede · Siederei · Studio · Tretmühle · Tummelplatz · Weberei · Werk(-statt, -stätte, -stätten) · Zimmermannsplatz usw. ¶ Ameisenhaufen · Baumschule · Bienenkorb · Bienenstock · Taubenschlag · Mistbeet ·
Treibhaus.

24. Untätig. *s. Stillstand 8. 2. langsam 8. 8. Ruhe 9. 36. Faulheit 9. 41.*

immer langsam voran · komm ich heute nicht, komm ich morgen · mit gekreuzten
Armen · mit der Schneckenpost · außer Tätigkeit · Eiapopeia! ¶ sich aalen · abwarten · (sich) ausruhen · bummeln · dasitzen · dösen · duseln · faulenzen · feiern ·
flanieren · sich fleezen · frühstücken · streunen · (bayr.) · (herum)lungern · kriechen ·
lunzen (hess.) · sich räkeln · säumen · schlendern · sich sielen · spazieren gehn ·
schwänzen · streiken · strolchen · strunzen · trödeln · umherstreichen · umherstreifen · vagabundieren · vegetieren · verhoffen (jäg. vom Wild) · warten · zaudern ·
zögern · nichts leisten · müßig gehen · sich der Arbeit entziehen · blau machen ·
Schicht, Feierabend machen · auf der faulen Haut liegen · sich von der Sonne
anscheinen lassen · auf der Straße liegen · Schnegel treiben · es sich behaglich
machen · läßt Gott einen guten Mann sein · die Zeit vergeuden, verlottern, stehlen,
verplempern, vertreiben, totschlagen · den Tag wegstehlen · Maulaffen feil halten ·
der Arbeit aus dem Wege gehen · nicht von der Stelle kommen · sich Zeit lassen,
nehmen · der Ruhe pflegen · Druckpunkt nehmen (milit.) · keinen Finger rühren,
regen · sich tot stellen · auf seinen Lorbeeren ausruhen · auf der Bärenhaut liegen ·
bin in den (Mit)Tag hinein schlafen ¶ arbeitslos · beschäftigungslos · dienstfrei ·
stellungslos ¶ flau · geschäftslos ¶ abgespannt · arbeitsscheu · behäbig · bequem ·
beschaulich · bleiern · bummelig · dumpf · energielos · fahrlässig faul · gelassen ·
gleichgültig · kaltblütig · konservativ · kriechend · lahm · langsam · lässig · leblos ·
lethargisch · matt · müde · müßig · nachlässig · saumselig · schläfrig · schlapp ·
schwerfällig · teilnahmslos · träge · träumerisch · unbeweglich · unlustig · untätig · verbummelt · verdrossen · zögernd ¶ Arbeitsloser · Arbeitsscheuer · Asphaltspucker · Bärenhäuter · Bummelant · Bummler · Döskopp · Drohne · Drückeberger ·
Eckensteher · Faulenzer · Faulpelz · Faultier · Fechtbruder · Gelegenheitsarbeiter ·
Hallodri · Herumlungerer · Herumtreiber · Klat · Klut (köln.) · Kunde · Marktsteher ·
Murmeltier · Müßiggänger · Nichtstuer · Pflastertreter · Phäake · Schlafhaube ·
Schlafmütze · Schnecke · Schulschwänzer · Siebenschläfer · Sonnenbruder · Strolch ·
Tagdieb · Taugenichts · Träumer · Vagabund · verbummeltes Genie · ewiger
Student · Zeitverschwender · Zigeuner · müder Heini ¶ Daunenbett · Sommer-
frische · Tuskulum ¶ Erholung · Feier · Pause · blauer Montag · passive Resistenz ·
baumwollener Widerstand ¶ Bummelei · Fahrlässigkeit · Flaute · Geschäftslosig-
keit · Indolenz · Müßiggang · Saueregurkenzeit · Stockung · Tagdieberei · Trägheit ·
Verdrossenheit · Verschleppung · Widerwille · Zeitverschwendung · dolce far
niente · die schönen Tage von Aranjuez.

52. Methode. *s. Art 5. 8. Regel 5. 19. Plan 9. 15. Gewohnheit 9. 31. Mittel 9. 82. Grundsatz 12. 17. schlau 12. 53. Werkzeug 17. 15. Maschine 17. 16.*

sich anstellen · sich aufführen · auftreten · sich ausgeben · sich benehmen · sich
betragen · fungieren · sich geben · sich gehaben · es so halten · handeln · verfahren · sich verhalten · vorgehen ¶ amtieren · sich anbequemen · sich behelfen ·

einen Weg einschlagen · sich in die Notwendigkeit fügen ¶ abwickeln anfangen ·
anfassen · ausführen · behandeln · besorgen · betreiben · bewerkstelligen · brauchen · gebrauchen · handhaben · verrichten · vollenden · vollstrecken · vollziehen
¶ berechnet · diplomatisch · fachmännisch · klug · geschäftsmäßig · handwerksmäßig · kunstgemäß · kunstgerecht · kunstvoll · listig · methodisch · pädagogisch ·
planmäßig · politisch · programmatisch · richtungsweisend · schlau · seriös · stilvoll ·
schulgemäß · schulgerecht · systematisch · taktisch · zielbewußt · zielklar ¶ Dreh ·
Griff · Handgriff · Kniff · Kunstgriff · Prozedur · Trick ¶ Einführung · Elementarbuch · Fachbuch · Fibel · Grammatik · Grundriß · Katechismus · Lehrbuch · Lehrgebäude · Leitfaden · Methodik *s. Buch 14. 11* · Wegweiser ¶ Arbeitsweise · Art ·
Einteilung · Fortgang · Gang · Lehrart · Lehrgang · Lehrweise · Manier · Methode ·
Ordnung · Plan · Programm · Schema · Skizze · Stil · System · Theorie · Weg ·
Weise ¶ Aufführung · Auftreten · Allüren · Benehmen · Benehmigung · Benimm
(stud.) · Betragen · Haltung · Handlungsweise · Verhalten ¶ Ausführung · Aus-
übung · Behandlungsweise · Gebrauch · Maßnahme · Politik · Taktik · Verfahren ·
Vorgang ¶ Ausweg · Bahn · Folge · Gewohnheit · Laufbahn · Reihe · Wandel
¶ Anwendung · Praxis · Prozeß · Verlauf.

26. Vorbereitung. *s. Zukunft 6. 23. unternehmen 9. 21. beginnen 9. 29. Vorsicht 11. 40. lehren 12. 33. Hinterhalt 16. 71.*

mit gespanntem Hahn (Gewehr) · klar Schiff · in Vorbereitung · in Arbeit · unter
der Presse · auf dem Amboß ¶ vorsichtshalber · für alle Fälle · unvorbereitet
wie ich mich habe ¶ sich anschicken · ausholen · gedenken · einkreisen · entsichern ·
grübeln · lauern · maikäfern · richten · sich versichern · vorarbeiten · vorbauen ·
vorgreifen · vorkehren · zuvorkommen · Maßnahmen · Maßregeln · Dispositionen,
Vorkehrungen treffen · die Instrumente stimmen · die Karten mischen · die Tafel
decken · Quartier machen · die Rollen verteilen · den Dampf anlassen · die Segel
klar machen · den Grundstein legen · Schritte tun · den Weg bahnen · in die Wege
leiten · Anstalten machen · die Bahn freihalten, freimachen · Luft schaffen · den
Boden vorbereiten · Hindernisse, Schwierigkeiten beseitigen · das Feld bearbeiten ·
den Samen legen, streuen · Vorsorge treffen · sicher gehen · eine Mine legen · auf
der Lauer liegen · das Netz stellen · die Angel auswerfen · die Falle, Schlinge legen ·
zum Sprunge, Streiche ausholen · auf dem Anstand liegen · sein Pulver trocken
halten · geschäftig sein · in Bereitschaft sein · das Messer, den Säbel wetzen ·
das Pulver trocken halten · sich fertig machen · seine Lenden gürten ¶ reifen ¶ anbahnen · anordnen · gut aufziehen · ausarbeiten · bearbeiten · einführen · einrichten ·
entwickeln · eröffnen · gründen · grundieren · ordnen · organisieren · präparieren ·
skizzieren · umreißen · untergraben · verfügen · vorbereiten · zurechtlegen · zurechtsetzen · zusammenstellen ¶ ausbrüten · aushecken · brauen · kochen · zeitigen
¶ aufstutzen · auftakeln · aufzäumen · ausrüsten · ausstaffieren · ausstatten ·
bemannen · bewaffnen · einrichten · einspannen · herrichten · herstellen · möblieren ·
(auf)rüsten · satteln · veranstalten · wappnen · zäumen ¶ abhärten · abrichten · ausbilden · befähigen · bereiten · dressieren · drillen · ertüchtigen · erziehen · formen ·
gestalten · lehren · proben · schulen · trainieren · üben · züchten · zureiten
¶ abstecken · entwerfen ¶ in Bereitschaft bringen · bereit halten · aus dem Groben
hauen · in Angriff nehmen ¶ aufsagen · künden (süddt.), kündigen ¶ abgerichtet ·
ausgearbeitet · befähigt · bereit · fertig · flügge · gerüstet · passend · reif · versehen · versorgt · vorbereitet ¶ sorgsam · vorsichtig ¶ fix und fertig · gestiefelt und
gespornt · bis an die Zähne bewaffnet · gefechtsbereit · klar ¶ Abrichter · Bahn-

brecher · Bereiter · Fuchsmajor · Grenzer · Lagerführer · Pionier · Quartiermacher · Sämann · Schrittmacher · Siedler · Vorarbeiter · Vorbereiter · Vorläufer · Vorreiter · Vorspann · Wegbereiter · Zureiter ⟨ Denkbuch · Merkbuch · Note · Notiz ⟨ Kladde · Konzept · das Unreine ⟨ Wärmflasche · Empfehlungsbrief ⟨ Schule · Anfangsgründe, s. 12. 34—35 ⟨ Abriß · Anschlag · Anstalten · Aufriß · Dispositionen · Entwurf · Grundriß · Maßregel · Plan · Präliminarien · Projekt · Saat · Skizze · Übereinkunft · Umriß · Unterhaltung · Verabredung · Voranschlag · Vorbedingung · Vorbehalt · Vorbesprechung · Vorentwurf · Vorsichtsmaßregel ⟨ Einrichtung · Takelage · Takelwerk ⟨ Basis · Fundament · Fuß · Gerüst · Gestell · Grundlage · Grundstein · Wiege ⟨ Anordnung · Bereitschaft · Vorarbeit · Vorbereitung · Vorkehrung · Vorsicht · Vorsorge · Zubereitung · Zurüstung ⟨ Anbahnung · Anordnung · Anpassung · Einführung · Festsetzung · Gründung · Organisation · Stiftung · Veranstaltung · Verfassung · Verfügung · Versorgung · Vorstellung ⟨ Ausarbeitung · Ausbildung ⟨ Befruchtung · Brütung · Reife · Schwangerschaft · Übergang ⟨ Lampenfieber · Reisefieber ⟨ Abrichtung · Disziplin · Dressur · Einführung · Erziehung · Fuchsenzeit · Lehrjahre · Lehrzeit · Schulung · Schulungskurs · Übung · Training · Wanderjahre.

27. Unvorbereitet. *s. Ersatz 5. 29. leicht 9. 54. Unkenntnis 12. 37.*

aus freier Hand · prima vista · vom Blatt · auf Anhieb · ex tempore · frei vom Fleck · frisch drauf los · ohne Umstände · wie der Schnabel gewachsen ist · aus dem Stegreif · auf den ersten Blick · aufs Geratewohl · ins Blaue · aus dem Handgelenk ⟨ ablesen · einspringen · extemporieren · hervorzaubern · hinhauen · hinlegen · abspielen · improvisieren · aus dem Ärmel schütteln · aus dem Boden stampfen · aus dem Vollen schöpfen · mit der Tür ins Haus fallen ⟨ abmontieren · abrüsten · abtakeln ⟨ frei · freihändig · ordnungslos · regellos · unausgerüstet · unausgestattet · unbegonnen · unfähig · ungeeignet · unmethodisch · unordentlich · unorganisiert · unvorbereitet ⟨ gedankenlos · hilflos · leichtsinnig · mittellos · unbedacht · unvorsichtig ⟨ blind · jungfräulich · natürlich · primitiv · unreif · unschuldig · unzeitig · ursprünglich · im Werden begriffen ⟨ brach · derb · öde · roh · unaufgeblüht · unbearbeitet · unbebaut · unbehauen · unbepflanzt · unbesät · unerfahren · unerzogen · ungebildet · ungebrochen · ungehobelt · ungepflügt · ungeschliffen · unkultiviert · unpoliert · ununterrichtet · wüst · von der Kultur nicht beleckt ⟨ unabgerichtet · undressiert · ungeübt · unzugeritten ⟨ Kind · Unschuld · Wort Gottes vom Lande · Gelegenheits-, z. B. -dieb ⟨ Element · Embryo · Entwurf · Gerippe · Keim · Urstoff ⟨ der Sprung ins Ungewisse · Kopfsprung ⟨ Stegreiftheater · Laienspiel ⟨ Naturzustand · Unbildung · roher Zustand · Unreife · Mangel an Vorbereitung.

28. Versuch. *s. Mißerfolg 9. 78. Experiment 12. 9. Annahme 12. 29.*

auf gut Glück · mit Gottes Hilfe · ins Unreine · erst mal mit Bleistift · auf Probe · zur Bewährung · zunächst einmal ⟨ herum- · sich bemühen · sich bestreben · experimentieren · fischen · die Probe machen · sein Möglichstes tun · sein Heil versuchen · es drauf ankommen lassen · sehen wie der Wind weht, wie der Hase läuft · auf den Busch klopfen · auf Engagement spielen · Köder, Lockspeise auslegen, auswerfen · einen Ausweg suchen ⟨ angeln nach · anstreben · ausforschen · ausfragen · ausholen · aushorchen · ausproben · basteln · beobachten · durchproben · erforschen · (er)proben · kosten, abschmecken, nippen · probieren · prüfen · riskieren · sondieren · unternehmen · untersuchen · versuchen · wagen · auf die

Probe stellen · in Versuchung führen ⁋ Gelegenheit bieten ⁋ empirisch · experimentell · praktisch · probeweise · provisorisch · versuchsweise · vorläufig ⁋ Examinator · Experimentator · Prüfender s. 12. 33 ⁋ Aspirant · Bewerber · Examinand · Kandidat · Prüfling s. 12. 34 ⁋ Examen · Prüfung. — Probierstein, Prüfstein ⁋ Abenteuer · Anlauf · Ansatz · Fühler · Fühlung · Glückssache · Glücksspiel · Probe · Provisorium · Sprung ins Dunkle · Unternehmung · Versuch · Versuchsballon · Wagestück · Wagnis · Zwischenlösung ⁋ Gastrolle · Probeblatt · Probeseite · Probezeit ⁋ Studio · Versuchsanstalt ⁋ Beobachtungsversuch · Erforschung · Experiment · Hypothese · Interimsschein · Bewährungsfrist.

29. Beginnen. *s. jung 2. 22. geringer Grad 4. 4. Ursache 5. 31. Herkunft 5. 41. Anfangszeit 6. 2. neu 6. 26. Reise 16. 6—7.*

Eins! zwei! drei! · fertig los! · hinein! ·zuerst ⁋ an- · los- · anbrechen · anfahen · anfangen · angehen · anheben · sich anschicken · ansetzen · antreten · auftauchen · ausbrechen · auskriechen · ausschlüpfen · beginnen · dämmern · debutieren · einsetzen · sich entspinnen · entspringen · entstehen · sich erheben · erscheinen · erstehen · keimen · losgehen · loslegen · losmachen · losschießen · sprießen · sprossen · starten · Anfang nehmen · in Aktion treten · den Anfang machen · den Dreh kriegen · den Bann brechen · die Bahn brechen · eine Frage anschneiden · aufs Tapet bringen · den Stein ins Rollen bringen · sich die Sporen verdienen · die Initiative ergreifen ⁋ ausholen · maikäfern · im Anzug sein · anziehen, Anzug haben (Brettspiel) · geben, am Ausspielen sein (Kartenspiel) ⁋ an- · ein- · anbahnen · ankurbeln · anlassen, anstellen, einschalten (Motor, Radio) · frisch anstechen · aufrollen · einführen · einleiten · einrichten · einweihen · eröffnen · gründen · inaugurieren · starten · in Angriff nehmen · den Anstoß geben · vom Stapel lassen · in Gang bringen · ins Leben rufen · aus der Taufe heben · in die Wege leiten · in Schwung bringen ⁋ sich dahinter machen, dahinter klemmen ⁋ anfänglich · der erste · primär · ursprünglich ⁋ Anfänger · Anwärter · Ei · Embryo · Erstgeburt · Fuchs · Greenhorn · Kadett · Lehrling · Neophyt · Neuer · Neuling · Novize · Rekrut („Hammel") · Schrittmacher · Vorhand (Skat) · Schüler s. 12. 35 ⁋ An- · Erst- · Initial- · ABC · Abmarsch · Anbruch · Anbeginn · Anfang (süddt.) · Beginn (norddt.) · Anlauf · Ansatz · Anschnitt · Antritt · Aufbruch · Aufmarsch · Auftakt · Ausmarsch · Debut · Einbruch · Entstehung · Geburt · Geburtstag · Jungfernrede · Ouvertüre · Start · der erste Schritt ⁋ Ausgangspunkt · Heimat · Quelle · Ursprung · Wiege ⁋ Anstich · Einweihung · Eröffnung · erster Spatenstich · Fanfarenklänge · Grundsteinlegung · Inanspruchnahme · Inauguration · Stapellauf ⁋ Vorwort · Titelblatt.

30. Fortsetzen. *s. hinzufügen 4. 28. Dauer 6. 7. wiederholen 6. 28. nachfolgen 8. 15. Schüler 12. 35.*

in einem fort · mit konstanter Bosheit · immer wieder · weiter · in Ergänzung · anknüpfend an · anschließend · immerzu · am laufenden Band · in Wellen ⁋ fort- · weiter- · anhalten · ausdauern · aushalten · beharren · bleiben bei · einspringen · fortfahren · fortwähren · übernehmen · verweilen bei · seinen Fortgang nehmen ⁋ betreiben · durchstarten · fortführen · fortsetzen · wiederaufnehmen · wiederholen · verlängern, prolongieren ⁋ andauernd · anhaltend · beharrlich · beständig · dauernd · pausenlos · unaufhörlich · unausgesetzt · unermüdlich · ununterbrochen ⁋ Stammhalter · Erbe s. 2. 22 · Mittelhand (Skat) ⁋ Ausdauer · Fortsetzung · Nachleben · Wiederbeginn.

31. Gewohnheit. *s. überall 3. 7. gleich 5. 16. Regel 5. 19. allmählich 5. 26. alt 6. 27. häufig 6. 31; 33. beharrlich 9. 8. Einfluß 16. 95.*

gemeinhin · gemeiniglich · genau wie früher ⁋ *Vom Subjekt:* (dabei) bleiben · fortwursteln · frönen · frequentieren · gewohnt sein · pflegen · reisen auf (oder in) · sich gleich bleiben ⁋ sich ein- · sich abhärten · sich akklimatisieren · sich angewöhnen · sich anpassen · sich befreunden (mit) · sich einarbeiten · sich gewöhnen · sich einer Gewohnheit hingeben, überlassen ⁋ *Vom Objekt:* ist en vogue, obenauf, Mode, an der Tagesordnung, im Schwang, im Schwung, gang und gäbe · anhaften · grassieren ⁋ aufkommen · einreißen · einwurzeln · in Brauch kommen · Sitte werden · in Fleisch und Blut übergehen · sich herausbilden · sich verfestigen ⁋ sich aneignen · angewöhnen · ausüben · befolgen · beobachten · einbürgern · einführen ⁋ abrichten · bereiten · dressieren · nationalisieren · assimilieren ⁋ alltäglich · alt · althergebracht · anerzogen · angeboren · ausgeleiert · beliebt · bewährt · dasselbe · eingebürgert · eingewurzelt · epidemisch · fortwährend · gängig · gebräuchlich · geläufig · gewohnheitsmäßig · gewöhnlich · gewohnt · landläufig · modern · modisch · stereotyp · traditionell · typisch · üblich · unausrottbar · unheilbar · vertraut ⁋ behaftet mit · besessen von · erpicht auf · vertraut mit · anhänglich · treu · konservativ · unmodern ⁋ Abonnent · Bonze · Gewohnheitsmensch, -tier · Habitué · Stammgast · Zopfträger · Begleiter durchs Leben · regelmäßiger Besucher · Schatten · alter Practicus · immer der Alte ⁋ Stamm · Gemeinde ⁋ Brauch · Etikette · Form · Formular · Gemeinplatz · Gewohnheitsrecht · ungeschriebenes Gesetz · Herkommen · Mode · Regel · Schablone · Schematismus · Sitte · Topos · Trott · Vulgata · Zeremonie · Zug der Zeit · leere Form · Walze · Tour ⁋ Angleichung · Anpassung · Beobachtung · Gebaren · Gepflogenheit · Geschäftsgebaren · Gewohnheit · Gewöhnung · Praxis · Treue · Übung ⁋ Abhärtung · Abrichtung · Dressur · Erfahrung · Routine · Schulung · Vorübung ⁋ Alltag · Anhänglichkeit · Macht der Gewohnheit · zweite Natur · grüner Tisch · Amtsschimmel · Schlendrian · Zopf · Schema F · alte Schule, Leier, Gleis, Geschichte, Sache · Tretmühle · das ewig Gestrige · Dauerzustand · Gesetz der Trägheit · steht nun einmal in den Handbüchern.

32. Abgewöhnung. *s. selten 6. 29. Mäßigkeit 11. 12.*

abgewöhnen · ablassen · ablegen · abstellen · aufgeben · einstellen · entbehren · entsagen · entwöhnen · Säugling absetzen · sich versagen · verzichten · eine Sitte verletzen · einen Gebrauch übertreten · sich fernhalten von · mit der Vergangenheit brechen · Gewohnheiten entsagen, meiden, von sich schütteln ⁋ ausgefallen · ausländisch · ausnahmsweise · außergewöhnlich · befremdend · fremdartig · neu · selten · ungebräuchlich · ungewöhnlich · ungewohnt · ungeübt · unmodern · veraltet ⁋ Abbruch · Abgewöhnung · Entwöhnung · Entziehungskur ⁋ Abweichung · Ausnahme · Übertretung ⁋ Abstinenz · Diät · Enthaltung ⁋ Neuheit · Ungewohntheit.

33. Aufhören. *s. Tod 2. 45. Unterbrechung 3. 36. nichts 4. 26. Ende 6. 4. Ruhe 8. 2.; 9. 36. abstehen 9. 20. Gegenwirkung 9. 72.*

allall · alle · Amen · aus · basta · fertig · gar · genug · halt · selah · stopp · vorbei · vorüber · zu guter Letzt · Schluß! · Punktum · genug für heute · aus der Traum ⁋ ich habe gesprochen, hugh · halt die Luft an (berlin.) ⁋ aus- · ablassen · abschließen · abstehen · anhalten · aufhören · ausbleiben · aussetzen · einhalten · enden · endigen · sich enthalten · feiern · innehalten · sich legen · nachlassen

pausieren · rasten · resignieren · ruhen · stoppen · streiken · sich zurückhalten ·
zusammenbrechen ⁋ heimgehen · sich erheben ⁋ ausklingen · entdämmern · erlöschen · sich geben · verhallen · verklingen · verschwinden · ein Ende nehmen ·
sich totlaufen ⁋ aus- · abblasen · abbrechen · abbringen von · abmachen, -schaffen,
-setzen · abstellen, ausschalten · abtakeln · aufgeben, -stecken · aussperren · (Streit)
austragen · beenden · beendigen · beruhigen · beschließen · beseitigen · einstellen ·
enden · erledigen · hemmen · kassieren · kündigen · liquidieren · löschen · schließen ·
stillegen · stoppen · stunden · unterbrechen · verschieben · vertuschen · mit einer
Gewohnheit brechen · Verkehr, Beziehung abbrechen · Verbindung lösen · die
Stelle aufgeben · den Dienst quittieren · abservieren · ein Ende, Kehraus machen ·
Schluß machen, einen Strich darunter, einen Punkt machen · den Schlußstrich unter
eine Entwicklung machen · in den Ausstand treten · Schicht, Feierabend machen ·
die Arbeit einstellen · ein Einsehen haben · den Laden, die Bude zumachen · zum
Schluß kommen · das Verfahren einstellen ⁋ unter den Tisch fallen lassen · an den
Nagel hängen · nicht mehr mitmachen · auf sich beruhen lassen · es damit, dabei
bewenden lassen · in den Papierkorb werfen · zum Schweigen bringen · das Hand-
werk legen ⁋ absterben · ausbleiben · ausstehen · austönen · erlöschen · sterben ·
verdämmern · vergehen · vorübergehen · welken · nicht wieder erscheinen · zur
Neige, Rüste gehen ⁋ endgültig · endlich · fertig · final · schließlich · der letzte
⁋ Ausläufer · Aschermittwoch · Endstation · der letzte Dreschschlag (viele Aus-
drücke) ⁋ Abgang · Abschluß · Aufenthalt · Aufschub · Ausgang · Ausklang ·
Bedenkzeit · Ende · Feierabend · Finale · Henkersmahl · Interregnum · Kehraus ·
Koda · Pause · Rast · Rausschmeißer · Ruhe · Schluß · Schlußpfiff · Schwanen-
gesang · Sieg · Endsieg · Stillstand · Stundung · Vorhang · Wochenende · Silvester ·
Ultimo.

34. Unvollendet lassen. *s. unvollständig 4. 46. erfolglos 5. 47; 9. 78.*
unentschlossen 9. 7.

na und? · das ist alles? · mehr is nich ⁋ verfehlen · vernachlässigen · versäumen ·
auf halbem Weg stehenbleiben · es dabei belassen · fallen lassen · liegen lassen ·
auf die lange Bank schieben ⁋ sein Bewenden haben · in den Ansätzen stecken
bleiben · ruht z. Zt. · wird noch behandelt ⁋ halb · halbfertig · halbvollendet ·
unbedingt · unentschieden · unfertig · ungeschehen · ungetan · unreif · unterbrochen · unverrichtet · unvollendet · unvollkommen · unvollständig · vernachlässigt ·
der Erledigung harrend · in Verhandlung begriffen · in der Schwebe befindlich · in
Angriff genommen · vor sich gehend ⁋ Bruchstück · Fragment · Sisyphusarbeit ·
Stückwerk · Teppich der Penelope · Torso · Entwurf · künstliche Ruine ⁋ Schwächung · Unfertigkeit · Unreife · Unvollkommenheit.

35. Vollenden. *s. töten 2. 46. Zusatz 4. 28. Totalität 4. 41. hoher Grad 4. 50.*
erzeugen 5. 39. Vergangenheit 6. 19. beharrlich 9. 8. aufhören 9. 33. Erfolg 9. 77.

endlich · schließlich ⁋ abfertigen · abmachen · abschließen · ausarbeiten · ausführen · bauen (stud.) · beendigen · beschließen · besiegen · besorgen · bewerkstelligen · durchführen · enden · sich entledigen · erfüllen · erledigen · fertigmachen · fertigstellen · fingern · leisten · petschieren · schließen · siegeln · tätigen ·
verarzten · vervollständigen · verwirklichen · vollbringen · vollenden · vollführen ·
vollstrecken · vollziehen · ins Werk setzen, richten ⁋ ausrichten · bestellen · verrichten ⁋ abwickeln · ausarbeiten · ausbauen · bezwecken · durchdringen · durchsetzen · erreichen · erwirken · erzielen · gelangen zu · hinbringen · schaffen · ver-

vollkommnen · vervollständigen ⁋ ankommen · anlangen · zur Reife bringen ·
zustande bringen · Mittel und Wege finden · zu Ende führen · zu Stuhle kommen
⁋ die letzte Hand anlegen · zeichnen · signieren · unterschreiben · das Gebäude
krönen · den Kranz, die Krone aufsetzen · das Siegel, den Stempel aufdrücken ·
das Endziel erreichen · den Tüpfel aufs i setzen · den Zaunkönig spielen · zur
Entscheidung gelangen · zum Schluß kommen · zu einem Wendepunkt, einer Krise
kommen, führen, bringen · das Ende · einen Schluß herbeiführen · die Ernte einheimsen · die Frucht austragen ⁋ gedeihen · zustande kommen · die Sache steigt
(stud.) · es wird ⁋ abschließend · endgültig · erschöpfend · fertig · komplett · vollständig · fix und fertig · das Soll zu 100 % erfüllt ⁋ Krönung · Enthüllung · Richtfest · Stapellauf ⁋ Abfertigung · Abrechnung, Quittung · Ankunft · Beförderung ·
Ende · Endspurt · Entledigung · Erledigung · Gnadenstoß · Schlußarbeit · Schlußakkord.

36. Ruhe. s. Schlaf 2. 36. lautlos 7. 28. langsam 8.8. untätig 9. 24. faul 9. 41. Gemütsruhe 11. 8. Frieden 16. 48.

sich aalen · aufatmen · (sich) ausruhen, ausstrecken · entspannen · feiern · sich
langweilen · sich lümmeln · pausieren · privatisieren · rasten · rühren (mil.) ·
ruhen · streiken · sich verliegen (mhd.) · (sich) verschnaufen · Atem holen, schöpfen ·
Ruhe geben · sich Ruhe gönnen · der Ruhe pflegen · Siesta halten · brach liegen ·
müßig gehen · ein beschauliches Leben führen · die Hände in den Schoß legen ·
Zeit haben · nichts zu tun haben · läßt Gott einen guten Mann sein · von seinen
Zinsen leben · den Rentier spielen · auf der Bärenhaut liegen ⁋ absatteln · ausspannen · beilegen · einhalten · einschlafen · einschlummern · nachlassen · sich
niederlegen · Feierabend, Schicht machen · sich's bequem machen · die Arbeit einstellen · sich (vom Geschäft) zurückziehen · sich in den Ruhestand begeben · auf
seinen Lorbeeren ausruhen · sich pensionieren lassen · zu Bett gehen ⁋ beschwichtigen · einlullen · einschläfern · einwiegen · zur Ruhe bringen · aussperren ⁋ behaglich · bequem · beschaulich · friedlich · gemütlich · lauschig · ruhig · still ⁋ Abendstunde · Atempause · Entspannung · Erholungszeit · Feierabend · Feiertag ·
Ferien · Freizeit · Frist · Muße · Mußestunde · Pause · Rasttag · Ruhezeit · Sabbatruhe · Sonntag · Urlaub · blauer Montag · freie Zeit · Schonzeit ⁋ Arbeitseinstellung · Aussperrung · Ausstand · Geschäftsstille · Langeweile · Sauregurkenzeit ·
Stockung · Streik · Sperre · tote Saison ⁋ Brache · Erholung · Halt · Muße · Pause ·
Rast · Ruhe · Schlaf · Schlummer · Siesta · Stille · Windstille · Kirchhof · Unterhaltung · Vergnügen · Zerstreuung ⁋ Arbeitsscheu · Aufenthalt · Phlegma ·
Schlendrian · Beharrungsvermögen ⁋ Stillegung.

37. Energie. s. Kraft 5. 35. Entschlossenheit 9. 6. beharrlich 9. 8. quälen 16. 79. Strenge 16. 108.

so oder so ⁋ angreifen · durchbiegen · durchgreifen · eingreifen · verstoßen · zuschlagen · alles aufbieten · Eindruck machen · kurzen Prozeß machen · ein Beispiel
geben · mit Gewalt eindringen · auf den Tisch schlagen · die Stirn bieten ⁋ aneifern ·
aufreizen · drängen · ermutigen · kräftigen · stählen · vortreiben · Energie · einflößen ⁋ betriebsam · durchgreifend · einsatzbereit · einschneidend · energisch ·
forsch · geschäftig · kräftig · lebendig · lebhaft · männlich · nachdrücklich · nachhaltig · preußisch · schneidig · stark · streng · tätig ⁋ angriffslustig · ansteckend ·
aufgeregt · aufreizend · bitter · doppelt · drastisch · heftig · scharf · urchig ·
⁋ Feuergeist · Kraftmeier · Tatmensch · Pionier der Arbeit ⁋ Großkampftag · Hoch-

betrieb · Blitzkrieg · rollender Einsatz ⁋ Betriebsamkeit · Einsatz · Energie · Feuereifer · Hanseatengeist · Potenz · Tatkraft · Verve · Wirksamkeit ⁋ Härte · Kraft · Nachdruck · Schärfe · Schneid · Wuppdich ⁋ Arbeitslust · Begeisterung · Erregung · Spannkraft · Lebensmut.

38. Eifer. *s. hoher Grad 4. 50. Heftigkeit 5. 36. Unzeit 6. 38. schnell 8. 7. Erregung 11.5. aufmerksam 12. 7. lernen 12. 35.*

im Schweiße seines Angesichts · mit Hochdruck, heißem Herzen, Volldampf, Schwung · mit avec · ran an Speck · in Hemdsärmeln ⁋ sich anstrengen · arbeiten · sich beeifern · sich beeilen · sich befleißigen · sich bemühen · sich beschäftigen · betreiben · sich bewerben · büffeln, ochsen · sich dranhalten · eilen · handeln · sich mühen · nacheifern · sich placken · sich plagen · rabanzen · rabastern · sich regen · sich rühren · schaffen (südd.) · schanzen · sich schinden · schuften · sich sputen · streben · trachten · sich tummeln · tun · sich umbringen · werkeln · wirken ⁋ sich abgeben · sich aufdrängen · sich befassen · sich beteiligen · dazwischentreten · eingreifen · sich einlassen · sich einmengen · sich einmischen · einschreiten · intrigieren · sich kümmern · mitmachen · vermitteln · antichambrieren ⁋· herummachen · sich übereilen · überhasten · überstürzen · übertreffen · wusseln · zuvortun ⁋ fortschreiten · vorwärtskommen · etwas leisten · vom Fleck kommen · Fortschritte machen · Hand anlegen · sich ins Zeug legen · dabei bleiben · nicht ablassen · sich dranhalten · sich Mühe geben · keine Arbeit, Mühe scheuen · sich kreuz und quer legen · sich den Kopf zerbrechen · (fieberhafte) Tätigkeit entfalten (Polizei) · sein Bestes, sein Mögliches tun · zeigen, was eine Harke ist · bei der Hand, zur Hand sein · alles dransetzen, aufbieten, alle Hebel, Himmel und Hölle in Bewegung setzen · seine Zeit verbringen mit · die Zeit ausnützen · kurzen Prozeß machen · ohne Umstände zugreifen · die Gelegenheit beim Schopf ergreifen · nicht ruhen bis · das Haus auf den Kopf stellen · sich aufreiben, aufschlitzen für · sich umbringen · sich verbeißen, festbeißen, hineinknieen · sich angelegen sein lassen · sich nicht verdrießen lassen · läßt alles andre stehn und liegen · ist Feuer und Flamme · seine ganze Kraft aufbieten · den Mut nicht verlieren · sich die Beine, Hacken, Schuhsohlen ablaufen · nach etwas jagen · aufgehen in etwas · erpicht sein · ist mächtig hinterher · als bekäme er's bezahlt · die Nase in etwas stecken · die Hand im Spiele haben · die Finger in der Pastete haben · überall dabei sein · Betrieb machen · das Eisen schmieden, solange es heiß ist · das Feuer schüren · Öl ins Feuer gießen · Dampf dahinter machen · nicht wissen, wo einem der Kopf steht · der Boden brennt unter den Füßen ⁋ munter werden · aus dem Schlaf, Traum erwachen ⁋ beschleunigen · betreiben · fördern · überladen · überlasten · übertreiben · vorwärts bringen ⁋ achtsam · alert · angelegentlich · anstellig · arbeitsam · aufmerksam · beflissen · betriebsam · beweglich · biereifrig · deftig · diensteifrig · emsig · fieberhaft · fleißig · flink · flott · forsch · frisch · geschäftig · gewandt · hurtig · jass (schweiz.) · lebhaft · leistungsfähig · munter · rastlos · rege · regsam · resolut · ruhelos · rührig · schnell · stürmisch · temperamentvoll · unablässig · unermüdlich · unternehmend · unverdrossen · tätig · tüchtig · verbiestert · verdient · versessen · zackig · zielbewußt · unruhig wie Quecksilber ⁋ Aktivist · Ameise · Biene · Normenbrecher · Pionier · Held der Arbeit · Stachanow · Arbeitstier · Dienstfresser · Dienstfuchser · Gschaftlhuber · Hilfe · rechte Hand · Herr Überall · Treiber · Hans Dampf in allen Gassen · Hetzer · Intrigant · Ränkeschmied · Renommist · Streber · Wichtigtuer · Klebehose · neue Besen ⁋ Aufmerksamkeit · Begeisterung · Ehrgeiz · Eifer · Einsatz · Energie · Feuer · Glut · Hast ·

Henneckeschicht · Hitze · Schlaflosigkeit · Übereilung · Unruhe · Wachsamkeit ⁋ Arbeitskraft · Arbeitslust · Ausdauer · Beharrlichkeit · Elastizität · Fleiß · Geduld · Sitzfleisch · Spannkraft · Tatendrang · Vehemenz ⁋ Suchaktion · Dienst am Kunden ⁋ Aufdringlichkeit · Beflissenheit · Dazwischentreten · Mitwirkung · Ränke · Teilnahme · Übereifer · Vermittlung.

39. Eile. *s. sofort 6. 14. schnell 8. 7.*

kopfüber · ohne Bedenken · mit Blitzesschnelle · veni vidi vici · Hals über Kopf · in der Hitze des Gefechts · im Drang der Geschäfte · ohne Umschweife · mit Vorrang (Post) ⁋ eilen · hasten · hexen · pressieren · sich tauen (berg.) · zaubern · keinen Augenblick verlieren · das Unmögliche leisten · Eile haben · vordringlich behandeln · vorab erledigen ⁋ aneifern · anhalten zu · anspornen · aufmuntern · beeilen · beschleunigen · betreiben · drängen · ermuntern · treiben · übereilen · überstürzen ⁋ atemlos · bedachtlos · begierig · beschleunigt · brandeilig · brennend · dringend · eifrig · eilfertig · eilig · fieberhaft · fix · flink · geschwind · gewandt · hastig · heftig · hitzig · hurtig · kurzfristig · prompt · schleunig · schnell · übereilt · unbedacht · ungestüm · vordringlich ⁋ Brausekopf · Sausewind · Eilbote · Kurier ⁋ Depesche · Eilbotschaft · Flugpost · Schnellzug · Telegramm · Blitzgespräch ⁋ Eile · Geschwindigkeit · Hast · Hitze · blinder Eifer ⁋ Dringlichkeit · Übereilung.

40. Anstrengung. *s. schwierig 9. 55. Unlust 11. 13. lernen 12. 35.*

im Schweiße seines Angesichts · daß einem der Kopf brummt · daß man nicht weiß, wo einem der Kopf steht, womit man anfangen soll · mit Aufgebot aller Kräfte · mit Ach und Krach · mit Ach und Weh ⁋ sich ab- · sich abarbeiten · sich abhasten, abhetzen, abmatten, ablaufen, abplacken, abquälen · sich abmüden, abmühen · sich abrackern · sich abschaffen, abschleppen · ankämpfen gegen · sich anstrengen · arbeiten · sich aufreiben · bataljen (v. bataille, thür.) · sich bemühen · fronen · sich befleiß(ig)en · kämpfen · pauken · sich placken · sich plagen · sich quälen · rackern · ringen · schanzen · schwarwerken · sich schinden · schuften · schwitzen · sich sträuben · streben · sich überarbeiten, übernehmen · zerren · ziehen · unter dem Joch seufzen · wie ein Galeerensklave arbeiten · nichts unversucht lassen · Übermenschliches leisten · seine ganze Fähigkeit aufbieten · alle Kräfte anspannen · jeden Nerv anstrengen · Mühe wenden auf · Herkulesarbeit verrichten · hat alle Hände voll zu tun · ist (voll) ausgelastet · durch dick und dünn gehen · Feuer und Wasser nicht fürchten · sich den Kopf zerbrechen · auf die Tube drücken · hat seine Last · läßt es sich sauer werden · dahinter her sein · alle Minen springen lassen · Blut und Wasser schwitzen ⁋ anstreben · erstreben · jagen nach ⁋ schinden · schlauchen · überbürden · überladen · überlasten · über Gebühr beanspruchen ⁋ schwer fallen · sauer, schwer ankommen · ist eine harte Nuß ⁋ angespannt · angestrengt · anstrengend · aufreibend · bedrückend · beschwerlich · drückend · ermattend · ermüdend · lästig · mühsam · mühselig · mühevoll · schwierig ⁋ Kuli · abgetriebener Droschkengaul · Packesel · Roboter · Sklave ⁋ Anschluß (mil.) · Anstrengung · Arbeit · Beschwerde · Bürde · Dienst · Fron · Gewürge · Joch · Kampf ums Dasein · Kopfzerbrechen · Last · Mühe · Mühsal · Pferde-, Viechsarbeit · Pflicht · Plackerei · Plage · Schinderei · Schuldigkeit · Sklaverei · Strapaze · Tretmühle · Überbürdung · Werk · Anhäufung von Geschäften · Gripsmassage ⁋ Überstunde · Tag und Nachtschicht · Fünfzigstundenwoche · Erzeugungsschlacht ⁋ Druck · Jagd · Kampf · Rekord · Ringen.

41. Faulheit. *s. Ermattung 2. 39. langsam 8. 8. Untätigkeit 9. 24. dumm 12. 56.*

bei mir Klubsessel: immer bequem ❡ sich drücken vor · dösen · sich räkeln · sich kein Bein ausreißen · den lieben Gott sorgen, walten lassen · hat seins nicht präpariert ❡ nölig · säumig · schlafmützig ❡ abgestumpft · bequem · betäubt · dickfellig · faul · flau · lahm · langsam · lässig · lasch · laß · lauwarm · lax · leblos · lendenlahm · lustlos · matt · müßig · ostisch · phlegmatisch · schlaff · schläfrig · schwach · schwerfällig · starr · stumpf · tot · träge · untätig · unwirksam · wirkungslos · zahm ❡ Mattigkeit · Phlegma · Ruhe · Schlaf · Schwäche · Stumpfheit · Trägheit.

42. Sorgfalt. *s. Vorsicht 11. 40. Aufmerksamkeit 12. 7.*

vorsichtshalber · aufs Haar · bis aufs Tüpfelchen · auf den Millimeter genau · mit dem Lineal gezogen · bei mir Schiefertafel: auf mir kannste rechnen ❡ abwägen · beachten · bedenken · sich befleißen · sich bemühen · berücksichtigen · betreuen · ernst nehmen · erwägen · sich kümmern um · Mühe wenden an · überlegen · sich vorsehen · vorsorgen · es sich angelegen sein lassen · sich Mühe geben · Sorge zu etwas geben · sein Bestes versuchen, tun · bei einer Sache bleiben · acht geben · Sorge tragen · Maßregeln treffen · Aug'. und Ohren offen halten · die Ohren steif halten · pfleglich behandeln · nicht aus den Augen lassen · sicher gehen · die Worte auf die Goldwage legen ❡ Vorsicht erfordern ❡ achtsam · akkurat · ängstlich · bedächtig · bedenklich · behutsam · besorgt · detailliert · eigen · exakt · genau · gewissenhaft · gründlich · klug · minutiös · ordentlich · pedantisch · peinlich · penibel · präzis · pünktlich · schonsam · sorglich · sorgfältig · sorgsam · subtil · tippelig · treu(lich) · überlegt · umsichtig · vernünftig · vorsichtig · wachsam · zuverlässig ❡ Pedant · Sicherheitskommissarius *s. 12. 55* ❡ Poposcheitel ❡ Akkuratesse · Akribie · Bedacht · Besorgnis · Denkmalschutz · Gewerbefleiß · Naturschutz · Exaktitude · Fleiß · Fürsorge · Gründlichkeit · Klugheit · Rücksichtnahme · Schonung · Sorge · Sorgfalt · Umsicht · Vorbedacht · Vorsicht.

43. Nachlässig. *s. ungeschickt 9. 53. minderwertig 9. 60. unaufmerksam 12. 13.*

leichthin · obenhin · im unbewachten Augenblick · Hals über Kopf ❡ auslassen · bummeln · faseln · geringschätzen · hudeln · mißachten · murksen · pfuschen · schludern · schnuddeln · tändeln · übereilen · übersehen · diagonal lesen · überspringen · vernachlässigen · wursteln · entschlüpfen lassen · sich entgehen lassen · auf die leichte Achsel nehmen · nichts fragen nach · sich nicht kümmern um · nicht denken an · außer Acht lassen · seine Gedanken wo anders haben · beiseite schieben, legen · liegen lassen · dem Wind übergeben · in den Tag hinein leben · auf die lange Bank schieben ❡ fünf gerade sein lassen · durch die Finger sehen · ein Auge zudrücken ❡ verwahrlosen ❡ äußerbedachtlos · eilfertig · fahrig · fahrlässig · faselig · flatterhaft · flüchtig · flutterig · gedankenlos · gehirnlos · gleichgültig · lässig · latschig · leichtfertig · leichtsinnig · liederlich · nachlässig · oberflächlich · rücksichtslos · saumselig · schlampig · sorglos · summarisch · übereilt · überstürzt · unachtsam · unbedacht · unbesonnen · unklug · unüberlegt · unvernünftig · unverständig · unvorsichtig · verständislos · vorschnell · wurschtig · zerfahren · zerstreut ❡ un- · unbeachtet · unbemerkt · unberücksichtigt · unerprobt · ungeprüft · ununtersucht ❡ Faselhans · Lottel (bad.) · Markierer ❡ Nachlässigkeit · Nachsicht · Torheit · Versäumnis · Bummelei · Schlamperei · Schlendrian · Schlotterei · Schmiererei · unordentliches Wesen.

44. Wichtig. *s. Stütze 3. 16. Mittelpunkt 3. 28. hoher Grad 4. 50. Hauptsache 5. 10. Wunsch 11. 36. eitel 11. 45. Aufmerksamkeit 12. 7. Lob 16. 31. Einfluß 16. 95. Führer 16. 98. Preis 18. 27.*

vor allem andern · in erster Linie · Scherz bei Seite · ich habe ernsthaft darüber nachgedacht · namentlich · durchaus ¶ mit erhobener Stimme · mit Nachdruck ¶ erschüttern · packen · es gilt · es kommt zum Klappen · schwer wiegen · Trumpf sein · etwas gelten · viel zu bedeuten haben · darauf ankommen · Beachtung finden · interessieren · den Ton angeben · hat Format · ist jemand · die Hauptrolle, die erste Geige spielen · ist kein Kinderspiel · man muß damit rechnen · kein Pappenstiel · es geht um die Wurst · ist eine Entscheidung für · Epoche machen · bedeutet einen Wendepunkt · ist von eminenter Tragweite · der Mühe wert · von Belang · es geht mich an · klein aber oho! ¶ anstreichen · betonen · einschärfen · hervorheben · hochhalten · insistieren · schätzen · überschätzen · übertreiben · (rot) unterstreichen · sperren (im Druck) · Bedeutung beimessen · es ist mir gelegen an · Wichtigkeit zuschreiben · viel Wesens, Aufhebens, Staat machen · hat sich fürchterlich mit · es liegt mir an etwas · sich angelegen sein lassen · Gewicht, Wert legen, abstellen auf · Beachtung schenken · geltend machen ¶ abschließend · akut · aufsehenerregend · ausschlaggebend · bahnbrechend · beachtenswert · bedeutend · bedeutsam · bedeutungsvoll · beherzigenswert · beispielhaft · belangreich · bemerkenswert · beträchtlich · bezeichnend · brennend · denkwürdig · dringend · eindringlich · einflußreich · einschneidend · entscheidend · entscheidungsvoll · erforderlich · erheblich · epochal · epochemachend · ernst · ernstlich · erstklassig · folgenschwer, -reich · führend · gewichtig · global · grandios · groß · grundlegend · hauptsächlich · hervorragend · interessant · konstitutiv · kriegs-, lebens-, volkswichtig · maßgebend · merkwürdig · nachdrücklich · nachdrucksvoll · planetarisch · prominent · relevant · schlechthinnig · schwer · schwerwiegend · tiefgreifend · triftig · vital · vordringlich · vornehmlich · vorzüglich · wegweisend · welterschütternd · weltgeschichtlich · wertvoll · wesentlich · wichtig · wirksam · wirkungsvoll · wuchtig · zentral · umstürzend · umwälzend · unerläßlich ¶ ausdrucksvoll · ernst · feierlich · geschwollen · hochtrabend · inbrünstig · pathetisch · rhetorisch · salbungsvoll · seelenvoll · in gehobener Sprache · in hohem Stil · expressivo ¶ Haupt · Haupt-, z. B. Hauptmann · Häuptling · tragende Rolle · Solo · Kopf · Löwe · Mann des Tages · der Mann an der Spritze · Star · Herr Wichtig persönlich · das Tagesgespräch ¶ Garde · Gros · Kerntruppe ¶ Sonder- · Anhaltspunkt · Clou · Eckpfeiler · Eckpfosten · Ecksäule · Eckstein · Ereignis · Erlebnis · Fundament · Gerippe · Gerüst · Grundlage · Hochburg · Hochsitz · Markstein · Meilenstein · Mittelpunkt · pièce de résistance · Sammelpunkt · Schlüsselstellung · Schwerpunkt · Seele · Zentrale · conditio sine qua non ¶ Brustton · Emphase · Ernst · Nachdruck · Pathos · Salbung ¶ Ansehen · Betonung · Druck · Einfluß · Ernst · Gewicht · Größe · Grund · Kern · Kraft · Mark · Moment · Nachdruck · Schwere · Stärke · Stimme · Tat · Übergewicht · Wert · wesentlicher Bestandteil · das A und O · bestimmendes Moment ¶ Bedeutung · Hoheit · Wichtigkeit · Wirksamkeit.

45. Unwichtig. *s. klein 4. 4. schwach 5. 37. minderwertig 9. 59—60. Gleichgültigkeit 11. 8; 11. 37. nutzlos 9. 49. unterschätzen 12. 51. verachten 16. 34; 36. wohlfeil 18. 18.*

meinetwegen · nebbich · nitschewo · na und? · Wichtigkeit! · wenn schon · gleich null · von mir aus ¶ 's werd en Wert hawwe (bad.) · wat ick mir dafür koofe

(berl.) · habeat sibi (1. Mos. 38) · kann mir gestohlen werden · damit lockt man
keinen Hund vom Ofen · es gibt Dringenderes · hat nichts auf sich · danach kräht
kein Hahn · läuft auf eins hinaus · es hat wenig zu bedeuten, zu sagen · zurücktreten · es verschlägt nichts · ist nicht der Rede wert · macht den Kohl nicht fett ·
man bläst es von der Hand · ist ein Tropfen auf einen heißen Stein · ficht ihn
wenig an · zählt nicht (mit) · besitzt keinen Einfluß · kommt nicht in Betracht, in
Frage · es hat nichts auf sich · schadet fast gar nichts · spielt keine Rolle · kann
man sich sparen · kann dahingestellt bleiben · tut nichts zur Sache · es geht mich
nichts, einen Dreck an · es ist nichts dahinter, einerlei, egal, müßig, piepe, scheißegal, schnuppe, schnurz, wurscht · alles eins · gehüpft wie gesprungen · ist ihm
Hekuba · Jacke wie Hose · bleibt sich gleich · liegt mir stagelgrün auf (ö.) ⁊ abwarten · links liegenlassen · bagatellisieren ⁊ abgelegen · alltäglich · ausdruckslos ·
bedeutungslos · belanglos · gegenstandslos · gehaltlos · gemein · geringfügig · gewöhnlich · gleichgültig · interesselos · irrelevant · kindisch · müßig · nebensächlich ·
nichtig · nichtssagend · peripher(isch) · schäbig · schwach · töricht · trivial · unbedeutend · unbeträchtlich · unmaßgeblich · unerheblich · uninteressant · untergeordnet · unwesentlich · unwichtig · verächtlich · wertlos ⁊ abgenutzt · albern ·
arm · armselig · bedauernswert · bettelhaft · dünn · eitel · elend · erbärmlich ·
heruntergekommen · jämmerlich · kläglich · kümmerlich · lächerlich · leer · mager ·
miserabel · niedrig · schäbig · schal · unansehnlich · nicht erwähnenswert · zweiter
Ordnung ⁊ Alltagsmensch · Durchschnitt · Dutzendmensch · Ersatz · Lückenbüßer ·
Mittelmäßigkeit · ein Niemand · eine Null · Strohmann · fünftes Rad am Wagen ·
kleine Leute · Stimmvieh · Hammelherde · Nebenrolle ⁊ Bagatelle · Binse · Brimborium · Bröselin · Deut · Dummheit · Kinderspiel · Kleinigkeit · Larifari · Linsengericht · Lückenbüßer · Luft · Nadelkopf · Nebensache · Nichts · Null · Pappen-
stiel · Pfifferling · quantité négligeable · Schaum · Schnickschnack · Seifenblase ·
Stecknadel · Stiefkind · Strohhalm · Unsinn · Wind · toter Buchstabe ⁊ Abfall ·
Abschaum · Albernheit · Ausschuß · Auswurf · Bafel · Bettel(kram) · Bodensatz ·
Brack · Bruch (mil.) · Dreck · Dunst · Firlefanz · Flitter · das Gelerr (hess.) · Gerümpel · Häckerling · Hefe · Kehricht · Kinderpossen · Kinkerlitzchen · Kram ·
Krämpel · Krätz · Ladenhüter · Lappalie · Lumpen · Lumperei · Makulatur · Mist ·
Nebel · Plunder · Plünnen (hambg.) · Possen · Quark · Quisquilien · Rauch ·
Schlacken · Schlorum · Schmutz · Schund · Spaß · Spielerei · Spielzeug · Spinn-
webe · Spreu · Staub · Tand · Trödel · Unkraut · Witz · Wust · Zeug ⁊ leere Luft ·
taube Nuß · olle Kamellen · fauler Witz · dumme Redensart ⁊ Armut · Bedeutungs-
losigkeit · Gemeinheit · Gewichtlosigkeit · Nichtigkeit · Unwichtigkeit · Wertlosigkeit.

46. Nützlich. *s. zweckmäßig 9. 48. helfen 9. 70. Mittel 9. 82. Profit 18. 5.*

batten (hess.) · helfen · nützen · von Nutzen sein · behilflich, brauchbar sein ·
Vorteil bringen · gelegen kommen · zu paß, à propos, zustatten kommen · Gewinn
eintragen · sich lohnend erweisen · sich gut bezahlt machen · seine Rechnung
finden · den Zweck erfüllen · gute Dienste leisten · ist das einzig Senkrechte ⁊ sich
bedienen · benützen · ausnützen · profitieren ⁊ angemessen · anwendbar · brauchbar · erfolgreich · ergiebig · ersprießlich · fähig · förderlich · fördersam · gebrauchsfähig · kräftig · tüchtig · verwendbar · wirksam ⁊ behilflich · dienlich · fruchtbar ·
gemeinnützig · gewinnbringend · günstig · nutzbringend · nützlich · vorteilhaft ·
wohltätig ⁊ Dünger · Förderung · Gönnerschaft · Gunst · Güte · Nutzen · Verdienst · Vorteil · Wert ⁊ Geltungsbereich · Rolle · Werk · der Platz an der
Sonne ⁊ Fähigkeit · Fruchtbarkeit · Gemeinnutz · Nützlichkeit · Sinn · Tüchtigkeit · Verwendbarkeit · Wirksamkeit · Zweck.

47. Vorteil. *s. Gewinn 18. 5. Habgier 18. 7.*

dienen · einbringen · sich lohnen · nützen · rentieren · Gewinn bringen ⹂ berechnen · erzielen · gewinnen · rechnen, zählen auf · zielen ⹂ dienlich · einträglich · ertragreich · gut · heilbringend · lohnend · nützlich · nutzbar · profitlich · rentabel · vorteilhaft ⹂ egoistisch · egotistisch · egozentrisch · eigensüchtig · selbstisch · selbstsüchtig ⹂ Egoist · Selbstling ⹂ Ausbeute · Beute · Ernte · Ertrag · Erwerb · Gewinn · Güte · Heilmittel ⹂ Glück · Glücksfall · Heil · Interesse · Lohn · Nutzen · Profit · Rewach · Vorteil · Benefizvorstellung ⹂ Egoismus · Eigenliebe · Eigennutz · Ichsucht · Selbstigkeit (Goethe) · Selbstsucht ⹂ Einträglichkeit · Nutzbarkeit · Wirtschaftlichkeit.

48. Zweckmäßig. *s. raten 9. 12. gefallen 11. 17. sachverständig 12. 32.*

je nach dem ⹂ dienen zu · sich eignen · sich empfehlen · entsprechen · geziemen · helfen · passen · übereinstimmen · zusagen · kommt wie gerufen · wohl anstehen · zu Gesicht stehen · in den Kram passen · gelegen kommen · Wasser auf die Mühle · hat Hand und Fuß · ist am Platz, an der Zeit · ist geraten ⹂ vor die rechte Schmiede gehen · auswerten · verwerten ⹂ angebracht · angemessen · angezeigt · annehmbar · begehrenswert · bequem · bewährt · dienlich · empfehlenswert · entsprechend · erprobt · fachmännisch · geeignet · gelegen · -gemäß · -gerecht, z. B. sportpraktisch · probat · rätlich · ratsam · rechtzeitig · sachgemäß · tauglich · tunlich · verwendbar · verwertbar · willkommen · wünschbar (schweiz.) · wünschenswert · zeitgemäß · zweckdienlich · zweckmäßig ⹂ anständig · füglich · schicklich · ziemlich ⹂ Angemessenheit · Anwendbarkeit · Eignung · Fähigkeit · Fertigkeit · das Können · Kongruenz · Rechtzeitigkeit · Schicklichkeit · Tüchtigkeit · Übereinstimmung · Verwendbarkeit · Vorzüglichkeit.

49. Nutzlos. *s. unfruchtbar 2. 7. zu wenig 4. 25. unwichtig 9. 45. minderwertig 9. 60. erfolglos 9. 78. Nichtbenutzung 9. 85.*

umsonst · vergebens ⹂ herum- · herummimen · herumwursteln · -wirtschaften · -fipsen · -hantieren · -murksen, -polken, -popeln, -schusseln, -stehen, -tigern, -noddeln · das fünfte Rad am Wagen sein · das ist für die Katz · sich den Mund fusselig reden · es geht auch so · auskommen ohne · nicht angewiesen auf · entraten können · ist fehl am Ort · dastehn wie Pik As, wie nicht abgeholt · hat keenen sittlichen Wert, keene sittliche Spitze (berl.) · hat Zeit · es erübrigt sich ⹂ aus dem Läppche ins Düchelche wickeln (hess.) · in den Wind reden · tauben Ohren predigen · Eulen nach Athen tragen · gegen Windmühlen kämpfen · den Bock melken · offene Türen einrennen ⹂ hat nichts davon ⹂ absondern · ausnützen · ausrangieren · ausschließen · aussondern · als unnütz beiseite legen, werfen ⹂ abgegriffen · abgenutzt · abgetragen · ausgedient · baumlos · denaturiert · dienstunfähig · eitel · erfolglos · fruchtlos · heruntergewirtschaftet · nichtig · kahl · müßig · nutzlos · öde · sinnlos · steril · überflüssig · unbrauchbar · undienlich · unerspießlich · unfruchtbar · ungeeignet · ungenießbar · unnötig · unnütz · untauglich · unverdaute, unverdauliche Kenntnisse · unvermögend · veraltet · vergeblich · verlustbringend · verrostet · wertlos · wirkungslos · zwecklos ⹂ Clown im Zirkus · der dumme August ⹂ Verwaltungsapparat ⹂ Heide · Öde · Ödland · Sahara · Steinacker · Steppe · Wildnis · Wüste ⹂ Leistung · Spiel · Sport · brotlose Künste · Penelope-, Danaiden-, Sisyphusarbeit · Kaffeesatz (wenigstens im Frieden und bei Aufgeklärten) · Leerlauf · Pyrrhussieg · totgeborenes Kind ⹂ Abfall · Asche ·

Bettel · Gerümpel · Hadern · Herumsteher · Kram · Lumpen · Luxus · Ausschuß · Nippes · Plunder · Schlacke · Spreu · Staubfänger · Trödel (Kram) · Überreste · Unkraut · abgelegte Kleider · ausgepreßte Zitrone ⁋ Eitelkeit · Luxus · Nachteil · Nichtigkeit · Schädlichkeit · Sterilität · Unfruchtbarkeit · Verdorbenheit · Wirkungslosigkeit.

50. Nachteil. *s. beschädigen 9. 63. selbstlos 11. 51. betrügen 18. 8. Verlust 18. 15.*

büßen · hereinfallen · verlieren · sich verrechnen · zahlen · den kürzeren ziehen · übel ankommen · auf den Hund kommen · Pech haben · Verluste haben · Schaden nehmen · herhalten müssen · verlustig gehen · Einbuße erleiden · das Nachsehen haben · Beeinträchtigung erfahren · sich selbst im Licht stehen · benachteiligt werden · (teuer) erkaufen · vom Regen in die Traufe kommen · den Bock zum Gärtner machen ⁋ aufgehen in · sich aufopfern · entsagen · lieben ⁋ beeinträchtigen · benachteiligen · beschädigen · lädieren · ramponieren · schaden · schädigen · Verlust bringen · Abbruch, Eintrag tun · teuer bezahlen lassen ⁋ abträglich · folgenschwer · nachteilig · schädlich · übel · unglücklich · unglückselig · verhängnisvoll · verlustreich ⁋ aufopfernd · selbstlos · uneigennützig ⁋ Kuckucksei · Meltau · Pandorabüchse · Wurm ⁋ das Aber · Kehrseite · Schattenseite · das dicke Ende · bitterer Nachgeschmack ⁋ Beeinträchtigung · Einbuße · Fiasko · Krebsschaden · Mißgeschick · Nachteil · Panne · Pech · Pleite · Reinfall · Schaden · Verlust ⁋ Beschädigung · Böses · Heimsuchung · Kreuz · Leid · Übel · Unfall · Unglück · Unheil.

51. Unzweckmäßig. *s. verschieden 5. 21. Unzeit 6. 38. Abweichung 8. 12. nutzlos 9. 49. Fehler 12. 27. töricht 12. 56. verrückt 12. 57.*

hineinplatzen · stören · paßt wie die Faust aufs Auge, wie die Sau ins Judenhaus, wie der Esel zum Lautenschlagen, wie der Hase zum Trommelschläger, wie ein Lahmer zum Wettlauf · wie der Esel im Porzellanladen · Perlen vor die Säue · Kaviar fürs Volk (Shakesp.) · ist nicht im Sinne des Erfinders · hat keine sittliche Spitze · kommt hereingeschneit · kommt herein wie der Pontius ins Credo ⁋ die Karre in den Dreck schieben · das Pferd von hinten, am Schwanze aufzäumen · falsch anfassen · da fehlts · die Kirche ums Dorf tragen · den Brunnen zuschütten, wenn das Kind hineingefallen ist · das Kind mit dem Bade ausschütten · ist fehl am Ort ⁋ barabern (östr.) · markieren · tachinieren (östr.) · tschöchern (östr.) · wuckeln ⁋ äbsch (hess.) · deplaziert · falsch · fehlerhaft · hinderlich · müßig · nachteilig · schädlich · storr · überzwerch · umständlich · unangebracht · unangemessen · unbrauchbar · undienlich · unergiebig · ungeeignet · ungereimt · unvernünftig · ungeschickt · unnütz · unpassend · unratsam · untauglich · untüchtig · unvereinbar · unverwendbar · unvorteilhaft · unzeitgemäß · unzulänglich · verfehlt · wirkungslos · zweckwidrig ⁋ lästig · unbequem · ungebührlich · ungehörig · ungelegen · unschicklich · unziemlich · unzulässig ⁋ Nichtsnutz · Karnickel ⁋ Prokrustesbett ⁋ Fehlhandlung · Fehlleistung · Mißgriff · Schwabenstreich · Umweg · halbe Sache · Leerlauf ⁋ Untauglichkeit · Unzeit · Wahlunfähigkeit · Zweckwidrigkeit ⁋ Unfug · Ungehörigkeit · Ungelegenheit · Ungemach.

52. Geschicklichkeit. *s. Erfolg 9. 77. Kenntnis 12. 32. klug 12. 52. schlau 12. 53. täuschen 13. 51. Schmeichelei 16. 32; 115. Erwerb 18. 5.*

bei mir Eisbahn: glatt wie'n Aal ⁋ sich auszeichnen · balancieren · sich bewähren · sich hervortun · lernen · turnen · sich gut anstellen, anschicken · sich geschickt

anstellen, anpassen · hat das Zeug dazu · kann es sich leisten · es verstehen · sich
geltend machen · Erfahrung, Kenntnisse sammeln, besitzen · Bescheid wissen ·
leicht, schnell auffassen · Verständnis zeigen · eine Schule durchmachen, zurücklegen · es zur Vollkommenheit bringen · etwas gründlich kennen · wohl besorgen ·
organisieren · gut durchführen · seine Sache fein abkarten, gut einrichten · sich in
alles schicken · sicher gehen · wissen, wo Barthel den Most holt · seine Augen offen
haben, halten · auf dem laufenden sein · seinen Vorteil wahren · in allen Sätteln
gerecht, mit allen Hunden gehetzt, in allen Wassern gewaschen sein · einen guten
Griff tun · die Gelegenheit beim Schopf fassen · ins Schwarze, den Nagel auf den
Kopf treffen · zeigen, was eine Harke ist · sich der Zeit anpassen · sich nach den
Umständen richten · hat es faustdick hinter den Ohren · hat viele Eisen im Feuer ·
läßt alle Register spielen · ist nie verlegen um · mit dem kann man Pferde stehlen
gehn ⊄ ausgelernt · berufsmäßig · bewährt · eingeweiht · erprobt · findig · geeicht ·
gelernt · geschult · gründlich · präpariert · schlau · verschlagen · vorbereitet · weltklug · witzig ⊄ aalglatt · diplomatisch · einsichtsvoll · gescheit · intelligent · klug ·
politisch · staatsmännisch · vernünftig · verständig · vorsichtig · nicht auf den
Kopf gefallen · ein geborener .. ⊄ agil · angestoßen · anpassungsfähig · anstellig ·
ausgezeichnet · begabt · behend · bewandert · brauchbar · eingefahren · eingespielt · einsichtig · erfahren · erfinderisch · fähig · fix · flink · gebildet · geläufig ·
gelenk(ig) · genial · geschickt · geschult · geübt · gewandt · gewitzt · handfertig ·
hochbegabt · kunstfertig · kunstreich · maßgeblich · praktisch · raffiniert · rasch ·
routiniert · scharfsinnig · scharfzüngig · schöpferisch · sinnreich · talentiert · tauglich · technisch · tüchtig · versiert · verwendbar · vielseitig · virtuos · vollendet ·
vollkommen · *(von Sachen)* · kunstgerecht · kunstvoll · meisterhaft · mustergültig ·
geschickt gemacht · wie gestochen ⊄ Autorität · Experte · Fachmann · Größe ·
Kapazität · Kenner · Kunstverständiger · Mauernweiler (bühn.) · Meister · Meistergeist · Meisterhand · Meisterkopf · Sachverständiger · Spezialist · Star ⊄ Diplomat ·
Genie · Lebenskünstler · Politiker · Praktikus · Schlaukopf · Taktiker · Teufel · Weltmann ⊄ Akrobat · Allerweltskerl · Alleskönner · Artist · Clown · Equilibrist ·
Gaukler · Hexenmeister · Illusionist · Jongleur · Künstler · Kunstreiter · Kunstschütze · Schwarzkünstler · Seiltänzer · Taschenspieler · Tausendsasa · Virtuos ·
Weltwunder · Zauberkünstler ⊄ Konjunkturritter · Wellenreiter · Wetterfahne · geriebener Kopf · fixer Junge · schlauer Patron · erprobter Schütze · tüchtiger Ge-
schäftsmann · großes Tier · die Leute vom Bau ⊄ Handgriff · Kunstgriff · Manö-
ver · Meisterstreich · Trick · Übung · Vorkehrung · Ei des Kolumbus ⊄ Anlage ·
Anstelligkeit · Ausbildung · Auszeichnung · Begabung · Behendigkeit · Bravour ·
Denkvermögen · Eignung · Einsicht · Erfahrung · Erfindungsgabe · Erfindungs-
geist · Fähigkeit · Fassungskraft · Fertigkeit · Gabe · Geistesgabe · Geläufigkeit ·
Gelenkigkeit · Genie · Geschick · Gewandtheit · Handfertigkeit · Kenntnisse ·
Kunstfertigkeit · Leichtigkeit · Meisterschaft · Naturgabe · Ortssinn · Praxis ·
Raschheit · Routine · Scharfsinn · Schwung · Talent · Tauglichkeit · Tüchtigkeit ·
Übung · Vermögen · Verschlagenheit · Verständnis · Vollendung · Vollkommenheit ·
Vorzüge · Witz · Zislaweng (berl.) ⊄ Diplomatie · Klugheit · Lebensart · Manier ·
Mutterwitz · Politik · Schliff · Takt · Taktik · Weisheit · Weltkenntnis.

53. Ungeschickt. *s. mißlingen 9. 78. geschmacklos 11. 29. unaufmerksam 12. 13. Fehler 12. 27. dumm 12. 56. betrogen werden 16. 72.*

auffallen (mil.) · sich blamieren · eingehen · entgleisen · herausplatzen · hineinplatzen · sich irren · mißverstehen · patzen · reinfallen · versieben · verwechseln ·

zutappen ⁋ fallen · faseln · klecksen · patzen · pfuschen · purzeln · sauen · schmieren · stolpern · straucheln · stümpern · verpatzen · verschütten · das Pulver nicht erfunden haben · die Weisheit nicht mit Löffeln gegessen haben · auf den Leim kriechen · sich erwischen lassen · die Katze im Sack kaufen · die Henne schlachten, die goldene Eier legt · die Stalltür schließen, wenn die Kuh gestohlen ist · den Anschluß, den Omnibus verpassen · Dummheiten begehen · Blödsinn machen · nicht begreifen · verkehrt anwenden · Fehler, Mißgriffe machen · Fauxpas begehen · ins Fettnäpfchen treten · jemand auf den Fuß treten · Böcke, daneben, fehl schießen · sich arg verhoppasen · sich selbst im Lichte, im Wege stehen · sein eigener Feind sein · Fiasko machen · Brennesseln anfassen · sich die Finger verbrennen · sich nicht bewähren · stolpert über seine eignen Beine · lebt auf, hinter dem Mond ⁋ dappig · hölzern · linkisch · plump · schusselig · schwerfällig · steif · täppisch · tapsig wie ein junger Hund · taperig · tölpisch · umständlich · unbeholfen · unfähig · ungenüge · ungelenk · ungeschickt · ungeschlacht · verschusselt · zerstreut ⁋ flegelhaft · grob · lümmelhaft · roh · rücksichtslos · taktlos · tölpelhaft · ungebildet · ungehobelt · ungeschliffen · unkultiviert · unmanierlich ⁋ albern · beschränkt · blöde · borniert · dumm · fade · gedankenlos · geistesarm · geistlos · ratlos · schal · schülerhaft · schwachköpfig · seicht · sinnlos · stümperhaft · stupid · talentlos · töricht · unbegabt · unbesonnen · ungeeignet · ungelehrig · unreif · untauglich · unvernünftig · unverständig · unwissend · unzurechnungsfähig · witzlos ⁋ erfahrungslos · schlecht beraten · undiplomatisch · undiszipliniert · unerfahren · ungeschult · ungeübt · ungewohnt · unklug · unpolitisch · untrainiert ⁋ altersschwach · dienstunfähig · unbrauchbar · untauglich · unrichtig angewandt · verkehrt beurteilt ⁋ Dummkopf · Einfaltspinsel · Gimpel · Hinterwäldler · Nichtswisser · Pfuscher · Provinz · Schafskopf · Schlemihl · Schwachkopf · Simplizissimus · Simplizius · Taps · Tolpatsch · Tölpel · Tropf · deutscher Michel ⁋ Anfänger · Dilettant · Farbenkleckser · Grünling, -schnabel · Hudler · Laffe · Laie · Liebhaber · Nichtskönner · Pechvogel · Peter · Schablonenmensch · Schmierer · Schuster · Simpel · Stümper · Umstandskommissarius · Unerfahrener · Unglückshand · gute Leute und schlechte Musikanten · Sonntags-, z. B. -jäger, -reiter · Möchtegern — · blutiger Anfänger · Landpomeranze · Trulle · Häschen (ein allein im Gelände herumkrebsendes Flugzeug, mil.) ⁋ Bauer · Bengel · Flegel · Grobian · Kerl · Lümmel ⁋ Pudel (Kegelfehler) · Fauxpas · Fehl-: -form, -gang ⁋ Bärentanz · Schwerfälligkeit · Steifheit · Talentlosigkeit · Tölpelei · Unbeholfenheit · Unfähigkeit · Ungeschick · Untauglichkeit ⁋ Aberwitz · Beschränktheit · Bornierheit · Dummheit · Gedankenlosigkeit · Geistesarmut · Geistesverwirrung · Ignoranz · Mangel an Auffassungsgabe · Stumpfsinn · Stupidität · Torheit · Unbegabtheit · Unerfahrenheit · Unklugheit · Unkunde · Unwissenheit · Unzurechnungsfähigkeit · Witzlosigkeit ⁋ Taktlosigkeit · Unbesonnenheit · Unkultur · Unmanierlichkeit · Unreife · Unverstand · Unverständigkeit ⁋ Pfuscherei · Schmiererei · Stümperei.

54. Leicht. *s. nahe 3. 9. offenbar 3. 57; 13. 3. möglich 5. 2. wahrscheinlich 5. 4. nachmachen 5. 18. sichtbar 7. 1. schnell 8. 7. sich nähern 8. 19. unvorbereitet 9. 27. Hilfe 9. 70. Erfolg 9. 77.*

ohne Anstand, Anstoß, Schwierigkeit · wie auf Gummirädern · aus dem Handgelenk · im Umsehn · im Handumdrehn · im Schlaf · mit dem kleinen Finger · im Handgalopp · ohne Apparat · mit Kußhand · Kunststück! · ja mit Gewalt! ⁋ gleiten · vor dem Winde segeln · vom Strome getragen werden · mit dem Strom schwimmen · sich zu Hause fühlen · in seinem Element sein · aus dem Ärmel schütteln · Glück haben · erben ❡ es flutscht, fleckt, geht · geht wie geschmiert, wie geleckt, wie geölt · wie am Schnürchen · kein Kopfzerbrechen machen, verursachen · in den Schoß fallen · flott vonstatten, von der Hand gehen · es ist keine Kunst · ist nicht der Rede wert, nur eine Farce · kann man mitnehmen · braucht man nur aufzulesen · liegt auf der Hand, Straße · fällt nicht schwer · ergibt sich von selbst · die Antwort drängt sich förmlich auf ❡ befördern · befreien · emanzipieren · entbürden · entlasten · entledigen · entspannen · entwirren · lockern · erleichtern · erlösen · loshelfen · losmachen · vereinfachen · den Weg ebnen, frei machen, glätten · die Maschine ölen, schmieren · Bruch einrichten (beim Rechnen) · den Knoten durchhauen · Hindernisse wegräumen, entfernen · eines Versprechens entbinden · eine Hintertür offen lassen · goldene Brücken bauen ❡ alltäglich · ausführbar · banal · durchführbar · einfach · erreichbar · erschwinglich · kinderleicht · leicht (möglich) · mühelos · naheliegend · fließend · spielend · tunlich · übersteigbar · überwindbar · unschwer · zugänglich ❡ biegsam · dehnbar · folgsam · formbar · gefügig · gehorsam · gelöst · geschmeidig · hämmerbar · handlich · lenkbar · lenksam · locker · lösbar · nachgiebig, plastisch · regierbar · schmelzbar · schmiedbar · schmiegsam · streckbar · unterwürfig · willfährig · willig ❡ befreit · behaglich · bequem · entbunden · entlastet · erleichtert · erlöst · freigesprochen · gemächlich · reibungslos · überhoben · unaufgehalten · ungehindert ❡ ebener Weg · glatte Bahn · ruhiger See · günstiger Wind · klare Küste · reine Luft · Eselsbrücke *s. 16. 72* · Freilauf ❡ Kinderspiel · Kleinigkeit · Leichtigkeit · Spaß · Spaziergang · leichte Beute · Gemeinplatz · Binsenwahrheit · Spielerei ❡ Emanzipation · Entlastung · Erleichterung.

55. Schwierig. *s. Unordnung 3. 38.wenig 4. 24. unmöglich 5. 3. Gegenwirkung 9. 72. Gefahr 9. 74. mißlingen 9. 78. Ärger 11. 31. Unkenntnis 12. 37. kämpfen 16. 65; 76. Zauberei 20. 12.*

sich den Kopf kratzen ❡ mit Müh und Not · mit Ach und Krach · au weh · vom Regen in die Traufe · zwischen Hammer und Amboß · zwischen zwei Feuern, Skylla und Charybdis · wenn alle Stränge reißen · auf der unrechten Fährte · am falschen Ort ❡ sich abarbeiten · sich durchschlagen · kämpfen · ringen · aufsitzen · feststecken · stocken · Schwierigkeit haben, erfahren · ins Gedränge hineingeraten, kommen · sich in Gefahr stürzen · von Hindernissen umgeben, umringt sein · von der Übermacht erdrückt werden · Schwierigkeiten begegnen · gegen Schwierigkeiten ankämpfen · sich mühselig durchbringen · sich herumschlagen · sich die Zähne ausbeißen · hat seine liebe Not · mit Mühe erkämpfen, erringen · aufgeworfen, aufgeschmissen sein ❡ nicht vorwärts, nicht vom Fleck kommen · fest-, aufgefahren sein · nicht weiterkönnen · stecken bleiben · sich nicht zu (raten noch zu) helfen wissen · sich im Kreise drehn · steht wie der Ochs vorm Berg, vorm neuen Scheuertor, wie das Kind beim Dreck · am Ende seines Wissens angelangt sein · ist mit seinem Latein zu Ende · keinen Ausweg wissen · weiß nicht aus noch ein · im Dunkeln tappen · sitzt in der Patsche, Tinte · schön drin sitzen · ist in der Klemme, von allem abgeschnitten ❡ sich zwischen zwei Stühle setzen · gegen den Strom schwimmen · Brennesseln anfassen · sich selbst im Lichte stehen · wider den Stachel löcken ❡ bedrängen · beeinträchtigen · beirren · belasten · einengen · einschließen · entgegenarbeiten · erschweren · hapern · hemmen · hindern · verschlingen · verwickeln · verwirren · außer Fassung, in Verlegenheit bringen · ratlos, verlegen machen · aufsitzen lassen · in die Enge treiben ·

etwas in den Weg legen · in den Arm fallen · den Weg verlegen, verstellen · den Rückzug abschneiden · den Plan durchkreuzen ⁊ anstrengen · schmerzen · hapern · kriseln · hart, schwer ankommen, fallen · sauer werden · hat ein Aber, einen Haken · hat es in sich, hat etwas zu bestellen · da ist Zappen duster · schwer zu bewerkstelligen sein · ist zum Verzweifeln · Mühe, Kopfzerbrechen verursachen · wächst ihm über den Kopf · hat seine Schwierigkeiten · sich nicht leicht bewältigen lassen · guter Rat ist teuer · da liegt der Has im Pfeffer, da liegt der Hund begraben · da ist noch ein Item · es wird ihm blutsauer · zu schaffen machen · das läßt sich nicht über den Haufen schießen · es sieht böse aus · das dicke Ende kommt nach · übersteigt die Kräfte · will gelernt sein · ist leicht gesagt ⁊ beschwerlich · drückend · fatal · lästig · mißlich · mühevoll · mühsam · mühselig · schwer · schwierig · verhängnisvoll ⁊ un- · unausführbar · undurchführbar · unerlangbar · unerreichbar · unerringbar · unmöglich · unpraktisch · untunlich · unüberwindlich · weitläufig ⁊ halsstarrig · hart · hartnäckig · knorrig · schwerfällig · steif · störrisch · unbehilflich · unbeugsam · unfügsam · ungelenk · unnachgiebig · unzulänglich · widerborstig · widerspenstig · zähe ⁊ ärgerlich · bedenklich · heikel · intrikat · knifflich · kompliziert · kritisch · peinlich · problematisch · schlimm · unangenehm · verfänglich · verwickelt · verwirrend. — zart ⁊ aussichtslos · ausweglos · eingekeilt · freundlos · hilflos · pfadlos · ratlos · spurlos · unfahrbar · ungebahnt · unnahbar · unschiffbar · unübersteiglich · unzugänglich · weglos ⁊ betreten · verlegen · verwirrt · verzweifelt ⁊ Falle · Garn · Gewinde · Knopf · Knoten · Masche · Netz · Pech · Schleife · Schlinge · Schmiere · Tinte · gordischer Knoten · Heraklesarbeit ⁊ Aufgabe · Frage · harte Nuß, Gurke · Problem · Problem mit Hörnern · ernstes Problem · Rätsel (der Sphinx) · Quadratur des Zirkels · Stein der Weisen · Eiertanz · saure Trauben · heißes Eisen ⁊ Bedrängnis · Bredouille · Dilemma · Enge · Irrgang · Kasus · Klemme · Krisis · Labyrinth · Not · Notfall · Notlage · Notstand · Panne · Sackgasse · Wahl · Verwicklung · Zwangslage · Zwickmühle · hoffnungsloser Fall ⁊ Anstand · Anstoß · Beschwerde · Betroffenheit · Hindernis · Komplikation · Kopfzerbrechen · Last · Mißstand · Mühsal · Notbehelf · Ratlosigkeit · Schlamassel · Schwierigkeit · Unklarheiten · Unsicherheit · Verlegenheit · Verworrenheit · Wirrwarr ⁊ harte Arbeit · schweres Werk · Kunststück · schwere Zeit · kitzliger Fall, Punkt · peinlicher Handel · mißliche Angelegenheit · gespannte Lage · verwickelte Geschichte · falsche Stellung · delikate Frage · zarter Punkt · unvorhergesehener Umstand · kritische Wendung · eine schöne Geschichte.

56. Gute Qualität. *s. echte Stoffe 1. 29. hoher Grad 4. 50. nützlich 9. 46. vollkommen 9. 64. Befriedigung 11. 16. Bewunderung 11. 17. Lob 16. 31. Wert, teuer 18. 27. bessere Qualität s. 9. 57.*

mit der Zunge schnalzen · ruckartige Handbewegung ⁊ sich bewähren · nützen · die Probe bestehen · Niveau haben · Qualität haben, sein · hat etwas · da liegt Musik drin (berl.) · den Vogel abschießen · das nimmt es noch damit auf · liegt in Front · aber mindestens · gut und gerne · das ist vielleicht... · etwas für Sie, für den verwöhnten Geschmack · da ist etwas (alles) dran · da ist noch alles drin · hat es in sich · reißt alles heraus · kann sich sehen lassen ⁊ überbieten · übertreffen · wetteifern ⁊ beglücken · veredeln · wohltun ⁊ angenehm · dienlich · erfreulich · geschätzt · gewinnbringend · günstig · gut · kostbar · meisterhaft · schätzenswert · standesgemäß · vorteilhaft · wertvoll · wohltätig · wünschenswert ⁊ bewährt · blutvoll · echt · erprobt · frisch · gediegen · gesund · kräftig · natürlich · rein · stichfest · unbefleckt · unbeschädigt · unverdorben · unverfälscht · unverwelkt · wahr ⁋ ersprießlich · förderlich · harmlos · heilsam · segensreich · unschädlich · unschuldig · wohltuend ⁋ anständig · ausgezeichnet · bewundernswert · brillant · edel · einwandfrei · erstklassig · fabelhaft · famos · fein · glänzend · hervorragend · himmlisch · hochwertig · hübsch · kostbar · köstlich · makellos · materialecht · prächtig · prachtvoll · schön · selten · tadellos · unbezahlbar · unschätzbar · unübertrefflich · unvergleichlich · vollkommen · vortrefflich · vorzüglich · wundervoll · zuverlässig · non plus ultra · I a · prima · nicht mit Gold aufzuwiegen · nicht uneben · nicht übel · kostbar wie der Augapfel · über alles Lob erhaben · klein aber oho · comme il faut · einfach Klasse · vom Guten das Beste · nach Maß ⁋ Ausbund · Juwel · Perle · Mann von Format · das beste Pferd im Stall ⁋ Auslese · Elite · Creme · Gold · Luxus-, Mangelware · Maßarbeit · Markenartikel · Meisterwerk · Niveau · Qualitätsware · Rekord · Rosine · Schatz · Sonderklasse · Spitzenleistung · alte Ware · ein Wert · führende Marke · Kaviar fürs Volk · Perlen vor die Säue ⁋ Bohnenkaffee · Milchbutter · echter Tee · reine Wolle · Vollmilch · Beutewein · Originalabfüllung · Frischei · Fettseife · Kernleder ⁋ Feingehalt · Gehalt · Geltung · Gültigkeit · Preis · Wert ⁋ Ausgesuchtheit · Güte · Kostbarkeit · Seltenheit · Unschädlichkeit · Vollkommenheit.

57. Verbessern. *s. heilen 2. 44. Entwicklung 5. 26. Maßnahme 9. 82. lehren 12. 33. Kultur 16. 121. Sittlichkeit 19. 19.*

abhelfen · abschleifen · ansetzen · anstricken · aufarten · aufpolieren · aufwärmen · ausbessern · ausgestalten · bearbeiten · berichtigen · durchsehen · ergänzen · kochen · korrigieren · ordnen · polieren · reformieren · regeln · retouchieren · richten · umgestalten · verbessern · verjüngen · verlängern · vermehren · aufnorden · blondieren · färben · erfrischen · erneuern · modernisieren · auf den neuesten Stand bringen ⁋ desinfizieren · durchseihen · filtrieren · raffinieren · reinigen · sublimieren ⁋ ausarbeiten · ausbauen · (aus)bilden · befördern · entwickeln · erhöhen · heben · kultivieren · läutern · stilisieren · veredeln · verfeinern · verschönern · vertiefen · vervollkommnen · zivilisieren · die bessernde Hand anlegen ⁋ fortschrittlich ⁋ Helfer · Neuerer · Reformator · Retter ⁋ Ausarbeitung · Ausbau · Neubearbeitung · Retusche · verbesserte Auflage ⁋ Abhilfe · Befreiung · Erleichterung · Fortbildung · Fortschritt · der Weg zum Licht · Hilfe · Linderung · Milderung ⁋ Berichtigung · Besserung · Druckrevision · Durchsicht · Korrektur · Kultur · Melioration · Reform · Verbesserung · Zivilisierung · bessere Zukunft · innere Mission Zusatzantrag · Dementi.

58. Wiederherstellung. *s. heilen 2. 44. reinigen 9. 66.*

wie einst · wie früher, in der guten alten Zeit ⁋ abziehen (Klinge, Parkettfußboden) · aufbauen, -braten, -frischen, -polieren, -räumen, -wärmen · ausbessern · beheben · -sohlen · dichtmachen · erfrischen · erneuern · ersetzen · flicken · glätten · instandsetzen · (Anzug) wenden · kalfatern · kunststopfen · neumachen · renovieren · reparieren · restaurieren · stopfen · stützen · überholen · umarbeiten · umwandeln · verjüngen · wiederbeleben · wenden · wiedereinführen · wiederherstellen · zurechtmachen, -biegen · ins alte Gleis, in Ordnung bringen · Laufmasche aufnehmen ⁋ Näherin · Flickfrau · Arzt ⁋ Flecken · Flicken · Riester (am Schuh) ⁋ Erfrischung · Ersatz · Kur · Labsal ⁋ Erholung · Erneuerung · Genesung · Heilung · Regeneration · Rekrutierung · Renaissance · Reparatur · Restauration · Schönheitsreparatur · Verjüngung · Wiederaufbau · Wiedergeburt · Wiedergutmachung.

59. Mittelmäßig. *s. genügend 4. 23; 11. 16. wenig 4. 24. unvollkommen 9. 65.*

so durchwachsen · einigermaßen · so so la la · schlecht und recht · ziemlich · noch ·
so grade · eben · mit Ach und Krach · mit Mühe und Not · rite ¶ angehen
passieren · ist nicht weit her, nichts Besonderes, besser als nichts, nichts Halbes
und nichts Ganzes, weder Fisch noch Fleisch · löst ihm nicht die Schuhriemen
¶ alltäglich · begrenzt · bescheiden · billig · brav · einfach · erträglich · fade ·
farblos · flach · gewöhnlich · gleichgültig · leidlich · mäßig · niederer · provinzial ·
mittelmäßig · ein mittlerer · salzlos · solid · subaltern · ziemlich · nicht aufregend ·
ganz nett · nicht berühmt · im ganzen gut · nicht übel · nicht überwältigend · nicht
weltbewegend ¶ Wald- und Wiesen- · die Vielzuvielen · Lokalgröße · Pinscher ·
besonnener Forscher · bon homme · kleine Leute ¶ Durchschnitt · Mittelmaß ·
Mittelmäßigkeit · das Übliche.

60. Minderwertig. *s. krank 2. 41. zu wenig 4. 25. Schwäche 5. 37. nachlässig 9. 43. nutzlos 9. 49. verderben 9. 63. unvollkommen 9. 65. mißlingen 9. 78. Unzufriedenheit 11. 27. häßlich 11. 28. tadeln 16. 33. wohlfeil 18. 28.*

ermangeln · mißlingen · mißraten · versagen · ist ein Leim, halben Kram (hambg.) ·
unter dem Hund, aller Würde, Sau, unter allem Affen · da ist Hopfen und Malz
verloren · kannst heimgehen mit · da ist das Gold dagegen · höchstens · wenn's
hoch kommt · ward zu leicht befunden · es reicht nicht weit · läßt zu wünschen
übrig ¶ abgenutzt · abgetragen · antiquiert · armselig · deplorabel · nicht einwandfrei · elend · erbarmungswürdig · fadenscheinig · faul · fehlerhaft · fragwürdig ·
furchtbar · gebrechlich · hoffnungslos · hundemäßig · indiskutabel · infantil ·
jämmerlich · jammervoll · kümmerlich · läppisch · mangelhaft · mau · menschlich
allzumenschlich · minder · minderwertig · miserabel · niederrassig · oll · plebejisch ·
saumäßig · schlecht · veraltet · traurig · trüb · unbedeutend · veraltet · vulgär ·
wertlos · windig · hunds-: -miserabel, -schlecht ¶ Sonntags-: -jäger · -reiter · Blindgänger · Dünnmann · Flasche · Jämmerling · Jammergestalt · Kümmerling ·
Schuster · Niete · Nulpe · Trübling · Versager · auch durch Betonung ausdrückbar:
Musiker, Trompeter ¶ Bettel · Ersatz · Gerümpel · Gestell · Kitsch · Klamotten ·
Kompost · Kram · Krätz · Makulatur · Mist · Möhl (hamb.) · Plunder · Pofel ·
Ramsch · Schund · Talmi · Fisch ohne Gräten · Großmutter (veraltete Maschine) ·
Ladenhüter ¶ Minderwertigkeit · Unwert · gesunkenes Niveau · Miß-: -regierung.

61. Verschlimmerung. *s. sterben 2. 45. abnehmen 4. 5. Entwicklung 5. 26. zerstören 5. 41. schädigen 9.·63. beschimpfen 16.·34.*

bessere Zeiten gesehen haben · ein böses, schlechtes Ende nehmen · ver- · abgleiten · abnehmen · abrutschen · anlaufen · ausarten · degenerieren · entarten ·
faulen · herunterkommen · nachlassen · oxydieren · rosten · sauern (übergehen,
zusammenlaufen, zoukomme [oberhess.]) · scheitern · sinken · sterben · umkommen · verbauern, -blöden, -blühen, -dorren, -dummen · verfallen · verflachen,
-gammeln · verkommen · vermodern · veröden · versauern · verschießen · verschimmeln · verwelken · verwildern · welken · zerbrechen · zerfallen · zurückgehen · schlechter, nichts werden · rück-, abwärts gehen · tiefer sinken · um sich
greifen · baufällig werden · aus den Fugen, aus Rand und Band gehen · auf die
schiefe Ebene, die abschüssige Bahn geraten · unter die Räuber fallen, geraten ·
unter die Räder, auf den Hund, vom Regen in die Traufe kommen · merklich abfallen ¶ irreparabel · unheilbar ¶ verpfuschte Existenz ¶ Meltau · Rost ¶ Ab-

nahme · Altersschwäche · Degeneration · Dekadenz · Depravation · Erniedrigung · Krebsgang · Neige · Verderbnis · Verfall · Verschlimmerung · Zerfall · Schrecken ohne Ende ⁏ Bemäkelung · Beschimpfung · Entwertung · Verheerung · Verstümmelung ⁏ Entsittlichung · Feilheit · Inzucht · Prostitution · Schändung · Schweinerei · Verfälschung · Viecherei ⁏ Auflösung · Brand · Desorganisation · Fäulnis · Marasmus · Nachwehen · Schwächung · Zerrüttung · Zusammensturz ⁏ Abbröckelungsprozeß · Abnützung · Verschleiß.

62. Rückfall. *s. Regel 5. 19. rückwärts 8. 17. Gewohnheit 9. 31.*

umkehren · verfallen · wiederkommen · zurückfallen · rückfällig werden · wiederholen · wieder tun ⁏ Gewohnheitsdieb · Quartalssäufer · alter Sünder ⁏ Gewohnheit · Rückfall · Wiederholung · Wiederkehr.

63. Beschädigen. *s. Krankheit 2. 41. zerstören 5. 42. böse 11. 60. falsch machen 12. 27. verschwenden 18. 14. Verbrecher 19. 8—9.*

ver- · anschlagen · ankratzen · beschädigen · entstellen · entwerten · fälschen · herabwürdigen · herunterbringen · kaponieren · mitnehmen · ramponieren · ruinieren · schwächen · stören · untergraben · verbösern · verbumfeien · verderben · verdrehen · verhätscheln · verhundsen · verletzen · verludern · vermasseln · verpetern · versauen · verschandeln · verschlechtern · verschlimmern · versehren · verunstalten · verwahrlosen · verweichlichen · verwöhnen · verzärteln · verzerren · verziehen · zerrütten · zersetzen · fürchterlich zurichten ⁏ anstecken · vergiften ⁏ abnutzen · abtragen · abwetzen · anfressen · angreifen · ätzen · durchfressen · durchscheuern · entmasten · erschüttern · verschleißen · verstopfen · zerbrechen · zerfressen · zerkratzen · zernagen · zerstören · hinrotzen (Flugzeug, mil.) · arg mitnehmen ⁏ einem etwas antun · beeinträchtigen · beflecken · beschmutzen · besudeln · degradieren · demoralisieren · entsittlichen · entwerten · erniedrigen · prostituieren · verunglimpfen · verunreinigen ⁏ verbittern · vergällen · versalzen · versäuern ⁏ beleidigen · beschimpfen · schmähen · in den Staub ziehen ⁏ ist entzwei, futsch, geliefert, hin · das Opfer sein ⁏ abträglich · nachteilig · schädlich · unheilvoll · unzuträglich · verderblich · verhängnisvoll ⁏ ansteckend · brandig · eiternd · faul · giftig · heillos · infernalisch · kränklich · mephitisch · pestilenzialisch · stinkend · tödlich · ungesund · verwesend ⁏ abgetragen · angestoßen · anjebufft · baufällig · brüchig · defekt · kaputt · schadhaft · zerschlissen · schwer mitgenommen ⁏ Zensor ⁏ Ruine · Trümmer · Wrack ⁏ Betriebsstörung · Bruch · Krebsschaden · Malheur · Panne · Schaden · Sprung · Verschleiß.

64. Vollkommenheit. *s. vollenden 9. 35. gute Qualität 9. 56. verbessern 9. 57. schön 11. 17. Lob 16. 31.*

ist kein Untätchen daran · ist im Blei ⁏ reifen · überragen · übertreffen ⁏ ausarbeiten · ausbilden · bereichern · vervollkommnen ⁏ absolut · auserkoren · auserlesen · beispiellos · edel · einwandfrei · engelhaft · fehlerfrei · fehlerlos · fleckenlos · göttlich · gültig · ideal · jenseitig · makellos · meisterhaft · mustergültig · perfekt · tadellos · übernatürlich · unerreicht · unübertrefflich · unüberbietbar · unvergleichlich · vollendet · vollkommen · vollständig · vorbildlich ⁏ einheitlich · fertig · ganz · geschlossen · reif · vollendet · aus einem Guß · vom reinsten Wasser · von seltenstem Gefieder · mit allen Schikanen ⁏ ungekrönte Königin ⁏ Adel · Ausbund · Blume · Blüte · Clou · Comble · Edelstein · Gipfel · Juwel ·

10000

Kleinod · Licht · Perle · Schatz · Spiegel · Stern ❡ Auslese · Auswahl · Garde · Glanz · Ideal · Idee · Inbegriff · Kanon, Richtschnur · Krone · Meisterstück · Muster · Prachtexemplar · Vorbild · das Beste ❡ Vollendung · Vollkommenheit.

65. Unvollkommen. *s. minderwertig 9. 60. häßlich 11. 28. fehlerhaft 12. 27. tadeln 16. 33.*

zurückstehen · nicht erreichen · nicht gleichkommen · sich nicht bewähren · es gebricht an · es reicht nicht ❡ hinken, schnappen · geht über den großen Onkel (einwärts gehen) ❡ herunterkommen · nachlassen · verkommen ❡ lähmen · verderben *s. 9. 63* ❡ madig · schadhaft · schwächlich · unfertig · ungenügend · unvollendet · unvollkommen · unvollständig · unzulänglich · verfallen · wurmstichig · zerbrochen ❡ einarmig · einäugig · einbeinig · lahm · schief · verstümmelt ❡ halbschürig · halbwüchsig · unflügge · unreif ❡ fad · farblos · geschmacklos · gleichgültig · leblos · wässerig ❡ Achillesferse · Beschädigung · Defekt · Eigenheit · Fehler · Fleck(en auf der Weste) · Gebrechen · Lücke · Makel · Mangel · Mißstand · Schwäche · Unding · schwache Seite ❡ Schadhaftigkeit · Unzulänglichkeit.

66. Rein. *s. unvermischt 1. 22. schön 11. 17.*

abbürsten · abstauben · abwaschen, spülen · abwischen · aufwischen · ausbürsten · ausklopfen · ausmisten · ausrotten · ausschwenken · ausspülen · baden · baggern · bürsten · fegen · feulen (hamb.) · fummeln · jäten · kämmen, strählen · kehren · lüften · plädern (= ausschütteln, schles.) · polieren · putzen · reiben · rein machen · reinigen · reuten · roden · säubern · schamponieren · scheuern · schrubben · schwenken · stöbern (rhein.) · striegeln · waschen · wichsen · wienern · wischen · Füße abtreten ❡ abführen, -klären, -schäumen · polieren · ausbeizen · auslaugen · ausräuchern · beuchen · bleichen · desinfizieren, entkeimen · destillieren · durchseihen · filtern · klären · klistieren · läutern · purgieren · schönen · den Boden mit einem feuchten Lappen aufnehmen (nordd.) · einem Reinigungsprozeß unterziehen · in die Lauge geben ❡ adrett · beimischungsfrei · durchsichtig · fleckenlos · gewaschen · hell · klar · lauter · nett · pur · rein · reinlich · sauber · schlackenlos · stubenrein · unbefleckt · unbeschmutzt · wie frischgefallener Schnee · blitzsauber, -blank ❡ koscher ❡ Putzfrau, Reinemachefrau, Zugeherin, Aufwartefrau, Lauffrau · Scheuerfrau · Straßenkehrer · Ritzenschieber ❡ Besen · Bimstein · Bürste · Feger (nordd.) · Flederwisch · Kratzeisen · Schwamm · Seife · Striegel · Staubtuch · Putzlumpen · Scheuerlappen · Mopp · Ausklopfer [Datscher (bayr.), Pletsch, Pretsch (nordd.)] · Schrubber [Feuel, Handeule, Leuwagen] · Staubsauger · Teppichkehrer · Sprengwagen · Lüftungsanlage · Ventilator · Fleckwasser ❡ Decke · Hülle · Schoner. — Schürze · Schutz. — Fürtuch (schweiz.), Mundtuch, Serviette; für Kinder: Eßmantel (schweiz.), Kleckerbusch (nordd.), Schlawwer (südd.), Lätzel, Sabberlatz ❡ Kläranstalt ❡ Abführung · Abwaschung · Bad · Desinfektion · Einlauf, Klistier · Großreinemachen · Läuterung · Müllabfuhr · Quarantäne · Reinigungsprozeß · Säuberung · Straßenreinigung · Wäsche · chemische Reinigung ❡ Lauterkeit · Reinheit · Sauberkeit.

67. Unrein. *s. Ausscheidungen 2. 35. feucht 7. 57. häßlich 11. 28.*

be- · anspritzen · beflecken · beklecksn · beschmieren · beschmutzen · bespritzen · bestauben · besudeln · entweihen · klecksen · sabbern · truddeln · schänden · verderben · verdrecken · verunreinigen · vollmachen · vollschmieren ❡ angeifern ·

verleumden Ⓠ flecken · verdrecken · verschmutzen · verstauben Ⓠ faulen · modern · verwesen Ⓠ ansteckend · befleckt · dreckig · dumpfig · eitrig · faul · fleckig · garstig · kotig · mephitisch · mistig · modrig · pestilenzialisch · pickelig · rostig · rußig · schimmelig · schlammig · schleimig · schmierig · schmuddelig · schmutzig · staubig · trüb · ungekämmt · ungewaschen · unrasiert · unrein · verräuchert · wüst · zerfressen Ⓠ schlüpfrig · unanständig · unflätig · unzüchtig · zotig Ⓠ blutbefleckt · bluttriefend Ⓠ Dreckfink · Dreckschwalbe · Ferkel · Mistvieh · Sau · Schmierfink · Schwein · Unflat · Wutz Ⓠ Barrach · Krätze · Scabies · Schoben Ⓠ Fleck · Fremdkörper · Klecks · Placken · Sau · Schandfleck · angebroche Sacktuch (Frankf.) Ⓠ Abort · Abortgrube · Abzugskanal · Siel · Gosse · das Floß · Kloake · Müllgrube · Rinnstein · Schweinestall · Senkgrube · Seuchenherd · Lache · Pfuhl · Pfütze · Augiasstall Ⓠ Abfall · Absonderung · Asche · Bodensatz · Dreck · Hoftrauer · Kehricht · Niederschlag · Pfeifensutter · Reste · Ruß (Sott: hambg.) · Schammas (saarld.) · Schlacke · Schlamm · Schleim · Schmierage · Schmiere · Schmutz · Spinnengewebe · Spülwasser · Unflat · Unrat Ⓠ Aas · Auswurf · Contagium · Dreck · Dünger · Guano · Infektionsstoff · Jauche · Kot · Kuhfladen · Miasma · Mist · Müll · Pfuhl · Spülicht Ⓠ Fäulnis · Gestank · Kahm · Moder · Schimmel · Pilz · Schwamm Ⓠ Flechte · Grind, Patz (berl.), Schorf · Ungeziefer s. *Krankheit 2. 41* Ⓠ Schweinerei · Zote · Wirtinverse Ⓠ Fäulnis · Katzenwäsche · Nachlässigkeit · Schlamperei · Schweinerei · Unreinheit · Wutzerei.

68. Zusammenwirken. *s. Verbindung 4. 33. Übereinstimmung 12. 47. Gruppe 16. 16. Eintracht 16. 40.*

allerseits · beiderseits · von jeder Seite · alle auf einmal · zusammen · Schulter an Schulter · mit vereinten Kräften Ⓠ beitragen · beitreten · sich einspielen · hinzukommen · konvergieren · mithelfen · übereinkommen · sich verbünden · vereinen · sich vereinigen · zusammentreffen · zusammenwirken · am gleichen Strang ziehen · die Kräfte vereinen · Hand in Hand gehen · mit verteilten Rollen spielen · gemeinsame Sache machen · sich die Bälle zuspielen Ⓠ abgekartet · allseitig · einhellig · einig · einmütig · einstimmig · einträchtig · gemeinschaftlich · übereinstimmend · verbündet · vereint · zentripetal Ⓠ Brüderschaft · Bund · Bündnis · Burschenschaft · Eidgenossenschaft · Gemeinschaft · Genossenschaft · Gesellschaft · Gilde · Hofpartei · Kaffruse · Kamarilla · Kameradschaft · Klique · Klub · Koalition · Körperschaft · Korporation · Liga · Partei · Sippschaft · Sozietät · Staatenbund · Verbindung · Zunft Ⓠ Assoziation · Bündnis · Bund · Fusion · Harmonie · Koalition · Schutz- und Trutzbündnis · festes Blockbündnis · Übereinkommen · Verbindung · Vereinigung · Verschmelzung · gemeinsame Zusammenarbeit · Zusammenfluß · -spiel · -treffen · Parallelogramm der Kräfte.

69. Mitwirkung. *s. Mittel 9. 82. Diener 16. 112.*

mit Hilfe · durch Vermittlung von · aus · durch · vermittelst · vermöge · dienen Ⓠ vermitteln · wirken · Mittel und Wege finden · zur Verfügung stehen · zu Diensten sein · die Kastanien aus dem Feuer holen · für jemand Katzenpfote sein · die Suppe ausessen Ⓠ befördern · beisteuern · sich beteiligen an · eingreifen · einsteigen (Börse) · sich gesellen · mithelfen · mitspielen · mitwirken · sich verabreden · sich verbrüdern · sich verbünden · sich vereinigen · sich verschwören · die Hand im Spiele haben · zu einander halten · ins gleiche Horn stoßen · im Einverständnis sein · unter einer Decke stecken · am gleichen Strang ziehen · einander in die Hände arbeiten · das gleiche Spiel spielen · durch dick und dünn mitgehen ·

sich zu einer Partei schlagen · ein Bündnis eingehen ⁋ Anhänger · Medium · Vermittler ⁋ Arbeit · Beistand · Dienst(leistung) · Mithilfe · Mitwirkung · Übereinstimmung · Verabredung · Vermittlung · Zustimmung.

70. Hilfe. *s. Stütze 3. 16; 17. 5. Zuflucht 9. 76. Menschenliebe 11. 51. Freund 16. 41. Schutz 17. 14. geben 18. 12. Bürgschaft 19. 16.*

bei mir Schiefertafel · uf mir kannste rechnen · zugunsten · Hand in Hand · unter dem Schutz von · unter der Ägide ⁋ befreien · beispringen · beistehen · beitragen · beraten · beschirmen · beschützen · betreuen · bugsieren · decken · flottmachen · einspringen · einzahlen · ergänzen · erhalten · ernähren · fördern · gewähren · halten · helfen · heraushauen · herausreißen · liefern · loseisen · mithelfen · nähren · pflegen · raten · rangieren · retten · sanieren · sekundieren · stehen zu · stützen · tragen · unterhalten · unterstützen · verpflegen · verschaffen · versorgen · verstärken · vorsagen, soufflieren, einhelfen · zuschießen ⁋ begünstigen · bestärken · ermuntern · ermutigen · kräftigen · stärken ⁋ aufwarten · beherbergen · bewirten · dienen · ministrieren · verbinden · verpflichten ⁋ sich befreunden mit · verfechten · verteidigen · Hilfe, Vorschub, Vorspanndienste leisten · einen Tip geben · förderlich, behilflich sein · zur Seite stehen · an die Hand gehen · die Stange halten · in dieselbe Kerbe hauen · Partei ergreifen · sich einsetzen für · den Daumen halten · sich auf jemands Seite stellen · unter die Arme greifen · ins Schlepptau nehmen · in den Sattel setzen · in Schwung bringen · in die Bresche springen ⁋ den Weg bahnen, ebnen, freihalten · eine Stütze abgeben · jemands Sache betreiben · hegen und pflegen ⁋ zukommen lassen · die Kosten bestreiten · die Kastanien aus dem Feuer holen · für die Rechnung herhalten · seine Haut zu Markte tragen · sich einer Sache, Person annehmen · eine Lanze brechen · durchs Feuer gehen für · den Rücken, Rückzug decken · Hand anlegen · an die Hand gehen · Gefallen erweisen, tun · gute Dienste leisten · in die Hände arbeiten · Vorschub leisten · unter die Fittiche nehmen · auf die Beine helfen · goldene Brücken bauen · zu Hilfe kommen · Unterstützung angedeihen lassen · Erleichterung gewähren · Öl in die Wunden gießen · über Wasser halten ⁋ behilflich · dienlich · förderlich · hilfreich · mitschuldig · nützlich ⁋ altruistisch · freundlich · geneigt · günstig · selbstlos · uneigennützig · wohlwollend ⁋ Adjutant · Amtsgehilfe · Assistent · Befreier · Beistand · Berater · Bundesgenosse · Diener · Einpeitscher · Erlöser · Erretter · Faktotum · Förderer · Gehilfe · Gefährte · Glaubensgenosse · Gönner · Handlanger · Helfer · Helfershelfer · Komplize · Kumpan · Mäzen · Mitarbeiter · Mitspieler · Nothelfer · Partner · Propagandachef · Ratgeber · Schirmer · Schützer · Verbündeter · rechte Hand · mein Stecken und Stab · *s. 16. 112* ⁋ Bruder · Freund · Garant · Genosse · Geselle · Kollege · Kommilitone · Mitkämpfer · Paladin · Sekundant · Spezi (bayr.) · Vasall · Vertrauter · zweites Ich ⁋ Agent · Aktionär · Anhänger · Apostel · Beteiligter · Emissär · Gefährte · Geschäftsteilhaber · Gesellschafter · Getreuer · Handlanger · Jünger · Kamerad · Kompagnon · Mitbeteiligter · Mitglied · Mitschuldiger · Nachfolger · Parteigänger · Parteigenosse · Parteimann · Schüler · Spießgeselle · Steigbügelhalter · Teilhaber · Teilnehmer · Trabant · Verehrer ⁋ Arzt · Blutspender · Hebamme · Rotes Kreuz usw. *s. 2. 44* · Heilsarmee ⁋ Polizei · Überfallkommando · Feuerwehr · Feuerpolizei · Löschmannschaft · Bergwacht · Teno ⁋ Blindenhund · Rettungsanker · Tender ⁋ Bedienung · Beihilfe · Beistand · Dienst(leistung) · Förderung · Handreichung · Hilfe · Mithilfe · Nachhilfe · Pflege · Reklame · Stütze · Unterstützung · Vorschub ⁋ Alimentation · Aushilfe · Beisteuer · Beitrag · Eintopf · Ergänzung · Erhaltung · Erleich-

terung · Mitgift · Mitwirkung · Nahrung · Opfersonntag · Pflichtbeitrag · Pflichtteil · Unterhalt · Verpflegung · Versorgung · Zuschuß ⸿ Entsatz · Ersatz · Hilfstruppen · Nachschub · Reserve · Verstärkung ⸿ Anhalt · Empfehlung · Begünstigung · Beziehungen, Verbindungen · Fürsorge · Vorsorge · Gönnerschaft ·
Gunst · Gunstbezeigung · Halt · Protektion · Referenzen · Schirm · Schutz · Versicherung *s. 9. 75.*

71. Wechselwirkung.

und vice versa ⸿ einander · abwechseln · beiderseitig · gegenseitig · mutuell ·
reziprok · umschichtig · wechselseitig ⸿ Fickmühle, Zwickmühle · Spannungs-,
Kraftfeld ⸿ das Ineinandergreifen · Interdependenz · Kuhhandel · Wechselwirkung ·
Anstoßung und Abstoßung · Haßliebe · Parallelogramm der Kräfte.

72. Gegenwirkung. *s. Gegensatz 5. 23. zerstören 5. 42. verlangsamen 8. 8.*
rückwärts 8. 17. aufhören 9. 38. beschädigen 9. 63. Meinungsverschiedenheit 12. 48.
Widerspruch 13. 26. Widerlegung 13. 47. Verneinen 13. 49. Widerstand 16. 65.
feindlich 16. 66.

sei dem, wie ihm wolle · unter allen Umständen · unter jeder Bedingung · nun
gerade · erst recht · wie du mir, so ich dir ⸿ entgegen- · (sich) bäumen · sich entgegenstellen · entgegenwirken · kämpfen · mißbilligen · rückwirken · steuern ·
widersprechen · sich widersetzen · widerstehen ⸿ aufheben · bäumen · durchkreuzen · hintanhalten · kompensieren · konterkarieren · lahmlegen · neutralisieren · paralysieren · stauen · stören · stoppen · unterdrücken · unterhöhlen ·
unterwühlen · verrammeln · versalzen · versperren · zubauen · einen Knüppel
zwischen die Beine werfen · Bein stellen · die Kraft benehmen · zu schanden
machen · den Wind aus den Segeln nehmen · Gegenanstalten treffen · die Rechnung verderben · ins Gehege, in die Wege, ins Kreuz kommen · Steine in den
Weg legen · das Handwerk legen · das Spiel verderben · sich in den Weg stellen ·
in die Suppe spucken · hereinlegen ⸿ aufwiegen · ausgleichen ⸿ ausradieren ·
durchstreichen · verbauen · vernichten ⸿ entgegengesetzt · gegenwirkend ·
ung'schickt (süddtsch.) · ungünstig · widersprechend · widerstrebend · widerstreitend
⸿ Störsender ⸿ Antagonismus · Antinomie · Einhalt · Gegenkomplott · Gegenmine · Gegenpartei · Gegenwirkung · Hemmnis · Hindernis · Opposition · Polarität · Reibung · Widerstand · Widerstreit · Zusammenstoß ⸿ Aufhebung · Erschütterung · Gegenschlag · Gegenstoß · Kompensation · Reaktion · Rückprall ·
Rückwirkung · Zusammenstoß.

73. Verhinderung. *s. aufhören 9. 33. kämpfen 16. 70. Verteidigung 16. 77.*
fangen 16. 117.

abbiegen, -fangen, -halten, -lenken, -riegeln, -schließen von, -sperren, -stellen,
-wehren · abwenden · anfeinden · auffangen · aufhalten · auslöschen · ausschließen ·
beeinträchtigen · bekämpfen · beschränken · bremsen · dämpfen · dazwischenfahren · drosseln · eindämmen · einschließen · einschränken · einstechen (Skat) ·
entgegenarbeiten · entkräften · entmutigen · erschweren · ersticken · hemmen ·
hindern · hinhalten · hintertreiben · inhibieren · lähmen · lahmlegen · neutralisieren ·
niederbrüllen, -schreien, -halten · parieren · sabotieren · schwächen · sistieren ·
sperren · stillegen · stören · totschweigen · unterbinden · unterbrechen · unterdrücken · untergraben · untersagen · verbieten · vereiteln · verhindern · verhüten ·
verwehren · verzögern · vorbauen · vorbeugen · wehren · zügeln · zunichte machen ·

zuvorkommen ℭ sich aufdrängen · dazwischentreten · eingreifen · sich einmengen · sich einmischen · einschreiten · intervenieren · vermitteln ℭ besiegen · bezwingen · binden · blockieren · fesseln · ketten · verbarrikadieren · verderben · das Handwerk legen · das Maul stopfen · das Wort abschneiden, entziehen · mundtot machen · Einhalt gebieten · das Wasser abgraben · zuschanden, zunichte machen · Abbruch tun · jede Aussicht, Hoffnung benehmen · den Weg abschneiden, verlegen, verrammeln, verstopfen · in den Weg treten · den Boden entziehen · Eintrag tun · einen Strich durch die Rechnung machen · zu Wasser machen · mit kaltem Wasser begießen · einen Riegel vorschieben · in Schach halten · den Daumen aufs Auge halten · die Flügel stutzen · mit Arrest belegen · zu Fall bringen · zu Boden schlagen · im Keim ersticken · gar nicht erst aufkommen lassen · in den Arm, die Zügel fallen · das Handwerk legen · den Hemmschuh anlegen · einen Possen, Schabernack, Streich spielen · Barrikaden aufwerfen · im Wege liegen, sein, stehen · in Kollision geraten · auf falsche Fährte, Spur bringen ℭ auffahren · aufsitzen · feststecken · außerstande sein · auf den toten Punkt kommen · damit hat es gute Wege ℭ hinderlich ℭ Belästiger · Freudenstörer · Gegner · Konkurrent · Nebenbuhler · Plaggeist · Quälgeist · Quengler · Rival · Spielverderber · Stänkerer · Störenfried · Widersacher ℭ Barrikade · Blockschiff · Bollwerk · Deich *s. 1. 16* · Drehbaum · Drehgitter · Fallgitter · Gatter · Gitter · Graben · Haken · Hemmnis · Hindernis · Knoten · Mauer · Riegel · Scheidelinie · Scheidewand · Schlagbaum · Schranke · Verhack · Verhau · Verschlag · Wand · Wehr · Zollschranke · Zauberkreis ℭ Beschwernis · Bremse · Bürde · Fessel · Fußkugel · Gewicht · Hemmschuh · -vorrichtung · Keil · Kettenkugel · Klotz · Last · Radschuh · Radsperre · Sperrkette · Sperrad · Schneekette ℭ Abwehr · Flak · Pak · Sperrfeuer · Blockade · Hafensperre ℭ Abbruch · Aufenthalt · Einhalt · Embargo · Gegenwind · Gegnerschaft · Intervention · Mißbilligung · Panne · Reaktion · Schiffshaft · Unterbrechung · Verbot · Verzug · Zwang · Stein des Anstoßes · blinde Mauer · vorgeschobener Riegel.

74. Gefahr. *s. Verletzung 2. 42. Furcht 11. 42. Warnung 13. 10. Verbot 16. 29 Drohung 16. 67. Hinterhalt 16. 71. Angriff 16. 76.*

um ein Haar · um Haaresbreite · mit genauer Not · beinahe! · in letzter Stunde · fünf Minuten vor zwölf ℭ gefährdet sein · im Glashaus, auf dem Pulverfaß sitzen · mit seinem Leben spielen · Vabanque spielen · ein Gambit annehmen (Schach) · auf abschüssigem Weg · auf schiefer Bahn · am Rande des Abgrunds · zwischen zwei Feuern · zwischen Skylla und Charybdis · verraten und verkauft ℭ spekulieren · wagen · Gefahr laufen · in die Falle gehen · im Feuer stehen · auf einem Vulkan leben, tanzen, wohnen · ist noch nicht überm Berg · Abenteuer aufsuchen, bestehen · alles auf eine Karte setzen · sich in Gefahr begeben · kann von Glück sagen, daß · Abenteuern nachgehen · sich exponieren, aussetzen ℭ dräuen · drohen · an einem Faden, Haar hängen ℭ berücken · bestricken · bezirzen · bloßstellen · gefährden · kirren · ködern · nachstellen · aufs Glatteis führen · Gefahren aussetzen · einen Strick drehen · eine Grube graben · eine Nase drehen · eine Schlinge legen · ins Garn, ins Netz locken ℭ bedrängt · bestgehaßt · führerlos · hilflos · hoffnungslos · preisgegeben · schirmlos · schutzlos · unbehütet · unbeschützt · unbewacht · unsicher · verteidigungslos · wehrlos ℭ baufällig · einsturzdrohend · feuergefährlich · gewitterschwanger ℭ abenteuerlich · bedrohlich · beunruhigend · brenzlig · dornig · drohend · gefahrbergend · nicht geheuer · gewagt · halsbrecherisch · heikel · kitzlig · mißlich · mulmig · oberfaul · riskant · riskiert · unabsehbar · unberechenbar · unglücksschwanger · unheilvoll · unsicher · todbringend · tollkühn · verderblich · verwegen · waghalsig · nicht ganz glitzer ℭ Hazardspieler · Holland in Not · Bewährungs-

einheit · Strafkompanie · Himmelfahrtskommando ❡ Räuber usw. *s. 19. 9.*
❡ Klemme · Krisis · Wendepunkt · Verschlimmerung · Sepsis · Glatteis · ungewohntes
Parkett ❡ Abenteuer · Bedrängnis · Blöße · Risiko · Feuerprobe · Gefahr · Hinter-
halt · Wagestück · Wagnis ❡ Achillesferse · wunde, sterbliche Stelle ❡ finsteres
Gewölke · lautlose Stille · dumpfe Schwüle · drohende Gewitterwolke · Ruhe vor dem
Sturm · Vorboten des Sturmes · dicke Luft · Damoklesschwert · Pferdefuß ❡ Bolas ·
Dohne · Grube · Falle · Fallstrick · Falltür · Fangschnur · Fußangel · Garn · Lasso ·
Lockvogel · Netz · Schlinge · Wurfschlinge ❡ Fliegerbombe · Mine · Selbstschuß ·
Torpedo · getarnte Batterie · Hochspannung · Tabu · feindliches Feuer ❡ Angel ·
Haken · Hamen · Keitel ❡ Abgrund · Brandung · Felsen · Gletscherspalte · Klippe ·
Korallenriff · Riff · Sandbank · Strudel · Untiefe · Vulkan ❡ Bärenzwinger · Drachen-
nest · Löwengrube · Räuberhöhle · Wespennest · Hinterhalt · Nachstellung · verlorener Posten ❡ Blitzschlag · Dammbruch · Eisgang · Feuersnot · Flugsand · Glatteis · Lawine · Samum · Steinschlag · Schneesturm · Schneewächte · Überschwemmung · Wassersnot · der berühmte Ziegelstein ❡ Bestürzung · Bloßstellung · Gefährdung · Hoffnungslosigkeit · Wehrlosigkeit ❡ Schlüpfrigkeit · Tollkühnheit · Unsicherheit · Zweischneidigkeit, schwankende Lage · eisenhaltige, dicke Luft · Teufels
Küche.

75. Sicherheit. *s. Umhegung 3. 24. langsam 8. 8. Flucht 8. 18. Sorgfalt 9. 42. Vorsicht 11. 40. Eitelkeit 11. 45. Schutz 17. 14. Polizei 19. 29.*

mit 99 Prozent · ihr mich alle! · jetzt kann uns keener ❡ durchkommen · durch-
machen · durchwitschen· durchwutschen · entkommen · überstehen · vertragen · der
Gefahr entschlüpfen · an der Schürze hängen · vor Anker liegen · mit einem blauen
Auge davon kommen · steht in Gottes Hand · Glück im Unglück · ist aus Mangel an
Beweisen freigesprochen · man kann ihm nichts anhaben ❡ patrouillieren · wachen ·
Schmiere stehen ❡ ablenken · absperren · abwehren · beseitigen · parieren · verhüten ❡ aufheben · behüten · bergen · beschirmen · beschützen · bewachen · bewahren · decken · einheimsen · feien, festmachen · hüten · panzern · schirmen ·
schonen · schützen · sichern · umhegen · verhüten · verschanzen · verschließen · verteidigen · verwahren ❡ begleiten · bemannen · geleiten · unter Dach und Fach
bringen · Obdach gewähren · nach Hause, in Sicherheit bringen · unter die Fittiche
nehmen · die Schwingen breiten über · mit den Flügeln (be)decken · mit dem
Schilde decken · in Schutz nehmen · unter eine Glasglocke setzen · panzern · den
Schild halten über ❡ bombenfest · diebessicher · einbruchssicher · feuerfest · gefeit
gegen · geschützt · gesichert · haltbar · hieb-, kugel-, stichfest · immun · sicher · unangreifbar · unantastbar · unbezwinglich · uneinnehmbar · unempfindlich · unüberwindlich · unvergänglich · unverletzlich · unverlierbar · unverwüstlich · unzerstörbar ·
wasserdicht · widerstandsfähig ❡ unbedroht · unbeschädigt · ungefährdet ❡ gefahrlos · harmlos · unschädlich ❡ Anwalt · Aufseher · Begleiter · Beschirmer · Bewahrer ·
Hirte · Hüter · Kavalier · Knappe · Kurator · Mentor · Mundwalt · Patron · Ritter ·
Schatten · Schildträger · Schützer · Schutzengel, -heiliger · Steuermann · Verteidiger ·
Vormund · Wächter · Wart · männlicher Schutz · Ziehvater ❡ Anstandsdame · An-
standswauwau · Elefant · Wartefrau · Wärterin · Kindermädchen ❡ Klient · Mündel ·
Schoßhund · Schürzenkind · Schutzbefohlener · Schützling ❡ Glucke · Hofhund ·
Kettenhund · Kerberus · Gänse des Kapitols ❡ Bedeckung · Begleitschiff · Besatzung ·
Eskorte · Feldwache · Garnison · Kerntruppe · Leibgarde · Leibwache · Nachhut ·
Patrouille · Posten · Prätorianer · Runde · Saalschutz · Schutzstaffel · Schildwache ·
Vorausabteilung · Vorhut · Wache ❡ Geleitzug · Convoy ❡ Geleitbrief · Schild ·

Schirm · Schutzbrief ⁋ Ankertonne · Bake · Boje · Leuchtturm · Licht · Signal · Wahrzeichen · Warnungszeichen, *s. 13. 1.* · Schließfach ⁋ Aufsicht · Bewachung · Blockade · Gewahrsam · Hut · Obhut · Quarantäne · Sicherungen · Verwahrung · Vorsehung · Vorsicht ⁋ Bürgschaft · Deckung · Garantie · Gewähr · Kautele · Kaution · Krankenkasse ⁋ Entmündigung · Gönnerschaft · Kuratel · Protektion · Versicherung · Verteidigung · Vormundschaft, Pflegschaft ⁋ Gefahrlosigkeit · Schutz · Sicherheit · Unverletzlichkeit.

76. Zuflucht. *s. Umhegung 3. 24. Verteidigung 16. 77. Abwehr 17. 14.*

Bedeckung · Deckel · Hut · Lampenschirm · Ofenschirm · Schild · Schirm · Schutzdecke ⁋ Brustlehne · Brüstung · Brustwehr · Bunker · Damm · Einfassung · Fassade · Feuermauer · Geländer · Graben · Hecke · Rampe · Schutzwand · Umhegung · Umzäunung · Wall · Wehr · Zaun ⁋ Blitzableiter · Fallschirm · Feuerspritze · Funkenfänger · Löschbombe · Regenschirm · Rettungsanker · Rettungsapparat · Rettungsboot · Sicherheitslampe · Sicherheitsventil · Strohhalm ⁋ Balancierstange · Rettungsseil · Steigeisen · Stütze · Verteidigungswaffe ⁋ Ankerplatz · Arche · Asyl · Elternhaus · Freistätte · Hafen · Mole · Obdach · Reede · Schlupfloch · Schlupfwinkel · Schutzdach · Zufluchtsstätte ⁋ *bei Spielen:* Accreez für mich · Anschlag für mich · Belaub, Bille, CC, Freiung, Gunst, Haus, Hohl, Hütte, Laube, Leopold (Wien), Mal, Pax, Schanze, Stock, Tick, Volöf (= Verlaub, pomm.), die Ruh (Offenbach), Ruhhaus (Mainz) · Unterschlupf · Versteck · Zuflucht · Zufluchtsort ⁋ Befestigung · Bollwerk · Bunker · Burg · Feste · Festung · Fort · Kastell · Verschanzung · Zitadelle · Luftschutzkeller · Schutzraum · Unterstand ⁋ Armenhaus · Blindenasyl · Findelhaus · Gotteshaus · *s. 20. 20* · Heim · Herberge (zur Heimat) · Hort · Hospiz · Invalidenhaus · Kindergarten · Kleinkinderbewahranstalt · Mauseloch · Schlupfwinkel · Pfründnerhaus · Schutzhütte · Spital · der Staat · Stift · Versorgungsanstalt · Waisenhaus · Wohltätigkeitsanstalt ⁋ Ausflucht · Ausrede · Ausweg · Ausweichquartier.

77. Erfolg. *s. Glück 5. 46. Freude 11. 21. Erwerb 18. 5. Sieg 16. 84.*

mit 100 Prozent · veni, vidi, vici, *s. schnell 8. 7* ⁋ *von Sachen:* anschlagen · blühen · durchschlagen · einschlagen · florieren · flutschen · fruchten · funktionieren · gedeihen · gehen · gelingen · geraten · glücken · klappen · marschieren · verfangen · wirken · ziehen · die Hoffnung erfüllen · das sitzt · die Organisation steht · geht über Erwarten, über alle Hoffnung · gut anschlagen · glücklich ausgehen · in etwas gipfeln · der Erwartung entsprechen · ist Wasser auf die Mühle · gut (vonstatten) gehen, kommen · gut ausschlagen, ausfallen · eine günstige Wendung nehmen · zupaß, zustatten kommen · Anklang finden · es wird · es trägt tausendfältig Blüten, Zinsen · grad, nobel (mil.) · alles in Butter · geht wie am Schnürchen ⁋ *von Personen:* sich durchbeißen, -setzen · emporklimmen · emporkommen · ernten · gewinnen · reüssieren · siegen · triumphieren · vorrücken · sich zurechtfinden · seinen Weg, sein Glück machen · gut abschneiden · es wird etwas aus ihm · kommt ganz schön längs (hamb.) ⁋ bewerkstelligen · bewirken · durchführen · durchsetzen · es schaffen · vollbringen · vollenden · den Zweck, ein Ziel erlangen, erreichen · es packen (hess.) · gut abschneiden · den günstigen Augenblick erhaschen · die Konjunktur ausnutzen · beim richtigen Ende anfassen · gut unterbringen · sich zunutze machen · gut heraus-, davonkommen · sich einer Sache versichern · Hindernisse beseitigen, bewältigen, übersteigen · Schwierigkeiten aus dem Wege räumen · seinen Weg bahnen, machen · die Sache drehen, schmeißen, schon schaukeln · sich die (ersten) Sporen verdienen · Karriere machen · sich in die Höhe schwingen · auf einen grünen Zweig kommen ·

sich nicht umsonst bemühen · leicht ankommen · die höchste Stufe erklettern, erreichen · seine Absichten, Wünsche verwirklichen · seine Erwartung erfüllt sehen · Vorteil einheimsen, einsammeln · die Früchte ernten, genießen · Triumphe feiern · von Triumph zu Triumph eilen · die Ruhmesleiter ersteigen · Beifall ernten, bekränzt werden · wird auf Händen getragen · den Kranz davontragen, erringen · Lorbeeren pflücken · die Palme erringen · den Preis davontragen · vom Glück angelächelt, begünstigt, verhätschelt werden · des Schicksals Gunst erfahren · ein Glückskind, Schoßkind des Glückes sein · mit geblähten, vollen Segeln dem Ziel zusteuern · von Wind und Wellen begünstigt werden · freie Bahn vor sich haben · das große Los gewinnen, ziehen · einen Treffer machen · den Nagel auf den Kopf treffen · ins Schwarze treffen · den Vogel abschießen · das Rennen machen · glatt durchs Ziel gehn · (wie die Katze) auf die Füße fallen · mit einem blauen Auge davonkommen · seinem Stern zu danken haben · Wunder verrichten, wirken ℭ bemeistern · besiegen · bewältigen · bezwingen · durchgreifen · eingreifen · entwaffnen · erobern · hinopfern · niederwerfen · ruinieren · überlisten · überstimmen · übertrumpfen · übervorteilen · überwältigen · überwinden · unterdrücken · unterjochen · unterwerfen ℭ mit Ehren abtreten · das Feld behaupten · mit fliegenden Fahnen einrücken · Übergewicht, die Oberhand haben, behalten, bekommen · das Spiel, den Prozeß gewinnen · die Karten in der Hand halten · sich des Feldes bemächtigen ℭ die Spitze bieten · in die Enge, zu Paaren treiben · in die Flucht schlagen · zu Boden, in den Staub werfen · Schach bieten · mattsetzen · zum Schweigen bringen · den Sieg entreißen · (Friedens-)Bedingungen vorschreiben, diktieren · alle Aussicht auf Erfolg benehmen · die Waffe entwinden · außer Fassung, zu Fall bringen · ins Verderben stürzen · ein Bein stellen ℭ erfolgreich · ersprießlich · fruchtbar · gedeihlich · gelungen · glücklich · glückspendend · segenbringend · vorteilhaft · wirksam ℭ siegreich · erfolgreich ℭ Eroberer · Meister(kämpfer) · Schützenkönig · Sieger · Triumphator · Weltmeister · Hahn im Korb · der Erste ℭ das ist Tells Geschoß · Anerkennung · Anklang · Applaus · Beifall · Ehre · Huldigung · Klatschen · (Lorbeer-)Kranz, s. *Ehrenzeichen* 17. 10 · Palme · Ruhm · Trophäe · Wanderpreis · Triumph · Triumphzug · x Vorhänge (Theater) · Lacher · Petri Heil (Fischzug) ℭ Aufstieg · Erfolg · Erfüllung · Ergebnis · Eroberung · Gedeihen · Gelingen · Gewinn · Glück · Glückswurf · Krönung · Leistung · Meisterstreich · Meisterzug · Prämie · Preis · Sieg, Endsieg, Siegeszug · Treffer · Trumpf · Vorteil · Vorwärtskommen · Zugstück · Erfüllung aller Wünsche.

78. Mißlingen. *s. schwach* 5. 37. *unzeitig* 6. 38. *Unglück* 5. 47. *ungeschickt* 9. 53. *Irrtum* 12. 27. *Enttäuschung* 12. 46. *Tadel* 16. 33. *Niederlage* 16. 83. *Verlust* 18. 15.

umsonst · vergebens · zu spät · aus und vorbei · aber dann Gutnacht · weit vom Ziel · nur platonisch · sid transit gloria mundi · alle · aus der Traum · ist nichts mehr (zu machen) · alles Käse! ℭ *von Sachen:* ausrutschen · fällt glatt · fehlgehen · fehlschlagen · begriesmulen (pomm.) · mißglücken · mißlingen · mißraten · scheitern · sich verflüchtigen · versagen · vorbeigelingen · sich zerschlagen · verpuffen · (zer)platzen · nicht in Erfüllung gehen · schlecht ausfallen · unerfüllt, erfolglos bleiben, sein · schief, schlecht gehen · schief liegen · zu schanden werden · ist gefehlt · es haut in die Äppel (hess.) · ist ein Leim · da haben wir den Salat, die Bescherung · zur Neige, in die Brüche gehen · im Sand verlaufen · zu Wasser werden · sich in Nichts auflösen · in Rauch aufgehen · in Luft zergehen · durch die Finger schlüpfen · ist für die Katz · damit war es Essig · fällt aus wegen Nebel nicht so recht · sieht mies, scheu, ungünstig aus · da ist eben die letzte Eisenbahn gefahren · da schwimmen die Felle weg · der Apfelkarren kippt um ¶ *von Personen:* abblitzen · auffahren · aufsitzen · ausgleiten · sich blamieren · durchfallen · entgleisen · erliegen · ertrinken · fallen · hereinfallen, -fliegen · herunterkommen · nachhinken · scheitern · stolpern · straucheln · untergehen · verderben · sich verfahren · verlieren, -spielen, -unglücken · zerschellen · zuschanden werden · übel ankommen · zu kurz kommen · sich umsonst bemühen · schlecht wegkommen, abschneiden · keine Seide spinnen · mit langer Nase, wie ein begossener Pudel abziehen · sich in die Nesseln setzen · es nicht weit bringen · hat seine große Zukunft schon hinter sich · auf keinen grünen Zweig kommen · nicht erreichen · zurückweichen müssen · das Ziel verfehlen, nicht treffen · übers Ziel hinausschießen · ins Blaue schießen · in den Wind reden · leeres Stroh dreschen · sich umsonst, vergeblich abmühen, anstrengen · nichts zustandebringen · der Bart ist ab und der Ofen aus · an den Unrechten geraten · auf Granit beißen · in Schwulitäten stecken ¶ Pleite, Fiasko machen · leer ausgehen · abstinken · zu nichts kommen · ausgelacht, ausgepfiffen, ausgezischt, überstimmt werden · einen Korb bekommen · schön ausschauen · das Feld räumen müssen · die Rechnung ohne den Wirt machen · eine Nase davontragen · Dummheiten begehen · Mißgriffe machen, tun · Böcke, daneben schießen · Fehlfarbe ausspielen · über die eigenen Füße stolpern · zu Fall kommen · zugrunde gehen · unter die Räder, auf die Schokoladenseite kommen · die Zahlungen einstellen · bankrott werden · sich nicht halten können · sich nicht mehr zu retten wissen · auf Sand bauen · falsch spekulieren · auf das falsche Pferd setzen · ist am A . . . ¶ besiegt, betrogen, unterdrückt werden · zu Schaden kommen · Pech haben · den kürzeren ziehen · zur Beute fallen · sich in die Nesseln setzen · für die Kosten aufkommen müssen, herhalten · ein blaues Auge davontragen · im Nachteil sein · sein Glück versäumen · das Nachsehen haben · den Boden unter den Füßen verlieren · auf eine Sandbank geraten · kommt unter die Räder, auf den Hund, vom Pferd auf den Esel ¶ gegen Windmühlen kämpfen · tauben Ohren predigen · sich den Mund dämlich, fusselig reden · einen Mohren weiß waschen wollen · vom Regen in die Traufe kommen · ein totes Kind zur Welt bringen · sich auf dem Holzweg befinden · auf dem letzten Loch pfeifen · sich die Finger, den Mund verbrennen · in ein Wespennest fassen, greifen · sich zwischen zwei Stühle setzen · den richtigen Zeitpunkt, Anschluß, Omnibus verpassen · Schiffbruch leiden · sich in der eigenen Schlinge fangen · sich schneiden · auf falscher Fährte, Spur sein · mit Mann und Maus zugrunde gehen · ist im Beruf gestorben (Kartenspiel) ¶ *von Sachen:* aussichtslos · eitel · erfolglos · ergebnislos · faul, oberfaul · fruchtlos · hoffnungslos · mißglückt · mißlungen · nutzlos · perdü · sinnlos · totgeboren · traurig · undankbar · unfruchtbar · unheilvoll · unnütz · unvollkommen · unzulänglich · verfehlt · vergeblich · versäumt · verunglückt · wirkungslos · zwecklos · reif zum Aufgeben ¶ *von Personen:* abgeworfen · aufgefahren · aufgeschmissen · aufgesessen · bankrott · erledigt · fertig · gefangen· geliefert · gescheitert · gestrandet · kaputt · schiffbrüchig · umgeworfen · verloren · zahlungsunfähig · schief gewickelt mit langer Nase heimgeschickt · mit Haut und Haar verloren ¶ Bankrotteur · Hans Huckebein · Opfer · Pechvogel · Schlemihl · Unglücksrabe · Versager · ne Buddel · des Glückes Spielball · der ewig Zweite · toter Mann ¶ Erfolglosigkeit · Fall · Fehlbitte · Fehlgeburt · Fehlgriff · Fehlschlag · Fehltritt · Kalamität · Mißerfolg · Mißernte · Mißgeburt · Mißlingen · Niederlage · Niete · Pech · Schlappe · Sturz · Unglück · Unstern ¶ Bankrott · Börsenkrach · schwarzer Freitag · Desaster · Einsturz · Kollaps · Konkurs · Krach · Krise · Nachteil · Niedergang · Panne · Pleite · Schaden · Schiffbruch · Schlamassel · Todesstoß · Umsturz · Unfall · Untergang · Verderben ·

19*

Verlust · Vernichtung · Zahlungseinstellung · Zusammenbruch ⁋ Abweisung · Blamage · Fiasko · Korb · Spott ⁋ Bock · Enttäuschung · Fahrkarte (mil. Fehlschuß) ·
Fehl- · Fehler · Flickwerk · Irrtum · Lapsus · Mißgriff · Patt (Schach) · Pfuscherei ·
Pfuschwerk · Schachmatt · Schaubudenangriff · Schnitzer · Stümperarbeit · Täuschung · Theater · Tölpelei · Übersehen · Ungeschick · Versäumnis · Versehen ·
schmähliches Ende · faules Ende · Schlag in die Luft, ins Wasser · verlorene Liebesmüh · vergebliche Anstrengung · Danaidenarbeit · Sisyphusarbeit · verlorenes Spiel,
Rennen · verfehlte Spekulation · totgeborenes Kind · Wechselbalg · ungelegte Eier ·
zerplatzte Seifenblase · kreißender Berg · gescheiterte Hoffnung · mißliche Wendung · Strich durch die Rechnung · schiefer Ausgang · getäuschte Erwartung · abschlägige Antwort · verkehrte Maßregel · falsche (Be-)Rechnung · Bruch, Krampf
(mil.) · vergebliche Opfer · nicht ein Funken Erfolg.

79. Direkter Weg. *s. gerade 3. 40. deutlich 13. 33.*

mitten durch · quer durch die Mitte · geradezu · in medias res · ohne Umschweife ·
ohne weiteres · von der Hand in den Mund · von Mund zu Mund · von Hand zu
Hand · von Ohr zu Ohr · unter vier Augen ⁋ den Rang ablaufen · Kurs weiter ziehn
(mil.) · mit der Tür ins Haus fallen ⁋ direkt · gerade · geradlinig · der mittlere ·
persönlich · telefonisch · unmittelbar ⁋ Gerade · Richtung · Sehne · der gerade Weg ·
der kürzeste Weg.

80. Umweg. *s. Bogen 3. 46; 8. 32. unzweckmäßig 9. 51. Geschwätz 13. 22.* *lavieren 16. 110.*

sich schlängeln · einen Umweg, Umstände machen · die Kirche ums Dorf tragen ·
Menkenke, Geschichten, langes Briambel, eine furchtbare Wirtschaft aus allem
machen · bei Adam und Eva anfangen · um den heißen Brei herumgehen · herumreden um ⁋ brieflich · bürokratisch · feierlich · förmlich · formell · formalistisch ·
indirekt · mittelbar · umständlich · weitschweifig · zeremoniell ⁋ Abweg · Dienstweg · Amtsschimmel · Instanzenweg · Kreislauf · Leerlauf · Umschreibung · Umleitung · Umweg · Zickzack · Schlangenlinie · Schriftverkehr · Papierflut · dilettan-
tisches Hin und Her.

81. Erfordernis. *s. notwendig 9. 3. überflüssig 9. 49. Wunsch 11. 36. Zwang* *16. 107.*

erforderlichenfalls · nötigenfalls · notfalls · unter Umständen · schließlich · wenn
nötig · im Falle der Not, der Fälle ⁋ beanspruchen · bedürfen · begehren · benötigen · brauchen · drängen um · erfordern · erheischen · verlangen · nötig haben ·
muß Gewicht, Wert legen auf · interessiert sein an · nicht entbehren, entraten,
ermangeln, missen können · in Anspruch nehmen · sich aufdrängen · das schreit
nach · es wird Zeit · den Geist beschäftigen · fehlen ⁋ angebracht · angezeigt ·
dringend · dringlich · erforderlich · geboten · nötig · notwendig · unabdingbar ·
unabweislich · unbedingt · unentbehrlich · unerläßlich · unumgänglich · wesentlich ·
ist vonnöten, an der Zeit ⁋ Bedürfnis · Desiderat · Erfordernis · Forderung · Gebot
(der Stunde) · Notwendigkeit ⁋ fühlbare Lücke · Effekten · Klamotten · Zubehör ·
Requisit · conditio sine qua non · die rechte Hand.

82. Mittel. *s. Methode 9. 25. Geräte 17. 15.*

aus · durch · kraft · mit · mittels · mit Hilfe · vermittelst · vermöge · an Hand von · anschließend an — um zu ⁋ dienlich · förderlich · instrumental · vermittelnd · zweckdienlich ⁋ Anhänger · Unterhändler · Medium ⁋ Paß · Schlüssel · Eselsbrücke · Trumpfkarte ⁋ Auskunftsmittel · Ausweg · Ersatzmittel · Hilfe · Hilfsmittel · Hilfsquelle, *s. Geld 18. 26* · Maßregel · Medium · Mittel · Notanker, *s. Hilfe 9. 70* · Notbehelf · Quelle ⁋ Gerüst · Stütze · Leiter ⁋ Betrieb · Getriebe · Maschine · Maschinerie · Mechanik · Mechanismus · Motor · Triebkraft · Triebwerk · Vorrichtung · Mittel und Wege ⁋ Anwaltschaft · Stellvertretung ⁋ Arbeit · Dienstleistung · Mitarbeit · Mitwirkung · Vermittlung · Arbeistamt.

83. Werkzeug. *s. Geräte 17. 15 ff.*

Apparat · Apparatur · Einrichtung · Gerät · Gerätschaften · Hebel · Instrument · Maschine · Vorrichtung · Werkzeug ⁋ Arm · Flosse · Flügel · Fühlhorn · Glied · Hand · Tatze usw. *s. Körperteile 2. 16.*

84. Benutzung. *s. Roh- und Altstoffe 1. 25 ff. Gelegenheit 6. 37. Mittel 9. 82.*

anbringen · anlegen · anwenden · aufbrauchen, -kaufen, -wenden · ausmünzen · ausnützen · ausschlachten · auswerten · benützen · brauchen · gebrauchen · handhaben · verwenden · verwerten · weihen · widmen · wuchern mit · Gebrauch machen von · zehren von · sich zunutze machen · Nutzen ziehen aus · Kapital schlagen · gewinnbringend anlegen · gut anbringen, unterbringen · aufs äußerste, beste verwerten · die Gelegenheit beim Schopf fassen · seinen Vorteil wahren · das Beste für sich behalten · den Rahm, die Sahne abschöpfen ⁋ anstellen · anwenden · sich bedienen · beschäftigen · dingen · engagieren · handhaben · heuern · verarbeiten · verfügen über · in Anspruch, in Dienst nehmen ⁋ zur Verfügung stehen ⁋ befähigt . benutzbar · bewohnbar · brauchbar · dienlich · fähig · geeignet · nutzbar · nützlich · praktisch · verwendbar · wirksam · zweckmäßig ⁋ Erbe · Nassauer · Opportunist · Spekulant · Valutaschwein ⁋ Apparat · Sachregister · Nebenanschluß ⁋ Anwendung · Dienstleistung · Gebrauch · Genuß · Nießbrauch · Nutzanwendung · Nutznießung · Vorteil.

85. Nichtbenutzung. *s. nicht zugehörig 4. 49. aufhören 9. 33. Trägheit 9. 41. nutzlos 9. 49. entlassen 16. 105.*

ablassen · sich enthalten · entsagen · lassen · unterlassen · verabsäumen · vermeiden · verzichten · davon abkommen · unterwegs lassen · ad acta legen ⁋ abdanken · abfertigen · ablegen · abschaffen · absetzen · aufgeben · aufheben · aufkündigen aufsagen · ausschließen · aussondern · beseitigen · beurlauben · einstellen · entlassen · entsetzen · fortjagen · kassieren · kündigen · lassen · niederlegen · pensionieren · unterlassen · verabschieden · vernachlässigen · wegwerfen · unbenutzt lassen · beiseite legen · keinen Gebrauch machen von · anstehen lassen · von der Hand weisen · aus dem Wege schaffen · zur Verfügung stellen · den Laufpaß geben · über Bord werfen ⁋ brach liegen · außer Betrieb ⁋ arbeitslos · entbehrlich · frei · nutzlos · überflüssig · unbeansprucht · unbenutzt · unberührt · unnötig · unnütz · unverwendet · verfügbar · zwecklos ⁋ abgetakelt · dienstunfähig · untauglich · unter das alte Eisen gehörig ⁋ Arbeitsloser · Emeritus · Pensionär · Pfründner ⁋ Abschied ·

Arbeitseinstellung · Dispensation · Streik · ⁊ Feierabend · Feiertag · Freizeit · Ruhestand ⁊ verbotener Weg ⁊ Absetzung · Aufhebung · Entlassung · Entwöhnung ·
Pensionierung · Suspendierung · Verabschiedung · Entrümpelung.

86. Mißbrauch. *s. unzweckmäßig 9. 51. Diebstahl 18. 9. verschwenden 18. 14.*

sein Geld zum Fenster hinauswerfen · Perlen vor die Säue werfen · sein Pulver
verknallen ⁊ besudeln · entehren · entheiligen · entweihen · entwürdigen · hintergehen · mißbrauchen · prostituieren · schänden · usurpieren · verführen ⁊ umgehen ⁊ falsch, schlecht anwenden · sich unrechtmäßig aneignen · vergeuden ·
verschleudern · verschwenden ⁊ maßlos · mißbräuchlich · unsinnig · -süchtig
s. Krankheit 2. 41 · zweckwidrig ⁊ Gotteslästerung · Mißbrauch · Prostitution ·
Schwarzfahrt · Verunreinigung.

10. Sinnesempfindungen

10. 1. Körperliches Gefühl
10. 2. Tastgefühl
10. 3. Unempfindlichkeit
10. 4. Hitzegefühl
10. 5. Frieren
10. 6. Geruchssinn
10. 7. Geschmackssinn
10. 8. Wohlgeschmack
10. 9. Übler Geschmack
10. 10. Hunger
10. 11. Eßgier
10. 12. Wählerisch im Essen
10. 13. Durst
10. 14. Sättigung
10. 15. Sehen
10. 16. Optische Instrumente
10. 17. Schwachsichtig
10. 18. Blind
10. 19. Hören
10. 20. Taub
10. 21. Sinnlichkeit

1. Körperliches Gefühl. s. *Empfindung 11. 4. Schmerz 11. 13.*

empfinden · fühlen · spüren ℭ beißen · kitzeln · brennen · drücken · jucken · kratzen · prickeln · pricken · reißen · stechen · zingern (Gefühl am Ellenbogen) ℭ ätzen · reizen · würzen ℭ Gewürz · Pfeffer ℭ Ätzen · Beißen ℭ Brennen · Druck · Gefühl · Jucken · Kitzel · Kratzen · Reißen · Reiz · Stoß · eingeschlafene Füße ℭ Innervation, Muskelgefühl, kinästhetischer Sinn · Lagesinn · Gleichgewichtssinn ℭ Reizschwelle.

2. Tasten. s. *Oberflächenformen 3. 52—56. Gefühl 11. 4.*

abtasten · anfassen · anfühlen · befingern · befühlen · berühren · betasten · dranlangen · fühlen · greifen · hinlangen · kribbeln · krabbeln · palpieren · rühren an · streicheln · tasten · tippen ℭ Föttchesfühler ℭ Finger · Flimmerhaare · Fühler · Fühlhorn · Fühlorgan · Hand *s. 2. 16* · Tastorgan ℭ Berührung · Fingerspitzengefühl · Temperatursinn · Drucksinn.

3. Unempfindlichkeit. s. *Eigensinn 9. 8. besinnungslos 11. 8.*

erstarren · absterben ℭ anästhesieren · betäuben · chloroformieren · narkotisieren usw. ℭ dickhäutig · immun · gefühllos · starr · stumpf · taub · tot ℭ schmerzlos ℭ Dickkopf · Dickhäuter · Stockfisch ℭ Äther — Chloräthyl · Chloroform · Hypnose · Kokain · Lachgas · Opium · Rauschnarkose ℭ Büffelhaut · Elefantenhaut · Panzer ℭ Besinnungslosigkeit · Betäubung · Dämmerschlaf · Dickhäutigkeit · Erstarrung · Gefühlslähmung · Narkose · Ohnmacht · Unempfindlichkeit.

4. Hitzegefühl. s. *warm 7. 35.*

au · pff ℭ braten · dörren · glühen · schmoren · schwitzen ℭ Fieber.

5. Frieren. s. *kalt 7. 40.*

hu ℭ bibbern · puppern · frieren · frösteln · schaudern · schlottern ℭ es bitzelt · vor Kälte zittern · es schauert, schuckert jmd. ℭ blau · klamm ℭ rote Nase ℭ Gänsehaut · Kältegefühl · Schauder · Schauer · Schüttelfrost · Zähneklappern.

6. Geruchssinn. s. *Geruch 7. 62.*

beriechen · (be)schnüffeln · (be)schnuppern · einatmen · (ein)schlürfen · riechen · schmecken (alem.) · winden (jäg.) wittern · in die Nase bekommen ℭ Gasriecher (Luftschutz) ℭ Nase · Geruchsorgan *s. 2. 16* · eine feine Nase ℭ Geruch.

7. Geschmackssinn. essen *2. 26. Geschmack 7. 65.*

abschmecken · kosten · lecken · nippen · probieren · versuchen · schmecken · auf der Zunge zergehen lassen · durch die Zähne schlürfen, ziehen ℭ munden · zusagen *s. gefallen 11. 17.*

8. Wohlgeschmack. s. *Gewürz 2. 28. gute Qualität 9. 56. gefallen 11. 17.*

hm ℭ anlachen · munden · schmecken · wohlschmecken · zusagen · gut schmecken · schön schmecken (norddt.) · davon läuft das Wasser im Mund zusammen · schmeckt nach mehr · das läßt sich essen · den Gaumen kitzeln ℭ goutieren ℭ appetitlich · aromatisch · delikat · fein · gar · genießbar · götterhaft · köstlich · kräftig · lecker · mundgerecht · pikant · schmackhaft · verlockend · wohlschmeckend · würzig · zart ·

zum Anbeißen ⁋ Ambrosia · Auster · Delikatesse · Feinkost · Götterschmaus · Göttertrank · Kaviar · Leckerbissen · Leckerei · Näscherei · Nektar · Lukullische Mahlzeit ⁋ Aroma · Blume · Bukett · Gaumenkitzel · Schmackhaftigkeit · Wohlgeschmack.

9. Übler Geschmack. *s. sauer, bitter, schal usw. 7. 67—69. mißfallen 11. 28.*

anwidern · aufstoßen · beißen · widerstehen · schlecht schmecken · den Geschmack verletzen · es strämmt, kratzt im Hals · denGaumen beleidigen, die Zunge beleidigen · nach Zahnarzt usw. schmecken · schmeckt rauf wie runter ⁋ denaturieren · vergällen · versalzen · versetzen · ungenießbar machen ⁋ angebrannt · brackig · ekelerregend · ekelhaft · faulig · fies · geschmacklos · räß · ranzig · rauh · schroh · susselig · übelschmeckend · unappetitlich · ungenießbar · unschmackhaft · verdorben · vergammelt · widerlich ⁋ Dreimännerwein *s. 7. 31* · Galle · Kahm · Lauge · Schimmel · Kanalbrühe · Abwaschwasser · Spülwasser ⁋ Fraß · Saufraß · Schlangenfraß · Hundsgefräß ⁋ Magensäure · Nachgeschmack · Brechreiz.

10. Hunger. *s. essen 2. 26. fasten 2. 29. Begierde 11. 36. arm 18. 4.*

mit knurrendem Magen · den Riemen enger schnallen · dem rutscht der Magen weg ⁋ darben · fasten · hungern · Kohldampf schieben · kann vor Hunger nicht mehr geradeaus sehen, in Schlaf kommen, mir ist so zweierlei (Darmstadt) ⁋ flau · hungrig · heißhungrig wie ein Geier, wie ein Rabe, wie ein Wolf ⁋ Feinschmecker · Fresser · Freßsack · Gierpansch · Gourmand · Gourmet · Leckermaul · Lüstling · Materialist · Nimmersatt · Schlemmer · Vielfraß ⁋ Unterernährungsbeauftragter ⁋ Appetit · Eßlust · Eßsucht · Gibbel (berl.) · Hunger · Heiß-, Mords-, Wolfshunger · der bellende Magen · Janker (ostd.) ⁋ Hungersnot · Decaloritis · Rationierung · teure Zeit (Judith 5. 8).

11. Eßgier. *s. essen 2. 26. dick 4. 10. Gasterei 16. 64. verschwenden 18. 14.*

sich anessen · einhauen · fressen · sich mästen · pampfen · prassen · schlemmen · schlingen · schwelgen · sich überfressen · sich vollpropfen · sich vollstopfen · zechen · den Bauch, Magen, Wanst (an)füllen · sich gütlich tun · leben und genießen · der Mahlzeit Gerechtigkeit widerfahren lassen, Ehre antun · gefräßig, gierig darüber herfallen · es mit der Schüssel halten · ist nicht satt zu kriegen · frißt wie ein Scheunendrescher ⁋ den Bauch anbeten, pflegen · dem Bauche dienen · ein Vermögen, Haus und Hof verprassen · sich eines guten Appetits erfreuen · einen gesunden, tüchtigen Magen haben · Steine verdauen können · einen Straußenmagen haben ⁋ freßgierig · gefräßig · gierig · heißhungrig · hungrig · leckermäulig · lukullisch · naschhaft · polyphag · prasserisch · unersättlich · unmäßig · verfressen · die Augen sind größer als der Magen ⁋ Bauchdiener · Epikureer · Feinschmecker · Fresser · Genießer · Gierpansch · Gourmand · Leckermaul · Lüstling · Nimmersatt · Prasser · Schlemmer · Schlund · Schwelger · Vielfraß · Wanst · kein Kostverächter · Lukull ⁋ Freßgier · Freßsucht · Gefräßigkeit · Gier · Heißhunger · Unersättlichkeit · gesegneter Appetit ⁋ Abfütterung · Prasserei · Schlemmerei · Schwelgerei · Völlerei.

12. Wählerisch im Essen. *s. 11. 19. Unzufriedenheit 11. 27.*

mäkeln · schnäuken (hess.) · schnäupern · im Essen stökern · er kaut hoch · schneiken (alem., bair.) · stierl'n (bair.) · uressen (vogtl.) ⁋ geier · genäschig (bair.) · genißlich (schles.) · graubäsig (schweiz.) · heikel · heiklig · käbisch · kaläß (schweiz.) ·

kaukadsch (preuß.) · kerkenzig (thür.) · kiesätig (nordd.) · körisch · kogäß (schweiz) ·
krüsch (ndd.) · kürisch (berg.) · leckerhaft · leckerfötzig · leckermäulig · mäklig ·
niedlich · querfrätsch (hannov.) · schnäupig (hess.) · schneikig (alem.) · schnippisch
(Fulda) · schleckig (schwäb.) · schnöselig · speiisch, speisig (hess.) · verleckert (westf.) ·
verschleckt · verschneikt · verschnuppt ⁊ Feinschmecker · Kiesaat (Berl.) · Korweschi
(bad.) · Leckermaul · Lesel (hess.) · Schlecker · Schmecker · Schnäuper (hess.)

13. Durst. *s. trinken 2. 30. Begierde 11. 36.*

dürsten · dursten · jachern · lechzen · verschmachten · die Zunge klebt am Gaumen ·
⁊ durstig · ausgedörrt ⁊ Brand · Durst.

14. Sättigung. *s. betrunken 2. 33. genug 4. 23. voll 4. 21. Zufriedenheit 11. 16.*
Unzufriedenheit 11. 27.

sich sättigen · den Durst löschen · den Hunger stillen · sich den Magen überfüllen, überladen, verderben · seine Lust büßen · sein Mütchen kühlen ⁊ kann
nicht mehr · mehr als genug, übergenug haben · sich überessen · sich übernehmen
⁊ zum Munde herauskommen · überlaufen ⁊ befriedigen · sättigen · überfüttern ·
übersättigen ⁊ abgestumpft · befriedigt · blasiert · genußmüde · gesättigt · müde ·
satt · überdrüssig · übersättigt · übervoll · verlebt ⁊ Lustgreis ⁊ Blasiertheit ·
Ekel · Fülle · Überdruß · Übersättigung.

15. Sehen. *s. Sichtbarkeit 7. 1. wahrnehmen 12. 20. erkennen 12. 31.*

vor aller Augen, Öffentlichkeit · coram publico ⁊ *ohne Absicht:* apperzipieren ·
aufspüren · bemerken · entdecken · erblicken · (klar) erkennen · erspähen · gewahren · sehen · sichten · unterscheiden · wahrnehmen · gewahr werden, ansichtig werden · zu Gesicht bekommen · die Augen gehen ihm auf · es fällt wie
Schuppen von den Augen ⁊ *mit Absicht:* äugen · äugeln · anblicken · anglotzen ·
anschauen · anstarren · anstieren · ausmachen · ausspähen · ausspionieren · ausspüren · beäugen · begaffen · begucken · beobachten · beschatten · besichtigen ·
betrachten · blicken · durchschauen · fixieren · gaffen · glotzen · gucken · glubschen ·
hinsehen · kieken · linsen · luchsen · lugen · mustern · sich orientieren · peilen ·
prüfen · schauen · sehen · spähen · starren · stieren · überblicken · sich vergewissern · visieren · sein Augenmerk richten auf · den Blick heften auf · ins Auge
fassen · in Augenschein nehmen · im Auge behalten · aufs Korn, auf den Kieker
nehmen · mit dem Blick verfolgen · Umschau halten ⁊ abgucken · abschreiben ·
spicken ⁊ jem. die Augen öffnen ⁊ einen Blick erhaschen von ⁊ fazial · okular ·
optisch · sichtbar ⁊ durchdringend · fernsichtig · scharfsichtig · weitsichtig ·
adleräugig · fernblickend · visuell ⁊ Anwesender · Augenzeuge · Beobachter ·
Betrachter · Dabeistehender · Detektiv · Kundschafter · Späher · Spanner, Astlochgucker · Spion · Spitzel · Zeuge · Zuschauer ⁊ Lynkeus · Gesichts-, Augenmensch
⁊ Augapfel · Auge *s. 2. 16* · Hornhaut · Netzhaut · das bloße, nackte, unbewaffnete
Auge · Adlerauge · Basiliskenblick · Falkenauge · Luchsauge ⁊ Amphitheater ·
Arena · Bühne · Szenerie · Schauplatz · Theater ⁊ Ansitz · Auslug · Beobachtungs-
posten · Observatorium · Sternwarte · Wachturm · Warte · Schlüsselloch · Brenn-
weite ⁊ Augenlicht · Blick · Gesicht · Gesichtssinn · Sehvermögen ⁊ Farbensinn ·
Raumsinn ⁊ Autopsie ⁊ Anblick · Aussicht · Fernsicht · Gesichtspunkt · Kimmung ·
Horizont · Panorama · Perspektive · Prospekt · Sicht · Überblick.

16. Optische Instrumente. *s. Lichtbild 15. 8. Kino 15. 9.*

spiegeln ¶ achromatisch · anastigmatisch · bikonkav · bikonvex · konkav · konvex · periskopisch ¶ mit bewaffnetem Auge · Augenglas · Blende · Brennglas · Brille · Einglas, Monokel · Feldstecher · Fernrohr · Glas, Klemmer, Kneifer, Pincenez · Zwicker · Linse · Lorgnette, Lorgnon · Lupe · Mikroskop · Objektiv · Opernglas, -gucker · Periskop · Sehrohr, Spargel · Perspektiv · Sammellinse · Teleobjektiv · Teleskop · Vergrößerungsglas · Zerstreuungslinse ¶ Hohlspiegel · Kaleidoskop · Kamera · Laterna magica · Polyskop · Prisma · Projektionsapparat · Epidiaskop · Reflektor · Refraktor · Spiegel · Spion · Stereoskop · Zauberlaterne, Fernseher ¶ Lichtmesser · Photometer · Strahlenmesser ¶ Optiker.

17. Schwachsichtig, Sehmängel. *s. trüb 7. 6. Einbildung 12. 28.*

spiegeln ¶ blinzeln · schielen ¶ flimmern · flirren · schwindeln ¶ doppeltsehen ¶ beschränkte Aussicht haben ¶ einen Nebel, einen Schleier vor den Augen haben · verschleiert sehen · unvollkommen sehen · muß die Stadtbrille aufsetzen ¶ astigmatisch · augenkrank · blödsichtig · doppelsichtig · einäugig · farbenblind · fernsichtig · kurzsichtig · lichtscheu · nachtblind · scheel · schneeblind · schwachsichtig · sonnenblind · triefäugig · weitsichtig ¶ Albino, Kakerlake, Weißling · Eule · Maulwurf · Nachteule ¶ Sinnestäuschung · Vision ¶ Astigmatismus · Augenfluß · Farbenblindheit · Gesichtsverwirrung · Schwindel · Sehstörung · Taumel · Trübung · optische Täuschung.

18. Blind. *s. Krankheit 2. 41.*

blindlings · mit verbundenen Augen · unbesehen ¶ blinzeln · zwinkern · die Augen abwenden · die Augen schließen ¶ erblinden · das Gesicht verlieren ¶ blenden · die Augen verbinden · des Gesichts berauben · Sand in die Augen streuen · an der Nase herumführen ¶ augenlos · blind · gesichtslos · stockblind ¶ blindes Huhn ¶ Methylalkohol ¶ Blindheit · Blödsinnigkeit · Gesichtslosigkeit · grüner Star, Glaukom · grauer Star.

19. Hören. *s. Schall 7. 24. Aufmerksamkeit 12. 7.*

ohne Absicht: aufschnappen · empfangen · hören · vernehmen · wahrnehmen ¶ *mit Absicht:* horch · husch · pst · sch · st · mit verhaltenem Atem ¶ abhören · anhören · aufhorchen · behorchen · belauschen · horchen · hören · lauschen · loosen (alem.) · mithören · vernehmen · wahrnehmen · zuhören · die Ohren aufmachen, spitzen · sein Ohr leihen · an jemandes Lippen hängen ¶ Platte auflegen, spielen ¶ akustisch ¶ deutlich · hörbar · vornehmlich ¶ mal herhören! ¶ feinhellhörig · musikalisch ¶ Hörer in (an) der Wand · Lauscher · Ohrenzeuge · Zuhörer-, Hörerschaft · Ohrenmensch ¶ Gehörgang · Gehörorgan *s. Ohr 2. 16* ¶ Echolot · Hörrohr · Horchgerät · Kopfhörer · Mikrophon ¶ Auditorium · Hörsaal · Horchposten ¶ Gehör · Gehörsinn ¶ Akustik.

20. Taub.

sein Ohr verschließen · sitzt auf den Ohren · hört nichts ¶ betäuben ¶ gehörlos · harthörig · schwerhörig · taub · derisch · taubstumm · stocktaub ¶ undeutlich vernehmbar · unhörbar · betäubend ¶ schlechte Akustik ¶ Gehörfehler · Ohrensausen · Gehörlosigkeit · Harthörigkeit · Schwerhörigkeit · Taubheit.

21. Sinnlichkeit. *s. erregt 11. 5. Wunsch 11. 36. unkeusch 16. 44.*

bei mir Wedekind: Frühlingserwachen · bei mir Nordsee: oftmals stürmisch · bei mir Reigen: immer scharf · bei mir Kastanie: Vorliebe für braun · sieht Helena in jedem Weibe · balzen · sich erregen *s. 11. 5* ⁋ ihn sticht der Hafer · ihre Reize entfalten, spielen lassen ⁋ bacchantisch · begehrlich · brünstig · erotisch · fleischlich · geil · ithyphallisch · libidinös · liebestoll · lüstern · mannstoll · mutterwütig · scharf · sensuell · sinnlich · triebhaft · triebverhaftet · üppig · verliebt · wild · wollüstig ⁋ Bock · Bonvivant · Casanova · Don Juan · Draufgänger · Erotoman · Faun · Lebemann ⁋ Mädchen-, Schwürzenjäger · Nachsteiger · Satyr · Weltkind ⁋ Halbjungfrau · Messalina ⁋ das Fleisch · Gelüst · Libido · Lüsternheit · Lust *s. 11. 9—11* · Sinnlichkeit Temperament · Trieb · Wallung · Wollust · Wünsche · Erektion · Kontumeszenz ⁋ sex appeal.

11. Fühlen. Affekte. Charaktereigenschaften

11. 1. Bewußtsein
11. 2. Seelische Artung
11. 3. Seelischer Zustand
11. 4. Empfindung
11. 5. Erregung
11. 6. Erregbarkeit
11. 7. Empfindlichkeit
11. 8. Unempfindlichkeit, Seelenruhe
11. 9. Lust empfinden
11. 10. Lust verursachen
11. 11. Genußsucht
11. 12. Mäßigkeit
11. 13. Unlust empfinden
11. 14. Unlust verursachen
11. 15. Unwohlsein
11. 16. Zufriedenheit
11. 17. Wohlgefallen, bewundern, Schönheit
11. 18. Geschmack, Kunstsinn
11. 19. Wählerisch
11. 20. Lebhaft
11. 21. Heiter
11. 22. Vergnügen, Lachen
11. 23. Witz
11. 24. Lächerlichkeit
11. 25. Ernst
11. 26. Langeweile
11. 27. Unzufriedenheit
11. 28. Mißfallen, häßlich
11. 29. Geschmacklosigkeit
11. 30. Verwunderung
11. 31. Zorn

11. 32. Trübsinn
11. 33. Klage
11. 34. Tröstung
11. 35. Hoffnung
11. 36. Wunsch
11. 37. Gleichgültigkeit
11. 38. Mut
11. 39. Tollkühn
11. 40. Vorsicht
11. 41. Schwarzseherei
11. 42. Furcht, Schrecken
11. 43. Feigheit
11. 44. Stolz
11. 45. Eitelkeit
11. 46. Einfachheit
11. 47. Bescheiden
11. 48. Demut
11. 49. Scham
11. 50. Mitgefühl
11. 51. Menschenliebe
11. 52. Wohlwollen
11. 53. Liebe
11. 54. Dankbarkeit
11. 55. Undank
11. 56. Eifersucht
11. 57. Neid
11. 58. Reizbarkeit
11. 59. Abneigung
11. 60. Übelwollen
11. 61. Härte
11. 62. Haß
11. 63. Menschenhaß

1. Bewußtsein, Inneres. *s. Leben 2. 17. wach 2. 37.*

zu sich kommen · erwachen · bewußt werden ⁊ ichhaft · innerlich · seelisch · psychisch · subjektiv ⁊ Bewußtsein · Brust · Busen · Geist · Herz · Ich · Inneres · Innenwelt · Seele · Selbst · Subjekt · der innere Mensch · das wahre Ich ⁊ ist bei (voller) Besinnung.

2. Seelische Art. *s. Art 5. 8. denken 12. 3.*

disponiert, eingestellt, geneigt, gestimmt, veranlagt sein · wes Geistes Kind · kann nicht aus seiner Haut heraus · das sieht ihm ähnlich ⁊ *von Eigenschaften:* im Blute stecken, liegen ⁊ anerzogen · angeboren · charakteristisch · ererbt · mit der Muttermilch eingesogen ⁊ Anlage · Art · Bewußtsein · Bewußtseinslage · Brust · Busen · Charakter · Denken · Denkhaltung · Disposition · Eigenwuchs · Eigenart · Einstellung · Erbmasse · Geblüt · Geist · Geistesbeschaffenheit · Geisteshaltung · Geisteszustand · Geistigkeit · Gemüt · Gemüts(an)lage · Gemütsart · das Gesamtmenschliche · Gesinnung · innere Haltung · Herz · Ich · Individualität · Innenleben · Innenwelt · Konstitution · Lebensgefühl · Mentalität · Natur · Naturell · Psyche · Psychologie · Rasse · Richtung · Seele · Seelenhaltung · Seelenlage · Seelenleben · Seelentum · Seelenverfassung · Seelenwelt · Sinnesart · seelische Struktur · Sonderart · Temperament · Typ · das Unbewußte · Unterbewußtsein · Veranlagung · Verfassung · Weltanschauung · Wesen · Wesensart ⁊ Anlage · Eigenschaft · Empfänglichkeit · Empfindung · Faible · Gefühl · Geneigtheit · Hang · Leidenschaft · Lust · Neigung · Trieb ⁊ Passion · Schwäche · Steckenpferd ⁊ Physiognomik.

3. Seelischer Zustand.

zu Mute sein · in der Laune sein · der Sinn steht darnach · fühlt sich bemüßigt · mir ist nach · stimmen ⁊ ist aufgelegt · bereit · disponiert, eingestellt, gelaunt, gemutet, geneigt, gestimmt, indisponiert ⁊ Affekt · Anwandlung · Disposition · Einstellung · Gemütsverfassung · Geisteszustand · Laune · Stimmung · Verfassung · Wallung.

4. Empfindung. *s. wahrnehmen 12. 20.*

ahnen · apperzipieren · bemerken · empfinden · erleben · (sich) fühlen · merken · reagieren · spüren · verspüren ⁊ gewahren · innewerden · spannen (bair.) · wahrnehmen ⁊ gewahr werden · den Eindruck haben, bekommen · ein Gefühl hegen · berührt werden · mir ist so, als ob · sich bewußt sein · sich bewußt werden ⁊ bewußt · empfindlich · empfindsam · feinfühlig · fühlig · hellwach · sensibel · sensitiv · taktvoll · wach · zugänglich ⁊ bemerkbar · eindrucksvoll · merklich ⁊ Gefühlsorgan · Nerv · die „fünf Sinne" ⁊ Apperzeption · Auffassung · Bewußtsein · Eindruck · Empfindung · Gefühl · Perzeption ⁊ Empfänglichkeit · Empfindlichkeit · Sensibilität · Sensitivität.

5. Erregung. *s. betrunken 2. 33. Heftigkeit 5. 36. Stoß 8. 9. Zorn 11. 31. Liebe 11. 53. verrückt 12. 57.*

alle Hagel · au verflucht · Donner und Doria · Donnerkiel · Donnerschlag · Donnerwetter · Dunnerlettcher · Dunnerlittchen · du liebe Zeit · du meine Güte · du liebes Bißchen · (Kreuz-, Potz-) Element · Gewitterkeil · ei ei ei · Gott's Donner · Gottstrammbach · Gott versorge mich · Gottverdanzig · Gott verdilladulde mich (sächs.) · gütiger Himmel · Dunnerhagel, -schlag · heiliger Kilian · heiliger Bimbam · heiliger Brahma · heiliges Kanonenrohr · heiliger Strohsack · Heiland · Herrgott (von Bentheim: westfal.) · Herrschaft nein · Herkulanum · Himmel · Himmi Herrgott Sakredi (bair.) · Himmel Arsch und (Seiden-)Zwirn, und Wolkenbruch · Hölle und Teufel · o Jerum · Jessas na (bair.) · Jessasmariandjosef (bair.) · Kreuz Schock Schwerenot · Krammenot · Kruzitürkn (bair.) · Kruzifixn (bair.) · Kotzbombenelement · na na · o mei (bair.) · Pakatzen (schles.) · Potztausend · sackerlot · Sakrament · sapperment · sapristi · der Schlag noch mal (der Zusatz „noch mal" fast bei allen diesen Flüchen gebräuchlich) · Schwerebrett · Schwerenot · Teufel auch · ei verdimmich · ui Jessas · verflucht und zugenäht · da könnte man vor . . . kerzengerade in die Luft sch—ießen · da geht der Hut hoch · Himmel hast du keine Flöte · das hat noch gefehlt · det is 'n Ding ℂ eifern · fiebern · glühen · platzen vor · pludern = aufgeregt sprechen (schles.) · schwärmen · toben · tosen · vergehen vor · wüten · ist ganz weg, seiner nicht mehr mächtig, außer sich, von sich, nicht bei sich, besessen, erschossen, von Sinnen, berührt, bewegt, ergriffen, erregt, erschüttert, gerührt, durchschaudert, durchdrungen, in höheren Sphären, Feuer und Flamme, aus dem Häuschen, außer Fassung, ganz von etwas beherrscht, in Anspruch genommen · die Hände überm Kopf zusammenschlagen · aufgehen in · kann sich nicht lassen vor · kann es nicht aushalten vor · am ganzen Körper fliegen · ist verloren in den Anblick · aus sich herausgehen · aufwallen · sich begeistern, berauschen · entbrennen · sich ereifern · erglühen · sich erhitzen, auf-, erregen, erwärmen · erschauern · aus dem Häuschen · aus der Tüte geraten · überquellen · sich zerpflücken (schles.) · ihn sticht der Hafer · in Aufregung, Erregung, Eifer, Feuer, Fluß, Hitze, Leidenschaft geraten · von Be geisterung erfaßt werden · warm vor der Stirn werden · Feuer fangen · den Kopf, die Fassung, die Besinnung, die Contenance, die Sprache, das Bewußtsein, den Atem verlieren · nach Luft schnappen · es wird einem weit ums Herz, einem schwillt das Herz, geht das Lerz auf · sich hineinsteigern · Zustände bekommen · eine Szene machen · kann nicht dagegen an ℂ anregen · anstacheln · betäuben · aufregen · auffrischen · aufwühlen · bannen · beseligen · bestricken · betören · bezaubern · berauschen · beunruhigen · blenden · begeistern · bewegen · durchzucken · entflammen · faszinieren · bezwingen · berühren · elektrisieren · erschüttern · erweichen · hinreißen · hypnotisieren · inspirieren · mitnehmen · entzücken · ergreifen · erregen · mitreißen · packen · reizen · rühren · schüren · verwirren · stimulieren · (um)-schmeißen · verblenden · verzaubern · zünden · die Fassung, die Sinne rauben · die Sinne verwirren · scharf machen · die Brust schwellen · das Herz ergreifen · zu Herzen gehen · durch die Seele dringen · erfüllen mit · macht das Herz höher schlagen · neues Blut zuführen · verschlägt einem die Stimme, den Atem ℂ emotional ℂ begeistert · berauscht · besinnungslos · betört · ekstatisch · entflammt · enthusiastisch · entrückt · erdentrückt · entzückt · exaltiert · dionysisch · fanatisch · frenetisch · feurig · fieberhaft · heftig · heißblütig · hingegossen · hitzig · impulsiv · jugendbewegt · kopflos · korybantisch · lebhaft · leidenschaftlich · rasend · rassig · schwärmerisch · stürmisch · temperamentvoll · tobend · toll · unbändig · ungeduldig · verbiestert · verrannt · verrückt · verzückt · wahnsinnig ℂ aufwühlend · narkotisch · packend · penetrant ℂ Berserker · Mänade ℂ Rauschgifte ℂ Affekt · Anfall · Aufregung · Begeisterung · Bewegung · Bezauberung · Blutrausch · Delirium · Ekstase Enthusiasmus · Entzückung · Erregung · Erschütterung · Eifer · Emotion · Erregtheit · Fanatismus, Gesinnungsfieber · Fieber · Feuer(eifer) · Götterfunken · Gemütsbewegung · Glut · Hitze · Inbrunst · Konvulsionen · Krampf · Leidenschaft · Hochgefühl · Hurrastimmung · Impuls · Koller · Paroxysmus · Rausch · Regung · Rührung · Orgasmus · Orgiasmus · Schwärmerei · Sinnentaumel · Sturm und Drang · Taumel · Temperamentsausbruch · Trance · Überschwang · Verblendung · Verzückung · Wallung · Wollust · Wonne · Wonnerausch · schöner Wahnsinn · gehobener Busen · heißes Herz · Aufruhr der Gefühle · Sturm im Innern.

6. Erregbarkeit. *s. Zorn 11. 31. verrückt 12. 57. Übertreibung 13. 52.*

jach · blindlings ❡ leicht explodieren · Feuer fangen · das Töppel kocht über ❡ affektgeladen · aufgeregt · exaltiert · extravagant · extrem · exzenterisch · fickerig · flackerig · geladen · haltlos · hastig · hemmungslos · hysterisch · hinreißungsfähig · kollerig · krankhaft · lebhaft · leidenschaftlich · maßlos · melodramatisch · outriert · pathologisch · plötzlich · radikal · rasch · sanguinisch · schwärmerisch · sprunghaft · temperamentvoll · triebhaft · triebmäßig · ungebunden · unbeherrscht · unberechenbar · unstet · unüberlegt · übernervös · überreizt · überstürzt · verstiegen · vorschnell ❡ Abenteurer · Augenblicksmensch · Bohémien · Brausekopf · Durchgänger · Choleriker · Eiferer · Extremist · Fanatiker · Fantast · Flederwisch · Gefühlsmensch · Glücksritter · Halbnarr · Heißsporn · Himmelsstürmer · Irrwisch · Künstlerblut · Romantiker · Sanguiniker · Sprühteufel · Stürmer und Dränger · Tollkopf · Ultra · Unband · Vagabund · Werther · Wildfand · Wirbelwind ❡ blinder Eifer · Strohfeuer · Unrast · aufsteigende, fliegende Hitze.

7. Empfindlichkeit (passiv). *s. Laune 9. 10. Unzufriedenheit 11. 27; 11. 19. Klage 11. 33. Angst 11. 42. reizbar 11. 58. prüde 16. 51.*

ist etepete, sehr eigen · übelnehmen · sitzt auf dem Sofa und nimmt übel ❡ verweichlichen · verzärteln ❡ ästhetisch · allergisch · differenziert · empfänglich · empfindlich · empfindsam · empfindungsvoll · erregbar · feinfühlend · feinfühlig, -nervig · gefühlvoll · labil · lyrisch · mimosenhaft · nervös · pingelig · pimpelich · poetisch · pütcherig · reizbar · reizsam · romantisch · schmachtend · seelenvoll · sensitiv · sentimental · soupçonös · unverstanden · wehleidig · weichlich · weinerlich · überhell · überwach · zartbesaitet · immer gekränkt ❡ Ästhet · Künstler(natur) · Muttersöhnchen · Versteher · Dichter · Gefühlsmensch · Heulpeter · Kräutchen · Rühr-mich-nicht-an · gekränkte Leberwurst · Mimose · Nervenbündel · Schöngeist · Schoßkind · rohes Ei · Prinzessin auf der Erbse · Primadonna · Star ❡ dunkler Punkt · wunder Punkt · Achillesferse ❡ Allergie · Empfindlichkeit · Idiosynkrasie · Reizsamkeit · Übelnehmerei.

8. Unempfindlichkeit, Seelenruhe. *s. langsam 8. 8. beharrlich 9. 8. Ruhe 9. 36. gleichgiltig 9. 45; 11. 37. Zufriedenheit 11. 16. Ernst 11. 25. Langeweile 11. 26. Tröstung 11. 34. Verzicht 11. 37. hartherzig 11. 61 freier Geist 12. 54.*

mit Bedacht · mit nachtwandlerischer Sicherheit · immer mit der Ruhe · mir nichts dir nichts · nur keine künstliche Aufregung · ja nicht aufplustern · es wird überall mit Wasser gekocht und die Bäume wachsen nicht in den Himmel · wird nicht alles so heiß gegessen ❡ sich (ab)finden · sich gefallen lassen · in Kauf nehmen · aushalten · ausharren · dulden · durchmachen · hinunteressen, -würgen · sich beherrschen · einstecken · entsagen · erleiden · ertragen · hinnehmen · leichtnehmen · sich fügen · sich mäßigen · (sich) resignieren · schlucken · leiden · sich beugen · überwinden · sich verkriechen · verwinden · sich zurückhalten · vegetieren · verbeißen · sich darein schicken, ergeben · gefaßt, kalt bleiben · sich nicht aufreizen, beikommen, erregen lassen · auf die leichte Achsel, Schulter nehmen · die Achsel zucken · sich nichts daraus machen · den Kopf oben behalten · sich selbst besiegen · sich nicht anfechten lassen · sich nicht aus der contenance, aus dem Gleichgewicht, aus der Ruhe bringen lassen · kaltes Blut bewahren · über den Dingen stehen · in sich ruhen · sich nicht scheren um · an sich herankommen lassen · in Form bleiben · in den Tag hinein leben · Gott einen guten Mann sein lassen · das ist, wie wenn man einen Ochsen ins Horn petzt · hat die Ruhe weg, Nerven wie Stahl · leben und leben lassen ¶ sich abregen · sich beruhigen, sich fassen · zu sich selbst, zur Besinnung kommen · sich in der Hand behalten · Vernunft annehmen · inneren Abstand gewinnen ¶ abhärten · abstumpfen · abtöten · bändigen · beruhigen · besänftigen · betäuben · dämpfen · entspannen · kühlen · lindern · mäßigen · beschwichtigen · stillen · zähmen · Öl auf die Wogen gießen · in Schranken halten ¶ abgebrüht · abgeklärt · abgestumpft · achtlos · anteilslos · apathisch · behäbig · besonnen · blasiert · dickfellig · dumpf · ehern · eisig · empfindungslos · ernst · frigid · frostig · fühllos · geduldig · gefaßt · gefühllos · geistesgegenwärtig · gelassen · gemütlich · geruhig · geduldig · gesetzt · gleichgültig · gleichmütig · gravitätisch · hartgesotten · herzlos · impotent · inaktiv · kalt(blütig) · indolent · kalt · kühl · lasch · lau · leidenschaftslos · lethargisch · mitleidslos · nüchtern · passiv · philosophisch · phlegmatisch · reglos · steif · ruhig · schläfrig · schlaftrunken · sorglos · stahlgepanzert · standhaft · stoisch · stolz · tolerant · trocken · unbekümmert · unbeseelt · unempfindlich · unerschütterlich · ungerührt · verhärtet · wachsweich · würdig · zäh · zahm · zynisch ¶ schmerzlos ¶ Asiate · Denker · Engländer · Frosch · Hiob · Hundeschnauze · Lebenskünstler · Olympier · Philister · Philosoph · Stockfisch · Stoiker · Weiser · kühle Natur · die Ruhe in Person ¶ Baldrian · Beruhigungsmittel · Brom · Narkotikum · Schnuller · Sedativum · Spritze · kalter Wasserstrahl · Gummizelle ¶ Narkose · Ohnmacht · bleierner Schlaf · Schrecksekunde ¶ Apathie · Ataraxie · Ernst · Fischblut · Geduld · Gemütsruhe · Gleichmut · Indolenz · Kälte · Langmut · Lebensklugheit · Lebensweisheit · Lethargie · Phlegma · Engelsgeduld · Lammesgeduld · olympische Ruhe · allgemeine Wurschtigkeit · bleierne Schwere · inneres Gleichgewicht · Ausgewogenheit · Dornröschenschlaf ¶ Abreaktion · Katharsis.

9. Lust empfinden. *s. Glück 5. 46. Ruhe 9. 36. Heiterkeit 11. 21.*

sich aalen · sich amüsieren · aufatmen · sich ausleben · sich freuen · frohlocken · genießen · jauchzen · jubeln · schwelgen · sich sonnen · triumphieren · strahlen · Vergnügen empfinden, fühlen · sich das Leben angenehm, bequem, leicht machen · versüßen · in Wonne schwimmen · in Seligkeit schwelgen · er ist hoch · fühlt sich behaglich wohl · die Welt in rosigem Licht sehen · sich etwas gönnen · den Himmel offen, voller Baßgeigen sehen · sich der Freude überlassen · sich der Lust hingeben, dem Genuß hingeben · vor Freude erglühen · Freudentränen vergießen · sich gütlich tun · sich wohl fühlen · flott leben · leben und leben lassen · eitel Glück sein · leben und genießen · sich nichts abgehen lassen · sich's wohl sein lassen · sich die Hörner ablaufen · der Langeweile, den Sorgen ausweichen · setzt sich über alles weg · ist beglückt, im Himmel, im Paradies, im siebenten Himmel, in Freude und Wonne, im Schoße des Glücks · lebt herrlich und in Freuden, wie die Vögel im Hanfsamen, wie Gott in Frankreich, freut sich wie ein Stint, wie ein Schneekönig ¶ ausgelassen · befriedigt · entzückt · erfreut · froh · heiter · lebhaft · lustig · munter · optimistisch · vergnügt ¶ angeregt · angetan · aufgeräumt · ausgelassen · berauscht · beseeligt · bezaubert · freudig · fröhlich · glücklich · glückselig · heiter · jovial · kummerlos · selig · freudestrahlend · freudevoll · sorgenfrei · unbesorgt · wohlgemut · zufrieden · sinnberauscht · wonnetrunken · wohltuend berührt · freudig, angeregt · vom Glücke trunken, von Wonne berauscht · ist hoch, selig wie im Paradies, in gehobener Stimmung, guter Dinge ¶ Optimist ¶ Arkadien · Eden · Eldorado · Elysium · Himmel (auf Erden) · Olymp · Paradies · Schlaraffenland · himmlische Gefilde ¶ Flitterwochen · Freudentage · Glückstage · Honigmonat · Wonnezeit · goldenes Zeitalter · friedliche Tage · heitere Tage ohne Sorgen · Zweisamkeit ¶ Abwechslung · Befriedigung · Familien-

glück · Freude · Fröhlichkeit · Frohmut · Frohsinn · Glück · Heiterkeit ⁋ Ausgelassenheit · Begeisterung · Ekstase · Enthusiasmus · Entzücken · Euphorie ·
Freudentaumel · Genuß · Gaudi(um) · gehobene Stimmung · Geselligkeit *s. 16. 55
und 64* · Jubel · Lachen · Lebensfreude · Lust · Lustgefühl · Munterkeit · Rausch ·
Seligkeit · Taumel · Vergnügen · Verzückung · Wollust · Wonne.

10. Lust verursachen. *s. gute Qualität 9. 56. Zufriedenheit 11. 16. gefallen 11. 17. Freude 11. 21. Zärtlichkeit 16. 43.*

anheimeln · anlächeln · anlachen · anlocken · anmuten · ansprechen · aufmuntern ·
befriedigen · behagen · einladen · einleuchten · erfrischen · erquicken · gefallen ·
jucken · jücken · kitzeln · laben · letzen · munden · schmeicheln · verlocken ·
wohlbehagen · zusagen · Befriedigung bieten · Freude, Spaß machen · es geht
bei ihn (hess.) · geht ihm glatt herunter · Vergnügen bereiten, erregen, gewähren ·
Freude schaffen, spenden, verursachen · ist sein Fall, sein Typ · das schmeckt
aber gut · freudig stimmen · glücklich machen · für sich einnehmen · in Zauber-
banden fesseln · die Herzen, Sinne gefangen nehmen · ist die Höhe der Gefühle
⁋ amüsieren · beglücken · beleben · belustigen · berauschen · berücken · beseligen ·
bestricken · bezaubern · entzücken · erfreuen · erfrischen · ergötzen · erheitern ·
erquicken · hinreißen · krauen · kraulen · laben · letzen · tätscheln · unterhalten ·
vergnügen ⁋ angenehm · annehmbar · ansprechend · appetitlich · begehrenswert · behaglich · delikat · deliziös · einladend · erfreulich · erfrischend · ergötzlich · erquicklich · erwünscht · froh · fröhlich · gefällig · gemächlich · gemütlich ·
genußreich · geschmackvoll · heimelig (alem.) · herrlich · herzerfrischend · herzstärkend · köstlich · kommlich (Schweiz) · labend · lauschig · lecker · lieb · lustbetont · schmackhaft · stimmungsvoll · süß · traulich · trefflich · tröstlich · ungetrübt ·
willkommen · wohlig · wohltuend · wolkenlos · wünschenswert ⁋ benedeit · bezaubernd · einnehmend · fein · fesch · flott · freundlich · gewinnend · gottbegnadet ·
göttlich · himmlisch · köstlich · nett · reizend · schön · seraphisch · sinnberückend ·
verführerisch · verlockend · wonnevoll · wonnig · wunderbar ⁋ amüsant · belustigend · scharmant · unterhaltend · vergnüglich ⁋ Leib- z. B. Leibgericht · Leib-
und Magenlied ⁋ Annehmlichkeit · Augenweide · Belustigung · Ergötzung ·
Herzensweide · Hochgenuß · Kostbarkeit · Köstlichkeit · Labsal · Leckerbissen ·
Leckerei · Ohrenschmaus ⁋ Anmut · Reiz · Süßigkeit · positives (Wert)vorzeichen ·
Wonne · Zauber ⁋ Gefallen · Liebenswürdigkeit ⁋ Bequemlichkeit · Luxus · Wohlleben · Festivität · Festlichkeit · Festspiel · Schmaus.

11. Genußsucht. *s. Trunkenheit 2. 33. faul 9. 41. nachlässig 9. 43. Sinnlich-keit 10. 21. Begierde 11. 36. Lüste 16. 44. Tanz 16. 58. Fest 16. 58.*

ausgehen · sich ausleben · ausschweifen · sich austoben · bummeln · juxen · sich
mästen · prassen · schlemmen · schwärmen · tollen · vernaschen · in Saus und
Braus leben · die Grenzen, das Maß, alle Schranken überschreiten, übersteigen ·
der Sinnlichkeit frönen, huldigen · seinen Leidenschaften nachhangen, dienen ·
sich seinen Begierden, Gelüsten ergeben, hingeben, überlassen · sich nicht beherrschen, bemeistern, bezähmen, mäßigen, zügeln können · vom Fette des Landes
leben · sich nichts versagen · sich nichts abgehen lassen · den Freudenbecher
ausschlürfen, bis zur Neige leeren · wilden Hafer säen · der Venus opfern ·
Orgien (Orchideen) feiern · eine Dutt (= redoute) machen (stud.) · sich die Hörner
abstoßen · über die Stränge schlagen · sich gute Tage machen · über die Schnur
hauen · sich in den Wirbel der Zerstreuung, in den Strudel des Vergnügens

stürzen · sich gehen lassen · locker locker machen (mil.) · seinem Affen Zucker geben · Fettlebe machen ❡ ausgelassen · ausschweifend · begehrlich · bestialisch · brutal · flatterhaft · frech · frivol · gemein · genießerisch · genußsüchtig · leicht · leichtfertig · leichtsinnig · liederlich · locker · lose · maßlos · naschhaft · obszön · prasserisch · sauflustig · schwelgerisch · sinnlich · -süchtig · tierisch · triebhaft · übermäßig · ungebunden · ungezügelt · unmäßig · unsolide · vergnügungssüchtig · wild · wollüstig · wüst · zügellos ❡ Ästhet · Bacchant, Epikureer · Genießer · Genußbold · Genußmensch · Lebemann · Lebenskünstler · Individualist · Lüstling · Materialist · Nachtschwärmer · Prasser · Schwelger · Sybarit · Weichling · Weltkind · Wollüstling · Wüstling · Sklave seiner Triebe · Flittchen usw. *s. 16.* 45 ❡ Genußmittel und Narkotika ❡ Amüsemang, Ausschwiff (berl.) · Bacchanalien · Gelage · Orgie · zu viel des Guten · Erlebnis · Schwoof ❡ Genußsucht · Lebenslust · Leichtsinn · Lotterleben · Luxus · Maßlosigkeit · Taumel · Übermaß · Unmäßigkeit · Üppigkeit · Vergnügungssucht · Verschwendungssucht · Weltsinn · Wohlleben · Wollust · fortgesetzter Lebenswandel ❡ Ausgelassenheit · Ausschreitung · Ausschweifung · Fraß · Fresserei · Liederlichkeit · Lüste · Prasserei · Schwelgerei · Ungebundenheit · Völlerei · Zügellosigkeit · Epikureismus · Hedonismus.

12. Mäßigkeit. *s. fasten 2. 29. wenig 4. 24. Mäßigung 5. 38. Gegenwirkung 9. 72. Vorsicht 11. 40. Keuschheit 16. 50. sparsam 18. 10.*

etwas abschwören · sich beherrschen · sich bezwingen · dosieren · sich durchhungern · sich enthalten · sich mäßigen · sich überwinden · unterlassen · vermeiden · sich versagen · sich zähmen · Maß halten, beobachten, bewahren · sich in Schranken halten · in Grenzen bleiben · die Grenze nicht überschreiten · seine Leidenschaft bekämpfen · sein Kreuz auf sich nehmen · sich den Schmerz verbeißen · Mannes genug sein zu · seine Triebe zügeln · sich geistiger Getränke enthalten · beim Wasser bleiben · nichts Unerlaubtes tun · Distanz halten ❡ trocken legen (Alkoholverbot) · dämpfen ❡ abstinent · alkoholfrei · altpreußisch · altrömisch · anspruchslos · bedürfnislos · bescheiden · enthaltsam · frugal · genügsam · karg · mäßig · moralisch · nüchtern · puritanisch · pythagoreisch · schlicht · spartanisch · vegetarisch ❡ Abstinenzler · Antialkoholiker · Blaukreuzler · Diätetiker · Guttempler · Kneippianer · Kümmerling · Philister · Puritaner · Pythagoreer · Spartaner · Temperenzler · Vegetari(an)er · Wassertrinker ❡ Diogenes · Cato ❡ Mäßigkeitsverein · Schule des Pythagoras ❡ Abstinenz · Abtötung · Bedürfnislosigkeit · Diät · Disziplin · Einfachheit · Einschränkung · Enthaltsamkeit · Geduld · Genügsamkeit · Gleichmut · Maß · Mäßigkeit · Nüchternheit · Relativismus · Römertugend · Selbstbeherrschung, -bescheidung, -entsagung, -überwindung, -verleugnung · Standhaftigkeit · Vegetarianismus · Zurückhaltung ❡ Kontingentierung.

13. Unlust empfinden. *s. Krankheit 2. 41. Unglück 5. 47. beharrlich 9. 8. Mißlingen 9. 78. Trauer 11. 32. Klage 11. 33.*

Schwenken der Hand · f · ä · au · aua · autsch *s. Flüche 11. 5* ❡ mit blutendem Herzen · Gram im Busen · zum Leidwesen ❡ sich abhärmen · sich ängstigen · sich ärgern · ausstehen · durchmachen · klagen über · kränkeln · leiden an · sich sorgen · trauern · verzweifeln · verzwatzeln (südd.) · Schmerz dulden, erleiden, fühlen · Sorge haben · untröstlich sein · dem Kummer erliegen · etwas dick, satt haben · auf Nadeln sitzen · wie auf glühenden Kohlen sitzen · vom Schicksal heimgesucht werden · ausbaden müssen · den Leidenskelch bis auf die Hefe, bis auf den Grund leeren · unangenehm berührt werden · ihm wird wind und weh, blümerant · bittere Erfahrungen machen · teuer bezahlen · sich Sorge machen · kein Auge schließen · benachteiligt werden · die Haare stehen zu Berge ¶ besorgt · betroffen · betrübt · kummervoll · sorgenvoll · verwundet ¶ arm · armselig · bedauernswert · bejammernswert · beklagenswürdig · bemitleidenswert · betrübend · beweinenswert · deprimiert · düster · elegisch · elend · erbärmlich · ergreifend · freudlos · erbittert · erregt · gedrückt · hilflos · melancholisch · mißvergnügt · mutlos · niedergedrückt · niedergeschlagen · reizbar · schmerzerfüllt · schwermütig · tatenlos · traurig · trostlos · trübselig · überdrüssig · unbefriedigt · unglücklich · unglückselig · unselig · untröstlich · unzufrieden · wehmütig · verzagt · verzweifelt · wund ¶ schmerzhaft · schmerzlich ¶ Dulder · Hiob · Leidensgenosse · Märtyrer · Opfer · Schlachtopfer · Pechvogel · Schlemihl · Unglücksrabe · Unglücksvogel · geknickte Lilie · Fisch auf dem Trockenen · Mauerblümchen ¶ gebrochene Flügel ¶ Fegefeuer · Hölle · Inferno · Kalvarienberg ¶ Bedrängnis · Betrübnis · Bitternis · Demütigung · Elend · Kränkung · Kreuz · Kummer · Kümmernis · Leid · Leiden · Nachwehen · Nachwirkung · Passion · Pein · Ping (rhein. f. körperl. Schmerz, z. B. Buuchping) · Kopfschmerz · Schädelbrummen · Schimpf · Schmach · Schmerz · Sorge · Prüfung · Todeskampf · Trübsal · Unbill · Ungemach · Weh ¶ Ärger · Albdrücken · Anfall · Angst · Beklemmung · Beklommenheit · Besorgnis · Ekel · Furcht · Langeweile · Mißbehagen · Mißfallen · Mißvergnügen · Niedergeschlagenheit · Überdruß · Übersättigung · Unbehagen · Unlust · Unmut · Unruhe · Unwille · Unzufriedenheit · Weh · Zerrissenheit ¶ Plage · Qual · Unannehmlichkeit · Verdrießlichkeit · Verdruß · Verlegenheit · Wehwehchen · Widerwärtigkeit ¶ Böses · Folter · Heimsuchung · Herzeleid · Leiden · Leidensweg · Marter · Mißbehagen · Mißgeschick · Nachteil · Not · Passion · Tortur · Übel · Unfall · Unglück · Unheil · Vapeurs · Verlassenheit · Verzweiflung · Weltschmerz ¶ Leidenskelch · Todesschweiß · kalter Angstschweiß · blutendes, gebrochenes, geknicktes, schweres, zerrissenes Herz · Stich ins Herz · körperlicher Schmerz · fressendes Geschwür · das Leben eine Last · kummervolles Dasein · nagender, quälender Kummer · Hölle auf Erden.

14. Unlust verursachen. *s. krank 2.41. Mißton 7.31. schaden 9.50. schwierig 9.55. verschlimmern 9.61. häßlich 11.28. Zorn 11.31. Streit 16.67. prügeln 16.78. quälen 16.79. Strafe 19.32.*

erschweren · verschlimmern ¶ angreifen · bohren · brennen · foltern · hämmern · jucken · kneifen · kneipen · pfetzen · pieken · piesacken · rädern · schmerzen · schneiden · stechen · wehe tun · zusetzen · zwicken ¶ ärgern · mißfallen · schaden · schmerzen · verdrießen · sauer, schwer ankommen · wehtun · teuer zu stehen kommen · Tränen ablocken, erpressen ¶ aufbringen · belästigen · behelligen · beleidigen · beschweren · betrüben · beunruhigen · deprimieren · empören · entrüsten · erbittern · inkommodieren · kränken · kümmern · niederdrücken · stören · verletzen · verstimmen · verwunden · in Harnisch, in Zorn bringen · des Vergnügens berauben · jem. die Freude verderben · zu Boden drücken · ins Herz, ins Innerste treffen · in Wut, Zorn, von Sinnen bringen · aufs Rad flechten · auf die Folter spannen · in Trübsal stürzen, das Herz brechen · unter die Erde bringen · aus allen Himmeln, vom Himmel in die Hölle stürzen · die Geschichte wächst einem zum Hals heraus · das Herz zerreißen, schwer machen · den Schlaf verscheuchen · bittere Stunden verursachen · Abscheu, Schauder erregen · das Gefühl verletzen, verwunden · in der Wunde wühlen · alte Wunden aufreißen · den Giftpfeil abschießen · ein Dorn, Stachel im Auge sein · der Schuh drückt · das dicke Ende kommt nach ⁅ ängstigen · ärgern · bedrängen · bedrücken · beeinträchtigen · befremden · bekümmern · benachteiligen · beschädigen · bis aufs Blut quälen · erzürnen · foltern · kujonieren · malträtieren · martern · mißhandeln · mitspielen · peinigen · placken · plagen · quälen · schädigen · schinden · schleifen · verdrießen ⁅ angreifen · aufreizen · befehden · beleidigen · demütigen · erzürnen · herausfordern · kränken · reizen · verfolgen · verletzen · verwunden ⁅ schlagen · hinopfern · kreuzigen · opfern ⁅ abstoßen · anekeln · anwidern ⁅ vergällen · verleiden ⁅ anstößig · belämmert · beschissen · mißfällig · prekär · schädlich · schmerzhaft · schmerzlich · schmerzvoll · schrecklich · unangenehm · -behaglich · -erfreulich · -erwünscht · -gelegen · -gemütlich · -gewohnt · -tragbar · -heildrohend · -schmackhaft · -willkommen · unwirtlich · widerlich · widerwärtig ⁅ arg · bitter · derb · grausam · hart · heftig · markverzehrend · niederschmetternd · schwer · unerbittlich ⁅ ärgerlich · beängstigend · beißend · bemühend (schweiz.) · beschwerlich · beunruhigend · böse · empörend · entsetzlich · erbärmlich · ermüdend · fürchterlich · furchtbar · garstig · gemein · grauenhaft · grimmig · häßlich · herzbrechend · herzzerreißend · jämmerlich · jammervoll · kläglich · kümmerlich · langweilig · lästig · martervoll · mißlich · mühselig · peinigend · peinlich · quälend · rührend · schauerlich · schaurig · schlecht · schlimm · schmerzend · schmerzhaft · schmerzlich · schreckensvoll · stechend · störend · tragisch · traurig · überlästig · unangenehm, -ausstehlich, -bequem, -erfreulich, -erquicklich, -gemütlich, -heilvoll, -heimlich, -erträglich -ieidlich, -tragbar · unterkittig (schmerzhafte Stelle am Körper) · verdrießlich · ungenießbar · widerwärtig · widrig ⁅ abscheulich · abstoßend · bodenlos · ekelerregend · ekelhaft · greulich · hassenswert · höllisch · infam · nichtswürdig · niederträchtig · schändlich · schauderhaft · scheußlich · schmählich · schmutzig · schnöde · unflätig · verächtlich · verdammenswert · verdammt · verflucht · vermaledeit · verrucht · verteufelt · verwünscht · widerlich · wüst · mehr als Fleisch und Blut vertragen kann · wie der Wurm unter dem Fuß · um aus der Haut zu fahren · zum Katzenficken · zum Knochenkotzen · zum Rasendwerden · nicht zu blasen (berl.) · da liegt der Hund begraben, der Has im Pfeffer · aus dem Regen in die Traufe ⁅ widerlicher Mensch *s. 11. 59* ⁅ Dorn · Geißel · Pfahl · Pfeil · Schwert · Stachel ⁅ Skorpion · Wurm · Wespennest ⁅ Geschwür · Krebsschaden ⁅ Bürde · Gram · Herzeleid · Kokolores · Kreuz · Kummer · Last · Leid · Pein · Plage · Qual · Schande · Schererei · Schmach · Schmerz · Sorge ⁅ Abscheulichkeit · Elend · Fügung · Heimsuchung · Jammer · Katastrophe · Mißgeschick · Nachteil · Not · Schaden · Schicksal! · Schlag · Streich · Tragödie · Trauer · Trübsal · Übel · Unfall · Ungemach · Unglück · Unheil · Unstern · Verderben · Verhängnis ⁅ Ärgernis · Beschwerde · Betrübnis · Crux · Druck · Kümmernis · Mißfälligkeit · Schmerz · Unannehmlichkeit · Unbill · Verdruß · Zores · Zoff · Kummer und Gram · nagender Kummer · eiternde Wunde · wunder Punkt · dunkler Punkt · Galle und Wermut · bittere Pille · der Tropfen Wermut · Nagel zum Sarg · Nervensäge · böse Fügung · Dorn, Pfahl, Stachel im Fleisch · die Übel dieser Welt · das dicke Ende · harte Nuß · Schicksalsschläge.

15. Unwohlsein. *s. Kater 2. 33. Ausscheidungen 2. 35. Krankheit 2. 41.*

es ist ihm flau, nicht gut, jämmerlich, nicht just, koddrig, komisch, mies, mulmig, murksig, schlecht, schwummelig, schwummerig, übel, unwohl · abbauen · abmachen · schlapp machen · es wird ihm blümerant · lange Zunge machen ⁅ dasig · mitgenommen · ohnmächtig · rammdösig · schwach · schlapp · zerschlagen ⁅ Brummschädel · Druck in · Nervenzusammenbruch · Ohnmacht · Übelkeit · Unbehagen · Unwohlsein.

16. Zufriedenheit. *s. Glück 5. 46. Verzicht 9. 20. Seelenruhe 11. 8. Bejahung 13. 28. Lob 16. 31.*

allenfalls · à la bonne heure · nicht mehr zu ändern · Herz, was begehrst du mehr? · wir haben's lang gut, schlau · dös haut! (bair.) ❡ klein aber mein · da bin ich gern wieder Soldat · im Schoße der Familie · im traulichen Heim · im trauten Kreise der Seinen · auf eigener Scholle · im Eckchen ❡ sich aussöhnen · sich begnügen · begrüßen · bejahen · sich ergeben, sich fügen · willfahren · es zufrieden sein · sich zufrieden geben · ja und Amen sagen · vorlieb nehmen · es dabei belassen · von der besten Seite nehmen · sich's bequem machen · sich behaglich einrichten · seinen Kohl bauen · Rentier spielen · bedürfnislos sein · keinen Mangel leiden · kein Bedürfnis fühlen · ohne Ehrgeiz sein · in Frieden (dahin)leben · ausgeglichen, heiteren Sinnes, ungetrübten Mutes sein · Seelenfrieden besitzen · ist mit allem einverstanden, heilsfroh ❡ abreagieren ❡ befriedigen · beschwichtigen · zufriedenstellen · jeden Wunsch erfüllen · füllt ihn ganz aus ❡ anspruchslos · befriedigt · befriedericht (stud.) · behäbig · behaglich · beschaulich · bescheiden · duldsam · ergeben · friedsam · friedvoll · frohsinnig · geduldig · gelassen · gemütlich · genügsam · gottergeben · heiter · klaglos · lustig · mäßig · mollig · resigniert · reuelos · satt · saturiert · sinnig · stillergeben · ungestört · ungetrübt · ungezwungen · vergnügt · willig · wohlig · zufrieden · wunschlos ❡ Philister · Philosoph · harmonisches Gemüt · dankbares Publikum · der kleine Mann ❡ Behagen · Behaglichkeit · Geistesfriede · Gemütsruhe · Genüge · Gleichmut · Heiterkeit · Herzensruhe · Lebensbejahung · Wohlgefallen · Wohlgefühl · Zufriedenheit · seelisches Gleichgewicht · innere Harmonie · Glück im Winkel · Plätzchen an der Sonne ❡ Quietismus · Ergebung · Geduld · Mäßigkeit · Passivität · Resignation · Versöhnung · vergnügter Zustand.

17. Wohlgefallen, Bewundern, Schönheit. *s. Ebenmaß 3. 59. hoher Grad 4. 50. zweckmäßig 9. 48. gute Qualität 9. 56. vollkommen 9. 64. Wohlgeschmack 10. 8. Lust verursachen. 11. 10. lieben 11. 53. loben 16. 31.*

pf-t · ah · Man bildet mit Daumen und Mittelfinger einen Ring, Zeigefinger ausgestreckt, und macht mit der Hand eine wichtig hervorhebende Geste · fh (mit Ansatz zum Pfeifen) · Sache! · Junge, Junge! · Klasse! ❡ ansprechen · beeindrucken · berauschen · betören · bezaubern · blühen · erregen · faszinieren · gefallen · glänzen · imponieren · leuchten · prangen · strahlen · zusagen · Bewunderung hervorrufen · guten Eindruck machen · Anklang finden · zur Zierde dienen · anstehen · zu Gesicht stehen · es läßt ihm gut · in Form sein · Linie, Schmiß, das gewisse Etwas, Form, Dessin, Stil haben · in die Augen stechen · ist eine Sünde wert ❡ bewundern ·bestaunen *s. 11. 30* ❡ Staat machen · sich in Gala werfen · sich aufdonnern · sich fein machen · sich herausstaffieren, -machen, zurechtmachen, *s. eitel 11. 45* ❡ ausschmücken · dekorieren · idealisieren · ornamentieren · putzen · schmücken · verschönern · verzieren · zieren ❡ firnissen · herausstreichen · lackieren · polieren · schleifen · vergolden · verschönern · wichsen · Grazie verleihen · in Wichs stecken · idealisieren · schönfärben · stilisieren · verklären, *s. verbessern 9. 57* ❡ ätherisch · adrett · allerliebst · anmutig · anmutsvoll · ansehnlich · ansprechend · anziehend · apart · appetitlich · artig · berückend · berauschend · besonders · bestrickend · betörend · bewundernswert · bezaubernd · bildschön · blitzsauber · einnehmend · blendend · blühend · bonforzionös · brillant · charmant · dämonisch · dufte · duftig · delikat · deliziös · echt · eindrucksvoll · einmalig · einzigartig · elegant · elfenhaft · engelhaft · engelschön · entfaltet · entzückend ·

erblüht · ergreifend · erhaben, sublim · erquickend · erregend · exquisit · exzellent ·
fabelhaft · fantastisch · feenhaft · fein · fehlerfrei · fesch · flott · formvollendet ·
frisch · ganz groß · gefällig · g'stellt (ö.) · gewinnend · glänzend · glatt · göttlich ·
goldig · graziös · griffig · hehr · herb · herrlich · herzentzückend · herzig · himmlisch · hinreißend · hold · holdselig · hübsch · ideal · imposant · jugendfrisch ·
jugendlich · so jung · jungenhaft · kess (berl.) · klar · klassisch · knabenhaft ·
knorke (berl.) · knospenhaft · knusperig · königlich · köstlich · kräftig · kühn ·
künstlerisch · lebendig · leuchtend · liebenswürdig · lieblich · liebreizend · mächtig ·
malerisch · majestätisch · mondän · mudelsauber · naiv · narkotisch · nett · niedlich ·
packend · paradiesisch — patent · pfundig · picobello · pikant · pikfein · prachtvoll ·
prächtig · prima · pyramidal · raffiniert · rank · rassig · reif · rein · reizend · resch ·
rührend · sagenhaft · sauber · scharmant · schick · schmissig · schmuck · schnatte ·
schnieke · schnittig · schön · seidig · sieghaft · sinnlich · sinnverwirrend · sonnig ·
stattlich · stilvoll · strahlend · süperb · süß · symmetrisch · sympathisch · tadellos ·
tip-top · toll · vollendet · totschick · traumhaft · unberührt · überirdisch · unvergeßlich · unwiderstehlich · vielversprechend · vornehm · wirkungsvoll · wohlgeformt · wohlgestaltet · wohlgewachsen · wonnig · wumpe (hamb.) · wunderbar,
-schön, -sam, -voll · zart · zauberhaft · zier(lich) · gut gebaut ¶ nicht dran zu tippen
¶ wonnig · wie aus dem Ei geschält, gepellt · wie der Tag, wie die Sonne, wie die
Nacht, wie die Sünde, wie der Teufel, wie der Mond, wie ein Traum, wie ein Reh,
eine Gazelle, eine Sylphe · nicht übel · eins a · bildschön ist Dreck dagegen · zum
Anbeißen, zum Küssen, zum Fressen, zum Stehlen ¶ Pfunds-, Staats- · ein Bild
von einem'. . . · Ideal- · Adonis · Antinous · Apollo · Endymion · Gott · gute Erscheinung ¶ Aurora · Engel · Fee · Göttin · Grazien · Helena · Madonna · Venus ·
lieber Schneck (bair.) · schnafter Schlitten · Teufelchen · Hexe · Sommerkönigin, Miss
X-land, Schönheitskönigin · Reklamefigur · blondes Gift · schwarzer Satan · wie
Milch und Blut · reiner Teint · Pfirsichhaut · Rosenmund · perlenweiße Zähne ·
schmale Fesseln, gute Beine · (ungekrönte) Schönheit · Erfüllung ¶ Edelweiß ·
Morgenrot · Sonne · die Blume, Blüte, Krone von . . . · entfaltete Rose · aufblühende
Knospe ¶ Augentrost · Augenweide · ein Gedicht · Ideal · ein Traum · Zaubergestalt ·
mein Typ, Gusto, Geschmack ¶ Wohlklang · Wohllaut ¶ Firnis · äußerer Anstrich
¶ Anmut · appeal · Blüte · Ebenmaß · Eleganz · Grazie · Harmonie · Holdseligkeit ·
Huld · Jugendblüte · Liebreiz · Pracht · Reinheit · Reiz · Scharm · Schick · Schimmer ·
Schmelz · Schönheit · Symmetrie · Wohlgestalt ¶ Ästhetik · Geschmacksvollendung ·
Kult · Schöngeisterei · Schönheitsgefühl · Schönheitslehre · Schönheitssinn · Ver-
feinerung.

18. Geschmack, Kunstsinn. *s. Höflichkeit 16. 38.*

ästhetisch · attisch · ausgesucht · ausgewählt · differenziert · elegant · erlesen · fein ·
geschmackvoll · gestuft · gewählt · klassisch · kultiviert · künstlerisch · kunst-
verständig · musterhaft · rein · stilvoll · urban ¶ abwägen · beurteilen · kennen ·
kritisieren · schätzen · unterscheiden · würdigen ¶ Ästhet · Kenner · Kritiker · Kunstbetrachter · Kunstfreund · Kunstrichter · Mäzen · Schöngeist. — Jury ¶ Kunstjünger ·
Künstler · der Laie · Liebhaber ¶ Fingerspitzengefühl · Geschmack · Geschmacksurteil · Kunstsinn · Schönheitssinn · Urteil · Urteilsvermögen · geläuterter, guter,
raffinierter, verfeinerter Geschmack · l'art pour l'art · ästhetisches Empfinden ¶ Anmut · Anstand · Artigkeit · Benehmen · Eleganz · Feingefühl · Feinheit · Formgefühl · Grazie · Höflichkeit · Kultur · Lebensart · Schliff · Stil(gefühl) · Takt · guter
Ton · Zartgefühl ¶ Ästhetik · Kunstlehre · Kunstliebhaberei · das Kunstverstehen.

19. Wählerisch. *s. Ungewißheit 5. 7. verschleckt 10. 12. Sättigung 10. 14. Unzufriedenheit 11. 27. Tadel 16. 33.*

mäkeln · schwanken ⁊ verachten · an allen Blumen naschen, nippen · schwer zu befriedigen sein · die Nase rümpfen über · findet immer etwas · bei dem geringsten Anlaß klagen · nichts nach Gefallen finden · ihm ist nichts recht zu machen · hat an allem etwas auszusetzen · ist schwer zufrieden zu stellen ⁊ anspruchsvoll · blasiert · ekel · grillenhaft · heikel · kritisch · mäklig · pimpelig · schwer befriedigt · schwierig · übersättigt · verwöhnt · wählerisch · zimperlich · mit nichts zufrieden ⁊ ätherisch · differenziert · kritisch · übertrieben · verfeinert · wählerisch ⁊ Epikureer · Feinschmecker · Geck · Kunstschmuser · Meckerfritze · Schmäckler · Schmock · Schöngeist · Snob · Sybarit ⁊ Feinschmeckerei · Luxus · Üppigkeit · Verweichlichung · Wohlleben ⁊ Feingefühl · Grübelei · Snobismus · Spitzfindigkeit · Zartgefühl · Ziererei.

20. Lebhaft. *s. schnell 8. 7. hin und her 8. 33. Erregbarkeit 11. 6.*

allegro · con fuoco ⁊ quirlen · rumoren · sprühen · Leben in die Bude bringen · auftauen · geht aus sich raus ⁊ agil · alert · burschikos · fidel · fix · flink · frisch · feurig · heißblütig · impulsiv · kregel · munter · sanguinisch · rege · resch · rheinisch · temperamentvoll · ungebunden · unverwüstlich ⁊ fahrig · hastig · leichtsinnig · sprunghaft · unbesonnen ⁊ Durchgänger · Irrwisch · Quecksilber · Springinsfeld · Sprühteufel · Südländer · Unband · Wildfang · wilde Hummel ⁊ Schlitten · Straßenbesen ⁊ Brio · Lebhaftigkeit · Tempo.

21. Heiter. *s. verrückt 12. 57. Fest 16. 59.*

bei mir Nordlicht: immer strahlend · in Wonne und Freude · gehobenen Herzens · herrlich und in Freuden · in dulci jubilo · nach uns die Sintflut ⁊ dalbern · feixen (mil.) · sich freuen · frohlocken · jauchzen · jubeln · kalbern · lachen · schäkern · scherzen · schunkeln · spaßen · sprühen · triumphieren · sich verlustieren · sich der Freude hingeben, überlassen · guter Dinge sein · an die Decke springen · vor Freude singen, springen, tanzen · aus Freude in die Hände klatschen · weiß sich nicht zu lassen · freut sich scheckig, ein Loch in den Strumpf (berl.) · die Sorge von sich schütteln · üppig werden · sich und andern das Leben erleichtern · Festlichkeit halten · ihn sticht der Hafer · Koks machen · das Herz lacht ihm im Leibe ⁊ bunt, laut, lustig zugehen ⁊ animieren · anregen · aufheitern · aufkäschern · aufmuntern · etw. aufstellen, anstellen · beleben · belustigen · beseelen · erheitern · Leben in die Bude, Gesellschaft bringen · jem. die Sorgen verscheuchen ⁊ beglückwünschen · gratulieren ⁊ aufgeknöpft · aufgekratzt · aufgeräumt · aufgeweckt · ausgelassen · dennig (westf.) · durchgedreht · fidel · flott · frei · freudig · frisch · froh · fröhlich · gemütlich · heiter · hoffnungsvoll · jeck · jovial · kurzweilig · lebenslustig · lebhaft · leichtherzig · lustig · mops-, kreuz-, quietschfidel · munter · quick · scherzhaft · sonnig · spaßhaft · springlebendig · übermütig · unbeschwert · vergnügt · wohlgemut · froh gestimmt · gut aufgelegt, gelaunt · von Wonne gehoben · lustig wie die Lerche · himmelhoch jauchzend ⁊ feuchtfröhlich · flatterhaft · vergnügungssüchtig ⁊ Frohnatur · lustiger Bruder · fideles Haus · lockeres Völkchen ⁊ Budenzauber · Faxen · Fez · Jokus · Jux · Posse · Schabernack · Scherz · Schnurre · Spaß · Ulk ⁊ Feier · Fest · Te Deum · Festivität · Festlichkeit · Gratulation · Jubel · Jubiläum · Klimbim · Triumph · Schlachtefest · Saufabend · Trubel ⁊ Belustigung · Ergötzen · Fidelitas · Fidulitas · Freude · Frohsinn · Gelächter · Heiterkeit · Kurzweil · Lebensgenuß · Lust · Pläsier · Unterhaltung · Vergnügen · Wonne · Freizeitgestaltung ⁊ Ausgelassenheit · Diesseitigkeit · Feuer · Frohnatur · Jovialität · Leben · Lebenslust · Tatkraft · Übermut · gute Laune · frischer Mut · ein Schuß Champagner · vorgerückte Stimmung.

22. Vergnügen, Lachen. *s. Trunkenheit 2. 33. Lob 16. 31. Spott 16. 54.* Vergnügungen *16. 55.*

hoch · er lebe · vivat · dreimal Hoch · hip hip hurra · duliöh · holdrio · juhu · juvivallera · kille kille ¶ albern, galen · brüllen · feixen · frohlocken · gackern · gickeln · grienen · grinsen · gröhlen · herausplatzen · jubeln · kichern · sich kugeln · lächeln · lachen · losplatzen, -pruschen, -prusten · quieken · quietschen · schmunzeln · triumphieren · verknallen · zerplatzen · sich wälzen · wiehern · Freude bezeigen · hell auflachen · laut aufschreien · eine Lache aufschlagen · Freudentränen vergießen · Tränen lachen · sich (freudig) die Hände reiben · strahlen vor Freude · sich vor Lachen die Seiten halten · den Bart streichen · sich ins Fäustchen lachen · Freudensprünge, Luftsprünge machen · vor Freude tanzen · der Freude Ausdruck geben · das Lachen nicht (zurück)halten, nicht verbeißen können · sich krumm und schief, sich tot lachen · sich einen Ast (= Buckel) lachen · sich ästig lachen · sich den Bauch halten · der Lustigkeit freien Lauf lassen · in schallendes, nicht endenwollendes Gelächter ausbrechen · haben wir gelacht, der janze Bauch eene Falte (berl.) · auf dem Bauch, unterm Tisch liegen · vom Stuhl fallen ¶ angrinsen · beglückwünschen · bejubeln · belächeln · besingen · gratulieren ¶ kitzeln · es lächert mich · macht Spaß · Gelächter erregen, hervorrufen, veranlassen · alles in Aufruhr bringen · zum besten halten · zum Lachen bringen ¶ beglückt · freudig erregt · heiter · übermütig · lachlustig · lustig · tälsch (schles.) · timpelig (schles.) ¶ heiter · komisch · lächerlich · lachhaft · lustig · spaßig · toll ¶ Lacher ¶ Ergötzlichkeiten · Festlichkeit · Frohlocken · Gaudi(um) · Lustbarkeit · tolle, übermütige Streiche ¶ Applaus · Beifall · Glückwunsch · Gratulation · Jubel · Lebehoch · Loblied · Siegeslied · Triumph · Tusch ¶ Gekicher · Gelächter · Grinsen · Hohnlachen · Jauchzen · Jauchzer · Jubelgeschrei · Juchzer · Lachkoller · Lachkrampf · Lachsalve · Lächeln ¶ Schäkerei · Scherz · Spaß · Spott · sardonisches Lächeln · diebische Freude · befreiendes, freudiges, homerisches, schallendes, tierisches, unendliches Gelächter · lärmender, rauschender Jubel · Freudengeheul.

23. Witz. *s. Spott 16. 54.*

zum Spaß · im Scherz · spaßhafterweise ¶ scherzen · snaken (ndd.) · spaßen · witzeln · Witze machen, reißen · Possen, Allotria treiben · einen zum besten geben · ein Schlagwort bei der Hand haben · das Wort im Munde verdrehen · Rätsel aufgeben · ein schallendes Gelächter erregen · Leben in die Bude bringen · die Kuh machen (schweiz.) · den Hanswurst machen · jmd. nachmachen · zum Lachen bringen · zur allgemeinen Erheiterung beitragen · hat auf jeden Topf einen Deckel · Quatsch, Unsinn machen ¶ amüsant · burlesk · drollig · gediegen · gelungen · gottvoll · grotesk · köstlich · komisch · kostbar · kurzweilig · lächerlich · launig · neckisch · niedlich · originell · possierlich · putzig · scherzhaft · schalkhaft · schießig (schweiz.) · schnakig · schnurrig · spaßhaft · spaßig · toll · trocken · ulkig · unbezahlbar · unterhaltend · unwiderstehlich · urkomisch · witzig · zündend · zwerchfellerschütternd · zum Bersten · zum Brüllen · zum Kringeln · zum Kugeln · zum Kullern · zum Piepen · zum Quieken · zum Radschlagen · zum Schiebeln · zum Schießen · zum Schreien · zum Trudeln · zum Wälzen ¶ beißend · geistreich · geistvoll · schlagfertig · schneidend · spitz · stechend · gut gegeben · pointiert · zweideutig ℭ sarkastisch · satirisch · scharfzüngig ℭ Affe · Anekdotenkrämer · Epigrammatist · Hofnarr · Humorist · Narr · Satiriker · Schalk · Schelm · Scherzbold · Spaßmacher · Spaßvogel · Spötter · Witzbold · Witzjäger · Witzling · Zotenreißer ℭ Ansager, Conférencier · Bajatz · Excentric · Juxbaron · Klown · Knockabout · Komiker · Lachtaube · Lustigmacher · Mimiker · Münchhausen · Possenreißer · Tausendsasa · Hänneschen · Hans Narr · Hans Wurst · dummer August · Harlekin · Policinella · Schildbürger · Till Eulenspiegel ℭ Anekdote · Bonmot · Einfall · Epigramm · Gedankensplitter · Geistesfunke · Hieb · Jocus · Jux · Kalauer · Krätzche (köln.) · Mikosch · der Neueste · ein Guter · Meidinger · Pointe · Posse · Scherz · Schlager · Schlagwort, Schnurre · Schwank · Spaß · Spitze · Spott · Stachelbeere · Stich · Stichelei · Ulk · Witz · Witzelei · Witzwort · Wortspiel Zote · Zweideutigkeit · schlagende Antwort · treffende Erwiderung · spitze Antwort · scharfe Erwiderung · beißender Scherz · funkelnde Satire · brillante, glänzende Einfälle, Gedanken · attisches Salz · Würze der Rede ℭ Esprit · Geist · Humor · Komik · Laune · Schlagfertigkeit · Spaßlust · Wortspielerei · Würze · Zotenreißerei · Zynismus.

24. Lächerlich. *s. verrückt 12. 57. Spott 16. 54.*

sich blamieren · es lächert mich · sich unsterblich lächerlich machen · die Pointe tottreten ℭ auslachen ℭ abenteuerlich · absonderlich · absurd · affenähnlich · äffisch · albern · altjüngferlich · bärenmäßig · barock · bizarr · burlesk · exzentrisch · farcenhaft · grillenhaft · grotesk · hanswurstartig · (unfreiwillig) komisch · komödienhaft · kurios · linkisch · phantastisch · possenhaft · putzig · schrullenhaft · schrullig · seltsam · sonderbar · sputzig · täppisch · tragikomisch · ulkig · ungereimt · verschroben · verstiegen · wunderlich · hochkomisch ℭ bombastisch · extravagant · närrisch · höhnisch · ironisch · karikiert · parodiert · satirisch · spöttisch · übertrieben · witzig ℭ enfant terrible · Exemplar · Gauch · Gurke · Kasperle · Kauz · Kindskopf · Knopf · Hanswurst · Marke · Narr · Nummer · Nulpe · Pflanze · Rübe · Type · Vertreter · 'ne putzige Kruke (nordd.) ℭ Absonderlichkeit · Burleske Farce · Groteske · Hanswurstiade · Komik · Komödie · Münchhauseniade · Phantasterei · Posse · Quatsch · Schnurre · Schrulle · Schwank · Witz mit Bart · Anblick für Götter · Treppenwitz der Weltgeschichte ℭ Aufschneiderei · Bombast · Schwulst · Windbeutelei · Sprüche ℭ Affenspiel · Ausgelassenheit · Bärentanz · ungereimtes Zeug.

25. Ernst. *s. Eifer 9. 38. Sorgfalt 9. 42. Aufmerksamkeit 12. 7.*

grave ℭ schreiten · wandeln · keinen Spaß, Scherz, Humor verstehen ℭ abgeklärt · ausgewogen · ernst · ernsthaft · feierlich · finster · gediegen · gehalten · gelassen · gemessen · gesetzt · getragen · gravitätisch · knurrig · norddeutsch · nüchtern · pathetisch · pedantisch · sauertöpfisch · scheinheilig · schwerblütig · seriös · solenn · steif · streng · trocken · überlegen · unzugänglich · zugeknöpft · ernst wie ein Pferd, wie ein Richter ℭ Pfaff · Pedant · Schulfuchs · Schulmeister · Preuße · tiefernste Natur · stille Wasser · Salzsäule · Spießer ℭ Ernst · Feierlichkeit · Leichenbittermiene · Pathos · Sittlichkeit · Strenge · Verstandesherrschaft.

26. Langeweile. *s. Müdigkeit 2. 39. gleich 5. 16. Regel 5. 19. Dauer 6. 7.*
langsam 8. 8. Ruhe 9. 36. Unlust verursachen 11. 14. dumm 12.56. Geschwätz 13. 22.
ohne Interesse · ohne Atmosphäre ℭ leiern · nölen ℭ gähnen · Däumchen drehen ℭ sich langweilen · sich mopsen · Langeweile empfinden, haben · die Zeit lang finden · sich schlecht unterhalten · die Zeit nicht ausfüllen, nicht hinbringen können · nicht wissen, wie man die Zeit totschlägt · die Zeit nimmt kein Ende, wird lang,

geht nicht rum, schleicht im Schneckenschritt, kriecht · es kommt keine Atmosphäre, Stimmung auf · da gähnt die Fliege, wenn sie über das Papier kriecht ⁋ einschlafen · ermatten · ermüden · erschlaffen · überdrüssig werden ⁋ anöden · einschläfern · ermüden · langweilen · jem. zum' Hals herauswachsen · nach der Lampe riechen · zum Ekel werden · sich wiederholen ⁋ abgeschmackt · banal · bieder · bleiern · brav · dumm · einförmig · einschläfernd · eintönig · ermüdend · fad · fadengerade · flach · gehaltlos · geschäftsmäßig · gleichgültig · hausbacken · hölzern · interesselos · klassisch · labrig · langweilig · langstielig, breit · lästig · leblos · ledern · leer · matt · monoton · mopsig · nüchtern · platt · poesielos · prosaisch · rasselos · schal · spießig · steifleinen · stinklangweilig · strumpf · stumpfsinnig · tödlich · tot · traurig · trist · trivial · trocken · uninteressant · verhirnlicht · weitschweifig · witzlos · zum Sterben · immer wieder dasselbe ⁋ blasiert · erschlafft · freudlos · gähnend · genußlos · intellektuell · interesselos · lebensmüde · lebenssatt · matt · müde · schläfrig · überdrüssig · übersatt ⁋ Banause · Biedermeier · Bildungsphilister · Böotier · Fadian · Krämerseele · Langweiler · Leimsieder · Nachtwächter · Ölgötze · Philister · Schneiderseele · Umstandskasten, -kommissar, krämer · Schlafmütze · Schwätzer · Spießer · personifizierte Prosa · langweitiger Piter (rhein.) · langweiliger, lederner Mensch ⁋ eine Fadesse (wien.) ⁋ Last · Plage · Prosa · Qual · Stumpfsinn · Tretmühle · Sauregurkenzeit · Dreimännerwitze: zwei kitzeln, einer lacht ⁋ Alltagsleben · Eintönigkeit · Klassizismus · Monotonie ⁋ -ismus · das ewige Einerlei · die Prosa des Lebens · die alte Leier, Walze · unausgefüllte Stunden · immer dasselbe · Litanei · Klischee · Schablone · gähnende Leere ⁋ Abscheu · Blasiertheit · Ekel · Ermüdung · Erschlaffung · Gähnsucht · Langeweile · Lebensüberdruß · Niedergeschlagenheit · Stumpfsinn · Überdruß · Übersättigung · Widerwille.

27. Unzufriedenheit. *s. unzweckmäßig 9. 51. empfindlich 11. 7. Zorn 11. 31. Trübsinn 11. 32. Enttäuschung 12. 46. ablehnen 13. 29. Tadel 16. 33. Verachtung 16. 36. Streit 12. 48; 16. 67. Widerspruch 16. 65. Ungehorsam 16. 116.*

Achselzucken · Naserümpfen · Stirnrunzeln · lange Gesichter ⁋ na, so so · hm · ist mir bis hier · steht mir da · hab meine Zeit auch nicht gestohlen ⁋ brebeln · bregeln · brummen · futtern (schles.) · knottern · kritteln · mäkeln · meckern · miefen · motzen · maulen · murren · nörgeln · opponieren · präpeln · quängeln · räsonnieren · raunzen · schmollen · sich enttäuscht, unbefriedigt, zurückgesetzt fühlen · ungenügsam sein · krebsen gehn · an nichts Gefallen finden · kann sich nicht darein finden, schicken · übel nehmen · sich verletzt fühlen · einen Kopf hinmachen · lange Gesichter · ist matschig, motzig, pippsch (schles.), molsch (ostpreuß.), griensch · die Nase rümpfen · in den Bart murmeln · einen schiefen Mund, einen Flunsch, Schippe, saure Miene ziehen · ein Haar in der Suppe finden ⁋ anöden · ärgern · enttäuschen · verdrießen · zurücksetzen · nicht zufrieden stellen · unbefriedigt lassen · jmd. nicht passen · auf die Nerven gehn · Staub aufwirbeln · alle Hoffnung vereiteln · jeden Wunsch versagen ⁋ ärgerlich · brummig · enttäuscht · genau · grantig (östr.) · hantig (östr.) · kleinlich · knaufig · knietschig · krittlig · meckfözig (schles.) · mißgestimmt · mißgelaunt · mißmutig · mißvergnügt · moros · mürrisch · muffig · mufflig · nimmersatt · peinlich · sauertöpfisch · spinnig · stänkrig · unbefriedigt · unersättlich · ungeduldig · unwirsch · unzufrieden · verdrießlich · verdrossen · verstimmt · schlecht aufgelegt ⁋ Besserwisser · Brekeler (hess.) · Brummbär · Griesgram · Hypochonder · Knerwelpeter hess.) · Knotterdippche (hess.) · Krauter (ö.) · Kritikaster · Mauler · Meckerer · Miesepeter · Miesmacher · Murrkopf · Nörgler · Quälgeist · Querulant · Schwarzseher · Stänker ⁋ Schmollwinkel ·

Lästerecke · Drachenfels ⁋ Abneigung · Ärger · Bedauern · Ekel · Enttäuschung · Heimweh · Katzenjammer · Kummer · Leere · Mißgunst · Mißstimmung · Mißvergnügen · Neid · Neuerungssucht · Sehnsucht · Unbehagen · Ungeduld · Unlust · Verbitterung · Verdrießlichkeit · Verdruß · eingebildete Krankheit · geheimer Kummer · fehlgeschlagene Hoffnung · unerfüllter Traum.

28. Mißfallen, häßlich. *s. Krankeit 2.41. Unordnung 3.38. Widerwille 9.5. minderwertig 9.60. schmutzig 9.67. Abneigung 11.59. Haß 11.62. Tadel 16.33. Widerstand 16.65.*

abstoßen · grinsen · durch Häßlichkeit glänzen · das Gesicht verzerren · verziehen · Grimassen schneiden · das Auge beleidigen · den Geschmack verletzen · einen abstoßenden Eindruck machen · sieht aus wie Lumpemanns Älteste ⁋ sich verschlagen (von Kindern) ⁋ beflecken · behammeln · beschmieren · beschmutzen · besudeln · entstellen · ramponieren · ruinieren · schänden · verderben · verkrüppeln · versauen — verschimpfieren · verunreinigen · verunstalten · verunzieren · verzerren · zu schanden machen · den Glanz, die Schönheit benehmen ⁋ verleiden · vermiesen ⁋ abgezehrt · amorph · anmutslos · ärmlich · arm · blutarm · derglich (schles.) · dürr · eckig · fettwanstig · garstig · gemein · gering · gewöhnlich · grobknochig · grobkörnig · hager · häßlich · hölzern · nuttig · plump rauh · reizlos · roh · schlotterig · schwerfällig · steif · unästhetisch · unansehnlich · unbehilflich · unelegant · unfein · ungeschlacht · ungraziös · unliebenswürdig · unnatürlich · unscheinbar · unschön · unzart · verbudlich (schles.) · vierschrötig · kurz und dick ⁋ abgeschmackt · altmodisch · disharmonisch · einförmig · formlos · fratzenhaft · gestaltlos · grell · grimassenhaft · grob · grotesk · mißförmig · mißgebaut · mißgeschaffen · mißgestalt · phantastisch · schepp (hess.) · schief · schlimm · unförmig · ungestalt · unproportioniert · unschön · unsymmetrisch · unvollkommen · verunstaltet · wunderlich ⁋ blatternarbig · buckelig · einäugig · finnig · kahlköpfig · klumpfüßig · krummbeinig · krüppelig · runzlig · scheel · schiefgebaut · schiefmäulig · schiefnasig · schieg (suddt.) · triefäugig · verwachsen · warzig ⁋ abscheulich · abschreckend · abstoßend · anstößig · ekelhaft · entsetzlich · furchtbar · fürchterlich · geisterhaft · gespenstisch · gräßlich · grauenhaft · grausig · greulich · leichenhaft · schattenhaft · schauderhaft · scheußlich · schreckensvoll · schrecklich · ungeheuerlich · unheimlich · widerlich · widernatürlich · widerwärtig · widrig ⁋ dreckig · heruntergekommen · kotig · salopp · schlampig · schlotterig · schmierig · schmutzig · schmuddelig · stachelig · struppig · sudelig · unflätig · ungekämmt · ungewaschen · unrein · unsauber · verkommen · verlottert · verwahrlost · wüst (alem.) · zerlumpt · häßlich wie die Nacht, wie die Sünde · zum Davonlaufen häßlich, um Kinder ins Bett zu jagen · widerlich wie eine Kröte · ein wahres Gorgonenhaupt · schön ist anders ⁋ Fratze · Gespenst · Karikatur · Krüppel · Medusenhaupt · Miesnick · Mißgebilde · Mißgeburt · Mißgestalt · Monstrum · Nachteule · Scheusal · Schreckgestalt · Spottgeburt · Teufel · Ungeheuer · Ungetüm · Unhold · Untier · Vogelscheuche · Wechselbalg · Zerrbild · Ausbund von Häßlichkeit · Ritter von der traurigen Gestalt · miese Tomate ⁋ Affengesicht · Fratze · Galgenphysiognomie · konfisziertes Gesicht ⁋ Eule · Kröte · Orang-Utan · Pavian · Spinne ⁋ *weiblich:* Amsel · Gesteck · Gorgo · Hexe · Kasten · Kuh · Pute · Funzen (Wien) · Rechen (bad.) · Reff · alte Schachtel · Tunte · Urschel · Vettel · Ziege · alte Zott · Spinatwachtel · Suppenhuhn · alte Drossel · alte Zange ⁋ Aussatz · Ausschlag · Auswuchs · Blatternarben · Buckel, Ast Finne · Fistel · Fleck · Furunkel · Geschwulst · Geschwür · Gumme · Klecks · Krätze · Makel · Mangel · Mitesser · Narbe · Pickel · Pustel · Schanker · Schmiß · Schmutz · Schorf · Schramme · Schrunde · Sommersprossen (da hat der Teufel

durchs Sieb geschissen, Erbsen gedroschen) · Warze· Wunde · Entstellung · Ver-
drehung · Verkrüppelung · Verzerrung · Zahnlücke ℭ Anstößigkeit · Asymmetrie
Disharmonie · Greuel · Häßlichkeit · schlechter Teint · Mißbildung · Mißform ·
Mißklang · Mißverhältnis · Ungestalt · Widrigkeit · Mangel an Ebenmaß.

29. Geschmacklos. s. *Übertreibung 13. 52.*

sich aufdrängen · sich flegeln · sich vergehen · sich vordrängen · keinen Geschmack
haben · den Takt verletzen · gegen den Takt, die Lebensart, die Sitte verstoßen ·
einen Verstoß begehen · den Geschmack beleidigen · worauf es immer quätscher
wurde · sich gemein, daneben, unmöglich, pöbelhaft benehmen · sich eine Blöße
geben · sich blamieren · zudringlich sein · sich nicht abweisen lassen · nach Provinz
schmecken ℭ verbauern · verrohen · verpöbeln · herunterkommen · ℭ anöden · anpöbeln ℭ gemein · geschmacklos · geschmackswidrig · gewöhnlich · grob · ordinär ·
plebejisch · pöbelhaft · unfein · unweiblich · unzart · vulgär ℭ ausgelassen · barbarisch · bauernmäßig · bäurisch · bengelhaft · flegelhaft · grob · kleinstädtisch ·
krähwinkelig · kulturwidrig · linkisch · lümmelhaft · massiv · nachlässig · plump ·
roh · rückständig · rüpelhaft · salopp · schlampig · schlotterig · schmutzig · taktlos ·
tantig · tölpelhaft · unangenehm · unanständig · unartig · undifferenziert · unelegant · unfein · ungebildet · ungehobelt · ungekämmt · ungeläutert · ungeleckt ·
ungeschickt · ungeschlacht · ungeschliffen · ungesittet · ungewaschen · ungezogen ·
ungraziös · unhöflich · unkultiviert · unmanierlich · unmöglich · unpassend · unrein ·
unschicklich · unwissend · unziemlich · widerwärtig · zügellos ℭ abgedroschen · altfränkisch · altherkömmlich · altmodisch · altväterisch · ausgeleiert · bezopft · primitiv ·
unmodern · veraltet · zopfig ℭ abgeschmackt · abscheulich · affektiert · befremdend ·
exaltiert · fratzenhaft · garstig · geckenhaft · geschraubt · grotesk · kurios · lächerlich ·
närrisch · phantastisch · schlimm · seltsam · sonderbar · stillos · übel · überladen ·
übertrieben · verschroben · wunderlich ℭ über- · auffallend · aufgeblasen · aufgedonnert · bombastisch · grell · herausfordernd · herausgeputzt · knallig · kraß ·
schreiend · schwülstig · überbetont · von schlechtem Geschmack · hinter der Mode,
Zeit zurückgeblieben · nicht dem Zeitgeschmack entsprechend ℭ gedrechselt · gelallt ·
gequält · gestelzt · geschraubt · gewollt · gewunden · gesucht · geziert · gezwungen ·
hölzern · langweilig · ledern · pedantisch · steif ℭ anempfunden · billig · geleckt ·
gefingert · gekonnt · geschniegelt · glatt · kitschig · manieriert · schmalzig · süßlich ·
unecht · virtuos ℭ Barbar · Bärenhäuter · Bauer · Bauernkerl · Bengel · Flegel ·
Garst · Grobian · Kannibale · Kerl · Knote · Lümmel · Pfingstochse · Prolet · Provinz ·
Rüpel · Tölpel · Struwelpeter · ungeschliffener Diamant · ungeleckter Bär · Meister
Petz · grober Bauer · Raffke · Wort Gottes vom Lande · Ochse im Porzellanladen
ℭ Landpomeranze · Schlampe · Schlumpe · Trine · Trulle · Unschuld vom Land
ℭ Bärentanz · Blech · Drahtkultur · Flitterstaat · Machwerk · Mist · Moritat ·
Quatsch · Hausgreuel · Gebambel · Kitsch · Reißer · Sacharin · Schleim· · Schmacht-
fetzen · Schmarren · Schund · Talmi · Tand · Trödel · Hintertreppenroman · Kol-
portage ℭ schlechter Scherz, Spaß · Verstoß gegen den guten Geschmack · fauxpas ·
linkisches Wesen · þäuerisches Benehmen ℭ Abgeschmacktheit · Barbarei · Brutalität ·
Flegelei · Geschmacksverirrung · Großtuerei · Plattheit · Prunksucht · Rüpelei ·
Taktlosigkeit · Unart · Unbildung · Unkultur · Zotenreißerei.

30. Verwunderung. s. *Ausnahme 5. 20. Erregung 11. 5. Schreck 11. 42.*
Überraschung 12. 45. Zauber 20. 12.

bei mir Flunder: platt vor Staunen · was? · wirklich? · wahrhaftig? · ach · ah · aber
nein · ach was · najen! (berl.) · nein so was · sieh dir an · guck bloß · in der Tat? ·

kann das sein? · ui · ist's gewiß? · sind Sie sicher? · täuschen Sie sich nicht? · da
staunt der Laie, der Fachmann (der Kenner) lächelt · was Sie sagen · du lieber
Himmel · ach du liebes Lieschen · Tableau · potztausend · Donnerwetter · du lieber
Gott, *s. die Flüche 11. 5.* · nee, nanu · alle Welt · das ist stark · also doch · wer
hätte das geglaubt? · das ist allerhand · da staunst du Bauklötze, Preßkohlen · ei der
Tausend · Menschenskind · meine Herren · da hört doch die Weltgeschichte auf ·
au Backe · da wackelt der Balkon · da stockt mir die Milch · nu leck mich doch
in de Fott (Hunsrück) · nu schlägt's dreizehn — du werscht dich umgucke · da
schlag einer lang hin · da legst di nieder (bair.) · da schau her · Mensch Meyer ·
Manometer · nu brat mir eener en Storch · denk mal an (hin) · sieh mal an ·
Schwerebrett · ach gar, was Se nich sagen · geh halten Se's Maul · ach geh · is die
Menschenmöglichkeit · ausgerechnet · gerade · haste Töne, Worte? · Mann Jottes ·
na det is ja neu · krist de Motten · nanu hörts uff · daß du die Nase ins Gesicht
behälst (Bräsig) · ich denke, mir soll der Affe frisieren, lausen · nu bitt (frag) ick
eenen (Menschen) · det war doch früher nich · da hat doch eener dran jedreht · ick
denke, ich soll uffn Buckel fallen, mich beißt ein Barsch, mir bleibt die Spucke
weg · is ja gediegen · Gott steh mir bei, is das ein . . . · man sollte jarnicht denken,
daß det Natur ist (berl.) · nein, wie die Natur spielt · da sieht man, wie fein die
Natur arbeitet · da steht mir der Verstand still · zum Radschlagen · jo allwäg (alem.) ·
du kriegst'n Dod in beide Waden · ist's möglich? · wat et all gibt! · gibt's dös a?
(bair.) ⁋ erstaunen · gaffen · glotzen · gucken · (er)starren · staunen · stutzen · sich
wundern ⁋ anstaunen · bewundern · hälts Christkind für'n Mann · glaubt, die Mutter
Gottes ist ein Raubvogel Mund und Nase aufreißen · den Kopf schütteln · Augen
machen · seinen Augen, Ohren kaum, nicht trauen · die Augen aufsperren · die
hat immer den Verwunderungsbeutel um · am eigenen Verstand irre werden ·
an seinen eigenen Sinnen zweifeln · ist baff, hin, perplex, platt, aus der Tüte, außer
sich, keines Wortes mächtig, vor den Kopf gestoßen, baß erstaunt, ganz verbiestert,
starr vor Staunen · steht wie der Ochs vorm neuen Scheuertor, in Verwunderung
verloren, wie vom Donner, vom Schlage gerührt · stumm, starr und sprachlos, wie
vom Blitz getroffen · versteinert werden · keine Worte finden können · greift sich an
die Stirn · die Sprache verlieren · weiß nicht, was er dazu sagen soll · Kulleraugen
machen · aus den Pantinen kippen · vom Stengel fallen · nicht fassen, nicht enträtseln können · sich nicht erklären können · fällt von einem Erstaunen ins andere ·
Kopf stehn · die Fassung, die Fasson verlieren ⁋ auffallen · befremden · bestürzen ·
bezaubern · blenden · elektrisieren · erstaunen · frappieren · überraschen · verblüffen · versteinern · verwirren · wunder nehmen · stutzig machen · verlegen
machen · erstarren, verstummen lassen · außer Fassung, aus dem Geleise bringen ·
der Worte berauben · Aufsehen erregen · allen Glauben übersteigen · über alle
Beschreibung gehen · unerklärlich wirken · Verwunderung hervorrufen ⁋ bestürzt ·
betreten · betucht · betroffen · entgeistert · entsetzt · erschossen · erstarrt · erstaunt ·
fassungslos · (fest)gebannt · konsterniert · geschmissen · perplex · regungslos · sprachlos · starr · stumm · stutzig · überrascht · verbaast · verblüfft · verdutzt · verlegen ·
versteinert · verwirrt · verwundet · wortlos · mit weit aufgerissenen Augen · mit
geöffnetem Munde, offenem Maul · wie eine Bildsäule, Salzsäule ⁋ abnorm · auffallend · außerordentlich · befremdend · erstaunlich · gediegen · g'spaßig (bair.) ·
haarsträubend · komisch · kurios · merkwürdig · monströs · paradox · rätselhaft ·
seltsam · sensationell · sonderbar · staunenswürdig · übernatürlich · überraschend ·
unaussprechlich · unbegreiflich · unbeschreiblich · unerhört · unerklärlich · unermeßlich · unerwartet · unfaßlich · ungeheuer · ungewöhnlich · unglaublich · unnennbar ·
unsagbar · unsäglich · unvorhergesehen · unwahrscheinlich · wunderbar · wunderlich ·

(Alle häufig mit dem Zusatz „schon sehr") · Aufsehen erregend · über alle Beschreibung, Erwartung, Maßen · wie vom Himmel gefallen, geschneit ❡ Wundermann · Drache · Einhorn · Fabelwesen · Fee · Greif · Nixe · Phönix · Sirene ·
Sphinx · Zentaur ❡ Abnormität · Kuriosum · Mirakel · Monstrum · Naturerscheinung · Phänomen · Ungeheuer · Unmöglichkeit · Wunder · blaues Wunder ·
Wunderding · Zeichen · Blitz aus heiterem Himmel · Zeichen und Wunder · himmlische Erscheinung · wunderbares Schauspiel · außergewöhnlicher Anblick · Schlag
ins Kontor ❡ Bestürzung · Betäubung · Betroffenheit · Erschütterung · Erstaunen ·
Staunen · Überraschung · Verwirrung · Verwunderung ❡ Aufsehen · Bewunderung ·
Entsetzen · Schreck.

31. Zorn. *s. Erregung 11.5. Erregbarkeit 11.6. Unzufriedenheit 11.27. Haß 11.62. Tadel 16.33. Streit 16.67.*

Stirnrunzeln · Fußstampfen · Mund verziehen · auf den Tisch schlagen ❡ keine
Akazie ist hoch genug · das ist, um die Kränke zu kriegen, um auf die Bäume,
Akazien zu klettern, um die Wände heraufzuklettern, um die Motten, die Platze,
gußeiserne Junge zu kriegen, zum Knochenkotzen, zum Auswachsen, zum Kartoffel-
nießen, zum Verrecken, zum beboomölen · da möchte man gleich schwarz werden ·
da fallen einem ja die Haare von der Brust · ich denke, mir geht der Hut hoch ·
da geht einem das Messer in der Tasche auf · mir platzt der Papierkragen · das
hat noch gefehlt · verflucht noch eins · Herkulanum · Herrschaft noch mal · da hört
der Spaß, doch alles auf · du kommst mir gerade recht · so was ist mir noch nicht
vorgekommen · zum Donnerwetter · heiligs Donnerwetter noch einmal (das Ideal
der Wiederholung des Gleichen), *s. die Flüche 11.5* ❡ mit flammenden Augen ·
Schaum vor dem Mund ❡ sich ärgern · sich alterieren · aufbrausen · aufstampfen ·
sich bosen · brüllen · brummen · einschnappen · sich entrüsten · sich erbosen · sich
ereifern · ergrimmen · sich erzürnen · fauchen · geifern · sich giften · grollen ·
keifen · kochen · maulen · motzen · muschen (schweiz.) · protzen · rasen · raunzen ·
schäumen · schmollen · schnauben · sieden · toben · verübeln · wüten · verzwatzeln ·
zanken · zürnen · toben wie ein Berserker · vor Wut bersten, kochen, sieden · ist
falsch, fuchtig, geladen, giftig, hoch, öd, wild, nietig (basel.), spinnötsch, verkrumpelt,
verschnupft · die Schale seines Zornes ausgießen · eine Szene, einen Auftritt
machen · seinen Unwillen nicht zurückhalten können · 'n Flunsch, 'ne Flabbe
machen (berl.) · die Zähne blecken, fletschen, weisen · in Fahrt sein · ist auf 100 ·
die Kränke kriegen · die Stirn falten, furchen, runzeln · einen Kalten haben (alem.) ·
die Fäuste ballen · sich wütend gebärden · mit den Füßen stampfen · ihm raucht
der Kopf · kriegt einen dicken Kopp · aus dem Häuschen sein · die Träger platzen ·
knirschen vor Zorn · Gift und Galle speien · vor Wut bersten, platzen, an allen
Gliedern beben · ist mucksch, in Hochheim · am ganzen Körper, Leibe zittern ·
aus der Haut fahren mögen · sich die Schwindsucht an den Hals ärgern · den Ärger
verbeißen, verschlucken, im Innern verbergen · läuft rot, dunkel an ❡ aber der hat
jespuckt (berl.) · er ist gestiegen ❡ Anstoß nehmen · böse, krabbelig werden · sich
empören · explodieren · hochgehen · übel (auf)nehmen · krumm nehmen · falsch,
unrecht verstehen · sich beleidigt fühlen · in Harnisch, Wut, Weißglut geraten · die
Galle läuft ihm über · in die Höhe fahren · in die Luft gehen · sauer reagieren · der
Geduldsfaden reißt · eine Laus ist ihm über die Leber gelaufen · außer sich kommen ·
ausschierig werden · in Zorn entbrennen, erglühen · jetzt hats geschellt · die Besinnung, Geduld verlieren · wild, verückt werden · aus der Haut fahren (und sich
daneben setzen) · seinem Ärger Luft machen · in Zorn ausbrechen · rot sehen · der
Wut freien Lauf lassen · alles hinauspfeffern · vor Wut aus dem Fenster springen ·

alles kurz und klein schlagen ¶ ärgern · alterieren · aufbringen · aufregen · beleidigen · empören · entflammen · erbosen · erzürnen · fuchsen · hochbringen · irritieren · kränken · nickeln · reizen · schikanieren · schmähen · verbittern · verdrießen · verletzen · verschnupfen · verstimmen · wurmen · in Wut, Zorn bringen · auf die Nerven gehn · Ärger, Wut erregen, erwecken · geht über den Spaß · treibt die Galle ins Blut · die Gefühle verletzen · wütend machen · in Harnisch bringen · die Galle aufregen · aufs äußerste treiben · zu Tode ärgern · Anstoß erregen, geben · böses Blut machen · den Zorn anfachen, entflammen · das Blut (in den Adern) kochen, sieden machen·· das Blut in Wallung bringen · den Bruch erweitern · die Gunst verlieren · in Ungnade fallen · die Zuneigung verscherzen · sich unbeliebt machen ¶ ärgerlich · aggressiv · aufbrausend · auffahrend · aufgebracht · böse · brummig · cholerisch · empfindlich · erbittert · erbost · ergrimmt · erregt · erzürnt · fuchswild · furios · gereizt · giftig · grantig · grimm(ig) · grollend · heftig · heißblütig · hitzig · hitzköpfig · jähzornig · kribbelig · mißlaunig · mißgestimmt · mißmutig · mürrisch · nervös · pikiert · rabiat · übellaunig · ungehalten · -mutig, -willig, · verbissen · wild · wütend · verstimmt · zornig · zornsprühend · zornrot ¶ ärgerlich · empörend · hanebüchen · toll · unerhört ¶ Amokläufer · Berserker · Bullenbeißer · Heißsporn · Krakehler · Puter- · Zinshahn · Zornbock, -gickel ¶ Furie · Keiferin · Rachegöttin · Tante Malchen ¶ Störenfried · rotes Tuch · Dorn im Auge · Nagel zum Sarg ¶ Anfall · Aufreizung · Beleidigung · Herausforderung · Hohn · Kränkung · Schädigung · Schimpf · (angetane) Schmach ¶ Ärger Argwohn · Aufgebrachtheit · Bitterkeit · Bosheit · Empfindlichkeit · Entrüstung · Erbitterung · Erregung · Feindschaft · Grimm · Groll · Haß · Mißmut · Mißvergnügen · Pike · Rachgier · Rachsucht · Roches · Schärfe · Übellaunigkeit · Unmut · Unwille · Verdacht · Verdruß · Verstimmung · Zorn ¶ Galle · Geifer · Gift ¶ Aufregung · Erregung · Heftigkeit · Hitze · Ingrimm · Jähzorn · Koller · Leidenschaft · Raserei · Stinkwut · Tobsucht · Ungestüm · Verzweiflung · Wut · Wutausbruch · Zornanfall · schlechte Laune · mürrisches Wesen · aufbrausendes, cholerisches, heftiges Temperament · finstere Blicke · blitzende, feuersprühende, funkelnde Augen · kochendes, siedendes, wallendes Blut · Kraft der Verzweiflung.

32. Trübsinn. *s. Unlust 11. 13. Reue 19.5.*

leider · leider Gottes · schade · jammerschade · ewig schade · es ist eine Sünde und Schande · in Sack und Asche · in Verzweiflung · zum Leidwesen · mit geteiltem Herzen, mit gemischten Gefühlen · mit einem lachenden und einem weinenden Auge · mit einer Träne im Knopfloch ¶ sich abhärmen · sich abzehren · bedauern · beklagen · bereuen · sich betrüben · sich grämen · grollen · grübeln · sich härmen · sich kümmern · sich quälen · schmachten · schmollen · sorgen · trauern · verzweifeln · sich dem Gram hingeben · Trübsal spinnen, blasen · vor Leid vergehen · Kummer haben · schwer nehmen · mit der Welt zerfallen sein · sich zu Herzen nehmen · den Blick auf den Boden heften · finster dreinschauen · die Flügel, den Kopf hängen lassen · das Gesicht verziehen · Grimassen schneiden · den Schwanz einziehen, einklemmen · eine Britsche machen · die Stirn runzeln · e Pännche mache (hess., von Kindern), Schippe ziehen, ne Flappe machen · ist down · ist nur noch ein Schatten · die Ohren hängen lassen · die Stirn runzeln · sich in Sack und Asche hüllen · sich dem Kummer überlassen, in die Arme werfen · sich Sorge machen · Vergnügen aus dem Wege gehen · macht ein Gesicht wie verhagelte Petersilie, wie 14 Tage Regenwetter, wie ein pensionierter Affe, wie wenn ihm die Hühner 's Brot gefressen hätten · wie die teure Zeit ¶ etwas bedauern, beklagen, bereuen, verwünschen, ¶ bedrücken · bekümmern · dauern · entmutigen · härmen · leid tun · stark mitnehmen · nahe gehn · niederdrücken · zusetzen · verzagt, mutlos m'achen · der Schuh drückt · kleinmütig machen · das Herz schwer machen · den Mut benehmen · geht ihm zu Herzen · die Hoffnung, den Trost entziehen · das Herz brechen · am Herzen nagen · an die Nieren gehen · den Schlaf rauben · drückt ihm das Herz ab · Sorge machen · schmerzlich berühren · es ist ein Jammer, zum aus der Haut fahren ¶ ärgerlich · enttäuscht · freudenleer · bedeppt · betucht · freudlos · grämlich · griesgrämig · larmoyant · lustlos · miesedrähtig · mißgestimmt · mißlaunig · mißmutig · mürrisch · rührselig · sauertöpfisch · übellaunig · unlustig · unmutig · unverstanden · verdrießlich · verdrossen · verdüstert · verschnupft · verstimmt · verstört ¶ abgehärmt · beklemmt · beklommen · belämmert · bekümmert · betrübt · blaßwangig · bleich · depressiv · deprimiert · dickblütig · düster · gallsüchtig · gebeugt · gebrochen · gedrückt · geknickt · gemütskrank · grambedeckt · gramgebeugt · grillenhaft · hoffnungslos · hypochondrisch · hysterisch · kleinmütig · kopfhängerisch · lebensüberdrüssig · melancholisch · mißvergnügt · mutlos · niedergedrückt · niedergeschlagen · pessimistisch · schwermütig · sentimental · tiefsinnig · träumerisch · traurig · trostlos · trübe · trübselig · trübsinnig · verbittert · verhärmt · verzagt · verzweifelt · innerlich zerrissen · traurig wie ein Leichenzug · zu Tode betrübt · düster wie das Grab ¶ bedeckt (z. B. bedeckte Bluse, hamb.) · bitter · düster · feierlich · finster · grimmig · herb · nüchtern · pedantisch · streng · unfreundlich · verbissen · verschlossen ¶ Grillenfänger · Hypochonder · Kopfhänger · Leichenbitter · Melancholiker · Miesepeter · Pessimist · Schwarzseher · Pomuchelskopp (ndd.) · Querulant · Selbstpeiniger · Sorgensucher · Trauerkloß · eingebildeter Kranker ¶ Bedauern · Bekümmernis · Betrübnis · Düsterheit · Freudlosigkeit · Gram · Hysterie · (nagender) Kummer · Mißmut · Mißstimmung · Mißvergnügen · Moll · Pessimismus · Schwarzseherei · Trauer · Trübsinn · Überdruß · Wehmut · Depression ¶ Gespensterseherei · Grillenfängerei · Grübelei · Hysterie · Lebensüberdruß · Migräne · Milzsucht · Selbstquälerei · Spleen · Verfolgungswahn ¶ Entmutigung · Kleinmut · Melancholie · Tiefsinn · Verzweiflung · Weltschmerz · Marlitteratur (Kerr) ¶ Bitterkeit · Ernst · Feierlichkeit · Leichenbittermiene · Pedanterie · Steifheit · Strenge · Unfreundlichkeit. ¶ Verdüsterung des Gemüts · betrogene Hoffnung · entschwundenes Lebensglück.

33. Klage. *s. Fluch 11. 5; 16. 37.*

ach · nt-nt (geschnalzt) · au · aua · autsch · leider · ach Gott · Herr je mersch nee (sächs.) · o Himmel · oh · o lätz · o weh · weh mir · wei · verwünscht sei diese Stunde · o jemine ¶ mit aufgelösten, verwirrten Haaren · mit Tränen in den Augen · mit nassen, feuchten Augen · händeringend · mit schmerzerfüllter Stimme ¶ die Hände ringen, winden · die Fäuste ballen · sich die Brust schlagen · sich die Haare (aus)raufen · mit den Zähnen knirschen · sich im Staube wälzen · sich in Sack und Asche hüllen · vor Schmerz vergehen · in Klagen ausbrechen · ein Jammergeschrei erheben ¶ sich abzehren · brummen · bejammern · beklagen · betrauern · beweinen · sich grämen · sich härmen · klagen · knurren · murren · trauern · wehklagen ¶ ächzen · anken (jäg.) · aufschreien · autschen · barmen · brüllen · flennen · gerre (hess.) · gnauen · greinen · heulen · jammern · jämmern · janken · jaulen · klagen · kreischen · krecksen · lamentieren · natschen · plärren · schluchzen · schelehuchzen · schlucksen · schnipsen (letztes Zucken kleiner Kinder nach anhaltendem Weinen) · schreien · seufzen · stöhnen · weinen · wehrufen · wimmern · winseln · zetern · Schmerz äußern · Leid tragen · Seufzer, Angstschrei ausstoßen · Zetermordio schreien · sich blind weinen · der Bock stößt ihn · am Strickelche ziehn (hess., von Kindern) · Zähren vergießen · in Tränen schwimmen · heulen wie ein Schloßhund,

wie ein Kettenhund · sich die Augen rot, aus dem Kopf weinen · in Tränen zerfließen · hat nah ans Wasser gebaut (hess., von weinerlichen Kindern) · seinem
Schmerz freien Lauf lassen ¶ Seufzer entpressen · bricht ihm das Herz ¶ betränt ·
gebrochen · schmerzbewegt · schmerzdurchdrungen · traurig · untröstlich · verzweifelt · gebrochen an Leib und Seele · in Tränen aufgelöst, gebadet · sprachlos vor
Schmerz ¶ *von Dingen:* betrüblich · düster · finster · herb · jämmerlich · jammervoll · kläglich · mißlich · tränenreich · trostlos · *s. Unlust verursachen 11. 14* ¶ Brüll-
aff · Heuler · Heulpeter · Jammergestalt · Klageweib · Leidtragender · Schmerzerfüllter · Trauergestalt · Hiob ¶ Flennliese · Niobe · büßende Magdalena ¶ Träne ·
Zähre ¶ Elegie · Grabgesang · Grabrede · Jeremiade · Klaggesang · Klagelied ·
Nachruf · Nänie · Sterbelied · Trauerode · letztes Geleit, *s. Bestattung 2. 48*
¶ Kranz · Trauerweide · Urne · Zypresse ¶ Flor · Trauerkleid · Witwenschleier
¶ Ächzen · Angstruf · Gejaule · Georgel · Geschrei · Gestöhn · Gewinsel · Hände-
ringen · Jammer · Klage · bewegliche Klagen · Lamento · Litanei · Schluchzer ·
Schmerzausbruch · Schmerzensruf · Seufzer · Stoßseufzer · Tränenerguß · Wehklage ·
Zetergeschrei · Ach und Weh.

34. Tröstung. *s. heilen 2. 44. Hilfe 9. 70. Mut 11. 38.*

blasen (bei Kindern, die sich gestoßen haben) ¶ aufheitern · aufmuntern · aufrichten · begütigen · beleben · beruhigen · besänftigen · beschwichtigen · dämpfen ·
einschläfern · erfrischen · erlösen · ermutigen · erleichtern · erquicken · heilen ·
laben · lindern · mäßigen · mildern · stärken · stillen · wiegen · trösten · unterstützen · wiederherstellen · neu beleben · behaglich machen · den Schmerz stillen ·
Hoffnung erwecken · die Wogen glätten · Mut zusprechen · Trost spenden · die
Trauer verscheuchen · Tränen trocknen · Balsam in die Wunde träufeln · (gut
zureden ¶ es fällt ihm ein Stein vom Herzen · etwas leicht nehmen ¶ balsamisch ·
erquicklich · heilsam · lind · schmerzstillend · tröstlich · trostreich ¶ Freund, Helfer
in der Not · Tröster · Paraklet ¶ Balsam · Heilmittel · Herzstärkung · Labsal ·
Linderungsmittel · Narkotikum · Palliativ · Salbe · Schlafpulver · Schnuller ·
Stärkungsmittel ¶ Eia-popeia · Musik · Schlummerlied ¶ Bett · Polster · Ruhekissen ¶ Erlösung · Erquickung · Heilung · Hilfe · Trost · freundlicher Zuspruch.

35. Hoffnung. *s. möglich 5. 2. Glaube 12. 22. versprechen 16. 23.*

grüne Farbe · Anker ¶ mit Gott · Glück auf · Heil · wir werden den Zaun schon
pinseln, das Schwein schon töten, das Kind schon schaukeln, die Sache schon ritzen,
schieben ¶ sich freuen · hoffen · sich spitzen auf · träumen von · Erwartung hegen ·
Hoffnung im Busen tragen · sich der Hoffnung hingeben · neue Hoffnung
schöpfen · die Aussicht haben, etwas auf dem Kieker haben · frohen Mutes sein ·
keinem Mißtrauen Raum geben · keinen Verdacht hegen · der Hoffnung leben ·
nicht verzweifeln · setzen auf · sich an die Hoffnung klammern · guten Mutes,
froher Zuversicht sein · der besten Hoffnung sein · des festen Glaubens sein · sich
an einen Strohhalm klammern · sich (falsche) Hoffnungen, Illusionen machen · alles
im rosigsten Schimmer erblicken · alles im günstigsten Lichte sehen · hat den
Himmel voller Geigen · sich von der Hoffnung betören, blenden lassen · Morgenluft wittern · sich etwas versprechen von ¶ entgegensehen · erhoffen · sich verlassen
auf · auf etwas bauen, rechnen, zählen · vertrauen auf · zutrauen · die Hoffnung
gründen auf · sein alles, seine Zuversicht setzen auf · von der glänzendsten Seite
auffassen · seine ganze Erwartung richten auf · sich etwas vorgaukeln ¶ angeloben ·
aufmuntern · ermutigen · versprechen · zusichern · Hoffnung anregen, einflößen,

erwecken · Erwartungen rege machen · die Hoffnung beleben · in Aussicht stellen, eröffnen ❡ in Aussicht stehen · sich in der Schwebe befinden · den Anschein haben · Vertrauen erwecken ❡ arglos · erwartungsvoll · furchtlos · getrost · hoffnungsfreudig · hoffnungsvoll · optimistisch · sanguinisch · sicher · sorglos · vertrauensvoll · zuversichtlich ❡ aussichtsvoll · glückverheißend · günstig · verheißungsvoll · vielversprechend ❡ mutmaßlich · wahrscheinlich ❡ begegnender Schornsteinfeger · Fingerjucken · Spinne am Abend (Mittag) ❡ Blütentraum · Fata Morgana · Illusion · Luftschlösser · Utopien · Zauberland · Zukunftsmusik ❡ Anhalt · Halt · Hoffnungsanker · Stab · Stütze ❡ Hoffnungsfunke, -glanz, -schimmer, -strahl · Konstellation · Sonne im Herzen · rosenrote Brille · ungelegte Eier · frohe, glänzende, gute Aussichten · Chance ❡ Ahnung · Annahme · Anwartschaft · Erwartung · Hoffnung · Mußmaßung · Spannung · Versprechung · Vertrauen · Voraussetzung · Vorfreude · Vorgefühl · Zutrauen · Zuversicht ❡ Hoffnungsseligkeit · Kredit · Lebensbejahung · Optimismus · Vertrauensseligkeit . Zusicherung.

36. Wunsch. ˢ *Hauptsache 5. 10. wollen 9. 2. Absicht 9. 14. Eifer 9. 38. wichtig 9. 44. Hunger 10 10. Durst 10. 13. Sinnlichkeit 10. 21. Liebe 11. 53. bitten 16. 20.*

begegnender Schornsteinfeger · Fingerjucken · Spinne am Mittag (Abend) · für sein Leben gern ❡ Gott gebe · o möchte doch · ach wenn doch · ein Königreich für · *Konjunktiv* ❡ begehren · brennen auf · empern nach (südd.) · ersehnen · erstreben · sich freuen auf · giepern nach (berl.) · gieren · sich interessieren · sich sehnen nach · verlangen · wollen · wünschen ❡ anbeten · anstreben · ausgehen auf · sich bemühen um · buhlen um · schnappen nach · streben nach · suchen · tendieren · trachten nach · träumen von ❡ (hangen und) bangen · dürsten · glühen für · hungern · lechzen · schmachten · seufzen um ❡ anhalten um · freien um · kandidieren · sich aufstellen lassen · petitionieren · vorstellig werden · werben um ❡ bedürfen · benötigen · brauchen · vermissen ❡ angeln nach · fahnden · fischen · mich gelüstet, dürstet, hungert, juckt, verlangt · lüstern sein nach · Geschmack finden an · Lust haben zu · ist bedacht, erpicht, ist dafür zu haben, ist interessiert, scharf, toll. versessen, verrückt, wild auf · gern haben · mögen · haben wollen · hat eine Ader, ein Faible, eine Schwäche, ein Penchant, einen Hang, eine Neigung · das Herz hängen an · von Begierde erfüllt, von Verlangen entbrannt sein · hoch halten · im Herzen tragen · im Busen hegen · Wert legen auf · mit allen Fasern des Herzens hangen an · die Augen auf etwas richten · keinen anderen Wunsch kennen als · vor Begierde brennen · hinterher sein · das Augenmerk richten auf · (s)ein Auge auf etwas werfen · mit gierigem Blick betrachten · mit den Augen verschlingen · auf Schritt und Tritt nachgehen, nachlaufen, nachsteigen · nicht aus den Augen lassen · Verlangen hegen, tragen nach · alle Wünsche richten auf · die Lippen, alle fünf Finger lecken nach · lüsterne Blicke werfen · von Sehnsucht ergriffen sein · auf den Fang ausgehen · das Netz stellen · die Angel stellen · die Angel auswerfen · eine Schlinge legen · eine Falle stellen ❡ entbrennen · erglühen · sich erwärmen für · verhungern · verschmachten · vor Sehnsucht vergehen, fast sterben · kann es gar nicht erwarten, nicht mehr aushalten ❡ animieren · anlachen · anlächeln · anlocken · anziehen · einladen · gefallen · ködern · locken · reizen · verführen · versuchen · Verlangen erwecken, rege machen · in Versuchung bringen, führen · Lockspeise hinhalten · Lust machen · in die Augen, in die Nase stechen · den Mund wässerig machen · den Appetit reizen, schärfen, anregen · die Lust erhöhen · die Phantasie erregen · er hat das Geriß · die Sinne beschäftigen, berücken · alle Sinne aufregen,

in Aufruhr bringen · sich des Herzens, der Sinne bemächtigen ⁋ entgehen · fehlen ·
mangeln ⁋ -dul · -hörig · -istisch · -phil · begierig · besessen von · ehrgeizig · eingenommen für · erpicht · feurig · geneigt zu · hektisch · hysterisch · krank nach ·
leidenschaftlich · manisch · scharf auf · sehnsüchtig · ungeduldig · vergafft · verliebt ·
zärtlich ⁋ begehrlich · brünstig · durstig · eßlustig · gefräßig · geil · giepsig ·
gierig · giererfüllt · habsüchtig · happig · heißhungrig · lechzend · leckerhaft ·
lüstern · naschhaft · raubgierig · schleckerig · schmachtend · trinklustig · trocken ·
unersättlich · unstillbar · verfressen · versoffen ⁋ friedlos · unverstanden · unzufrieden ⁋ sehnlich wünschend · von Liebe entflammt, entbrannt, erglühend · von
Durst, Hunger gepeinigt, gequält · von Begierde verzehrt · von Sehnsucht ergriffen
⁋ begehrenswert · einladend · erwünscht · lecker · süffig · überlaufen · vielbegehrt ·
wünschenswert ⁋ Anbeter · Bittsteller · Kandidat · Liebhaber (von) · Nachsteiger ·
Sammler · Verehrer ⁋ Abgott · Fetisch · Götze · Gott · Idol · Held ihrer Träume
⁋ Anliegen · Köder · Magnet · Reizmittel · Blendwerk · Gegenstand des Ver-
langens · Gipfel des Ehrgeizes · innigster Herzenswunsch · Steckenpferd · Tendenz ·
Traum · Anliegen · Begehr · Begehren · Begierde · Lust · Verlangen · Wunsch
⁋ -ismus · -lagnie · -manie · -philie · -sucht · -wut · Geschmack · Hang · Liebe ·
Manie · Neigung · Parteilichkeit · Sympathie · Teilnahme · Voreingenommenheit ·
Vorliebe · Wohlgefallen · Zuneigung · lüsternes Auge · knurrender Magen · trockene
Kehle · trockener Schlund · brennender, heißer, quälender Durst · leidenschaftliches
Verlangen · unersättliche, wilde Begier · unstillbare Leidenschaft ⁋ Anfechtung ·
Begierde · Brunft · Brunst · Ehrgeiz · Ehrsucht · Fieber · Gelüst · Gier · Habsucht ·
Heimweh · Lüsternheit · Regung · Sehnsucht · Streben · Sucht · Tantalusqualen ·
Trachten · Versuchung · Wallung ⁋ Bedürfnis · Erfordernis · Herzenswunsch ⁋ An-
reiz · Drang · Reiz · Trieb · Appetit · Hunger · Durst ⁋ Anfechtung · Antrieb ·
(galante) Anwandlungen · Fleischeslust · Geldsucht · Heißhunger · Kitzel · Leiden-
schaft · Raubsucht · Stachel · Wollust ⁋ Fetischismus · Kleptomanie.

37. Gleichgültigkeit. *s. unwichtig 9. 45. Seelenruhe 11. 8. Langeweile 11. 26. Verachtung 16. 36.*

nitschewo ⁋ husten auf · pfeifen auf · scheißen auf · sich nicht anfechten lassen ·
einer Sache überdrüssig sein · anheimstellen · nicht, den Teufel darnach fragen ·
sich aus etwas nichts machen · Bedarf ist gedeckt · keinen Gefallen finden an ·
kann sich beherrschen · keinen Geschmack haben an · kalt bleiben · nicht einen
Deut, Pfifferling, Stecknadelknopf, Strohhalm geben für ⁋ geringschätzen · verachten · verschmähen · verzichten · links liegen lassen ⁋ ist ihm egal, piepe,
schnurz, wurscht, alles eins · macht ihm nichts aus · läßt kalt ⁋ abgestumpft ·
gleichgültig · ehrgeizlos · interesselos · kalt · kaltschnäuzig · kaltsinnig · kühl bis ans
Herz hinan · leidenschaftslos · mechanisch · stumpf · teilnahmslos · unbekümmert ·
uninteressiert · wunschlos ⁋ fade · fruchtlos · geschmacklos · gleichgiltig · interesselos · reizlos · schal · umsonst · unbeachtet · unerbeten · unerwünscht · ungelegen ·
unschmackhaft · vergeblich · würzlos ⁋ geringschätzig · nachlässig · verächtlich
⁋ gleichgiltiger Mensch: Zeitgenosse · oberflächlich Bekannter · Herdenmensch
⁋ Froschnatur · Hundeschnauze ⁋ Nebensache · Lumperei ⁋ Apathie · Appetitlosigkeit · Bedürfnislosigkeit · Fatalismus · Geduld · Gleichgiltigkeit · Indolenz ·
Interesselosigkeit · Kälte · Kaltsinn · Lauheit · Lebensüberdruß · Lustlosigkeit ·
Nihilismus · Phlegma · Resignation · Sorglosigkeit · Stoizismus · Teilnahmslosigkeit · Unachtsamkeit · Unbefangenheit · Unlust · Verachtung · Wunschlosigkeit ·
Wurschtigkeit.

38. Mut. *s. Unternehmen 9. 21. Frechheit 16. 90.*

kühnlich ⁋ sich auszeichnen · sich bewähren · draufgehen · sich einsetzen · sich erdreisten, erfrechen · getrauen · sich hervortun · riskieren · sich unterfangen · unternehmen · sich unterwinden, vermessen · verantworten · vertreten · wagen · Gefahren verachten · der Gefahr ins Auge sehen, entgegentreten, trotzen · keiner Gefahr ausweichen · die Furcht bezwingen · die Traute haben (berl.) · Mut haben · hat das Herz auf dem rechten Fleck · nicht wanken und nicht weichen · ein Mann sein · seinen Mann stellen, stehen · er ist Manns genug · es mit dem Feind aufnehmen · dem Feind Hohn sprechen · die Spitze, die Stirn, bieten · den Stier bei den Hörnern fassen · läßt es darauf ankommen · mutig drauflos marschieren · ins Feuer rücken · sein Leben in die Schanze schlagen · sich vor die Bresche, vor die Kanonen stellen · die Stellung nehmen, stürmen · den Teufel nicht fürchten · durch dick und dünn, Feuer und Wasser gehen · der Hölle Trotz bieten · das Herz haben zu · die Feuerprobe bestehen · der Katze die Schelle anhängen · sich die Sporen verdienen · sich in die Höhle des Löwen wagen ⁋ sich ermannen · sich zusammenraffen · Mut fassen · sich ein Herz fassen · den inneren Schweinehund kleinkriegen ⁋ anfeuern · anspornen · aufmuntern · ermutigen · Mut einflößen, Mut machen · Mut ins Herz gießen · dreist machen *s. 9. 12* ⁋ beherzt · brav · dufte (berl.) · entschlossen · (felsen)fest · feurig · forsch · furchtlos · heldenhaft · heldisch · heldenmütig · heroisch · herzhaft · kess (berl.) · kuragiert · mannhaft · männlich · mutig · selbstsicher · standhaft · starkherzig · stramm · tapfer · tüchtig · übermenschlich · unerschrocken · unerschütterlich · unverzagt · vermessen · verwegen · verwogen · wacker · wagemutig · waghalsig ⁋ dreist · frech · keck · kühn · schneidig · trutzig · unbesiegbar · unbezwingbar · uneingeschüchtert · unerschütterlich · unternehmend · unüberwindlich ⁋ grimmig · hartnäckig · heftig· hitzig · ritterlich · trotzig · ungestüm · wild · tapfer wie ein Löwe · voll unbezähmbaren Mutes · voll Unternehmungslust · von Berserkerwut ergriffen ⁋ Bravo · Draufgänger · Eisenfresser · Führer · Haudegen · Held · Kämpe · Kerl · Mordskerl · Schiebochs · Teufelskerl ⁋ Aar, Adler · Bulldogge · Kampfbahn · Leu, Löwe ⁋ Roland · Siegfried · tapferer Degen · ein Mann der Tat · Ritter ohne Furcht und Tadel · Turm in der Schlacht · Rufer im Streit · ein ganzer Kerl ⁋ Handstreich · Heldentat · Husarenritt · Husarenstück(chen) · Streich · Stückchen · Wagestück · Wagnis · kühner Griff ⁋ Beherztheit · Bravour · Entschlossenheit · Furchtlosigkeit · Herzhaftigkeit · Kühnheit · Kurage · Mut · Schneid · Tapferkeit · Tollkühnheit · Unverzagtheit · Verwegenheit · Verzweiflungsmut · Wagemut · Zivilkurage ⁋ Begeisterung · Festigkeit · Feuer · Heldenmut · Heldensinn · Heroismus · Kampfgeist · Kriegsmut · Löwenmut · Männerherz · Mannesmut · Mannestum · Mannhaftigkeit · Moral (der Truppe) · Ritterlichkeit · Schlachtenzorn · Seelenstärke · Selbstvertrauen · Standhaftigkeit · Todesverachtung · Zuversicht · frischer Mut · persönlicher Einsatz ⁋ die Geister der Gefallenen.

39. Tollkühn. *s. eigensinnig 9. 10. Gefahr 9. 74. Frechheit 16. 90.*

sich erdreisten · sich erkühnen · sich übereilen · sich überhasten · sich überstürzen · sich vermessen · sich die Finger, den Mund, die Zunge verbrennen · die Gefahr aufsuchen, herausfordern · die Gefahr suchen · sich blindlings in Gefahr begeben · sich in Abenteuer stürzen · den Hals einsetzen, wagen · hasardieren · sein Leben aufs Spiel setzen · alles auf eine Karte setzen · mit dem Kopf gegen die Wand rennen, durch die Wand wollen · Gott, den Teufel, die Vorsehung versuchen · sich ins Verderben stürzen · die Kräfte überschätzen · Husarenstückchen ausführen ·

einen verlorenen Posten beziehen ⁋ den Teufel an die Wand malen · mit dem
Feuer spielen · einen blinden Handel, Kauf abschließen · die Katze im Sack
kaufen · nicht mit Tatsachen rechnen ⁋ allzugewagt · ausgelassen · dreist · frech ·
kühn · mutwillig · tollkühn · unbesonnen · unvorsichtig · vermessen · verwegen ·
verzweifelt · voreilig · vorschnell · waghalsig ⁋ abenteuerlich · achtlos · blind ·
hastig · hitzig · hitzköpfig · jäh · jähzornig · leichtfertig · leichtsinnig · rasch · sinnlos ·
sorglos · übereilt · überhastet · überstürzt · unbedacht · unbekümmert · ungestüm ·
unklug · unüberlegt · unvernünftig · unverständig · unvorsichtig · wild ⁋ Abenteurer · Bravo · Desperado · Draufgänger · Hasardspieler · Heißsporn · Himmelsstürmer · Raufbold · Teufelskerl · Tollkopf · Wagehals · Welteroberer · ein Foxterrier, der in den Löwenkäfig geht · verwegener Abenteuersucher · fahrender
Ritter · Don Quichotte ⁋ Abenteuer · Frevel · Ikarosflug · Wagnis ⁋ Dreistigkeit ·
Frechheit · Leichtsinn · Mutwille · Rücksichtslosigkeit · Tollkühnheit · Übereilung ·
Übermut · Überstürzung · Unbedacht · Unbesonnenheit · Ungestüm · Unklugheit ·
Unüberlegtheit · Unverstand · Vabanquespiel · Vermessenheit · Verwegenheit ·
Waghalsigkeit.

40. Vorsicht. *s. Mässigung 5. 38. Sorgfalt 9. 42. Sicherheit 9. 75 Aufmerk-samkeit 12. 7. schlau 12. 53.*

unter den Tisch klopfen ⁋ unberufen · toi toi · Hals- und Beinbruch! (*s. Aberglaube
20. 12*) · na na · Achtung · Obacht · wahrschau (Marine) · Samiel hilf! (Freischütz) ·
Zerbrechlich · Glas · Vorsicht mit die Porzellankiste · um ganz sicher zu gehn ⁋ weislich · wohlweislich · hinten herum · wie die Katze um den heißen Brei ⁋ achtgeben ·
bedenken · berechnen · berücksichtigen · sich ducken · erwägen · mauern (Skat) ·
sichern · überlegen · verhoffen (jäg.) · sich vorsehen · warten · die Worte abmessen,
wägen, zählen · sich in acht nehmen · das Angenehme mit dem Nützlichen verbinden · Sorge tragen · auf der Hut sein · sich breit, fertig halten · Vorsichtsmaß-
regeln treffen · auf dem Qui vive sein · mit Glacéhandschuhen anfassen · schonen ·
die Augen offen haben, halten · (Alarm-)Posten aufstellen · sich außer Schußweite
halten · sich Zeit lassen, gönnen · sich nicht in (unnötige) Gefahr begeben · sich vor
Gefahr bewahren, hüten, schützen · Gefahren ferne halten · frühe aufstehen · die
Zunge im Zaum halten · sehn, wie der Hase läuft · in die Brücke gehn ⁋ achtsam ·
aufmerksam · bedacht · bedachtsam · bedächtig · behutsam · besonnen · diplomatisch ·
klug · schonsam · sichergehend · sorgfältig · sorglich · umsichtig · verschlossen ·
verschmitzt · verschwiegen · vorsichtig · wachsam · zurückhaltend ⁋ erwägend ·
kaltblütig · leidenschaftslos · listig · schlau · überlegend ⁋ eiserne Ration ⁋ Achtsamkeit · Bedacht · Behutsamkeit · Berechnung · Besonnenheit · Diplomatie · Ermattungsstrategie · Fassung · Festigkeit · Geistesgegenwart · Großmut · Kaltblütigkeit · Klugheit · Schlauheit · Rücksicht(nahme) · Schonung · Selbstbeherrschung ·
Umsicht · Vorsicht · ruhiges Blut · salomonisches Urteil · Politik des Zuschauers ·
abwartende Politik · der Verstand der Verständigen · der bessere Teil der Tapferkeit · Rückzieher ⁋ Erwägung · Fürsorge · Kautele · List · Sicherung · Riegel ·
Sorgfalt · Überlegung · Verschwiegenheit · Vorbehalt · Vorbereitung · Zurückhaltung.

41. Schwarzseherei. *s. mißlingen 9. 78. Trübsinn 11. 32. Erwartung 12. 41; 12. 42. Ungehorsam 16. 116.*

greueln · miesmachen · unken · verzagen · verzweifeln · eine Hoffnung zu Grabe
tragen, einsargen · aus allen Himmeln fallen · jede Hoffnung verlieren, aufgeben ·
alle Hoffnung begraben, fahren, sinken lassen · sich der Verzweiflung hingeben,

in die Arme werfen · den Kopf, die Flügel hängen lassen · die Flinte ins Korn werfen · verloren geben · über Bord werfen · auf alles gefaßt sein · die Zukunft grau in grau malen ¶ dem Verderben preisgeben · zur Verzweiflung bringen, treiben · ins Herz, in die Seele treffen · in Verzweiflung stürzen · die Hoffnung abschneiden, rauben, vernichten, zerstören · die Hand abziehen von ¶ hoffnungslos · kleingläubig · melancholisch · pessimistisch · trostlos ¶ aufgegeben · aussichtslos · bejammernswert · (schon) faul · gottverlassen · hoffnungslos · todgeweiht · trostlos · unersetzlich · unheilbar · unrettbar · unwiederbringlich · verzweiflungsvoll ¶ ominös · unglückverheißend · unheilschwanger ¶ Flaumacher · Miesmacher · Pessimist · Schwarzseher · Unke · Unheilsprophet · Meckerer · Kritikaster · Kassandra ¶ Sumpf der Verzweiflung · verlorener Posten · böser Fall · böses Zeichen · trauriger, trostloser Fall · eingesargte, zerrüttete Hoffnung · trübe Ahnung ¶ Aussichtslosigkeit · Enttäuschung · Niedergeschlagenheit · Verlassenheit · Verzweiflung.

42. Furcht, Schrecken. *s.* fliehen 8. 18. warnen 9. 17. Gefahr 9. 74. Mißtrauen 12. 23. Gespenst 20. 5.

sich ängstigen · bangen · beben · sich bekreuzen · sich fürchten, graulen · gruseln · poppern · puppern · schaudern · scheuen · schlottern · schwanken · stutzen · zagen · zittern · zögern · mich graut · es graut mir · kein Glied regen, rühren können · Hat die Hosen (gestrichen) voll · hat Mores · an allen Gliedern, am ganzen Leibe beben, zittern · zittern wie Espenlaub · die Haare sträuben sich · ihm geht der Arsch mit Grundeis · hat nicht das Herz, keine Traute · ihm ist himmelangst · Gänsehaut bekommen · es ist ein Graus · vor Schreck mit den Zähnen klappern, mit den Knien schlottern · keines Wortes mächtig sein · es überrieselt ihn kalt · Blut schwitzen · Gespenster sehen · wie versteinert dastehen · die Nerven verlieren · einen Bammel, Dampf haben vor · ihn überläuft's · Manschetten haben · dem Landfrieden nicht recht trauen ¶ davonlaufen · schreien · sich verstecken · zurückbeben · zurückweichen · zusammenfahren · sich in die Ecke, einen Winkel verkriechen · in ein Mauseloch kriechen · Reißaus nehmen · die Flucht ergreifen ¶ befürchten · besorgen · Bedenken hegen, tragen ¶ erschrecken · zusammenfahren · sich entfärben · sich entsetzen · erblassen · erbleichen · erschauern · erstarren · erzittern · stutzen · verstummen · zurückbeben · zurückschrecken · den Mut verlieren, sinken lassen · den Kopf verlieren · stutzig werden · die Besinnung, Fassung, Sprache verlieren · zur Salzsäule werden · er kriegt es mit der Angst · von Furcht ergriffen werden · das Herz fällt ihm in die Schuhe, in die Hosen · wird ganz klein und häßlich · er war allen Toten gleich · Schiß haben · das Fracksausen kriegen ¶ abschrecken · ängstigen · alarmieren · beängstigen · beunruhigen · bluffen · einschüchtern · entsetzen · erschrecken · hetzen · scheuchen · terrorisieren · verängstigen · verblüffen · verdattern · verscheuchen · in Furcht setzen · bange machen · ins Bockshorn (Name des Osterfeuers im Harz) jagen · von Sinnen, aus dem Gleise bringen · ist ihm in die Knie (die Glieder) gefahren · in die Flucht jagen, scheuchen, treiben · die Haare zu Berge stehen machen · das Blut in den Adern erstarren, gefrieren lassen · Angst, Entsetzen, Grausen einflößen · Befürchtungen, Unruhe erregen · Furcht, Grauen erwecken · Bestürzung, Furcht und Entsetzen verbreiten · einen Schreck einjagen · Lärm schlagen ¶ ahnungsvoll · ängstlich · bange · befangen · besorgt · blöde · furchtsam · kleinlaut · kleinmütig · mißtrauisch · scheu · schüchtern · unruhig · verängstigt · verstört · verzagt · zage · zaghaft ¶ bedeppt · bedrippt · bestürzt · betreten · blaß · bleich · dormelig (hess.) · entgeistert · entsetzt · erschrocken · fassungslos · furchterfüllt · kopflos · schreckensbleich · sprachlos · starr · stumm · verdattert · verdutzt · verlegen · versteinert · verstört · verwirrt ¶ aschfahl ·

kreideweiß · leichenblaß · totenbleich · von Furcht ergriffen, erregt · von Schrecken gepackt · starr vor Schrecken · zu Tode erschreckt · von Entsetzen betäubt · von blinder Furcht gepackt · der Fassung, der Sinne beraubt · weiß wie Kreide, wie ein Handtuch, wie der Kalk an der Wand · wie angewurzelt · wie vom Donner gerührt ❡ abscheulich · beunruhigend · bestürzend · dämonisch · entsetzlich · furchtbar · furchteinflößend · furchterregend · fürchterlich · gespensterhaft · gespenstisch · gräßlich · grauenvoll · greulich · haarsträubend · schauderhaft · schauerlich · scheußlich · schrecklich · unheimlich · nicht geheuer ❡ Alb · Butzemann · Erscheinung · Geist · Gespenst · Gorgo · Graus · Kriegskomet · Popanz · Schreckensbild · Schreckgespenst · Spuk · Ungetüm · Wauwau · Werwolf · blutrote Sonne · der schwarze Mann · Basiliskenblick · böser Blick · schwarzer Kater · Freitag · Zahl 13 · Spinne am Morgen · verschüttetes Salz usw. ❡ Einschüchterung · Schreckensherrschaft · Terror ❡ Alarm · Hiobspost · Schreckenskunde · Schreckschuß · Trauernachricht · Unglücksbotschaft · blinder Alarm, Lärm ❡ Angstschweiß · Herzklopfen · Todesschrecken ❡ bange Ahnung · dumpfes Schweigen · Lautlosigkeit vor dem Gewitter · Stille vor dem Sturm · gewitterschwere Wolken · beängstigendes Gefühl · panischer Schrecken ❡ Schock · Schreck · die Schrecksekunde ❡ Aberglaube · Angst · Bangigkeit · Befürchtung · Besorgnis · Feigheit · Furcht · Gänsehaut · Kleinmut · Mutlosigkeit · Schiß · Sorge · Stöppel (mil., hess.) · Unruhe · Verzagtheit · Mangel an Mut · Heidenangst ❡ Bedenken · Befangenheit · Blödigkeit · Lampenfieber · Scheu · Schüchternheit · Unentschlossenheit · Unschlüssigkeit · Zweifel · Mangel an Selbstvertrauen ❡ Albdrücken · Angstpsychose · Beklemmung · Bestürzung · Entsetzen · Fassungslosigkeit · Grauen · Grausen · Niedergeschlagenheit · Panik · Phobie · Schauder · Schrecken · Verzweiflung · Zwangsneurose · Menschenangst · Weltangst.

43. Feigheit. *s. fliehen 8. 18. Niederlage 16. 83.*

klein beigeben · Kanonenfieber haben · sich nicht (ge)trauen · der Hase regt sich im Busen · hat keine Traute (berl.) · geht noch net mit eme Stecke bei e dod Hinkel (hess.) ❡ demoralisieren · die Moral untergraben · zersetzen ❡ bangherzig · bedächtig · blöde · feige · feigherzig · feminin · gelb wattiert · hasenherzig · kleinmütig · memmenhaft · mutlos · pulverscheu · scheu · schreckhaft · schüchtern · schwachherzig · unmännlich · unsicher · verzärtelt · verzagt · vorsichtig · wehleidig · weibisch · zag · zaghaft ❡ Angstarsch, -hase, -meier · Bangbüchse · Drückeberger · Duckmäuser · Feiglaps · Feigling · Fingerbiebche (Frankf.) · Hasenfuß · Hasenherz · Hosenscheißer · Mammakindchen · Memme · Lämmerschwänzchen · Pantoffelheld · Piepmeier · Radfahrer: Buckel nach oben, Fußtritte nach unten · Scheißkerl · Schisser · Schlappschwanz · Sicherheitskommissarius · Strandkrabbe (wasserscheu) · Waschlappen · Weib · Weichling · feiger Wicht ❡ Ausreißer · Flüchtling ❡ Lärmblaser · Lärmmacher · Miesmacher · Panikmacher · Esel in der Löwenhaut · die sieben Schwaben ❡ Blödigkeit · Feigheit · Furchtsamkeit · Kleinmut · Kriegsfieber · Mutlosigkeit · Panik · Unfall · Unmännlichkeit · Schüchternheit · Schwachherzigkeit · Verzagtheit · Zaghaftigkeit · feigherzige Vorsicht.

44. Stolz. *s. eitel 11. 45. verrückt 12. 57. Stilarten 13. 40—43. Frechheit 16. 90. befehlen 16. 106.*

auf hohem Roß, Bock · von oben herab ❡ einherstolzieren · sich fühlen · kokettieren mit · pochen auf · sich rühmen · sich überheben · Haltung haben, zeigen · von sich überzeugt sein · sich wichtig nehmen · auf sich halten · kommt sich vor · den Kopf, die Nase hochtragen · tut sich auf etwas zugute · dick tun mit · auf andere (von oben) herabschauen · sich selbst vor Stolz nicht kennen · ist vom Hochmutsteufel besessen · will hoch hinaus · gibt es nicht billig · seine Geburt, die eigenen Eltern verleugnen · von sich (nicht wenig) eingenommen sein · sich etwas einbilden · einen Nagel im Kopf haben · einen Vogel haben · fällt bald oben rüber · übergeschnappt sein · sich einen Anschein geben · ihm schwillt der Kamm · dem piekt's ¶ aufplustern · steigt ihm zu Kopf ¶ aufrecht · autoritär · heroisch · hoheitsvoll · klassenbewußt · königlich · herrscherlich · majestätisch · selbstbewußt · souverän · stattlich · stolz · würdevoll · würdig · stolz wie ein Spanier, wie ein Pferd ¶ ahnenstolz · anmaßend · anspruchsvoll · bettelstolz · ehrgeizig · gebieterisch · geldstolz · geringschätzig · geschwollen · herrisch · hochfahrend · hochmütig · hochnäsig · hochtrabend · höhnisch · selbstgefällig · selbstherrlich · überheblich · überlegen · übermütig · unzugänglich · verächtlich · wegwerfend · zugeknöpft ¶ freier Bürger · Führernatur · Herrscherseele · Junker · Olympier · Übermensch ¶ Erhabenheit · Grandezza · Haltung · Majestät · Pathos · Ruhe · Würde · Selbstbewußtsein · Selbstgefühl · Selbstschätzung · Stattlichkeit · Stolz · Würde · Zuversicht ¶ Adel-, Bettel-, Geld-, Bürger-, Künstler-, Nationalstolz · Ehrgefühl · Ehrgeiz · Erfolgshunger · Geltungsdrang · Größenwahn · Herrschsucht · Hybris · Klassenwahn · Junkertum · Standesbewußtsein · Überhebung · Übermut.

45. Eitelkeit. *s. wichtig 9. 44. verrückt 12. 57.*

mach dich ja nicht voll · tritt dir man nich aufn Schlips ¶ angeben · sich aufblasen, sich aufplustern · aufdrahen (bair.) · sich aufspielen · sich aufblähen · aufschneiden · blagieren · sich breitmachen · sich brüsten · (sich) dick tun · sich etwas einbilden · einherstelzen, -stolzieren · geistreicheln · großtun · sich haben · machen · sich meinen · meiningern · paradieren · pochen auf · prahlen · protzen · prunken · renommieren · sich sonnen · sich spreizen · tun · sich vermessen · wichtigtun · in sich selbst verliebt sein · ihm schwillt der Kamm · ist von sich überzeugt · sich mausig machen · sich mit fremden Federn schmücken · den Mund voll nehmen · große Rosinen haben · sich in die Brust werfen · das Maul aufreißen · sich für unwiderstehlich halten · Wesen(s) machen · hört das Gras wachsen, die Flöhe husten · sich etwas Großes, Ungewöhnliches dünken · sich für etwas Besonderes, ein Genie halten · sich nicht entblöden · sich wunders wie vorkommen · eine zu hohe Meinung von sich haben · seine Talente überschätzen · er hat einen Gickel (hess.), einen Graddel (alem.) · sich ein Ansehen geben (wollen) · sich aufs hohe Roß setzen · auf Stelzen gehen · die Nase hoch tragen · sich breit machen · vornehm tun · große Bogen spucken · geht mit großen Hunden pissen · den dicken Wilhelm markieren · den Papst spielen · sich in den Vordergrund drängen · hat Rosinen, Sputzen im Kopf · hat die Weisheit mit Löffeln gegessen · (nach Schmeicheleien) fischen · sich überall vordrängen · 's Männche mache (hess.) · sein Licht leuchten lassen, nicht unter den Scheffel stellen · nach Beifall, nach Auszeichnungen haschen · nach Band, Orden, Stern jagen · das soll so etwas heißen · man reichts ihm nicht auf der Heugabel · in sich verliebt sein · findet sich hübsch ¶ blenden · verblenden · schmeicheln · eitel machen · mit Schmeicheleien überschütten · Sand in die Augen streuen · in Verblendung führen · Eitelkeit einflößen · Weihrauch streuen · zum Ruhm anrechnen · das Verdienst · den Wert übertreiben · eine zu hohe Vorstellung beibringen ¶ altklug · arrogant · aufgeblasen · dummstolz · dünkelhaft · hochtrabend · eingebildet · eitel · geschwollen · großkopfet · hochmütig · hochgestochen hoffärtig · hochnäsig · infallibel · neunmalgescheit · selbstgefällig · steifleinen · stolz · superklug · verblendet ¶ dicktuerisch · pathetisch · pomphaft · protzig · prunksüchtig · putzsüchtig · theatralisch ¶ gnädig · gönnerhaft · herablassend ¶ anmaßend · anspruchsvoll · arrogant · aufdringlich · ausverschämt · dreist · großkotzig,

-schnäuzig · keck · naseweis · patzig · prätentiös · rücksichtslos · schnippisch · überheblich · überklug · unbescheiden · unverfroren · unverschämt · vorlaut · vorwitzig
⁋ affektiert · affig · aufgeblasen · aufgedonnert · aufgeschirrt wie ein Zirkusgaul ·
blasiert · einstudiert · erkünstelt · förmlich · gefallsüchtig · geziert · erzwungen ·
gezwungen · großsprecherisch · hochfahrend · hochfliegend · hochnasig · kokett ·
prahlerisch · preziös · ruhmredig · steif · unnatürlich · wichtigtuend · zeremoniell
⁋ ehrgeizig · ehrsüchtig · ruhmsüchtig · eitel wie ein Pfau, aufgeblasen wie ein
Truthahn, wie ein Luftballon ⁋ Affe · Angeber · Aufschneider · Bergfex · Dandy ·
Elegant · Fatzke · Geck · Geldprotz · Gernegroß · Gigerl · Großkopf · Großmaul ·
Großtuer · Heimpariser · Hochmutsnarr · ich großgeschrieben · Kleidernarr · Laffe ·
Modeheld · Narziß · Ordensjäger · Pomadenhengst · Prinz · Protz · Renommist ·
Salontiroler · Sonntagsreiter · Zierbengel ⁋ Bildungsfex, -protz · Buchmann · Ge-
scheitle · Klugscheißer · Pedant · Possart · Schmock · Schöngeist · Schulfuchs · Snob ·
Sprüchemacher · Zitateles · Blaustrumpf ⁋ Gockel · Kalkhuhn · Pfau · Puter ·
Truthahn ⁋ Gans · Modepuppe · Pute · Spiegeläffchen · Tulpe ⁋ Vorschußlorbeeren ·
fremde Federn · Schall und Rauch · viel Geschrei und wenig Wolle · Dünkel · Eigen-
liebe · Eigenlob · Einbildung · Eitelkeit · Geltungsbedürfnis · Klügelei · Koketterie ·
Selbstbeweihräucherung, -gefälligkeit, -herrlichkeit, -lob, -überhebung -vergottung ·
Überheblichkeit · Überladung ⁋ Anmaßung · Arroganz · Aufgeblasenheit · Auf-
schneiderei · Bombast · Brustton · Geckentum · Getue · Grandezza · Großsprecherei ·
Hochmut · Hoffart · Künstelei · Manieriertheit · Pose · Prunksucht · Putzsucht ·
Ruhmredigkeit · Ruhmsucht · Steifheit · Übermut · Unfehlbarkeitsdünkel · Ziererei
⁋ fein sprechen: Hochdeutsch mit Streifen.

46. Einfachheit. *s. offen 3. 57. Wahrheitsliebe 12. 25. Torheit 12. 56. ein-facher Stil 13. 40.*

schlecht und recht · frank und frei · ohne Falsch · von der Leber weg · auf gut
Deutsch · ein Mann, ein Wort · ohne Bedenken ⁋ keinen Prunk, Putz, Staat
machen · auf Gepränge, Pracht verzichten · zur Natur zurückkehren · natürlich
sein · von der Leber weg reden · deutsch mit jemand reden, wie ihm der Schnabel
gewachsen ist · sich den Mund verbrennen · kein Blatt vor den Mund nehmen ·
reinen Wein einschenken · er ist schön dumm, daß er usw. · mit der Tür ins Haus
fallen · in die Falle, Schlinge, ins Garn gehen · ist ein Herzchen, Herzblatt, Kälbchen ⁋ vereinfachen · zur Einfachheit zurückführen ⁋ arglos · aufrichtig · beschränkt · bodenständig · echt · ehrlich · einfach · herzig · klassisch · kunstlos ·
naiv · natürlich · offen · offenherzig · primitiv · prunklos · rassegebunden · redlich · schlicht · schmucklos · treuherzig · unaffektiert · unbewußt · ungekünstelt ·
ungeniert · ungezwungen · unmaniert · unschuldig · unverbildet · unverdorben ·
vertrauensselig · zutraulich · zwanglos · zwangsläufig ⁋ geprängelos · keusch ·
ungeschminkt · ungeschmückt · ungeziert · rein · wahr ⁋ bieder ·billig · bürgerlich · hausbacken · häuslich · simpel ⁋ Einfalt · Hampel · Kanadier · Naturkind ·
Unschuld vom Lande · Wort Gottes vom Lande · reiner Tor · aufgeschlagenes Buch ·
enfant terrible · ahnungsloser Engel ⁋ Haustracht · Natur · Negligé ⁋ nackte
Wahrheit ⁋ Aufrichtigkeit · Einfachheit · Einfalt · Freimut · Geradheit · Kunst-
losigkeit · Naivität · Natürlichkeit · Reinheit · Schlichtheit · Simplizität · Unschuld ·
liebenswürdige Offenheit · Verzicht auf Putz, Schmuck.

47. Bescheiden. *s. Fasten 2. 29. Mäßigung 5. 38. Abstehen, Verzicht 9. 20; 16. 105. Angst 11. 43. Armut 18. 4. sparsam 18. 10.*

ohne Lärmtrommel · ohne Reklame, Tamtam ⁋ sich bescheiden · sich genieren ·
sich schämen · sich verbergen · sich zurückhalten · sich nicht vordrängen · im

Hintergrund bleiben · im Verborgenen blühen · sein Licht unter den Scheffel stellen · sein Pfund vergraben · läßt sich um den Finger wickeln, auf der Nase herumtanzen · seinen Kohl bauen, pflanzen · bei jedem Wort erröten, die Farbe wechseln, feuerrot werden · nicht nach Titeln und Orden jagen · nicht brauchen · auskommen ohne · ist nicht angewiesen auf · es bewenden lassen bei · entbehren, missen können ¶ dämpfen · einschüchtern ¶ anspruchslos · bescheiden · einfach · genügsam · gleichmütig · hausbacken · prunklos · rührend · schlicht · zufrieden ¶ ängstlich · bedientenhaft · befangen · blöde · furchtsam · gemütlich · gelassen · geduckt · gutmütig · indolent · ruhig · jovial · schämig · scheu · schüchtern · servil · spröde · still · unterwürfig · verlegen · verschämt · verschüchtert · verzagt · zahm · zurückhaltend · nicht eingebildet · von falscher Scham befangen · dem Prunk abhold · blind für eigene Verdienste · ärmlich, aber reinlich gekleidet ¶ Pantoffelheld ·· Paulchen · Siemandl · Wurzen · Seele von einem Mann · Lamm · Philosoph · die Stillen im Lande ¶ *weibl.* Haustier · Mauerblümchen ¶ Anspruchslosigkeit · Befangenheit · Bescheidenheit · Beschränkung · Blödigkeit · Einfachheit · Minderwertigkeitskomplex · Pietät · Prunklosigkeit · Scheu · Schüchternheit · Sprödigkeit · Verschämtheit · Verzagtheit · Zurückhaltung.

48. Demut. *s. Feigheit 11. 34. Tadel 16. 33. Verachtung 16. 36. Dienstbarkeit 16. 111. Gehorsam 16. 114 f.*

mit niedergeschlagenen Augen · im Staube · auf den Knien · mit gefalteten Händen · voll Unterwürfigkeit · submissest · de- und wehmütig · in seines Nichts durchbohrendem Gefühl ¶ sich abfinden · sich bescheiden · sich beugen · sich demütigen · entsagen · sich ergeben · sich erniedrigen · sich fügen · in sich gehen · sich unterwerfen · verzichten · zu Kreuze kriechen · die Flagge einziehen, streichen · klein beigeben · im Staube liegen · die Augen niederschlagen · den Blick zu Boden heften · schämt sich wie ein Bettseicher · kommt daher wie ein verlaufenes Hühnchen · auf die Knie sinken · einen Fußfall tun · Kotau machen · in Ehrfurcht ersterben · Beleidigungen einstecken, hinnehmen · den Partoffel, die Rute küssen · die andre Wange hinreichen · für die Strafe gehorsamst danken · sich nicht mucksen, regen, rühren · nach jemandes Pfeife tanzen · stramm stehen · jeden (leisesten) Wink befolgen · mit aufgehobenen, gefalteten Händen bitten ¶ anfahren · bändigen · beschämen · beugen · brechen · dämpfen · demütigen · domestizieren · dressieren · entmannen · entrechten · erniedrigen · ernüchtern · niederschmettern · zähmen · zerknirschen · den Stolz benehmen, vertreiben · geringschätzig, wegwerfend behandeln · Bescheidenheit, mores, Respekt lehren · Achtung einflößen · auf ein Mindestmaß zurückführen · seinen Platz, seine Stellung kennen lehren · klein kriegen · den Dünkel, den Rausch austreiben · mit kaltem Wasser begießen · den Standpunkt klar machen · etwas niedriger hängen ¶ bauchrutschend · bedientenhaft · byzantinisch · demütig · demutsvoll · devot · ehrerbietig · ehrfürchtig · ergeben · folgsam · fromm · gefügig · gehorsam · gelassen · kleinlaut · knechtisch · knechtselig · kriecherisch · masochistisch · niedrig · sanft · sanftmütig · schamhaft · schranzenhaft · schüchtern · schweifwedlerisch · sittsam · sklavisch · servil · speichelleckerisch · unfrei · untertänig · unterwürfig · willfährig · ganz klein und häßlich · von aller Hoffart geheilt ¶ Hundeseele · Bedientenseele · Masochist · Selbstverkleinerer · geprügelter Hund · Untertan ¶ kaudinisches Joch · Druck ¶ Demut · Devotion · Ehrerbietung · Ehrfurcht · Ergebenheit · Fügsamkeit · Gehorsam · Hingebung · Kleinmut · Masochismus · Minderwertigkeitskomplex · Resignation · Scham · Schamgefühl · Selbsterniedrigung ·

Unterwürfigkeit · das Glück des Gehorchensdürfens · blöde Unbeholfenheit · linkische Blödigkeit · Mangel an Selbstbewußtsein, Zuversicht · mangelndes Selbstvertrauen · platonische Liebe ❡ Freundlichkeit · Gelassenheit · Gesprächigkeit · Höflichkeit · Leutseligkeit · Milde · Sanftmut · Zuvorkommenheit ❡ Selbstentäußerung, -erkenntnis, -kritik, -prüfung, -unterschätzung · natürliche Grenzen.

49. Scham. *s. Keuschheit 16. 50. Schuld 19. 11.*

erröten · sich genieren · sich schämen · sich zieren · spröde tun · die Augen niederschlagen ❡ beschämen · blamieren ❡ gschamig · heilig · jungferlich · keusch · prüde · schamrot · scheinheilig · spröde · tugendhaft, -lich, -sam, -schön · tuntig · verschämt · zierig · zimperlich · zipp · züchtig ❡ genant · genierlich · heikel · peinlich · ❡ Tugendbold · Joseph · Blaustrumpf · Kräutlein Rührmichnichtan · Nonne · Zimperliese ❡ Feigenblatt · Zwickel ❡ Keuschheit · Prüderie · Scham · Tugend · Zimperlichkeit.

50. Mitgefühl. *s. Unglück 5. 47. Klage 11. 33. Trost 11. 34. bitten 16. 20. Verzeihung 16. 47. Milde 16. 109.*

in Tränen zerfließend · mit feuchten Augen · mit erstickter Stimme ❡ um's Himmels willen · um Christi, Gottes, aller Heiligen willen · Hilf Himmel · Erbarmen · Gnade · daß Gott erbarm · der Ärmste · armer Schächer, Schelm, Teufel, Tropf · armes Hascherl, Tschaperl, Waserl (ö.) · arme Sau, Seele · bedauernswertes Geschöpf ❡ mit- · bedauern · bejammern · beklagen · bemitleiden · beseufzen · beweinen · sich erbarmen · kondolieren · mitempfinden · mitjammern · mitleiden · mittrauern · teilnehmen · trösten · wiederaufrichten · Mitgefühl empfinden, haben, hegen · Anteil nehmen · Herz, Nachsicht, Mitleid haben · Duldung üben · Erbarmen, Gnade, Schonung erweisen, erzeugen · Verzeihung angedeihen lassen, bewilligen, gewähren · nicht übers Herz bringen können · Beileid ausdrücken, bezeigen, an den Tag legen · Mut zusprechen · Trost einflößen, spenden · zu trösten suchen · tröstend zusprechen ❡ die Freude teilen · sich mitfreuen · beglückwünschen · gratulieren ❡ erwärmen · erweichen · (das Herz) bewegen, rühren, ergreifen, erweichen · Mitleid erregen · Mitgefühl wecken · zu Tränen rühren · es geht an die Tränendrüsen ❡ barmherzig · duldsam · gerührt · gnädig · gütig · huldreich · human · liebevoll · liebreich · menschenfreundlich · menschlich · milde · mitfühlend · mitleidig · nachsichtig · sanft · schonungsvoll · schwachherzig · teilnahmsvoll · teilnehmend · tolerant · weich · weichherzig · zart ❡ bejammernswert ❡ Beileid · Beileidsbezeigung · Beruhigung · Besänftigung · Kondolenzbesuch · Tröstung · tröstender Zuspruch ❡ Glückwunsch · Gratulation · Mitfreude · geteilte Freude, doppelte Freude ❡ weiches Gemüt · warmes Gefühl · menschliches Rühren · ein Rest von Menschlichkeit ❡ Anteil(nahme) · Barmherzigkeit · Bedauern · Duldung · Erbarmen · Gemütsregung · Gnade · Huld · Humanität · Humanitätsduselei · Langmut · Menschenfreundlichkeit · Menschenliebe · Menschlichkeit · Milde · Mitgefühl · Mitleid · Nachsicht · Pardon · Rührseligkeit · Rührung · Sanftmut · Schonung · Sentimentalität · Sympathie · Teilnahme · Vergebung · Verzeihung · Weichherzigkeit.

51. Menschenliebe. *s. Höflichkeit 16. 38. geben 18. 12.*

fürs allgemeine Beste ❡ mitleiden · sich opfern · Menschenliebe ausüben · auf den Händen tragen ❡ altruistisch · aufopferungsfähig · brüderlich · fürsorglich · gemeinsinnig · gütig · hilfsbereit · hingebend · human · liberal · menschenfreundlich · menschlich · mütterlich · opferfreudig · opferwillig · sanftmütig · selbstlos · selbstvergessen · uneigennützig · unegoistisch · väterlich ❡ Armenvater · Friedensfreund · Kinderfreund · Kosmopolit · Menschenfreund · Philanthrop · eine Seele von einem Menschen · Waisenvater · Weltbürger · Wohltäter · Bruder in Christo ❡ Brüderlichkeit · Gemeinsinn · Herzenstakt · Liebestätigkeit · Menschenliebe · Menschlichkeit · Philanthropie · Nächstenliebe ❡ Aufopferung · Bürgersinn · Bürgertugend · Entsagung · Gemeinsinn · Opfersinn · Selbstverleugnung · Uneigennützigkeit · Wärme · Zusammengehörigkeitsgefühl · Zusammenhalt.

52. Wohlwollen. *s. Hilfe 9. 70. Gruß 13. 24; 16. 38.*

in bester Absicht ❡ bemuttern · beistehen · entgegenkommen · gönnen · helfen · lindern · mildern · mitfühlen · unterstützen · verwöhnen · wohltun · wohlwollen · zuvorkommen · Gutes tun, üben · Wohltaten erweisen · jmd. feurige Kohlen aufs Haupt sammeln · Hilfe, gute Dienste leisten · Freundschaftsdienste, Liebesdienste erweisen · zur Verfügung stehen · es gut meinen · den Daumen halten · das Herz auf dem rechten Fleck haben · ein Herz im Busen tragen · kann es nicht übers Herz bringen · Mitgefühl besitzen · jmd. die Gonn antun (hess.) · auf die Gefühle anderer eingehen —sich jmd. freundlich zur Seite stellen · unter die Arme greifen · gut behandeln · alles Gute gönnen, wünschen · hat ewas übrig für ❡ aufmerksam · barmherzig · bereitwillig · diskret · edel · entgegenkommend · freigebig · freundlich · gefällig · gemütlich · gerecht · großmütig · gut(artig) · gutherzig · gütig · gutmütig · human · kulant · loyal · menschenfreundlich · mildtätig · treuherzig · verbindlich · warm-, weichherzig · wohlmeinend · wohltätig · wohlwollend · zahm · zuvorkommend ❡ gefühlvoll · hilfreich · hilfsbereit · huldreich · liebenswürdig · liebevoll · liebreich · mitfühlend · rücksichtsvoll · teilnehmend ❡ brüderlich · freundschaftlich · herzlich · menschlich · selbstlos · zärtlich · von Herzen kommend ❡ Jockel · barmherziger Samariter · Spruchkammer ❡ Bazar · Wohlfahrtsstaat · Wohltätigkeitsanstalt ❡ Armenpflege · Edelmut · Freigebigkeit · Großmut · Mildtätigkeit · Spendenverteilung ❡ Dienstleistung · Freundschaftsdienst · Gefälligkeit · Gönnerschaft · Gunst · Liebesdienst · frommer Betrug · gute Behandlung · Milch der frommen Denk(ungs)art · ein menschliches Fühlen ❡ Duldsamkeit · Entgegenkommen · Freundlichkeit · Gemüt · Güte · Humanität · Liebenswürdigkeit · Menschenfreundlichkeit · Milde · Mitgefühl · Nächstenliebe · Rücksicht · Sanftmut · Sympathie · Teilnahme · Toleranz · Wärme · Wohltätigkeit · Wohlwollen.

53. Liebe. *s. Begattung 2. 19. Sinnlichkeit 10. 21. Erregung 11. 5. Wunsch 11. 36. Heirat 16. 11. 16. 32. Freundschaft 16. 41. Zärtlichkeit 16. 42 f.*

-chen, -lein · -li (alem.) · -le (schwäb.), -l (bair.-östr.) · -ke (ndd.) · -i (alem.) · -ing (ndd.), z. B. Lining ❡ Aas · Bubi · Dicker · Du! · Engel · mein Gold · Hase · Herzbändel · Herzchen · Hexe · Liebe(r) · Männe · Mausi · Mörder · Puppe · Puttchen · Schelm · Schlawitzer (hess.) · Schlingel · Schluffe (flam.) · Schmackeduzchen · der Schneck · Schnucki · Spitzbub · Strick · Strolch · Stromer · Stropp · Süße(r) · Tuttchen · Tschaperl (österr.) · Ungetüm · Wonne · Wonneproppen · Schäfchen · Schatzi (meist versehen mit dem besitzergreifenden Fürwort „mein") ❡ herzgebobbelt · ei wer kommt denn da? ❡ sich finden · befreundet sein · stehen mit, s. 16. 42 ❡ es bahnt sich etwas an · sie haben etwas miteinander · es spielt, fädelt sich etwas ein ❡ anbeten · anhalten, um · anhimmeln · anschwärmen · bewundern · glühen für · hängen an · hochachten · hochschätzen · lieben · schwärmen für · verehren · vergöttern · verhimmeln ❡ hofieren · kokettieren · poussieren · schöntun · jemandem gewogen, gut, hold sein, verfallen sein · gern, lieb haben · (leiden) mögen · gewogen sein · durchs Feuer gehen für ist eingenommen für · sich hingezogen fühlen · hoch, teuer, wert halten · ins Herz geschlossen haben · etwas übrig haben für · große Stücke auf jmd. halten · auf den Händen tragen · im Herzen tragen · vergafft, verliebt, verknallt, vernarrt, verschossen sein in · von Herzen, innig, wahr, treu, bis zur Raserei lieben · ist hin, weg, Feuer und Flamme von · ist scharf, verrückt auf · hat seinen Narren gefressen an · hat ein Auge auf · mit den Augen verschlingen, verfolgen · mit dem Blicke verzehren · sich reißen um · den Hof machen · die Cour schneiden · Liebe im Busen hegen, nähren · um Liebe werben · in Liebespein vergehen, sich verzehren · heiß, herzlich, herzinniglich, innig lieben · verliebte Blicke werfen · vor Liebe vergehen · Liebe empfinden, fühlen · in Liebe schmachten, seufzen · in Liebesbanden schmachten · zu Gefallen gehn · herumschwenzeln um · Fensterpromenade machen · sich die Augen aus dem Kopf sehen · Avancen machen · Hoffnungen erwecken ⁋ sich vergaffen, verkeilen, verknallen, verlieben, vernarren, verschamieren · Neigung fassen zu · in Liebe entbrennen, erglühen · Feuer fangen · sich (sterblich) verlieben · sein Herz verlieren an · auf den ersten Blick · von Liebe ergriffen werden · sein Auge auf jem. werfen ⁋ es ist um ihn geschehen · es hat ihn · er ist hingerissen (und weggeschleppt) · hat angebissen · fliegen auf · ist hin · ist von Amors Pfeilen verwundet · hat ihr zu tief ins Auge gesehen · Gefallen finden an ⁋ sich einschmeicheln · sich insinuieren · in Gunst kommen · Gnade in jemd. Auge, den Weg zum Herzen, Anschluß finden · sich ins Herz einschleichen ⁋ angeln · anheimeln · sich anlachen · berücken · betören · bezaubern · bezirzen · blenden · einnehmen (für sich) · sich einfangen · ködern · entzücken · faszinieren · fesseln · locken · reizen · umgarnen · verführen · verstricken · zarte Gefühle erwecken · Liebe entzünden, erwecken · das Herz gefangen nehmen, gewinnen · Eroberungen machen · die Neigung, das Herz entwenden, erobern, stehlen · in Bande schlagen · in Fesseln legen · es ihm antun · ins Netz locken, ziehen · den Kopf verdrehen, verrücken · die Sinne verwirren · verrückt machen · das Blut wallen, sieden machen · zur Liebe bewegen · (moralische) Eroberungen machen · ist sein Ein und Alles, Verlangen, Stern, seine Wonne, Herzblatt ⁋ ist gern gesehen, gut angeschrieben · einen Stein im Brett haben · das Geriß haben · dem Herzen nahe stehen · sein Herz besitzen ⁋ anbändeln · sich einlassen mit · sich ergeben · küssen, *s. 16. 43* ⁋ begeistert · beseligt · betört · bezaubert · eingenommen für · entzückt · gefesselt · hingegeben · hörig · liebessiech · liebeskrank · liebestoll · liebevoll · verliebt · vernarrt · zärtlich · zugeneigt · zugetan · verliebt bis über die Ohren ⁋ buhlerisch · ekstatisch · enthusiastisch · erotisch · geil · innig · läufisch · leidenschaftlich · liebebedürftig · mannstoll · rossig · sinnlich · verbuhlt · zärtlich · schwärmerisch · zutunlich · hat ein weites Herz ⁋ hörig · anhänglich · lieb · ergeben · gesellig · menschenhungrig · umgänglich · vertrauensselig ⁋ angebetet · beliebt · geehrt · geliebt · hochgeschätzt · kostbar · lieb (wie der Apfel im Auge) · populär · teuer · verehrt · vergöttert · verhätschelt · verwöhnt · verzärtelt · verzogen · vielbeweint · wert ⁋ anbetungswürdig · angenehm · anziehend · beseligend · bezaubernd · entzückend · faszinierend · gewinnend · goldig · herztausig · hinreißend · hold · holdselig · interessant · lieb · liebenswürdig · lieblich · nett · prächtig · reizend · sinnig · süß · sympathisch · tadellos · verlockend ⁋ engelgleich · herzbetörend · sinnberauschend · überirdisch, *s. schön 11. 17* ⁋ Anbeter · Bewerber · Bewunderer · Buhle · Courschneider · Freier(smann) · Galan · Geliebter · Casanova · Don Juan · Frauenlob · Maidlefisseler, -lecker, -schmecker (alem.) · Nachsteiger · Poussierstengel · Schmuser · Schürzenjäger · Schwerenöter · Tausendsasa · Hofmacher · Liebender · Liebhaber · Liebster · ihr Herrchen · Ritter · Schatz · ihr Umgang · Verehrer · Werber ⁋ kesse Biene · Buweroll (alm.) · Kätzchen · Motte · Flittchen · Herumtreibern, *s. Hetäre 16. 46* ⁋ Abgott · Angebetete · Augapfel · Augenstern · Betthase · Bettschatz · Beziehung · Braut · Donna · Dulcinea · Engel · Fee · Flamme · Freundin · Geliebte · Göttin · Schatz · Schwarm · Gspusi · Herzblatt · Holde · Herzensdame · Ideal · Kleine · Idol · Jugendliebe · Laura · Liaison · das Lieb · Liebste · Liebchen · Liebe · Liebling · Liebschaft · ein Mädchen · Poussage · Verhältnis · Zukünftige ⁋ Bevorzugter · Cicisbeo · Freund · Gönner · Hausfreund · Hahn im Korbe · Herzensdieb · persona grata · Schoß-, Teekind ⁋ Amor · Cupido · Eros · Venus ⁋ Turteltauben · zwei Herzen und eine Seele ⁋ Augenspiel · Blumensprache · Liebesblicke ⁋ Amors Pfeil · Myrtenkranz ⁋ Anmut · sex appeal · Reiz · Scharm · Zauber ⁋ Beliebtheit · Popularität ⁋ Achtung · Anhänglichkeit · Anziehung · Bewunderung · Gefallen an · Gegenneigung · Gewogenheit · Gnade · Gunst · Hang · Hingezogenheit · Huld · Liebe · Lust · Mitgefühl · Neigung · Pietät · Schätzung · Sympathie · Vorliebe · Wechselneigung · Wohlgefallen · Zuneigung ⁋ Anbetung · Affenliebe · Aufopferung · Begeisterung · Enthusiasmus · Entzücken · Erotik · Blutschande · Ödipuskomplex · Ekstase · Gebändel · Glut · Hingebung · Leidenschaft · Liebesfeuer · Liebeslust · Minne · Sehnsucht · Verlangen · Zärtlichkeit · erste, geschlechtliche, platonische, sinnliche, übertriebene Liebe ⁋ Betörung · Liaison · Liebschaft · Schwärmerei · Techtelmechtel · Verhältnis (weitere Ausdrücke in unendlicher Fülle die Titel der Romane, Operetten, Filme).

54. Dankbarkeit.   *s. Belohnung 16. 46. Vergeltung 16. 80. Lohn 18. 18 und 26. Pflicht 19. 24. Gebet 20. 13.*

Verbeugung · Händedruck ⁋ danke bestens · danke schön · vielen, heißen, ergebensten Dank usw. · sehr verbunden · sehr freundlich! · sehr gütig! · vergelt's Gott · tue Ihnen auch mal einen Gefallen · herzlichst zu danken · gottlob · Gott sei gedankt, gelobt, gepriesen · dem Himmel sei Dank ⁋ anerkennen · sich bedanken · danken · verdanken · benedeien · sich dankbar, erkenntlich zeigen · sich zu Dank verpflichtet fühlen · sich seiner Verpflichtung erinnern · den Dank nicht vergessen · verbunden, verpflichtet sein · Dank schulden · in jemandes Schuld stehen · Dank abstatten, aussprechen, bekunden, bezeigen, dartun, erweisen, sagen, zollen · von Dankergüssen überfließen · sich in Dankesäußerungen, Dankesworten ergehen · aufrichtig, innig, aus tiefster Seele, von Herzen danken · Gott loben, preisen · den Himmel segnen · seinem Stern danken ⁋ hoch aufnehmen, anrechnen · (herzlichst) verdanken (schweiz.) ⁋ dankbar · dankbeflissen · dankbereit · dankeifrig · dankerfüllt · dankwillig · erkenntlich · verbunden · verpflichtet ⁋ Benedeiung · Benediktion · (niederländisches) Dankgebet · Loblied · Preis · Te Deum · großer Zapfenstreich ⁋ Anerkennung · Belohnung · Dankbarkeit · Dankeszoll · Dankgefühl · Ehrenschuld · Entgelt · Erkenntlichkeit · Gunstbezeigung · Vergeltung · Vergütung ⁋ Gefühl der Verpflichtung · Erinnerung an empfangene Wohltaten · dankbare Erwiderung, Empfindung · Zoll der Dankbarkeit.

55. Undank.   *s. unhöflich 16. 53.*

ohne ein Wort ⁋ schlecht vergelten · übel belohnen · sich undankbar erweisen · empfangene Wohltaten vergessen · dem geschenkten Gaul ins Maul sehen · die ausgepreßte Zitrone wegwerfen · nachher einen Tritt geben · mit Undank lohnen · der Welt gewöhnlichen Lohn zahlen, zollen ⁋ Undank ernten · eine Schlange am Busen nähren · travailler pour le roi de Prusse · Dank vom Hause Österreich ⁋ danklos · dankvergessen · schnöde · undankbar · unerkenntlich ⁋ unbedankt · unerwidert · nicht anerkannt ⁋ Eselstritt · (schwarzer) Undank · Undankbarkeit · der Lohn der Welt.

56. Eifersucht. *s. Mißtrauen 12. 23.*

sich vor Hörnern fürchten · mit eifersüchtigem Auge, Blick verfolgen ℭ argwöhnisch · eifersüchtig · mißtrauisch ℭ Othello · des Andern Weib ℭ Keuschheitsgürtel ℭ Eifersucht · Eifersüchtelei · Sexualneid.

57. Neid. *s. unzufrieden 11. 27. Begierde 11. 36.*

beneiden · mißgönnen · neiden · vor Neid platzen · scheel sehen · glupschen (berl.) · gönnt ihm nicht das Schwarze unterm Nagel ℭ begehrlich · futterneidisch · glupsch (berl.) · mißgünstig · neidisch · scheel · scheelsüchtig · gelb vor Neid ℭ Konkurrent · Mitbewerber · Nebenbuhler · Rivale ℭ Neidhammel · Neidwurm ℭ Begierde · Brotneid · Gelüst · Geschäftsneid · Mißgunst · Nebenbuhlerschaft · Neid · Ressentiment, Lebensneid · Scheelsucht.

58. Reizbar. *s. Empfindlichkeit 11. 7. Zorn 11. 31. verrückt 12. 57. unhöflich 16. 53. Widerstand 16. 65. Streit 16. 67.*

bei mir Schwiegermutter: immer kampfbereit · mit ihm ist schwer auszukommen · mit ihm ist nicht gut Kirschen essen · Händel suchen · hat Haare auf den Zähnen, Wolle auf dem Gebiß · Gifttöpfchen laufen leicht über ℭ aggressiv · angriffslustig · aufbrausend · aufwallend · aufgeregt · ausfallend · barsch · bissig · bösartig · cholerisch · diffizil · eigen · empfindlich · feurig · explosiv · grämlich · grimm · heikel · hysterisch · erregbar · gereizt · heißblütig · hitzig · hitzköpfisch · jähzornig · kampflustig · kratzbürstig · kribbelig · gallig · genau · kollerig · sensibel · sonderbar · streitbar · streitsüchtig · krötig · händelsüchtig · heftig · leidenschaftlich · mürrisch · nervös · nietig · reizbar · schnippig · schwierig · spinnig · tippelig · temperamentvoll · krittelig · launenhaft · mißvergnügt · launisch · rachsüchtig · rechthaberisch · püttcherig · spinnig · übellaunisch · übereifrig · ungestüm · voreilig · übelnehmerisch · überempfindlich · unwirsch · verärgert · verdrießlich · verstimmt · verzwickt · widerspenstig · zartbesaitet · zänkisch · leicht beleidigt, gekränkt · wie ein Pulverfaß ℭ Brausekopf · Bullenbeißer · Choleriker · Eisenfresser · Giftmichel · Knotterer · Heißsporn · Himmelstürmer · Hitzgickel (alem.) · Hitzkopf · Kämpfernatur · Krakehler · Pulverkopf · Puter · Querulant · Scharfmacher · Zorngickel · Kampfhahn · Kratzbürste · Raufbold · Raunzer · Rowdy · Streithammel · Widerspruchsgeist · Kettenhund · kein werter Zeitgenosse ℭ Bisgurn (ö.) · Giftsack · Feuereisen · Furie · Hausdrache · Hyäne · Keiferin · Megäre · Reff · Reibeisen · Rippe · Schürhaken · Teufel · Xanthippe · Zankeisen · böse Sieben · scharfe Tante ℭ Mimose · gekränkte Leberwurst · Tante Malchen · Kräutchen Rühr' mich nicht an ℭ auffahrendes Temperament · loses Handgelenk · leicht erregbare Natur · heißes Blut · spitze, scharfe Zunge · loses Mundwerk ℭ Aufgebrachtheit · Aufregung · Empfindlichkeit · Gereiztheit · Hysterie · Laune · Reizbarkeit · Verdrießlichkeit · Verstimmung ℭ Angriffslust · Barschheit · Bissigkeit · Eigensinn · Frechheit · Keckheit · Mutwille · Trotz · Unverschämtheit · Widerspruchsgeist ℭ Eifer · Gärung · Händelsucht · Hitze · Kampflust · Streitsucht · Übereifer · Übereilung · Ungestüm · Voreiligkeit · Wallung.

59. Abneigung. *s. Widerwille 9. 5. schwierig 9. 55. Unlust verursachen 11. 14. Unzufriedenheit 11. 27. Mißfallen 11. 28. nein 13. 29; 16. 27. Tadel 16. 33.*

äks · bäx · hih! · pfui · pfui Teufel · das geht zu weit, ins Aschgraue, über die Hutschnur, übers Bohnenlied (Böhme, Altd. Liederb. S. 435) · das ist allerhand, das ist der comble, der Gipfel, die Höhe · sapienti sat · zum Brechen, zum Knochenkotzen, zum Speien, zum Davonlaufen · da kommt einem der Konfirmationskaffee hoch (berl.) · um stumpfe Zähne zu kriegen · alte Jacke · der kann mir gewogen bleiben, kann mir gestohlen werden, kann mich gern haben, kann mich (Götz-Zitat und Umschreibungen · kann mir den Buckel herunterrutschen · das kann ich nicht ab (hamb.) ⟨ ablehnen · sich abwenden von · ausweichen · sich bekreuzen vor · sich entsetzen vor · fliehen, *s. 8. 18* · hassen · meiden · perhorreszieren · scheuen · sich sträuben · verabscheuen · verlassen · verwünschen · widerstreben · zurückschauern · zurückschrecken · Anstoß nehmen · von sich weisen · aus dem Wege gehen · sich entfernt halten · sich aus etw. nichts machen · ist ein abgesagter Feind · kann etw. nicht ausstehn, haben, leiden, riechen, vertragen · im Stich lassen · widrig finden · hat ihn gefressen · hat kein Organ für · ist nicht zu sprechen für · hat etwas gegen ihn · hat nichts mit ihm im Sinn · scheel ansehen · Ekel empfinden · die Nase rümpfen · das Gesicht verziehen · die Achsel zucken · der Magen dreht sich ihm herum · es kommt ihm hoch · Abneigung haben, fassen gegen · etwas dick, satt, zum Hals heraus haben · nicht mögen · kann ihn nicht ersehen (sächs.) · einer Sache überdrüssig sein, werden · über die Achsel ansehen · von sich weisen · will nichts wissen von ⟨ abstoßen · anecken · anekeln · ankotzen · anwidern · auffallen (mil.) · mißfallen · stören · widerstehen · gegen sich einnehmen · Mißfallen erregen, erwecken · es bei jmd. verschütten · an die falsche Adresse geraten · es verderben mit · abgeneigt machen · vor den Kopf stoßen · den Geschmack beleidigen, verletzen · ins Fettnäpfchen treten · der Katze die Schelle anhängen · Übelkeit bewirken, erregen, hervorrufen · sich die Finger, den Mund verbrennen · Anstoß erregen, geben · böses Blut machen · ungünstig wirken · einen schlechten Eindruck machen · gegen die Natur gehen · gegen den Strich gehen · den Magen, die Leber umkehren · kotzt einen an · steht ihm da · ist ihm bis hier (hinauf), zuwider, ein Dorn im Auge · die Galle aufregen · rotes Tuch · ist unten durch bei · das Blut gerinnen, erstarren, stocken machen · Übelkeit verursachen ⟨ anstößig · antipathisch · bemühend (schweiz.) · bodenlos · eigentümlich · ekelerregend · ekelhaft · empörend · entsetzlich · fad · fies (rhein.) · garstig · gräßlich · infam · grauenvoll · haarsträubend · komisch · mesquin · mies · miserabel · mißfällig · schlimm · sonderbar · übel · unangenehm · unanmüetig (schweiz.) · unausstehlich · unbeliebt · unheimlich · unleidlich · unmöglich · unpopulär · unschmackhaft · verhaßt · verleidet · widerlich · widerwärtig · zuwider ⟨ abgeneigt · aufsässig · kühl · reserviert · zugeknöpft · gehässig ⟨ Brechmittel · Ekel · Elemente · Existenz · Individuum · Knulch · Ohrfeigengesicht · Patron · Pise (stud.) · Renonce · Schauerbock · Scheusal · Subjekt · Tropf · Unsympant · fieser Möpp (rhein.) ⟨ weibl.: Bißgurn, Zuwiderwurzn (östr.) · Person · Reibeisen · Xanthippe · böse Sieben ⟨ Auswüchse · üble Begleiterscheinungen · Kehrseite ⟨ Abneigung · Abscheu · Animosität · Antipathie · Aversion · Ekel · Entsetzen · Feindschaft · Grausen · Groll · Haß · Idiosynkrasie · Kühle · Mißfallen · Mißfälligkeit · Reserve · Scheu · Überdruß · Unwille · Verachtung · Widerstreben · Widerwille.

60. Übelwollen. *s. schaden 9. 63. Unlust verursachen 11. 14. quälen 16. 79. Rache 16. 81. Strafe 19. 32.*

ätsch · Fingerschaben ⟨ in böser Absicht ⟨ aufdrehen · bedrängen · bedrücken · beneiden · beschädigen · beschimpfen · beunruhigen · bimsen · dressieren · drillen · hochnehmen · fuchsen · knöcheln · kleinkriegen · kränken · kujonieren · kuranzen · mißgönnen · mißhandeln · peinigen · piesacken · plagen · placken · quälen · schaden · schädigen · schikanieren · schinden · schlauchen · schädigen · schleifen (mil.)

schurigeln · sekkieren (ö.) · triezen · umgarnen · verfolgen · verletzen · zausen · zermalmen · zwiebeln · zwirbeln · übelwollen · scheel sehen · Schaden, Unheil stiften · Böses verursachen, zufügen · einen Streich spielen · aufsässig sein · das Vergnügen verderben · die Suppe versalzen · einen schlechten Dienst erweisen · eins auswischen · einem nicht gewogen, nicht grün sein · kaltblütig hinmorden · Schlitten fahren mit · kürzer halten · den Brotkorb höher hängen · jmd. die Hammelbeine langziehen (mil.) · die Eier schleifen (bis aufs Gelbe) · zu Tode hetzen · zappeln lassen · die Flötentöne beibringen · Rache üben · sein Mütchen kühlen · die Hölle heiß machen · seine Hand in Blut tauchen, mit Blut beflecken · die Rache befriedigen, stillen · Blut vergießen ¶ arg · arglistig · bösartig · böse · boshaft · falsch · fünsch (balt.) · gehässig · hämisch · händelsüchtig · heimtückisch · hinterfotzig (bayr.) · hinterhältig · hinterlistig · mißgünstig · neidisch · niederträchtig · scheelsüchtig · tückisch · übelgesinnt · übelwollend ¶ asozial · bengelhaft · bissig · böswillig · feindselig · hartherzig · haßerfüllt · ingrimmig · lieblos · lümmelhaft · mürrisch · schädlich · schmähsüchtig · tadelsüchtig · unaufrichtig · unfreundlich · ungefällig · ungünstig · unwillig · verleumderisch · widerspenstig · widerwillig · zanksüchtig ¶ blutbefleckt · blutdürstig · blutgierig · bluttriefend · brutal · entmenscht · gewissenlos · grausam · grimmig · hart · herzlos · hyänenhaft · inhuman · mörderisch · mordlustig · roh · tierisch · ungezähmt · unmenschlich · unnatürlich · vertiert · viehisch · wild · zügellos ¶ dämonisch · diabolisch · höllisch · infernalisch · mephistophelisch · satanisch · teuflisch · zynisch · jeder besseren Regung bar · falsch wie das Meer ¶ Bluthund · Drache · falscher Fuffzcher (sächs.) · Hunne · Pascha · Sadist · Satan · Schinder · Tyrann, Diktator · Volksrichter (Freisler u. dgl.) · Wolf · Wüterich ¶ Drache · Katze · Natter · Schlange · böses Stück · Viper ¶ Herz von Stein · der böse Blick *s. 20. 5* ¶ Ausschreitungen · Exzesse · Greueltat · ein schlechter Gefallen ¶ Arglist · Bosheit · Feindschaft · Gemütlosigkeit · Groll · Haß · Heimtücke · Hinterlist · Lieblosigkeit · Mißgunst · Neid · Ressentiment · Schadenfreude · Scheelsucht · Tücke · Übelwollen · Unfreundlichkeit · Ungunst · Unwille · Verfolgung ¶ Blutdurst · Galle · Geifer · Gift · Grimm.

61. Härte. *s. streng 16. 108. ruchlos 19. 9.*

mit verhärtetem Gemüt · mir nichts dir nichts ¶ gefühllos bleiben, sein · kein Herz haben · einen Kiesel, Stein in der Brust tragen · ein Herz von Stein haben · hart anpacken · kein Mitgefühl besitzen · über Leichen gehen · hat ein Gemüt wie ein Schlächterhund · kein Erbarmen, keine Nachsicht kennen · ins Unglück bringen, stürzen · um Hab und Gut bringen · bis aufs Blut verfolgen ¶ barbarisch · bestialisch · blutrünstig · brutal · derb · diktatorisch · drakonisch · eisern · eisig · empfindungslos · entmenscht · erbarmungslos · (ge)fühllos · gewissenlos · giftig · gleichgültig · grausam · grob · herzlos · hart · hartherzig · kalt · kaltschnäuzig · lieblos · mitleidslos · preußisch · roh · ruchlos · rücksichtslos · rüde · schadenfroh · schonungslos · teilnahmslos · unbarmherzig · unempfindlich · unerbittlich · unnachgiebig · unnachsichtig · unversöhnlich · zynisch ¶ Barbar · Bestie · Biest · Grobian · Unmensch · Vieh ¶ Barbarei · Blutvergießen · Brutalität · Fühllosigkeit · Gefühlskälte · Gleichgültigkeit · Grausamkeit · Härte · Herzlosigkeit · Intoleranz · Lieblosigkeit · Roheit · Ruchlosigkeit · Teilnahmslosigkeit · Unbarmherzigkeit · Unmenschlichkeit.

62. Haß. *s. mißfallen 11. 28. Zorn 11. 31. Streit 16. 67. Drohung 16. 68.*

anfeinden · grollen · hassen · scheuen · verabscheuen · sich vergessen · wüten · zurückfahren · zurückschrecken · Haß im Herzen tragen · Abneigung, Feindschaft, Groll empfinden, fühlen, hegen, nähren · vor Wut kochen · aufgebracht sein · Gift und Galle speien · Abscheu an den Tag legen, bekunden · mit dem Blick erdolchen wollen · ist nicht gut zu sprechen auf · einen Pik haben auf · hat etwas gegen · ist ihm nicht grün, spinnefeind · hat es auf ihn gepackt · hat ihn auf dem Zug, Kieker, Strich, auf der Latte, im Magen, gefressen, genascht · Groll nachtragen · kann ihn nicht ersehen (sächs.), ausstehen, haben, leiden, riechen, verknusen, verputzen · unausstehlich finden · nicht mögen, nicht gewogen sein · jemd. zu allen Teufeln, ins bessere Jenseits wünschen · dahin wünschen, wo der Pfeffer wächst · möchte ihm stundenlang in die Fresse schlagen · den Krieg erklären · die Liebe erkalten lassen · das Herz abwenden · mit Blicken töten · rot sehen · seelisch umbringen ¶ abstoßen · Haß entzünden, erregen, erwecken, verursachen · jemanden aufbringen, erbittern · auf den Fuß, auf die Hühneraugen treten · bei jmd. ins Fettnäpfchen treten · das Blut kochen, sieden, wallen machen · ist ihm ein Dorn im Auge · die Galle erregen · verdirbt ihm die Laune · es mit jmd. verderben · es bei jmd. verschütten · in Ungnade geraten · böses Blut machen ¶ wie Hund und Katze, auf gespanntem Fuß leben · in den Haaren liegen ¶ bösartig · boshaft · gehässig · hämisch · haßerfüllt · mißgünstig · neidisch · rachsüchtig · scheel · tückisch ¶ abgeneigt · ärgerlich · aufgebracht · aufsässig · entrüstet · erbittert · feindselig · mißmutig · unerbittlich · unversöhnlich · verdrossen · verfeindet · wütend · zornig ¶ abgewiesen · bestgehaßt · betrogen · entfremdet · freundlos · liebeskrank · unbeachtet · unbeklagt · unbeliebt · unbeteuert · unbeweint · ungeliebt · ungeschätzt · unglücklich in der Liebe · verabscheut · verhaßt · verlassen · vernachlässigt · verschmäht ¶ anstößig · ärgerlich · beleidigend · fatal · hassenswert · mißfällig · schimpflich · unausstehlich · unleidlich · verächtlich · widerlich · widerwärtig · widrig ¶ Stein des Anstoßes · das Ekel · Gegenpol · Greuel · Widerwart ¶ Bosheit · Böswilligkeit · Feindschaft · Feindseligkeit · Gehässigkeit · Haß · Unerbittlichkeit · Zwist ¶ Abwendung · Entfremdung · Kälte · Mißfallen · Ungnade · Ungunst ¶ Abneigung · Abscheu · Ekel · Überdruß · Widerwille.

63. Menschenhaß. *s. Stolz 11.44; 16.90. Eigenbrötler 16.52. Unhöflichkeit 16.53. Gesindel 16.94. Verbrecher 19.9.*

hetzen · wühlen · zersetzen · dunkle Zwecke verfolgen ¶ asozial · autistisch · egoistisch · egozentrisch · eigensüchtig · einsam · menschenfeindlich · menschenscheu · selbstisch · selbstsüchtig · unnahbar · wühlerisch ¶ Anarchist · Egoist · Frauenhasser · Hetzer · Kriegsverbrecher · Leuteschinder · Männerfeindin · Menschenfeind · Misanthrop · Schädling · Untermensch · Unterwelt · Volksfeind · Weiberfeind · Weltfeind Nr. I · Weltverächter · Zyniker ¶ Egoismus · Eigensucht · Selbstsucht ¶ Menschenhaß · Menschenverachtung · Mangel an Gemeinsinn.

12. Das Denken

12. 1. Instinkt
12. 2. Gedanke, Einfall
12. 3. Überlegung
12. 4. Begriff, Denkergebnis
12. 5. Thema
12. 6. Wißbegierde
12. 7. Aufmerksam
12. 8. Forschen
12. 9. Experiment
12. 10. Vergleich
12. 11. Unterscheiden
12. 12. Messen, Rechnen
12. 13. Unaufmerksamkeit
12. 14. Logisches Denken
12. 15. Begründen
12. 16. Folgern
12. 17. Grundsatz
12. 18. Gesunder Menschenverstand
12. 19. Unlogik
12. 20. Entdeckung, Wahrnehmung
12. 21. Schöpfertum
12. 22. Ansicht
12. 23. Ungewißheit, Mißtrauen
12. 24. Vermuten
12. 25. Leichtgläubig
12. 26. Wahrheit
12. 27. Falsch, Irrtum
12. 28. Einbildung, Wahn
12. 29. Annahme
12. 30. Wesensschau
12. 31. Verstehen
12. 32. Kenntnis
12. 33. Lehren
12. 34. Verbilden
12. 35. Lernen
12. 36. Schule
12. 37. Unwissenheit
12. 38. Absichtliches Übersehen
12. 39. Gedächtnis
12. 40. Vergessen
12. 41. Überraschung, Erwartung
12. 42. Vorhersicht
12. 43. Vorhersagung
12. 44. Eintreffen
12. 45. Überraschung
12. 46. Enttäuschung
12. 47. Übereinstimmung
12. 48. Meinungsverschiedenheit
12. 49. Urteil, Bewertung
12. 50. Überschätzen
12. 51. Unterschätzen
12. 52. Klug
12. 53. Schlau
12. 54. Freier Geist
12. 55. Enger Geist
12. 56. Dumm
12. 57. Verrückt

1. Instinkt. *s. Gefühl 11. 4. Wesensschau 12. 30. Vorhersagung 12. 33.*

(er)raten · fühlen · kombinieren · riechen · wittern ⸿ divinatorisch · gefühlsmäßig · instinktiv · intuitiv · naturgemäß · prälogisch · primitiv · subkortikal · tierisch · triebhaft · unbewußt · unmittelbar · unwillkürlich · zufällig · vorbegrifflich ⸿ Gefühlsmensch ⸿ Ahnung · dunkler Drang · Fingerspitzengefühl · Instinkt · Intuition · Nase · Naturtrieb · Riecher · Unterbewußtsein · Witterung · Zwischenhirn · innere Stimme · Judiz · der sechste Sinn.

2. Gedanke, Einfall. *s. unvorbereitet 9. 27. Bewußtsein 11. 1. Schöpfertum 12. 21. Satz 13. 20.*

denken ⸿ draufkommen · kommen auf · konzipieren · verfallen auf · hat Einfälle wie ein altes Haus ⸿ aufblitzen · auftauchen · einfallen · anwandeln · durch den Sinn, in ihn fahren · es kommt über ihn · in den Sinn kommen · es geht ihm ein F ... durchs Hirn · schießt ihm durch den Kopf ⸿ begrifflich · gedacht · gedanklich · geistig · immateriell · ideell · körperlos · metaphysisch · physisch · psychologisch · seelisch · stofflos · subjektiv · transzendent · unkörperlich · virtuell · vorgestellt ⸿ vernunftbegabt · geistreich · geistvoll ⸿ Brust · Busen · Denkorgan · Empfindungssitz · Gehirn · Herz · Hirn · Kopf · Schädel · Seele · der innere Mensch ⸿ Aperçu · Assoziation · Begnadung · Bonmot · Einfall · Eingebung · Erleuchtung · gag (Film) · Gedanke · Gedankensplitter · Geistesblitz · Idee · Inspiration · Intuition · Konzeption ⸿ Anlage · Auffassungsgabe · Begabung · Begriffsvermögen · Bewußtsein · Denkkraft · Einsicht · Erkenntnisvermögen · Fähigkeit · Fassungskraft · Geist · Geistigkeit · Ideenreichtum · Intellekt · Kopf · Naturgabe · Sinn · Urteil · Vernunft · Verstand · Witz.

3. Überlegung. *s. langsam 8. 8. Absicht 9. 14. seelische Art 11. 2. seelischer Zustand 11. 3. forschen 12. 8. rechnen 12. 12; 18. 30.*

abstrahieren · austüfteln · betrachten · brüten · denken · forschen · grübeln · klären · klügeln · meditieren · nachdenken · nachsinnen · prüfen · ratschlagen · reflektieren · simulieren (hess.) · sinnen · sinnieren · spekulieren · spintisieren · studieren · träumen · überlegen · ventilieren · sich vergegenwärtigen · sich sammeln · sich versenken · mit sich zu Rate gehen · hin und her · sich den Kopf zerbrechen · die Worte abwägen · in eine Ansicht vernarrt sein ⸿ argumentieren · sich bedenken · sich besinnen · sich hingeben · sich versenken · sich vertiefen · seine Gedanken sammeln · einen Gedanken fassen ⸿ ausklügeln · beabsichtigen · berechnen · ermessen · erörtern · (er)wägen · planen · prüfen · studieren · überlegen · untersuchen · eine Sache beschlafen · in Betracht ziehen · sich beschäftigen mit · sich durch den Kopf gehen lassen ⸿ anregen · bannen · sich darstellen · nicht aus dem Sinn kommen · die Gedanken auf sich lenken · Eindruck machen · den Geist in Anspruch nehmen ⸿ achtsam · aufmerksam · bedächtig · bedachtsam · beschaulich · betrachtend · gedankenvoll · nachdenklich ⸿ beflissen · eifrig · emsig · fleißig · gesetzt · reif · stetig · tief · tätig ⸿ sorgfältig abgewogen ⸿ Aufmerksamkeit · Betrachtung · Denken · Eifer · Forschung · Gedankenfülle · Gedankentiefe · Kontemplation · Kopfarbeit · Meditation · Reflexion (Locke) · Studium · Überlegung · Versenkung ⸿ Abstraktion · Abstrahierung · Begriffsfolge · Denkart · Denkhaltung · Denkweise · Gedankengang · Gedankenreihe · Geisteshaltung, -verfassung, -zustand · Ideenkette · Ideenverbindung · Mentalität · Seelenhaltung · Seelentum · Weltanschauung.

4. Begriff, Denkergebnis. *s. Empfindung 11. 4. Ansicht 12. 22.*

betreffs · bezüglich · im Sinne von ¶ zugrunde liegen · an der Tagesordnung sein · die Frage ist · es handelt, dreht sich um · es geht um ¶ abstrakt · abgezogen · begrifflich · hirnlich · logisch · theoretisch · trocken ¶ Apperzeption · Begriff · Bild · Denkbild · Eindruck · Eingebung · Empfindung · Erinnerung · (seelisches, psychisches) Erleben · Gedanke · Gesichtspunkt · Idee · Kategorie · Reiz · Vorstellung · Vorstellungsablauf · Vorstellungsbewegung · Vorstellungsinhalt · Wahrnehmung · Wirkung ¶ Dichtung · Einbildung · Gedankenbild · Geistesschöpfung · Hirngespinst · Phantasie · Trugbild ¶ Gedankengut · Ideologie.

5. Thema. *s. etwas 5. 1. Frage 13. 25.*

eine Frage anschneiden, aufwerfen, berühren, ventilieren, aufs Tapet bringen · stellung nehmen zu · abheben auf · meinen ¶ Anliegen · Antrag · Aufgabe · Ausgangspunkt · Denkzusammenhang · Fach · Fachrichtung · Fall · Feld · Gebiet · Gegenstand · Grundgedanke · Hauptgedanke · Moment · Motiv · Objekt · Sache · Stoff · Sujet · Text · Thema · Theorem · These · Vorschlag · Titel · Überschrift ¶ Angelegenheit · Aufgabe · Beschluß · Frage · Kapitel · Problem · (kritischer) Punkt · Vorfrage.

6. Wißbegierde. *s. sehen 10. 15. Begierde 11. 36. forschen 12. 8. Klatsch 13. 22. lesen 14. 7.*

(er)forschen · gaffen · herumschnökern · sich interessieren · horchen · lauschen · schnausen (= indiskret in Briefen schnüffeln) · spähen · Anteil nehmen · aufgeschlossen sein · erpicht sein · Aufklärung suchen · in das Geheimnis eindringen · ganz Auge und Ohr sein · die Nase überall hineinstecken ¶ angehen · anmuten · anziehen · bewegen · ergreifen · fesseln · gewinnen · hinreißen · interessieren · packen · reizen · spannen · wirken ¶ angelegentlich · gespannt · geweckt · neugierig · neuigkeitssüchtig · vorwitzig · wißbegierig · wissensdurstig · wunderfitzig (alem.) ¶ Allesleser · Forscher · Kiebitz · Neuigkeitskrämer · Streber · Topfkieker, Dippegucker (hess.) ¶ Forschergeist · Forschungstrieb · Fortschritt · Interesse · Neugierde · Schautrieb · Sympathie · Teilnahme · Wißbegierde.

7. Aufmerksam. *s. Absicht 9. 14. Sorgfalt 9. 42. wichtig 9. 44. horchen 10. 19. Vorsicht 11. 40. Wächter 16. 101.*

mit offenen Augen · mit verhaltenem Atem ¶ horch · heda · holla · hört, hört · oho · pst · schau · sieh da ¶ anhören · ansehen · aufhorchen · aufmerken · aufpassen · beachten · bedenken · beobachten · berücksichtigen · sich beschäftigen · besichtigen · betrachten · bewachen · deuten auf · durchblättern · durchlesen · durchsehen · erwägen gucken · kontrollieren · sich interessieren · sich konzentrieren · lauern · lauschen · sich merken · mustern · schauen · spähen · auf etwas spitzen · überlegen · sich vergewissern · vorbeugen · vorkehren · wachen · zuhören · acht geben · acht haben · acht passen · Obacht geben · in Augenschein nehmen · in Betracht, in Bedacht ziehen · Beachtung schenken · jedes Blatt umwenden · auf die Finger sehen · aufpassen wie ein Schießhund, wie ein Heftelmacher, mit Argusaugen · auf den Kaneel passen (hamb.) · die Jungen sind verflucht auf Draht, auf dem Kien · mit den Augen verfolgen, mit dem Blick verfolgen · im Auge behalten ·

nicht aus den Augen, Fingern lassen · auf der Hut sein · auf die Spur kommen ·
sein Ohr leihen · eingehend prüfen · näher beleuchten · mit dem Finger hinweisen ·
seine Gedanken sammeln · Anteil nehmen · volle Aufmerksamkeit leihen · dabei
bleiben · bei der Sache sein · sich nicht beirren lassen · ist ganz Auge, ganz Ohr ·
ist gespannt wie ein Flitzbogen, wie ein Regenschirm · eine Sache verfolgen · einen
Blick werfen auf · den ganzen Sinn, das Augenmerk richten auf · die Ohren spitzen
⁋ Schmiere stehen · Wache stehen ⁋ anregen · anziehen · auffallen · ermuntern ·
fesseln · interessieren · packen · das Auge fangen · Beachtung finden · den Blick auf
sich lenken · die Aufmerksamkeit wecken · den Geist beanspruchen · die Augen
öffnen ⁋ achtsam · ängstlich · aufmerksam · bedächtig · beflissen · behutsam ·
bewußt, eingedenk · geflissentlich · klüglich · einsichtsvoll · sorgfältig · sorglich ·
sorgsam · umsichtig · vertieft · vorsichtig · wachsam · weislich ⁋ Anteilnahme ·
Aufmerksamkeit · Augenmerk · Beachtung · Fleiß · Hingabe · Interesse · Kontrolle ·
Liebe · Studium ⁋ Aufsicht · Sorgfalt · Überlegung · Umsicht.

8. Forschen. *s. ungewiß 5. 7. Überlegung 12. 3. Wißbegierde 12. 6. Ent-deckung 12. 20. lernen 12. 35. fragen 13. 25. lesen 14. 7. Buch 14. 11.*

hä? na? und? wer? was? wa? wa? (berl.) · wann? wo? wieso? wie? warum?
weshalb? woher? wozu? wie kommt es? was ist die Ursache? aus welchem
Grunde? ⁋ sich einarbeiten · forschen · sinnen · spionieren · streben · studieren ·
suchen · sich umsehen · sich umtun ⁋ abhören · analysieren · anfragen · ansprechen
(auf)suchen · ausbaldowern, -finden, -fragen, -graben, -klamüstern, -kultieren,
-kundschaften, -machen · befragen · beklopfen · belauern · beobachten · berechnen · beschatten · bespitzeln · betrachten · diskutieren · (er)forschen · ergründen · ermitteln · erörtern · erspähen · eruieren · erwägen · fahnden · feststellen · fragen · lernen · mustern · (nach)kontrollieren · nachspüren · prüfen ·
rekognoszieren · röntgen · sezieren · sondieren · spähen · spionieren · stöbern ·
sich umhören, -tun · untersuchen · verfolgen · sich vergewissern · verhören · zergliedern · zerlegen · auf den Busch klopfen · den Puls fühlen · ganz Aug' und
Ohr sein · sein Augenmerk richten auf · die Augen aufmachen · in Erwägung
ziehen, in Betracht ziehen · ausfindig machen · herauszukriegen suchen · in Einzelheiten eingehen · einem Studium unterziehen · eine Frage anschneiden, aufrollen · Aufklärung suchen · einer Sache nachgehen, auf den Grund gehen ·
unter die Lupe, in Augenschein nehmen · auf die Finger sehen · bei Lichte besehen · Erhebungen, Recherchen anstellen ⁋ aufschlagen · beleuchten · durchblättern · durchsehen · nachlesen · nachschlagen ⁋ fragselig · inquisitorisch · naseweis ⁋ fraglich · kontrovers · offenstehend · problematisch · strittig · unentschieden · unerprobt · zweifelhaft, *s. Vermutung 12. 24* ⁋ Aktenkrämer · Analytiker ·
Anatom · Detektiv · Examinator · Forscher · Fragesteller · Inquisitor · Methodiker ·
Naturforscher · Pionier · Sachverständiger · Untersuchungsrichter ⁋ Adreßbuch ·
Enzyklopädie · Handbuch · Lexikon · Allbuch · Nachschlagewerk · Statistik ⁋ Auskunftei · Suchanzeige ⁋ Aufgabe · Frage · Gegenstand der Forschung · Logo-
gryph · Problem · Problemlage · Rätsel · Rebus · Streitfrage · harte Nuß · weißer
Fleck ⁋ Induktion · Nachfrage · Studium · Trachten ⁋ Inquisition · Interpella-
tion · Interview · (Kreuz)verhör · Vernehmung · Zwischenfrage ⁋ Analyse · Auf-
lösung · Blutprobe · Diagnose · Forschung · Pionierarbeit · Revision · Fragebogen ·
Sektion · Obduktion · Test · Untersuchung ⁋ Analytik · Anatomie ⁋ Denksport ·
Erdumsegelung · Erkundung · Forschungsweise · Problemstellung · Rekognoszierung ·
Spionage.

9. Experiment. *s. Versuch 9. 28.*

a posteriori · das wollen wir doch mal sehen ¶ ergründen · erproben · erweisen · examinieren · experimentieren · kontrollieren · nachprüfen · probieren · prüfen · umhertasten · untersuchen · verifizieren · versuchen · einen Weg suchen · auf die Probe stellen · einer Prüfung unterwerfen, unterziehen · den Puls, auf den Zahn fühlen · Fühlung suchen · die Angel, das Netz auswerfen nach · auf den breitesten Grund legen ¶ Stich halten · sich bewähren ¶ empirisch · erfahrungsgemäß · experimentell · versuchsweise ¶ Kennzeichen · Merkmal · Prüfstein · Richtschnur · Symptom · Unterscheidungszeichen ¶ Feuerprobe · Gottesurteil · Ordal · Wasserprobe ¶ Probe- · Fragebogen · Fühler . Probebogen · Probefahrt · Probezeit ¶ Laboratorium · Versuchsanstalt ¶ Analyse · Empirik · Experiment · Induktion · Kontrolle · Probe · Prüfung · Stichprobe · Versuch · Versuchsballon · Versuchsverfahren · voraussetzungslose Forschung ¶ Berichtigung · Bewahrheitung · Bewährung.

10. Vergleich. *s. gleich 5. 16. ähnlich 5. 17. Zeichen 13. 1.*

vergleichsweise · durch die Blume ¶ gegenüberstellen · gleichen · nebeneinanderstellen · kollationieren · kontrastieren · parallelisieren · vergleichen · Vergleiche anstellen · Parallelen ziehen · über einen Kamm scheren · weite Umschau halten ¶ allegorisch · analog · ähnlich · annähernd · bildlich · entsprechend · figürlich · metaphorisch · verhältnismäßig ¶ Ähnlichkeiten sehen, *s. 12. 54* ¶ Allegorie · Analogie · Beispiel · Exempel · Gleichnis · Gleichung · Metapher · Parallele · Pendant · Seitenstück ¶ Assoziation · Gedankenverbindung · Gegenstück · Gegenüberstellung · Kollation · Kontrast · Synopse · Verbindung · Vergleich(ung) · Vorstellungsverbindung.

11. Unterscheiden. *s. trennen 4. 34. ungleich 5. 21. Geschmack 11. 18. erkennen 12. 20.*

auswählen · aussondern · begrenzen · bestimmen · beurteilen · bewerten · bezeichnen · charakterisieren · differenzieren · entscheiden · erkennen · erlernen · herauskennen · individualisieren · markieren · modifizieren · schätzen · scheiden · sichten · sondern · trennen · unterscheiden · zergliedern · sich zurecht finden · Bescheid wissen ¶ klügeln ¶ kennzeichnend, charakteristisch · unterscheidend ¶ formal(istisch) · haarspalterisch · jesuitisch · kritisch · rabulistisch · scholastisch · spitzfindig · talmudistisch ¶ der besonnene Fachmann · Formalist · Silbenstecher · Unterschiedeseher *s. logisches Denken 12. 14; 12. 55* ¶ Erkenntnisvermögen · Unterscheidungsvermögen · Urteil · Werturteil ¶ Befund · Bescheid · Charakteristik · Diagnose, Krankheitsbestimmung · Erkenntnis · Gutachten · Kritik ¶ Feingefühl · Geschmack · Kennerschaft · Takt ¶ Haarspalterei · Rabulistik · Scholastik · Wortklauberei.

12. Messen, Rechnen. *s. ungefähr 3. 9. Hohlmaße 3. 19. Zahl 3. 35. Gewicht 5. 41.*

in Anbetracht · mit Rücksicht auf · im Hinblick auf · mit Regal und Lineal ¶ abmessen · abschätzen · abschreiten · abwägen · abwiegen · abzirkeln · ansetzen · ausmessen · begutachten · bemessen · berechnen · beurteilen · bewerten · eichen · ermessen · -örtern · rechnen · -wägen · *vergleichen s. 12. 10* · kalkulieren · karatieren · messen · punzieren · rechnen · schätzen · sondieren · taxieren · überschlagen · veranlagen · veranschlagen · wägen · werten · wiegen · in Betracht ziehen · ins Auge fassen · besser überlegen · einen Überschlag machen ⁋ durchschnittlich ⁋ meßbar · statistisch · wägbar ⁋ -karätig · -lötig · -prozentig ⁋ -metrisch · -skopisch ⁋ Buchhalter · Kassierer · Rechner · Registrator · Statistiker · Feldmesser, Geodät, Geometer · Mathematiker ⁋ -messer · -meter · skop · -zeiger · Anzeiger · Bleischeit · Lot · Maßstab · Richtblei · Senkblei · Waage · Wasserwaage · Wärmemesser · Wetterglas · Winkelmesser · Zeiger · Zirkel · Zollstab, Metermaß, Schmiege · Rechenmaschine · Registrierkasse ⁋ Durchschnittsmaß · Gehalt · Gewicht · Maß ⁋ Augenmaß · Berechnung · Sonderung · Statistik · Überblick · Überschlag · Verzeichnis · Voranschlag ⁋ Biostatik · Feldmeßkunst · Feldmessung · Geodäsie · Geometrie · Kataster · Landmessung · Metrologie.

13. Unaufmerksamkeit. *s. betrunken 2. 33. nachlässig 9. 43. Unempfindlichkeit 11. 8. Einbildung 12. 28. unhöflich 16. 53.*

baase(l)n · dämmern · dösen · doofen · schlafen · schusseln · spinnen · träumen · sich keine Mühe geben · die Aufmerksamkei, den Geist abwenden · nicht aufpassen · nicht bei der Sache sein · ist ganz wo anders, in Gedanken, im Mustopf, im Tran, in den Wolken · den Spatzen nachschauen · in den Himmel schauen · ins Blaue gucken · kein Interesse haben · mit halbem Ohre hinhören · auf den Ohren sitzen · sich den Teufel scheren um · sich kein graues Haar wachsen lassen · sich nicht kümmern um · sich keine Sorge machen · fünfe grade sein lassen · eine Naht zusammenspielen (Skat) · ihr sitzt wohl auf den Horchbrettern? ⁋ mißachten · überhören · überschlagen · übersehen · überspringen · vergessen · vernachlässigen · nicht tiefer eingehen · nur oberflächlich berühren · flüchtig beachten, flüchtig überblicken · lose durchblättern · anblättern · nicht in Betracht ziehen · keine Aufmerksamkeit schenken · den Rücken kehren, zuwenden · außer acht lassen · sich entgehen lassen ⁋ entgehen · entschlüpfen ⁋ ablenken · verblüffen · verwirren · zerstreuen · außer Fassung bringen · bestürzt machen · die Luft benehmen ⁋ achtlos · blind · bramsig (pom.) · dumm · fahrlässig · flüchtig · gedankenlos · geistesabwesend · gleichgültig · indolent · kalt · kopflos · leichtsinnig · oberflächlich · sorglos · stumpf · taub · teilnahmslos · töricht · träumerisch · unachtsam · unaufmerksam · unbedacht · unempfindlich · unüberlegt · unverständig · verbaast · verschlafen · verspielt · verständnislos · wurschtig · zerstreut ⁋ in Gedanken verloren · versunken · befangen ⁋ Gedankenmann · zerstreuter Professor · Schlafmütze · Transuse ⁋ Ablenkung · Allotria · Zerstreuung. — Wolkenkuckucksheim ⁋ Albernheit · Jugendeselei · Streich ⁋ Leichtsinn · Mißachtung · Nichtbeobachtung · Unbedacht · Unverständnis ⁋ Befangenheit · Dämmerzustand · Faselei · Flüchtigkeit · Gedankenlosigkeit ⁋ Geistesabwesenheit, -trägheit · Gleichgültigkeit · Interesselosigkeit · Träumerei.

14. Logisches Denken. *s. Kausalität 5. 31 ff. Überlegen 12. 3. Forschen 12. 8. 12. 54. Debatte 13. 30. Beweis 13. 46. gerecht 19. 18.*

a posteriori · a priori ⁋ abhandeln · ableiten · argumentieren · auseinandersetzen · auslegen · begründen · besprechen · beurteilen · beweisen · diskutieren · disputieren · durchsprechen · entnehmen · erachten · erörtern · folgern · halten für · kommentieren · kritisieren · schließen · überlegen · überordnen · unterordnen · unterteilen · urteilen · ventilieren · verhandeln · durchblicken lassen · verallgemeinern · generalisieren ⁋ sich ergeben · erhellen · folgen · herauskommen · resultieren · stimmen · kein Wunder, daß · er ist normal, bei sich, bei Verstande, hat alle seine fünf Sinne beisammen ⁋ aktengemäß · anschaulich · beweiskräftig · billig · bündig · dialektisch · einwandfrei · erfahrungsmäßig · fachlich · fachmännisch · folgerecht · folgerichtig · gerecht · klar · konsequent · logisch · nüchtern · objektiv · passend · rational · richtig · sachlich · sachgemäß · schlüssig · schlußrichtig · triftig · unparteiisch · vernunftgemäß · verständlich · voraussetzungslos · wertfrei · wissenschaftlich · zur Sache gehörig ⁋ anfechtbar · diskutierbar · fraglich · kontrovers · polemisch · streitig · strittig · umstritten ⁋ Debatter · der Denker · Dialektiker · Jesuit · Logiker · Rabulist · Sophist · Verstandesmensch · Widerspruchsgeist · Wortklauber · Wortverdreher ⁋ Besprechung · Debatte · Diskussion · Disput(ation) · Erörterung · Federkrieg · Kontroverse · Kritik · Polemik · Streitgespräch · Wortstreit ⁋ Dilemma · Zwickmühle ⁋ Auffassung · Ausführung · Begriffsfolge · Beweisführung · Gedankengang · Gedankenreihe · Postulat · Schluß · Syllogismus · Wechselschluß ⁋ Befund · Bescheid · Ergebnis · Fazit · Gutachten · Urteil ⁋ Beweiskraft · Schlagkraft · Schlußrichtigkeit ⁋ Anwendung · Deduktion · Dialektik · Induktion · Logik · Logos · Schlußvermögen · Urteilskraft · Verallgemeinerung · Vernunftschluß.

15. Begründen. *s. Kausalität 5. 31 ff. Beweggrund 9. 12. Beweis 13. 46. Rechtfertigung 19. 13.*

angenommen, daß · in Erwägung, daß · in Anbetracht · betreffs · hinsichtlich · rücksichtlich · wenn — dann · vorausgeschickt, vorausgesetzt, daß ⁋ weil ⁋ denn · nämlich ⁋ ableiten · aufbürden · ausgehen von · begründen · beilegen · beimessen · beschuldigen · bezeichnen · beziehen auf · herleiten · motivieren · nachweisen · urteilen · voraussetzen · zeihen · zuschreiben · den Grund angeben · verständlich machen · die Ursache bezeichnen, finden · den Ursprung darlegen, erklären, nachweisen · Hypothesen, Theorien aufstellen · in Betracht ziehen · in Anschlag bringen ⁋ ätiologisch · beweisend · entstehungsgeschichtlich · genetisch · historisch · kausal · ursächlich ⁋ ausschlaggebend · beweisend · gewichtig · grundlegend ⁋ Anhaltspunkt · Ausgangspunkt · Prämisse · Vordersatz · Voraussetzung ⁋ Lösung · Schlüssel ⁋ Ätiologie · Begründung · Kausalerklärung · Motivierung · Plattform · Standpunkt.

16. Folgern. *s. Wirkung 5. 34. logisches Denken 12. 14.*

nun aber · also · daher · darum · demgemäß · demnach · demzufolge · deshalb · deswegen · ergo · dieserhalb · folglich · konsequentermaßen · somit · mithin · na also · nach Adam Riese · logischerweise · dergestalt, daß · stimmt's oder nicht? ⁋ sich ergeben · erhellen · herauskommen · hervorgehen aus · resultieren ⁋ ableiten · deduzieren · entnehmen · folgern · generalisieren · schließen · den Schluß, eine Lehre ziehen · anknüpfen an ⁋ folgerecht · folgerichtig ⁋ Deduktion · Folgerung · Konsequenz · Resultat · Schluß · Schlußfolgerung.

17. Grundsatz. *s. Hauptsache 4. 19. Regel 5. 10.*

entscheidend · grundlegend · grundsätzlich · prinzipiell · regelmäßig · a priori ⁋ Angelpunkt · Ausgangspunkt · Axiom · Denkspruch · Devise · Dogma · Elementarprinzip · Formel · Gebot · Gesetz · Glaubenssatz · Grundgedanke · Grundregel · Grundsatz · Kerngedanke · Kernspruch · Lehrsatz · Leitgedanke · Leitmotiv · Leitstern · Maxime · Motto · Norm · Postulat · Prinzip · Richtschnur · Sentenz · Sprichwort · Spruch · Substrat · Wahrspruch · der rote Faden ⁋ Glaubensbekenntnis · Katechismus · Satzung · Weisheit auf der Gasse · goldene Regel.

18. Gesunder Menschenverstand. *s. wahr 12. 26. Klugheit 12. 52.*

bei vollem Verstande sein · durchaus bei Sinnen sein · seiner Sinne mächtig sein ·
hat seine fünf Sinne beisammen · steht mit beiden Füßen im Leben ❡ zur Besinnung (Vernunft) kommen ❡ einfach · gesund · normal · praktisch · vernünftig ·
verständig ❡ Besinnung · Mutterwitz · Sinn · Vernunft · Witz · gesundes Volksempfinden · klares Urteil · lichte Augenblicke.

19. Unlogik. *s, Unordnung 3. 38. Irrtum 12. 27. dumm 12. 56. verrückt 12. 57. nichtssagend 13. 18. Geschwätz 13. 22. widerlegen 13. 47.*

larifari · papperlapapp ❡ widerspricht sich · geht alles durcheinander · genau
daneben · einen Stiefel zusammenreden ❡ klügeln · auf den Kopf stellen ❡ abgeschmackt · absurd · abwegig · albern · beziehungslos · disparat · falsch · fehlerhaft · folgewidrig · grundlos · haltlos · hinfällig · hirnverbrannt · irrig · konfus ·
lachhaft · nebelhaft · sinnlos · läppisch · lätz (alem.) · paradox · tief aber schief ·
trügerisch · unerwiesen · ungereimt · ungültig · unhaltbar · unklar · unlogisch ·
unrichtig · unsinnig · unvernünftig · unwissenschaftlich · verschwommen · wirr ·
einfältig · kindisch · schwach · töricht · toll ❡ kasuistisch · knifflig · kleinlich · zu
pfiffig · rabulistisch · scholastisch · sophistisch · spitzfindig · talmudisch · zweideutig ❡ Wirrkopf ❡ Aberwitz · Bafel · Blech · circulus vitiosus · Dialektik ·
Dummheit · Durcheinander · Fehlschluß · Gefasel · Geschwafel · Humbug · Irrtum · Kaff · Kohl · Klügelei · Mumpitz · Nonsens · oppositio in adiecto · petitio
principii · quaternio terminorum · Purzelbäume · Quatsch · Schmus · Stuß ·
Schnickschnack · Sophismus, Fangschluß · Spiegelfechterei · Trugschluß · Unding ·
Unsinn · Unverstand · höherer Blödsinn · (richtiger Bock-)Mist · verkehrte Welt ·
Widerspruch · Zimt · Ironie der Weltgeschichte ❡ weibliche Logik ❡ Urteilslosigkeit.

20. Wahrnehmung, Entdeckung. *s. Bergbau 1. 23. wirklich 5. 1. Erfolg 9. 77. Empfindung 11. 4. folgern 12. 16. offenbaren 13. 3. Antwort 13. 26.*

ach so · aha · also doch · das also war des Pudels Kern · sieh mal an · hab' ich
mir doch gleich gedacht · daher der Name Obodeldok ❡ apperzipieren · aufgabeln · aufhellen · aufjagen · aufspüren · aufstöbern · auftreiben · aushecken ·
ausklügeln · ausmachen · ausmitteln · ausschnüffeln · bemerken · bloßlegen · durchschauen · einordnen · entdecken · entlarven · erfahren · erforschen · erfragen ·
erfühlen · ergrübeln · ergründen · erkennen · erkunden · erhaschen · erhorchen ·
erleben · erschnüffeln · erspähen · ersinnen · eruieren · erwischen · fangen · feststellen · finden · freilegen · gewahren · gewahr werden · heraus-: -baldowern,
-bekommen, -bringen, -klamüsern, -kriegen, -stellen, -tüfteln · identifizieren · inne
werden · klarstellen · merken · offenlegen · stoßen auf · unterscheiden · wahrnehmen · zeigen · ausfindig machen · spitz kriegen · dahinterkommen · den Braten,
Lunte riechen · auf den Grund, auf die Spur kommen · Fährte bekommen · in
Erfahrung, ans Tageslicht, an den Tag bringen · in die Öffentlichkeit ziehen ·
sich Gewißheit verschaffen · bei der Tat erwischen · kommt ihm auf die Schliche,
Sprünge ❡ sich entpuppen · in die Augen fallen, springen, stechen · es fällt
wie Schuppen von den Augen · sich aufdrängen · sich herausstellen · heraus-
kommen · sich zeigen · sich ergeben · sich erweisen · zutage treten · die Wissen-
schaft tut einen Schritt · Empirie ❡ bahnbrechend · umstürzend, *s. wichtig 9. 44*
❡ Bahnbrecher · Columbus · Entdecker · Forscher · Geheimpolizei · Hellseher
❡ Riecher · Spürnase · Spürsinn, *s. klug 12. 52* ❡ Apperzeption (Leibniz) · Befund ·
Einsicht · Entdeckung · Enthüllung · Erfindung · Erfolg · Erkenntnis · Experiment ·
Überraschung · Wahrnehmung.

21. Schöpfertum. *s. erzeugen 5. 39. klug 12. 52. dichten 14. 2. gestalten 15. 1.*

erfinden · schaffen · kreïeren · dichten ⁊ begnadet · eigenwüchsig · erfinderisch · genial · ingeniös · produktiv · schöpferisch ⁊ Erfinder · Genie · Schöpfer ⁊ Eingebung · Inspiration · Phantasie · Schöpferkraft.

22. Ansicht. *s. wahrscheinlich 5. 4. Wille 9. 2. seelische Art 11. 2. ahnen 12. 42.*

in der festen Überzeugung · nach bestem Glauben und Gewissen · in größter Seelenruhe ⁊ in den Augen von · m. E. · meiner Meinung nach ⁊ annehmen · beharren · sich ausmalen · denken · sich einbilden · erachten · glauben · dafürhalten · meinen · vermuten · voraussetzen · sich vorstellen · wähnen · eine Idee haben · eine Meinung hegen, der Meinung usw. sein · eine Ansicht verbreiten · seine Meinung gründen auf · sich ein Urteil bilden · sich ein Bild machen · sich in den Kopf setzen · mich deucht, mich dünkt · Stellung nehmen ⁊ sich verlassen auf · rechnen auf · zählen auf · keinen Zweifel hegen · für gewiß halten ⁊ bekehren, *s. Einfluß 9. 9; 9. 12. Propaganda 16. 21. Reue 19. 5* · beruhigen · einreden · lehren · stempeln · überführen · überreden · überzeugen · versichern · glauben machen ⁊ so aussehen · einleuchten · scheinen · so vorkommen · vorschweben · mir ist so, als wenn · den Anschein erwecken · Glauben finden · sich des Geistes bemächtigen ⁊ *subj.:* -istisch · gläubig · klerikal · konfessionell · überzeugt · vertrauensvoll · voreingenommen · zuversichtlich ⁊ *obj.:* beglaubigt · glaublich · sicher · unverdächtig · unzweifelhaft · wahrscheinlich · zuverlässig ⁊ wes Geistes Kind ⁊ Kirche · Partei · Richtung · Schule · Sekte · Strömung · Welle ⁊ Ansicht · Aspekt · Auffassung · Begriff · Behauptung · Denkhaltung · Denkungsart · Denkweise · Dogma · Einstellung · Ermessen · Expertise · Gesinnung · Grundeinstellung · Gutachten · Gutdünken · Lehrmeinung · Meinung · Mentalität · Perspektive · Plattform · Standort · Standpunkt · Stellungnahme · Stimmung · Theorie · These · Überzeugung · Urteil · Vorurteil · Vorstellung · Wahn · seine Eindrücke ⁊ Bekenntnis · Dogma · Gebot · Glauben · Ideologie · Konfession · Lehre · Prinzip · Satzung · Volksglaube · Vorliebe · öffentliche Meinung · weite Volkskreise · Weltanschauung ⁊ Bekehrung · Meinungswechsel · Propaganda · Proselytenmacherei.

23. Ungewißheit, Mißtrauen. *s. Möglichkeit 5. 2; 5. 7. Versuch 9. 28; 12 9. schwierig 9. 55. Furcht 11. 42. logisches Denken 12. 14. Unwissenheit 12. 37. fragen 13. 25. (Gewißheit steht 5. 6.)*

bei mir Kino: alles im Dunkeln · Hin- und Herwenden der gespreizten Hand ⁊ ä ä · ja! · na na · trau, schau, wem · vielleicht · wer's glaubt, wird selig, zahlt einen Taler · abwarten und Tee trinken · das kannst du deiner Großmama erzählen · mach' die Gäul' net scheu (hess.) · wer weiß? · Ansichtssache ⁊ abwarten · anzweifeln · beargwöhnen · sich bedenken · befürchten · sich besinnen · bezweifeln · mißtrauen · prüfen · schwanken · schwimmen · überlegen · verdächtigen · in einem den ... wittern · zweifeln · Argwohn haben, hegen · unentschlossen sein · in Frage ziehen, stellen · Bedenken tragen · dahingestellt sein lassen ⁊ den Braten riechen, Lunte riechen · Verdacht fassen, schöpfen · den guten Ruf antasten · ein Auge auf jmd. haben · Bedenken bekommen · irre werden an ⁊ Mißtrauen erregen · ist nicht glitzer, nicht sauber · im Doppellichte erscheinen, stehen · steht dahin · bedarf noch der Klärung · non liquet · kommt vielleicht später mal raus · ist keine ausgemachte Sache, eine offene Frage · ist nicht über jeden Zweifel erhaben ⁊ jemd. einen Floh ins Ohr setzen · den Glauben erschüttern ⁊ argwöhnisch ·

kritisch · kopfscheu · skeptisch · stutzig · ungewiß ¶ bedenklich · doppelbodig · dubios · dunkel · fraglich · fragwürdig · geheimnisvoll · heikel · kitzlich · mystisch · paradox · prekär · problematisch · strittig · umstritten · undurchsichtig · unglaublich · unbegreiflich · ungewiß · ungeklärt · unklar · unsicher · unübersichtlich · vage · verdächtig · verfänglich · widersprechend · windig · zweifelhaft · nicht geheuer ¶ untergeschoben · halbecht ¶ Atelierarbeit · Schule ¶ Agnostizist · Ketzer · Pessimist · Schwarzseher · Skeptiker · Zweifler · ungläubiger Thomas ¶ nichts Genaues · Grenzfall · Halbheit · schlechter Ruf ¶ Argwohn · Bedenken · Mißtrauen · Skepsis · Sorge · Ungewißheit · Verdacht · Vorsicht · Zweifel ¶ Skrupel · Unglaube · Zweifelsucht.

24. Vermutung. *s. wahrscheinlich 5.4. Bedingung 5.32. Annahme 12.29.*

allenfalls · möglicherweise · vielleicht · unter Umständen · denkste · möchte, könnte, ließe sich ¶ ahnen · annehmen · ansprechen als · argwöhnen · denken · sich einbilden · ermessen · erraten · glauben · konjizieren · meinen · mutmaßen · vermuten · voraussetzen · wähnen · sich einfallen lassen ¶ andeuten · anspielen · einflüstern · unterstellen · die Frage aufwerfen · den Fall setzen ¶ beifallen · däuchten · dünken · einfallen · nicht aus dem Sinn kommen · in den Sinn kommen ¶ sieht so aus, als ob · scheinen ¶ angenommen · bedingt · eventuell · hypothetisch · möglich · mutmaßlich · vermutlich · vorausgesetzt · willkürlich ¶ Ahnung · Annahme · Anschauung · Argwohn · Auffassung · Befürchtung · Erwartung · Furcht · Glaube · Hoffnung · Hypothese · Konjektur · Meinung · Mißtrauen · Spannung · Verdacht · Vermutung · Voraussetzung · Wahn ¶ Anhaltspunkt · Möglichkeit.

25. Leichtgläubig. *s. tollkühn 11.39. dumm 12.56. betrügen 16.72; 18.8.*

auf Treu und Glauben · auf seine schönen Augen, aufs pure Nichts hin ¶ anvertrauen · ernstnehmen · hereinfallen · trauen · vertrauen · Vertrauen schenken · für bare Münze nehmen · sich verlassen auf · bauen auf · auf den Leim gehen ¶ äffen · anführen · einreden · foppen · hänseln · irreführen · narren · täuschen · verblenden · vorfabeln · vorgaukeln · vorreden · vorschwatzen · vorspiegeln · mit Schmus besoffen machen · in den April schicken · Sand in die Augen streuen · blauen Dunst vormachen ¶ arglos · dumm · einfältig · grün · harmlos · jung · kindisch · leichtgläubig · naiv · offen · treuherzig · unschuldig · vertrauensselig · weichherzig · zutraulich ¶ Abonnent · Aprilsnarr · Bauer vom Lande · der reine Tor · Gimpel · Hinterland · leichte Beute · Stimmvieh · Zeitungsleser · Onkel Fritz aus Neuruppin ¶ Gemeinde · Leserkreis · Wählerschaft · Volksmeinung ¶ Aberglaube · Blendwerk · Gespensterseherei · Selbsttäuschung · Wahn · Wahnbild ¶ Affenliebe · Einfalt · Dogmatismus · Glaubensstärke · blindes Vertrauen.

26. Wahrheit. *s. genau 4.9. real 5.1. Gewißheit 5.6. Kenntnis 12.32. lehren 12.33. beweisen 13.46. Wahrhaftigkeit 13.49. schwören 13.50.*

fürwahr · sicherlich · bestimmt · wahrlich · wirklich · wahrhaftig in Gott · auf mein Wort · ohne Scherz · in vollem Ernst · Spaß beiseite · auf Ehre (und Gewissen) · so wahr ein Gott im Himmel lebt · beim Leben meines Kindes · weiß Gott · weeß Gneppchen (sächs.) · Tatsache! ¶ bona fide · in gutem Glauben

❡ feststehen · stimmen · zutreffen · den Tatsachen entsprechen ❡ sich bewahrheiten · sich bewähren · einleuchten · eintreffen · sich erfüllen · wahr werden · in Erfüllung gehen ❡ ausweisen · beglaubigen · bestätigen · feststellen · legitimieren · verwirklichen ❡ verifizieren · wahrnehmen · den Irrtum benehmen · die Augen öffnen ❡ absolut · apodiktisch · ausdrücklich · ausgemacht · bestimmt · effektiv · gewiß · kategorisch · schlagend · tatsächlich · unbezweifelbar · ungelogen · unstreitig · unumstößlich · unwiderlegt · wahr · wahrhaftig · wirklich ❡ anschaulich · buchstäblich · fehlerfrei · fehlerlos · genau · gewissenhaft · glaubwürdig · peinlich · pünktlich · religiös · richtig · sinnenhaft · sinnenmäßig · sorgfältig ❡ amtlich · begründet · behördlich · echt · lebensnah · gediegen · erlebt · natürlich · nüchtern · offiziell offiziös · unbeschönigt · ungeschminkt · unromantisch · unübertrieben · unverfälscht · urkundlich · verbrieft · verbürgt · verläßlich · vernünftig · verständig ❡ eigentlich · ernstlich · faktisch · greifbar · konkret · tatsächlich · unzweifelhaft · wahrheitsgemäß · wesentlich · zuverlässig · zweifellos ❡ Gemeinplatz · Realität · Tatsache · Wahrheit · Wirklichkeit.

27. Falsch, Irrtum.   s. *Fehler 9. 65. mißlingen 9. 78. Unlogik 12. 14. Unkenntnis 12. 37. Dummheit 12. 56 Lüge 13. 51. Betrug 16. 72. Täuschung 18. 8.*

abirren · sich einbilden · sich einreden · entgleisen · fehlen · fehlgehen · fehlgreifen · fehlschießen · (sich) irren · patzen · sich schneiden · sich täuschen · übersehen · etwas verballhornen, verbumfeien, verderben, verhoppassen, verhundsen, verkennen, versauen, verkorksen, verpatzen, verschlimmern · sich ver-: -haspeln, -hauen, -heddern, -galoppieren, -hoppassen, -rechnen, -sprechen, -schreiben, -zählen, -fliegen, -franzen · daneben greifen · danebenhauen · unrichtig beurteilen · falsch auslegen · Böcke schießen · auf dem Holzweg sein · in die Irre gehen · nach dem Spiegelbild greifen · die Rechnung ohne den Wirt machen · Gespenster sehen · sieht den Wald vor Bäumen nicht · gegen offene Türen rennen · ist von allen guten Geistern verlassen, von Gott verlassen, schief gewickelt ❡ mißverstehen · falsch auffassen ❡ bemänteln · beschönigen · verdrehen ❡ betören · fanatisieren · trügen · verblenden ❡ anfechtbar · angreifbar · bedenklich · eingebildet · erlogen · falsch · grundlos · irrtümlich · lätz (alem.) · lügenhaft · lügnerisch · trügerisch · unbegründet · unwahr · unwahrscheinlich · unzutreffend · verlogen ❡ abwegig · fehlerhaft · folgewidrig · gottverlassen · irrig · mangelhaft · ungenau · unlogisch · unrichtig · unvernünftig · unvollkommen · verfehlt · vernunftwidrig · widersinnig · widerspruchsvoll ❡ aufgeputzt · betrüglich · blendend · eingebildet · flüchtig · illusorisch · imaginär · irreführend · nichtig · schattenhaft · scheinbar · täuschend · verfänglich · verführerisch ❡ pseudo- anfechtbar · gefälscht · hinterlistig · sophistisch · unecht ❡ Falscheid ❡ Miß- Pseudo- · Blendwerk · Fabel · Gespenst · Halluzination · Irrlicht · Irrwisch · Schatten · Seifenblase · Traum · Trugbild · Wahnbild · falsches Licht · leere Luft · Katze im Sack · blinder Handel, Kauf ❡ Entgleisung · Gedankensprung · Rechenfehler · Sprachfehler · Versehen · Unsinn · fixe Idee · typischer Fall von denkste.

28. Einbildung, Wahn. s. *falsch 9. 65. eitel 11. 45. verrückt 12. 57.*

schwärmen · träumen · der Phantasie die Zügel schießen lassen · Grillen fangen · Luftschlösser bauen · große Rosinen im Sack haben ❡ sich einbilden · einreden · erdenken · erdichten · erfinden · ersinnen · erträumen · schaffen · vorgaukeln ·

vorspiegeln · sich in den Kopf setzen ⁋ abenteuerlich · eingebildet . fabelhaft · fantastisch · ideal · imaginär · märchenhaft · mythologisch · phantasiereich · poetisch · romantisch · schnurrig · schwärmerisch · träumerisch · überspannt · übertrieben · unwirklich · utopisch · wirr · wunderlich ⁋ Enthusiast · Fanatiker · Fantast · Idealist · Ideolog · Nachtwandler · reiner Tor · Romantiker · Sanguiniker · Schwärmer · Somnambule · Träumer · Utopist · Weltverbesserer · Don Quixote ⁋ Feenreich · Märchenland · Schlaraffenland · Traumwelt · Utopien · Wunderland · Wolkenkuckucksheim · Zauberwelt · tausend und eine Nacht · Insel der Seligen ⁋ Anachronismus · Bock · Fehler · Fehlgriff · Fehltritt · Entgleisung · Irrglaube · Irrtum · Lapsus · Mißgriff · Mißverständnis · Rechenfehler · Rechnungsfehler · Schnitzer · Trugschluß · Verdacht · Versehen · Verstoß · Wahn(gebilde) · Widerspruch · Zirkelschluß · petitio principii ⁋ Blendwerk · Einbildung · Illusion · Phantasie · Selbsttäuschung · Unwahrheit · Zweideutigkeit ⁋ Einfall · Eingebung · Erfindung · Erscheinung · Fabel · Fata Morgana, Luftbild, Luftspiegelung · Geister · Gespenst · Grille · Halluzination · Hirngespinst · Ideal · Legende · Luftschloß · Märchen · Münchhausiade · Mythos · Phantasie · Phantasma · Phantasmagorie · Phantom · Sage · Schleier der Maja · Utopie · Vision · Ausgeburt · der Phantasie · Blütenträume der Jugend · wilde Jagd · fliegender Holländer · das Jenseits ⁋ Ekstase · Fieber · Fieberwahn · Halluzination · Irrtum · Konstruktion · Sinnestäuschung · Traum · Träumerei · Verzückung · Wahn · Wunder ⁋ Einbildung · Hellsehen · Idealismus · Romantik · Spiritualismus · Täuschung · Feuer der Begeisterung · erhitzte, fruchtbare Phantasie · wilde Einbildungskraft · lebhafte Vorstellungen.

29. Annahme. *s. Versuch 9. 28. Vermutung 12. 24.*

wie wenn · als ob · gewissermaßen · sozusagen ⁋ annehmen · fingieren · konstruieren · setzen · supponieren · unterstellen · voraussetzen · zugrundelegen · den Fall setzen · einem etwas beilegen, zuschreiben ⁋ gedacht · fiktiv · heuristisch · hypothetisch · imaginär · künstlich · phantastisch · provisorisch · technisch · theoretisch · willkürlich · zweifelhaft ⁋ Hilfs- · Quasi- · ein Als-Ob · Annahme · Beispiel · Brücke · Chimäre · Denkfigur (Lotze) · Einbildung · Erdichtung · Exempel · Fiktion · Grenzbegriff · Hirngespinst · Hypothese · Idealkonstruktion · Idee · Illusion · Interimsbegriff · Provisorium · Imagination · Konstruktion · Krücke · Mittelbegriff · Problema · Rechenmarke · Stütze · Surrogat · Vorläufigkeiten (Dühring) · Zwischenlösung ⁋ Arbeitshypothese · Supposition · Theorie · Vehikel.

30. Wesensschau. *s. Instinkt 12. 1.*

inne werden · schauen ⁋ intuitiv · phänomenologisch · physiognomisch · schöpferisch · synthetisch ⁋ Antlitzdeutung · Ausdeutung · Divination · Gestaltdeutung · Instinkt · Intuition · Morphologie · Physiognomik · Schau · Wesensschau · innere Stimme · das Wissen um.

31. Verstehen. *s. schätzen 11. 17. entdecken 12. 20. klug 12. 52. Verständlichkeit 13. 33. erklären 13. 44.*

ach · ach so · aha · jetzt hab' ich's · in Ordnung · capé ⁋ auffassen · bedappeln · begreifen · bekappen · durchblicken · durchschauen · einsehen · erfassen · fassen · fressen · kapieren · kleinkriegen · nachempfinden · nachfühlen · spitz kriegen · verstehen · sich zurechtfinden · daraus klug werden · sich einen Vers machen aus ·

klar sehen · ist sich klar über ❡ dämmern · eingehen · der Groschen ist gefallen ·
es hat gefunkt · es geht ihm ein Licht, eine Stallaterne, ein Seifensieder auf · hat
es gefressen · ist im Bilde ❡ deuten · erklären · interpretieren · würdigen ❡ aufschlußreich · ergiebig · lehrreich · objektiv ❡ Deuter · Interpret · Psychotherapeut ·
Seelenkünder · Seelenerrater ❡ Verständnis · das Vastehste (berl.) · innere Erhellung.

32. Kenntnis. *s. Forschung 12. 8. Entdeckung 12. 20. Bekanntmachung 13. 6.*

sich auskennen · beherrschen · kennen · überblicken · verstehen · wissen · Bescheid wissen · ist im klaren, im Bilde, zu Hause in, auf der Höhe, auf dem
laufenden, beschlagen, bewandert, groß in, versiert, vertraut mit · hat es im Griff,
am Schnürchen, intus, los, weg, in den Fingerspitzen · vor die rechte Schmiede
gehen · wissen, wo Barthel den Most holt · die Sachlage, den wirklichen Zusammenhang, den wahren richtigen Grund, den eigentlichen Zweck, die geheime Absicht wissen, kennen · die Schliche und Wege, Ränke, Kniffe, Kunstgriffe heraus
haben · wissen, wie die Sachen stehen, wie etwas anzufassen, -packen, -greifen ist,
wie der Hase läuft, wo der Hund begraben liegt, wo der Knoten sitzt, woran's
liegt, aus welchem Loch der Wind pfeift, wo die Musikanten wohnen · das haben
wir schon gehabt (Schulsprache) · offene Türen einrennen · in- und auswendig,
von vorn und rückwärts kennen, wie die eigene Tasche · fließend aufsagen · das
geht wie Wasser, wie am Schnürchen · das ist seine Stärke · kommt einen rauf ·
❡ auffassen · aufschnappen · begreifen · durchblicken · durchschauen · erfahren ·
erfassen · erfühlen · erkennen · erleben · erlernen · lernen · merken · dahinterkommen · daraufkommen · gewahr werden · bewußt werden · Lehrgeld bezahlen ·
den Braten riechen, Lunte riechen · Einblick gewinnen · sich einfühlen · Wind
bekommen ❡ aufklären · belehren · bilden · einweihen · erziehen · informieren ·
lehren · unterrichten · einen Irrtum benehmen · einem Vorurteil entgegentreten
❡ sich herumsprechen ❡ *Vom Subjekt, aktiv:* aufgeklärt · bekannt mit · belesen ·
bibelfest · erfahren · firm · fundiert · gebildet · geeicht · gelehrt · geschult · geübt ·
gründlich · informiert · perfekt · sachkundig · sattelfest · sicher · taktfest · versiert ·
wissend ❡ allsehend · allwissend · enzyklopädisch · vielseitig. — weitgereist · viel
herumgekommen ❡ *Vom Objekt, passiv:* abgedroschen · allbekannt · (allgemein)
anerkannt · alt · banal · bekannt · bewährt · erkennbar · ihm geläufig · notorisch ·
offenkundig · publik · selbstverständlich · sprichwörtlich · vertraut ❡ Gewährsmann ·
Zeuge · Augenzeuge · Kronzeuge ❡ -ist · -ologe · -forscher · -kundler · Akademiker · Autorität · Doktor · Doktorand · Dozent · Fachmann · Kapazität · Gelehrter · Hierophant · Kenner · Liebhaber · Mystagog · Pädagoge · Philosoph ·
Polyhistor · Professor · Sachverständiger, Experte · Sammler · Schriftgelehrter ·
Schriftsteller · Spezialist ❡ Autodidakt · Bibliomane · Bibliophile · Bücherfreund ·
Büchernarr · Bücherwurm · Blaustrumpf · Globetrotter · Hirnfatzke · Intelligenz-
bestie · Menschenkenner · Pedant · Schulfuchs · wandelndes Konversationslexikon ·
die Eingeweihten · Leute vom Bau · die hauchdünne Schicht der Gebildeten
❡ ABC-Buch · Enzyklopädie · Handbuch · Lexikon, Allbuch · Wörterbuch · Biblio-
graphie · Vademecum *s. 14. 11* ❡ Schule · Born der Weisheit · Disziplin ❡ -istik ·
-ologie · Anfangsgründe · Elemente · Fach · Disziplin · Doktrin · Gedankenwelt ·
Literatur · Wissen · Wissenschaft ❡ Begriff · Einsicht · Entdeckung · Horizont ·
Kenntnis · das Können · Kunde · Mitwisserschaft · Übersicht · Verständnis ·
Wissen · Würdigung ❡ Anschauung · Argwohn · Betrachtung · Bewußtsein · Ein-
blick · Eindruck · Empfindung · Erleuchtung · Gedanke · Idee · Schimmer · Spur ·

Vorstellung ❡ Allweisheit · Gelehrsamkeit · Lehre · Philosophie · Theorie · Weltweisheit · Bibliomanie · Buchwissen · Lexikonweisheit · Scholastik ❡ Ausbildung · Belesenheit · (gelehrte) Bildung · Bücherkenntnis · Erziehung · Fähigkeit · Fortschritt · Gelahrtheit · Kenntnis · Kunst · Kunstfertigkeit ❡ Erkenntnis · Erleuchtung · Selbstunterricht.

33. Lehren. *s. Mitteilung 13. 2. fragen 13. 25. erklären 13. 44. Buch 14. 10. Propaganda 16. 21. Tadel 16. 33. führen 16. 96.*

abhandeln · auseinandersetzen · ausführen · auslegen · dozieren · erklären · moralisieren · predigen · Aufschluß geben · Unterricht erteilen · Kolleg lesen · Vorlesung, Seminar halten · den Text lesen ❡ den Grund legen · das Vorurteil bekämpfen · dem Irrtum entgegentreten ❡ anraten · aufgeben · beibiegen · beibringen · demonstrieren · durchnehmen · einbleuen · einpauken · einprägen · einschärfen · einschustern · eintrichtern · erläutern · veranschaulichen · vormachen · zeigen ❡ anleiten · anlernen · ausbilden · belehren · befähigen · beraten · bilden · disziplinieren · drillen · schleifen · einexerzieren · einfuchsen · einhämmern · einschulen · einstudieren · einführen · erschließen · erziehen · lehren · leiten · orientieren · pauken · schulen · schulmeistern · üben mit · umschulen · unterrichten · unterweisen · vorbereiten · ziehen · züchten ❡ aus dem Groben behauen · in die Hand nehmen · ins Gebet nehmen · dem Geist einschärfen · jemd. eine Meinung beibringen · jemd. den richtigen Weg vorzeichnen · ins Bild setzen ❡ aufklären · bekehren · erhellen · erleuchten · ermahnen · überführen · überzeugen ❡ abrichten · bändigen · dressieren · trainieren · zähmen · zureiten ❡ abhören · befragen · examinieren · prüfen · auf den Zahn fühlen ❡ akademisch · anschaulich · belehrsam · bilderreich · didaktisch · gelehrt · instruktiv · lehrhaft · lehrreich · pädagogisch · überzeugend ❡ pedantisch · schulmeisterlich *s. 12. 55* ❡ den Star stechen · etwas klar machen ❡ Bildungsschuster · Direktor, Chef · Dozent · Erzieher · Examinator · Hauptlehrer · Hauslehrer · Hofmeister · Jugendleiter · Kaffer (norddeutsch) · Kandidat · Konrektor · Küster · Kulturbremser · Lehrer · Leiter · Lektor · Magister · Mentor · Oberlehrer · Orbilius · Ordinarius · Pädagoge · Pauker · Präzeptor · Privatdozent · Professor · Rabbi · Rektor · Repetent · Repetitor · Schmalspurpädagog · Scholarch · Schulmann · Schulmeister · Schulrat · Studienrat, -assessor, -referendar · Trainer · Unterlehrer · Volksschullehrer · Vorstand · Vorsteher · führender Geist ❡ Chorführer · Dirigent · Gesangslehrer · Kantor · Kapellmeister · Leiter · Meister · Stimmbildner · Vorsänger ❡ Bonne · Erzieherin · Gouvernante · Kinderfräulein · Kindergärtnerin ❡ Bildner · Deuter · Erklärer · Führer · Kustos · Lehrherr · Lehrmeister · Leiter · Mahner · Meister · Ratgeber · Redner · Sprecher · Vortragender · Wortführer ❡ Apostel · Bekehrer · Glaubensbote · Missionar · Prediger · Sendbote · Unesco ❡ Bärenführer · Exerziermeister · „Künstler" · Schulreiter · Zirkusdirektor · Zuchtmeister ❡ Chrestomathie · Fachbuch · Fibel · Grammatik · Lesebuch · Schulbuch ❡ Klasse · Kollegium · Kurs(us) · Lehrgang · Vorlesung · Vortrag ❡ ABC · Anfangsgründe · Aufgabe · Einmaleins · Einführung · Elemente · Lektion · Pensum · Übungsstück · Vorstudien · Elementarbuch · Enzyklopädie · Fachbuch · Grundriß · Lehrbuch · Leitfaden ❡ Mahnrede · Verweis · Tadel *s. 16. 33* ❡ Anleitung · -regung · Ausbildung · Bildung · Bildungsgelegenheit · Disziplin · Drill · Erziehung · Instruktion(sstunde) · Kursus · Nachhilfeunterricht ·Predigt · Schulung · Stunde · Übung · Vorlesung · Vortrag · Grippsmassage ❡ Erziehungswissenschaft · Pädagogik · Propädeutik · Zucht · Beibringen guter Sitten.

34. Verbilden. *s. schlechter werden 9. 61. verzerren 15. 2. Propaganda 16. 2.*
Barbarei 16. 120.

überbilden · verbilden · verderben · verdrehen · verführen · verhetzen · verleiten · versauen · verwirren · verwöhnen · verzärteln · verziehen · zersetzen ⊄ irre führen · abspenstig machen · die Sinne berücken · geistig infizieren · einseitig erziehen ⊄ demagogisch · dekadent · destruktiv ⊄ der Bock als Gärtner · Agitator · Hetzer · Rattenfänger · Verführer · bloßer Fachmann ⊄ Muttersöhnchen ⊄ Affenliebe ⊄ Dummheit · Unsinn · Unverstand ⊄ Halbbildung · Hirnverkleisterung · Irrglaube · Irrlehre · falsche Fährte · falsche Spur · Wahn.

35. Lernen. *s. jung 2. 22. arbeiten 9. 22. Eifer 9. 38. Kenntnis 12. 32. töricht*
12. 56. Gehorsam 16. 114.

an den Brüsten der Wissenschaft · von der Pike auf ⊄ sich aneignen · sich befleißigen · sich beschäftigen mit · aufhaben (Schulsprache) · buchstabieren · lernen · lesen · rechnen ⊄ büffeln · ochsen · pauken · sich plagen · schanzen · streben · strebern · studieren · belegen, hören bei · Kenntnisse sammeln · Kursus absolvieren · Lehrgang durchmachen · sich Wissenschaft aneignen ⊄ präparieren · (sich) vorbereiten · Schularbeiten machen ⊄ auffassen · aufhaben · aufnehmen · bemeistern · bewältigen · (ein)üben · erlernen · fassen · verstehen · kapieren · sich lenken lassen · zu Füßen sitzen · mit der Muttermilch einsaugen · auswendig lernen ⊄ das Pensum sitzt · es ist ihm zur zweiten Natur geworden · hat es an den Schuhsohlen abgelaufen · in Fleisch und Blut übergehen · ist in Form ⊄ anstellig · aufmerksam · beflissen · betriebsam · bildungsfähig · eifrig · emsig · fähig · fleißig · gelehrig · geschickt · lenkbar · lernbegierig · streberhaft ⊄ jung · schülerhaft · unreif ⊄ Abiturient · Akademiker · Alumne · Anhänger · Apostel · Bursche · Fuchs (stud.) · Gymnasiast · Hörer · Jünger · Kandidat · Katechumen · Meisterschüler · Pennäler · Pensionär · Präparand · Prüfling · Schüler · Seminarist · Stundenkegel · Student · Studiker · Zögling · Werkstudent · Schmalspurlatinist (der Latein als Beifach hat) · der Kreis um ⊄ ABC-Schütze · Adept · Anfänger · Beflissener · Eleve · Greenhorn · Kadett · Klippschüler · Knappe · Lehrjunge · Lehrling · Neuling · Rekrut, Russe, Hammel · Scholar · Schiffsjunge · Stift ⊄ höhere Tochter ⊄ Katechumene · Neubekehrter · Neophyt · Proselyt.

36. Schule.

schulisch ⊄ Gängelband · Leitseil ⊄ Abendschule · Akademie · Alma Mater · Alumnat · Anstalt · Bildungsanstalt · Bürgerschule · Domschule · Elementarschule · Erziehungsanstalt · Fortbildungsschule · Gymnasium · Hochschule · Institut · Internat · Klippschule · Klosterschule · Knaben-, Mädchenschule · Kollegium · Konvikt · Lager · Lateinschule · Lehranstalt · Lehrerschaft · Lehrkörper · Lyzeum · Missions-, Mittelschule · Oberschule · Ordensburg · Pädagogium · Pennal · Penne (schül.) · Pension(at) · Präparandenanstalt · Presse, Quetsche · Realschule · Schiff (schül.) · Schule · Schulungslager · Seminar · Stift · Studienanstalt · Technikum · Universität · Unterrichtsanstalt · Volkshochschule · Volksschule · Vorschule · Tempel der Wissenschaft ⊄ Fachschule · Industrieschule · Konservatorium · Kunstakademie · Musikschule ⊄ Treibhaus ⊄ Militärschule · Schulschiff · Übungsschiff ⊄ Bekehrungsanstalt · Ferienkolonie · Hort · Kindergarten · Kinderstube ⊄ Aula · Fachabteilung · Fakultät · Klasse · Hörsaal ⊄ Kanzel · Katheder · Lehrstuhl · Po-

dium · Pult · Tribüne ❡ Doktordiplom · Doktorhut · Abitur(ium), Reifeprüfung ·
Examen · Gesellenstück · Kolloquium · Prüfung · Rigorosum ❡ Meisterschaft ·
Professur · Lehrzeit ❡ Ferien · Schulzeit.

37. Unwissenheit. *s. jung 2. 22. ungeschickt 9. 53. Dummheit 12. 56. unverständlich 13. 25.*

Achselzucken ❡ das wissen die Götter · nie jejessen (berl.) · mein Name ist Hase ·
das weiß der Teufel · das Blatt war ausgerissen · da hab' ich gerade gefehlt · hat
wohl deine Mutter nicht gekocht ❡ hat von Tuten und Blasen keine Ahnung,
keinen Schimmer, keinen Begriff, keinen Dunst, keinen Hochschein · am Ende
seines Lateins sein · der Rest ist Schweigen · geht über seinen Horizont · fremde
Gedanken ausborgen · im Dunkeln tappen · hat seins nicht präpariert · ist nicht
vom Bau · kann sich keinen Vers darauf machen · ist nicht gerade seine starke
Seite · fällt aus (wegen Nebel) · soll sich sein Schulgeld wiedergeben lassen ❡ verblöden · verdummen · zurückbleiben ❡ fremd · spanisch · unbekannt ❡ ahnungslos ·
unaufgeklärt · unbekannt mit · unbewußt · uneingeweiht · unerfahren · unerleuchtet ·
ungebildet · ungelehrt · unkundig · unschuldig · ununterrichtet · unvertraut · unwissend · unzersetzt · voreingenommen ❡ benachtet · beschränkt · borniert · dilettantisch · halbgebildet · laienhaft · oberflächlich · pedantisch · seelenblind · unbelesen ·
verdummt · weltfremd · zeitfremd ❡ barbarisch · roh · unzivilisiert · verworren
❡ fremd · neu · unbekannt · nie jejessen (berl.) ❡ ABC-Schütze · Analphabet ·
Anfänger · Autodidakt · Banause · Böotier · Dummkopf · Dutzendmensch · Greenhorn · Halbwisser · Hammel · Hohlkopf · Ignorant · blutiger Laie · Neuling ·
Nichtskönner · Nichtswisser · Stümper · Unwissender ❡ Emporkömmling · Herr
Neureich · Raffke · Frau Pollak ❡ Pedant · Rechthaber · Schulfuchs · Scheingelehrter · Dunkelmann · Finsterling ❡ Anonymus · der Dings · Herr Soundso, Sowieso ·
aus Dingsda ❡ böhmische, spanische Dörfer · Buch mit sieben Siegeln · Sphinx
❡ Analphabetismus · Blindheit · Hohlheit · Ignoranz · Leere · Unkenntnis · Un-
verständnis · Unwissenheit · Verdummung ❡ Dilettantismus · Oberflächlichkeit ·
Verworrenheit ❡ Alleswisserei · Pedanterie · Scheinwissen · unvollkommenes
Wissen · Anstrich von Gelehrsamkeit · dünner Firnis.

38. Absichtliches Übersehen. *s. verachten 16. 36. unhöflich 16. 53.*

boykottieren · durch jmd. hindurchsehen · ignorieren · schneiden · totschweigen ·
übergehen · überhören · übersehen · verleugnen · vernachlässigen · keine Notiz
nehmen · wie Luft behandeln · mit dem Rücken ansehn · die kalte Schulter zeigen · beiseite, links liegen lassen ❡ ist Luft, einfach nicht da · kaltgestellt sein.

39. Gedächtnis. *s. Aufmerksamkeit 12. 6. Schrift 14. 5; 9.*

„noch" ❡ behalten · sich besinnen auf · denken an · sich entsinnen (nordd.) ·
sich erinnern · gedenken · wiedererkennen · zurückdenken · zurückrufen · zurückträumen ❡ auffrischen · aufzeichnen · beherzigen · einlernen · einprägen · einpauken · einstudieren · hersagen · lernen · memorieren · sich merken · studieren ·
vortragen · wiederholen · im Auge behalten · sich hinter die Ohren schreiben ·
ad notam nehmen · auswendig wissen · auswendig lernen · im Kopf, im Gedächtnis haben · aus dem Kopf, im Schlaf, auswendig können · das geht wie am
Schnürchen · in Fleisch und Blut übergehen · in der Vergangenheit leben · ver-
gangene Zeiten aufrollen · alte Wunden aufreißen · an den Fingern hersagen ·
das Gedächtnis anfüllen, beladen, beschweren ❡ es denkt mir (südd.) · einfallen ·

ins Gedächtnis kommen · wiedererwachen · fortleben ℂ erwecken · ins Gedächtnis rufen · nachtragen ℂ eingedenk (sich erinnernd) · -fest z. B. bibelfest ℂ eingedenk · erinnerlich · lebendig · unauslöschlich · unvergeßlich · unverwischbar · frisch im Gedächtnis. — mnemotechnisch ℂ Andenken · Anmerkung · Aufzeichnung · Denkmal · Denkzettel · Ehrenmal · Erinnerungszeichen · Gedächtnistafel · Knoten im Taschentuch · Vormerkung · Lesezeichen · Monument · Nachschrift, Kollegheft · Notizbuch · Reliquie ℂ Andenken · Erinnerung · Erkennung · Gedächtnis · Gedenken · Reminiszenz · Rückblick · Rückerinnerung · Ruhm · Nachruhm ℂ Orientierungsgabe · Ortssinn · Physiognomiegedächtnis · Zahlengedächtnis ℂ Aufmerksamkeit · Interesse ℂ Gedächtniskunst · Mnemotechnik.

40. Vergessen. *s. entfernt 3. 8. Vergangenheit 6. 19. nachlässig 9. 43.*

dahin · Schwamm drüber · aus den Augen · einfach weg ℂ verbummeln · verdösen · vergessen · verlernen · verschwitzen · nicht (im Kopf) behalten · aus dem Sinn, aus dem Gedächtnis verlieren · der Vergessenheit übergeben · in Vergessenheit begraben · Gras wachsen lassen über · der Vergangenheit anheimgeben · nicht mehr dran denken · sich nicht entsinnen · zum einen Ohr hinein, zum andern hinaus · in den Wind schlagen · kurzes Gedärm haben · hat ein Gedächtnis wie ein Sieb ℂ totschweigen · verbieten ℂ entfallen · entschlüpfen ℂ verblassen · verjähren ℂ aus dem Sinn kommen · darnach kräht kein Hahn mehr · in Vergessenheit geraten · lebendig begraben sein ℂ gedankenlos · schnellebig · vergeßlich · zerstreut ℂ entschwunden · überholt · überlebt · unbeachtet · vergessen · verschollen · verwischt · nicht erinnerlich ℂ Schluri ℂ Lethe ℂ Gedächtnisschwäche · Gehirnschwund · Schriftlöschung · Tilgung · Vergeßlichkeit · Verwechselung.

41. Erwartung. *s. möglich 5. 2. Zukunft 6. 23. Gewohnheit 9. 31. Hoffnung 11. 35. Furcht 11. 42.*

mit weit aufgerissenen Augen · mit verhaltenem Atem · in atemloser Spannung · mit offenem Munde · mit klopfenden Pulsen · mit pochendem Herzen ℂ ahnen · bauen auf · beabsichtigen · entgegensehen · erhoffen · erwarten · gewärtigen · harren · hoffen · lauern · rechnen auf · spannen auf · spekulieren · sich spitzen auf · vorgreifen · vorhersehen · warten · ins Auge fassen · auf dem Sprunge stehen · auf dem Rohre, dem Kieker haben · gewärtig sein ℂ sich bereit machen ℂ hinhalten · versprechen · vorbereiten · in Aussicht stellen · abhängig machen · die Hoffnung anregen ℂ begierig · erwartungsvoll · hoffnungsvoll · zweifelnd ℂ Anwartschaft · Aussicht · Befürchtung · Berechnung · Bereitschaft · Erbrecht · Erwartung Erwartungshorizont · Hoffnung · Spannung · Vertrauen · Vorfreude · Vorgefühl · Vorhersicht · Vorwegnahme.

42. Vorhersicht. *s. versorgen 4. 29. Vorbereitung 9. 26. Vorsicht 11. 40. Warnung 13. 10.*

für alle Fälle · für den Fall eines Falles · sollte ... ℂ ansehen · ahnen · berechnen · entgegensehen · mahnen · es schwant mir · organisieren · verhindern · verhüten · voraussehen · vorbauen · vorbereiten · vorbeugen · vorgreifen · vorhersehen · vorhersorgen · zuvorkommen · alles mit einkalkulieren · von den Augen ablesen ℂ prophylaktisch · vorsorglich ℂ Herold · der getreue Eckart · Warner ℂ Präservativ · Schutzmittel · Testament ℂ Anordnung · Entwurf · Plan · Veranstaltung ❡ Ahnung · Ahnungsvermögen · Fernblick · Scharfsinn · Voraussicht · Vorbedacht · Vorgedanke · Vorgeschmack · Vorkenntnis · Vorsorge ❡ Fatalismus · Praedestination · Vorherbestimmung.

43. Vorhersagung. *s. Gestirne 1. 2. Zukunft 6. 23. versprechen 16. 23.*

abwarten! · es ist noch nicht alle Tage Abend ❡ ankünden · däumeln · ermahnen · erraten · greulen · hellsehen · losen · mutmaßen · prophezeien · unken · vorhersagen · wahrsagen · warnen · weissagen · das Horoskop stellen · Karten legen · aus den Sternen lesen · Wind bekommen ❡ seine Schatten vorauswerfen ❡ ahnungsvoll · astrologisch · hellseherisch · mantisch · okkult · prophetisch · theosophisch ❡ Astrolog, Sterndeuter · Augur, Vogelschauer · Hellseher · Hexe · Kartenlegerin · Medium · Nekromant · Okkultist · Prophet · Schwarzkünstler · Schwarzseher · Seher · Spiritist · Spökenkieker · Unke · Wahrsager · Zauberer · Zigeuner ❡ Kassandra · Pythia · Sibylle ❡ Vorbote · Vorläufer ❡ Anzeichen · Auspizien · Finger Gottes · Mahnung · Omen · Prognose · Prognostikon · Sturmvogel · Vorbedeutung · Vorzeichen · Wahrzeichen ❡ Kaffeesatz · Bleigießen ❡ Astrologie · Chiromantie, Handlesekunst · Horoskop · Nativität · Orakel ❡ Ahnung · Prognose · Prophezeiung · Sehergabe · zweites Gesicht ❡ Hellseherei · Mantik · Wahrsagekunst.

44. Eintreffen. *s. Gewißheit 5. 6. Erfolg 9. 77. seelische Ruhe 11. 8. Kenntnis 12. 32.*

aha · genau · natürlich · siehst du · voilà · das mußte kommen · das war zu erwarten · na also · wie gesagt · also doch · das sieht ihm ähnlich · daran erkenn ich meine Pappenheimer · hab ich's nicht vorhergesagt · kommt wie bestellt ❡ eintreffen · sich erfüllen · die Erwartungen bestätigen · bleibt ganz auf der Linie ❡ einkalkuliert · erfahrungsgemäß · erklärlich · erwartet · fällig · planmäßig · unausbleiblich · unvermeidlich · vermutlich · vorausgesehen · voraussichtlich ❡ alltäglich · gewöhnlich · normal ❡ abgestumpft · blasiert.

45. Überraschung. *s. plötzlich 5. 27. Verwunderung 11. 30. Schrecken 11. 42.*

jählings · mit einem Mal · mit eins (norddt.) · auf einmal · unversehens · wie ein Blitz aus heiterem Himmel · Knall und Fall · auf frischer Tat · in flagranti ❡ aber · ah · ei, *s. Flüche 11. 5.* · Tableau! · da haben wir die Bescherung · ausgerechnet · ach du grüne Neune · Glück, Pech muß man haben ❡ erschrecken · sich verrechnen · verzweifeln · die Hoffnung aufgeben · keine Hoffnung haben · sich überraschen lassen · aus den Wolken, aus allen Himmeln fallen · aus dem Traum erwachen · die Fassung verlieren · ist baff, erschossen, platt · aus dem Geleise kommen · unverhofft zu etwas kommen ❡ auffallen · frappieren · verschlägt der Welt den Atem ❡ mißglücken · mißlingen ❡ aufschrecken · beschleichen · bestürzen · erschrecken · ertappen · erwischen · hineinplatzen · überraschen · überrumpeln · verblüffen · verdutzen · wenig Aussicht lassen · keine Hoffnung lassen · die Zuversicht erschüttern · aus dem Geleise bringen ❡ ahnungslos · erwartungslos · hoffnungslos ❡ niedergeschmettert · verblüfft · verdattert · wie vom Donner gerührt ❡ aufsehenerregend · niederschmetternd · plötzlich · überraschend · unberechenbar · unerwartet · unfaßlich · ungeahnt · unverhofft · unvermutet · unvorhergesehen · urplötzlich ❡ elektrischer Schlag · Überraschung · Julklapp · Scherzartikel · Zauberei ❡ Ahnungslosigkeit.

46. Enttäuschung. *s. Unglück 5. 47. vorbei 6. 19. Vorsicht 9. 20. schaden 9. 63. mißlingen 9. 78. Schmerz 11. 13. unzufrieden 11. 27. Trauer 11. 32. Irrtum 12 27. Verneinung 13. 29. Täuschung 18. 8. Verlust 18. 15.*

aus · vorbei · vorüber · alle · aus der Traum ⚏ die Rechnung ohne den Wirt machen · aus dem Traum, dem Taumel erwachen · auf seine eigenen Kosten ausfinden · reinfallen · aus allen Himmeln fallen · teures Lehrgeld bezahlen ⚏ enttäuschen · entzaubern · hinhalten · vereiteln · die Hoffnung vernichten · in Luft zerfließen · sich in Wohlgefallen auflösen · den Zauber benehmen · die Augen öffnen · in Erstaunen setzen · eine Welt stürzt zusammen ⚏ falscher Prospekt · Irrlicht · Talmi · Traum · Fata Morgana · fauler Zauber · kreißender Berg · „Scheibenhonig" ⚏ Desillusion · Enttäuschung · Erstaunen · Hereinfall · Hinfälligkeit · Mißlingen · Sinnesrausch · Wendung · harter Schlag · die rauhe Wirklichkeit.

47. Übereinstimmung. *s. gleich 5. 16. zusammenwirken 9. 68. bejahen 13. 28. Zustimmung 16. 24. geben 18. 12.*

nicken · zublinzeln · verständnisvolle Blicke tauschen ⚏ wie ein Mann · ebenfalls · einer wie Alle · Alle auf einmal ⚏ bene · fürwahr · gern · gewiß · jawohl · sicherlich · wahrhaftig · wahrlich · wirklich · abgemacht · abgemacht—Seefe (= c'est fait) · die Sache ist geritzt · einverstanden · so sei es · Amen · ich stimme ganz wie mein Kollege Mohr · meinetwegen · von mir aus (bayr.) · auf ein Haar · ganz gut · sehr wohl · ganz aus der Seele gesprochen ⚏ anerkennen · annehmen · bejahen · beistimmen · bekräftigen · bestätigen · bewilligen · billigen · eingehen auf · eingestehen · einräumen · einschwenken · einstimmen · erlauben · genehmigen · gestatten · gewähren · gutheißen · huldigen · ratifizieren · übereinkommen · vollziehen · willfahren · zugeben · zulassen · zustimmen · einer Ansicht beitreten · d'accord sein · Geheimnisse miteinander haben · einverstanden sein · den Wünschen begegnen, entgegenkommen · die Auffassung teilen · sich auf den Boden der Tatsachen stellen · von den Augen absehen ⚏ Anklang finden · einleuchten · in Ordnung, in Butter sein ⚏ anstandslos · bejahend · einhellig · einmütig · einstimmig ⚏ abgemacht · unwidersprochen ⚏ Pagodenmännchen · Jasager ⚏ Jawort · Konsens · Placet ⚏ Bekenntnis · Einklang · Eintracht · Einverständnis · Geständnis · Verständigung · Vertrag · Vollzug · seelische Einheit ⚏ Applaus · Beifall · Echo · Zuruf.

48. Meinungsverschiedenheit. *s. verschieden 5. 21. Gegensatz 5. 23. Unzufriedenheit 11. 27. Antwort 13. 26. verneinen 13. 29. ablehnen 16. 27. tadeln 16. 33. Gegensatz, Widerstand 16. 65. Ungehorsam 16. 116.*

Kopfschütteln · Achselzucken · Abwinken ⚏ keineswegs · nein · ganz und gar nicht · unter keinen Umständen · in keiner Beziehung · fern davon · weit entfernt · Gott bewahre · der Himmel verhüte! · nicht dran zu denken · ein krasser Fall von denkste · Herr, gehn Se in sich, da is es dunkel · der Urwald ruft ⚏ aber dennoch · doch · gleichwohl · immerhin ⚏ abfallen · ablehnen · abweichen · abwinken · auseinandergehen · bekritteln · einkommen gegen · einwenden · entgegenhalten · protestieren · verleugnen · verneinen · vorbringen · vorhalten · sich weigern · sich wenden gegen · widersprechen · zurückweisen · nicht zugeben · zu bedenken geben · Einsprache, Einspruch, Vorstellungen erheben · dienen mit · Lügen strafen · den Kopf schütteln · die Achseln zucken ⚏ abfällig · abtrünnig · abweichend · entgegengesetzt · erzwungen · mißhellig · unbekehrt · uneinig · ungeneigt · unwillig · verneinend · verschieden · widerspenstig · widerstrebend · zwiespältig ℭ Abtrünniger · Andersgläubiger · Apostat · Irrgläubiger · Protestant · Widerspruchsgeist ℭ Federkrieg · Papierkrieg · Polemik · Schisma ℭ Abfall · Disharmonie · Einrede · Einsprache · Einwand · Entgegnung · Mißklang · Unstimmigkeiten · Vorhaltung · Widerspruch · Zwiespalt.

49. Urteil, Bewertung. *s. Wahl 9.11. Geschmack 11.18. Lob 16.31. Tadel 16.33. richten 19.27 f. Verurteilung 19.31.*

aburteilen · bemessen · bestimmen · beurgrunzen · beurteilen · bewerten · entscheiden · rezensieren · taxieren · urteilen · werten · würdigen · zensieren · Urteil fällen, sprechen · einer Sache gerecht werden · seine Meinung kundgeben · Stellung nehmen zu · die Stimme abgeben ℭ zu schätzen wissen · höherstellen, vorziehen · anerkennen, *s. bewundern 11.17* ℭ absprechen · verurteilen *s. geringachten 11.37* ℭ Kritiker · Kunstbetrachter · Richter · Schiedsrichter · Schriftleiter ℭ Besprechung · Betrachtung · Gegenkritik · Kritik · Schätzung · Taxe · Wertbestimmung · Würdigung · Pressestimmen ℭ Befund · Dafürhalten · Gutachten Zensur · Zusammenstellung.

50. Überschätzen. *s. Eitelkeit 11.45. übertreiben 13.52. Lob 16.31.*

idealisieren · überladen · überschätzen · jemd. vergolden · verklären ℭ sich übernehmen ℭ überschreiten · übertreiben · zu hoch anschlagen · da waren die Augen größer als der Magen ℭ Übermensch · Gernegroß · Blender ℭ Lobhudelei · Optimismus · Popanz · Übertreibung · Ikarusflug · Vorschußlorbeeren.

51. Unterschätzen. *s. lächerlich 11.24. tadeln 16.33. verachten 16.36. Spott 16.54.*

bah · pö ℭ bagatellisieren · beeinträchtigen · beleidigen · foppen · erniedrigen · geringschätzen · hänseln · herabsetzen · herabwürdigen · herabziehen · mißachten · schmälern · unterschätzen · verachten · verharmlosen · verhöhnen · verkennen · verkleinern · verlachen · verleumden · vernachlässigen · verniedlichen · verspotten · verunglimpfen · in den Schmutz ziehen · lächerlich machen · ins Lächerliche ziehen · zum Gelächter, zum Gespött machen ℭ Geringschätzung · Pessimismus · Unterschätzung.

52. Klug. *s. Geschicklichkeit 9.52. verstehen 12.31. Kenntnis 12.32. Schlauheit 12.53.*

klüglich · weislich · mit Bedacht ℭ sich auskennen · hat's in sich · hat etwas los, weg · Köpfchen, Köpfchen · läßt sich kein X für ein U vormachen, sich nichts aufbinden · wer den betrügen will, muß früh aufstehen · wer den für dumm kauft, hat sein Geld umsonst ausgegeben · den Bogen, die Kniffe, Ränke, Pfiffe, Schliche kennen, heraus haben · ist nicht auf den Kopf gefallen, nicht aus Dummsdorf, nicht von gestern, nicht ohne, nicht so dumm wie er aussieht · läßt sich nicht überfahren · hat Blick, Urteil, Hirn, Grips, Grütze im Kopf, hat eine gute, feine Nase, Riecher, etwas auf dem Kasten · der schmeißt den Laden · ist auf Draht ℭ der Knopf isch em broche (alem. von jungen Leuten, die auf einmal Intelligenz zeigen) ℭ befähigen · beflügeln · inspirieren · lehren · witzigen ℭ aufgeklärt · bedeutend · befähigt · belesen · besonnen · einsichtig · einsichtsvoll · erfahren · fähig · feinsinnig · geistesgegenwärtig · findig · geistreich · gelehrig · genial · gereift · gescheit · gewandt ·

(auf)geweckt · helläugig · helle · hervorragend · intelligent · klug · lebensklug · modern · praktisch · produktiv · reif · scharfsinnig · schlagfertig · schöpferisch · selbstständig · tief · smart · talentiert · talentvoll · umsichtig · überlegen · vernünftig · verständig · vigilant (sächs.) · vorurteilslos · wandlungsfähig · weise · weltklug ◖ *von Sachen:* praktisch · seemännisch aufgezogen *s. geeignet 9.48* ◖ Aas · Allerweltskerl · Autorität · Daus · Denker · Fuchs · Geist · Genie · Kanone · Kapazität · Kenner · Kopf · Köpfchen · Leuchte (der Wissenschaft) · Mann von Format · Meister · Mordskerl · Orakel · Racker · Satan · Sidian (alem.) · Talent · Tausendsasa · Teufelskerl · Weiser · Wunderkind · denkender, klarer Kopf · geistige Größe · kluges Haus · zweiter Daniel · Salomo ◖ eine Frau, die weiß, was sie will ◖ Bonmot · Geistesblitz ◖ Anlage · Auffassungsgabe · Begabung · Einsicht · Fähigkeit · der Funke · Geist · Geistesgegenwart · Genialität · Gescheitheit · gesunder Menschenverstand · Intelligenz · Klugheit · Mutterwitz · Talent · Unterscheidungsgabe · Urteil · Vernunft · Verstand · Verständnis · weiter Horizont · Witz.

53. Schlau. *s. geschickt 9.52. Klugheit 12.52. betrügen 13.51; 16.72; 18.8.*

mit allen Finessen ◖ hat es faustdick hinter den Ohren · ist in allen Sätteln gerecht, mit allen Hunden gehetzt, mit allen Salben geschmiert, mit allen Wassern gewaschen · ist ein ganz Gehängter, Gehauter (ö.) · fängt den Teufel im freien Feld · weiß Bescheid ◖ lavieren · manövrieren · spekulieren · sich zu drehen und zu wenden wissen · etwas im Schilde führen · der Frage ausweichen · die Antwort umgehen · Minen legen · Fallen stellen · sieht aus, als kann er nicht bis drei zählen, als kann er kein Wässerchen trüben · im Trüben fischen · falsches Spiel treiben ◖ berücken · hintergehen · überlisten · übertölpeln · umgarnen · eine Grube graben · ins Garn, Netz locken · ein Schnippchen schlagen · eine Nase drehen ◖ abgefeimt · arglistig · ausgekocht · bauernplietsch (ndd.) · bauernschlau · betrügerisch · bübisch · diplomatisch · doppelzüngig · durchtrieben · falsch · fein · gaunerhaft · gerieben · gerissen · gewieft · gewitzt · gewürfelt · heimtückisch · hinterlistig · hintertrieben · intrigant · jesuitisch · katzenfreundlich · knitz (alem.) · listig · machiavellistisch · pfiffig · politisch · rabulistisch · raffiniert · ränkevoll · schlau · spitzfindig · subtil · swinplitsch (pom.) · tückisch · verräterisch · verschlagen · verschmitzt · vif · wissend · schlau wie ein Fuchs · klug wie die Schlangen ◖ Aas · Detektiv · Filou · Fuchs · Jesuit · Leisetreter · Löli · Pfiffikus · Schelm · Schlauberger · Schlaucherl (bair.) · Schlaukopf · Schlaumeier · Schlitzohr · Spitzkopf · stilles Wasser · kundiger Thebaner · Johann Piepenstengel · Machiavell · Reineke Fuchs · Sherlock Holmes · Spiegelberg · Wolf im Schafpelz ◖ Katze · Schlange ◖ Falle · Netz · Schlinge ◖ Betrug · Büberei · Falschheit · Finesse · Finte · Gaunerei · Intrige · Jiu-Jitsu · Kabale · Kniff · Kunstgriff · List · Manöver · Pfiff · Prellerei · Ränke · Schikane · Schlich · Streich · Trick ◖ Advokatenstreich · geheimer Anschlag · Ausweg · Danaergeschenk · Hintertüre · Kriegslist · Schleichweg · Truggewebe · Umtrieb · Winkelzug ◖ Arglist · Frauenlist · Heimtücke · Hinterlist · Mutterwitz · Raffinement · Raffinesse · Schelmerei · Schläue · Schlauheit · Tücke ◖ Geist und Witz · geheimer Anschlag · glatte Worte · Lug und Trug · Augurenlächeln ◖ Diplomatie · Machiavellismus · Politik · Rabulistik.

54. Weiter Geist. *s. Seelenruhe 11.8; 12.14. Schöpfertum 12.21. Kultur 16.121.*

denkt in Kontinenten, in Jahrtausenden ◖ aufklären · europäisieren · weiten ◖ aufgeschlossen · europäisch · international · kosmopolitisch · großzügig · souve-

rän · tief(sinnig) · überstaatlich · weltbürgerlich ¶ Kosmopolit · Versteher · Welt-
bürger breite Natur · freier Geist ¶ Aufgeschlossenheit · Horizont · Humanismus ·
Menschentum · Niveau · Universalismus · Weitblick · Weite · großer Stil · großes
Format.

55. Enger Geist. *s. Hartnäckigkeit 9. 8. Gewohnheit 9. 31. Reizbarkeit 11. 58. Mißverständnis 12. 27. Mittelklasse 16. 92. Geiz 18. 11.*

fachsimpeln · pütchern · tifteln · sich für unfehlbar halten · auf des Meisters
Worte schwören · ist nicht abzubringen von · auf seinem Schein bestehen · ist mit
Blindheit geschlagen · ist päpstlicher als der Papst · hält der Richtung die Treue ·
da rieselt der Kalk aus den Hosen ¶ verknöchern · versauern · versimpeln · verspießern · bürokratisieren ¶ fanatisieren · verflachen · verheutigen · zerdenken
¶ -istisch · befangen · beschränkt · besessen von · bockig · eigensinnig · einseitig ·
eng · engherzig · engstirnig · ete petete·exakt · fanatisch · flach · hartnäckig · idealistisch · intellektualistisch · klein(lich) · kleinbürgerlich · kurzsichtig · mickrig ·
nietig · nüchtern · orthodox · paurig · parteiisch · partikularistisch · pedantisch ·
penibel · philiströs · pingelig · pinselig · pinzig · platt · primitiv · provinziell ·
rabiat · rechthaberisch · regionalistisch · rückständig · spießig · spitzfindig · seicht ·
starrgläubig · starrsinnig · subaltern · talmudistisch · übergenau · unbekehrbar ·
unbelehrbar · unduldsam · ungerecht · unzugänglich · verbissen · verbohrt · verkappt · verknöchert · voreingenommen · versauert · versimpelt · verrannt · vorurteilsvoll · zähe ¶ Banause · Beckmesser · Berufsmensch · Bürger · Flachkopf ·
Gevatter Schneider und Handschuhmacher · Hinterwäldler · Kleinstädter · Pfahlbürger · Partikularist · Philister · Provinz · Pütcher · Spießbürger · Spießer · Schulmeister · Zelot · Zionswächter · Begriffsjurist · Haarspalter · Paragraphenreiter ·
reiner Fachmann, Spezialist · Maschinenmensch · bescheidene Natur. — Blaustrumpf
¶ Bonze · Bürokrat · Fachpapst · Kümmelspalter · Pedant · Prinzipienreiter ·
richtiger Oberlehrer · Sittenrichter · Unbedingter · Wortklauber · Hahn auf seinem
Mist · Herr Schnick und Frau Schnack · Herr Bramsig und Frau Knöterich ¶ Betörung · Dogmatismus · Fanatismus · Frömmelei · Heuchelei · Intoleranz · Kastengeist · Scheuklappe · enge Brille ¶ -ismus · Kantönli-, Kirchturmgeist · Parteigeist · Einkapselung · Fanatismus · Pedanterie · Rechthaberei · Sturheit · Unduldsamkeit · Verbiesterung · Vorurteil · Winkelhuberei · fixe Idee.

56. Dumm. *s. träge 8. 8. ungeschickt 9. 53. mittelmäßig 9. 59; 9. 60. Unlogik 12. 19. Geschwätz 13. 22.*

auf die Stirn zeigen ¶ Mensch! Mattscheibe! (mit kreuzweisem Zeigen auf die
eigenen Schläfen) · Sie sind wohl nicht von hier? bist wohl von gestern? wenn
Dummheit weh täte, dann brülltest du wie am Spieß, wie ein Löwe · wenn du so
lang wärst wie dumm, dann könntest du in den Kamin spucken · so dumm möchte
ich auch mal sein, aber nur fünf Minuten lang · mach keinen Klumpatsch (sächs.)
¶ kann nicht mitkommen · ist mit dem Plumpsack geschlagen · ist mit Geistes-
gaben nicht gesegnet · hat das Pulver nicht erfunden · hat bei der Erfindung des
Pulvers im Nebenzimmer gesessen · hat sie nicht alle auf dem Christbaum · stammt
aus Dummsdorf · gehört zu denen, die nicht alle werden · beißt keine Ofen-
schrauben ab · da fehlts am Besten · hat's innerlich wie die Ziegen · hat ein Brett
vor dem Schädel · det is'n lieben Gott sein Reitpferd (der Esel Mc. 11, 7) · hat
Häcksel im Kopf · kann nicht bis drei zählen · der brummt vor Dummheit · ist
kein Kirchenlicht, kein Licht · den hat der Esel im Trab verloren · stinkt vor

Blödheit · ist von Gott, von allen guten Geistern verlassen · geistig weggetreten ·
mit Dummheit geschlagen · er sieht durch ein eichen Brett, wenn ein Loch drin
ist · so was lebt und Schiller mußte sterben · dem ist nicht zu helfen · da helfen
keine Pillen · man kann vom Ochsen nur Rindfleisch verlangen · hat ein bißchen
zu wenig · wird einen leichten Tod haben (er hat nicht viel Geist aufzugeben)
¶ *von Sachen:* das sagt einem nichts ¶ dumm werden · nachlassen · verblöden ·
verdummen · verkommen · versimpeln · vertrotteln ¶ dumm machen · benebeln ·
bornieren · verblöden · verdummen ¶ albern · andeppt (bair.) · begriffsstutzig ·
beschränkt · bieder · blöd · blödsinnig · borniert · chloroformiert · dalket, damisch
(bair.) · dämlich · dammelig · denkfaul · dösig · doof (berl.) dumm · dusselig ·
einfältig · eng · flach · gottverlassen · grün · hartstirnig · idiotisch · imbezill ·
kindisch · kopflos · kurzsichtig · leichtgläubig · mittelmäßig · naiv · primitiv ·
schwachsinnig · schwerfällig · stumpfsinnig · stupid · stur · töricht · trottelhaft ·
unbedarft · unbedeutend · unbegabt · unbeholfen · vergeßlich · verdackelt · vernagelt · weltfremd · von der Natur karg, stiefmütterlich behandelt, bedacht · geistig
minderbemittelt · dümmer als die Polizei erlaubt · schwer, langsam, hart von Begriff, von capé · saudumm · hundsdumm · strohdumm · um' (Riegel-)Wände damit einzurennen · daß ihn die Gäns' beißen · dumm wie die Nacht, wie die Sünde,
wie Bohnenstroh ¶ *von Sachen:* abgeschmackt · hirnlos · lächerlich · nichtssagend
s. unklar 13. 35 · unverdaut ¶ Affe · Alpch (hess.) · Anfänger · Balla (württ.) ·
Bimpf (ö.) · Blödian · Blödist · Büffel · Christkind · Dadel (bad.) · Dämel · Dämlack · Deides (bad.) · Dell (schwäb.) · Dirmel · Depp · Dilldapp · Dippel · Döllmer,
Säächeler (Göttingen) · Dormel · Dösbattel · Döskopp · Draffel (hambg.) · Drei-
drath (hess.) · Dubel (alem.) · Dümmling · Dummbart · Dummkopf · Dummrian ·
dupe · Duhsche (berl.) · Dussel · Einfaltspinsel · Elbentrötsch (schwäb.) · Esel ·
Fatzke · Flachkopf · Galle-Matthias (schwäb.) · Gamel (schles.) · Geck · Gelb-
schnabel · Gemeindedepp · Gimpel · Greenhorn · Grünschnabel · Halbidiot ·
Hammel · Hartschädel · Heuochs · Hohlkopf · Hornochs · Hinkel · Hornvieh ·
Huhn · Idiot · Joggl · Kalb · Kamel · Kamuffel · Konfirmand · Kuh . Kretin ·
Lalle · Lalli · Lällbeck · Latsche · Lol, Löl, Löli (schweiz.) · Löffel · Lottel (bad.) ·
Lulei (hess.) · Mops · Mostschädel · Narr · Neuling · Novize · Null · Nulpe ·
Ochse · Olbel (bad.) · 'ne Pause (berl.) · Quadratschädel · Rhinozeros · Rind(vieh) ·
Riesenroß · Roß (Gottes · Schaf · Schafskopf · Schöps · Schwachkopf · schwacher
Musikant · Simpel · Sirmel (bad.) · Stiesel · Strohkopf · Stubben (nordd.) · Taps ·
Teekessel · Tor · Trampeltier · Trottel · Ulpch (bad.) · Vieh · Wasserkopf · Wurzen
(ö.) · Zipfel · Holzdubel · Hutsimpel · Mondkalb · Oberroß · Rindskarnuffel ·
Seekuh · Tranfunzel · olle doofe Nuß · dämliches Luder · die geistig Armen
¶ Blunz'n (wien.) · Dunzel (hess.) · Gans · Kuh · Schussel · Trine · Trulle · Un-
schuld vom Lande · Urschel · Ziege ¶ Beckum · Dummsdorf · Lalenburg · Schilda ·
Schöppenstedt · Teterow ¶ Blech · Blödsinn · Bockmist · Dreck · Geschwafel ·
Geschwefel · Geschwöge · Kohl · Mumpitz · Niaiserie · Plattheit · Possen · Quark ·
Quatsch (mit Sauce) · Schnack (ndd.) · Seich · Stuß · Unsinn · Zeug ¶ Beschränkt-
heit · Blödsinn · Borniertheit · Dummheit · Einfalt · Geistesarmut · Schwachsinn ·
Stumpfsinn · lange Leitung ¶ Hilfsschule.

57. Verrückt. *s. betrunken* 2. 33. *Erregung* 11. 19. *Unlogik* 12. 19. *Fehler* 12. 27.

auf die Stirn, Schläfe deuten · mit dem Zeigefinger in die rechte Schläfe bohren ·
Handbewegung, als ob man eine kleine Kurbel vor der Stirne dreht, und Pfeifen

dazu · sssss — sss · hier ❡ bist wohl ..? dir ham se wohl mit de Muffe jebufft?
mit dem Klammerbeutel jepudert ? mit der Pauke jepiekt? sonst ist Ihnen doch
wohl? Sie haben wohl'n kleenen Webefehler? Sie haben sich wohl 'nen Holz-
splitter ins Hirn gepiekt? verrückt und fünf gibt neune · kriegen Se det öfter?
so hat's bei meinem Freund ooch anjefangen · hast du heut Nacht in den Mond
geguckt? mit dem Mond jekaalt (köln.) · Stumpfsinn, du mein Vergnügen · weiche
Birne, weicher Keeks (berl.) · Si sin wohl brustkrank, nicht ganz gesund, ein bißchen
dumm, aus X entsprungen? Si sin wohl nich von hier? bei Ihnen merkt man
auch, daß der Frost früher eingetreten ist · du bist wohl komisch · bist wohl als
Kind auf den Kopf gefallen · da lachen ja die Hühner · du hast wohl'n Stich (bei
Öse) · du bist wohl ein bißchen einsam · du hast ja mit Pflaumenmus gegurgelt ·
du bist wohl vielleicht durch einen zu engen Wolf gedreht worden ❡ delirieren ·
irrereden · faseln · fiebern · halluzinieren · phantasieren · rasen · spinnen · er hat
einen Drall, einen Fimmel, Graupen im Kopf, einen Klaps, 'n Knall (berl.),
Mucken oder Raupen im Kopf, einen Rappel, Raptus, einen Sparren (zu viel oder
zu wenig), einen Spritzer, Triesel, Triller, Vogel, Piepmatz, einen im Zylinder ·
hat se net all · hat fünf in sechs Kästen (mecklenb.), einen schweren Zacken · den
hat's (im Dachstuhl) · gehört nach X, in die Gummizelle · bei dem piept es, rap-
pelt's, schlingert's, ist eine Schraube los (oder wackelt), wächst das Stroh zwischen
den Haaren durch, geht das Rädchen links herum, ist ein Ziegel gerutscht · bei
dem haben sie eingebrochen (und 'nen Strohsack geklaut) · dem haben sie was
in den Kakao getan, ins Gehirn gesch ... und vergessen umzurühren · den haben
sie mit dem Leierkasten überfahren · er ist nicht gesund, durcheinander, krank im
Kopf, leicht angebufft, übergefahren, übergedreht, nicht mehr ganz beieinander,
beisammen, bei sich, von Sinnen · ist ein bißchen „he", angebrütet, nicht ganz
richtig (im Oberstübchen), rein des Teufels, auch reif, nicht bei sich, nicht bei
Groschen, bei Troste, von sich, vom (blauen) Affen, von der Kuh gebissen, von der
Tarantel gestochen · er hat eins mit dem Holzhammer (Topflappen) gekriegt · der
spurt nicht ruhig · den haben sie gebissen · der hat ja einen kleinen Mann im
Ohr · isch obe duse (alem.) · den reitet der Teufel · bei dem hat's ausgehakt ·
hat einen Furz gefrühstückt · hat einen unter der Jacke · dem haben sie's Gehirn
geklaut · hat seine fünf nicht beisammen · bei ihm stehen die Tassen nicht richtig
im Schrank · hat nicht alle Tassen im Schrank · ist neben der Kapp nicht dicht ·
hat sie nicht alle auf dem Christbaum ❡ überschnappen · er hat sich hinterdenkt,
hintersonnen (alem.) ❡ anbrennt (bayr.) · beklappt · besessen · besoffen · bestrampelt · bestußt · brägenklittrig · blau anjeloofen (berl.) · drallig · eigen · erholungsbedürftig · geistesgestört · geisteskrank · geschossen (alem.) · gepiekt · geschuckt ·
geschupft (alem.) · gespritzt · gestört · hintersinnig · hinterstichig · hippetee (hamb.) ·
hysterisch · irr · irrsinnig · jeck · katatonisch · kindisch · kopfkrank · krank · lüteti ·
mall · manisch · manoli · mente captus · meschugge · mondsüchtig · narrig ·
närrisch · paranoid · plemplem · psychopathisch · rappelköpfisch · sonderbar ·
spinnet (bayr.) · spritzig · strichig · schizophren · toll · übergeschnappt · überkandidelt · überspannt · unzurechnungsfähig · umnachtet · verbohrt · verdreht ·
verkratzt · verrannt · verrückt · verschroben · verstiegen · wahnsinnig · -witzig ·
weich · wirr · wunderlich · erblich belastet ❡ *Von Sachen:* aberwitzig · absurd ·
alfanzig · hirnverbrannt · komisch · pathologisch · pervers · wahnschaffen · wahnwitzig ❡ Hans Kiesewetter · Kauz · Kalendermacher · Original · Querkopf · Sterngucker · Weltanschaute · Wettermacher ❡ Drehscheib (bad.) · Idiot · Irrenhäusler ·
Irrer · Narr · Narrenhauskandidat, -häusler · Psychopath · Schaute · (olle) Schraube

Somnambuler · Sparregunkes (hess.) · Spinner · Sumser · Tollhäusler · wildge-
wordene Salatschnecke ❡ Klapsrese · Minna ❡ *Von Sachen:* Bafel · Blech ·
Kohl · Mist · Nonsens · Quatsch · Schmonzes · Stuß · Unsinn · (höherer, blühender)
Blödsinn ❡ Nervenklinik · Drallkasten · Irrenhaus ❡ Anfall · Blöd-, Irr-, Stumpf-,
Wahnsinn · Delirium · dementia (praecox) · Fieber · Gehirnerweichung, Paralyse ·
manische Depression · Geistesstörung, -umnachtung · Größenwahn, Megalomanie ·
Halluzination · Hirnkrankheit · Mondsucht, Somnambulismus · fixe, krankhafte,
Wahn-Idee · Koller · Manie · Neurose · Psychom · Psychose · Puschel · Rage ·
Raserei · Schwachsinn · Tobsucht · spleen · Tick · Tollheit · Veitstanz · Verfolgungs-
wahn · geistige Verwirrung · Wahn(sinn) · Erbkrankheit ❡ geistige Epidemie ·
Gehirnpest ❡ Psychiatrie · Psychotherapie.

13. Zeichen. Mitteilung. Sprache

13. 1. Zeichen
13. 2. Mitteilung
13. 3. Offenbaren
13. 4. Geheimhalten
13. 5. Enthüllen
13. 6. Bekanntmachen
13. 7. Neuigkeit
13. 8. Bote
13. 9. Rat
13. 10. Warnung
13. 11. Alarm
13. 12. Sprache
13. 13. Sprachklang
13. 14. Sprechmängel
13. 15. Stimmstörungen
13. 16. Bezeichnung, Wort
13. 17. Bedeutung
13. 18. Nichtssagend
13. 19. Fehlbenennung
13. 20. Satz
13. 21. Reden
13. 22. Schwatzen
13. 23. Schweigen
13. 24. Anrede
13. 25. Frage
13. 26. Antwort
13. 27. Selbstgespräch
13. 28. Behaupten, Bejahen
13. 29. Verneinen
13. 30. Unterhaltung
13. 31. Grammatik
13. 32. Sprachfehler
13. 33. Verständlich
13. 34. Zweideutig
13. 35. Unverständlich
13. 36. Tropus
13. 37. Figuren
13. 38. Stilarten
13. 39. Kürze
13. 40. Einfachheit
13. 41. Stärke
13. 42. Schwäche
13. 43. Breite, Schmuck, Schwulst
13. 44. Erklärung
13. 45. Mißdeutung
13. 46. Beweis
13. 47. Widerlegung
13. 48. Einschränkung
13. 49. Wahrhaftigkeit
13. 50. Schwören
13. 51. Unwahrheit, Lüge
13. 52. Übertreibung
13. 53. Übersetzen

Zeichen

1. Zeichen. *s. Eigenschaft 5. 9. folgern 12. 16. Warnungszeichen 13. 10. Beweis 13. 46. Schrift 14. 5. Schriftdenkmal 14. 9. Herrschaftsabzeichen 16. 100. Siegtrophäe 16. 84.*

sichtbar: andeuten · deuten · sich gebärden · abwinken · gestikulieren · nicken · wackeln · winken · zublinzeln · zu erkennen geben · ein Zeichen geben · mit den Händen reden · mit den Fingern deuten, mit der Hand winken · mit der Schulter, die Achsel zucken · mit den Augen zwinkern · sich unauffällig verständigen · den Kopf schütteln · eine Fahne hissen, schwenken ¶ *hörbar:* bimmeln · klingeln · klopfen · läuten · schellen · tuten · pochen · Alarm schlagen · ins Horn stoßen · die Lärmtrommel rühren ¶ *Von Sachen:* andeuten · ankünden · anzeigen · bezeichnen · bezeugen · dartun · kennzeichnen · sprechen für · verkörpern · verkündigen · zeigen · läßt tief blicken · das spricht Bände · sapienti sat · es steht ihm im Gesicht geschrieben ¶ eichen · etikettieren · karatieren · plombieren · punzieren ¶ ankleben · anstreichen · aufprägen · beglaubigen · bekleben · beurkunden · bezeugen · brandmarken · buchen · drucken · auf etwas einstampfen · eintragen · frankieren · freimachen · gravieren · knipsen · lochen · markieren · numerieren · punktieren · quittieren · siegeln · signieren · stempeln · stigmatisieren · unterhauen · unterschreiben · unterstreichen · unterzeichnen · zeichnen ¶ anschaulich · ausdrucksvoll · bezeichnend · bildlich · erkennbar · sprechend · symbolisch · typisch · vielsagend ¶ Blinker · Signalist · Verkehrsschutzmann ¶ Achselzucken · Fingerzeig · Gebärde · Geste · Handbewegung · Kopfnicken · Miene · Mienenspiel · Taubstummensprache · Wink (mit dem Zaunpfahl) · Zeichensprache ¶ Allegorie · Bild · Kennzeichen · Sinnbild · Symbol · Vorstellung ¶ Andeutung · Anzeichen · Bild · Datum · Denkspruch · Exponent · Fährte · Fußstapfen · Gepräge · Kainszeichen · Katzenauge, Schlußlicht · Mal · Merkmal · Motto · Narbe · Panier · Pferdefuß · Plan · Schibboleth · Stigma · Sinn · Spur · Symptom · Wahlspruch · wilder Pfiff · Weiser · Zeiger · Zeichen ¶ Vermerk · Brief-, Dienst-, Freimarke, Postwertzeichen · Banderole · Preisschild · Streifband · Bauchbinde ¶ Banner · Bergfeuer · Fahne · Feldzeichen · Flagge · Funkentelegraph · Gösch · Haltezeichen · Licht · Rakete · Scheinwerfer · Signal · Standarte · Strohwisch, um das Betreten eines Grundstücks zu untersagen: Pfändwisch, Schaub, Schötz · Wimpel · Winker · Leuchtkugel, grünes, gelbes, rotes Licht · Weihnachtsbaum (farbige Leuchtkugeln der Flieger) ¶ Boschhorn · Fanfare · Glocke(nzeichen) · Gong · Hupe · Notruf · SOS · Ruf · Schuß · Sirene · Klingelzeichen · Nebelhorn · blinder Schuß · Wecker ¶ Ankertonne · Bake · Blinkfeuer · Boje · Faro · Feuerschiff · Flaggenstange · Grenzmark · Grenzstein · Hand · Leitstern · Leuchtturm · Markierung · Markstein · Meilenstein · Nordstern · Polarstern · Scheidelinie · Schild · Sternbild · Verbotstafel · Wegweiser ¶ Auge · Druck · Eindruck · Einschnitt · Gesichtszüge · Kerbe · Linie · Punkt · Schrift · Streifen · Strich · Zug ¶ Abzeichen: Adresse · Anschrift · Armbinde · Aufschrift · Bleisiegel · Brandmarkung · Emblem · Etikette · Feldbinde · Hoheitszeichen · Kokarde · Marke · Nationale · Plakette · Schleife · Stempel · Unterscheidungszeichen · Wasserzeichen ¶ Ausweis · Autograph · Begleitschein · Beschreibung · Signalement, Steckbrief · Bestätigung · Beweis · Bezugsschein · Bon · Diplom · Eintrittskarte · Feldgeschrei · Gutschein · Frachtbrief · Handschrift · Karte · Kennkarte, Fingerabdruck · Kennmarke · Legitimation · Liste · Losungswort · Meisterbrief · Name · Namenszug · Parole · Paß · Schein · Schlagwort · Siegel · Stichwort · Tabelle · Titel · Triptik · Überschrift · Urkunde · Verzeichnis · Visitenkarte · Vollmacht · Zeugnis ¶ Achselklappe · Band · Dienstkleidung · Federbusch · Hoffarbe · Leibtracht · Livree · Raupe · Schnur ·

363

Stern · Streifen · Tresse · Troddel, *s. Schmuck 17. 10* ⁊ Aar · Feld · Greif · Löwe · Wappen · Wappenschild ⁊ Bergkreuz · Steinmann · Denkmünze · Grabmal · Grabstein · Hünengrab · Steinhügel, *s. Grab 2. 48* ⁊ Inschrift ⁊ Heraldik. — Schnitzeljagd.

2. Mitteilung. *s. lehren 12. 33. bekanntmachen 13. 6. Bote 13. 8. schwatzhaft 13. 22. Brief 14. 8. Strafanzeige 19. 12.*

angeben · anrufen · anzeigen · aussagen · bekunden · berichten · bezeugen · darlegen · dartun · drahten · kabeln · telegraphieren · draufhelfen · einsagen · eröffnen · erwähnen · erzählen · flüstern · hinterbringen · hinterlassen · kundgeben · melden · mitteilen · sagen · soufflieren · stecken · telefonieren · zinken (rotw.) · zuflüstern · sich vergaloppieren · verraten · sich verschnappen · vorbringen · Bericht erstatten · ein Wort, fallen lassen · sich auslassen über · sich verhalten über · Bescheid bringen, geben, hinterlassen, sagen · Nachricht, Aufklärung, Aufschluß, einen Fingerzeig geben · auf dem laufenden halten · bekannt geben · Auskunft erteilen · auf die Spur helfen · auf die Sprünge helfen · einen Wink (mit dem Zaunpfahl, Laternenpfahl) geben · auf die Nase binden, hängen · Gerüchte hinterbringen · den Überbringer abgeben · den Hinterbringer machen · Botendienste tun, verrichten · ins Vertrauen ziehn ⁊ auftauchen · umgehen · in Umlauf kommen · verbreitet werden · als Gerücht entstehen · Stadtgespräch werden · sich herumsprechen · durchsickern ⁊ erfahren *s. 12. 20.* · die Mitteilung entgegennehmen · Kenntnis nehmen von · zur Kenntnis nehmen ⁊ aufklären · benachrichtigen · einweihen · informieren · unterrichten · verständigen · ein Licht aufstecken · unter die Nase reiben · jemd. Gerüchte hinterbringen, einen Wink, einen Fingerzeig geben · ins Geheimnis einweihen · kein Hehl aus etwas machen · die Augen öffnen · reinen Wein einschenken · zu verstehen geben · darauf aufmerksam machen · wissen lassen ⁊ aufdecken · aufzählen · bekanntgeben · beleuchten · besprechen · bestätigen · bloßlegen · bloßstellen · erhellen · eröffnen · klären ⁊ anschaffen (bair.) · ausrichten · bestellen ⁊ ausdrücklich · ausdrucksvoll · bestimmt · erklärend · informatorisch · mündlich · rückhaltlos · hochortlich erflossen (ö.) · fernmündlich ⁊ gesprächig · mitteilsam · redselig · schwatzhaft · umgänglich ⁊ Anzeiger · Berichterstatter · Bote · Brieftaube · Briefträger · Meldegänger · Reporter, Rundfunksprecher, Ansager · Zuträger · Zwischenträger ⁊ Auskunftstelle · Depeschenagentur · Nachrichtenbüro · Post · Zeitung · Luftpost · der drahtlose Dienst ⁊ Draht · Telegraf · Fernsprecher, Telefon, Ruf, Quasselstrippe · Rundfunk · Sprachrohr ⁊ Blitzgespräch · Schnellbrief ⁊ Achselzucken · Augenspiel · Blick · Fingerzeig · Gebärde · Geste · Kopfschütteln · Schlagwort · Stichwort · Wink ⁊ Brief · Brand-, Geschäfts-, Dank-, Glückwunsch-, Liebesbrief, *s. 13. 8.* · Note · Schreiben · Schriftstück · Kassiber (rotw.) · Ihr Gefälliges vom ⁊ Äußerung · Angabe · Anzeige · Auskunft, -sage, -lassung, -spruch · Bekundung · Bericht · Bescheid · Darlegung · Demarche · diplomatischer Schritt · Einflüsterung · Gutachten · Hinweis · Interview · Kunde · Kundmachung · Mahnung · Manifest · Meldung · Mitteilung · Nachricht · Notiz · Rapport · Unterredung · Warnung · Wink · Erzählung, langer Stremel ⁊ Depesche, Drahtbericht, Telegramm · Fernruf · Funkspruch ⁊ Auflagenachricht · Bekanntgabe · Kundendienst (Post) · Übertragung · Verkündigung ⁊ Mitteilsamkeit.

3. Offenbaren. *s. offen 3. 57. sichtbar 7. 1. entdecken 12. 20. enthüllen 13. 5. verständlich 13. 33. Beweis 13. 46.*

vor aller Augen · am hellichten Tag · im Lichte der Öffentlichkeit ⁊ abhören · andeuten · aufdecken · aufzeigen · ausdrücken · auspressen · äußern · auswesen ·

belauschen · beleuchten · beweisen · bezeichnen · bezeigen · bloßlegen · bloßstellen · dartun · deuten · enthüllen · entreißen · erforschen · ergründen · herausfinden · herauslocken · hinweisen · kennzeichnen · kundgeben · nachweisen · offenbaren · reden · sagen · sprechen · (vor)weisen · zeigen · an den Tag legen · zur
Schau stellen · ans Licht bringen · ausfindig machen · die Larve herunterreißen ·
unter Beweis stellen · mit der Nase darauf stoßen · zum Besten geben ꟼ ins Gebet nehmen, *s. fragen 13. 25.* ꟼ sich aufdrängen · in die Augen springen ꟼ auffallend · augenscheinlich · deutlich · ersichtlich · evident · greifbar · handgreiflich ·
klar · nachweisbar · offenbar · offenkundig · offiziell · offiziös · unverfroren · zuverlässig · wie ein aufgeschlagenes, offenes Buch ꟼ Aufklärung · Bekanntgabe ·
Bekundung · Erlaß · Eröffnung · Kundgebung · Manifestation · Offenbarung ·
Schaustellung · gelöstes Rätsel ꟼ Offenheit · Offenherzigkeit · Öffentlichkeit.

4. Geheimhalten. *s. geschlossen 3. 58. unsichtbar 7. 3. schweigen 13. 23. unverständlich 13. 35.*

einem Ondit zufolge · aus besonderer Quelle · inkognito · insgeheim · bei ver-
schlossener Türe · unter der Hand · hinter dem Rücken · hinter den Kulissen ·
hinter der Szene · unter vier Augen · unter uns, unter Brüdern gesagt · unter
dem Siegel der Verschwiegenheit · wie das Grab · wie ein Dieb in der Nacht ·
in aller Stille · sub rosa, durch die Blume, zwischen den Zeilen · läßt sich telefonisch nicht sagen · kein Sterbenswörtchen ꟼ glimmern · kriechen · lauern · lauschen · schleichen · sich verkleiden · außer Sicht sein · im Hinterhalt liegen · hinterm Berg halten · der Aufmerksamkeit entgehen · seinen Kohl bauen · im Schatten leben · sich nicht sehen lassen · sich verborgen halten · reinen Mund halten
ꟼ der Frage ausweichen · sich ins Fäustchen lachen · die Augen schließen · ein
Auge zumachen ꟼ sich fortstehlen · sich verkrümeln · sich unsichtbar machen,
s. weggehn 8. 18. ꟼ anvertrauen · munkeln · raunen · zuflüstern · im Vertrauen
mitteilen ꟼ begraben · bemänteln · bewahren · einscharren · einschließen · ersticken · geheimhalten · hehlen · kaschieren · maskieren · tarnen · totschweigen ·
übersehen · unterdrücken · verbergen · verdecken · verdunkeln · verhehlen · verheimlichen · verhüllen · verkappen · verkleiden · verkleistern · verschleiern · verschweigen · versenken · versiegeln · versperren · verstecken · vertuckeln · vertuschen · verwischen · vorenthalten · dichthalten · reinen Mund halten · an sich
halten · für sich behalten · mit dem Mantel der christlichen Nächstenliebe bedecken ꟼ blenden · foppen · irreführen · narren · prellen · verwirren · in Unwissenheit halten · die Aussicht benehmen · bei der Nase herumführen · zum
besten halten · mundtot machen ꟼ schlummernd · still · stillschweigend · unauffindbar · unaufgefunden · unausgesprochen · unbekannt · unbemerkt · unbeachtet ·
unbesungen · unentdeckt · unerhellt · unerklärt · unerwähnt · ungelöst · unmerklich · unsichtbar · verborgen · verschollen · versteckt · versunken und vergessen
ꟼ geheim · heimlich · hinterlistig · katzenartig · kriechend · listig · pfäffisch ·
schleichend · unauffällig · unbeargwohnt · verschlagen · versteckt · verstohlen
ꟼ diskret · einsilbig · kühl · kurz angebunden · reserviert · schweigsam · stumm ·
verschwiegen · zugeknöpft · zurückhaltend · verschlossen · wenig mitteilsam
ꟼ anonym · chiffriert · dunkel · finster · geheimnisvoll · kabbalistisch · nebelhaft ·
okkult · paradox · problematisch · rätselhaft · schwierig · unerklärlich · unklar ·
ununterscheidbar · unverständlich · verkappt · wolkig ꟼ außeramtlich · privat ·
vertraulich ꟼ Anonymus · Dings(da) · Diplomat · Geheimniskrämer · Hehler · Unbekannter · Ungenannter · Schwarzsender ꟼ Isis · Sphinx · verschleiertes Bild zu

Sais ⁊ Blende · Gardine · Hülle · Katakombe · Larve · Maske · Schleier · Umhang · Visier · Vorhang · spanische Wand ⁊ Krypto- · Amtsgeheimnis · Beichtsiegel · Briefgeheimnis · Dienstsache · Labyrinth · Logogryph · Mysterium · Problem · Rätsel · Rebus · Wortspiel · Stein der Weisen · Symbol · das große Magisterium · Buch mit sieben Siegeln · harte Nuß ⁊ Allerheiligstes · Geheimgemach · Geheimplatz · Höhle · Schlupfloch · Versteck ⁊ Geheimlehre · Kabbala · Mysterium ⁊ Augenspiel · Geflüster · Gelispel · Gerede · Gerücht · Klatsch · Mienenspiel · unterirdische Kanäle ⁊ Arglist · Endabsicht · Entführung · Falle · Geheimniskrämerei · Hinterhalt · Hinterlist · Maskerade · Mummenschanz · Rückhalt · Schweigen · (stiller) Vorbehalt ⁊ Dunkelheit · Heimlichkeit · Schweigen · Unsichtbarkeit · Verborgenheit · Verschlossenheit · Versteckspiel · Zurückhaltung · Katakombendasein.

5. Enthüllung. *s. nackt 3. 22. offen 3. 57.Entdeckung 12. 20. schwatzen 13. 22.*

ausplaudern · sich aussprechen · beichten · bekennen · einräumen · (zu)gestehen · klatschen · plappern · plaudern · quatschen · schwätzen · zugeben · Farbe bekennen · Karten auf den Tisch · aus sich herausgehn · sich den Mund verbrennen · kein Geheimnis, kein Hehl aus etwas machen · Aufschluß geben · sein Gewissen erleichtern · das Herz ausschütten · kein Blatt vor den Mund nehmen · von der Leber weg reden · die Katze aus dem Sack lassen · den Gefühlen freien Lauf lassen · deutsch reden · das Kind beim (rechten) Namen nennen · den Nagel auf den Kopf treffen · aus der Schule plaudern · das Geheimnis lüften · sich verplappern, verschnappen · sein Herz auf der Zunge tragen · mit offenen Karten spielen · sich etwas herunterreden · keine Geheimnisse mehr haben · kann es nicht bei sich behalten · es muß heraus ⁊ Gehör schenken ⁊ auf der Zunge liegen ⁊ die Larve abnehmen · sich entpuppen als · die Maske fallen lassen · nackt dastehn ⁊ angeben · anzeigen · aufdecken · auseinandersetzen · auspacken · berichtigen · sich beschweren · bloßlegen · bloßstellen · demaskieren · denunzieren · entfalten · enthüllen · entlarven · entmummen · entschleiern · entsiegeln · eröffnen · hineinleuchten · hinterbringen · klagen · klatschen · melden · offenbaren · petzen · stecken · verklatschen · vernadern (ö.) · verpfeifen · verraten · verschuften (bair.) · verstänkern ⁊ anvertrauen · ausposaunen · ausschwatzen · beichten · einblasen · einflüstern · rumtrichtern · veröffentlichen · zutragen · an die große Glocke hängen · niedriger hängen · in das Geheimnis einweihen · jemd. die Augen öffnen · den Irrtum benehmen · den Star stechen · sich ein rotes Röckchen verdienen · Drachenzähne säen · sich den Mund verreißen über ⁊ indiskret · mitteilsam ⁊ Anbringer · Angeber · Denunziant · enfant terrible, Kindermund · Generalklatsche · Klatschbase · Klatsche · Klatschweib · Lockspitzel · Ohrenbläser · Plaudertasche · Provokateur · Schandmaul · Schlappmaul · Späher · Spitzel · Waschweib · Zuträger · Zwischenträger · wandernde Litfaßsäule ⁊ Beichte · Bekenntnis · Geständnis ⁊ Anerkennung · Aufklärung · Ausgrabung · (offene) Aussprache · Erleichterung · Gefühlserguß · Herzensergießung · Klatscherei · Offenbarung · offene Rede · Flucht in die Öffentlichkeit · öffentliches Geheimnis ⁊ Exhibitionismus.

6. Bekanntmachen. *s. sichtbar 7. 1. Verordnung 16. 106.*

bekanntermaßen · gerüchtweise ⁊ ankünden · ausklingeln · ausposaunen · anrufen · aufbieten · ausschellen · ausschreiben · ausschreien · aussprengen · ausstoßen · austrommeln · äußern · herausgeben · kolportieren · kundtun · losziehen · mit · preisgeben · publizieren · rühmen · verbreiten · verkünden · verlesen, abkanzeln · veröffentlichen · weitergeben · weitertragen · in Umlauf bringen · bekannt geben · amtlich verlautbaren · umgehen lassen · in die Zeitung einrücken, einsetzen · unter die Leute, zur allgemeinen Kenntnis bringen, vor die Öffentlichkeit zerren · weiter verbreiten · von Haus zu Haus tragen · Botendienste verrichten ¶ feststehen · ist gang und gäbe · ist heraus · auf jedermanns Lippen, in aller Munde sein · ein öffentliches Geheimnis sein · das pfeifen die Spatzen von den Dächern · es geht von Ohr zu Ohr, von Mund zu Mund ¶ auftauchen · sich herumsprechen · auskommen · sich wie ein Lauffeuer verbreiten · ruchbar werden. — aushängen ¶ anerkannt · bekannt · berüchtigt · berühmt · eklatant · festgestellt · gangbar · geläufig · kund · kundbar · notorisch · offenkundig · öffentlich · publik · ruchbar · sprichwörtlich · umlaufend · unbestritten · unzweifelhaft · verbürgt · veröffentlicht · verschrien · allbekannt · stadtbekannt · stadtkundig · weltbekannt · wie ein bunter Hund ¶ Angebot, Annonce, Anzeige, Inserat · Anschlagzettel · Auslobung · Ausschreiben · Befehl · Durchsage · Edikt · Erlaß · Flugblatt · Formular · Manifest · Notiz · Pamphlet · Pasquill · Plakat · Rundschreiben · Schmähschrift · Steckbrief · Todesanzeige · Ukas · Verkündigung · Verlautbarung · Kundmachung (ö.) ¶ Enzyklika · Sendschreiben · Syllabus · Bannbrief · Bulle ¶ Presse · Zeitung · Auflage(nachricht) ¶ Ankündigung · Anschlag · Aufgebot · Ausruf · Aussage · Bericht · Bestimmung · Durchsage (Rundfunk) · Erguß · Kunde · Meldung · Nachricht · Paragraph · Umlauf · Tagesbericht · Verfügung · Verordnung · Vorschrift ¶ Reichsgesetzblatt · Verordnungsblatt ¶ Gerücht · Geschrei · Stadtgespräch ¶ Öffentlichkeit · Veröffentlichung.

7. Neuigkeit. *s. neu 6. 26.*

Erzähler · Kundschafter · Neuigkeitskrämer · Naderer (ö.) · Nisterer (schwäb.) · Späher · Spion · Spitzel · Spürhund · Zwischenträger ¶ Anzeige · Bericht · Botschaft · Brief · Eilbrief · Hiobspost · Kunde · Meldung · Nachricht · Neuigkeit · Neuerscheinung, Novität · Post · Sondermeldung · Tagesbefehl ¶ Anstoß · Ärgernis · Chronik · Gerede · Gespräch · Klatsch · Nachrede · Schwätzerei · Skandal · Stadtgespräch · Stadtklatsch ¶ das Allerneueste.

8. Bote. *s. Beförderung 8. 3. Bevollmächtigter 16. 103.*

Agent · Abgeordneter · Bevollmächtigter · Bote · Botschafter · Diplomat · Gesandter · Kurier · Legat · Nuntius · Sendling · Vertreter ¶ Ansager · Ausrufer · Herold · Nachtwächter · Unterhändler · Verkünder ¶ Abgesandter · Laufbursche · Läufer · Ordonnanz · Staatsbote · Stafette · Taube ¶ Iris · Merkur · Götterbote.

9. Rat. *s. Veranlassung 9. 12. Helfer 9. 70. befehlen 16. 106.*

anempfehlen · anleiten · anraten · anweisen · beraten · bereden · einschärfen · einreden · empfehlen · erinnern · ermahnen · ermuntern · ermutigen · raten · überreden · überzeugen · unterweisen · verleiten · warnen · zuraten · zurechtweisen · zureden · Rat erteilen · einen Tip geben · Vorstellungen machen · ans Herz legen · auf die Seele binden ¶ abstimmen · bedenken · befragen · sich beraten · besprechen · beurteilen · diskutieren · erörtern · erwägen · überlegen · um Rat angehen, fragen · sich Rats erholen · in Betracht ziehen · eine Sache beschlafen · die Köpfe zusammenstecken · mit sich zu Rate gehen · seine Ansicht Meinung abgeben ¶ empfehlenswert · ratsam · wohlerwogen ¶ Anleiter · Arzt · Auftraggeber · Beirat · Berater · Gesetzgeber · Lehrer · Mahner · Ratgeber · Rechtsanwalt · Rechtsbeistand · Schiedsmann · Schiedsrichter · Seelenhirt geistlicher Beistand · Seelsorger · Steuerberater · Vermittler ¶ Mentor · Nestor · Orakel · Vertrauter ¶ Adreßkalender · Biefsteller · Bussole · Kompaß · Handbuch · Landkarte · Leitfaden · Leitstern · Lenkseil · Magnetnadel · Nachschlagebuch · Plan · Polarstern · Steuer · Traumbuch · Wegweiser · Zügel ¶ Auskunftei · Auskunftsbüro · Auskunftsstelle · Detektei ¶ Andeutung · Belehrung · Eingebung · Fingerzeig · Hinweis · Rat · Ratschlag · Unterweisung · Wink ¶ Anleitung · Auftrag · Bescheid · Richtlinie · Richtschnur · Verhaltungsmaßregel · Vorstellung · Weisung ¶ Anempfehlung · Anweisung · Aufforderung · Beschwörung · Bitte · Empfehlung · Ermunterung · Ermutigung ¶ Ermahnung · Predigt · Zurechtweisung.

10. Warnung. *s. Abmachung 9. 17. Gefahr 9. 74. Vorsicht 11. 40. Zeichen 13. 1. Tadel 16. 31. Drohung 16. 48.*

rotes Licht · gelbe Flagge · Totenkopf · Warnschilder des Verkehrswesens ¶ aufgepaßt · aufgemerkt · wahrschau (seem.) · Augen auf · Acht geben · Gift · Halt · wer da? · Hände weg · hoppla · Vorsicht · Hüte dich! · Achtung! Achtung! die Luftlage · bissige Hunde · Achtung · Selbstschüsse · Fußangeln · Augen auf, oder Beutel auf · erst wäg's, dann wag's · wie leicht kann das im Auge gehn, zumal in die Pupille ¶ Lärm schlagen ¶ Wind bekommen ¶ abmahnen · abraten · abreden · bedrohen · drohen · ermahnen · mahnen · unken · warnen · witzigen · einen Wink geben · reinen Wein einschenken · zu bedenken geben · die Hölle heiß machen ¶ behutsam · gewitzigt · sichergehend · sorgfältig · vorsichtig · wachsam ¶ Plänkler · Runde · Schildwache · Ulan · Vorposten · Wächter · Warner ¶ Unke · der getreue Eckart · Kassandra · weiße Frau ¶ Bereitschaftsdienst ¶ Bake · (Heul-)Boje · Drahtfunk · Pestfahne · Pferdefuß · Warndienst · Warnungstafel · Flammenschrift an der Wand · Mene Tekel · Finger Gottes · Wolken am Horizont ¶ Ausguck · Feuerturm · Leuchtturm · Lugaus · Mastkorb · Signalposten · Warte · Wartturm · Zinne ¶ Alarm(stufe) · Andeutung · Anzeichen · Kassandraruf · öffentliche Luftwarnung · Mahnung · Monitum · Voralarm · Vorsichtsmaßregel · Warnung · Wind · Wink ¶ Mißbilligung · Verwarnung · Vorstellungen.

11. Alarm. *s. laut 7. 26. Mißklang 15. 18.*

rette sich, wer kann · der Wolf kommt · io · Hilfe · haltet den Dieb · Feurio · Mordio ¶ Lärm schlagen · alarmieren · die Sturmglocke läuten · Sturm läuten, blasen · Feuer rufen ¶ aufschrecken · bedrohen · beunruhigen · drohen · gellen · warnen · zu den Waffen rufen · in Aufruhr bringen · in Bestürzung versetzen ¶ beunruhigend · drohend · furchteinflößend, -erregend ¶ Gänse des Kapitols · Hund ¶ Alarmglocke · Alarmschuß · Bergfeuer · Blaulicht · Feuerglocke · Fliegeralarm · Nebelhorn · Notbremse, -flagge, -signal, -zeichen · Rakete · Sirene, Jaultute · bengalisches Feuer ¶ Alarm · Feuerlärm · Generalmarsch · Hilferuf · Hornsignal · Jammer · Kriegsgeschrei · Lärmruf · Notruf · Trommelwirbel · Warnruf.

12. Sprache. *s. reden 13. 21.*

grammatisch · linguistisch · philologisch · sprachlich ¶ ausdrucksvoll · dialektisch gebildet · literarisch · stilvoll ¶ landläufig · mündlich · mundartlich ¶ Sprecher · Linguist · Philologe · Sprachforscher ¶ Sprechwerkzeuge wie Mund, Kehle, Stimmband usw. *s. Körperteile 2. 16.* ¶ Idiom · Landessprache · Muttersprache · Nationalsprache · Sprache · Zunge ¶ Dialekt · Mundart. — Umgangssprache ¶ Argot ·

Jargon · Missingsch · Patois · Platt · Slang · Sondersprache, z. B. Jägersprache usw. · Diebs-, Gauner-, Kunden-, Verbrechersprache, Rotwelsch ¶ Hochdeutsch · Literatursprache · Schriftsprache ¶ Fachsprache · Nomenklatur · Terminologie ¶ Grammatik, Sprachlehre · Linguistik · Philologie · Sprachwissenschaft · Sprachgeschichte.

13. Sprachklang. *s. Klang 7. 24. Stimme 7. 34. Wohlklang 15. 17.*

reden · rufen · die Stimme erheben · schreien · sprechen ¶ lauten ¶ akzentuieren · artikulieren · aussprechen · äußern · ausstoßen · laut werden lassen ¶ mit accent (spr. aksang) sprechen · seine Mundart nicht verleugnen · mauscheln ¶ klanglich · lautlich · phonetisch ¶ mündlich · stimmhaft · stimmlich · tönend ¶ homonym, gleichlautend ¶ angenehm · deutlich · klar · melodisch · sanft · zart · silberhell · wohlklingend ¶ Klang · Laut · Lautung · Ton · Schall · Stimme ¶ Timbre · Obertöne ¶ Anlaut · Aspirata · Auslaut · Endlaut · Dentallaut · Diphthong · Gutturallaut · Hauchlaut · Kehlton · Konsonant, Mitlaut · Labiallaut, Lippenlaut · Nasallaut · Selbstlaut, Vokal · Zischlaut ¶ Gleichklang · Reim · Binnen-, End-, Schüttel-, Stabreim · Anklang · Klangspiel · Assonanz · Rhythmus ¶ Silbe ¶ Akzent · Betonung · Nachdruck ¶ Ablaut · Lautverschiebung · Lautwandel ¶ Ausdruck · Aussprache · Modulation · Tonfall · Wohlklang ¶ Bauchrednerkunst ¶ Sprechkunst ¶ Lautlehre, Phonetik · Vokalisation · Lehre von den Tönen.

14. Sprechmängel. *s. Unverständlichkeit 13. 35.*

anstoßen · blubbern · brabbeln · brömmeln (hess.) · brummen · dehnen · flüstern · herausprudeln · kauen · kauderwelschen · kodern (Mainz = lallen) · krächzen · hölzen · lallen · lispeln · murmeln · näseln · nuscheln · nuseln (berl.) · schnarren · schnattern · schluchzen · stammeln · stocken · storchen · stottern · sich verhaspeln · zerren · ziehen · mit der Zunge anstoßen · in den Bart brummen, murmeln · stecken bleiben · Silben verschlucken ¶ abgebrochen · unartikuliert · undeutlich ¶ Aphasie · Kauderwelsch · Silbenstolpern (der Paralytiker) · Sprachstörung · Zungenklaps · schwere Zunge · Kloß im Mund.

15. Stimmstörungen. *s. Mißton 7. 31. Mißklang 15. 18.*

flüstern · schüttern · tremolieren · überschnappen · mutieren ¶ belegt · erkältet · heiser · indisponiert · leise · sprachlos · stimmlos · stumm · taubstumm · tonlos · unhörbar ¶ Falsett · Fistel- · Kastraten- · Kopfstimme · erstickte Stimme · rauher Hals ¶ Mißklang · Stimmbruch · Stimmwechsel · Knödel, Kloß im Hals · Sängerknoten (auf Stimmband).

16. Bezeichnung, Wort. *s. berichten 14. 1.*

vulgo · alias · benamsen · benennen · nennen · betiteln · bezeichnen · definieren · differenzieren · etikettieren · formulieren · heißen · individualisieren · kundmachen · meinen · namhaft machen · bestimmen · rufen · sagen für · spezialisieren · stempeln · taufen · den Nagel auf den Kopf treffen · einen Namen geben · aus der Taufe heben · zur Sache kommen ¶ heißen · sich schreiben (Zuname, hess.) · benannt werden · unter einem Namen bekannt sein · unter einer Flagge segeln · sich vorstellen ¶ genannt · gleichbedeutend · gleichnamig · synonym ¶ aufrichtig · augenfällig · ausdrucksvoll · bedeutsam · bedeutungsvoll · emphatisch · deutlich ·

genau · inhaltsschwer · klar · konzis · nachdrücklich · prägnant · präzis · schlagend · selbstverständlich · sinnig · sinnreich · sinnvoll · treffend · wahr ❡ Ausdruck · Benennung · Bezeichnung · Kundgabe · Lallwort · Terminus · Wort ❡ Adjektiv, Eigenschaftswort, Beiwort · Adverb · Artikel · Bindewort, Konjunktion · Diminutiv · Dingwort, Hauptwort, Substantiv · Fürwort, Pronomen · Interjektion · Partikel · Präposition · Relativum · Zeitwort, Verbum ❡ Abstammung · Etymologie ❡ Anrede · Ausdruck · Benennung · Bezeichnung · Firma · Marke · Signalement · Name · Bei-, Familien-, Ruf-, Tauf-, Vor-, Zu-, Nachname · Titel ❡ Fachsprache · Kunstsprache · Nomenklatur · Terminologie ❡ Kapitel · Überschrift · Titel, Schmutztitel ❡ Namensvetter ❡ Gleichnamigkeit · Sinnverwandtschaft · Synonymik ❡ Glossar · Idiotikon · Lexikon · Sachverzeichnis · Onomastikon · Verzeichnis · Wörterbuch · Wortschatz · Sprachschatz · Wortverzeichnis ❡ Wortbildungslehre · Ableitung · Zusammensetzung · Stamm · Wurzel · Praefixe · Suffixe · Ablaut · Umlaut ❡ Bezeichnungslehre, Onomastik, Onomasiologie.

17. Bedeutung. *s. Wichtigkeit 9. 44. verstehen 12. 31. Erklärung 13. 44. übersetzen 13. 53. Wortverzeichnis 14. 12.*

scilicet das heißt · will sagen · nämlich · und zwar · cum grano salis · in dem Sinne · eigentlich · wörtlich ❡ ausdrücken · bedeuten · besagen · beweisen · bezeichnen · bezwecken · hindeuten · kundmachen · meinen · zeigen · läßt sich beziehen auf · gilt für · paßt auf · deckt ❡ semantisch · semasiologisch ❡ Ausdruck · Bedeutung · Gehalt · Geist · Inhalt · Sinn · Verstand · Wortbedeutung · Wortsinn ❡ Synonymon ❡ Bedeutungslehre, Semantik, Semasiologie.

18. Nichtssagend. *s. unwichtig 9. 45. Unlogik 12. 19. dumm 12. 56. schwatzen 13. 22. schwächlicher Stil 13. 42.*

keinen Sinn haben · ohne Bedeutung sein · ist nichts dahinter · nichts, wenig zu bedeuten haben · nichts besagen ❡ offene Türen einrennen · im weichen Holz bohren ❡ ausdruckslos · bedeutungslos · gehaltlos · haarspaltend · hohl · inhaltslos · leer · nichtssagend · nüchtern · papieren · sinnlos · unbestimmt · unsinnig · unwichtig ❡ mißverständlich · stillschweigend · unausdrückbar · unbeabsichtigt · unerklärlich ❡ Phrasenhengst · Faselhans ❡ tönendes Erz · klingende Schelle ❡ Bombast · Edelschmus · Schmonzes · Schmus · Faselei · Firlefanz · Fisimatenten · Flickwort · Floskel · Gemeinplatz · Gerede · Geschwätz · Hokuspokus · Larifari · Phrase · Possen · Quatsch · Quisquilien · Schlagwort · Schwulst · Tinneff · Tirade · Unsinn · Wortschall · Wortschwall · leerer Schall · toter Buchstabe · bloße Redensart · eitel Rederei · hohle Worte ❡ Phrasendrescherei · Wortkrämerei.

19. Fehlbenennung. *s. falsch 9. 65; 12. 27. Sprachfehler 13. 32. mehrdeutig 13. 34—35. Täuschung 13. 51; 16. 72; 18. 8.*

einen falschen Namen annehmen, führen, tragen ❡ mißbezeichnen · mißbenennen · umtaufen · Schimpfnamen geben · falsche Namen beilegen · verballhornen · verquatschen ❡ angeblich · anonym · falsch · pseudonym · sogenannt · unbekannt · ungenannt · unvermeintlich ❡ Konfusionsrat ❡ Beiname · Gegensinn · Deckname · Künstlername · Pseudonym · Schelte · Scherzname · Schimpfname · Spitzname · Spottname · Unname · Übername ❡ Ironie · Mißbenennung · Mißdeutung · Namensverwechslung, -vertauschung.

20. Satz. *s. Gedanke 12. 2. schreiben 14. 1 ff.*

ausdrücken · ausführen · formulieren · in Worte fassen, kleiden · Worte finden für · umschreiben ¶ Ausdruck · Ausführungen · Einkleidung · Fassung · Form · Paragraph · Passus · Redefigur · Satz · Wendung · Sprachleib ¶ Aperçu · Aphorismus · Denkspruch · Devise · Epigramm · Kern-, Leibspruch · Motto · Phrase · Schlagwort · Sentenz · Sinnspruch · Sprichwort · Spruch · Wahlspruch · Wahrspruch ¶ Ausdrucksweise · Satzbau · Stil · Sprachgestaltung · Syntax · Wortdecke.

21. Reden. *s. lehren 12. 33. beweisen 13. 46. Erzählung 14. 1 ff.*

auftauen · sich auslassen über · erzählen · plaudern · reden · sprechen · den Teufel an die Wand malen · gibt seinen Senf dazu · Redegabe besitzen · die Sprache (fließend, geläufig) beherrschen · ein gutes Mundwerk haben · ist gut beschlagen unter der Nase · Vorlesung halten · seine Ideen entwickeln · seine Gedanken ausdrücken · Selbstgespräche führen · sich ergehen · sein Herz erleichtern · seinem Herzen, seinen Gefühlen Luft machen · das Schweigen brechen · in die Rede fallen · in Fluß kommen, geraten · die Lippen öffnen · um sich werfen mit · hervorsprudeln · aus sich herausgehen · in Fahrt kommen ¶ dem Munde entfließen· ein Wort fällt ¶ aufsagen · betonen · deklamieren · skandieren · vorlesen · vortragen · herschnattern · herunterleiern ¶ äußern · bekunden · meinen · sagen · zum Ausdruck bringen · zur Sprache bringen · Ausdruck geben · bemerken · hinzufügen · vorausschicken ¶ überreden · mit sich fortreißen *s. Einfluß 9. 12 und 16. 95* ¶ beredt · eloquent · gesprächig · rednerisch (veranlagt) · schlagfertig · sprachbegabt ¶ Deklamator · Fürsprech(er) · Redekünstler · Redner · Rhetor · Sprecher ·Wortkünstler ¶ Anrede · Gespräch · Litanei · Predigt · Rede · Sprache · Vortrag · mündlicher Verkehr ¶ Beredsamkeit · Redegabe · Redekunst · Rhetorik.

22. Schwatzen. *s. zu viel 4. 22. töricht 12. 56. offenbaren 13.3. enthüllen 13. 5. Schwulst 13. 43.*

des breiteren · des längeren · des weiteren · lang und breit ¶ Papperlapapp ¶ babbeln · bläffen · bölken · brabbeln · breittreten · buwweln · daherreden · disseln · drähnen · drähnsnaken · faseln · fladdern · flüstern · gnaren · gnätern · gnören · hüstern · hürsken · jabbeln · kalen · kannegießern · kiwen · kiwweln · klatschen · klerren · klöhnen · köddern · kohlen · kröddern · kullern · labbern · mähren (sächs.) · mucheln · munkeln · muscheln · muskern · musseln · nusseln · ölen · palavern · plappern · plaudern · plauschen · pludern · prälatern · prären · prötjern · prötteln · punnern · puntern · quaddern · qualstern · quaggeln · quasseln · quatschen · quesen · rabbeln · räsonnieren · ratschen · sabbern · salbadern · schabbern (ostpreuß.) · schmädere (schweiz.) · schmusen · schnattern · schwadronieren · schwätzen · schwatzen · seichen · seiern · snaken · snatern · snaueln · swadereeren · swadern · tratschen · tüstern · tuscheln · sich verbreiten über · verzapfen · zackereeren · zackermentern · zaustern · eine Nuß vom Baume schwatzen · des langen und breiten darlegen · rückhaltlos sprechen · lebt geistig über seine Verhältnisse · weit ausholen · sich ausschleimen · er redt einen bedeutenden Strahl (berl.), wie ein Wasserfall, wie ein Buch · vom 100. ins 1000. kommen · wie ein Barbier · schwätzt dem Teufel ein Ohr ab · nicht zu Ende kommen · einen Stiefel zusammenreden · hat zum Reden eingenommen · ist nicht auf den Mund gefallen · bc. dem muß man die Schnauze extra totschlagen · hat einen fürchterlichen Sprech-

anismus, Sprechmatismus · die haben sie mit der Grammophonnadel geimpft · der
Mund steht nicht still · ein schreckliches Mundwerk · ist verschwiegen wie eine
Litfaßsäule · der Zunge freien Lauf lassen · einen Salm machen · redet einen in den
Sack und wieder heraus · na, tun dir noch nicht die Backen weh? ⟨ abschweifen ·
in Fluß kommen · ausdehnen · ausspinnen · breittreten ⟨ überschreien · die Ohren
vollblasen · tot reden ⟨ geschwätzig · klatschhaft · langatmig · mitteilsam · plauderhaft · redselig · scharfzüngig · schellenlaut · schlagfertig · schwatzhaft · schwülstig ·
weitschweifig · wortreich · zungenfertig ⟨ Breimaul · Dauerredner · Faselhans ·
Gevatterin · Kaffeeschwester · Kannegießer · Klatschbase · Moralprediger · Plauderer · Plaudertasche · Quasselstrippe · Quatschbacke · Redner · Rhetor · Schlabberjochen · Schmuser · Schnattermaul · Schwätzer · Stadtklatsche · Waschweib · Seich-
beutel ⟨ Elster · Gans · Papagei · Star · klingende Schelle ⟨ Drachenfels · Kaffeeklatsch · Krähwinkel · Lästerbank ⟨ Tautologie · Pleonasmus ⟨ Ge- · Edelschmus ·
Erguß · Geplapper · Gerede · Geschnatter · Geschwätz · Geseires · Gewäsch ·
Kaff · Klatsch · Latsch · Mauldiarrhoe · Phrasen · Redefluß · Tirade · Wortgeklingel · Wortschwall ⟨ gut geschmiertes Mundwerk · Geschwätzigkeit · Maulfertigkeit · Redefluß · Rederitis · Redewut · Salbaderei · Urschlerei · Zungengeläufigkeit.

23. Schweigen. *s. lautlos. 7. 28. Ruhe 9. 36. Vorsicht 11. 40. Schreck 11. 42. geheim 13. 4.*

Finger auf den Mund · bst · st · Silentium · mach keene Mährde (sächs.) · halt
die Fresse · mach mal 'n Punkt · Mensch, halt die Luft an ⟨ schweigen · bumsstill
sein · den Mund nicht öffnen, auftun · nicht mucksen · die Fresse, das Maul, den
Mund, den Rand, den Schnabel, die Schnauze halten · die Zunge bezähmen, im
Zaum halten · sich auf die Lippen beißen · sich lieber die Zunge abbeißen · betreten sein · die Worte abmessen · ist ganz in Gedanken · hüllt sich in Schweigen ·
Gras über die Sache wachsen lassen · nichts sagen · nichts verlauten lassen · reinen
Mund halten ⟨ ein Engel fliegt durchs Zimmer · ein Schutzmann geht durchs
Zimmer · ein Leutnant bezahlt seine Schulden · da hört man die Geweihe wachsen
⟨ beschwichtigen · dämpfen · ersticken · knebeln · schweigen (er schweigte ihn) ·
stillen · stoppen · stille machen · das freie Wort unterdrücken · die Lippen versiegeln · Stillschweigen auferlegen · das Wort entziehen, unterbinden · die Rede
abschneiden, ins Wort fallen · den Mund (ver)stopfen, verbieten · mundtot machen
⟨ diskret · einsilbig · ernst · kleinlaut · kurz angebunden · mundfaul · schweigsam · sprachlos · stad (bair.) · still · stumm · taktvoll · verschlossen · verschwiegen ·
wortkarg · zugeknöpft · zurückhaltend · wie das Grab · stumm wie ein Fisch ·
mucksmäuschenstill ⟨ Diplomat · Moltke · Buch mit sieben Siegeln · Stockfisch ·
Trappist ⟨ Maulkorb · Pressezensur ⟨ Ernsthaftigkeit · Redescheu · Schweigen ·
Stillschweigen · Stumpfheit · Verlegenheit.

24. Anrede. *s. Gruß 16. 38.*

he · holla · halloh · Sie (da) · Verzeihung · ach bitte · na Kleiner ⟨ guten Morgen ·
guten Tag · guten Abend · Grüß Gott · Servus ⟨ anhauen · anquasseln · anquatschen · anreden · anrufen · ansprechen · sich an jemd. wenden · begrüßen ·
grüßen · Gesundheit ausbringen ⟨ Adressat · Empfänger ⟨ Anrede · Anruf ·
Ansprache · Aufforderung · Gruß · Rede · Toast, Trinkspruch · Titulatur.

25. Frage. *s. Thema 12. 5. forschen 12. 8. Ungewißheit 12. 23.*
he (nasal)? na? ja? no? ⁊ anbohren · antippen · ausforschen, -fragen, -holen, -horchen, -quetschen, -pumpen · befragen · sich erkundigen · fragen · heraus-fragen · ab-, überhören · katech(et)isieren · examinieren · prüfen · sondieren · um Aufschluß bitten · die Würmer aus der Nase ziehen · auf den Busch klopfen · eine Frage anschneiden, aufrollen, -werfen, formulieren, stellen, aufs Tapet bringen · jmd. schief und bucklig, ein Loch in den Bauch fragen · wissen wollen · herauskriegen ⁊inquirieren · verhören · vernehmen · es fragt sich · Frage erhebt sich · taucht auf ⁊ drankommen (= gefragt werden in der Schule) ⁊ fraglich · problematisch ⁊ Aufgabe · Frage · Problem · Rätsel ⁊ Einvernahme · (peinliche) Frage · In-quisition · Kreuzverhör · sokratische Methode · Maieutik · Verhör · Vernehmung · der dritte Grad ⁊ Abi · Abitur · Examen · Klausurarbeit · Kolloquium · Matur, Reifeprüfung · das Mündliche · Prüfung · Rigorosum · Wiederholungsprüfung · Schwanz ⁊ Appell · Heerschau · Truppenschau.

26. Antwort. *s. Gegensatz 5. 23; 16. 65. entdecken 12. 20. Meinungsver-schiedenheit 12. 47. erklären 13. 44. Widerlegung 13. 47.*
antwortlich · zur Entgegnung · in Erwiderung ⁊ antworten · beantworten · ein-fallen · entgegnen · erwidern · replizieren · widerlegen · widersprechen · Antwort geben, erteilen, bringen · Bescheid geben · Rede stehen · jmd. dienen · versetzte er, legte er den Löffel hin, strich er sich mit der Hand über die Augen (Courths-Mahler) ⁊ auftischen · auseinandersetzen · auslegen · ausspüren · bestimmen · dahinterkommen · deuten · entdecken · enträtseln · entscheiden · entziffern · er-gründen · erklären · erläutern · erörtern · erraten · erschließen · herausbuchstabie-ren · lösen · verdolmetschen · den Knoten durchhauen ⁊ abfertigen · bescheiden ⁊ schlagfertig ⁊ Antwort · Antwortschreiben · Aufschluß · Auskunft · Bescheid · Duplik · Erwiderung · Formel · Gutachten · Lösung · Replik · Rückäußerung · Rückantwort · Zwischenbescheid.

27. Selbstgespräch. *s. verrückt 12. 57.*
beiseite, in die Kulisse ⁊ vor sich hin brabbeln, brummen, flüstern, lispeln · mit sich selbst reden · laut denken · beiseite sprechen · sich mit sich selbst unterhalten · abseits reden · in den Bart murmeln ⁊ Träumer ⁊ Monolog · Selbst-gespräch · lautes Denken.

28. Behaupten, bejahen. *s. Wahrheit 12. 26. Beweis 13. 46. Wahrhaftig-keit 13. 49. schwören 13. 50. einwilligen 16. 24.*
Kopfnicken · e-he *(etwas nasal)* · hm-hm · aber sicher · absolut · absolümang · allemal · allerdings · bestimmt · dicke (berl.) · doch · freilich · durchaus · genau · gewiß · immer · ja · jawohl · jedenfalls · natürlich · nur · selbstmurmelnd · selbst-redend · selbstverständlich · sicher(lich) · stimmt · unbedingt · vollkommen · zu Befehl · zweifellos · zweifelsohne · kein Zweifel · aber (*oder:* na) feste · jewiß doch · glatt · klar, na Klärchen · ob · und ob · und wie · ganz richtig · sehr richtig · bei Gott · das walte Gott · dein Wort in Gottes Ohr · weiß Gott · das will ich meinen · ich fresse einen Besen, wenn nicht · bei meiner Leibseele · dös glaab i, dös glaabst (bair.) · do feit si nixen (bair.) · du meenst wohl nee, vielleicht nee? (berl.) · per se · so wie so (schweiz) · so ist's · versteht sich (am Rande), von selbst ·

373

das muß wahr sein · alles was recht ist · das muß man ihm lassen · das muß ihm der ärgste Feind lassen · was dachten Sie denn · wie denn anders? · du sagst es · aber wenigstens, mindestens, gut und gerne ⊄ anerkennen · angeben · aussagen · beeiden · beglaubigen · beharren auf · behaupten · bejahen · bekennen · bekräftigen · bekunden · bescheinigen · beschwören · bestätigen · bestehen auf · beteuern · betonen · beurkunden · beweisen · bewilligen · bezeugen · dabei bleiben · erhärten · erklären · erweisen · festsetzen · feststellen · gestehen · hervorheben · konstatieren · nachweisen · sagen · verbürgen · versichern · zugeben · zugestehen · zulassen · geltend machen · ins Gesicht sagen ⊄ apodiktisch · assertorisch · ausdrücklich · bejahend · bestimmt · eidlich · endgültig · entschieden · ernstlich · feierlich · formell · kategorisch · klar · nachdrucksvoll · offiziell · positiv · unfehlbar · untrüglich ⊄ Dogmatiker · Doktrinär · Anhänger *s. Jünger 12. 35* ⊄ Angabe · Aussage · Eid · Geständnis · Schwur · Wort · Zeugnis ⊄ Beobachtung · Dogma · Lehrsatz · Satz · Sentenz · These · Wahrnehmung · Bestimmtheit · Einstimmigkeit · Position · Zustimmung.

29. Verneinen. *s. nirgends 3. 5. Null 4. 26. nie 6. 5. Mißerfolg 9. 78. Meinungsverschiedenheit 12. 48. widerlegen 13. 47. Lüge 13. 51. ablehnen 16. 27. Tadel 16. 33.*

Kopfschütteln · Abwinken · Ausstrecken des rechten Armes mit gestrecktem Zeigefinger an hochgestellter Hand, die dann um ihre Achse hin- und hergedreht wird ⊄ lächerlich · a (ö.) · e—e (bad.) · m—m (bad). · ausgeschlossen · bedaure · behüte · bewahre · kaum · keinesfalls · keineswegs · nee · nein, nee, nö · Quatsch · Spaß · Unsinn · a ba · ach wo(her) · an Dreck (bair.) · auch noch · aber ich bitte Sie · beileibe nicht · bist wohl verrückt · bleibe gelasse (hess.) · da sei Gott vor · das sei ferne · weit gefehlt · das fehlt gerade noch · das wäre ja noch schöner · das wär' gelacht · daß Gott erbarm · daß ich nicht lache · davon steht nichts drin · es ist nicht an dem · dieses weniger · ganz net (schweiz.) · Gott behüte · hat sich was im Gegenteil · i wo · is nich (berl.) · ja Kuchen · ja Pfeifendeckel · ja Pustekuchen · ja Scheibe · ja Scheiße · Scheibenhonig · Klöße, Karl · ja Seefe (sächs.) · ja von wegen · jo jo jo (schweiz.) · keine Ahnung · kein Bein · kein Gedanke · keine Rede davon · keine Spur · knif = kommt nich in Frare (berl.) · kohl nich · laß dich nicht auslachen · mach keine Sachen · mach die Gäul' net scheu (hess.) · nicht · mit nichten · nicht die Bohne · nie und nimmer · noi noi Herrle (schwäb.) · ja von wegen mit Profil und so · sagen Sie das nicht · Scheibe links · Scheibenschießen · ein Schmarren · seit wann? · so siehst du aus · um Gottes Willen · warum nicht gar · weit gefehlt · was Sie nicht sagen · das auch noch? · wer säit des noch meh wäi dou (obhess.) · aber warum denn? · du bist ja · bei dir raucht es wohl ⊄ ablehnen · abrücken von · absagen · abschaffen · abschlagen · abschwören · absprechen · abstreiten · anfechten · angreifen · berichtigen · bestreiten · dementieren · desavouieren · negieren · tilgen · verleugnen · verneinen · versagen · verwerfen · verzichten auf · widerrufen · zurücknehmen · in Frage ziehen · nicht Wort haben wollen · nicht wahr haben wollen · ungültig erklären · in Abrede stellen ⊄ der Lüge bezichtigen · Lügen strafen ⊄ abfällig · negativ · verneinend ⊄ kein ⊄ Dementi · Einspruch · Einwand · Gegenerklärung · Lossagung · Negation · Richtigstellung · Verwahrung · Verzicht · Weigerung · Widerspruch ⊄ Abruf · Absagebrief · Aufhebung · Rückkauf · Ungültigkeitserklärung · Verbot · Widerruf · Zurücknahme ⊄ Nichtigkeitsbeschwerde · Berufung an die höhere Instanz.

30. Unterhaltung. *s. Streit 16. 67.*

gesprächsweise · in Gesprächsform · unter vier Augen · von Angesicht zu Angesicht · coram · am runden Tisch ❡ bereden · besprochen · debattieren · diskutieren · disputieren · klöhnen · plaudern · plauschen · reden · schwatzen · sprühen · tiwwern · sich unterhalten · mündlich verkehren · Rücksprache nehmen · ins Gespräch kommen · den Rat halten · sich in eine Unterhaltung einlassen · Konversation machen · aufs Tapet bringen ❡ die Unterhandlungen leiten · Audienz gewähren ❡ in die Rede, ins Wort fallen ❡ besprechen · erörtern · verabreden ❡ dialektisch · erotematisch · katechetisch · sokratisch · maieutisch ❡ redselig · umgänglich · unterhaltend ❡ Gegner · Partner · Sprecher · Unterbrecher · Vorredner ❡ Audienzsaal · Beratungssaal · Empfangsraum · Gesellschaftszimmer · Hörsaal · Sprechzimmer ❡ Aussprache · Beratung · Besprechung, Konferenz · Debatte · Dialog · Diskurs · Diskussion · Disput · Gedankenaustausch · Gespräch · Konversation · Meinungsaustausch · Unterhaltung · Wortgefecht · Zusammenkunft · Zwiegespräch ❡ Audienz · Aufnahme · Besuch · Empfang · Interview · Bescheid ❡ Gefasel · Geplausch · Gerede · Geschwätz · Kaffeeklatsch · Kannegießerei · Tischgespräch · Verhandlung · mündlicher Verkehr.

31. Grammatik.

abändern · ableiten · abwandeln · beugen · biegen · deklinieren · flektieren · herleiten · konjugieren · steigern ❡ Redeteil · Satzteil · Satzzeichen ❡ Abwandlung · Beugung · Deklination · Flexion · Komparation · Konjugation · Motion · Satzbau · Satzfügung ❡ Casus: Nominativ, Werfall · Genetiv, Wesfall · Dativ, Wemfall · Akkusativ, Wenfall ❡ Tempora: Praesens · Praeteritum · Imperfekt · Futurum ❡ Modi: Indikativ · Konjunktiv ❡ Diatheseis: Aktiv · Passiv, Leideform ❡ transitiv: intransitiv · stark: schwach ❡ Grammatik · Sprachlehre · Satzlehre · Syntax · Wortbildungslehre.

32. Sprachfehler. *s. fehlerhaft 9. 65.*

radebrechen ❡ verballhornen, verbösern · verschlechtern · sprachwidrig ausdrücken ❡ fehlerhaft · gebrochen · spachwidrig · stillos · undeutsch, unfranzösisch usw. · ungrammatisch · unsicher · veraltet, obsolet ❡ -ismus, z. B. Barbarismus, Gallizismus, Solözismus · Küchen-, z. B. Küchenlatein · Druckfehler · Juristendeutsch · Kauderwelsch · Papierdeutsch · Schnitzer · Sprachfehler · Sprachdummheit · Unwort · Verstoß · Zeitungsdeutsch.

33. Verständlich. *s. offen 3. 57; 13. 3. sichtbar 7. 1. verstehen 12. 31. erklären 13. 44.*

für jedermann · bei mir Wasser: immer klar · ad hominem ❡ auffassen · begreifen · durchblicken · einsehen · erfassen · erkennen · erlernen · ersehen · fassen · fressen · kapieren · meistern · mitkriegen (mil.) ❡ einleuchten · in die Augen springen · das kann eine alte Frau mit dem Stocke fühlen · das sieht ein Blinder mit dem Fuß ❡ auseinandersetzen · deutsch reden · erklären · hervorheben · klarmachen · lehren · veranschaulichen · verbreiten · verdeutlichen · bei der Sache bleiben ❡ allgemeinverständlich · anschaulich · ausdrücklich · ausdrucksvoll · ausführlich · bedeutungsvoll · begreiflich · bestimmt · derb · deutlich · drastisch · durchsichtig · eindeutig · einfach · erkennbar · erschöpfend · ersichtlich · evident · exakt · faßlich · gemeinverständlich · genau · hell · hörbar · klar · leicht(verständ-

lich) · lesbar · nachdrücklich · offen · offenbar · populär · präzis · rational · sachlich · scharf · schlicht · sichtlich · sinnfällig · sonnenklar · unbemäntelt · unbeschönigt · unmißverständlich · unumwunden · unverblümt · unverhüllt · unver-
kennbar · unverschleiert · unzweideutig · vernehmlich · verständlich · voiksnah ·
kristallklar · klipp und klar · daß es ein Kind begreift · kurz und bündig · klar
wie Kloßbrühe, wie dicke Dinte · klar und deutlich ❡ nackte Tatsachen · offenes
Geständnis ❡ Abrundung · Anschaulichkeit · Klarheit · Kraft · Nachdruck · Offenheit · Plastik · Sachlichkeit.

34. Zweideutig. *s. Schlauheit 12. 53. schlüpfrig 16. 44.*

hineingeheimnissen · orakeln ❡ schillern ❡ dehnbar · doppelbodig · doppeldeutig ·
doppelsinnig · durchsichtig · eindeutig · homonym · mehrdeutig · mißverständlich ·
transparent · undeutlich · ungewiß · zweideutig · ironisch ❡ Januskopf · Proteus ·
Pythia   Sphinx ❡ Chiffre · Euphemismus · Fabel · Gleichnis · Glimpfwort
❡ Allegorie · Anspielung · Orakelspruch · Parabel · Sinnbild · Spitzfindigkeit ·
Symbol · Trugschluß · Witz · Wortspiel · Zote · dehnbarer Begriff ❡ Amphibolie ·
Doppelschluß · Doppelsinn(igkeit) · Geheimsinn · Transparenz · Zweideutigkeit ·
lapsus linguae · Sprachschnitzer ❡ Gleichnamigkeit · Homonymie · Auslegung ·
Mißdeutung · Verdrehung · Zweideutigkeit.

35. Unverständlich. *s. Unordnung 3. 38. verrückt 12. 57. geheim 13. 4. Sprechmängel 13. 14. unleserlich 14. 5.*

mißverstehen · nicht daraus klug, schlau werden · sich nicht auskennen · nicht
begreifen · nicht Bescheid wissen · im Dustern, Finstern tappen ❡ das hängt,
ist mir zu hoch · det mußte beischreiben · spanisch vorkommen · gibt zu raten ·
nur für Kenner ❡ dem Kern der Sache ausweichen · der Frage aus dem Wege
gehen. — bemänteln · beschönigen · verdunkeln · verschleiern · verwirren · im
Dunkeln lassen ❡ abstrus · änigmatisch · ausdruckslos · dunkel · duster · esoterisch ·
finster · fremdsprachlich · geheimnisvoll · gelehrt · intellektuell · knifflich · kompliziert · kraus · mystisch · nebelhaft · neblig · nichtssagend · rätselhaft · schleierhaft · schwer · schwierig · sibyllinisch · tief · tiefsinnig · unbegreiflich · unbestimmt · undefinierbar · undeutlich · undurchdringlich · unentschieden · unentzifferbar · unerfindlich · unerforschlich · unergründlich · unfaßbar · ungewiß ·
unkenntlich · unklar · unlesbar · unlösbar · unübersetzbar · unverständlich · ver-
hüllt · verschlungen · verschroben · verschwommen · versteckt · vertrackt · verwaschen · verwickelt · verworren · verzwickt · wirr · zweideutig · nicht zu entziffern · weit hergeholt · tief aber schief ❡ Geheimniskrämer · Philosophast ·
Sibylle ❡ Gaunersprache · Jargon · Kauderwelsch · Rotwelsch ❡ Abraxas · Buch
mit sieben Siegeln · harte Nuß · Kabbala · böhmische, spanische Dörfer · babylonische Sprachverwirrung · Edelschmus · Schmonzes · Schmus · Tiefsinn ❡ Dunkelheit · Mystizismus · Schwierigkeit · Verwicklung · Zusammenhanglosigkeit.

36. Tropus. *s. Abbild 5. 18. Zeichen 13. 1.*

durch die Blume ❡ allegorisch · bildlich · figürlich · metaphorisch · übertragen ·
uneigentlich ❡ Anspielung · Redeblume · Sinnvertauschung · Trope · Tropus ·
Übertragung · Wendung ❡ Allegorie · Bild · Fabel · Gleichnis · Metapher · Muster ·
Nachbild · Parabel · Personifikation · Sinnbild · Symbol · Typus · Vergleich ·
Vermenschlichung · Vertreter · uneigentlicher Ausdruck ❡ Antonomasie · Begriffs-

tausch · Belebung · Betonung · Diminutiv, Verkleinerung · Emphase, Prägnanz, Nachdruck · Hyperbel · Übertreibung · Ironie · Litotes · Milderung · Metonymie · Periphrase · Synekdoche · Umschreibung.

37. Figur.

Figur · Redewendung · Verzierung ¶ Abschwächung · Anakoluth · Anrufung, Apostrophe, Ausruf · Asyndeton · Aufzählung · Auslassung, Ellipse · Berichtigung · Brachylogie · Einwurf · Frage · Gegensatz · Häufung, Priamel · Klimax, Steigerung · Oxymoron · Paradoxon · Polysyndeton · Satzbiegung · Umkehrung · Umstellung · Verdoppelung · Verkürzung · Wiederaufnahme · Wiederholung.

38. Stilarten. *s. Beschaffenheit 5. 8. Satz 13. 20. Kunststile 15. 3.*

Aufbau · Ausdrucksweise · Bau · Eigenart · Erzählweise · Fassung · Feder · Gewandtheit · Handschrift · Klaue (des Löwen) · Komposition · Manier · Schreibart · Schreibweise · Sprachgestaltung · Sprachweise · Stil · Vortrag ¶ Sprachstile: Amtsdeutsch · Bürostil · Juristensprache · Gelehrtensprache · Kaufmannssprache usw. · Formalismus.

39. Kürze. *s. klein 4. 4. Schweigen 13. 23.*

in großen Zügen · andeuten · erraten lassen · skizzieren · umreißen · anschneiden · antippen ¶ abgerundet · abstrakt · aphoristisch · bündig · dicht · distinkt · dürr · eindringlich · eingedickt · einsilbig · epigrammatisch · exakt · gedrängt · gelungen · geschlossen · karg · kernig · knapp · konzis · kurz · komprimiert · lakonisch · lapidar · markig · wuchtig · prägnant · präzis · skizzenhaft · taciteisch · verdichtet · zugespitzt · wortkarg · kurz angebunden ¶ Aphorismus, *s. 13. 20* · Ellipse · Lapidarstil · Telegrammstil · Wortkürzung · kurze Fassung · Stenographie, Kurz-, Debattenschrift · Andeutung · Bemerkung · Glosse · Hinweis · Skizze · Essay.

40. Einfachheit. *s. Einfalt 11. 46.*

einfach · kernig · natürlich · primitiv · rein · schlicht · schmucklos · simpel · sinnfällig · ungekünstelt · ungeziert · volksnah · wie einem der Schnabel gewachsen ist ¶ dürr · einförmig · hart ·linear · nüchtern · trocken ¶ Sobrietät · Volkston.

41. Stärke *s. Kraft 5. 35; 9. 6; 9. 33.*

bildkräftig · blutvoll · dicht · eindrucksvoll · erhaben · feurig · gedrungen · gewaltig · groß · kernig · knapp · lapidar · markant · lebendig · lebhaft · monumental · stark · wuchtig · zackig · zeitnah · zuchtvoll gestrafft · zwingend ¶ Erhabenheit · Feuer · Glut · Großheit · Kühnheit · Lebhaftigkeit · Macht · Nachdruck · Phantasie · Schärfe · Stärke · Wucht · Würze · die persönliche Note.

42. Schwäche *s. minderwertig 5. 37; 9. 60. Langeweile 11. 26. mißbilligen 11. 28. nichtssagend 13. 18.*

Gemeinplatz ¶ abgeschmackt · ärmlich · alltäglich · arm · ausdruckslos · banal · blaß · einförmig · eintönig · fade · mager · flüchtig · gedankenlos · kalt · kraftlos · kümmerlich · läppisch · langweilig · leer · nichtssagend · oberflächlich · platt · schwach · trivial · wässerig · würzlos · zahm ¶ Binsenwahrheit · getretener Quark · Formalismus.

43. Breite, Schwulst. *s. Eitelkeit 11. 45. Geschwätz 13. 22. Trope 13. 36. Figur 13. 37. Gepränge 16. 88. Schmuck 17. 10.*

ab-, ausschweifen · weit ausholen · sich ausschleimen · der Faden fängt bei Adam und Eva an · kein Ende finden · ohne Punkt und Komma ¶ asianisch · asiatisch · ausladend · barock · bilderreich · blühend · blumenreich · blumig · bombastisch · breit · dekorativ · einläßlich · gedrechselt · gedunsen · gehoben · pathetisch · phrasenhaft · pompös · preziös · reich · salbungsvoll · schwülstig · triefend · weitschweifig · überladen ¶ Ausputz · Bombast · Brimborium · Getue · Pracht · Prunk · Redeschmuck · Reichtum · Salon · Schwall · Schwulst · Suada · Tiraden · Trara · Trope · Überladung · Umschweife · Verzierung ¶ Pleonasmus · Schwulst · Tautologie · Wortfülle · Wortschwall ¶ Abschweifung · Breite · Dehnung · Häufung · Länge · Überfüllung · Umschreibung · Wortkrämerei · wohlgesetzte Perioden · dickleibiger Wälzer.

44. Erklärung. *s. finden 12. 20. verstehen 12. 31. lehren 12. 33. Antwort 13. 26.*

eigentlich · folgendermaßen · nämlich · das heißt · das ist · wie folgt · mit andern Worten · in kurzen Worten · einfach ausgedrückt · schlicht gesprochen · streng genommen · etwa so · z. B. · auf gut Deutsch ¶ auflösen . auseinandersetzen · auslegen · beleuchten · bestimmen · darlegen · definieren · deuten · dolmetschen · entrollen · entziffern · erklären · erläutern · erraten · erschließen · etmyologisieren · herausbuchstabieren · herauslesen · illustrieren · interpretieren · klarlegen · kommentieren · lösen · paraphrasieren · übersetzen · übertragen · veranschaulichen · verdolmetschen · verklickern · verklösen · klar machen · näher bestimmen · den Sinn wiedergeben · den Sinn finden · den Nagel auf den Kopf treffen · den Schlüssel finden · ausfindig machen · durch Beispiele beweisen ¶ analytisch · exegetisch · paraphrastisch · wahlverwandt ¶ Ausleger · Deuter · Erklärer · Exeget · Führer · Glossator · Interpret · Kommentator · Künder · Professor · Prophet · Scholiast ¶ Anmerkung · Antwort · Aufschluß · Auskunft · Beispiel · Bemerkung · Begriffsbestimmung · Definition · Etymologie · Fußnote · Illustration · Randbemerkung · Randglosse · Sternchen · Wörterbuch ¶ Analyse · Deutung · Kommentar · Legende (auf Landkarten) · Lösung · Paraphrase · Schlüssel · Scholion · Übersetzung · Auslegekunst ¶ Auslegung · Erklärung · Darstellung · Erörterung · Exegese · Interpretation · Sinndeutung · Topik ¶ Hermeneutik.

45. Mißdeutung. *s. Irrtum 12. 27. falsch 12. 28. Lüge 13. 51.*

fehlgreifen · irren · einen Bock schießen. — mißdeuten · mißverstehen · verkennen · verwechseln ¶ bemänteln · beschönigen · deuteln · entstellen · fälschen · überinterpretieren · übertreiben · unterlegen · unte chieben · verdrehen · verfälschen · verflachen · vertiefen · verzerren · unrichtig übersetzen · falsch anwenden · falsch darstellen · irrig angeben · falschen Anstrich geben · unrichtig berichten ¶ allegorisch · tief, aber schief ¶ Eulenspiegelei · Karikatur · Parodie · Travestie · Verzerrung · Zerrbild ¶ Entstellung · Fehlgriff · Irrtum · Mißdeutung · Mißverständnis · Schönfärberei · Unverständnis ¶ Allegorisierung · Moralisation · Sinn, gebung · Typologie.

46. Beweis. *s. Gewißheit 5. 6. Grund 5. 31. folgern 12. 16. wahr 12.26. deutlich 12. 33.*

a priori · demgemäß · demnach · demzufolge · ergo · folglich · logischerweise ¶ mit Fug und Recht · erwiesenermaßen · um so · desto · also · na also · siehst du. — weil · quod erat demonstrandum ¶ aussagen · beglaubigen · begründen · bekräftigen · bekunden · belegen · beleuchten · sich berufen auf · bescheinigen · besiegeln · bestätigen · beurkunden · beweisen · bezeugen · sich beziehen auf · darlegen · dartun · demonstrieren · dokumentieren · erhärten · erweisen · festsetzen · feststellen · geltend machen · gutstehen für · legitimieren · nachweisen · stempeln · überführen · überzeugen · veranschaulichen · evident machen · zum Zeugen anrufen ¶ anerkennen · folgern · gestatten · schließen · unterstützen · verbürgen · zugeben · zugestehen · zulassen ¶ anführen · beibringen · bezeichnen · entnehmen · zitieren · Zeugnis ablegen · vor Augen führen · außer Frage stellen · den Zweifel benehmen · schwarz auf weiß besitzen, bringen ¶ sich ausweisen · beruhen auf · sich bewahrheiten · erhellen · sich erweisen · stimmen. — verfangen · darauf kann man sich verlassen ¶ anschaulich · anwendbar · augenscheinlich · begründet · beweisbar · beweiskräftig · bündig · durchschlagend · echt · eindringlich · einleuchtend · einwandfrei · entscheidend · ersichtlich · erweislich · evident · gerichtskundig · gewiß · handgreiflich · handhaft · klar · konsequent · logisch · nachweisbar · plausibel · stichhaltig · schlagend · schlüssig · stringent · triftig · unwiderleglich · unzweifelhaft · urkundlich · über jeden Zweifel erhaben · todsicher · klipp und klar · aktenkundig · wissenschaftlich bewiesen ¶ Augenzeuge · Bürge · Eidhelfer · Zeuge ¶ Akt(e) · Anzeichen · Argument · Asservat · Ausweis, Flebbe, Vorwichser · Beleg · Beweis · Beweisgrund · Beweismittel · Beweisschrift · Datum · Diplom · Dokument · Fingerabdruck · Garantie · Handschrift · Indizium · Kathederbeschluß · Kennzeichen · Legitimation · Prüfstein · Schein · Schriftstück · Schuldschein · Siegel · Spitzmarke · Stelle · Stempel, Gottschick · Symptom · Tatsache · Unterschrift · Wahrzeichen · Zeugnis · Zitat · corpus delicti · Brief und Siegel ¶ Verdacht. — Geständnis ¶ Angabe · Aussage · Beweis · Buchung · Bürgschaft · Erklärung · Gewähr · Grund · Verschreibung ¶ Beschuldigung · Beweisführung · Darlegung · Demonstration · Experiment · Probe · Schlußrichtigkeit · Überredungskunst · Überzeugungskraft · Versuch.

47. Widerlegung. *s. Gegensatz 5. 23. falsch 9. 65; 12. 27. Gegenwirkung 9. 72. Unlogik 12. 19. Meinungsverschiedenheit 12. 43. Antwort 13. 26. verneinen 13. 29. Tadel 16. 33. Streit 16. 67 und 70.*

oho · ja, aber · entgegen · wie Gegner selbst zugesteht ¶ anfechten · bestreiten · desavouieren · dienen · einwenden · einwerfen · entgegenhalten · entgegentreten · entgegnen · entkräften · erschüttern · erwidern · schwächen · überführen · umstoßen · vorbringen · vorhalten · widerlegen · widersprechen · zurückweisen · den Spieß, die Waffen umkehren · zu Fall, zur Vernunft, zum Schweigen bringen · das eigene Wort entgegenhalten · mit seinen eigenen Worten fangen, mit eignen Waffen schlagen · Lügen strafen · als falsch nachweisen · verstummen machen · ad absurdum führen · in die Enge treiben · zu bedenken geben · Berufung einlegen ¶ ist mit seinem Latein zu Ende · zurücknehmen ¶ eine vernichtende Abfuhr erfahren · platzen ¶ antastbar · bestreitbar · fehlerhaft · irrig · hinfällig · kontrovers · strittig · umstritten · unerwiesen · widerlegbar · widersinnig · nicht schlüssig ¶ entgegengesetzt ¶ Gegenteil · Kehrseite · schwacher Punkt · Achillesferse · Widersinn *s. Unlogik 12. 19.* ¶ Antwort · Bedenken · Duplik · Einrede · Einsprache · Einspruch · Einwand, -wendung · Entgegnung · Erwiderung · Gegenargument, -beweis, -grund, -kritik, -zeugnis · Polemik · Regreß · Dementi · Widerlegung · Widerspruch · widersprechende Aussagen.

48. Einschränkung. *s. Ausnahme 5. 20. Gegensatz 5. 23. Übertreibung 13. 52.*

angenommen, daß · vorausgesetzt, daß · bis auf Widerruf · meiner Meinung nach · allenfalls · halb so wild · ausgenommen · bedingungsweise · cum grano salis · dividiert durch zehn · sogar ¶ allerdings · freilich · jedenfalls · unter allen, keinen Umständen · für alle Fälle · dem ungeachtet · dennoch · doch · jedoch · gleichwohl · mindestens · zum mindesten · höchstens ¶ obgleich · obschon · obwohl · trotz · wenn auch · wie wohl ¶ abschwächen · ausbedingen · ausnehmen · bedingen · begrenzen · berichtigen · berücksichtigen · beschränken · einengen · einräumen · limitieren · mildern · modifizieren · sich salvieren · verklausulieren · vorbehalten · wahren · Bedacht nehmen auf · Ausnahmen machen, zulassen ¶ bedingt · disjunktiv · hypothetisch · nachträglich ¶ Annahme · Ausnahme · Bedingung · Einschränkung · Grenzbegriff · Konzession · Limitation · Rücksicht · Sicherheitsmaßregel · Verwahrung · Voraussetzung · Vorbehalt · Vorbeugungsmaßregel.

49. Wahrhaftigkeit. *s. Einfalt 11. 46. wahr 12. 26.*

geradezu · ohne Falsch · frisch und frei · treulich ¶ auf gut Deutsch · Hand aufs Herz · ein Mann ein Wort · nach bestem Wissen und Gewissen ¶ die Wahrheit sagen · reinen Wein einschenken · kein Blatt vor den Mund nehmen · von der Leber, vom Herzen weg reden · der Zunge freien Lauf lassen · Farbe bekennen · er sagt, wie's is · nicht hinterm Berg halten · das Kind beim Namen nennen · sich die Zunge verbrennen · nicht zurückhalten · stirbt nicht an Herzbrechen, Herzdrücken · aus seinem Herzen keine Mördergrube machen · mit offenen Karten spielen · frank und frei die Wahrheit sagen ¶ bekennen · herausrücken · offenbaren ¶ arglos · aufrichtig · barsch · biderb · bieder · bündig · derb · einfach · ehrlich · freimütig · grob · harmlos · klar · naiv · natürlich · naturalistisch · objektiv · offen · offenherzig · realistisch · rechtschaffen · rechtlich · redlich · rein · rückhaltlos · rücksichtslos · sauber · treu · treuherzig · unaffektiert · ungeziert · ungeheuchelt · unhöflich · unumwunden · unverblümt · unverdorben · unverhüllt · unverstellt · wahr · wahrhaftig · zutraulich · zuverlässig ¶ deutscher Michel · Mann von Wort · germanischer Bär · Wahrheitsfanatiker ¶ aufgeschlagenes Buch · Brustton der Überzeugung · Politik der offenen Tür · (reine) Wahrheit ¶ Einfalt · Freimut · Geradsinn · Naivität · Natürlichkeit · Offenheit · Realismus · Unschuld · Wahrheitsliebe.

50. Schwören. *s. wahr 12. 26. behaupten 13. 28. versprechen 16. 23. Fluch 16. 37.*

drei Finger der rechten Hand emporgestreckt · Hand aufs Herz · *rechte Hand geben* ¶ unter allen Umständen · in jeder Beziehung, Richtung, Weise · in jedem Fall · auf Ehre und Gewissen · unter Bibel-Eid · bei allen Göttern · bei Gott · beim Barte des Propheten · auf Ehre · wahrhaftigen Gotts · wahrhaftig in Gott · ich will nicht gesund vom Platz kommen · so wahr ich hier stehe · so wahr mir Gott helfe · der Schlag soll mich treffen, wenn nicht · ich will ein schlechter Kerl sein, wenn · da kannst du Gift drauf nehmen · ich täusche mich nicht · bei Leibe nicht · ich lege meine Hand dafür ins Feuer · solange ich lebe, nicht · bei allem, was mir heilig ist · beim Augenlicht meines Kindes · weeß Kneppchen (sächs.) · wenn nicht, will ich Hans heißen, freß ich einen Besen, muß ich zu Fuß nach Rom · unter Eid ¶ beeiden · beschwören · besiegeln · beteuern · bezeugen · geloben · schwören · versichern · hoch und heilig beteuern · sein Ehrenwort geben · mit Handschlag bekräftigen · Stein und Bein schwören ⁋ vereidigen ⁋ eidlich ⁋ Eideshelfer · Zeuge ⁋ Beschwörungsformel · Ehrenwort · Eid · Eidschwur · Schwur · Wort · Gelöbnis · Gelübde.

51. Unwahrheit, Lüge. *s. Nachahmung 5. 18. Vorwand 9. 13. falsch 12. 27. Mißdeutung 13. 35. werben 16. 21. Betrug 16. 72; 18. 8. Verleumdung 16. 35.*

auf dem Papier ⁋ entbehrt jeder Grundlage ⁋ angeben · aufschneiden · sich ausdenken · ausstreuen · erfinden · fabeln · faseln · flunkern · sich herausreden · heucheln · kohlen · lügen · prahlen · schauspielern · schwefeln · simulieren · sohlen · so tun, als ob · sich verstellen · vorgeben · vorschützen · sich zieren · dem Kernpunkt ausweichen · die Tatsache umgehen · kein Wässerchen trüben · hinter dem Berge halten · falsches Zeugnis ablegen · er lügt das Blaue vom Himmel herunter, wie gedruckt, wie die Zeitung, daß sich die Balken biegen · das lügst du in den Hals hinein · falsch darstellen · frei erfinden · unrichtig angeben · die Tatsachen auf den Kopf stellen · aus Schwarz Weiß machen · bemänteln · Komödie spielen · Theater machen · Papier ist geduldig · sich ein Air geben · Sand in die Augen streuen · aus den Fingern saugen · aus der Luft greifen · die Wahrheit verhüllen · zur Schau tragen ⁋ meineidig werden · sein Wort brechen ⁋ ableugnen · aufschwatzen · bemänteln · entstellen · erdichten · erfinden · erheucheln · erkünsteln · erschleichen · fälschen · färben · verdrehen · vor-, z. B. -fabeln, gaukeln, -machen, -reden, -schwindeln, -spiegeln, -spielen ⁋ belügen · berücken · betören · blenden · lackmeiern · nasführen · täuschen · übertölpeln · verasten · verkohlen · jmd. etw. knallen, weismachen · hinters Licht führen · einen Bären aufbinden · etwas auf die Nase binden · einem die Hucke voll lügen · blauen Dunst vormachen · falsch berichten ⁋ einem etwas andichten ⁋ abgebrüht · abgefeimt · arglistig · ausgekocht · diplomatisch · doppelzüngig · falsch · geziert · glattzüngig · gleisnerisch · heimtückisch · heuchlerisch · hinterlistig · hohl · jesuitisch · katzenartig · listig · lügenhaft · pfäffisch · pharisäisch · scheinheilig · treulos · unaufrichtig · unehrlich · unwahr · verlogen ⁋ *Von Dingen:* angeblich · arrangiert · ausgedacht · ausweichend · bestellt · eitel · erfunden · erlogen · erstunken und erlogen · falsch · gefälscht · gekünstelt · geschminkt · gestellt · haltlos · heimlich · ironisch · künstlich · lügenhaft · markiert · nachgeäfft · scheinbar · trügerisch · unbegründet · unecht · unwahr · verlogen · verstellt · verstohlen · vorgeblich · zweideutig ⁋ Angeber · Aufschneider · Bauernfänger · Blender · Charlatan · Gleisner · Goebbels · Heuchler · Jesuit · Journaille · Kurpfuscher · Lügenmaul · Lügner · Machiavell · Marktschreier · Münchhausen · Pharisäer · Phrasenhengst · Phraseur · Prahlhans · Quacksalber · Renommist · Schaumschläger · Schauspieler · Schwarzkünstler · Schwindler · Strohmann · Taschenspieler · Tartarin · Tartüff · Windbeutel · Windmacher · Zauberkünstler ⁋ Komödiant · Schauspieler · falscher Prophet · Esel in der Löwenhaut · stilles Wasser · Wolf im Schafspelz ⁋ Giftküche · Hetzpresse · Lügenministerium ⁋ Ausflucht · Ausrede · Doppelsinn · Kasuistik · Rabulistik · Sophistik · Spiegelfechterei · Spitzfindigkeit · Täuschung · Wortspalterei · Zirkelschluß · Zweideutigkeit ⁋ Potemkinsche Dörfer ⁋ Ammenmärchen · Dichtung · Dunst · Ente · Fabel · Fälschung · Fiktion · Jagdgeschichte · Jägerlatein · Latrinenbefehl (soldat.) · Legende · Lüge · Märchen · Münchhausiade · Mythus · Nebel · Propagandanachricht · Räuberpistole · Roman · Schiffergarn · Seeschlange · Unterschiebung · Witz · unrichtige Darstellung · unverbürgte Schiffernachricht · haltloses Gerücht ⁋ Verleumdung · Lügenfeldzug ⁋ Eidbruch · Meineid · Treubruch ·

Untreue · Verrat ⁋ Ausflucht · Aushängeschild · Ausrede · Ausweg · Behelf · Blend-werk · Deckmantel · Flausen · Larve · Luftblase · Maske · Notlüge · Pose · Schein-grund · Schleier · Spinngewebe · Vorwand · Winkelzug · faule Fische · leere Luft · saure Trauben ⁋ Bluff · Doppelspiel · Drahtkultur · Flausen · Frauenlist · Hintergedanke · Ironie · Lüge · Falscheid · Trug · Unrecht ⁋ Fisimatenten · Hum-bug · Faxen · Kniffe · Kohl · Konstruktion · Larifari · List · Menkenke · Mum-pitz · Pfiffe · Ränke · Schaumschlägerei · Schein · Schwindel · Stuß · Täuschung · fremde Federn · unrichtige Angaben · erborgtes Wissen · erkünsteltes Wesen · gezwungenes Betragen · Vorspiegelung (falscher Tatsachen) ⁋ Aufschneiderei · Fälschung · bewußte Irreführung · Pflichtverletzung · Unredlichkeit · aufgelegter Schwindel ⁋ Entstellung · Erdichtung · Maskerade · Verkleidung · Vermummung ⁋ Gleisnerei · Heimtücke · Heuchelei · Hinterlist · Jesuitismus · Marktschreierei · Ziererei.

52. Übertreibung. *s. zu hoher Grad 4. 22. Erregung 11. 5. geschmacklos 11. 29. eitel 11. 45. verrückt 12. 57. Verzerrung 15. 2.*

bis in die Puppen · zu sehr · ohne Maß und Ziel · 101% (und mehr) ⁋ mach's halblang · laß die Kirch' im Dorf · mach die Gäul net scheu (hess.) · bleib' auf dem Teppich · Celsius .. · mach keenen Schimmel schwarz ⁋ angeben · aufschnei-den · auftragen · bramarbasieren · jmd. herausbeißen · krähen · markieren · den Mund voll nehmen · das Maul aufreißen · prahlen · renommieren · aus der Mücke einen Elefanten machen · den Furz zum Donnerschlag machen · es bis zum äußer-sten treiben · zu weit gehen · übers Ziel hinausschießen · das Kind mit dem Bade ausschütten · den Bogen überspannen · sich ein Ansehen geben · in Superlativen reden ⁋ aufschwellen · sich blähen, haben, überheben ⁋ aufbauschen · aufblähen · aufblasen · aufputzen · aufplustern · ausschmücken · chargieren · erhöhen · her-ausputzen · steigern · überladen · überschätzen · überschreiten · übersteigern · übertreiben · vergrößern · verschlimmern · verstärken · in den Himmel erheben · zu Tode reiten, hetzen · über den grünen Klee loben ⁋ hyper- · super- · über- · ultra- · -dul · -istisch · -man · ausgelassen · ausgesprochen · barock · bombastisch · exorbitant · grell · grotesk · hochfliegend · horrend · prahlerisch · schwülstig · ten-denziös · übermäßig · überspannt · übertrieben · verkünstelt · verstiegen ⁋ -ist, z. B. Klassizist · -man · Radikalinski · Ultra · Wir Berliner · Münchhausen ⁋ Jä-gerlatein · kreißender Berg · viel Geschrei und wenig Wolle · viel Staub und nichts dahinter · viel Lärm um nichts ⁋ -ismus · Über- · Ausgelassenheit · Bombast · Forcierung · Großtuerei · Pathos · Prahlerei · Prestigestrategie · Schwärmerei · Überhebung · Übermaß · Übertreibung · Ungeheuerlichkeit · Verschwendung.

53. Übersetzen. *s. nachahmen 5. 18. bedeuten 13. 17. erklären 13. 44.*

dolmetschen · eindeutschen · nachdichten · nachgestalten · paraphrasieren · über-setzen · übertragen · verdeutschen · verdolmetschen · wiedergeben · einen Satz konstruieren ⁋ fremdsprachlich · Dolmetsch(er) · Dragoman · Sprachmittler · Über-setzer ⁋ Original · Ursprache · Urtext ⁋ Äquivalent · Interlinearversion · Para-phrase · Targum · Übersetzung · Übertragung · Wiedergabe · Bedeutungslehnwort. *In der Schule verbotene Übersetzung:* Eselsbrücke, Fetzen, Freund, Gurke, Klappe, Klatsche, Schlauch, Schmöker, Schmolch, Schulmann, Schwarte, Spicker *s. 16. 72.* ⁋ Fremdwörterhatz · Purismus.

14

14. Schrifttum. Wissenschaft

14. 1. Beschreibung, Erzählung
14. 2. Dichtung
14. 3. Drama, Bühne
14. 4. Prosa
14. 5. Schrift
14. 6. Druck
14. 7. Lesen
14. 8. Brief
14. 9. Schriftliche Überlieferung
14. 10. Abhandlung
14. 11. Buch
14. 12. Auszug

1. Beschreibung, Erzählung. *s. Beschaffenheit, Art 5. 8. seelische Artung 11. 9. Mitteilung 13. 2. erklären 13. 44. schriftliche Überlieferung 14. 9.*

rund um X. · quer durch X. ⁋ Bericht erstatten · auf Einzelheiten eingehen · ins einzelne gehen ⁋ aufzählen · ausmalen · ausspinnen · beklatschen · berichten · beschreiben · buchen · charakterisieren · darstellen · erzählen · gestalten · herausstellen · herzählen · referieren · sammeln · schildern · überliefern · umreißen · vergegenwärtigen · wiedergeben · zusammenstellen · ein Bild entwerfen · einen Gegenstand behandeln · in Druckbogen verwandeln ⁋ ausführlich · beschreibend · darstellend · genau · graphisch · historisch · überliefert · urkundlich ⁋ Annalist · Berichterstatter, Reporter · Chronist · Erklärer · Erzähler · Essayist · Feuilletonist, Unterstrichler · Scheherazade · Geschichtsforscher · Geschichtsschreiber · Journalist · Literat · Mitarbeiter · Redaktör, Schriftleiter · Schriftsteller ⁋ Romancier · Romanschreiber · Scribifax · Scribent · Tagesschreiber · Tintenkuli · Zeitungsschreiber · Zeilenschinder · Autor, Verfasser ⁋ Annalen · Chronik · Reisebuch · Tagebuch ⁋ Angabe · Aufzählung · Bericht · Beschreibung · Darstellung · Einführung · Erzählung · Kunde · Referat · Querschnitt · Schilderung · Statistik · Übersicht · Vorstellung · Wiedergabe ⁋ Allegorie · Anekdote, Dönekens (bergisch) · Ballade · Schauerballade · Epos · Erzählung · Fabel · Feenmärchen · Geschichte · Gleichnis · Heldengedicht · Humoreske · Kurzgeschichte · Legende · Lehrfabel · Märchen · Moritat · Novelle · Parabel · Räuberpistole · Rahmenerzählung · Roman · Abenteuer-, Kitsch-, Original-, Zeitungsroman · Romanze · Satire · Sketch · Skizze · Schöne Literatur, Belletristik ⁋ Ankündigung · Denkschrift · Erfahrungen · Erlebnisse · Lebensbeschreibung · Lebenserinnerungen · Lebenslauf · Memoiren · Nachruf · Personalien · Personenbeschreibung · Standesliste · Steckbrief · Vorwort ⁋ Beschreibung · Erklärung · die Schreibe · Überlieferung · Wiedergabe · Zeitfunk.

2. Dichtung. *s. reden 13. 21. Stilarten 13. 38; 15. 3. Liedformen 15. 13.*

Gegensatz: Prosa ⁋ sich abringen · ausbrüten · ausschwitzen · bauen · ballen · besingen · dichten · erfinden · formen · gestalten · hervorbringen · künden · offenbaren · reimen · schaffen · schreiben · singen und sagen · träumen · verleiben · zeugen · in Verse, in Worte bannen, bringen, gießen, zwingen · das Dichterroß satteln · den Pegasus besteigen · Verse verbrechen · Dauer verleihen · es dramelt in jmd. ⁋ aufsagen · deklamieren · betonen · skandieren ⁋ Baller (expressionistisch) · Barde · Begabung · die Muse hat ihn geküßt · Dichter · Dichterling · Erzähler · Gelegenheitsdichter · Genie · Homer · Lyriker · Meistersinger · Minnesänger · Musenjünger · Musensohn · Neutöner · Poet · Reimschmied · Rhapsode · Romancier · Sänger · Schöpfer · Skalde · Stegreifdichter · Talent · Troubadour · Versifex · Versemacher · Versfabrik · Wortkünstler · Bruder in Apoll ⁋ Bänkelsänger · Deklamator · Fahrender · Rhapsode · Volkssänger. — Ansager, Conférencier ⁋ anschaulich · dichterisch · dramatisch · elegisch · episch · formvollendet · idyllisch · lyrisch · metrisch · musisch · poetisch · schöpferisch ⁋ naiv · realistisch · pathetisch · romantisch · schwungvoll · sentimental · sentimentalisch ⁋ Akzent · Betonung · Rhythmus · Takt · Versmaß · Metrum · Fall · Fuß · Hebung · Senkung · gebunde Form ⁋ Knittelvers · makkaronische Dichtung · freie Rhythmen · Prosadichtung ⁋ Anapäst · Alexandriner · Auftakt · Blankvers · Daktylus · Distichon · Hexameter · Jambus · Pentameter · Spondeus · Trimeter · Trochäus · Vers · Zeile. — Verseinschnitt, Zäsur ⁋ Bar · Gesetz · Melodie · Satz · Stanze · Stollen · Strophe · Gegenstrophe · Abgesang · Terzine · Vierzeiler · Zweizeiler usw. ⁋ Akrostichon ·

Alliteration, Stabreim · Anklang · Assonanz · Gleichklang · Halbreim · Kehrreim,
Refrain · Reim · reiner, unreiner Reim · weiblicher, männlicher, gleitender, reicher
Reim · reimloser Vers ⁊ Carmen · Dichtung · Lied · Poem · Reimerei · Spruch ·
Ton · Weise ⁊ *Dichtungsarten (s. auch 15. 13):* Anstichlied · Chanson · Choral ·
Chorlied · Denkspruch · Dithyrambos · Eiapopeia · Ekloge · Elegie · Epigramm ·
Fünfzeiler, Tanker · Gedicht · Gelegenheitsgedicht · Ghasel · Hirtengedicht ·
Hochzeitscarmen · Idylle, Pastorale, Schäfergedicht · Hymnos · Jägerlied usw. ·
Kantate · Kanzone · Klagelied · Klapphornvers · Kommerslied · Kraftgesang ·
Ländler · Laich · Liebeslied · Lied · Madrigal · Makame · Marterl · Meistergesang ·
Minnesang · Moritat · Motto · Ode · Päan · Priamel · Rhapsodie · Romanze ·
Rundgesang · Schlummerlied · Schnaderhüpfl · Sestine · Singspiel · Sinngedicht ·
· Sinnspruch · Sonett · Song · Spruchdichtung · Studentenlied · Trauerlied ·' Trink-
lied · Volkslied · Wahlspruch · Wiegenlied · Zauberspruch · Zyklus ⁊ Dichtkunst,
Poesie · Dramatik, Bühnendichtung · Epik · erzählende Dichtung · Gefühlsdichtung
· Lyrik · Wortmalerei · heitere Kunst ⁊ Anschaulichkeit · Anschauung · Aufflug ·
Dichterfeuer · Dichterflug · Dichterfreiheit · (Dichter)Gabe · Dichtergeist · Dichte-
ritis · Dichtersprache · Erfindungsgabe · Gehalt · Genie · Geschmack · Phantasie ·
Vermögen ⁊ Born, Feuer der Begeisterung · Aufschwung der Phantasie · Einfall ·
Inspiration · innere Wahrheit ⁊ Lehre von der Dichtung · Poetik · Reimlexikon
⁊ Dichtergott · Muse ⁊ Dichterakademie

3. Drama, Bühne. *s. Film 15. 8. Gesang 15. 13.*

dramatisieren · verbrettern ⁊ aufführen · geben · (ganz groß) herausbringen ⁊ in
Szene, über die Bretter gehen ⁊ auftreten · spielen · Furore machen ⁊ *transitiv:*
darstellen · hinlegen · kreieren · machen · mimen · nachmachen · spielen · umsetzen
· verkörpern · verlebendigen · vorstellen ⁊ bühnenmäßig · dramatisch · melodramatisch · szenisch · theatralisch · wirksam ⁊ Bühnendichter ⁊ Dramaturg · Gewandmeister · Intendant · Korrepetitor *s. Musiker 15. 14* · Inspizient · Einsager · Souffleur · Regisseur · Spielleiter · Dramatiker, Stückeschreiber, Theaterdichter ⁊ Hampelmann · Kasperle · Marionette · Puppe ⁊ *Schauspieler:* Ansager · (Funk)sprecher
· Bonvivant · Bühnenheld · Buffo · Charakterspieler · Darsteller · Heldentenor ·
Kassenmagnet · Komiker · Komödiant · Künstler · Liebhaber · Mime · Sänger
s. 15. 13 · Schmierenschauspieler · Scheuerpurzler · Star · Stern · Tragöde ⁊ Bajazzo
· Exzentric · Hanswurst · Harlekin · Kasperle · Klown · Knockabout · Narr · Pickel-
hering · Wurstl (Wien) · Kölner Hännesche ⁊ *Schauspielerin:* Ballerina · Balletteuse
· Ballettratte · Ballettänzer(in) · Bühnenheldin · Confidente · Diva · Komische Alte
· Liebhaberin · Naive · Primadonna · Salondame · Soubrette · Star ⁊ Chorist · Kom-
parse · Pantomimiker · Statist · Tänzer ⁊ Artist · Taschenspieler ⁊ Ensemble ·
Thespiskarren · Truppe · Wandertruppe ⁊ Ausstattung · Kulisse · Requisit · Scheide-
wand · Szenerie · Vorhang ⁊ Amphitheater · Bretter · Bühne · Drehbühne · Empore ·
Estrade · Festspielhaus · Podest · Podium · Rampe · Schauburg · Schauspielhaus ·
Schmiere · Sofitte · Spielhalle · Theater · Versenkung · Bretter, die die Welt bedeuten
⁊ Brettl · Hippodrom · Kabarett · Künstlerspiele · Marionettentheater · Music-Hall ·
Nachtcafé · Singspielhalle · Tingeltangel· Varieté · Zirkus ⁊ Ankleidezimmer · hinter
der Bühne ⁊ Akt · Arie · Auftritt · Aufzug · Ausstattungsstück · Ballett · Bardiet ·
Bühnenweihfestspiel · Bühnenwerk · Burleske · Charakterstück · Drama · Dramolett
· Einakter · Einleitung · Epilog · Farce · Fünfakter · Handlung · Komödie · Ku-
lissenreißer · Lustspiel · Melodrama · Nachspiel · Oper · Operette · Pantomime ·
Posse · Prolog · Revue · Rührstück · Schauspiel · Szene · Schwank · Singspiel ·

Sittenschlager · Sketch · das Spektakel · Spiel · Stück · Tanzoper · Tendenzstück · Tragikomödie · Tragödie · Trauerspiel · Trilogie · Unterhaltungs-, Konversationsstück · Vaudeville · Volksstück · Vorspiel · Zwischenspiel · dramatisches Gedicht ¶ Operntext · Libretto · Drehbuch · Buch ¶ Hörspiel · Sendespiel (wird gesendet, nicht gesandt) ¶ Aufführung · Ausstattung · Bühnenbearbeitung · Darbietung · Darstellung · Handlung · Vorführungen · Vorstellung ¶ Ur-, Erstaufführung, Premiere ¶ Rolle: Antrittsrolle · Auftreten · Benefiz · Debut, erstes Auftreten · Engagement · Anstellung · Erscheinung · Gastrolle · Gastspiel · Verpflichtung · Rollenbesetzung · Laien-, Freilichtspiel ¶ Dramaturgie · Schauspielkunde · darstellende Kunst.

4. Prosa. *s. Beschränkung 14. 1.*

erzählend · prosaisch · reimlos · ungebunden · ungereimt · unpoetisch ¶ Prosaiker ¶ Prosa · ungebundene Schreibart · die Schreibe.

5. Schrift. *s. Gedächtnis 12. 39. Zeichen 13. 1. Druck 14. 6.*

schwarz auf weiß ¶ abfassen · abschreiben · aufsetzen · ausarbeiten · bearbeiten · beschriften · eingraben, -ritzen · eintragen · fackeln · fehmern (rotw.) · gegenzeichnen · girieren (Scheck), querschreiben (Wechsel) · hinhauen · klecksen · klieren (rhein.) · knollen (hess.) · kodifizieren · kritzeln · malen · nachschreiben · paraphieren · schmieren · schreiben · testieren · tippen · unterhauen, unterschreiben · sich verewigen · verfassen · zusammenschmieren, -schreiben · zu Papier bringen · in die Rinde schneiden · kann die Tinte nicht halten ¶ schriftlich ¶ Abschreiber · Aktuar · Buchhalter · Federfuchser · Schreiber · Schriftführer, -wart · Sekretär · Stadtschreiber ¶ Sekretärin, Tippse, Klapperschlange ¶ Bleistift · Bleifeder, Reißblei, der Blei · Feder · Füll(fed)er · Gänsekiel · Griffel · Notizbuch · Papier · Pergament · Schreibgerät · Schreibmaschine, Tippa · Schreibzeug · Tafel · Tinte · Tintenkuli, -stift · Kopierstift ¶ Denkmal · Grabstein · Marmor ¶ Abc · Alphabet · Bilderschrift · Blindenschrift · Buchstabe · Druckschrift · Duktus · Geheimschrift · Handschrift · Hieroglyphen · Ideogramm · Keil-, Knoten-, Kurrentschrift · Kursive · Kurz-, Schnell-, Debattenschrift, Stenographie · Lettern · Majuskel · Maschinenschrift · Merovingerschrift · Minuskel · Mönchs-, Quadrat-, Reihen-, Rundschrift · Rune · Säulenschrift · Schrift · Schriftzeichen · Siegel · Typenschrift · Unzialschrift · Zeichenschrift · großer, kleiner Buchstabe · gotische Schrift ¶ Abstrich · Aufstrich · Federzug · Flammenstrich · Grundstrich · Haarstrich · Häkchen · Schattenstrich · Strich ¶ Interpunktion, Zeichensetzung · Abteilungszeichen · Anführungszeichen, Gänsefüßchen · Apostroph, Auslassungszeichen · Ausrufungszeichen · Beistrich, Komma · Doppelpunkt, Kolon · Fragezeichen · Punkt · Satzzeichen · Strichpunkt, Semikolon · Trema · Tilde ¶ Charakterschrift · Kanzleischrift · Reinschrift · Schönschrift, Kalligraphie · Zierschrift · flotte, gute, leserliche Handschrift · wie gestochen ¶ Augenpulver · Gehudel · Gekleckse · Gekritzel · Gekrotze · Geschmier · Klaue · Krähenfüße · Sudelei · krakelige, schlechte, unlesbare, unleserliche Schrift · als hätten es die Hühner zusammengekratzt ¶ Linie · Zeile · lidieren ¶ Codex · Handschrift · Entwurf · Kladde · Konzept · Manuskript · das Unreine ¶ Abschrift · Anmerkung · Aufschrift · Autograph · Inhalt · Inschrift · Original · Randglosse · Schreibart · Schriftprobe · Stil · Überschrift · Unterschrift · Urschrift · Zusammenhang ¶ Orthographie · Rechtschreibung ¶ Schreibwut · Schreibsucht · Papierkrieg ¶ Handschriftendeutung, Graphologie · Diplomatik · Paläographie ¶ Lesbarkeit · Textkritik · Inschriftenkunde, Epigraphik.

6. Druck. *s. Größe 4. 6. bekanntmachen 13. 6. Schrift 14. 5. Kunstdruck 15. 5.*

drucken · edieren · herausbringen, -geben · publizieren · veröffentlichen · im Druck erscheinen lassen · drucken lassen · durch die Presse veröffentlichen · — verlegen · vervielfältigen und verbreiten · (ab)setzen · umbrechen ❡ erscheinen · herauskommen ❡ Drucker · Faktor · Metteur · Pachulke (Leipzig) · Schweizerdegen (zugleich Setzer + Drucker) · Setzer ❡ Setzmaschine, eiserner Kollege · Winkelhaken ❡ Druckerei · Presse · Verlag ❡ Buchstabe · Druckschrift · Guß · Letter · Metallbuchstabe · Schrift ❡ Antiqua, Lateinschrift, Normalschrift · Blindenschrift · Blockschrift · Buntdruck · Fettdruck · Fraktur, gotische Schrift, Bruchschrift · Initiale · Mater · Mischdruck · Normaldruck · Unziale · Schwarzdruck · Steindruck, Hochdruck, Typographie ❡ Schriftgrade *s. Größe 4. 1.* spationiert, gesperrt · fett · halbfett · mager ❡ Versalie · Gemeine ❡ Satz · Maschinen-, Streich-, Werk-, Zeilensatz · Bürsten-, Handabzug · Handpresse · Handsatz · Satzspiegel, Schriftbild ❡ Druckform · Druckstock · Matrize · Muster · Note · Schriftart · Schriftmetall · Schriftzeug · Vorlage ❡ Abdruck · Nachdruck · Korrekturfahne · Umbruch · Bogen · Revision · Vorabdruck · Erstdruck ❡ Druckfehler · Fliegenkopf · Hochzeit · Spieße · Zwiebelfische ❡ Bütten · Dünndruck- · Japan · Leinen- · Papier · Pergament ❡ Chromotypie · Stereotypie · Typographie.

7. Lesen. *s. erkennen 12. 20; 12. 31. lernen 12. 35.*

ab-, an-, durchlesen · -blättern · buchstabieren · dechiffrieren, entziffern · durchnehmen · durcharbeiten · herausbekommen, -klauben · lesen · nachschlagen · überfliegen · verschlingen · fressen · der Tagespresse entnehmen ❡ Bücherwurm · Leser · Leseratte · Verlagslektor ❡ Lesehalle · Lesesaal ❡ Lektüre · Lesung.

8. Brief. *s. befördern 8. 3. Zeichen 13. 1. Mitteilung 13. 2. Bitte 16. 20.*

durch die Post · durch Boten · durch Güte · franko · beigefügt · beigelegt · als Anlage · anbei · im Anschluß · im Umschlag ❡ Briefe: absenden · adressieren · aufgeben · einschreiben · freimachen. — nachsenden · zustellen · Briefe wechseln · korrespondieren · einander schreiben · brieflich verkehren · von sich hören lassen ❡ brieflich · schriftlich ❡ frei · gebührenfrei · portofrei · postlagernd ❡ Brieftaube · Briefträger · Postbote · Postillon ❡ Adressat · Briefschreiber · Empfänger ❡ Ausfertigungsstelle · Botendienst · Briefkasten · Feldpost · Post · Postamt · Rohrpost · Stadtpost · Flugpost ❡ Adresse, Dank-, Ergebenheits-, Glückwunsch- · Antwort · Bericht · Billet · Brief · Brand-, Doppel-, Droh-, Eil-, Erpresser-, Karten-, Liebes-, Mahn-, Schnell-, Schreibebrief · Gesellen-, Meisterbrief · Ehrendiplom · Briefkarte · Depesche, Telegramm · Eingabe · formloses Schreiben · Gesuch · Erguß · Lebenszeichen · Note · Rundschreiben · Schreiben · Fern- · Hand- · Sendschreiben · Postkarte · Tagesbericht · Wertpaket · Wisch · Zettel · Zinken (rotw.), Kassiber · Zuschrift · Ihr Geehrtes, Ihre Zeilen vom ❡ Adresse, Anschrift · Aufschrift · Briefgebühr · (Brief)umschlag · Postgeld · Porto, Brief-, Freimarke · Anweisung · Postanweisung · Wertbrief · Freiumschlag ❡ Einschreiben · Nachnahme · Wertangabe · Eilbote ❡ Beförderung · Briefaustausch · Briefwechsel · Papierkrieg.

9. Schriftliche Überlieferung. *s. Kenntnis 12. 32. Zeichen 13. 1.*

abschreiben · anmerken · aufnotieren · aufschreiben · aufzeichnen · berichten · bewahren · buchen · eintragen · einzeichnen · festlegen · nachtragen · niederlegen · niederschreiben · notieren · registrieren · tradieren · überliefern · unterschreiben · verewigen · verzeichnen · vormerken · zu Papier bringen ❡ belegt · festgelegt gebucht · sicher ⁊ Annalist · Archivar · Berichterstatter · Buchführer · Buchhalter · Chronist · Federfuchser · Geschichtsschreiber, Historiker · Journalist · Notar · Reporter · Schreiber · Sekretär · Statistiker · Tintenkuli · Zeitungsschreiber · Klio ⁊ Altertümer · Bautasteine · Bildsäule · Denkmal · Denkstein · Dolmen(steine) · Ehrensäule · Gedenktafel · Geschichte · Mahnmal · Monument · Oblisk, Spitzsäule · Pyramide · Runensteine · Siegeszeichen · Standbild · Stein · Stele · Überbleibsel · Überrest · Urkunde · Triumphbogen ⁊ Medaille · Orden · Wappen · Namenszug · Wahlspruch · Wappenspruch · Spruchband ⁊ Abschrift · Aktenband · Aktenfaszikel, Aktenheft, Aktenstück · Aufzeichnung(en) · Ausweis · Beleg · Beschreibung · Buch · Denkschrift · Dokument · Dossier · Inschrift · Notiz · Grundbuch · Palimpsest · Papier · Papyrus · Pergament · Protokoll · Schriften · Staatsakte · Weiß-, Gelbbuch · reiche Überlieferung ⁊ Ahnentafel · Genealogie · Stammbaum, Kirchenbuch ⁊ Akte · Archiv · Briefschaften · Brieftasche · Diplom · Gutachten · Instrument · Musterrolle · Nachtrag · Notizbuch · Papier · Pergament · Rolle · Kartei · Schrift · Testament · letztwillige Verfügung · Urkunde · Vertrag · Zeugnis ⁊ Almanach · Annalen · Chronik · Hauspostille · Jahrbuch · Kalender · Statistik · Tagebuch · Zeitgeschichte · Zeitung ⁊ Logbuch · Pfeilbrief ⁊ Bibliographie · Enzyklopädie · Index · Katalog · Kompendium · Konkordanz · Liste · Register · Tabelle · Übersichtstafel · Verzeichnis · Wörterbuch, Diktionär, Idiotikon, Lexikon ⁊ Fabel · Legende · Märchen · Mythos · Sage · Sang · Tradition · Tatsache ⁊ Text · Version, Fassung · Wortlaut · Lesart · Variante · kritischer Apparat ⁊ Testat.

10. Abhandlung. *s. Erklärung 13. 44.*

darstellen · herausstellen · umreißen ⁊ Besprechung, Kritik, Rezension · Biographie, Lebenslauf, -beschreibung, -geschichte · Disputation · Exkurs · Federkrieg, Polemik · Wortstreit ⁊ Abhandlung · Analekten · Arbeit · Artikel · Aufsatz · Beitrag · Betrachtung · Denkschrift · Dissertation · Doktorarbeit · Essay · Feuilleton · Monographie · Programm · Traktat · Untersuchung · Veröffentlichung · Versuch ⁊ Auslegung · Erklärung · Nachforschung · Sammlung · Untersuchung · Zusammenstellung · Kritik · Polemik · Erwiderung · Gegenkritik ⁊ Anmerkung · Aphorismus · Bemerkung · Fußnote · Glosse · Lückenbüßer · Marginalie · Miszelle · Note · Notiz · Paralipomenon · Parergon · Übersicht.

11. Buch, Heft.

Bücher schreiben · abfassen · hervortreten mit · verfassen · kompilieren ⁊ falzen · broschieren · (ein)binden · heften · holländern · kartonieren ⁊ beschneiden · durchschießen ⁊ roh · ungebunden · gebunden in Pappe · Halbleinen, Leinen, Halbfranz, Halbleder, Leder ⁊ Autor · Bearbeiter · Büchermacher · Bücherschreiber · Dichter · Federheld · Gelehrter · Herausgeber · Schreiber · Schriftsteller · Verfasser. — Vielschreiber · Zeilenschinder ⁊ Buchdrucker · Hersteller · Antiquar · Buchhändler · Sortimenter · Redakteur · Schriftleiter · Verleger ⁊ Bibliothekar · Bücherfreund · Bücherwart · Sammler · Bibliophile · Büchernarr ⁊ Bibliothek · Bücherei · Büchersaal · Leihbibliothek · Feld-, Frontbücherei · Buchhandlung · Antiquariat · Barsortiment · Kiosk · Stand · (Bücher)karren, -wagen ⁊ Band · Briefsteller · Broschüre · Buch · Bürobedarf · Druckschrift · Elaborat · Faszikel · Flugschrift · Foliant · Geschenkwerk · Heft · Inkunabel, Wiegendruck · Konvolut · Ladenhüter · Lehrbuch · Lesestoff · Lieferung · Neuerscheinung, Novität · Pamphlet · Pasquill · Scharteke · Schinken · Schmähschrift · Prachtband · Schmöker · Schrift · Schriftchen · Schwarte · Textbuch · Opus · Untersuchung · Veröffentlichung, Publikation · Versuch · Wälzer · Werk · (gesammelte) Werke ℂ Anzeiger · Beiblatt · Beilage · Blatt · Feuilleton · Flugblatt · Gazette · Leitartikel · Magazin · Monatsschrift · Organ · Revue · Tagblatt · Vorrede · Wochenblatt · Wochenschrift · Zeitschrift · Zeitung · Presse · Konzert der Presse · der Blätterwald · Asphaltpresse · Journaille. — Käse-, Sudel-, Wurstblatt · Nummer · Fortsetzung ℂ Abdruck · Abzug · Separatum · Sonderdruck ℂ Erstausgabe · Auflage · Ausgabe · Band · Bearbeitung · Druck · Exemplar · Nachdruck · Neudruck · Teil-, Luxus-, Privat-, Vorzugsdruck · Volksausgabe ℂ Album · Gästebuch · Gedenkbuch · Fremdenbuch · Leporello · Poesiealbum · Stammbuch ℂ Blatt · Seite · Kolumne · Text · Titel · Schmutztitel · Unterrock (die leeren Seiten vor dem Titel) · Duodez · Folio · Format · Größe · Oktav · Papier · Quart ℂ Abschnitt · Anführung · Artikel · Kapitel · Paragraph · Stelle ℂ Bibliographie · Bücherkenntnis · Bücherkunde ℂ Literatur · Schrifttum · geistige Nahrung.

12. Auszug. *s. Teil 4. 42. kurz 4. 7. wegnehmen 4. 30. Verzeichnis 14. 9.*

in nuce · in einer Nuß ℂ exzerpieren ℂ bearbeitet (für die Jugend) · eingerichtet gekürzt · gereinigt . knapp · zensuriert · kastriert · in usum Delfini · mit Strichen, Auslassungen ℂ Abriß · Ankündigung · Anthologie, Blüten-, Blumenlese, Florilegium · Aufriß · Auslese · Ausschnitt · Auswahl · Auszug · Brevier · Bruchstück, Fragment, Zitat · Epitome · Ernte · Essenz · Exposée · Extrakt · Exzerpt · Führer · Grundriß · Handbuch · Hilfsbuch · Hörbild · Inhaltsangabe, -verzeichnis Katechismus · Kompilation · Leitfaden · Probe · Querschnitt · Quintessenz · Register · Resumé · Überblick · Übersichtstafel · Vademecum · Wiedergabe · Tausend Worte ℂ Zettelkasten, -katalog ℂ Abkürzung · Inbegriff ℂ Allbuch · Lexikon · Nachschlagewerk.

15. Kunst

15. 1. Gestaltung
15. 2. Verzerren
15. 3. Stilarten
15. 4. Zeichnung, Malerei
15. 5. Kunststecherei
15. 6. Kunstgewerbe
15. 7. Ornament
15. 8. Lichtbild, Film
15. 9. Film
15. 10. Bildhauerei
15. 11. Musik
15. 12. Musikstück
15. 13. Gesang
15. 14. Instrumentalmusik
15. 15. Musikinstrumente
15. 16. Gesang und Instrumente
15. 17. Wohlklang
15. 18. Mißklang

1. Gestaltung. *s. Form 5. 8. nachahmen 5. 18. Ausdruck 13. 17.*

abformen · abklatschen · bilden · darstellen · entwerfen · formen · friesieren · gestalten · hinbringen · kopieren · modeln · nachahmen, zeichnen · personifizieren · schaffen · stilisieren · umsetzen · zeichnen · Gestalt verleihen ¶ veranschaulichen · verkörpern ¶ vorstellen ¶ bildnerisch · künstlerisch ¶ Gestalter · Künstler · Meister · Schöpfer ¶ Abbildung · Abguß · Abklatsch · Abschrift · Allegorie · Bild(nis) · Bildwerk · Bürste · Denkmal · Faksimile · Gemälde · Gleichnis · Herme · Imitation · Illustration · Konterfei · Kopie · Kunstwerk · Lösung · Maske · Porträt · Skizze · Standbild · Symbol · Umriß · Werk · Zeichnung ¶ Automat · Figur · Gliederpuppe · Marionette · Modell · Puppe · Wachsfigur ¶ Vorführdame, Mannequin ¶ Bilderschrift · Hieroglyphe ¶ Abriß · Aufriß · Grundriß · Plan · Projekt · Riß · Zeichnung ¶ Personifikation · Projektion · Schilderung · bildende, darstellende Kunst ¶ Bilderkunde · Archäologie · Kunstgeschichte, -wissenschaft.

2. Verzerrung. *s. häßlich 11. 29. Übertreibung 13. 52. verunglimpfen 16. 34.*

chargieren · entstellen · karikieren · outrieren · übertreiben · verzeichnen · verzerren · in falsches Licht setzen ¶ entartet · frei · grell · bizarr · grotesk · knallig · einseitig · schief · überspitzt · wild · wirr ¶ Druckfehler · Fratze · Geschmier · Grimasse · Karikatur · Parodie · Stümperei · Sudelei, Travestie · Zerrbild ¶ Künstelei · Stillosigkeit · Verdrehung · Verzerrung · unrichtige Darstellung · unreine Wiedergabe · einseitige Auffassung.

3. Stilarten. *s. Art 5. 8. sprachliche Stilarten 13. 38.*

Ausdruckswille · Bauart · Charakter · Eigenart · Form · Formwille · Handschrift · Klaue · Kontur · Kunstwollen · Kurve · Linie · Liniengebung · Manier · eigene Note · Ornament · Richtung · Schreibweise · Schule · Stil · Stilgebung · Technik · Verfahren ¶ altertümlich · archaisch · befangen · früh gebunden · einfach · gebändigt · gemessen · hart · herb · hieratisch · hölzern · knapp · linear · naiv · primitiv · schlicht · starr · streng. — zopfig · zuchtvoll · ägyptisch · asiatisch · assyrisch · chinesisch · romanisch · dorisch. — Einfalt · Frontalität · Simplizität · Frühzeit ¶ attisch · entzügelt · flächig · klassisch · gekühlt · gelockert · gelöst · idealistisch · ionisch · malerisch · reif · vergeistigt · vollendet · Zopfstil · Hochrenaissance. — Empire · Biedermeier · Klassik · Klassizismus · Stil des III. Reichs ¶ maurisch · Rokoko ¶ barock · exaltiert · futuristisch · expressionistisch · geballt · gereckt · jäh · modern · pastos · plastisch · romantisch · schwungvoll · sezessionistisch · steil · teigig. — Gotik · Sturm und Drang · Jugendstil ¶ impressionistisch · materialecht · naturalistisch · realistisch · neue Sachlichkeit ¶ dekorativ · gekonnt · zu gekonnt · virtuos ¶ Butzenscheibenlyrik · Eklektizismus · Epigonentum · Kitsch · Nachtreter · Eklektiker.

4. Zeichnung, Malerei. *s. Farbe 7. 11 ff.*

abkonterfeien · abmalen · ätzen · bilden · (bildnerisch) darstellen · durchpausen · entwerfen · formen · gestalten · hinfetzen, -hauen, -huschen, -setzen, -werfen · klecksen · kritzeln · malen · nachbilden · lithographieren · pausen · pinseln · pusseln · radieren · schmieren · skizzen · spachteln · stechen · vorzeichnen · nachziehen · zeichnen ¶ abschatten · schraffieren · sticheln ¶ farbig · handkoloriert · malerisch. — graphisch · zeichnerisch ¶ Anstreicher · Malermeister · Schildermaler · Tüncher · Weißbinder ¶ Akademiker · Aquarellmaler · Bildner · Bildnismaler · Bühnenmaler · Dekorationsmaler · Farbenkleckser · Graphiker · Historienmaler · Künstler ·

Kulturschaffender · Kunstjünger · Kunstmaler · Kunstschüler · Landkartenzeichner · Landschafter · Maler · Miniaturmaler · Pressezeichner · Reklamezeichner · Schlawiner · Schnellmaler · Staffagemaler · Theatermaler · Tiermaler · Zeichner ❡ Malerin · Malweib · Ölkusine ❡ Kunstbetrachter · -historiker (Wonnegrunzer) ❡ Bohème · Schwabing · Quartier latin · Café Größenwahn · Stephanie · Akademie · Kunstschule *s. 12. 33* ❡ Block · Farbe · Farbenbrett · Farbenkasten · Feder · Firnis · Kreide · Leinwand · Malgerät · Marmor · Modell · Palette · Pinsel · Radiernadel · Reißbrett · Sepia · Silberstift · Spachtel · Staffelei · Stichel · Tusche · Wischer · Zirkel usw. ❡ Arbeitsraum · Atelier · Kunstanstalt · Malerwerkstatt · Malstube · Studio · Werkstatt ❡ Aquarell · Aquatinta · Batik · Bildrolle · Makimono · Blatt · Email · Entwurf · Farbendruck · Federzeichnung · Fresko · Fries · Gemälde · Gouache · Gobelin · Gravüre · Handzeichnung · Holzschnitt · Karton · Klecksographie · Kreidezeichnung · Kunstblatt · Kupferstich · Langrolle, Kakemono · Linoleumschnitt · Mosaik · Ölgemälde · Original · Ornament · Pastell · Plakat · Radierung · Rötelzeichnung · Rundbild · Schattenriß · Scherenschnitt · Schinken · Silhouette · Skizze · Stickerei · Studie · Transparent · Triptychon · Tuschzeichnung · Umriß · Werk · Zeichnung ❡ Bildnis, Porträt · Brustbild · Gemälde · Kniestück · Konterfei · Kopf · Profil · en face · Bühnenbild · Kulisse · Ansicht · Baumschlag · Fernsicht · Genre · Heiligenbild · historisches Gemälde · Gegend, Landschaft · Szene · Seegemälde · Staffage · Stilleben · Tierstück · Waldstück ❡ Beleuchtung · Farbgebung · Farbenpracht · Farbenwechsel · Helldunkel · Komposition · Licht · Perspektive · Proportion · Schatten · Ton · Valeurs, Farbwerte ❡ Ätzung · Bildweberei · Enkaustik · Glasmalerei, Hinterglasmalerei · Graphik · Malerei · Porzellanmalerei · Tempera · Schabkunst · Schwarz-Weiß-Kunst, Zeichnung · Wachsmalerei · Weberei · Wirkerei ❡ Trickfilm ❡ Bildersammlung · Galerie · Gemäldeausstellung · Glyptothek · Kunsthaus · Museum · Pinakothek · Raritätenkammer.

5. Kunststecherei.

ätzen · drucken · gravieren · lithographieren · stechen · sticheln · vervielfältigen ❡ Platte · Stempel · Stock ❡ Graveur · Holzschneider · Holzstecher · Kupferstecher · Metallstecher · Steindrucker · Steinschneider ❡ Abdruck · Abzug · Aquatinta · Faksimile · Farbendruck · Farbholzschnitt · Galvanotypie · Glasdruck · Holzschnitt · Kunstdruck · Kupfer-, Tiefdruck · Kupferstich · Lichtdruck · Lithographie · Offset, Stein-, Flachdruck · Mezzotinto · Nachbildung · Netzdruck · Ölfarbendruck · Probedruck · Stahldruck · Stahlstich · Stich · Tiefdruck, Typographie . Vierfarbendruck · Xylographie · Zinkätzung · Vignette ❡ Ätzkunst · Formenstecherei · Gravierung · Griffelkunst · Holzschneidekunst · Kunststecherei · Metallographie · Punktierung · Steinschneiderei · Chromolithographie.

6. Kunstgewerbe.

schmücke dein Heim ❡ eine Wohnung „entwerfen" ❡ Kunstgewerbler(in) ❡ Plakatmalerei ❡ Batik · Handarbeit · Klöppelspitzen · Nippes · Plüsch · Stuck ❡ angewandte Kunst · Innenarchitektur · Kleinkunst · Kunst des Handwerks.

7. Ornament. *s. Schmuck 17. 10.*

aufputzen · auftakeln · ausputzen · ausstaffieren · beflaggen · bekränzen · bemasten . besetzen · besticken · betressen · bewimpeln · bordieren · dekorieren · drapieren · garnieren · herausputzen · ornamentieren · raffen · schmücken · schraffieren · verschönen · (ver)zieren ❡ einölen · firnissen · frisieren · glänzen · kämmen · lackieren · polieren · pomadisieren · salben · strählen · vergolden · mit Gold und Edelsteinen besäen, bestreuen · in Gold fassen · fein machen ❡ aufgedonnert · aufgetakelt · bänderreich · behängt · besternt · buntfarbig · dekoriert · endimanché · flimmernd · geschmückt · geschniegelt · glänzend · glitzernd · herrlich · ornamental · pomphaft · pompös · prächtig · protzig · prunkhaft · schimmernd · schmuck · spitzenreich · vergoldet · verziert · zierfarbig ❡ Beiwerk · Beschläge · Dekoration · Ornament · Schmuck · Schnörkel · Verzierung · Zier · Zierat · Zierde · Zugabe ❡ *Ornament:* Akanthus · Arabeske · Blattwerk · Dachverzierung · Eierstab · Figur · Gesimse · Giebelschmuck · Gipsarbeit · Hakenkreuz, Swastika · Kapitell · Karyatide · lesbisches Kyma · Lotos · Mäander · Mosaik · Ornament · Palmette · Pfeiler · Pilaster · Porträt · Rose · Säule · Schmuckwerk · Statue · Stirnziegel · Stuckatur · Tapete · Tierornament · Verzierung · Wandbekleidung · Wasserspeier · Kannelierung ❡ Blumengewinde · Blumenschale · Blumenstrauß · Blumentisch · Bukett · Gewinde · Girlande · Jardiniere · Kranz · Lorbeerkranz · Vase ❡ Fahne · Feder · Federbusch · Flagge · Gamsbart · Hahnenschweif (Bersaglieri) · Reiherfeder · Roßschweif.

8. Lichtbild.

bitte recht freundlich! ❡ aufnehmen · belichten · einstellen · erwischen · (ab)knipsen · festhalten · (ab)photographieren · auf die Platte bannen · Aufnahme machen von · entwickeln · fixieren · kopieren · retuschieren · tonen ❡ Amateur · Bildberichterstatter · Kameramann · Lichtbildkünstler · Lichtbildner · Fotograf ❡ Apparat · Kasten · ein N. N. (Firma) ❡ Auslöser · Sucher · Linse · Blende · Gelbscheibe · Mattscheibe · Stativ · Platte · Film · Rollfilm ❡ Atelier · Dunkelkammer ❡ Abzug · Aufnahme · Blitzlichtaufnahme · Momentaufnahme · Schnappschuß · Bild · Foto · Fotografie · Kopie · Lichtbild · Packbild · Pause · Röntgenbild ❡ Fotomontage.

9. Film. *s. Drama 14. 3.*

aufnehmen · drehen · filmen · kurbeln · verfilmen ❡ spielen · beim Film sein ❡ abrollen · ab-, auf-, ein-, überblenden · kleben · schneiden · synchronisieren · vorführen ❡ über die Leinwand rollen ❡ Filmgewaltiger · Filmregisseur · Kinooperateur · Schnittmeister (Cutter) · Tonmeister · Kameramann · Vorführer. — Darsteller · Double · Held · Star · Comparserie · die Chargen *s. 14. 3* ❡ Aufnahmeapparat(ur) · (Film-)Kamera · Kurbelkasten ❡ Drehbuch · Exposé (Aufriß) · Treatment ❡ Atelier · Außenaufnahme · Großaufnahme · Naheinstellung ❡ Raffer · Trick · Totale · Zeitlupe · Schmalfilm ❡ Heimkino · Kino · Kintopp · Lichtspiele · Lichtspieltheater · Traumfabrik ❡ Kopieranstalt · Verleih ❡ Bildstreifen · Kopie · Farbfilm · Leinewand · Projektionsfläche · Stummfilm · Tonfilm · Trickfilm · Vorstellung · Vorspann · Wochenschau ❡ fernsehen · Fernsehsender ❡ (Vorläufer): (javanische) Schattenspiele · Laterna magica · Kaiserpanorama · Flimmerkiste.

10. Bildhauerei.

aushauen · ausmeißeln · ausschneiden · ausschnitzen · bilden · bosseln · bossieren · drechseln · drehen · formen · gestalten · gießen · hämmern · heraustreiben · kneten · meißeln · modellieren · prägen · schnitzeln · stampfen · ziselieren · in Metall treiben · in Stein hauen ❡ plastisch ❡ Bildhauer · Drechsler · Gießer · Holzschnitzer · Töpfer · Steinmetz ❡ Modell ❡ Spachtel · Stichel · Drehscheibe ❡ Bronze · Erz · Marmor · Stein · Ton · Wachs ❡ Bildsäule · Bildwerk · Brustbild · Büste · Denkmal · Figur · Gipsabguß · Gruppe · Herme · Karyatide . Marionette · Plastik ·

Puppe · Skulptur · Standbild · Statue · Statuette · Torso ¶ Relief, erhabene Arbeit · Flach-, Hochrelief · getriebene Arbeit. — Gemme · Kamee. — Denkmünze, Medaille · Plakette ¶ Bildhauerkunst, Bildnerei, Plastik · Drechslerei · Elfenbeinschnitzerei · Galvanoplastik · Gießkunst · Holzschnitzerei · Intaglio · Keramik, Töpferkunst · Modellierkunst · Stempelschneidekunst · Wachsbildnerei ¶ *Baukunst s. 17. 1.*

11. Musik. *s. Schall 7. 24.*

dideldum dei · tralala · pampampam ¶ Musik machen · musizieren. — Gehör haben ¶ ausübend · musikalisch · musikantisch ¶ Komponist, Tonsetzer · Künstler, Virtuose · Dirigent, Kapellmeister, Musikdirektor · Stabführung · Metronom · Dilettant ¶ Ton · Note · Takt · Auftakt ¶ Tonschritt · Intervall · Sekunde · Terz · Quart usw. · Oktave usw. ¶ Halbton · chromatisch · Kreuz · be ¶ Ganzton · diatonisch ¶ Tonart · Dur · Moll · Skala · Tonleiter · Kirchentonarten. — atonal · Zwölftonmusik. — transponieren ¶ Figur · Lauf · Passage · Triller · Verzierung · Vorschlag ¶ Melodie · Kantilene · Melos · Stimmführung · Weise ¶ Akkord · Doppelgriff. — Dreiklang · Harmonie · Generalbaß · Kontrapunkt · Polyphonie · mehrstimmig. — arpeggio · knautschen ¶ Auflösung · Modulation · Übergang · enharmonische Verwechslung · Vorhalt · Plagalschluß ¶ Rhythmus · Takt · Synkope · Fermate · Pause ¶ Tempo · Zeitmaß · rallentando · a tempo · stringendo, drängend, *s. 8. 7; 8. 8* ¶ Dynamik: crescendo · diminuendo · forte · fortissimo · leise · pianissimo · piano · sforzato ¶ Anschlag · Ausdruck · Ausführung · Betonung · Fingersatz · Phrasierung ¶ Bogenführung · Strich ¶ legato, gebunden · staccato, gestoßen · pizzicato, gezupft ¶ Musiknoten · Stimme · Partitur · Auszug ¶ Haus-, Kammermusik · Konzert · Generalprobe · Matinee · Platzmusik · Ständchen ¶ Konservatorium · Musikschule ¶ Klangwelt · Musik · Tonkunst · Tonwelt · Reich der Töne.

12. Musikstück. *s. Tänze 16. 58.*

komponieren · arrangieren · einrichten · instrumentieren · setzen ¶ Komponist · Tonsetzer ¶ Bar · Kadenz · Motiv · Phrase · Satz ¶ Komposition · Pièce · Stück · Tonschöpfung · Satz ¶ Largo · Larghetto · Adagio · getragen · Andante · Andantiono · maëstoso · Moderato · Allegretto · Allegro · vivace · spirituoso · presto · prestissimo ¶ Tänze *s. Tanz 16. 58* ¶ Albumblatt · Barcarole · Berceuse · Cappriccio · Etude · Fuge · Kavatine · Konzert · Lied ohne Worte · Marsch, Bärentreiber (mil.) · Parademarsch, Trampel (mil.) · Nachtmusik, Nachtstück · Serenade · Nocturno · Ouvertüre, Vorspiel · Passacaglia · Pastorale · Phantasie · Präludium · Ritornell · Romanze · Rondo · Salonstück · Scherzo · Siziliane · Sonate · Sonatine · Suite · Ständchen · Symphonie · symphonische Dichtung · Toccata · Tondichtung · Trauermarsch · Variation · Figuration ¶ Einleitung · Coda · Finale · Kehraus · Nachspiel · Trio ¶ Solo · Duo · Trio · Quartett · Quintett usw.

13. Gesang. *s. Stimme 7. 34. Vergnügen 11. 22. Dichtungsformen 14. 2 f.*

(tra)lala · pam pam ¶ a capella ¶ anstimmen · brummen · einstimmen in · gröhlen · jodeln · leiern · lobsingen · mitsingen · psallieren · psalmodieren · rufen · schreien · singen · summen · trällern · trillern ¶ Sänger: *s. Schauspieler 14. 3* · Alt(istin) · Barde · Bariton · Bass(ist) · Chorist · Chorsänger · fahrender Sänger · Jazzsänger ·

Jodler · Jongleur · Mezzosopran · Minnesänger · Sänger · Sänger(in) · Solist · Solo-sänger · Sopran(istin) · Soubrette · Star · Tenor(ist) · Troubadour · Volkssänger · Vor-sänger ❡ Singvogel: Amsel · Drossel · Lerche · Nachtigall · Kanarienvogel · Roller usw. *s.* 2. 9 ❡ Solo, Einzelstimme · Wechselgesang · Duett, Zwiegesang · Terzett usw. ❡ Chor · Gesangverein · Kirchenchor · Kurrendesänger · Liederkranz · Liedertafel (Zelter 1808 nach Artus) · Sängerkreis · Singschar ❡ Bruststimme · Falsett · Fistel-stimme · Gesang · Höhe · Kopfstimme · Tiefe ❡ Ansatz · Tonbildung ❡ Gesang · Koloratur · Solfeggien · Antiphon · Arie · Arioso · Ballade · Cavatine · Choral · Gassenhauer · Gesang · Hymnus · Kanon · Kirchengesang · Lied · Abend-, Gondel-, Jäger-, Kirchen-, Kommers-, Matrosen-, Schiffer-, Schlaf-, Schlummer-, Volks-, Wiegen-, Wander-, Weihnachtslied · Madrigal · Melodie · Responsorium · Rezi-tativ · Rundgesang · Sang · Schlager · Ton · Volksweise · Weise ❡ Eiapopeia ❡ Liederabend ❡ Vokalmusik.

14. Instrumentalmusik.

einrichten · instrumentieren · orchestrieren ❡ aufspielen · ausführen · begleiten · blasen · dudeln · einfallen · flöten · fiedeln, geigen · harfen · klimpern · mitspielen · musizieren · pfeifen · spielen · taktieren · trommeln · trompeten · ins Horn stoßen · tuten · die Trommel rühren · die Orgel schlagen ❡ die Harfe schlagen · vom Blatt spielen · Ständchen bringen · Konzert geben ❡ Balgtreter · Beckenschläger · Bläser · Cellist · Fiedler · Geiger · Violinist · Flötist · Harfner · Hoboist · Hornist · Konzert-meister · Musiker · Organist · Pfeifer · Pianist, Tastendrescher · Schlagzeuger · -spieler · Spielmann · Trommler · Trompeter ❡ Musikmeister · Tambourmajor · unter persönlicher Leitung von ❡ Bande · Ensemble · Kapelle · Jazzband · Orchester · Musikbande · Quartett · Trio. — Streichkörper, das Holz · Bläser, das Blech · *milit.* Blechhaufen, Klimbim, Möpse · Trommeln und Pfeifer: Knüppel-musik · Dilettant ❡ Instrument · Tongerät · Tonwerkzeug ❡ Gedudel.

15. Musikinstrumente.

S c h l a g i n s t r u m e n t e: tschingdarada bumm · Becken · Celesta · der große Gamelan · Gong · Glocke · Kastagnetten · Kesseltrommel · Pauke · Rassel · Ratsche · Rührtrommel · Schellenbaum · Schlagzeug · Schießbude · Schnarre · Sistrum · Strohinstrument · Tamburin · Tamtam · Triangel · Trommel · Xylophon · Zimbel ❡ Äolsharfe · Flexophon · Glockenspiel · Maultrommel, Brummeisen · Stimmgabel · Triangel · Windharfe ❡ S a i t e n i n s t r u m e n t e: Balalaika · Banjo · Barbiton · Baßlaute · Chitaronne · Domra · Guitarre · Gusla · Laute, Leier, Lyra · Mando-line · Theorbe · Zither · Zupfgeige (Klampfe, Sehnsuchtsbratpfanne, Wimmer-schinken) · Harfe ❡ Geige · Fiedel : Theorbe · Violine · Schinken ❡ Bratsche · Viola — Viola d'amore ❡ Cello, Gambe, Kniegeige, Kratzeisen · Violoncello · Viola da gamba · Wimmerholz ❡ Baßgeige · Brummgeige · Kontrabaß ❡ Cembalo · Flügel · Fortepiano · Hackbrett · Kielflügel · Klavichord · Klavier · Klavizimbel Pianino · Pianoforte · Spinett · Stutzflügel · Drahtkommode · Klimperkasten · Klafümf · Leiselautkasten · Bierorgel · Tafelklavier · Wimmerkiste ❡ Mignon · Phonola · Pianola ❡ besaiten · stimmen ❡ Bogen · (Zargen, Schnecke, Frosch) · Dämpfer, Verschiebung · Fußtaste · Klaviatur · Manual · Pedal · Register · Saite · Griffbrett · Steg · Wirbel · Tastatur · Taste · Tastenbrett ❡ Aerophone · Schwirrholz · Brummkreisel · Heulspeer · Heulpfeil ❡ B l a s i n s t r u m e n t e, das Holz: Blockflöte · Dudelsack, Sackpfeife · (Englisch) Horn · Fagott · Flageolett · Flöte · Gellflöte · gespaltener Grashalm · Heckelphon · Hirtenflöte · Klarinette

(Rübe) · Mundharmonika (Fotzhobel, Lutschknochen, Maultrommel, Rotzhobel, Schnuffelrutsche, Rutschkommode) · Oboe (Quieke) · Oboe d'amore · Okarina · Pfeife · Piccolo · Querflöte · Schalmei · Vogelflöte ¶ das Blech (Täterätätä): Alpenhorn · Bassethorn · Basson · Bombardon · Clairon · Cornet · Fanfare · Flügelhorn · Heckelphon · Helikon, Kaiserbaß · Hifthorn · Horn · Lure · Pfeife · Piston · Posaune, Schurveltrööt (rhein.) · Saxophon · Signalpfeife · Sirene · Tenorhorn · Trombe · Trombone · Trompete · Tuba · Tute · Waldhorn ¶ Klappe · Schnabel · Mundloch · Mundstück · Ventil ¶ W i n d i n s t r u m e n t e : Drehorgel, Leierkasten, Werkl · Ziehharmonika, Akkordeon (Handorgel, Knautsche, Mansardenklavier, Zerrwanst, Schifferklavier, Trekkbügel, Quetschkommode, Uff- und Zuchaib, Wanzenpresse) · Bandoneon · Konzertina ¶ Harmonium · Flauto solo ¶ Orgel ¶ E l e k t r o - a k u s t i s c h e : Trautonium · Melodium · Neo-Bechstein · Rundfunk-Orgel ¶ M e c h a n i s c h e : -uhr · Orchestrion · Musikautomat · Spieldose · Mignon · Pianola ¶ Grammophon, Konservenmusik. — Radio · Rundfunk · Empfänger · Lautsprecher · Kopfhörer · Musikschrank · Empfangsgerät · Detektor · Verstärker. — Trillerrakete ¶ Kammermusik · Orchesterkonzert · Militär-, Platzmusik · Sonatenabend.

16. Gesang und Instrumente.

vertonen · komponieren · in Musik setzen · eine Musik schreiben. — begleiten ¶ Balladensänger · Lautensänger · Konzertsänger · Opernsänger ¶ Arie · Rezitativ. — Chorwerk · Kantate · Musikdrama · Oper · Operette · Oratorium · Revue ¶ Vertonung. — Begleitung.

17. Wohlklang. *s. schön 11. 17.*

erklingen · ertönen · harmonieren · klingen · perlen · stimmen · tonen · wohlklingen · zusammenklingen ¶ singen · die Stimme erheben ¶ glockenklar · harmonisch · klangvoll · liedmäßig · melodisch · metallisch · musikalisch · sangbar · silberhell · sonor · wohlklingend ¶ rhythmisch · taktmäßig ¶ biegsam · melodiös · schmelzend · stimmreich · umfangreich ¶ Einklang · Harmonie · Konsonanz · Ohrenschmaus · Sphärenklang · Übereinstimmung · Unisono · Wohlklang · Wohllaut.

18. Mißklang. *s. Unordnung 3. 38. Mißton 7. 31. häßlich 11. 28.*

dissonieren · mißtönen · das Ohr beleidigen, verletzen · geht durch Mark und Bein ¶ ächzen · brüllen · detonieren · gröhlen · jaulen · johlen · knödeln · knautschen · krächzen · leiern · mißklingen · mißtönen · orgeln · piepsen · plärren · quietschen · molieren ¶ dudeln · hämmern · klimpern · die Saiten, die Tasten maltraitieren · (Klavier) pauken · üben · ausrutschen · daneben greifen · sich vergreifen · falsch spielen · überschnappen ¶ blechern · gequetscht ¶ atonal · falsch · futuristisch · melodienarm · melodielos · stimmlos · taktwidrig · unharmonisch · unmelodisch · unmusikalisch · unrein · verzerrt ¶ dünn · grell · heiser · hohl · schrill ¶ zu hoch · zu tief · falsch gegriffen ¶ betäubend · markerschütternd · ohrzerreißend · steinerweichend ¶ Bremer Stadtmusikanten · Harfenjule · Störsender · Pfeifton · Rückkoppler · Heulboje ¶ Dissonanz · Heiserkeit · Disharmonie · Kakophonie · Katzenmusik · Mißklang · Mißton · Stimmwechsel · Übellaut · falscher Ton · Nebengeräusch (Radio) · Kloß in der Kehle ¶ Bumsmusik · Durcheinander · Taktwidrigkeit · Tonverwirrung.

16

16. Gesellschaft und Gemeinschaft

16.	1.	Aufenthaltsort
16.	2.	Ansiedlung, Stadt
16.	3.	Einzelmensch
16.	4.	Einwohner
16.	5.	Fremder
16.	6.	Reise zu Land
16.	7.	Schiffahrt und Luftfahrt
16.	8.	Umzug, Umzugstag
16.	9.	Familie, Verwandtschaftsbezeichnungen
16.	10.	Verlobung
16.	11.	Ehe, Heirat
16.	12.	Ehelosigkeit
16.	13.	Kebsehe
16.	14.	Ehebruch
16.	15.	Scheidung
16.	16.	Gruppe
16.	17.	Genossenschaft
16.	18.	Nation
16.	19.	Staat
16.	20.	Bitte, Verlangen
16.	21.	Werben
16.	22.	Anerbieten
16.	23.	Versprechen
16.	24.	Zustimmung
16.	25.	Erlaubnis
16.	26.	Ausführung
16.	27.	Ablehnung
16.	28.	Unterlassung
16.	29.	Verbot
16.	30.	Achtung
16.	31.	Lob, Beifall
16.	32.	Schmeichelei
16.	33.	Tadel
16.	34.	Mißachtung, Beleidigung
16.	35.	Verleumdung
16.	36.	Verachtung
16.	37.	Verwünschung, schimpfen
16.	38.	Höflichkeit, Gruß
16.	39.	Glückwunsch
16.	40.	Eintracht
16.	41.	Freundschaft
16.	42.	Liebesbezeugung
16.	43.	Zärtlichkeit
16.	44.	Unkeusch
16.	45.	Hetäre
16.	46.	Belohnung
16.	47.	Verzeihung
16.	48.	Friede
16.	49.	Vermittlung
16.	50.	Keuschheit
16.	51.	Geziertheit, Prüderie
16.	52.	Ungesellig
16.	53.	Unhöflich
16.	54.	Spott
16.	55.	Unterhaltung, Vergnügen
16.	56.	Spiele
16.	57.	Sport
16.	58.	Tanz
16.	59.	Fest
16.	60.	Berufe
16.	61.	Mode
16.	62.	Die große Welt
16.	63.	Modeheld
16.	64.	Geselligkeit, Gastlichkeit
16.	65.	Gegensatz, Widerstand
16.	66.	Feindschaft
16.	67.	Zwietracht
16.	68.	Drohung
16.	69.	Herausforderung
16.	70.	Kampf
16.	71.	Hinterhalt
16.	72.	Betrug
16.	73.	Krieg
16.	74.	Kämpfer, Heer
16.	75.	Kampfplatz
16.	76.	Angriff
16.	77.	Verteidigung
16.	78.	Prügeln
16.	79.	Quälen

16. 80. Vergeltung
16. 81. Rache
16. 82. Abbitte
16. 83. Niederlage
16. 84. Sieg
16. 85. Ehre, Ruhm
16. 86. Titel
16. 87. Einzelne Ehrenerweisung
16. 88. Schaugepränge
16. 89. Prahlerei
16. 90. Überhebung, Frechheit
16. 91. Kaste
16. 92. Mittelklasse
16. 93. Bloßstellung
16. 94. Gesellschaftliche Herabsetzung
16. 95. Einfluß
16. 96. Führung
16. 97. Herrschen
16. 98. Herrscher
16. 99. Behörde
16. 100. Herrschaftszeichen

16. 101. Wächter
16. 102. Vertretungsausschuß,
Ratsversammlung
16. 103. Bevollmächtigen
16. 104. Stellvertretung
16. 105. Abdankung
16. 106. Befehlen
16. 107. Zwang
16. 108. Strenge
16. 109. Milde
16. 110. Nachgeben, Schlaffheit
16. 111. Dienstbarkeit
16. 112. Diener
16. 113. Verpflichtung
16. 114. Gehorsam
16. 115. Kriecherei
16. 116. Ungehorsam, Aufruhr
16. 117. Gefangenschaft
16. 118. Befreiung
16. 119. Freiheit
16. 120. Barbarei
16. 121. Kultur

1. Aufenthaltsort. *s. Anwesenheit 3. 3. Haus 17. 1.*

hausen · herbergen · logieren · residieren · siedeln · thronen · wohnen · seinen Sitz haben · in seinen vier Pfählen, Wänden sein · ein Dach über dem Kopf haben · in der Stadt sein · auf dem Lande, bei Mutter Grün sein ❡ sich ansiedeln · einwandern · einziehen · zuziehen · Hütten bauen · siedeln ❡ aufnehmen · behausen · beherbergen · bewirten · einlogieren · einquartieren · unterbringen · Obdach, Unterkunft, Zuflucht gewähren · Unterschlupf verleihen ❡ angesessen · angestammt · ansässig · beheimatet · eingeboren · eingesessen · gebürtig · heimatberechtigt · landsässig · wohnhaft · zuständig ❡ bäurisch · ländlich · städtisch ❡ gastlich · häuslich · heimatlich · traulich · wohnlich ❡ Asyl · Aufenthalts(ort) · Behausung · Bleibe · Domizil · Elternhaus · Geburtsstätte · Heimat · Heimstätte · Obdach · Penaten · Quartier · Residenz · Sitz · Stammort · Unterkunft, -schlupf · Vaterhaus · Vaterland · Vaterstadt · Wiege · Wohnort · Wohnsitz · Wohnung · Zufluchtsort ❡ Haus · Haushalt · Häuslichkeit · Heim · (eigener) Herd · das Zuhause ❡ Einwanderung · Zugang · Unterbringung · raumpolitische Zukunftsaufgaben.

2. Ansiedlung, Stadt. *s. Landbezirk 1. 15. Gegensatz: freie Natur 3. 1.*

Bastion · Bauerschaft (westfäl.) · Burg · Burgflecken · Dorf · Dorfschaft · Emporium · Feste · Festung · Flecken · Fort · Gemeinde · Großstadt · Haupt-, Residenzstadt · Höft · Kaff · Kleinstadt · Kolonie · Krähwinkel · Marktflecken · Metropole · Nest · Niederlassung · Ort Ortschaft · Pflanzstadt · Pflaster · Platz · Provinzstadt · Rundling · Siedelei · Siedelung · Stadt · Weiler · Weltstadt · Zinken · Zitadelle ❡ Vorort · Vorstadt · Viertel · Villen-, Wohnviertel · Wohnblock ❡ Bummel · Korso · Laufstraße · Strich *s. Weg 8. 11.*

3. Einzelmensch,Vornamen. *s. Mensch 2. 13—15.*

der Einzelne · Individuum · der erste beste ❡ ich · ikke (berl.) · ich für meine Person · jemand als wie ich · meine Wenigkeit · Wir · der Unterzeichnete ❡ wir · unsereiner ❡ du · Sie · Ew. Gnaden · Exzellenz usw. · Ihr · gnädige Frau ❡ ihr · ös (bayr.) · enk (bayr.) ❡ er · sie. — sie ❡ Vornamen: *Deutschsprachliche, männliche:* Adalbert, Albrecht, Albert · Adolf · Alfons · Alfred, Alf · Alois · Alwin · Anselm · Armin · Arnold · Arnulf · Balduin · Baldur · Benno · Bernhard · Berthold, Bert · Bertram · Bodo · Bruno · Burghard · Detlef · Dieter · Dietrich · Eberhard · Eckard · Edmund · Edwin · Egon · Erhard · Erich · Ernst · Erwin · Ferdinand · Frank · Franz · Friedrich, Fridolin, Fritz · Gerhard · Gert · Gottfried · Gottlieb · Günther · Guido · Hartmut · Hasso · Heinrich, Heinz · Helmuth · Herbert · Hermann · Horst · Hubert · Hugo · Karl · Konrad · Kuno · Kurt · Lebrecht · Leonhard · Leopold, Luitpold · Lothar · Ludolf · Ludwig · Lutz · Manfred · Meinhard · Norbert · Oskar · Oswald · Oswin · Otto · Otmar · Ralf · Raimund · Rainer · Reinhold · Reinhard · Richard · Robert · Roland · Rolf · Rudolf · Rüdiger · Rupert · Siegfried · Siegmund · Sigmar · Tassilo · Theobald · Traugott · Timm · Ulrich · Veit · Waldemar · Walter · Wendelin · Werner · Wilhelm, Willy · Willibald · Wolfgang, Wulf usw. ❡ *weibliche:* Adelheid, Ada, Adele · Alwine · Amalie · Armgard · Berta · Brigitte · Brunhilde · Edda · Elfriede · Ella · Elli · Emma, Emmi · Erika · Erna · Ernestine · Franziska · Frieda · Friederike, Rieke · Fritzi · Gerda · Gertrud, Trude · Gisela · Gudrun · Hedwig · Heidi · Helma · Henriette,

Jette, Henny, Ria · Hermine · Herma · Hertha · Hilde, Hildegard · Hulda · Ida ·
Ilse · Inge, Ingeborg · Irma · Irmgard · Irmtraud · Isolde · Karola, Karla, Char-
lotte, Lotte · Klotilde · Kunigunde · Leopoldine · Lilli · Luise · Malvine · Mathilde,
Tilde, Tilla · Minna · Ossi · Ottilie · Rosa · Roswitha · Rotraut · Selma · Thusnelda ·
Ulrike · Wanda · Wilhelmine, Ina · Mimi · Waltraut usw. ¶ *Nordische, männlich:*
Edgar · Gustav · Harald · Helge · Ivo · Kay · Knut · Malte · Olaf · Uwe ¶ *weib-
liche:* Astrid · Dagmar · Helga · Karin · Sigrid ¶ *Englische, männlich:* Eduard ·
Fred · Herbert ¶ *weibliche:* Dolly · Edith ¶ *Irisch-keltische, männlich:* Artur ·
Jost · Kaspar ¶ *Slawische:* Bogdan · Bogumil · Kasimir · Stanislaus · Wenzel
¶ *weibliche:* Manja · Natascha · Olga · Wanda · Wera ¶ *Lateinische, männliche:*
Alban · Amadeus · Anton · August(in) · Benedikt · Cäsar · Claudius · Clemens · Cor-
nelius · Dominik · Emil · Felix · Ignaz · Innocenz · Julius · Justus · Leo · Lorenz ·
Lucius · Magnus · Martin · Max · Moritz · Paul · Valentin · Viktor ¶ *weibliche:*
Alba · Alma · Amanda · Antonie, Toni · Auguste · Asta · Aurora · Beatrix, Beate ·
Cäcilie, Zilly · Camilla · Clara · Crescentia, Zenzi · Constanze · Emilie, Milly ·
Felicitas, Zita · Julia · Laura · Lucy · Marcella · Natalie · Paula, Pauline · Regine ·
Regula · Renate · Rosalie · Sabine · Ursula · Valentine · Valerie, Wally · Verena,
Vera · Viktoria, Vicky ¶ *Spanische, weibliche:* Anita · Carmen · Dolores, Lola ·
Elvira · Mercedes · Rita ¶ *Hebräische, AT., männlich:* Abel · Abraham · Adam ·
Barnabas · Baruch · Benjamin · Daniel · David · Elias · Ephraim · Gabriel · Jakob ·
Immanuel · Joachim, Achim · Jonathan · Joseph, Jupp, Sepp · Josua · Matthias ·
Michael · Nathan · Tobias · Zacharias ¶ *weibliche:* Anna, Anni, Annette · Eva ·
Gabriele · Johanna, Jenny, Hanna · Josephine, Fine · Judith, Jutta · Rahel · Ruth ·
Susanna · Thamar ¶ *NT., männliche:* Dionysius · Johannes, Hans, Hanns. —
Kaspar · Melchior · Balthasar ¶ *weibliche:* Bettina · Elisabeth, Else, Elsa, Elsbeth,
Elise, Lise, Lisbeth, Betty · Lydia · Magdalene, Magda · Maria, Miriam, Mary,
Marianne, Annemarie, Mia, Maja, Mieze, Marion, Marita, Marietta · Martha ·
Salome · Sidonie ¶ *Griechische, männliche:* Ägidius, Till · Alexander, Alex, Sandro,
Sascha · Ambrosius · Andreas · Baptist · Christian, Karsten · Christophorus ·
Christoph · Dionysios · Erasmus, Asmus · Eugen · Georg, Jörg, Jürgen · Hierony-
mus · Isidor · Nikolaus, Klaus · Pankraz · Pater · Philipp · Sebastian · Stephan ·
Theodor, Theo, Feo · Theophil ¶ *weibliche:* Agathe · Agnes · Alexandra · Angelika ·
Barbara, Bärbel, Babette · Anastasia · Christiane, Christine, Karsta, Christa,
Christel, Dorothea, Dora, Thea · Eugenie · Eulalia · Georgine · Helene, Lene,
Hella, Nelli · Jolanthe · Isidora · Irene · Katharine, Kathrine, Katinka, Kitty,
Käte · Kosima · Margarete, Meta, Marga, Margot, Grete · Melanie · Melitta · Mo-
nika · Philippine · Sibylle · Sofie, Sonja · Stephanie, Fanny · Thekla · Theodora ·
Philippine · Teresia, Resi · Veronika, Ronka ¶ *Familiennamen (solche nach dem
Beruf s. 16. 60).*

4. Einwohner. *s. Pflanzenbau 2. 5. Anwesenheit 3. 3. Berufe 16. 60.*

wurzeln ¶ alteingesessen · ansässig · autochthon · bodenständig · bodenwüchsig ·
eingebürgert · einheimisch ¶ Autochthone · Eingeborener · Ureinwohner · Ursasse
¶ Aftermieter · Altsitzer · Anerbe · Ansiedler · Bauer · Lokal-, Orts-, Heimat- ·
Beisasse · Bewohner · Brinksitzer · Bürger · Burgmann · Dorfbewohner · Einwohner · Farmer · Genosse · Häusler · Hauswirt · Heimatberechtigter · Heimkehrer, Rückkehrer · Höriger · Insasse · Inste · Kötter · Kolonist · Landmann ·
Landsmann · Mieter · After-, Untermieter · Mitbürger · Nachbar, Anlieger

Pächter · Pflanzer · Siedler · Staatsangehöriger · Städter · Untertan · Zimmerherr ·
¶ Hauseigentümer · Inhaber · Wirt · Wirtin ¶ Belegschaft · Besatzung · Bevölkerung · Fauna · Garnison · Haushalt · Kolonie · Mannschaft · Mietspartei · Siedlung · Urvolk · Volk ¶ Zugehörigkeit · Zuständigkeit.

5. Fremder. *s. abwesend 3. 4. nicht zugehörig 4. 49. unbekannt 12. 37.*

ist nicht von hier · sie haben noch keinen Scheffel Salz miteinander gegessen
¶ fremd · unbekannt · zugereist ¶ Abonnent · Gast · Habitué · Klient · Käufer ·
Kunde · Parasit · Stammgast ¶ Badegast, Kurgast, Patient · Besucher · Kurant ·
Durchreisender · Emigrant, Flüchtling, Heimatvertriebener · Fahrgast, Passagier ·
Fremder · Fremdling · Neubürger · Neusiedler · Passant · Reisender, *s. 16. 6*
¶ Neuling · ein Herr aus Kottbus · Onkel Fritz aus Neuruppin · Ausländer ·
Zuzieher.

6. Reise zu Land. *s. Ortsveränderung 8. 1. Wagen 8. 4. Weg 8. 11.*

unterwegs · zu Fuß · auf Schusters Rappen · per pedes apostolorum · zu Pferde ·
hoch zu Roß · per Rad · mit dem Wagen ¶ ab-, aus-, fort-, herum-, weg- · abschwenken · abziehen · aufbrechen · ab-, ausziehen · sich begeben · eilen · fahren
(ein-, zweispännig) · gehen · hausieren · herumstreichen · sich herumtreiben ·
jagen · kutschieren · laufen · lustwandeln · marschieren · promenieren · reisen ·
reiten · rennen · schleichen · schlendern · schwärmen · schreiten · spazieren ·
(durch)streichen · (durch)streifen · sich verfügen · vagabundieren · verkehren ·
wallen · wallfahrten · wandeln · (aus-, ein-)wandern · unterwegs sein ¶ befahren ·
begehen · besteigen · besuchen · (durch-)kreuzen (- usw. alle vorhergehenden) ·
sich ergehen · queren ¶ eine Reise unternehmen · auf der Bahn sitzen · auf der
Walze sein ¶ ein Land machen · auch noch mitnehmen ¶ der Verkehr wickelt
sich ab ¶ sich in Bewegung setzen · sich Bewegung machen · seine Schritte lenken ·
seiner Wege gehen · sich auf den Weg machen · Luft schnappen · ins Freie, Grüne
machen · auteln · die Gegend unsicher machen ¶ sich bäumen · galoppieren ·
Schritt gehen · hüpfen · jagen · kantern · reiten · sprengen · springen · steigen ·
traben · traversieren · trotten ¶ gleiten · stolpern ¶ jagen · kutschieren · schleifen ·
treiben ¶ unbeständig · unstet ¶ Alpenfex · Aus-, Rückwanderer · Bergfex · Bergsteiger · Emigrant · Fahrgast · Flüchtling · Fußgänger · Gipfelfresser · Hoch-
tourist · Hüttenwanze · Passagier · Passant · Pilger · Pilgrim · Reisender · Salontiroler · Talschleicher · Tourist · Wallfahrer · Wanderer · Wandersmann ¶ Forscher ·
Forschungsreisender ¶ Geschäftsreisender · Handlungsreisender, Treppenterrier ·
Hausierer · Kolporteur ¶ Abenteurer · Beduine · Bote · Fahrender · Fechtbruder ·
Globetrotter · Kunde · Kurier · Landstreicher · Läufer · Nachtschwärmer · No-
made · fahrender Sänger, Schüler · Pennbruder · Reiseonkel · Sachsengänger ·
Schnorrer · Spielmann · Stromer · Vagabund · Vagant · Weltbummler · Wüsten-
sohn · Zigeuner · Zugvogel ¶ Landstörzerin ¶ Automobilist · Autozigeuner · Kraft-
fahrer · Bereiter · Chauffeur · Fahrer · Fuhrmann · Jockei · Kavallerist · Kutscher ·
Motorradfahrer, Chausseefloh · Pferdeknecht · Posthalter, Postill(i)on, Schwager ·
Radler · Reiter · Roßbändiger · Stallmeister (-knecht, -junge, -bube) ¶ Karawane ·
Reisegesellschaft ¶ Bahnhof · Haltestelle · Wartesaal · Bahnsteig ¶ Handbuch ·
Karte · Plan · Reisebuch · Riß · Wegweiser ¶ Bahn · Eisen-, elektrische, Straßen-,
Tram, Pferde-, Hoch-, U-, S-, Schwebe-, Berg-, Zahnradbahn · Fahrrad · Loko-
motive ¶ Rollschuhe. — Eisschuhe · Schlittschuhe. — Brettle, Schneeschuhe, Ski

¶ Abstecher · Ausfahrt · Ausflug · Auswanderung · Auszug · Besuchsfahrt, Kontakt · Betfahrt · Betgang · Bittgang · Wallfahrt · Bummel · Dienstreise · Einzug · Exbummel (stud.) · Exkursion · Expedition · Fahrt · Forschungsreise · Fußreise · Gang · Hochtour · Jagd · Lauf · Marsch · Partie · Prozession · Reise · Ritt · Runde · Rundreise · Rutscher · (Schlender-)Schritt · Spaziergang · Spritztour · Streifzug · Studienreise · Tour · Tournee · Trip · Verkehr · Vorbeimarsch · Wanderschaft · Wanderung · Zug ¶ Ankunft · Besuch · Rückkehr. — Freizügigkeit · (Ab-, Aus-, Ein-, Durch-)fahrt.

7. Schiffahrt. *s. Ufer 1. 16. Schiff 8. 5. Zivilluftfahrt 8. 6.*

ahoi ¶ aus-, einlaufen · dampfen · fahren · halsen · kreuzen · landen · lavieren · segeln · steuern · (vor dem Wind) treiben · über Stag gehen ¶ schwimmen · tauchen · wassertreten · waten ¶ sich in die Riemen legen · die Segel entfalten, hissen · den Dampf anlassen · vom Land stoßen · die Anker lichten · in See stechen ¶ das Meer durchpflügen · die blaue Tiefe durchfurchen · von Wind und Wellen getrieben werden ¶ bugsieren · lotsen · rudern · steuern ¶ maritim · nautisch · befahrbar · schiffbar · flott ¶ Bootsmann · Fährmann · Flözer · Gondolier · Kapitän · Küstenfahrer · Lotse · Maat · Marinesoldat · Matrose · Reeder · Schiffer · Schiffsführer · Schiffsjunge · Heizermoses (Schiffsjunge, der Heizer werden will) · Schiffsmannschaft · Seebär · Seefahrer · Seekadett · Seemann · Steuermann · Teerjacke ¶ Wasserkante ¶ Rad · Ruder · Schraube · Segel · Taucherglocke · Turbine ¶ Argonautenfahrt · Binnenschiffahrt · Handels-, Kriegsmarine · Bootfahrt · Dampfschiffahrt · Küstenfahrt · Ruderfahrt · Schiffahrt · Segelreise · Tour · Weltumsegelung · die christliche Seefahrt ¶ Nautik · Schiffahrtskunde · Schifferschule.

8. Umzug, Umzugstag. *s. befördern 8. 3.*

mit Sack und Pack · mit Kind und Kegel ¶ aus-, ein-, um-, verziehen · übersiedeln · sich vergrößern, verkleinern · (Wohnung) wechseln, tauschen · seine Brocken zusammenpacken · seine sieben Sachen, seine Klamotten packen ¶ *Gesindeausdrücke:* abkehren · leiten · plündern · rücken, scherzen · schürzen · stürzen · umplündern · Landtag machen · Kiste rücken · in den Sack hauen · Peterstag machen (Frankfurt a. M.) · zügle (schweiz.) · „ik wollte mir verändern" ¶ verzogen ¶ Packer · Spediteur · Zieh-, Möbelleute · Speditionsfirma · Transportwesen ¶ *Gesindeausdrücke für Umzugstag* (nicht berücksichtigt die Namen der Kalenderheiligen): Trecktag (Trockeldag), Treckzeit (Treckeltid) · Umtreck-, Vertrecktag · Rücketag · Schlappermünztag · Rutschtag · Koffersonntag · Koffertag · Kistentag · Kofferabend · Hetztag · Scherz-, Schürztag · Scherzewoche · Herbstmarkt · Plündertag · Kindertag · Dingmarkt · Schlenkermarkt · Kistenrücken · Kastelfuhre · Hölsgesmarkt · Schlenkerwurst · Peudel-, Peideltag · Bündeltag · Bündelberg · Bündelfest · Bündel-Festtag, - Weihtag · Bündelshochzeit · Bündels-Geburtstag · Feiertag · Knechtmarkt · Holliowend · Umtreibetag · Umtreibeabend · Bünseltag · Dinnes-, Dienstag · Maikäfer · Kneitebeu-Mätebeu · Deernsafgohn · Rösterdag, Rosstag · Filltag · Pneckendriägersdag · Pucksünnertag · Laupeldag · Laupdag · Peugelwoche (Peigelwoche) · Zubringetag · Läus-, Louistage (von: Los) · Bindungstag · Der goldene Tag · Gluterabend · Pannkuchendag · Freie Woche · Hundstage · Stürztag · Flüztag · Ding-, Gedingtag · Heuertag · Heuergangszeit · Schüngeltage · Schüntertag · Schüngelwoche · die neue Einteelche (in Sachsen) · Landtag · Halfesdag · Ausschlagdag · Bauernheimsuchung · Atmestag · Atmestid ·

Ausgängertag · Schlenklweil · Wandertag · Wanderschaftstag-, Gesinde-Wandertag ·
Wanderwoche · Abschied · Scheidetag · Scheideabend · Schereowend · Spieltag ·
Ruhetag · Willwoche · Dienstgehenszeit · Walztag · Trolltag · Zockel-, Tockel-,
Tageltag · Toggelwoche · Tageltid· Bummeltag · Kuckucksmagd · Wein-, Greintag · Weinwoche · Weieweek (Weihewoche?) · Weidewek, Wederwäk · Neupedoge
(neupen = weinen) · Schnöpelwoche · Hoeldag (Hoel = Feuerhaken) · Königstag ·
Platzwechsel · Kalennetag (Kalenne = Spende), Kalendertag ❦ Ziehtag, Ab-, An-
ziehtag, Antrittstag · Abzug , Abzugstag · Einzug, Anzugstag · Eingang · Eingehtag · Ausgang, Ausgehtag · Ausstand · Abgangs-, Zugangstag · Abgangs-,
Zugangszeit · Zugang · Abgang · Eingang · Gehtag · Kommtag · Dienstwechsel-
tag · Dienstbotenwechsel · Wechseltag · Umzug · Umzugstag · Kündigungstag ·
Zuzugstag · Stellungswechsel · Gesindewechsel · Gesindetag · Dienstzugang ·
Diensteingang · Aufsagetag · Abkehrtag · Gesindemarkt · Termintag (= Kündigungstag) ❦ Ringtausch · Umzug ❦ Umsiedelung · Versetzung,

9. Familie, Verwandtschaftsbezeichnungen. *s. Herkunft 2. 22.*

verwandt · versippt · bluts-, stammverwandt · genealogisch ❦ Familie · Geschlecht ·
Mischpoke · Sippe · Sippschaft · Verwandtschaft · Dynastie · Wappen ❦ Anver-
wandter · Angehöriger · Mage (mhd.) · Verwandter ❦ Vater · der Alte, Olle ·
Ette · Heite · der alte Herr (stud.) · Kneann (hess.) · Papa · Bappe (alem.
schwäb.) ❦ Mutter · Mama · Mamme (alem. schwäb.) · Mammi, Mutti (nordd.) ·
die alte Dame (stud.) · Zieh-, Pflegemutter ❦ Eltern ❦ Kind ❦ Sohn · Junge ·
Sproß · Reis · Stief-, Adoptivkind · Sprößling · Stammhalter · Prinz ❦ Bastard ·
Bankert · Kegel · uneheliches Kind ❦ Nachfahre, Nachkomme, Epigone ❦ Tochter ·
Mädchen ❦ Großvater: Eller · Ehni (hess.) · Herrche (hess.) · Opa (iron.) · Elter-
vater ❦ Großmutter · Fräule (hess.) · Oma (kindl.) · das Fraache ❦ Urgroßvater ·
Ahnen · Altvordern · Voreltern · Vorfahren · Urahn ❦ Enkel, Kindeskind, Groß-
kind · Urenkel usw. ❦ Bruder ❦ Schwester ❦ Geschwister · Gebrüder ❦ Zwilling ·
Drilling usw. ❦ Oheim · Onkel · Großonkel · Tante · Mödder · Moje · Muhme ·
Wase · Großtante ❦ Neffe · Nepote · Großneffe ❦ Nichte · Großnichte ❦ Schwager —
Schwägerin. — Schwippschwager ❦ Schwiegervater · Schwäher. — Schwieger-
mutter · Schwieger ❦ Schwiegersohn · Eidam · Tochtermann. — Schwiegertochter ·
Schnur ❦ Stiefvater. — Stiefmutter. — Stiefsohn. — Stieftochter. — Stief-, Halb-
bruder. — Stiefschwester ❦ Vetter · Cousin · Geschwisterkind · Brudersohn ·
Schwestersohn ❦ Base · Kusine · Bruderstochter ❦ Witwe · Wittfrau · Wittib. —
Witwer · Wittiber · Wittmann. — Waise · verwaist ❦ Ahnenpaß · Stammbaum
❦ Genealogie · Sippen-, Ahnenforschung.

10. Verlobung. *s. Frage 13. 25. Verlangen 16. 20.*

anfragen · anhalten · sich erklären · fragen · werben · um die Hand bitten · die
Einwilligung der Eltern einholen ❦ sich finden · sich verloben · sich versprechen ·
anbeißen · sich binden ❦ sie gehn miteinander · sich einig sein · ist schon ver-
geben ❦ verkuppeln · verloben · sich einen Kuppelpelz verdienen · mit gezücktem
Segen kommen ❦ aufbieten ❦ Bräutigam · Verlobter · der Freier · der Zukünftige,
Erkorene, Erwählte (des Herzens) ❦ Braut · Verlobte · die und keine Andere
❦ Brautleute · Brautpaar ❦ Brautschau ❦ Brautstand · Aufgebot · Eheversprechen ·
junges Glück · junge Liebe.

11. Ehe, Heirat. *s. Vermählung 2. 19. Liebe 11. 53.*

heiraten · sich kriegen · sich verbinden · sich verehelichen · sich verheiraten · sich vermählen · den ewigen Bund, den Bund fürs Leben schließen · sich in den Ehestand begeben, stürzen · eine gute (oder schlechte) Partie machen · verheiratet werden · sich ins Joch der Ehe beugen · in den Hafen der Ehe einlaufen · einen eigenen Hausstand begründen · unter die Haube kommen · das Ja-Wort aussprechen, erhalten, geben · Hochzeit halten · in den heiligen Stand der Ehe treten · das Beilager feiern · dem Junggesellenstand Valet sagen · einen Hausstand gründen ⁋ angeln · heimführen · freien · zum (Trau-)Altar führen, schleppen · er macht ihr ehrlich · zur Frau, zum Manne nehmen · fürs Leben nehmen ⁋ anbringen · ehelichen · antrauen · beweiben · kopulieren · kuppeln · trauen · unterbringen · verbinden · verheiraten · verkünden · vermählen · versorgen · zusammengeben · an den Mann bringen · unter die Haube bringen · ehelich verbinden · Hymens Bande schlingen · die Ehe einsegnen ⁋ er hat sie am Hals ⁋ zur linken Hand trauen · morganatische Ehe ⁋ bräutlich · ehelich · hochzeitlich ⁋ beweibt · verbunden · verehelicht · verheiratet · vermählt · zweisam ⁋ Angetrauter · Ehegatte · Ehekrüppel · Ehemann · Gatte, Gemahl, Haushaltungsvorstand · Hausherr · ihr Mann · Herr und Gemahl · Kamerad · Lebensgefährte · mein Oller · Herr und Gebieter ⁋ Ehefrau · Ehegattin · Ehegespons · seine Frau (und Herrin) · Gattin · Gemahlin · Hausehre (nach speciei domus Vulg von Ps. 68, 13) · Hausfrau · Alte · bessere, schönere Hälfte · Hauskreuz · die Seine · sein Weib ⁋ Blaubart · Mormone · Türke ⁋ Ehepaar · Mann und Frau · Hans und Grete · Philemon und Baukis · er und sie · Eheleute · Ehegespann · Neuvermählte · das junge Paar ⁋ Hochzeitsbitter · Heiratsvermittler · Kuppler · Trauzeuge · Standesamt ⁋ Brautgemach · Ehebett · Harem · Serail ⁋ Flitterwochen · Hochzeitsfeier, -fest · Honigmond ⁋ Connubium · Ehe · Eheband, -bund, -fessel · Eh- und Wehstand · Einheirat · Heirat · Hochzeit · Lebensbund · Probe-, Kameradschafts-, Vernunftehe · Partie · Verbindung · Verehelichung · Vermählung · Wechselheirat ⁋ Geld-, Liebes-, Vernunftheirat · Verwandtenehe · Inzucht · Namensänderung ⁋ Brautgeschenk · Brautkauf · Brautschatz · Ehekontrakt ⁋ Heiratsurkunde · Trauschein, -vertrag ⁋ Leibgedinge · Mahlschatz · Mitgift · Morgengabe · Mußteil ⁋ Beilager · Hochzeitsrede · Hochzeitsschmaus · Hochzeitssegen · Hochzeitszeremonien · Jawort · Ringwechsel · kirchliche Trauung · Zivilehe ⁋ Ehrentag · Freudentag · grüne, silberne, goldene, diamantene Hochzeit · happy end ⁋ Ehe, Einehe, Monogamie ⁋ Bigamie, Digamie, Doppelehe · Gruppenehe · Mehrehe · Haremswirtschaft · Mormonentum · Matriarchat · Polyandrie · Vielmännerei · Polygamie, Vielehe · Vielweiberei.

12. Ehelosigkeit. *s. Ungesellig 16. 52.*

alleinstehen · ledig bleiben, sein · ist noch zu haben · einen Korb bekommen, sich holen · nicht erhört, abgewiesen werden · abblitzen · sitzen bleiben ⁋ alleinstehend · ehelos · ehescheu · emanzipiert · frei · gattenlos · ledig · unbegeben · unbeweibt · ungebunden · unverehelicht · unverheiratet · unvermählt · los und ledig · frei und ungebunden ⁋ Einspan · Einspänner · Einzelgänger · Garçon · Hagestolz · Junggeselle · Mönch · Solist · Weiberfeind ⁋ Amazone · Blaustrumpf · Fräulein · Garçonne · alte Jungfer · Jungfrau · Junggesellin · Männerfeindin · Sappho · Vestalin ⁋ Altjungfernstand · Ehelosigkeit · Einzelwirtschaft · Junggesellenleben · Zölibat · lediger Stand ⁋ Kind der Liebe: natürlicher Sohn · diskreter Herkunft · unehelich ⁋ Bankert · Besatzungskind.

925790123567901234579012456789234567891356789124567890123456789

13. Kebsehe usf. *s. Liebe 11. 53.*

zur linken Hand trauen ⊄ morganatisch ⊄ Beischläferin · Bettgenoss(in) · Betthase · Bettschatz · Freundin · Kebse · die Kleine · Konkubine · Liaison · Liebschaft · Maitresse · Nebenfrau · Verhältnis ⊄ Kebsehe · Konkubinat · Verhältnis · wilde, freie Ehe · Gewissens-, Probe-, Kameradschafts-, Zeitehe.

14. Ehebruch.

sich ausleben · ehebrechen · fremd gehen · seinen Pelz an einen fremden Stand hängen · neben hinausgehen · das Ehebett entweihen · Treue brechen ⊄ hörnen · Hörner aufsetzen ⊄ Hirschgeweih tragen ⊄ polygam · treulos ⊄ Ehebrecher · Galan · Hausfreund. — Strohwitwe(r) · die Kirschen in Nachbars Garten ⊄ Hahnrei ⊄ Ehebruch · dreieckiges Verhältnis · Ehe im Kreise · Untreue · ménage à trois · Seitensprung.

15. Scheidung. *s. Zwietracht 16. 67.*

getrennt leben · sich auseinander leben ⊄ sich scheiden lassen · verstoßen · scheiden · trennen ⊄ geschieden ⊄ Schmied · Scheidungsparadies Reno · Ehescheidung · Trennung · Auflösung der Ehe · Trennung von Tisch und Bett · böswillige Verlassung.

16. Gruppe. *s. Menge 4. 17. Verbindung 4. 33. Genossenschaft 16. 17. Truppe 16. 74. Pöbel 16. 94.*

-schaft · Bande · Garnitur · Gesellschaft · Gruppe · Haufe · Heer · Klan · Klasse · Körper (Truppen-, Lehr-) · Kontingent · Korona ·Kranz · Leserkreis · Publikum · Reihe · Schar · Schicht · Schwarm · Sekte · Trupp · Truppe · Verband · Vereinigung · alter Stamm ⊄ Vergesellschaftung · Aufmarsch · Demonstration.

17. Genossenschaft. *s. Verbindung 4. 33. Zugehörigkeit 4. 48. Hilfe 9. 69 f. Staat 16. 19. Eintracht 16. 40. Freund 16. 41. Handelsgesellschaft 18. 30.*

Hand in Hand ⊄ beistehen · beitreten · konspirieren · sich organisieren · sich verbinden · sich verbrüdern · sich vereinigen · sich verschwören · zusammenarbeiten · sich zusammenscharen, -schließen, -tun · einen Bund schließen · ein Bündnis eingehen · eine Partei bilden, gründen · in eine Bewegung eintreten · Gemeinschaft machen · Mitglied werden · die Köpfe zusammenstecken · sich hinter jemanden verstecken · unter einer Decke stecken · es halten mit · aus einer Schüssel essen · Hand in Hand gehen · durchs Feuer gehen für ⊄ sich an die Rockschöße hängen ⊄ einig · gemeinschaftlich · genossenschaftlich · geschlossen · gesellschaftlich · kollegial · solidarisch · städtisch · verbündet · vereint ⊄ Aktiengesellschaft · Bank · Firma · Genossenschaft · Gesellschaft · G. m. b. H. · Kartell · Ring · Trust ⊄ Allianz · Amphiktionie · Blase · Bruderschaft · Brüderschaft · Bund · Burschenschaft · Freimaurerloge · Front · Gemeinde · Gemeinschaft · Gewerkschaft · Gilde · Hetärie · Innung · Kamarilla · Klique · Klub · Klüngel · Koalition · Konföderation · Konsortium · Konventikel · Korporation · Korps · Koterie · Kränzchen · Kreis (derer um) · Ringverein (Immertreu) · Schwesterschaft · Sippschaft · Syndikat · Tafelrunde · Verband · Verbindung · Verein · volkseigener Betrieb · Zunft ⊄ Achse · Dreibund · Eidgenossenschaft · Entente · Friedensfront · Geheimbund · Hansa · Koalition · Liga · Mächtepakt · Union · Uno, Vereinte Nationen · Zweiverband ⊄ Ausschuß ·

Körperschaft · Ratsversammlung ¶ Anhang · Bande · Brut · Gelichter · Haufe · Horde · Kamorra · Maf(f)ia · Mannschaft · Rotte · Schar · Schwarm · Sippe · Stab · Truppe ¶ Kasino · Museum ¶ Fraktionstreiben · Gründungswesen · Innungswesen · Korpsgeist · Koterieunwesen · Parteigeist · Parteilichkeit · Solidarität · Vetterleswirtschaft · Zunftwesen ¶ Bruderkasse · Gemeingut ¶ Bündnis · Komplott · Verschwörung · Blockbildung · seelische Einheit · Parteiungen.

18. Nation. *s. Art 5. 8. seelische Artung 11. 2. Stolz 16. 44. Krieg 16. 73. Religiosität 20. 1 und 18.*

das Banner hochhalten · Heil! hurra! ¶ arteigen · ethnisch · ethnographisch · heimisch ¶ all- · groß- · pan- · -istisch · aufbauwillig · chauvinistisch · deutsch · einsatzbereit · erwacht · fanatisch · faschistisch · kämpferisch · national · nationalistisch · patriotisch · vaterländisch · völkisch · volkhaft · volksbewußt ¶ Chauvinist · Extremist · Faschist · Jingo · Kämpfer · Nationalist · Ultra ¶ Banner · Eiche · Fahne · Nationalhymne · Orden · Uniform ¶ Nation · Nationalität · Rasse · Stamm · Vaterland · Volk ¶ Gemeinwesen · Heim · Heimat · Herd · Muttererde · Staat · Volksgemeinschaft ¶ -tum · Abstammung · Blut · Eigenart · Kultur · Menschenschlag · Nationalität · Prägung · Rasse · Volkheit (Goethe) · Volkstum ¶ All- · -tum · -tümelei · Blut und Boden · Bewegung · das Blutrauschen des Mutterlandes · Chauvinismus · sacro egoismo · Fremdenhaß · (gute) Gesinnung · der heilige Haß · Glaube · Heimweh · Heimatliebe · Kampfgeist · Mythus · Nationalismus · Nationalgefühl, -stolz · Pan- -ismus · Sendungsglaube · Vaterländerei (Nietzsche) · Vaterlandsliebe · Volksbewußtsein.

19. Staat. *s. Landbezirk 1. 15. herrschen 16. 97 ff.*

Land · Reich · Staat ¶ -schaft . -tum · Monarchie · Fürstentum · Grafschaft · Großmacht · Weltreich · Großherzogtum · Herzogtum · Kaiserreich · Königreich · freie Stadt ¶ Bundesstaat · Union · Staatenbund · vereinigte Staaten ¶ Verfassungsstaat · konstitutionelle Monarchie ¶ Demokratie · Eidgenossenschaft · Freistaat, Republik · Volksstaat ¶ Ständestaat ¶ Ausnahmezustand · Diktatur · Polizeistaat ¶ Kreis · Provinz · Regierungsbezirk · Ballei · Gau · Enklave · Exklave · Kolonie · Protektorat ¶ ärarisch · fiskalisch · öffentlich · staatlich.

20. Bitte, Verlangen. *s. veranlassen 9. 12. Abmahnung 9. 17. Wunsch 11. 36. Frage 13. 25. Brief 14. 8. Drohung 16. 68. Befehl 16. 106.*

mit dem Hute in der Hand · auf den Knien · ersterbend ¶ bitte schön · Gnade · Pardon · Schonung · Verzeihung · um Gottes willen · sei kein Frosch · bei allem, was hoch und heilig ist · wollen Sie die Güte haben · seien Sie so gut und · wenn ich bitten darf · gelt · erbarm dich und ... (ostpreuß.) ¶ anhalten (um) · animieren · ansinnen · anstreben · ansuchen · sich ausbedingen · barmen · beanspruchen · beantragen · begehren · betteln, fechten, kreuzen · sich bewerben · bitten · einkommen (um) · einreichen · erbitten · erpressen · erschlagen um · fordern · heischen · herausschinden · nachsuchen · nahelegen · petitionieren · prachern · reklamieren · verlangen · sich wenden an · zumuten · zureden · zusetzen · eine Bitte richten an · bitten lassen · auf die Spur helfen · Antrag, ein Gesuch stellen · vorstellig werden · auf die Seele binden · ins Gewissen reden · lästig fallen · auf dem Herzen haben · beim Wort nehmen · um etwas leise anklopfen · zureden wie einem lahmen Schimmel · die Hände bittend, flehend erheben · die leibliche Ruhe nicht lassen · sich auf die Knie werfen · einen Fußfall tun · den Hof machen · auf Freiersfüßen gehen · kommt immer wieder ℭ anbohren · jmd. anliegen · anflehen · angehen · anrufen · ansprechen · bedrängen · belagern · belästigen · bemühen · beschwören · bestürmen · bitten · drängen · dringen (in) · ersuchen · löchern · quälen ℭ aufdringlich · bettelhaft · bittend · demütig · flehentlich · fußfällig · hündisch · inständig · kniefällig · ultimativ · untertänig · unverschämt · zudringlich ℭ Antragsteller · Aspirant · Beschwerdeführer · Bettler · Bewerber · Bittsteller · Freier · Fürbitter · Gesuchsteller · Implorant · Kandidat · Petent · Querulant · Rechtsmittelkläger · Schmarotzer · Schnorrer (rotw.) ℭ Adresse · Anliegen · Anrede · Ansinnen · Antrag · Berufung · Beschwörung · Bettelbrief · Bitte · Bittschrift · Eingabe · Flehen · Gebet · Gesuch · Petition · Ultimatum · Vorschlag · Zauberformel ℭ Anspruch · Ansuchen · Aufforderung · Begehr · Bettel(ei) · Bewerbung · Forderung · Fürbitte · Fürsprache · Geheisch · Verlangen · Verwendung · Anrufung der höheren Instanz · Wink mit dem Zaunpfahl, mit der Laterne.

21. Werben. *s. Lärm 7. 26. überreden 9. 12. lehren 12. 33. loben 16. 31. Einfluß 16. 95. Verkauf 18. 23.*

agitieren · betreiben · einladen · herumkriegen · keilen (stud.) · klappern · posaunen · propagieren · trommeln · trompeten für · überreden · überzeugen · umstimmen · zureden · zusetzen · zusammentrommeln · in die breite Masse tragen · die Seele erobern ℭ anreißerisch · propagandistisch ℭ Agent · Akquisiteur · Einpeitscher · Missionar · Propagandaredner · Reisender · Werbefachmann · Trommler · Wanderredner · Werber · Sprechchor ℭ Agitation · Bekehrungssucht · Hetze · Klamauk · Mauloffensive · Mission · Propaganda · Reklame · Sichtwerbung, Lichtreklame · Sirenengesang · Stimmungsmache · Trommelfeuer von Hetzpropaganda · Tamtam · Versammlungswelle · Werbefeldzug, Campagne · machtvolle Kundgebung · Wahlkampf · Werbetätigkeit · Werbewoche ℭ Aufmachung · Inszenierung · Werbung.

22. Anerbieten. *s. Bereitschaft 9. 4. geben 18. 12. Vertrag 19. 14.*

gefällig ? · zur Probe · zur Ansicht ℭ anbieten · animieren · aufdrängen · aufwarten mit · beantragen · darbieten · darbringen · sich erbieten · nötigen · offerieren · präsentieren · schenken · servieren · versprechen · vorschlagen ℭ auffordern · beschenken · einladen ℭ Antrag stellen · einen Vorschlag machen · Gelegenheit bieten · Avancen machen · goldene Brücken bauen · sich um die Freundschaft bewerben · entgegen kommen · die Hände schmieren · Trink-, Handgeld anbieten · sich erkenntlich zeigen wollen · die ersten Schritte tun · erbötig sein ℭ gefällig · lieb · zuvorkommend ℭ unverbindlich ℭ Ausrufer · Verkäufer · Werber ℭ Geschenk · Opfer · ℭ Anerbieten · Angebot · Antrag · Aufforderung · Bestechungsversuch · Einladung · Entgegenkommen · Offerte · Vorschlag · Ultimatum.

23. Versprechen. *s. Absicht 9. 14. Schwur 13. 50. Vertrag 19. 14. Pflicht 19. 24.*

mit Hand und Siegel · mit Brief und Siegel · auf Treu und Glauben ℭ bei allem, was ... · auf Ehre · bei Gott · bei meiner Seligkeit · meiner Treu · so wahr mir Gott helfe · ich bin dir gut dafür, daß ℭ beschwören · beteuern · sich binden · garantieren · geloben · verheißen · sich verpflichten · versprechen · zusagen · zuschwören · zusichern · sein Wort geben · die Hand darauf geben · die Ehre verpfänden · einen Eid, Schwur ablegen, leisten · zur Fahne, Farbe schwören · sich anheischig, verbindlich machen · mit Hand und Mund versichern · die Verantwortung übernehmen · den Himmel zum Zeugen anrufen · sich auf etwas einlassen · etwas auf sich nehmen · (fest) in Aussicht stellen ⁋ treu · unverbrüchlich · verbindlich · verbrieft · zuverlässig ⁋ Auslobung · Beteuerung · Bibelschwur · Ehrenschuld · Ehrenwort · Eid · Fahneneid · Führerwort · Gelöbnis · Gelübde · Handschlag · Pfand · Schwur · Sirenengesänge · Treue · Verheißung · Verlöbnis · Verlobung · Versicherung · Versprechen · Wahlparole · Werbung · Wort · Zusage · Zusicherung ⁋ Bürgschaft · Kontrakt · Obligation · Verbindlichkeit · Verpfändung · Verpflichtung · Verschreibung · Wechsel.

24. Zustimmung. *s. Bereitwilligkeit 9. 4 und Widerwille 9. 5. überreden 9. 12. Zufriedenheit 11. 16. Bejahung 13. 28. Beifall 16. 31. nachgeben 16. 110. Rechtfertigung 19. 13. Vertrag 19. 14.*

abgemacht · allemal · zu Befehl · topp · es gilt · schön · sehr wohl · jawoll · gern · immerzu · gut · bon · meinetwegen · von mir aus · mit Vergnügen · aber glatt · gemacht · geht in Ordnung · bestimmt · das kann nicht schaden · hat viel für sich · danke ja · bitte schön · einverstanden · die Sache ist geritzt · ohne weiteres · bin dafür zu haben · machen wir · so sei es · bravo · ein Gedanke von Schiller · es wäre mir ein Fest, eine Brautnacht, eine Wonne und ein Grunzen (stud.), es wäre mir ein inneres Missionsfest · ich will dei Wort net stumpieren (hess.) · ich bin dabei · bin es zufrieden ⁋ abmachen · akklamieren · anerkennen · annehmen · ausgleichen · beipflichten · beistimmen · beitreten · bekräftigen · bestätigen · billigen · eingehen auf · einräumen · einwilligen · erhören · erlauben · festsetzen · feststellen · genehmigen · gestatten · gewähren · gutheißen · mitmachen · nehmen (= sich bestechen lassen) · sich schicken · übereinkommen · übereinstimmen · willfahren · zubilligen · zugestehen · zusagen · zustimmen · Gehör schenken · ein williges Ohr leihen · beim Wort nehmen · mit beiden Händen zugreifen · Feuer und Flamme sein · sich zufrieden geben · seine Zustimmung aussprechen · sich verstehen zu · Wünschen entgegenkommen, begegnen · Befugnis erteilen · läßt sich breitschlagen · fünfe gerade sein lassen · die Herrschaften lassen bitten · ist dafür zu haben · einer Forderung stattgeben ⁋ Anklang finden ⁋ beifällig · gefällig · geneigt · nachgiebig · willfährig · willig · zustimmend ⁋ mundgerecht · unverwehrt ⁋ Akzept · Annahme · Beitritt · Einverständnis · Ergebung · Fügung (in) · Konzession · Schickung · Übereinkunft · Übereinstimmung · Vergünstigung · Vorrecht · Zugeständnis · Zusage ⁋ Austrag · Beilegung · Erfüllung · Kompromiß · Schlichtung · Vollzug.

25. Erlaubnis. *s. bereitwillig 9. 4. nachgeben 16. 110. Berechtigung 19. 22.*

Ihr Einverständnis vorausgesetzt ⁋ dürfen · sich erlauben · freistehen · sich die Freiheit nehmen · um Erlaubnis bitten, ersuchen ⁋ bewilligen · dulden · eingehen auf · einräumen · einwilligen · erlauben · (Artikel) freigeben · feststellen · genehmigen · gestatten · gewähren · gönnen · leiden · willfahren · zugeben · zulassen ⁋ befugen · begünstigen · berechtigen · bevollmächtigen · erhören · ermächtigen, s. 16, 103 ⁋ legalisieren · patentieren · privilegieren ⁋ absolvieren · befreien · dispensieren · entbinden · entheben · erlassen · nachsehen · schonen · übersehen · nichts in den Weg legen · keinen Einspruch erheben · die Befugnis, Erlaubnis erteilen · gewähren, freie Hand lassen · Nachsicht haben · gehen lassen · durch die Finger sehen · ein Auge zudrücken · sich um die Finger wickeln lassen · blind sein für, gegen · die Segel streichen ⁋ bleibt jedermann unbenommen ⁋ befugt

❡ erlaubt · gestattet · statthaft · unverboten · zulässig ❡ Beglaubigungsschreiben · Erlaubnisschein · Ferman · Freibrief · Kennkarte · Konsens · Lizenz · Paß · Patent · Urlaubsschein · Vollmacht ❡ Ausnahmefall · Befreiung · Erlassung · Nachricht · Schonung · Straferlaß ❡ Auflassung · Befähigung · Befugnis · Berechtigung · Dispens · Duldung · Einwilligung · Erlaubnis · Ermächtigung · Freiheit · Genehmigung · Gesetz · Gewährung · Konzession · Toleranz · Vergünstigung · Zugeständnis · Zustimmung.

26. Ausführung. *s. Sorgfalt 9. 42. Gehorsam 16. 114.*

bis aufs Tüpfelchen auf dem i · mit geziemender Gewissenhaftigkeit · ein Mann, ein Wort! ❡ abstatten · abtragen · abtun · ausführen · ausüben · beachten · beobachten · berücksichtigen · bewerkstelligen · bezahlen · durchführen · einlösen · entrichten · erfüllen · erledigen · tilgen · es tun · verrichten · vollbringen · vollführen · vollstrecken · vollziehen ❡ bezwecken · einheimsen · ernten · erzielen · erzwingen · seine Pflicht tun · Wort, Versprechen erfüllen · halten, einlösen · nicht ermangeln · dabei bleiben · Ansprüche befriedigen · seinen Verpflichtungen nachkommen ❡ ausrichten · bestellen · anschaffen (östr.) ❡ buchstäblich · ehrenhaft · genau · getreulich · gewissenhaft · prompt · pünktlich · skrupulös · sorgfältig · streng · strikt · treu · zuverlässig ❡ Empfangsschein · Quittung · Ausführung · Beachtung · Befriedigung · Gehorsam · Genugtuung · Leistung · Pünktlichkeit · Treue · Verrichtung · Vollzug.

27. Ablehnung. *s. Widerwille 9. 5. Meinungsverschiedenheit 12. 48. Verneinung 13. 29. widersprechen 13. 47. Prüderie 16. 51. Widerstand 16. 65.*

ich werde mich (schwer) hüten · nu schon mal janich · lieber scheintot im Massengrab · fitaprüm (köln.) · nicht um die Welt · uf dem Ohr hör ich nix · ich hab kalte Füß · ach was! · davon steht nischt in de Bibel · das wär gelacht · ich danke für so etwas · blas mir in Schuh · das sei ferne · da fragen Sie 'n Hausknecht · werde dir was husten, malen, pfeifen · l. m. a². · steig mir'n Buckel nauf, lang · auf keinen Fall · bedaure · fällt mir nicht (im Traum) ein · warum nicht gar · fehlte auch noch · das wäre noch schöner · bist wohl verrückt · ein andermal · sonst gehts Ihnen gut · nu stimmts · liegt mir auf · 's deet mir ufflije · sonst haste kaa Schmerze · nicht für eine Million · net für Hanau und Umgebung · nicht für einen Wald voll Laub (Affen) · geh haam, sag, 's käm trieb, stopp dei Hemd enei · ich werd den Deubel tun · ich denke nicht daran · nicht in die Hand, in die kalte la Mäng · quod non · da wird's spät · ich kann mich beherrschen · misst mich dricke · jo, 's dut mer noot · pfui Deibel · in dene Hose net · aber, aber · danke für Backobst und andere Südfrüchte · Quatsch (mit Sauce) · davon kann gar keine Rede sein · knif = kommt nicht in Frage · gibt's nicht · dös gibt's fei net (bayr.) · das könnte mir passen, einfallen · lieber mit nem rostigen Nagel in die Kniescheibe · später vielleicht · nicht bei mir · nie und nimmer · niemals · ein krasser Fall von denkste · so wieder nicht · nich in die Tüte · ohne mich · lächerlich · nicht zu machen · bei mir Pause · danke nein · Mensch, mach keene Pakete, die Post ist schon zu ❡ bitte sehr · keine Ursache · macht nichts · entschuldigen Sie (mich) ❡ sich abkehren · ablehnen · absagen · abschlagen · abweisen · sich abwenden · anfechten · anstehen · ausschlagen · ausschließen · ausweichen · sich enthalten · heimschicken · sich verleugnen · Bude zu, Affe tot · hinausweisen · protestieren · (Artikel) sperren · überhören · sich verbitten · verneinen · verreden · versagen · verschmähen · vertagen · verweigern · verwerfen · von sich weisen · widerstehen · zurückweisen,

-stoßen · Einspruch erheben · taub sein gegen · nicht hinhören · nichts davon hören wollen · den Kopf schütteln · einen Korb geben · abblitzen, fallen, stehen, im Stiche lassen · Anstoß nehmen · Anstände machen · die kalte Schulter zeigen · dagegen sein · nicht einwilligen · sich (schön) bedanken · ausweichend antworten · sich tot stellen · Ausflüchte machen, suchen · nicht Farbe bekennen · die Anerkennung verweigern · sich die Hände in Unschuld waschen · seine Hand abziehen von · sein Wort brechen, zurücknehmen · dem Papierkorb übergeben · will nichts damit zu tun haben · ist ein abgesagter Feind von ⁊ abblitzen · keine Gegenliebe finden ⁊ abhold · spröde ⁊ abschlägig · dankend zurückgewiesen ⁊ Ablehnung · Abneigung · Ausstoßung · Korb · Mißbilligung · Nichtannahme · Umstoßung · Verneinung · Weigerung · Zurückweisung ⁊ Berufung (gegen) · Einspruch · Interpellation · Protest · Revision · Verwahrung · ausweichende Antwort · kalte Aufnahme.

28. Unterlassung. *s. 9.19. Nachlässigkeit 9.43. vergessen 12.40. Ungehorsam 16.116.*

ableugnen · aufheben · ausbleiben · ausweichen · bummeln · sich entziehen · ermangeln · fehlen · hintansetzen · schwänzen · übertreten · unterlassen · verletzen · vernachläsigen · versäumen · verschmähen · verstoßen · widerrufen · zuwiderhandeln · die Treue, sein Wort brechen, nicht einlösen · seinem Versprechen, seiner Verpflichtung nicht nachkommen · die Pflicht verletzen · außer acht lassen · sein Wort zurücknehmen · in den Wind schlagen · fünf grad sein lassen ⁊ ausweichend · fahrlässig · leichtfertig · meineidig · nachlässig · perfid · pflichtvergessen · säumig · saumselig · treulos · ungehorsam · unzuverlässig · wortbrüchig ⁊ Einspruch · Protest · Ungültigkeitserklärung · Widerruf · Zurücknahme ⁊ Bruch · Fahrlässigkeit · Fehler, *s. 12.27* · Fehlgang · Fehltritt · Fehlzug · Pflichtvergessenheit · Saumseligkeit · Übertretung · Unachtsamkeit · Ungehorsam · Ungesetzlichkeit · (sträfliche) Unterlassungssünde · Verletzung · Versäumnis · Versehen · Zuwiderhandlung · passive Resistenz · Sabotage.

29. Verbot. *s. ächten 4.49. hindern 9.73. Abdankung 16.105. Befehl 16.106.*

abhalten · abstellen · beschränken · einschärfen · einschränken · einstellen · entziehen · hemmen · untersagen · verbieten · verhindern · verpönen · versagen · vermehren · vorenthalten · vorschreiben · zurückhalten · Einhalt gebieten · die Erlaubnis verweigern · Grenzen ziehen · Riegel vorschieben ⁊ ächten · ausschließen · ausstoßen · proskribieren · verbannen · für vogelfrei erklären · mit Acht und Bann belegen · die Flügel stutzen ⁊ unbefugt ⁊ schwarz · grüne Grenze · unerlaubt · unstatthaft · unzulässig · verboten · vorschriftswidrig ⁊ Zensor ⁊ Index ⁊ Acht · Achtung · Arrest · Bann · Beschlagnahme · Einhalt · Einschränkung · Embargo · Hemmnis · Hindernis · Kontrolle · Proskription · Quarantäne · Tabu · Verbannung · Verbot · Veto · Zensur · Zwang.

30. Achtung. *s. Bewunderung 11.17; 11.30. Gruß 16.38. Ehrenerweisung 16.87.*

mit dem Hut in der Hand · auf den Knien meines Herzens (Kleist) · mit entblößtem Haupt · mit erhobenem Arm · mit Ehren zu sprechen, zu vermelden ⁊ alle Hochachtung · das muß ihm der Neid lassen · Lob und Preis · Heil · sein Licht scheine immerdar · ⁊ achten · anbeten · anerkennen · bewundern ·

hochhalten · hochschätzen · huldigen · schätzen · verehren · vergöttern · würdigen · Achtung bezeigen, erweisen · Ehre zollen · jmd. gerecht werden · jmd. ehrfuchts- voll begegnen · rechts gehen, den Vortritt lassen · in den Himmel erheben · ernst, für voll nehmen ¶ den Anstand wahren · sich in geziemender Entfernung halten · seine Stellung kennen · eine gute Meinung, einen hohen Begriff von jmd. haben · läßt nichts auf ihn kommen · Huldigung darbringen · Aufwartung machen · das Knie beugen · den Fuß, die Hand küssen · zu Füßen fallen · einen Fußfall tun ¶ präsentieren · ins Gewehr treten · von Ehrfurcht durchdrungen sein, ergriffen werden, erschauern ¶ blenden · einschüchtern · imponieren · Achtung einflößen · Ehrfurcht erheischen, gebieten ¶ achtungsvoll · anhänglich · barhäuptig · ehrerbie- tig · ehrfurchtsvoll · feierlich · folgsam · höflich · untertänig · zeremoniös ¶ ehr- würdig · geachtet · geehrt · verehrungswürdig ¶ Amts-, Respektsperson · Honora- tior · Vorgesetzter ¶ Aufwartung · Bückling · Diener · Ehrenplatz · Ehrensitz · Gruß · Handkuß · Hofknicks · Kniebeugung · Knicks · Kompliment · Kratzfuß · Reverenz · (Untertanen-)Treue · Verneigung · Verbeugung ¶ gute, hohe Mei- nung · hoher Begriff · rechte Seite ¶ Achtung · Bewunderung · Ehre · Ehren- bezeigung · Ehrerbietung · Ehrfurcht · Hochachtung · Respekt · Ruf · Verehrung · Wertschätzung · Würdigung.

31. Lob, Beifall. *s. wichtig 9. 44. gute Qualität 9. 56. schön, gefallen 11. 17; 22. Erregung 11. 5. Urteil 12. 45. Propaganda 16. 21. Zustimmung 16. 24. Ehren- erweisung 16. 85 und 87. Belohnung 18. 26.*

Händeklatschen · Kußhand · mit den Füßen trampeln (stud.) · auf die Schulter klopfen ¶ bravo · bravissimo · da capo · Heil · heraus · hoch soll er leben, dreimal hoch · Tusch! · hurra · vivat ¶ hört! hört! · famos · fabelhaft · blendend · das will etwas heißen · alles Mögliche · eins a · glatt, kühn (schülerspr.) · knorke · prima · pfunds · so ein Racker · tipptopp ¶ anerkennen · anschwärmen · appro- bieren · beipflichten · beistimmen · beloben · bewundern · billigen · eintreten für · gutheißen · hochachten · hochschätzen · huldigen · loben · rechtfertigen · segnen · verteidigen · würdigen · zustimmen · hoch anrechnen · zugute halten ¶ anempfeh- len · anbefehlen · anpreisen · anraten · empfehlen · herausstreichen · lobpreisen · preisen · rühmen · zuraten ¶ applaudieren · ausposaunen · bejubeln · be- klatschen · bekränzen · besingen · bewundern · feiern · herausrufen · heraus- streichen · hervorrufen · klatschen · schmeicheln · schwärmen für · verherrlichen · zujauchzen · zujubeln. — werthalten · etw. gerecht werden · beifällig aufnehmen · eine Lanze brechen für · in Schutz nehmen · Lob erteilen, spenden, zollen · rüh- mend erwähnen, gedenken, nennen · Beifall zollen · ein Freudengeschrei erheben · in den Himmel, bis an die Sterne erheben · mit Beifall, Lob überhäufen· über- schütten · des Lobes voll sein · von Lob überfließen, überströmen · nicht genug des Lobes sagen können · schwört nicht höher · den Ruhm in allen Tonarten sin- gen, verkünden, verbreiten · ins Horn, in die Trompete stoßen · die (Lärm-)Trom- mel rühren · Reklame machen · über den grünen Klee loben · an die große Glocke hängen · den Mund voll nehmen · Aufhebens machen · man hält viel auf jem., von jem. · mit warmen Worten der Verdienste gedenken ¶ Weihrauch streuen · in Weihrauchwolken hüllen · sich vor den Wagen spannen · auf den Schultern tra- gen · auf den Schild erheben · die Hände auflegen ¶ ziehen · Aufsehen erregen · Anklang finden · hat sein Publikum · Beifall ernten, verdienen · guten Eindruck hervorrufen, machen · Bewunderung erregen · Ehre machen · mit Bewunderung er- füllen · die Welt mit seinem Ruhm erfüllen · von jedermann geehrt, gelobt, gepriesen werden · sich goldene Lorbeeren erringen · in aller, in jedermanns Munde sein · gebenedeit sein, werden · zur Ehre gereichen · die Welt hallt von seinem Ruhme wider ⊄ beifällig · in Bewunderung verloren ⊄ beifallswürdig · empfehlenswert · ehrenhaft · lobenswert · löblich · preiswürdig · rühmlich · schmeichelhaft ⊄ angesehen · befriedigend · beliebt · bewundert · gelobt · gepriesen · geschätzt · hochgeschätzt · populär · untadelhaft · verdienstvoll · verdient · des Lobes, Ruhmes würdig ⊄ Beifallspender · Lobpreiser · Lobredner · Lobsänger · Panegyriker · Ruhmverkünder · Vorklatscher · Autogrammjäger ⊄ Claque ⊄ Einpeitscher · Lobhudler · Marktschreier · Reklamemacher · Scharlatan · Schmeichler ⊄ Blender · Matador · Held, Löwe des Tages ⊄ Erfolg · Ruhmestitel · Schlager · Verdienst ⊄ Applaus · Beifallsäußerung · Beifallsbezeigung · Beifallsnicken · Händeklatschen · Hervorruf · Lebehoch · brandender, nicht endenwollender, donnernder, frenetischer, rauschender, stürmischer, wütender Beifall · beifälliges Gemurmel · durchschlagender Erfolg · wahrer Sturm des Beifalls · ein gutes Wort · überschwengliches Lob · Orkan der Begeisterung ⊄ Benedeiung · Ehrenrede · Enkomion · Hosianna · Hymne · Jubellied · Loblied · Lobrede · Lobschrift · Päan · Panegyrikus · Preisgedicht · Segensspruch · Tedeum · Triumphgesang · Zapfenstreich ⊄ Anpreisung · Plakat · Reklame · Ruhmesposaune · Tamtam · die große Trommel · Waschzettel · Weihrauch ⊄ Achtung · Anerkennung · Beifall · Belohnung · Bewunderung · Billigung · Ehre · Huldigung · Lob · Preis · Ruhm · Verehrung · Zustimmung ⊄ Auszeichnung · Beliebtheit · Berücksichtigung · Empfehlung · Erwähnung · Gunst · Leumund · Name · Popularität · Schätzung · Vorzug ⊄ Gönnerschaft ⊄ Eigenlob · Lobhudelei · Selbstlob · Schmeichelei · Selbstvergötterung · Selbstverherrlichung.

32. Schmeichelei. *s. Schlauheit 12. 53. Werben 16. 21. Nachgeben 16. 110. Kriecherei 16. 115.*

anräuchern · beweihräuchern · bereden · berücken · beschwatzen · (für sich) einnehmen · einseifen · einwickeln · flattieren · hofieren · lobhudeln · jmd. am Bart kratzen, um den Bart gehen · den Pudel machen · hinten hereinkriechen · die Speckschwarte streichen · den Staub von den Füßen küssen, lecken · auf dem Bauch rutschen · sich zu allem hergeben, gebrauchen lassen · sich jeder Laune fügen, schmiegen · im Staube kriechen, sich krümmen, liegen, sich winden · sich in die Gunst einschmeicheln · den Hof machen · sich um jemandes Gunst bewerben · in den Ohren liegen · den Ohrenbläser, Zuträger machen · Rotz auf die Backe schmieren · sich Liebkind machen · Süßholz raspeln · nach dem Munde reden ⊄ etwas abschmarotzen · abschmeicheln · erschmeicheln ⊄ honigsüße Worte geben · Honig im Munde führen · die Ohren kitzeln, krauen · macht sich niedlich bei (nordd.) · einem zu Gefallen reden, nach dem Mund reden · Weihrauch opfern, streuen · durch Schmeicheleien berücken, betören · zu seinen Zwecken ausbeuten ⊄ sich ansch .. ßen · sich anschmarotzen · sich einschmeicheln · kalfaktern · kriechen · sich krümmen · scharwenzeln · schmarotzen · schmeicheln · schöntun · schwänzeln ⊄ geht ihm glatt herunter ⊄ augendienerisch · beflissen · diplomatisch · doppelzüngig · falsch · faustdick · fuchsschwänzelnd · gefällig · geschmeidig · glatt · glattzüngig · gleisnerisch · heuchlerisch · höflich · hofmännisch · hündisch · knechtisch · kriechend · liebedienerisch · parasitenhaft · pflaumenweich · schlangenfreundlich · schmarotzerisch · schmeichelhaft · schmeichlerisch · schranzenhaft · süßfreundlich · süßredend · sklavisch · untertänig · unterwürfig · verräterisch ⊄ aalglatt · katzenfalsch · übergefällig ⊄ Achselträger · A .. kriecher · Augen-

diener · Beifallspender · Courschneider · Fuchsschwänzer · Gleisner · Handlanger ·
Heuchler · Höfling · Hofmacher · Hofschranze · Honigmaul · Jasager · Kalfaktor ·
Komplimentenschneider · Kostgänger · Kriecher · Leisetreter · Lispler · Lobhudler ·
Lobredner · Ohrenbläser · Opportunist · Parasit · Pudel · Radfahrer · Schma-
rotzer · Schmeichelkätzchen · Schmeichelzunge · Schmeichler · Schöntuer ·
Schranze · Speichellecker · Streber · Süßholzraspler · Weihrauchstreuer · Zuträger ·
Zwischenträger ⁊ Allerweltsfreund · Scheinfreund · falscher Freund · feile Kreatur ·
glatte Zunge ⁊ Artigkeiten · Getue · Honigworte · Liebedienerei · Lobhudelei ·
Lockspeise · Schmeichelrede · Verführungskünste · Wangenstreicheln · Weihrauch
⁊ Anlockung · Doppelzüngigkeit · Fuchsschwänzerei · Fügsamkeit · Katzenfreund-
lichkeit · Kriecherei · Scharwenzelei · Scheinfreundlichkeit · Überredungskunst ·
freundliche, süße Worte · falsche Freundlichkeit · süße Blicke.

33. Tadel, Mißbilligung. *s. Widerwille 9. 5. minderwertig 9. 60;*
9. 65. mißfallen 11. 28. Verwunderung 11. 30. Ärger 11. 31. lehren 12. 33. Warnung
13. 10. Widerspruch 16. 65. Drohung 16. 68. Beschuldigung 19. 12.

ironischer Augenaufschlag · Herunterziehen der Mundwinkel · Vorschieben der
Unterlippe · Achselzucken · Kopfschütteln · Naserümpfen · Stirnrunzeln · mit den
Füßen scharren (stud.) · faule Eier werfen ⁊ *Interjektionen:* Zungenschnalzen ·
Zischen ⁊ ins Stammbuch ⁊ pfui · pfui Teufel · haut ihm! · aber nein · hebe
dich weg · o der Schande · Schmach und Schande · ich verzichte · das ist zu arg ·
ein starkes Stück · quo usque tandem? · da hört sich doch alles auf · das g l a u b t ja
keiner · s o sieht das aus · man sollte es nicht für möglich halten · das ist die Jugend
von heute · immer dieselben · so was ist mir noch nicht vorgekommen · es ist auch
darnach · Gott bewahre, behüte · wer das begreifen kann · wie kommen Sie dazu? ·
wo bleibt die gute Erziehung! · mein lieber Freund und Kupferstecher · wie kommen Sie mir vor? · das ist doch großartig · das ist klassisch, haarig, bodenlos, allerhand · das macht das Maß voll · schlägt dem Faß den Boden, das Ei aus · setzt
allem die Krone auf · das geht doch über das Bohnenlied, über die Hutschnur ·
spottet jeder Beschreibung · da wird der Hund in der Pfanne verrückt · ich denke,
mir stockt die Milch · ausgerechnet · Mann Gottes (2. Kön. 4, 40) · das schreit, stinkt
zum Himmel · das ist doch die Höhe · so kann ich's auch · das jammert einen toten
Hund · ach der! · das ist die rechte Höhe · jetzt wird mirs aber zu toll · *Allerlei*
Übertreibungen wie: ich habe Ihnen 100mal gesagt · immerfort, jedesmal tun Sie
das · der Kerl läuft halbnackt herum (wenn einem Soldaten ein Knopf offensteht) ·
ihm war es vorbehalten · mit so was hat man früher die Katzen hinterm Zaun
totgeschlagen · *Zum Abschluß:* da hast dein Dappe (hess.) ⁊ *Ironische Anreden:*
dich hat wohl deine Mutter beim Saltomortale im Zirkus verloren · deine Mutter
hat wohl das Kind fortgeworfen und die Nachgeburt aufgezogen · du bist wohl
vom wilden Esel im Galopp gesch... · bist wohl als Wickelkind nackig von der
Waschkommode gefallen · ma moit, dea häb sein Vater dur's Hemmed g'macht ·
dem schreit auch kein Mensch nach, wenn er geht · du bist wohl auf der sauren
Milch abgestanden · laß dich begraben, heimgeigen · geh ham mit deiner Gitarr' ·
dir haben sie aus der Charité rausgekehrt · kriejen Se det öfter? · so hats bei
meinem Freund auch anjefangen · Sie sind ja eine Katastrophe · wie sinnig! · wie
passend! ⁊ *Schimpfwörter:* -ast(er), z. B. Philosophast, Kritikaster · Affenschwanz ·
Armleuchter · Aztekenschädel · Bagage · Balla (schwäb.) · Bazi (bayr.) · Bengel ·
Bumpfer (östr.) · Chaib (alem.) · Drecksack · Dreck- · überbliebener Donaukarpf

(Wien) · Gewitteraas · Grindskopf · Haderlump · Hanake · Hengländer (bayr.) ·
Hundehund · Hundsbeutel · Hundsfott · Halbsäckel · Individuum · Kerl · Kloaken-
schmetterling · Klotzkopf · Lackl (bayr.) · Lorbas · Luder · Lümmel · Mißgeburt ·
Mistaas · Mistvieh · Ochsenpantoffel · Rabenaas · Rammel (gescherter, luftgeselchter) ·
Rotzlöffel · Rotznase · Rotztrompete · Rotztulpe · Rübenschwein · Sau · Saubauer ·
Sch.. trümp · Scherenschleifer · Schindaas · Schlammbeißer · Schleimscheißer ·
Schnipfer (östr.) · Schwanzkringler · Schweinehund · Schweinigel · Siach (schweiz.) ·
Waidag (schwäb.) · Siwwesorteflegel (Frankfurt) · Spitzkaffer · Stäupe-Oos · Stink-
bock · Subjekt · Teekessel · Wackes · Wanzenvertilgungsmittel · Zeitgenosse usw. ·
Sie künstlich großgezüchtete Nachgeburt · militärisches Embryo ❡ *weibl.* Person ·
Schlutte · Stück ❡ *Weitere bezüglich Geschlecht s. 2. 15, Lebensalter 2. 22 ff.*
Charaktereigenschaften 11. 19 ff. Intelligenz 12. 56 f. Geschwätz 13. 22. Beruf 16. 60
❡ abrücken von · absprechen · aburteilen · abtun · anprangern · sich aufhalten über ·
aussetzen · ausstellen · beanstanden · bekritteln · bemäkeln · bessern · brandmarken ·
diskreditieren · festnageln · häkeln · herumhacken auf · hofmeistern · korrigieren ·
kritisieren · knottern · kritteln · losziehen über · mäkeln · meckern (berl.) ·
meistern · mißbilligen · monieren · mosern · nörgeln · raunzen · räsonnieren ·
quengeln · verfemen · verlästern · vermöbeln · verpönen · verreißen · schlecht
machen · Unzufriedenheit äußern, kundgeben, an den Tag legen · Mißbilligung
ausdrücken, aussprechen, zu erkennen geben · nicht einverstanden sein · Einspruch
erheben · auf die Pauke schlagen · in die Suppe spucken · die Verantwortung zuschieben · sich dagegen erklären · Anstoß nehmen · auszusetzen wissen · Ausstellungen, Einwände, Vorbehalte machen · den Hofmeister, Sittenrichter spielen ·
Fehler aufmutzen, aufsuchen, finden · am Zeug flicken · Fehlern nachspüren · in
Grund und Boden rezensieren · fehlerhaft finden · eins anhängen · Böses, Schlechtes,
Übles nachreden, nachsagen · durchfallen lassen · Spießruten laufen lassen · kein
gutes Haar an jmd. finden, lassen · er denkt schlecht von ihr · durch die Hechel,
durch den Kakao ziehen · mit Schimpfworten überschütten · zur Ordnung rufen ·
das Wort entziehen ❡ ausklatschen · auspfeifen · auszischen · beschimpfen · blamieren · durchhecheln · durchziehen · futtern (schles.) · geißeln · herziehen über ·
geringschätzen · herabsetzen · herabwürdigen (Schubart) · heruntermachen · heruntersetzen · karikieren · schmähen · verhöhnen · verlachen · verlästern · verschreien·
verspotten · verunglimpfen ❡ anfechten · angreifen · anklagen · bekämpfen · beschuldigen · bestreiten · bloßstellen · brandmarken · rügen · tadeln · verdammen ·
verdenken · verurteilen · verwerfen ❡ ab- · abkanzeln · (ab)kapiteln · abrechnen ·
abspeisen · ahnden · an- · -belfern, -blaffen, -blasen, -brüllen, -fahren, -fauchen,
-geifern, -hauchen, -kotzen · -meckern, -randsen, -rauchen · anrotzen (mil.) · anscheißen (mil.) · anschnauzen · anschreien · ausschimpfen · -zanken · -negern · an den
Hammelbeinen nehmen · beschämen · deppen · ducken · geifern gegen · heimgeigen · heruntermachen · herunterputzen · herziehen über · losfahren · losziehen ·
rüffeln · rügen · schelten · schenne (hess.) · schimpfen · schmähen · schmälen · verweisen · sich vorbinden, vorknöpfen, vornehmen · einem etwas vorreiten, vorwerfen · zusammenstauchen · Vorhaltungen. Vorstellungen, Vorwürfe, eine Szene
machen · seiner Erregung Luft machen · eindringlich zureden · ernstlich vorstellen ·
vorstellig werden · ins Gewissen reden · zu Gemüte führen · vor Augen halten · zur
Rechenschaft ziehen · ein Hühnchen zu rupfen haben · Fraktur, deutsch reden · die
Wahrheit (offen, unverblümt ins Gesicht) sagen · jemand nicht leichten Kaufs davon
kommen lassen · einem nichts ersparen, schenken · ins Gericht gehen · mit der
bitteren Wahrheit herausrücken · einen Denkzettel (mit)geben · einen Landler

spielen · einen Ausputzer, Wischer erteilen, geben · einen Rüffel zukommen lassen ·
Moralpauke, Standpauke halten · gehörig Bescheid sagen, stoßen (schles.), geigen ·
jemand ordentlich seine Meinung, die Wahrheit sagen, geben, zeigen · (derb) unter
die Nase reiben · jmdm. wüescht sage (alem.) · dienen · es jmdm. stecken · mit
jmd. abrechnen · Mores lehren · ins Gebet nehmen · sich jmd. angeln, kaufen,
langen · jmd. seinen Teil geben · eine Zigarre geben (soldat.) · tüchtig den Kopf
waschen, zurechtsetzen · aufs Dach steigen · auf den Kopf kommen, spucken · eine
Pille zum Schlucken geben · die Leviten, den Text lesen (d. h. Leviticus = 3. Mose
26, 14—45) · den Kümmel reiben · den Marsch blasen · daß kein Hund mehr ein
Stück Brot von ihm nimmt · eine Gardinenpredigt, Vorlesung halten · 's Maul
anhenke (alem.) · jmd. den Standpunkt klar machen · eines anderen, Besseren
belehren · auf den Trab bringen · auf die Finger klopfen, schauen · Krach machen ·
die Verantwortung zuschieben ¶ hat ihn fast (auf)gefressen ¶ auspacken · keifen ·
wettern ¶ die Schuld beimessen, geben, zuschreiben · zur Last legen · an den Tag,
ans Sonnenlicht bringen · mit dem Tadel nicht geizen, kargen, knausern, zurückhalten · nicht in der Ordnung finden · ein scharfes Auge für fremde Fehler haben ·
den Stab brechen über · streng ins Gericht gehen mit ¶ anecken · sich bloßstellen ·
Mißbilligung erregen · sich dem Tadel aussetzen · dastehen wie ein begossener
Pudel · eine Nase bekommen · Anstoß, Ärgernis geben · Skandal hervorrufen · die
gute Meinung verlieren · seinen guten Ruf verscherzen, verwirken, aufs Spiel setzen
¶ abschätzig · abfällig · bedenklich · kritisch · krittelig · tadelsüchtig · unbefriedigt ·
vorwurfsvoll · schwer zu befriedigen · mit dem Lob geizig, sparsam, zurückhaltend
¶ beißend · bissig · bitter · ironisch · sardonisch · sarkastisch · satirisch · scharf ·
schneidend · spitz · spöttisch · vernichtend ¶ schmähsüchtig · streitbar · zanksüchtig
¶ abscheulich · anstößig · getadelt · mißfällig · monströs · schimpflich · schmählich ·
sträflich · tadelnswert · unglaublich · unglaubwürdig, aber wahr · ungünstig · verdammt · vermaledeit · verrufen · verschrien · nicht befriedigend, empfehlenswert ·
läßt zu wünschen übrig ¶ Beckmesser · Besserwisser · Haarspalter · Kritikaster ·
Krittler · Lästermaul · Meckerer · Nörgler · Pedant · Quengler · Querulant · Schandmaul · Schlappmaul · Schulfuchs · Schulmeister · Silbenstecher · Sittenrichter ·
Splitterrichter · Tadler ¶ Keiferin · Xanthippe · böse Sieben ¶ Amtsmiene · finsterer,
unwilliger Blick · saure Miene · verächtliches Achselzucken · ernstliche Erörterung ·
freundliche Erinnerung · leiser Wink · hämische Bemerkung · beißende, bittere,
spitze Reden · scharfe, spitze Zunge · geharnischte, zermalmende Worte · üble
Nachrede ¶ Epigramm · Invektive · Lästerschrift · Pamphlet · Pasquill · Satire ·
Schmähschrift · Spottgedicht · Vermöbelung ¶ Bußpredigt · Gardinenpredigt ·
Philippika · Strafpredigt · Strafrede · schneidende, geharnischte Rede ¶ Haberfeld-
treiben · Pfeifkonzert · Hausschlüssel · Trillerpfeife · Trillerrakete · faule Äpfel ·
Volkszorn ¶ Aufstellung · Einrede · Einspruch · Einwand · Einwendung · Einwurf ·
Geringschätzung · Kritik · Krittelei · Mißachtung · Mißbilligung · Mißfallen · Tadel ·
Verdammung · Widerlegung · Widerrede · Widerspruch ¶ Abreibung · Andeutung ·
Anschiß · Anspielung · Ausnahme · Beschuldigung · Beschwerde · Ermahnung ·
Klage · Korrektur · Mahnung · Nase · Rüge · Verbesserung · Verweis · Vorhaltung ·
Vorstellung · Vorwurf · Warnung · Wink · Wischer · kalte Dusche ¶ Anwurf · An-
züglichkeit · Beeinträchtigung · Beleidigung · Frevelrede · Geschrei · Hechelei ·
Herabsetzung · Hohn · Ironie · Kränkung · Lästerrede · Persiflage · Sarkasmus ·
Schelte · Schimpfwort · Schmährede · Sittenrichterei · Spottsucht · Stichelei · Strafe ·
Tadelsucht · tadelnder Ton · Verleumdung · Verringerung · Verschiß · Zanken ·
Züchtigung.

34. Mißachtung. Beleidigung. s. *unwichtig 9.45. absichtliches Übersehen 12.38. unhöflich 16.53. Spott 16.54. Angriff 16.76. Gesindel 16.94. Ungehorsam 16.116. Verachtung 16.36.*

nieder mit · à bas · ist Luft für mich, nicht vorhanden, gleich Null ⁋ anpöbeln · aufziehen · auslachen · auspfeifen · auszischen · belächeln · brüskieren · foppen · ignorieren · kränken · mißachten · nahetreten · narren · schneiden · übersehen · unterschätzen · verachten · verhöhnen · verlachen · verlästern · verletzen · verleugnen · verspotten · verunglimpfen · verwunden · leichthin, obenhin, nachlässig behandeln · nicht in Ehren halten · nicht mehr kennen · sich zurückziehen von · nicht ernst, für voll nehmen · keine Beachtung schenken · in den Wind schlagen · auf etw. sch .. · von oben herab ansehen, behandeln · keines Blickes würdigen, wert halten · über die Achsel ansehen · mit der linken Hand abtun · keine Notiz nehmen · sich verleugnen lassen · den Rücken (zu)-kehren · sich verächtlich abwenden · sich den Dank schenken · sich lustig machen über · sich ins Fäustchen lachen · ins Gesicht lachen · mit Fingern auf jmd. zeigen · ins Lächerliche ziehen · die Verdienste schmälern · zum besten haben · zum Narren halten · lächerlich machen · durch die Hechel ziehen · an den Pranger stellen · die Rede abschneiden · vor den Kopf stoßen · nicht zu Worte kommen lassen · Katzenmusik bringen, machen · Fenster einwerfen ⁋ sich unmöglich machen · abgetan, erledigt sein ⁋ achtungswidrig · entehrend · geringschätzig · grob · herabwürdigend · höhnisch · respektlos · schmählich · schnöde · spöttisch · unehrerbietig · unhöflich · verächtlich ⁋ isoliert · unbeachtet · ungeehrt · wenig geschätzt ⁋ Bürger, Deutscher, zweiter Klasse ⁋ Achselzucken · Katzenmusik · Naserümpfen · Pereatrufe · Pfeifen · Pochen · Trommeln · Zischen · Gebärde · Miene der Mißachtung · spöttischer Blick · höhnisches Gelächter · schnöde, wegwerfende Behandlung ⁋ Beleidigung · Beschimpfung · Entwürdigung · Erniedrigung · Geringschätzung · Gespött · Herabsetzung · Hintansetzung · Kränkung · Mißachtung · Nichtachtung · Schande · Schimpf · Schmach · Spitzname · Spötterei · Unehre · Verachtung · Verunglimpfung.

35. Verleumdung. s. *Lüge 13.51. Geschwätz 13.22. Tadel 16.33. beschuldigen 19.12.*

afterreden · andichten · angreifen · anschwärzen · begeifern · beschimpfen · bezichtigen · brandmarken · denunzieren · diffamieren · diskreditieren · entehren · erniedrigen · geifern · geißeln · herabsetzen · herabwürdigen · herunterziehen · hetzen · lästern · schänden · schmähen · verdächtigen · verhöhnen · verkleinern · verlästern · verleumden · verspotten · verunglimpfen · zeihen · die Ehre verletzen, nehmen · sich in Beleidigungen ergehen · Schimpfreden ausstoßen · Böses, Übles nachreden, nachsagen · die Ehre abschneiden · ins Gerede, in Verruf, bösen Geruch bringen · hinter dem Rücken, hinterrücks angreifen · den guten Ruf antasten · einen Floh ins Ohr setzen · den guten Namen benagen, nehmen, rauben, stehlen, zerstören · jmdm. Abbruch tun · mit dem Gift der Verleumdung bespritzen · in den Kot zerren, ziehen · falsche Gerüchte ausstreuen · die Wahrheit auf den Kopf stellen · falsches Zeugnis ablegen · falsch beschuldigen · ausfallend werden · allerhand Andeutungen machen ⁋ beißend · beleidigend · boshaft · bubenhaft · bübisch · ehrenrührig · heimtückisch · infam · klatschsüchtig · kränkend · lästersüchtig · sarkastisch · scharfzüngig · schmählustig · spitzzüngig · tückisch · verkleinerungssüchtig · verleumderisch ⁋ Denunziant · Ehrabschneider · Ehrendieb · Ehrenräuber · Ehrenschänder · Frevelzunge · Kaffeeschwester · Krakehler · Lästermaul · Lästerzunge · Räsonierer · Revolverschnauze · Schandmaul · Schmähdichter · Schmäher ·

Schmähredner · Schmähschreiber · Verlästerer · Verleumder · Verunglimpfer · böse Zunge · Thersites · Asphaltpresse · Journaille · die Leute ⊄ Flugschrift · Hetzblatt · Pamphlet · Pasquill · Revolverblatt · Satire · Schmähartikel, -gedicht, -schrift, -rede ⊄ Kaffeebasengeschwätz · Lästersucht · Ohrenbläserei · Schmähsucht · Skandalsucht · Stadtklatsch · altes Weibergewäsch · böse Zungen · böse Welt · schlechte, üble Nachrede ⊄ Beeinträchtigung · Beschmutzung · Besudelung · Brunnenvergiftung übelster Art · Entehrung · Ehrenkränkung · Ehrenraub · Ehrenrührigkeit · Ehrenschändung · Ehrverletzung · Herabwürdigung · Kesseltreiben · Schändung · Schimpf · Schmähung · Schmälerung · Sensationslust · Verdrehung · Verkleinerung · Verlästerung · Verleumdung · Verunglimpfung.

36. Verachtung. *s. wertlos 9. 45; 9. 60. Haß 11. 59. unterschätzen 12. 51; 16. 34.*

verabscheuen · verachten · verfemen · verächtlich abweisen, behandeln · von sich weisen · mit Füßen treten · unter seiner Würde halten · nicht den geringsten Wert beilegen · auf die leichte Schulter nehmen · die Nase (dazu) rümpfen · nicht einen Knopf, Pfifferling, Strohhalm dafür geben · seine Verachtung klar an den Tag legen · seine Verachtung deutlich bekunden, zu erkennen geben · mit dem Finger deuten, hinweisen auf · aus dem Wege gehen · keines Blickes, Wortes würdigen · verächtlich ansehen, wegsehen · jede Berührung vermeiden · nicht ernst nehmen · nicht für voll ansehen · wenig halten von · Abstand halten · zu Tode schweigen · ignorieren · nicht einmal erwähnen, in den Mund nehmen (wollen) · mit Nichtachtung strafen · nicht in Schmutz greifen · sich nicht besudeln wollen ⊄ ist unten durch bei ⊄ bedauerlich · ehrlos · geächtet · hassenswert · rechtlos · unbeneidet · unwichtig · unwürdig · verabscheuenswert · verachtet · verächtlich · verachtungswürdig · widerlich ⊄ nichtswürdig · niederträchtig · schamlos · schändlich · schimpflich · schmählich · verwerflich · verworfen · zynisch ⊄ Spötter · Verächter · Zyniker ⊄ Geächteter · Verachteter · gemeines Subjekt · räudiges Schaf · dunkler Ehrenmann · dunkler Punkt · verächtliche, verworfene Persönlichkeit · Aschenbrödel ⊄ Abneigung · Abscheu · Geringschätzung · Haß · Mißachtung · Verachtung · Widerwille ⊄ Gemeinheit · Schmach · Unwürdigkeit · Zynismus.

37. Verwünschung, schimpfen. *s. Flüche 11. 5. Zorn 11. 31. Tadel 16. 33. Absetzung 16. 105.*

ich wollt, du hättst de ganze Kopp voll Läus und zu kurze Ärmcher, daß de dich net emol kratze kenntst · der Schlag müßt mich treffe und du müßt mei Frau heirate · hättst de de Parrtorm (oder: die Maabrick) iwwerzwerch im Leib (Frankf.) · hol's der Teufel! · Tod und Pest! · Fluch und Verderben (über)! · wehe! ⊄ donnern · fluchen · geifern · lästern · schelten · schimpfen · schwören · wettern ⊄ andonnern, -fahren, -plärren, -schreien · begeifern · beschimpfen · rügen · schelten · schmähen · tadeln · verdammen · verfluchen · verlästern · verurteilen · verwünschen ⊄ ächten · angeben · anklagen · ausbürgern, -merzen · streichen · bannen · exkommunizieren · verbannen · pöbelhafte Reden ausstoßen, führen · fluchen wie ein Bandit, Heide, Pferdeknecht, Stalljunge, Türke · schimpfen wie ein Fischweib, Marktweib, Rohrspatz · den Bann aussprechen · den Bannstrahl schleudern · mit dem Bann belegen · in die Acht erklären, tun · Tod und Verderben herabbeschwören, herabrufen · alles Böse wünschen · dem Verderben preisgeben, weihen ⊄ verdammt · verflucht · verheit (alem.) · verwünscht ⊄ Polterer · Rotte Korah ⊄ Acht · Ächtung · Anathema · Anklage · Ausstoßung · Bann · Bannfluch · Bannspruch · Bannstrahl · Blutbann · Bulle · Exkommunikation · Fluch · Interdikt ·

Kirchenbann · Reichsacht · Syllabus · Verwünschung · Acht und Aberacht ⁋ Fluch-wort · Pöbelausdruck · Scheltrede · Schimpfwort · Schmährede · Schwur · Verbalin-jurie ⁋ Achterklärung · Fluchandrohung · Verdammung · Verfluchung.

38. Höflichkeit, Gruß. s. *Aufmerksamkeit 12. 7. die große Welt 16. 62. Tugend 19. 3.*

zwei Finger der rechten Hand an den Schirmrand der Mütze legen · mit offener Hand winken · Armheben · Zunicken ⁋ Friede sei mit dir · Adje · Gott grüß' euch · Grüß Gott (südd.) · Küß die Hand (östr.) · Glück auf · Gut Heil (Turner) · Allheil (Radfahrer) · Gut Naß (Schwimmer) · Gut Holz (Kegler) · Hummel Hummel (Hambg.) · Hallo (Helgoland) · Servus (öster.) · Guten Morgen, guten Tag, guten Abend · Fiduzit · Prosit · Mahlzeit ⁋ *beim Begegnen:* Herzlich willkommen · Gott zum Gruß · aufzuwarten · wie geht's? · sind Sie gestern gut nach Hause gekommen? · gut bekommen? · adje, grüessi (schweiz.) · Mit Gott · jetzt leck du mich am A . (württemb.) · bitte um Entschuldigung · verzeihen Sie · mit Erlaubnis · gestatten Sie? ⁋ *zum Abschied s. 8. 18:* lebewohl · glückliche Reise · gute Nacht · auf Wieder-sehen · adda (Kinderspr.) · b'hüt Gott · ade · adieu · empfehle mich · habe die Ehre · Ihr Diener · meine Hochachtung (östr.) · Bye, bye · mach's gut · Hals- und Beinbruch (Sport) ⁋ *Briefschlüsse:* hochachtungsvoll(st), untertänigst, verbindlichst, gehorsamst, herzlichst, ergebenst, immer, treulich usw. · Ihr (dein) ergebener · ganz sehr ergeben Ihr · mit vorzüglicher Hochachtung · mit bestem Gruß (von Haus zu Haus) · mit bester Empfehlung bin ich, zeichnen wir · genug für heute · ersterbend · stets gern zu Diensten usw. ⁋ sich beurlauben · sich empfehlen · grüßen · knien · poussieren · präsentieren · salutieren · schöntun · sich verabschie-den · sich verbeugen · sich verneigen · sich vorstellen ⁋ anlächeln · begleiten · begrüßen · besuchen · bekomplimentieren · bewillkommnen · empfangen · grüßen · hofieren · huldigen · küssen · schmeicheln · umarmen · verehren · zulächeln · zu-nicken · zutrinken, anstoßen, zuprosten · zuwinken ⁋ sich anständig benehmen · Achtung, Ehrfurcht, Respekt ausdrücken · Höflichkeit bezeigen · weiß, was sich schickt · weiß zu leben · ist ganz Ohr · Bücklinge machen · die schuldige Rücksicht an den Tag legen · den Anstand, den äußeren Schein wahren · auf den Knien liegen · die Honneurs machen · sich galant erweisen · den Hut abnehmen, lüften, ziehen · die Zeit bieten · das Haupt entblößen · Reverenz erweisen · sich in Artig-keiten ergehen · Hände schütteln · den schuldigen Respekt hineinlegen · ein Hoch ausbringen · Gruß entbieten ⁋ seine Aufwartung machen · die Hand, den Saum des Kleides küssen · einen herzlichen, warmen Empfang bereiten · willkommen heißen · das Geleit geben · ein paar freundliche Worte wechseln · bis ans Tor bringen · paar Schritte mitgehn · seine Begleitung anbieten · den Arm bieten · den Hof machen · die Cour schneiden · in die Arme schließen · in den Ohren liegen · die Hand bieten, drücken, reichen, schütteln ⁋ bilden · erziehen · hobeln · kulti-vieren · zivilisieren · Lebensart, Manieren, Höflichkeit beibringen · zum Menschen heranbilden · Schliff geben ⁋ artig · aufmerksam · charmant · chevaleresk · devot · diskret · ehrerbietig · feingebildet · feinsinnig · formgewandt · formell · galant · gebildet · gebührlich · geschliffen · gesittet · höflich · korrekt · kultiviert · manier-lich · taktvoll · verfeinert · weltmännisch · wohlerzogen ⁋ diplomatisch · einneh-mend · geschmeidig · glatt · politisch · süß ⁋ freundlich · galant · gefällig · ge-sprächig · gutmütig · hilfsbereit · kurzweilig · leutselig · liebenswürdig · liebreich · mild · nachgiebig · sanft · verbindlich · willfährig · zutraulich · zuvorkommend ⁋ Herr · Kavalier · Schwerenöter · Weltmann · Gesellschaftslöwe ⁋ Dame ⁋ Achtung · Aufmerksamkeit · Bückling · Ehrerbietung · Fußfall · Gruß · Händedruck · Handkuß · Hutabnahme · Katzenbuckel · Knicks · Kniebeugung · Kompliment · Kopfnicken · Kratzfuß · Kuß · Kußhändchen · Maulsalve (Erwiderung des vom Vorgesetzten der Truppe gebotenen Grußes) · Salut · Scharrfuß · Umarmung · Verbeugung · Verneigung ⁋ Abschied · Abschiedsbecher · Beileid · Empfang · Empfehlung · Lebewohl ⁋ Anstand · Artigkeit · Benehmen · der Benimm · Betragen · Bildung · Geschmack · Gesittung · Haltung · Höflichkeit · Kinderstube · Konvention · Kultur · Lebensart · Manieren · Politur · Schliff · Takt · Weltgewandtheit · Zivilisation ⁋ Dienstfertigkeit · Freundlichkeit · Gefälligkeit · Gutmütigkeit · Hilfsbereitschaft · Leutseligkeit · Liebenswürdigkeit · Milde · Sanftmut · Umgänglichkeit · Umgangsformen · Wohlwollen · Zuvorkommenheit ⁋ Artigkeit · Courschneiderei · Galanterie · Kompliment · Parkettsicherheit · Phrase · Redensart · Ritterlichkeit · Schmeichelei · Selbstdisziplin ⁋ gute Erziehung · guter Ton · feine Manieren · Knigges Umgang mit Menschen · feine, gewandte, leichte Umgangsformen, Verkehrsweise · angenehmer, zusagender Umgang · Schicklichkeit · Stil · schöne, süße Worte · stummer Gruß.

39. Beglückwünschung *s. Ehrenerweisung 16. 87.*

ein kräftiger Händedruck ⁋ Vivat! Hoch! ein Schmollis! · Tusch! · Hut ab! · alle Achtung! ⁋ beglückwünschen · gratulieren · Glückwünsche darbringen · Glück wünschen · seine Freude ausdrücken (über ein freudiges Ereignis) · sich mit jemand freuen · die besten Wünsche aussprechen ⁋ Gratulant · Ehrenjungfrauen · Schützenkönig am Bahnhof · Jubilar ⁋ Angebinde · Auffahrt · Blumenarrangement · Böllerschießen · Brautgabe · Ehrengabe · Festschrift · Glückwunschadresse · Glückwunschtelegramm (auf Schmuckblattformular) · Gratulationscour · Gratulationskarte · Geschenk · Spende · Hochzeitsgeschenk · Kaffee und Kuchen · Lorbeerkranz · Strauß ⁋ Ehrentag · bestandenes Examen · Freudentag · Geburtstag · Jubiläum · Konfirmation · Namensfest · Tag der Beförderung · Trauung · Verlobung · Wiegenfest ⁋ Aufwartung · Besuch · Glückwunsch · Gratulation · Neujahrswunsch.

40. Eintracht. *s. Verbindung 4. 33. Mitwirkung 9. 69. Menschenliebe 11. 51. Genossenschaft 16. 17. Friede 16. 48.*

einträchtiglich · Arm in Arm · Hand in Hand · wie die Kletten · selbander ⁋ sich anpassen · entgegenkommen · zu jmd. halten · harmonieren · sympathisieren · übereinstimmen · sich verbrüdern · sich verstehen mit · sich vertragen · zusammenstimmen · zusammenwirken · Zwietracht fernhalten · im Einverständnis handeln · Fühlung nehmen mit · einverstanden sein · auf einen Gedanken eingehen · die Gefühle erraten · Frieden, gute Freundschaft, Kameradschaft halten · in derselben Tonart singen · ein Herz und eine Seele sein · in den Friedenschor einstimmen · Hand und Handschuh sein · am gleichen Strang ziehen · das Einvernehmen aufrechterhalten ⁋ einigen · unter einen Hut bringen ⁋ einhellig · einig · einmütig · einstimmig · einträchtig · geistesverwandt · geschlossen · harmonisch · harmonisierend · kongenial · übereinstimmend · verbunden · vereint ⁋ brüderlich · freundlich · freundschaftlich · friedlich · friedliebend ⁋ gleichgestimmte Seelen ⁋ Anklang · Einigkeit · Einklang · Einstimmigkeit · Eintracht · Einvernehmen · Friede · Harmonie · Kollegialität · Ruhe · Sympathie · Übereinstimmung · Verbundenheit · Wahlverwandtschaft · Zusammenklang ⁋ Bund · Familienglück · Freundschaft · Freundschaftsbande · Gemeinschaftssendung · Hausfriede · herzinniger Verein · gutes Einvernehmen · gute Nachbarschaft · wahre Volksgemeinschaft.

41. Freundschaft. *s. beharrlich 9.8. Menschenliebe 11.51. Liebe 11.53.*

ohne Umstände · ohne Zeremonie · im Familienkreis · Seite an Seite ⊄ sich kennen · liiert sein · mitfühlen · sich vertragen · zusammenhalten · Freundschaft halten, pflegen · gut befreundet, bekannt sein · gut, korrekt stehen mit · gleiche Gefühle hegen · auf freundschaftlichem, gutem Fuße stehen · auf Du und Du stehen, sich duzen · enge, freundliche, intime Beziehungen unterhalten · wie Brüder zusammenhalten · dicke Freunde sein · mit einem dicke (Tunke) sein · sich verbunden fühlen · in Glück und Unglück zusammenhalten · nicht von der Seite weichen · Freud und Leid teilen · durch dick und dünn, durch Feuer und Wasser gehen · manche Berührungspunkte haben · wie die Turteltauben ⊄ sich anbiedern · sich annähern · sich anschließen · sich befreunden · sich einlassen mit · sich liebgewinnen · sich umarmen · sich verbrüdern · in nähere Beziehungen treten · das Eis brechen · bekannt werden · Freundschaft eingehen, schließen · Zuneigung fassen · die Freundschaftsbande enger knüpfen · sich die Hand zum Bunde reichen ⊄ liebgewinnen · ins Herz schließen · kennen lernen ⊄ gern, lieb haben · eingenommen sein für · Vertrauen schenken · Vorliebe haben für · hat etwas übrig für ⊄ in Gunst stehen · für sich einnehmen · gut angeschrieben sein · Vertrauen genießen ⊄ befreundet · brüderlich · einig · einträchtig · freundlich · freundnachbarlich · freundschaftlich · geneigt · harmonisch · nachbarlich · traut · unzertrennlich · wohlwollend · zugetan ⊄ bekannt · beliebt · familiär · intim · vertraut · willkommen · gut bekannt · zu jeder Zeit willkommen · wohlgelitten · gut angeschrieben · gern gesehen ⊄ anhänglich · aufrichtig · bewährt · erprobt · fest · getreu · herzlich, innig, unveränderlich, unvergänglich, auf ewig ergeben, treu · verläßlich · wahr · warm ⊄ Begleiter · Bundesgenosse · Busenfreund · Freund · Herzensfreund · Intimus · persona grata · Spezi · Vertrauter ⊄ Bekannter · eine Bekanntschaft · Gefährte · Genosse · Gespiel · Jugendfreund · Kamerad · Kollege · Landsmann · Mitbruder, -gesell · -kämpfer, -schüler · Schulkamerad · Spielgenoß · Spießgesell · Studiengenosse · Sturmgeselle · Tischgenoß · Trinkkamerad · Trautgesell ⊄ Kommilitone · Komplize · Konsorten · Kumpan · Mitglied · Partner · Sozius · Teilhaber · Teilnehmer ⊄ Anhänger · Besuch · Besucher · Gast · Gastfreund · Gastgeber · Gönner · Patron · Schützer · Schutzheiliger · Schützling · Verfechter · Wirt · zweites Selbst · anderes Ich · getreuer Begleiter · ständiger Schatten · rechter Nachbar · guter Geist ⊄ Kastor und Pollux · Damon und Phintias · Orest und Pylades · David und Jonathan ⊄ Befreier · Beschützer · Erlöser · Heiland · Helfer · Retter · Schirmer · Schutzengel · Schutzgeist ⊄ Almosenvogt · Armenpfleger · barmherziger Samariter · barmherzige Schwester ⊄ das Rote Kreuz · Genfer Konvention ⊄ Brüderlichkeit · Brüderschaft · Einigkeit · Freundschaft · Harmonie · Kameradschaft · Vertraulichkeit · Vertrautheit · Seelenharmonie ⊄ Bekanntschaft · Beziehungen · Gemeinschaft · Genossenschaft · Konnexionen · Verbindungen ⊄ Gefühlsaustausch · Schmollis · herzliches Einvernehmen · gutes Einverständnis · gute Bekanntschaft · dicke Freundschaft · ein Herz und eine Seele · zwei Seelen und ein Gedanke · zwei Herzen und ein Schlag ⊄ Annäherung · Einführung · Verbindung · Verkehr · Vorstellung.

42. Liebesbezeugung. *s. Liebe 11.53.*

hak unter, kleiner Klunter ⊄ miteinander gehn · es miteinander haben ⊄ balzen · fensterln · auf Freiersfüßen gehen · jmd. nachsteigen · Umgang haben mit · ein Ende mitlatschen · Liebe erklären, gestehen, zuschwören · ewig treu bleiben wollen · sein Schicksal in die Hände legen · sein Wohl oder Wehe erwarten · um

die Hand anhalten · Heiratsantrag machen · Ständchen bringen · Fensterpromenade
machen ⁋ das Herz gewinnen · sich in die Arme sinken · die Liebe, Neigung besitzen, erringen, zuwenden · die Hand geben, reichen · ewige Treue schwören ·
Herz und Hand erlangen ⁋ liebenswürdig · liebreich · verliebt · huldvoll ⁋ Freund ·
Landsmann · Schatz ⁋ Artigkeit · Augenspiel · Augensprache · Bewerbung · Fensterpromenade · Galanterie · Heiratsantrag · Hofmacherei · Koketterie · Kompliment ·
Liebesblicke, -bote, -brief, -erklärung, -gabe, -pfand · Postillon d'amour · Rendezvous · Schäferstündchen · Serenade · Ständchen · Techtelmechtel · Vielliebchen ·
Wonnemond · süße Worte.

43. Zärtlichkeit. *s. Sinnlichkeit 10. 21.*

kille kille · ei ⁋ abbusseln, -drücken, -greifen, -knutschen, -küssen, -weiden ·
anlächeln · äugeln · balzen · busserln · füßeln · hätscheln · herzen · hutschen ·
kajolieren · kitzeln · knutschen · kosen · krauen · küssen · lecken · liebäugeln ·
liebkosen · schäkern · schmeicheln · schmusen (alem.) · schnäbeln · schöntun ·
spielen · streicheln · tändeln · tätscheln · umarmen · umfahen · umfangen · umhalsen · vernaschen · werben · wiegen ⁋ einhängen · einhaken · einander führen ·
unterärmeln, -fassen, -haken, -hauen ⁋ herzen und küssen · sich in die Arme
fallen · sich innig anschmiegen · näher heranrücken · sich ankuscheln · Arm in
Arm gehen · Liebesblicke austauschen, zuwerfen · Äugelchen machen (Goethe) ·
ans Herz drücken · an die Brust ziehen · niedlich werden · intim werden · in die
Arme nehmen · um den Hals fallen · mit einem Kuß, einem Händedruck besiegeln
⁋ innig · zärtlich ⁋ Backenstreicheln · Fünfminutenbrenner (langer Kuß) · Geheimnisse · Gekose · Geschnäbel · Getändel · Händedruck · Intimitäten · Kuß,
Goscherl · Hand-, Kneif-, Schmetterlings-, Zungenkuß · Liebkosung · Schmeichelei ·
Schmatz · Schmuz (alem.) · Tändelei · Umarmung · Wangenkneifen · Zärtlich-
keiten.

44. Unkeusch. *s. Sinnlichkeit 10. 21. Laster 19. 10.*

zoten · die Sauglocke läuten · bei mir Straßenbahn: alle 5 Minuten eine andere
⁋ sich ausleben · buhlen · herum-, z. B. -poussieren, -streichen · huren · sich
vergehen · sich vergessen · Anschluß finden · zu Fall kommen · die Unschuld verlieren · vom Baum der Erkenntnis essen · ein Hufeisen verlieren ⁋ ansprechen,
-quatschen · betören · entehren · kuppeln · schänden · verführen · vergewaltigen ·
zu Fall bringen · der Ehre berauben · um die Ehre betrügen · unsittlich berühren ·
Gewalt antun · behandelt die Frauen als Freiwild ⁋ anrüchig · anstandswidrig ·
ekelhaft · frech · gemein · lasziv · lose · pikant · schamlos · schändlich · schweinisch ·
sittenlos · unanständig · unbescheiden · unflätig · unkeusch · unmoralisch · unrein ·
unschicklich · unsittlich · unverschämt · unwürdig · unzart · unzüchtig · wissend
⁋ anstößig · bedenklich · eindeutig · medi-zynisch · obszön · gepfeffert · pornographisch · saftig · schlüpfrig · schmutzig · skatologisch · unmißverständlich · unpassend · zotig · zweideutig · nur für Herren · ziemlich frei · frivol ⁋ ausgelassen ·
ausschweifend · bestialisch · blutschänderisch · buhlerisch · dirnenhaft · ehebrecherisch · faunisch · feil · flott · käuflich · leichtfertig · leichtlebig · leichtsinnig · liederlich · locker · pervers · prostituiert · ungebunden · ungezügelt ·
üppig · verbuhlt · verführerisch · wild · wüst · zügellos · leicht zugänglich · jeder
Scham bar · vom Kitzel gestochen · ohne Schamgefühl ⁋ Blaubart · Bock · Buhle ·
Bruder Liederlich · Don Juan · Draufgänger · Ehebrecher · Eheschänder · Ehren-

räuber · Galan · Landru · Lotterbube · Lüstling · Lustgreis · Mädchenjäger · Nachsteiger · Roué · Schänder · Unhold · Verführer · Wüstling ℂ Maulhure · Schweinigel ℂ (galantes) Abenteuer · Ausgelassenheit · Ausschweifung · Buhlerei · Eskapade · Fehltritt · Kunstreise · Liebesgenüsse · Liederlichkeit · Schändlichkeit · Unreinheit · Vorleben · Wüstlingsleben · Zuchtlosigkeit ℂ Animierkneipe · Bordell · zweideutiges Haus · Puff · sturmfreie Bude usw. · Babel · Harem ℂ Zote · Wirtinverse · wenn's gemischt wird · Zotenreißerei ℂ Asphaltliteratur · Magazine · Pornographie ℂ Betörung · Blutschande · Ehebruch · Entehrung · Entjungferung · Feilheit · Haremswirtschaft · Inzest · Liebeswahnsinn · Mormonentum · Notzucht · Nuditäten · Promiskuität · Schändung · Schwächung · Vergewaltigung · Vielweiberei ℂ Frechheit · Schamlosigkeit · Schlüpfrigkeit · Schmutz · Unflat · Unsittlichkeit · Unzucht · Zweideutigkeit · Dienst der Venus · Mißachtung des Anstands · Verhöhnung, Verletzung der guten Sitte.

45. Hetäre.

auf den Strich, Fang gehen · seine Reize feilhalten usw. ℂ prostituieren ℂ Bajadere · (Buhl)Dirne · Demi(monde) · Flittchen · Freudenmädchen · Gefallene · Halbwelt · Hetäre · Hierodule · Kokotte usw. · Konkubine ℂ Zuhälter usw.

46. Belohnung. *s. Dank 11. 54. Lob 16. 31. Orden 16. 87. Zahlung 18. 26.*

abfinden · adeln · anerkennen · auszeichnen · belohnen · besolden · bezahlen · danken · ehren · entlohnen · entschädigen · ersetzen · honorieren · lohnen · prämiieren · vergelten · vergüten · schadlos halten · Schmerzensgeld zahlen · sich erkenntlich erweisen, zeigen · Ersatz leisten · zum Ehrenmitglied ernennen · öffentliche Belobigung ℂ Schmerzensgeld, Sühngeld empfangen · Genugtuung erhalten ℂ dankbar · erkenntlich ℂ Adel · Auszeichnung · Beförderung · Ehrenlohn · Ehrenpreis · Ehrensold · Preis · Titel · Würden · Ernennung zum Ehrenmitglied · zweiter Preis · Trostpreis ℂ Denkmal · Lorbeer · Lorbeerkranz · Orden · Ordensband · Pokal · Trophäe ℂ Bergegeld · Bergelohn · Entschädigung · Ersatz · Finderlohn · Genugtuung · Gratifikation · Provision · Schadenersatz · Schmerzensgeld · Strandgeld · Tribut · Vergütung · Zoll ℂ Belohnung · Bezahlung · Entgelt · Gegenleistung · Gehalt · Lohn · Löhnung · Sold · Tagegelder · Tageslohn · Verdienst · Vergeltung ℂ Anerkennung · Dank · Erkenntlichkeit · lobende Erwähnung · Freilos · Gabe · Geschenk · Honorar · Prämie · Trinkgeld · Vergütung.

47. Verzeihung. *s. Vermittlung 16. 49. Abbitte 16. 82. Milde 16. 109. nachgeben 16. 110.*

liebet eure Feinde! · Schwamm darüber · vergeben und vergessen · reden wir nicht mehr davon ℂ absolvieren · amnestieren · begnadigen · entschuldigen · freisprechen · nachsehen · rechtfertigen · übersehen · vergeben · sich vertragen · verzeihen · nicht nachtragen · Ablaß gewähren · Absolution erteilen · die Strafe erlassen, schenken, ermäßigen, mildern · Gnade für Recht ergehen lassen · mit Milde, Nachsicht vorgehen, handeln · mit Langmut vorgehen · durch die Finger sehen · fünf gerade sein lassen · hingehen lassen · ein Auge schließen, zumachen, zudrücken · Gewissensbisse, das Gewissen beruhigen, besänftigen · in Vergessenheit begraben · alles zum Besten kehren · Rücksicht üben · nicht büßen, empfinden, entgelten lassen · wieder gut werden · sich wieder vertragen · die Freundschaft erneuern · sich die (Freundes-)Hand reichen ℂ aussöhnen · beschwichtigen · dazwischentreten · interessieren · vermitteln · versöhnen · Frieden bewirken, herbeiführen, herstellen, stiften · Streitigkeiten ausgleichen, beilegen, schlichten · zur Versöhnung stimmen · wiedergutmachen · in Ordnung bringen ⁋ friedfertig · friedlich · geduldig · gutmütig · langmütig · nachgiebig · nachsichtig · sanft · versöhnlich · verzeihend ⁋ Ablaß · Absolution · Amnestie · Begnadigung · Entbindung · Entschuldigung · Erlaß · Freispruch · Generalpardon · Gnade · Gutheißung · Indemnität · Nachsicht · Nachgenehmigung · Strafaufschub, -ermäßigung, -freiheit, Strafnachlaß · Vergebung · Vergessenheit · Vergleich · Verzeihung ⁋ Buße · Reue, s. 11. 32 ⁋ Aussöhnung · Friedenshand · Friedensstiftung · Versöhnlichkeit ⁋ Engelsgüte · Friedfertigkeit · Gutmütigkeit · Nachgiebigkeit · Selbstverleugnung · Versöhnlichkeit · Milch der frommen Denk(ungs)art.

48. Friede. *s. Glück 5. 46. Ruhe 9. 36. Seelenruhe 11. 8. Menschenliebe 11. 51. Eintracht 16. 40.*

schiedlich · friedlich · in gutem ⁋ sich vertragen · im Freien leben · in Ruhe unter dem Schatten des Ölbaums leben · Frieden machen, herstellen, schließen, stiften · die Friedenspfeife rauchen · die Streitaxt begraben · den Sturm beschwören · den Janustempel schließen · das Kriegsbeil begraben · das Zerwürfnis beseitigen · den Bruch heilen · die Einigkeit wiederherstellen · die Beziehungen wieder aufnehmen · zum Einverständnis gelangen · das Schwert in die Scheide stecken · Urfehde schwören · auf Friedenswacht ziehen ⁋ sich einigen · sich vergleichen · sich verständigen · sich wieder vertragen · zusammenarbeiten ⁋ amnestieren · ausgleichen · aussöhnen · befriedigen · begütigen · beilegen · beruhigen · beschwichtigen · schlichten · vermitteln · versöhnen ⁋ Vergleich, Verständigung anbahnen · goldene Brücken bauen · Mißverständnisse beheben · Schwierigkeiten beseitigen · zur Vernunft bringen ⁋ abrüsten · entwaffnen ⁋ friedfertig · friedlich · friedliebend · friedsam · geruhig · gütlich · konziliant · milde · ruhig · sanft · saturiert · still · unbelästigt · unblutig · versöhnlich ⁋ Friedensfreund · Friedenskämpfer · Pazifist · Schiedsmann · Vermittlernatur ⁋ Beruhigung · Eintracht · Entspannung · Freundschaft · Friede · Ruhe · Sanftmut · Übereinstimmung · Waffenruhe · Waffenstillstand · Weltfriede ⁋ Friedensengel · Friedenspalme · Friedenspfand · Friedenssymbol · Friedenstaube · Olivenzweig · Regenbogen · Schalmeientöne ⁋ Ausgleich · Friede · Friedensbedingungen · Friedensschluß · Friedensstiftung · Kompromiß · Übereinkommen · Vereinbarung · Vergleich · Vermittlung · Versöhnung ⁋ Abrüstung · Entwaffnung · Einstellung der Feindseligkeiten · Friedensbewegung · Rüstspanne · ewiger Friede (Kant) · Endreich.

49. Vermittlung. *s. Mäßigung 5. 38. Beendigung 9. 35.*

schiedlich und friedlich ⁋ dazwischentreten · eingreifen · sich einmischen · einschreiten · erledigen · intervenieren · parlamentieren · schlichten · unterhandeln · verhandeln · vermitteln · sich verwenden · sich ins Mittel legen · den Vermittler machen · Fürsprache, ein gutes Wort einlegen · zum Austrag, zur Entscheidung bringen · in Einklang bringen ⁋ Friedensstifter · Fürsprecher · Mittelsmann · Mittler · Schadchen · Schiedsmann, -richter · Unterhändler · Vermittler ⁋ Einigungsamt · Friedensgericht · Gütestelle · Schiedsgericht · Vermittlungsamt ⁋ Dazwischenkunft · Démarche · Diplomatie · Einmischung · Einspruch · Friedensanerbieten · Fürbitte · Fürsprache · Intervention · Schiedsrichteramt · Schlichtung · Schritt · Unterhaltung · Vermittlung · gute Dienste.

50. Keusch. s. *Scham 11. 49.*

auf edler Basis · bei mir Hochzeitsnacht: alles mit Anstand · in (allen) Ehren ⁋ verdrängen · unschuldig bleiben · die Augen niederschlagen · seine Keuschheit bewahren · sich zurück-, reinhalten · auf die Stirne küssen ⁋ anständig · bescheiden · dezent · enthaltsam · ehrbar · feinfühlig · frigid · hausbacken · jungfräulich · kalt · keusch · platonisch · prüde · puritanisch · rein · reputierlich · schamhaft · schüchtern · sittig · sittlich · sittsam · spießig · spröde · tugendhaft, -lich, -sam · unbefleckt · unberührt · unnahbar · unschuldig · verschämt · zartfühlend · zimperlich · züchtig ⁋ *Von Büchern:* gereinigt · kastriert · zensuriert · in usum Delfini · jugendfrei (Film) ⁋ Blaustrumpf · Eisrieke · Jungfer · Jungfrau · Mimose · Nonne · Diana · Priesterin · eine Unschuld · Vellede · Vestalin · Kräutchen Rühr mich nicht an ⁋ Joseph · Kapaun · Mönch · Narziß · Puritaner · Tugendbold ⁋ Anstandsröckchen · Badehose · Feigenblatt · Gürtel · Hymen · Konfirmandenkuß · Myrtenkranz · Zwickel, Seufzerbrücke · Schleier ⁋ Anstand · Bescheidenheit · Dyspareunie · Ehrbarkeit · Enthaltsamkeit · Jungfernschaft · Jungfräulichkeit · Keuschheit · Mädchenhaftigkeit · Reinheit · Scham · Komplex · Schamgefühl · Sitte · Sittlichkeit · Sittsamkeit · Sprödigkeit · Unberührtheit · Unschuld · Wohlerzogenheit · Zartgefühl · Zölibat · Zucht · platonische Liebe.

51. Geziertheit, Prüderie. s. *Heuchelei 13. 51.*

huch nein · nicht doch ⁋ sich anstellen · empfindeln · sich genieren · heucheln · kokettieren · übertreiben · sich haben · sich zieren · schön, spröde, vornehm tun · ist etepete · sich Manieren, ein Ansehen geben · eine einstudierte Rolle spielen · die Augen, den Fächer spielen lassen ⁋ altjüngferlich · ehrpusselig · gefallsüchtig · g'schamig · klosterhaft · kokett · nonnenmäßig · preziös · prüde · scheinheilig · scheinspröde · scheu · spröde · unverstanden · zimperlich ⁋ genant ⁋ Tartüffe ⁋ Prüderie · Scheinheiligkeit · Zimperlichkeit.

52. Ungesellig. s. *allein 4. 36. Menschenhaß 11. 63. Ehelosigkeit 16. 12.*

sich abschließen · sich einpuppen · sich einspinnen · sich isolieren · privatisieren · sich verbergen · sich zurückziehen · abgeschieden, eingezogen, einsam leben · sich abseits halten · sich verleugnen lassen · schweigen · der Welt entsagen · die Gesellschaft fliehen, meiden · aufs weltliche Leben Verzicht leisten · seinen Kohl pflanzen · ein Muschelleben führen · allen Verkehr abbrechen · mit nichts mehr in Berührung kommen · ein Leben im Verborgenen führen ⁋ aufgeben · verlassen ⁋ ächten · ausschließen · ausstoßen · ausweisen · boykottieren · entvölkern · exkommunizieren · hinausballotieren · isolieren · relegieren · verbannen · verstoßen · des Landes verweisen · in Acht und Bann tun · ins Elend stoßen · ins Kloster stecken · in eine Zelle sperren ⁋ schneiden · nicht mehr kennen wollen · seine Gesellschaft verweigern · aus dem Wege gehen · den Rücken, die kalte Schulter weisen ⁋ abgeschieden · eingezogen · häuslich · zurückgezogen ⁋ abstoßend · kurz angebunden · menschenfeindlich · menschenscheu · misanthropisch · ungastlich · ungesellig · unnahbar · unzugänglich · verschlossen · weltfremd · widerborstig · wortkarg · zugeknöpft ⁋ alleinstehend · einsam · fremd · freundlos · geflohen · gemieden · unbekannt · ungekannt · vereinzelt · verlassen · verloren ⁋ unbesucht · ungeladen · unwillkommen ⁋ ausgestoßen · flüchtig · friedlos · geächtet · umherirrend · verbannt ⁋ gottverlassen · mutterseelenallein · von der Welt abgeschlossen · sich selbst überlassen · „die Welt vergessend, von der Welt vergessen" ⁋ Alleingänger ·

Anachoret · Eigenbrötler · Duckmäuser · Einsiedler · Einspan · Einzelgänger · Eremit · Fakir · Freudenfeind · Hagestolz · Hinterwäldler · Höhlenbewohner · Junggeselle · Kalendermacher · Kauz · Klausner · Klosterbruder · Menschenfeind · Misanthrop · Mönch · Mucker · Nonne · Original · Querkopf · Schluchtenbewohner · Sonderling · Stubenhocker · Troglodyt · Waldbruder · Wettermacher · Wüstensohn ¶ Ausgestoßener · Geächteter · Paria · Verbannter · Wilder (= parteilos) · Partikularist ¶ Auster · Eule · Kuckuck · Muschel · Schnecke ¶ Diogenes · Timon · Sankt Anton · Robinson Crusoe ¶ Einöde · Exil · Verbannung · Heide · Wildnis · Wüste ¶ Einsiedelei · Forsthaus · Jägerhaus · Klause · Kloster · Waldschloß ¶ Menschenscheu · Ungeselligkeit ¶ Abgeschiedenheit · Einsamkeit · Häuslichkeit · Landaufenthalt · Privatleben · Stilleben · Zurückgezogenheit ¶ Absonderung · Ehelosigkeit · Einzelleben · Isolierung · Junggesellenwirtschaft · Solipsismus · Verlassenheit · Witwenstand ¶ Ausschluß · Ausstoßung · Austreibung · Ausweisung · Boykott · Exkommunikation · Verbannung · Vertreibung ¶ Abschied von der Welt · Flucht aus der menschlichen Gesellschaft · abschreckendes Wesen · zurückstoßendes Benehmen.

53. Unhöflich. *s. Reizbarkeit 11. 58. Stolz 11. 44. deutlich 13. 33. Frechheit 16. 90.*

mir nichts dir nichts · „eigentlich?", z. B. was wollen Sie eigentlich? · na und ? ¶ ad hominem ¶ schmollen ¶ abtrumpfen · anfahren · anpöbeln · anrotzen · anschnauzen · anstarren · begaffen · beleidigen · (be)schimpfen · sich unzart, roh aufführen · sich gehen lassen · sich ungezogen benehmen · hat Spatzen unterm Hut · drohende, finstere, mürrische Blicke werfen · die Stirn runzeln · sich nicht zu beugen wissen · die Lippe hängen lassen · kurzen Prozeß machen · sich zu viel herausnehmen · sich kurz fassen · kurz angebunden sein · nicht viel Federlesens machen · polnischen Urlaub nehmen · sich französisch empfehlen · sich Ungebührlichkeiten erlauben ¶ persönlich werden · spitz, grob werden · deutsch reden · unangenehm werden · dumm kommen · den Rücken zukehren · keiner Antwort würdigen · kein Gehör schenken · ins Gesicht gaffen · schnöde behandeln · ausfallend werden · deutlich werden · schneiden ¶ verbauern · verrohen ¶ achtungswidrig · bengelhaft · brutal · bübisch · derb · dreist · formlos · flegelhaft · frech · gemein · keck · klobig · klotzig · knorrig · lümmelhaft · nonchalant · obszön · ordinär · peinlich · plebejisch · pöbelhaft · roh · rücksichtslos · rüde · schofel · taktlos · unanständig · unartig · unbeholfen · ungalant · ungebildet · ungebührlich · ungehobelt · ungeleckt · ungeschlacht · ungeschliffen · ungesittet · ungezogen · unkultiviert · unmanierlich · unverfroren · unverschämt · unzart · unziemlich · zynisch ¶ abstoßend · ablehnend · abweisend · anzüglich · bärbeißig · barsch · borstig · böse · boshaft · brummig · bürokratisch · düster · einsilbig · eigensinnig · finster · grämlich · grantig · grob · harsch · hart · herb · hypochondrisch · knorrig · kühl · kurz · mißmutig · moros · mürrisch · querköpfig · rauh · reserviert · sauertöpfig · schroff · steif · störrisch · streng · stumm · trotzig · tückisch · unfreundlich · ungefällig · verbittert · verdrießlich · versauert · verschlossen · widerspruchsvoll · widerwärtig ¶ ärgerlich · auffahrend · bärbeißig · bissig · eingebildet · einsilbig · empfindlich · gebieterisch · hämisch · herrisch · hochmütig · höhnisch · launisch · naseweis · reizbar · schadenfroh · schnippisch · schnöde · spöttisch · starr · tadelsüchtig · unzulänglich · verletzend · vorwitzig · zänkisch · zanksüchtig ¶ saugrob · sacksiedegrob · grob wie ein Klotz, wie Bohnenstroh, wie Sackleder · mürrisch wie ein Eisbär · flegelhaft wie ein Bauer ¶ Bär · Bauer · Bengel

Bürokrat · Flegel · Garst · Grobian · Kaffer · Kloben · Klotz · Knote · Laffe · Massik · Lümmel · Prolet · Rauhbauz · Rauhbein · Revolverschnauze · Rowdy · Rüpel · Schläger · Schlüffel · Siebensortenflegel · Stössel · Vandale ⊄ Bärbeißer · Brummbär · Griesgram · Murrkopf · Wauwau · teutscher Michel · Kaliban · unbehauener Klotz · rauhe Schale ⊄ Bauernmanier · Beamtenton · Dünkel · Gemeinheit · Grobheit · Flegelei · Kasernenhofton · Lümmelei · Roheit · Rücksichtslosigkeit · Sauherdenton · Taktlosigkeit · Übergriffe · Unart · Unbildung · Ungeschlachtheit · Unverschämtheit · Zote ⊄ Bärbeißigkeit · Barschheit · Bitterkeit · Härte · Herbheit · Rauheit · Schroffheit · Strenge · Verdrießlichkeit ⊄ Anzüglichkeit · Eigensinn · Frechheit · Frevelrede · Krittelei · Querköpfigkeit · Starrsinn · Tadelsucht · Widerspruchsgeist · Zanksucht ⊄ Ärger · Empfindlichkeit · Laune · Reizbarkeit ⊄ schlechte Erziehung · Mangel an Kinderstube · Versäuerung des Gemüts · düsteres Aussehen · finstere Blicke · üble Stimmung · schlechte Laune · wegwerfende Behandlung · eisiger Empfang.

54. Spott. *s. Heiterkeit 11. 21; 22. Beleidigung 16. 34. Angriff 16. 76.*

he! he! ätsch ⊄ auflachen · feixen · grinsen · höhnen · hohnlachen · bloßstellen · sich mokieren · spotten · sticheln · sich lustig machen über · sich ins Fäustchen lachen · das Lachen nicht unterdrücken können · Schabernack treiben · sich auf die Lippen beißen · Gesichter, Fratzen, Grimassen schneiden ⊄ anöden · anpflaumen · anspielen · anulken · aufziehen · auslachen · bespötteln · durchhecheln · flachsen · foppen · frozeln · hänseln · hochnehmen · hudeln · intrigiere (basl.) · narren · nasführen · necken · sich mokieren · uzen · veraasen · veräppeln · veralbern · verhöhnen · verhönigeln · verhonepiepeln · verklapsen · verlachen · verspotten · verulken · vexieren ⊄ angrinsen · belächeln · ironisieren · karikieren · nachäffen · parodieren · persiflieren · travestieren · zum besten halten · eine Nase drehen · zum Narren halten · an den Pranger stellen · in den April schicken · Schindluder treiben · hinters Licht führen · einen Streich spielen · zum Stichblatt machen · zur Zielscheibe des Gelächters machen · dem Gelächter preisgeben · an der Nase herumführen · am Narrenseil führen · auf den Arm, auf die Schippe nehmen · aufsitzen lassen · lächerlich machen · ins Lächerliche ziehen · Heckmeck treiben ⊄ der Gegenstand des Spottes sein · ist zum Lachen · Mittelpunkt des Gelächters werden · das allgemeine Gelächter werden · zum Stadtgespräch werden · sich lächerlich machen ⊄ burlesk · hämisch · höhnisch · ironisch · schadenfroh · spöttisch · süffisant ⊄ bloßgestellt · gekränkt · wie ein begossener Pudel ⊄ Aprilnarr · Ausgelachter · Sündenbock · Verspotteter · Potsdamer · Wurzen (*bayr.* muß zahlen und wird trotzdem verspottet) · Bajazzo · Gebärdenmacher · Hanswurst · Harlekin · Hofnarr · Hofzwerg · Klown · Komiker · Lückenbüßer · Mimiker · Nachäffer · Pickelhering · Possenreißer · Spaßmacher ⊄ Original · Phantast · Sonderling · närrischer Kauz ⊄ Hohnlachen · Schadenfreude · Spottgelächter ⊄ Burleske · Epigramm · Groteske · Ironie · Komödie · Pamphlet · Parodie · Pasquill · Possenspiel · Satire · Tragikomödie · Travestie ⊄ Affenstreich · Bocksprung · Gaukelei · Gesichterschneiderei · Grille · Grimasse · Hanswurstiade · Kapriole · Luftsprung · Mißgebärde · Mummenschanz · Narretei · Purzelbaum · Schelmerei · Schnake · Schnurre · Schwank · Seitensprung ⊄ Druckfehler · Irrtum · Mißgriff · Schnitzer · Schreibfehler · Versehen · Verwechslung ⊄ Antiklimax ⊄ sardonisches Gelächter · Hohngelächter der Hölle · komische Mimik · lächerlicher Irrtum · grober Mißgriff · lapsus linguae · das lächerlich Erhabene ⊄ Anspielung · Anzüglichkeit · Ausfall · Biesterei · Bosheit · Budenzauber · Fopperei · Hechelrede · Hieb · Hohn · Hohnrede · Knittelverse ·

Malice · Neckerei · Pflaume · Schabernack · Schadenfreude · Schalkslob · Schimpfwort · Seitenhieb · Spitzname · Spott · Spöttelei · Spottverse · Stachelverse ·
Stachelwort · Stich · Stichelei · Ulk · Viecherei.

55. Unterhaltung, Vergnügungen. *s. essen 2. 26. Alkohol trinken*
2. 31. Heiterkeit 11. 21. Tanz 16. 58. Fest 16. 59. Geselligkeit 16. 64. zahlen 18. 26.

sich amüsieren · ausgehen · bummeln gehen · feiern · schmausen · sich verlustieren ·
tafeln · sich unterhalten · zechen · sich zerstreuen ⊄ hüpfen · jagen · rodeln ·
schleifen · spielen · springen · turnen ⊄ schäkern · scherzen · spaßen · tändeln
⊄ sich die Zeit vertreiben · das Leben genießen · die Zeit vertändeln · die Langeweile von sich halten · dem Vergnügen nachgehen · Feiertag, blauen Montag
machen · die Sorge ertränken, verscheuchen, vertreiben · sich der Sorge entschlagen · den Kummer fernhalten · den Hanswurst, Narren machen. — (eine Nacht)
durchlumpen, durchmachen, durchrudern, durchsacken ⊄ die Gläser füllen · Bescheid
tun · eine Flasche ausstechen · eine Dutt (= redoute) machen (stud.) · (Sauf-)Gelage
halten · Salamander reiben · Freudensprünge, Luftsprünge machen ⊄ Aufführung ·
Lustspiel · Oper · Posse · Schauspiel · Schwank · Sehenswürdigkeit · öffentliche
Lustbarkeit · Saus und Braus ⊄ Hanswurstiade · Konfetti · Narrenspossen · Schnurre
⊄ Karussell · Reitschule · Ringelspiel · Rössliritti · Trillerfahren · Lunapark ⊄ Ball ·
Karneval · Kostümfest · Knappenabend · Maskenfest · Maskenball · Maskerade ·
Mummenschanz · Redoute · Reunion · Schrammelmusik · „Vergnügen" · Witwenball ⊄ Betrieb · Bums · Erdenfreuden · Festlichkeit · Fez · Freude · Frohsinn ·
die Gaudi · Genuß · Hochgenuß · Jubel · Klamauk · Klimbim · Kurzweil · Lustbarkeit · Rummel · Unterhaltung · Zeitvertreib · weltliche Freuden · irdisches Vergnügen ⊄ Jagd *s. 2. 11* · Anstand · Birsch · Halali ⊄ Badereise · Bummel · Lustreise ·
Schlittenfahrt · Vergnügungsritt · Vergnügungstour ⊄ anregen · belustigen · beseelen · ergötzen · erheitern · ermuntern · unterhalten · vergnügen · zerstreuen
⊄ auftischen · aufwarten · bewirten · einschenken · freihalten · zutrinken ⊄ amüsant ·
angenehm · anziehend · ausgelassen · bubenhaft · drollig · einnehmend · ergötzlich ·
fesselnd · fidel · froh · geistreich · gemütlich · gesellig · hinreißend · interessant ·
Tänzer · Vergnügungskommissar ⊄ Ballschläger · Narr · Possenreißer · Spieler ·
Zecher · Eulenspiegel · Hanswurst · flotter Bursche · lustiger Kauz · Ballkönig ·
Hahn im Korbe ⊄ Kurort ⊄ Gesellschaftssaal · Lokal · Bums ⊄ Jahrmarkt · Schau-
bude · Theater · Varieté · *s. Drama 14. 3.* · *Markt 18. 25* ⊄ Abendunterhaltung ·
Anlaß (schweiz.) · Ausflug · Besuch · Empfang(sabend) · Fünfuhrtee · Gesellschaft ·
Kegelabend · Kränzchen · Leseabend · Veranstaltung · Picknick · Spaziergang ·
Plauderstündchen ⊄ Bacchanal · Bankett · Fest · Festessen · Festmahl · Gastmahl ·
Gelage · Jux · Kneipe(rei) · Liebesmahl · Mahlzeit · Orgie · Saufgelage · Schmaus ·
Tafelfreuden · Zecherei · kulinarische Genüsse.

56. Spiele.
spielen: Baukasten · Bleisoldaten · Puppe · Eisenbahn usw. ⊄ Spielzeug · Rassel
⊄ Stutzkopf ⊄ guck-guck ⊄ Purzelbaum, Stutzebock, Trunkkugel · Bockägele
⊄ Kreisel, Dobch, Triesel, Klappgons, Dilldopp, Dullerdopp (Kassel), Dräbeklotz,
Trandel, Torl, Turl, Pin(dopp), Kiesel, Wolferl · dobchen, dopfen (schwäb.) · krei-
seln, trieseln ⊄ Murmel (Marmel, Marrel, Mermel), Knicker, Alabaster, Murks,
Klicker, Klucker, Bicker, Gstunzen, Schneller, Katzedonier, Speicker, Spicker,
Hüpper, Heucher, Ärbel, Üller, Ma(ä)rbel, Bickel (Darmstadt), Heuer (berg.),
Schießer, Schossert, Wackel, Kadäätsch (ad.), Kenkes (Offenburg), Topfkurgel

(Miltenberg), Balliedle (alem.), Kässe-Schuckes (Schwäb.) — Schnipp schnapp · Himmel und Hölle ¶ Papierdrachen, Paddevuel (rhein.) ¶ schleifen, schlittern, glitschen, kascheln (schles.), schindern (desgl.), schorren, schurren, schleistern, schlindern, schlickern, schindern, kascheln, glennern, hötschen, schusseln (thür.) ¶ hickeln, hopsen ¶ Stelzenlaufen · Seilhupfen ¶ Steine flach über Wasser werfen: bleiern, ketschern, schlendern, Butterstullen schmeißen (Berlin) ¶ Schaukel, Klunker, Gautsche, Gureize, Reidel, Schunkel ¶ Schaukelpferd ¶ *Gemeinschaftsspiele im Freien:* Barlauf ¶ Nachlauf, Haschen, Zeck, Greifen, Fangen, Fangerles (schwäb.) · Tapperl geben, Kriegen, Anschlagches, Hasch-hasch hu-hu, Katz und Maus, Abschlagen · Wolf und Schaf ¶ *Zufluchtsort:* Hollehopp, Lepold, (Hier ist) frei, Mal, Schanze, Verbiete, Kunst, Ziel, Höhle, Bodee, Anschlag für mich, Barlauf (barre = Grenze), Kästche, Belaub, Alstelch, Busch (Heidelberg), Holder (Baden-Baden) s. 9. 76 ¶ Verstecken · Räuber und Gendarm · Räuber und Prinzesssin · Blindekuh · Plumpsack ¶ -ches (Frankfurt/M.), z. B. Soldatches, -les (schwäb.) z. B. Fangerles · Versteckerles ¶ *Kartenspiele:* jeuen · Karten dreschen, kloppen · ein Spielchen wagen · eine Runde, Partie machen · mischen, geben, austeilen · Bakkarat · Binokel · Boston · Bridge · Doppelkopf · Ekarté · Franzefuß · Jaß · Klabrias · Lomber · Mariage · Meine Tante, deine Tante · Onze-et-demi · Patience · Faro · Pikett · Poch · Poker · Rommé · Rouge-et-noir · Schafskopf · Schwarzer Peter · Sechsundsechzig · Siebzehn und vier · Skat · Solo · Tarock · Tippen · Tod und Leben · Trente-et-quarante · Whist · Zego ¶ *Glücksspiele:* Bild oder Wappen · Kartenlotterie · Kaschla · Mauscheln · Pferdchen · Roulette · Tivoli · würfeln, knobeln · ausknobeln ¶ *Brettspiele:* Dame · Gammon · Gobang · Halma · Mühle · Puff · Tricktrack · Salta · Schach · Wolf und Schafe · Wehrschach ¶ *Legespiele:* Domino ¶ *Gesellschaftsspiele:* Eisenbahn („Ich reise nach Jerusalem, wer reist mit?") · „Ringlein, Ringlein, du sollst wandern" · „Wie gefällt dir dein Nachbar?" · „Chassez-vous, placez-vous" · Teppich raten (Teekessel) · „Wie, wo, warum (liebst du's)?" · Markierstuhl, Konkurrenzraten · Drei Fragen hinter der Tür · Pfänderspiele · Schule spielen · Schinkenklopfen ¶ Rätselraten · Kreuzworträtsel · magisches Quadrat · Rösselsprung usw. · Wörter raten · Schreibspiele (Dichterquartett) ¶ *Würfelspiele:* Mensch ärgere dich nicht · Post- und Reisespiel usw. ¶ *Unterhaltungsspiele:* Quartett · Lotto ¶ *Beschäftigungsspiele:* Geduld-, Geschicklichkeitsspiele ¶ *Kugelspiele:* Billard · Kroket · Boccia · Kegel.

57. Sport. *s. üben 12. 35.*

Ballspiele: Fußball: treten · kicken · flanken · kopfen · schießen · stoppen · halten · dribbeln · rempeln · umspielen. — Kicker · Stürmer · Halbrechter · Linksaußen usw. · Läufer · Verteidiger · Torschützer · Schiedsrichter. — Ball, Ei, Kiste, Leder, Pille. — Abschlag, -stoß · Elfmeter · Einwurf · Schuß · Alleingang · Kopfspiel · Freistoß · Tor · (Kasten · Mal · Heiligtum) · Abseits · Aus · Strafraum · Halbzeit · Toto ¶ Handball · Faustball · Schlagball · Hockey · Polo · Radball · Wasserball · Rugby · Basketball, Korbball · Golf · Kroket · Kricket · Kegeln · Billard · Schleuderball · Völkerball · Schlagball · Grenzball · Jägerball · Raubball · Kampfball · Ball über der Schnur · Prellball. — Wettspiel ¶ *Tennis:* geben, servieren, schneiden. — Schläger, Racket, Turnierball · Netz · Vorhand, Rückhand · Flugball · Stopball · Fehler · Doppelfehler · Netzball · 15, 30, 40 · Einstand, Vorteil · Spiel · Satz · Dreisatz, Fünfsatz · Match · Tennisturnier · Davispokal · Tischtennis, Pingpong ¶ *Leichtathletik:* Hochsprung · Weitsprung · Stabhochsprung · Dreisprung. — Lauf: Hundertmeterlauf · Hürdenlauf · Hindernislauf · Marathonlauf · Staffellauf,

z. B. 4 mal 400 m. — Gehen · Gepäckmarsch. — Kugelstoßen · Hammerwerfen · Speerwerfen · Diskuswerfen · Steinstoßen · Keulen-, Handgranatenweitwurf, Schlagballweitwurf · Gewichtswurf. — Mehrkampf · Fünf-, Zehnkampf. — Leichtathlet · Sprinter · Sportler · Kämpfer · Crack · Amateur · Professional. — Zeitnehmer · Starter · Kampf-, Zielrichter · Olympische Spiele. — Sportschule · Wettkampf · Kampfbahn · Feld · Stadion · Sportpalast · Rekord · Weltrekord ❡ *Schwerathletik:* Gewichtheben, Stemmen · Reißen · Drücken · — beidarmig · bestarmig. — Ringen · (Rangeln) · Freistil · Griechisch-Römisch · Matte · Durchgang · Griff · (Doppel) Nelson · Bodenlage ❡ *Boxen:* Faustkampf. — Leichtgewicht usw. *s. 7. 41.* — Ring · Runde · Gong · 4 Unzenhandschuhe · harte, weiche Bandagen. — Schwinger · kurzer Gerader · trockner Linker · Haken, z. B. Leberhaken, Kinnhaken · Stopper · Finte · Deckung · Nachschlag · Körpertreffer · Wischer · Schlagwechsel · Schlagaustausch · Nahkampf · auf Distanz · Beinarbeit · Niederschlag · Punktsieg · technischer K. o. — angeschlagen, groggy · ausgezählt · k. o. · Boxer · Sekundant · Ringrichter · Manager ❡ *Wassersport:* Schwimmen, Hundertmeterschwimmen · Freistil · Brustschwimmen · Rückenschwimmen · Kraulen · Schmetterlingsstil. — Springen: Kunstspringen · Turmspringen · Startsprung · Hechtsprung · Kopfsprung · Salto · Streichholz · Bombe. — Rudern, z. B. Vierer mit (Steuermann) · Zweier ohne · Paddeln · Segeln · Rennjolle s. Wasserfahrzeuge *8. 5.* ❡ *Wintersport:* Eislauf · Eisschnellauf, z. B. über 5000 m · Einzel-, Paarlauf · Eistanz · Eiskunstlauf · Pflicht · Kür · Eisschießen · Eissegeln · Eishockey. — Schlittschuhe · Holländer · Eisbahn. — rodeln · Bob(sleigh) · Bobrennen · Rodelschlitten. — Führer · Bremser. — Rad-, Seilsteuerung. — Schlittenfahren. — Ski, Skilauf · Brettle (bad.), Tunnabratla (schles.) · Langlauf · Abfahrtslauf, Sprunglauf · Slalom · Telemark. — Sprungschanze ❡ *Pferdesport:* Reiten · Pferderennen · Flachrennen · Military, Vielseitigkeitsprüfung · Jagdspringen · Dressurprüfung · Derby. — Galoppsport · Trabersport · Pferdelänge · totes Rennen. — Toto · Tattersall, Hippodrom, Zirkus usw. · Herrenreiter · Jockey · Champion usw. — Polo · Schnitzeljagd ❡ *Radsport:* radeln, treten, Kilometer fressen usw. Radrennen · Straßenrennen · Rund um X · Das Goldene Rad · Rad, Rennmaschine *s. 8. 4* · Flieger · Steher · Rennfahrer · Schrittmacher. — Rollschuh. Autorennen · Renn-, Sportswagen · Motorrad mit und ohne Beiwagen. — Avus · Nürburgring · Solitude. — Seifenkistenrennen ❡ *Turnen:* Freiübung · Rad · Brücke · Spagat · Radschlagen · Geräteturnen (Barren · Bock · Pferd · Reck · Ringe · Stangen · Leiter) · Rundlauf · Rhönrad. — Turnspiele (Barlauf, Dritten abschlagen usw.). — Medizinball · Keule · Hantel · Expander. — Zwölfkampf · Wettbewerb · Turnhalle · Turnvater Jahn ❡ *Fechten:* Florett-, Degen-, Säbel-, Stockfechten ❡ *Schießsport:* Kleinkaliberschießen · Scheiben-, Pistolenschießen · Tontaubenschießen · Wehrertüchtigung ❡ *Flugsport:* Segelfliegen · Luftrennen · Flugtag.

58. Tanz. *s. springen 8. 29. Musik 15. 14. Vergnügungen 16. 55. Kult 20. 16.*

drahen · drehen · jazzen · scherbeln · schieben · schunkeln · schwofen · steppen · tanzen · walzen · das Tanzbein schwingen · er tanzt eine kesse Sohle ❡ Tänzer · Eintänzer, Gigolo · Tänzerin · Ballerina · Balleteuse · Ballet · Truppe ❡ Ball · Dancing · 5-Uhr-Tee · Schwof · Lämmerhupf · Ringelpiez (rhein.) · thé dansant · Tanzkränzchen · Tanztee · Vergnügen (nordd.) · Volkstanz ❡ Nabelreiber · Tanz · Ballett · Reigen ❡ Allemande · Anglaise · Bauchtanz · Bolero · Boston · Bougie-Woogie · Cake-Walk · Cancan · Charleston · Contre · Dreher · Ecossaise · Fandango · Foxtrott · Française · Galopp · Gavotte · Hopser · Jazz · Kettentanz ·

Kotillon · Kreistanz · Ländler · Lambeth walk · Maxixe · Mazurka · Menuett · Negertanz · Onestep · Paso doble · Polka · Polonaise · Quadrille · Ragtime · Ramba · Raspa · Reigen · Reihentanz · Rheinländer · Rigaudon · Ringeltanz · Rondo · Rumba · Rundtanz · Samba · Sarabande · Schieber · Schottisch · Schuhplattler · Schwerttanz · Shimmy · Slowfox · Swing · Tango · Tarantella · Tschardasch · Twostep · Walzer ❡ Tanzschritt · Pas · Glissage.

59. Fest. *s. heiter 11. 21. Glückwunsch 16. 39. Kult 20. 16.*

Feiertag · Staatsfeiertag · Trubel ❡ Geburtstag · Urständ ❡ Namenstag ❡ Taufe · Kindstaufe ❡ Konfirmation · Firmelung ❡ Hochzeit *s. 16. 11* ❡ Jubiläum · silberne, goldene, diamantene, eiserne Hochzeit ❡ Neujahr ❡ Fastnacht, Fasching, Karneval ❡ Ostern, Passah ❡ Maifeier · Tag der Arbeit · Pfingsten ❡ Sonnwendfeier ❡ Erntefest: Aust · Austbier · Erntebier · Erntegans · Krähhahn · Plon · Sichelhenke · Stoppelhahn · Winzerfest ❡ Freudenfeuer · Feuerwerk · Fackeltanz · italienische Nacht · Schützenfest · Sängerfest · Stiftungsfest ❡ Jahrmarkt: Dult (bayr.), Kilbe (alem.), Kerb, Kirbe (mitteldt.), Kirchweih, Kirmes, Messe, Senn, Wiese, Oktoberfest · Wurstmarkt · Klimbim · Hochbetrieb ❡ Festkalender · Kirchenjahr.

60. Berufe. *s. Art 5. 8. Tätigkeit 9. 18. Erwerb 18. 5.*

er ist seines Zeichens ein · er ist von Hause · in Stellung ❡ umsatteln ❡ verlangt den ganzen Menschen ❡ beruflich · berufsmäßig · professionell · ein gelernter x x ❡ Spezialist · Profi · Professional ❡ Amt · Beruf · der Ernst des Lebens · Branche · Profession · Stellung · Stand ❡ Arbeitsteilung · Professionalisierung · Berufswahl · Berufsberatung · Arbeitsamt · Stellennachweis, -vermittlung ❡ *Einzelberufe* (in der Anordnung dieses Wortschatzes).

Abt. 1. *Die anorganische Natur betreffend:* Heizer · Physiker · Optiker · Astronom · Chemiker · Färber · Köhler · Kohler · Kohlbrenner · Kähler · Kahler · Aschenbrenner ❡ Bergarbeiter, -mann · Hallore · Knappe · Kumpel · Schipper · Trimmer *s. 1. 23. Familiennamen:* Ebner, Rüster · Schaufler · Schlepper · Stauer · Träger.

Abt. 2. *Pflanze · Tier · Mensch (Körperliches) betreffend: für Pflanzenbau und Tierzucht:* Bauer · Agrarier · Landmann · Landwirt, Ökonom *s. Pflanzenanbau 2. 5. Einwohner 16. 4. Schelten:* Freßkopf · Pelznickel · Ramel · Gscherter (bayr.) · Haferqueller · Hias · Knollenfink · Krautjunker · Krummstiefel · Stoppelhopser (f. d. Gutsverwalter) · *Familiennamen:* Agricola · Feldmann · Gebauer · Heyer (= Hagbesitzer) · Häusler · Hof(f)mann · Hofbauer · Hosemeister · Hofer · Huber · Hübner · Höfner · Hüfner · Kätner · Kötgen · Kötterer · Köttner · Lehmann · Neubauer · Niebuhr · Naumann · Niemann · Neumann · Niggemann · Schwendtner · Reuter · Rüters ❡ Aufseher eines Hofes: *Familiennamen:* Meier · Brinkmeier · Dommeier · Hofmeier · Homeier · Mönkemeier · Neumeier · Niedermeier · Niemeier · Papmeier · Wedemeier ❡ Gärtner · Gartengestalter ❡ Holzfäller · Holzhacker ❡ Förster · Forster · Holzwart · Heger · *Familiennamen:* Holzmann · Holzinger · Waldmann · Waldmeister ❡ Hirt · Schäfer · *Familiennamen:* Herder · Pas · Schefer · Scheffer ❡ Melker · Schweizer ❡ *für die Ernährung:* Müller: *Schelten:* Mehlhose · *Familiennamen:* Kerner · Körner · Mahler · Molitor · Molenar · Miller · Möller · Mülder · Müllner · Schröder · Schroeter · Schrader ❡ Bäcker · Melber, Pfister (bayr.) · Beck · *Schelten:* Gottesgabendrechsler · Mehlwurm · Teigaff · Semmelarchitekt · Teigschuster · *Familiennamen:* Beck · Becker · Boeckh · Brotbeck · Grieshaber · Hebel · Hefele · Küchler · Matzbeck · Pfennigsbeck · Pfister · Pister · Sauerbeck · Semmelweis · Semmler · Stoll · Täglichsbeck ⁋ Konditor · Zuckerbäcker · Süßchenlehmer (rotw.) · Mazzebäcker (Makkabäer) · Lebküchner ⁋ Fleischer · Metzger · Schlachter · Schlächter · Selcher · Wurster · *Familiennamen:* Fleischhauer · Knochenhauer ⁋ Pferdemetzger · Süßchenbäcker (rotw. aus Zößchenpeiker) ⁋ Jäger · Weidmann · *Familiennamen:* Weidner · Muser (= Maulwurfsfänger) · Jagemann · Teubner · Wächtler · Vogelsteller · Finkler · Vogler ⁋ Abdecker · Schächter · Schinder ⁋ Fischer ⁋ Imker · Zeidler ⁋ Züchter · Falkner ⁋ Koch · Schiffskoch (Smutje). *Schelten:* Küchenschemel · Schlunzhammel · Sudler · Suppenschmied ⁋ Gastwirt, Beizer, Budiker, Restaurateur · Hotelier · Cafétier · *Familiennamen:* Kreuger · Krieger · Kröger · Krüger · Leitgeb · Kretschmer ⁋ Kellermeister · Kellner · Ober · *Schelten:* Flunki · Ganymed · Schwenker · Portionshandlanger · Serviettenschwenker. — Piccolo · Hebe ⁋ Weinbauer · Winzer ⁋ Brauer · Schröter · *Familienname:* Melzer ⁋ *Für den gesunden und kranken Körper:* Hebamme · Säuglingspflegerin · Weise Frau · Großmutter (schles.) · Wehfrau ⁋ Amme · Kindermädchen · Kindergärtnerin ⁋ Bader · Balbierer · Barbier · Coiffeur · Frisör · Haarkünstler · Perückenmacher · *Schelten:* Balbuz · Bartkratzer, -schaber, -vertilger · Kopfschuster · Kotlettenkünstler · Schaumschläger · Schnauzenschinder · Schnutenfeger · Stoppelsucher · Verschönerungsrat · *Familiennamen:* Bartscherer · Scherer · Stöber · Stüwer ⁋ Trainer · Sportlehrer ⁋ Masseur(in) ⁋ Pfleger · Schwester ⁋ Zahnarzt · Dentist · Zahnkünstler · *Schelten:* Goschenmonteur · Zahnbrecher, -reißer, -klempner ⁋ Arzt *s. 2. 44* · Militärarzt, Stabsarzt · *Schelten:* Hautfritze, Nüllenflicker, Kassenlöwe, Knochenmann, Seelendoktor · Spezialarzt · Facharzt · Anatom · Chirurg · Heilpraktiker · Magnetopath ⁋ Apotheker · *Schelten:* lateinischer Koch · Pillendreher · Pflasterschmierer · Giftkoch ⁋ Drogist ⁋ Tierarzt · *Schelten:* Pomeisl · Götzenleuchter ⁋ Vergelzer · *Familiennamen:* Gelzer · Hodler · Nonnenmacher · Pagenstecher.

Abt. 8. *Ortsveränderungen. Reise. Verkehr.* Wagner · Stellmacher · *Familiennamen:* Krummholz · Rade(r)macher · Stellwagen · Wegele(r) · Wegler ⁋ Fahrer · Fuhrmann · Kutscher · Chauffeur usw. *s. 8. 4* · Postillon, Schwager · Spediteur · Bahnschaffner · Stationsvorsteher · weibl. Rotkäppchen · Lokomotivführer ⁋ Flieger · „Franz, Emil" ⁋ Fährmann · Ferge · *Familiennamen:* Fehrle · Marner *s. 8. 5* ⁋ Schiffer · Seemann · Matrose · Maat · Kapitän · Lotse · Pilot · Ausrüster · Reeder · Schiffsingenieur · Bootsmann · Heizer · Schiffsjunge · Trimmer · Maschinist · Schauer(mann) · *Familiennamen:* Schoemann ⁋ Briefträger · Postbote · *Schelten:* Postgaul · Postrat ⁋ Eilbote · Kurier · Depeschenbote.

Abt. 9. 22 gelernter, ungelernter Arbeiter · Arbeitsmann · Arbeitnehmer · Fach-, Schwerarbeiter · Tagelöhner ⁋ *9. 66 Reinlichkeit.* Scheuerfrau, *s. 9. 68* Wäscherin · Waschfrau ⁋ Straßenfeger · Ritzenschieber · *Schelte:* Nachtkönig · Schneefeger ⁋ Schornsteinfeger, Kaminkehrer, Essenrüpel, Schwarzmann · Kammerjäger.

Abt. 10—11. *Auf Grund von Trieben und Charaktereigenschaften.* Hetäre · Dirne usw. ⁋ Zuhälter usw. ⁋ Bettler ⁋ Psycholog · Berufsberater · Psychotherapeut · Grapholog · Chiromant · Astrolog ⁋ Politiker.

Abt. 12—15. *Berufe um Forschung und Schrifttum.* Gelehrter *s. 12. 32* · *Schelten:* Blackscheißer · Hirnfatzke · Lumen · Tintenlecker · Universitätsneffe · Gehirnakrobat · Tintenpisser ⁋ Sachverständiger ⁋ Lehrer · Schulmeister · Professor *s. 12. 33* · *Schelten:* Billenpauker · Blaugerber · Kegel · Kinderohrfeigen-verfertiger · Küster · Pauker · Pfotenhauer · Schiffer · Steißtrommler · *Familien-namen:* Klopstock ¶ Dolmetscher ¶ Schreiber · Sekretär · Stenograph · *Schelten:* Federhalterakrobat · Schreibstubenbulle · Tintenkuli · papierner Taglöhner · *Familienname:* Scriba ¶ Tippfräulein · Klapperschlange · Tippse · Tippöse · Sekretärin ¶ Registrator · Buchhalter · Statistiker · Rechner · Rendant · Kassierer ¶ Schriftsteller · Dichter · *s. 14. 2* · Literat · Intellektueller, Intellektüller, Literast, Hirnbestie · Journalist · Tagesschreiber · Schlieferl · Schmock · Federfuchser · Schriftleiter · Kunstbetrachter *s. 14. 11* ¶ Buchdrucker · Setzer. *Schelten:* Drauf-stecher · Schwarzkünstler · Typenfänger ¶ Buchbinder. *Schelten:* Testamenten-quetscher ¶ Buchhändler · Verleger · Antiquar. — *Schelte:* Herstellungskostenver-leger ¶ Schauspieler *s. 14. 3* · Conferencier, Ansager ¶ Zeichner · Kunstmaler · Steinmetz · Bildhauer *s. 15. 9.* — *Familiennamen:* Steinhauer, Steinhöwel, Stein-heil ¶ Kunststecher *s. 15. 5* · Graveur ¶ Photograph *s. 15. 8* ¶ Musiker *s. 15. 13* ¶ Sänger(in) ¶ Instrumentenbauer · Orgelbauer · Klavierstimmer ¶ Tänzer(in) · Artist · Equilibrist · Zauberkünstler *s. 20. 12.*

Abt. 16. Gesellschaft und Staatsverwaltung betreffend: der Vierzehnte · Gi-golo · Cicisbeo · Eintänzer ¶ Diener *s. 16. 112* · Hausangestellter · Pfleger · Wärter · Pförtner ¶ Politiker · Diplomat · Attaché ¶ Gesandter · Botschafter · Legationsrat · Konsul ¶ Agent · Spion · Spitzel ¶ Zöllner · *Familiennamen:* Mautner · Schreiber · Sekretär · *Schelte:* Tintenkuli ¶ Gemeindediener: Herold ¶ Polizist. — *Schelten: 19. 29* ¶ Portier · Schließer · (Nacht)Wächter, *s. 2. 58. Schelten:* Pelzvogel · Rassel-wächter · Treppenlöwe. — *Familiennamen:* Harder · Heger · Hegar ¶ Angestellter *s. Helfer 9. 70* ¶ Beamter. — *Schelten:* Aktenreiter · Mandarin · Staatshämorrhoi-darius · Staatslakei · Bonze ¶ Rat, -rat · Amtswalter · Kommissar *s. 16. 99.* — *Familiennamen:* Ammann ¶ Stadtvorstand: Bürgermeister. — *Familiennamen:* Schultheiß, Schultz, Schulz(e), Schulte ¶ Leiter eines Gebietes *s. 16. 96* · Vogt · Graf. — *Familienname:* Zentgraf ¶ Herrscher *s. 16. 98* ¶ Jockey · Herrenreiter · Rennfahrer · Berufsspieler, Professional ¶ Lotterieeinnehmer ¶ Militär *s. 16. 74 ff.*

Abt. 17. Für Geräte und Technik. Weber · Spinner · Posamentier. — *Schelten:* Läppchen · Lumpenspinner. — *Familiennamen:* Preiser · Wollschlegel ¶ Schnei-der · Modekönig · Zuschneider · Konfektionär. — *Schelten:* Bekleidungsrat · Brenn-fleck · Ellenreiter · Hosenkoch · Meckmeck · Stich · Ritter von der Nadel · Zwirn · Ziegenbock. — *Familiennamen:* Sartor(ius) · Schrader · Schroeder · Schroer(s) · Brünner · Plattner. — Näherin ¶ Putzmacherin · Kunststopfen · Vorführdame · Mannequin · Gelbstern · Probiermamsell ¶ Kürschner. — *Schelten:* Mottenklopfer.— *Familiennamen:* Pelzer · Fechner ¶ Gerber · Lohgerber. — *Familiennamen:* Rot-gerber · Weißgerber · Lederer · Löber · Löhr · Scheler ¶ Schuhmacher · Schuster · *Schelten:* Drahtklammer · Knieriem · Knieriminalrat · Meister Pfriem · Pfriemer · *Familiennamen:* Albiez · Schubart · Schubert · Sauter · Schuradt · Schurig · Schu-mann · Sitterle · Sütterlin · Suter · Suttner · Holzschuer · Hölscher · Preiser ¶ Sattler. — *Familiennamen:* Riemenschneider · Taschner · Teschenmacher ¶ Hand-schuhmacher · Säckler ¶ Seiler · *Schelten:* Galgenposamentier · Krebs ¶ Binder · Böttcher · Büttner · Faßbender · Faßbinder · Kübler · Scheffler · Schäffler · Küfer. — *Familiennamen:* Baedeker · Boediker · Bittrich · Mollenhauer · Schopenhauer · Scheffer ¶ Töpfer · Hafner. — *Schelten:* Tonkünstler. — *Familiennamen:* Auler, Euler, Uler, Eilers, Üllner · Gropengießer, Gröber, Gröper, Gräbner · Kachler · Ofner · Potter · Pütter · Schüßler · Stürzner ¶ Zimmermann. — *Familiennamen:* Pfotenhauer ¶ Maurer · Polier · Steinmetz. — *Schelten:* Klamottenschmeißer ·

Berufe

Lückenbüßer. — *Lehrling:* Speisbub. —*Familiennamen:* Klaiber · Leidecker · Ziegler ¶ Dachdecker ¶ Architekt · Baumeister · Bauunternehmer ¶ Tüncher · Weißbinder · Anstreicher · Lackierer · Maler · Vergolder. — *Familiennamen:* Bendemann · Benseler · Bensemann · Benzler · Dunker · Wissler ¶ Dekorateur · Tapezierer · Kunstgewerbler *s. 15. 6* · Fliesenleger ¶ Kunstmaler *s. 15. 4* ¶ Glaser · *Familiennamen:* Glasbrenner · Glasenapp ¶ Installateur. — *Schelte:* Strippenzieher ¶ Tischler (nordd.), Schreiner (südd.) · *Schelten:* Hobeloffizier · Leimrat · *Familiennamen:* Armbruster · Kästner · Kistner · Pfeilschifter ¶ Drechsler · Dreher · Spiller · *Familiennamen:* Dreyer · Spindler ¶ Schnitzer ¶ Bürstenbinder · Korbmacher ¶ Schlosser · Schmied · Beschläger. — *Schelten:* Hundsgerber (Hund rotw. Vorhängeschloß). — *Familiennamen:* Blattner · Findeisen · Glockner · Hammerschmidt · Harnisch(er) · Hufeisen · Hufnagel · Faber · Kleinschmidt · Kupferschmied · Löffler · Messerschmidt · Münzer · Platter · Plattner · Ringeisen · Schlösser · Schmitz · Schwertfeger · Spener · Spitznagel · Türnagel · Waldschmidt · Zeileisen · Zeindler · Armbruster · Bogner · Pfeilschifter · Bartenheuer ¶ Messerschmied · Waffenschmied · Büchsenmacher ¶ Kesselflicker · Rastelbinder · Pfannenflicker. — *Schelten:* Steng. — *Familiennamen:* Kessler ¶ Former. — Gießer ¶ Klempner (nordd.) · Spengler (südd.) · Blechner · Flaschner. — *Schelten:* Blechrat · Blechschuster · Lötkolben · Doktor der Röhrologie und Dichtkunst ¶ Goldarbeiter · Juwelier. — *Familiennamen:* Goldschmidt · Silberer · Silbermann · Silbernagel. — Graveur · Steinschneider ¶ Uhrmacher ¶ Ingenieur · Techniker · Monteur · Mechaniker.

Abt. 18. *In Wirtschaftsleben und Geldwesen.* Kaufmann · Kaufherr · Geschäftsmann · Hausierer · Händler · Handelsmann · Handelsherr · Reeder · Höker · Krämer · Schacherer. — *Schelten:* Koofmich. — *Familiennamen:* Cremer · Krahmer ¶ Lebensmittelhändler · Fragner, Greisler, Menger (östr.) · Verteiler. — *Schelten:* Heringsbändiger · Kaffeesack · Rosinenengel · Schublädlezieher · Sirupsbengel · Trankonditor ¶ Tuchwarenhändler. — *Schelten:* Kattunfritze · Leinwandreißer · Staubhengst ¶ Althändler · Antiquar · Krempler · Trödler ¶ Unternehmer · Arbeitgeber · Fabrikant · Industrieller · Prokurist ¶ -besitzer, z. B. Ziegelei-, Fabrikbesitzer · Betriebsführer, -leiter · Chef ¶ Bankier · Bankherr · Finanzprüfer · Treuhänder ¶ Makler ¶ Versteigerer · Auktionator · Taxator · Schätzer ¶ Patentanwalt ¶ Handlungsgehilfe · Verkäufer. — *Schelten:* Ladenschwengel · Schwung · Stift · unser junger Mann ¶ Acquisiteur ¶ Reisender · Agent · Kommissionär · Vertreter. — *Schelte:* Treppenterrier ¶ Einkäufer ¶ Bettler, Klingelputzer.

Abt. 19. *Rechtspflege.* Verbrecher *s. 16. 72; 18. 8—9; 19. 9* ¶ Richter · *Schelten:* Aktengeier. — *Familienname:* Hofrichter ¶ Staatsanwalt. — *Schelten:* Oberverdachtschöpfer ¶ Rechtsanwalt · Justizrat · Notar · Verteidiger. — *Schelten:* Gesetzkünstler · Linksanwalt · Rechtsverdreher. — *Familiennamen:* Fürbringer ¶ Detektiv · Kommissar ¶ Gerichtsdiener · Gefängniswärter. — *Familiennamen:* Stockmann · Stöcker ¶ Gerichtsvollzieher · das Hüßche (els.) ¶ Scharfrichter · Henker *s. 2. 46.*

Abt. 20. *Kultus. Religion. Das Übersinnliche.* Priester *s. 20. 17* · Medizinmann · Schamane · Bonze (jap.) · Pfarrer · Pastor · Prediger · *Schelten:* Gotteswort-handlanger · Pfaffe. — *rotwelsch:* Gallach, Gerlach, Wallach · der Traurige · der schwarze Gendarm · Kuttengeier · der heilige Mann ¶ Feldgeistlicher · *(feldgrau 1914):* Himmelsfähnrich · Kanzelhusar · Kommißchristus · Sündenabwehrkanone ¶ Küster · Mesner · Glöckner · Sigrist · *Familiennamen:* Hofmeister · Speiser ¶ Mönch · *Schelten:* Gugelfranz ¶ Astrolog, Sterndeuter · Wahrsager *s. 6. 23; 20. 12* Hellseher · Handleser · Kartenlegerin · Grapholog.

61. Mode. *s. Art. 5. 8. Kleidung 17. 9.*

in Brauch sein · im Schwang · gang und gäbe sein ❡ mit der Mode gehen · auf der Höhe sein · der Mode folgen, gehorchen · den Ton angeben · die Form wahren · die erste Geige spielen ❡ einführen · in Mode bringen · kreieren ❡ modern · modisch · neumodisch ❡ anständig · chic · elegant · fein · galant · gebildet · gewandt · hoffähig · höfisch · kultiviert · nobel · repräsentationsfähig · tipptopp · vornehm · weltgewandt · wohlerzogen · zivilisiert · à quatre épingles ❡ das Allerneueste · Brauch · Gewohnheit · Mode · Richtung · Sitte · Stil · Übereinkunft ❡ Anstand · Äußerlichkeit · Benehmen · Betragen · Etikette · Fasson · Formalität · Förmlichkeit · Geschmack · Haltung · Höflichkeit · Komment · Lebensart · Manieren · Schick · Schicklichkeit · Schicklichkeitsgefühl · Schnitt · Ton · Zeitgeschmack · Zeremoniell · der herrschende Geschmack · dernier cri ❡ Bildung · Erziehung · Firnis · Kultur · Politur · Salonfähigkeit · Schliff · Verfeinerung · Weltkenntnis · Zivilisation ❡ Gepränge · Kleidermode · Modeteufel ·. Modetracht · Staat.

62. Die große Welt. *s. Kaste 16. 91. reich 18. 3.*

nobel · vornehm ❡ Weltmann · tonangebende Person · Star · Stern erster Größe · der Mann seiner Zeit · Dame von Welt · grande dame · die Spitzen, Stützen, die Creme der Gesellschaft · die gute Gesellschaft · die Prominenten · die feine, große, moderne, vornehme Welt · die höheren Stände · haute volée · die oberen Zehntausend · Adel · Plutokratie.

63. Modeheld. *s. Eitelkeit 11. 45.*

Ästhet · Affe · Brummel · Dandy · Elegant ' Fatzke · feiner Hund · feiner Igel · feines Luder · feiner Pinkel · Fex · Geck · Gent · Gigerl · Halbseidener · Heimpariser · Kleidernarr · Laffe · Modeherrchen · Modenarr · Pomadenhengst · Snob · Stutzer · Zavalier (berl.) · Zieraffe · Zierbengel ❡ Gefallsüchtige · Kokette · Modenärrin · Zierpuppe.

64. Geselligkeit, Gastlichkeit. *s. Mahlzeit 2. 26. Alkohol trinken 2. 31. Gruppe 16. 16—17. freigebig 18. 13.*

sich begegnen · beisammen sein · feiern mit · flirten · sich kennen · kokettieren : sich sehen · sich treffen · umgehen mit · verkehren · sich vorstellen · zusammenkommen · in Verkehr stehen · Umgang pflegen · Bekanntschaft anknüpfen, machen · Anschluß finden · in Verbindung stehen · auf Grußkomment, auf freundschaftlichem Fuße stehen · angenehme Beziehungen unterhalten · sich beliebt machen ❡ aufsuchen · beehren · belästigen · besuchen · vorbeikommen · mit vorbeikommen (nordd.) · Besuche abstatten, machen · Aufwartung machen · Besuchskarten austauschen · sich einführen lassen · seine Karte abgeben, hinterlassen, übersenden · sich anmelden lassen · mit einem Besuch beehren · die Ehre eines Besuches schenken · bei jemand vorsprechen · sich heimisch, wie zu Hause fühlen · ein gern gesehener, lieber Gast sein · ein Haus bevorzugen · ein- und ausgehen ❡ anheimeln · auftischen · behausen · bewillkommnen · bewirten · einführen · einladen · empfangen · entgegenkommen · erwarten · regalieren · vorstellen · zutrinken · Gesellschaft geben · abfüttern · eine Unterhaltung veranstalten · ein Haus machen · offenes Haus haben · seine Räume öffnen · zu Tisch bitten · (für Besuch) zu Hause

sein · Empfangstag haben · Brot brechen mit · Gesundheit ausbringen · Bescheid
tun · Bekanntschaft anzuknüpfen suchen · den Arm reichen, geben · zu Gast, auf
Besuch bitten · willkommen heißen · warmen Empfang geben · mit offenen Armen
empfangen · hoch leben lassen · auf halbem Wege entgegenkommen · ein Rendezvous geben ¶ zur Tafel befohlen werden ¶ festlich · gastfreundlich · gastlich ·
gesellig · gesellschaftlich · leutselig · nachbarlich · traulich · umgänglich · ungeniert ·
ungezwungen · zugänglich · zwanglos ¶ der Besuch = der Gast · Hausbesuch ·
Kostgänger ¶ Alm · Ausschank · Ausspannung · Automatenrestaurant · Bar · Beisel
(östr.) · Beiz (südd.) · Biergarten · Bierkeller · Bierquelle · Bodega · Bols · Branntweinhöhle · Bums · Bräustübl · Café · Destille · Diele · Einkehrhaus · Eisdiele ·
Fremdenheim · Gästehaus · Garküche · Gasthaus, -hof, -stätte · Halle · Herberge ·
Hospiz · Hotel (garni) · Imbißstube · Kabarett · Kaffeehaus · Kantine · Karawanserei ·
Kasino · Kaschemme · Kneipe · Kombüse · Konditorei · Kosthaus · Kretscham (ostd.) ·
Krug · Lokal · Messe · Milchbar · Pension · Pinte · Quetsche · Ratskeller · Restau-
rant · Restauration · Schankstube · Schenke · Schwemme · Sennhütte · Speisehaus ·
Stehbierhalle · Taverne · Tingeltangel · Trinkstube · Weinhaus · Weinstube · Wirt-
schaft · Wirtshaus · Würstchenbude ¶ N. N. -baude, -bräu, -eck, -hallen, -haus,
-heim, -hütte, -keller, -laube, -quelle, -stube · Hotel Vier Jahreszeiten, Goldene Kugel,
Excelsior, Zum Stern, Sonne, Continental, Nordischer Hof, Neue Welt · Zum
Grünen Baum, Traube, Waldmeister, Haferkasten, Eiche, Linde, grünen Kranz,
Waldesruh, Parkhotel · Zum Weißen Rössl, Roten Ochsen, tollen Hund, Roter Hahn,
Lamm, Bock, Bären, Elefant, Möwe, Chat noir, Hecht, Hirschen, Quisisana · Zur
Post, Eisenbahn, Bahnhof, Terminus, Bellevue, Schöne Aussicht, Seeblick · Brat-
wurstglöckle, Zum Hackepeter, Schoppen · Zum Greifen, Drachen · Rheingold,
Froschkönig, Malepartus, goldene Gans, Eden, Drei Mohren, Dreikönige, Thalysia ·
Dom-, Palast-, Schloßhotel, Esplanade, Pavillon · Hotel N. N. (nach beliebigen
Einzelpersonen) · Schützenhaus · Jäger-, Fischerhütte · N. N.-Hof (nach Ländern
und Städten) · Bristol, Tivoli, Frascati · Kaiser-, Fürstenhof, Reichskanzler, Zur
Krone · Bürgerheim · Ratskeller · Metropol · International · Börse, Monopol · Anker,
Schlüssel · Zum Geist, Gambrinus, Rübezahl, Minerva, Ceres, Pomona, Mercur,
Apollo · Franziskaner, Prälat, Ewige Lampe ¶ Abendgesellschaft · Abfütterung · An-
laß (schweiz.) · Ball · Belustigungen · Besuch · Einladung · Empfang · Feier · Feier-
lichkeit · Fest · Festlichkeit · Gesellschaft · Jourfix · Kaffeeklatsch · Kränzchen · Kom-
mers · Liebesabend · Tanztee · Visite ¶ Brüderschaft · Bund · Gesellschaft ·
Klique · Klub · Verbindung · Verein · Konferenz · Stelldichein · Zusammenkunft ·
Familienleben · trauter Familienkreis · offene Arme · offenes Haus · gesellige
Unterhaltung ¶ Eintracht · Gemeinschaft · Geselligkeit · Kollegialität · Umgänglichkeit · Verkehr ¶ Freundschaft · Gastlichkeit · Herzlichkeit · Lebensart · Leutseligkeit · geselliger Umgang · gute Kameradschaft · warme Aufnahme · festlicher
Empfang ¶ Empfehlungsbrief ¶ Korpsgeist · Nepotismus.

65. Gegensatz, Widerstand.   *s. 5. 23. Gegenwirkung 9. 72. Unzufrie-*
denheit 11. 27. Meinungsverschiedenheit 12. 48. Antwort 13. 26. nein 13. 29; 16. 27.
Widerlegung 13. 47. Einschränkung 13. 48. ablehnen 16. 27. Verbot 16. 29. Tadel
16. 33. Feindschaft 16. 66. Hinterhalt 16. 71. Ungehorsam 16. 116.

na · oho · Verzeihung · ich werde dir was zwitschern ¶ obgleich, obschon · schon
— aber · wenn auch s. 5. 23 ¶ trotzdem · erst recht · zum Trotz ¶ abfallen · abwehren · anfechten · anfeinden · angreifen · ankämpfen · sich anstemmen · auf-

begehren · sich auflehnen · bocken · sich empören · entgegenarbeiten · entgegenstehen · sich entgegenstellen · entgegentreten · entgegenwirken · gegenübertreten · gröhlen · meckern · meutern · protestieren · sabotieren · sich sperren · sich spreizen · sich sträuben · trotzen · sich verschwören gegen · sich versteifen · sich wehren · sich widersetzen · widersprechen · widerstehen · widerstreben · widerstreiten · zurückweisen · das Spiel verderben · einen Plan ausdauern, durchkreuzen, hintertreiben · vereiteln · Einspruch erheben · sich einer Sache weigern · Protest einlegen · Revision beantragen · Lügen strafen · einen Strich durch die Rechnung machen · ein Bein stellen · den Reiter abwerfen, aus dem Sattel heben · die Möglichkeit benehmen · sich auf die Hinterbeine stellen · sich zur Wehr setzen · Sperenzien, Schwierigkeiten machen · in den Arm fallen · um sich schlagen · den Handschuh aufnehmen · seinen Mann finden, stellen · jem. die Suppe versalzen · sich nicht fügen · den Gehorsam aufkündigen · die Stirn, die Spitze bieten · Widerstand leisten · Front machen gegen · das Gebiß zwischen die Zähne nehmen · die Zähne, die Hörner zeigen · gegen den Stachel lecken (löcken) · gegen den Strom schwimmen · Gegenmaßnahmen ergreifen ⊄ adversativ · antagonistisch · entgegengesetzt · feindlich · feindselig · gegensätzlich · gegenteilig · gegnerisch · kontradiktorisch · konträr · reaktionär · unfreundlich · ungünstig · widerstrebend · widrig ⊄ meuterisch · rebellisch · ungehorsam · widersetzlich · widerspenstig ⊄ unbeugsam · unbezwinglich · ununterdrückbar · unzähmbar ⊄ Angreifer · Gegenpartei · Gegenredner · Gegenspieler · Gegner · Konkurrent · Mitbewerber · Nebenbuhler · Rivale · Vorredner · Wettbewerber · Widersacher ⊄ Querkopf · Stänker · Störsender · Unzufriedener · Widerspruchsgeist · Wühler · Hecht im Karpfenteich ⊄ Abfall · Arbeitseinstellung · Auflauf · Auflehnung · Aufruhr · Aufstand · Empörung · Erhebung · Krawall · Massenerhebung · Meuterei · passive Resistenz · Revolte · Streik · Tumult · Ungehorsam · Verschwörung · Widersetzlichkeit · geschlossener Entrüstungssturm ⊄ Gegenanschlag · Machenschaften · Mine · Opposition · Reaktion · Rückschlag · Umsturz · Umsturzpartei ⊄ Abneigung · Abwehr · Anfechtung · Antagonismus · Beharrungsvermögen · Beschwerde · Divergenz · Einrede · Einsprache · Einspruch · Einwand · Feindschaft · Gegenhandlung · Gegenregister · Gegensatz · Gegenpartei · Gegenseite · Gegenwind · Gegenwirkung · Gesetz der Trägheit · Hemmung · Klage · Konflikt · Konkurrenz · Kontrolle · Mitbewerbung · Nichtigkeitsbeschwerde · Protest · Replik · Wettbewerb · Wettstreit · Widerspruch · Widerstand · Widerstreit · Zusammenprall · Zusammenstoß.

66. Feindschaft. *s. Haß 11. 62*

ächten · grollen · nachstellen · feind(selig) gesinnt sein · fixieren · er maß ihn mit den Augen · gram sein · leben wie Hund und Katze · auf gespanntem Fuß stehen · ist scharf auf · boykottieren · aussperren · meiden · verfemen · verpönen ⊄ sich abwenden · sich entfremden · sich entzweien · sich verfeinden · sind geschiedene Leute ⊄ existiert für mich nicht mehr · hat bei mir ausgebackt, ausgesch.. ⊄ aufsässig · entzweit · feindselig · giftig · haßerfüllt · kaltherzig · unfreundlich · verfeindet ⊄ Feind · Gegner · Hasser · Kollege · Scheinfreund · Todfeind · Widerpart · falscher Freund · Erbfeind · Konkurrent · schlimmer Kunde · böser Nachbar · geschworener Gegner · abgesagter Feind ⊄ Abneigung · Boykott · Verfemung · Erbitterung · Fehde · Feindschaft · Feindseligkeit · Gereiztheit · Groll · Haß · Kälte · Reibungsflächen · Spannung · Unfreundlichkeit · Zwietracht · Abwendung des Herzens.

67. Zwietracht. *s. Unordnung 3.37. Trennung 4.34. reizbar 11.6. Unzufriedenheit 11.27. Zorn 11.31. Meinungsverschiedenheit 12.48. prügeln 16.78.*

anbinden mit · anfeinden · befehden · bekriegen · bestreiten · disputieren · gegenüberstehen · hadern · sich kabbeln · kämpfen · polemisieren · prozessieren · streiten · widerlegen · zanken ¶ brauges sein · über der Hand sein ¶ anknurren · aufbegehren · belfern · greinen · grollen · knurren · maulen · murren · randalieren · schelten · schimpfen · schmähen · schmollen · sticheln · verargen · zürnen · die Hand, den Stock, die Waffe erheben · das Schwert zücken · die Faust unter die Nase halten · sich in den Haaren liegen · wie Hund und Katze leben · das Maul hängen lassen · die Zähne weisen · seine Abneigung äußern · seinem Unwillen Worte geben · seinem Zorn Luft machen · sich uneins sein · ein Wort gab das andere · so lange stänkern, bis · im Bösen scheiden, auseinandergehen ¶ abfallen · sich abkehren · abrücken · sich abwenden · auseinandergeraten · brechen · sich entgegenstellen · sich entzweien · sich erzürnen · sich lossagen · sich überwerfen mit · sich verfeinden, -krachen, -uneinigen, -zanken · zerfallen mit · sich zerstreiten · sich zurückziehen von · sich auseinanderleben ¶ Streit vom Zaun brechen · sich an jmd. reiben · den Krieg erklären · Krach machen, kriegen · die Freundschaft aufsagen · die Beziehungen abbrechen · absagen (lassen) · sich in die Wolle kriegen · sich in die Haare geraten · in Meinungsverschiedenheiten, Streit geraten · einen Fehdebrief senden · aufs Dach, aufs Kollett steigen · auf die Kappe kommen · den Handschuh hinwerfen ¶ aufhetzen · aufwiegeln · entzweien · hetzen · intrigieren · schüren · spalten · trennen · verfeinden · Haß, Zwietracht säen, verursachen, schüren · uneinig, abspenstig machen · einen Keil treiben zwischen · den Bruch erweitern · gegeneinander ausspielen · den Funken anfachen · Öl ins Feuer gießen · den Zwischenträger machen · Aufruhr erregen · Händel stiften · zur Feindschaft anstacheln · den Frieden stören · im Trüben fischen ¶ sich zuspitzen ¶ ausfallend · bissig · entgegengesetzt · feindlich · feindselig · gegnerisch · gehässig · gereizt · händelsüchtig · herausfordernd · katzig · kratzbürstig · streitsüchtig · uneinig · unversöhnlich · widersprechend · zänkisch · zwistig ¶ anzüglich · aufrührerisch · bissig · boshaft · garstig · hämisch · persönlich · polemisch · rechthaberisch · schismatisch · unbefriedigt · unzufrieden ¶ strittig · umstritten ¶ Aggressor · Agitator · Demagog · Eristiker · Hetzer · Kampfhahn · Krakeeler · Ränkeschmied · Revolverjournalist · Streithengst, -hammel ¶ Hausdrache · Krawallschachtel · Schürhaken · Schwiegermutter · Xantippe · Kräutchen Rühr' mich nicht an · Zankeisen ¶ Anlaß · Drachensaat · Erisapfel · Streitfrage · Streitpunkt · Zankapfel ¶ Händelsucht · Herausforderung · Hetzerei · Parteisucht · Provokation · Prozeßwut · Rabulisterei · Renommisterei · Schikane · Sophisterei · Stänkerei · Streitsucht ¶ Anzüglichkeit · Auftritt · Auseinandersetzung · Ausfall · Debatte · Disput · Federkrieg · Gekeife · Gekreisch · Geschrei · Hickhack (Zerbst) · Mißhelligkeiten · Polemik · Radau · Reibereien · Reibungen · Schimpfereien · Stänkerei · Stichelei · Szene · Weibergezänk · Wortgefecht · Wortstreit · Wortwechsel · Zänkerei ¶ Angriff · Auftritt · Auflauf · Balgerei · Ehrenkränkung · Faustkampf · Rauferei · Szene · Schlägerei ¶ Kriegführung · Kriegserklärung · Kriegsfall ¶ Erkaltung der Gefühle, des Herzens · korrekte Beziehungen · Brotneid · böses Blut · laute Worte · persönliche Beleidigung · Kampf bis aufs Messer ¶ Abkühlung · Aufruhr · Bruch · Bürgerkrieg · Entzweiung · Feindschaft · Feindseligkeit · Hader · Handel · Haß · Kampf · Krach · Krieg · Lage · Meinungsverschiedenheit · Mißhelligkeit · Mißverständnis · Parteiung · Prozeß · Rechtshandel · Riß · Spaltung · Spannung · Streit · Streitigkeit ·

Stunk · Trennung · Uneinigkeit · Unfriede · Unstimmigkeiten · Unzuträglichkeiten · Zank · Zerwürfnis · Zwietracht · Zwist · Zwistigkeit.

68. Drohung. *s. Gefahr 9.74. Furcht 11.42. Warnung 13.10. Widerstand 16.77.*

den Zeigefinger erheben · die Faust ballen ℭ wirst du wohl? · du du! · wehe, wenn · der kriegt es mit mir zu tun · ich sag's meinem großen Bruder · ich werde dir helfen · na warte · komm nur bloß nach Hause · *Ironisch-übertreibende Formeln:* ich haag der uffs Aag un uffs annere Aag aach (Frankfurt) · ich schlag` dich, daß du meinst, Ostern un Pfingste fällt uff an Dag, daß die Lappen fliegen · spuck mal hin, wo de liejen willst · meine Faust — dein Kirchhof · Ein Schlag, der zweite wäre Leichenschändung · noch ein Wort und dein Gesicht ist ein Pfannkuchen · ich hau dir eine vorn Bahnhof, daß dir sämtliche Gesichtszüge entgleisen · betracht einmal die Faust · ich hau dir eine auf den Schädel, daß du durch die Rippen schaust wie ein Affe durchs Gitter · daß du meinst, die Mutter Gottes ist ein Raubvogel · daß die Läuse piepen · daß du die Knochen im Sacktuch nach Hause tragen kannst · ein Schlag, und das Hemd steht allein da · hast wohl lang keine Backzähne gespuckt · laß dir vorher die Knochen numerieren · hast wohl lange dein eigenes Geschrei nicht gehört · du Derrappel, du Affekopp, mit deine Knoche werf ich doch noch Nüß erunner · ich reiß dir das Baan bis an Elleboge aus · i schlag dir auf de Dez, daß d' ungespitzt in Erdboden neifahrst (württemb.) · ich haag der uffs Kapital, daß der die Zinse em Bart erunner rappele · ich hau der eine auf den Kopp, daß der die Zäh regimentsweise . . . · ick knalle dir an die Wand, daß du Relief wirst, daß dich die Leichenfrau mit dem Löffel abkratzen muß · Mensch, ick stoße dir aus'n Anzug (berl.) · du hast wohl lange nicht mit einer Krankenschwester poussiert, im Straßengraben gelegen? · Sie haben wohl noch nichts von Atomzertrümmerung gehört? · du hast wohl lange nicht mit einem Bären gerungen? · deine Mutter ist wohl lange nicht in Schwarz gegangen ℭ androhen · bedrohen · dermen (hess.) · dräuen · drohen · einschüchtern · schrecken · terrorisieren · bluffen · erpressen · Furcht einjagen · bange machen · ins Bockshorn jagen · die Zähne fletschen, weisen · die Faust ballen, schütteln · die Hand, den Stock drohend erheben · Drohungen ausstoßen ℭ aufrüsten · die Pistole auf die Brust setzen · in Kriegsbereitschaft bringen · Truppen aufmarschieren lassen, an der Grenze zusammenziehen · mobil machen ℭ bedrohlich · beunruhigend · gefahrdrohend · ultimativ · unheilschwanger · verderbendrohend · zähnefletschend · zähneknirschend ℭ Erpresser · Säbelrassler · die Schwarze Hand ℭ Brandbrief · Drohblick · Drohgebärde · Drohschreiben · Drohwort · geballte Faust · gepanzerte Faust · blinder, scharfer Schuß · Demonstration ℭ Androhung · Ängstigung · Beunruhigung · Drohung · Einschüchterung · Erpressung · Herausforderung · kalter Krieg · Menetekel · Remilitarisierung · Säbelrasseln · Schmährede · Terror · Ultimatum · Warnung.

69. Herausforderung. *s. prahlen 11.45. unhöflich 16.53. quälen 16.79.*

mir nichts dir nichts ℭ wünschen Sie etwas? · wünsche mit Ihnen zu hängen (stud.) · ab is ab und fertig is (hess.) · iberhaapts · hast an Zweifi (bayr.) · Bierjunge! (stud.) ℭ anrempeln · behelligen · belästigen · auffordern · brüskieren · fordern · herausbitten · herausfordern · rauschen (stud.) · trotzen · den Krieg erklären · Trotz bieten · zu nahe treten · jmd. bis aufs Blut reizen · den Fehdehandschuh hinwerfen · auf die Toilette bitten · dick, groß tun · sich in die Brust werfen ·

Satisfaktion geben, verlangen · zur Rechenschaft fordern · einen Streit vom Zaun brechen · die Spitze bieten · die Faust ballen · zum Duell, Kampf, Zweikampf herausfordern · auf Degen, Pistolen, Säbel fordern · Kampf antragen · seine Karte geben (lassen) · Erklärungen fordern, verlangen · seinen Vertreter schicken · in die Schranken laden ⁊ nimmt aggressiven Charakter an ⁊ Contrahage (stud.) · Ultimatum · Duell · Forderung (auf Genugtuung) · Herausforderung · Kartell · Kriegserklärung · Ramsch (stud.) · Rechenschaft · Trotz.

70. Streit, Kampf. *s.Gegensatz 5. 23; 16. 65. Reizbarkeit 11. 58.Sport 16. 57. Krieg 16. 73. Aufruhr 16. 116.*

disputieren · sich kabbeln, kampeln · keifen · krakehlen · polemisieren · rechten · zanken · Amok laufen ⁊ sich bestreben · sich bewerben · kandidieren · konkurrieren · sich mitbewerben · rivalisieren · wettfahren · wettlaufen · wettrennen · wettschießen ⁊ aneinandergeraten · sich balgen · sich beuteln · sich beißen · fechten · sich hauen · hintereinander kommen · kämpfen · kratzen · sich messen · sich prügeln · raufen · ringen · sich schlagen · streiten ⁊ befehden · bekämpfen · bekriegen · den Frieden stören · Krieg vom Zaune brechen · (blank, vom Leder) ziehen · auf den Plan treten · sich stellen · den Streit annehmen · die Klingen messen, kreuzen · einen Ehrenhandel ausfechten, durchkämpfen · auf die Mensur gehen · Blut vergießen · zum Sprunge, Streich ausholen · einen Ausfall machen · sich in die Haare geraten : es geht hart auf hart · sich einlassen mit · einen Wortwechsel haben · die hatten sich mächtig in der Wolle · eine Lanze brechen, einlegen für ⁊ einen Faustschlag landen, s. *Boxen 16. 57* · mit kaltem Blute hinschlachten · zu überbieten suchen · auszustechen trachten ⁊ kämpferisch · militant ⁊ Grießwärtel · Kampfwart · Schiedsrichter · Wappenkönig ⁊ Schlag · Streich · Kinnhaken ⁊ Auseinandersetzung · Erörterung · Fehde · Glaubenskampf · Hader · Kampf · Krach · Krakeel · Krieg · Ringen · Streit · Streitigkeit · Wortwechsel · Zank ⁊ Balgerei · Boxerei · Handgemenge · Holzerei · Keilerei · Lärm · Prügelei · Rauferei · Ringkampf · Schlägerei · Skandal · Strauß · Tumult · Zank · Zores · Zusammenstoß · Zwischenfall ⁊ Gladiatorenkampf · Konflikt · Konkurrenz · Lohnkampf · Nebenbuhlerschaft · Schifferstechen · Stiergefecht · Turnier · Wettbewerb · Wettstreit ⁊ Aufruhr · Aufstand · Friedensbruch · Friedensstörung · Krawall · Unruhe ⁊ Buhurt · Duell · Ehrenhandel · Einzelkampf · Genugtuung · Harikiri · Herausforderung · Holmgang · Mensur · Satisfaktion · Tjost · Waffengang · Zweikampf · amerikanisches Duell ⁊ Militarismus · Kampf ums Dasein.

71. Hinterhalt. *s. Gefahr 9. 74. Schlauheit 12. 53.*

pro forma · unter der Maske des Biedermanns ⁊ abpassen · auflauern · sich heranstehlen · schleichen · auf der Lauer liegen · eine Schlinge legen, Falle stellen · Bein stellen · zum Sprunge ausholen · meuchlings anfallen · das Wasser abgraben ⁊ Baum-, Heckenschütze · Flintenweib · Franctireur · Freischärler · Partisan · Vogelsteller · Zieten aus dem Busch ⁊ Decke · Domino · Hülle · Larve · Mantel · Maske · Schild · Schleier · Verkleidung · Visier ⁊ Falle · Falltür · Fußangel · Hinterhalt · Höhle · Lauer · Leimrute · Loch · Mine(nfeld) · Schleichweg · Schlinge · Schlupfwinkel · Selbstschüsse · Versteck · Wolfsgrube · anonymer Brief · Danaergeschenk · Tells Geschoß · U-Bootfalle · Uriasbrief ⁊ Guerilla-, Kleinkrieg · Partisanenkrieg.

72. Betrug. *s. Scheingrund 5. 31; 9. 13. Leichtgläubigkeit 12. 25. Schlauheit 12. 53. Lüge 13. 51. prellen 18. 8. Unredlichkeit 19. 8.*

hinten herum · schwarz · ohne Bezugschein ¶ aufschneiden · (sich) ausgeben für · sich aufspielen · blatten (jäg.) · gaukeln · sich geben als · falschmünzern · heucheln · markieren · stellen · sich stellen, so tun als ob · sich maskieren, verkleiden, vermummen · sich verstellen · simulieren · jmd. spielen · tachinieren · *schül.:* schlauchen, spicken. ¶ sich einen falschen Anschein geben · den wilden Mann machen · sich fremde Verdienste aneignen · fremde Gedanken borgen · sich mit fremden Federn schmücken · sich am Gemeinwohl versündigen ¶ auflaufen · aufsitzen · eingehen · hereinfallen · hereinrasseln · auf den Leim kriechen · in die Falle, ins Garn gehen ¶ etwas abheucheln · ablocken · ablisten · abluchsen · abschwindeln · entwenden · ergaukeln · ergaunern · erschleichen · erschwindeln · fälschen · herauslocken · schieben · schmuggeln · stehlen · umgehen · unterschlagen · veruntreuen · unter falschem Vorwand an sich bringen ¶ bedackeln · behumpsen · bereden · berücken · beschwatzen · beschwindeln · beseibeln (schles.) · bestricken · betören · betrügen · bluffen · düpieren · einseifen · einwickeln · fahen · fangen · hereinlegen · hintergehen · hochnehmen · irreführen · ködern · kürzen · lackmeiern · leimen · narren · neppen · prellen · pritschen · täuschen · überlisten · umgarnen ¶ entstellen · fälschen · verdrehen · absichtlich mißverstehen · ins Gegenteil verkehren ¶ abschweifen · arrangieren · bemänteln · beschönigen · umgehen · deuteln · klügeln · vernünfteln · falsch auslegen · (dem Kern der Sache) ausweichen ¶ Sand in die Augen streuen · hinters Licht, aufs Glatteis führen · ein X für ein U vormachen · auf falsche Fährte bringen · an der Nase herumführen · eine Nase drehen · sich vorher mildernde Umstände antrinken · ein Schnippchen schlagen ¶ Augendiener · Basilisk · Bauernfänger · Betbruder · Betrüger · Betschwester · Beutelschneider · Fälscher · Falschmünzer · Falschspieler · Frömmler · Gaudieb · Gaukler · Heuchler · Hochstapler · Komödiant · Lockvogel · Lügner · Pharisäer · Prell · Roßkamm · Scheinheiliger · Schelm · Schieber · Schlange · Schleichhändler · Schnapphahn · Schuft · Schurke · Schwarzfahrer · Schwindler · Spitzbube · Strauchdieb · Tartüff · Zigeuner · unsicherer Kantonist ¶ Aprilnarr · Betrogener · Drahtpuppe · Dupe · Gefoppter · Genarrter · Gerupfter · Gimpel · Narr · Onkel · Opfer · Pinsel · Tropf · leichte Beute ¶ Finten · Idiotenmätzchen · Kniffe · Konkursverschleierung · Manipulationen · Manöver · Pfiffe · Praktiken · Ränke · Schikanen · Vorwand ¶ Angel · Angelrute · Doppelboden · Eselsbrücke · Falle · Falleisen · Garn · Hinterhalt · Judaskuß · Leim · Leimrute · Mimikry · Lockspeise · Lügenbrücke · Netz · Schlinge · Schutzfarbe · glatte Worte ¶ *verbotene Übersetzung s. 13. 53* · Schmuzettel ¶ Arglist · Beschiß · Betrug · Blendwerk · Büberei · Ersatz · Flitterstaat · Gaukelspiel · Hintertür · Hokuspokus · Illusion · Kniff · Kunstgriff · List · Lug · Mache · Mätzchen · Pfiff · Plagiat · Schein · Scheinkampf · Scheinmanöver · Schiebung · Verrat · Schminke · Schwindel · Simili · Surrogat ¶ Blendwerk der Hölle · erborgte Federn · heimliches Einverständnis · blinder Lärm · Vorspiegelung falscher Tatsachen · falscher Anschein · falscher Bericht · Lügenzentrale ¶ Aufschneiderei · Bestechung · Erfindung · Fälschung · Marktschreierei · Pfuscherei · Taschenspielerei · Windbeutelei · Zauberei.

73. Krieg. *s. töten 2. 46. Gefahr 9. 74. Mut 11. 38. Streit 16. 70.*

zu den Waffen · für die gerechte Sache · mit Gott für König und Vaterland · für Kaiser und Reich · für Weib und Kind · für Gott, Ehre, Vaterland · Alle für einen, einer für alle · Kanonen statt Butter! · für Haus und Herd · für Heimat und

Volk · mit Gut und Blut ¶ Mars regiert die Stunde · die Waffen sprechen ¶ es geht ums Ganze · wird durch Blut und Eisen entschieden (Bismarck) · das Schicksal der Nation in die Hand des Soldaten legen · die Waffen ergreifen, anrufen ¶ angreifen · ausrücken · besetzen · beunruhigen · eindringen · einmarschieren fechten · kämpfen · plänkeln · rüsten · sich schlagen ¶ befehden · bekriegen ¶ ausrüsten · bewaffnen · bewehren ·mobilisieren · mobilmachen · wappnen ¶ ins Feld rücken, ziehen · aufstehen wie ein Mann · im offenen Krieg sein mit · in den Krieg ziehen · den Kriegspfad beschreiten · das Schwert ziehen · in die Schranken treten · eine Lanze brechen · handgemein werden · die Feindseligkeiten eröffnen · die Offensive ergreifen · zum Angriff übergehen · die Schlacht einleiten, eröffnen · eine Schlacht liefern · Fühlung haben, bekommen, verlieren · die Linie durchbrechen · ein Karree bilden · ausschwärmen · in Schützenlinie vorgehen · die Flanke aufrollen · Feuer geben · Kugeln wechseln · die Geschütze bedienen · im Feuer stehen, im Beschuß liegen · Pulver riechen · die Klingen kreuzen ¶ ein Blutbad anrichten · im Blute waten, sich baden · Ströme von Blut vergießen · die Hände in Blut tauchen · sich wie die Löwen schlagen · sein Leben teuer verkaufen ¶ den Heldentod sterben · auf dem Felde der Ehre bleiben, fallen · auf dem Schilde heimtragen · seine Haut zu Markte tragen · den Kopf hinhalten · Kanonenfutter abgeben · Blutopfer, Blutzoll entrichten · große Opfer bringen ¶ bramarbasierend · eisenfresserisch · heldenhaft · herzhaft · kriegerisch · kriegskundig · kühn · mannhaft · martialisch · militärisch · mutig · ritterlich · soldatenmäßig · streitbar · streitsüchtig · tapfer · unfriedlich · strategisch gefechtsbereit, -klar · taktisch · verschanzt ¶ Biwak · Feldlager · Lager · Quartier · Zelt ¶ Fehde · Feindschaft · Feindseligkeit · Friedensbruch · Kampf · Konflagration · Kreuzzug · Krieg · Kriegführung · Kriegserklärung · Kriegsfall · Rüstung · Ultimatum ¶ Aufmarsch · Einfall · Besetzung · Bruderkrieg · Bürgerkrieg · Einfall · Eroberung · Feldzug · Grenzverletzung · Blockade · Kriegszug · Niederlage · Raubzug · Überfall · Völkerkrieg · Weltenbrand · Winterfeldzug ¶ Alarm · Appell · Erkennungswort · Fanfare · Feldgeschrei · Generalmarsch · Hornsignal · Kanonendonner · Kriegsgesang · Losung, Parole · Marseillaise · Schlachtlärm · Schlachtruf · Signal · Trommelwirbel · Trompetengeschmetter · Vergatterung · Verles · Waffengetöse ¶ Aufstellung · Entwicklung · Kriegsplan · Operation · Schlachtlinie · Schlachtplan · Schwenkung · Einkesselung · Stellungssystem ¶ Ballistik · Fechtkunst · Geschützbedienung · Kriegskunst · Kriegswissenschaft · Manövrieren · Strategie · Taktik · Waffenhandwerk ¶ Blutbad · Blutstrom · Blutvergießen · Feindberührung · (offene) Feldschlacht, -zug · Fronterlebnis · Gefecht · Gefechtstätigkeit · das große Geschehen · die Tat · Kriegsfurie · Gemetzel · Geplänkel · Gewühl · Großkampftag · Handstreich · Heldentod · Kampf · Kessel · Materialschlacht · Stellungskrieg · Massaker · Metzelei · Scharmützel · Schlacht · Schlachtgewühl · Sperr-, Störungsfeuer · Strauß · Treffen · Trommelfeuer · Überfall · Unternehmung · Vernichtungsschlacht · Vollkampfhandlung · Waffengang · Waffengetümmel · Wurstkessel · Schiffskampf · Seeschlacht ¶ Volkskrieg · Massenerhebung ¶ frisch-fröhlicher Krieg · große Zeit · sittliches Stahlbad (Moltke) · gepanzerte Faust · Schlachtenglück · der Ernstfall · Zwangsrekrutierung · Remilitarisierung · Drachensaat · Tränensaat · Verlustquote · Kampf bis aufs Messer · der totale Krieg · Weltkrieg.

74. Kämpfer. Heer. *s. Befehl 16. 106. Waffen 17. 11 f.*

einrücken · sich stellen · dem Vaterlande dienen · zur Fahne eilen, schwören · die Uniform, den Waffenrock anlegen · unter die Soldaten gehen · kapitulieren ·

den Fahneneid ablegen, schwören · im Lager, unter den Waffen stehen · einen Feldzug mitmachen · im Dienst stehen · dem Kalbfell, der Fahne, der Trommel folgen, nachgehen ¶ anmustern · anwerben · aufbieten · ausheben · einberufen · einreihen · einziehen · mustern · rekrutieren ¶ Bezirkskommando · Wehrmeldeamt · Kontrollversammlung · Durchkämmkommission ¶ er ist genommen worden, gezogen worden (westdt.), gehalten worden (östr.) ¶ bis an die Zähne bewaffnet, in Bereitschaft sein · unter den Waffen haben ¶ Wehrpaß · Gestellungsbefehl · Mobilmachungsorder · Wehrdienst · allgemeine Wehrpflicht · Milizsystem ¶ Feind · Gegner · Kämpfer · Krieger · Streiter · Verfechter · Verteidiger ¶ Athlet · Bandillero · Boxer · Duellant · Fechter · Gladiator · Matador · Pikador · Preiskämpfer · Ringer · Schütze · Stierkämpfer · Toreador · Torero · Wettläufer · Zweikämpfer ¶ Bramarbas · Eisenfresser · Händelsucher · Haudegen · Maulheld · Pulverkopf · Raufbold · Renommist · Schlagetot · Streithahn ¶ Marsjünger · Soldat · Vaterlandsverteidiger · Lands(er) · Mann · Wehrmacht · zweierlei Tuch · das Militär · die bewaffnete Macht · das Volk in Waffen · OHL · GHQ · AOK usw. (1914) · OKW · OKH · OKM · FHQ = Hauptquartier (1939) ¶ *Gattungen:* Arbeitsdienst · Bautrupp · Garde · Linie · Landsturm · Landwehr · Luftlandetruppe · Nachrichtentruppe · Nachschub · Pak · Panzerwaffe · Propagandakompanie · die kämpfende Truppe · schnelle Truppen ¶ Arbeitssoldat, Schipper · Arkebusier · Artillerist · Bumsköppe · Berittener · Volkssturm · Bogenschütze · Bürgerwehr · Chevauxleger · Dragoner · Einzelkämpfer · Eisenbahnpionier · Fallschirmjäger · Fahrer · Feldgrauer (1914) · Feldjäger · Flaksoldat · Frontschwein (1918) · Füsilier · Fußsoldat · Gardedukorps · Gardist · Grenadier · Hatschier · Husar · Infanterist, Fußlatscher, Sandhasen, Stoppelhopser · Jäger · Kanonier · Kavallerist · Kradschütze · Kriegsfreiwilliger · Kürassier · Lancier · Lands(er) · Landsknecht · Landsturmmann · Legionär · Leibwache · Meldereiter · Miliz · Musketier, Muskeltier, Muskot · Panzerjäger · Pionier, Wühlmäuse · Pk-soldat · Posten · Reisläufer · Reiter · Reservist · Scharfschütze · Schweizer · Söldner · Stadtsoldat · Tambour · Trainsoldat, Speckfahrer, Veilchendragoner, Nachschub, Troß, Kolonne hü, brr · Trompeter · Ulan · Wache ¶ Alpini · Bersagliere · Dorobanzen · Gurkha · Haiduk · Kosak · Spahi · Strelitze · Zuave ¶ *Rangstufen: Heer:* Adjutant · Anführer · Bataillonskommandeur · Befehlshaber · Brigadechef · Degenfähnrich · Divisionär · Divisionskommandeur · Einjähriger, Feix · Entfernungsschätzer · Fahnenjunker, Fähnrich · Feldgendarm · Feldherr · Feldmarschall · Feldwebel, Spieß, Mutter der Kompanie (sein Notizbuch: Backstein) · Feldzeugmeister · Flügelmann · Führer · Gefreiter, Schnapser · Gemeiner · General · Generalität, die Vergoldeten, Bendlerblock · Generalfeldmarschall · Generalleutnant · Generalmajor · Generaloberst · Generalstab · Gouverneur · Hauptmann, Häuptling, der Alte · Inspekteur · Junker · Kadett · Kommandant · Intendant · Korporal · Leutnant · Mann · Musikmeister · Oberbefehlshaber · Oberjäger · Oberleutnant · Oberst · Oberstleutnant · Oberstwachtmeister · Offizier, die Militärs · Offizieraspirant · Ordonnanz · Pferdehalter · Regimentskommandeur · Reichsmarschall · Rottenführer · Rottenmeister · Sergeant · Stabstrompeter · Stadtkommandant · Statthalter · Unteroffizier, Spinner · Vizefeldwebel · Vorgesetzter, der innere Feind, dicke Luft · Wachtmeister ¶ *Marine:* Blaujacke · die blauen Jungens · die Lords · Admiral · Baas · Bootsmann · Deckoffizier · Flaggenoffizier · Flottenkommandant · Generaladmiral · Geschwaderchef · Großadmiral · Kapitän · Kapitänleutnant · Kommodore · Kommandant · Korvettenkapitän · Konteradmiral · Leutnant zur See · Maat · Matrose · Schiffsfähnrich · Seekadett · Seeoffizier · Steuermann ¶ Armada · Dreadnought · Einmannboot ·

Landungsboot · Flaggschiff · Flotte · Flottille · Flugzeugmutterschiff · Geschwader · Großschlachtschiff · bewaffneter Handelsdampfer · Hilfskreuzer · Kanonenboot · Kreuzer · Kriegsschiff · Linienschiff · Minenräumboot · Minensuchboot · Geleit-, Minenlege-, Sturm-, Vorposten-, Wachboot · Flugzeugberger · Vermessungs-, Begleit-, Troß-Schiff · U-Bootjäger · Panzerkreuzer, -schiff · Schlachtkreuzer · Schlachtschiff · Schnellboot · Tanker · Sturm-, Torpedo-, U-Boot · Zerstörer · Flugzeugträger ❡ Armeemusikinspizient · Hoboist · Hornist · Spielleute, Möpse · Feldgeistlicher *16. 60* · Sanitäter · Stabsarzt · Generalarzt · Oberarzt · Unterarzt · Lazarettgehilfe · Oberzahlmeister · Profoß · Veterinäroffizier · Stabsveterinär · Zahlmeister (Scheinwerfer, 1914) ❡ Deserteur · Fahnenflüchtiger · Fremdenlegionär · Kaldaunenschlucker · Marodeur · Nachzügler · Plünderer · Raubgesindel · Refraktär · Streifscharen, Banden, Franktireur, Maquis, Partisan, Terrorist · Überläufer · Heimkrieger · Zivilstratege ❡ *Formationen:* Armee · Armeekorps · Aufgebot · Bataillon · Batterie · Brigade · Division · Einheit · Eskadron · Fähnlein · Formation · Haufe · Heer · Heerbann · Heeresgruppe · Heerschar · Hundertschaft · Kader · Kolonne · Kompanie · Korps · Legion · Manipel · Mannschaft · Regiment · Rotte · Schar · Schwadron · Standarte · Streitkräfte · Truppe · Truppenmacht · Verbände · Zenturie ❡ Belegschaft · Bemannung · Besatzung · Garnison ❡ Abteilung · Aufmarsch · Aufstellung · Beiwache · Biwak · Ersatzmannschaft · Ersatztruppe · Etappe · Feldwache · Flügel · Gros · Gruppe · Hauptheer · Hauptmacht · Heersäule · Hilfstruppe · Hintertreffen · Kampfgruppe · Keil · Kette · Kerntruppe · Linie · Mitteltreffen · Nachhut · Nachschubkolonnen · Patrouille · Phalanx · Posten · Rückhalt · Schlachtordnung · Späh-, Stoß-, Sturmtrupp · Spitze · Staffel · Staffelstellung · Verteidigung · Vorausabteilung · Vorderglied · Vordermann · Vorhut · Vorposten · Vortrab · vorgeschobene Linien · Zug · Reih und Glied · Einheit ❡ Kriegspotential · Stützpunkt · Kriegsdienst · Front · Frontverlauf.

74 a. Luftwaffe. *s. Zivilluftfahrt 8. 6.*

Beobachter · Bordfunker · Bordwart · Bugschütze · Flieger · Flugzeugführer · Heckschütze · Franz und Emil (Fliegerehe) · Besatzung ❡ Aufklärer · Begleitflugzeug, kleiner Aff · Bomber, Tag-, Nacht-, Nachteule · Düsenjäger · Fernaufklärer · Fernkampfbomber · Jäger · Kampfflugzeug · Nachtjäger · Stuka · Torpedoflugzeug · Zerstörer · fliegender Bleistift · fliegende Festung ❡ Flugzeug, Maschine, mil. · Drachen, Himmelsklamotte, Kahn, Kiste, Mühle, oller Schinken, Schlitten, Staatsschiff, (metallener) Vogel · Kettenhund, Holzauge (der letzte Flieger einer Kette) ❡ Kanzel · Propeller, Latte · Steuersäule, Knüppel · Wanne ❡ Einsatz · Formation · Geschwader · Gruppe · Jagdschutz · Kette · Pulk (russ. polk = Regiment) · Staffel · Verband ❡ Sturzflug · Tiefangriff ❡ Erkundungsflug · Feindflug · Luftkampf · Luftschlacht · den Luftraum beherrschen · rollender Einsatz ❡ Fliegerbomben, Eier, „Grüße", „fromme Wünsche" · Reihenwurf ❡ Flugwaffe · Luftfahrtministerium · Luftwaffe.

75. Kampfplatz.

Amphitheater · Arena · Bärenzwinger · Fecht-, Paukboden · Feldlager · Korso · Löwengrube · Mensur · Rennbahn · Ring · Schranken · Sportfeld · Stadion · Stechbahn · Tiergarten · Turf · Turnierplatz · Wettplatz · Zirkus ❡ Kriegsberichterstatter · Bildberichter · Wochenschau ❡ Blutfeld · Feld der Ehre · Front · Frontabschnitt · Gefahrenzone · Graben · Kampfgebiet, -platz, -zone · Kriegsbühne,

-gebiet, -schauplatz · Leichenfeld · vorderste Linie · Niemandsland · Operationsgebiet · Schlachtfeld · Trichterfeld · Trümmerfeld · Walstatt · Luftraum ¶ Ausgangsstellung · Gefechtsstand ¶ blutgetränkter Boden · verheerte Fluren · nieder-
gestampfte, zertretene Saatgefilde · zerstörte Städte · gesprengte Straßenzüge ·
Schiffsfriedhof · versenkte Bruttoregistertonnen · einiger Sachschaden.

76. Angriff. *s. verwunden* 2. 42. *schädigen* 9. 63. *Tapferkeit* 11. 38. *Beleidigung* 16. 34. *Grobheit* 16. 54.

ad hominem ¶ anbinden mit · anfallen · angreifen · anpacken · anranzen · aushungern · bedrängen, -lagern, -schießen, -schleichen, -siegen, -unruhigen ·
blockieren · bombardieren · draufgehen · einkesseln, -schließen · hauen · sich
heranarbeiten, -kämpfen · losschlagen · schlagen · schleudern · stechen · stoßen ·
stürmen · treten · überfallen · überrumpeln · umgehen · umzingeln · vorstoßen ·
zerhämmern ¶ tätlich werden · handgreiflich werden · den Boden der geistigen
Auseinandersetzung verlassen · in die Flanke, den Rücken fallen · in den Hinterhalt
locken · in die Enge treiben · zu Leibe gehen · einen Rand geben · zum Angriff
übergehen · die Feindseligkeiten, das Feuer eröffnen · den ersten Stoß führen ·
angriffsweise, offensiv vorgehen · sich auf den Feind werfen · neue Operationen
bahnen sich an · wehrwirtschaftliche Anlagen erfolgreich belegt ¶ abprotzen · anmarschieren · anrücken · anstürmen · beharken · eindringen · einhauen · entern ·
feuern · heranstürmen · manövrieren · plänkeln · scharmützeln · schleudern · vorgehen · vorrücken · vorstoßen ¶ Kanonen auffahren, aufpflanzen · Batterie vorfahren lassen · das Deck klären · gefechtsbereit, klar machen · den Feind beschießen ·
eine volle Breitseite, Lage geben · Feuer geben · das Feld beherrschen, bestreichen · den Feind aufrollen · unter Feuer nehmen · knallen · Bomben, Brocken
loswerden, hereinsetzen · auf den Käse hauen · Truppenansammlungen erfolgreich
belegen · schießen *s.* 7. 29 · hereinhämmern · die Leichenfinger um die Ohren
pflastern (Leuchtmunition) · aus sämtlichen Knopflöchern schießen ¶ berennen ·
erklettern · ersteigen · untergraben, -höhlen, -minieren ¶ Laufgräben eröffnen ·
Minen legen · Batterie zum Schweigen bringen · Bresche schießen · in die Luft
sprengen · zur Kapitulation, Übergabe zwingen · Besitz ergreifen · Proviant, Rückzug, Wasser abschneiden · den Angriff vor-, herantragen · Handgranaten werfen ·
in die Zange nehmen · Kessel bilden · Keil vortreiben · schnelle Verbände stießen
vor · motorisierte Truppen einsetzen · Brückenkopf bilden · abriegeln · Widerstands-
nester ausräumen ¶ beschossen werden; ich bekam den Laden vollgerotzt ¶
aggressiv · aufsässig · offensiv ¶ Invasor · Kriegsverbrecher · Okkupant · Vorausabteilung · Panzerspähwagen · starker Druck auf · angreifbar · ausgesetzt · exponiert · offen ¶ Aggressor · Angreifer · Belagerer ¶ Enterhaken · Sturmleiter ·
¶ Anfall · Angriff · Anlauf · Anprall · Ausfall · Einbruch · Einfall · Handstreich ·
Offensive · Raubzug · Razzia · Säuberung · Streifzug · Überfall · Überrumpelung ·
Umfassungsschlacht · neue Phase des Krieges ¶ Anmarsch · Attacke · Bajonettangriff · Einmarsch · Falle · Flankenangriff · Hauptschlag · Hinterhalt · Kolonnenangriff · Husarenstück · Kesseltreiben · Piratenakt · Rückenangriff · Scheinangriff ·
Tankschlacht · Umgehung · Vorstoß ¶ Artilleriefeuer · Beschuß · Blockade · Bom-
bardement · Breitseite · (rollender, pausenloser) Einsatz · Feuer(stoß) · Feuerüberfall · Fliegertätigkeit · Gewehrfeuer · Geschützsalve · Hieb · Kanonade · M.G.-
feuer · Salve · Schlag · Schuß · Stich · Stoß · Streich ¶ Rauchfahne ¶ Berserkerwut ·
Kampfeshitze · Kampfgewühl · Nahkampf · Mann gegen Mann ¶ Beleidigung ·
Ehrenkränkung · Tritt · Unbill · Verletzung · Wunde.

77. Verteidigung. *s. Verhinderung 9. 73. Schutz 9. 76; 17. 14. Widerstand 16. 65. Hinterhalt 16. 71.*

noli me tangere · bis hierher und nicht weiter · nur über meine Leiche ℂ abhalten · bewachen · durchhalten · sich erwehren · (die Stellung) halten · schippen · sperren · sich einigeln, behaupten, halten · parieren · verfechten · verminen · verteidigen · sich wehren · widerstehen · zurückschlagen · zurückweisen · sich zur Wehr setzen, stellen · eine Lanze brechen für · Widerstand leisten · sich seiner Haut wehren · seinen Mann stellen · die Stirn bieten · das Feld behaupten · in Schach halten · anlaufen lassen · in die Bresche springen · in Bereitschaft stehen · Gewehr an der Seite, auf den Kanonen schlafen · dem Feinde einen heißen, warmen Empfang bereiten · Barrikaden aufwerfen · den Gegner in die Flucht schlagen · den Angriff abschlagen, abriegeln, auffangen, abschirmen herauspauken, zurückweisen · blutig abweisen · der feindliche Angriff brach im zusammengefaßten Feuer blutig zusammen · feindliche Einflugversuche vereiteln ℂ unter die Fittiche nehmen · in der Defensive sein ℂ defensiv ℂ Besatzung · Flak · Nachtjäger · Pak · Ritter · Schützer · Verfechter · Verteidiger · Wächter · zersprengte Feindteile ℂ Auffangstellung · Ausfallgitter · Ausfallpforte · Ausfalltor · Ausfalltüre · Barrikade · Bastei · Bastion · Befestigung · Bodenwelle · Bollwerk · Brille · Brückenkopf · Brüstung · Brustwehr · Betonklotz · Bunker · Drahtverhau · Eindämmung · Erdaufwurf · Erdloch · Fallgatter · Faschinen · Feldabdachung · Festungswerk · Glacis · Graben · Gürtel · Halbmond · Hauptschanze · Hohlschanze · Hornwerk · Kasematte · Kuschelgelände · Laufgraben, -linie · Mauer · Nebenschanze · Palisade · Pfaffenmütze · Pfahlwerk · Redoute · Sappe · Schanze · Stacheldraht · Staket · Turmschanze · Umhegung · Unterstand, Heldenkeller · Verschanzung · Vorwerk · Wagenburg · Wall · Zugbrücke · spanischer Reiter ℂ *Verteidigungswaffe:* Bärenmütze · Brustharnisch · Fechthandschuh · Harnisch · Helm · Küraß · Panzerhemd · Pickelhaube · Rüstung · Schild · Stahlhelm · Sturmhaube · Tschako · Visier *s. Kleidung 17. 9* · Mine · Geleitzug ℂ Burg · Felsennest · Festung · Fort · Igel(stellung) · Kapitol · Kastell · Raubschloß · Ritterschloß · Turm · Warte · Zinne · Zitadelle · Wall und Graben · Widerstandszentrum ℂ Asyl · Blockadeschiff · Blockhaus · Küstenbatterie ℂ Abwehr · Apologie · Ausbruchsversuch · Ausfall · Bedeckung · Defensive · Gegenstoß, -angriff · Gegenwehr · Jiu-Jitsu · Jägerschutz (flieg.) · Rechtfertigung · Schild · Schirm · Schutz · Selbsterhaltung · Selbstverteidigung · Sicherheit · Stellungswechsel · Verteidigung · Widerstand · General Winter · General Nebel · der Faktor Zeit · Kampf ums Dasein · Wahrung berechtigter Interessen.

78. Prügeln. *s. Unlust verursachen 11. 14. Zorn 11. 31. Demut 11. 48. Übelwollen 11. 60. lehren 12. 33. Enttäuschung 12. 46. Drohung 16. 68. Vergeltung 16. 80. Rache 16. 81. Zwang 16. 107. Strenge 16. 108. Strafe 19. 32.*

huit! huit! pth! peng! · in die Hand spucken ℂ goschen (bayr.) · maulschellen · ohrfeigen · patschen · tachteln · einem eine auswischen, geben, herunterhauen, kleben, knallen, langen, latschen, löschen, leuchten, schmieren, schwalben , stechen, zwitschern · hinter die Ohren, die Löffel schlagen, rechts und links auf die Backen · wirst glei ani fang'n · ne Schwalbe stechen · hat ein loses Handgelenk · jmd. eine hinter die Schallgardinen hauen, daß er wochenlang zu plätten hat · jmd. eine brennen, die roocht aber ℂ Backpfeife · Backenstreich · Damsel (sächs.) · Diladizsche (köln.) · die Drassem (Darmstadt) · Dusel (sächs.) · Ebige (vogtl.) · Fake, Flinke, Hinhorche, Horbel (sächs.) · Fisoln (östr.) · Husche · Knallschote · Latsche · Maulschelle · Ohrfeige · Patsche · Schwappe (berl.) · Surre (els.) · Tachtel · Watsche (bayr.) · Wischer · Katzenkopf · Kinnhaken · Tatzen geben ¶ wir haben noch etwas mit einander abzumachen · es gibt welche · komm mir nur nach Hause · es gibt von denen, die nichts kosten · gib der von de Fertige · daß du nicht mehr sitzen kannst · ihm juckt das Fell ¶ ab-, auf-, drauf los-, drein-, durch-, ver-, zer- · abschmieren · abstrafen · einem aufspielen · auffrischen · aushauen · ausklopfen · auspeitschen · auswischen · bändigen · bearbeiten · beuteln · bimsen · blätschen (bad.) · dreschen · dressieren · dulksen (sächs.) · durchbeuteln · durchbleuen · durchflapchen · durchhauen · durchpeitschen · durchprügeln · durchwachteln · durchwackeln · durchwamsen · durchwapchen · durchwassern · durchweichen · durchwichsen · einheizen · eintrichtern · erwischen · fauzen (berl.) · fickfacken · fitzen · flachsen · flapchen · gallern (ndd.) · geißeln · gerben · hauen · heichen · heimleuchten, -zahlen · herumlassen · sich jmd. greifen · (herüber)holen, kaufen · holzen · kabacken (schles.) · kamisolen · kantschuen · karbatschen · karnöffeln (thür.) · kielholen · kleinkriegen · klopfen · knüppeln · knütteln · knuten · sich langen · lachsen (els.) · lynchen · nollen · peitschen · prügeln · rallern · rollen, verrollen · schlagen · schmakustern · stäupen · stauken · strafen · striegeln · überlegen · verbimsen, -bleuen, -dreschen, -hauen, -keilen, -kamisolen, -klopfen, -ledern, -mätschen (Leipzig), -möbeln, -nöckeln (rhein.), -platzen (bad.), -prügeln, -schlagen, -sohlen, -tobaken, -trimmen, -walken, -wamsen, -wichsen · vorknöpfen · vornehmen · wippen · wuppen · zerbleuen · zöpeln · zudecken · züchtigen · zurichten · zwiebeln · keine Umstände machen · nicht lange fackeln · kurzen Prozeß, kein Federlesens machen · auf die Sprünge helfen · es einem beibringen, besorgen · etwas aufbremsen, knallen, mischen, eintränken · das Spanische zu kosten geben · den Buckel blau färben · das Fell gerben, vollhauen · die Augen flimmern machen · die Hosen spannen, stramm ziehen, abknöpfen · die Flöhe abkehren · eins geigen · das Fell locker machen · den Frack verschlagen · den Stecken anmessen · Maß nehmen · Prügel aufmessen, aufzählen, applizieren, austeilen, geben, verabreichen, zukommen lassen, versetzen · eine Tracht Prügel aufladen · seinen Zorn auslassen · Mores lehren · die Leviten lesen · sein Mütchen kühlen · handgreiflich werden · jmd. unter die Finger kriegen · auf die Bank schnallen · übers Knie, übern Stuhl legen · mit dem Stock traktieren · windelweich, braun und blau schlagen · mit Ruten streichen · ecce-homisch zichtigen (schles.) · welche überziehen · mit dem Birkenpinsel rot malen · eine Handvoll ungebrannter Asche zu kosten geben · den Spanischen auf dem Hintern tanzen lassen · mit dem hagebüchenen Pinsel blau anstreichen · in der Mache, unter der Fuchtel haben, was das Leder hält · eine Naht (braunschw.), Kattun, Talkum, eine Wucht geben · einem anders kommen · in die Kluppen kriegen (mitteldt.) · beim Kanthaken nehmen · bei der Binde, beim Schlafittchen, beim Wickel kriegen · das Leder gerben · aufs Leder knien · andere Saiten aufziehn · die Flötentöne beibringen ¶ es gibt aus der Armenkasse, etwas raus · der heilige Geist kommt · es regnet in Ägypten (schles.) ¶ sie kriegen · abkriegen · Prügel besehen, zu schmecken, zu kosten bekommen · sein Fett, Fische, Lachs kriegen · kriegt eins hinten vor, etwas raus, eine gemoppt · in den Schwitzkasten kommen · hat noch etwas auf dem Kerbholz ¶ er het'm inghenkt (els.) · das hat gesessen ¶ Rute · Birkengretchen · Staupbesen · Bakel · Gerte · Haselstock · Haslacher · Haslinger · Krückstock · Meerrohr · Rohrstock · Sende · Stock · der Spanische · der gelbe Onkel, Tröster · Knute · Kantschu · Nagaika · Ochsenziemer · neunschwänzige Katze · Geißel · Peitsche ¶ Abfälle · Abreibung · Abwichslung (Saarbr.) · Abzug · Äppel · Armsünderschmalz · Ausstäupung · Baumwachs · Bimb · Birkenzauber · Denkzettel ·

Dresche · Fänge · Fünfundzwanzig (hinten drauf) · Geißelung · Gepfeffertes · Gesalzenes · Haue · für 5 Pfg. Haumiblau · Hiebe · Hosespannes (bad.) · Jackenfett · Kalasche (schles.) · Keile · Klitsche, Klöpfe (thür.) · Kloppfisch · Knüppel · Lektion · Makkes · Moschis morum · Platze (thür.) · Prügel · Prügelstrafe · Prügelsuppe · Rampes · Riß' (hess.) · Schacht (pom.) · Schläge · Schmiß' · Saures · trockener Schnaps · Schwumbse (sächs.) · Senge · Simse (berl.) · Speck und Schinken · Schinkenklopfen · Stauke · Stockfisch, aber ohne Butter · Streiche (alt, südd.) · Tracht · Wichse · Wickel · (körperliche) Züchtigung.

79. Quälen. *s. Unlust bereiten 11. 14. Übelwollen 11. 60. Menschenhaß 11. 63. Strenge 16. 108.*

beißen · bimsen · foltern · frikassieren · herumtreten auf · kujonieren · kuranzen · malträtieren · martern · mißhandeln · peinigen · piesacken · plagen · quälen · schikanieren · schinden · schleifen · schurigeln · sekkieren · spucken · stauchen · striegeln · treten · triezen · zwacken · zwiebeln · Schlitten fahren mit · die Hölle heiß machen · das Leben sauer, zur Hölle machen · übel mitspielen · zuschanden schlagen · jmd. etwas flüstern ❡ gemein · grausam · sadistisch · teuflisch · tierisch ❡ Sadist ❡ O. d. F.

80. Vergeltung. *s. Rache 16. 81. Strafe 19. 26; 19. 32.*

Wurst wider Wurst · Blut für Blut · Schlag für Schlag · Aug um Auge · Zahn um Zahn · wie du mir, so ich dir · das hat er davon · das geschieht ihm recht · das kommt davon ❡ abjagen · abrechnen · ankreiden · ausgleichen · dezimieren · eintränken · heimzahlen · lohnen · sich revanchieren · vergelten · wettmachen · wiederabjagen · wiederabnehmen · mit gleicher Münze heimzahlen · die Scharte auswetzen · den Spieß, die Waffe umdrehen, umkehren · das Kompliment erwidern · sich löffeln · entgelten lassen ❡ sich in der eigenen Schlinge fangen · in ein Wespennest stechen · das Blatt hat sich gewendet ❡ Abrechnung · Entlohnung · Erwiderung · Gegenklage · Gegenlist · Gegenmaßregel · Gegenprojekt · Gegenschlag · Gegenstreich · Genugtuung · Kaperbrief · Lastenausgleich · Lohn · Repressalie · Retourkutsche · Schuldenausgleich · Vergeltung · Wiedervergeltung ❡ Blutrache · Gegenrevolution · Gegenverschwörung · Vendetta · Vergeltungsrecht · ius talionis ❡ Finger Gottes · Gottesgericht · Nemesis · Stimme des Gerichts.

81. Rache. *s. Zorn 11. 31. Haß 11. 62. Strafe 19. 32.*

ohne Erbarmen, Mitgefühl · auf einen Schelm anderthalbe (Goethe) ❡ abrechnen · ahnden · ankreiden · belangen · heimzahlen · nachtragen · rächen · vergelten · Genugtuung begehren, fordern, verlangen · sich Genugtuung verschaffen · Rache brüten, sinnen, suchen, schnauben · die Rache ausführen, vollstrecken, vollziehen · sein Mütchen kühlen · die Rachgier befriedigen, löschen, stillen · ein Hühnchen zu pflücken, rupfen haben · die Rechnung noch nicht abgeschlossen haben · seine Gelegenheit abwarten · hat noch etwas abzumachen · seine Stunden, Tage abpassen · Haß hegen, nähren · Arges sinnen ❡ blutdürstig · eiskalt · erbarmungslos · feindselig · grimm · hart · nachträgerisch · rachedurstig · rachgierig · rachsüchtig · streng · unerbittlich · unversöhnlich · jeder Regnung bar · gerechte Strafe übend ❡ Bluträcher · Furien · Nemesis · Rachegöttinnen ❡ Ahndung · Buße · Genugtuung · Rache · Satisfaktion · Wergeld ❡ Grimm · Haß · Rachgier · Rachsucht · Unerbittlichkeit ❡ Blutgericht · Blutrache · Blutschuld · Racheschwert · Vendetta · strafende Gerechtigkeit · rächendes Geschick.

82. Abbitte. *s. Bitte 16. 20. Verzeihung 16. 47. Reue 19. 5.*

mit dem Ausdruck des Bedauerns ¶ es tut mir leid · oha · hopla · Pardon · verzeihen Sie · nichts für ungut · entschuldigen Sie bitte · ist nicht so gemeint · will es nicht wieder tun ¶ abbitten · deprezieren · sich entschuldigen · widerrufen · wiedergutmachen · zurücknehmen · um gutes Wetter bitten · sein Bedauern ausdrücken ¶ Abbitte · Ausrede · Ehrenerklärung · Entschuldigung · Widerruf.

83. Niederlage. *s. geringerer Grad 4. 52. Schwäche 5. 37. rückwärts 8. 17. Flucht 8. -8. mißlingen 9. 78. Demut 11. 48. Dienstbarkeit 16. 111. Gehorsam 16. 114.*

weiße Flagge ¶ im Zuge der Frontbegradigung ¶ abblasen · abdrehen · aufgeben · sich beugen · sich demütigen · einlenken · sich ergeben · erliegen · fallen (von einer Festung) · sich fügen · gehorchen · kapitulieren · kneifen · nachgeben · retirieren · unterliegen · sich unterwerfen · verzichten · weichen · weißbluten · zusammenbrechen · in den sauren Apfel beißen · den Kürzeren ziehen · auf der falschen Seite kämpfen · die bittere Pille schlucken · ein Einsehn haben · klein beigeben · zu Kreuze kriechen · sich rückwärts konzentrieren · sich zurückkämpfen · Niederlage einstecken · mit dem Raume spielen · planmäßig räumen · die harten Kämpfe sind noch im Gang · der Feind suchte vergeblich unsere Bewegungen zu stören · die Waffen niederlegen, strecken · das Knie, den Nacken beugen · zu Füßen fallen · sich auf Gnade oder Ungnade ergeben · zur Beute fallen, werden · die Streitkräfte zurücknehmen, umgruppieren · die Front verkürzen · neue Stellungen beziehen · Widerstand einstellen · die Flagge streichen · den Schwanz einziehen · die Tore öffnen · die Schlüssel überreichen · Ja und Amen sagen · klein und häßlich werden · in die Knie brechen · ins Wanken, ins Rollen kommen · sich vom Feind absetzen, lösen · sich totsiegen ¶ k. o. ¶ Abfuhr · Abtretung · Ausweichbewegung · Geländeverlust · hinhaltender, elastischer Widerstand · Frontbegradigung · Rückschlag · bewegliche Front · Strategie des Raumes · Erschwerung der Kämpfe · Ergebung · Kapitulation · Niederlage · Pyrrhussieg · strategischer Rückzug · schwerer Sturm · Frontwechsel · Übergabe · Unterwerfung · Verzagtheit · Verzicht · Bitte um Waffenstillstand · Schandfriede.

84. Sieg. *s. töten 2. 46. Überlegenheit 4. 51. zerstören 5. 42. verfolgen 8. 15. verhindern 9. 73. Erfolg 9. 77.*

fliegende Fahnen · Viktoria! · hurra ¶ mit Ausnutzung der zahlen-, materialmäßigen Überlegenheit ¶ abfertigen · abstechen · abwürgen · aufreiben · aufrollen · auszählen · besiegen · bewältigen · bezwingen · einkesseln · eindringen · erdrücken · erledigen · frühstücken (von abgeschossenen Flugzeugen) · gewinnen · hereinlegen · hinwegfegen · niederstrecken, -schlagen, -werfen · obsiegen · schlagen · siegen · triumphieren über · übermannen · überrennen · überwinden · (um)werfen · unterdrücken · unterjochen · unterwerfen · vordringen · zerschmettern · in die Flucht schlagen · über den Haufen rennen, werfen · nur so jagen · aufs Haupt schlagen · mit jmd. fertig werden, fertig machen · zur Raison bringen · befrieden · den Sieg erringen · außer Gefecht setzen · ist ihm über · den Frieden diktieren, vorschreiben · Bedingungen auferlegen · unter Botmäßigkeit, unters Joch bringen · zu Boden drücken · an die Wand drücken · in die Knie zwingen · die Oberhand gewinnen · Oberwasser bekommen · das Feld behaupten · das befohlene Ziel nehmen · kampfunfähig, unschädlich machen · in die Pfanne hauen ¶ besetzen · einnehmen · erobern · erstürmen · nehmen · überrumpeln · überrunden · vorankommen · im

Sturm nehmen · vom Feinde säubern ⁋ siegreich ⁋ Sieger · Triumphator· Überwinder · Usurpator · Schwertadel ⁋ Bürgerkrone · Ehrenkrone · Ehrenpforte · Fanfare · Huldigung · Kranz · Krone · Lorbeer · Medaille · Meisterschaftsgürtel · Orden · Palme · Preis · Siegerkranz · Siegesdenkmal, -preis, -zeichen · Triumph Triumphbogen · Triumphpforte · Trophäe ⁋ Punktsieg · technischer k. o. · Durchbruch · Geländegewinn · Sieg · Waffentat · Endsieg · Diktatfriede · Gleichschaltung.

85. Ehre, Ruhm. *s. Stolz 11. 44. Liebe 11. 53. Nachruhm 12. 39. herrschen 16. 96—99.*

sich fühlen· glänzen · hervorstechen · sich hervortun · prangen · prunken · stolzieren · strotzen · sich verewigen · wetteifern · Ehre genießen · in Ehren gehalten werden · Ehre einlegen mit · Ehre ernten · sich einen Namen machen · sich den Ruf erwerben, verdienen · den Außenschein bewahren · eine glänzende Erscheinung machen · etwas vorstellen · die andern ausstechen, überstrahlen, verdunkeln · andere hinter sich lassen, in den Schatten stellen · jemand den Vorrang ablaufen, abgewinnen · die höchsten Stufen erklimmen · zu Ehren gelangen · den Preis davontragen, erringen, gewinnen · Lorbeeren ernten, pflücken · die Palme, den Kranz erlangen · sich die Sporen verdienen · Beachtung finden · noch in der spätesten Nachwelt leben · zu den Unsterblichen gezählt werden · von sich reden machen · die große Trommel rühren · Aufsehen erregen · ein glänzendes Haus führen, machen · aller Augen auf sich ziehen · den Ton angeben · die erste Geige spielen · die Welt mit seinem Ruhm erfüllen · in Mode, en vogue sein ⁋ achten · adeln · auszeichnen · ehren · erhöhen · feiern · heiligsprechen · huldigen · schätzen · verehren · zur Ehre gereichen · Ehre bringen, machen · Ehre erweisen, erzeigen · mit Ehren, Lorbeeren überschütten · Orden, hohe Würden und Ämter verleihen · in den Adelsstand erheben · zum Ritter schlagen · den Ehrenplatz anweisen · das Haus erhebt sich · auf den Siegesthron setzen · einen Platz im Ruhmestempel anweisen ⁋ angesehen · ausgezeichnet · bedeutend · beliebt · berühmt · einflußreich · geachtet · gefeiert · geschätzt · gewichtig · hochgeehrt · maßgebend · namhaft · populär · prominent · tonangebend · weitbeschreit ⁋ achtbar ·ehrenwert · ehrsam · rühmlich · schätzbar · schätzenswert · unbescholten · würdig ⁋ aktuell · brillant · gefeiert · glänzend · glorreich · ruhmbedeckt · ruhmvoll · ruhmwürdig · sensationell · strahlend · unsterblich · unvergänglich ⁋ auserlesen · edel · ehrwürdig · erhaben · feierlich · fürstlich · groß · hehr · heilig · herrlich · hervorragend · majestätisch · stattlich · trefflich · unvergleichlich · vortrefflich · weihevoll · würdevoll · aere perennius · von aller Welt geehrt und gepriesen · ohne, sondergleichen · bekannt wie ein bunter Hund · Ehrfurcht gebietend · auf Ruhmesflügeln emporgetragen · von Heilrufen umbrandet ⁋ Abgott des Volkes · Autorität · Champion · crack · Führer · Größe · Häuptling · Hauptperson · Held · Heros · Kanone · Kapazität · Klasse · Koryphäe · Leuchte · Mauernweiler (Bühnenspr.) · Matador · persona grata · eine Prominenz · Prominenter · Respektsperson · Star · Tagesberühmtheit · Weltmeister · Hahn im Korbe · Löwe der Gesellschaft · der Mann des Tages · gekrönter Dichter · großes Tier · erste Kraft · Stern erster Größe · ein ganz Großer ⁋ Diva · Heldin · Primadonna ⁋ Blume · Perle · Rose · Sonne · Stern ⁋ *Von Sachen:* Schlager · Sensation · der große Erfolg ⁋ Aureole · Denkmal · Ehrenkranz, -krone · Glorienschein · Gloriole · Heiligenschein · Lorbeeren · Orden · Siegerpreis · goldene Rose ⁋ Ehrenamt · Ehrenposten · Titel ⁋ Ehre · Leumund · Name · Ruf ⁋ Anstand · Ehrgefühl · Ehrgeiz · Ehrsucht · Ruhmsucht ⁋ Achtung · Anerkennung · Beliebtheit · Ehrfurcht · Ehrung · Hochachtung · Popularität · Respekt · Ver-

ehrung · Volksgunst · Wertschätzung ₵ Andenken · Auszeichnung · Berühmtheit ·
Einfluß · Geltung · Gewicht · Glanz · Glorie · Nachruhm · Nimbus · Prestige ·
Rang · Renommee · Ruhm · Unsterblichkeit · Weltruf · Weltruhm · stetes Ge-
dächtnis ₵ Adel · Erhabenheit · Feierlichkeit · Größe · Herrlichkeit · Hoheit ·
Majestät · Pracht · Stattlichkeit · Vornehmheit · Würde ₵ Altersrang · Ansehen ·
Autorität · Bedeutsamkeit · Bedeutung · Dienstalter · Gewicht · Grad · Höhe ·
Klasse · Kompetenz · Machtbefugnis · Platz · Posten · Rang · Stellung · Stufe ·
Titel · Verdienst · Vorrang · höchste Würde ₵ Beförderung · Erhebung · Erhöhung ·
Ritterschlag · Schwertleite · Verherrlichung · Weihe · Widmung.

86. Titel. *s. Verwaltungsbehörde 16. 99. Priester 20. 17.*

Ehrenbürger · Ehrenmitglied ₵ Amtsbezeichnung · Ehre · Ehrenamt · Prädikat ·
Rangliste · Titel · Titulatur ₵ Doktor · Don · Durchlaucht · Ehrwürden · Eminenz · Erlaucht · Exzellenz · Geheimrat · General- · Euer Gnaden · S. Heiligkeit ·
Herr · Hochehrwürden · Ew. Hochwohlgeboren · Hoheit · Ew. Liebden · Magnifizenz · Majestät · Meister · Monsignore · Professor · Spectabilität · Gnädiger Herr ·
Ew. Wohlgeboren ₵ Adelsdiplom · Barett · Bischofsmütze · Doktorat · Doktordiplom · Doktorhut · Ehrendiplom · Ehrenkranz · Ehrenkrone · Hermelin · Lorbeerkranz · Purpur · goldene Kette · äußere Ehre ₵ Auszeichnung · Ehrenerweisung ·
Ehrenverleihung · Priesterweihe · Promovierung.

87. Einzelne Ehrenerweisung. *s. Lob 16. 31. Glückwunsch 16. 39.*
Ordensschmuck 17. 10.

die Wache präsentiert · Paradeschritt · Augen rechts! · Stillgestanden ₵ prosit ·
vivat · hoch · Alaaf · Heil · lebe hoch · Ehre, wem Ehre gebührt! ₵ zu Ehren
von ₵ anprosten · begrüßen · bejubeln · besingen · ehren · empfangen · entgegenjauchzen · feiern · huldigen · preisen · rühmen · vergöttern · vergotten · verherrlichen · jujubeln · zutrinken · feierlich gedenken ₵ einführen · einweihen · Ehre
bezeigen, erweisen · den Vortritt lassen · das Haus erhebt sich · sich von den Sitzen
erheben · in den Himmel erheben · auf Händen tragen · auf die Schulter erheben ·
auf jemandes Wohl trinken · Trinksprüche ausbringen · jemandem die Pferde ausspannen · festlich begehen · feierlich einsetzen ₵ ehrenvoll · feierlich · festlich
₵ Ehrenpforte · Ehrensäule · Lobgesang · Lorbeerkranz · Preislied · Siegerkranz ·
Triumphbogen ₵ Ehrenplatz, -sitz, -wache ₵ Band · Brustorden, -stern · Deko-
ration · Diplom · Ehrenzeichen, -kreuz · Epaulette · Fahne · Federbusch · Federhut ·
Großkordon · Halskreuz, -orden · Kokarde · Kordon · Klunker · Kreuz · Lametta ·
Livree · Medaille · Mutterkreuz · Orden · Ordensband, -kette, -spange, -schleife ·
Portepee · Roßschweif · Schnüre · Stern · Uniform · Verdienst-, Ritterkreuz ·
Wappenschild ₵ Ehrung · Feier · Gedenkfeier · Jahrestag · Jubiläum · Ovation ·
Salut · Salve · Staatsakt · Staatsbegräbnis ₵ Benefizvorstellung · Fackelzug ·
Freudenfeuer · Glocken · Jubelklang · Paukenschall · Trompetenton · festlicher
Einzug ₵ Begeisterung · Frohlocken · Huldigung · Jubel · Tedeum · Trinkspruch ·
Tusch.

88. Schaugepränge. *s. schön 11. 17. Fest 16. 59.*

mit Fanfarengeschmetter · mit fliegenden Fahnen · mit Paukenschlag und Trommelklang ₵ auskramen · blenden · flaggen · flimmern · glänzen · sich herausputzen ·
leuchten · paradieren · prangen · prunken · schimmern · sich schniegeln · stolzieren ·
strahlen · strotzen · Pracht entfalten · ein glänzendes Haus machen · eine Rolle

spielen · etwas vorstellen · eine Figur machen · sich im Glanz zeigen · Reichtum entfalten · nach Effekt haschen · Aufsehen erregen · große Rosinen im Kopf haben · die Etikette beobachten · auf Formalitäten halten · den Zeremonienmeister spielen · Teppiche heraushängen ¶ zur Schau stellen · Glanz verleihen ¶ auffallend · besternt · blendend · brillant · flimmernd · glänzend · herrschaftlich · majestätisch · pompös · schimmernd · theatralisch · wirkungsvoll ¶ prächtig · prachtliebend · prunkhaft · prunksüchtig · putzsüchtig · ¶ abgemessen · formell · steif ¶ aufgedonnert · feierlich · grandios · hochtrabend · pathetisch · stattlich · buntfarbig wie ein Schmetterling · schillernd wie ein Pfau ¶ Hahn · Truthahn · Pfau · Pfingstochse ¶ Ehrenjungfrau · Ehrenkompanie ¶ Ehrenbett · Via triumphalis ¶ Fackelzug · Fanfare · Festbeleuchtung · Geschützsalve · Salut · Trommelwirbel · Trompetengeschmetter · Tusch · feierlicher Empfang · Staatsbesuch ¶ Aufmarsch · Besichtigung · Festgepränge · Festzug · Parade · Prozession · Schauritt · Triumphzug · Vorbeimarsch ¶ Dekoration · Fahnenmeer · Feuerwerk, Lichtdom · Girlanden ¶ Empfang · Galavorstellung · Hoffest · Illumination · Korso · Schaufahrt · Schauspiel · Spalier · große Auffahrt ¶ Aufmachung · Etikette · Formalität · Förmlichkeit · Gala · Hofsitte · Hoftracht · Komödie · Putz · Staat · Zeremonie · Zeremoniell · feierliche Grandezza ¶ Augenweide · Ausstellung · Bühnenerfolg · Farbenglanz · Feier · Festlichkeit · Gepränge · Glanz · Herrlichkeit · Hofstaat · Knalleffekt · Mummenschanz · Parade · Pomp · Pracht · Prunk · Schaugepränge · Schaustellung · Schimmer · Staat · Stattlichkeit · Tamtam · Theater · Umzug.

89. Prahlerei. *s. Stolz 11. 44. Eitelkeit 11. 45. Übertreibung 13. 52.*

angeben · sich aufblähen · aufprotzen · aufschneiden · blaguieren · bramarbasieren · sich brüsten · flunkern · sich haben · sich herausstreichen · markieren · pochen auf · prahlen · protzen · renommieren · schwadronieren · schwindeln · sich spreizen · dicktun · großtun · sich wichtig machen · Wind machen · groß sprechen · er redet einen bedeutenden Strahl (berl.) · den Mund voll nehmen · das Maul weit aufreißen · Sprüche machen, klopfen · dicke, hohe Töne reden · gibt an wie eine Lore Affen · mit einem großen Messer aufschneiden · Räuberpistolen erzählen · sich mit fremden Federn schmücken · sein eigenes Lob(lied) singen · sich selbst erhöhen · viel Wesens, viel Aufheben machen · alles Verdienst für sich in Anspruch nehmen ¶ aufblähen · vergrößern ¶ anspruchsvoll · aufgeblasen · bombastisch · flunkerhaft · gespreizt · großkotzig, -sprecherisch, -tuerisch · hochtrabend · marktschreierisch · naseweis · prahlerisch · ruhmredig · schwulstig · windbeutelig · windig ¶ Angeber · Aufschneider · Bramarbas · Bühnenheld · Dicktuer · Eisenfresser · Fatzke · Flausenmacher · Flunkerer · Geck · Gernegroß · Großmaul · Großsprecher · Hochstapler · Kläffer · Leutfresser · Marktschreier · Maulheld · Münchhausen · Prahler · Prahlhans · Protz · Quacksalber · Renommist · Säbelrassler · Scharlatan · Schlagadodro (Immermann) · Sprüchmacher (alem.) · Schwadroneur · Wichtigmacher · Windbeutel · Wortheld · Zungendrescher · Zungenheld · schellenlauter Ton · Herr Wichtig persönlich ¶ Kavalierstart (nur für Zuschauer, Mädchen berechneter Start eines Flugzeugs) ¶ Jagdgeschichte · Münchhausiade · Jägerlatein · Seemannsgarn ¶ Bombast · Getue · Schwulst · Sums · Wind · Worte · Wortschwall · blauer Dunst · leerer Schall · hochtönende Worte · viel Lärm um nichts · viel Geschrei und wenig Wolle ¶ Aufgeblasenheit · Aufschneiderei · Dicktuerei · Eigenlob · Geflunker · Gespreizheit ·· Großsprecherei · Marktschreierei · Mundwerk · Prahlerei · Protzentum · Ruhmredigkeit · Schnauze · Übertreibung · Windmacherei · Wortkrämerei.

90. Überhebung, Frechheit. *s. Eitelkeit 11. 45. Übertreibung 13. 52.*
Unhöflichkeit 16. 53. herausfordern 16. 69.

du machst mir zu viel Wind für dein kurzes Hemd ℂ so eins zwei drei · von oben herab ℂ sich anmaßen · aufbegehren · aufpochen · auftrumpfen · sich breitmachen · sich erdreisten · sich erfrechen · sich erkühnen · sich herausnehmen · poltern · sich überheben · sich vermessen · sich vordrängen ℂ etwas berufen ℂ sich besser dünken · keine Rücksicht nehmen, kennen · sich ein Ansehen geben · sich eine Wichtigkeit beilegen, zuschreiben · sich in die Brust werfen · sich unverschämt betragen · sich unterstehen · sich Frechheiten erlauben, herausnehmen · sich nicht entblöden, entbrechen · hat die Stirne, das toupet · sich überall zudrängen · einen hohen Begriff von sich haben · den Herrn spielen · mit der Tür ins Haus fallen · das Recht mit Füßen treten · Mitleid heucheln · ungerechte Ansprüche erheben · sich Grobheiten, Ungebührlichkeiten erlauben ℂ anfahren · beleidigen · bemuttern · einschüchtern · geringschätzen · hofmeistern · schrecken · schulmeistern · überschreien · verachten · über die Achsel ansehen · zu nahe treten · Gesetze vorschreiben wollen · verächtlich behandeln ℂ absprechend · anmaßend · anspruchsvoll · arrogant · gebieterisch · geringschätzig · herrisch · herrschsüchtig · hochfahrend · hochmütig · hoffärtig · intolerant · naßforsch (berl.) · patzig · prätentiös · rechthaberisch · rücksichtslos · schamlos · schimpflich · schnöde · überheblich · überlegen · übertrieben · unduldsam · verächtlich · wegwerfend ℂ altklug · ausverschämt · dreist · frech · grob · impertinent · keck · kess · koddrig · naseweis · naßforsch · schnoddrig · übermütig · unartig · unbescheiden · ungezogen · unnahbar · unverfroren · unverschämt · vermessen · vorschnell , -witzig · zudringlich ℂ Bonze · Doktrinär · Fachpapst · Haberecht · Pascha (mit 7 Roßschweifen) · Rechthaber · Schulmeister ℂ Aufbegehrer · Backbeere · Flaps · Flegel · Frechdachs · Frechling · freche Nudel · Kampfhahn · Lärmmacher · Maulheld · Polterer · Raufbold · Rüpel · Schlot · Schlüffel · Stänker · Streitbold · Strizzi · Übermensch · Windbeutel ℂ Anmaßung · Arroganz · Dünkel · Einbildung · Frechheit · Fürwitz · Geringschätzung · Herrschsucht · Hochmut · Hoffart · Keckheit · Mutwille · Naseweisheit · Prahlerei · Rechthaberei · Überhebung · Übermut · Unverschämtheit · Vermessenheit · Vorwitz · Zuversichtlichkeit ℂ Flegelei · Grobheit · Roheit · Rücksichtslosigkeit · Schamlosigkeit · Übergriff · Unart · Ungebührlichkeit · Ungezogenheit · gebieterisches Wesen · eiserne Stirn.

91. Kaste. *s. Wappen 13. 1. die große Welt 16. 62. reich 18. 3.*

blaues Blut in den Adern haben · zum Adel zählen · Klasse sein · vom Fette des Landes leben · ernten ohne zu säen · etwas werden · es zu etwas bringen ℂ adeln · nobilitieren · in den Grafenstand erheben ℂ adelig · altadelig · aristokratisch · blaublütig · erlaucht · feudal · fürstlich · gekrönt · gefürstet · hochgeboren · hochgestellt · hoffähig · nobel · vornehm · von hohem Rang, von hoher Abkunft · aus guter Familie · von erlauchter Geburt · durch Geburt bevorzugt · von Familie ℂ Machthaber · Potentat · Standesperson ℂ Baron · Bojar · Erbprinz · Erzherzog · Freiherr · Fürst · Graf · Großherzog · Herr von · Herzog · Infant · Junker · Kronprinz · Kurfürst · Lord · Magnat · Marchese · Marquis · Pair · Primas · Prinz · Radschah · Reichsgraf · Ritter · Samurai · Vicomte ℂ Baronesse · Freifrau · Freifräulein · Freiin · Fürstin · Gräfin · Prinzessin ℂ Krautjunker · Bonze · Ministeriale · Schlotbaron ℂ Adeliger · Aristokrat · Edelknappe · Edelmann · Elite · Erzkämmerer · Grande · Hidalgo · Hofdame · Höfling · Hofwürdenträger · Kämmerer · Kammerherr · Marschall · Mundschenk · Optimat · Patrizier · Truchseß · hohe Persönlichkeit · Mann von Einfluß, Rang · ein hoher, hochgestellter Herr ℂ Adel ·

Bauer · Bürger · Geistlichkeit · Gelehrtenwelt · ein Studierter · Akademiker · Handwerker · Proletariat · Regierung · Volk ⁋ Lehrstand · Nährstand · Wehrstand ⁋ die oberen Zehntausend · Honoratioren · Notabeln · die höheren Schichten, Stände · die Großkopfeten (bayr.) · alter, hoher, erbgesessener Adel · junger, neugebackener, niederer Adel · die höheren Sphären · Leute von Rang, Namen, Stand, Geburt, Familie, die feine Gesellschaft · Vollblut · die großen Weiber (O. Ludwig) ⁋ Beamtenadel · Geldaristokratie · Plutokratie ⁋ Rangliste . Rangordnung · Gotha ⁋ Amt · Kaste · Klasse · Rang · Rasse · Schicht · Stand · Stellung · Würde ⁋ Auszeichnung · Ritterschlag · Standeserhöhung. — Titel ohne Mittel · Kastengeist ⁋ Adelsrang · Pairswürde · Patriziat · Plutokratie.

92. Mittelschicht. *s. mittelmäßig 9. 59. enger Geist 12. 55. arm 18. 4.*

bieder · bürgerlich · ehrbar · ehrsam · kleinleutemäßig · philiströs · spießig ⁋ Piesepampel · Philister · Seifensieder · Spießbürger · Spießer · Gevatter Schneider und Handschuhmacher · der gewöhnliche Sterbliche · kleiner Pinscher · kleine Leute ⁋ Bürgerstand · Mittelstand · Mittelstraße · goldene Mitte · genügendes Auskommen · einfaches Milieu.

93. Bloßstellung. *s. Mißerfolg 9. 78. Scham 11. 49. Verachtung 16. 34. Verbrecher 19. 9; 19. 11.*

abstinken · sich blamieren · sich bloßstellen · sich herabwürdigen · kompromittieren · sich schämen · Scham empfinden · Schande auf sich nehmen, häufen · sich die Augen aus dem Kopf schämen · sein Gesicht verbergen · die Hände vors Gesicht schlagen, halten · eine armselige Rolle spielen · eine traurige Figur abgeben · den Kopf hängen lassen · wie ein begossener Pudel dastehen, davonlaufen · die Augen niederschlagen, auf den Boden heften · Blick senken · nicht wagen, sein Gesicht zu zeigen · kann keinem gerade ins Gesicht sehen · fern von Menschen seine Schmach verbergen · Tränen der Schande vergießen · sich in die Erde verkriechen mögen · sich scheuen · (unliebsames) Aufsehen erregen · sich vorbei benehmen · ist drunter durch · sich dem Gerede aussetzen · herabgewürdigt werden · zu einem Nichts werden · es ist still geworden um · eine schlechte Figur machen · Anstoß geben · in üblem Geruch stehen · seinen Namen beflecken, bemakeln , besudeln, schänden, beschimpfen, in den Staub, in den Kot ziehen · sich gekränkt, erniedrigt fühlen ⁋ erbleichen · erröten · sich verfärben · vor Scham vergehen · in Mißkredit kommen · ins Gerede, in Verruf kommen · in der Leute Mäuler geraten · der Ehre verlustig gehen ⁋ beflecken · beschämen · blamieren · bloßstellen · brandmarken · deklassieren · demütigen · diskreditieren · ducken · entadeln · entehren · entmachten · erniedrigen · geringschätzen · herabsetzen · kompromittieren · kränken · schänden · schimpfen · schmähen · totschweigen · verlästern · verleumden · vernichten · verunglimpfen · verwirren · zurücksetzen · ausstechen · überstrahlen · verdunkeln · in Schande, Unehre bringen · an den Pranger stellen · zu Schanden bringen · die Ehre abschneiden · den Charakter antasten ⁋ in üblen Leumund bringen · mit Fingern auf einen zeigen · jemandes Schande öffentlich ausposaunen · zu seiner Schande sei es gesagt · zum Erröten bringen · die Schamröte ins Gesicht treiben · mit Füßen treten · des Glanzes berauben · erröten, verlegen machen · außer Fassung bringen · in den Schatten stellen · unmöglich machen · den Glanz benehmen ⁋ dunkel · gemein · namenlos · niedrig · ruhmlos · unbedeutend · unbemerkt · ungekannt · ungenannt · in den weitesten Kreisen unbekannt ⁋ anrüchig · anstößig · ausgestoßen · berüchtigt · bescholten · elend · ehrenrührig · ehrlos · ehrwidrig ·

gemein · nichtswürdig · niederträchtig · schamlos · schändlich · schandvoll · schimpflich · schlecht · schmählich · skandalös · unehrenhaft · unmöglich · unwürdig · verächtlich · verrufen · verschrien · verworfen · ohne Schamgefühl, Ehrgefühl · unempfänglich für Schande · jeder Scham bar · mit Schande beladen · mit Schmach
bedeckt · aus der guten Gesellschaft gestoßen ❡ Dunkelmänner · dunkler Ehrenmann · Schandfleck · räudiges · Schaf · unbekannte, gewesene Größe · ein entlaubter
Stamm · einer wie es viele gibt ❡ Bagno · Galeere · Pranger · Schandpfahl · Schandsäule ❡ Namenlosigkeit · Ruhmlosigkeit · Unbekanntheit · Verborgenheit ❡ Fama ·
Gemunkel · Gerede · Gerücht · üble Nachrede *s. 16. 35* ❡ Anstößigkeit · B. V.
(= Bierverschiß, stud.) · Ehrlosigkeit · Gemeinheit · Mißkredit · Niedertracht ·
Schande · Schimpf · Schmach · Skandal · Unehre · Verruf · Verschiß · Verworfenheit ❡ schreiende Sünde · dunkle Vergangenheit · ewige Schmach und Schande ·
böser, schlechter Ruf · befleckter, geschändeter Name · übler Leumund ❡ Beschuldigung · Bezichtigung · Entweihung · Makel · Schandfleck · Schandmaul · Tadel ·
Vorwurf.

94. Gesellschaftliche Herabsetzung. *s. Tadel 16. 33. grob 16. 53. arm 18. 4. Dieb 18. 9. Frevler 19. 9.*

mit leerem Knopfloch ❡ von dunkler Abstammung, niedriger, gemeiner Herkunft,
ohne Stammbaum, von unedler Geburt, ohne edles Blut sein · dem großen Haufen
angehören · keinen Stammbaum haben · darnach kräht kein Hahn · ist niemand
❡ deklassiert · einfach · gemein · gering · ein gewisser · hergelaufen   niedrig ·
plebejisch · ranglos · schlicht · subaltern · unbetitelt · ungeadelt · untergeordnet ·
vulgär ❡ ahnenlos · niedrig geboren · staubgeboren · unebenbürtig ❡ armselig ·
bettelhaft · elend · erbärmlich · gemein · gewöhnlich · hundsgemein · kommun ·
lumpig · pöbelhaft · räudig · ruppig · schäbig · schofel · verächtlich · windig ❡ bar
barisch · dumm · roh · tierisch · ungebildet · ungeschliffen · unvernünftig · unwissend · unzivilisiert ❡ Beisaß · Fellache · Gemeiner · Hintersaß · Höriger · Leibeigener · Paria · Plebejer · Prolet(arier) · Quidam · Seifensieder · Sklave · Steuerzahler · Tagelöhner · Tschandala · Unadeliger · Zivilist · Mensch zweiter Klasse ·
Aschenbrödel · Person ❡ Asphaltspucker · Eckensteher · Klinkenputzer · Marktsteher ·   Wichser ❡ Bankert, Bastard, Mantelkind · Bube · Elender · Erzlump ·
Falott (wien.) · Fechtbruder · Galgenvogel, -strick · Haderlump (wien.) · Halunke ·
Hochstapler · Kerl · Kreatur · Landstreicher · Lotterbube · Lümmel · Lump(enkerl) ·
Rasta · Schlawiner · Strolch · Vagabund · Wicht · Zigeuner (und fast jedes aus-
ländische Volk) ❡ Abenteurer · Emporkömmling · Glückspilz ❡ Barbar · Hottentott ·
Kaffer · Kannibale · Schlot · Wilder ❡ der gemeine Mann · der Mann aus dem
Volk · gemeiner Gesell · ungeleckter Bär ❡ nichtssagende Persönlichkeit · ein
Niemand · unbedeutender Mensch · bloße Null · tote Ziffer · dunkler Ehrenmann
❡ Bagage · . . . und Konsorten · Bettelvolk · Bürgerpack · Elemente · Gelichter · Ge-
schmeiß · Gesindel · Gesocks · Gezücht · Hammelherde · Hundevolk · Janhagel ·
Kadetten · Kanaille · Kanonenfutter · Krämervolk · Lumpengesindel   die Masse ·
Menschenmaterial · Mob · Pack · Plebs · Pöbel · Proletariat · Schwefelbande · Stimmvieh
fünfte Kolonne ❡ der niedere Stand · die untere Klasse, Schicht · der große Haufe ·
das gemeine Volk · der vierte Stand · die große Herde · nichtadeliger Stand ·
Nährer des Staates · der Mann von der Straße ❡ Abschaum, Hefe der Gesellschaft ·
Gevatter Schneider und Handschuhmacher · gemischte Gesellschaft · Mischmasch ·
Krethi und Plethi · Hinz und Kunz · Abhub des Volkes ❡ Barbarei · Faustrecht ·
Materialismus · Nihilismus · Untermenschentum.

95. Einfluß.   *s. Kraft 5. 35. veranlassen 9. 12. Gewohnheit 9. 31. wichtig 9. 44. Erfolg 9. 77. Werbung 16. 21.*

ausführen · durchdringen · durchführen · herrschen · überwiegen · vermögen · vorherrschen · vorwalten · wirken ⁊ bearbeiten · beeinflussen · bemeistern · einwirken · radikalisieren · suggerieren · Einfluß haben · Druck ausüben · hat sein Ohr · Beachtung finden · Boden gewinnen · den Ton angeben · die erste Geige, Flöte spielen · Wurzel fassen · es liegt in der Luft ⁊ eindrucksvoll · fähig · gewichtig · kräftig · kraftvoll · mächtig · potent · produktiv · rührig · tauglich · tüchtig · wirksam · wirkungsvoll ⁊ allvermögend · angesehen · ausschlaggebend · durchschlagend · einflußreich · gewichtig · hochmögend · maßgebend · stark · tonangebend · triftig · vorherrschend · weitreichend · wichtig ⁊ fremdgesteuert ⁊ Bonze · Fachpapst · die Großkopfeten · der kommende, starke Mann · Hauptmánn · Psychologe · Schulhaupt ⁊ Sprachrohr ⁊ gute, einflußreiche Verbindungen · Beziehungen · die Hintermänner · hohe Gönner · weitreichender Arm ⁊ Propaganda · Bearbeitung der öffentlichen Meinung *s. 16. 21* ⁊ Ansehen · Druck · Einfluß · Geltung · Gewalt · Gewicht · Herrschaft · die Imponderabilien · Kredit · Macht · Majorität, Mehrheit · Obergewalt · Prestige · Stärke · Stellung · Übergewicht · Überlegenheit · Vorzug · Würde · Zauber · funktioneller Stellenwert ⁊ Hebelkraft · Schlüsselstellung ⁊ Beistand · Gevatterschaft · Gönnerschaft · Kontakt · Nepotismus · Protektion · Schirm · Schutz · Vereinsmeierei · Vetterleswirtschaft ⁊ Einschlag (= erlittener Einfluß) ⁊ Absatzgebiet · Interessensphäre · Kraftfeld · Macht-, Geltungsbereich · Wirkung.

96. Führung.   *s. lenken 8. 11. Unternehmer 9. 21. beginnen 9. 29.*

anführen · anordnen · beaufsichtigen · bestimmen · betreuen · bevormunden · bewirtschaften · führen · gängeln · handhaben · kontrollieren · leiten · lenken · lotsen · maßregeln · regeln · regieren · regulieren · steuern · überwachen · verwalten · verwesen · den Vorsitz führen · das Steuerruder fassen · die Zügel ergreifen · an der Spitze stehen · den Ton angeben · Bahn brechen ⁊ in die Hand nehmen · eine Sache einfädeln, einleiten · die Leitung übernehmen · den Weg vorzeichnen, bahnen ⁊ Anstifter · Aufseher · Baas · Ban(us) · Beigeordneter · Brotgeber · Bürgermeister · Chef · Deichgraf · Dezernent · Dienstherr · Direktor(in), Direktrice · Drahtzieher · Droste · Faktor · Führer · Funktionär, Geschäftsführer · Gouverneur · Haupt · Hauptmann · Inspektor · Intendant · Kanzler · Leiter · Lenker · Macher · Machthaber · Mächer · Meister · Minister · Oberhaupt · Obermeister · Obermotz · Personalchef · Präsident · Premier · Prinzipal · Rektor · Schultheiß · Schulze · spiritus rector · Statthalter · Superintendent · Verwalter · Vogt · Vorarbeiter, -mann, -gesetzter, -sitzender, -stand, -steher · Werkführer · Werkmeister ⁊ Demagog · Konsul · Sprecher · Tribun · Volksführer ⁊ Bedienung · Chauffeur · Fuhrmann · Gondolier · Kutscher · Lohndiener · Lotse · Pilot · Postillon · Reiter · Rosselenker · Schaffner · Schirrmeister · Schwager · Steuermann · Zugbegleiter · Zugführer ⁊ Kartenabnehmer · Kontrolleur · Platzanweiser ⁊ Cicerone · Führer · Impresario · (Theater)-Unternehmer · Regisseur ⁊ Dirigent · Kapellmeister · Musikdirektor ⁊ Agent · Anwalt · Bankhalter · Haushälterin · Haushofmeister · Sachwalter · Vermittler · Vormund ⁊ -leiter · -walter · -wart · Hoheitsträger ⁊ Amtsperson · Angestellter · Beamter · Offizier · Respektsperson ⁊ Abgeordneter · Bureaukrat · Pair · Reichsverweser · Statthalter ⁊ Leithammel · Pfadfinder ⁊ Rädelsführer · Räuberhauptmann · Karl Moor · Rinaldo Rinaldini ⁊ Hochburg · Vorort ⁊ Ausschuß · Behörde · Gemeinderat · Kurie · Magistrat · Partei ·

Präsidium · Ratsversammlung · Reichsbehörde usw. · Stab · Stadtrat   Vorstand ⁋ Aufsicht · Behandlung · Bureaukratie · Direktion · Führung · Handhabung · Kontrolle · Leitung · Oberaufsicht · Redaktion · Regierung · Schriftleitung · Staatsverwaltung · Verwaltung ⁋ Anwaltschaft · Bevormundung · Pflegschaft · Pflegeamt · Gesetzgebung · Gesetzlichkeit · Kuratel · Überwachung ⁋ Pilotierung · Steuerung.

97. Herrschen, Staat. *s. lehren 12. 33. Vorrecht 19. 22.*

von Gottes Gnaden ⁋ im Namen des Gesetzes · auf Geheiß · auf Befehl · kraft ⁋ beaufsichtigen · befehligen · beherrschen · beeinflussen · bemeistern · diktieren · dominieren · führen · gebieten · heischen · herrschen · kommandieren · leiten · lenken · regieren · übermeistern ⁋ Macht ausüben, haben, besitzen · an der Macht sein · Ansehen genießen · Gehorsam erwirken, fordern · nach Belieben schalten · das Zepter führen · Oberwasser haben · das Ruder erfassen, führen · das Heft in der Hand haben · die Zügel halten, in der Hand haben · Vorschriften machen · Verfügungen erlassen · ein Amt, einen Posten bekleiden, innehaben · die Herrschaft ausüben, haben · die Oberhand behalten · die Hosen anhaben · Disziplin halten · die Bürger zur Gefolgschaft erziehen · den Ausschlag geben · etwas durchsetzen · die erste Geige spielen · den Ton angeben · den Reigen anführen · eine große Rolle spielen · Beachtung finden · am Ruder sein ⁋ *transitiv:* bedrücken · in Furcht halten, setzen · unterjocht halten · in der Furcht des Herrn halten · den Daumen aufs Auge setzen · in der Gewalt, Tasche haben · um den kleinen Finger wickeln (können) ⁋ putschen · ein Amt, die Regierung antreten, übernehmen · sich die Gewalt anmaßen · die Obergewalt an sich reißen · sich der Herrschaft bemächtigen · sich zum Tyrannen aufwerfen · die Macht ergreifen, übernehmen · zur Macht kommen · den Thron besteigen · Krone und Zepter ergreifen · zum Herrscher berufen, gekrönt, gesalbt werden · das Übergewicht erlangen · Oberhand gewinnen · ans Ruder kommen · das Ruder ergreifen ⁋ ermächtigen *s. 16. 103.* ausrufen · auf den Schild erheben ⁋ absolut(istisch) · allgewaltig · allvermögend · beherrschend · diktatorisch · gebieterisch · gewaltig · herrisch · herrschend · herrscherlich · imperatorisch · peremptorisch · souverän · übergeordnet · überragend · unfehlbar ⁋ achtunggebietend · amtlich · anerkannt · berechtigt · furchteinflößend · inquisitorisch · maßgebend · offiziell · regierend ⁋ aristokratisch · demokratisch · feudal · fürstlich · gerichtlich · gesetzlich · herrschaftlich · kaiserlich · königlich · monarchisch · monarchistisch · polizeilich · reaktionär · staatlich · vollziehend ⁋ Amtsperson · Behörde · Kabinett · Obrigkeit · Magistrat · Präsident · Regierung · Staatsgewalt · Stab · Statthalter · Träger der Staatsgewalt · der weltliche Arm ⁋ Sitz der Regierung · Hauptquartier · Hof · Residenz · Fürstensitz ⁋ Amtsgewalt · Ansehen · Aufsicht · Autorität · Bann · Banngewalt · Befugnis · Begnadigungsrecht · Einfluß · Ermächtigung · Gewalt · Gewicht · Gönnerschaft · Herrschaft · Hoheitsrechte · Hypnose · Macht · Machtvollkommenheit · Patronatsrecht · Prestige · Schutz · Suggestion · Vollmacht · Vormundschaft · Vorrecht ⁋ Alleinherrschaft · Feudalrecht · Führerschaft, -gedanke, -tum · Gerechtsame · Gerichtsbarkeit · Gesetzgebung · Gewaltherrschaft · Hegemonie · Herrschaft · Kommando · Lehnherrschaft · Leitung · Macht · Meisterschaft · Münzrecht · Oberherrschaft · Oberhoheit · Oberlehensherrlichkeit · Regentschaft · Regierungsgewalt · Regiment · Schirmherrschaft · Schutzherrschaft · Souveränität · Suprematie · Suzeränität · Tyrannis · Übergewicht · Übermacht · Vergewaltigung · Verwaltung · Vorschrift · Willkürherrschaft · Gutdünken · die öffentliche Ordnung · politische Macht · Zwangsgewalt ⁋ Bereich · Fänge · Griff · Halt · Klauen · Steuer · Zügel

¶ Aristokratie · Bürokratie · Demagogie · Demokratie · Direktorium · Erbadel · Freistaat · Führer-, Klassen-, Obrigkeits-, Stadt-, Stände-, Verfassungs-, Volksstaat · Diktatur · Hierarchie · Kaiser-, König-, Wahlreich · Kaiser-, Herzog-, Fürstentum · Königtum · Monarchie · Ochlokratie · Oligarchie · Plutokratie · Reich · Republik · Sekundogenitur · Staat · Theokratie · Umsturzregierung · Verfassungsstaat ¶ Absolutismus · Despotismus · Diktatur · Einzelherrschaft · Gottesgnadentum · Imperialismus · Legitimität · Echtbürtigkeit · Monarchie · Paschawirtschaft · Reaktion · Sultanswirtschaft · Triumvirat · Tyrannei · Vielherrschaft · Zarentum · Fremd-, Adels-, Junker-, Pfaffen-, Priester-, Partei-, Räte-, Pöbel-, Militär-, Säbelherrschaft · Selbst-, Volksregierung · Parlamentarismus ¶ Frauenregierung · Gynai(ko)kratie · Mutterrecht · Pantoffelwirtschaft · Pornokratie · Schürzenherrschaft · Unterrocks-, Weiberregiment ¶ Amtsantritt · Aneignung · Anmaßung · Besitznahme · Einsetzung · Ernennung · Machtergreifung · Regierungsantritt · Thronerhebung · Thronbesteigung ¶ Gesetzgebung · Rechtsprechung · Verwaltung · Vollstreckung.

98. Herrscher, Herr. *s. Lehrer 12. 33. militärischer Führer 16. 74; 16. 104.*

Anführer · Baas · Bandenführer · Befehlshaber · Chef · Exponent · Führer · Gebieter · Haupt · Häuptling · Herr · Kapitän · Leiter · Meister · Sprecher · der starke Mann ¶ Alleinherrscher · Autokrat · Diktator · Dynast · Gesetzgeber · Gewalthaber · gekröntes Haupt · Herrscher · die Krone · Landesfürst · Landesherr · Landesmutter · Landesvater · Machthaber · S. M. (Seine Majestät) · Monarch · Oberherr · Potentat · Regent · Reichsverweser · Serenissimus · Souverän · Staatsoberhaupt · Tyrann · Völkerhirt · Volksfürst · Zwingherr ¶ Bischof · Burggraf · Erzbischof · Fürst · Graf · Großherzog · Herzog · Kaiser · König · Kurfürst · Landgraf · Markgraf · Vizekönig ¶ Erb- · Dauphin · Erbprinz · Infant · Kronprinz · Prinz · Thronfolger · Zarewitsch ¶ Ayadei · Beglerbeg · Bey · Cäsar · Caudillo · Chan · Condottiere · Daimio · Dalai-Lama · Dei · Doge · Duce · Effendi · Emir · Großmogul · Großtürke · Großwesir · Imam · Imperator · Kalif · Kral · Maharadscha · Mbret · Mikado , Tenno · Mufti · Pascha, Padischah · Pharao · Satrap · Schah · Scheich (ül Islam) · Schogun · Sohn des Himmels · Suffet · Sultan · Wesir · Zar ¶ Edelmann · Gutsbesitzer · Junker · Ritter ¶ Aldermann · Amtmann · Bürgermeister · Direktor · Dorfschulze · Droste · Gemeindevorsteher · Gouverneur · Kommandant · Marschall · Meister · Oberaufseher · Obermeister · Obmann · Präses · Präsident · Schultheiß · Schulze · Sprecher · Statthalter · Verweser · Vizepräsident · Vorsitzender · Vorstand · Vorsteher ¶ Führermaterial · Führerpersonal · Herrscherwürde · Aristo-, Bürokratie · Ausschuß-, Umsturzregierung · Direktorium · Dynastie · Parlament · Triumvirat · Kollegium · Rat, Sowjet.

99. Verwaltungsbehörde. *s. Staat 16. 19. Finanzbehörde 18. 28. Gerichtsbehörde 19. 28. Polizei 19. 29.*

in Amt und Würden sein ¶ institutionalisieren · professionalisieren ¶ beamtet ¶ amtlich ¶ hochortlich erflossen (österr.) · offiziell · offiziös ¶ Gesetzgeber · Kanzler · Minister · Mitregent · Premier · Reichskanzler · Reichsverweser · Staatsmann ¶ Amtsperson · Beamter · Pair · Senator · Würdenträger ¶ Ältester · Ammann · Amtmann · Befehlsleiter · Bürgermeister · Chef · Dezernent · Direktor · Dirigent · Dorfschulze · Führer · Kommissar · Landdroste · Leiter · Mandarin · Obmann · Präfekt · Präsident · Rat · Referent · Schultheiß · Sekretär · Vogt · Vorsitzender, -stand, -steher · Walter · Wart usw., ferner Zusammensetzungen betreffend den Rang mit Ober-, Unter-, General- und den Bereich mit Block-, Gemeinde-, Magistrats-, Stadt-, Gau-, Gebiets-, Amts-, Befehls-, Dienst-, Stellen-, Regierungs-, Ministerial-, Kabinetts-, Landes-, Staats-, Reichs- ⁋ Amt · Ausschuß · Behörde · Büro · Kammer · Kabinett · Instanz · Magistrat · Ministerium · Obrigkeit · Präsidium · Rat · Regierung · Senat · Stab · Stelle · Verwaltung · Vogtei · Zentrale und Zusammensetzungen mit den vorigen ⁋ Amtsschimmel · Bürokratie · Dienstweg · grüner Tisch · Paragraphenmühle · Papierkrieg · Schema F · Schreiberwirtschaft.

100. Herrschaftszeichen. *s. Zeichen 13. 1. geistliche Tracht 20. 18.*

Bakel · Bambusrohr · Haselstock · Peitsche · Rutenbündel ⁋ Baldachin · Divan · Herrschersitz · Präsidentenstuhl · Richterstuhl · Stuhl · Thron · Thronhimmel · Thronsessel · Wollsack ⁋ Admiralsflagge · Bischofs-, Hirten-, Feldherrnstab · Fischerring · Führerstandarte · Fürstenkrone · Heroldsstab · Herrscherstab · Kommandostab · Königskrone · Krone · Krummstab · Marschallstab · Portefeuille · Schlüssel · Schlüsselbund · Zeichen · Zepter ⁋ Achselband · Achselstück, Epaulette · Amtssiegel · Armbinde · Bischofsmütze · Dalmatika · Degenquaste · Diadem · Dreispitz · Federbusch · Goldkette · Inful · Insiegel · Kardinalshut · Kette · Litzen · Mitra · Petschaft · Portepee · Reichsinsignien · Siegelring · Stempel · Stern · Tiara ⁋ Amtstracht · Ehrengewand · Ehrenkleid · Hermelin · Purpur · Robe · Talar · Toga · Uniform · Zobel ⁋ Gängelband · Leitseil · Ruder · Schlüsselgewalt · Steuer · Vollmacht · Zügel.

101. Wächter. *s. Schutz 9. 75. aufmerksam 12. 7. Diener 16. 112. Polizei 19. 29.*

Beschließer · Garderobier · Kleiderwart · Küster · Verwahrer · Verwalter ⁋ Älpler · Aufpasser · Aufseher · Bannvogt · Bannwächter · Beschützer · Feldhüter · Flurwächter · Förster · Forstwart · Heger · Hegereiter · Hirte · Hüter · Inspektor · Kustos · Schweizer · Senner(in) · Wächter · Wärter · Wart ⁋ Hausmeister · Hauswart · Kastellan · Pförtner · Portier · Türhüter · Türsteher · Vize (hamb.) · Hausdetektiv ⁋ Eunuch · Serailhüter · Verschnittener ⁋ Büttel · Gefangenenwärter · Kerkervogt · Pedell · Sbirre · Stockmeister ⁋ Elefant, chaperon · duenna · Ballmutter · Anstandswauwau. — chaperonnieren ⁋ Bedeckung · Garde · Leibgarde, -standarte, -wache · Saalschutz · Schildwache · Selbstschutz · Sicherheitsdienst · Verkehrspolizei · Wache · Wachtposten ⁋ Hofhund · Kerberos · Kettenhund ⁋ Kontrolle.

102. Vertretungsausschuß, Ratsversammlung. *s. Wahl 9. 11. Staat 16. 19. Recht 19. 18.*

tagen · abstimmen ⁋ Abgeordneter · Parlamentarier · Senator · Volksvertreter · M. d. R. ⁋ Ausschuß · Ältestenausschuß · Behörde · Bürgermeisterei · Gemeinderat · Generalstab · Kabinetts-, Minister-, Stadt-, Staatsrat · Gerichtshof · Geschworenengericht · Kabinett · Kollegium · Kommission · Konzil · Körperschaft · Magistrat · Ratsversammlung · Stab ⁋ Abgeordnetenhaus · Areopag · Bundesrat · Bundes-, Land-, Reichstag · Ding, Thing · Direktoriat · Direktorium · Divan · Duma · Folkething · Herren-, Ober-, Unter-, Repräsentantenhaus Junta · Kammer · Kongreß · Konklave · Konsistorium · Konventikel · Kortes · Kurie · Landgemeinde · Medschli · Oberhaus · Pairskammer · Parlament · Rat · Sowjet · Rumpfparlament · Sanhedrin · Senat · Skupschtina · Sobranje · Ständehaus · Ständekammer · Storthing ·

Synode · Volkskammer · Volksvertretung ¶ Advokatenkammer · Anwalts-
kammer · Beikammer · Handelskammer · Nebenkammer · Oberkammer ¶ Meeting ·
Volksversammlung · Vorversammlung · Wahlversammlung ¶ Parlamentsgebäude ·
Rathaus · Sitzungssaal ¶ Beratung · Besprechung · Einberufung · Ernennung ·
Lesung · Sitzung · Tagung · Vorbesprechung · Wahl, *s. 9. 11* · Zusammenkunft
¶ Abstimmung · Akklamation, Zuruf · Ballotage · Hammelsprung · Kür · Plebiszit ·
Volksentscheid · freie Wahlen · Wahlkampf ¶ Konstitution · Verfassung.

103. Bevollmächtigung. *s. Ausweis 13. 46. vertreten 16. 104.*

abordnen · beauftragen · beschicken · bevollmächtigen · entsenden ¶ anerkennen ·
anstellen · anvertrauen · autorisieren · bediensten · befördern · befugen · belehnen ·
berechtigen · berufen · beschäftigen · bestallen · bestätigen · betrauen · delegieren ·
einsetzen · erheben · ermächtigen · ernennen · genehmigen · gutheißen · krönen ·
legitimieren · patentieren · übergeben · übertragen · verleihen · zustimmen · eine
Stellung besetzen · Vollmacht verleihen · in jemands Hände legen · rechtskräftig machen · gerichtlich bescheinigen, beglaubigen ¶ berechtigt · bevollmächtigt ·
ermächtigt · rechtskräftig ¶ Abgeordneter · Abgesandter · Beauftragter · Bevoll-
mächtigter · Botschafter · Delegierter · Diplomat · Gesandter · Geschäftsträger ·
Internunzius · Kommissar · Konsul · Landbote · Legat · Mandatar · Nuntius ·
Repräsentant · Unterhändler · Vertreter · Verwalter · Volksvertreter ¶ Agent ·
Anwalt · Ersatzmann · Faktor · Freiwerbe · Geschäftsführer · Hochkommissar ·
Kuppler · Kurator · Makler · Prokurist · Sachwalter · Treuhänder · Unterhändler ·
Vermittler · Vormund ¶ Haushälterin · Stütze (der Hausfrau) ¶ Abordnung ·
Agentur · Anwaltschaft · Treuhandgesellschaft ¶ Anweisung · Auftrag · Befehl ·
Befugnis · Bestallung · Bestimmung · Ermächtigung · Gebot · Geschäftsübertragung ·
Kommission · Lehen · Mandat · Mission · Order · Repräsentation · Sendung ·
Stellvertretung · Überweisung · Verleihung · Vermittlung · Verwaltung · Voll-
macht · Zuweisung ¶ Anerkennung · Beglaubigungsurkunde · Bestallungsbrief ·
Bestätigung · Blankowechsel · Diplom · Ernennungsschreiben · Genehmigung ·
Gnadenbrief · Legitimation · Offizierspatent · Patent · Zustimmung ¶ Berufung ·
Bestallung · Einsetzung · Ernennung · Investitur · Krönung · Primizfeier · Ritter-
schlag · Schwertleite · Wahl ¶ Kartenstelle · Wohnungsamt.

104. Stellvertretung. *s. Zwischenzeit 1. 15. Herrscher 16. 98.*

i. V. · Vize- · im Namen · namens ¶ auftreten (für) · erscheinen · verfechten ·
vertreten · ein Amt, eine Stelle ausfüllen, bekleiden ¶ kommissarisch ¶ Aushilfe ·
Ersatzmann · Lückenbüßer · Senator · Sendbote · Sendgraf · (Stell-)Vertreter ·
Strohmann · Zugeordneter ¶ Effendi · Exarch · Kanzler · Konsul · Legat · Leutnant · Minister · Präfekt · Premier · Profoß · Regent · Reis (arab.) · Sachführer ·
Satrap · Statthalter · Vizekönig · Vorsteher · Wesir ¶ Behelf · Ersatz · Ersatzmittel · Notmast · Notnagel · Surrogat.

105. Abdankung. *s. hinausbefördern 8. 24. aufhören 9. 33. Kränkung 16. 34.*

leb wohl, Madrid! ¶ abdanken · abgehen · aufgeben · ausscheiden · austreten ·
demissionieren · entsagen · kündigen · niederlegen · quittieren · resignieren ·
übergeben · verzichten · zedieren · sich zurückziehen · Verzicht leisten · die Entlassung einreichen · den Abschied nehmen · den Dienst quittieren · sich aufs
Altenteil, zur Ruhe setzen · sich ins Privatleben zurückziehen · das Feld räumen ·

gegangen werden ❡ abbefehlen, -halftern, -schaffen · aufheben · beseitigen ·
desautorisieren · entkleiden · entkräftigen · entziehen · niederschlagen · umstoßen ·
verstoßen · verwerfen · widerrufen · zurücknehmen ❡ abbauen, -berufen, -danken,
-lohnen, -meiern, -schaffen, -sägen, -servieren, -setzen · ausbürgern · ausdeutschen ·
ausweisen · beurlauben · degradieren · emeritieren · entlassen · entlohnen · entsetzen · entthronen · fortjagen · kaltstellen · kassieren · kündigen · pensionieren ·
quittieren · suspendieren · verabschieden · verdrängen · wegschicken · wegloben
den Abschied erteilen · den Laufpaß geben · in den Ruhestand versetzen · brotlos
machen · kalt stellen · fallen lassen · in die Wüste schicken · aus dem Sattel heben ·
vom Amte bringen, entheben · der Macht entkleiden · vom Throne stürzen · über
Bord werfen · den Stuhl vor die Tür setzen ❡ fliegen · platzen ❡ er ist ab
❡ abgesetzt · arbeitslos · ausgedient · pensioniert ❡ Alt-, z. B. Altbundesrat
(schweiz.) · Emeritus · Exkönig · Pensionär · a. D., i. R. · der weiland . . . ❡ Entlassungsgesuch · Entsagung · Resignation · Urlaub · Verzichtleistung ❡ Altersgrenze · blauer Brief · Entlassungsschreiben · schlichter Abschied ❡ Abbau · Abdankung · Abschied · Absetzung · Amtsenthebung · Degradation · Demission ·
Entlassung · Kassation · Kündigung · Pensionierung · Rückberufung · Rücktritt ·
Scherbengericht · Suspendierung · Urlaub · Verabschiedung · Verweisung · Verzichtleistung ❡ Abschiedsbrief · Abschiedsurkunde · Lebewohl · Ruhestand ❡ Aufhebung · Gegenbefehl · Ungültigkeitserklärung · Vernichtung · Widerruf · Zurücknahme · zu anderweitiger Verwendung.

106. Befehl. *s. Veranlassung 9. 12. Gesetz 19. 9. Urteil 19. 27.*

von oben · mit einem Federstrich · auf die erste Aufforderung ❡ gefälligst · ein
für allemal ❡ anberaumen · anordnen · auferlegen · aufrufen · auftragen · befehlen · begehren · bestimmen · dekretieren · dirigieren · diktieren · einschärfen · erwarten von jmd. · festsetzen · fordern · gebieten · heischen · lassen · veranlassen ·
verfügen · verlangen · verordnen · vorschicken · vorschreiben · zumuten ein Gesetz
ausschreiben, veröffentlichen · einen Befehl erlassen · Auftrag erteilen · eine Verordnung veröffentlichen, verschreiben · Verfügungen treffen · Vorschriften machen ·
Order erteilen · Auftrag geben · sich hinter jemandem stecken · zur Ordnung
rufen · den Weg bezeichnen, vorschreiben · der Befehl gilt, tritt in Kraft ❡ *transitiv:* anweisen · beauftragen · befehligen · beordern · (zu sich) berufen, bescheiden ·
entbieten · bestellen · heißen · vorfordern · vorladen · zitieren ❡ beanspruchen ·
beschließen · entscheiden ❡ aufheben · einstellen · untersagen · verbieten · verurteilen ❡ ausdrücklich · befehlend · bestimmt · endgültig · entschieden · gebieterisch · herrisch · imperativisch · kategorisch · verordnet ❡ Amtsschimmel ❡ Aufruf ·
Auftrag · Befehl · Forderung · Gebot · Geheiß · Kommando · Mahnung · Ruf ·
Weisung · Wink ❡ Anordnung · Anweisung · Auflage · Bescheid · Beschluß · Bestimmung · Breve · Bulle · Dienstordnung · Edikt · Enzyklika · Erlaß · Ferman ·
Gebot · Geleitbrief · Gesetz · Grundsatz · Kanon · Irade · Kundgebung · Lehre ·
Lehrsatz · Mandat · Ordnung · Paragraph · Patent · Regel · Reglement · Re-
zept · Richte · Richtlinie · Richtschnur · Statut · Syllabus · Ukas · Verfügung · Ver-
haftsbefehl · Verordnung · Vorladung · Vorschrift · Maß und Richte · Gottes Wort
❡ Gesetz- und Verordnungsblatt · Reichsanzeiger ❡ Einspruch · Protest · Verbot ·
Verwarnung ❡ Anforderung · Anspruch · Aufforderung · Aufgabe · Aufsuchen ·
Begehren · Beitreibung · Beschlagnahme · Eintreibung · Erfordernis · Erpressung ·
Reklamation · Steuer · Verlangen · Verschreibung · Verurteilung · Zurückforderung ·
amtliche Bekanntmachung · Ruf der Trommel, Glocke.

107. Zwang. *s. Notwendigkeit 9. 3. drohen 16. 68. Folter 16. 79; 11. 14. Unterlegenheit 16. 83.*

durch Gewalt · unter Nötigung, Zwang · mit Waffengewalt · mit der Knute, Peitsche, Rute · friß Vogel oder stirb! · wollen oder nicht · was blieb ihm' übrig? ⁋ anhalten zu · bemüßigen · disziplinieren · gleichmachen, -schalten · niederknüppeln · nötigen · terrorisieren · überwältigen · umerziehen · unterjochen · unterwerfen · zwingen · dazwischenfahren · Faustrecht ausüben · nichts anderes übrig lassen, erübrigen · das Recht des Stärkeren anwenden · die Pistole auf die Brust setzen · einer Frau Gewalt antun · an den Haaren herbeiziehen · durch Gewalt bewerkstelligen · zu Boden drücken · den Daumen haben auf · untertänig machen ⁋ abdrängen · abdrohen · abnötigen · abringen · aufdrängen · aufzwingen · bestehen auf · erpressen · erzwingen · oktroyieren ⁋ brutal · entschieden · gewaltsam · gewalttätig · zwangsweise ⁋ gezwungen · notwendig · unabwendbar · unausweichlich · unerbittlich · unerläßlich · unumgänglich · unvermeidlich · unweigerlich · zwangsläufig ⁋ Prokrustesbett ⁋ Drang · Druck · Gewalt · Macht · Notwendigkeit · Pflicht · Schuldigkeit · Terror · Verpflichtung · Zensur · Zwang ⁋ Bedrängnis · Beharrlichkeit · Erpressung · Faustrecht · Freiheitsberaubung · Gängelband · Gewalttat · Nötigung · Notzucht · Schreckenssystem · Ultimatum · Zwangsmittel · moralischer Zwang · rohe Gewalt · Schwert und Eisen · aufgezwungener Krieg.

108. Strenge. *s. Haß 11. 62. quälen 16. 79.*

kurz und bündig · kurz angebunden ⁋ sich anmaßen · anrotzen, -schnauzen · beharren auf · bestehen auf · diktieren · durchgreifen · einschreiten · erzwingen · kontrollieren · vorschreiben · zwängen · zwingen · ohne Schonung verfahren, vorgehen · nachsichtslos, streng handeln, urteilen · Zwangsherrschaft ausüben · keine Nachsicht üben · ein strenges Regiment führen · keine Widerrede gelten lassen · keine Entschuldigung anhören · keine Gnade gewähren · keinen Pardon geben · Gehorsam erzwingen · nicht viel Federlesens machen · die Hörner zeigen · die Zügel kurz halten · mit eisernem Besen kehren · Steine statt Brot geben · den Starrsinn brechen · andere Saiten aufziehen · biegen oder brechen · dezimieren lassen · jemand kurz halten · Schlitten fahren mit · den Bogen zu straff spannen · meint, er ist der liebe Herrgott · den wilden Mann spielen · den Chef markieren ⁋ zu Paaren treiben · mit Füßen treten · unter der Rute halten · auf dem Kieker haben · aufs Korn nehmen · zu Boden drücken · unter das Joch beugen · schwer seine Hand auf jemand legen · mit Skorpionen züchtigen · die Daumenschrauben anlegen · zur Vernunft bringen ⁋ absolut · absolutistisch · anmaßend · ausdrücklich · autoritär · blutig · despotisch · dienstlich · drakonisch · eisern · eklig · energisch · engherzig · entschieden · ernst · fest · gemessen · gestreng · gewalttätig · grausam · hart · hartherzig · hartnäckig · herrisch · hochmütig · kategorisch · mitleidslos · rigoros · scharf · schonungslos · selbstherrlich · streng · strief · strikt · tyrannnisch · unbarmherzig · unbedingt · unbeugsam · unbeweglich · unduldsam · undurchdringlich · unerbittlich · unerschütterlich · unnachsichtig · willkürlich ⁋ barsch · bestimmt · bündig · gedrängt · genau · heftig · herb · knapp · kurz · pünktlich · rauh · starr · steif ⁋ Bedrücker · Cato · Despot · Kommißhengst · Pascha · Rigorist · Satrap · Sittenrichter · Wauwau · Zensor · Zuchtmeister · der starke Mann ⁋ Amtsmiene · Belagerungszustand · Bürokratismus · Despotismus · Einschüchterung · Gewaltherrschaft · Kontrolle · Schreckensherrschaft · Terror ·

Tyrannei · Willkür · Zwangsvollstreckung · Krieg bis aufs Messer · eiserne Disziplin, Zuchtrute · starke Hand ⁋ Ernst · Grausamkeit · Härte · Nachdruck · Schärfe · Strenge.

109. Milde. *s. Zugeständnis 5. 38. Seelenruhe 11. 8. Mitleid 11. 50. Menschenliebe 11. 51. Verzeihung 16. 47.*

dulden · gestatten · gönnen · schonen · vergönnen · verzeihen · willfahren · zulassen · milde urteilen, verfahren, vorgehen ⁋ durch die Finger schauen, sehen · ein Auge zudrücken · Rechnung tragen · Rücksicht nehmen, üben *s. Aufmerksamkeit 12. 7.* · hat Herz · hat ein Herz für · blind sein für, gegen · darüber hinwegsehn · fünf gerade sein lassen · mit sich reden lassen · Nachsicht üben · Milde walten lassen · gelassen bleiben · seinen eigenen Weg gehen lassen · nach eigener Fasson selig werden lassen ⁋ gut angeschrieben sein ⁋ duldsam · einsichtsvoll · freiheitlich · freundlich · gelinde · generös · glimpflich · gnädig · großdenkend · großzügig · gütig · huldreich · human · lax · liberal · linde · mild · mitleidig · nachgiebig · nachsichtig · sanft · sanftmütig · schonsam · tolerant · urban · utraquistisch · wachsweich · weitherzig · zart ⁋ breite Natur · Engel · Lamm · Onkel · Rentner · Taubenaugen · Mann des einerseits — andererseits ⁋ Auflockerung · Duldsamkeit · Erbarmen · Geduld · Gnade · Güte · Huld · Lammsgeduld · Mäßigung · Milde · Nachgiebigkeit · Nachsicht · Sanftmut · Schonung · Toleranz · Vergebung · Verzeihung · Mantel der christlichen Nächstenliebe.

110. Nachgeben, Schlaffheit. *s. Schwäche 4. 37. Willensschwäche 9. 7. Abstehen, Verzicht 9. 20. Nachlässigkeit 9. 43. Mißerfolg 9. 78. Furcht 11. 42. zustimmen 16. 24. Schmeichelei 16. 32. Unterliegen 16. 83. Gehorsam 16. 114. Anarchie 16. 116. Kompromiß 19. 17.*

ich bin es zufrieden ⁋ mißregieren · mißverwalten · nachgeben · weiter wursteln · machtlos sein · keinen Einfluß besitzen · nicht lenken, regieren, steuern können · zu nachsichtig sein · auf sich wirken lassen · sich breittreten lassen · die Zügel schlaff halten, schleifen lassen · läßt sich auf der Nase herumtanzen · ist Wachs in den Händen von · ein weiches Herz haben ⁋ abdanken · erlahmen · niederlegen ⁋ absetzen · entthronen ⁋ abgespannt · energielos · flaumweich · kraftlos · lax · lethargisch · locker · matt · ohnmächtig · schläächt (Darmstadt) · schlaff · schlapp · schwach · wachsweich ⁋ Hampel · Hanebambel (hess.) · Schattenkaiser · Scheinkönig · Bohnenkönig (F. W. I.) · Trolles (hess.) · der reine Tor ⁋ (schwarzrotgoldene) Gösch ⁋ Mißregierung · Schlaffheit · Schwäche · Schaukelpolitik · Mimikry.

111. Dienstbarkeit. *s. arbeiten 9. 22. besiegen 16. 84.*

dienen · fronen · gehorchen · roboten · unterstehen · unter dem Befehl stehen · Frondienste leisten · von jemandes Gnade abhängen · nach anderer Pfeife tanzen · jedem Winke gehorchen · den Rücken krümmen · im Weinberg arbeiten · in Banden, im Joch, unter dem Stiefel sein · ist angewiesen auf · wess' Brot ich ess', dess' Lied ich sing' · hat gar nichts zu sagen, zu melden · ist niemand · ohne jeden Einfluß ⁋ zur Beute fallen, werden · sich jemandem verschreiben · die Haut verkaufen ⁋ beaufsichtigen · bemeistern · binden · fesseln · kirre machen · kleinkriegen · knechten · unterdrücken · unterjochen · unterwerfen · versklaven · zähmen · unter das Joch beugen · zum Sklaven machen · den Fuß auf den Nacken setzen ⁋ abhängig · botmäßig · dienstbar · hörig · lehenspflichtig · leibeigen · rechtlos · unfrei · untergeordnet · unterjocht · untertan · untertänig · unterwerfen

von jemandes Belieben, Gnade, Laune abhängig · der Peitsche unterworfen
⁋ Bande · Fessel · Gängelband · Joch · Kette ⁋ Abhängigkeit · Arbeitsdienst ·
Dienstbarkeit · Feudalrecht · Fron · Frondienst · Hörigkeit · Lehnspflicht · Leib-
eigenschaft · Militärdienstpflicht · Pflichtjahr · Subordination · Unterordnung ·
Vasallentum · Verbindlichkeit · Verpflichtung · Zwangspflicht ⁋ Freiheits-
beraubung · freiwilliger Zwang · Prätorianertum.

112. Diener. *s. reinigen 9. 66. Helfer 9. 70. Berufe 16. 60.*

gegen Entgelt, Zahlung ⁋ aufwarten · bedienen · dienen · servieren · in Stellung
sein · in (zu) Diensten stehen · im Solde stehen ⁋ abhängig · dienstbar · fronbar · lehenspflichtig · subaltern · untergeben · untergeordnet ⁋ Angestellter ·
Arbeiter · Beamter · Begleiter · Diener · Domestike · Drahtpuppe · Gesellschafter ·
Gnadensöldner · Hintersasse · Lehnsmann · Leibfuchs · Parasit · Pensionär ·
Satellit · Schmarotzer · Schützling · Söldner · Stipendiat · Trabant · Untergebener · Untertan · Vasall ⁋ Gefolge · Gesinde · Haushalt(ung) · Hof · Schweizergarde · Stab ⁋ Adjutant · Amanuensis · Assistent · Aufwärter · Bursche · Famulus ·
Gehilfe · Geselle · Handlanger · Kellner, Ganymed · Lehrling · Ordonnanz · Steward · Tafeldecker · Werkzeug ⁋ Edelknabe · Fürstendiener · Höfling · Hofmeister · Kammerherr · Knappe · Majordomus · Marschall · Mundschenk · Oberhofmeister · Page · Schleppenträger · Schranze · Seneschall · Stallmeister · Truchseß · Zeremonienmeister ⁋ Bedienter · Bereiter · Bote · Boy · Dienstbote · Geselle · Groom · Hausmeister · Heiduck · Jockei · Kammerdiener · Kastellan ·
Knecht · Koch · Kuli · Kutscher · Lakai · Läufer · Lehrling · Leibjäger · Mameluck · Mietling · Packesel · Pförtner · Portier · Radler · Reitknecht · Schloßverwalter · Stangenreiter · Tagelöhner · Tiger · Treiber · Türsteher · Verwalter ·
Vorläufer · Vorreiter · Zugeher · Zuträger · die Leute · Personal ⁋ Dienstmann ·
Fronknecht · Gutspflichtiger · Helot · Höriger · Leibeigener · Robotbauer s. Ansiedler *16. 4* ⁋ Sklave · Unfreier ⁋ Amme · Aschenbrödel · Aufwarte-, Morgen-,
Lauf-, Putz-, Zugehefrau · Beschließerin · Bonne · Botenfrau · Dienerin · Dienstbalken, -bolzen, -krappen (stud.), -mädchen, -spritze (stud.) · Donna · Ehren-
dame · Erzieherin, Gouvernante · Gesellschafterin · Hausangestellte, -dame,
-gehilfin, -hälterin, -mädchen, -tochter · Hilfe · Hofdame · Kammerkätzchen,
Kammerzofe · Kellnerin, Servierfräulein, Hebe, Sodaliske · Kindermädchen ·
Kinderwärterin · Köchin · Kinderfrau · Mädchen (für alles) · Magd · Perle ·
Schaffnerin · Stubenmädchen · Stütze (der Hausfrau) · Tochter (schweiz.) · Wärterin · Wirtschafterin ⁋ Büroschreiber · Geschäftsdiener · Handlungsbeflissener ·
Heringsbändiger · Kontorist · Ladendiener · Ladenschwengel · Prokurist · Sekre-
tär · Stift · Schreibersknecht ⁋ Gefolgschaft · die Katzmareks · Kolonie · Personal
⁋ Dienertracht · Dienstrock · Livree.

113. Verpflichtung. *s. versprechen 16. 23. Schuld 18. 17. Vertrag 19. 14.*

abhängen · dienen · schulden · verantworten · verdanken · zahlen · verpflichtet
sein · in jemandes Schuld stehen · die Füße unter eines andern Tisch stellen ·
fremder Leute Brot essen · er ist an der Reihe, dran ⁋ anwerben · belehnen ·
betrauen · dienstverpflichten · engagieren · heuern · vereidigen · verpflichten
⁋ nötigen · pfänden · zwingen ⁋ abhängig · bloßgestellt · dankbar · dienstbar ·
verantwortlich · verpflichtet · Lehnsträger · Mietling · Söldling · Söldner · Vasall
⁋ Gefolgschaft · Gesinde · Sippe ⁋ Alimente · Beisteuer · Beitrag · Dank · Dienst-

verpflichtung · Ehrenschuld · Ehrensold · Gefälligkeit · Liebesdienst · Nachliefe-rung · Pfand · Rechenschaft · Schuld · Sold · Strafgeld · Verbindlichkeit · Ver-pflichtung · Zahlung · Zuschuß.

114. Gehorsam. *s. folgen 8. 15. lernen 12 35. Achtung 16. 30. Unterlegen-heit 16. 83. Ehrenerweisung 16. 87. Diener 16. 112. Unschuld 19. 4.*

zu Willen · zur Verfügung · auf Kommando ⁋ achten · aufwarten · bedienen · befolgen · sich beugen · sich demütigen · sich einordnen · dienen · einwilligen · sich ergeben · gehorchen · kuschen · nachgeben · parieren · unterliegen · sich unterordnen · sich unterwerfen · willfahren · Geheiß tun · Befehl ausführen, voll-ziehen · mit gutem Bleistift vorangehen (mil.) · klein beigeben · die Rute küssen · den Pantoffel küssen · Speichel lecken · die Hand lecken · Appell haben · jedes Winks gewärtig sein · sich im Staube wälzen (vor) · das Knie beugen · die Segel streichen · die Fahne des Glaubens vorwärts tragen · nach der Pfeife tanzen · unter dem Befehl stehen · ihm werden die Flügel beschnitten · stramm stehen · den Lakai, Schranzen machen · keinen eigenen Willen haben, kennen · jedem Wink gehorchen ⁋ *von Kindern:* artig · brav · musterhaft. — aufrichtig · beflissen · biegsam · demütig · diensteifrig · dienstfertig · dienstwillig · entgegenkommend · (blind) ergeben · folgsam · fügsam · gefällig · gefügig · gehorsam · geschmeidig · gutgesinnt · hörig · hündisch · lenksam · nachgiebig · pflichteifrig · treu · unter-tänig · unterwürfig · widerstandslos · willenlos · willfährig · willig · zuvorkom-mend ⁋ die Mannen · Untertan ⁋ Aufwartung · Bedienung · Beflissenheit · Dienstbarkeit · Fußfall · Kniefall · Pflichterfüllung ⁋ Botmäßigkeit · Demut · Entgegenkommen · Ergebung · Folgsamkeit · Gehorsam · Huldigung · Nach-giebigkeit · Resignation · Schmiegsamkeit · Subordination · Unterordnung · Unter-tanentreue · Unterwerfung · Widerstandslosigkeit · guter Wille · Willfährigkeit.

115. Kriecherei. *s. Eifer 9. 38. Furcht 11. 42. Bitte 16. 20. Schmeichelei 16. 32. Höflichkeit 16. 38.*

antichambrieren · sich aufdrängen · sich beugen · sich biegen · bitten · sich bücken · dienern · sich einschmeicheln · ersterben · hofieren · katzbuckeln · krie-chen · sich krümmen · poussieren · scharwenzeln · schmarotzen · sich schmiegen · sich verbeugen · sich winden · mit den Wölfen heulen · auf den Knien rutschen · platt liegen · den Lakaien machen, spielen · sich bis zur Erde verbeugen · einen Diener machen · sich alles bieten, gefallen lassen · hinten hereinkriechen · sich aufdrängen · sich anvettern · sich heranmachen · sich jemanden warmhalten · sich Liebkind machen · die Cour schneiden · den Hof machen · nach einem Lächeln haschen · durch einen Blick beglückt sein · mit dem Strome schwimmen · den Mantel nach dem Wind hängen · die aufgehende Sonne verehren · sich auf den Boden der Tatsachen stellen · sich gleichschalten · auf beiden Achseln tragen · Wasser auf beiden Seiten tragen · zu Gefallen, nach dem Munde reden ⁋ beflissen · biegsam · charakterlos · fügsam · gemein · geschmeidig · hündisch · knechtselig · knechtisch · kriechend · kriecherisch · lakaienhaft · niedrig (gesinnt) · schmarotze-risch · schmiegsam · servil · sklavisch · skrupellos · speichelleckerisch · unter-tänig · unterwürfig · unwürdig · würdelos ⁋ A...kriecher · Augendiener · Bedien-ten-, Hundeseele · Geschmeiß · Höfling · Jasager · Karrieremacher · Kreatur · Kriecher · Lakai · Nassauer · Parasit · Radfahrer · Scharwenzler · Schleppen-träger · Schmarotzer · Schranze · Speichellecker · Streber · Weiberknecht · Wohl-diener · Zuhälter ⁋ Salonheld · Schoßhund ⁋ Bettler · Bittsteller · Kostgänger

⁋ Bauchrutsch · Fußfall · Hofknicks · Kotau · Prokynēsis · Selbsterniedrigung ⁋ Augendienerei · Buckelkrümmung · Byzantinismus · Götzendienerei · Kriecherei · Liebedienerei · Parasitismus · Schmarotzertum ⁋ Demut · Fügsamkeit · das Glück des Gehorchendürfens · Kadavergehorsam · Schranzentum · Sklavensinn · Unterwürfigkeit · Verworfenheit · Willfährigkeit.

116. Ungehorsam, Aufruhr. *s. Gegensatz 5. 23. ausreißen 8. 17 f. Unzufriedenheit 11. 27. Schwarzseherei 11. 41. Stolz 11. 44. nein 13. 29. Widerstand 16. 65.*

Licht aus, Messer raus! · 3 Mann zum Blutzapfen, 3 Mann zum Eimerhalten, 3 Mann zum Knochensammeln · los von . . ⁋ abfallen · anzetteln · aufbegehren · aufmucken · aufstehen · ausreißen · sich empören · entgegenhandeln · entsetzen · sich erheben · losbrechen · meckern, nörgeln · meutern · murren · putschen · randalieren · rebellieren · trotzen · übertreten · sich widersetzen · widerstehen · wühlen · nicht gehorchen · in den Wind schlagen · außer Rand und Band sein · hat keinen Appell · Trotz bieten · abspenstig werden · die Ketten abschütteln · über die Stränge hauen · Verschwörung anzetteln · sich in hellen Haufen zusammenrotten · das Gebiß zwischen die Zähne nehmen · den Reiter abwerfen · wider den Stachel löcken · den Gehorsam kündigen · die Hand, die Waffen erheben · Barrikaden bauen · fahnenflüchtig werden · in eine Bewegung treten · den Gehorsam verweigern ⁋ es pfufft (schweiz.) ⁋ aufputschen · aufwiegeln · revolutionieren · verhetzen *s. 16.21* ⁋ *von Kindern:* aisch (Lübeck) · unartig · ungezogen. — asozial · aufrührerisch · destruktiv · eigensinnig · halsstarrig · hartnäckig · meisterlos · meuterisch · oppositionell · rebellisch · renitent · revolutionär · starrköpfig · starrsinnig · trotzig · unbändig · unbezähmbar · unbotmäßig · undiszipliniert · unfolgsam · unfügsam · ungehorsam · unlenkbar · unnachgiebig · unzufrieden · widersetzlich · widerspenstig · wild ⁋ ungeboten · ungeheißen ⁋ käuflich · pflichtvergessen · schlechtgesinnt · unaufrichtig · verräterisch ⁋ anarchisch · anarchistisch · gesetzlos · rechtlos · unbändig · ungebunden · ungezügelt · unlenkbar · unbezähmbar · willkürlich · zügellos ⁋ Abtrünniger · Anarchist · Antifaschist · Aufrührer · Bandenführer · Barrikadenmann · Blusenmann · Demagog · Diversant · Empörer · Freischärler · Häuptling · Insurgent · Jakobiner · Krischer · Kritikaster · Meckerer · Meuterer · Nihilist · Rädelsführer · Rebell · Revolutionär · Revoluzzer · Streikposten · Unruhestifter · Verräter · Verschwörer · Volksmann · Wühler ⁋ Bassermannsche Gestalten · Staat im Staate · Elemente · die Opposition · Rotte Korah · Spartakus ⁋ Abfall · Auflauf · Auflehnung · Aufruhr · Aufstand · Emeute · Empörung · Erhebung · Fahnenflucht · Hexenkessel · Insubordination · Insurrektion · Komplot⁺ · Krawall · Machtergreifung · Massenerhebung · Meuterei · Obstruktion · Opposition · Putsch · Rebellion · Revolution · Revolte · Schilderhebung · Streik · Staatsumwälzung · Treubruch · Tumult · Umbruch, -sturz · -triebe · Unruhen · Verrat · Verstoß gegen Befehl X · Zusammenrottung · böses Blut · böser Geist ⁋ Bruch · Hartnäckigkeit · Nichtbeachtung · Nichtbefolgung · passive Resistenz, baumwollener Widerstand · Pflichtvergessenheit · Trotz · Übertretung · Unabhängigkeitssinn · Unaufrichtigkeit · Unbotmäßigkeit · Unfolgsamkeit · Ungehorsam · Umwälzung · Untreue · Verletzung · Widerspenstigkeit · Widerstand ⁋ Anarchie · Faustrecht · Liberalismus · Pöbelherrschaft · Ungebundenheit · Willkür · Zügellosigkeit ⁋ Durchlöcherung des Gesetzes, Mißachtung der Staatsgewalt · Verachtung, Verhöhnung des Rechtes.

117. Gefangenschaft. *s. geschlossen 3. 24; 3. 58. arm 18. 9. Freiheitsstrafe 19. 33.*

hinter Stacheldraht ¶ abfangen, -fassen, -führer, -holen · anbinden, -ketten, -leinen, -schmieden · arretieren · befestigen · begrenzen · sich bemächtigen · beschränken · bewachen · binden · einbuchten, -fangen, -kerkern, -lochen, -mauern, -pferchen, -schließen, -sperren, -stecken, -türmen, -zwängen · entmündigen · entziehen · erwischen · fahen · fangen · fassen · fesseln · festbinden, -halten, -nehmen, -setzen · greifen · hindern · inhaftieren · internieren · ketten · knebeln · knechten · kriegen · mitnehmen · packen · schanghaien (hinterlistig anheuern) · schnappen · unterdrücken · unterjochen · verbieten · verhaften · zwingen · die Freiheit entziehen · der Freiheit berauben · Schranken ziehen · in Bande schlagen · hinter Schloß und Riegel bringen · am Kanthaken, am Schlafittchen, beim Wickel, hoch, hopp nehmen · hochgehn lassen · gefangen halten · warm setzen · in Gewahrsam, Haft nehmen · ins Gefängnis bringen · ins Loch stecken · dingfest, unschädlich machen · sich der Person bemächtigen · auf die Wache bringen · lebendig begraben · unter Aufsicht stellen in Arrest abführen · in die Zwangsjacke stecken · in den Bock spannen · in Eisen, an die Kette, den Block legen · an die Galeere schmieden · den Hemmschuh vorlegen · die Flügel stutzen · das Wort ersticken · einen Maulkorb, Zaum, das Gebiß anlegen · mit Beschlag, Embargo belegen · ein Schiff aufbringen ¶ beifliegen · hochgehen · in die Hände fallen · Kaule gehen ¶ ist auf Numero sicher ¶ abhängig · beschränkt · eingeengt · eingeschlossen · eingesperrt · gebunden · gefesselt · geknebelt · geknechtet · unfrei · verhindert · verreist ¶ Arrestant · Gefangener · Häftling · Kriegsgefangener ¶ Eigener · Helote · Höriger · Leibeigener · Sklave · Unfreier ¶ Bande · Beißkorb · Block · Eisen · Fessel · Gebiß · Halfter · Halseisen · Kandare · Kappsaum · Kette · Kettenkugel · Knebel · Knebeltrense · Lasso · Leitseil · Maulkorb · Schellen · Schlinge · Seil · Strick · Trense · Zaum · Zügel · Zwangsjacke ¶ Gehege · Hängschloß · Palisade · Riegel · Schlagbaum · Schloß · Stacheldraht · Umhegung · Vorlegestange · Zaun ¶ Arresthaus · Bastille · Bauer · Bleikammer · Blindgewölbe · Blockhaus · Brummstall · Einzelhaft · Festung · Fronfeste · Gefängnis · Gewahrsam · Käfig · Kasematten · Karzer · Kaschott · Kerker · Kittchen · Konzert-, Konzentrationslager, Kazet · Kotter · Kriminalhaus · Lattenkammer · Loch · Spritzenhaus · Stockhaus · Strafanstalt · Schuldturm · Turm · Verlies · Zelle · Zuchthaus · Zwinger · Zwinghof ¶ Arbeitshaus · Arbeitslager · Bagno · Besserungsanstalt · Galeere · Korrektionshaus · Strafkompanie · Tretmühle ¶ Irrenhaus · Narrenhaus · Tollhaus ¶ Hühnerstall · Hühnerstiege · Stall · Taubenschlag · Zoo ¶ Bastille · Bleidächer von Venedig · Spandau · Cayenne · Schlüsselburg · Tower ¶ Disziplin · Ehejoch · Fessel · Gängelband · Kette · Zaum ¶ Arrest · Aufsicht · Einkerkerung · Freiheitsberaubung · Freiheitsstrafe · Gefangennahme · Gefangenschaft · Gefängnis · Gewahrsam · Haft · Kerker · Razzia · Schutzhaft · Sicherheitsverwahrung · Verhaftsbefehl · Verwahr · Zwangsarbeit, -gestellung · lebenslänglich ¶ Abhaltung · Belagerung · Beschränkung · Blockade · Einschränkungen · Klausur · Verbot · Verhinderung · Zwang · Zwangsmaßnahme.

118. Befreiung. *s. öffnen 2. 57. weglaufen 8. 18. Hilfe 9. 70. Freiplatz im Spiel 16. 56. Freispruch 19. 30.*

auf eigene Faust ¶ ausbrechen · sich befreien · sich davonmachen · durchbrechen · durchbrennen · entfliehen · entkommen · sich entledigen, -loben · entrinnen · entschlüpfen · entspringen · entweichen · entwischen · sich entziehen · flüchten · freikommen · losbrechen, -kommen · die Freiheit erlangen · das Weite gewinnen ·

die Ketten zerreißen · das Joch abschütteln · die Halfter ausstrupfen · den Kopf aus der Schlinge ziehn · durch die Lappen gehn · die Bande sprengen · die Fesseln abwerfen · sich dem Garn, Netz, der Schlinge entziehen · der Haft entgehen · aus dem Gefängnis, Käfig, Kerker entkommen ¶ absatteln · absolvieren · abtragen · aufbinden · aufriegeln · ausspannen · befreien · beurlauben · davonbringen · emanzipieren · entbinden · entbürden · entfesseln · entheben · entjochen · entkorken · entlassen · entlasten · entsetzen · entzügeln · erlösen · erretten · freigeben · freilassen · freisetzen · freisprechen · herausziehen · herauswickeln · lockern · lösen · losbinden, -eisen, -ketten, -lassen, -sprechen · retten ¶ ausliefern · auslösen · austauschen · auswechseln · entlassen · freilassen · loskaufen -lassen · entschlüpfen lassen · die Freiheit wiedergeben · auf freien Fuß, in Freiheit setzen · auf Ehrenwort, als geheilt entlassen · auf die Menschheit loslassen ¶ mündig sprechen ¶ rückgängig machen · die Belagerung, Blockade aufheben · vom Halse schaffen ¶ befreit · entlassen · frei · ledig · los · mündig · überhoben · los und ledig ¶ freisinnig · lax · liberal · liberalistisch · von Freiheitsdrang beseelt, durchglüht ¶ Entfesselungskünstler ¶ Befreier · Erlöser · Heiland · Helfer · Retter · rettender Engel · der starke Mann · Engel in der Not ¶ Aufschub · Ausweg · Erlösung · Flucht · Fristung · Rettung · Rückzug ¶ Ablaß · Absolution · Befreiung · Dispens · Emanzipation · Entlassung · Entsatz · Erlösung · Freispruch · Gleichstellung · Loskauf · Lossprechung · Rettung ¶ Bewilligung · Errungenschaft · Freigabe · Genehmigung · Konzession · Lizenz.

119. Freiheit. *s. freier Wille 9. 2. Mut 11. 38. Stolz 11. 44. freier Geist 12. 54. Reichtum 18. 8. umsonst 18. 29.*

Spielraum haben · frei, selbständig, unabhängig sein · sein eigener Herr sein · auf eigenen Füßen stehen · von der Leber weg reden · nach Belieben schalten, walten · nach eigenem Gutdünken handeln · niemandem unterworfen sein · keinen über sich haben · nach niemand zu fragen haben · nicht brauchen · tun und lassen können · auf dem eigenen Willen beharren, bestehen · sein Recht nicht vergeben · sich die Freiheit nehmen, erlauben · die Schranken übertreten · es nicht so genau nehmen · schwärmen · träumen ¶ einbürgern · naturalisieren · privilegieren ¶ autonom · eigenständig · frei · ledig · mündig · selbständig · unabhängig · unbeweibt · frei von Banden · aller Fesseln ledig · los und ledig · frei und ungebunden · frei wie der Vogel in der Luft ¶ absolut · beziehungslos · ausgelassen · fessellos · herrenlos · meisterlos · unabhängig · unbändig · unbeaufsichtigt · unbegrenzt · unbeschränkt · uneingeschränkt · ungebunden · ungehemmt · ungehindert · ungeniert · ungezügelt · ungezwungen · unkontrolliert · unzensiert · zaumlos · zügellos · zwanglos ¶ bevorrechtet · emanzipiert ¶ Alpensohn · Bergbewohner · Bürger · Freier · Freigeist · Freigeborener · Höhenmensch · Idealist · Übermensch · Vollbürger · der Schmied seines Glücks ¶ 1. Mai · 14. Juli, 9. November · Maibaum ¶ Allodialgut · Allmande · Allmende · Bergluft · freie Bahn · freier Lauf, Wille · freies Feld für · freies Land · der Platz an der Sonne · unabhängige Variable ¶ Freizeit · Urlaub ¶ Aufschwung · Ausdehnung · Ausnahmestellung · Bereich · Emanzipation · Freiheitsdrang, -durst, -liebe, -trieb · Gedanken-, Glaubens-, Redefreiheit · Phantasie · Raum · Spiel · Spielraum · Unabhängigkeitssinn · Völkerfrühling · Vorzug · Vorzugsrecht ¶ Autonomie · Befugnis · Bürgerrecht · Eingeborenenrechte · Gerechtigkeit · Gerechtsame · Heimatrechte · Immunität · Menschenrecht · Privileg(ium) · Recht · Schutz (gegen) · Selbstbestimmung · Vorrecht ¶ freies Ermessen · Freiheit · Selbständigkeit · Unabhängigkeit · Ungebundenheit · Naturzustand.

120. Barbarei. *s. Verschlechterung 9. 61. häßlich 11. 28. Unwissenheit 12. 37 roh 16. 53.*

barbarisieren ¶ barbarisch · halbgebildet · primitiv · roh · zurück in der Kultur ¶ Barbar · Botokude · Hottentotte · Nigger · Raffke ¶ Barbarei · Regression · negative Selektion · Unkultur · Vermassung.

121. Kultur. *s. Bildung 12. 31 ff. freier Geist 12. 54. Recht 19. 18.*

kolonisieren · kultivieren · zivilisieren · emporreißen aus dem Verfall ¶ kulturell · zivilisatorisch ¶ aufgeklärt · frei · hochentwickelt · human · klassisch · urban · verfeinert ¶ Aufbau · Aufstieg · Bildung · Denkfreiheit · Entwicklung · Fortschritt · Freiheit · Geist · Gesittung · Höherentwicklung · Humanität · Kontinuität · Kultur · Menschlichkeit · Menschtum · Urbanität · geistige Leistungen · die Werte · Zivilisation.

17

17. Geräte, Technik

17. 1. Wohnung, Haus
17. 2. Gebäudeteile
17. 3. Liege- und Sitzmöbel
17. 4. Kastenmöbel
17. 5. Stützgeräte
17. 6. Behälter für Flüssiges usw.
17. 7. Behälter für Festes
17. 8. Webstoffe
17. 9. Bekleidung
17. 10. Schmuck, Verzierung
17. 11. Hieb- und Stichwaffe
17. 12. Schußwaffe
17. 13. Geschoß
17. 14. Abwehr und Schutz
17. 15. Werkzeuge
17. 16. Maschine
17. 17. Elektrische Anlagen

1. Wohnung, Haus. *s. Bauplatz 1. 15. Anwesenheit 3. 3. Einwohner 16. 4. Umzug 16. 8.*

aufbauen · aufführen · bauen · bebauen · besiedeln · erbauen, -richten, -stellen gründen · hinstellen · ausstatten · einrichten · mauern · zimmern · unter Dach und Fach bringen · aus-, umbauen · aufstocken ⟨ wohnlich ⟨ bebaute Fläche ⟨ Architekt · Baumeister, -unternehmer · Bauherr, -handwerker s. *Berufe 16. 60* *Abt. 17* · Maurer · Zimmermann ⟨ Baumodell, -programm, -stoff, -wich ⟨ Bau Baude · Behausung · Bleibe · Blockhaus · Bude · Bungalow · Bunker · Gelaß · Grotte · Häuslerwohnung · Höhle · Horst · Hütte · Schutz-, Sennhütte · Kabuse · Kate · Kaue, Schachthäuschen (im Bergwerk) · Kraal · Laden · Lager · Logis · Nest · Schlupfwinkel · Unterschlupf · Wigwam · Zelle · Zwinger ⟨ Bauwerk · Bauten · Etablissement · Gebäude · Gemäuer · Haus · Mietskaserne · Wolkenkratzer, Hochhaus · Zinshaus ⟨ Asyl · Eigenheim · Heim · Heimstätte · Hinterhaus, Gartenhaus · Kellerwohnung · Neubau · Randsiedlung · Wohnlaube · Wohnstatt · Wohnung · Eck-, Einfamilien-, Geschäfts-, Land-, Miets-, Reihen-, Siedlungs-, Typen-, Wochenendhaus ⟨ Burg · Fürstenhaus · Halle · Herrenhaus · Kastell · Landhaus, Villa, Datsche · Lustschloß · Palais · Palast · Pavillon · Pfalz · Rotunde · Schloß · Stammsitz · Turm ⟨ Ruine.

Ferner im einzelnen Bauwerke für

Abt. 2 Pflanze, Tier, Mensch: landwirtschaftliche Anlagen *s. 2. 5.* · Anliegen · Ansiedlung · Anwesen · Außenwerk · Bauernhof · Erbhof · Gehöft · Gut · Guthof · Hazienda · Hof · Hofreite · Klitsche · Kolonie · Landgut · Meierei · Niederlassung · Pächterei · Pflanzung · Pußta · Siedelung · Vorwerk · Herbarium ⟨ Aquarium · Bau · Bauer · Bienenkorb · Bienenstock · Brutstätte · Hockstange · Hühnerhaus · Hürde · Hütte · Käfig · Koben · Nest · Nistplatz · Pferch · Pflanzstätte · Taubenschlag · Stall · Stallung · Verschlag · Zwinger, s. Tierhaltung 2. 10: 16. 117. · Gaststätten 2. 26; 16. 64 · Heilstätten 2. 44 · Begräbnisstätten 2. 48.

Abt. 4 Vorratsgebäude: Elevator · Garage · Hangar · Heuschober · Magazin · Remise · Scheuer · Scheune · Schuppen · Silo · Speicher · Stadel · Tenne · Verschlag · Vorhaus.

Abt. 8 Ortsveränderungen: Garage 8. 2. Bahnhof 16. 6. Bootshaus.

Abt. 9 Handeln: Fabrikunternehmen 5. 39; 9. 23. Bäder 9. 66. Schutzraum 9. 76; 16. 77; 17. 14.

Abt. 11 Fühlen: Fürsorgeanstalten 11. 51.

Abt. 12 das Denken: Lehranstalten 12. 36. Irrenhaus 12. 57.

Abt. 14 Dichtung, Schrifttum: Theater 14. 3. Druckerei 14. 6. Buchhandlung, Schriftleitung 14. 11.

Abt. 15 Kunst: Atelier 15. 4. Kino 15. 9.

Abt. 16 Gesellschaft und Gemeinschaft: militärische Anlagen · Baracke · Biwak · Hauptquartier · Kasematte · Kaserne · Lagerhütte · Quartier · Sammelplatz · Zelt · Lager · Feld-, Sammel-, Schulungslager · Sportanlagen · Zirkus · Manege 16. 57. Regierungsgebäude · Gesandtschaft · Botschaft 16. 99. Gefängnis 16. 117.

Abt. 18 Wirtschaft: Geschäftshäuser 18. 25. Bank 18. 30.

Abt. 19 Recht: Gerichtsgebäude 19. 27.

Abt. 20 Religion: Kultgebäude 20. 20.

2. Gebäudeteile. s. Stall 2.10. Türe 3.57.

Basis · Baugrube, -grund, -land, -platz,- stelle · Fundament · Grundmauer · Sockel · Fluchtlinie · Straßenfront ¶ Aufboden · Boden · Bühne · Dachkammer · Deise · Diele · Ern, Öhrn (ö.) · Estrich · Gaupe (Dachstube) · Lucht (ostpr.) · Mansarde · Söller · Speicher · Rumpelkammer · Trocken-, Wäscheboden · Räucherboden (norddt.) · Hängeboden ¶ Etage · Geschoß · Stock · Stockwerk · Keller · Bunker · Souterrain · Erdgeschoß, Parterre · Obergeschoß, Beletage · Zwischenstock ¶ Entree, Fletz (bayr.) · Flur · Diele · Eingang · Haustenne, Korridor, Vorhaus, Vorplatz, Vorsaal · Flügel ¶ Alkoven · Ammenstube · Banse (in der Scheune) · Bibliothek · Boudoir · Damenzimmer · Gaden · Garderobe · Gehäuse · Gelaß · Gemach · gute Stube · Halle · Innenraum · Kabinett · Kabuff · Kabuse · Kammer · Keller · Kellerloch · Kemnate · Kinderstube · Kleiderkammer · Küche · Wasch-, Wohnküche · Leutestube · Mädchenkammer · Menscherkammer (bayr.) · Nebengemach · Plätteraum, Bügelzimmer · Puppenstube · Raum · Abstell-, Dusch-, Kassen-, Vorratsraum · Rempter · Saal · Fest-, Speise-, Tanz-, Wartesaal · Salon · Schmollwinkel · Speisekammer · Stube, Pesel · Toilette s. 2. 36. · Wabe · Zelle · Zimmer · Ankleide-, Arbeits-, Bade-, Balkon-, Besuchs-, Empfangs-, Sprech-, Eß-, Speise-, Herren-, Musik-, Rauch-, Schlaf-, Schreib-, Spiel-, Staats-, Studier-, Wohn-, Vorder-, Hinter-, Vor-, Warte-, möbliertes, Berliner Zimmer ¶ Nische · Gesims · eingebauter Schrank ¶ Audienzsaal · Auditorium · Aula · Büro · Dunkelkammer · Hörsaal · Kanzlei · Laboratorium · Schulzimmer · Turnhalle · Zandersaal · Werkstatt · Atelier · Arbeitsraum ¶ **Außenteile:** Altan · An-, Vorbau · Arkade · Attika · Aufsatz · Balkon · Bogengang · Brüstung · Erker · Fassade · Freitreppe · Gartenhaus · Kreuzgang · Laube · Loge · Loggia · Nebengebäude · Pergola · Schattengang · Säulenweg · Söller · Terrasse · Turm · Veranda · Verschlag ¶ Balken · Balkenwerk · Bogen · Bühne · Dachbalken · Eckpfeiler · Eckstein · Fette · Gebälk · Gerüst · Gestell · Gewölbe · Grundmauer · Grundstein · Gurt · Gurtwerk · Hauptträger · Karyatide · Konsole · Pfahlwerk · Pfeiler · Pfosten · Pilaster · Pilotierung · Plinthe · Querbalken · Rost · Schafott · Sims · Sparren · Spreize · Strebe · Stütze · Tragbalken · Träger · Unterlage · Untersatz · Verpfählung · Zimmerwerk ¶ Dach · Zinne · Dachrinne, Kengel · Abfluß ¶ Traufe: Dackdrüpp, Leck, Leke, Ös, Öwes · Kandel, Kändel · First ¶ Schornstein, Esse, Kamin, Rauchfang, Schlot · Antenne ¶ Bewurf, Berapp, Verputz.

3. Liege- und Sitzmöbel. s. Gardinen 3.20. Ruhe 8.2; 9.36. Kunstgewerbe 15. 6.

Büro-, Garten-, Stahlmöbel ¶ Bett, Bettgestell, -lade, -statt, -stelle · Feld-, Sitz-, Massagebett. *Schelten:* Bethlehem, Bienenkorb, Bucht, (keusches) Etui, Falle, Flohkiste, -kommode, Furzkiste, Heis(che), Kahn, Kiez, Klappe, Kuschee, Nest, Penne, Plättbrett, Poocht (schles.), Poofe (stud.), Sprungstall, Webstuhl, Wichsmulde, -kasten, volle Deckung ¶ Armsessel · Bahre · Bank · Causeuse · Couch, Liege · Divan · Fauteuil · Chaiselongue · Großvaterstuhl · Hängematte · Hocker · Kanapee · Kissen · Klubsessel · Kopfkissen · Lager · Lagerstatt · Lehnstuhl · Liegestuhl · Lotterbett · Wiese · Matratze · Ottomane · Pfühl · Polster · Pritsche · Rollsitz · Ruhestätte · Sänfte · Sattel · Sattelkissen · Sessel · Sitz · Sitzbett · Schlafsofa · Sofa · Streu · Strohsack · Stuhl · Feld-, Kinder-, Klapp-, Rollstuhl · Taburett · Thron · Wiege (Bumm, Hotze, Schocke) ¶ Untersuchungsstuhl · Operationstisch · Hausrat.

4. Kastenmöbel. *s. Verschluß 3. 58. Behälter für Festes 17. 7.*

Anrichte · Büffet · Bord · Bücherbrett · Bücherschrank · Chenschterle (bad.) ·
Etagere · Fach · Geldschrank · Gerüst · Gestell · Horde · Kasse · Kassette ·
Kommode · Kredenz, Servante · Lade · Nachttisch · Pult · Raufe · Reff · Regal ·
Safe, Schließ-, Stahlfach · Tresor · Sakramentshäuschen, Tabernakel · Schaff,
Schapp · Schragen · Schrank · Schreibschrank · Schub-, Schieblade · Schrein ·
Sekretär · Spind · Ständer · Stollenschrank · Näh-, Schreibtisch · Truhe · Vertikow ·
Zylinderbureau ⁊ Kartei · Soenneken.

5. Stützgeräte. *s. Stütze 3. 16.*

Achse · Erdachse · Achsel · Gebein · Gerippe · Halswirbel · Rückgrat · Schulter ·
Wirbelsäule ⁊ Amboß · Angelpunkt · Anhalt · Armbinde · Bein · Bock · Brett ·
Büchergestell · stummer Diener · Dreifuß · Fach · Fuß · Gestalt (schweiz. für
Gestell für Kleider, Teppiche) · Gestell · Halt · Kissen, Rolle · Lehne · Leiste ·
Plattform · Pölzung · Pult · Rohr · Ruhepunkt · Schlaufe · Schlinge · Sekretär ·
Sockel · Stab · Staffelei · Stativ · Stecken · Steigbügel · Steipe · Stellage ·
Stelzen · Stock · Stufengestell · Stützpunkt · Tafel · Tisch · Tragleiste · Unter-
satz ⁊ Brett · Servierbrett, Tablett ⁊ Fußbank (nordd.), Hutsche, Rutsche, Ritsche
(schles.), Schawellche (Frankf.), Schemel (südd.) ⁊ Hucke · Kiepe · Kiez · Köze
(hess.) · Rückenkorb · Trage · Tragkorb · Bauchladen · Marktroller.

6. Behälter für Flüssiges usw. *s. Getränk 2. 30. Hohlmaße 4. 19. fließen 7. 55.*

Angster · Asch · Becher · Becken · Stechbecken · Behälter · Bembel (hess.) ·
Bidet · Biete · Blesche (hess.) · Bocksbeutel · Boiler, Warmwasserspeicher, Bade-
ofen · Bottich · Bowle · Brenk · Brunnen · Bütte · Butte · Dippe (hess.) · Eimer ·
Pütz · Faß · Fingerhut · Flasche, Pulle, Flakon, Riechfläschchen, Buddel · Gefäß ·
Gelte · Gemäß · Glas · Groppen · Hafen · Hotte · Humpen · Kachel (bayr.) ·
Kalter (= Gehalter) · Kanister · Kanne · Karaffe · Kasserole · Kelch · Kelle ·
Kerne · Kessel · Klong (siegerländ. für Krug) · Konservenbüchse · Krug · Kruke ·
Kochet (bayr.) · Kopf · Kühler · Kumpen · Kumme · Kübel · Kuffe · Lavoir · Legel ·
Maß · Molle · Mulde · Örgele · Meste · Nachtgeschirr · Napf · Oxhoft · Pfanne ·
Phiole · Pokal · Pott · Reservoir · Römer · Satte · Saucière · Schaff · Scheffel ·
Schale · Scherbe · Schöpfer · Schoppen · Schüssel · Seidel · Stehseidel · Sette,
Satt (rhein.) · Spann (balt. für 'Krug') · Stauf · Stunz · Tank · Tasse · Teller ·
Terrine · Thermosflasche · Tiegel · Tonne · Topf · Trinkhorn · Trog · Tulpe ·
Untersatz · Vase · Wärmflasche · Wanne · Weckglas, Burke · Zisterne · Zuber
⁊ Schiff im Herd: Blase, Grapen, Beikessel, Wassergrandl, Ofentopf, Wasserpfanne,
Ofenpfanne ⁊ Abwaschfaß: Balje, Brenk, Bütte, Gelte, Kübel, Kufe, Kumme,
Kump, Schaff, Tubben, Zuber ⁊ Teile: Daube (beim Faß) ⁊ Destillierkolben ·
Retorte ⁊ Trichter · Schlauch · Sieb (Reiter) · Seihe · Rohr · Röhre ⁊ Lauf
⁊ Feuertiene ⁊ Löffel · Eß-, Tee-, Schaum-, Schöpflöffel · Pipette · Burette ·
Stechheber ⁊ *für Gasförmiges:* Ballon · Bombe · Gasometer · Spritze · Gasröhre ·
Sauerstoffflasche ⁊ *für Breiiges:* Leimtopf · Tube.

7. Behälter für Festes. *s. Innen 3. 19. Menge 4. 17. Vorrat 4. 18. Kasten-möbel 17. 4. Geldbeutel 18. 21.*

Backtrog · Behälter · Beutel · Börse, Portemonnaie · Bonbonnière · Büchse · Dose ·
Abfalleimer · Etui · Felleisen · die Ficke (am Kleidungsstück, mundartl.) · Futteral ·

Gehäuse · Haraß ❡ Horde · Hülle · Hülse · Kapsel · Karton · Kassette · Kieze (ö.) · Kasten · Kiste · Kochgeschirr · Köcher · Koffer · Korb · Reise-, Schließkorb · Kratten (bad.) · Mahne (hess.) · Zeine (alem.) · Krippe · Kumpf (hess.) · Lade · Mappe · Meise · Necessaire · Netz · Miete · Packung · Paket · Pappschachtel · Patronengurt · Plaidrolle · Platte · Pompadour · Ranzen · Reisetasche · Reticule, Ridicule · Rucksack · Sack · Safe · Sarg · Schachtel · Schänzchen · Schatulle · Scheide · Schwinge (für Flachs) · Silo · Tabatière · Tasche · Akten-, Brieftasche · Tornister, Aff, Verdrußkoffer, Muckl, Kaibl · Truhe · Tüte, Gucke (alem.), Blos (rhein.), Sack (schweiz.), Stattel, Rogel (pfälz.), Scharmützl · Umschlag · Briefumschlag, Kuvert · Überzug · Urne · Teller · Tablett ❡ Asch(en)-becher , Saumagen (österr., bayr.), Ascher ❡ Mülleimer, Ascheneimer, Dreckeimer, Kutterkist' (schwäb.) ❡ Gefäß aus Draht: Benert.

8. Webstoffe usw. *s Polsterstoffe 7. 50.*

filieren · flechten · häkeln · knüpfen · spinnen · stricken · weben · wirken · zwirnen ❡ sticken · klöppeln ❡ handgewebt ❡ Spindel, Rocken, Kunkel · Spinnrad · Webstuhl ❡ Faden · Fasec · Garn · Zwirn · Seil · Bindfaden *s. 3. 33.* ❡ Gespinst · Gewebe · Laken · Spitzen · Stickerei · Stoff · Tuch · Zeug · Lappen · Kodder · Fetzen · Hader · Lumpen · Textilien · Wirkwaren ❡ Aufzug · Kette, Werft. Zettel ❡ Bindung · Einschlag, Einschuß, Eintrag, Schuß ❡ *Webstoffe:* Bast · Baumwolle · Byssus · Cord · Hanf · Jute · Kokos · Kunstseide · Leinen · Moiré · Nessel · Papiergarn · Ramie · Seide · Borrett-, Halb-, Natur-, Schapp-, Trama-, Viskoseseide · Stroh · Wolle · Angora-, Glas-, Kunst-, Misch-, Mohär-, Schaf-, Shetland-, Zellwolle. *Gewebearten:* Alpaka · Astrachan · Atlas · Barchent · Battist · Beiderwand · Bemberg · Biber · Brokat · Buckskin · Charmeuse · Cheviot · Chiffon · Cord · Crepe de Chine · Damast · Drap · Drell, Drillich · Filz · Flanell · Fries · Gabardine · Gaze · Inlet, Bettgefäß, Einsarg, Einschütt, Federritt · Kammgarn · Kaschmir · Kattun · Köper · Kretonne · Krimmer · Lama · Lamé · Linon · Loden · Madapolam · Mako · Manchester, Velvet · Merino · Moiré · Molton · Moquette · Musselin · Nanking · Nylon · Organdy · Perkal · Perlon · Pikee · Plüsch, Velpel · Popeline · Rips · Rupfen · Samt · Sarsenatt · Satin · Schirting · Segeltuch · Serge · Stramin · Taft · Trikot · Tuch · Tüll · Tweed · Velour · Zefir · Zwillich · Everglaze · Läufer und Teppiche: Bouclé · Haargarn · Kelim ❡ weibliche Handarbeit · Weberei ❡ Papier · Lösch-, Pack-, Schreibpapier usw. · Kaliko · Karton · Pappe · Pappdeckel ❡ Daunen-, Kamelhaar-, Steppdecke ❡ Lumpen, Plünnen.

9. Kleidung. *s. Bedeckung 3. 20. Mode 16. 61.*

gehen in · sich tragen · in den Sachen von · Kleiderkarte · Punktsystem ❡ bekleiden · einkleiden · Läufer · Schoner · Teppich · Brücke · Überzug · Vorleger ❡ Decke · Deckbett · Federbett · Kolter · Oberbett · Plumeau · Schabracke · Schlafsack · Tuchent · Zudecke ❡ Anzug · Brocken · Dreß · Gala · Gewand(ung) · Klamotten · Kledage · Kleid · Kleidung · Berufs-, Anstaltskleidung · Kluft · Lümpchen · Montur · die Plünnen (ndd.) · Pluchze (schles.) · Putz · Schale · Staat · Tracht · Uniform · voller Wichs · Zivil ❡ nach Maß · Maßarbeit · Konfektion · von der Stange gekauft ❡ Domino · Kostüm · Livree · Maske · Ornat · Uniform · Päckchen u. Kloß (= cloth, seem.) ❡ Burnus · Cape · Covercoat · Gehpelz · Havelock · Janker · Mackintosh · Mantel · Gummi-, Radmantel · Paletot · Pelerine · Pelz · Pelzgarnitur · Plaid · Purpur · Raglan · Regenhaut · Regenrad · Staubmantel · Slippon · Überrock · Überzieher · Ulster · Umhang · Windjacke · Woilach ❡ *Pelze:* Astrachan · Biber · Bisam · Blau-, Silberfuchs · Breitschwanz · Chinchilla · Feh · Fohlen · Fuchs · Hamster · Hermelin · Iltis · Kalb · Kanin(chen) · Luchs · Maulwurf · Nerz · Nutria · Opossum · Persianer · Schaf · Seal · Skunks · Waschbär · Wiesel · Ziege · Zobel ❡ Attila · Kneipjacke · Pekesche · Schnürenrock · Bluse · Bolero · Bratenrock, Gehrock, Schniepel, Schwenker, Senkel · Cut · Dolman · Frack, Affenjacke, Kadrillenschwenker, Wadenschwenker, Angstjacke, Schwalbenschwanz · Jacke · Hausjacke · Kimono · Jacket · Joppe · Kittel · Kollett · Leibrock · Litewka · Kamisol · Kasak · Poncho · Rock · Rockelores · Sackrock · Sakko · Stresemännchen · Smoking · Stutzer · Trainingsanzug · Toga · Waffenrock · Wams · Arschbetrüger ❡ Chorhemd · Chorrock · Kaftan · Kutte · Palla · Stola · Sutane · Talar ❡ Brünne · Harnisch · Küraß · Panzer · Rüstung ❡ Brustlatz · Koller · Lismer (schweiz.) · Pullover · Schlüpfer · Strickjacke · Schwitzer · Sweater · Weste · Gilet · Lungenschützer · Leibbinde ❡ Wäsche ❡ Hemd: Ober-, Einsatz-, Jäger-, Normal-, Sport-, Douglas- (ich hab es getragen 7 Jahr), Nachthemd · Kamisol · Pyjama · Schlafanzug · Schlafrock · dressing gown ❡ Unterjacke · Netzhemd ❡ Halskragen, -krause · Kragen, Gipsverband · Dauerkragen · Vatermörder · Beffchen · Halsbinde ❡ Binder · Krawatte · Riemchen · Eisenschlips · Plastron · Schnällchen · Schlips · Selbstbinder · Fliege · Querschleife · Schmetterling ❡ Vorhemd · Abreißkalender, Brettle, Plättbrett, Wallfahrtsbrettle · Brüstle ❡ Chemisettche ❡ Cachenez · Schal · Hals-, Umschlagtuch · Kragenschoner · Windfang ❡ Beinkleid · Breeches · Buxe · Hose · Kilt · Knickerbockers · Kniehosen · Lederhose, Speckjäger · Pantalon · Pumphose · Pluderhose · Röhren · Shorts · die Unaussprechlichen ❡ Hosenträger · Gürtel · Patronengurt ❡ Badehose · Lendenschurz · Dreieck · Feigenblatt · Badeanzug · Bikini · Waikiki ❡ Socken · Strumpf · Strumpfhalter · Stutzen ❡ Ärmel ❡ Pulswärmer · Ammedisle (schw.) · Mauchen · Stauchen · Stutzerl ❡ Manschette · Röllchen ❡ Handschuh · Greifling, Griff (rotw.) · Stulpen · Fäustling · Fingerling ❡ Gamasche · Stutzen ❡ Escarpin · Schnallenschuh · Galosche · Über-, Gummischuh · Halbschuh · Holzschuh · Kothurn · Hausschuh · Latschen · Pantinen, Pootschen (schles.), Filzpariser · Pantoffel, Babusche, Finken, Funken (schweiz.), Schlappen · Socken (thür.) · Trittchen · Pumps · Schuh · Schuhwerk · Sandale · Stiefel · Stiefeletten · Trittling. — Kanonenstiefel · Schaftstiefel · Knobelbecher (mil.) · Langschäfter. — Opanken ❡ große Schuhe: Kindersärge · Maabootcher (Frankfurt) · Potsdamer · Oderkähne · Appelkähne (berl.) ❡ Absatz · Hacken ❡ Schuhriemen · Schnürband · Schnürriemen · Schuhsenkel · Nestel ❡ Kopfbedeckung: Angströhre, Eilinder, Esse, Zivilhelm, Zylinder · Barett · Bibi · chapeau claque, Klapphut · Diadem · Krone · Stirnband · Tiara. — Deckel · Dreimaster, Nebelspalter, Dreispitz · Fez · Filz · Gugel · Kapuze · Halbzylinder · Helm, Hurratüte (sold.), Panzerturm, Stahlhelm, Schmalztopf, Dunstkiepe, Fettdeckel · Hut · Jägerhütchen mit Gemsbart · Pickelhaube, Raupenhelm · Kalotte · Kappe · Käppi · steifer Hut, Koks, Hartmann, Harteknecker (hess.), Melone, Praliné · Mütze · Ballon-, Schieber-, Sportmütze, Blaser · Blutblase · Krätzchen · Panama · Schabbesdeckel · Sombrero · Strohhut · Butter-, Sonnenblume, Erbse, Kreissäge · Stürmer · Turban · Zerevis, Tönnchen, Bierdeckel · Wolkenschieber, Schlapp-, Künstlerhut, Kalabreser · Zweispitz ❡ Regenschirm: Familienknicker, Musspritze, Paraplü, Regendach, Regenquirl, Knirps ❡ Schürze · Küchen-, Zierschürze ❡ *für Frauen:* Kleid · Haus-, Nachmittags-, Tee-, (großes) Abend-, Ball-, Braut-, Trachten-, Dirndl-, Modell-, Reformkleid · Fähnchen · Komplet · Kostüm · Hänger · Robe · Tailormade · Toilette · Jumper ❡ Krinoline · Schleppe · Reifrock · Rock · Falten-, Glocken-, Plisseerock · Morgenrock · tea-gown ℂ Kombination · Dessous · Froufrou · Hemdhose · Jupon · Schlüpfer · Unterkleid · Unterrock · Reiz-, Spitzenwäsche ℂ Büstenhalter · Korsett · Korselett · Leibchen · Mieder · Schnürleib · Trikotage ℂ Toulifant · Windel ℂ Hut · Canotier · Gocke · Herrenwinker · Haube · Kapotthut · Kopftuch, -putz · Schleier · Schutenhut · Toque · Trotteur · Wippe ℂ Myrtenkranz ℂ Boa · Muff · Schlupfer (alem.) · Stoß (basl.).

10. Verzierung, Schmuck. *s. häßlich 11. 28. schön 11. 17. Übertreibung 13. 52. Ornament 15. 7. Orden 16. 87.*

glänzen · paradieren · prunken · sich putzen · sich schniegeln · stolzieren · sich in Gala werfen · sich fein machen · sich in Samt und Seide kleiden · Pomp, Staat machen · behängt sein · sich die Haare brennen, kräuseln, locken, ondulieren, rollen · ein Wappen im Schilde führen · ein Band im Knopfloch, einen Orden tragen · geschmückt wie ein Pfingstochse ℂ Bader · Barbier · Bartscherer · Frisör · Haarkräusler · Haarkünstler · Manucure · Rasierer · Verschönerungsrat ℂ Pomadenhengst · Zieraffe ℂ Zierpuppe · Frau Raffke ℂ *Haare s. 2. 16:* Allongeperücke · Bart · Bubikopf · Chignon · Dauerwellen · Flechte · Frisur · Haarschmuck · Haartour · Haartracht · Herrenwinker · Krauskopf · Locke · Lockenkopf · Lockenperücke · Perücke · Ponny · Schnecke · Schönheitspfästerchen · Simpelfransen · Tolle · Tresse · Winstoß · Zopf ℂ Tätowierung ℂ Bild · Figur · Floskel · Gepränge · Herrlichkeit · Pomp · Prunksucht · Redeschmuck · Schnörkel · Trope · blumenreicher Stil ℂ Palast · Prachtbau · Schloß · Kurfürstendamm ℂ Achat · Amethyst · Beryll · Brillant · Diamant · Email · Geschmeide · Pretiosen · Gold · Granat · Halbedelstein · Juwel · Karneol · Kleinod · Onyx · Opal · Perle · Rubin · Saphir · Silber · Smaragd · Topas · Türkis · *s. Gesteine 1. 26* ℂ Atlas · Hermelin · Purpur · Samt · Seide · Zobel usw. ℂ Agraffe · Anhängsel · Armband · Armreif · Armspange · Berlocke · Brosche · Busen-, Krawatten-, Schlips-Vorstecknadel · Diadem · Einglas, Monokel · Falbel · Fibel · Geschmeide · Goldgehänge · Halsband · Halskette · Kollier · Kopfputz · Ohrring · Pelzwerk · Pfauenfeder · Straußenfeder · Putz · Schmucksache, -stück · Spange · Stirnband · Stirnreif · Reif · Ring · schapel (mhd.) · Uhrkette ℂ Achselstück · Aufsatz · Besatz · Borte · Brokat · Einfassung · Einsatz · Epaulette · Fahne · Fangschnur · Franse · Galon · Garnierung · Garnitur · Gewirk · Klunker · Kokarde · Litze · Medaille · Orden, Lameta, Klempnerladen, Vereinsabzeichen, Fettfleck, Blechladen · Kotillon-, Tanzorden · Quaste · Randschnur · Raupe · Rüsche · Schnur · Stern · Stickerei · Tresse · Troddel · Trophäe · Volant · Wappen · Wirkerei · Zweckel ℂ Band · Schleife · Spitze ℂ Plakette · Wanderpreis · Pokal · Geschenkwerk · Zimmerpalme ℂ Drapierung · Faltenwurf · Flitterstaat · Geschnörkel · Goldstickerei · Schoitasch · Verbrämung ℂ Aufmachung · Aufputz · Beiwerk · Festgewand · Flitter · Gala · Glanz · Politur · Pracht · Prunk · Putz · Schimmer · Sonntagskleid · Staat · Tand · Vergoldung · einziger Stolz · Zier · Zierde.

11. Hieb- und Stichwaffe. *s. Krieger 16. 74.*

armieren · bewaffnen · rüsten · waffnen · wappnen ℂ Armatur · Bewaffnung · Rüstung · Waffe · Wehr ℂ Angriffswaffe · Hiebwaffe · Kriegsbedarf · Stichwaffe · Verteidigungswaffe ℂ Bengel · Faustkeil · Keule · Knittel · Knotenstock · Ziegenhainer · Knüppel · Kolben · Morgenstern · Prügel · Schlagring · Stahlrute · Stock · Totschläger ℂ Assagai · Bumerang · Hellebarde · Schlachtbeil · Spießhammer ·

Streitaxt · Tomahawk ⁊ Bajonett · Bowiemesser · Damaszener · Degen · Dolch · Ehrendolch · Fahrtenmesser · Faschinenmesser · Flamberg · Flintenspieß · Flitsch · Florett · Genickfänger · Handschar · Hieber · Hirschfänger · Jagdmesser · Klinge · Kris · Lanze · Messer · Kneipche (hess.) · Pallasch · Nicker · Plempe · Rapier · Säbel · Sarras · Schläger · Schwert · Seitengewehr · Sense · Speer · Spieß · Stilett · Stockdegen · Yatagan · Weidmesser. — ⁊ Balmung · Mimung · Notung · Sachs ⁊ blanke Waffe ⁊ Arsenal · Rüst-, Waffenkammer · Zeughaus.

12. Schußwaffe. *s. Knall 7. 29. Kampf 16. 76.*

Feuer! piff paff puff ⁊ bestücken · laden ⁊ abkommen · ballern · durch-krümmen · feuern · funken · pfeffern · schießen ⁊ infanteristisch · artilleristisch ⁊ Schütze ⁊ Schlumpschütze ⁊ Armbrust · Blasrohr · Bogen · Flitzbogen · Katapult · Kugelarmbrust · Luftgewehr · Windbüchse · Schießrohr · Schleuder(maschine) · Schlinge · Sturmbock · Wurfgeschütz ⁊ Feuerwaffe, Schießwaffe, Schußwaffe · Schießeisen, Liebste, Braut · Pulver und Blei · Arkebuse · Blunderbüchse · Bordwaffe · Büchse · Chassepot · Flinte · Gewehr · Handbüchse · Hinterlader · Jagd-gewehr · Karabiner · Knarre · Kuhfuß · Lebel · Luntengewehr · Mauser · Maschinenpistole · MG, Maschinengewehr · Muskete · Panzerfaust · Panzer-schreck · Perkussionsgewehr · Pistole · Radschloß · Repetiergewehr · Revolver · Rifle · Rohr · Schießprügel · Schnellader · Steinschloßbüchse · Stutzen · Terzerol · Tesching · Vogelflinte · Zündnadelgewehr · Granatwerfer · Handgranatenwerfer · Granatgewehr · Sturmgeschütz ⁊ Lauf, Rohr · Visier · Kimme · Korn · Schloß · Abzug, Hahn ⁊ Artillerie · die schweren Waffen · Fernkampfbatterie · schwerste Waffen · Basilisk · Batterie · Belagerungsgeschütz · Drehbasse · Fal-kanne · Falkonett · Feldgeschütz · Feldschlange · Feuerschlund · Geschütz · Fern-geschütz · Geschützpark · Geschützturm · Haubitze · Hinterlader · Kanone · Kar-taune · Katzenkopf · Knalldroschke · Kugelspritze · Mitrailleuse · Mörser · Pak · Stalinorgel · Vorderlader ⁊ Tank: Kampfwagen, Chausseewalze, Leichenwagen · ⁊ Dynamit · Lyddit · Melinit · Nitroglyzerin · Pulver · Munition ⁊ Ballistik · Be-schuß · Feuerschlag der Artillerie · Trommelfeuer.

13. Geschoß.

Asche · Framea · Ger · Harpune · Hellebarde · Lanze · Partisane · Pike · Speer · Spieß · Wurfspieß ⁊ Pfeil. — Bolz(en) ⁊ Handgranate · Knallbonbon, Blumen-topf, Schneeball · faule Eier · Höllenmaschine · Luftmine · Phosphor-, Brand-kanister · Stabbrandbombe · X-Kilobombe ⁊ Infanteriegeschoß · Gewehrkugel · blaue Bohnen · Maikäfer, wilde Hummel, Pätscher, Pitschmann · Dumdum · Pa-trone ⁊ Rehposten · Schrot · Vogeldunst ⁊ Bombe · Brandkugel · Granate · Kar-tätsche · Kettenkugel · Ladung · Petarde · Schrapnell · Fliegerbombe, Eier ⁊ *vom Feldgeschütz:* Piefke, Flitzgustav, Ratschbum, Tschibum, Eselsfurz ⁊ *schweres Kaliber:* dicke Dinger, eisenhaltige Luft, schwere Brocken, schwarze Biester, Blumen-topf, Bollerwagen, (Hand)koffer, Kohlenkästen, Schwebebahn, Morgen- und Abend-segen · Schrapnell · Möbelwagen ⁊ Mine: Minenhund, Edamer Käse, Kegelbahn-mine, Butterfaß, Marmeladeneimer, betrunkene Störche · Kinderwagen. — Atom-, Höllen-, Wasserstoffbombe ⁊ Torpedo, Aal ⁊ Volltreffer · Bombenhagel · Teppich-wurf ⁊ Garbe · Salve.

14. Abwehr und Schutz. s. Umhegung 3. 24. Zuflucht 9. 76. Verteidigung 16. 77. Helm 17. 9.

Beinschiene · Brünne · Harnisch · Panzer · Panzerhemd · Rüstung · Halsberge · Helm · Linthelm · Rand · Schild · Schirm · Regenschirm s. 17. 9 ¶ Panzerwagen, Tank ¶ Bastion · Belfried · Bunker · Panzerturm · Redoute · Turm ¶ Festung · Fort ¶ Graben · Mauer · Pfahlgraben, Limes · Wall · chinesische Mauer · Minengürtel.

15. Werkzeug. s. Mittel 9. 82. Meßgeräte 12. 12.

fräsen · hämmern · pressen · punzen · stanzen · fournieren ¶ Gerät, Instrument: Axt · Beil · Bohrdreher · Bohrer · Bohrwinde · Brennerzange · Drahtzange · Drillbohrer · Flachzange · Hammer, Fäustel (bergm.) · Handschraube · Hobel · Keil · Kneifzange · Konuszange · Lochbohrer · Meißel · Nagel · Nagelbohrer · Rohrzange · Schneckenbohrer · Schneidbohrer · Schnitzmesser · Schraube · Spiralbohrer · Stemmeisen · Stift · Zange ¶ Messer · Kniep · Säge · Sense · Sichel · Hippe ¶ Amboß · Benzinlampe · Blasebalg · Blechschere · Drahtschere · Durchschlag · Durchschläger · Feile · Hohleisen · Locheisen · Lötlampe · Raspel · Rundfeile · Schraubstock · Spitzfeile ¶ Bratspieß · Korkzieher · Lanze · Lanzette · Lichtputzschere · Richtblei · Schraubenzieher · Schröpfer · Sonde · Spicknadel ¶ Dietrich · Nippelspanner · Ringkluppe · Schlüssel · Schraubenzieher · Schneidekluppe · Vorschneider ¶ Rollmaß · Schublehre · Zirkel · Zollstock ¶ Ahle · Durchlocher · Pfriem · Stiefelholz · Pech · Wiener Kleister ¶ Dorn · Nadel · Schere · Spitze · Stachel usw. ¶ Egge · Grabscheit · Hacke · Harke · Haue · Karst · Klaue · Pflugschar · Picke · Ramme · Rammpflock · Schaufel · Schippe · Spaten · Worfel ¶ Mörtelkelle · Richtblei · Schöpfer · Spatel · Spachtel · Trog · Wasserwaage ¶ Falzbein · Pinsel · Kleister ¶ Drücker · Griff · Halter · Handhabe · Heft · Menkel · Klinge · Klinke, Schnalle (östr.) · Knauf · Knopf · Ohr · Pflock · Ruder · Schaft · Steuer · Stiel · Trittbrett · Schraubenschlüssel, Engländer, Franzose · Steckschlüssel ¶ Ausrüstung · Batterie · (Pferde-)Geschirr · Gezäh (bergm.) · Rüstzeug · Sattelzeug · Takelwerk · Wagengeschirr ¶ Ackergeräte · Feldgerät · Gepäck · Instrumentarium · Kriegsgerät · Reisegerät · Schiffsgerät · Utensilien · Zubehör ¶ Drehbank · Hobelbank ¶ Werkstatt · -erei · Schmiede s. 9. 23.

16. Maschine. s. 9. 83 (die meisten s. bei den Zwecken).

mechanisieren · motorisieren · verkraften ¶ Apparat · Automat · Einrichtung · Gestell · Klappmatismus · Maschine · Mechanismus · Stellage · Motor, Gaskocher, Kaffeepott ¶ Achse · Flaschenzug · Göpel · Haspel · Hebel · Hebewerk · Kardan · Kran · Mühle · Pleuelstange · Presse · Propeller · Pumpe · Rad · Räderwerk · Riemen · Rolle · Schraube · Spule · Transmission · Turbine · Uhrwerk · Walze · Welle · Winde · Zahnrad · Zylinder und Kolben ¶ Kompressor · Ventilator · Wagenheber · Zentrifuge · das laufende Band ¶ Maschinenzeitalter.

17. Elektrische Anlagen. s. Licht 7. 4. Ingenieur 16. 60.

elektrifizieren · schalten, knipsen ¶ Akkumulator · Batterie · Dynamo · Element · Generator · Großkraftwerk · Überlandzentrale ¶ Anlage · Kabel · Strippe · Kontakt · Stromnetz ¶ Elektro- · Schalter · Steckdose · Steckkontakt · Verlängerungsschnur · An-, Kathode ¶ Strom · Dreh-, Gleich-, Wechsel-, Stark-, Schwachstrom · elektromagnetische Wellen ¶ Volt · Ampere · Ohm · Watt · Spannung.

18. Wirtschaft

18. 1. Besitz
18. 2. Anteil
18. 3. Reichtum
18. 4. Armut
18. 5. Erwerb, Einnahme
18. 6. Wegnehmen
18. 7. Habsucht
18. 8. Prellen
18. 9. Stehlen
18. 10. Sparsamkeit, Behalten
18. 11. Geiz
18. 12. Geben
18. 13. Freigebig
18. 14. Verschwendung
18. 15. Verlust
18. 16. Verleihen
18. 17. Entleihen
18. 18. Zurückerstatten
18. 19. Bankrott
18. 20. Tausch
18. 21. Geld
18. 22. Kauf
18. 23. Verkauf
18. 24. Ware
18. 25. Markt
18. 26. Bezahlung
18. 27. Kostspielig
18. 28. Wohlfeil
18. 29. Kostenlos
18. 30. Bankwesen

1. Besitz. s. *Landgut 1. 15; 7. 5. Erwerb 18. 5.*

besitzen · haben · innehaben ¶ monopolisieren · zu eigen haben · sich des Besitzes erfreuen · das Recht genießen · im (Voll-)Besitz sein (von) · beglückt sein (mit) · das Alleinrecht haben · zu erwarten haben ¶ eignen · gebühren · gehören · zufallen · zukommen · sich in Händen befinden · zu eigen sein . ausgestattet sein mit · zur Verfügung stehen · zustehen · in Aussicht stehen ¶ übertragen · zedieren · zueignen · geben s. *18. 12* ¶ ökonomisch · wirtschaftlich ¶ angehörig · eigen · erbeigen · erbeingesessen · gehörig · zugehörig ¶ Besitzer · Eigentümer · Herr ¶ Besitz · Eigenheim · Eigentum(srecht) · Gut · Habe · Habseligkeiten · Klamotten · Plünnen · Nießbrauch · Nutznießung · Schatz ¶ Alleinbesitz · Alleinrecht · Allodium · Fideikommiß · Lehen · Majorat · Monopol · Gewalt über Recht an · Vollbesitz · Vollgenuß ¶ Anwartschaft · Erbrecht · Erbschaft · Gebühr · Hinterlassenschaft · Nachlaß · Pflichtteil · Testament · Vermächtnis · ausschließlicher Besitz · Vogel in der Hand ¶ Lebenshaltung ¶ Kapitalismus.

2. Anteil. s. *trennen 4. 34. Teil 4. 42. Genossenschaft 16. 17. Bankwesen 18. 30.*

sich beteiligen · partizipieren · beteiligt sein · seinen Anteil beanspruchen · ist interessiert an ¶ absondern · ableiten · anweisen · auslosen · ausscheiden · aussetzen · aussondern · austeilen · auswerfen · bemessen · bestimmen · bewilligen · einreihen · einteilen · klassifizieren · parzellieren · teilen · vereinzeln · verlosen · verschreiben · verteilen · zergliedern · zerstückeln · zuerkennen · zugestehen · zumessen · zusprechen · zuteilen ¶ Aktionär · Kommanditist · stiller Gesellschafter · Kompagnon · Partner · Teilhaber · Sozius · Prokurist · Altsitzer, Auszieher, Mit-: -berechtigter, -eigentümer, -gläubiger ¶ Aktiengesellschaft · offene Handelsgesellschaft · GmbH · & Co ¶ Abschnitt · Abteilung · Aktien · Anteil · Anteilschein · Anweisung · Kupon · Deputat · Dividende · Dosis · Einlage · Einlagekapital · Genußschein · Kuxe · Los · Maß · Portion · Prämie · Quantum · Quote · Rate · Schnitt · Share · Stück · Teil · Verdienst · Zinsschein · Zinseszins ¶ Altersrente · Wohnrecht · Nießbrauch · Nießnutz · Leibrente · Ausgeding.

3. Reichtum. s. *die große Welt 16. 62. Einfluß 16. 95. Freiheit 16. 120. Geld 18. 21.*

bei mir Raffke: jedes Handtuch ein Gobelin ¶ prosperieren · er hat's (dazu) · er hat's nicht nötig · warm sitzen · hat sich gut gebettet (reiche Heirat) · hat Moses und die Propheten (stud. Wortspiel mit Moos = Geld) · bei Geld sein · in der Wolle sitzen · sich gut stehen · hat Geld wie Heu · im Geld wühlen stinkt nach Geld · der weiß nimmer, wo na mitm Sach (schwäb.) · fällt der Armenverwaltung nicht zur Last · ist fein heraus, in guten Verhältnissen, gut dran · hat das Heu herein · war vorsichtig in der Wahl seiner Eltern · bei dem kälbern die Ochsen · mit dem silbernen Löffel im Mund geboren werden · hat etwas zuzusetzen · ist bei Kasse · hat das nötige Kleingeld · hat Möserkes, Platen (Soest) · wer hat, hat ¶ s. *einnehmen 18. 5* · arrivieren · es zu etwas bringen · sich gesund machen an · scheffeln · fett werden ¶ konsolidieren ¶ autark · begütert · bemittelt · fundiert · „gut" · höchstbesoldet · krisenfest · millionenschwer · reich · „sicher" · solvent · unabhängig · vermögend · wohlhabend · wohlsituiert · zahlungsfähig · steinreich · schwer, klotzig, knollig, unanständig reich · mit Glücksgütern gesegnet ¶ Börsenkönig · Finanzgewaltiger, -stratege, -magnat · Wirtschaftsführer · Geldmann, Geldleute · gemachter Mann · Großindustrieller, Großkaufleute · Industriekapitän · Kaffeesäcke · Kapitalist · Kohlenbaron · Kommerzienrat · Kratopluten · Milliardär ·

Millionär · Plutokrat · reicher Knopp · Rentner · Krösus · Nabob · Rothschild ·
Schlotbaron · Herr und Frau Neureich · Parvenu · Raffke · gute Partie · reiches
Bröckelche (hess.) ¶ das Kapital · die besitzende Klasse · die oberen Zehntausend ·
die besseren Leute · Geldaristokratie · die Groß-, Hochfinanz · Haute volée ¶ Bonität · Gold · Mittel · Reichtum · Reserve (stille, offene) · Wohlstand · Kaufkraft ·
das große Portemonnaie · Aufstieg ¶ Kapitalismus.

4. Armut. *s. zu wenig 4. 25. Betrübnis 11. 32. Unglück 5. 47. Gesindel 16. 94. sparsam 18. 10. Verlust 18. 15. Bankrott 18. 19.*

bei mir B. Z.: dauernd im Druck · bei mir Feuerzeug: dauernd. abgebrannt ·
darben · hungern *s. 10. 10.* · notleiden · kann keine großen Sprünge machen ·
steht vor dem Nichts, vis-à-vis de rien · sitzt auf dem Trockenen, auf dem
Pfropfen · hat bessere Tage gesehen · nagt (eig. näht) am Hungertuch · Hungerpfoten saugen · stempeln gehn · sich durchschlagen · lebt von der Hand in den Mund ·
kommt auf keinen grünen Zweig · hat Mangel an Überfluß · hat nichts zu nagen,
zu beißen, zu brechen, nichts als das Hemd · es geht ihm kratzig · er war Maler
und sie hatte auch nichts · ohne Mittel dastehen · da ist Schmalhans Küchenmeister · ist in schlechten Verhältnissen, in der Klemme, im Druck, schlecht dran,
ohne einen Pfennig, knapp (schlecht) bei Kasse, auf wenig, auf Almosen angewiesen · zu knappsen haben · deckt sich mit Zeitung, mit dem nackten A ...
zu · hat nix an de Föß (Köln) · hat es nicht so (dick) · hat alles verloren, eingebüßt · kann den Laden zumachen ¶ verarmen · herunter, auf den Hund, in
Notlage kommen · verproletarisieren · ¶ ruinieren · an den Bettelstab bringen
ausziehen (bis aufs Hemd) · proletarisieren · depossedieren · auspowern · um
Haus und Hof bringen · den Hals zuziehen ¶ abgewirtschaftet ¶ abgebrannt ·
abgerissen · bedürftig · arbeitslos · arm · besitzlos · blank · blutt · brotlos · erwerbslos · heruntergekommen · machule · mittellos · pover · schäbig · schlecht weggekommen · stellenlos · unbemittelt · zerlumpt · blutarm · wie eine Kirchenmaus
¶ Armer Teufel · Bettler · Arbeitsloser · Enterbter · Geistiger Arbeiter · Bruder
Habenichts · Hungerleider · Kleinrentner · Kümmerling · Proletarier · armer
Lazarus · Lohnsklave · Schächer · Schlucker · arme Leute ¶ Proletariat · Bettelpack ¶ die Slums · der Kiez · Armeleuteviertel · Gängeviertel (Hamburg) · Pro-
letariergegend · Elendsquartier ¶ Armut · Bedrängnis · Dalles · Elend · Entbehrung · Hunger · Mangel · Misère · Verelendung · Vermögensverfall · Not (der
geistigen Berufe) · Pauperisierung · die soziale Frage.

5. Erwerb, Einnahme. *s. vermehren 4. 28. Wirkung 5. 34. Arbeit 9. 22. erbitten 16. 20; 16. 60. Besitz 17. 1. reich 18. 3. wegnehmen 18. 6 und 9; 18. 25.*

durch der Hände Arbeit ¶ etwas aufstecken · ein-, er- · aufstöbern, auftreiben ·
bekommen · bergen · beschenkt werden · beziehen · einnehmen · einheimsen · einsacken · einsäckeln · einsammeln · einstecken · einstreichen · erarbeiten · -beuten,
-gattern, -halten, -haschen, -langen, -obern, -ringen, -sitzen, -übrigen
-werben, -wischen, -zielen · erben · ernten · fassen (milit.) · finden · gewinnen ·
herausschlagen · kriegen · lösen · mitnehmen · profitieren · verdienen · zusammenscharren · vereinnahmen (amtl.) · sich verschaffen · sich versichern · sich zueignen
¶ seine Hand legen auf · in seinen Besitz bringen · seinen Vorteil wahren · habhaft werden · nutzbringend anlegen · aufs beste verwerten · sich zu nutze
machen · geht nach Brote · es zu etwas bringen · zu Geld, Vermögen, Reichtum
kommen · sich die Börse, Tasche füllen · eine Erbschaft antreten · sein Ich nicht

vergessen · der versteht's · sein Schäfchen ins Trockene zu bringen · für seinen Vorteil sorgen · sein Schäfchen scheren · sein Schiffchen aufs Trockene bringen · plusmachen · einen Schnitt machen · sich gesund machen, stoßen · Seide spinnen ❡ ansammeln · sich bemächtigen · sich bemeistern · einsäckeln erfassen · ergreifen · erheben · erobern · gelangen zu · überkommen · zusammenscharren ❡ abwerfen · einbringen · eintragen · (sich) lohnen · rentieren · tragen · zum Vorteil gereichen · herauskommen, -springen · es steht dafür (östr.) · ist der Mühe wert · macht sich bezahlt · zahlt sich aus · der Artikel geht gut · in den Schoß fallen · eingehen · einkommen · einlaufen · zufallen, -fließen · die Kasse füllen · Zinsen tragen · die Zinsen laufen auf · ins Eigentum übergehen · zum Nutzen gereichen · Gewinn bringen ❡ besetzen · erbetteln · erschleichen · erschmeicheln ❡ ausnützen · kapitalisieren · vermehren · wiederbekommen · wiederkriegen · zurückerhalten ❡ dankbar · einträglich · ergiebig · ertragreich · gewinnbringend · hochverzinslich · lohnend · lukrativ · rentabel · verdienstlich · vorteilhaft ❡ Empfänger · Erbe · Gewinner · Schwerverdiener · Nutznießer · Pfründner · Rentner ❡ Goldgrube · Kapitalsanlage · Kassenmagnet · Kassenstück · Tip · (das ist) ein Geschäft ❡ Aufschwung · Goldregen · Hausse · (gute) Konjunktur · Monopolstellung · Prosperität · die sieben fetten Jahre ❡ Besitznahme · Errungenschaft · Erwerb · Geld · Geschäft · Gewinn · Gewinnvortrag · Nutzen · Profit · Rendite · Sammlung · Verdienst · Vorteil ❡ Bergegeld · Finderlohn · Rückgabe · Wiedererstattung ❡ Agio · Anfall, z. B. Gemüseanfall · Ausbeute · Beute · (das tägliche) Brot · Einkommen · Einnahme · Ernte · Erträgnis · Ertragsfähigkeit · Ertrag · Erzeugnis · Existenz · Frucht · Herbst · Kapitalertrag · Lebensstellung · Lebsucht · Nebenverdienst · Rein-, Rohertrag · Schnitt ❡ Erbschaft · Legat · Nachlaß · Vermächtnis · Rentabilität · Zugang.

6. Wegnehmen. *s. 4. 30. Beförderung 8. 3. stehlen 18. 9.*

abpressen, -jagen, -nehmen · abservieren · sich aneignen · annektieren · ausplündern, -filzen, -fisseln (= bis in die letzten Taschen ausrauben), ausbeuten, -powern, -rauben, -saugen, -ziehen · sich bedienen · beschlagnahmen · sich bemächtigen · besteuern · einbehalten · einkassieren · sich einverleiben · einstecken · enteignen · enterben · entziehen · brandschatzen · berauben · entsetzen · erfassen, -greifen, -heben, -raffen, -pressen · fassen · fouragieren · greifen · herausfischen · kapern · konfiszieren · kürzen · nehmen · packen · pfänden · plündern · rauben · an sich bringen, reißen · säkularisieren · sammeln · schnappen · schröpfen · sequestrieren · requirieren · rupfen · sozialisieren · sich einer Sache versichern · sich verschaffen, verpassen (milit.) · wegsteuern · sich zueignen, -legen · zugreifen · in Sicherheit bringen · an die Kette legen · abspenstig machen · mit Beschlag belegen · in bäuerlichen Besitz überführen · Hand legen auf · bluten lassen · das Fell über die Ohren ziehen · nehmen, was nicht niet- und nagelfest ist · schlagen (beim Brettspiel) · Konten einfrieren · stechen, trumpfen ❡ Beute · Fischzug · Prise · Raub · Sperrmark ❡ das Betreiben · der Zugriff · Annexion · Wegnahme · Gewinnabschöpfung · Steuer · Zoll.

7. Habsucht. *s. zu viel 4. 22. sammeln 4. 29. Wunsch 11. 36. Wettbewerb 16. 70. betrügen 16. 72; 18. 8. Selbstsucht 19. 7.*

ran an den Fettnapf der Welt! · raffen · ramschen · wuchern · hat eine gute Natur, einen guten Magen · stirbt nicht an Herzbrechen · er nimmt's vom Lebendigen · Alles für die Firma! · ist vom Stamme Nimm · sein Ich nicht vergessen · seinen

Vorteil wahren · ist vom Stamme jener Asra, die gern erben, wenn sie lieben ·
hat ein einnehmendes Wesen ¶ geschäftstüchtig · gierig · habsüchtig · happig ·
gemein · lüstern · schäbig · schofel · bestechlich (*s. kaufen 18. 22*) ¶ Blutsauger ·
Egoist · großer Geschäftsmann · ein guter Rechner · Halsabschneider · Imperialist ·
Krawattenmacher · Kriegsgewinnler · Leuteschinder · Mammonsknecht · Nimmersatt · Profithyäne · Vampir · Volksschädling · Wucherer ¶ die Monopolherren ·
Reunionskammer ¶ Tanz ums goldene Kalb · Pan- · -ismus · Besitzwille · Erwerbssinn · Geldgier · Geschäftsgeist · Gewinnsucht · Habgier · Habsucht · Raubbau · Staatsraison · Heim ins Reich.

8. Prellen. *s. täuschen 13. 51. betrügen 16. 72.*

äffen · einem etwas andrehen · anschmieren · befilzen · begaunern · behumpsen ·
bejauchen · beluchsen · bemeiern · bemogeln · berücken · bescheißen ·
beschmeißen · belöffeln · belemmern · bemopsen · beschnellen (Bürger) ·
beschmuggeln · benachteiligen · beschummeln · beschwindeln · beschupsen ·
betrügen · betimpeln (preuß.) · bewuchern · bluffen · einseifen · einwickeln ·
fangen · flachsen · fuckeln · hereinlegen · hintergehen · hochgehn lassen · hochnehmen · irreführen · lackieren · lackmeiern · lausen · leimen · mauscheln · narren ·
nasführen · neppen · prellen · täuschen · überfordern · überhalten · überlisten · übernehmen · überteuern · übertölpeln · übervorteilen · zudecken · verkürzen ·
pritschen · rupfen · schieben · umgarnen · über den Gänsdreck führen (hess.) · über
den Löffel barbieren · übers Ohr hauen · Schmu machen · dumm machen · an der
Nase herumführen · jmd. einen Possen spielen · auf die Schippe nehmen · blau
anlaufen lassen (schwäb.) · das Fell über die Ohren ziehen ¶ beim Kartenspiel:
lümpelen (schweiz.) · morgenländern (preuß.) ¶ etwas abgaunern · abheucheln ·
ablisten · ablocken · abluchsen · abschwindeln · ergaukeln · ergaunern ·
erschleichen · erschwindeln · herauslocken · unterschlagen · verschieben · veruntreuen ¶ *pass.:* auflaufen · aufsitzen · reinrasseln · der Dumme sein · das Nachsehen haben ¶ Defraudant · Gauner · Hochstapler · Spitzbub · Beutelschneider ·
Schieber · Schwindler · Wucherer · Bauernfänger · Heiratsschwindler · Schlepper ·
Wechselreiter ¶ Durchstechereien · Machenschaften . Nep(p) · Plagiat· Schiebung ·
Schmu · Transaktion · Unterschleife · ungedeckter Scheck.

9. Stehlen. *s. Betrug 16. 72. Verbrecher 19. 8.*

abhängen · abknöpfen · sich etw. aneignen · atern · ausdrehen · ausführen · ausspannen · sich beibiegen · besorgen · diebsen · entwenden . fleddern · ganfen ·
kapern · klauen · klemmen · krampfen · kratzen · leihen · mausen · mopsen ·
naschen · organisieren · paschen · rollen (mil.) · schnipfen · schnipsen · schnucken ·
stehlen · stemmen · stenzen · stiebitzen · stippen · stremmen · strenzen · stripsen ·
unterschlagen · englisch kaufen · wiedererkennen · wegpraktizieren · beiseite
bringen · den böhmischen Zirkel machen · mitgehen heißen · es nicht so genau
nehmen · hat klebrige Finger · lange Finger machen · mein und dein verwechseln ·
verschwinden lassen · mit etwas durchbrennen · sich zu Gemüte ziehen · wie ein
Rabe · wie eine Elster ¶ *transitiv:* jmd. bestehlen · bezupfen (einen Schlafenden) ·
erleichtern ¶ *pass.:* verplatzen (alem.) · uff aamal stehe zwei da (südd.) · kriegt
Beine ¶ diebisch · naschhaft · angrifflich ¶ Dieb · (Fahrrad- usw.)-Marder · Einbrecher · Fassadenkletterer · Fledderer · Hotelwanze · Flatterfahrer (Wäschedieb) ·
Kleptoman · Naschkatze ¶ Apache · Freibeuter · Klingelfahrer · Korsar · Dieb ·
Bandit · Brigant . Einbrecher · Flibustier · Marodeur · Räuber · Strolch · Wege-
lagerer, Buschklepper · Pirat, Seeräuber · Rinaldo Rinaldini · Schinderhannes

¶ Reunionskammern ¶ Annexion · Diebstahl · Kleptomanie · Mundraub · Nachdruck (bei Büchern) · Plagiat · Raub · Sanktion . Unregelmäßigkeiten ¶ Faustrecht · Korruption.

10. Sparsamkeit, behalten. *s. sammeln 4. 28. Bescheidenheit 11. 47.*

bei Heller und Pfennig · Daumen auf dem Beutel ¶ abknapsen · einsparen · erübrigen · sich einrichten, sich einschränken · festhalten · hungern für · kontingentieren . rationalisieren · knappen ¶ abbauen · haushalten · schonen · sparen · thesaurieren · magazinieren · wirtschaften · zurücklegen · zu Rate halten · sich nach der Decke strecken · jeden Groschen dreimal umdrehen · den Pfennig ehren · Ausgaben kontrollieren · auf die Seite, auf die hohe Kante legen · sich am Mund absparen · ratsam umgehen mit . krumm liegen · den Schmachtriemen enger schnallen · seine Sache zusammenhalten ¶ achtsam · genügsam · haushälterisch · mäßig · schlicht · sorgsam · wirtschaftlich · altpreußisch · puritanisch · spartanisch ¶ guter Wirt · Sparkommissar ¶ Ein-, Rücklage · Sparstrumpf · Sparkasse · Michele (Rücklage vom Haushaltsgeld der Frau, schwäb.) ¶ Abbau · Ersparnis · Drosselung der Ausgaben · Hausmannskost · Rückstellungen · Sperrstunde, Stromsperre.

11. Geiz. *s. wenig 4. 24. Menschenhaß 11. 63.*

bei mir Molière: der Geizige · geizen · kargen · knausern · hamstern · horten · schmorgen · jmd. kurz halten · aus'm Läppche ins Düchelche wickeln · ist nicht von Gebestoff · stiefmütterlich behandeln · sitzt auf dem Geld ¶ dreckig · filzig · geizig · genau · genißlig (schles.) · hungrig · knauserig · knickerig · kniepig (bergisch) · knietschig · lumpig · poplig · ruppig · schäbig · schmutzig · schofel ¶ Egoist · Filz · Geizdrache, -hals, -kragen, -teufel · Knicker · Kümmelspalter · Harpagon · Mann mit zugeknöpften Taschen · Pfennigfuchser · Nassauer *s. umsonst 18. 29* ¶ Geiz · Pfennigfuchserei.

12. Geben. *s. bewirten 2. 26. helfen 9. 70. gastlich 16. 64. zahlen 18. 26. anbieten 16. 22.*

abtreten · anbieten · aufwarten mit · aushändigen · aushelfen · ausstatten · austeilen, aussetzen · jmd. aushalten · beglücken mit · behändigen · bescheren, beschenken, bedenken · beisteuern · bewilligen · bewirten mit · bieten · darreichen · sich einer Sache begeben · dotieren · einhändigen · einräumen · finanzieren . gewähren · gönnen · herausrücken · hergeben · hinterlassen · kredenzen · sich entäußern · freihalten · liefern · opfern · regalieren · sanieren, stützen · schenken · spenden · spendieren · stiften · traktieren · überlassen · überreichen, überantworten, übereignen, übergeben, übermachen, überschreiben, überweisen, überraschen mit · verehren · verleihen · verabfolgen · versehen · versorgen mit · teilen · weihen · widmen · vermachen, vererben, verschreiben · unterstützen · widmen · zedieren · zuschießen . zubuttern · zueignen · zuteilen · zuwenden · zuschanzen · zustecken · zum besten geben · unter die Arme greifen · über Wasser halten · angedeihen, zukommen lassen · in die Hand drücken · sich an etwas beteiligen ¶ Erblasser · Geber · Gönner . Goldonkel · Mäzen · Spender · Stifter · Wohltäter ¶ Eintopf · Straßensammlung ¶ Almosen · Andenken · Angebinde · Aussteuer · Beihilfe · Beisteuer · Brautausstattung · Deputat · Douceur · Dreckelche (hess.) · Freitisch . Gabe · Geschenk · Konzession · Liebesgabe · Mitbringsel · Mitgift · Morgengabe · Opfer · Spende · Zuweisung · Stipendium · Subvention · Tribut · Trinkgeld · Zuschuß . Zuteilung · Zuwendung ¶ Bodenreform · Kommunismus.

13. Freigebig. *s. Menschenliebe 11. 51.*

zahlt gut · gönnt andern auch etwas · hat eine offene Hand · läßt was draufgehn · hat offenes Haus · mit vollen Händen geben · Geld unter die Leute bringen · läßt sich nicht lumpen · reichlich bemessen . läßt etwas springen · aus dem Vollen wirtschaften · es ist nicht wie bei armen Leuten · eine Lage, eine Runde schmeißen, auffahren lassen, einen ausgeben · regalieren · traktieren · führt ein großes Haus · offene Küche · spart nicht mit Trinkgeldern · ist in Gebelaune ⁋ barmherzig · freigebig · fürstlich · gastfrei · gastlich . gastfreundlich · gebisch · gebschnitzig · großmütig · hilfsbereit· hochherzig · königlich · mildtätig · nobel · spendabel · splendid · opulent · wohltätig ⁋ Amphitryon ⁋ Bequemlichkeit · Komfort · bei mir Kavalier: immer auf großem Fuß.

14. Verschwendung.

aasen mit (nordd.) · durchbringen · prassen · protzen · schlemmen · schwelgen · veraasen, -bumfiedeln, -buttern, -geuden, -hauen, -jubeln, -jucken, -juxen, -kitzeln, -kümmeln, -läppern, -möbeln, -plempern, -posamentieren, -pulvern, -putzen, -schleudern, -schustern, -schwenden, -tun, -wichsen, -wirtschaften · das Geld wegschmeißen, auf die Straße, zum Fenster hinauswerfen, durch den Schornstein, die Gurgel jagen · auf den Kopp wichsen · das Geld an den Mann bringen · hat gar einen starken Leibzoll · lebt auf großem Fuß, in den Tag hinein, in Saus und Braus, über seine Verhältnisse · da geht es hoch her ⁋ fürstlich · liederlich · protzig · verschwenderisch · unsolid · sybaritisch · luxuriös · üppig ⁋ Wüstling · breite Natur (russ.) · Bruder Liederlich · Luftikus · Bruder Lustig · verlorener Sohn · Suitier · Schlemmer · Genießer ⁋ Aufwand · Eskapade · Extratour ⁋ Extravaganz · Kohlenklau · Luxus.

15. Verlust. *s. abwesend 3. 4. weniger 4. 5. Unglück 5. 47. Schaden 9. 50. entsagen 9. 20; 16. 110. Mißerfolg 9. 78. arm 18. 4. Bankrott 18. 19. Vergleich, Kompromiß 19. 17. nie 6. 5.*

ade! · adieu! · lebe wohl! · auf Nimmerwiedersehen! · heidi · laß fahren dahin · ach du lieber Augustin ⁋ abschreiben · drumkommen · einbüßen · entbehren · loswerden · verlegen · verlieren · vermissen · verscherzen · verschwenden · verspekulieren · verspielen · verwetten · verwirken · zusetzen · zu kurz kommen · leer ausgehen · Schaden erleiden · in den Schornstein schreiben · Nachteil, Verluste haben · zu kurz kommen · ist der Dumme · aufkommen, herhalten müssen . muß entraten · Blut, Federn, Haare lassen · hängen bleiben · teuer(es Lehrgeld) bezahlen · in den Mond gucken · durch die Finger schlüpfen lassen · ans Bein streichen, binden · verloren geben · etwas los sein · den Letzten beißen die Hunde ⁋ wegkommen . zerrinnen · flöten gehen · draufgehen · abgehn · abstinken (österr.) · abhanden kommen · durch die Finger gehen · in die Brüche, Binsen, Wicken gehen · entwertet werden ⁋ die haben wir gesehen · das war einmal · ist dahin, fort, futsch, futschicato, heidi, hin, hops, weg · die Felle sind weggeschwommen · das ist de Katze (hess.) ⁋ beeinträchtigen · berauben · entblößen · entziehen · konfiszieren · plündern · schädigen . wegnehmen ⁋ arm · besitzlos ⁋ abgängig (österr.) ⁋ unersetzlich · unrettbar unwiederbringlich · verloren · verlustbringend · verlustreich ⁋ der Leidtragende · der Dumme · der hl. Antonius ⁋ Fundbüro ⁋ Inflation · Notenpresse ⁋ Abgang · Abschreibungen · Armut · Ausfall · Darangabe · Defizit · Disagio · Diskonto · Einbuße · Entbehrung · Entwährung · Entwertung · Fehlbetrag · Nachteil · Rabatt · Schaden · Unterbilanz ·

Untergang · Verderben · Verfall · Verlust · Verminderung · Zusammenlegung · Zusammensturz · dubiose Forderungen · eingefrorene Kredite ¶ Ächtung · Konfiskation · Raub · Vertreibung · Wegnahme.

16. Verleihen. *s. Mut 11. 38. leichtgläubig 12. 25. Bankwesen 18. 30. Forderung 19. 22.*

anlegen · anvertrauen · ausborgen · aushelfen · ausleihen · auspumpen · belehnen mit · sich beteiligen · borgen · einsteigen (Börse) · festlegen · herleiten · investieren · kreditieren · lehnen · leihen · prolongieren · unterbringen · verborgen, -leihen, -mieten, -pumpen, -pachten · vorlegen· vorschießen · vorstrecken · wuchern · Konto eröffnen ¶ beleihen · auf Borg geben · Kredit geben, gewähren · zu Gunsten setzen, stellen · in Verrechnung bringen, stehen · auf Konto stellen · belasten · ein offenes Konto geben, halten · auf Rechnung, Zeit geben · das Geld stehen, arbeiten lassen · Außenstände haben ¶ ausstehen · zu Buche stehen ¶ umschulden ¶ Blutegel · Blutsauger · Geldeintreiber · Geldgeber · Geldverleiher · Gläubiger · Mahner · Manichäer · Schuldforderer · Vampir · Wucherer · Kreditoren ¶ Pfandhaus, -leihe · Leihhaus · Bank · Kreditanstalt ¶ Aktiva · Außenstände · Bankguthaben · Darlehen · Forderung · Guthaben · Haben, Kredit · Hypothek · Kapital · Kapitalanlage · raffendes, schaffendes Kapital ¶ Anspruch · Entlastung · Gutschrift · Löschung · Schuldbrief · Schuldschein · Zeitgeschäft ¶ Interessen · Zins · Prozentsatz · Zinsfuß ¶ Akzeptationskredit · Blankokredit · Bodmerei · Buchkredit · Kreditbrief · Krediteröffnung · Moratorium · Wechselkredit · offener Kredit · Finanzierung.

17. Entleihen. *s. bitten 16. 20.*

akkreditieren · um etwas angehen · anpumpen · ausborgen · ausleihen · aufnehmen · borgen · entlehnen · jmd. erschlagen um (stud.) · heuern · leihen · mieten · pachten · pumpen · dingen · erborgen · Verbindlichkeiten eingehen · Schulden machen · verschulden · in Schulden geraten · im Rückstand bleiben · sein Konto überziehen · in Verzug geraten · Verpflichtungen, Bürgschaft übernehmen · Gelder, Kapitalien aufnehmen · eine Hypothek aufnehmen · Darlehen, Kredit nehmen · aufschreiben, ankreiden lassen · auf Borg, Pump, Rechnung nehmen ¶ schulden, im Rückstand sein, in der Kreide stehen · in Schulden stecken · bis über die Ohren, über Hals und Kopf verschuldet sein · hat Schulden wie ein Stabsoffizier ¶ rückständig · schuldig · überschuldet · verschuldet ¶ haftbar · verantwortlich (für) ¶ unbefriedigt · unbezahlt ¶ Geldaufnehmer · Mieter · Schuldenmacher · Schuldner · Wechselaussteller · Wechselreiter · fauler Kunde · Debitoren ¶ Anforderung · Faustpfand · Pfand · Geldschuld · Hypothek · Obligo · Passiva · Rechnung · Rückstand · Schuld · Schuldforderung · Soll, Debet · Überschuldung · Verbindlichkeiten · Verpflichtungen · Verschuldung · schwebende Schuld ¶ Anleihe · Darlehen · Debetsaldo · Lehen · Schuldbetrag · Schuldbrief · Schuldkonto · Schuldrechnung, -schein · Schuldsumme · Schuldverschreibung · Ratenzahlung (auf Stottern) ¶ Borg · Leihgabe · Überwucherung · Wucher · Zehent · Zins.

18. Zurückerstatten. *s. Dankbarkeit 11. 54. Vergeltung 16. 80. bezahlen 18. 26.*

ablösen · abstatten · amortisieren · ausgleichen · ausliefern · begleichen · berichtigen · einlösen · entgelten · entschädigen · ersetzen · erstatten · erwidern · freigeben · retournieren · tilgen · ordnen · vergelten · vergüten · wettmachen · wiedergeben · wiedergutmachen · zahlen · zurückbringen · zurückstellen · Ersatz leisten · schadlos halten · sich erkenntlich zeigen ❡ auslösen · loskaufen · ranzionieren · wiedererlangen · zurückbekommen · aus den Klauen lassen · Schulden annullieren · seinen Verpflichtungen nachkommen · Zahlung leisten ❡ wieder eingehen, einkommen · aus-, wegbuchen ❡ Berichtigung · Buße · Deckung · Entschädigung · Ersatz · Gegenrechnung · Nachnahme · Restauration · Rückfall · Rückgabe · Rücksendung · Rückwechsel · Rückzahlung · Vergeltung · Vergütung · Wiederherstellung · Zurückgabe · Finderlohn ❡ Amortisation · Loskauf · Quittung · Wiederkauf · Entschuldungsaktion.

19. Bankrott. *s. Gefahr 9. 74 mißlingen 9. 78.*

i. L. (in Liquidation) ❡ auffliegen · durchbrennen · umschmeißen · umwerfen · die Zahlung unterlassen, verweigern · den Posten nicht decken, nicht anerkennen · einen Posten offenstehen lassen · seinem Gläubiger aus dem Wege gehen · mit leeren Worten abspeisen · auf später vertrösten · den Zahltag verschieben · die Zahlungen einstellen · um Stundung einkommen · sich gegen Zahlung sträuben, sperren · nichts herausrücken wollen · die Hand in der Tasche halten · den Beutel, die Brieftasche nicht öffnen wollen · Rechnungen, Schulden in den Schornstein schreiben · Konkurs anmelden, ansagen · ist pleite, machule, fallit (schweiz.) · unter Geschäftsaufsicht · hat Störchle auf'm Dach · der Pleitegeier sitzt auf dem Dach · sitzt in der Tinte · muß die Bude zumachen · die Schalter schließen · hops gehen · ist in der Bredouille · ist geplatzt, kaput, nicht mehr sicher, erledigt · hat eingemacht · er steckt, es steht faul (mit ihm) ❡ rückständig · säumig · uneinbringbar · uneinlösbar · uneintreibbar ❡ bankrott · verschuldet · zahlungsunfähig ❡ Bankbrüchiger · Durchbrenner · schlechter Schuldner · säumiger, unverläßlicher Zahler · unsicherer Kantonist · fauler Kunde · ein ruinierter, toter Mann ❡ Zwangsverwalter · Stillhaltekommission ❡ schlechtes, wertloses Papier · Makulatur · nicht eingelöster, protestierter Wechsel · ungedeckter Scheck · ungedecktes Konto · faule, uneintreibbare Schuld · Defizit ❡ Ausverkauf · Bankerott · Dalles · Devalvation · Einsturz · Fiasko · Flaute · Gant · Geschäftsaufsicht · Inflation · Konkurs · Krach · Moratorium · Offenbarungseid · Osthilfe · Pleite · Protest · Stundung · Umschuldung · Zahlungsaufschub · Zahlungseinstellung · Zahlungsunfähigkeit · Zahlungsverweigerung · Zusammenbruch · Zwangsversteigerung · schwarzer Tag · Vergleichsverfahren · Mangel an Deckung, an Masse · Konkursmasse · Ablehnung, Nichtanerkennung der Zahlung.

20. Tausch. *s. Vertauschung 5. 28. Wechselwirkung 9. 71. Verkauf 18. 23. Bezahlung 18. 26.*

sich abfinden · austauschen · auswechseln · einhandeln · sich einigen · eintauschen · feilschen · handeln · kaufen · kaupeln · kietern · makeln · markten · schachern · spekulieren · tauschen · umsetzen · umtauschen · umwechseln · unterhandeln · verhandeln · vermitteln · vertauschen ❡ Geschäfte machen · Handel treiben · einen Handel, Kauf abschließen, betreiben · in Geschäftsverbindung stehen · in Rechnung stehen mit · ein Konto eröffnen · ein Angebot machen · den Markt drücken, verteuern · zum Abschluß gelangen · handelseins werden ❡ geschäftlich · kaufmännisch · kommerziell · krämermäßig · spekulativ ❡ umsetzbar · veräußerlich ❡ Börse · Markt · Umschlaghafen, -platz ❡ Ausgleich · Austausch · Entgelt · Ersatz · Gegenleistung · Lohn · Naturaltausch · Tausch · Umtausch · Wechsel · synallagmatischer Vertrag ❡ Absatz · Beschäftigung · Betrieb · Geschäft · Gewerbe · Handel · Handwerk · Krämerei · Kundschaft · Spekulation · Tauschhandel · Umsatz · Umschlag · Unternehmen · Verkehr · Vertrieb ⁊ Ausfuhr · Auslandshandel · Außenhandel · Bezug · Binnenhandel · Einfuhr · Export · Fernverkehr · Freihandel · Heimbetrieb · Import · Inlandverkehr · Küstenhandel · Manchestertum · Versand · Zwischenhandel ⁊ Handelskonvention · Meistbegünstigung · Schutzmarke · Zollvertrag.

21. Geld.

hier (mit Geste des Geldaufzählens) · hast du auch ordentlich Zorn in de Hose? (hess.) ⁊ gelten · umlaufen · Geltung haben · in Kurs, Umlauf sein ⁊ ausprägen · drucken · münzen · prägen · schlagen · stabilisieren · ummünzen · umprägen · umsetzen · in Umlauf bringen, setzen · umlaufen lassen · flüssig machen ⁊ abstempeln · aufrufen · diskreditieren · einschmelzen · einziehen · entwerten · verrufen · außer Kurs setzen ⁊ finanziell · fiskalisch · geldlich · monetär · pekuniär ⁊ gangbar · kurant · laufend · paritätisch · vollwertig · vollwichtig ⁊ beschnitten · geringhaltig · minderwertig ⁊ münztechnisch · numismatisch ⁊ bar · flüssig ⁊ Falschmünzer · Kipper · Münzfälscher · Wipper ⁊ Münzenkenner · Münzensammler · Numismatiker ⁊ *Geldeswert:* Feingold · (Geld-)Schein · Banknote · Geldzeichen · Goldbarre · Kurant · Silberstange · Tauschmittel · Umsatzmittel ⁊ Amüsierschoten · Asche · Auskneifer · Bilder · Bims · Blech · Draht · Dukaten · Eier · Flachs (Wiener Rotw.) · Goldfüchse · Gori (Karlsr.) · Käse · Keschkesch · Kies · Klamotten · Klötze · Knöpfe · Koks · Kullerchen · Kröten · Lachs (mitteldt.) · Lametta · Lappen · Leim · Linsen für die Plinsen · Löschpapier fürn Durst · Märker (Berl.) · Mammon (bibl.) · die Mittel · Moos (rotw. stud.: hebr. ma'ôth = kleine Münzen) · Mumm (rotw.) · Mesumme (rotw.: hebr. mesummân = bar) · Moneten (stud.) · Möpse (Kundenspr., stud.) · klingende Münze · Nervus o jerum · nervus rerum, nervus Peking (rotw.: lat. pecunia?) · nervus Plenny (rotw.: engl. plenty) · Pferdchen im Stall · Pillen · Pinkepinke (rotw.) · Pinunzje (sächs. poln.) · Nickel · Pulver · Qualm · Rosinen · Schiefer (Wiener Rotw.) · Spagat (Wiener Rotw.) · Sporusrassel · Spauz · Steine · Streusand · Torf (rotw.: hebr. teref = Beute, Raub) · Zahlungsmittel · Zaster (rotw.: zigeunerisch sáster = Eisen) · Zechinen · Zimmt · Zunder · Zwirn · das nötige Kleingeld ⁊ Bargeld · Geld · Geldrolle · Geldstück · Gold · Hartgeld · Kleingeld · Kupfergeld · Münze · Nickel · Papiergeld · Scheidemünze · Silbergeld ⁊ Haushaltungsgeld · Heckpfennig · Lehngelder · Mutterpfennig · Nadelgeld · Taschengeld · Zehrpfennig ⁊ Barschaft · Barvermögen · Betrag · Deckung · Fonds · Grundstock · Gut · Kapital · Betriebs-, Grund-, mobiles Kapital · Kasse · Kassenbestand · Masse · Posten · Satz · Schatz · Summe · Überschuß · Vermögen · Zinsen ⁊ Scheck · Wechsel *s. 18. 30* ⁊ Batzen · Cent · Centime · Rappen · Denar · Deut · Dollar · Drachme · Dreier · Dublone · Franc · Goldfrank · der Franken, Stein (schweiz.) · Friedrichsdor · Goldstück · Groschen · Grot · Guinea · Gulden · Heller · Kreuzer · Krone · Lira · Louisdor · Mark, Emm, Meter · Napoleonsd'or · Nickel · Para · Pengö · Penny · Peseta · Peso · Pfennig · Pfund · Piaster · Pistole · Reichstaler · Rubel · Scherflein · Schilling · Sechser · Sovereign · Speziestaler · Sterling · Stüber · Taler · Yen · Zloty · blauer Lappen usw. ⁊ Devisen · fremde Sorten · Zahlungsmittel ⁊ Denkmünze · Medaille · Krönungs-, Siegestaler usw. ⁊ Bildseite · Gegenseite · Gepräge · Kehrseite · Kopfseite · Prägung · Rückseite · Schriftseite ⁊ Münzenkunde · Numismatik ⁊ Währung · Deflation · Doppelwährung · Feingehalt · Gehalt · Geltung · Gewicht · Goldwährung · Kaufkraft · Korn · Kurs · Einheits-, Kassakurs · Münz-

fuß · Münzwert · Devalvation · Schrot · Silberwährung · Valuta · Wert · „Geld" ·
„Brief" ⁊ Finanzen · Münze · Notenpresse · Papierwirtschaft · Notenumlauf ·
Inflation · Falschgeld · Assignaten · Überhang ⁊ Geldschrank · Geldschrein ·
Kasse · Kasten · Kiste · Lade · Lohntüte · Schatzkammer · Schließfach, Safe ·
Spind · Tresor ⁊ Beutel · Brieftasche · Börse · Brustbeutel · Geldbeutel · Geld-
katze · Leibgurt · Portemonnaie, Portjuchheh · Sack · Schatulle · Sparbüchse,
-strumpf · Tasche · Depot ⁊ Bank · Börse · Fiskus · Rentamt · Rentkammer ·
Schatzamt · Sparbank · Sparkasse · Staatsschatz · diebessichere, feuerfeste
Kasse ⁊ Steuererklärung.

22. Kaufen. *(Boykott s. 4. 49). bezahlen 18. 26.*

abkaufen · abhandeln · abnehmen - (an)stehn nach · aufkaufen · auftreiben · bestellen · beziehen · einhandeln · einführen, einkaufen · sich eindecken · einkleiden · einsteigen (Börse) · hamstern · ergattern · erstehen, erhandeln, ersteigern, erwerben · Schlange stehen ⁊ bestechen · schmieren · Karte lösen, nehmen · sich leisten · sich etwas sichern · sich verschaffen · sich zulegen · stehen,
z. B. Butter · (ein)holen · Besorgungen machen · eine Zeitung halten, abonnieren ·
den Bedarf decken · sich aufhängen lassen ⁊ feil · käuflich ⁊ Abnehmer ·
Abonnent, Dauer-, Platzmieter · Besteller · Bezieher · Auf-, Einkäufer · Käufer ·
Kunde · Stamm- und Laufkunde. — Hamster(er) · Einkaufsgenossenschaft ⁊ Brotmarke usw. ⁊ Kauf · Nachfrage · Einfuhr, Import ⁊ Gestehungskosten · Preis ·
Lebenshaltungskosten.

23. Verkauf. *s. Markt 18. 25.*

abfahren mit · abgeben, -lassen, -schaffen, -setzen, -stoßen · anbieten · andrehen ·
aufgeben · aufhängen, -schwätzen · auflösen · ausbieten · ausführen · ausschenken · auswiegen · beliefern · einführen · feilbieten, feilhalten · hausieren · her-,
hingeben · hökern · kolportieren · liefern · liquidieren · losschlagen · loswerden ·
räumen · realisieren · reisen in · umsetzen · unterbringen · valorisieren · veräußern, -fuggern (pfälz.), handeln, -hökern, -kaufen, -kitschen, -kloppen, -ram-
schen · -kümmeln, -schachern, -schallern (Leipzig), -scheuern, -steigern · versilbern · vertreiben · verwerten · an den Mann bringen · zu Geld machen · auf
den Markt werfen · Geschäft errichten · hinter der Theke stehen · den Markt
überschwemmen · sich niederlassen · Anleihe auflegen ⁊ unter den Hammer
kommen · geht · geht gut · geht ab (wie Butter, wie warme Semmeln) · es
flutscht ⁊ begehrt · feil · gangbar · gefragt · gesucht · verkäuflich *(s. begehren
11.36)* ⁊ wird mit Gold aufgewogen ⁊ flau · schwer anzubringen · unverkäuflich ⁊ Fakturist · Fragner · Geschäftsmann · Greisler · Grießkrämer · Grossist ·
Hausierer · Händler, Groß-, Klein-, Kurzwaren-, Schnittwaren-, Viktualien-, Weiß-
waren-, Zwischenhändler · Höker · Hökerin · Kaufherr · Kaufmann · Kolporteur ·
Kornwucherer · Krämer · Ladenbesitzer · Ladnerin · Lagerist · Lieferant ·
Marketender · Prokurist · Rayonchef · Roßkamm · Schacherer · Spekulant ·
Trödler ⁊ Ausfuhrhändler · Börsenmakler · Exporteur · Geldverleiher · Geld-
wechsler · Getreidemakler · Güterbestätter · Häusermakler · Importeur · Jobber ·
Makler · Spediteur · Vermittler · Versandhaus · Vertreter ⁊ Preis · Erlös · Kata-
log-, Angebot-, Kurs-, Liebhaber-, Markt-, Nennwert ⁊ Katalog · Liste · Tarif ·
Verzeichnis ⁊ Ausverkauf · Auktion · Gant · Großkampftag im Warenhaus X · Ge-
schäft · Handel · Inventur · Versand · Versteigerung · Vertrieb ⁊ Ramsch ·
Simonie · Schiebung · Transaktion ⁊ Absatz · Absatzgebiet · Ausfuhr, Export ·
Umsatz.

24. Ware *s. Erzeugnis 5. 39. Arbeitsergebnis 9. 32.*

Artikel · Serien-, Markenartikel · Erzeugnis · Fabrikat · Fracht · Gut · Güter · (Fracht-, Stück-) · Kram · Ladung · Stock · Vorrat · Ware · Kurz-, Schnitt-, Web-, Weiß-, Wirkware ⁊ Ladenhüter.

25. Markt, Börse. *s. Unternehmer 9. 21. Genossenschaft 16. 17.*

geschäftlich · kaufmännisch · merkantil ⁊ Ausschank · Bezugsquelle · Bude · Büro · Butike, Budike · Expedition · Geschäft · Geschäftslokal · Geschäftsstelle · Gewölbe · Handelsplatz · Haupt-, Nebenstelle · Kaufhalle · Kaufhaus · Kellerei · Kiosk · Konsum · Kontor · Krug · Laden · Markt · Schreibstube · Stand · Wagen (Bücher-, Gemüse-, Obst-) ⁊ Außenbörse · Bazar · Börse · Faktorei · Filiale, Zweiggeschäft, -niederlassung, -stelle · Freilager · Jahrmarkt · Lager · Lagerhaus · Magazin · Markthalle · Messe · Niederlage · Silo · Sortiment · Speicher · Stapelplatz · Warenhaus ⁊ Dult · Jahrmarkt · Kerb (hess.) · Kilbe · Kirbe · Messe · Senn · Trödelmarkt · Verwertungsstelle · Wiese · schwarzer Markt ⁊ Erwerbsleben · Schlachtfeld des Kapitals · City · Innenstadt · Hochbetrieb.

26. Bezahlung. *s. Belohnung 16. 42. Einnahme 18. 5. kaufen 18. 22. geben 18. 42. Rückzahlung 18. 18. Geld 18. 21. Sühne 19. 26.*

prae-, postnumerando ⁊ abfertigen, -finden -führen, -machen, -tragen · anweisen · aufbringen · aufkommen für · aufwenden · ausgeben · auslösen · begleichen (nordd.) · berappen · bereinigen · berichtigen · besolden · bezahlen · beitragen zu · (be-)streiten · bezahlen · blechen (rotw. Blech = Geld) · bluten · brauchen · decken · einzahlen · entlohnen · entrichten · erlegen · ersetzen · erstatten · herausrücken · herhalten · honorieren · peken (Wien: lat. pecunia) · rangieren · regeln · riewele (hess.) · die Sache ordnen · schmeißen (stud.) · streiten (Wien) · subventionieren · übermitteln · überweisen · verausgaben · vergüten · zahlen · zubuttern · zuschießen · Verbindlichkeiten · erfüllen Zahlung leisten · seinen Verpflichtungen nachkommen · Betrag auswerfen · Wechsel ausschreiben, einlösen, honorieren · Schulden tilgen · anweisen · in die Hand drücken · Geld hineinstecken · Kasse, Richtigkeit machen · schadlos halten · etwas springen lassen · den Beutel ziehen, tief in den Beutel greifen · es übernehmen · das Portemonnaie, das Scheckbuch zücken · die Berappungsarie · auf dem Hals haben · Konto ausgleichen, glattstellen · einen Betrag aussetzen · Scheck ausstellen · Dividende ausschütten · auswerfen ⁊ abtragen · stottern · auf Raten zahlen · auf lange Welle ⁊ betragen · sich belaufen auf · kosten · es macht · in summa ⁊ abknöpfen · brandschatzen · entsteißen · erpressen *s. betrügen 18. 8.* · hochnehmen · herausschlagen · kassieren · sammeln · veranlagen · Steuer erheben · eintreiben · sich an jmd. halten · jmd. betreiben, exekutieren, pfänden, vollstrecken ⁊ anschreiben · buchen · einschreiben · eintragen · erkennen auf · gutbringen · gutschreiben · liquidieren · nachnehmen · quittieren · verbuchen · in Rechnung stellen · verrechnen mit · sich bezahlt machen · in Anspruch nehmen · Schulden einklagen, eintreiben, einziehen · Außenstände, Rechnungen einfordern, präsentieren, vorlegen · Zahlungsbefehl schicken · einkassieren · Zahlung begehren, verlangen · den Empfang bescheinigen · Quittung ausstellen ⁊ Arbeitgeber · Brotgeber · Chef · Lohnherr · ⁊ Abfindung · Abgabe · Alimente · Almosen · Angeld · Aufwand · Ausgabe · Auslage · Beihilfe · Beisteuer · Beitrag · Bezahlung · Berappungsarie · Betrag · Betriebskosten · Bezüge · Diäten · Dividende · Douceur · Eingänge · Einkommen · Einkünfte · Einnahme · Entgelt · Ertrag · Erträgnis · Erwerb · Gabe ·

Gage · Gebühr · Gebührnis · Geschenk · Gratifikation · Gehalt · Gewinnst · Heuer · Honorar · das Inkasso · Blut-, Sündengeld, Judaslohn · Kosten · Löhnung · Lohn · Lösegeld · Maut, Oktroi · Mitgift · Pension, Ruhegehalt, Ruhegeld · Pfründe · Postauftrag · Profit · Provision · Prozente · Renumeration · Rendite · Rente · Rewach · Salär · Sold · Spende · Spesen · Sportel · Steuer · Rechnung · Stipendium · Subventionen · Tagegeld · Tantieme · Transfer · Trinkgeld · Bakschisch · Umlage · Unkosten · Unterhalt · Verdienst · Vergütung · Wartegeld · Zahlung · Zeche · Zoll · Zulage · Zuschuß ⁋ Abschlagszahlung · Abzahlung · Anzahlung · Quote · Rate · Teilzahlung · Vorauszahlung · Vorschuß · klingender Lohn, der klingende Erfolg · bargeldloser Verkehr ⁋ Notopfer · Zwangsanleihe · Schatzung · Steuerveranlagung ⁋ Einnehmer · Kassierer · Quästor · Rendant · Rentenverwalter · Rentmeister · Treuhänder · Schatzmeister · Verwalter · Zahlmeister ⁋ Grenzaufseher · Grenzwächter · Mautner · Steuereinnehmer · Zöllner ⁋ Finanz-, Steuer-, Zollamt · Kasse · Volkssolidarität · Zollschranke.

27. Teuer. *s. selten 4. 24; 6. 29. gute Qualität 9. 56. Habgier 18. 7. prellen 18. 8.*

viel kosten, machen · teuer kommen · läuft, reißt ins Geld · bringt unter Brüdern · „das kostet aber teuer" · kann man sich nicht leisten · kostet eine Stange Geld, einen schönen Batzen Geld, eine Kleinigkeit, einen Taler · daß einem die Augen übergehen · ist nicht zu bezahlen ⁋ aufschlagen · die Preise schnellen, ziehen an · sich erholen auf · die Börse steigt ⁋ (dr)aufschlagen · ausbeuten · neppen · rupfen · schröpfen · hochnehmen · den Preis hochtreiben · überfordern, übernehmen, übersteuern ⁋ überzahlen · sich bekaufen ⁋ happig · horrend · kostspielig · kostbar · teuer · unerschwinglich · fest · sage und schreibe · gepfeffert · sehr gefragt · über Kurs · Börse haussierend, befestigt, anziehend ⁋ Apotheke · Kurort ⁋ Pyrrhussieg ⁋ gesalzene, gepfefferte Rechnung, eiserne, hohe, unverschämte Preise · Liebhaber-, Luxus-, Schwarzmarktpreis ⁋ Aufpreis · Aufschlag · Zuschlag · Kriegszuschlag · Sondertarif ⁋ Geldschneiderei · Fremdenpreise · Preistreiberei · Wucher ⁋ Deflation · Hausse · Preiserhöhung · Teuerung.

28. Billig. *s. minderwertig 9. 60.*

unter der Hand · um ein Linsengericht, einen Pappenstiel · unter Preis · fast geschenkt · ohne Aufschlag · weil Sie es sind ⁋ kostet mich selbst so viel · niedrig stehen (Börse), unter pari · wenig, so gut wie nichts kosten · wird einem nachgeworfen · für en Appel und en Ei, für ein paar Trumpel, für eine Bagatelle, um ein Butterbrot · liegt schwach ⁋ abschlagen · heruntergehen · im Preise sinken · die Kurse bröckeln ab · schwächer liegen ⁋ ablassen · den Preis, Kurs drücken, nachlassen · verbilligen · verramschen · verschleudern · im Preis entgegenkommen · die Preise drosseln, senken ⁋ abdingen · feilschen · markten · (herunter)handeln · unterbieten · die Konjunktur ausnutzen ⁋ billig · ermäßigt · wie geschenkt · preiswert · wirtschaftlich · wohlfeil ⁋ flau · sehr stark angeboten · antiquarisch · zurückgesetzt · unversteuert · spottbillig · nachgebend · lustlos · schwach ⁋ Preisdrücker ⁋ Anstandsbrocken · Plunder · Ramsch · junge Aktien · Steuerkarte (im Theater) ⁋ Ramschgeschäft ⁋ Spottpreis · Schleuderpreis · großes Angebot · zivile Preise · Gelegenheit · Selbstkosten-, Gestehungs-, Höchst-, Vorzugspreis · Preisabbau, -stop, Preissenkungsaktion ⁋ Preisermäßigung · Nachlaß · Rabatt · (Di)skonto · Agio · Baisse · Dumping · Inventur, Ausverkauf · Zwangsversteigerung · Subhasta(tion) · weiße Woche · Woche · Nachsaison · Börse · abgeschwächt, flau, lustlos · fallende Tendenz.

29. Umsonst. *s. prellen 18. 8. schenken 18. 12.*

gratis (und franko) · für naß · um der schönen Augen willen · für nischt und wieder nischt · ohne Gegenleistung · au pair · um Gotteslohn · schwarz · für lau (westf.) · für Gott und gute Worte · frei Haus · ohne eigenes Opfer · à fond perdu ⁊ nassauern · schmarotzen · die Beine unter den Tisch strecken ⁊ schinden ⁊ leer ausgehen · in die Luft kucken · pour le roi de Prusse arbeiten · verdienen — klein geschrieben ⁊ frei · gebührenfrei · kostenlos · ehrenamtlich · unentgeltlich ⁊ Freiberger · Nassauer · Parasit · Schmarotzer · Schwarzhörer · blinder Passagier ⁊ Freitisch, -karte, -los, -schein, -umschlag · Belegexemplar · Muster ohne Wert · Zugabe ⁊ Unentgeltlichkeit.

30. Bankwesen. *s. Genossenschaft 16. 17. reich 18. 3. Geld 18. 21.*

auf Konto, zur Verrechnung · auf Rechnung · bargeldlos ⁊ anlegen · sich engagieren · fixen · limitieren · spekulieren · diskontieren · lombardieren · hinterlegen · zeichnen · konsolidieren · ein- und auszahlen · repartieren ⁊ auslosbar · festverzinslich · mündelsicher · kurzfristig · langfristig ⁊ Aktieninhaber · Aktionär · Bankherr · Bankier · Börsenspieler · Börsianer · Finanzier · Geldverleiher · Gründer · Jobber · Makler · Spekulant · Wechselreiter · Wechsler · Wucherer · die Kulisse ⁊ Handelswelt · Bank · Firma · Geschäft · Haus ⁊ Handelsvollmacht · Prokura (ppa) ⁊ Wechselstube · Sparkasse · Depositenkasse · Girozentrale · Kreditbank, -genossenschaft, -institut · Postscheckkonto · Börse · Privatbank ⁊ Aktie · Akzept · Altbesitz · Anlagewert · Anleihe · Anleihestock · Anweisung · Banknote · Bezugsrecht · (Börsen)Papiere · Bonus · Dividende · Effekten · Emission · Hypothek · Kuxe · Industriewerte · Kassenschein · Konsols · Koupon · Kreditbrief · Kriegsanleihe · Obligation · Prioritäten · Pfandbrief · Primawechsel · Reichsanleihe · Rente · Schatzanweisung · Scheck · Schuldschein, -verschreibung · Solawechsel · Sparkassenbuch · Staatspapier · Stempel · Talon · Titel · Tratte · Wechsel · Wechselstempel · unnotierte Werte · Wertpapier · Zinsleiste · Zinsschein ⁊ Bankauszug · Kurszettel ⁊ *Geldangelegenheit:* Berechnung · Bilanz · Budget · Finanzsache · Haushaltungsplan · Kostenanschlag · Rechnung · Schuld · Spekulation · Umsatz · Verbindlichkeit · ⁊ Agio · Aufgeld · Bankgeschäft · Banko · Buchführung · Diskont · Depot · Endossement · Giro · Hauptbuch · laufendes Konto · Kurant · Kurs · Lombard · Pari · Saldo · Übertrag, Latus ⁊ Konjunktur · Sicherheit · Spekulation · Versicherung · Termingeschäft · Transaktion · Wette · Wucher ⁊ Hausse · Baisse · Fälligkeitstermin ⁊ Bankfach, -gewerbe, -wesen · Finanzgeschäft · Finanzkunde · Kameralien.

19. Recht. Ethik

19. 1. Rechtschaffen
19. 2. Selbstlos
19. 3. Tugend
19. 4. Unschuld
19. 5. Reue, Besserung
19. 6. Reuelos
19. 7. Selbstsucht
19. 8. Unredlich
19. 9. Frevel
19. 10. Laster
19. 11. Schuld, Vergehen
19. 12. Beschuldigung
19. 13. Rechtfertigung
19. 14. Vertrag
19. 15. Bedingung
19. 16. Sicherheitsleistung
19. 17. Kompromiß
19. 18. Recht, Gerechtigkeit
19. 19. Gesetz
19. 20. Gesetzlosigkeit
19. 21. Unrecht
19. 22. Berechtigung
19. 23. Nichtberechtigung
19. 24. Pflicht
19. 25. Pflichtverletzung
19. 26. Sühne
19. 27. Gerichtsverfahren
19. 28. Richter, Anwalt usw.
19. 29. Polizei
19. 30. Freispruch
19. 31. Verurteilung
19. 32. Bestrafung
19. 33. Freiheitsstrafe, Gefängnis

1. Rechtschaffen. *s. gewissenhaft 9. 42. Tugend 19. 3.*

ein Mann, ein Wort. ℭ auf Ehre, Namen, Ruf halten · sein Wort einlösen, halten · etwas taugen · sein Versprechen gewissenhaft erfüllen · gewissenhaft, pflicht-gemäß, unparteiisch handeln, verfahren · gerade seinen Weg gehen, wandeln · auf sich halten · niemand zunahe treten · selbst dem Teufel sein Recht geben, lassen · streng seine Pflicht erfüllen, tun ℭ aufrecht · beständig · biderb · bieder-(sinnig) · billig · brav · echt · ehrbar · ehrenhaft, -fest, -wert · ehrlich · ehr-liebend · erprobt · fair · fest (und treu) · gediegen · gerecht · kernhaft · kernig · rechtlich · rechtschaffen · redlich · treu (und brav) · treudeutsch · unparteiisch · wacker · wertvoll · zuverlässig ℭ aufrichtig · glaubwürdig · lauter · loyal · natür-lich · offen · offenherzig · treuherzig · unverdorben · vertrauenswürdig · wahr · wahrheitsliebend ℭ achtbar · angesehen · anständig · charakterfest · deutsch · ehrenhaft · fehlerlos · fleckenlos · genau · gesetzt · gewissenhaft · hochherzig · hochsinnig · korrekt · makellos · mannhaft · männlich · pflichtbewußt, -(ge)treu · pünktlich · reell · rein · ritterlich · solid · sorgfältig · streng · tadellos · unantast-bar · unbescholten · unbestechlich · unerschütterlich · verläßlich · vertrauen-erweckend · würdig · zartfühlend ℭ ein Aufrechter · Biedermann · ein Charakter · Ehrenmann · Gentleman · Kavalier · ein Mann von Charakter, Wort · ein Mann vom alten Schrot und Korn · Ritter ohne Furcht und Tadel · ehrliche Haut · ℭ Ehrengericht · Ehrenrat ℭ Beständigkeit · Biederkeit · Billigkeitssinn · Brav-heit · Charakterstärke · Ehrbarkeit · Feingefühl · Fleckenlosigkeit · Gediegen-heit · Grundsätze · Kernhaftigkeit · Rechtlichkeit · Rechtschaffenheit · Treue · wahre Freundschaft ℭ Aufrichtigkeit · Geradheit · Kredit · Lauterkeit · Offen-heit · Rechtlichkeitssinn · Wahrheitsliebe · Zuverlässigkeit ℭ Ängstlichkeit · An-stand · Ehrenpunkt · Ehrensache · Genauigkeit · Gewissenhaftigkeit · Pünktlich-keit · Ruf · Sorgfalt · Strenge · Unbescholtenheit · Würde · Zucht.

2. Selbstlos. *s. Menschenfreund 11. 51.*

sich selbst besiegen, entäußern · überwinden, verleugnen · keinen Vorteil suchen · groß denken · den eigenen Vorteil opfern, hintansetzen, unterordnen · uneigen-nützig handeln · für andere die Kastanien aus dem Feuer holen · dem Dank aus-weichen · die rechte Hand nicht wissen lassen, was die linke tut · sich in eines andern Lage hineindenken, versetzen · im Schatten, Hintergrund bleiben · ent-behren können ℭ altruistisch · aufopferungsfähig · christlich · edel · edelmütig · einsatzbereit · erhaben · freigebig · fürstlich · gemeinnützig · groß · großherzig · großmütig · heldenmütig · heroisch · hingebend · hoch · hochgesinnt, -herzig, -sinnig · königlich · loyal · neutral · nobel · objektiv · opfermutig · opferwillig · ritterlich · selbstlos · selbstverleugnend · sozial · unegoistisch · uneigennützig · vornehm · wirklich anständig ℭ aufgeklärt · liberal · nachsichtig · tolerant · weit-herzig ℭ rein · unbestechlich · unverdorben ℭ der brave Mann ℭ Adel · Altruis-mus · Aufopferungsfähigkeit · Berufsethos · Edelmut · Edelsinn · Einsatz · Ent-haltsamkeit · Entsagung · Ergebung · Erhabenheit · Freigebigkeit · Gleichmut · Großmut · Hingabe · Hochherzigkeit · Hoheit · Nächstenliebe · Opfermut · Opfer-wille · Seelenadel · Selbstbeherrschung · Selbstlosigkeit · Selbstverleugnung · Sozialismus der Tat · Stoizismus · Toleranz · Uneigennützigkeit · das hohe Ethos ·

3. Tugend. *s. Menschenliebe 11. 51. Lob 16. 31. Anstand 16. 38.*

recht tun · seine Pflicht ausführen, erfüllen, tun · seine Pflicht vor allem berück-sichtigen · Wohltaten in der Stille verrichten, die linke Hand nicht wissen lassen, was die rechte tut · gute Handlungen, Werke ausüben, tun · das Herz auf dem rechten Fleck, der richtigen Stelle haben · den Pfad der Tugend innehalten · Fehler ablegen · die Bahn, den Weg der Tugend wallen, wandeln, gehen · seine Leidenschaft beherrschen, bemeistern · sich zusammen nehmen · ein Beispiel, Vorbild der Tugend abgeben, sein · nach Vollkommenheit streben ❡ anständig · beispielhaft · bestimmt · bewährt · bewunderungswürdig · bieder · brav · charaktervoll · echt · edel · ehrenfest · ehrenhaft · ehrenvoll · engelgleich · erprobt · gerecht · gesinnungstüchtig · fromm' · gewissenhaft · götterähnlich · gut · gütig · himmlisch · lobenswert · moralisch · musterhaft · pflichttreu · preiswürdig · rechtschaffen · redlich · rein · sittenfest · sittlich · strebsam · trefflich · treu · tugendhaft, -reich, -sam, -voll · unverdorben · unvergleichlich · verdienstvoll · vollkommen · vorbildlich · wacker · wahr · würdig · zuverlässig · ohne Falsch, Fehler, Gebrechen · über alles Lob erhaben · einzig dastehend ❡ *von Handlungen:* fair · korrekt · ist nichts dabei ❡ Selbstbeherrschung · Selbstüberwindung · Selbstverleugnung · Tugend · Tugendübung · Verdienst · Vollkommenheit · Vortrefflichkeit · Wert · Wohltun · Würde ❡ Aufrichtigkeit · Edelsinn · Ethos · Frömmigkeit · Gewissenhaftigkeit · Güte · Lauterkeit · Moralität · Pflichtgefühl · Pflichttreue · Rechtlichkeit · Rechtschaffenheit · Redlichkeit · Sittenreinheit · Sittlichkeit · Unschuld · Unverdorbenheit · gute, fromme Handlungen, Werke · makelloser, rechtlicher, strenger, tadelloser Lebenswandel · aufopfernde, unerschütterliche Pflichterfüllung · weiser Gerechtigkeitssinn · das bessere Selbst · der sittliche Halt · fromme, göttliche, heilige Denkart, Handlungsweise · echte, erprobte, treue, wahre Gesinnung.

4. Unschuld. *s. Einfachheit 11. 46. Keuschheit 16. 50. Rechtfertigung 19. 13.*

mit reinen, unbefleckten Händen · wie ein neugeborenes Kind · mit gutem, klarem, ruhigem, sanftem Gewissen · ohne Arg ❡ die Sünde fliehen · das Unrecht meiden, scheuen · der Tugend nachgehen, sich hingeben · nichts Böses denken · ist die Einfalt selbst · kein Arg kennen · kein Wässerchen trüben · auf sich halten · ein reines Gewissen haben · kann nichts dafür · hat nichts getan ❡ artig, brav ·blumenhaft · ehrbar · fehlerfrei · fleckenlos · gesittet · honett · keusch · lauter · lotoshaft · makellos · manierlich · musterhaft · ordentlich · rein · rührend · schuldlos · sündlos · treuherzig · tugendhaft · unantastbar · unbefleckt · unberührt · unbescholten · unschuldig · unschuldsvoll · untadelig · unverdorben · unverbildet · vorwurfsfrei ❡ arglos · engelsfromm · gedankenrein · gutgläubig · harmlos · herzensrein · jungfräulich · naiv · seelengut · unschädlich · unverführt · wohlgesinnt · zutraulich · ohne Arg · ohne Falsch · schuldlos wie vor dem Sündenfall · schuldlos wie das Kind im Mutterleib, wie der Engel im Paradies · sanft wie ein Lamm · fromm wie die Taube · rein wie frischgefallener Schnee ❡ Biedermann · Charakter · Ehrenmann · ·der Gerechte · Halbgott · Heiliger · Held · Heros · Himmelswesen · Kind · Musterbild · Phoenix · Seraph · Tugendmuster · Tugendspiel · unbeschriebenes Blatt · Unschuld · Vorbild · guter, edler, reiner Mensch · feiner Kerl · Mann von altem Schrot und Korn · Mann von Haltung, von Gesinnung, von Charakter · Einer von Zehntausend ❡ Ausbund · Musterknabe · Tugendbold · Edelweiß · Engel · Lamm · Lilie · zarte Blume · Taube · kindliches Gemüt · aufgeschlagenes Buch · Virgo intacta ❡ Volksstück · für die reifere Jugend ❡ Leumundszeugnis ❡ Arglosigkeit · Einfalt · Gutmütigkeit · Herzenseinfalt · Jungfräulichkeit · Lammes-, Schafsgeduld · Reinheit · Unschuld · Unverdorbenheit.

5. Reue, Besserung. *s. Scham 11. 49. Abbitte 16. 82.*

im Büßerhemd, Sündergewand · auf den Knien · in Sack und Asche ¶ abbitten ·
beherzigen · beichten · bekennen · sich bekehren · sich bessern · sich demütigen ·
ich durchringen · einlenken · sich erniedrigen · gestehen · umkehren · sich
schämen ¶ abschwören · bedauern · beklagen · bereuen · beweinen · sich grämen ·
Schmerz empfinden über · sich zu Herzen nehmen · sich was schämen · Reue
fühlen, empfinden, hegen · sich schuldig bekennen · in sich gehen · bei sich Einkehr halten · sich an der Nase fassen · einen moralischen (Kater) haben, einen
Kater haben (stud.) · zu Kreuz kriechen · sich an die Brust schlagen · um Absolution, Vergebung, Verzeihung bitten, flehen · sich in Sack und Asche hüllen ·
von der Sünde ablassen · miserere, deprofundis beten, singen · den alten Adam,
Menschen ablegen · ein neues Leben beginnen · mit der Vergangenheit brechen ·
wieder ein nützliches Glied der menschlichen Gesellschaft werden · sein Gewissen
erleichtern, befreien, beruhigen, entlasten, reinigen · den Weg zum Herzen finden ·
zur (Selbst-)Erkenntnis gelangen · auf den Knien liegen, rutschen · hat sich
wieder gefunden ¶ bekehren · belehren · beschämen · bessern · heben. — läutern ·
auf den richtigen Weg weisen ¶ bußfertig · reuig · reumütig · schuldbewußt ·
selbstanklägerisch · unverhärtet · unverstockt · zerknirscht ¶ bekehrt · gebessert ·
zur Buße bereit ¶ gebranntes Kind ¶ sittigende Wirkung ¶ Beichtstuhl · Buß-,
Sünderbank ¶ Bedauern · Beichte · Bekehrung · Besserung · Buße · Geständnis ·
Gewissensangst · Gewissensbisse · Gewissensnot · Lebenswende · Reue · Reuegefühl · Reumütigkeit · Scham · Schuldbekenntnis · Schuldbewußtsein · Schuldgefühl · Selbstanklage · Selbsteinkehr · Selbsterkenntnis · Selbstvorwurf · Sinnesänderung · Sündenbekenntnis · Umkehr · Wiedergeburt · Zerknirschung · das
erwachende, sich regende Gewissen · Einkehr in sich selbst · Umkehr vom Wege
der Sünde · gute Vorsätze · der gute Kern.

6. Reuelos. *s. Religionsfrevel 20. 4.*

sich nicht bessern · sich für Reue unempfänglich, unzugänglich erweisen · bei
der Sünde beharren · das Herz verhärten, versteinen, verstocken · auf dem Pfad,
Weg des Unrechts bleiben, fortwandeln · sich von der Sünde nicht abbringen
lassen · keine Reue empfinden, fühlen · die Stimme des Gewissens ersticken ·
dem Laster, der Sünde verfallen · bleibt der alte Sünder ¶ gottlos · halsstarrig ·
hartgesotten · reaktionär · reuelos · rückfällig · störrisch · unbußfertig · ungebessert · unrettbar · unverbesserlich · unversöhnt · unzugänglich · verdammt ·
verhärtet · verloren · verstockt · verworfen · der Besserung unzugänglich · der
Hölle, dem Teufel verfallen ¶ das harte Herz Pharaos ¶ Halsstarrigkeit · Reu-
losigkeit · Trotz · Unbußfertigkeit · Verstocktheit · verhärtetes Herz · verstocktes
Gemüt · ungerührtes Gewissen · Reue und keine Besserung.

7. Selbstsucht. *s. Habsucht 18. 7.*

dem Egoismus frönen, huldigen, ergeben sein · nur sich selbst leben · nur an
sich denken · nur seine eigenen Wünsche im Auge haben · nur sein persönliches
Vergnügen im Sinne haben · den eigenen Vorteil ausnützen, bedenken · sein Ich
nicht vergessen · zu seinem Vorteil ausbeuten · nur sich, sein eigenes Selbst berücksichtigen · auf Erwerb versessen sein · sein Schäfchen ins Trockene bringen ·
sein Pfeifchen schneiden · sein Süppchen kochen · im Trüben fischen · dem Gewinn nachjagen · den Mantel nach dem Winde hängen, tragen · sich auf den
Boden der Tatsachen stellen · kann auch anders · will etwas dafür haben · in die

eigene Tasche wirtschaften ¶ berechnend · bestechlich · beutegierig · charakterlos · egoistisch · eigennützig · engherzig · feil · gewinnsüchtig · habgierig · kalt · hartherzig · herzlos · käuflich · kleindenkend · kleinlich · knauserig · korrekt · lau · mißgünstig · neidisch · rückgratlos · rücksichtslos · schäbig · scheelsüchtig · schmutzig · selbstisch · selbstsüchtig · unfreigebig · vorteilsüchtig · windschaffen · zynisch ¶ après nous le déluge ¶ Ausbeuter · Egoist · Glücksjäger · Kriegsgewinnler · Lohnarbeiter · Mammonsdiener · Pfennigfuchser ∖ Profitmacher · Selbstling · Zyniker · das liebe Ich ¶ Reunionskammer ¶ Ausbeutung · Egoismus · Eigennutz · Geiz · Gewinnsucht · Habgier · Ichsucht · Mißgunst · Neid · Rücksichtslosigkeit · Selbstelei · Selbstliebe · Selbstsucht ¶ Engherzigkeit · Hartherzigkeit · Kleinlichkeit · Macchiavellismus · Staatsraison · Schmutzigkeit · Übervorteilung · Unfreigiebigkeit · krasser Egoismus · Kampf ums Dasein · rücksichtslose Ausnützung · Nächstenliebe, die bei sich anfängt · niedrige Gesinnung.

8. Unredlich. *s. 9. 63. Entrüstung 11. 41. betrügen 16. 72; 18. 8. Diebstahl 18. 9.*

gegen Treu und Glauben · auf krummen Wegen ¶ bewuchern · fälschen · hintergehen · täuschen · überlisten ¶ kein Vertrauen verdienen · Glauben, Treue, Wort brechen · falsches Zeugnis ablegen · unter falschem Vorwand erlangen · es ist kein Verlaß auf ihn ¶ desertieren · sich entehren · sich herabwürdigen · verkommen · seinen guten Namen, Ruf aufs Spiel setzen · mit Ränken umgehen · sich nicht bewähren · doppeltes Spiel treiben · zum Feinde übergehen, überlaufen · den eigenen Freund verraten · die eigene Sache verkaufen · seine eigene Schande besiegeln · zu Falle kommen · ein Ding drehen · Schmu machen · hinten herum beziehen ¶ stinkt zum Himmel ¶ korrumpieren · zersetzen ¶ abtrünnig · arglistig · betrügerisch · böse · boshaft · bubenhaft · bübisch · charakterlos · eidbrüchig · ehrlos · ehrvergessen · fahnenflüchtig · falsch · falschherzig · gewissenlos · heimtückisch · hinterfötzig · hinterlistig · heuchlerisch · lügenhaft · lügnerisch · malitiös · meineidig · mesquin · parteiisch · perfid · ränkevoll · ruchlos · schändlich · schimpflich · schurkisch· spitzbübisch · treulos · tückisch · unaufrichtig · unbillig · undurchsichtig · unehrlich · ungetreu · unglaubwürdig · unmännlich · unredlich · unreell · unsolide · untreu · unwahr · unzuverlässig · verlogen · verräterisch · versteckt · voreingenommen · wortbrüchig ¶ abgebrüht · abgefeimt · anrüchig · armselig · bedenklich · bescholten · bestechlich · gesinnungslos · feil · fragwürdig · gaunerhaft · gemein · hemmungslos · hintergründig · infam · käuflich · korrupt · kriecherisch · lichtscheu · miserabel · nichtswürdig · niederträchtig · niedrig · niedrigdenkend · schäbig · schamlos · schändlich · schlecht · schleichend · schmierig · schofel · schuftig · schurkenhaft · skrupellos · übelberüchtigt · unanständig · undankbar · unfair · ungehörig · unreinlich · unrühmlich · unschön · verächtlich · verderbt · verkommen · verworfen · windig · würdelos · dem Laster verfallen · Stufe um Stufe, immer tiefer sinkend · fühllos, unzugänglich für die Scham, Schande · auf bösen, schlechten, verderbten Wegen · auf abschüssiger Bahn ¶ *von Sachen:* dubios · dunkel · entehrend · geschoben· faul · himmelschreiend · korrupt · mies · skandalös ¶ übelriechend · unsauber · unwürdig ¶ Bösewicht · Bube · Eiterbeule · Erpresser · falscher Fuffziger · Filou · Ganove · Gauner · Gutedel · Halunke · Kanaille · Kujon · Schädling · Schelm · Schieber · Schubiak · Schuft · Schurke · Schwerverbrecher · Schwindler · Spitzbube · Verbrecher ¶ Augendiener · Betrüger · Denunziant · Duckmäuser · Erbschleicher · Erfolgsanbeter · Gelegenheitsmacher · Gelegenheitssucher · Gleisner · Heuchler · Intrigant · Kuppler · Leisetreter · Mucker · Neidhammel · Opportunist · Schleicher · Speichellecker · Wendehals

Wetterfahne · Wucherer ¶ Abtrünniger · Ausgestoßener · Deserteur · Elender · Fahnenflüchtiger · Frevler · Hochverräter · Landesverräter · Renegat · Spion · Überläufer · Vaterlandsverräter · Verräter · Verworfener · Wicht ¶ Erzspitzbube · Tartuffe · verkommene Person · falscher Zeuge · öffentlicher Anstoß · Stein des Anstoßes · Wolf in Schafskleidern ¶ doppeltes, verdecktes Spiel · falsche Freundschaft · abgestorbenes Ehrgefühl ¶ Kamarilla · Bande s. Klique *16. 17* ¶ Blutgeld · Judaskuß · Judaslohn · Uriasbrief ¶ Augiasstall · Mißstand · unhaltbare Zustände · Skandal ¶ Bestechlichkeit · Büberei · Einseitigkeit · Falschheit · Fälschung · Feilheit · Gewinnsucht · Humbug · Käuflichkeit · Korruption · Parteilichkeit · Pflichtvergessenheit · Schurkerei · Schwindel · Unaufrichtigkeit · Unbilligkeit · Unglaubwürdigkeit · Unredlichkeit · Unterschleif · Unzuverlässigkeit ¶ Erpressung · Gesetzesverletzung · Rechtsverdrehung · Unrecht ¶ Arg · Arglist · Betrug · Charakterlosigkeit · Ehrlosigkeit · Gemeinheit · Gleisnerei · Heuchelei · Hinterlist · Lüge · die Niederungen · Niedertracht · Ränke · Schändlichkeit · Tiefstand · Trug · Tücke · Verlogenheit · Verstellung · Verworfenheit ¶ Abfall · Abtrünnigkeit · Doppelzüngigkeit · Eidbruch · Hochverrat · Meineid · Perfidie · Schurkerei · Treubruch · Treulosigkeit · Untreue · Verrat · Verräterei · Vertragsbruch · Vertrauensbruch · Wortbruch · Bosheit.

9. Frevel. *s. töten 2. 46. Zerstörung 5. 42. Härte 11. 61. Menschenhaß 11. 63. quälen 16. 79. Gesetzlosigkeit 19. 20.*

Unheil anrichten, stiften · Böses verursachen · abträglich sein ¶ anschließen · bedrängen · bedrücken · belästigen · beschädigen · beschimpfen · brüskieren · entehren · erschießen · erstechen · geißeln · kastrieren · lädieren · lähmen · peinigen · prügeln · quälen · ramponieren · schädigen · schlagen · stechen · stoßen · treten · unterjochen · verdammen · verderben · verfolgen · verletzen · verwunden · zerstören ¶ anfressen · annagen · beflecken · beleidigen · bemakeln · benagen · besudeln · infizieren · kränken · lästern · verlästern · verunreinigen ¶ Abbruch, Abtrag tun · übel mitspielen · jmd. das Wasser abgraben · den Teufel durch Beelzebub austreiben · auf einen Schelm anderthalbe · unbrauchbar machen · schlecht behandeln ¶ abscheulich · elend · erbärmlich · häßlich · jämmerlich · mutwillig · tadelnswert · unrühmlich · unsühnbar · unverantwortlich · unverbesserlich · unverzeihlich · verächtlich · verflucht · verworfen · moralisch begrifflos ¶ asozial · bestialisch · brutal · dämonisch · eingefleischt · entmenscht · erzböse · grundschlecht · höllisch · satanisch · teuflisch · unmenschlich · verrucht · verstockt ¶ arg · gefährlich · kläglich · kränkend · schmerzlich · schrecklich · schwer · unheilbringend ¶ arglistig · bitterbös · bösartig · boshaft · heimtückisch · perfid · schadenfroh · verräterisch ¶ abscheulich · beklagenswert · dämonisch · diabolisch · elend · falsch · gemein · hassenswert · heillos · höllisch · infam · mephistophelisch · nichtswürdig · niederträchtig · niedrig · satanisch · schäbig · schändlich · scheußlich · teuflisch · traurig · verabscheuenswürdig · verdammenswert · verderbt ¶ Achtgroschenjunge · Amokläufer · Bandit · Bauchaufschlitzer · Brandstifter · Bravo · Galgenstrick · Galgenvogel · Gangster · Gauner · Halunke · Hundsfott · Kehlabschneider · Kerl · Killer, Schläger · Kreatur · Kriegshetzer · Massen-, Meuchelmörder · Mordbrenner · Räuber · Rasta · Schädling · Schelm · Scheusal · Schlüppchen · Schubjack · Schuft · Schurke · Schwindler · Stenz (alem.) · Strizzi · Strolch · Ungeheuer · Unhold · Unmensch · Weltfeind Nr. 1 ¶ Basilisk · Bestie · Dämon · Drache · Höllenbraten · Höllenhund · Hyäne · Kannibale · Mephistopheles · Pest · Ruchloser · Satan · Schlange · Teufel · Tiger ¶ schlechter Mensch · Stein des Anstoßes · schlechter Kerl · elendes, erbärmliches, gemeines

Subjekt, Geschöpf · erbärmliche Kreatur, Person · Abschaum, Auswurf, Schandfleck der Menschheit · verruchte Seele · mit allen Hunden gehetzt *s. 9. 52* · Geißel des Menschengeschlechts · Teufel in Menschengestalt · eingefleischter, leibhaftiger Teufel · der böse Feind · schwerer Junge · fauler Kunde · dufte Nummer · unsicherer Kantonist · üble Kreatur · katilinarische Existenz ⁅ Bedrücker · Brand-stifter · Feuerleger · Frevler · Missetäter · Mordbrenner · Schächer · Sünder · Übeltäter · Unglücksbringer · Unheilstifter · Verbrecher · Verderbenstifter · Ver-derber · Zerstörer ⁅ Anarchist · Bilderstürmer · Demagog · Nihilist · Störenfried · Umstürzler · Umsturzmann ⁅ Barbar · Biest · Bluthund · Blutmensch · Blut-sauger · Bösewicht · Despot · Garrotter · Henker · Menschenfresser · Sadist · Schlächter · Tyrann · Unmensch · Würger · Wüterich ⁅ Dämon · Höllendrache · Monstrum · Teufelsbrut · Ungeheuer · Ungetüm · Lockspitzel · Verräter ⁅ Cobra · Hyäne · Natter · Otter(ngezücht) · Rabenvieh · Schlangenbrut · Tigerherz · Vampir · Viper ⁅ Ausgeburt der Hölle · der Böse · böser Geist · Satan in Menschengestalt · Furie · Geißel, Pest, Verderben der Menschheit ⁅ Antichrist · Attila · Dschingiskhan · Moloch · Jesabel ⁅ gang · Ringverein Immertreu · Unter-welt · fünfte Kolonne · unlautere Elemente ⁅ Pestilenz · Seuche. — Lästerzunge · böse Zungen ⁅ Geißel · Gift ⁅ Bosheit · Bubenstück · Danaergeschenk · Fluch · Frevel · Gemeinheit · Kränkung · Missetat · Mißhandlung · Quälerei · Schaden · Schandfleck · Schandtat · Schmach · Sünde · Unbill · Unheil · Untat ⁅ Beschädi-gung · Heimtücke · Niedertracht · Perfidie · Rachsucht · Schadenfreude · Schlech-tigkeit · Verderbtheit · Verfolgung · Zerstörungslust ⁅ Abscheulichkeit · Arglist · Bestechlichkeit · Bosheit · Brutalität · Büberei · Charakterlosigkeit · Ehrlosigkeit · Frevel · Fühllosigkeit · Gemeinheit Gottlosigkeit · Hartherzigkeit · Infamie · Kor-ruption · Laster · Niedertracht · Ruchlosigkeit · Schamlosigkeit · Schande · Schand-, z. B. Schandphilosophie · Sünde · Unbill · Ungerechtigkeit · Unver-schämtheit · Verruchtheit · Verstocktheit · Verworfenheit · Würdelosigkeit.

10. Laster. *s. faul 9. 41. sinnlich 10. 21. Genußsucht 11. 11. unkeusch 16. 44.*

bei mir Fahne: immer flatterhaft · sich ausleben · entarten · lumpen · sumpfen · verfallen sein · dem Laster, der Sünde dienen, frönen, huldigen · Unrecht tun · Sünden begehen · schlechte Handlungen ausüben, tun · böse Taten begehen, ver-üben · tut nicht gut · sich (Unregelmäßigkeiten) zuschulden kommen lassen · auf abschüssigen Pfaden, dem Sündenwege gehen, schreiten, wandeln · vom Laster umstrickt sein · von der Sünde nicht lassen können · Ärgernis, Anstoß erregen · Allotria treiben · seinem Affen Zucker geben · über die Schnur hauen · über die Stränge schlagen · ihn sticht der Hafer · sich die Hörner abstoßen, ablaufen · kein Maß und Ziel halten, kennen · es schlimm treiben ⁅ abgleiten · abrutschen · ausgleiten · entarten · entgleisen · fehlen · freveln · irren · straucheln · sündigen · sich vergehen · sich vergessen · verkennen · sich versündigen · vom Pfad des Rechts abirren · vom Weg der Tugend abweichen · einen Fehltritt tun · die Stimme des Gewissens ersticken · im Lasterpfuhl versinken · in Sünde geraten, verfallen · auf Abwege, auf die schiefe Ebene geraten · sich dem Laster ergeben, in die Arme werfen ⁅ er ist gefallen ⁅ amoralisch · arg · charakterlos · ehrlos · entartet · faul · gemein · gewissenlos · gottlos · haltlos · infam · krankhaft · laster-haft · lax · liederlich · lose · nichtsnutzig · niedrig · pervers · pflichtvergessen · schamlos · schändlich · schlecht · schwach · sittenlos · strafbar · strafwürdig · sünd-haft · treulos · übel beleumundet · unanständig · unartig · ungezogen · unmöglich · unmoralisch · unsolide · unverschämt · unwürdig · unzüchtig · verbrecherisch · verderbt · verkommen · verrufen · verschwiemelt · jeder Scham bar · ohne Ehr-

gefühl · gegen Schande abgehärtet · bei Gott und Menschen verhaßt · nicht zu
rechtfertigen, verteidigen · leicht verlockt · durch alle Gossen gezogen · gegen alle
gute Sitte ¶ Abschaum · Ausbund · Auswurf · Bube · Eiterbeule · Elender · Faulenzer · Flapch · Flaps · Früchtchen · Gauch · Genießer · Gutedel (südd.) ·
Hallodri · Herumtreiber · Kreatur · Lotterbube · Lump · Nichtsnutz · Psychopath · Racker · Rasta · Schandfleck · Schlüppchen · Strick · Sumpfhuhn · Tunichtgut · Vagabund · Wicht · räudiges Schaf · Windhund · Zuhälter ¶ Dirne ·
Strunz · Stück · Frau mit Vergangenheit, *s. Hetäre 16.45* ¶ Sirenengesang · Verlockung ¶ Babel · Lasterhöhle · Spielhölle · Sodom und Gomorrha ¶ Pfad des
Lasters, der Sünde ¶ Orgie ¶ Anstoß · Ärgernis · Ausschweifung · Blutschande ·
Blutschuld · Entsittlichung · Freveltat · Greuel · Hautgout · Laxheit · Liederlichkeit · Pflichtverletzung · Roheit · Schandtat · Schurkerei · Sittenverfall · Skandal ·
Unsittlichkeit · Untugend · Zuchtlosigkeit ¶ Abirrung · Fehler · Gebrechen · Irr-
tum · Missetat · Rückfall · Sünde · Unrecht · Verschuldung · Verstrickung · Verstoß · laxe Moral · öffentliches Ärgernis · Unsitte · Zuwiderhandlung gegen
Pflicht, Sitte · menschliche Schwäche · schwache Seite, Stelle · dunkler Punkt ·
bewegte Vergangenheit · kleine Sünde · Achillesferse ¶ Die 7 Todsünden: Zorn,
Trägheit, Hochmut, Geiz, Völlerei, Neid, Unzucht.

11. Schuld, Vergehen. *s. Angst 11.42. Scham 11.49. Verbot 16.106. Gesetzlosigkeit 19.20. Unrecht 19.21.*

auf frischer Tat · in flagranti ¶ anstellen, begehen, verüben · sich schuldig bekennen, fühlen · die Schuld auf sich nehmen, tragen · einstehen für · gerade
stehen für · verantworten · vertreten müssen · haften · etwas auf dem Kerbholz, auf dem Reff haben · etwas ausgefressen haben · klein beigeben · hat
Dreck am Stecken · die Farbe wechseln · die Augen zu Boden schlagen, auf den
Grund heften · dem Blick ausweichen · es gewesen sein · hat schlechte Bohnen ·
vor Scham vergehen · feuerrot, purpurrot werden · einen Ballon kriegen (Naumburg) · im Innersten erbeben · Schande auf sich laden ¶ erblassen · erbleichen ·
erröten · schlottern ¶ befangen · betroffen · pflichtvergessen · schuldbeladen ·
schuldbewußt · schuldig · strafbar · straffällig · sündig · verbrecherisch · verboten ¶ Ausgestoßener · Bösewicht · Frevler · Geächteter · Karnickel · Missetäter · Schädling · Schuldbeladener · Schuldbewußter · Schuldiger · Sträfling ·
Sünder · Übeltäter · Verbrecher ¶ Schuld · Sünde · Sündenschuld ¶ Eingriff ·
Fehler · Gesetzwidrigkeit · Irrtum · Jugendsünde · Kriminalfall · Mißverhalten ·
Rechtsverletzung · Übertretung · Ungehorsam · Unterlassungssünde · Verbrechen ·
Vergehen · Versehen · Verstoß · Zuwiderhandlung ¶ Betrug · Blutschuld · Diebstahl · Frevel · Gotteslästerung · Hochverrat · Landesverrat · Majestätsbeleidigung · Majestätsverbrechen · Missetat · Sakrileg · Straftat · Todsünde · Übeltat ·
Untat · Unterschleif · Veruntreuung ¶ Sündenregister · Vorstrafen · Strafliste ·
peinliche Rechtssache · strafbares Benehmen · unsittliche Handlung · widerrechtliches Gebaren, Tun · Mißachtung des Gesetzes · Abweichung vom rechten Weg ·
strafbare Handlung · todeswürdiges Verbrechen ¶ böses Gewissen · Gewissensbiß ·
Mahner in der Brust · der kategorische Imperativ.

12. Beschuldigung. *s. bespitzeln 10.15. enthüllen 13.5. Tadel 16.33.*

angeben · anklagen · anschuldigen · anschwärzen · anzeigen · beimessen · sich
beklagen über · belangen · belasten · beschuldigen · betreten auf · bezeichnen
als · bezichtigen · denunzieren · entlarven · ergreifen bei · erschweren · ertappen ·
erwischen · festnageln · melden · nachweisen · überführen · verdächtigen · ver-

klagen · verleum'den · verpetzen · verraten · vorhalten · vorwerfen · zeihen · zuschreiben · zur Last legen · in die Schuhe schieben · ins Gesicht behaupten, schleudern · verantwortlich machen, halten · die Schuld aufbürden, geben · Verdacht aussprechen · Schuld in Betracht ziehen · der Staatsanwaltschaft übergeben · in Verdacht bringen, im Verdacht haben · den Verdacht lenken, wälzen auf · klagbar werden, auftreten · Klage anbringen, einreichen, eingeben, Sache führen, vorbringen, anhängig machen · in Anklagezustand versetzen · zur Rechenschaft, zur Verantwortung ziehen · vor Gericht fordern, laden, stellen, zitieren · Anklage, Widerklage erheben, einreichen · Beweis antreten ¶ zur Last fallen · Verdacht erregen, erwecken, rege machen, wachrufen ¶ brandmarken · verdammen · verurteilen · Urteil fällen, sprechen · schuldig erklären · belastend · erschwerend · gerichtlich · hochnotpeinlich · inquisitorisch · klagbar · klägerisch ¶ hoffnungslos · strafbar · ungerechtfertigt · unhaltbar · unverantwortlich · unverzeihlich · nicht zu rechtfertigen · zuzurechnen ¶ Denunziant · Achtgroschenjunge · Richtmann · Spitzel · Baldower (rotw.) · Angeber · Dr. denunz. · Staatsanwalt · öffentlicher Ankläger ¶ der Angeschuldigte, Angeklagte, Beklagte, Beschuldigte, Verklagte ¶ Belastungsmoment · Indizien · Überführung · Verdachtsgründe, -punkte · corpus delicti · schlagender Beweis ¶ Anklage · Anschuldigung · Beschimpfung · Beschuldigung · Bezichtigung · Inzicht · Klage · Verschuldung · Vorwurf · Zurechnung ¶ Angabe · Angeberei · Anklageschrift · Anzeige · Aufforderung · Belangung · Beschwerde · Ladung · Steckbrief · Verdächtigung · Vorladung.

13. Rechtfertigung. *s. helfen 9. 70. begründen 12. 15. verzeihen 16. 47. verteidigen 16. 77. Milde 16. 109. Unschuld 19. 4. Freispruch 19. 30.*

verteidigungsweise · einmal ist keinmal · Not kennt kein Gebot ¶ entbürden · entlasten · freisprechen · herausstreichen · lossprechen · rechtfertigen · rehabilitieren · reinigen · weißwaschen · sich verwenden für ¶ bemänteln · beschönigen · decken · eintreten für · entschuldigen · erleichtern · mildern · schönfärben · verantworten · Schuld begründen, beweisen, dartun · die Nichtschuld nachweisen, zeigen · eine Anklage abwälzen, bekämpfen, widerlegen · eine Anklage, die Vorwürfe zurückweisen · eine Anklage auf nichts, auf Null zurückführen · eine Anklage als aus der Luft gegriffen, haltlos darstellen ¶ die Schuld in milderem Lichte darstellen · mildernde Umstände geltend machen · zu seiner Entlastung anführen · Erlaubnis erwirken · Entschuldigungen vorbringen · will es nicht gewesen sein · Ausflüchte machen · Vorwände gebrauchen · sich (her)ausreden ¶ als Anwalt, Fürsprecher, Verteidiger auftreten · das Wort zur Verteidigung nehmen, ergreifen, führen · eine Lanze brechen für · sich erwärmen, kämpfen, streiten für · auf seine Achsel, Kappe nehmen · jemandes Sache führen, verfechten, vertreten · den Fürsprecher machen · jmd. für unzurechnungsfähig erklären · verrückt machen · Fürbitte, Fürsprache, ein gutes Wort einlegen, vorbringen · seine Hand ins Feuer legen für · das Verfahren niederschlagen ¶ der Sache einen andern Anstrich, eine bessere Wendung geben · jemand herausreißen, aus schlimmer Lage befreien · um die Wetterecke helfen · über den Zaun bringen, helfen · den (guten) Willen für die Tat nehmen ¶ entschuldbar · erlaßbar · erläßlich · gerechtfertigt · glaubwürdig · plausibel · scheinbar · verzeihlich · zulässig · zu rechtfertigen · zu verteidigen ¶ läßlich · milde · nachsichtig · schwach ¶ Anwalt · Fürsprech · Plurius (= exceptio plurium) · Entlastungszeuge · Eideshelfer · der große Unbekannte ¶ Apologie · Beweis · Entlastung · Entnazifizierung · Freispruch · Gegenwehr · Lossprechung · Rechtfertigung · Verantwortung · Verteidigung · Wiederherstellung · Rückverweisung ⊄ Abwehr · Alibi · Berichtigung · Berufung · Beschwerde · Bittschrift · Ehrenerklärung · Eingabe · Einrede · Einspruch · Einwand · Entgegnung · Entlastungsmoment · Entschuldigung · Erwiderung · Gegenbescheid · Gegenbeweis · Gegenvorstellung · Milderungsgrund · Revision · Verwahrung · Zurückweisung · Unschuld ⊄ Ausflucht · Ausrede · Beschönigung · Maremokum (rotw. Alibieid) · Vorwand · mildere Auffassung· mildernde Umstände · milderndes Licht · das hohe Ethos des Angeklagten · Lücke des Gesetzes.

14. Vertrag. *s. Bündnis 16. 17. Anerbieten 16. 22. Tausch 18. 20.*

nach Übereinkommen · unter Hand und Siegel · mit Brief und Siegel · mit einem Federzug ⊄ sich abfinden · chartern · erstehen · heuern · mieten · übereinkommen · sich verpflichten · versprechen ⊄ abmachen · abschließen · akkordieren · annehmen · ausgleichen · ausmachen · bedingen · beilegen · besiegeln · bestätigen · feilschen · fertigstellen · festsetzen · feststellen · gegenzeichnen · genehmigen · gutheißen · handeln · markten · paktieren · paraphieren · petschieren · ratifizieren · schlichten · siegeln · unterschreiben · unterzeichnen · verabreden · vereinbaren · vergleichen · verhandeln · Übereinkommen treffen · es schriftlich machen · Vertrag schließen · Handel eingehen · handelseinig werden · sich ins Benehmen setzen · zu einem Einverständnis, Abschluß gelangen · sich ins Einvernehmen setzen · Unterschrift geben · beim Wort nehmen ⊄ abgemacht · verbrieft · vertragsmäßig ⊄ Abonnent · Agent · Diplomat · Kontrahent, Partner · Makler · Mittelsmann · Sachwalter · Subskribent · Unterhändler · Versicherungsnehmer · Vertragsschließer · Zwischenhändler ⊄ Abkommen, -machung, -sprache · Abrede · Akkord · Auseinandersetzung · Bestimmung · Bündnis · Einvernehmen · Festsetzung · Fetzen Papier · Freibrief · Handschlag · Klausel · Kollektivvertrag · Konkordat · Kontrakt · Niederschrift · Pakt · Nichtangriffspakt · Protokoll · Rechtsgeschäft · (pragmatische) Sanktion · Schlichtung · Sonderbund · Übereinkommen · Urkunde · Verabredung · Vereinbarung · Vergleich · Verpflichtung · Vertrag · Ablieferungs-, Auslieferungs-, Handels-, Meistbegünstigungs-, Zollvertrag · Vertragsurkunde · Weinkauf · Zollverein ⊄ Konstitution ⊄ Staatsgrundgesetz · Verfassung ⊄ Abonnement, Bezug, Platzmiete · Einschreibung · Liste · Subskription · Handgeld ⊄ Abschluß · Bestätigung · Genehmigung · Ratifikation · Stempel · Unterzeichnung · Verschreibung · Vollzug ⊄ Diplomatie · Unterhaltung · Verhandlung.

15. Vorbehalt. *s. Bewandtnis 5. 12. Bedingung 5. 32.*

bedingungsweise · mit Vorbehalt · freibleibend ⊄ falls · vorausgesetzt · je nachdem · so Gott will · wenn die Umstände es erlauben · in der Meinung, daß ⊄ akkordieren · ausbedingen · ausmachen · bedingungen · bestehen auf · festlegen auf · verharren bei · verklausulieren · verpflichten · voraussetzen · sich vorbehalten · Bedingungen machen, stellen · verbindlich machen · abhängig machen von ⊄ Artikel · Bedingung · Erwartung · Geschäftsgrundlage · Feststellung · Item · Klausel · § · Übereinkunftspunkte · Unterstellung · Voraussetzung · Vorbehalt · Vorkehrung ⊄ Annahme · Einschränkung · Lage · Umstand.

16. Sicherheitsleistung. *s. Gewißheit 5. 6. Hilfe 9. 70. Sicherheit 9. 75. Zahlung 18. 26.*

bürgen · einstehen (für) · garantieren · gerade stehen für · gewährleisten · gutsprechen für · gutsagen · gutstehen · haften · hinterlegen · sichern · sicherstellen ·

verbürgen · sich verpflichten ¶ abtreten · sich sicherstellen · übertragen · Bürgschaft leisten · Kaution, Sicherheit stellen · die Hand ins Feuer legen für ·
Garantie geben, übernehmen · ein Pfand geben · die Verantwortung übernehmen ·
Anzahlung leisten · Geld erlegen · Wechsel übertragen · unter Brief und Siegel
geben ¶ abschließen · beschlagnahmen · besiegeln · petschieren · pfänden ·
sperren · versiegeln ¶ eine Forderung eintragen, einverleiben, vormerken · pfän-
den lassen · mit Arrest, Beschlag belegen ¶ selbstschuldnerisch ¶ Bürge · Garant ·
Geisel ¶ Aval · Bürgschaft · Ehrenwort · Garantie · Gewähr · Grundschuld · Haft-
pflicht · Haftung · Kaution · Parole · Pfand · Sicherheit · Sicherung · Unterpfand ·
Verbindlichkeit · Verpflichtung · Versicherung · Eigentumsvorbehalt ¶ Akt ·
Dokument · Erkenntnis · Garantieschein · Hypothek · Instrument · Kontrakt ·
Obligation · Protokoll · Rückversicherung · Schuldschein · Staatspapier · Urkunde ·
Verschreibung · Versicherung · Vertrag · Zeugnis ¶ Akzept · Annahme · Aus-
weis · Beglaubigung · Bescheinigung · Legitimation · Siegel · Stempel · Unter-
schrift ¶ Angeld, -zahlung · Einsatz · Handgeld ¶ richterliches Urteil.

17. Kompromiß. *s. Vermittlung 16. 49.*

akkordieren · sich auseinandersetzen · ausgleichen · beilegen · sich einigen ·
schlichten · sich vergleichen · vermitteln · ein Übereinkommen treffen · handelseins werden · die Differenz teilen · Vertrag schließen · auf halbem Wege entgegenkommen · zur Entscheidung gelangen, kommen · in Einklang bringen ·
mit dem blauen Auge davonkommen · zusammenkommen · einen Weg finden ·
goldene Brücken bauen ¶ Schiedsmann ¶ Abfindung · Ausgleich · Austrag ·
Berichtigung · Kompromiß · Mittelweg · Schieds(richter)spruch · Vergleich · Vertrag · Zugeständnis · Zwischenlösung · faules Kompromiß · Kuhhandel · Schiedsvertrag ¶ Bestechung · Löse-, Schweigegeld.

18. Recht, Gerechtigkeit. *s. Vertrag 19. 14. Prozeß 19. 27.*

von Rechts wegen · mit Fug und Recht · verdientermaßen · nach dem Buchstaben
des Gesetzes · nach Recht und Billigkeit · dem Sinne des Gesetzes entsprechend ·
ohne Ansehen der Person · sine ira ac studio · in aller Form, Ordnung nach
allen Regeln · kraft des Gesetzes · keinem zu liebe, keinem zu leide · vor Gott
und den Menschen ¶ dürfen · sollen · es gebührt sich, gehört sich, schickt sich,
ziemt sich ¶ rechtlich denken, handeln, verfahren ¶ Gerechtigkeit erweisen, handhaben, üben · Recht angedeihen, zukommen lassen · das Recht unparteiisch handhaben, verwalten · Billigkeit herrschen, walten lassen · nicht vom Recht abgehen,
abweichen · jedem das Seine gönnen, lassen · leben und leben lassen · jemand
nach Verdienst behandeln · auch dem Teufel sein Recht geben, lassen · beide
Seiten, Teile anhören ¶ auf ehrlich Spiel sehen · auf seinem Recht beharren,
bestehen, fußen · auf sein Recht pochen ¶ angemessen · berechtigt · billig · folgerichtig · gebührend · gehörig · gerecht(fertigt) · gesetzmäßig · legitim · passend ·
recht · rechtmäßig · richtig · schicklich · wohlverdient · zumutbar · zusinnbar
¶ ehrenhaft · billig denkend · füglich · gerecht · korrekt · maßvoll · neutral ·
objektiv · ohnseitig · parteilos · pflichtgemäß · rechtlich · sachlich · überparteilich ·
unbefangen · unbestochen · unparteilich · verständg · vorurteilsfrei ¶ Justitia
¶ Billigkeit · Ehrenhaftigkeit · Gerechtigkeit · Gesetz · Moral · Pflichtgefühl ·
Recht · Rechtmäßigkeit · Rechtsgefühl · Rechtssinn · Schicklichkeit · Unbescholtenheit · Unparteilichkeit · Vernunft ¶ Jura · Jus · Objektivität · Rechtspflege ¶ Moral ·
Moralität · Sittlichkeit · was sein soll · gleiches Recht · Waagschale der Gerechtigkeit · gerechtes, unparteiisches Urteil · ehrliches Spiel · gleiches Maß und Gewicht.

19. Gesetz. *s. Ordnung 3. 37. Befehl 16. 107.*

ein für allemal! · genehmigen · gutheißen · ratifizieren · sanktionieren · verfügen · verkünden · verordnen · Gesetze beantragen, beraten, beschließen · Gesetze erlassen, geben, machen, vorschreiben · Gesetze ergehen lassen · Gesetzeskraft verleihen · zum Gesetz erheben · rechtskräftig machen Ⅽ‖ zu Recht bestehen · ist nicht mehr als recht und billig Ⅽ‖ allgemeingültig · amtlich · bindend · gesetzlich · gesetzmäßig · gültig · konstitutionell · legal · legitim · maßgeblich · offiziell · rechtlich · rechtmäßig · rechtsgültig · rechtskräftig · statutarisch · statutengemäß · verbindlich · verbrieft · verbucht · verfassungsmäßig Ⅽ‖ gesetzgebend · legislativ · zu Recht (bestehend) · im Sinne der Verordnung · nach dem Buchstaben des Gesetzes · in aller Form (Rechtens) Ⅽ‖ Gesetz · Grundsatz · Imperativ · Kanon · Kodex · Norm · Rechtssatzung · Regel · Satzung · Statut · Sachsenspiegel · B. G. B. · corpus iuris Ⅽ‖ Handelsrecht · Handwerksgesetze · Innungsgesetze · Konstitution · Menschenrecht · Naturrecht · Polizeiverordnungen · Staatsgrundgesetz · Verfassung · Wechselrecht Ⅽ‖ Befehl · Bestimmung · Breve · Bulle · Dekret · Dekretale · Digesten · Diplom · Edikt · Encyclika · Erlaß · Firman · Gebot · Kabinettsorder · Kapitular · Nebengesetz · Pandekten · Patent · Ukas · Verfügung · Verkündung · Verordnung · Vorschrift · Weistum · Verordnung mit Gesetzeskraft Ⅽ‖ Antragsrecht · Freiheit · Privileg · Vorrecht · Vorschlagsrecht Ⅽ‖ Gerichtsordnung Ⅽ‖ Ausnahmegesetz · Belagerungszustand · Familienrecht · Flurzwang · Gewohnheitsrecht · Kirchengesetzgebung · Kriegsrecht · Landesrecht · Observanz · Reichsrecht · Seerecht · Staatsrecht · Stadtgesetz · Strafrecht · Vaterrecht · Völkerrecht · Zivilrecht · allgemeines Recht · internationales Recht · kanonisches, kirchliches, peinliches Recht · bürgerliche Gesetzgebung · gesetzliche Formen · Buchstabe des Gesetzes Ⅽ‖ Gesetzgebung · Legislative · Legislatur Ⅽ‖ Gesetzesauslegung · Jurisprudenz · Rechtslehre · Rechtskunde · Rechtswissenschaft Ⅽ‖ Gesetzeskraft · Gesetzlichkeit · Gesetzmäßigkeit · Legalität · Legitimität · Macht · Recht · Rechtsgültigkeit.

20. Gesetzlosigkeit. *s. Zwang 16. 107.*

auf eigene Faust · in Widerspruch mit dem Gesetz · unter Umgehung der Gesetze Ⅽ‖ betrügen, freveln · lynchen · morden · paschen · schmuggeln · schwärzen · stehlen · sündigen · sich gegen das Gesetz vergehen · das Gesetz brechen, übertreten, verletzen · durch die Maschen des Gesetzes schlüpfen · das Recht, Gesetz umgehen, umstoßen, verdrehen, wenden · das Recht zum toten Buchstaben machen · das Recht beugen · parteiisch sein · sich bestechen lassen · begünstigen · dem Recht ein Schnippchen schlagen, Hohn sprechen · dem Gesetz ins Gesicht schlagen, zuwiderhandeln · außerhalb des Rechts stehen · das Recht mit Füßen treten · sich nicht ans Gesetz binden, halten · eigenmächtig handeln · sich selbst Recht verschaffen · sich (selbst) zum Richter aufwerfen · teeren und federn · kurzen Prozeß machen · eigenmächtig verfahren · nach Recht und Gerechtigkeit nicht fragen · einen Jagdschein haben · das Faustrecht, die Macht des Stärkeren geltend machen · mit Gewalt vorgehen · mit Pulver und Blei Gesetze vorschreiben Ⅽ‖ bunt zugehen · nicht zu Recht bestehen · Gewalt geht vor Recht Ⅽ‖ frevlerisch · schmugglerisch · strafbar · straffällig · sträflich · verbrecherisch Ⅽ‖ anarchisch · außergesetzlich · despotisch · eigenmächtig · gewalttätig · tyrannisch · unverantwortlich · willkürlich Ⅽ‖ gesetzwidrig · parteiisch · rechtsungültig · rechtswidrig · unbefugt · unerlaubt · ungerecht · ungesetzlich · ungesetzmäßig · ungültig · unrechtmäßig · verfassungswidrig · verboten Ⅽ‖ Anarchist · Bundschuh · Feme ·

Lynchjustiz ⁊ Einzelaktion · Gesetzesbruch · Gesetzwidrigkeit · Haberfeldtreiben · Selbsthilfe · Selbstjustiz · Selbstmord · Terror · Ungesetzlichkeit · Willkürakt ⁊ Betrug · Diebstahl · Frevel · Feldfrevel · Freveltat · Greuel · Holzfrevel · Missetat · Schleichhandel · Schmuggelei · Sünde · Verbrechen · Vergehen · Verschulden · Waldfrevel · Wilddieberei · rohe Gewalt · Aufhebung, Auflösung, Störung zusammenwirkender Kräfte · das Recht des Stärkeren · eigenmächtiges Verfahren · ungerechtes Urteil · rechtswidriger, unrechtmäßiger Besitz · Anarchie · Despotismus · Faustrecht · Formfehler · Gesetzesumgehung · Gesetzlosigkeit · Gewalt(tätigkeit) · Justizmord · Parteilichkeit · Umgehung · Ungültigkeit · Willkür · Willkürherrschaft · Zuwiderhandlung ⁊ Dschungel · Wildnis.

21. Unrecht. *s. falsch 12. 53. Betrug 16. 72. Laster 19. 10.*

zu Unrecht · auf Kosten des Volks · zum Schaden der Allgemeinheit ⁊ beeinträchtigen · betrügen · hintergehen · täuschen · unbillig handeln, verfahren · ungerecht zu Werke gehen · parteilich vorgehen · das Recht beugen · jede Billigkeit beiseite, hintan setzen · Gesetze brechen, umdrehen, verdrehen ⁊ begünstigen, bevorzugen, ihm wird eine Wurst apart gebraten ⁊ gehört sich nicht · ist gegen Recht und Billigkeit · wider das gesunde Volksempfinden, gegen Treu und Glauben · widerspricht den guten Sitten · nicht zu rechtfertigen · nicht in der Ordnung ⁊ dolos · einseitig · parteiisch · parteilich · rechtswidrig · unannehmbar · unerträglich · unzumutbar · unbillig · ungebührlich · ungehörig · ungerecht · unmoralisch · unrecht · unsittlich ⁊ eigenmächtig · frevelhaft · gesetzwidrig · unbefugt · unberechtigt · unerlaubt · ungerechtfertigt · ungesetzlich · unrechtmäßig · unverantwortlich ⁊ Faustrecht · Frevel · Klassenjustiz · Parteienwirtschaft · Rechtswidrigkeit · Übergriff · Ungebühr · Ungerechtigkeit · Unrecht · Verstoß · was nicht sein soll · Recht des Stärkeren · glatter, krasser Rechtsbruch · Vertragsbruch · zweierlei Maß ⁊ Begünstigung · Gönnerschaft · Günstlingswirtschaft · Parteilichkeit · Parteiwesen · Justizirrtum ⁊ Betrug · Schwindel · Täuschung.

22. Berechtigung. *s. Schuldforderung 18. 16.*

mit Fug und Recht · mit gutem Grund · mit voller Berechtigung · von (Gottes und) Rechts wegen · nach göttlichem und menschlichem Recht · auf Marken · auf Karten ⁊ gebühren · gehören · gelten · zukommen · von Rechts wegen zugesprochen werden · zustehen · Zutritt haben ⁊ beanspruchen · begehren · fordern · verlangen · zurückfordern · Anrecht besitzen, erhalten, erlangen, erwerben, haben · Ansprüche erheben, erlangen, durchsetzen, ersitzen · Anspruch geltend machen · auf seinem Recht beharren, bestehen, pochen · Anrecht in Händen halten · von seinem Vorrecht Gebrauch machen · sein Recht behaupten, erzwingen · um sein Recht kämpfen · verantworten können, vertreten · ausgewiesen, berufen, legitimiert sein ⁊ anerkennen · autorisieren · befähigen · beglaubigen · bekräftigen · berechtigen · · bestätigen · bevollmächtigen · bewilligen · bürgen · ermächtigen · gutstehen für · legitimieren · patentieren · privilegieren · verbriefen · ein Recht einräumen, erteilen, gewähren · ein Recht übertragen, verleihen, zuerteilen, zusprechen · hereinlassen ⁊ angeordnet · befugt · berechtigt · bevorrechtet · bewilligt · gesetzlich geschützt · gestattet · patentiert · privilegiert · vorgeschrieben ⁊ angehörig · eheleiblich · ehelich · erlaubt · gebührend · gehörig · legal · legalisiert · legitim · legitimiert · rechtlich · rechtmäßig · statthaft · unverboten · verbrieft · zugehörig · zukommend · zulässig ⁊ angemessen · begründet · billig · gebührlich · gehörig · gerecht · unanfechtbar · unbestreitbar · unbestritten vollgültig · wohlbegründet ℭ gesetzmäßig · konstitutionell · satzungsgemäß · verfassungsmäßig ℭ anererbt · angestammt · (an)ersessen · verjährt ℭ absolut · feststehend · mutmaßlich · ungeschmälert · unübertragbar · unveräußerlich · unverjährbar · unverletzlich ℭ Altsitzer · Anwärter · Kläger · Prätendent ℭ Bill · Bürgschaft · Freibrief · Grundgesetz · Gutschrift · Konstitution · Staatsrecht · Verfassung ℭ Altenteil, Ausgeding · Anrecht · Anspruch · Anwartschaft · Ausnahmestellung · Befugnis · Berechtigung · Bezugschein · Dienstbarkeit, Servitut · Erbrecht · Ermächtigung · Existenzminimum · Forderung · Freibrief · Geburtsrecht · Gerechtsame · Gesetzlichkeit · Gewohnheitsrecht · Jagdschein · Kapitulationen · Konzession · Monopol · Mutung · das Prä · Privileg · Recht · Rechtsboden · Rechtstitel · Reservat · Sonderrecht · Vorrecht, Extrawurst ℭ Abgabenfreiheit · Steuerbefreiung ℭ Besitzberechtigung ℭ Bestätigung · Gewähr · Gutheißung · Kampf ums Recht.

23. Nichtberechtigung. *s. Unrecht 19. 21.*

gegen allen Brauch · hinten herum ℭ sich anmaßen · sich erlauben · erraffen · erschleichen · sich herausnehmen · die Befugnis überschreiten, verletzen · das Gesetz übertreten · Eingriffe, Übergriffe machen, sich erlauben · das Recht beugen · sich Unregelmäßigkeiten gestatten · unberechtigt Besitz ergreifen · sich unbefugt aneignen ℭ annullieren · tilgen · Vorrecht aufheben, entziehen · der Vorrechte berauben · Freiheiten für ungültig erklären ℭ verjähren · die Berechtigung einbüßen, verlieren, verwirken · der Vorrechte verlustig gehen ℭ angemaßt · eigenmächtig · gewaltsam · unbefugt ℭ gefälscht · gesetzwidrig · illegal · illegitim · leer · (null und) nichtig · rechtswidrig · „schwarz" · unbegründet · unberechtigt · unecht · ungesetzlich · ungültig · unrechtmäßig · unverantwortlich · verfassungswidrig · widerrechtlich ℭ ordnungswidrig · unerlaubt · ungebührlich · ungehörig · unpassend · unziemlich · nicht auf Recht gegründet ℭ Usurpator · Thronräuber ℭ Anmaßung · Ansinnen · Eigenmächtigkeit · Eingriff · Erpressung · Fälschung · Gewaltstreich · Konfiskation · Machtraub · Rechtsberaubung · Rechtsbruch · Rechtsverlust · Rechtswidrigkeit · Übergriff · leerer, nichtiger Titel · Eingriff in fremde Rechte · Zurücknahme der Vorrechte.

24. Pflicht. *s. Befehl 16. 106.*

ehrenhalber · so und nicht anders · mit ruhigem Gewissen · nach Pflicht und Schuldigkeit ℭ bürgen · einstehen · haften · sich verpflichten · dazu verpflichtet sein · sich selbst schuldig sein · auf dem Gewissen, auf sich ruhen haben · die Pflicht haben · verantwortlich sein · sich verantwortlich fühlen · die Pflicht, Verantwortung auf sich nehmen, übernehmen · sich ein Amt, eine Bürde aufhalsen · Verpflichtungen eingehen, sich aufbürden · sich verbindlich machen · hat Rechenschaft abzulegen · ist gesetzlich, moralisch verpflichtet, gehalten ℭ seine Schuldigkeit tun · eine Pflicht antreten, durchführen, erfüllen · seine Pflichten beobachten, nicht versäumen · einer Pflicht nachkommen, gerecht werden, Genüge tun, sich entledigen · sein Wort einlösen, halten · auf dem Posten sein, stehen · Unrecht bekämpfen · dem Unrecht entgegentreten ℭ sollen · müssen · verpflichtet sein ℭ anhalten zu · aufbürden · aufdrängen · auferlegen · aufnötigen · befehlen · begehren · belasten · einschärfen · fordern · heischen · verpflichten · verlangen · vorschreiben · Verpflichtungen auferlegen, aufhalsen · Verpflichtungen zuschieben, zuwälzen · haftbar, verbindlich machen · auf die Seele binden ℭ gebühren · sich gehören · geziemen · obliegen · zukommen · pflichtgemäß geschehen (sollen) ·

jemandes Pflicht sein · es muß geschehen · es muß sein · auf den Schultern ruhen · in jemandes Händen liegen · auferlegt sein · zur Last fallen ₵ haftbar · pflichtig · rechenschaftspflichtig · verantwortlich ₵ eifrig · ethisch · gewissenhaft · kasuistisch · moralisch · ordentlich · pflichtbewußt · (pflicht)treu · sittlich · wahrheitsgemäß ₵ erforderlich · gehörig · geziemend · ordnungsgemäß · recht · selbstverständlich ₵ auferlegt · aufgebürdet · befohlen · bindend · gefordert · obliegend · obligatorisch · pflichtgemäß · pflichtschuldigst · schuldig · verbindlich · verpflichtend · vorgeschrieben ₵ Mahner · Rufer · Warner · innere Stimme · Gewissen · Stimme der Pflicht · Mahner, Warner im Busen · getreuer Ekkehard · ₵ Dekalog · das Gesetz · die zehn Gebote · Pandekten ₵ Ehrenschuld · Gebot · Gewissen · Gewissenhaftigkeit · Gewissenssache · Last · Obliegenheit · Pflicht · Pflichtbewußtsein · Pflichtgebot · Pflichtgefühl · Rechenschaft · Recht · Satzung · Schuldigkeit · Sittlichkeit · Verantwortung · Verbindlichkeit · Verpflichtung ₵ Amt · Anstand · Bande · Beruf · Berufspflicht · Bürde · Bürgertreue · Eifer · Gehorsam · Geschäft · Mission · Moral · Treue · Untertanentreue · gutes Betragen ₵ Buschido · Ehrenpunkt · kategorischer Imperativ · die sittliche Forderung · moralische Verpflichtung · richtige Auffassung · die verdammte Pflicht und Schuldigkeit ₵ Ethik · Moral · Kasuistik · Moralphilosophie · Sittenlehre · Tugendlehre ₵ Ausführung · Befriedigung · Durchführung · Leistung · Pflichterfüllung · Übung.

25. Pflichtverletzung. *s. unbeständig 9. 9. vorsätzlich 9. 14. unterlassen 9. 19. Ungehorsam 16. 116.*

wider besseres Wissen ₵ desertieren · überlaufen · fahnenflüchtig werden ₵ ausweichen · brechen · entgegenhandeln · sich entziehen · ermangeln · schwänzen, z. B. Schule · übertreten · umgehen · unterlassen · verfehlen · versäumen · verweigern · sich weigern · sein Wort, einen Vertrag brechen · die Befugnisse überschreiten, übertreten · die Pflicht unterlassen, verletzen · sich etwas zuschulden kommen lassen · seiner Pflicht nicht nachkommen, sich entziehen · die Pflicht versäumen, nicht vollführen, mit Füßen treten · vernachlässigen · die Verantwortung von sich abwälzen · in den Wind schlagen · sich kein Gewissen machen aus · Gehorsam verweigern · vertragsbrüchig sein, werden · sich nicht für gebunden, verpflichtet halten · sich Übergriffe erlauben · es nicht so genau nehmen · den Begriff, den Sinn ausdehnen, umkehren · befreit, entbunden sein · Vorrechte genießen · keiner Verantwortung unterliegen · nicht Rede stehen müssen · sich die Hände in Unschuld waschen · frei ausgehen ₵ absolvieren, aufheben · ausnehmen · befreien · dispensieren · entbinden · entheben · entschuldigen · erlösen · freisprechen · lossprechen · privilegieren · Absolution erteilen, gewähren · frei machen, lassen · nicht verantwortlich machen ₵ fahrlässig · lässig · lax · säumig · unverantwortlich · unzuverlässig · wortbrüchig ₵ absolviert · ausgenommen · befreit · dispensiert · entbunden · enthoben entlastet · entledigt · erleichtert · frei · ledig · los · pflichtenlos · pflichtfrei · treulos · untreu · ungebunden · verantwortungslos ₵ breite Natur ₵ Ausflucht · Bruch · Dienstvergehen · Fahnenflucht · Lässigkeit · Nichtbeachtung · Pflichtverletzung · Schuld · Treulosigkeit · Untreue · Übertretung · Unterlassung · Vergehen · Verletzung · Verrat · Versäumnis · Verstoß · Wortbruch · Zuwiderhandlung · Mangel an Pflichtgefühl ₵ Ablaß · Absolution · Ausnahme · Befreiung · Dispens · Entsagung · Erlaß · Erleichterung · Freiheit · Lossprechung · Unverantwortlichkeit · Verzicht · Widerruf · Zurücknahme ₵ Ausnahme · Befugnis · Vorrecht ·

26. Sühne. *s. Vergeltung 16. 80. Abbitte 16. 82. Bestrafung 19. 32.*

abbüßen · abtragen · auslösen · austilgen · büßen · entschädigen · ersetzen · gutmachen · sich loskaufen · opfern · sich reinigen · sühnen · tilgen · vergüten · Abbitte leisten, tun · um Verzeihung bitten · Ersatz leisten · ungeschehen machen · Opfer darbringen · die Sache in Ordnung bringen · Scharten auswetzen · alte Schulden abtragen, tilgen, begleichen · Buße tun · fasten · sich der Sühne unterziehen · Reu-, Sühn-, Strafgeld zahlen · Strafe abbüßen, absitzen ¶ Büßer · Pilger · Pilgrim · Schutzflehender · Prügeljunge ¶ Sack und Asche · härenes Büßerhemd · Büßergewand · Büßerkleid · Bußgürtel ¶ Ablaßzettel · Brandopfer · Bußopfer · Schlachtopfer · Seelenmesse · Sühnopfer · Sündenbock ¶ Bußtag · Fasttag · Fegefeuer · Purgatorium · Hölle ¶ friedlos ¶ Abbitte · Abfindung · Beilegung · Berichtigung · Buße · Entgelt · Ehrenerklärung · Entschädigung · Entschuldigung · Ersatz · Genugtuung · Kompromiß · Reueld · Strafe · Sühne · Vergleich · Vergütung · Vertrag · Wergeld · Wiedergutmachung · Zufriedenstellung ¶ Abwaschung · Auslösung · Befreiung · Bußübung · Entsündigung · Erlösung · Fasten · Geißelung · Kasteiung · Läuterung · Loskaufung · Opferung · Märtyrertod · Reinigung · Versöhnung · Abtötung des (sündigen) Fleisches.

27. Gerichtsverfahren. *s. Gegensatz 5. 23; 16. 65. Unzufriedenheit 11. 27. Widerspruch 12. 48. Verhör 13. 25. Antwort 13. 26. Widerlegung 13. 47. Bitte 16. 20. Tadel 16. 33. Angriff 16. 76. Verteidigung 16. 77.*

auf dem Prozeßweg, Rechtsweg · in Sachen X contra Y ¶ appellieren · klagen · prozessieren · den Klage-, Rechtsweg betreten, beschreiten · das Gesetz anrufen · sich ans Gericht, an die richterliche Entscheidung wenden · Prozeß anstrengen · eine Sache anhängig machen · Klage anhängig machen · einbringen, · einreichen · klagbar werden · als Kläger auftreten · sein Recht vor Gericht suchen · zum Kadi laufen ¶ Berufung einlegen · Revision beantragen · das Urteil anfechten · durch alle drei Instanzen treiben ¶ anklagen *s. Beschuldigung 19. 12* · anschwärzen · anzeigen · arretieren · beschuldigen · denunzieren · überführen · überweisen · untersuchen · verhaften · verhören · verklagen · vernehmen · vorladen · jemand bei Gericht angeben · mit den Fingern zeigen auf · Anzeige machen gegen · vor Gericht bringen, fordern, laden · eine Vorladung schicken · in Untersuchung, zur Verantwortung ziehen · ins Verhör nehmen · Verfahren einleiten · vorführen lassen · den Prozeß machen · in Untersuchungshaft abführen, behalten · ins Gefängnis werfen · mit Arrest, Beschlag belegen · in Anklagezustand versetzen ¶ es entstehen Weiterungen · da muß das Gericht sprechen · er kimmt ufs Bänkelche (hess.) ¶ freisprechen · verteidigen · Bürgschaft leisten für · (gegen Kaution) auf freien Fuß setzen · nicht schuldig finden ¶ *Urteil, Bewertung 12. 49* · befinden · begutachten · berichten · entscheiden · erkennen · schlichten · urteilen · vergleichen · zuerkennen · zusprechen · zu Gericht sitzen · die Gerichtsverhandlung führen, leiten · Urteil abgeben, fällen, sprechen · zu Recht erkennen · Wahrspruch einbringen · friedlichen Vergleich vorschlagen · auf gütlichem Wege austragen ¶ anwaltlich · behördlich · gerichtlich · gesetzlich · inquisitorisch · juridisch · prozessual · rechtlich · rechtsförmig · richterlich ¶ Richter und Gericht *s. 19. 28* · Zeuge *s. 3. 3; 12. 32* ¶ Beteiligter · Gegenpartei · Komparent · Partei · Ring · gegnerische Seite ¶ Aktenbündel · Aktenhefte · Protokoll · Prozeßakten · Urkunde · Niederschrift ¶ Buße · Gebühren · Gefälle · Gerichtskosten · Sporteln · Strafe ¶ Friedensbezirk · Gerichtsbezirk · Polizeibezirk · Polizei-

sprengel ⁋ Gerechtsame · Gerichtsbarkeit · Gerichtshof · Gerichtsstand · Instanz ·
Senat · Rechtszug · Zuständigkeit (örtliche, sachliche) · Göding · Loding ⁋ Klagesache · Prozeß · Rechtsangelegenheit · Rechtsfall · Rechtshandel · Rechtssache ·
Streitsache · Vorgang ⁋ Bagatellprozeß · Thing · Gerichtssitzung · Rechtsgang ·
Rechtsverfahren · Sensationsprozeß · Skandalprozeß · Sühnetermin · Summar-
verfahren · Tag · Termin, Tagfahrt · das Verfahren · Verhandlung · Wieder-
aufnahmeverfahren · Anklage · Anspruch · Anzeige · Aussage · Belastung · Beschuldigung · Beweisaufnahme · Eid · Klage · Kreuzverhör · Protokoll · Rede ·
Urkunde · Zeugenschaft ⁋ Ladung · Überführung · Untersuchung · Urteilsfällung · Vernehmung · Vorführung · Indizienbeweis ⁋ Ableugnung · Verteidigung · Eid · eidesstattliche Versicherung · Rechtfertigung *19. 23* ⁋ Bekenntnis · Geständnis ⁋ Ausspruch · Bescheid · Beschluß · Entscheid · Entscheidung ·
Erkenntnis · Gottesgericht · Gottesurteil, Ordal · Gutachten · Plebiscit · Schiedsverfahren · Schiedsspruch · Urteil · Urteilsspruch · einstweilige Verfügung · Volksbeschluß · Wahrspruch · (richterlicher) Zuspruch ⁋ Feuerprobe · Wasserprobe ·
Suggestivfrage · mündliches, schriftliches Verfahren · geheime, öffentliche Verhandlung · peinliches Recht · kurzer, summarischer Prozeß ⁋ Gerichtsgang,
-sitzung, -tag, -verfahren, -verhandlung, -gebaren, -zwang · Rechtsgang · Recht-
sprechung · Rechtsverfahren · Rechtsverwaltung · Schiedsgericht ⁋ Ausführung,
Durchführung, Erzwingung, Handhabung der Gesetze · salomonisches Urteil
⁋ Anfechtung · Appellation · Berufung · Beschwerde · Einsprache · Einspruch ·
Nichtigkeitsbeschwerde · Rechtsmittel, Rechtsbehelf · Rekurs · Remonstration ·
Revision · Verwahrung · Wiederaufnahme des Verfahrens.

28. Richter, Anwalt usw.   *s. Urteile 12. 11. Behörde 16. 99.*

Aktuar · Amtmann · Amtsanwalt · Amtsrichter · Assessor · Beisitzer · Frei-
schöffe · Friedensrichter · Gerichtsperson · Gerichtsrat · Geschworene · Kadi ·
Kanzleirat · Landrichter · Mittelsmann, Schiedsrichter · Oberrichter · Referendar ·
Referent · Richter · Schöffe · Schöppe · Schreiber · Schulze, Schultheiß · Sekretär ·
Untersuchungsrichter · Urkundsbeamter · Vogt ⁋ Salomo · weiser Daniel · Herr
Rat! · Herr Gerichtshof ⁋ Zeuge *s. 2. 3; 12. 32* ⁋ Amtei · Amtshaus · Amtsraum ·
Bürgermeisterei · Gericht · Gerichtssaal · Gerichtsschranke · Gerichtsstätte ·
Gerichtsstube · Mahlstätte · Rathaus · Richterstuhl · Richtplatz · Richtstätte ·
Ring · Schiedshof · Schöffenstuhl · Thing · Stadthaus · Schranke, Sitz der Gerech-
tigkeit ⁋ Geschworenenbank · Richterbank · Zeugenstand · Anklagebank ⁋ Eini-
gungs-, Vermittlungsamt · Amts-, Appellations-, Bezirks-, Frei-, Friedens-, Gau-,
Handels-, Kammer-, Königs-, Konsular-, Kreis-, Kriegs-, Land-, Militär-, Ober-
landes-, Sonder-, Partei-, Prisen-, Reichs-, Schieds-, Schiffs-, Schöffen-, Schwur-,
Stadt-, Stand-, Standes-, Vormundschaftsgericht · Volksgericht(shof) · geistliches
Gericht · Inquisition ⁋ Ankläger · Staats-, Reichsanwalt · Staatsprokurator ·
Urkundsperson · Zeuge ⁋ Angeklagter · Armesünder · Beklagter · Beschul-
digter · Gefangener · Verklagter · der. Verzeigte (schweiz.) · mein Mandant
⁋ Advokat · Anwalt · Berater · Fürsprech(er) · Gesetzesausleger · Gesetzes-
kundiger · Jurist, Rechtsfreund, Rechtsgelehrter, Rechtskundiger · Konsulent ·
Notar · Protokollführer · Prozeßagent · Rechtsanwalt · Rechtswahrer · Rechts-
beistand · Sachberater · Sachführer · Sachwalter · Syndikus · Verteidiger · Ver-
treter · Vormund · Dr. juris · Doktor beider Rechte · Justizrat. — Ferkelstecher ·
Linksanwalt · Rabulist · Rechtsverdreher · Winkeladvokat · Winkelschreiber
⁋ Advokatenkammer · Anwaltschaft · Anwaltskammer · Juristenbund.

29. Polizei, Vollziehungsbeamte. *s. Wächter 16. 101.*

einschreiten ¶ Amt · Behörde · Gericht · GPU · Gestapo · die heilige Hermandad · Obrigkeit · Polizei · Schupo · Sipo · Stadtrat · Verwaltung ¶ Amtsgehilfe · Amtsperson · Aufseher · Bannwart · Büttel · Detektiv · Feldjäger · Förster · Fronbote · Gendarm · Gerichtsbote · Gerichtsdiener, -halter · Gerichtsvollzieher, Hüßche · Landesschütze · Liktor · Pandur · Pedell · Pfandbote · Pfandmeister · Polizeidiener · Polizeispion · Polizist · Profoß · Ratsdiener · Sbirre · Schultheiß · Schupo · Schutzmann · Stockmeister · Tscheka · Vogt · Wachtmeister · Weibel · (Nacht)Wächter · Arm · Auge des Gesetzes (Schillers Glocke), der Gerechtigkeit · August, blanker, windiger (= scharf), mit der Latte · Berittener · Blechreiter · der Blaue (Jagdhund) · Bolgermann · blauangestrichenes Abführmittel · Blitzableiter · Benga (zigeun.) · Bulle · Butz (vermummtes Gespenst) · Charengero (zigeun. Schwertträger) · Dreigroschenjunge · Fänger · Ficker (der hin- und herläuft) · Fußlatscher · Gauzer · Geheimer · Gewittertulpe (Helmspitze als Blitzableiter) · Greifer · die Grünen · Fauler (= verräterisch) · Hadatsch (Hartschier?) · Häscher · Hascher · Heimlicher · Hemann (weil er „Heh" ruft) · die Herren · Husche(r) (franz. huissier) · Iltis · Karte (franz. garde) · Klempners Karl · Klette · Klammhaken · Kommstracks · Kapdon (neuhebr. Aufpasser) · Klisto (zigeun. Reiter) · der Kriminal · Lampe · Lattenseppel · Konstabler · Krause (berl.) · Kreuzritter · Laterne · Landski (schweiz.) · Landjäger · Licht · Mauschel (hebr. Herrscher) · Mohrrüber (wegen der Helmspitze) · Mondschein · Nevele (hebr. Leiche) · Oberzinker · Ordensmann · Ölberger · Peizaddik (P[olizei] + hebr. gerecht) · Pezet (P[oli]z[ei]) · Polizee · Pallopeten · Paloppen · Polente · Polenne · Poliquetsch · Polyp (student.) · Protscher (rhein.) · Quetsch · Raupe · Schanl (wien.) · Scherge · Schin (hebr. sch als Anfangsbuchstabe von Schutzmann, Schandarm) · Schiendalled (dasselbe + Dalles) · Schlamasse · Schmiere (hebr. Beaufsichtigung) · Schucker · Schofer, Schauder, Schopper, Schapper, Schuder (hebr. angestellter Schreiber) · Schnorrenfisel · Schmutzlappen (bayr.) · Schurke · Selo (zigeun. Fangschnur) · Spanner · Spinatwächter · Spitz(el) · die Sitte · Teckel · Udel (hamburg. Eule) · Verdeckter · Wastl · Zänger · Zenserer (Zensur) · Zarucker ¶ Razzia · Überfallkommando

30. Freisprechung. *s. verzeihen 16. 47. Rechtfertigung 19. 13.*

durchwischen · entschlüpfen · freikommen · straflos ausgehen · mit einem blauen Auge davonkommen · durch die Maschen gehen ¶ amnestieren · begnadigen · entbinden, entlassen · freigeben · freisprechen · lossprechen · reinigen · weißwaschen · für unschuldig erklären · von der Anklage entbinden · schuldlos sprechen · aus Mangel an Beweisen freisprechen · die Anklage fallen lassen, zurückziehen · die Anklage nicht erhärten können · die Strafe erlassen · das Verfahren einstellen, niederschlagen ¶ freigesprochen · schuldlos · straffrei · straflos · unbestraft · ungezüchtigt ¶ Aufschub · Frist · Bewährungsfrist ¶ Amnestie · Begnadigung · Ehrenrettung · Entbindung · Entlassung · Entlastung · Freigebung · Freispruch · Lossprechung · Rechtfertigung · Straferlaß · Straffreiheit · Straflosigkeit · Enthebung von der Schuld · freisprechendes Urteil · Nicht-Schuldig · § 51.

31. Verurteilung. *s. töten 2. 46.*

aburteilen · ächten · brandmarken · erledigen · schlachten · überführen · überweisen · verbannen · verdammen · verdonnern · verknacken · verknassen · verknurren · verurteilen · verwerfen (bibl.) · schuldig erklären, finden, sprechen · in

Acht und Bann erklären · unschädlich machen · von der menscl...chen Gesellschaft ausschließen · das Schicksal besiegeln · den Stab brechen · Versäumnisurteil erlassen · den Prozeß machen ❡ hereinfallen, -fliegen, -sausen, -schliddern · sein Leben verwirken · an ihm bleibts hängen ❡ schuldig · straffällig · verurteilt · voll zurechnungsfähig ❡ ausgewiesen · geächtet · gebrandmarkt · verbannt · vogelfrei ❡ das Karnickel · das Opfer ❡ Galeerensklave · Gefangener · Häftling · Kettensträfling · Sträfling · Verurteilter · Zuchthäusler · Zuchthaussträfling · Züchtling · armer Sünder · Bagnosträfling ❡ Aburteilung · Ächtung · Anerkenntnisurteil · Bluturteil · Schuldbefund · (Schuld)spruch · Sicherheitsverwahrung · (Straf)erkenntnis · Strafgewalt · Todesstrafe · Todesurteil · Überführung · Verurteilung · Wahrspruch · Entziehung der bürgerlichen Ehrenrechte.

32. Bestrafung. *s. töten 2. 46. Boykott 4. 49. Feindschaft 16. 66. prügeln 16. 78. Vergeltung 16. 80. ausweisen 16. 105.*

ahnden · belangen · bestrafen · brandmarken · jmd. büßen (schweiz.) · es eintränken · einziehen · entgelten lassen · heimzahlen · lynchen · maßregeln · pfänden · strafen · vergelten · züchtigen · zurechtweisen · ins Klassenbuch schreiben · eine Strafarbeit aufgeben · in Strafe nehmen · beim Kanthaken, beim Kragen = „Hals" nehmen, d. h. wahrscheinlich hängen · Strafe auferlegen, angedeihen lassen, vollstrecken, vollziehen, zumessen, zuerkennen · ein Exempel statuieren · den verdienten Lohn, sein voll gerüttelt Maß zukommen lassen · zur Verantwortung ziehen · streng ins Gericht gehen mit jmd. · die Strafe nicht nachsehen, schenken · mit Beschlag belegen · Bußgeld, Reugeld, Sühngeld auferlegen, vorschreiben, zudiktieren · abschreckende Maßnahmen ergreifen ❡ beifliegen · hat zu gewärtigen · ausbaden · Sühngeld zahlen müssen · die Suppe ausessen · sein Leben verwirken · die Schwere des Gesetzes trifft jmd. ❡ ächten · ausstoßen · austrommeln · bannen · boykottieren · degradieren · entadeln, -deutschen · exkommunizieren · die bürgerlichen Ehrenrechte entziehen, absprechen · von der Anstalt verweisen · der Ämter, Stellung, Würde entkleiden · den Adel entziehen · für vogelfrei erklären · unschädlich machen · auf die schwarze Liste setzen · Vermögen einziehen ❡ teeren und federn · Gassen, Spießruten laufen lassen · eins geben, verabreichen, versetzen · auf die Finger klopfen · bei den Ohren nehmen ❡ aufknüpfen · aufspießen · enthaupten · (standrechtlich) erschießen · erwürgen · foltern · guillotinieren · hängen · henken · hinrichten · köpfen · kreuzigen · martern · pfählen · rädern · sacken · schinden · steinigen · vierteilen · vom Leben zum Tode bringen · die Todesstrafe vollziehen · jemand den Hals, das Genick brechen · den Gnadenstoß geben, versetzen · aufs Rad flechten · ans Kreuz heften, schlagen · lebendig begraben, einmauern · dem Flammentod übergeben, weihen · auf den Scheiterhaufen, auf den elektrischen Stuhl bringen · mit des Seilers Tochter kopulieren · zu enge Krawatte machen · zu Pulver und Blei begnadigen · um einen Kopf kürzer machen · den Kopf abschlagen, vor die Füße legen · aufs Schaffott bringen ❡ vom Arm der Gerechtigkeit ereilt werden · der Gerechtigkeit verfallen · sein Leben verwirkt haben · hingerichtet werden · mit dem Leben büßen · an den Galgen kommen · eines unnatürlichen Todes sterben · in seinen Schuhen umkommen · die Luft über sich zusammenschlagen lassen · mit des Seilers Tochter Hochzeit halten · durchs hänfene Fenster sehen ❡ strafbar · straffällig · strafwürdig · vorbestraft · vogelfrei · friedlos ❡ Büttel · Henkersknecht · Nachrichter · Scharfrichter ❡ Bande · Block · Fessel · Fußkugel · Giraffe · Halseisen · Kettenkugel · Pranger · Schambock · Schandpfahl · Staupsäule ❡ Bock · Daumenschraube · Folterbank · Marterwerkzeug · spanische

Stiefel · eiserne Jungfrau ⁋ Armesünderkarren · Blutbühne · Blutgerüst · Galgen,
Richtholz · Schaffott · Kreuz · Pfahl · Rad · Axt · Beil · Fallbeil · Guillotine ·
Schwert · Halfter · Hanf · Henkersbeil · Schlinge · Strang · Strick · seine Schnur ·
Giftbecher · Entmannung ⁋ Buße · Kasteiung · Rüge · Tadel · Verweis
⁋ Ächtung · Ausstoßung · BV (stud.) · Verfehmung · Aberkennung · Verruf ·
Verschiß · Ostrazismus, Scherbengericht · Deportation · Schub · Verbannung
⁋ empfindliche, entehrende, exemplarische, schändende, schimpfliche, verdiente,
geringe, leichte, milde Strafe · Aberkennung der Ehrenrechte · bürgerlicher Tod
⁋ Abrechnung · Disziplinarverfahren · Heimzahlung · Lohn · Nemesis · Straf-
maß · Vergeltung ⁋ Beschlagnahme · Bußgeld · Geldbuße · Geldstrafe · Leutgeld · Nachgebühr · Reugeld · Schadenersatz · Schadloshaltung · Strafe · Strafgefälle · Sühngeld · Vermögenseinziehung, -verlust · Verwirkung · Wergeld ·
Fasttag ⁋ Brandmal · Schandmal ⁋ Flammentod · Gnadenstoß · Hinrichtung ·
Strafvollzug · Todesstrafe.

33. Freiheitsstrafe, Gefängnis. *s. Zaun 3. 24. Gefangennahme 16. 117f.*

abholen · arretieren · einbuchten, -kerkern, -lochen, -sperren, -spunnen · festnehmen · internieren · verhaften ⁋ einem etwas aufbrummen · knassen · hinter
Schloß und Riegel setzen · jmd. an Schatten tun (Oberpfalz) ⁋ nachsitzen, nachbrummen · absitzen · brummen · sitzen · spinnen · ins Loch fliegen · ins Gebirge gehen · er reist auf seine Güter · Knast schieben · bei Wasser und Brot · ist bei Vater
Philipp · auf Sommerwohnung ⁋ der grüne August (der Gefangenenwagen) · die
blaue Anna, grüne Minna, der Zeiserlwagen, Kunigunde (Köln) · Armesünderkarren usw. ⁋ Arbeitshaus · Besserungsanstalt · Bagno · Bunker · Einzelzelle ·
Festung · Galeere · Gefängnis · Gefangenenlager · Karzer · Kerker · Konzentrationslager, Kazet · Schuldturm · Schutzhaft · Sicherheits-, Sicherungsverwahrung ·
Strafanstalt · Tretmühle · Zuchthaus · Doveskandig · Drehscheibe · eiserne Gardinen · Erholungsheim · Gymnasium · Graupenpalais · das graue Elend · Kahn ·
Kasten · Kiste · Kittchen (rotw. Kütte = Haus) · Kurhotel · Loch · Melochebeiz ·
Nummer sicher · Paddock · Paradies · hinter schwedischen Gardinen · Schinegels-
beiz, Schuftereibeiz (Arbeitshaus) · Seminar · Sommerfrische · Südhotel (mil.) ·
stille Penne (zigeun. stilepen = Gefängnis) · Vogtei · Zelle · Zuckerhaus · Zwick
⁋ knapp Suppe (kurze Freiheitsstrafe) · mit ganzem Geld (hohe Gefängnisstrafe)
⁋ Cayenne · Neukaledonien · Sibirien · Strafkolonie · Arrest · Haft · schwerer
Kerker.

20. Religion.
Das Übersinnliche

20. 1. Religiosität, Glaube
20. 2. Ketzerei, Heidentum
20. 3. Unglaube
20. 4. Religionsfrevel
20. 5. Übersinnliches
20. 6. Gute Geister
20. 7. Gottheit
20. 8. Messias
20. 9. Teufel
20. 10. Jenseits
20. 11. Unterwelt, Hölle
20. 12. Zauberei
20. 13. Gebet, Frömmigkeit
20. 14. Scheinreligion
20. 15. Weihung, Taufe
20. 16. Kult, Ritus
20. 17. Priester
20. 18. Geistliche Tracht
20. 19. Heilige Schriften
20. 20. Kultgebäude
20. 21. Teile des Heiligtums, Geräte
20. 22. Laienschaft

1. Religiosität. Glaube. *s. Gewißheit 5. 6. Furcht 11. 42. Ansicht 12. 22.*

sich bekennen zu · glauben · fromm handeln · gottselig, gläubig leben · den Glauben haben · sich auf Gott verlassen · läßt Gott walten · zum Himmel aufblicken · auf Gott, aufs Jenseits bauen · auf Gott seine Zuversicht setzen · beruhigt der Zukunft entgegensehen · ein beschauliches Leben führen · sich frommen Betrachtungen hingeben · in Gott aufgehen · nach Seligkeit streben · im Geruch der Heiligkeit stehen · auf das Heil seiner Seele bedacht sein · sich auf die künftige Welt vorbereiten · einen Aufflug der Gedanken nehmen · auf Gottes Pfaden wandeln · seinem Gott dienen · sein Leben in Gott führen ¶ sich bekehren · bereuen · sich durchringen · büßen · entwerden · in sich gehen · dem Leben einen Inhalt geben · den alten Adam ausziehen · der Weltanschauung einen religiösen Abschluß geben · beten *s. 20. 13* ¶ begnaden · beseligen · erbauen · erwecken · heiligen · heiligsprechen · kanonisieren · salben · weihen · im Glauben kräftigen, stärken · den Glauben (er)wecken · von der Sünde erlösen · zur Gnade zulassen · in den Schoß der Kirche aufnehmen ¶ altgläubig · andächtig · bibelfest · bigott · christlich · demütig · fromm · gläubig · gottergeben · gottesfürchtig · gottgefällig · gottgeweiht · gottselig · heilig · kanonisch · orthodox · puritanisch · rechtgläubig · rein · religiös · strenggläubig · sündlos · tugendhaft · unschuldig ¶ andachtsvoll · auferweckt · auserwählt · bekehrt · beseligt · erbaulich · erweckt · feierlich · gebessert · geheiligt · gerechtfertigt · gottbegeistert · gottbegnadet · himmelstrebend · neu geboren · salbungsvoll · selig · weihevoll · himmlisch gesinnt · dem Irdischen abgekehrt · nicht von dieser Welt · von göttlicher Gnade beseelt, erfüllt · mit dem ihm eigenen frommen Augenaufschlag ¶ Anbeter · Auserwählter · Bekehrter · Bekenner · Betbruder · Erwählter · Frommer · Gerechter · Glaubensstreiter · Gotteskind · Heiliger · Hinterwäldler · Kirchgänger · Kreuzritter · Rechtgläubiger · frommer, guter Christ · Kind, Erbe des Lichts, des Himmels, des Himmelreichs, des Reiches Gottes ¶ Konventikler · die Stillen im Lande · Betschwester · Himmelsbraut · Quissel (westf.) ¶ Kirche *s. 20. 20* ¶ Andacht · Demut · Ehrfurcht · Erbauung · Ergebenheit · Frömmigkeit · Gottesfurcht · Gottesglaube · Gottvertrauen · Glaube · Heiligkeit · Rechtschaffenheit · Religion · Religiosität · Salbung · Tugend · Weihe ¶ Beseligung · Ekstase · Entrückung · Ent-, Verzückung · Kontemplation · Meditation · mystische Einigung · Schau · Versenkung ¶ Bekehrung · Buße · Erlösung · Gottesbegeisterung · Heil · Heilsgewißheit · Mystik · Neugeburt · Reue · Wiedergeburt · unsträflicher frommer Wandel · gottgeweihtes Leben · gottgefälliges Wirken · Geruch der Heiligkeit · das religiöse Erlebnis ¶ die echte, wahre Religion · Offenbarung · die allein seligmachende Kirche · die Wahrheit · die letzten Dinge · Urgrund des Seins ¶ Gewißheit · Glaube · Sicherheit · Überzeugung · Gott(Vertrauen) · Zutrauen · Zuversicht ¶ Gläubigkeit · Orthodoxie · Rechtgläubigkeit · innere Stimme ¶ Dogmatismus · Scholastik · Unfehlbarkeit der Kirche ¶ Bekenntnis · Credo · Glaube · Glaubensbekenntnis · Konfession · Religion · Devise, Motto, Wahlspruch ¶ Dogma · Glaubensartikel · Glaubenssatz · Sakrament · Satzung ¶ -ismus, z. B. Animismus, Totemismus, Buddhismus · -tum: Juden-, Christen- · Aberglaube · Altweiberglaube · Bigotterie · Fanatismus · Gewissenszwang · Fetischismus · Frömmelei · Köhlerglaube · Leichtgläubigkeit · Muhmenweisheit · Wunderglaube *s. 12. 25* ¶ Glaubenslehre · Gotterkenntnis · Gottesgelehrtheit, Theologie · Gottesweisheit · Religionslehre · Religionswissenschaft · Anthropo-, Theosophie · Folklore, Volkskunde.

2. Ketzerei, Heidentum. *s. ächten 4. 49.*

anathema sit ¶ exkommunizieren ¶ abtrünnig · andersgläubig · antichristlich · buddhistisch · häretisch · heidnisch · heterodox · irrgläubig · ketzerisch · pantheistisch — schismatisch · unchristlich · unkanonisch ¶ abergläubig · abgöttisch · götzenverehrend · leichtgläubig ¶ Abtrünniger · Antichrist · Apostat · Außenseiter · Baptist · Freimaurer, Logenbruder · Gnostiker · Gottesleugner · Götzendiener · Häretiker · Heide · Irrgläubiger · Ketzer · Mystiker · Pantheist · Reformator · Renegat · Schismatiker · Sektierer · Stündler ¶ Abgötterei · Ahnenkult · Baalsdienst · Bilderanbetung · Dämonenverehrung · Götzendienerei · Götzendienst · Heidentum · Herrscherkult · Mystik · Mythologie · Naturreligion · Pantheismus · Polytheismus · Feuer-, Sonnen-, Sternanbetung · Synkretismus · Vielgötterei ¶ Gnosis · Häresie · Heterodoxie · Irrglaube · Irrlehre · Ketzerei · Ketzerglaube · Schisma · Sektiererei · Separatismus · Spaltung · Abfall vom wahren Glauben ¶ Inquisition · Ketzergericht.

3. Unglaube. *s. Zweifel 12. 23. freier Geist 12. 54.*

anzweifeln · frei denken · zweifeln · keine Religion haben · sich zu keinem Glauben bekennen · des Glaubens ermangeln · aus der Kirche austreten · in den Tag hinein leben ¶ in Frage ziehen · vom Glauben abwenden ¶ andachtslos · areligiös · atheistisch · freidenkend · freigeistig · glaubenslos · gottesleugnerisch · gottgläubig · gottlos · heidnisch · irreligiös · ironisch · kleingläubig · konfessionslos ˗ kritisch · materialistisch · nihilistisch · religionslos · skeptisch · ungläubig · ungöttlich · unheilig · zweifelsüchtig ¶ antichristlich · diesseitig · heidnisch · liberal(istisch) · weltlich · unbekehrt · unchristlich · fleischlich · irdisch · weltlich gesinnt · der göttlichen Gnade beraubt · unempfänglich, unzugänglich für die göttliche Gnade ¶ Agnostiker · Atheist · Aufklärer · Aufkläricht · Dissident · Existentialist · Freidenker · Freigeist · Giaur · Glaubensloser · Gottesleugner · Heide · ungläubiger Hund · Materialist · Monist · Nihilist · Positivist · Relativist · Skeptiker · Unbekehrter · Ungläubiger · ungläubiger Thomas · Weltkind · Zweifler ¶ Agnostizismus · Atheismus · Aufklärung · Darwinismus · Diamat, dialektischer Materialismus · Freidenkertum · Freigeisterei · Skepsis · Skeptizismus · Ungewißheit · Unglaube · Verstocktheit · Zweifel ¶ Kasuistik · Materialismus · Ungläubigkeit · Kleingläubigkeit.

4. Religionsfrevel. *s. reuelos 19. 9.*

entheiligen · entweihen · freveln · lästern · gottlos handeln, leben, wandeln · Gott lästern, verspotten · die Religion begeifern · die Kirche schänden · die Göttin der Vernunft auf den Thron erheben ¶ frevelhaft · gotteslästerlich · gottlos, -verflucht, -vergessen · ruchlos · sakrilegisch · schlecht · ungeheiligt · verhärtet · verstockt · verworfen ¶ Apostat · Ausgestoßener · Bilderstürmer · Böser · Frevler · Gotteslästerer · Gottverächter · Heide · Ketzer · (Religions)Spötter · Sünder · Verruchter · Verworfener · Zyniker · ein Kind des Verderbens · ein in Sünden Ergrauter · falscher Prophet · Wolf im Schafspelz · verlorenes, räudiges Schaf · Herostrat · Kinder des Abgrunds, der Finsternis, der Hölle · das Geschlecht dieser Welt · die Schlechten · die Ungerechten · Belialsöhne · Rotte Korahs ¶ Frevel · Frevelwort · Gotteslästerung · Blasphemie · Gottlosenpropaganda · Kirchenfrevel, -raub, -schändung · Religionsfrevel · Rückfall · Sakrileg · Unheiligkeit · Verruchtheit · (Frau) Welt · schwarze Messe · Turmbau zu Babel ¶ Sünde wider den (heiligen) Geist ¶ Verhöhnung der Religion · Verhärtung in der Sünde · Abfall von Gott · unheilige, sündige Gedanken.

5. Übersinnliches. *s. Furcht 11. 42. metaphysisch 12. 2. Einbildung 12. 28. Zauberei 20. 12.*

aus dem Jenseits ¶ geistern · krachen · spuken · umgehen · es geht nicht mit rechten Dingen zu · es gibt mehr Dinge zwischen Himmel und Erde · ist nicht geheuer · Uhr bleibt stehen · Bild fällt von der Wand ¶ entrücken ¶ dämonisch · elbisch · elfenhaft · furienmäßig · geisterhaft · gespenstisch · heilig · schatten- haft · spukhaft · tabu · übernatürlich · unerklärlich · geheimnisvoll · unheimlich · unirdisch · unnatürlich · verwunschen · dem Grabe entstiegen ¶ Alb, Aufhocker, Huckup, Incubus, Schnurbübl (els.) · Alraun · der Alte · Berggeist · Bilwis · Bilwitz · Butzemann · Binsenschnitter, Boz, Buzemann, Buzekerl (westd.), Enonger- moer, Feuermännchen, das graue Männchen, Haxtdoorn · Heidemann · Jude (schles., Rheinld.) · Kiekenapp, Kornmann, der liebe Gott, Popanz, Popel, Popel- mann (schles.) · Putkelütt · Rack · Roggenmann · Steppchen · Waldmann, Weiber- pritscher, Wichtelmann, der wilde Mann, Zigeuner · Doggele · Drude · Drula · Einherier · Dämon · Doppelgänger · Mana · Orenda · Elf · Erdgeist · Erlkönig · Erscheinung · Fee · Geist · Gespenst · Gnom · Golem · Haulemännchen · Hausgespenst · Irrlichter · Klabautermann · Kobold · Lemuren · Mahr · Nachtgespenst · Nachzehrer · Nöck · Poltergeist · Puck · revenant · Rübe- zahl · Rüpel · Rumpelstilzchen · Satyr · Schadgeist · Schatte · Schemen · Schratt · arme Seele · Sukkubus · Troll · Uldra · Ungeheuer · Unhold · Vampir · Werwolf · Wichtelmännchen · Wiedergänger · Wuweackes · Zaubergeist · steinerner Gast · fliegender Holländer · ewiger Jude · wandelndes Gerippe. — Wechselbalg: Unter- schmeissel (schles.), Kielkropf (nordd.), Elbentrötsch, Ilmentritsch, Nixkind, Hexen- kind, Koboldkind, Drudenbüblein, Wasserbütte. ¶ Elfe · Fee · Ghule · Harpyie · Idise · Lorelei · Mormō · Nixe · Sirene · Sylphe · Wasserjungfrau · weiße Frau ¶ Korndämon: Baba, Babajedza (poln.), Bobas (ostpreuß.), Bubu (schles.) · Mittags- geist, Mittagsengel · Kornhansli (schweiz.), Kornmandl (schles.), Hafermann, Troin- mandl (egerl.), Vietzbuhr (mecklenb.), Weizenklepper · Fraupert (bayr.) · Hexe (schles.) · Kornweib · Oidran (bayr.) · Roggenmuhme, Roggenmutter · Sserpashija (wend.) · Tittenwief · Untermutter (hess.), Wassermutter (Danzig) · Zitnamatka ¶ gespenstische Tiere: Bär · Fuchs · Katze · Sau · Wolf · feuriger Hausdrache: Alf, Glüsteert, Schab, Steppchen, Stutzli ¶ Ausgeburt (Blendwerk) der Hölle · Schatten aus der Unterwelt · wilde Jagd ¶ Gespensterwesen · Höllenspuk · Höllenwerk · Höllenwesen · Kettengerassel · Phasma · Poltern · Rumoren · Spuk · Spukerschei- nung · Traum · Vision ¶ Geisterseher · Hellseher · Mystiker · Okkultist · Spoeken- kieker ¶ zweites Gesicht ¶ Kreuzweg · Kirchhof · Mitternacht · Geisterstunde ¶ Geisterbeschwörung · Levitation · Materialisation · Aufhebung der Schwerkraft · Parapsychologie.

6. Gute Geister.

cherubinisch · engelgleich · englisch · seraphisch ¶ Cherub · Elfe · Engel · Erz- engel · Fee · Friedensengel · Genius · Gnadenengel · Lichtengel · Schutzengel · Seraph · Sylphe ¶ Asrael · Gabriel · Michael · Oberon · Raphael · Uriel ¶ Weih- nachtsmann und Niklaus: Christkind, Hans Muff, Heiliger Mann, Klaus, Klawes- mann, Kloaskerl, Klingelkläselken · Nickels, Niklas, Nikolaus · Pelznickel, Puppen- klaus, Rupprecht, Santiklaus, Schotenklowes, Sinterkloas, Stapkloas · Sankt Martin (rhein.) · Krampus (österr.) · Pelzwärtel · Zwerge: Sandmann · Spiritus familiaris, Hausgeist · Wichtel, Butzelmännele (thür.), Erd-, Hansel-, Heinzel-, Hinzen-, Hollemännchen, Heimchen, Kräutermännlein, Quarkse, Querxe (schles.) ¶ Heilige ·

Märtyrer · himmlische Heerscharen · Kinder des Lichts ⁋ Söhne Gottes · glorreiche Wesen · um Gottes Thron versammelte Wesen ⁋ Heiligenschein, Mandorla, Nimbus ⁋ Engelanbetung · Engellehre.

7. Gottheit.

kanonisieren · vergotten ⁋ anthropomorphistisch ⁋ allbarmherzig · allgütig · allmächtig · allsehend · allwissend · einzig · ewig · gebenedeit · geheiligt · göttlich · heilig · himmlisch · unendlich · vollkommen ⁋ geistig · metaphysisch · transzendent · überirdisch · übermenschlich · übernatürlich · unbegreiflich · nicht von dieser Erde · nicht von dieser Welt · von Ewigkeit zu Ewigkeit ⁋ Allerbarmer · Allgebieter · der Allgütige · der Allmächtige · der Allweise · der Erhalter · Ernährer · der Ewige · Friedefürst · Gott · Gottheit · Herr · Herrgott · Herrscher · der Höchste · König · Schöpfer · der Unendliche · (unser himmlischer) Vater · der liebe Gott · Elohim · Jahwe · Jehovah · Gott Zebaoth · der große Geist · Allah · das höchste Wesen · Urquell alles Seins · Beseliger des Weltalls · Schöpfer aller Dinge · das Eins und Alles · das A und O · Anfang und Ende · Tao · der unbekannte Gott · der große Unbekannte · himmlischer Vater · Vater im Himmel · Herr der Heerscharen · König der Könige · der alte deutsche Gott ⁋ Vater, Sohn und heiliger Geist · Dreieinigkeit · Dreifaltigkeit · Trinität · Göttin · Madonna · Kwannon ⁋ Abgott · Fetisch · Totem · Götze · Moloch · Baal · Zeus · Mars · Manitu, und die Götter sämtlicher Religionen ⁋ Allgegenwart · Allmacht · Allwissenheit · Barmherzigkeit · Einheit · Ewigkeit · Gerechtigkeit · Glorie · Gnade · Gottheit · Göttlichkeit · Güte · Heiligkeit · Majestät · Unendlichkeit · Unveränderlichkeit · Vollkommenheit · Vorsehung, Vorsicht · Wahrheit · Weisheit ⁋ unendliche Macht · himmlische Glorie ⁋ Deismus · Monotheismus · Pantheismus.

8. Messias. *s. Herrscher 16. 98.*

Befreier · Christkind(lein) · Christus · Erlöser · Friedensfürst · Gesalbter · Gottmensch · Heiland · Herr und Held · Immanuel · Jesus · Mahdi · Meister · Messias · Mittler · Paraklet · Retter · Seligmacher · Tröster · Übermensch · Versöhner · Welterlöser · Sohn Davids · Gottes (eingeborener) Sohn · Lamm Gottes · fleischgewordenes Wort · Beglücker, Beschirmer, Beseliger, Schützer der Menschheit · der gute Hirte · die Wahrheit selbst · Licht der Welt · Sonne der Gerechtigkeit · der Weg und die Wahrheit · des Menschen Sohn · I.N.R.I. ⁋ Fleischwerdung · Hypostase · Inkarnation · Menschwerdung · Vermenschlichung · Vergottung.

9. Teufel. *s. 11. 63; Feind 16. 66. Hölle 20. 11.*

dämonisch · diabolisch · höllisch · luziferisch · mephistophelisch · satanisch · teufelhaft · teuflisch ⁋ Asmodäus · Beelzebub · Belial · Bitru · Daus · Erbfeind · Erzfeind · Feind · Gehörnter · Geist des Bösen · Gottseibeiuns · Höllenfürst · Luzifer · Mephisto(pheles) · Samiel · Santan(as) · Teixl · Teufel · Unhold · Urian · Versucher · Widersacher · gestürzter Engel ⁋ Abbadon · Apollyon · der Arge · der Böse · Dämon · Drache · der alt' böse Feind · der Leibhaftige · der Schwarze · Todesengel · Antichrist · Helfer der Hölle ⁋ Ahriman · Oger · Urfeind des Menschengeschlechts · die alte Schlange · Vater der Lüge · der Geist, der stets verneint · Vater aller Hindernisse · Spottgeburt von Dreck und Feuer · [Ritter mit dem] Pferdefuß · Fürst dieser Welt · Gebieter, Herrscher der Finsternis · Fürst des Abgrundes, der Unterwelt ⁋ böse, unreine Geister · Teufelsgezücht · gefallene Engel · Bewohner der Hölle · des Teufels Großmutter ⁋ Kreuzweg · Blocksberg ⁋ Teufelei · Teufelspakt, -werk, Besenritt.

10. Jenseits. *s. sterben 2. 45. Glück 5. 46; 11. 21.*

am jüngsten Tag ⁋ Gottes Angesicht schauen · vor Gottes Angesicht treten · seinen Heiland wiedersehen · mit den Engeln jubilieren, Halleluja singen · in Gottes Gegenwart verweilen · die Krone des Lebens erwerben · unter den Unsterblichen weilen · in Meines Vaters Hause ⁋ beseligend · elysisch · himmlisch-paradiesisch · selig · überirdisch · verklärt ⁋ Asenburg · Eden · Elysium · Himmel · Himmelreich · Jenseits · Nirwana · Odinssaal · Olymp · Paradies · Vorhimmel · Walhalla · himmlisches Königreich · bessere Welt, besseres Jenseits · Gottes Thron · Abrahams Schoß · Erbe der Gerechten · Gefilde der Seligen · himmlische Glorie · Wonneleben · Ort der Einherier · elysische Gefilde · Insel der Seligen · die ewigen Jagdgründe · Reich des ewigen Lichts · Reich der Ruhe · Ort der ewigen, unvergänglichen Wonne, Glückseligkeit · das ewige Leben · die ewige Seligkeit · Ewigkeit ⁋ Auferstehung · jüngstes Gericht · letzter Tag ⁋ Apotheose · Vergötterung · Vergottung · Seelenwanderung · Befreiung, Erlösung von allem Übel ⁋ Zwischenreich, die Stadt hinterm Strom.

11. Unterwelt, Hölle. *s. Pein 11. 13. Vergeltung 16. 80. Teufel 20. 9.*

höllisch · infernalisch · stygisch · unterweltlich ⁋ Dante ⁋ Charons Nachen. — Kerberos ⁋ Fegefeuer · Purgatorium · Vorhölle ⁋ Hölle · Höllenreich · Inferno · Schwefelpfuhl · Abgrund der Tiefe · Ort der ewigen Pein, Qual, Strafe, Verdammnis, Vergeltung · Stätte des ewigen Verderbens · Aufenthalt der Gefallenen, Verdammten, Verlorenen · Reich der Hölle, der Unseligen · Land der unerlösten Seelen · Heulen und Zähneklappern · das höllische Feuer ⁋ Acheron · Erebos · Gehenna · Hades · Niflheim · Orkus · Schattenwelt · Tartarus · Totenreich · Unterwelt · Kōkytos · Lethe · Phlegetōn · Styx · Nebelreich der Schatten · Reich des Pluto, der Proserpina · das stygische Gewässer, Ufer.

12. Aberglaube, Zauberei. *s. Furcht 11. 42. wahrsagen 12. 43. Betrug 16. 72. Einfluß 16. 95. Übersinnliches 20. 5.*

abracadabra · hokuspokus · perlicke perlacke · Tischlein, deck dich! Sesam, tu dich auf! ⁋ bannen · berücken · besprechen · beschwören · bezaubern · brauchen · exorzisieren · feiern · gaukeln · gesundbeten · hexen · mesmerisieren · prophezeien · verhexen · verwünschen · verzaubern · vexieren · wahrsagen · wicken (hess.) · zaubern · Zauber ausüben, treiben · einem etwas antun · Hokuspokus machen · Geister, Gespenster, den Teufel austreiben, beschwören · den Zauberstab schwingen · die Augen blenden · Wunder verrichten · die Geister musizieren, schreiben, sprechen lassen ⁋ die Vergangenheit, Zukunft deuten, enthüllen · das Horoskop stellen · aus der Hand lesen · die Karten schlagen · Nestelknüpfen · Zigeunerkünste treiben · aus dem Kaffeesatz wahrsagen ⁋ *Heilzauber:* bannen · bewispern · binden · blasen · böten · brauchen · einsuggerieren · pispern · pöpeln · segnen · streichen ⁋ behext · besessen · feenhaft · geheimnisvoll · kabbalistisch · magisch · nekromantisch · okkultistisch · schwarzkünstlerisch · spiritistisch · verhext · verwunschen · verzaubert · zauberhaft · zauberisch ⁋ Alchymist · Astrologe · Chiromant · Gaukler · Geisterbanner · Geisterbeschwörer · Geisterseher · Hellseher · Spoekenkieker · Hexenmeister · Horoskopsteller · Hypnotiseur · Illusionist · Krankheitsbeschwörer · Magier · Medizinmann · Nekromant · Prestidigitateur · Schamane · Schwarzkünstler · Taschenspieler · Teufelsbanner · Verwandlungskünstler · Verzückter · Wahrsager · Weissager · Wunderdoktor, -täter · Zauberer · Zauberpriester · Zigeuner · falscher Prophet ⁋ böse Frau · Drude · Fee · Hexe ·

Zauberin · Zigeunerin ❡ Medium · Abraxas · Beschwörungsformel · Drudenfuß · Geheimlehre · Kabbala · Pentagramm · Runen ❡ Verwandlung · Zauberbuch · Zauberformel · Zauberschlaf · Zauberspruch · Zauberviereck · Zauberwort ❡ Alraun · Amulett · Aronsstab · Fortunatussäckel · Gegenzauber · Lebenselixier, -wasser · Liebestrank · Mandragora · Salomonssiegel, -schlüssel · Schwirrholz · Talisman · Tarnkappe · Wünschelrute · Wunschhütchen · Zaubergehänge, -mittel, -ring, -siegel, -stab, -trank, -wurzel · Stein der Weisen · böser Blick ❡ Trance · Dämmerschlaf ❡ Zauberkreis ❡ Aberglaube · Bannkunst · Besessenheit · Exorzismus · Feenkünste · Geisterbeschwörung · Geisterklopfen · Hexenpakt · Hokuspokus · Höllenkunst · Sehergabe · Teufelsakt · Teufelsaustreibung · Tischrücken · Totenbeschwörung · Trugwerk · Verzückung · Weissagung · Zauberbann · Zauberkunst · schwarze Kunst · vierte Dimension (Henry More) · zweites Gesicht · als das Wünschen noch mächtig war (Brüder Grimm) ❡ Astrologie · Chiromantie · Dämonenbeschwörung · Geisterseherei · Hellseherei · Hermetik · Hexerei · Magie · Mesmerismus · Nekromantie · Okkultismus · Spiritismus · Tagewählerei · Taschenspielerei · Teufelskunst · Traumdeutung · Wettermacherei · Zauberei ❡ Abwehrzauber. — Parapsychologie.

13. Gebet, Frömmigkeit. *s. fasten 2. 29. Bitte 16. 20. Keuschheit 16. 50. Reue 19. 5.*

anbeten · anflehen · beten · bitten · sich demütigen · dienen · sich erbauen · flehen · huldigen · knien · niederknien · niederfallen · sich sammeln · verehren : die Knie beugen · religiös leben · die religiösen Vorschriften beobachten, erfüllen, halten · den religiösen Anordnungen nachkommen, nachleben · zur Kirche gehen · Gott dienen · Andacht, Gebet verrichten · sich an Gott wenden · Gott anrufen · ein Gebet zum Himmel richten · den Sinn, das Herz, die Stimme, die Augen zu Gott erheben · in Andacht versunken sein · sich in seinem Namen versammeln · sich im Gebet vereinen ❡ danksagen · lobpreisen · lobsingen · segnen · verherrlichen ❡ Dank, Lob, Preis sagen · Gott ehren · Gottes Heiligkeit, Herrlichkeit, Ruhm erheben, besingen, preisen · Lobgesänge anstimmen · Gelübde ablegen ❡ angeloben · beichten · büßen · fasten · sich kasteien · opfern · weihen · widmen ❡ gläubig · gottesfürchtig · kirchlich · orthodox · rechtgläubig · religiös · strenggläubig · ultramontan · schwarz. — abergläubig · bigott · fanatisch · frömmlerisch ❡ anbetend · andächtig · bußfertig · ehrerbietig · erbaulich · feierlich · fromm · inbrünstig · von Herzen kommend · zu Herzen gehend ❡ asketisch · kynisch · puritanisch · selbstpeinigend · selbstquälerisch · sittenstreng · stoisch · streng ❡ Adorant · Beter · Anachoret · Asket · Büßer · Einsiedler · Eremit · Fakir · Flagellant · Geißler · Klausner · Mönch · Pilger · Selbstpeiniger · Mystiker · die geistig Armen ❡ Beguine · Nonne ❡ Brüdergemeinde · Brüderschaft · Gemeinde · Kirche (die allein seligmachende) · geistlicher Orden ❡ Abendgebet · Andacht · Angelus · Ave Maria · Bittgebet · Bußgesang · Dankgebet · Erbauung · Flehen · Frühgebet · Fürbitte · Gebet · Gottesdienst · Kniebeugung · Kollekte · Kyrie eleison · Litanei · Paternoster · Predigt · Rogate · Rogation · Stoßgebet · Tischgebet · Vaterunser · Gebet des Herrn · inbrünstige Bitte um Erhörung · flehentliche Anrufung · englischer Gruß · stilles, gemeinsames Gebet · stille Andacht ❡ Rosenkranz, Gebetskranz · Gebetsmühle, Religionsrad · Gebetsmantel, -riemen · die Hände falten, zu Gott aufheben ❡ *Dankgebet nach dem Wochenbett:* Aussegnung · Einsegnung · Segnung · Kirchgang · gesunder, fröhlicher, dankbarer, gesegneter Kirchgang · 1., 2. Kirchgang · Wochenkirche, Wochenkirchgang · Dankeskirchgang · Betstundengang · Danksagung · Kirchdanksagung · Dankgang · Dankgebet · Verdanken · Fürbitte, Bitte um Gesundheit · Abkündigung · Abkanzeln · Abdankung · Verkündigung · Vermeldung · Abmeldung · Bekanntmachung · Ausbeten · Ausweihe, Mutter-Weihe · Einführung, Einleitung, Einholen, Ausholen · aus den Wochen leiten · Einführung aufholen · Opfergang · zum Prediger gehen · Opfer · Reinigung · zum Gebet gehen · Aufopferung · Wochengang · aus den Wochen gehen · aus den Wochen beten, lesen, leiten · ut'n Kraom gaon · aus dem Kindbett segnen · Gang zum Abendmahl · Vesper · Erster Gang · Wochenausgang · Ausgang · Ausgehtag · Schulgang · Gang auf Friedhof · Auszug · Kindtaufe · (polnisch, masurisch: Wywod = Aussegnung) ℭ Bußtag · Butterwoche · Fastenzeit · Fasttag · Hungertage · Ramadan · Versöhnungstag ℭ Abtötung · Askese · Bußübung · Enthaltsamkeit · geistliche Exerzitien · Caritas · Nächstenliebe · Ekstase · mystische Vereinigung · Entrückung · Kontemplation · Meditation · Versenkung · Fasten · Geißelung · Kasteiung · Kreuzigung · Mönchsleben · Mönchstum · Selbstgeißelung · Strenge · Stoizismus · Tugendübung · Zölibat · Observanz · Nachfolge Christi · tätiges Christentum.

14. Scheinreligion. *s. Heuchelei 13.51.*

unter dem Deckmantel der Religion · unter der Hülle der Frömmigkeit · unter der Maske der Andacht, des Glaubens ℭ frömmeln · salbadern · rasselt mit dem Rosenkranz · den Frommen markieren, zur Schau tragen ℭ fanatisch · frömmelnd · gleisnerisch · heuchlerisch · jesuitisch · maulfromm · muckerisch · pharisäisch · salbungsvoll · scheinfromm · scheinheilig · selbstgerecht · überreligiös · werkheilig ℭ Augenverdreher · Betbruder · Betschwester · Quissel · Fanatiker · Frömmler · Gleisner · Heuchler · Jesuit · Knierutscher · Mucker · Pharisäer · Pietist · Piusbruder · Piuskopf · Scheinfrommer · Scheinheiliger · Snob · Tartüff ℭ Andächtelei · Augendienerei · Äußerlichkeit · Fanatismus · Frömmelei · Gleisnerei · Heuchelei · Lippenandacht, -bekenntnis · stilles Gebet bis 15 (mil.) · Muckertum · Pharisäertum · ästhetische, literarische Mystik.

15. Weihung, Taufe.

in den geistlichen Orden eintreten · die Weihe empfangen · der Welt, den irdischen Freuden entsagen · ins Kloster gehen · mit Christo sich verloben · den Schleier nehmen · Gelübde ablegen ℭ initiieren · (ein)ölen · ordinieren · salben · segnen · taufen · weihen · als Geistlichen einführen, einsetzen · die Weihe erteilen, geben · in die Kutte stecken ℭ charismatisch ℭ Gode · Göll · Gorrel · Pate · Pfetter. — Goth · Gotte · Patin · Patentante ℭ Täufling · Neophyt · Novize · Arschgevatter (rhein.: wenn der Täufling anderen Geschlechts ist) ℭ Einsegnung · Einsetzung · Investitur · Konfirmation · Ordination · Tonsur · geistliche Weihe ℭ Heiligsprechung · Kanonisierung ℭ Gelübde · Klausur · Klosterleben · Klosterzwang · Mönchsleben · Nonnenstand ℭ Satzung · Stiftung · Verordnung.

16. Kult. *s. Gewohnheit 9. 31. Tanz 16. 58. Aufzüge 16. 88. Feste 16. 59.*

anräuchern · sich bekreuzen · besprengen · bespritzen · einsegnen · firmen · kommunizieren · konfirmieren · ministrieren · predigen · taufen · trauen · Andacht verrichten · das Kreuz schlagen · die religiösen Vorschriften beobachten, halten · die Messe, Kirche besuchen · zur Kirche gehen · die Predigt hören · niederknien · zur Beichte, zum Abendmahl, zum Tische des Herrn gehen · die Sakramente empfangen · Opfer darbringen · sich, sein Herz hingeben · ein beschauliches Leben führen · sich zur größeren Ehre Gottes kasteien · ein Gelöbnis machen, tun · fromme Gaben darbringen, spenden ⁋ Messe lesen, singen, zelebrieren · das Hochamt halten · zum Gebet läuten · das Sakrament austeilen, geben, reichen, spenden · Predigt halten · den Segen erteilen · Buße auferlegen · die Kirchenbesucher erbauen, auf den rechten Weg weisen · absolvieren ⁋ abgöttisch · eucharistisch · kultisch · rituell · zeremoniell ⁋ Abgott · Baal · Fetisch · Götze · Idol · Moloch. — goldenes Kalb · Palladium · Totem ⁋ Weihrauch · Weihwasser · Brandopfer · Buße · Opfer(dienst) · Opfergabe · Opferspende · Bau-, Dank-, Menschen-, Rauch-, Schuld-, Speise-, Sühne-, Trankopfer · Erstling, der Zehnte ⁋ Votivfenster · Votivgemälde · Votivtafel · Weihgeschenk ⁋ Autodafé · Flammentod · Hekatombe · Kinderopferung · Menschenschlachtung · Molochdienst · Sutti · Witwenverbrennung ⁋ Agnus Dei · Ampulla · Chrisam · Hostie · Kelch · Kreuz · Kruzifix · Monstranz · Oblate · Patene · Rauchfaß · Reliquie · Rosenkranz · Salböl · Taufbecken · Weihkessel · Weihrauch · Opferstock ⁋ Abendmahlsrede · Amt · Andachtsübung · Bibel-, Erbauungsstunde · Frühmette · Hochamt · Hochzeitspredigt · Hora · Kanzelvortrag · Leichenrede · Messe · Meßopfer · Mette · Predigt · Requiem · Seelenamt · Stillmesse · Totenamt · Traueramt · Verkündigung ⁋ Abendmahl · Brot und Wein · Brotverwandlung · der Leib des Herrn · Eucharistie · Kommunion ⁋ Absolution · Beichte · Ohrenbeichte · Buße · Einsegnung · Firmung · Initiation · Kasteiung · Konfirmation · Leichenfeierlichkeit · Mysterium · Sakrament · Sterbesakramente · Taufakt · Taufe · Taufhandlung · Trauung · letzte Ölung, Wegzehrung · Weihe ⁋ Almosenspende · Betfahrt · Bittgang · Bußgang · Krankenbesuch · Pilgerfahrt · Prozession · Wallfahrt ⁋ Orgel · Psalter ⁋ *Festkalender, Kirchenjahr*: Kirchenfest · Feier-, Fest-, Sonntag · Die Zwölften (Zeit von Weihnachten bis Dreikönigstag), Zwölfnächte, Rauch-, Rauhnächte · Neujahr · Dreikönig, Epiphanias · Septuagesima (70 Tage vor Ostern) · Sexagesima · Estomihi Ps. 31, 3 · Fas(t)nacht · Aschermittwoch · Quadragesima · Passions-, Fastenzeit · Invocavit Ps. 91, 15 · Reminiscere Ps. 25, 6 · Oculi Ps. 25, 15 · Laetare Jes. 54, 1 · Judica Ps. 43, 1 · Palmsonntag Matth. 21, 8 · Gründonnerstag Ps. 23, 2, Luk. 23, 31 (?) · Karfreitag · Ostern, Passah, Auferstehung 2. Moses 23, 15; Matth. 28, 1 · Qasimodogeniti 1 Petr. 2, 2 · Weißer Sonntag · Misericordias domini Ps. 89, 2 · Jubilate Ps. 66, 1 · Cantate Ps. 98, 1 · Rogate Joh. 16, 23—30 · Himmelfahrt · Exaudi Ps. 27, 7 · Pfingsten 3. Mos. 23, 16; 2. Makk. 12, 32; Apg. 2, 1 · Trinitatis (gestiftet 1334) · Fronleichnam (gestiftet 1264)· Johannistag · Peter und Paul · Michaelis · Allerheiligen · Allerseelen · Totensonntag · Bußtag · Advent · Christfest · Heiligabend · Weihnachten · Julklapp · Hl. Stephan 26. Dez. · Silvester (Papst, gest. 335) ⁋ *Marienfeste:* Mariä Empfängnis 8. Dez. · Geburt 8. Sept. · Namensfest 22. Sept. · Verkündigung 25. März · Heimsuchung Luk. 1, 39; 2. Juli · Reinigung, Lichtmeß 3. Mos. 12, 2; 4. Mos. 18, 15; 2. Februar · Sieben Schmerzen 11. Februar · Himmelfahrt 15. August ⁋ Sonnwendfeier · Schibeschlag ⁋ Beiram · Betwoche · Ramadan, Ramazan ⁋ Antiphon · Benedeiung · Benediktion · Chor · Choral · Choralmusik · Glockenspiel · Graduale · Hallelujah · Hosianna · Hymnus · Kantate · Kirchenlied, -musik · Lobgesang · Loblied · Oratorium · Preislied · Psalm · Psalmodie · Segnung · Tedeum · Wechselchor ⁋ Begehung · Brauch · Brauchtum · Dienst · Eheweihe · Gottesdienst · Kult(us) · Liturgie · Messe · Ritus · heilige Handlung · Sakrament · Weihe · Zeremonie · Kulttanz · Verrichtung ⁋ Abgötterei · Dämonenverehrung · Fetischismus · Götzenverehrung · abgöttische Verehrung ⁋ Amtshandlung · Feierlichkeit · Formen · Observanz · Ordensregel · Ritual(e) · Verordnung · Vorschrift.

17. Priester, *s. lehren 12. 33. Propaganda 16. 21. Berufe 16. 60.*

bekehren · verkündigen · predigen · die Schrift auslegen ❡ bischöflich · geistlich · kanonisch · kirchlich · klerikal · mönchisch · päpstlich · priesterlich · theokratisch · ultramontan ❡ Apostel · Jünger · Nachfolger · Blutzeuge · Märtyrer · Evangelist · Prophet · Religionsgründer · Seher · die heiligen Väter ❡ Beichtvater · Bekehrer · Geistlicher · Hirte · Katechet · Kleriker · Kuttenträger · Lehrer · Missionar · Pastor · Pater · Pfaffe · Pfarrer · Prediger · Priester · Religionslehrer · Schwarz-kutte · Schwarzrock · Seelenhirt · Seelenretter · Seelsorger · geistlicher Berater · Diener Gottes, der Kirche ❡ Alumne · Archidiakonus · Archimandrit · Bischof · Chorherr · Dechant · Dekan · Diakonus · Domherr · Domprediger · Erzbischof · Feldkaplan · Fürstbischof · Garnisonpfarrer · Geistlicher · Generalsuperintendent · Hofprediger · Kandidat · Kanonikus · Kapitularherr · Kaplan · Kardinal · Kirchen-fürst · Kooperator · Kosmopolit · Kurat(us) · Metropolit · Monsignore · Ober-pfarrer · Papst · Patriarch · Pfarradjunkt · Pfarrherr · Pfarrverweser · Pfründner · Pope · Prälat · Prediger · Presbyter · Primas · Rektor · Stiftsherr · Suffragan-bischof · Superintendent · Titularbischof · Vikar · Weihbischof · Würdenträger ❡ Abbate · Abbé · Abt · Asket · Erzabt · Frater · Guardian · Klausner · Kloster-bruder · Kuttenträger · Laienbruder · Mönch · Ordensbruder · Ordensgeistlicher · Pilger · Romfahrer Prior · Propst · (Kloster-)Vorsteher · Zellenbruder · barm-herziger Bruder ❡ Äbtissin · Gottesbraut · Heiligenpfleger · Himmelsbraut · Klosterfräulein · Laienschwester · Mater · Nonne · Novize · Oberin · Ordens-frau · Ordensschwester · Priorin · Stiftsfräulein · Verlobte · Braut Christi ❡ Ako-luth · Almosenpfleger · Armenvater · dienender Bruder · Chor · Chorknabe · Gehilfe · Gemeindediener · Glöckner · Kantor · Kirchenältester, -diener, -pfleger, -vorsteher · Kirchner · Kirchwart · Küster · Kustos · Mesner · Meßdiener · Mini-strant · Sakristan · Vorsänger ❡ Hohepriester · Kultusvorstand · Levit · Rabbi · Rabbiner · Schriftgelehrter · Talmudist ❡ Derwisch · Imam · Mollah · Muezzin · Scheich · Sufi · Ulema ❡ Bonze · Brahmine · Dalai-Lama · Fakir · Guru · Yogi ❡ Augur · Druide · Medizinmann ❡ Apologet · Gottesgelehrter · Lizentiat · Theo-loge · Doktor der Theologie ❡ Geistlichkeit · Klerisei · Klerus · Priesterschaft · geistlicher Stand · die Kirche, Schmeichelwinde (rotw.) · die tote Hand · die Kurie · der Heilige Stuhl · Vatikan ❡ Domkapitel · Generalvikariat · Kapitel · Kardinalsversammlung · Kirchenrat · Konklave · Konsistorium · Konzil · Ordina-riat · Sanhedrin · Synode ❡ Apostelamt · Episkopat · Geistlichkeit · Hierarchie · Kirche · Kirchendienst · Kirchenregiment · Kirchentum · Prälatenstand · Prälatur · Priesterherrschaft · Theokratie ❡ *Kirchliche Ämter und Würden:* Archiepiskopat · Bischofssitz · Bistum · Dekanat · Diözese · Erzstift · Kanonikat · Kardinals-würde · Kommende · Oberpriestertum · Papsttum · Papstwürde · Papst · Pontifikat; der Heilige Stuhl, Stuhl Petri · Pastorat · Pfarre(i) · Pfründe · Priesterwürde · Stift · Stifsstelle · Stiftung ❡ Bekehrungssucht · Gottesgnadentum · Gottes-staat · Pfaffentreiben · Pfaffentum · Pfaffenwesen · Theokratie · Verkündigung · (Heiden)Mission.

18. Geistliche Tracht. *s. Kleidung 17. 9.*

Alba · Amikt · Amtstracht · Armbinde · Barett · Beffchen · Bischofshut · Bischofs-stab · Bischofsmantel · Cappa magna · Chorhemd · Chorrock · Dalmatik · Dom-herrnschmuck · Fischerring · geistliches Gewand · Habit · Humerale · Infel · Inful · Kanonikalien · Käppchen · Kapuze · Gugel · Kardinalshut · Kasel · Kette · Krone · Krummstab · Kutte · Meßgewand · Mitra · Mönchskappe · Ordensmantel · Ornat · Pallium · Papstkrone · Tiara · Plattmütze · Pluviale, Piviale · Priesterbinde · Priestergürtel · Priesterkleidung · Priesterkragen · Priester- rock · Scheitelmütze · Schlüssel Petri · Skapulier · Stola · Sutane · Talar · Ton- sur · Tunicella, Cotta, Weihel, Nonnengewand · Weihgehänge · Zingulum. — *weiblich:* Gimpe · Habit · Schleier ℭ Baldachin · Thronhimmel.

19. Heilige Schriften. *s. Buch 14. 11.*

apostolisch · biblisch · eingegeben, inspiriert · erbaulich · evangelisch · geheiligt · göttlich · prophetisch ℭ wie geschrieben steht ℭ Perikope ℭ Agende · Brevier · Choralbuch · Euchologien · Evangeliarium · Gebetbuch · Gesangbuch · Hausbibel · Katechismus · Martyrologium · Meßbuch · Missale · Pontificale · Postille · Ri- tual-, Zeremonienbuch ℭ Bibel · Buch der Bücher · Gottes Wort · Kanon · die Schrift · das Wort · Septuaginta · Vulgata · Testament · Text · Evangelium · Apokalypse, Offenbarung · Apokryphen · Apostelgeschichte · Thora, Gesetzes- rolle, Pentateuch, Heptateuch · Hagiographen · Chronik · Klagelieder · Pro- pheten · Psalmen · Spruch-, Trostbüchlein ℭ Gemara · Masora · Mischna · Talmud · Tradition ℭ (Al)Koran · (Sure) · Dewanagari · Edda · Puranas · Sunna · die Vedas (Rig-Veda) · Vendidad · Bhagavad Gita · (Zend)avesta · Tao Te King · Reden Buddhas ℭ Auslegung · Exegese · Hermeneutik.

20. Kultstätte. *s. Haus 17. 1.*

Grab · Herd · Kreuzweg ℭ Basilika · Bethaus · Dom · Gotteshaus · Grotte · Kapelle · Kathedrale · Kirche (des oder der Hl. X) · Münster · Tempel ℭ Berg- kapelle · Blutkapelle · Dorfkirche · Filialkirche · Garnisonkirche · Hauptkirche · Haus-, Hofkapelle · Opferbaum, -stein, -teich · Pfarrkirche · Schloßkapelle · Stadt- kirche · Waldkapelle · Wallfahrtsort: Lourdes, Echternach, Einsiedeln usw. ℭ Synagoge · Kaaba · Minarett · Moschee · Pagode · Stupa ℭ Andachtsort · Bet- saal · Ehrenmal, -tempel · Erbauungsort · Freistätte · Hain · Heiligtum · Höhle · Pantheon · Zufluchtsort ℭ Abtei · Bischofssitz · Pfarrhaus · Priorei · Stift · Frauen- kloster ℭ Einsiedelei · Eremitage · Kartause · Klause · Kloster · Mönchskloster · Nonnenkloster ℭ Vatikan · Delphi · Lhassa.

21. Teil des Heiligtums.

Tempelhalle · Tempelhof ℭ Allerheiligstes · Altar · Apsis · Baptisterium · Beicht- stuhl · Bet- und Bußbank · Betpult · Bundeslade · Cella · Chor · Diptychon · Empore · Gestühl · Hauptaltar · Hochaltar · Kanzel · Kapelle · Kirchenpult · Kirchenschiff, Seiten, -Querschiff · Kirchensitz · Kreuzgang · Krypta · Lettner · Opferaltar, -stein · Oratorium · Orgel · Predigtstuhl · Sakramentshäuschen · Sakristei · Schiff · Seitenaltar · Seitenflügel · Stiftshütte · Tabernakel · Tran- sept · Totengewölbe, Totenkammer, Beinhaus · Vorhalle · Vorhof ℭ Meß- und Kultgeräte: Altarbild, -blatt, -gerät, -glocke, -schelle, -kerze, -stück, -tuch · Abendmahlskelch · Flügelaltar · Gral · Heiligenbild, -schrein · Kelch · Kirchen- schatz · Klapper · Kommuniontafel · Kommunionstisch, Venerabile, Tisch des Herrn · Kruzifix · Monstranz · Reliquiarium · Reliquienkästchen, -schatz · Tauf- becken, -stein · Weihrauchfaß · Weihwasserkessel · Ziborium, Speisekelch · Ewige Lampe · Klingelbeutel, Gotteskasten, Opferbüchse · Weihwedel, Aspergill.

22. Laienschaft.

der Welt dienen ⁋ dem Kloster entsagen, entlaufen · aus der Kutte fahren, springen · den geistlichen Stand aufgeben ⁋ entweihen · säkularisieren · verweltlichen ⁋ entweiht · laienhaft · profan · ungeweiht · weltlich ⁋ Patronatsherr · Kirchenvorstand · Stifterfigur ⁋ Laienbruder, -prediger, -schwester, -schaft, -stand · Kirchenältester, Presbyter ⁋ Beichtkind · Eingepfarrte(r) · Pfarrkind ⁋ Kirchentag · Weltgeistlicher · Leutpriester · Wanderprediger ⁋ weltlicher Stand · Jünger · Zuhörer, Geliebte in Christo! · andächtige Versammlung · Brüder, Schwestern im Herrn · Böcke und Schafe · Gerechte und Ungerechte · Herde · die Schäflein · Kinder der Welt ⁋ Kirche · Leib Christi · Diözese · (Kirchen)-gemeinde · Kirchspiel · Pfarrei · Pfarrgemeinde · Parochie · Religionsgemeinschaft · Sprengel ⁋ Missionsverein · innere Misson · Bahnhofsmission · Caritas · Frauenhilfe · Hilfswerk · Rotes Kreuz.

Nachträge

1. 2. Sputnik
1. 4. Wetterbericht (Rundfunk)
1. 5. Antizyklon
1. 8. heut regnet es nur einmal
1. 9. Schlackerwetter
1. 21. kontaminieren
1. 25. Katzengold
1. 26. schwarze Diamanten
1. 28. Schamotte

2. 2. S. 28 *Salix:* Kätzchen
        30 *Fagopyrum:* der Heiden
        44 *Sedum album:* Tripmadam
        45 *Rubus fruticosus:* Bram
        47 Hagebutte: Hiefe
        58 *Helianthemum:* Heiderose
           Viola tricolor: Kilte
        64 nachzutragen: *Cornus mas*
           Kornelkirsche
        73 nachzutragen: *Digitalis*
           Fingerhut
2. 9. S. 97 Biene: Drohne
        99 Stör: Kaviar
      101 *Lacertidae:* Axolotl
          Boa constrictor: Abgott-
          schlange
          Brillenschlange: Kobra,
          Königsschlange
      102 *Garrulus glandarius:*
          Markolf
      118 Gans: Gake
      126 Bär: Petz
      128 Pferd: Hottehü · Apfel-
          schimmel · Panjepferdchen
2. 14a. Kastrat · entmannen, kastrieren,
      vergelzen, verschneiden ¶ Eu-
      nuch · Hämling · Kapaun
2. 15. Evastochter · Die Dings, die
      Dingsda, Karline, Langhaarige,
      Schürze
2. 16. perlingual, peroral · Bart: Glun-
      sen · Brust: Blusenspanner,
      Titten · Beine: Trampen
2. 19. Befruchtung
2. 22. hat die Eierschalen noch hinter
      den Ohren · angehend · der
      Popel · Sülzneese · Milchzähne
2. 25. sich selbst überdauern

2. 26. Futter schütten · Eßgeschirr:
      Besteck · Gabel · Löffel · Messer
2. 30. Kribbelwasser · Spitzbohne,
      Muckefuck
2. 31. hinterkippen · mithalten · eine
      Pulle · Manhattan · Ohio
2. 32. sich einen anzwitschern, hat
      einen über den Durst getrunken,
      hat den Kanal voll
2. 34. Eichenloob stinkt · Siedlerstolz,
      Siedlerschreck
2. 35. beniesen
2. 36. heia machen · sich von innen
      besehen
2. 38. o. B. = ohne Befund
2. 39. abgerackert · erschossen · mit-
      genommen · Nervenwrack
2. 40. kregel · quick · Tonicum
2. 41. bettlägerig · morbid
      Buckel: Eigentumstornister
      Glatze: Bubikopf auf Rand ge-
      näht, der Kopf ist ihm durch
      die Haare gewachsen
      eitern: jauchen
      Durchfall: Dünnpfiff
2. 41. Durchzieher
2. 44. Militärarzt: Kv-Maschine · Hel-
      denklau · Heldensieb · Christen-
      verfolgung · Tränklein · Ta-
      bletten · aufpulvern
2. 45. Letalität
2. 47. sich aufhängen
2. 48. tritt seinen letzten Gang an ·
      Familiengruft

3. 1. bei Mutter Grün · Gefilde
3. 3. frequentieren · sich einfinden,
      sich einstellen
3. 8. diffus
3. 17. Hängematte · Säbel
3. 20. Baldachin · Plane
3. 24. einkesseln
3. 27. ärschlings · Katzenauge ·
      Schlußlicht
3. 32. Kontrapost · Pendant
3. 33. Stratosphäre
3. 37. ins reine kommen mit

3. 38.	krude · turbulent · Augiasstall	6. 1.	Zeitspanne
3. 40.	begradigen	6. 7.	anhalten · kleben · hat Pech an den Hosen
3. 44.	Einschnitt · Furche · Kimme		
3. 46.	Reiterbeine	6. 9.	Zeitzeichen
3. 51.	Terrasse	6. 12.	verschieben
3. 52.	Kamm	6. 14.	bis gleich · ruck zuck
3. 57.	fräsen	6. 21.	zu Großvaters Zeiten
4. 2.	Elefantenküken · Pferd	6. 26.	Fuchs · letzter Schrei
4. 5.	teilen	6. 31.	so manches liebe mal
4. 10.	behäbig · kompakt · aus der Fasson geraten	6. 36.	vertrösten · sich zurückhalten · zurückstellen
4. 18.	-gut, z. B. Gedankengut	6. 38.	überlebt
4. 20.	die breite Öffentlichkeit · die reinste Völkerwanderung	7. 1.	aus der Versenkung hervorholen
4. 22.	Massenbetrieb	7. 4.	opalisieren · Lack, Firnis
4. 24.	in die hohle Hand	7. 7.	abblenden
4. 25.	Engpaß	7. 17.	Schnapsneese
4. 26.	all all · wie ausgestorben	7. 22.	letzter Versuch
4. 33.	Kohäsion	7. 27.	pst! Ohropax
4. 35.	arithmetisch · numerisch · ziffernmäßig · Rechenschieber	7. 28.	tot
		7. 35.	Sauna
4. 41.	in Bausch und Bogen	7. 38.	Atom-, Phosphor-, Napalmbombe
4. 42.	ab-, z. B. -arbeiten, -zahlen · Ingrediens · Quote · Rate		
		7. 52.	Schlachtfett
4. 51.	in Reinkultur · verzweifelt	7. 64.	Raucherabteil
5. 6.	unweigerlich	7. 67.	meddeln
5. 8.	-schaffen, z. B. wahnschaffen · Couleur · Nuance	8. 1.	sich auf die Socken machen · reiten, galoppieren, kantern, springen, traben
5. 9.	Masche		
5. 10.	zentral · was dahintersteckt	8. 3.	verlagern
5. 16.	verbo tenus	8. 4.	mit Anhalter · Fernlaster · Anhänger · Trollibus, Obus · Moped · Auspuffmieze, Motorbraut. Hierher auch Wagenteile
5. 17.	aufs Haar		
5. 18.	nachäffen		
5. 19.	schematisch · Schematismus		
5. 21.	grundlegender Unterschied	8. 7.	im Hopp hopp · locker locker! · fix · Besserwisserei
5. 24.	vor Tische las man's anders · tiefgreifender, grundlegender (!) Wandel		
		8. 8.	in Verzug geraten · versacken
		8. 13.	Pfadfinder
5. 25.	Achselträger	8. 15.	den Rückzug abschneiden
5. 27.	abrupt	8. 17.	Auffangstellung
5. 31.	darob	8. 21.	Frontverkürzung
5. 34.	basieren · fußen	8. 22.	Wasserstoffbombe · Atombombe
5. 36.	aufpeitschen · überhitzen		
5. 37.	ätherisch · Marionettenregierung	8. 24.	Exmittierung, Zwangsräumung
		8. 28.	hinan
5. 38.	Sedativ	8. 30.	Rodelbahn · Sprungturm
5. 39.	Beschaffung	8. 31.	aus den Latschen kippen
5. 40.	Wiederaufbau	8. 23.	Bumerang · Rotor
5. 42.	zu Grabe tragen · Prinzip der verbrannten Erde · Vandalismus	8. 33.	fickfacken · Wetterfahne
		8. 34.	fitscheln · turbulent · Wackelpeter
5. 43.	auslagern · einlagern		

9. 3.	ist darauf angewiesen		9. 47.	Ausbeuter
9. 5.	trotzen · hat einen Schädel. — ankotzen · zum Hals heraushängen · verstocken · Dickkopf		9. 49.	es hat keinen Zweck · das Totenhemd hat keine Taschen

9. 3.   ist darauf angewiesen
9. 5.   trotzen · hat einen Schädel. — ankotzen · zum Hals heraushängen · verstocken · Dickkopf
9. 6.   ohne Rücksicht auf Verluste · auf Teufel komm raus
9. 7.   Schlappiér · Bilateralismus · Rückgratlosigkeit
9. 9.   Märzgefallener (1933)
9. 14.   einplanen · aufs Korn nehmen · es ist ihm zu tun um
9. 15.   Kostenanschlag
9. 18.   sich unterfangen · sich unterwinden
9. 19.   (sich) zurückhalten · lustlos
9. 20.   ad acta legen · in den Sack hauen
9. 22.   wühlen · Aktivist · Bestarbeiter · Pionier, Tagesmädchen
9. 23.   Schacht · Schreibtisch
9. 24.   verträumt
9. 26.   von langer Hand
9. 27.   kurzer Hand · aus der kalten la main · frei nach Schnauze
9. 28.   erst mal ins Konzept
9. 29.   an die Arbeit gehen · daran gehen · sich darüber machen
9. 30.   wer A sagt, muß auch B sagen · durchhalten
9. 31.   Konvention · Dippeldappeltour (sächs.)
9. 33.   Punkt und Streusand darüber · das Ganze halt! Halali · Kommando zurück · stornieren · die Produktion abblasen
9. 35.   aus-, z. B. ausdrucken · den Schlußpunkt machen
9. 36.   Sitzstreik
9. 38.   hat keine Zeit · sich auf den Hosenboden setzen · vigilant · Akkordschinder
9. 39.   durch Eilboten · expreß
9. 40.   sich abäschern
9. 41.   will nichts tun · arbeitsscheu · müde · stinkfaul
9. 42.   Dünnbrettbohrer
9. 43.   läßt Gott einen guten Mann sein · Leichtsinn
9. 44.   fundamental · verzweifelt · Tragweite
9. 45.   ixbeliebig · Nebenfigur
9. 46.   zu Nutz und Frommen · es paßt ihm

9. 47.   Ausbeuter
9. 49.   es hat keinen Zweck · das Totenhemd hat keine Taschen
9. 52.   alter Hase
9. 53.   hat keine glückliche Hand · hat keinen Docht in seiner Lampe · Fehlfarbe · Entgleisung
9. 55.   det is 'n Ding (Berl.) · sich in die Brennesseln setzen · ratlos · Engpass
9. 56.   ist gar nicht so ohne
9. 57.   wettmachen
9. 60.   läßt zu wünschen übrig · Schrott · Stückwerk
9. 63.   strapazieren · überbeanspruchen · Schädling · Sabotage
9. 66.   feudeln · rein Schiff machen · unverfälscht · chemisch rein
9. 67.   Schmuddelliese
9. 68.   viribus unitis · Brigade · Kollektiv · Verein
9. 72.   kontra geben · in den Arm fallen · Hemmschuh
9. 74.   bedenklich
9. 77.   avancieren · zum Zuge kommen · weiter kommen · es zu etwas bringen · meistern · Errungenschaft
9. 80.   warum einfach, wenn es auch kompliziert geht? Behördenweg

10. 10.   der Magen hängt bis zum Boden
10. 15.   anschielen
10. 16.   Einauge · Ranziehglas
10. 17.   Silberblick
10.·19.   Horcher
10. 20.   hat Watte in den Ohren
10. 21.   frivol · Demivierge

11. 4.   hellhörig · hellsichtig
11. 5.   turbulent · unruhig
11. 7.   durchgedreht
11. 8.   Quietismus
11. 12.   Asket
11. 14.   auf die Pelle rücken · auf den Leib rücken · leidig · das ist zum Kognaktrinken

11. 16.   das haut hin · es fällt ihm ein Stein vom Herzen · schmeckt nach mehr · das geht ihm glatt herunter

11. 20. geistreich · spritzig
11. 25. Spaß beiseite · ernstlich · nachdrücklich
11. 26. langatmig
11. 27. jmd. etwas verdenken
11. 28. unwirtlich
11. 29. labrig
11. 30. Augen machen · kommt aus dem Staunen nicht heraus
11. 31. hat man Worte? wettern · ist geladen · alttestamentlicher Zorn
11. 32. Trauerweide
11. 34. darüber hinwegkommen
11. 35. den Kopf oben behalten
11. 36. etwas auf dem Herzen haben
11. 38. Ohren steif · Kopf hoch · Bangemachen gilt nicht · aufs Spiel setzen
11. 40. sich salvieren · auf Nummer Sicher gehen · bedenklich
11. 41. macht sich Gedanken über
11. 42. weiche Knie · sich klammern an · es wird ihm angst und bange · benommen · verdattert · verdutzt
11. 44. führt eine Sprache
11. 45. Bramarbas · Besserwisserei
11. 51. Bonhomie
11. 52. aufgeschlossen
11. 53. Mäuschen · hat ihr zu tief in die Augen gesehen · Süßholz raspeln · neintulich · Windhund · Kavalier, Zavalier · Lebenskamerad · Liebesleute · seine Verflossene · Liebelei
11. 59. puh!
11. 60. fertig machen · das Ekel · Ekelpaket
11. 63. gegen die Menschenrechte · Faschist · Kriegstreiber · Nihilist · Scharfmacher
12. 3. es sich durch den Kopf gehen lassen
12. 7. an den Lippen hängen
12. 8. beschnuppern · schnüffeln · nach dem Rechten sehen
12. 12. Buchführung
12. 16. beim Wort nehmen
12. 21. Köpfchen · Teufelskerl

12. 22. ist mit sich im reinen · Zeitströmung
12. 23. es will mir nicht in den Kopf hinein
12. 24. ungefähr · gut und gern · schätzen · taxieren
12. 25. die nicht alle werden
12. 27. da ist der Wunsch der Vater des Gedankens · einen Bock schießen · durch die Brille von X betrachten · Bock · Fehlgriff · Schnitzer
12. 28. Vorurteil
12. 31. entnehmen · begeistert mitgehen · die Augen gehen ihm auf
12. 32. wie seine Westentasche · zur Kenntnis nehmen
12. 33. bimsen · Ausbilder · Ferienmeister · Hauptlehrer · Lehrkraft · Neulehrer · Realienbuch
12. 34. Altklug
12. 35. andern Sinnes werden · umdenken · wieder abrücken von · sich auf die Hosen setzen · ein Externer · Fernstudium · Heimstudent · Sinnesänderung
12. 36. Kasten · Lehrerbildungsanstalt · Diplomprüfung · Matur · Staatsexamen
12. 37. das kann ich doch nicht riechen · die Frage bleibt offen · Hilfsschüler
12. 39. aus der Vergangenheit holen
12. 40. verbremsen · hat ein Sieb im Kopf · er kommt nicht drauf
12. 43. verheisen
12. 46. ist wie vor den Kopf geschlagen
12. 47. Ansicht teilen · recht geben · ins reine kommen mit
12. 52. bahnbrechend · geistvoll
12. 54. Philosoph · Weltweiser ·
12. 55. spinös
12. 56. ist geistig untern Teppich gerutscht · unfaßbar
12. 57. Dachschaden · den hats · bekloppt · hirnrissig · vermatscht · unfaßbar
13. 1. Alarmglocke · Passierschein · propusk · Schulterklappe

13. 2.	Anvertrauen · übermitteln · zu Gemüte führen · Fernsprechanschluß
13. 3.	nahebringen · an den Tag bringen
13. 4.	esoterisch
13. 5.	es kommt an den Tag · die Maske vom Gesicht reißen · herauskriegen
13. 9.	nahelegen
13. 13.	Brustton
13. 17.	be-inhalten
13. 18.	maskenhaft · Schmonzette
13. 21.	zu Wort kommen
13. 22.	hat Plapperwasser getrunken · Dreckschleuder · Kokolores
13. 24.	hörn se mal!
13. 25.	offene Frage · Das große Magisterium · Quiz
13. 26.	das Rätselraten · die Nuß knacken
13. 32.	lallen · sich versprechen
13. 33.	eingängig
13. 34.	geheimnistuerisch
13. 41.	aufhöhen
13. 43.	salbadern · hochtrabend · pastoral
13. 44.	Klarstellung
13. 46.	es muß dabei sein Bewenden haben · arschklar
13. 47.	absägen
13. 51.	Ausstreuungen
13. 52.	sich übernehmen · geschwollen · Überspitzung
13. 53.	zweisprachige Ausgabe
14. 1.	Reportage · Comic · Kolportage · Memorabile · Räuberroman · Sage · Schundroman · Volkserzählung
14. 3.	Vorhang auf! gastieren · Naturtheater · Christmettenspiel · Fastnachtsspiel · Krippenspiel · Passionsspiel
14. 5.	Redeschrift · Akzent · Reinschrift · kann's selber nicht lesen
14. 6.	Drucklegung
14. 10.	Wissenschaft · Fachgruppe · Fachrichtung
14. 11.	Fachbuch · Hetzblatt
14. 12.	verzetteln · Enzyklopädie · Fibel · Lesefrüchte · Reallexikon · Regesten · Sachwörterbuch

15. 3.	entartet · dadaistisch · eidetisch · expressionistisch · futuristisch · surrealistisch
15. 4.	bebildern, illustrieren · Buchkünstler
15. 12.	Messe
15. 13.	Motette · Schnulze · Singsang · Song
15. 15.	Ukulele
15. 16.	Messe · Requiem · Tedeum
16. 3.	Heimo
16. 5.	von auswärts · hergelaufen · Evakuierter · Heimkehrer · Umsiedler
16. 6.	per Anhalter · trampen · Tippelbruder · Wandervogel · Drahtseilbahn · Herrenpartie · Katerbummel
16. 7.	gondeln · paddeln · Flößer
16. 9.	Pflegekind · Halbonkel
16. 10.	mit Vor-Liebe heiraten
16. 11.	mei Myrtebäumche (hess. = Gatte)
16. 13.	Lebenskamerad
16. 17.	zusammenarbeiten · das Aktiv · Block · Brigade · Hausgemeinschaft · Kader · Kollektiv · Zelle · Zirkel
16. 18.	Scharfmacher
16. 19.	die öffentliche Hand · Fiscus
16. 20.	schnorren · anlocken
16. 21.	Bestseller · Knüller · Reißer · umwerben · erfolgssicher · publikumswirksam · verkaufstüchtig · Werbeleiter · Werbeabteilung · Rummel
16. 24.	willigen in
16. 31.	det is ne Wolke (Berlin seit 1953) · er ist voll des Lobes · Beifallstrampeln
16. 32.	schmusen
16. 33.	heruntermachen · wettern · merkwürdig · sonderhaft
16. 34.	Götzzitat: dafür viele Euphemismen wie kann mich, kann mich in Alexandria besuchen, kreusweis usw. · dumm kommen
16. 38.	sich verbeugen · den Hut ziehen · Front machen vor · Morgen, Morgen · Salonlöwe · Diener (= Verbeugung)
16. 40.	Blockbildung

16. 41. Kumpel
16. 43. Kosenamen
16. 44. Schürzenjäger · Lustmolch
16. 46. einen Einser bekommen
16. 47. hingehen lassen
16. 48. Antifaschist · Antimilitarist
16. 50. asketisch · brav · Susanna (im Bade)
16. 53. vor den Kopf stoßen · aus der Rolle fallen · keine Kinderstube haben · Ruppsack
16. 54. verkohlen · frivol · sarkastisch
16. 55. Hausball · Party
16. 56. Erlöst und angebrannt · Teufels Gebetbuch · Rausschmeißer
16. 57. Campingausrüstung · Zelt · Plane · Hürdenrennen · Friedensfahrt
16. 58. eine Sohle aufs Parkett legen · Primaballerina · Mambo · Tanganilla
16. 59. Erntedankfest · Vogelwiese (Dresden)
16. 60. Agronom. — Schnauzenklempner · Kv-Fabrik · Wunderdoktor. — Intelligenzbestie. — Dorfbüttel. — Midinette — Katzenkopf (= Schlosser)
16. 61. schick · Modekönig
16. 63. Modedämchen
16. 64. die Honneurs machen · vorsetzen · Bistro · Lasterhöhle · Spelunke. — Party · Stippvisite
16. 65. nun gerade! kontern · Widerpart halten · Schach bieten · anti- · renitent · rot, sozialistisch
16. 66. sich überwerfen · es mit jemand verderben
16. 67. sich kabbeln · sich kampeln · Prozeßhansl
16. 68. Rüstungsgewinnler
16. 70. sich vergessen · anrempeln · Katzbalgerei · Tauziehen
16. 72. anschmieren · auf die Schippe nehmen, auf den Arm nehmen
16. 73. Mars · Bellona · Stahlgewitter
16. 74. Heldenklau · Etappenhengst · Frontsoldat. — weibliche Organisationen: Arbeitsmaid. — Zwölfender · Front · Frontverlauf
16. 74a. silberner Vogel · Luftwaffenhelferin · ausgebombt · fliegerbeschädigt · Christbäumchen

16. 78. Kopfnuß
16. 79. fertigmachen · KZ
16. 83. sich planmäßig absetzen · die Flinte ins Korn werfen
16. 90. unangenehm auffallen · Stunk machen · Fläz
16. 91. die Herrschaften · Bonze
16. 92. Kleinbürgertum
16. 95. Karriere · Laufbahn
16. 98. -vorstand · Gemeindebulle
16. 99. Funktionär · Würdenträger
16. 100. Marke
16. 103. Federführung · Inkassobefugnis
16. 105. aufsagen · fallen lassen
16. 106. Imperativ (lies!) · Infinitiv 1 (essen!) · Partizipium 2 (stillgestanden) · Einwortsätze: los! her damit! zurück! fort! Interjektionen: heda pst · Indikativ Präsens: du holst mir das · Zukunft: du wirst dableiben · Modalverben: sollen, dürfen · Vorschlag: wollen wir?
16. 107. Bonapartismus · Imperialismus
16. 109. kein Haar krümmen · Konivenz
16. 114. Gehör schenken · sie kann ihn um den Finger wickeln
16. 116. ist voller Mucken · will die Welt aus den Angeln heben · aufsässig · dickköpfig · widerborstig · widerhaarig · Wühlmaus · Befehlsverweigerung
16. 117. verschleppen · Korral (f. Elefanten) · Pferch · schlagartiger Zugriff

17. 1. einen Bau hochziehen. — einzulegen · Abt. 5 Erzeugung: Werkstatt · Atelier · Fabrik · Werk · Labor(atorium)
17. 2. Wendeltreppe, Schneckentreppe
17. 3. die Buntkarierten · Etagenbett · Heia · Klappbett · Koje · Faulenzerstuhl · Kautsch · Dreh-, Schaukel-, Wagnerstuhl
17. 5. Konsole
17. 6. Gießkanne · Reagenzglas
17. 7. Seesack
17. 8. Hartfaser · Everglaze · Georgette · Trikotagen

17. 9.   einmummen · einpuppen · Fetzen · Klunkern · Arbeits-, Arzt-, Labor-, Pelzmantel · Poncho · Überwurf · Fellbluse, Boa · Maschl · Kniefrei · die Krachledernen · Wadenstrumpf · Bärlatschen · Schnur-, Strohschuh · Sandalette · Schirm-, Ski-, Soldaten-, Basken-, Ludenmütze · Schute · Schiffchen · Tändelschürze

17. 10.   Herren-Rundschnitt · Karfunkel · Staffage

17. 13.   Atom-, Napalm-, Wasserstoffbombe · Kernwaffen

18. 1.   Aussteuer

18. 3.   aus dem vollen wirtschaften · scheffelt nur so das Geld · kann anständig mit dem Daumen wackeln · hat etwas zu verlieren · liquid · -könig, z. B. Stahl-, Kohlen-, Kanonen-, Kupfer-, Baumwollkönig · Monopolkapital · Prosperität

18. 4.   sich durch-, z. B. -bringen, -hungern, -schlagen, -kämpfen Notleidender · die wirtschaftlich Schwachen · Wirtschaftskrise

18. 5.   weiterkommen · zu Buch schlagen · Bombengeschäft · findet sein Fortkommen · Apanage · Aufbesserung · Bezüge · Kassenüberschuß

18. 6.   Bauernlegen

18. 7.   der nimmt einem das Weiße aus den Augen · Schieber

18. 8.   Scheckreiter

18. 9.   greifen · es war niemand im Laden · englisch kaufen · Taschendieb · Straßenräuber · Klemm und Greifenberg · Klemm und Klau

18. 10.   solide · sparsam · Selbstfinanzierung · Vermögensbildung

18. 12.   bestimmen für · reichen · zustecken · Lohnerhöhung

18. 13.   ist von Gebersdorf · hat heute die Spendierhosen an

18. 14.   urschen (Schles.)

18. 15.   in den Rauchfang schreiben

18. 16.   zur Verrechnung · Investition

18. 17.   melken · Konto überziehen

18. 18.   abdecken · wieder herauswirtschaften · Schulden abstoßen · Mariahilf

18. 19.   wovon denn? Kellerwechsel

18. 20.   betriebswirtschaftlich

18. 21.   Porzellangeld · Billon · Emmchen · Florin · Fünfer · Kickerling · Neugroschen · Geldüberhang

18. 22.   in Nahrung setzen · beschäftigen

18. 23.   führen · am Lager haben · verscherbeln · einen guten Markt finden · best seller · Angebot · Preisniveau

18. 25.   Filiale · Kommandite

18. 26.   Kasse machen · der Tag des Herrn · Porto

18. 27.   die Preise ziehen nach · hochwertig · Boom · Hochkonjunktur · Arbeitermangel · Halsabschneiderei · Kurssteigerung · Vollbeschäftigung

18. 28.   zu herabgesetzten Preisen · Pfennig-, Groschen-: -heftchen · Kursrückgang · Überangebot · Warenstau

18. 30.   Rendite · Kapitalismus

19. 4.   ich finde nichts dabei · einwandfrei

19. 5.   aufrütteln

19. 8.   Bosheit

19. 10.   Schlawiner

19. 11.   Makel

19. 13.   entwaffnend · jemand das Wort reden

19. 14.   Kulturabkommen

19. 23.   polizeiwidrig

19. 24.   Haftung · Plansoll

19. 28.   Alcalde

19. 32.   ausfressen · büßen · nachexerzieren

19. 33.   verreisen

20. 1.   evangelisch, protestantisch · katholisch · Credo. — Worttabu

20. 3.   Deutscher Christ

20. 5.   uminos · das ganz Andere

20. 6.   die weiße Frau

20. 7.   der liebe Gott

20. 13.   den alten Adam ausziehen

20. 20.   Notkirche · Simultankirche · Stiftskirche

Generalregister

Vorbemerkungen zum alphabetischen Generalregister

Diesem Deutschen Wortschatz ist ein nichtalphabetisches Begriffssystem zugrunde gelegt. Ich kann natürlich von dem Benutzer nicht verlangen, daß er die genaue Kenntnis meines Begriffssystems jederzeit präsent hat. Ein alphabetischer Index zu dem Ganzen ist also unbedingt notwendig. „Mit ihm steht und fällt das Buch" bezeugt mir die Leiterin eines von der Deutschen Akademie Berlin veranstalteten Wörterbuches der deutschen Sprache der Gegenwart. Dieser alphabetische Generalindex war in den bisherigen Auflagen etwas mager. Er ist jetzt sehr erweitert worden, so daß kaum vorstellbar ist, wie ein Leser damit nicht dorthin findet, wo er nachlesen will. Der leicht ersichtliche Hauptzweck ist also der, daß der Benutzer jeden Begriff leicht finden kann, damit er die Stelle hat, wo die Synonyma zu dem ihn gerade interessierenden Begriff zusammenstehen. Ein Nebenzweck, an den auch gedacht werden könnte, wäre, daß Benutzer vielleicht das Bedürfnis haben, jederzeit feststellen zu können, ob ein Wort in meinem Buch steht oder nicht. Diese Vollständigkeit durch weitere Jahre schwerer Arbeit zu erreichen, halte ich für wissenschaftlich nicht nötig.

Manches Wort steht in dem alphabetischen Register, während es an der Stelle der Verweisungszahl zwar stehen sollte, aber noch nicht steht. Wer mit einem Lexikon lebt, kommt aus den Nachträgen nicht heraus.

Nicht alle Wörter in dem Textteil sind in dem alphabetischen Index wieder aufgeführt. Es schien oft auszureichen, daß neben einem Wort wie z. B. *reichhaltig* nicht auch noch die Ableitungen wie *Reichhaltigkeit* u. dgl. aufgereiht wurden.

Die Zahlen, auf die jeweils verwiesen wird, beziehen sich auf die Nummern meiner 20 Hauptabteilungen. Auf Pflanzen- und Tiernamen wird mit Seitenzahlen (= S.) verwiesen.

Wer vielleicht eine von den drei ersten Auflagen besitzt und den jetzt verbesserten Index benutzen will, möge bitte beachten, daß von der vierten Auflage ab die 20 Hauptabteilungen leicht umgruppiert sind. Es entsprechen Zahlen der Auflagen I—III im jetzigen Index den Zahlen:

Aufl. 1—3	Aufl. 4 und 5
1. Zeit	6.
2. Raum. Lage. Form	3.
3. Größe. Menge. Zahl. Grad	4.
4. Wesen. Beziehung. Geschehnis	5.
5. Sichtbarkeit. Licht. Farbe. Schall. Temperatur. Gewicht. Aggregatzustand. Geruch. Geschmack	7.
6. Anorganische Welt. Stoffe	1.
7. Pflanzen. Tier. Mensch (Körperliches)	2.

Ich hoffe, die angestrebte Erleichterung des Auffindens für den Benutzer so erreicht zu haben, ohne daß ein zweiter Band von mindestens dem gleichen Umfang wie der vorliegende herauskam.

Die oben zitierten Worte von Dr. Helene Malige-Klappenbach entstammen einem Aufsatz „Zur Anlage von Wörterbüchern", Wiss. Annalen 5 1956, 968—73, und lauten vollständig: „ein umfassend ausgearbeitetes alphabetisches Register am Schluß, das dem suchenden Auge weitgehend hilft, ist im Grunde nichts weiter als ein in Nummern- und Seitenangaben verschlüsseltes semasiologisches Werk." (Semasiologisch betätige ich mich in dem alphabetischen Index, der eine reine Liste ist, aber gar nicht, sondern verweise auf den onomasiologischen Hauptteil.) Die Kritikerin hat nun etwas übertriebene nicht ganz klare Vorstellungen von der Macht des Alphabetischen. „Die Verdrängung unserer mehr als 3 Jahrtausende alten Abc-Folge" würde uns um etwas bringen, „um dessen einfache Handhabung uns die Völker der Bildschrift beneiden dürften". Aber ich will doch das Alphabet und unsere Schrift nicht abschaffen. Ein den Kennern wohlbekanntes Betrugslexikon, Leipzig 1743, das der Familie Goethe so viel Freude gemacht hat, ebenso meinen nach Begriffen angeordneten Wortschatz hält sie für ein alphabetisches Wörterbuch, wegen des alphabetischen Führers am Schluß, der nur·leider durch störende Verschlüsselungen mißraten ist. Demnach wäre auch ein Handbuch der Chirurgie, wenn am Schluß ein alphabetischer Index steht, ein alphabetisches Wörterbuch mit überflüssigen Verschlüsselungen. Nach dem anfangs zitierten Satz sollte man meinen, meine Kritikerin schätzt meinen alphabetischen Index, aber nein, sie bewundert eine Besprechung meines Buches von Kalicinski, der auf die merkwürdig selbstquälerische Idee verfallen ist, bei mir das Wort *finden* finden zu wollen, ohne das alphabetische Register zu benutzen, wo er sofort den Verweis 12.20 gefunden hätte. Er verbot sich dessen Gebrauch und hat eine Stunde herumgesucht. Sein Ergebnis war eine Sammlung von Wendungen, in denen finden vorkommt, wie stattfinden, Anklang finden usw., natürlich an sehr verschiedenen Orten. Meine Kritikerin findet diese Tätigkeit ihres Kollegen sehr liebenswürdig und wirft mir wie s. Z. Kalicinski vor, daß die Verwendungen von *finden* bei mir nicht im Text beisammenstehen. Dazu ist mein Buch nicht da, man findet dergleichen alphabetisch geordnet und in schöner Reichhaltigkeit in den deutschen Wörterbüchern von Paul-Euling-Schirmer oder Trübner. Ich will ja Verwendungsweisen von *finden* gar nicht sammeln, sondern Synonyma dazu wie *entdecken, darauf stoßen* usw. Sie macht mir auf diese Weise Vorwürfe, daß mein Buch nicht bringt, was es nicht bringen will und kann. Möge ihr nicht das gleiche Erlebnis widerfahren, wenn ihr Wörterbuch herauskommt, daß vielleicht ein Rezensent bemängelt „nicht mal Fußball spielen kann man mit dem Ding, so schlecht ist es geheftet".

Möge sich also meine Kritikerin damit aussöhnen, daß jemand die Synonymenmassen des Deutschen Wortschatzes nach einem Begriffssystem vorgeführt hat. Diese Synonymenmassen sind in jeder Sprache vorhanden, gleich verteilt oder mit interessanten Unterschieden. Wollte man sie alphabetisch vorführen, so käme man vor lauter Verweisen (etwa hüpfen vgl. springen; kommt man dann bei s zu springen, müßte da wieder der Verweis stehen vgl. hüpfen) zu nichts. Die Entstehung der Sprachen ist ein prähistorischer Vorgang. Seit man sie fertig sieht und in sie hineingeboren wird, ist die Betrachtung der Synonyma sprachgeschichtlich, wortgeschichtlich und sprachphilosophisch von der größten Wichtigkeit, wozu ich bitte, oben die Einleitung über Bezeichnungswandel gegenüber dem Bedeutungswandel (Onomasiologie gegenüber Semasiologie S. *39 ff.*) zu vergleichen. Die Kausalbetrachtung sprachlicher Vorgänge und Wandlungen scheint mir aus der Berücksichtigung der Synonyma mehr Gewinn zu haben als aus semasiologischen Formeln und Vertiefungen. Aber eine der neueren Formulierungen von L. Weisgerber „in der Sprache hat der Mensch die Aufgabe, die Welt zu worten" ist völlig onomasiologisch. Es wäre schön, wenn er eine Neuauflage seines Hauptwerkes im ständigen Hinblick auf sie unternehmen könnte.

a 4.36 9.8
A und O 5.10 9.44
 20.7
à bas 16.34
A bis Z 4.41
a capella 15.12f.
à fond perdu 18.15
 18.27
a posteriori 6.12
 12.9
a priori 6.11 12.14
 12.16f.
à propos 5.5 5.16
 6.35 9.48
à quatre épingles
 16.61
a tempo 5.16 6.14
 6.35
ä! 11.13
Aak 8.5
Aal S. 99 2.27 4.50
 9.52
aalartig 3.52 9.52
 16.32 17.13
aalen, sich 9.24
 9.36 11.9
aalförmig 3.46 3.52
 4.9 4.11 4.50
 12.53 13.51 16.32
aalglatt 16.32
Aalraupe S.99
Aar S. 115 8.7
 11.38 13.1
Aas 2.45 3.4 7.64
 9.67 11.53 12.52f.
 16.37
—, kein 3.4
aasen 2.41 18.14
aasig 4.50
ab 2.45 4.23 8.30
 — und an 6.28 6.30
 — und zu 6.28 6.30
 —, auf und 8.33
 —, vom Wege 8.12
ab- 3.4 8.30 19.10
Abaddon 20.9
Abakus 4.35

abändern 5.24 13.31
abarbeiten 18.18
 18.26
—, sich 9.18 9.40
 9.55
Abart 4.47 5.8 5.11
 5.14 5.20 5.24
abäschern, sich 9.40
abbalgen · 3.22
Abbate, Abbé 20.17
Abbau 1.23 3.49 4.5
 8.18 11.15 18.10
abbauen 16.105
abbefehlen 3.29 9.9
 16.105
abbeißen 4.34
Abberufung 16.105
abbestellen 9.9
abbezahlen 18.26
Abbiegung 3.15 3.46
 8.12
Abbild 5.9
abbilden 5.18
Abbildung 5.18 15.4
abbinden 4.34
Abbitte 16 80 16.82
 19.5 19.26
abbitten 16.82 19.5
abblasen 8.24 9.33
 16.83
abblättern 4.34
abblenden 7.6f.
abblitzen (lassen)
 9.78 16.12 16.27
abblühen 6.8 9.61
abböschen 3.13
Abbrändler 18.4
abbrechen 3.36 4.5
 4.23 4.34 4.42 5.28
 5.42 6.36 8.18
 9.20 9.24 9.33
 9.36 9.72 16.52
 16.67 16.116
abbrennen 5.42 5.47
 18.15
Abbreviatur 4.7
abbringen 9.17 9.33
 19.6

abbröckeln 4.5 4.34
 9.61
Abbruch 2.25 9.32
 9.50 9.73
 — tun 9.50 16.35
 19.9
abbrüchig 9.60
abbrühen 7.39
abbuhlen 9.77 16.20
abbürsten 9.66
abbusseln 16.43
abbüßen 11.13 11.47
 16 80 19.26
ABC 6.2 9.29 12.33
 12.35 14.5
 — Schütze 2.22
 12.35 12.37
abdachen 3.13
Abdachung 3.13
abdämmen
 3.58 7.56 7.58
 9.73 9.76
abdampfen 7.60
 8.18 16.6
abdanken 4.34
 9.19f. 9.85 16.105
 16.110 16.118
abdarben, sich 18.10
abdecken 3.22 18.18
Abdecker 2.46 16.60
abdeichen 7.58
abdichten 3.58
abdingen 18.2 18.28
abdisputieren 13.29
abdizieren 9.20
abdominal 2.16
abdrängen 8.12
 16.107 18.6
abdrehen 3.36 16.83
abdrohen 16.107
abdrosseln 3.58 18.6
Abdruck 5.18 13.1
 14.6 14.11 15.4f.
abdrucken 5.18 15.5
abdrücken 16.43
 17.12 18.22
abebben 4.5
Abel 16.3

Abend 1.4 2.25 6.4
 16.38
Abenddämmerung
 6.4
Abendbrot
 — essen 2.26
Abendgebet 20.13
 20.16
Abendgesellschaft
 16.64
Abendglocke 6.4
 7.30
Abendgold 7.17
Abendhimmel 6.4
Abendkleid 3.22
 17.9
Abendkühle 7.40
Abendland 1.12
abendlich 6.4
Abendlicht 7.7
Abendluft 7.40
Abendmahl 2.26
 13.49 20.13 20.16
—skelch 20.16 20.21
—srede 20.16
Abendrot 6.4 7.4
 7.17
Abendruhe 6.4
 7.28 9.3
Abendschatten 7.6
Abendschoppen 2.31
Abendschule 12.36
Abendsegen 17.13
Abendsonne 6.4
Abendständchen
 15.16
Abendstern 1.2 6.4
Abendstille 6.4 7.28
 9.24 9.36
Abendstunde 6.4
 9.36
Abendtisch 2.26
Abendunterhaltung
 16.55
Abenteuer 2.19 5.44
 9.16 9.21 9.28
 9.74 11.39 14.1
—, galante 16.44

abenteuerlich 9.74
11.39 12.28
Abenteuerroman
14.1
Abenteurer 9.16 11.6
11.39 16.92 16.94
aber 4.20 4.23 5.12
5.21 5.23 9.7 9.55
12.48 16.27
Aberglaube 9.14
11.42 12.25 20.1f.
20.12f.
aberkennen 4.49
13.29 19.32
abermals 4.37 6.28
Aberration 7.4 8.12
8.22
Aberraute S.83
Aberwitz 12.19
12.56f.
abfahren 2.45 6.2 8.1
8.18 16.6 16.78
19.32
Abfall 3.13 4.24
4.32 9.9 9.45 9.49
9.60 16.116 20.2
20.4
Abfälle 16.78
abfallen 9.61 16.116
abfallend 3.13
Abfalleimer 17.7
abfällig 9.17 12.27
12.48 13.29 16.33
16.116
abfangen 9.73
16.117 18.6
abfärben 5.9 7.12
abfassen 14.5 14.11
16.117
abfeilen 4.30
abfeilschen 18.22
18.28
abferkeln 2.21
abfertigen 9.19
13.26 16.34 18.26
abfeuern 16.76 17.12
abfiltrieren 8.24
abfinden, sich 9.5
11.8 11.48 19.14
Abfindung 16.46
18.26 19.17
abflachen 3.12 3.52
abflattern 2.45
abflauen 4.5
abfließen 7.55

Abfluß 4.5 4.31
7.56 8.18 17.2
abfordern 16.20
19.22
abformen 5.18 15.1
abfragen 9.28 12.8
13.25
Abfuhr 8.3 13.26
13.47 16.83
abführen 8.3 16.83f.
16.117 18.26 19.33
Abführmittel 2.35
2.44 9.66 19.29
abfüllen 7.55 8.18
18.6
abfüttern 2.26 10.11
16.64
Abgabe 18.12 18.26
Abgabenfreiheit
19.22
Abgang 2.45 4.5
4.30 7.3 8.18
8.24 9.33 16.8
18.15 18.23
abgängig 3.4 4.5
4.25 18.15
Abgas 7.64
abgaukeln 16.72
abgaunern 18.8f.
abgearbeitet 2.39
abgeben 5.1 5.8
8.3 9.48 18.12
18.26
—, sich 9.18 9.38
abgebrannt 18.4•
18.15
abgebrochen 3.36
5.42 9.33 13.14
abgebrüht 11.8
13.51 19.8
abgedroschen 5.19
11.26 12.32
abgefeimt 11.60
12.53 19.8
abgefertigt 9.78
abgegriffen 6.27
9.49
abgeguckt 5.18
abgehalten 9.73
16.117
abgehärmt 11.32
abgehärtet 2.38
10.3 11.8 19.10

abgehen 2.45 5.2 5.12
5.29 8.24 9.9
12.19 13.22 13.43
13.51 16.105 18.15
—, sich nichts —
lassen 2.26 11.9
11.11 13.10
abgehetzt 2.39
abgeizen, sich 18.10f.
abgekämpft 2.39
abgekartet 9.2 9.14
9.68 12.3 19.14
abgekehrt 20.1
abgeklärt 11.8 11.25
abgekocht 7.69
abgekommen 6.27
abgelagert 6.27
abgelaufen 6.4
abgelebt 2.25 5.37
9.61 11.8 19.10
abgelegen 2.25 3.8
4.34 9.49
abgemacht 9.6 9.14
12.3 12.47 16.24
19.14
abgemagert 4.11
5.37
abgemeldet 3.4 11.14
abgemergelt 5.37
abgemessen 5.9
11.44
abgeneigt 9.5 9.17
11.59 11.62
abgenutzt 9.60 9.63
Abgeordnetenhaus
16.102
Abgeordneter
13.8 16.96ff.
16.102 16.104
abgerissen 3.36 4.34
13.39 18.4
abgerundet 3.47
3.50 3.56 13.33
Abgesandter 13.8
16.103
Abgesang 14.2
abgeschieden 2.45
13.4 16.52
abgeschliffen 3.52
11.17 16.38 17.10
abgeschlossen 4.24
19.14
abgeschmackt 11.26
11.28f. 13.42

abgesehen 4.49 5.18
abgesetzt 8.18 16.105
abgesondert 4.34
abgespannt 2.39
Abgespanntheit 2.39
5.37 9.24
abgestanden 7.69
abgestorben 2.44f.
11.8
abgestumpft 2.39
3.56 9.19 9.41
10.3 11.37
abgetakelt 2.25 9.85
abgetan 6.4 16.34
19.14
—, leicht 9.54
abgetötet 11.8
abgetragen 9.49 9.60
9.63 11.12 16.92
18.4
abgetrieben 2.39
abgewendet 12.13
abgewiesen 11.62
16.12
abgewinnen 9.47
16.84 18.5
—, Geschmack 10.7
11.18 11.53
—, den Vorrang
9.77 16.85
abgewöhnen 2.31
9.32
abgeworfen 9.78
abgezehrt 2.41 4.11
5.37 11.28
abgezweigt 8.22
abgießen 5.18 8.24
9.66
abgittern 3.25
Abglanz 4.32 5.18
abgleiten 8.17
—, vom rechten
Wege 19.10
Abgott 11.36 11.53
16.85 20.2 20.6
Abgötterei 20.2
abgöttisch 11.53
20.2 20.6
Abgottschlange S.101
abgraben, das Wasser
9.72f. 16.71
abgrämen, sich 11.32
abgreifen 16.43

abgrenzen 3.23 3.24f.
5.38 4.34 4.49
Abgrund 3.11 3.13
4.14 4.26 9.74
20.11
abgründig 4.14
abgucken 5.18
Abgunst 11.60
Abguß 5.18 15.1
abhacken 4.34
abhalftern 4.34
16.105
abhalten 2.35 9.17
9.73 13.9f. 16.29
16.77 16.117
abhandeln 12.14f.
12.33 18.20 18.22
18.28 19.14
abhanden kommen
3.4 4.26 18.15
Abhandlung 14.10f.
Abhang 3.13 4.12
abhängen 3.13 4.34
5.34 8.7 16.111
16.113 18.9
abhängig 5.34
16.111ff. 19.15
abhärmen 11.13
11.32
abhärten, sich 2.38
5.35 7.44 9.26
9.32 10.3 11.8
abhaspeln 8.32
abhasten, sich 9.39
abhauen 2.45 4.34
8.18
abhäuten 3.22
abheben 18.6
—, sich — von 5.21
7.1
— auf 5.10 9.14
12.5
—, die Karten 9.26
16.56
abhelfen 2.40 9.57
abhetzen 2.39 8.7
9.39
abheucheln 16.72
18.8
Abhilfe 2.40 9.57
abhobeln 3.52 4.34
16.38

abhold 9.73 11.47
11.59 16.27
abholen 8.3 19.33
abhorchen 13.3
abhören 10.19 12.8
12.33 13.3 13.25
Abhub 4.24 4.34
9.60 16.94
abirren 8.12 12.27
12.57 13.51 19.10
Abirrung 8.12 19.10
Abiturient 12.35f.
abjagen 18.6
abkanzeln 16.33
abkapiteln 16.33
abkappen 4.5
abkargen 4.25
18.10f.
abkarten 9.14 9.68
16.17
abkaufen 18.22
abkehren 9.66
16.78
—, sich — von 8.12
9.5 9.20 10.9
11.59 16.8 16.27
16.34 16.36 16.67
abklären 9.66
Abklatsch 4.37 5.18
15.1
abklopfen 3.7 4.34
abknallen 2.46
abknapsen 4.30 18.6
18.10
abknipsen 15.8
abknöpfen 16.78
18.6 18.9
abknüpfen 4.34
abknutschen 16.43
abkommen 9.20 9.32
9.85 17.12
—, vom Wege 8.12
13.51 19.10
Abkommen 19.14
Abkommenschaft
5.34 16.9
abkonterfeien 15.4
abkratzen 2.45 3.22
4.34 7.49
abkriegen 2.41 16.78
abkühlen 7.40 9.17
16.66
Abkunft 5.41 16.9
—, dunkle 16.94
abkürzen 4.5 4.7 8.7

Abkürzung 13.1
14.5
abküssen 16.43
abladen 7.42 8.3
8.18
ablagern 8.18
—, sich 4.32
Ablaß 7.56 16.47
19.30
ablassen 8.3 9.32
9.85 12.28
—, von der Sünde
19.5
Ablaßzettel 16.47
Ablauf 5.44 6.1
7.55f.
ablaufen 6.4 7.56
8.18 9.40
—, gut 5.46 9.77
11.9
—, den Vorrang
16.85
—, sich die Beine
9.38 9.78
—, sich die Hörner
11.11 16.44
ablauschen 5.18
Ablaut 13.13
abläutern 9.66
Ableben 2.45
ablegen 2.21 3.22
8.30 9.19f. 9.32
9.85 16.23 19.5
Ableger 2.3 2.22
5.17 5.41 16.9
ablehnen 9.3 9.5
11.59 12.48 13.29
16.27 16.53
Ablehnung 4.49 9.3
16.27
ableiten 7.56 7.58
8.12 8.18 12.14ff.
13.31 18.2
Ableitung 7.56 7.58
13.16
ablenken 8.12 12.13
ablernen 5.18 12.35
12.39
ablesen 9.27 14.7
ableuchten 7.4
ableugnen 12.48
13.29 13.51 16.27f.
Ableugnung 19.27
abliefern 9.3 18.12

ablisten 16.72 18.8
ablocken 16.72
—, Tränen 11.13
11.50
ablohnen 16.105
18.26
ablösen 6.31 8.15
18.18
abluchsen 16.72
abmachen 2.39
2.45 4.34 8.8
8.18 9.14 9.33
9.35 11.15 16.23f.
Abmachung 19.14
19.17
abmagern 4.5 4.11
abmähen 2.5 3.52
4.30 4.34 5.42
abmahnen 13.8ff.
Abmahnung 9.17
13.10 16.33
abmalen 15.4
abmarken 13.1
abmarkten 18.22
Abmarsch 6.2 8.18
9.29 16.6
abmeiern 16.105
abmergeln 4.11
abmessen 4.1 4.6
12.12
—, die Worte 11.40
13.23 13.39
abmodeln 5.18
abmontieren 3.22
abmühen, sich
9.18 9.40 9.78
abmurksen 2.46
abnabeln 2.21
Abnahme 4.5 7.42
9.61
— der Kraft 5.37
abnehmen 4.5 4.26
4.30 5.26 9.61
18.6 18.15 18.22
—, die Maske 13.5
Abnehmer 18.22
Abneigung 9.5 9.72
11.27f. 11.59 16.36
16.65f.
abnibbeln 2.45
abnorm 3.38 3.60
5.20 5.22 6.29f.
11.27f. 11.30
Abnormität 11.30
abnötigen 16.107
abnützen 9.63

Abnutzung 4.5 4.31
5.42 9.61
Abonnement 19.14
Abonnent 9.31
abonnieren 6.33
9.31 18.22 19.14
abordnen 16.103
Abort 2.35 2.46
8.24 9.67
Abortus 2.21
abpassen 9.74 16.71
16.81
abpellen 3.22
abplacken, sich 9.40
abplagen, sich 9.40
Abplattung 3.123.51
abprallen 7.45 8.10
8.18
abpressen 18.6
abprotzen 7.29
16.76 17.12
abputzen 9.66
abquälen, sich 9.40
Abracadabra 20.12
abrackern 2.39 9.40
Abrahams Schoß 2.45
20.10
abrahmen 18.6
abrasieren 3.52, 4.26
abraten, abreden
9.17 13.9f.
abräumen 3.22 3.37
8.18
Abraumsalze 1.25
Abraxas 13.35 20.12
abreagieren 11.16
abrechnen mit 16.33
16.78ff.
Abrechnung 9.35
16 80 18.26 19.32
Abrede 13.29 19.14
abreden 9.14 13.9f.
19.14
abregen 11.8 11.37
abreiben 3.52 9.66
Abreibung 16.33
16.78
Abreise 8.18
abreisen 6.2 8.18
16.6
abreißen 3.36 4.34
6.32 8.22
abrichten 2.10 9.26
12.33

Abrichtung 9.31
12.33
abriegeln 3.58 16.76f.
abringen 16.25
16.107
abrinnen 6.4 7.56
Abriß 4.7 9.15 14.1
14.12 15.1
abrollen 5.44 8.32
15.9
abrücken 8.18 16.6
Abruf 13.1 13.29
18.22
abrufen 9.9 16.105
Abrundung 3.46ff.
3.56 4.33 4.41
13.33 13.39 13.43
abrupt 3.36 5.27
abrüsten 16.48
Abrüstung 9.27 16.48
Abrutsch 8.30 9.61
13.29 19.10
absacken 8.30
absagen 9.9 13.29
16.27
absägen 4.34 13.47
16.105
absatteln 9.36 16.118
Absatz 3.16 3.36
4.13 4.34 8.7 9.19
9.33 18.23
Absatzgebiet 16.95
18.23
äbsch 9.51
abschaben 3.52 4.30
4.34 7.49
abschaffen 4.49 5.42
9.19 9.33 9.85
16.105 18.23
abschälen 3.22
abscharren 7.49
abschatten, ab-
schattieren 5.18
7.7 15.4
abschätzen 12.12
abschätzig 16.33
Abschaum 4.32 9.60
11.28 11.62 16.36
16.94 19.9f.
abschäumen 9.66
abscheiden 4.34 8.22
16.52
abscheren 3.52 4.30
4.34

Abscheu 9.5 11.14
11.27 11.59 11.62
16.36
abscheuern 3.52 9.66
abscheulich 4.50 9.60
11.14 11.27f.
11.59f. 19.9f.
abschicken 8.2
abschieben 3.4 8.3
8.18
Abschied 2.45 3.4
8.18 9.19 9.85 16.8
16.38 16.52 16.105
— v. d. Welt (Tod)
2.45
Abschiedsbecher 16.38
Abschiedsbrief 16.38
16.105
Abschiedsszene 16.6
abschießen 2.46 9.77
11.14 17.12
abschirmen 16.77
abschirren 4.34
abschlachten 2.46
Abschlag 4.42 4.46
8.10 16.57 18.26
18.28
abschlagen 4.34 9 61
13.29 16.27 16.56
16.77 18.28
abschlägig 13.29
16.27
Abschlag(s)zahlung
18.26
abschleifen 3.52 9.57
abschlenkern 8.18
abschleppen, sich
9.40
abschließen 3.58 6.4
9.33 9.35 9.73
16.52 18.20 19.14
Abschluß 9.33 19.14
abschmarotzen 16.32
16.115
abschmecken 2.28
10.8
abschmeicheln 9.12
16.32
abschmieren 5.18
7.52 9.67 14.5
16.78
abschminken 7.12
abschnallen 4.34
abschnappen 2.45
4.34

abschneiden 3.58 4.5
4.23 4.34 9.73 9.77
11.41 16.93
—, die Ehre 16.35
—, den Lebensfaden
2.46
—, die Rede 13.23
—, den Rückzug
8.15 16.71
—, den Weg 9.73
—, die Zufuhr 3.58
4.25 9.73 16.76
Abschnitt 3.37 4.34
4.42 6.1 14.11
abschnurren 5.33 8.7
abschöpfen 9.84 18.22
18.6
abschrägen 3.13
abschrauben 4.34
abschrecken 7.40
11.28 11.42
abschreiben 5.18 9.9
9.20 18.15
Abschreiber 5.18
14.5 15.1
Abschreibung 18.15
18.18
abschreiten 3.23
12.12
Abschrift 4.37 5.18
14.5 14.9 15.1
abschuppen 3.22
abschürfen 4.5
abschüssig 3.13 5.47
19.8 19.10
abschütteln 8.24 9.20
9.32 16.118
—, die Sorgen 11.21
abschwächen 4.5
5.37f. 13.48
abschweifen 3.36
13.22
Abschweifung 3.36
13.43
abschwenken 3.15
8.12 8.22 8.32
9.66 16.6
abschwindeln 16.72
18.8
abschwören 9.20
11.12 13.29 19.5
absegeln 8.18
absehbar, in —er
Zeit 6.23f. 11.35
12.43

absehen 5.18 9.14
9.19
—, die Zeit nicht
12.24
abseihen 8.24
abseits 3.8 3.29 9.5
16.52
absenden 8.3 14.8
16.103
Absender 8.3
Absenker 2.3 5.41
abservieren 9.33
16.105 18.6
absetzbar 16.105
18.23
absetzen 3.36 8.2
8.18 9.33 9.85
14.6 16.83 16.105
16.110 18.23
Absicht 9.2 9.14
11.52 11.60
— erreichen 9.77
absichtlich 9.2 9.14
12.38
absichtslos 9.16
absieden 7.35 7.39
absinken 4.5 8.30
Absinth S. 84 2.31
7.18
absitzen 8.30
—, Strafe 16.80
16.117 19.32
absocken 8.18
absolut 4.41 5.6
5.14 9.64 12.26
13.28 16.95 16.108
16.119
Absolution 16.47
16.109 16.118f.
19.5 19.26 20.16
Absolutismus 16.97
absolvieren 9.52
12.32 16.25 16.47
16.118
absonderlich 5.20
11.24 12.41
absondern 2.35 4.34
4.49 8.18 8.24
—, sich 4.34 8.24
9.49 9.67 16.52
18.2
absorbieren 7.58
8.23
absorgen, sich 11.14
11.32

abspannen 4.34
Abspannung 2.39
5.37 9.36 16.64
absparen 18.10
abspeisen 4.25 18.19
abspenstig machen
9.17 12.34 16.67
16.116
abspenstig werden
9.5 11.60
absperren 3.23 3.58
9.73 9.75
Absperrung 9.73
abspiegeln 5.18
abspielen 5.44 9.27
Absprache 9.15
19.14
absprechen 12.49
13.30 16.33 16.90
—, jede Hoffnung
5.3 11.41
absprengen 4.34
abspringen 4.34 7.45
8.3 8.10 8.30
abspülen 8.18 9.66
Abstammung 5.41
13.16 16.9 16.18
16.94
Abstand 3.8 3.10
5.21 8.18 9.19 11.8
Abstandsgeld 18.26
abstatten 9.35 11.54
16.26 18.12 18.18
abstauben 8.7 9.66
abstechen 2.46 5.21
7.1 16.84
Abstecher 8.12 16.6
16.55
abstecken 9.15 9.26
abstehen 7.69 8.18
9.20 9.33 9.41
9.61 10.9 16.27
absteigen 3.3 8.20
8.30
Absteigequartier
16.1
abstellen 9.12 9.33
9.44 9.73 16.29
Abstellraum 17.2
abstempeln 13.1 18.2
absterben 2.45 9.33
10.3
Abstieg 8.30 9.61

Abstimmung 9.11
13.9 16.102
abstinent 11.12
Abstinenz 9.32
11.12
abstoßen 8.18 11.59
16.57 18.23
—, vom Lande 16.7
—, sich die Hörner
11.11 16.44 19.10
abstoßend 8.18 9.5
11.14 11.27f.
11.59 16.52f.
abstrafen 16.78
abstrahieren (von)
4.34 12.3
abstrakt 4.34 12.3f.
Abstraktion 12.4
abstreichen 4.5 4.30
9.66 18.6
abstreifen 3.22
abstreiten 13.29
Abstrich 4.5 4.30
14.5 18.6
abströmen 7.55 8.24
abstrus 13.4 13.35
abstufen 3.35 4.13
5.26 6.32
Abstufung 4.13 5.21
16.99
abstumpfen 3.56
4.10 5.38 9.17
10.3 11.8
Absturz 2.45 3.13
4.14 8.30f.
Absud 2.44 7.39
7.54f.
absurd 5.3 11.23f.
11.28 12.19 12.56f.
Abszeß 2.35 2.41
3.48 8.24
Abszisse 3.12
Abt 20.17
abtakeln 3.22 9.19
9.27 9.33
abtasten 10.2
Abtei 20.20
Abteil 4.42 8.4
abteilen, siehe Ab-
teilung
Abteilung 3.10 3.23
4.34 4.47 8.22
12.36 16.74 17.7
Abteilungszeichen
14.5

abteufen 3.49 4.14
Äbtissin 20.17
Abtönung 5.21
abtöten 2.44 5.37
10.3 11.8
Abtötung (d. Flei-
sches) 11.12 19.5
19.26 20.13
Abtrag tun 9.60
9.63 10.9 19.9
abtragen 3.22 4.5
4.9 5.29 5.42 9.35
9.61 18.26 19.26
Abtransport 8.3
abtreiben 2.21 2.35
2.46 8.18
abtrennen 4.34 7.48
abtreten 2.45 8.18
9.20 9.77 12.47
18.12 19.16
Abtretung 16.83
16.110
Abtritt 2.35 9.67
abtrocknen 7.58
abtröpfeln 8.22
abtrotzen 9.8
abtrünnig 9.9 12.48
16.116 19.8 20.2f.
abtun 9.33 13 47
16.26 16.33f.
aburteilen 12.49
16.33 19.31
abwägen 9.42 11.8
12.3 12.12
—, die Worte 11.40
12.3
abwälzen, von sich
19.13 19.25 19.30
Abwandlung 5.24
13.31
abwarten 8.2 8.8 9.7
9.19 11.40 12.41
16.81
abwärts 8.30 9.61
abwaschen 9.66
16.80 17.6 19.26
Abwasser 7.55
abwechseln 9.71
Abwechslung 3.36
5.22 6.31 8.15 9.71
Abweg 8.12 9.80
19.10
abwegig 12.19 12.27

Abwehr 9.72f. 16.65
16.77 17.14 19.13
abwehren 9.73
16.65 16.77
Abwehrzauber 20.12
abweichen 5.21 5.24
8.12 19.10 19.21
Abweichen 2.41
abweichen(d) 3.46
3.60
Abweichung 5.21
5.23 8.12 8.22 9.32
9.80 12.48 16.119
abweiden 2.26
abweisen 8.10 8.18
9.17 9.72 9.78
11.29 16.27 16.36
16.53 16.77
abweisend 8.18
Abweisung 9.3 9.78
abwelken 7.12
abwenden 9.8 9.73
9.76
—, sich 9.20 11.28
11.59 11.62 12.13
16.34 16.36 16.53
16.67
—, das Herz 11.62
20.3
abwendig 9.6
abwerfen 8.27 8.30
9.72 16.116 16.118
18.5
abwesend 3.4
Abwesenheit 3.4
4.26 4.34 13.29
abwetzen 3.53 3.55
9.63
abwickeln 3.6 6.4
8.32 9.25 9.33
9.35 18.26
Abwicklung 5.44
abwiegen 12.12
abwimmeln 8.18
abwinken 12.48 13.1
13.29
abwischen 7.58 9.66
abwracken 5.42
abwürgen 9.73 16.84
abzählen 4.35
Abzahlung 18.26
abzapfen 8.3 8.24
18.6
Abzäunung 3.24

abzehren 4.5 5.37
11.32f.
Abzeichen 13.1
16.100
abzeichnen 5.18 15.1
15.4
abziehen 4.5 4.30
5.18 7.55 8.18 8.24
9.20 9.78 16.6
— die Hand von
9.20 11.41 16.27
abzielen 9.14
abzirkeln 3.47 12.12
abzogen 3.22
Abzug 4.30 4.46
5.18 7.55 8.14 8.18
8.24 8.27 14.11
15.8 16.8 16.78
17.12 18.6 18.26
abzüglich 4.30
Abzugskanal 9.67
abzumachen 16.81
abzwacken 4.30
abzweigen 3.22 4.34
4.45 8.12
abzwicken 4.34
Accoucheur 2.21
Accreez 9.76
Aceton 1.29
Acetylen 1.29 7.55
ach 11.30ff. 11.36
12.31
—, mit A. u. Krach
9.40 9.55 9.59
— du grüne Neune
16.37
— der! 16.33
— so 12.20 12.31
— was 11.30 16.27
Ach(bach) 7.55
Achat 1.25 17.10
Ache 8.5
Achel 2.3
acheln 2.26
Acheron 20.11
Achillesferse 5.37
9.65 9.74 11.7
13.47 19.10
Achim 16.3
achromatisch 7.12
10.16
Achse 3.28 3.34 4.33
6.3 8.4 8.32 16.17
17.16
— schmieren 2.31

Achsel 2.16 9.43 11.8
11.59 12.37 16.34
Achselband
16.100 17.10
Achselklappe 13.1
Achselschnur 17.10
Achselstück 16.100
17.10
Achselträger 16.32
16.115
Achselzucken 11.26f.
12.37 12.48 13.1f.
16.33f. 16.36
Achsendrehung 8.32
acht (die Zahl) 4.39
Acht 16.29 16.37
19.31
— und Aberacht
16.37
— und Bann 4.49
acht, sich in — neh-
men 9.42 11.40
— lassen, außer
9.43 12.13 16.28
achtbar 16.92 19.1
Achtbrief 4.49
Achtel 4.11 4.42
Achtelform(at) 14.11
achten 16.30 16.85
16.114
ächten 4.49 16.29
s. Acht
achter (rückwärts)
3.27 8.5 8.17
Achterdeck 3.27 8.5
Achterklärung 16.37
achtfach 4.39
achtgeben, achthaben
9.42 11.40 12.7
13.10
Achtgroschenjunge
19.9 19.12
Ächtheit siehe echt
achtkantig 8.18
achtlos 9.43 11.8
11.39 12.13
achtpassen 12.7
achtsam 9.42 11.40
12.3 12.7 13.10
18.10f.
Achtsamkeit 9.23
Achtung 11.40 11.53
13.10 16.30f. 16.38
16.85 16.95 18.1

Ächtung 16.37 19.32
achtunggebietend
16.95 16.97
achtungsvoll 16.30
achtungswidrig 16.34
16.53
Achtzehnender S. 127
achtzig 4.39
ächzen 7.34 11.32f.
Acker 1.13 2.5 4.16
18.1
Ackerbau 2.5
Ackerbauer 2.5
Ackerboden 1.13 2.6
Ackergeräte 2.5
17.15
Ackerland 1.13
Ackerleinen 1.8
ackern 2.5
Ackerscholle 1.13
Ackersmann 2.5
Ackerweg 8.11
Acquisiteur 16.60
ad acta legen 9.20
9.85
ad hominem 13.33
16.76
ad infinitum 4.40
6.34
ad libitum 9.11
ad notam nehmen
12.39
ad rem 5.10
Ada 16.3
adagio 8.8 15.11f.
Adalbert 16.3
Adam 16.3 19.5
Adam Riese 12.16
Adamant 5.35 7.44
Adamsapfel 2.16
2.41 3.48 7.61
Adamskostüm 3.22
Adamsrippe 2.15
16.11
adäquat 9.46 9.48
adda! 16.38
Adell 2.5 7.64
addieren 4.3 4.28
4.35
additionell 4.22
ade 2.45 3.8 8.18
16.38 18.15
Adebar S. 116
Adel 16 62 16.85
16.91 19.2
Adele 16.3

Adelheid 16.3
ad(e)lig 16.91
  siehe edel
adeln 16.46 16.85
Adelsdiplom 16.86
Adelserhebung 16.87
Adelsgeschlecht 16.9
Adelsherrschaft 16.97
Adelsstand 16.91
Adelsstolz 11.44
  16.90
Adept 12.22 12.35
Ader 1.23 2.16 4.9
  4.11 4.18 4.44
  7.11 7.56 9.4 11.2
  11.31 11.36
Aderlaß 2.35 2.44
  18.15
aderlos (einfarbig)
  7.11
Aderverkalkung
  2.25 2.41
Adhärenz 4.33
Adhäsion 3.9 4.33
  8.14 8.21
adieu 8.18 16.6
  16.38 18.15
Adjektiv 4.28 5.9
  13.16
Adjunkt 9.70
Adjutant 9.70 16.74
  16.112
Adlatus 9.70
Adler S. 115 1.2 8.7
  11.38 13.1
Adlerauge 10.15
  12.30
Adlerflug 8.7
Adlerhorst 3.33
adlernasig 3.46
Adliger 16.91
Administration 16.96
Administrator 16.98
Admiral 16.74
  16 96 16.99
Adolf 16.3
Adonis 11.17
adoptieren 9.11 16.9
adorieren 11.53
  20.13
Adrenalin 1.29
Adressat 8.3 13.24
  14.8
Adreßbuch 4.41 8.11
  13.1 14.11 16.20
Adresse 13.1 16.87

adrett 9.66 11.17
adstringierend 8.21
Advent 20.16
Adverb(ium) 13.16
adversativ 5.23 9.72
  16.65
Advokat 19.28
Advokatenkammer
  16.17 16.102 19.28
Advokatenstreich
  9.15 12.19 12.53
  13.51 16.72 19.23
aere perennius 6.7
Aerodynamik 7.60
  8.6
Aerolith 7.4
Aerologie 7.60
Aerometer 1.4 7.60
Aeronautik 16.7
aeronautisch 16.7
Aeroplan 8.6
Aeroskopie 7.60
Affäre 5.44 9.22
  16.67
Affe S. 128 2.33
  5.18 5.36 8.7 9.60
  11.30 11.45 16.63
  16.74a 17.7
Affekt 9.2 11.3
  11.5ff.
affektgeladen 11.6
  11.31
affektiert 11.29
  11.45 13.43 13.51
Affektion 2.41 11.53
äffen 5.18 12.25
  16.72 18.8
Affengesicht 11.28
Affenhitze 7.35
Affenjacke 17.9
Affenliebe 12.34
Affennaht 8.7
Affenschande 4.50
Affenschwanz 16.33
Äfferei 5.18
affig 11.48 16.90
Affinität 5.13
affirmativ 5.6 13.28
affizieren 5.37 11.5
  11.28 16.95
Affront 11.13 16.34
After 2.16 3.27 3.57
Aftergelehrsamkeit
  12.37
Afterlehen 16.111

Aftermieter 16.4
  18.17
afterreden 16.35
Aga 16.97
Agar-Agar 7.51
Agathe 16.3
Agenda 9.22
Agende 20.19
Agens 5.24 5.31 5.34
  9.69
Agent 5.29 9.70 13.8
  16.21 16.60 16.96
  16.103f. 19.22
Agentur 16.21
  16.103
Agglutination 4.28
Aggregat 4.33
Aggregatzustände
  7.43ff.
aggressiv 11.3 11.58
  16.76
Aggressor 16.76
Ägide 9.70
Ägidius 16.3
Aegir 20.7
agieren 9.18 14.3
agil 9.52 11.20
Agio 18.5 18.21
  18.30
Agiotage 18.20
Agitation 16.21
Agitator 12.34
  16.67
agitieren 16.21
Agnat 16.9
Agnes 16.3
Agnostizist 12.23
  20.3
Agnus Dei 20.16
Agonie 2.45 11.13f.
Agraffe 17.10
Agrarier 2.5
Agraseln 2.27
Agronom 2.5 16.60
Ägypten 16.78
ägyptisch 7.7 13.38
  15.1
ah! 7.63 11.9f.
  11.17 11.30 12.45
aha! 12.20 12.31
  12.44
Ahasver 8.1
Ahle 3.55 17.15

Ahlkirsche S. 49
ahnden 16.33 16.80f.
  19.32
Ahne(n) 2.25 6.19
  6.21 16.9
ähneln 4.27 5.17
ahnen 6.23 11.4
  12.24 12.41ff.
Ahnenforschung
  16.9
Ahnenkult 20.2
ahnenlos 16.92ff.
Ahnenpass 13.1
Ahnenreihe 6.22
ahnenstolz 11.44
  16.90
Ahnfrau 16.9
Ahnherr 16.9
ähnlich 4.27 5.17
  12.10
Ahnung 6.23 11.35
  11.42 12.1 12.24
  12.42f.
ahnungslos 11.46
  12.37 12.45 13.29
Ahnungsvermögen
  12.43
ahnungsvoll 11.42
  12.43
ahoi! 16.7
Ahorn S. 55
Ahriman 20.9
Ähre 2.3
Ährenfeld 1.13
Air 13.51
aisch 16.116
Aisse 2.41
Akademie 12.36
  15.4
Akademiker 12 32
  12.35 15.1 16.91
akademisch 12.33
Akanthus S. 73 15.7
Akazie S. 50 11.31
Akelei S. 36
Akklamation 9.11
  16.24 16.31 16.102
Akklimatisation,
  siehe Anpassung
akklimatisieren 5.16
  9.31 9.48 12.47
Akkord 15.17 19.14
Akkordeon 15.15
akkordieren 19.15
  19.17

34*

akkreditieren 16.103
18.16f.
Akkreditiv 16.103
Akkumulation 4.17
Akkumulator 17.17
Akkusativ 13.31
akkurat 3.37 5.6
9.42 12.26
Akoluth 20.17
Akribie 9.42
Akrobat 9.52 12.52
16.72
Akrostichon 14.2
äks 7.64 11.59
Akt 3.22 9.18 13.46
14.3 14.9 15.4
19.16 20.16
Akten 14.9 19.27
Aktenbündel 19.27
Aktenfaszikel 14.9
Aktengeier 16.60
aktengemäß 12.14
Aktenheft 19.27
aktenkundig 13.46
Aktenreiter 16.60
Aktenstil 13.38
Aktentasche 17.7
Aktie 4.42 18.2
18.30 19.16
Aktiengesellschaft
16.17 18.2 18.25
Aktinometer 10.16
Aktion 5.34 9.18
9.29 16.67
Aktionär 9.70 18.2
18.25
aktiv 9.6 9.18
9.21 9.70
Aktiv, das 9.17
13.31 16.17
Aktiva 18.1 18.16
18.21
Aktivist 9.22 9.38
Aktuar 14.5 19.28
aktuell 3.3 5.1 5.44
6.16 9.44 16.85
Akustik 7.24 7.64
10.19f.
akut 2.41 5.35 9.44
Akzent 7.24 12.20
13.13 13.41 14.2
Akzentuation 5.10
9.44
Akzentuierung 7.34
13.13

Akzept 16.24 18.21
19.16
Akzeptant 18.21
akzeptieren 16.24
akzessorisch 4.22
4.28
Akzidenzien 18.5
Akzise 18.5 18.21
18.26
Alabaster 7.13
Alant S. 81
Alarm 11.42 13.10f.
16.73
—, falscher 13.11
13.52 16.68
Alarmglocke 13.1
Alarmist 11.43
Alarmschuß 13.11
Alarmwort 9.70
13.1 16.72
Alaun 7.67
Alba 20.18
Albe(r) S. 28
albern 9.45 9.53
11.23f. 12.2 12.19
12.56
alberner Mensch
12.56f.
Albernheit 9.45
11.23
Albigenser 20.1
Albino 7.12 10.17
Album 4.17 14.11
Albumblatt 15.12
Albumin 7.51
Alchimie 5.24
Aldermann 16.97
Alexandriner 14.2
Alfanzerei 2.19
al fresco 15.4
Alge S. 9
Algebra 4.35
alias 13.19
Alibi 3.4 19.13
Alimente 16.113
18.5 18.26
Alkalde 19.28
Alkohol(iker) 2.32
7.54
Alkohol trinken 2.31
alkoholisieren 2.32
Alkoholismus 2.32
Alkoholmesser 7.54
(Al)Koran 20.19
Alkoven 3.49 17.2
17.5

all- 16.18
All, das 1.1 4.41
All- 16.18
Allah 20.7
allall 4.26 9.33
allbarmherzig 20.7
allbekannt 12.32
13.6
Allbuch 12.8 12.32
14.12
allda 3.3
alldieweil 5.31
alle 4.41 9.33 9.78
12.46
— auf einmal 9.68
— für einen, einer
für 16.73
— werden 4.26
Allee 2.5 8.11
Allegorie 12.10 13.1
13.34 13.36 14.1
15.1
allegorisch 12.10
13.36 13.45
Allegorisierung 13.45
allegretto 15.11
allegrissimo 8.7
allegro 8.7 11.20
allein 4.23 4.33f.
4.36f. 5.23 5.33
11.41 16.52
—, einzig und 4.36
Alleinbesitz 18.1
Alleingänger 16.52
Alleinherrschaft
16.95 16.97
Alleinherrscher
16.97f.
Alleinrecht 18.1
alleinstehen 16.12
16.52
alleinstehend 16.12
16.52
allem, bei — was
13.50 16.23
—, vor — andern
5.10 8.13 9.44
allemal 6.30 6.35
13.28 16.24
Allemande (Tanz)
16.58
allenfalls 5.2 5.7
5.23 9.16 11.16
12.24 13.28 13.48
16.24

allenthalben 3.7
Allerbarmer 20.7
allerdings 5.23 13.28
13.48
Allergie 11.7
allergisch 11.7
allerhand 1.21 4.17
4.20 4.22 5.22
11.30 siehe allerlei
—, das ist 4.22
16.33
Allerheiligen 20.16
Allerheiligen-
häuschen 2.48
Allerheiligste, das
20.21
allerlei 1.21 3.38
4.17 5.22
Allerlei 1.21 3.38
allerliebst 11.17
allermeist 4.23
Allernährer 20.7
Allerneueste, das
13.7
allerorten 3.7
allerorts 3.7
Allerseelen 20.16
Allerseelentaferl 2.48
allerseits 3.7
siehe allseitig
allerwärts 3.1 3.7
Allerwelts- 3.7
Allerweltsfreund
11.51 16.32
Allerweltskerl 9.52
12.52
Allerwertester 2.16
alles 4.41 11.53
— in allem 4.41 4.48
—, das ist 9.34
—, das ist, mehr
gibts nicht 4.25
— eins 5.16 9.45
11.37
— im Dunkeln 12.23
— mit einkalku-
lieren 12.42
— was recht ist
13.28
Alleskönner 9.52
Allesleser 12.6
Alleswisserei 12.37
allewege 6.6
alleweil 6.16

allezeit 6.6f. 9.31
Allgebieter 20.7
Allgegenwart 3.1 3.7
  20.7
allgegenwärtig 3.7
allgemach, siehe
  allmählich
allgemein 4.41 5.19
  6.33 9.31 12.32
Allgemeinheit 4.41
allgemeinverständ-
  lich 13.33
allgewaltig 5.34ff.
  16.95 20.7
allgütig 20.7
Allgütige, der 20.7
Allheil 16.57
allhier 3.3
Allianz 4.33 9.69
  16.17
alliieren 4.33
—, sich 16.17
Alliierter 9.70
Alliteration 5.16f.
  6.28 14.2
alljährlich 6.9 6.31
  6.33
Allmacht 20.7
allmächtig 20.7
Allmächtige, der 20.7
allmählich 2.37 5.26
  6.23 6.36 8.8
— verlaufen 3.13
Allmende, Allmanda
  1.15
Allmutter 2.6 5.26
  5.39
Allod 16.119 18.1
Allodialgut 16.119
Allodium 18.1
Allongeperücke 5.29
  17.10
allons 8.7
Allopathie 2.44
Allotria 9.45 11.11
  12.13 16.55
alls 6.6
allsehend 6.30 12.32
  20.7
allseitig 3.24 4.33
  9.68
allsfort 6.6 6.31
Alltag 6.7 9.31

alltäglich 5.19 6.33
  9.31 9.45 9.54 9.59
  11.26 13.42
Alltagsarbeit 9.18
Alltagsleben 5.19
  11.26
Alltagsmensch 9.45
  11.26
allumfassend 4.41
Allüren 5.11 7.2
  9.10 9.25 16.61
Alluvium 1.13
Allvater 20.7
allvermögend 5.34f.
  12.32 16.95 16.97
allwäg 11.30
Allweise, der 20.7
Allweisheit 12.32
  12.37
allwissend 12.32 20.7
Allwissenheit 20.7
Allwisserei 12.37
allwo 3.3
allzeit 6.6
allzumal 6.13
allzumenschlich 9.60
Alm 1.13 1.15 2.5
  16.64
alma mater 12.36
Almanach 6.9 14.9
Almenrausch S. 64
Almosen 11.52 18.2
  18.4 18.12 18.26
— -pfleger 20.17
— -sammler 18.4
— -spende 11.52
— -spendung 11.52
— -verteilung 11.52
— -vogt 16.41
Aloë S. 24
Alois 16.3
Alp 1.13 1.15 4.12
  7.41
Alpaka 1.27 7.13
al pari 18.21
Alpch (hess.) 12.56
Alpdruck 2.41
Alpdrücken 2.39
  11.28 11.42 20.6
Alpen 4.12
Alpenfex 16.6
Alpenglühen 7.17
Alpenhorn 15.15
Alpensohn 16.119
Alpenstock 16.6

Alpenveilchen S. 67
Alpenzug 4.12
Alpha 6.2 9.29
Alphabet 14.5
Alphorn 15.15
Alpini 16.74
Älpler 16.4
Alraun 20.5f. 20.12
als 6.1 6.13 6.19
— auch 4.28
— ob 5.9 5.17 7.2
  12.29
alsbald 6.14
alsbaldig 6.14
alsdann 6.16
Alse(n) S. 100
also 5.34 8.18 12.16
  12.44 13.46
—, na 12.16 13.46
— doch 12.20 12.44
alsobald 6.14 6.33
Alstelch 9.76 16.56
alt 2.25 5.16 6.27
  9.31 11.14 11.26
  11.28 11.59 12.32
  15.12
alte Schule 6.27 9.31
— Zeiten 6.18 6.21
—, beim A. bleiben
  9.8 11.8
altadelig 16.91
Altair 1.2
Altan 4.12 17.2
Altar 14.9 16.11
  20.20f.
  — -bild -blatt -gerät
    -glocke -kerze
    -schelle -stück
    -tuch 20.21
Altbesitz 18.30
Altbundesrat 16.105
Alte, der 16.9 16.11
  16.74 20.5
—, als der — Fritz
  noch Gefreiter
  war 6.21
—, immer der 9.31
— Welt 1.3
alteingesessen 16.4
Alten, die 6.19 16.9
Altenteil 16.105 18.1
—, sich auf sein —
  setzen 16.105

Alter 2.25 5.42 6.1
  6.9 6.27
—, biblisches 2.25
—, gesetzes 2.25
alter ego 9.70 16.41
älterer Herr 2.24
alterieren 11.31
—, sich 11.5
Ältermutter 16.9
altern 2.25
Alternation 9.71
Alternative 9.11
alternieren 6.31ff.
  8.15
alters, vor 6.21
Altersgenosse 3.9
  6.13
Altersgrenze 16.105
Altersrang 16.85
Altersrente 18.2
altersschwach 2.25
  2.41 5.37 6.27
  9.53
Alter(s)schwäche
  2.39 9.61
Altersstar 2.41 10.17
Altertum 6.21 6.27
—, das graue 6.21
Altertümelei 13.32
  13.38
Altertümer
  6.18ff. 6.27 14.9
altertümlich 6.18ff.
  6.27 11.28 14.9
  15.3
Altertumsforscher
  6.27
Altertumskunde 6.21
Ältervater 16.9
Ältestenausschuß
  16.102
Ältester 2.25 16.96
altfränkisch 6.27
  11.28f.
Altgeselle 9.18 9.22
altgläubig 20.1
Althändler 16.60
althergebracht 9.31
altherkömmlich 9.31
Altistin 15.13
altjüngferlich 11.24
  16.51
Altjungfernstand
  16.12

Altkatholik 20.1
altklug 11 45 16.90
ältlich 2.21 2.25
Altmeister 9.22 9.56
   12.52
altmodisch 11.28
altpreußisch 11.12
   18.10
altrömisch 11.12
Altruismus 9.70
   19.2
altruistisch 9.70
   11.51 19.2
Altsängerin 15.13
Altsitzer 16.4 18.2
   19.22
Altstimme 15.17
altväterisch 9.31
   11.28
Altvordern 2.25
   6.19 6.27 16.9
Altwasser 1.18
Altweiberglaube
   20.1
Altweibersommer
   6.4
Aluminium 1.24 7.15
Alumnat 12.36
Alumne 12.35 20.17
Alwin 16.3
Alwine 16.3
Amadeus 16.3
Amalgam 1.21
Amalgame 1.27
amalgamieren 1.21
   4.33
Amalie 16.3
Amanda 16.3
Amanuensis 16.112
Amarelle S. 49 2.27
Amateur 11.17 16.57
Amazone 2.15 16.12
   16.57
Ambe 4.37 18.5
Amber 7.53
Ambition 9.14
Amboß 3.18 9.11
   9.55 17.5 17.15
—, auf dem 9.26
Ambra 7.53 7.63
Ambrosia 7.65 10.8
   (s. ambrosisch)
Ambrosianer 20.17
ambrosisch 10.8

Ambrosius 16.3
— -kreuz 2.48
ambulant 8.1
Ambulanz 2.44
Ambulatorium 2.44
Ameise S. 97 9.18
   9 38
Ameisenhaufen 3.38
   4.20 9.23
Ameisensäure 1.29
amen 11.16
—, zu etwas ja und
   — sagen 16.83
Amen 5.6 9.33 12.47
—, das — in der
   Kirche 5.6
amerikanisch 8.7
amerikanisches Duell
   2.47
Amethyst 1.25 7.22
   17.10
Amikt 20.18
Amine (org. Basen)
   1.29
Ammann 16.60 16.97
   16.99
Amme 2.30 9.70
   16.60 16.112
—, wie eine wen-
   dische 2.16
Ammedisle 17.9
Ammenmärchen
   13.51
Ammenstube 3.4 17.2
Ammer S. 49 2.27
Ammoniak 1.28 7.60
   7.64
Amnestie 11.47
   16.47 16.49 19.30
amnestieren 16.47f.
   19.30
Amok laufen 16.70
Amokläufer 2.46
   11.31 19.09
Amor 11.53
—s Pfeil 11.53
amoralisch 19.10
Amoretten 2.22
   11.53
amorph 3.60 11.28
Amortisation 18.18
amortisieren 18.1
   18.18 18.20
Ampel 7.5
Ampère 5.35 17.17

Ampfer S. 30
Amphibien S. 100
Amphibolie 13.34
amphibolisch 13.34
Amphiktionie
   (Amphiktyonie)
   16.17
Amphitheater 3.47
   10.15 14.3 16.75
Amphitryon 18.13
Amphora 17.6
Amplifikation 4.51
Amplitude 4.8
Ampulla 20.16
Amputation 2.44
   4.30 4.32
amputieren 4.30
Amputierter 2.42
Amsel S. 111 11.28
Amt 9.18 9.22 16.60
   16.91 16.97 16.99
   16.104 19.24 19.29
   20.16
   s. amtieren, amt-
   lich
—, in — und Wür-
   den sein 16.99
—, von —s wegen
   16.95
Amtei 19.27f.
amtieren 9.18 9.22f.
   9.25 12.26 16.95
   16.97 16.99 19.28
   20.16
amtlich 5.6 12.26
   16.97
Amtmann 16.97ff.
   19.28
Amts- 16.99
Amtsantritt 16.97
Amtsanwalt 19.28
Amtsbefugnis 16.95
   16.103
Amtsbezeichnung
   16.86
Amtsbruder 4.37
   9.69
Amtscharakter 9.22
   16.99
Amtseifer 19.24
Amtsenthebung
   16.105
Amtsentsetzung
   16.105

Amtsgeheimnis 13.4
Amtsgehilfe 9.70
   19.29
Amtsgenosse 4.37
   8.15
Amtsgericht 19.27f.
Amtsgewalt 16.95
   16.97
Amtshandlung 20.16
Amtshaus 19.27f.
Amtsinsignien
   16.100
Amtslokal 9.22f.
   18.25 19.27
Amtsmiene 16.33
   16.108
Amtsperson 16.30
   16.95ff. 16.112
   19.27
Amtsraum 19.28
Amtsrichter 16.97
   19.28
Amtsschimmel 3.37
   8.8 9.31 9.80
   16.99 16.106
Amtssiegel 16.100
Amtsstil 13.38
Amtstracht 16.100
   17.9 20.18
Amtsverweisung
   16.105
Amtswalter 16.60
Amulett 5.43 9.75
   20.12
amüsant 11.10 11.23
   16.55
Amüsement 11.11
   16.55
amüsieren 11.9f.
—, sich 16.55
Amüsierschoten
   18.21
Amylacetat 1.29
an 3.3 3.9 3.29 4.28
an- 4.28 4.33
an den Tag legen
   13.3
— der Stelle von
   5.29
— sich 4.36 5.10
— und für sich 5.10
   5.14
Anabaptist 20.1
Anachoret 16.52
   20.13

Anachronismus 6.10
6.38 12.28
anachronistisch 6.10
Anagramm 13.4
13.19 16.56
anähnlichen 5.17
Anakoluth(on) 3.36
13.37
Anakreon 14.2
anal 2.16
Analekten 14.1
14.10
analog 5.17 12.10
Analogie 5.17 12.10
Analogon 12.10
Analphabet 12.37
Analphabetismus
12.37
Analyse 3.37 4.34
12.8f.
analysieren 4.34 12.8
Analysis 4.35
Analytik 12.8
Analytiker 12.8
analytisch 4.34 13.44
s. Analyse
Anämie 2.41 5.37
Ananas S. 23 2.27
Anapäst 14.2
Anapher 6.33
Anarchie 3.38
16.116 19.20
anarchisch 16.116
19.20
Anarchist 16.116
19.9 19.20
anarchistisch 16.116
Anastasia 16.3
Anästhesie 10.3
anastigmatisch 10.16
Anatas 1.25
Anathem 16.33 16.37
anathema sit 16.37
20.2
Anatom 2.44 12.8
16.60
Anatomie 5.8 12.8
—, vergleichende 2.8
anbahnen 6.2 9.15
9.26 9.29 11.53
—, Vergleich 16.48
Anbahnung 9.26
anbändeln 11.53
Anbau 2.5 4.33 17.2

anbauen, sich 3.3
16.2
anbefehlen 16.31
16.106 19.24
Anbeginn 6.2 9.29
anbehalten 3.20
anbei 3.19 4.28 8.15
14.8
anbeißen 2.26 10.8
12.25 16.10 16.24
—, zum A. 10.8
11.17
anbelangen 12.5
anbelfern 16.33
16.53
anbequemen, sich 9.5
anberaumen 6.9
16.106
anbeten 11.36 11.53
16.30 20.13
—, Bauch 10.11
anbetend 20.13
Anbeter 11.36 11.53
20.1
Anbetracht, in 5.31
12.12 12.15
anbetreffen 12.5
Anbetung 11.53
16.30 20.16
anbetungswürdig
11 17 11.53
anbiedern, sich 8.19
16.41
anbieten 2.26 9.11
16.22 18.12 18.23
—, seine Begleitung
16.38
—, Trink-, Handgeld
16.22
anbinden 4.33 16.117
— mit 16.67ff.
anblaffen 16.33
anblasen 1.6 7.36
16.33
anblättern 12.13
12.32 14.7
Anblick 7.2 10.15
—, erwärmender
5.46 11.17
anblicken 3.26 10.15
anbohren 3.57 13.25
16.20
anbolzen 4.33
anbrechen 3.57 6.2
9.29

anbringen 3.3 3.37
8.3 9.46 9.77 9.84
16.2 16.11 18.23
19 12
—, gut 9.77
Anbringer 13.5
Anbruch 6.2 9.29
anbrüllen 16.33
Anchovis S. 100 2.27
Andacht 20.1 20.13
—, stille 20.13f.
20.16 20.22
Andächtelei 20.14
andächtig 20.1 20.13
andachtslos 20.3
Andachtsort 20.20
Andachtsübung 20.16
andachtsvoll 20.1
20.13
Andalusit 1.25
andante 8.8 15.11f.
andantino 15.12
andauern 6.7
andauernd 6.34 9.30
Andenken 2.48 12.39
16.85 18.12
andere, der, die, das
4.37 5.28
—, die und keine
16.10
— Saiten aufziehen
5.24 16.78 16.108
19.32
—n Sinnes werden
9.7 9 9 11.3
12.48
—, eines —n be-
lehren 16.33
—, mit —n Worten
13.44
—, einer um den
—n 6.33
anderer 4.50 5.15
5.21 5.24
and(e)rerseits 4.37
anderes, etwas 9.11
— Ich 5.9 9.9 16.41
16.104
Andergeschwister-
kind 16.9
andermal, ein 6.16

andern, eins nach
dem 8.8
—, vor allem 9.44
—, zum 4.37
ändern 5.11 5.21
5.24ff. 8.12 9.7
—, seinen Sinn 9.7
9.9
andernfalls 5.20
12.29
andernteils 5.23
anders 5.20f. 5.23f.
11.19 12.11
—, nicht 5.16
anderseits 5.23
andersgläubig 12.48
20.2
Andersgläubiger
12.48 20.2
anderswo 3.4 3.8
anderthalb 4.45
—, auf einen Schelm
—e 16.81
Änderung 5.21 5.24
anderwärts 3.4 3.8
anderweitig 3.4 5.21
Andesit 1.26
andeuten 8.11 12.24
13.1 13.3 13.10
13.38
Andeutung 13.1
13.9f. 13.39 16.33
— -en machen, aller-
hand 16.35
andichten 16.35
—, einem etwas
13.51
andonnern 16.33
16.37
Andorn S. 75
Andrang 4.17 4.20f.
Andreas 16.3
andrehen 18.23
—, einem etwas 18.8
andringen 8.16
androhen 16.37
16.68
Androhung 16.68
Andromeda 1.2
anecken 8.21 11.59
16.33
aneifern 5.31 8.7
9.37f.
Aneiferung 9.12
9.37 9.39 16.106

aneignen, sich 9.31
12.35 16.72 18.6
18.9 19.23
—, sich fremde
Verdienste 16.72
—, sich unbefugt
19.23
—, sich unrechtmäßig
9.86
Aneignung 12.35
16.97 18.5f. 18.9
aneinander 3.9 3.29
4.33
— -geraten 4.33
— -gereiht 3.9
— -grenzen 3.9
— -heften 4.33
— -reihen 4.33
Anekdote 11.23
14.1f.
Anekdotenkrämer
13.22
anekdotisch 11.23
anekeln 11.12 11.14
11.28 11.59
Anemographie 1.6
Anemologie 1.6
Anemone S. 36
anempfehlen 9.12
13.9 16.31
Anempfehlung 13.9
Anempfinder 5.18
anempfunden 13.51
-aner 6.12 9.15
12.35
Anerbe 16.22 18.1
anerbieten 16.22
Anerbieten 9.4 16.22
anererbt 19.22
anerkannt 5.19 11.16
11.54 ,12.47 13.6
16.24 16.97
anerkennen 11.16
11.54 12.47 12.49
13.28 13.46 16.24
16.30f. 16.46
16.103 18.19 19.22
anerkennend 12.47
Anerkenntnisurteil
19.31
Anerkennung 9.11
9.77 11.54 12.47
13.5 13.28 16.24
16.31 16.46 16.85
16.103

— verweigern, die
16.27
Aneroid 1.4 12.12
anerschaffen 5.8f.
11.2
anersessen 9.31 19.22
anerzogen 9.31
11.2f. 12.33f.
anessen, sich 4.10
10.11
anfachen 4.51 5.36
7.36 8.9 9.12
16.33
—, den Funken
(Zwietracht) 16.67
anfahren 8.1 8.3 8.9
8.20f. 9.29 11.31
16.33 16.37 16.53
16.90
Anfahrt (Landungs-
platz) 8.5 16.7
Anfall 2.41 5.37 9.10
11.5f. 11.13 11.31
12.57 16.76 18.5
anfallen 16.76
—, meuchlings 16.71
anfällig 2.41 5.37
Anfang 6.2 9.21
9.25f. 9.29 20.7
— nehmen 9.29
— und Ende 20.7
anfangen 6.2 8.1
9.21 9.25 9.29
—, von vorne 6.2
6.28 9.29
Anfänger 6.2 6.26
9.29 9.53 12.35
12.37
—, blutiger 9.53
Anfängerrolle 6.2
9.29 9.54
anfänglich 6.2 9.29
Anfangsgründe 8.13
9.26 12.32f.
Anfangspunkt 6.2
9.29
anfassen 3.9 9.18
9.21 9.23 9.25
9.77 10.2 11.40
—, den Löffel lang
6.7
—, falsch 9.51
anfauchen 16.33

anfechtbar 5.7 12.19
12.27
anfechten 5.7 11.8
13.29 13.47 16.33
16.65 19.27
Anfechtung 9.72
11.36 19.10
anfeinden 9.73 11.62
16.65 16.67 16.76
anfertigen 5.39 9.35
anfesseln 4.33
anfeuchten 7.55
—, Kehle 2.31
anfeuern 4.51 5.35f.
9.12 11.5 11.38
16.106
anflehen 11.50 16.20
20.13 20.16
anfliegen 8.6 8.19
12.32
anflitzen 8.20
Anflug 4.24 7.11
— von 1.21 4.4
7.11 11.1
anfolgend 8.15
Anforderung 9.81
16.106 18.17
Anfrage 12.8 13.25
anfragen 12.8 16.10
anfressen 9.60f. 9.63
10.11 11.11 19.9
anfügen 4.28
anfühlen 10.2
Anfuhr 8.3
anführen 8.13 12.25
12.34 13.46 16.72
16.96f. 18.8 19.13
Anführer 16.74
16.97f. 16.106
Anführungszeichen
14.5
anfüllen 3.3 4.21
4.41 8.26
—, Bauch 2.26
Angabe 11.45 13.2
13.28 13.46 14.1
16.72 19.12
Angaben, unrichtige
13.51
angaffen 10.15f.
11.30 12.6
angeäthert 2.33

angeben 8.13 9.10
11.35 11.45 12.15
13.2 13.5 13.28
13.51f. 16.85 16.89
16.95f. 16.99 19.12
—, den Ton 16.61
—, jemanden 19.12
19.27
—, noch 16.89 19.12
Angeber 11.45 13.5
Angeberei 16.32
16.89
angeberisch 9.10
angebetet 11.53
Angebetete 11.53
Angebinde 16.39
18.12
angeblich 5.7 13.19
13.51
angeboren 5.8 6.2
9.31 11.1f.
Angebot 13.6 16.21f.
18.2 18.20
—, großes 18.28
angeboten, sehr
stark 18.28
Angebotwert 18.23
angebracht 9.48 9.81
angebrannt 7.64 10.9
angebrütet 2.6 12.57
angebunden, kurz
11.6 13.23 13.39
16.52f. 16.108
angedeihen 9.46
11.50 19.18
— lassen 18.12 19.32
Angedenken siehe
Andenken
Angedeutete, der 6.28
angeduselt 2.33
angefaßt 9.18
angefüllt 4.21
angegossen, wie
3.48 3.59
angegraut 2.24 7.15
angegriffen 2.41
Angehänge 17.10
angehäuft 4.17
angehen 5.13 7.36
9.59 12.6 16.20
— es geht an 5.2
6.2
—, nichts 9.45
—, um etwas 18.17

angeheitert 2.32f.
angehören 4.48 5.8
 16.94 18.1 19.22
—, sich 2.19
angehörig 18.1 19.22
Angehöriger 4.48
 16.9
angeifern 9.67 16.33
 16.35
Angeklagter 19.12f.
 19.28
angeknockt 2.39
angekratzt 2.24 2.41
Angel 2.12 3.55
 4.33 8.32 9.26
 9.74 11.36 12.9
 16.72
Angel auswerfen
 9.74 11.36
angelächelt 9.77
—, von der Sonne
 5.46
— werden, von
 Fortuna 5.46
angeländert 8.20
angelangen 8.20
 9.35
Angeld 18.26 19.16
angelegen 5.7 9.14
—, sich — sein
 lassen 9.18 9.38
— sein lassen, es
 sich 9.42
— sein lassen 9.44
Angelegenheit 5.1
 5.44 9.18 9.21f.
 12.5 19.24
—, mißliche 9.18
 11 14
angelegentlich 5.5
 9.37f. 11.5 12.6
angelförmig 3.46
Angelika 16.3
angeln 2.12 9.21
 11.36 11.53 16.11
—, sich jem. 16.33
— nach 9.28 11.36
 12.8
Angeln, es geht alles
 aus den 3.38
angeloben 11.35
 16.23 20.13 20.16
Angelöbnis, s. oben
Angelpunkt 2.39
 5.10 8.32 9.44
 12.17 17.5

Angelrute 16.72
Angelus 20.13 20.16
angemaßt 19.23
angemessen 4.23 9.46
 9.48 12.47 19.18
 19.22
Angemessenheit 9.46
 9.48
angenehm 9.56
 10.8 11.9f. 11.53
 16.55
angenommen 5.4
 12.14 12.24 13.48
—, daß 5.32 13.48
 19.15
angeordr.et 16.106
 s. anordnen 19.22
angepackt 9.18
angepfropft 5.8
angeprescht 8.7 8.20
angepufft 2.20
Anger 1.13
angerauscht 2.33 8.20
angeregt 11.9 11.20
angerissen 2.33
angesäuselt 2.32f.
angeschlagen 2.33
 2.39 5.37 16.57
 16.83
angeschrieben 11.53
 13.6
—, gut 16.31 16.41
Angeschuldigte, der
 19.12
angesehen 16.31
 16.85 16.95
angesessen 3.3 16.1ff.
angesetzt 8.20
Angesicht 2.16 3.3
 3.18 3.26 7.2 9.38
 9.40
— Gottes 20.10
—, von — zu 3.3 3.9
 3.26 3.32 13.30
angesichts 5.32
angespannt 9.40
angestammt 16.1
 16 9 19.22 s. an-
 geboren
Angestellter 16.60
 16.99 16.112
angestoßen 9.52 9.63
angestrengt 2.39
 9.18 9.40

angetan 11.9
— mit 3.20 11.30
 17.9
angetanzt 8.20
Angetrauter 16.11
angetrunken 2.32
angetüdelt 2.33
angewackelt 8.20
angewalzt 8.20
angewandt, un-
 richtig 9.51 9.53
angewetzt 8.20
angewidert 9.5
angewiesen 4.25
 11.47 16.111 18.4
angewiesen auf,
 nicht 5.35 9.49
angewöhnen 9.31
—, sich 9.31
angewurzelt 11.42
Angewöhnung 9.31
angezeigt 9.48 9.81
angezottelt 8.20
Angina 2.41
— pectoris 2.41
Anglaise (Tanz)
 16.55 16.58
angleichen 4.27
 5.16ff. 5.26 12.47
—, sich 5.16
Angleichung 9.31
Angler 2.12 9.21
angliedern 4.28 4.33
Anglikaner 20.1
anglikanisch 20.1
Anglomanie 5.18
 13.38
anglotzen 10.15
 11.30 12.6
Angorawolle 17.8
angreifbar 12.27
angreifen 2.29 2.41
 5.35ff. 9.18 9.21
 9.37 9.61 9.63
 10.2 11.7 11.13f.
 11.24 11.28 13.29
 16.33 16.35 16.65
 16.67 16 73 16.76
—, fremdes Gut 18.9
—, hinterrücks 16.35
 16.71 16.76
angreifend (zer-
 setzend) 5.35

Angreifer 16.65f.
 16.74 16.76
angrenzen 3.9
angrenzend 3.9 3.23
Angriff 8.16 9.21
 9.29 16.67 16.76
— abriegeln, ab-
 schlagen, auffan-
 gen, abschirmen,
 herauspauken,
 zurückweisen, den
 16.77
— vortragen, her-
 antragen, den
 16.76
— brach im zu-
 sammengefaßten
 Feuer blutig zu-
 sammen, der feind-
 liche 16.77
— nehmen, in 9.21
 9.26
— übergehen, zum
 16.73 16.76
angrifflich 18.9
Angriffslust 11.58
angriffslustig 9.37
 11.58
Angriffsspitze 8.13
Angriffswaffe 17.11
angriffsweise vor-
 gehen 16.76
angrinsen 11.21
 16.54
angst und bange,
 es wird ihm
 11.42
Angst 5.47 11.4
 11.13f. 11.42
Angstarsch 11.43
Angster 18.21
angsterregend 7.34
 11.14
Angsthase 11.43
ängstigen, sich 11.14
 11.42 16.68
Angstjacke 17.9
ängstlich 9.42
 11.13f. 11.42
 11.47f. 12.7 19.1
Angstmeier 11.43
Angstpsychose 11.42
Angströhre 3.20
 17.9

Angstruf 11.32f.
13.11
Angstschrei 11.33
Angstschweiß 11.13
11.42
anhaben 16.97 17.9
—, etwas 3.20
—, man kann ihm
nichts 9.75
anhaften 5.9 9.31
anhaken 5.31
Anhalt 6.7 9.70
11.35 17.5
anhalten 3 36 8.2
9.8 9.30 9.33 9 36
11.36 11.53 16.10
16.117 18.6
— um 11.36 11.53
16.10 16.20 16.42
—, um die Hand
16.42
— zu 9.12 9.38
9.40 12.33
16.107 19.24
anhaltend 6.34 9.30
Anhalter, mit 8.4
Anhaltspunkt 5.10
5.31 9.12 9.44
12.15 12.24 13.1f.
anhand von 9.82
Anhang 3.27 4.28
4.32 8.15 9 69
16.17
anhängen 4.28 16.33
anhängen (Nach-
folge) 8.15
Anhänger 3.17 4.37
8.4 8.15 9.69f.
12.35 16.41
Anhängeschloß 3.58
anhängig machen
19.12 19.27
— sein 12.41 19.27
anhänglich 6.7 9.31
11.51 11.53 16.30
16.41
Anhänglichkeit 9.31
11.53
Anhängsel 4.22 4.28
9.45 17.10
Anhauch 1.21 4.4
4.24 5.1 7.11 11.2
anhauchen 16.33
anhauen 13.24

anhäufen 4.3 4.20
4.29
Anhäufung 4.1
4.17f. 4.20 4.22
9.40
anheben 6.2 8.28
9.29
anheften 4.28 4.33
14 11
anheimeln 5.16
11.10 11.53 16.64
anheimfallen 8.17
18.5
anheimgeben 9.4
anheimstellen 9.11
11.37
anheischig machen,
sich 9.4 16.23
anhenken, 's Maul
16.33
anher 8.19
Anhieb, auf 6.14
9.27
anhimmeln 11.53
Anhöhe 3.48 4.12
anhören 10.19 12.7
13.2 16.109 19.18
19.27
Anhydrit 1.25
änigmatisch 5.7
13 4 13.35
Anilin 1.29
— -farbe 7.11
animalisch 2.8f. 2.17
2.38 12.1
animieren 9.12
10.21 11.21 11.38
13.9 16.20ff.
Animierkneipe 16.44
animiert (trunken)
2.32f.
Animismus 20.1
Animosität 11.5
11.28 11.31 11.59f.
16.66 16.67
Anis 2.28
Anita 16.3
anjebufft 2.20 9.63
anjefangen, so hats
bei meinem
Freund auch 12.57
16.33
ankämpfen gegen
9.40 9.55 9.72
16.65 16.67

Ankauf 18.22
Anke 2.16 2.27 7.52
anken 2.26
Ankenmilch 2.30
Anker 4.25 8.5
8.20 9.75f. 11.35
16.64
—, vor — liegen 6.7
8.2 8.20 9.75 16.7
— lichten
(Abreise) 16.7
ankerförmig 3.46
ankern 8.2 8.20
Ankerplatz 1.11
8.2 8.5 9.76
Ankertonne 9.75
13.1 13.10
anketten 4.33
16.117
Anklage 16.37
19.12f. 19.27 19.30
Anklagebank 19.27f.
anklagen 16.33
16.37 19.12 19.27
Ankläger 19.28
—, öffentlicher 19.12
Anklageschrift 19.12
Anklagezustand
19.12 19.27
anklammern 4.33
9.76
Anklang 5.17f. 7.25
7.34 9.77 11.17
12.47 13.13 14.2
15.17 16.24 16.31
16.40
— finden 9.77 12.47
16.24 16.31
ankleben 4.33 13.1
ankleiden 3.20 17.9
Ankleideraum 9.26
Ankleidezimmer
14.3 17.2
ankleistern 4.33
anklingen 5.17
anklopfen 4.33
—, an der Tür 16.20
—, um etwas leise
16.20
anknipsen 7.4
anknöpfen 4.33
anknüpfen 4.28 4.33
6.2 12.16
—, Bekanntschaft
16.64

anknüpfend an 4.33
8.15 9.30
anknurren 16.67
anködern 11.36
ankommen 8.20 9.35
9.77 11.14
— auf (abhängen
von) 5.25
— darauf 9.44
—, etwas Kleines
2.21
—, leicht 9.77
—, es — lassen auf
5.7 9.7 9.28
—, sauer 9.5 9.40
9.55 11.14 16.111
—, übel 6.38 9.78
Ankömmling 6.26
8.20
ankönnen 16.65
ankotzen 9.5
ankratzen 9.63
ankreiden 16.80f
18.26
ankrümeln, sich
einen 2.33
ankündigen 6.10
6.24 12.43 13.1
13.6
Ankündigung 13.6
Ankunft 3.9 8.19f.
9.35 16.6
ankurbeln 8.9 9.21
ankuscheln, sich
16.43
anlachen 10.8 11.10
11.36 11.53
anlächeln 11.10
11.20f. 11.36
11.53 16.38 16.42
Anlage 1.13 2.5 5.2
5.8 9.15 9.52
11.1f. 12.2 12.52
15.1 17.17 18.16
18.30
Anlagekapital 18.2
18.16
Anlagen, wehrwirt-
schaftliche — er-
folgreich belegt
16.76
Anlagewert 18.30
Anlandung 1.16

anlangen 5.13 8.20
9.35
Anlaß 2.26 5.31
5.34 9.12 16.55
16.67
anlassen 7.55 8.9
9.29
—, Dampf 16.7
Anlasser 8.9 17.16
anläßlich 5.31 6.2
Anlauf 6.2 8.9
8.16 9.21 9.28f.
16.76
anlaufen 4.3 7.57
8.9 9.61 11.31
— lassen 16.77
—, übel,
s. übel ankommen
Anlaut 13.13
Anlauf 6.2 9.38
anlegen 3.9 3.18
3.20 3.29 4.33
7.36 8.20 9.14f.
9.21 9.26 9.35
9.38 9.84 16.117
18.12 18.16 18.30
s. Anlage
— auf (zielen) 8.11
9.14f 9.21 17.12
—, auf Zinsen
18.10 18.16
—, gewinnbringend
9.84 18.5
—, die Hand 6.2
9.18 9.21 9.70
10.2
—, den Zaum 9.17
11.8 16.29 16.117
19.2
Anlegeschloß 3.58
4.33
Anlehen, siehe An-
leihe
anlehnen 3.9
—, sich 3.16
Anleihe 5.18
18.16f. 18.23 18.3c
Anleihestock 18.30
anleimen 4.33
anleinen 16.117
anleiten 9.12 12.33
13.9
Anleiter 13.9 16.97

Anleitung 12.33 13.9
anlernen 12.33
anlesen 14.7
anliegen 3.9 3.16
3.59 4.9 9.48
12.47
—, jemandem 16.20
Anliegen 9.22 11.36
12.5 16.20
anliegend (passend)
3.59 9.48
Anlieger 3.9 16.4
anlocken 9.12 11.10
11.36
Anlockung (schmei-
cheln) 16.32
anlöten 4.33
anlügen 13.51
anmachen, Feuer 7.4
7.36
anmalen 7.11
Anmarsch 8.16
16.76
anmarschieren 16.76
anmaßen 16.97
—, sich 12.50 16.90
16.108 18.6 19 23
anmaßend 11.44f.
16.90 16.108
Anmaßung 11.44f.
16.90 16.97
16.108 19.23
anmeckern 16.33
anmelden 13.2 18.19
—, sich — lassen 3.3
16.64
anmerken 14.9
Anmerkung 12.17
12.39 13.44 14.5
14.10
anmessen, den
Stecken 16.78
anmustern 16.74
Anmut 11.10
11.16ff. 11.53
anmuten 11.10 12.6
anmutig 11.17
anmutlos 9.78
11.26ff.
anmutsvoll 11.17
Anna 16.3
—, blaue 19.33
annadeln 4.33
annageln 4.33 6.7
annagen 9.63

annähen 4.33
annähern 3.9 12.10
—, sich 6.24 8.19
16.41
annähernd 3.9 5.17
12.10
Annäherung 3.9
4.33 5.5 5.9 5.31
8.10 16.41
annäherungs-
weise 3.9
Annahme 5.4 5.32
11.35 12.4 12.24
12.29 12.47 13.44
16.24 19.15ff.
Annalen 6.9 6.13
14.1 14.9
Annalist 6.9 14.1
14.9
annalistisch 6.9
annehmbar 9.48
11.10
annehmen 12.22
12.24 12.29 12.47
18.21 19.14f.
—, den Streit 16.70
—, sich 9.70
Annehmer 18.21
Annehmlichkeit
11.10
annektieren 4.3 18.6
Annemarie 16.3
Annette 16.3
Annex(ion) 4.28
18.5f. 18.9
Anni 16.3
ann'eten 4.33
anno 6.9 6.21
— Tobak 6.21
Annonce 13.6
annoncieren 13.3
13.6
annullieren 18.18
19.23
Anode 17.17
anöden 11.25ff.
16.54
anomal 3.38 3.60
s. anormal
anonym 13.4 13.19
Anonymus 12.37
13.4
anordnen 3.37 9.15
9.26 16.95f.
16.106

Anordner 9.15
Anordnung 3.37
9.15 9.26 12.42
16.106 19.22 19.28
—, letzte 2.45
— treffen 3.37
anorganisch 1.23
1.28
anormal 3.60 5.20
anpacken 9.4 9.6
9.21 9.69f. 11.61
16.76 18.6
—, am rechten
Ende 9.52 9.77
anpappen 4.33
anpassen 3.59 5.17
9.31 9.52 12.47
—, sich 9.31 9.52
16.40
Anpassung 9.26 9.31
12.47
anpassungsbereit 9.9
anpassungsfähig
9.52
anpeilen 8.11
anpfählen 4.33
anpflanzen 2.5 3.3
Anpflanzung 2.5
16.2 16.4
anpflaumen 16.54
anpfropfen 4.3
—, sich 10.11
anpicken (österr.)
4.33
anplärren 16.37
anpöbeln 11.29
16.34 16.53
anpochen
s. anklopfen
Anprall 8.9f. 16.76
—, plötzlicher 5.36
anprallen 8.9
anprangern 16.33
anpreisen 16.31
Anpreisung 16.31
anprobieren 12.9
anprosten 16.87
anpumpen 18.17
anquasseln 8.21
11.14 13.24
anquatschen 13.24
16.44
anrainen 3.9
Anrainer 3.9

anrandsen 16.33
anranzen 16.76
anraten 9.12 9.48
12.33 13.9 16.31
anrauchen 16.33
anräuchern 7.63
16.32 20.16
anrechnen 11.54
—, hoch 16.31
Anrecht 19.22
Anrede 13.16 13.21
13.24 16.20
anreden 13.24
anregen 5.31 8.9
9.12 11.5 11.10
11.21 11.35f. 12.3
12.7 12.20 16.54f.
—, Hoffnung 11.35
anregend 2.28 5.34
11.20
Anregung 5.31 8.9
9.12 11.5 12.2f.
12.33 16.55
anreichern 4.28
anreihen 4.28 4.33
anreißen 9.29 13.24
anreißerisch 16.21
Anreiz 5.31 11.36
16.95
anreizen 9.12 11.5
11.36
anrempeln 8.9 8.21
16.69
anrennen 5.42 16.76
Anrichte 17.4
anrichten 2.26 5.31
9.18 9.26 19.9
—, ein Blutbad
16.73
—, Unheil 9.60 9.63
anrotzen 16.33
16.53 16.108
anrüchig 16.44 16.93
19.8
anrücken 8.16 8.19
16.76
Anruf 13.24
anrufen 13.1f. 13.6
13.24 16.20 1927
20.13
—, das Gesetz 19.27
—, den Himmel
zum Zeugen 16.23

—, die Waffen 16.79
Anrufung 13.37
— der höheren In-
stanz 16.20 19.27
—, flehentliche 20.13
— Gottes 20.16
anrühren 1.21 3.9
10.2 12.5
ansäen 2.5
Ansage 13.6
ansagen 18.19
Ansager (Confé-
rencier) 11.23
13.2 13.8 14.2
16.60
ansammeln 18.5
—, sich 4.3
Ansammlung 4.3
4.17f. 18.5
ansässig 3.3 16.1f.
16.4
Ansatz 2.16 3.23
8.29 9.21 9.28f.
— zu (Neigung)
4.24 11.36
—, einen — nehmen
9.21
Ansätze 9.34
ansaugen, sich 4.33
8.26 18.6
ansausen, sich
einen 2.33
anschaffen 4.29
16.26
— (bayr.) 13.2
anschauen 10.15 12.7
anschaulich 7.1 12.14
12.33 13.1 13.33
13 46 14.2 16.26
— machen 7.1 12.33
13.33 13.44
Anschaulichkeit
13.33 14.2
Anschauung 12.22
12.24 12.30 12.32
14.2 s. Ansicht
Anschauungsunter-
richt 12.33
Anschein 5.2 5.4 7.2
11.35 16.32 20.3
—, sich einen —
geben 13.51
16.89f.

— nach, dem 7.2
— haben, den 5.2
7.2
— geben, sich den
7.2
— geben, sich einen
falschen 16.72
— erwecken 12.26
— falscher 16.72
anscheinend 5.3f.
5.17 7.2
anscheißen 16.33
—, sich 16.32
anschicken, sich 9.26
9.29
—, sich gut 9.52
anschirren 4.33
Anschiß 16.33
Anschlag 2.46 9.14f.
9.26 12.12 12.15
13.6 15.11 15.17
— für mich 9.76
16.56
—, geheimer 12.53
Anschlagches 16.56
anschlagen 2.44 4.35
7.33 8.9 9.63 9.77
— auf 9.15
—, gut 5.46 9.77
Anschlagzettel 13.6
anschließen 3.9 4.33
—, sich 4.37f. 4.48
5.18 6.34 8.15
16.41 16.114
anschließend 4.33
6.12 9.30
anschlingen 3.17
Anschluß 4.28 4.33
4.37 4.48 9.40
11.53
— finden 16.44
16.64
—, im 14.8
anschmarotzen, sich
16.32
anschmieden 4.33
16.117
anschmiegen, sich
16.42
—, sich innig 16.43
anschmieren 16.72
18.8
anschnallen 4.33
16.117
anschnauzen 16.33
16.53 16.108

anschneiden 9.29
12.5 12.8 13.39
Anschnitt 6.2
anschnüren 4.33
anschrauben 4.33
anschreiben 14.8f.
18.16 19.12
anschreien 16.33
16.37
Anschrift 3.3 8.11
14.8
anschuldigen 19.12
Anschuldigung 19.12
anschüren 7.36 16.67
anschürzen 4.33
anschütten 8.28
anschwärmen 11.53
16.31
anschwärzen 7.14
16.35 19.12 19.27
anschwatzen 13.22
13.24 16.72
anschweißen 4.33
anschwellen 3.48 4.3
4.20 4.22
Anschwellung 4.3
4.20 4.22
Anschwemmung 1.13
ansehen 10.15f. 12.7
ansehen, nicht für
voll 16.36
—, verächtlich 16.36
—, von oben her-
ab 16.34
—, über die Achsel
16.34
Ansehen 9.44 16.85
16.90 16.95 16.97
—, sich ein —
geben 13.52 16.51
—, ohne 19.18
ansehnlich 4.1f.11.17
Ansehung von, in
12.29
Anselm 16.3
ansetzen 4.10 4.25
4.33 4.41 6.9 7.39
9.26 9.29 9.57
12.12 16.106 18.14
—, alle Hebel 9.18
Ansicht 3.26 7.2
10.16 12.3f. 12.22
15.4

Ansicht, seine — ab-
geben 13 9 13.21
—, zur 16.22
ansichtig werden 7.1
Ansichtssache 12.22
ansiedeln 8.2
—, sich 3.3 16.1
Ansiedler 2.5 16.4
Ansied(e)lung 3.3
16.2 17.1
Ansinnen 16.20
Ansitz 2.12 10.15
anspannen 4.33
9.40
anspielen 5.4 9.14
12.24 16.54
Anspielung 12.24
13.2 13.17 13.34
13.36 16.33 16.54
anspießen 3.57
anspinnen 9.15
anspitzen 3.55 9.15
Ansporn 5.2 9.12
11.36 16.95
anspornen 5.36 8.7
9.12 9.39 11.5
11.38
Ansprache 13.24
ansprechen 11.10
11.17 12.8 13.24
16.20 16.44
— als 12.24
— um 16.20
ansprechend 7.65
11.10 11.17 12.47
anspritzen 1.21 7.23
7.55 7.57 8.22
9.67
Anspruch 16.20
16.90 16.106 18.2
18.16 19.22 19.27
— geltend machen
19.22
— nehmen, in 9.81
9.84
— erheben 16.20
16.106 18.2 18.26
19.22 19.27
Ansprüche 19.22
— befriedigen
16.26 18.18
anspruchslos 11.12
11.16 11.22 11.47f.

Anspruchslosigkeit
11.47
anspruchsvoll 10.12
11.19 11.44f.
16.89f. 19.23
anspülen 1.13 3.9
4.3 4.28
Anspülung 4.28
anstacheln 5.35f. 8.7
9.12 11.5
—, zur Feindschaft
16.67
Anstalt 2.44 3.37
9.15 9.23 9.26
12.36 16.96 18.25
19.32
Anstalten 9.15 9.26
Anstaltskleidung
17.9
Anstand 2.12 9.13
9.26 9.55 11.17f.
16.38 16.50 16.61
19.1 19.24
— nehmen 9.5 9.7
16.27
— wahren, den
16.38
—, ohne 9.54
Anstände 9.17
— machen 16.27
anständig 4.50 9.56
16.50 16.61 16.85
19.1 19.3
—, sich — beneh-
men 16.38
—, wirklich 19.2
Anstands, Mißach-
tung des 16.44
Anstandsbrocken
4.32 18.28
Anstandsdame 9.75
16.101
anstandslos 12.47
Anstandsröckchen
16.50
Anstandswauwau
9.75 16.101
anstandswidrig 16.44
anstarren 10.15
11.30 12.6 16.53
16.90
anstatt 5.23 5.28f.
16.104
anstaunen 11.30

anstechen 3.57 8.24
18.6
—, eine Flasche 2.31
—, frisch 9.29
anstecken(d) 2.41
5.18 5.36 9.37
9.61 9.63 9.67
16.95 18.6
Ansteckung 2.41 9.74
Ansteckungsstoff 2.43
anstehen 3.9 5.7 6.6f.
9.5 9.7f. 9.19 9.41
11.17 16.27
— lassen 5.7 6.6f.
6.34 6.36 8.8 9.19
— nach 18.22
—, nicht 6.14
—, wohl 9.48 11.10
11.16 19.3 19.18
ansteigen 4.3 4.12
ansteigend 4.51
anstellen 9.29 9.84
12.8 12.10 16.103
19.11
—, sich 9.10 9.23
9.25 16.51
—, sich gut 9.52
anstellig 9.52 12.35
Anstellung 9.22
16.60
anstemmen, sich
gegen 9.72 16.65
16.116
Anstich 2.31 3.57 9.29
Anstichlied 14.2
anstieren 10.15
anstiften 5.24 5.31
9.12
Anstifter 9.12 16.96
Anstiftung 5.47
anstimmen 15.13
20.13
—, Lobgesang 16.31
20.16
anstopfen 3.21 4.22
Anstoß 5.7 5.24 5.31
6.2 8.9 8.19 9.21
9.29 11.31 11.59
11.62 13.7 16.93
19.9f.
— erregen 19.10
— geben 11.28
16.31 16.33 16.94
19.10

— nehmen 9.7 11.28
11.59 16.27 16.33
16.51 16.53
—, öffentlicher 19.8
—, ohne 9.54 12.47
—, Stein des —es
9.73 11.62 19.8f.
20.3
anstoßen 3.9 8.9
— mit der Zunge
13.14
anstoßend 3.9
— -es Zimmer 3.29
anstößig 11.14 11.28
11.59 11.62 16.33
16.44 16.93f.
Anstößigkeit 11.28
16.93
anstreben 9.14 9.21
9.28 9.40 11.36
16.20
— gegen 9.55
anstreichen 3.20 7.11
9.44 13.1 16.80
—, rot 9.44
—, mit dem hage-
büchenen Pinsel
blau 16.78
Anstreicher 7.11 15.4
16.60
anstreifen 3.9 17.9
anstrengen 9.40 9.55
19.27
—, sich 9.38 9.40
—, sich vergeblich
9.78
anstrengend 9.40
Anstrengung 2.39
5.35 9.18 9.40
12.3
—, vergebliche 9.78
Anstrich 3.20 7.11
11.17 19.13
— (von) 12.37
13.51 19.13
— geben, falschen
13.45
— von Gelehrsam-
keit 12.37
anstricken 4.28 4.33
anstückeln 4.28
anstücken 4.28
Ansturm 8.9 8.34

anstürmen 5.36 16.76
anstürzen 16.76
ansuchen 16.20
Ansuchen 16.20
 16.106
Antagonismus 9.72
 16.65
antagonistisch 16.65
antakeln 4.33
antanzen 8.20
antarktisch 1.12 3.32
antastbar 5.7 12.19
 13.47
antasten 5.7 10.2
 16.93
—, den guten Ruf
 16.33
—, die Ehre 16.35
Anteil 4.34 4.42 5.1
 9.47 11.50 12.6f.
 18.2 18.21
— nehmen 11.50
 12.6
anteillos 11.8
Anteilnahme 11.50
 12.7
Anteilschein 18.2
 18.21
Antenne 7.24 10.2
 17.2
Antezedentien 6.11
antheken, sich
 einen 2.33
Anthologie 4.17
 14.1f. 14.12
Anthrax 2.41
Anthrazit 7.38
Anthropologie 2.9
 2.13
anthropomorph 2.13
anthropomorphi-
 sieren 2.13
Anthropomor-
 phismus 20.7
anthropomorphi-
 stisch 20.7
Anthroposophie 20.1
anti- 3.32 5.23
 16.65
Anti- 2.44 3.32
 4.23
Antialkoholiker
 11.12

antichambrieren 6.6
 9.38 16.115
Antichrist 19.9 20.2
 20.9
antichristlich 20.2f.
Antifaschist 16.48
 16.116 16.118f.
 16 121
antik 3.22 6.2 6.27
Antike 6.21
Antiklimax 4.52
 16.54
Antilope S. 127
Antimilitarist 16.48
 16.116
Antimon 1.24f.
Antimonglanz 1.25
Antinomie 5.23 9.72
antinomisch 5.23
antinomistisch
 (Kirche) 19.20
Antinous 11.17
Antipathie 9.5 11.28
 11.59 11.62
antipathisch 9.5
 11.59
Antiphon(ie) 13.26
 15.13 20.16
Antipode 3.8 3.32
 5.23
antippen 13.25 13.39
Antipyrine 2.44
Antiqua (Latein-,
 Normalschrift)
 14.6
Antiquar 6.2 14.11
 16.60 18.23
Antiquariat 14.11
antiquarisch 6.27
antiquiert 9.60 18.28
Antiquität 6.2 6.27
Antiquitäten 6.27
Antiseptika 2.44
antiseptisch 2.44
 9.66 9.75
antisozial 11.63
Antistes 20.17
Antistrophe 14.2
Antithese 5.23
Antithetik 5.23
antithetisch 5.23
Antitoxin 2.43
Antizipation 6.23

antizipieren 6.11
 6.38 9.26 11.35
 12.41
Antizyklon 1.6
Antlitz 2.16 3.26
Antlitzdeutung 12.30
Anton 16.3
—, Sankt 16.52
antönen 6.2 15.11
Antonie 16.3
Antonius, der
 heilige 16.51
Antonomasie 13.36
Antrag 9.14f. 16.10
 16.20 16.22 16.42
— stellen 16.20
 16.22
antragen, Kampf
 16.69
Antragsrecht 19.19
 19.22
antrauen 16.11
antreffen 8.20 16.64
antreiben 8.9 9.12
 9.37
antreten 6.2 8.1 8.18
 8.20 9.29 18.5
 19.12 19.24 19.27
—, ein Amt 9.18
 16.95 16.103
—, Erbschaft 18,5
—, seine Pflicht 19.29
 19.24
—, eine Reise 16.6
Antrick S. 118
Antrieb 5.31 6.2 8.9
 9.1 9.12 11.36
 12.1
—, aus eigenem 9.2
— geben 8.9
antrinken, sich vor-
 her mildernde
 Umstände 2.31
 16.72
Antritt 9.21 9.29
— (Stufe) 8.28
Antrittsrede 6.2
Antrittsrolle 14.3
Antrittstag 16.8
antun 11.31 11.52f.
—, einem etwas
 9.63 20.12
—, jemandem etwas
 18.12

—, es jemand 9.12
 11.17
—, Gewalt 16.44
—, sich etwas 2.47
Antwort 11.23 13.26
 13.44 13.47 14 8
—, abschlägige 9.78
 13.29 16.27
—, ausweichende
 16.27
— geben, erteilen,
 bringen 13.26
— würdigen, keiner
 16.53
antworten 13.26
 13.30
antwortlich 13.26
Antwortschreiben
 13.26
anvertrauen 13.4f.
 16.103 18.16
—, sich 13.5
anverwandt 16.9
Anverwandter 16.9
anvettern, sich
 16.115
anwachsen 3.48 4.3
 4.17 4.20 4.22
 4.33 7.26
Anwalt 9.75 16.96
 16.98 16.103f.
 19.13 19.28
anwaltlich 19.27
Anwaltschaft 9.18
 9.22 9.82 16.60
 16.96 16.103 19.13
 19.28
Anwaltskammer
 16.102 19.28
anwandeln 12.2
Anwandlung 2.41
 8.34 9.10 11.3
 11.6 11.36 16.31
Anwärter 9.29 11.35
 19.22
Anwartschaft
 6.22f. 11.35 12.41
 18.2 19.22
anweisen 13.9
 16.106 18.2 18.12
 18.26

Anweisung 13.9
14.8 16.103 16.106
18.2 18.12 18.21
18.30
— des Platzes 3.37
anwendbar 5.9 5.19
9.46 13.46
Anwendbarkeit 5.2
9.48
anwenden 5.8 5.16
9.84
—, alle Kräfte 9.40
—, falsch 9.86 13.45
—, schlecht 9.86
—, übel 9.86
Anwendung 9.23
9.25 9.84 12.14
12.29 13.36
—, vergleichende
(Forschung) 12.10
anwerben 5.17 5.27
5.29 16.74 16.113
Anwerbung 16.21
16.23
anwerfen 8.9
Anwesen 2.5 18.1
anwesend 3.3 5.1
Anwesender 3.3
10.15
Anwesenheit 3.3 5.1
anwidern 9.5 10.9
11.13f. 11.28 11.59
Anwohner 3.9
Anwuchs 4.3
Anwurf 3.20 16.33f.
Anzahl 4.1 4.17 4.20
4.35 4.39
Anzahlung 18.26
19.16
anzapfen 3.57 8.24
13.25 16.20 18.17
Anzeichen 2.39 7.2
12.43 13.1 13.3
13.10 13.46
Anzeige 13.2 13.7
19.12 19.27
anzeigen 5.31 7.2
13.1ff. 13.5f.
13.46 14.11 19.12
19.27
Anzeiger 12.12 13.2
14.11

anzetteln 16.116
anziehen 3.20 8.14
9.29 11.36 12.6f.
17.9
—, ein Beispiel 5.9
anziehend 8.14
11.17 11.53 16.55
18.27
Anziehtag 16.8
Anziehung 5.34f. 8.3
9.12 11.10 11.36
11.53
Anziehungskraft 8.14
8.21 11.16 11.36
anzubringen, schwer
18.23
Anzucht 2.10
Anzug 3.20 6.2 9.29
17.9
—, im 1.7 3.9 6.23
8.19
— sein, im 6.23
9.29
—, Mensch, ick stoße
dir aus dem 16.68
Anzugstag 16.8
anzüglich 11.28
16.33 16.35 16.53f.
16.67
Anzüglichkeit 16.33
16.53f. 16.67
anzünden 7.4 7.36
9.12 11.5
Anzünder 7.38
anzweifeln 12.23
20.3
s. bezweifeln
a. O. 6.28
A.O.K. 16.74
Äolsharfe 15.15
Äolus 1.6
Äonen 6.1 6.6f.
Aorist 13.13
Aorta 2.16 7.56
Apache 18.9
apagogisch 13.46
Apanage 18.5
apart 11.17
Apathie 9.24 11.8
11.37 11.61
apathisch 9.7 9.19
9.24 11.8
Apatit 1.25

Aperçu 12.2 13.20
Aperitif 2.31
Apfel S. 48 2.27
3.50 4.21 9.21
11.53
— im Schlafrock
2.27
— beißen, in den
sauren 9.3 9.5
11.13 16.83 16.111
16.114
— fällt nicht weit
vom Stamm 5.17
apfelgrün 7.18
Apfelkarren 9.78
Apfelkuchen 2.27
Apfelmost 2.30
Apfelmus 4.50
Apfelschimmel S. 128
Apfelsine S. 55 2.27
Apfelwein 2.31
Aphasie 13.14
Aphorismus 13.20
13.39 14.10
Aphrodite 11.53
Apicius 10.11
Aplit 1.26
Aplomb 9.38
—, sich einen —
geben 4.22
apodiktisch 5.6 9.6
12.26 13.28 13.46
Apokalypse 20.19
apokalyptisch 13.35
Apokope 4.7 13.39
aprokryph 13.51
Apokryphen 20.19
Apoll(on) 11.17
16.64
apollinisch 8.2
Apollyon 20.9
Apolog 14.1
Apologet 16.77
19.27 20.17
Apologetik 19.13
20.19
Apologie 16.77
19.13
Apoplexie 2.41 2.45
5.37
Apostat 4.34 9.9
12.48 20.2 20.4

Apostel 6.12 8.15
9.70 12.33 12.35
20.17
Apostelamt 20.16f.
Apostelgeschichte
20.19
apostolisch 20.1
20.16 20.19
apostolorum, per
pedes 16.6
Apostroph 4.5 14.5
Apostrophe 13.24
13.37
apostrophieren 13.24
Apotheke(r) 2.44
16.60 18.27
Apotheose 16.31
20.7 20.10
Apparat 8.6 9.83f.
15.8 17.16
—, kritischer 14.9
—, ohne 9.54
Apparatur 9.83
appeal 11.17
—, sex 10.21 11.53
Appel, für en
18.28
Äppel 9.78 16.33
16.78
Appelkähne 17.9
Appel 13.25 16.73
16.114
—, hat keinen 16.116
Appellation 16.20
19.27
Appellationsgericht
19.28
Appellationsrat
16.86
appellieren 9.17
13.24 16.20 19.27
Appendix 4.28 4.32
Apperzeption 11.4
12.4 12.32
vgl. Perzeption
apperzipieren
10.15 f. 11.4 12.20
Appetit 10.10 11.36
—, gesegneter 10.11
—, sich guten —s
erfreuen 10.11

appetitlich 10.8
  11.10 11.17 11.36
Appetitlosigkeit
  11.37
applaudieren 16.31
Applaus 9.77 11.22
  12.47 16.24 16.31f.
applizieren 19.32
applizieren, Prügel
  16.78
apportieren 8.3
Apposition 3.9 4.28
appretieren 9.57
Appretur 9.35
Approbation 16.24
approbieren 12.47
  16.24 16.31
Approximation 3.9
  4.35 8.19
approximativ 3.9
  5.5
après nous le
  déluge 19.7
Aprikose S. 49 2.27
Aprikosentorte 2.27
April 6.9
April schicken, in
  12.25 16.54
Aprilnarr 16.54
  16.72
Aprilwetter 5.25
  9.9
a priori 12.14
  12.17 13.46
  siehe: a
a propos siehe: a
Apsis 17.2 20.20f.
Aquädukt 7.56
  8.27
Aquamarin 7.21
Aquarell 15.4
Aquarellmaler 15.4
Aquarium 2.10
Aquatina 15.4f.
Aqua Tofana 2.43
Äquator 1.11 3.47
  6.3 7.35
äquatorial 6.3
Aquavit 2.31f.
Äquilibrist 16.57
Äquinotium 6.9
Äquivalent 4.27
  5.18 5.29 13.16

Ar 1.15 4.16
Ära 6.1 6.9
Araber S. 128
Arabesken 3.46 5.7
  15.7 17.10
arabeskenartig 3.46
arabische Nächte
  12.28
Aragonit 1.25
Aräometer 7.54
  12.12
ärarisch 16.19
Arbeit 5.39 9.18
  9.22 9.24 9.33 9.36
  9.40 9.69 9.84
  12.35 14.10 16.111
—, an die — gehen
  9.21 9.29
— getriebene 3.48
— harte 9.55
— in 9.26
— Tag der 16.59
arbeiten 4.50 9.18
  9.22 9.38 9.40
  16.111 18.16
— pour le roi de
  Prusse 18.29
Arbeiter 5.26 5.39
  9.18 9.22 16.112
—, geistiger 18.4
—, gelernter 16.60
—, ungelernter 16.60
Arbeitersekretär
  16.116
Arbeitgeber 16.60
  18.26
Arbeitnehmer 16.60
arbeitsam 9.18 9.37f.
Arbeitsamt 9.22
  9.82 16.60
Arbeitsanstalt 9.22
Arbeitsbereich 9.22
Arbeitsbuch 9.22
Arbeitsdienst 16.74
  16.111
Arbeitseinstellung
  9.19 9.33 9.36
  9.85 16.65
arbeitsfähig 2.38
  5.35
Arbeitsgebiet 9.22
Arbeitshaus 9.23
  16.117 19.32f.
Arbeitshypothese
  12.29

Arbeitskraft 5.34
  9.38
Arbeitslager 9.23
  16.117
arbeitslos 9.24 9.85
  16.105 18.4
Arbeitsloser 9.24
  9.85 18.4
Arbeitslust 9.18
  9.37f.
Arbeitsmann 9.18
  9.37f. 16.60
Arbeitsort, -platz,
  -raum, -stube,
  -zimmer 9.23 17.2
arbeitsscheu 9.24
  9.36
Arbeitsscheuer 9.24
Arbeitssoldat 16.74
Arbeitsstube 9.23
Arbeitsteilung 16.60
Arbeitstier 9.38
Arbeitsweise 9.25
arbeitsunfähig 5.37
Ärbel 16.56
Arbuse S. 79
archaisch 6.27 15.3
Archaismus 6.27
  18.38
Archäologie 6.18ff.
  15.1
Arche (Noahs) 8.5
  9.76
Archetypus 5.18
Archidiakonus 20.17
Archiepiskopat 20.17
Archimandrit 20.17
Archipel 1.17
Architekt 9.18 9.22
  16.60 17.1
Architektonik 15.1
architektonisch 11.17
Architektur s. Baustil
Architrav 3.33
Archiv 14.9
Archivar 14.9
Archon(t) 16.97
  16.106
Arcturus 1.2
Areal 1.15
areligiös 20.3

Arena 1.15 3.47
  4.42 10.15 16.75
Areopag 11.18f.
  16.102 19.27
arg 4.50 11.13f.
  11.60 19.9f.
—, das ist zu 16.33
—, im —en liegen
  3.38
Arg 9.50 9.60 11.60
  16.44 19.8 19.10
  20.3
—, kein 19.4
—, ohne 13.49 19.4
— sinnen 11.60
  16.81
Arge, der 20.9
Ärger 9.55 11.4
  11.6 11.13f. 11.26f.
  11.31 11.58 11.62
ärgerlich 9.55 11.14
  11.27 11.32 16.62
ärgern 11.14 11.27
  11.31
ärgern, sich 11.4ff.
  11.31
Ärgernis 11.14 11.30
  11.49 13.7 16.44
  16.51 19.10
arggesinnt 11.60
Arglist 11.60 12.53
  13.4 13.51 16.72
  19.8f.
arglistig 11.60 12.53
  13.51 19.8f.
arglos 11.35 11.46
  12.25 13.49 19.4
Arglosigkeit 19.4
Argo 1.2
Argon 1.24
Argonautenfahrt
  16.7
Argot 13.32 13.35
Argument 12.15
  13.46
argumentieren
  12.3 12.14
Argusaugen 12.7
Argwohn
  11.56 12.23f. 12.32
— haben 12.23
argwöhnen 12.24

argwöhnisch 11.56
  12.23
Arianism(us) 20.1
Arie 14.3 15.11ff.
  15.16
Ariel 1.2 20.7
Arioso 15.13
Aristokrat 16.91
Aristokratie 16.91
  16.95 16.97f.
aristokratisch 16.91
  16.97
Arithmetik 4.35
Arithmetiker 4.35
arithmetisch 4.35
  12.12
arithmetischer Ort
  3.2
Arkade 3.46 17.2
Arkadien 11.9
arkadisch 5.46
Arkebuse 17.11f.
Arkebusier 16.74
Arktis 7.40
arktisch 1.12 7.40
arm 4.25 4.41 5.47
  9.45 11.13 11.27
  11.50 13.42 18.4
  18.15
—, geistig 20.13
Arm 2.16 4.33
  4.42 5.35 8.7
  9.55 9.83 19.29
  19.32
— bieten, den 16.38
— der Gerechtigkeit
  19.19 19.27 19.32
— geben, den 16.42
— in — 4.33 4.37
  9.68 16.40f. 16.43
—, in den — fallen
  9.73 16.65
—, mit erhobenem
  16.30
— nehmen, auf den
  16.54
—, rechter 5.35
— reichen, den 16.64
—, weitreichender
  16.95
—, weltlicher 16.99
Armada 8.5 16.74
Armatur 17.11

Armband 3.47 17.10
Armbanduhr 6.9
Armbinde 3.16 13.1
  16.100 17.5 17.10
  20.18
Armbrust 17.12
Armbruster 16.60
Ärmcher 16.37
Arme 9.19 9.70
  11.32 11.52 18.12
  19.10
— empfangen, mit
  offenen —n 16.64
— fallen, sich in die
  16.43
— greifen, unter
  die 9.70
— mit gekreuzten
  —n 9.24
— nehmen, in die
  16.43
—, offene 16.64
— schließen, in die
  16.38
— sinken, sich in
  die 16.42
Armee 4.17 16.74
—, große 2.45
Armeeinspektion
  16.74
Armeekorps 16.74
Armeemusik-
  inspizient 16.74
Ärmel 3.20 9.27
  9.54 17.9
Armeleuteviertel
  18.4
Armenanstalt 9.76
Armenhaus 9.76
Armenhäusler 18.4
Armenier, bei dem
  2.48
Armenkasse, es gibt
  aus der 16.78
Armenpflege 11.52
Armenpfleger 11.52
  16.41 18.12 20.17
Armenvater 11.51f.
  20.17
Armenverwaltung
  18.3
Armenvogt
  s. Armenpfleger
Arme Ritter 2.27

Armerseelenstöckl
  2.48
armer Teufel 18.4
Armesündergrab
  2.48
Armeseelensäule
  2.48
Armeseeltafel 2.48
Armeseeltäferln
  2.48
Armeslänge 3.8f.
Armesünder 19.28
Arm(e)sünderglocke
  2.46 2.48
Arm(e)sünderkarren
  2.46 19.32f.
Armesünderpfosten
  2.48
Armesünderpost
  2.48
Armesünderstein
  2.48
Armgard 16.3
armieren 9.26 16.73
  17.11f.
Armin 16.3
Armlehne 3.16
Armleuchter 7.5
  11.28 16.33
ärmlich 4.25 11.28
  11.47
Armreif 3.47 17.10
Armschlinge 3.16
Armschmalz 5.35
Armschmuck 17.10
armselig 2.41 4.25
  9.45 9.60 11.12f.
  16.92f. 19.8
Armsessel 3.16 17.3
Armspange 17.10
Ärmster 11.50
Armstrong 17.12
Armstuhl 3.16 17.3
Armut 4.25 9.45
  13.42 18.4 18.15
  s. arm
Arnold 16.3
Arnulf 16.3
Arom(a)
  7.63 7.65 10.8
aromatisch 7.63 10.8
Aronstab S. 22 20.12

arpeggio 15.11
Arrak 2.31
arrangieren 3.37
  9.14f. 15.12 16.72
  18.26 19.17
arrangiert 13.51
Arrest 9.73 16.29
  16.117 18.6 19.16
  19.27 19.33
Arrestant 16.117
Arresthaus 16.117
arretieren 8.2 16.117
  19.27 19.33
arrivieren 18.3
arrogant 11.45
  16.90
Arroganz 11.45
  16.90
Arsch 2.16 11.5 11.42
—, am — (Götz-
  zitat) 16.34 16.38
—, ist am —, hat
  einen kalten —
  2.45
—, ist im 5.42
Arschbetrüger 17.9
Arschgevatter 20.15
arschklar 13.33
Arschkriecher 16.32
Arschloch 2.35
Arschmarterln 2.27
Arsen 1.24 1.25
Arsenal 4.17f.
  17.11f.
Arsenik 1.28 2.43
Arsenkies 1.25
Art 4.1 4.8 4.37 4.47
  4.50 5.8 5.11f.
  5.20 9.6 9.25 9.31
  11.1f. 11.17f. 13.38
— und Weise 5.12
—, auf diese 5.8
—, auf jede 9.6
—, in keiner 5.3
  13.29
Artefakt 5.39
arteigen 5.8f. 16.18
  16.18
Arterie 2.16 7.56
arteriell 2.16
artesischer Brunnen
  7.55
artfremd 4.49 5.21

Artgefüge 5.8
Arthritis 2.41
artig 5.18 11.10
  11.16f. 16.38
  16.114 19.4
Artigkeit 11.17f.
  16.32 16.38 16.42
Artigkeiten 16.32
— ergehen, sich in
  16.38 18.12
Artikel 5.1 13.16
  13.31 14.10f.
  18.5 18.24 19.15
Artikulation 7.34
  13.12
artikulieren 13.13
Artillerie 7.29 16.74
  17.12
Artilleriefeuer 16.76
Artilleriepark 17.12
Artillerist 16.74
artilleristisch 17.12
Artischocke S. 87 2.27
Artist 9.52 14.3
  15.1 16.57 16.60
artistisch 11.18
  14.3 15.1
Artland 1.13
Artung 5.8
Artur 16.3
Arz(e)nei 2.44
arzneilich 2.44
Arzt 2.44 9.58 9.70
  13.9 16.60
arzten 2.44
As 4.36
asa foetida 7.64
Ascendenz 16.9
Asch(e) 17.6
aschblond 7.19
Asche 2.45 4.32 6.8
  7.36 7.39 11.32f.
  17.13 18.21
—, eine Handvoll
  ungebrannter
  — zu kosten
  geben 16.78
  — legen, in 5.42
  7.36
Äsche S. 99
Asche(n)becher
  17.7

Aschenbrenner
  16.60
Aschenbrödel 16.36
  16.92 16.94
  16.112
Ascheneimer 17.7
asch(en)farbig 7.12
  7.15 11.42
Aschenhügel 2.48
Ascher 17.7
Aschermittwoch
  9.33 20.16
aschfahl 11.42
aschgrau 7.15 9.8
Aschgraue, ins 4.3
  11.59
Aschenkrug 2.48
Aschkuchen 2.27
Asen 20.7
äsen 2.26
Asenburg 20.10
asianisch 13.43
Asiate 11.8
asiatisch 8.8 13.43
Askese 11.12 20.13
Asket 11.12 20.13
  20.17
asketisch 20.13
Äskulap(ius) 2.44
Asmodäus 20.9
Asmus 16.3
asozial 11.60 11.63
  16.116 19.9
Aspekt 5.12f. 7.2
  10.15 12.22
Aspergill 20.21
Asphalt 1.26 3.52
  7.53
asphaltieren 3.52
Asphaltliteratur
  16.44
Asphaltpresse 14.11
  16.35
Asphaltspucker 9.24
  16.94
Asphyxie 2.43
Aspik 2.27 7.51
Aspirant 9.28
  11.36 12.35 16.20
Aspirata 13.13
Aspiration 9.14
aspirieren (Laut-
  lehre) 7.34 9.14
Asrael 20.6
Aß s. As

Assagai 17.11
Assel S. 93
assentieren 16.24
assertorisch 13.28
Asservat 13.46
Assessor 16.97
  16.99 19.28
Assignaten 18.21
Assimilation 5.17
  5.19 5.26 9.31
  12.47
assimilieren 5.9
  5.17f. 5.26 9.31
Assistent 3.3 9.70
  16.112
Assistenz 3.3
assistieren 9.69f.
Assonanz 5.17
  13.13 14.2
Assoziation 4.17
  9.68f. 12.2 12.10
  16.17 16.64
assyrisch 15.3
Ast 2.3 2.41 4.11
  4.34 4.42 11.22
  11.28
Asta 16.3
asten 8.1
—ast(er) 16.33
Aster S. 80
Asteroiden 1.1f.
Astgabel 3.16
asthenisch 4.11 5.37
  9.7
Ästhet 11.7 11.11
  11.18 16.63
Ästhetik 11.16ff.
ästhetisch
  (empfinden) 11.7
  11.18
Asthma 2.39 2.41
asthmatisch 4.9
ästig 3.53 3.60
  11.22
astigmatisch 10.17
Astigmatismus 3.60
  10.17
Astlochgucker 10.15
astlos 2.7 3.22
Astrachan 17.8f. 17.9
astral 1.1f.
Astralleib 7.8
Astrid 16.3
Astrolabium 12.12

Astrolog 1.2 12.43
  16.60 20.12
Astrologie 1.2
  12.42f. 20.12
astrologisch 12.43
Astronom 1.2 16.60
Astronom(ie) 1.2
astronomisch 1.2
Astrophysik 1.2
Äsung 2.26
Asyl 9.76 16.1
  16.77 17.1
Asymmetrie 3.60
  5.21 11.28
Asymptote 8.19
asymptotisch 8.21
asyndetisch 3.36
  4.34 7.48
Asyndeton 3.36
  13.37
Aszendenz 16.9
Atakamit 1.25
Ataraxie 11.8
Atavismus 5.8f. 5.17
atavistisch 8.17
Atelier 9.22f. 15.1
  15.4 15.8f. 17.2
Atelierarbeit 12.23
Atem 1.6 2.17
  2.39 5.21 6.6 9.36
  11.5 12.7
—, außer — kom-
  men 2.39 9.39
  13.22
— benehmen 11.30
  11.42 12.45
— einhauchen 5.39
— geht aus 2.39
— holen (Ruhe)
  9.36
— schenken 5.39
— schöpfen 8.2 9.36
—, mit verhaltenem
  7.27 12.7 12.41
— verlieren 2.39
  11.5
atembar 7.60
atemberaubend 8.7
—e Spannung 12.41
Atembeschwerde
  2.39
atemlos 2.39 9.39
  11.5f. 12.7 13.22

Atemnot 2.39 2.41
Atempause 6.15
9.36
Atemzug (Augen-
blick) 6.13
—, letzter 2.45
atern 18.9
Athanasianisches
Symbolum 20.7
Atheismus 20.2f.
Atheist 20.3
atheistisch 20.3
Athen 9.49
Äther 1.2 7.8 7.42
7.60 10.3
—, blauer 1.1 7.8
7.21
ätherisch (sylphen-
artig) 5.37 7.60
7.42 11.17
ätherisieren 10.3
Äthiopier
(schwarz) 7.14
äthiopische Hitze
7.35
Athlet 4.2 5.35
16.74
athletisch 5.35
Ätiologie 5.31 5.41
Atlas 1.11 3.52
5.35 6.11 7.41
15.1 17.8 17.10
atmen 2.17 5.1
7.27 7.60f.
atmend 2.17
Atmestag 16.8
Atmestid 16.8
Atmometer 7.60
Atmosphäre 3.24
5.12 7.41 7.60
7.62 11.26 12.12
atmosphärisch 7.60
Atmung s. atmen,
Atem
Atmungsapparat
2.41
Atoll 1.17
Atom 4.4 4.34
4.36 7.42
Atombombe 17.13
Atomismus 4.34

Atomzertrümme-
rung, Sie haben
wohl noch nichts
von — gehört?
16.68
atonal 15.11 15.18
Atonie 5.37
Atrium 17.2 20.20
Atrophie 4.4
ätsch 11.60
Attaché 16.60
16.103 16.112
Attacke (Angriff)
16.76
Attentat 2.46
Attentäter 2.46
Attest 2.44 13.28
19.16
attestieren 13.46
Attica 3.33 17.2
Attich S. 78
Attila 17.9 19.9
attisch 11.17f. 11.22
15.1 15.3
Attraktion 8.21
11.53
Attrappe 13.51
Attribut 5.9
Ätzbild 15.5
Atzel 2.16
atzen 2.26 8.7
ätzen 7.68 9.61
10.1 15.4f.
Ätzkunst 15.5
Atzung 2.26
Ätzung (Bild) 5.18
15.5
au! aua! 10.4 11.5
11.13 11.30 11.32f.
Au 1.13 1.17
auch 4.28 4.51
5.23 11.5
— noch 13.29
—, wenn 16.65
—, wer — immer
4.41
Audienz 13.30
— gewähren 13.30
Audienzsaal 13.30
17.2
Auditorium 10.19
12.36 17.2
Aue s. Au

Auer 1.13
Auerhahn S. 119
Auerochs S. 127
auf 3.3 3.13 3.33
4.12 5.3 5.10
8.28
— daß 9.14
— der Stelle 6.14
6.33
— einmal 6.8 6.13
6.33 9.69 11.30
12.45
— etwas ein-
stampfen 13.1
— haben 2.33 12.35
— sein 3.57
— sein, wieder 2.44
— Seite von 9.70
— sich haben
(nichts) 9.45 11.37
— sich nehmen
19.11
— und ab 8.33
— und davon 3.8
8.7 8.18 16.6
— und nieder 8.33
auf- 3.57 4.41
Auf, das 5.10
aufächzen 11.32
aufarbeiten 4.41 6.4
9.35 9.57f.
aufarten 9.57
aufatmen 8.2 9.36
11.9
aufbahren 2.48
Aufbau 5.8 5.26
5.39 13.38 16.121
aufbauen 3.37 5.8
5.32 5.39 8.28
9.58 17.1
— auf 3.16
aufbauend 2.44
aufbäumen, sich 8.28
9.72 16.116
aufbauschen 4.3
13.52
aufbauwillig 16.18
aufbegehren 16.65
16.67 16.90 16.116
Aufbegehren 16.90
aufbehalten 3.20 6.7
aufbewahren 4.29
5.43 18.10
Aufbewahrung 6.7

Aufbewahrungsort
4.18 17.6
aufbieten 9.21 9.37f.
9.40 13.6 16.10f.
16.73f. 16.106
—, alles 5.35f. 9.18
9.37f.
—, sein Möglichstes
9.28 9.40
aufbinden 4.34
16.118
—, einen Bären
13.51
—, sich nicht 12.52
aufblähen, sich 1.6
3.48 4.3 7.48
8.28 11.45 13.52
16.85 16.89f.
Aufblähung 4.1
aufblasen 3.48 4.3
7.48 11.45 13.52
aufbleiben 2.37 9.40
aufblicken 20.1
—, zum Himmel
11.35 20.1
aufblitzen 6.13f.
7.36 12.2f.
aufblühen 2.22 2.38
4.3 5.46 11.16
aufblühend 11.17
Aufboden 17.2
aufbraten 9.58
aufbrauchen 4.31
9.84
aufbrausen(d)
5.36 7.59 8.34
11.5ff. 11.31 11.58
aufbrechen 3.57
4.34 8.1 16.6
aufbremsen, etwas
16.78
aufbringen 5.36
11.13f. 11.31
11.58 11.62
16.117 18.26
Aufbruch 9.29
aufbrummen, einem
etwas 19.33
aufbürden 7.41 9.40
12.15 19.12 19.24
—, sich 9.21 19.24
aufdämmern 3.22
6.2 7.4 9.21
12.20 13.2f. 13.5f.
13.33 13.44

aufdecken 3.22 3.57
13.2f. 13.5
—, sich 7.40
aufdonnern 11.17
—, sich 11.17
aufdrahen 11.45
aufdrängen 9.3 9.12
9.54 11.29 16.22
16.107 19.24
—, sich 7.1 9.38
9.54 9.81 11.29
12.20 13.3 16.22
16.115
aufdrehen 3.57 4.34
8.7 11.60
aufdringen 16.22
16.107
aufdringlich 9.38
11.45 16.20 16.22
Aufdringlichkeit
9.38
aufdröseln 4.34
aufdrücken 9.35
aufeinander 4.3
8.21
Aufeinanderfolge
3.35 6.32 8.15
Aufenthalt 3.3 8.2
9.23 9.36 9.73
9.76 16.1 20.11
—, ohne 8.7
Aufenthaltsort 1.11
3.3 8.2 16.1f.
auferlegen 16.106
19.24 19.32 20.16
—, Bedingungen
16.84 16.108
16.111 19.15
—, Strafe 19.32
auferlegt 19.24
— sein 19.24
auferstehen 5.40
Auferstehung 5.30
5.40 8.17 20.10
auferweckt 20.1
aufessen 2.26 4.26
4.41 10.11
auffahren 5.36 8.9
9.73 9.78 11.6
11.31 11.42 11.58
—, Kanonen 16.76
— lassen 2.26 18.13

auffahrend 11.31
11.58 16.53
Auffahrt 3.13 8.28
16.39 16.59
—, große 16.88
auffallen 4.2
5.20f. 7.1 9.53
11.28 11.30 11.59
12.7 12.45 13.3
auffallend 5.20
11.29f. 13.3 16.88
auffalten 3.40
auffangen 9.73
16.117 18.6
—, den Angriff 16.77
Auffangstellung
8.17 16.77
auffasern 3.53 3.57
4.34
auffassen 9.52 11.35
12.3 12.29 12.31f.
12.35 13.33
Auffassung 11.4
12.4 12.14 12.22
12.24
—, mildere 19.13
—, richtige 19.24
—, schnelle 9.52
12.52f.
—, schwerfällige
9.53 12.56
Auffassungsgabe
9.52f. 12.2 12.52
auffinden 12.20
auffischen 18.28
aufflackern 7.4 7.36
aufflammen 7.36
8.28
aufflattern 8.28
auffliegen 3.57 5.36
8.28 9.78 18.19
Aufflug 4.12 14.2
16.119 20.1
auffordern (an-
eifern) 9.12 13.9
13.24 16.20 16.22
16.69 16.106
Aufforderung 13.9
13.24 16.20 16.22
16.106 19.12
—, erste 16.106
aufforsten 2.5
auffressen 2.26 4.41
5.42

auffrischen 2.10
2.40 5.35 5.40
9.58 11.5 12.39
16.78
aufführen 14.3 17.1
—, sich 5.11 9.25
—, sich unzart, roh
16.53
Aufführung 9.23
9.25 14.3 16.55
auffüllen 4.41
auffüttern 4.3 5.39
Aufgabe 9.14f.
9.20ff. 9.55 12.5
12.8 12.33 12.35
16.106 19.24
aufgabeln 12.20
18.22
Aufgang 1.12 3.13
3.57 8.28
— der Sonne 6.2
aufgebauscht 3.48
aufgeben 8.3 9.5 9.9
9.20 9.32f. 9.78
9.85 11.23 11.41
12.33 14.8 16.52
16.83 16.105 18.23
19.32 20.22
—, den Geist 2.45
—, die Welt 16.52
20.16
— Gepäck 8.3
—, sich 19.19
Aufgeber 8.3
Aufgebung 9.9
aufgebläht 4.10
7.60 16.89
aufgeblasen 3.48
4.50 7.42 7.48
7.60 11.29 11.45
16.89f.
— wie ein Truthahn
11.45 16.89
Aufgeblasenheit
11.45 16.89
Aufgebot 9.40 13.6
16.10f. 16.74
16.106
— aller Kräfte 9.40
aufgebracht
5.36 11.31 11.62
Aufgebrachtheit
11.31 11.58

aufgebürdet 19.24
aufgedonnert 11.29
11.45 15.7 16.88
17.10
aufgedunsen 4.10
aufgefahren 9.78
— sein 9.55
aufgefressen, er hat
ihn fast 16.33
aufgegeben 11.41
aufgehalten werden
6.36
aufgeheitert 11.9
aufgehen 3.57
4.3 5.26 7.48 8.28
9.38 9.78 11.5
11.31 20.1
aufgehn 1.2
— wie ein Pfann-
kuchen 4.10
— in 4.41 9.38 9.50
aufgehoben 5.43
8.28 9.20 11.48
Aufgeld 18.21 18.26
18.30
aufgeklärt 12.32
12.52 16.44 16.121
19.2
aufgeknöpft 11.21
aufgekratzt 2.37
11.21
aufgekrempelt 8.17
aufgelegt 4.50 11.3
11.21 11.27
—, gut 11.9
—, schlecht 11.13
11.25ff.
— sein 9.4
aufgelöst 11.33
aufgemerkt 13.10
aufgepaßt 13.10
aufgepfropft 5.8
aufgeputzt 12.26f.
aufgeräumt 11.9
11.20f.
aufgeregt 3.38 5.36
9.37 11.5f. 11.31
11.58
aufgerieben 2.39
2.46 s. aufreiben
aufgerissen 11.30
aufgeschirrt 11.45
aufgeschlagenes Buch
11.46 13.3

aufgeschlossen 3.57
11.52 12.6 12.31
Aufgeschlossenheit
12.54
aufgeschmissen 5.47
9.78
— sein 9.55
aufgeschossen 4.6
4.12
aufgeschwemmt 4.10
aufgesessen 9.55 9.78
aufgestaut 3.19
aufgetakelt 15.7
aufgetrieben 4.2 4.10
s. auftreiben
aufgewärmt 6.27
6.28 6.33 7.35
7.69 11.28
— -er Kohl 7.69
aufgeweckt 9.52
11.20ff. 12.52
aufgewogen,
wird 18.23
aufgeworfen
sein 9.55
aufgezogen, deine
Mutter hat wohl
das Kind fortge-
worfen und die
Nachgeburt 16.33
aufgießen 7.55
aufgliedern 3.37
4.42 4.47
Aufgluten 5.35
Aufguß 2.27 2.44
7.54
Aufgußtierchen S. 92
aufhaben 12.35
aufhalsen 7.41 9.3
—, sich 19.24
aufhalten 3.36 6.34
8.2 8.8 9.73
16.116
—, sich 3.3 5.1 6.36
8.8
—, sich — über
16.33
aufhängen 2.46 3.17
8.28 18.23 19.32
—, da hat sich
einer — lassen 1.6
—, sich 2.47
—, sich — lassen
18.22

aufhaspeln 4.34
aufhauen 4.34
aufhäufen 4.3 4.17
4.22 4.33
aufheben 4.27 5.43
6.12 8.28 9.19
9.72 9.75 16.28
16.105f. 16.118
18.10 19.23 19.25
20.13
Aufhebens machen
16.31
—, viel — machen
9.44 16.89
Aufhebung 9.9f. 9.72
9.85 13.29 16.105
19.20 19.23 20.5
aufheitern 1.5 7.4
11.9 11.20f. 11.34
16.55
aufhelfen 9.70
aufhellen 7.4 12.20
12.33 13.2 13.44
—, sich 1.5
aufhenken, s. auf-
hängen 2.46
aufhetzen 5.36 16.67
aufhissen 8.28
aufhocken 8.28
Aufhocker 20.5
Aufhockstange 3.16
aufhöhen 13.43
aufholen 8.16
aufhorchen 10.19
12.6f.
aufhören 2.45 3.36
9.19f. 9.33 9.41
11.30f. 13.29
—, ohne 9.30
aufjagen 8.18 9.21
12.8 12.20
aufjammern 11.32
aufjauchzen 11.21
aufjochen (be-
schweren) 7.41
aufjubeln 11.22
aufkäschern 11.20
aufkaufen 9.84
18.22
Aufkauf 18.22
Aufkäufer 18.22
aufkeimen 5.26 8.28
aufklaren 1.5

aufklären 12.20
12.32 12.54 13.2
13.5 13.33 13.44
—, sich (hell) 7.4
Aufklärer 16.74a
20.3
Aufkläricht 20.3
Aufklärung 5.26
12.6 12.8 12.32f.
13.3 13.5 13.44
— suchen 12.6 12.8
aufkleben 13.1
aufklettern 8.28
aufklimmen 8.28
aufklopfen 3.57 4.34
aufknacken 3.57
4.34 7.47
—, eine Nuß 4.34
9.55
aufknöpfen 3.57
4.34
aufknoten 4.34
aufknüpfen 2.46
19.32
aufkommen 2.38
2.40 4.3 5.46 6.26
8.16 8.28 9.31
9.77f. 11.26 13.5
13.7 16.61 18.15
— für 18.26
—, gar nicht erst —
lassen 9.73
—, wieder 2.44
Aufkommen, an sei-
nem — zweifeln
2.41
aufkrachen 7.47
aufkreuzen 2.10
8.20
aufkündigen 9.85
—, den Gehorsam
16.65 16.116
Aufkündigung 9.19f.
16.105
auflachen 11.21f.
16.54
aufladen 7.41 17.17
—, eine Tracht Prü-
gel 9.21 16.78
auflassen 3.57
Auflassung 16.25
Auflage 4.43 6.28
9.12 12.35 14.11
16.106f. 18.6
— -nachricht 13.6

auflauern 9.74 16.71
Auflauf 2.27 3.38
4.20 8.34 9.72
16.65 16.67
16.116
auflaufen 2.41 3.48
4.3 4.8 16.72
18.8
aufleben 2.40 2.44
5.40
auflegen 18.23
—, die Hände 16.31
—, eine Platte 10.19
auflehnen 3.16
—, sich 16.65
Auflehnung 9.72
16.65 16.116
auflesen 4.17 9.54
aufleuchten 7.4
aufliegen 2.42 14.11
16.1
aufliegend 7.41
auflockern 4.34 7.48
Auflockerung 4.34
16.109
auflodern 7.4
auflösbar 4.34
auflösen 2.45 4.34
5.42 7.48 7.54
8.22 13.44 18.23
—, sich 2.45 4.26
7.3 7.48 13.29
—, in Wohl-
gefallen 12.46
Auflöslichkeit 7.54
Auflösung 2.41 2.45
3.38 4.26 4.34
5.42 7.36 7.54
8.22 9.61 12.8
13.26 19.20
— aller Bande 3.38
16.116 19.20
— der Ehe 16.14f.
Auflösungsmittel
7.54
aufmachen 3.57 4.34
9.14 9.21 12.8
13.43 17.10
—, Ohren 10.19
—, sich 8.18
Aufmachung 16.21
16.88 17.10

Aufmarsch 3.35 3.37
8.21 9.29 16.16
16.73f. 16.88
aufmarschieren 3.37
4.3 8.19
— lassen (Drohung)
— lassen, Truppen
16.68
aufmerken (zu-
hören) 10.19 12.7
aufmerksam 9.4 9.38
9.42 11.40 11.52
12.3 12.7 12.35
16.38
Aufmerksamkeit
9.38 12.3 12.7
12.13 12.39 16.38
— entgehen, der
13.4
aufmessen, Prügel
16.78
aufmöbeln 5.35
aufmucken 16.116
aufmuntern 9.12
9.39 11.5 11.10
11.20f. 11.34f.
11.38 13.9 16.55
aufmutzen,
Fehler 16.33
aufnadeln 3.57
Aufnahme 4.48 8.20
8.23 13.30 16.38
16.64
—, kalte 16.27
—, machen 15.8
— warme 16.64
aufnehmen 9.75f.
8.23 9.56 9.66
9.75f. 11.31 11.38
11.54 12.35 15.8f.
16.1 18.17 20.1
—, beifällig 16.31
—, den Hand-
schuh 16.65 16.69
—, die Beziehungen
wieder 16.48
—, in sich 4.48
—, übel 11.26 11.28
11.60 16.33
aufnesteln 3.57
aufnorden 9.57
aufnotieren 14.9
aufnötigen 16.22
19.24

aufopfern, sich 9.50
aufopfernd 9.50
19.3
Aufopferung 5.29
9.50 11.51 11.53
18.12 19.2 20.13
aufopferungsfähig
11.51 19.2
Aufopferungsfähig-
keit 19.2
aufpacken 7.41
aufpassen 4.50 12.7
12.13
Aufpasser 16.101
aufpeitschen 5.36
aufpfählen 8.25
aufpflanzen 3.11
16.2
—, Kanonen 16.76
aufpflügen 2.5 3.44
3.49 7.48
aufplähen 13.52
aufplatzen 4.34 5.36
aufplustern 8.28
11.44f. 13.52
aufpochen 16.90
aufpolieren 2.40 3.52
9.57f.
aufprägen 13.1
Aufprall 8.9f. 8.29
Aufpreis 18.27
aufprotzen 16.73
16.76 16.89
aufpulvern 2.40
aufpumpen 4.10
aufputschen 16.116
Aufputz 3.20 13.52
17.10
aufputzen 13.51f.
15.7
aufquellen 7.39 7.55
8.28
aufraffen 4.17
—, sich 2.38 2.40
2.44 9.6 11.38
aufrauhen 3.53
aufräumen 3.37 5.42
8.18 9.26 9.58
— mit 5.42
aufrechnen 12.12
aufrecht 3.11 3.40
11.44 19.1
— halten 3.16
Aufrechter, ein 19.1

aufrechterhalten,
das Einvernehmen
16.40
Aufrechterhaltung
5.43
aufregen 3.38 5.36
11.5 11.31 11.36
11.59
aufregend, nicht 9.59
Aufregung 3.38 8.34
11.5f. 11.31 11.58
16.31
aufreiben 2.39 9.40
—, sich 2.46 16.84
aufreibend 9.40
aufreihen 3.35
aufreißen 3.10 3.57
4.34 11.14 11.30
11.45
—, alte Wunden
6.18ff. 11.13
12.39
—, das Maul 11.30
12.6f. 12.41
—, weit 16.89
aufreizen 5.36 9.12
11.5 11.8 11.14
aufreizend 9.37
Aufreizung 11.31
aufrichten 3.11 3.40
5.39 8.28 11.34
11.38 11.50
aufrichtig 11.46
11.54 13.16 13.49
16.41 16.114
19.1 19.3
Aufrichtigkeit 11.46
19.1 19.3
aufriegeln 16.118
Aufriß 9.15 9.26
14.12
aufrollen 3.40 3.57
8.32 9.29 12.8
—, den Feind 16.76
—, die Fahne 16.73
—, die Front 16.84
Aufruf 13.24
16.106
aufrufen 16.106
18.21
Aufruhr 3.38 5.36
8.34 11.5 11.22
11.36 16.65 16.67
16.70 16.116

Aufruhr der Gefühle
11.5f. 11.58 16.31
— erregen 16.67
—, in — bringen
13.11
aufrühren 1.21 8.1
9.1 11.5
—, wieder 6.18ff.
6.28
Aufrührer 16.116
aufrührerisch 5.36
16.67 16.116
aufrüsten 16.68
aufrütteln 9.6 9.12
19.5
Aufsage s. Absage
16.27
aufsagen 9.19f. 9.26
9.85 12.39 13.2
13.21 14.2 16.105
—, den Gehorsam
16.116
—, die Freund-
schaft 16.67
Aufsagetag 16.8
aufsässig 11.59f.
11.62 16.66 16.76
Aufsatz 8.28 13.38
14.5 14.10 17.2
17.10
aufsaugen 7.58
aufscharren 7.49
aufschauen 10.15
12.7
aufschäumen 5.36
7.59 8.34 11.5f.
aufscheuchen 8.7
8.18 11.42
aufschichten 3.35 4.8
6.32
aufschieben
3.57 6.12 6.36 8.8
—, Zahlung 18.19
Aufschiebungssystem
6.34
aufschießen 2.22 4.3
Aufschlag 2.44 18.27
—, ohne 18.28
aufschlagen 3.57
4.34 7.26 7.47
8.28 11.22 12.6
12.8 18.27
—, die Augen 16.30

aufschlagen, das
Buch 12.8 12.35
13.3 13.5 14.7
—, eine Lache 11.22
16.54f.
—, Gerüst 9.26
—, Karten 12.43
16.55 20.12
—, Lager 3.3 16.2
—, Quartier 16.2
—, Wohnung 3.4
6.6f. 16.2
—, Zelt 8.20
aufschließen 3.57
16.118
Aufschluß 12.8 13.2
13.5 13.26 13.44
— bitten, um 13.25
— geben 12.33 13.3
aufschlüsseln 4.42
aufschlußreich 12.31
aufschminken 7.11
aufschmücken 13.51f.
15.2
aufschnappen 10.19
12.32 18.5
aufschneiden 11.45
13.51f. 16.72
16.89
Aufschneider 11.45
13.51 16.89
Aufschneiderei 11.24
11.45 13.51 16.72
16.89
aufschnellen 8.28
Aufschnitt 1.21 2.27
aufschnüren 4.34
aufschrauben 3.57
4.34
aufschrecken 11.42
12.45 13.11
Aufschrei 7.34
aufschreiben 14.9
18.16f.
aufschreien 11.22
11.32f.
Aufschrift 13.1 14.5
14.8
Aufschub 6.12 6.36
8.2 9.33 16.118
19.30
aufschultern, sich
19.24

aufschürzen 3.57
8.28
aufschwatzen 13.51
aufschwätzen 18.23
aufschwellen 13.52
Aufschwemme 1.16
aufschwemmen 4.10
aufschwingen, sich
4.12 8.28 16.7
16.119
Aufschwung 16.119
18.5
— der Gedanken
12.28 14.2 20.16
— der Phantasie
14.2
aufsehen 10.15
Aufsehen 10.15 11.30
16.85 16.88 16.93
— erregen 16.31
16.88 s. abstechen
aufsehenerregend
5.20 9.44 11.30
12.45
Aufseher 9.75 16.96
16.98 16.101 19.29
— eines Hofes 16.60
aufsetzen 7.39 8.28
9.35 14.5
—, Hörner 16.14
Aufsicht 9.75 12.7
16.95ff. 16.101
16.117
aufsitzen 8.28 9.55
9.73 9.78 16.72
18.8
— lassen 16.54
aufspannen 4.3
—, mildere Saiten
5.37
aufsparen 4.29 5.43
9.19 18.10
aufspeichern 3.3
4.29
aufsperren 3.57
11.30
aufspielen 11.45
15.11 15.14
—, einem 16.78
—, sich 16.72
aufspießen 8.25
19.32
aufsprengen 3.57

aufsprießen 4.3 8.28
9.77
aufspringen 3.57
4.34 5.36 7.45 8.9
8.28f. 9.39 12.45
16.76
—, vor Freude 11.21
aufsprossen, s. auf-
sprießen 4.3
aufsprudeln 5.36
aufspüren 8.15 9.21
10.15f. 12.8 12.20
aufstacheln 5.36
9.12
aufstampfen 11.31
13.1
—, mit den Füßen
16.31
Aufstand 3.38 16.65
16.67 16.70 16.116
s. Aufruhr
aufstapeln 4.17 4.29
aufstechen 3.57
aufstecken 4.33 9.33
—, etwas 18.5
—, nichts 9.78
aufstehen 3.57 6.35
11.40 16.116
—, früh 11.40f.
12.53
—, wie ein Mann
16.73
—, wieder (Ge-
nesung) 2.40
aufsteigen 4.3
4.12 8.6 8.28
aufstellen 3.3 3.37
4.33 4.35 11.21
11.36 11.40 12.15
Aufstellung 3.37
16.33 16.73f.
Aufstieg 4.3 8.28
9.77 16.121 18.3
aufstöbern 12.20
18.5
aufstocken 8.28 17.1
aufstören 2.37
3.38 8.18
aufstoßen 2.35 2.41
3.57 5.44 10.9
aufstreben 4.12 8.28
9.21 11.36

aufstreichen 2.27
3.20 8.22
aufstreuen 7.49 8.22
Aufstrich 2.27 14.5
aufstülpen 8.28
aufstutzen 9.26
aufstützen 3.16
s. stützen
aufsuchen 11.39 12.8
16.38 16.64
—, Fehler 16.33
aufsummen 4.28
auftafeln 2.26 9.26
15.7 16.55 16.64
auftakeln 9.26
Auftakt 6.2 9.29
14.2 15.11 15.17
auftauchen 6.2 7.1
7.42 8.20 8.24
8.28 9.29 10.15
12.2 13.2 13.6
—, Gerücht 13.2
13.6
auftauen 7.35 7.54
11.20 13.21
auftischen 2.26 13.26
16.55 16.64
Auftrag 9.22 13.9
16.103 16.106
auftragen 2.26 9.26
13.52 16.106
Auftraggeber 9.21
13.9 18.22
auftreiben 3.48 3.57
4.3 4.10 4.29 8.28
12.20 18.5 18.22
—, Geld 1817
auftrennen 4.34
auftreten 5.1 5.11
7.1f. 9.25 14.3
16.38 16.53 16.104
19.12f. 19.27
— für 16.103 19.13
— gegen 19.12
Auftreten 5.11 9.25
Auftrieb 4.3 4.20
8.28
Auftritt 5.44 7.2
8.28 11.31 14.3
16.67
auftrocknen 7.58

auftrumpfen 13.52
16.89f.
auftun 3.57
—, die Augen 10.15
—, den Mund
13.21f.
auftürmen 4.12 4.17
8.28
—, sich 8.28
aufwachen 2,37 5.27
s. aufgeweckt
aufwachsen 5.40
aufwallen 5.36 11.5
aufwallend 11.58
Aufwallung 5.36
7.35 8.34 11.5f.
16.31
Aufwand 4.28 4.31
18.14 18.26f.
— aller Kräfte,
mit 9.8 9.40
aufwärmen 5.18 5.40
6.28 7.35 9.58
Aufwartefrau 9.66
16.112
aufwarten 9.70
16.30 16.38 16.55
16.64 16.112
16.114
— mit 16.22 18.12
Aufwärter 16.112
aufwärts 3.33 7.42
8.28
Aufwartung 9.70
16.30 16.38f. 16.64
16.112 16.114
— machen 16.30
16.64
— machen, seine
16.38
Aufwaschen, ist ein
6.13
aufwecken 8.9
aufweichen 7.50
11.50 s. erweichen
aufweichendes Mittel
2.44
aufweisen 5.9 7.1
13.3
aufwenden 9.84
18.26 s. Aufwand
aufwerfen 3.24 8.28
12.5 16.97

aufwerfen, Barri-
kaden 9.73 16.77
16.116
—, Frage 12.18
13.25
—, sich 19.20
—, sich — zu 11.44
16.97
aufwickeln 3.46 3.57
8.32
aufwiegeln 3.38 9.12
11.5 16.67 16.116
aufwiegen 4.27 9.56
9.72
Aufwiegler 9.12
16.116
aufwinden 8.28
s. aufwickeln
aufwirbeln (Staub)
11.27 13.52 16.85
16.89
aufwischen 7.58
9.66
aufwogen 7.55
aufwühlen 3.38 5.42
11.5 12.20
s. aufwiegeln
aufwühlend 11.5
aufzählen 3.35 4.35
12.12 13.2 14.1
16.78
—, Prügel 16.78
Aufzählung 13.37
14.1
aufzäumen 9.26
—, von hinten 9.51
aufzehren 2.26
4.26
aufzeichnen 12.35
12.39 13.4 14.5
14.9 15.4
Aufzeichnung 12.39
13.2 14.1 14.5ff.
Aufzeichnungen 14.9
aufzeigen 13.3
aufzerren 3.57
aufziehen 2.26 5.39
8.28 9.21 16.34
16.54 16.108
—, andere Saiten
16.78
aufziehen (ein
Wetter) 1.7
—, in Parade 16.87
—, gelindere Saiten
16.109

Aufzucht 2.10 2.26
12.33
Aufzug 3.17 3.35
7.2 8.4 8.28 14.3
17.8f.
aufzutreiben, nicht
3.4
aufzuwarten 16.38
aufzwingen 16.107
Augapfel 2.16 9.56
10.15 11.53
Auge 2.16 2.41 3.47
3.57 8.18 9.8 9.14
9.43 9.51 9.73
10.15 11.13f. 11.28
11.31ff. 11.36
11.38 11.53 11.56
11.59 11.62 12.6
12.8 12.12 13.1
16.97 16.109 19.7
19.17 19.29
—, blaues 9.75
9.77f.
— des Gesetzes
19.19 19.29
—, Dorn im — haben
11.14
—, ein — schließen,
zudrücken, zu-
machen 16.25
16.47 16.109
—, ein scharfes — für
fremde Fehler
haben 16.33
—, im — behalten
12.39
—, im — haben 9.14
—, ins — fassen
9.14f. 10.15 12.7
12.12 13.3
—, kein — schließen
11.5
—, mit blauem —
davonkommen
9.78 18.15 19.32
—, passen wie die
Faust aufs
5.21 6.38 9.51
—, sein — werfen
auf 11.36 11.53
—, Stachel im 11.14
— um Auge 9.14
—, wie leicht kann
das ins — gehen
13.10

äugeln 10.15 16.42f.
Äugelchen machen
16.43
äugele 2.5
Augen 2.41 9.2
9.9 9.13 9.21
9.42 9.52 11.17
11.30 11.33 11.36
11.40 11.45
11.48ff. 11.53 12.7
16.85 16.87 16.93
18.27 19.11 20.12f.
— auf oder Beutel
auf! 13.10
—, auf seine schönen
12.25
—, aus den 8.18
12.40
—, aus den — kom-
men 7.3
—, aus den — lesen
12.20
—, aus den — ver-
lieren 7.3 12.37
13.4
—, aus den —, aus
dem Sinn 9.9 9.19
9.43 12.13 12.40
—, den — preisgeben
7.1
—, die — auf sich
ziehen 7.1
— flimmern
machen 16.78
— niederschlagen
16.50
— öffnen 12.26
12.46 13.2
— spielen lassen
7.1 11 36
— schließen
2.45 9.24 10.18
13.4 16.25
—, er maß ihn mit
den 16.66
—, große — machen
11.30
— größer als der
Magen 12.51
—, in die — fallen
4.2 7.1 12.20

Augen, in die —
  springen 7.1 12.20
  13.3 13.33
—, in die — stechen
  7.1
—, mit blitzenden
  9.38
—, mit den — auf-
  fangen 12.7f.
—, mit freudestrah-
  lenden 11.9
—, mit funkelnden
  11.5 16.31
—, mit gesenkten
  11.43 11.49
—, mit nassen 11.32
  11.50
—, mit offenen 12.7
—, klar vor 12.32
—, Sand in die —
  streuen 12.25 16.72
— richten auf 9.14
  11.36 12.7
—, schöne 11.17
—, unter den 3.3
—, unter vier 4.37
  9.79 13.4 13.30
—, von den — ab-
  sehen 11.47 11.52
  12.47
—, vor 3.3 3.32 7.1
  10.15 13.3
—, vor — führen
  13.46
—, vor aller 7.1
  10.15
—, vor — halten
  9.42 16.33
Augenaufschlag,
  frommer 20.1
Augenblick 6.1 6.8
  6.13 6.16 9.39
  9.43 9.77
—, alle 6.31
—, einen — bitte
  6.24
—, Eingebung des
  —s 9.27 12.2
— entschlüpfen las-
  sen 6.12 6.36
—, im 6.14
—, keinen — ver-
  lieren 9.39
—, lichter 12.18

Augenblicke 12.18
augenblicklich 6.8
  6.13f. 6.16 8.7
  9.39
Augenblicksgeschöpf
  6.13
Augenblicksmensch
  11.6
Augenbraue 2.16
Augendeckel 2.16
  3.20
Augendiener 13.51
  16.32 16.72
  16.114f. 19.8
Augendienerei
  16.115 20.14
augendienerisch
  16.32
augenfällig 5.1 5.6
  7.1 13.3 13.16
  13.33
Augenflimmern
  10.17f.
Augenfluß 2.41
  10.17
Augenglas 10.16
Augenklappe 7.6
augenkrank 2.41
  10.17
Augenkrankheit,
  ägyptische 2.41
Augenlicht 10.15f.
Augenlicht, beim
  — meines Kindes
  13.50
Augenlid 2.16 3.20
augenlos 10.18
Augenlust 11.9
  11.16f.
Augenmaß 12.12
Augenmensch 10.15
Augenmerk 9.14
  10.15 11.36 11.40
  12.7f.
— richten auf 10.15
Augenpulver 4.4
  14.5
Augenreiz 11.16f
Augenschein 7.1
  12.7f.
— nehmen, in
  10.15f. 12.7
augenscheinlich 5.6
  13.3 13.46
Augenschirm 7.6

Augenspiel 11.53
  13.2 13.4 16.42
Augensprache 16.42
Augenstern 11.53
Augentäuschung
  10.17
Augentrost S. 67
  11.9 11.16f.
Augenverdreher 20.3
  20.14
Augenweide 11.10
  11.17 16.88
Augenwimper 2.16
  3.20
Augenwonne 11.9f.
  11.16
Augenzeuge 3.3
  10.15 12.32 13.46
Auges, trockenen
  11.8 16.108
Augiasstall 9.67
  19.8
Augit 1.25
Augment 4.28
Augur 12.43 20.1
  20.17
Augurenlächeln
  12.53
August 6.9 11.23
  19.29
—, der dumme 9.49
  11.24
—, der grüne 19.33
Auguste 16.3
August(in) 16.3
—, ach du lieber
  18.15
Augustiner 20.17
Auktion 18.23
Auktionator 16.60
Aula 12.36 17.2
Aule 2.35
Auler 16.60
Aura 3.24 5.12
Aureole 16.85
Aurikel S. 67
Auripigment 1.25
Aurora 11.17 16.3
aus 4.31 4.50 5.17
  5.24 5.31 8.24 9.33
  9 69 9.82 12.46
—, ein und — gehen
  16.64
—, es ist 2.45 5.3
  11.41 12 46

aus der Welt
  schaffen 2.46
aus- 1.22 3.4 3.46
  3.57 4.23 8.24 16.6
— sein 2.45
— und gar 2.45
— und vorbei 4.26
„Aus" 2.39
Aus 16.56
ausarbeiten 4.41
  5.39 9.15 9.26
  9.35 9.57 9.64
  14.5
Ausarbeitung 9.26
  9.57
ausarten 5.26 9.61
ausatmen 1.6 2.35
  8.25
ausbaden 11.13
  19.32
ausbaggern 3.49
ausbaldowern 12.8
Ausbau 9.57
Ausbauchung 3.58
  4.3
ausbauen 3.37 4.41
  9.35 9.57 17.1
ausbedingen 13.48
  19.15
—, sich 16.20
ausbeizen 9.66
ausbessern 4.41
  9.57f.
Ausbeten 20.13
Ausbeute 9.47 18.5
ausbeuten 9.47 18.5f.
  19.7
—, zu seinen
  Zwecken 16.32
Ausbeuter 9.47 19.7
Ausbeutung 19.7
ausbiegen 8.12
ausbieten 4.50 18.23
ausbilden 2.22 5.26
  9.26 9.64 12.33
Ausbildung 9.26 9.52
  12.32f.
ausbitten, sich 16.20
ausblasen 7.7
ausblasen, das Licht
  7.7
—, das Lebenslicht
  2.46
ausbleiben 3.4 6.36
  9.19 9.33 16.28

ausbohren 3.49
ausbomben 5.42
ausborgen 12.37
  18.16f.
ausbrechen 6.2 7.1
  8.12 8.18 8.24
  9.29 11.22 11.31
  16.118
—, in Flammen 7.36
—, in Gelächter
  11.21
—, in Tränen 11.32f.
ausbreiten 2.6 3.8
  3.12 3.51 4.8 8.22
  13.6
—, die Fittiche 9.70
  9.75 16.7 16.77
—, Gerüchte 13.6
  13.22 16.35
—, die Segel 16.7
—, sich 2.6 4.3
  13.22
Ausbreitung 3.1 3.3
  3.7 4.2f. 8.22
ausbrennen 5.42 7.36
  7.39
ausbringen (Hoch)
  16.38 16.87
—, Gesundheit 16.64
Ausbruch 5.27
  5.35f. 7.54 8.24
  11.5
Ausbruchsversuch
  16.77
ausbrüten 2.21 5.26
  5.39 9.15 9.26
  14.2
ausbuchen 18.18
ausbuchten 3.49
Ausbund 4.2 4.50
  5.35 6.7 9.38 9.56
  9.64 11.28 19.3f.
  19.6 19.10
ausbürgern 16.37
  16.105
ausbürsten 9.66
Ausdauer 5.35 6.7
  9.6 9.8 9.18 9.30
  9.38 11.8
ausdauern 6.1 6.6f.
  9.30
—, einen Plan 16.65
ausdehnbar 7.45f.
  7.48 7.50
— -er Begriff 5.7
  13.34

ausdehnen 3.8 3.12
  4.3 4.6 4.8 4.34
  6.1 6.7 7.48 7.50
  13.14 13.22 19.25
—, sich 3.1 3.6 4.1
  4.3 4.6 7.48
Ausdehnung 3.1 3.8
  4.1 4.3 4.8 5.35
  6.6f. 13.43 16.119
ausdenken 9.15
  12.28
—, sich 5.39 13.51
ausdeutschen 16.105
Ausdeutung 12.30
  13.17 13.44
ausdienen s. ausge-
  dient
ausdingen 3.4 8.18
ausdorren 4.5 7.35
  7.58
ausdörren 4.5
ausdrehen 18.9
Ausdruck 5.8 7.2
  11.22 13.13 13.16f.
  13.20 13.38 15.10f.
— geben 13.21
—, mit dem — des
  Bedauerns 16.82
— bringen, zum
  13.21
— finden können,
  keinen 13.1f. 13.23
  15.10
—, veralteter 13.32
ausdrücken 8.24
  11.50 13.3 13.17
  13.20 15.10
—, Achtung, Ehr-
  furcht, Respekt
  16.38
—, Mißbilligung
  16.33
—, sein Bedauern
  16.82
—, seine Freude
  16.39
ausdrücklich 5.6 9.14
  12.26 13.2 13.28
  13.33 16.106
  16.108
Ausdruckskunst 15.1
ausdruckslos 5.7 7.3
  9.45 13.18 13.35
  13.42f.

ausdrucksvoll 9.44
  13.1f. 13.12 13.16
  13.33 13.41
Ausdrucksweise
  13.20 13.38
Ausdruckswille
  15.3
ausduften 7.60 7.62
ausdünnen 4.9 4.11
  4.24 5.37 7.48
Ausdünstung 2.35
  7.60 7.62 7.64
auseinander 4.3
  5.23 8.22
auseinander- 1.22
  3.34 4.23 8.22
auseinanderbreiten
  8.22
auseinandergehen
  4.3 4.10 4.34 5.21
  5.23 8.18 8.22
  12.48 16.6 16.15
  16.67
—, im Bösen 16.67
auseinandergeraten
  16.67
auseinanderlaufen
  4.10 8.22
auseinanderlaufend
  3.13 3.15
auseinanderleben,
  sich 16.15 16.67
auseinanderlegen
  3.40 13.44
auseinandernehmen
  4.34
auseinandersetzen
  12.14 12.22
  13.2 13.5 13.26
  13.33 13.44 13.46
  19.17
—, sich 19.17
Auseinandersetzung
  16.67 16.70 19.14
—, den Boden der
  geistigen — ver-
  lassen 16.76
auserkiesen (wählen)
  9.11
auserkoren 9.64
auserküren (wählen)
  9.11
auserlesen 9.56
  9.64 11.17 16.85
ausersehen 9.11 9.64

auserwählen 9.11
  16.85 16.103
auserwählt 20.1
Auserwählter 20.1
  20.13
ausessen 19.32
ausfahren 8.3
Ausfahrt 8.3 8.11
  16.6
Ausfall 4.25 4.46
  5.34 9.77 16.54
  16.67 18.15
— machen, einen
  16.70
Ausfall- 16.77
Ausfälle 2.46
ausfallen 5.44 7.48
  9.19 9.77f. 16.77
—, gut 9.77
—, schlecht 9.78
ausfallend 11.58
  16.67
— werden 16.35
  16.53
Ausfallgitter 16.77
Ausfallpforte 16.77
Ausfalltor 3.57 16.77
Ausfalltüre 16.77
ausfalten 3.51
ausfechten, einen
  Ehrenhandel 16.70
ausfegen 8.18 8.24
  9 66
ausfertigen 13.1 14.9
Ausfertigungsstelle
  14.8
ausfilzen 18.6
ausfinden 12.8 12.11
  12.20 13.3
ausfindig 9.15 12.8
ausfindig machen
  12.2 12.30 13.3
  13.44
ausfisseln 18.6
ausfliegen 8.18 16.6
ausfließen 8.18 8.24
Ausflucht 9.13 9.76
  13.51 19.13 19.25
Ausflüchte 9.5 19.13
— machen 16.27
Ausflug 8.18 16.6
  16.55
Ausfluß 5.34 7.55f.
  7.62 8.18 8.24
ausfolgen 18.12

ausforschen 9.28 12.8
13.3 13.25
ausfragen 9.28 12.8
ausfressen 19.11
19.32
Ausfuhr 8.3 8.20
8.24 18.20 18.23
ausführbar 5.2 9.54
ausführen 5.39
8.3 9.8 9.21 9.25
9.35 9.77 12.33
13.20 15.14 16.26
16.95 16.114 18.9
18.23 19.3
—, d·e Rache 16.81
Ausführender 9.22
Ausfuhrhändler
18.23
Ausfuhrhaus 18.25
ausführlich 4.23 9.42
13.33 13.43 14.1
Ausführung 9.15
9.18 9.23 9.25
9.35 12.14 13.20
15.11 16.26 19.24
19.27
Ausführungen 13.28
ausfüllen 3.21 3.58
4.3 4.41 5.29 9 18
11.16 11.26 16.104
—, eine Stelle 9,18
19.24
Ausgabe 4.28
4.31 13.6 14.6 14.9
14.11 18.26 s. aus-
geben
Ausgaben 18.10
Ausgang 3.57 5.44
6.4 8.11 8.18 8.24
9.33 16.8 20.3
—, schiefer 9.78
—, tödlicher 9.33
Ausgängertag 16.8
Ausgangspunkt 6.2
9.29 12.5 12.15
12.17 12.29
Ausgangsstellung
16.75
ausgearbeitet 9.26
ausgeartet 9.61
19.10
ausgebackt, hat bei
mir 16.66

ausgeben 4.31 18.12
18.26
—, einen 18.13
—, sch 9.25
—, sich — für 16.72
ausgebildet 2.23
12.35
ausgeblüht 6.19
9.61
ausgebombt 5.42
Ausgebot 18.23
ausgebreitet 3.1 3.6
3.12
Ausgeburt 5.34 5.39
12.28 19.9 20.5f.
20.9
— der Hölle 11.28
20.5
— der Phantasie
12.28
ausgedacht 13.51
ausgedehnt 3.1 4.2f.
4 6 7.48
Ausgedehntheit 3.1
ausgedent 5.37 6.4
6.19 9.49 16.105
Ausgedinge 18.1f.
19.22
ausgedörrt 10.13
ausgefallen 5.20 9.32
ausgeflogen 3.4
ausgefressen 19.11
ausgeglichen 3.59
11.16
ausgehen 4.5 4.26
5.44 6.4 7.6f.
7.12 8.24 9.14
9 33 11.11 12.15
16.55 s. Ausgang
— auf 9.14f. 11.36
—, frei 16.118 19.25
19.30
—, Geduld 11.6
—, straflos 19.30
—, gut 9.77
—, leer 9.78 18.15
18.19 18.29
—, glücklich 9.77
—, übel 5.47
— von 6.2 12.29
ausgehöhlt 3.49
Ausgehtag 16.8 20.13
ausgehungert 4.11

Ausgehwetter 1.5
ausgekämpft 2.45
ausgekocht 12.53
13.51
ausgekrochen 4.46
ausgelacht werden
9.78
Ausgelachter 16.54
ausgelassen 11.9
11.11 11 21f.
11.29 11.39 13.52
16.44 16.55
16.118f.
Ausgelassenheit 11.9
11.11 11.20f.
11.23f. 13.52 16.44
16.55 16.119
ausgelastet 9.40
ausgeleiert 9.31 11.29
ausgelernt 9.52
ausgelitten 2.45
ausgemacht 4.50 5.6
12.26 s. ausmachen
ausgemachte Sache
12.23
ausgemergelt 2.41
4.11 5.37
ausgenießen 11.11
ausgenommen 2.41
4.20 4.49 5.20
13.48 19.25 s. Aus-
nahme
ausgepfiffen werden
9.78
ausgepreßt 11.55
ausgerechnet 11.30
12.45 16.33
ausgerottet 2.46
13.29
ausgerungen 2.45
ausgeschieden 1.22
ausgesch...., hat
bei mir 16.66
ausgeschlossen 1.22
4.49 5.3 13.29
s. ausgenommen
ausgeschnitten, sehr
3.22
ausgeschweift 3.46
ausgesetzt 16.76
ausgesorgt, hat 5.46
ausgesprochen 5.17
13.52

ausgestalten 9.15
9.57
ausgestattet 9.81
— sein 18.1
ausgestoßen 4.49
16.52 16.93
Ausgestoßener 16.52
19.8 19.11 20.4
ausgestreckt 4.8
ausgesucht 9.56
11.17f.
Ausgesuchtheit 9.56
ausgetrocknet 4.15
7.58
ausgewachsen 2.23
ausgewählt 11.18
ausgewiesen 19.22
19.31
Ausgewiesener 4.49
19.18 19.31
s. Ausgestoßener
Ausgewogenheit 4.27
11.8
ausgezählt 16.57
ausgezeichnet 5.9
9.52 9.56 10.8
16.85
ausgezogen 3.22 4.6
ausgiebig 2.6 4.22f.
18.5
— sein 5.39
ausgießen 8.22 8.24
11.31
Ausgleich 16.48f.
16.55 18.20 19.17
ausgleichen 3.52
3.59 4.27 8.30 9.72
12.47 16.24 16.48
16.80 18.18 18.20
18.26 19.14 19.16f.
—, Streitigkeiten
16.47
ausgleiten 3.52
8.30f. 9.78 19.10
ausgliedern 4.42
ausgraben 3 22
4.14 5.40 8.24
12.8 13.5 18.6
Ausgrabung 13.5
ausgreifen 8.7
ausgrübeln 9.26 9.28
12.3 12.20
Ausguck 3.33 4.12
13.10
Ausguß 3.57 8.24

aushallen 9.33
aushalten 5.43 6.7
  9.8 9.30 9.70
  11.4f. 11.8
  11.36 18.26
—, jemand 18.12
—, nicht zum A. 4.22
aushämmern 4.6
  15.10
aushandeln 18.20
aushändigen 18.12
aushängen 13.6
Aushängeschild 13.5
ausharren 6.6f. 9.6
  9.8 11.8 11.38
aushauchen 2.35 7.60
  8.24
—, den letzten
  Atem 2 45
—, Leben 2.45
aushauen 15.10
  16.78
ausheben 3.49 16.73f.
auhecken 5.26
  5.39 9.15 9.26 9.28
  12.20
aushelfen 9.70 18.12
  18.16
Aushilfe 5.29 6.15
  9.70 16.104 18.16
aushöhlen 3.49 3.57
  4.14
ausholen 9.26 9.28f.
  12.8 13.25
—, zum Sprunge
  16.71
—, zum Streiche
  16.70
—, weit 9.26 13.22
  13.43 16.76
Ausholen 20.13
aushorchen 9.28 12.8
  13.25
aushülsen 3.22
aushungern 2.29 4.25
  16.76 18.4
aushusten 2.35 8.24
ausjäten 4.49 9.66
auskämpfen 16.73
auskehlen 3.44 3.49
Auskehlung 3.44
auskehren 8.18 8.24
  9.66
auskeltern 8.24

auskennen, sich
  12.32 12.52
—, sich nicht 13.35
auskerben 3.43
Auskerbung 3.44
ausklamüstern 12.8
Ausklang 9.33 15.17
ausklatschen 9.78
  13.5 16.33
auskleiden 3.22
ausklingeln 13.6
ausklingen 9.33
ausklopfen 9.66
  16.78
Ausklopfer 9.66
ausklügeln 9.15 9.26
  9.28 12.3 12.20
auskneifen 8.18
Auskneifer 18.21
ausknicheln 9.15
ausknobeln 9.15
  16.56
auskommen 4.23
  11.47 11.58 13.6
  16.40 16.48
Auskommen 4.23
—, genügendes 16.92
— finden, sein 5.46
— haben, sein 5.46
—, ohne 9.49
auskosten 19.32
auskramen 4.20 7.1
  16.88
auskratzen 7.3 8.18
  9.66
auskriechen 6.2 8.24
  9.29
auskühlen 7.40
auskultieren 12.8
auskundschaften
  12.8
Auskundschafter
  13.7
Auskunft 13.2 13.9
  13.26 13.44
— erteilen 13.2
Auskunftbüro 13.9
Auskunftei 12.8
  13.9 16.34
Auskunftsmittel 9.82
Auskunftsstelle 13.2
  13.9
auslachen 11.21
  11.23f. 16.34 16.54

ausladen 8.3 8.18
  8.24 16.7
ausladend 13.43
Auslage 4.31 7.1
  18.26
Ausland 3.8
Ausländer 3.8 4.34
  16.5
Ausländerei 13.32
ausländisch 3.8 4.49
  5.20 9.32
Auslandsdeutscher
  3.8
Auslandshandel
  18.20
auslangen 4.23
Auslängung 4.6
Auslaß 8.24
auslassen 4.7 4.49
  7.54 9.6 9.43
  11.11 12.40
—, nicht 6 7
—, seinen Zorn
  16.78
—, sich — über 13.2
  13.21
Auslassung 4.30
  4.49 12.33 13.2
Auslassung
  (Ellipse) 13.37
Auslassungszeichen
  14.5
Auslauf 8.15 14.2
auslaufen 4.31 8.18
  16.7
Ausläufer 4.42 9.33
  13.8 16.112
auslaugen 7.39 9.66
Auslaut 13.13
ausleben 11.9 11.11
—, sich 16.14 16.44
  19.10
ausleeren 2.35 8.18
  8.24
—, die Taschen
  18.6 1813f.
Auslegekunst 13.44
auslegen 2.48 3.21
  7.1 9.28 12.3
  12.14 12.33 13.26
  13.44 20.17
—, falsch 16.72

auslegen, Geld 4.28
  18.16
—, unrichtig 12.19
  12.27
Ausleger 8.5 12.33
  13.44
Auslegung 13.17
  13.26 13.34 13.44
  14.10 20.19
ausleihen 18.16f.
Auslese 2.31 4.17
  9.11 9.56 9.64
  14.12
auslesen 4.49 9.11
ausliefern 8.3
  16.118 18.12 18.18
Auslieferung 8.3
Auslieferungsvertrag
  19.14
Auslobung 13.6
  16.23
auslosbar 18.30
auslöschen 2.45 5.42
  7.3 7.7 7.40 9.73
auslosen 9.16 18.2
auslösen 5.31
  5.39 16.80 16.118
  18.18 18.26 19.26
Auslöser 15.8
Auslösung 2.41
  16.80 16.118 19.26
auslüften 1.6
Auslug 10.15f. 13.10
ausmachen 4.1 4.27
  4.48 9.14f.
  4.48 9.14 9.15
  9.26 10.15 11.37
  12.8 12.20 12.47
  16.49 19 14f.
  19.17
—, etwas 5.21
—, mit dem Degen
  16.67 16.69
ausmalen 3.20 7.11
  13.51f. 14.1 15.4
  19.13
—, sich 12.22
ausmanövrieren
  16.76
Ausmarsch 6.2 8.24
  9.29 16.6 16.57
Ausmaß 4.1
ausmeißeln 15.10
ausmerzen 5.42
ausmessen 12.12

ausmieten 3.4 18.17
ausmisten 9.66
ausmitteln 12.20
  12.30
ausmöblieren 9.26
  9.81
ausmünden 8.24
ausmünzen 9.84
ausmustern 4.30 4.49
Ausnahme 4.41
  5.19f. 6 29 9.32
  13.48 16.25 16.33
  19.29
Ausnahmefall 16.25
Ausnahmegesetz
  19.19
Ausnahmen machen,
  zulassen 13.48
Ausnahmestellung
  16.119 19.22
Ausnahmezustand
  16.19
ausnahmslos 4.41
  5.19 6.6
ausnahmsweise 5.20
  9.32
ausnegern 16.33
ausnehmen 2.27
  13.48 19.25
—, sich 7.1
ausnehmend 4.50f.
ausnutzen 9.77
ausnützen 4.31 9.38
  9.46 9 48f.
  9.84 18.5 18.28
Ausnutzung, mit —
  der material-,
  zahlenmäßigen
  Überlegenheit
  16.84
Ausnützung 9.84
  19.7
—, rücksichtslose 19.7
auspacken 3.4 3.22
  3.57 13.5 16.33
auspeilen 4.14
auspeitschen 16.78
  19.32
auspfänden, Aus-
  pfändung 18.6
  19.16
auspfeifen 16.33f.
auspicheln (eine
  Flasche) 2.31
Auspizien 12.43

ausplaudern 13.3
  13.5
ausplündern 18.6
  18.15
ausposaunen 13.5f.
  16.31 16.93
auspowern 18.4 18.6
ausprägen 13.1 18.21
auspressen 8.24 13.3
  13.25 18.6
ausproben 9.28
Auspuff 1.6 2.35
  3.57 7.61 8 24
auspumpen 13.3
  18.16f.
Ausputz 13.43 17.10
ausputzen 9.66 13.51
  15.7 17.10
Ausputzer (Rüge)
  16.33
ausquartieren 3.4
  8.18
ausquetschen 8.24
  18.6
ausradieren 7.3 9.72
ausrangieren 4.49
  9.49
ausrauben 18.6
  18.15
ausräuchern 7.62
  7.64 9.66
ausraufen 4.34 11.33
—, sich die Haare
  11.13 11.31f.
  11.41
ausräumen 8.18
—, Widerstands-
  nester 16.76
ausrechnen 4.35
ausrecken 4.3 4.6
Ausrede 9.13 9.76
  13.51 16.82 19.13
ausreden 9.17
ausreiben 7.3
ausreichen 4.23
ausreichend 4.23
ausreifen 5.26
ausreißen 4.34 4.50
  7.47 8.7 8.18 8.24
  9.9 11.43 16.6
  16.116
—, sich 9.41
—, wie Schafleder
  8.18
Ausreißer 4.34 8.18
  9.9 11.43

ausrenken 4.34 7.48
ausreuten 4.49 5.29
  9.66
ausrichten 3.14 3.37
  5.8 9.35 9.77 13.2
  13.8 16.26 16.114
— nichts 9.24 9.41
  9.78
Ausrichtung 5.8
ausringen 7.58 8.24
ausrinnen 8.24
ausroden 4.49 5.29
  9.66
ausrotten 2.12 2.46
  5.42 9.66
Ausrottung 5.42
ausrücken 8.18 16.6
  16.73
Ausruf 7.34 13.6
  13.37
ausrufen 7.34 16.97
Ausrufer 13.8 16.22
Ausrufungszeichen
  14.5
ausruhen 8.2 9.24
  9.36
—, sich 9.24 9.36
ausrupfen 4.34 8.24
  18.6
ausrüsten 3.20 4.29
  4.41 9.26 16.73
  18.12
Ausrüster 16.60
Ausrüstung (Werk-
  zeug) 17.15 s. oben
ausrutschen 8.30 9.78
  15.18
Aussaat 2.5 5.24
aussäckeln 18.6
Aussage 13.5f.
  13.28 13.46 19.27
aussagen 13.2 13.28
  13.46
Aussagen, wider-
  sprechende 13.47
Aussatz 2.41 3.20
  11.28
aussätzig 3.20
aussagen 5.42 18.6
ausschälen 3.22
ausschalten 3.36 4.34
  4.49 9.33

Ausschank 2.31
  16.64 18.23 18.25
ausscharren 2.48 8.24
  12.20
ausschauen, schön
  9.78
ausscheiden 2.35
  4.30 4.34 4.49 8.18
  8.24 16.104f.
  18.2 18.6
Ausscheidungen 2.35
  4.30 7.54
ausschellen 13.6
ausschelten 16.33
ausschenken 2.31
  18.23
ausschierig 11.31
ausschiffen 8.20 8.24
ausschimpfen 16.33
ausschirren 4.34
ausschlachten 9.84
ausschlafen, sich 4.23
  9.36
Ausschlag 2.41 3.20
  5.27 5.31 9.44
  11.28 16.97
— geben, den 5.20
  7.41
Ausschlagdag 16.8
ausschlagen 3.20f.
  5.34 9.5 9.20
  9.44 9.72 9.77
  16.27 16.105 17.10
—, gut 9.77
—, mit 3.20
—, übel 9.78
ausschlaggebend 4.51
  5.31 9.11f.
  9.44 12.15 16.95
ausschleimen 13.43
—, sich 2.19 13.22
ausschließen 4.30
  4.32 4.49 5.23
  9.49 9.73 9.85
  16.27 16.29 16.52
  19.31
ausschließlich 1.22
  4.49
— -er Besitz 18.1
Ausschließung 4.48
ausschlüpfen 2.21
  6.2 9.29
ausschlürfen 2.30
  11.11
Ausschluß 4.34
  4.49 16.52

ausschmücken 11.17
13.52
Ausschmückung
11.16 13.43 17.10
ausschnaufen 9.36
ausschneiden 4.30
4.34 4.49 15.10
Ausschnitt 3.22
4.34 4.42 14.12
ausschnitzen 15.10
ausschnüffeln 12.20
ausschöpfen 4.14
4.31 8.18 8.24
ausschrauben 4.34
ausschreiben 5.18
13.6 14.5 14.8
16.106 18.23
18.26
Ausschreiben 13.6
ausschreien 13.6
ausschreiten 8.16f.
8.27
Ausschreitung 11.11
Ausschreitungen
11.60 11.63
Ausschuß 4.17
4.32 9.45 9.49
16.17 16.95ff.
16.99 16.102 18.23
Ausschußregierung
16.95 16.98
ausschütten 3.4 7.55
8.18 8.22 8.24
9.51 12.25 18.26
—, das Herz 13.5
ausschwärmen 16.73
ausschwatzen 13.5
13.22
ausschweifen 8.27
11.11
ausschweifend 11.11
16.44
Ausschweifung 3.46
8.17 11.11 16.44
18.14 19.10
ausschwemmen 4.30
ausschwenken 9.66
Ausschwiff 11.11
ausschwitzen 7.60
8.24 14.2
Ausschwitzung 8.24
aussegnen 2.48
Aussegnung 20.13

aussehen 5.4 7.2
11.28 12.22
— wie 5.17 7.2
— wie Milch und
Blut 2.38
—, sieht aus, als
kann er nicht bis
drei zählen, als
kann er kein
Wässerchen trüben
12.53
Aussehen 5.8 7.2
—, düsteres 16.53
außen 3.18 3.31 5.8
5.25
—, nach — hin 3.18
Außenaufnahme 15.9
Außenbezirke 3.9
Außenbörse 18.25
aussenden 2.35 8.18
8.22 16.103
Außengrenze 3.8
3.23
Außenhandel 18.20
Außenlinie 3.23 7.2
Außenrolle 2.16
Außenschein 16.85
Außenseite 3.18
Außenseiter 4.3 4.34
4.49 5.21 20.2
Außenstände 18.16
18.26
Außenteile 3.18
Außenverkehr 18.20
Außenwelt 3.1 3.8
3.24
Außenwerk 16.77
17.14
außer 4.30 4.49 5.6
5.20 11.5 11.30f.
12.13
— sich 11.5 11.20f.
11.30f. 11.42 11.58
16.31
— Sicht 3.8
Außerachtlassung
9.19
außeramtlich 13.4f.
außerdem 4.28
4.32f. 5.20
außerehelich 16.13f.

äußeren Schein wah-
ren 16.61 16.85
Äußeres 3.8 3.18
außergesetzlich
19.20
außergewöhnlich
4.2 4.50 5.20
6.29 9.32 11.30
außerhalb 3.18 4.49
äußerlich 3.18 5.8
7.2
Äußerlichkeit 16.38
16.61 20.14
äußern 13.2f. 13.13
13.21 13.33
s. Äußerung
—, Unzufriedenheit
16.33
außerordentlich 4.2
4.42 4.50 5.1 9.32
11.30
äußerst 4.2 4.50f.
außerstande 5.3 9.73
— sein 5.3 9.73 9.85
Äußerstes 4.50f.
Äußerung 7.34
13.5f. 13.12f. 13.30
aussetzen 3.36 4.49
6.32 8.2 8.18
9.33 9.74 11.19
11.39 16.7 16.33
16.93 18.2 18.12
18.21 18.26
—, sich 9.74
—, sich dem Tadel
16.33
Aussicht 5.3f.
6.23 7.2 9.7 9.15
9.73 9.77 10.15f.
11.35 12.41 18,1
— benehmen, die
13.4
—, Schöne 16.64
—, steht in 4.3 6.24
— stellen, fest in
16.23
—, wenig 12.45
aussichten 4.49
Aussichten 11.35
aussichtslos 5.3 5.47
9.55 9.73 9.78
11.41

Aussichtslosigkeit
11.41
aussichtsvoll 11.35
aussickern 8.24
aussinnen 12.20
aussöhnen 11.16
16.47f.
Aussöhnung
16.47ff. 16.82
aussondern 1.22 2.35
3.37 4.36 8.18
9.11 9.49 9.85
12.11 18.2
Aussonderung 4.49
aussortieren 9.49
12.8
ausspähen 10.15 12.8
ausspannen 4.3 4.34
9.36 16.87 16.118
18.9
Ausspannung 16.64
ausspeien 2.35 11.62
aussperren 4.49
9.33 9.36 16.66
Aussperrung (Arbeit)
4.49 9.24 9.36
ausspielen 9.16
9.78 16.55
—, gegeneinander
16.67
Ausspielen 9.29
ausspinnen 4.6 4.8
13.22 13.43 14.1
ausspionieren 10.15
12.8
ausspotten 16.54
Aussprache 13.13
13.30
—, offene 13.5
—, schlechte 13.14
aussprechen 7.34
11.54 13.13 13.21
s. Ausspruch
—, das Jawort 16.11
—, den Bann 16.37
—, die besten
Wünsche 16.39
—, Mißbilligung
16.33
—, seine Zustim-
mung 16.24
—, sich 9 11 13.3
13.5 13.30
aussprengen 13.6

ausspringen 4.34
Ausspruch 9.11
11.34 13.2 19.27
ausspucken 2.35 8.18
ausspülen 4.49 9.66
Ausspülung 4.32
ausspüren 10.15 12.8
13.26
ausstaffieren 3.20
4.27 9.26 15.7
Ausstaffierung 3.20
9.26 9.81 17.10
18.12
Ausstand 9.33 9.36
16.8
— treten, in 9.33
Ausstände 18.16
ausständig 3.4
ausstatten 4.29 9.26
17.1 18.12
— mit 4.2
Ausstattung 14.3
— geben 18.12
Ausstattungsstück
14.3
ausstäupen 16.78
19.32
Ausstäupung 16.78
ausstechen 4.49 3.57
4.51 9.56 15.5
16.85 16.93
—, die Augen 10.18
—, eine Flasche 2.31
16.38 16.55 16.64
ausstecken 9.15
ausstehen 2.41 3.4
5.7 9 8 9.19 9.24
9.33 9.41 11.4
11.13 11.59 11.62
16.109 18.16
18.19 19.32
—, nicht — können
11.6 11.28 11.62
16.33
—, noch 3.4 6.23
6.36
aussteigen 8.24 8.30
ausstellen 2.48
16.33 18.26
Ausstellung 4.17
7.1f. 12.33
13.6 16.88

Ausstellungen
machen 11.28
16.33
Aussterbeetat 4.5
4.24 4.30
aussterben 2.45
4.5 4.26 13.29
Aussteuer 18.12
s. ausstaffieren
Ausstich 3.57 7.54
ausstopfen 3.21 4.3
Ausstoß 2.31 5.39
9.22
ausstoßen 2.35 4.49
5.39 8.9 8.24
11.33 13.6 13.13
16.29 16.52 19.32
—, Drohungen 16.68
16.68
—, pöbelhafte
Reden 16.37
—, Schimpfreden
16.35
Ausstoßung 4.49 5.39
8.18 16.27 16.37
16.52 19.32
ausstrahlen 7.4 8.22
Ausstrahlung 3.3
8.22
ausstrecken 3.12
3.40 9.36
Ausstrecken der
Hand 8.11 9.18
13.3 16.20 16.38
16.68 18.4 18.6
ausstreichen 4.30
4.49 5.42 7.3
9.9 9.19 13.29
ausstreuen 8.22
13.51
—, falsche Gerüchte
16.35
Ausstreuungen
13.51
ausströmen 7.55
7.60 7.62 8.18
8.24
ausstudieren 9.15
12.3 12.8 12.20
12.32 12.35
aussuchen 9.11
Aust 2.5 16.59
austapeziert 3.21

Austausch 4.28 5.24
5.28f. 9.71 18.20
— der Gedanken
13.30
— von Höflich-
keiten 8.20 16.38
16.87
austauschen 16.118
18.20
—, Besuchskarten
16.64
Austauschstoff(e)
5.29
Austbier 16.59
austeilen 4.42 8.22
16.56 18.2 18.12
20.16
—, Prügel 16.78
Auster S 98 2.27
2.35 10.8 16.52
austeufen 3.49
austilgen 2.46 13.29
16.80 19.26
austoben 11.11
— sich 11.16 11.11
austönen 9.20
16.105
Austrag 5.27
16.24 19.17
— bringen, zum
12.47
16.24 16.49 16.70
19.14 19.17 19.27
austragen 2.20 8.3
8.22 9.33 9.35
13.3 13.5 16.35
16.67 19.27
Austräger 8.3 13.3
13.5
austräufeln 7.55
austreiben 8.18
11.48 19.9
—, den Teufel 20.12
Austreibung 16.52
auftreten 2.35
4. 34 4.49 7.55 8.18
8.24 20.3
austrinken 2.30 4.41
Austritt 2.35 8.18
8.24 s. austreten
austrocknen 4.5 4.15
4.31 7.35 7.58
austrommeln 13.6
16.33 19.32

auströpfeln 2.35
7.55
austüfteln 12.3
austunken, die Sauce
7.58
ausüben 5.34 9.18
9.21 9.23 9.31
9.35 11.51 16.26
16.95 16.97
16.107f. 19.3 19.10
19.24 20.12
— Gerechtigkeit
19.1 19.18
Ausüben des Faust-
rechts 19.20
ausübend 15.11
Ausübung 9.25
Ausverkauf 4 26
4.41 18.19 18.23
18.26 18.28
ausverkaufen 18.23
ausverkauft 3.4 4.21
ausverschämt 11.45
16.90
auswachsen 3.48
11.13
s. Auswuchs
—, sich, — zu 5.26
Auswachsen 11.31
Auswahl 3.37 4.17
4.24 9.11 9.56
9.64 14.12
auswählen, s. oben
9.11 12.11 18.6
Auswahlsendung
9.11
auswalzen 3.51f.
4.6
Auswanderer 3.8
8.18 16.6
auswandern 8.18
16.6f.
Auswanderung 8.18
8.24 16.6
auswärtig 3.4 3.8
4.49 16.6
auswärts 3.4 3.8
3.18 4.49 8.24
— kehren 3.18
auswaschen 3.49
8.18 8.24 9.66
auswattieren 3.21

auswechseln 5.24
5.28f. 9.71 16.118
18.20
Ausweg 3.57 5.29
8.11 8.18 8.24
9.5 9.13 9.15 9.25
9.28 9.55 9.76
9.82 12.53 13.51
16.7 16.118
ausweglos 9.55
9.74
Ausweichbewegung
16.83
ausweichen 8.12 9.5
9.7 9.19f. 11.9
11.28 11.38 11.59
16.27f. 16.72 19.2
19.11 19.25
—, dem Kern der
Sache 16.72
—, der Frage 9.13
12.53 13.4 13.35
13.51
—, der Gefahr 8.18
ausweichend 12.19
13.51 16.28
Ausweichquartier
9.76
ausweiden 2.16 2.27
4.30
Ausweihe 20.13
ausweinen, sich
11.32
Ausweis 13.1 13.46
14.9 19.16
ausweisen 3.4 4.49
8.18 8.24 12.26
13.3 13.28 13.46
16.52 16.105
19.31f.
—, sich 13.46 19.13
s. oben
Ausweisung 4.49
16 52
ausweiten 4.3 4.28
7.48
auswendig 3.18
12.39
— können, aus dem
Kopf, aus dem
Schlaf 12.39
— lernen 12.35
12.39
— wissen 12.39

auswerfen 2.35 8.9
8.24 9.28 11.36
12.9 18.2 18.12
18.26
—, die Angel 2.12
—, den Anker 4.14
8.2 8.20 9.26 9.75
11.36 12.9
—, das Lot 4.14
12.12
—, Summen 18.12
18.26
auswerten 5.34
9.48 9.84
auswetzen 3.53 9.57
19.26
—, Scharte 16.80f.
auswickeln 3.22
auswiegen 7.41
18.23
auswinden 7.58 8.24
auswirken 5.34 9.12
9.77
Auswirkung 5.34
auswischen 7.58
11.60 16.81
—, d'e Augen (Mit-
gefühl) 11.50
—, einem eine (eins)
16.60 16.78
auswittern 7.49
Auswölbung 3.46
3.48
auswringen 7.58
Auswringen, zum
7.57
Auswuchs 3.48 3.60
4.3 4.10 11.28
— der Phantasie
12.28
Auswüchse 11.28
Auswurf 2.35 4.22
8.18 8 24 9.45
9.49 9.67 16.92
19.9f.
— der Menschheit
19.9
auszacken 3.55
Auszackung 3.43
auszahlen 18.26
18.3c
auszählen 16.84

auszähnen 3.43
auszanken 11.58
16.33 16.37 16.53
16.67
auszapfen 8.18 8.24
auszehren 2.41 4.5
Auszehrung 2.41 4.5
4.9 4.11 5.37
auszeichnen 11.38
16.31 16.46 16.85
—, sich 4.50f. 9.52
11.38
Auszeichnung 9.52
16.31 16.46
16.85ff. 16.91
Auszeichnungen
11.45 17.10
ausziehen 3.22 4.6
4.30 8.18 8.24
9.11 9.22 16.6
16.8 18.4 18.6
20.1
—, den alten Men-
schen 19.5
—, sich 3.22
Auszieher 2.25 18.2
auszieren 17.10
auszirkeln 12.12
auszischen 9.78
11.27 16.3ff.
Auszug 4.7 7.39
8.3 8.18 9.11
14.9 14.12 15.11
16 6ff.
auszupfen 8.24 18.6
auszusetzen wissen
16.33
auszustechen wissen
16.70
authentisch 5.6 12.26
13.3 13.46f.
aut (oder naut)
9.6
autark 5.14 18.3
Autarkie 4.34 5.14
auteln 16.6
autistisch 11.63
Auto 8.4
Autobahn 8.11
Autobiographie 14.1
Autobus 8.4
autochthon 16.4

Autochthone 16.4
Autodafé 2.46 7.35f.
20.2 20.16
Autodidakt 12.32
12.37
autogen 5.33
Autogramm 13.1
14.5
Autogrammjäger
16.31
Autograph 13.1
14.5
Autokrat 16.97f.
Autokratie 16.95
16.108
Automat 17.16
Automaten-
restaurant 2.26
16.64
automatisch 5.32f.
9.3 9.16
Automobil 8.4
Automobilist 8.4
16.6
autonom 5.14
16.109
Autonomie 5.14
16.97 16.119
Autopsie 10.15f.
Autor 5.39 14.1
14.11
Autorennen 16.57
autorisieren 16.25
16 103f. 19.22
autoritär 11.44
16.108
Autorität 9.52 12.32
12.52 13.46 16.85
16.95ff.
autoritativ 16.95
Autorschaft 5.31
14.5
Autozigeuner 16.6
autsch 11.13 11.33
autschen 11.33
Aval 19.16
Avancen 9.4 11.53
16.22
avancieren 9.77
16.103
Avantageur 16.74
Avantgarde 3.26
8.13
avanti 8.7 8.16

Avatar 5.17
avec 9.38
ave! 16.38
— Maria 20.13
  20.16
Avenue 8.11
Avers 3.26
Aversion 9.5 11.59
Aviatik 8.6
Avis(o) 8.5 13.2
Avus 8.11 16.57
Axiom 5.14 12.17
  12.22
axiomatisch 5.6
Axt 3.55 17.15
  19.32
Axthelm 4.34 17.15
  19.32
Aya 16.112
Ayadei 16.98
Azetylen 7.5 7.60
Azimut 1.11 3.2
  8.11
Aztekenschädel
  16.33
Azur 7.21

B

baafen 8.9
Baal 20.2 20.7
  20.16 20.19
Baalsdienst 20.2
Baan, ich reiß dir
  die — bis an Elle-
  boge aus 16.68
Baas 16.96 16.98
baase(l)n 12.13
Baba 20.5
Babajedza 20.5
babbeln 12.19 13.14
  13.22
Babe 2.27
Babel 3.38 16.44
  19.10 20.4
Babette 16.3
Babusche 17.9
Baby 2.20 2.22
babylonisch (Stil)
  15.3
babylonischer Turm-
  bau, s. Babel
Bach 7.55

Bacchanal 2.31f.
  11.11 16.55
Bacchant(in) 2.32
  11.5 11.11
bacchantisch 10.21
Bacchus 2.31 7.54
  14.2 20.7
Bacchus' Gabe 2.31
Bacchusbruder 2.32
Bacchusfreund 2.32
Bacchusknecht 2.32
Bacchuspriester 2.32
Bachbunge S. 72
Bache S. 127
Backbeere 16.90
Backbord (Schiffs-
  seite) 3.27 3.30
  8.5
Backe 2.16 3.29
  11.30
—, Rotz auf die —
  schmieren 16.32
—, rechts und links
  auf die — schla-
  gen 16.78
backen 7.16 7.35
  7.39
— und banken 2.26
Backenbart 2.16
  3.53
Backenstreich 16.78
  19.32
Backenstreicheln
  16.42
Backentasche 2.16
  17.7
Bäckerei 2.26 7.37
  9.22
Backenzahn 2.16
Backfisch 2.22 2.24
Backfischjahre 9.10
Backhaus 7.37 7.66
  9.22f.
Backhitze 7.35
Backobst 2.27
—, danke für —
  und andere Süd-
  früchte 16.27
Back(h)schisch 18.12
Backofen 7.37
Backpfeife 16.78
Backpulver 5.24
Backstein 1.26 7.39
— (Notizbuch des
  Feldwebels) 16.74

Backsteinkäse 2.27
backt, es 7.44
Backtrog 17.7
Backware 7.66 18.24
Backwerk 2.27 7.66
Backenzähne, hast
  wohl lange keine
  — gespuckt 16.68
Bad 7.54 8.23 9.51
  9.66
baddisch 2.20
Badeanzug 17.9
Badegast 2.41 16.5
Badehose 16.50 17.9
Badekur 2.44
Bademantel 3.20
baden 7.55 7.57
  8.1 8.26 9.66
— im Blut 16.73
—, trockene Kehle
  2.31
Badeort 2.44
Bader 2.44 16.60
  17.10
Badereise 2.44
  16.55 18.27
Badeofen 17.6
Badeplatz 2.44
Badewanne 8.4
Badezimmer 9.66
  17.2
Bäcker 16.60
Bäckerbeine 2.41
Bäckerei 2.26 7.37
Bäcksel 2.27
Baedeker 16.60
Bäderlehre 2.44
Bafel 9.45 12.19
  12.57 16.94
baff 11.30
bäffen 7.33
Bagage 8.3 16.33
Bagatelle 4.4 9.45
  12.51
—, für eine 18.28
— -Prozeß 19.27
bagatellisieren 9.45
  12.51
Baggen 1.19
baggern 1.25 4.14
  8.28 9.66
Bagno 16.93 16.117
  19.32f.

Bagnosträfling
  19.31
bah! 12.51
bähen 7.35 7.39
Bahn 8.3f. 8.11
  9.23 9.25f. 9.29
  16.6 16.96 19.3
—, abschüssige 3.13
  9.61 9.74 19.8
  19.10
—, auf schiefer 9.74
—, auf der —
  sitzen 16.6
— brechen 16.96
—, elektrische 16.6
—, freie 9.77 16.119
—, glatte 9.54
bahnbrechend 5.18
  6.2 9.26 9.44
  12.20 16.119
Bahnbrecher 5.18
  9.26 12.20
bahnen 3.12 3.14
  3.52 4.8 8.25
  9.25f. 9.70 9.77
  16.96
—, einen Weg 8.16
  9.26 9.54 9.70
  9.77 16.6f. 16.96
—, neue Operatio-
  nen — sich an
  16.76
Bahnhof 8.20 16.6
—, ich hau dir eine
  vorn —, daß dir
  sämtliche Gesichts-
  züge entgleisen
  16.68
—, Schützenkönig
  am 16.39
Bahnhofsmission
  20.22
Bahnschaffner 16.60
Bahnsteig 3.2 16.6
Bahre 2.45 2 48 8.3f.
  17.3
Bahrtuch 1.9 2 45
  2.48
Bähung 5.36 7.35
Bai 1.16 1.18 3.46
Bairam 6.59 20.16
Baisse 18.28 18.30
Baiser 2.27

Bajadere 10.21 16.45
Bajatz 11.23
Bajazzo 14.3 16.54
bajazzomäßig 11.23
  11.28
Bajonett 3.55 17.11
Bajonettangriff
  16.76
Bajonettverschluß
  3.58
Bake 9.75 13.1
  13.10
Bakel 16.78 16.100
  19.32
Bakelit 1.27
Bakkarat 16.56
bäks! 7.64
Bakschisch 18.26
Bakterien S. 92 2.43
  4.4
bal (bayr.) 6.13
Balalaika 15.15
Balance 4.27 8.33
  12.12 18.21
balancieren 3.12
  9.52
Balancierstange 9.76
Balbierer 16.60
Balbuz 16.60
bald 3.9 5.25 5.44
  6.8 6.23f. 6.35
Baldachin 3.20
  16.100 20.18
Bälde, in 6.24
baldig 6.24 6.35
  s. bald
Baldower 12.8
baldowern 12.20
Balduin 16.3
Baldur 16.3 20.7
Baldrian S. 79 2.44
  5.38 11.8 11.33
Balester 17.12
Balg 2.13 2.16 2.20
  2.22 2.45 3.20
  3.53 17.6
balgen, sich 16.70
Balgerei 16.67 16.70
Bälger 2.22
Balgtreter 15.14
Balje 17.6
Balken 17.2

Balken(werk) 3.18
  17.2
Balkenschleife 2.5
Balkon 2.16 3.18
  3.48 11.30 17.2
Balkonzimmer 17.2
Ball 3.50 16.55
  16.57f. 16.64
Ball über der
  Schnur 16.57
Balla (württ.) 12.56
  16.33
Ballade 14.1f. 15.11
Balladensänger 15.1
Ballast 4.19 4.51
  7.41
Bälle 9.68
Ballei 1.15 16.19
Ballen 2.16 2.27
  4.17 4.19
ballen 3.50 4.33
  11.31 11.33 14.2
—, die Faust
  16.67ff.
Baller (expressionist)
  14.2
ballern 7.29f. 17.12
Ballerina 14.3 16.58
Ballett 8.29 14.3
  16.55 16.58
Balletttänzer(in) 14.3
Balletteuse 14.3
  16.58
ballförmig 3.50
ballhornisieren 9.63
  13.32
Balliedle (alem.)
  16.56
Ballistik 8.1 8.32
  16.73 17.12
Ballkleid 3.22 17.9
Ballkönig 16.55
Ballmutter 16.101
Ballon 2.16 2.33
  8 6 17.6 19.11
Ballonfahrer 8.6
Ballonfahrt 8.6
Ballonmütze 17.9
Ballotage 9.11 16.102
ballotieren 9.11
Ballschläger 16.55
Ballspiel 16.5ff.
Balmung 17.11

Balneographie 1.11
  7.54
Balneologie 2.44
  7.54
Balsam 2.44 5.38 7.53
  7.63 11.8 11.33f
balsamisch 2.40 7.63
  11.34
Balthasar 16.3
Balustrade 3.23f.
  17.2
Balz(zeit) 10.21
Balz(e) 10.21
balzen 7.33 10.21
  16.42f.
bambeln 8.33
Bambusrohr S. 16
  16.100
Bammel 11.42
bammeln 3.17 8.33
Bams 2.22
Bamsen 2.22
Ban 16.98
banal 5.19 9.54 11.8
  11.26 12.32 13.42
Banane S. 26 2.27
Banause 11.26 12.37
  12.55
Band 4.11 4.33 4.42
  4.44 5.13 11.45
  13.1 14.11 16.9
  16.86f. 16.116
  17.10
—, das laufende 9.30
  17.16
— im Knopfloch
  16.86
Bandage 2.44
Bandagen, harte,
  weiche 16.57
bandagieren 4.33
Bande 4.17 4.20
  11.53 15.14
  16.16f. 16.111f.
  16.117f. 19.8
  19.24 19.32
—, Hymens —
  schlingen 16.11
—, in — schlagen
  16.117
—, frei von — en
  16.119
Bändel 4.33

Bandelier 3.24
Banden 16.74 16.111
Bandenführer 16.98
  16.116
bandenmäßig 3.38
bändereich 4.1f. 15.7
Banderilla 17.11
Banderillero 16.74
Banderole 13.1
Bänderzerrung 2.41f.
bändigen 2.10 11.8
  11.48 12.33 16.78
  16.111 16.117
Bandillero 16.74
Bandit 18.9 19.9
—, fluchen wie ein
  16.37
Banditentum 18.9
Bandola 15.15
Bandoneon 15.15
Bandwurm S. 93 2.41
Bandwürmer 2.27
Bangbüchse 11.43
bäng 7.29
bang 11.42
bange 11.42
— machen 16.68
bangen um 11.36
  11.42
bangherzig 11.43
Bangigkeit 11.42
Banjo 15.15
Bank 1.13 1.16 3.16
  4.18 8.8 9.36 9.43
  12.35 16.17 17.3
  18.16 18.21 18.30
—, auf die —
  schnallen 16.78
—, durch die 4.41
  12.47
—, auf die lange —
  schieben 3.36 6.12
  6.36
Bankaktie 18.21
  18.30
Bankauszug 18.30
Bankbrüchiger 18.19
Bankbillet 18.21
Bänkelche, er kimt
  ufs 19.27
Bänkelsänger 14.2
  15.13

Bank(e)rott 9.78
18.4 18.19
— werden 9.78
Bankert 2.20 2.22
16.9 16.12 16.92
16.94
Bankett 2.26 7.65
7.68 8.28 16.55
bankettieren 11.22
16.64
Bankfach 18.25
18.30
Bankgeschäft 18.21
18.25 18.30
Bankgewerbe 18.30
Bankguthaben 18.16
Bankhalter 16.56
16.96 16.98
Bankherr 16.60
18.30
Bankier 16.60 18.30
Bankkrach 18.19
Bankmesser 3.55
Banknote 18.21
18.30
Banko 18.21 18.30
bankrott,
s. bank(e)rott
Bankrotteur 9.78
Bankrottier, siehe
Bankbrüchiger,
Gemeinschuldner
Bankschein 18.21
Bankwesen 18.25
18.30
Bankzettel 18.21
Bann 4.49 9.12
9.29 16.11 16.29
16.37 16.57 16.97
—, den — aus-
sprechen 16.37
—, in Acht und —
tun 16.52
—, mit Acht und —
belegen 16.29
—, mit dem — be-
legen 16.37
Bannbrief 13.6
Bannbulle 4.49
bannen 4.49
8.14 11.5 12.3
16.37 19.32 20.12
Banner 13.1 16.18
—, das — hoch-
halten 16.18

Bannfluch 4.49
16.37
Bannformel 16.32
Banngewalt 16.97
Banngrenze 3.23
3.25
Bannherr 18.1
bannig 4.50
Bannkunst 20.12
Bannlinie (Grenze)
3.25
Bannmeile 3.9 3.24f.
Bannspruch 16.37
20.12
Bannstein 3.25
Bannstrahl 16.37
— schleudern
16.37
Bannvogt 16.101
Bannwächter 16.101
Bannwart 16.29
16.101 19.27
Banse 17.2
Bantam 4.4
Bantamgewicht 7.41
Bantingkur 2.29
2.44 4.5
Banus 16.96 16.98
bapp, nicht mehr
— sagen 2.39
Bappe 16.9
Baptist 16.3 20.1f.
Baptisterium 20.21
Bar(der) 14.2 15.12
— (die) 2.31 16.64
bar 3.22 4.30 11.60
18.21 18.23 18.26
—, gegen 6.14
— jeder Regung
11.8 11.60 16.81
— jeder Scham
16.36 16.44 16.94
19.10
Bär S. 126 2.36
4.50 11.29 16.53
—, einen — aufbin-
den 13.51
—, germanischer
13.49
—, Großer 1.2
—, Kleiner 1.2
—, ungeleckter 11.28

barabern 9.51
Baracke 17.1
Barbar 5.42 11.28f.
11.61 16.92 16.94
16.120 19.9
Barbara 16.3
Barbarei 11.29
11.60f. 16.94
16.120
barbarisch 4.50
11.28f. 11.60f.
12.37 16.53 16.92
16.94 16.120
barbarisieren 16.120
Barbarismus 13.32
Barbe S. 100 2.27
Bärbeißer 16.53
Bärbeißigkeit 16.53
Bärbel 16.3
Barbier 16.60 17.10
—, wie ein 13.22
barbieren 3.52 18.8
Barbiton 15.15
Barch S. 127
Barchent 17.8
Barde 14.2 15.11
15.13
Bardengebrüll 15.18
Bardiet 14.3
Bären 9.13
—, du hast wohl
lange nicht mit
einem — gerungen
16.68
—, Zum 16.64
Bärendienst 9.63
Bärenführer 12.33
Bärenhaut 9.24 9.36
Bärenhäuter 9.24
11.29
Bärenhunger 4.50
Bärenkälte 7.40
Bärenlauch S. 24
bärenmäßig 11.23f.
Bärenmütze 16.77
Bärentanz 9.53
11.23f. 11.28f.
Bärenzwinger 9.67
9.74 16.75 16.117
Barett 3.20 16.86
16.96 17.9 20.18

barfuß 3.22
— bis an den
Hals 3.22
Barfüßer(in) 20.17
barfüßig 3.22
Bargeld 18.21
bargeldlos 18.30
barhaupt 16.30
barhäuptig 3.22
16.30
Bariton 15.11 15.13
15.17
Barium 1.24
Bark 8.5
Barkarole 15.11
Barkasse 8.5
Barke 8.5
Bärlapp S. 10
Barlauf 16.56f.
Bärme 4.32 5.24
5.26 7.42 7.59
barmen 11.33 16.20
barmherzig 11.50
11.52 16.109
18.13 18.29
—e Brüder 20.17
—e Schwestern
20.17
Barmherzigkeit
11.50 20.7
Barnabas 16.3
barock 3.46 11.23f.
13.43 13.52 15.3
Barockstil 15.3
Barometer 1.4 7.60
12.12
— steigt, steht hoch
1.5
Barometrograph 1.4
Baron(esse) 16.91
Baroskop 1.4 12.12
Barrach 9.67
Barras 2.27 16.74
Barre 3.58 4.6f.
4.12 4.14f.
s. Barriere
Barren 16.57 18.21
Barriere 3.24 3.58
8.2 9.73 16.117
Barrikade 3.25 9.73
16.77 16.116

barsch 7.31 11.58
    13.49 16.33 16.53
    16.108
Barsch S. 99 2.27
Barschaft 18.1
    18.21
Barschheit 7.31
    11.24 11.27 11.58
    16.53
Barsortiment 14.11
Bart 2.16 3.53 7.16
—, beim — des
    Propheten 13.50
—, hat en — mit
    Dauerwellen 6.27
—, hat so'n — 6.19
—, ich hag der uffs
    Kapital, daß der
    de Zinse em —
    erunner rappele
    16.68
—, in den — brum-
    men 7.27 13.14
    13.27
—, jemanden am —
    kratzen 16.32
—, um den —
    gehen 16.32 19.3
—, um des Kaisers
    4.26
Barte 3.55 7.45
Bartenheuer 16.60
Bartflechte 2.41
Barthel 9.52 12.32
bärtig 3.53
bartlos 2.22 3.22
    3.52
Bartkratzer 16.60
Bartmesser 3.55
Bartschaber 16.60
Bartscherer 16.60
    17.10
Bartvertilger 16.60
Bartwisch 9.66
Baruch 16.3
Barvermögen 18.21
Baryometer 1.4
Barysphäre 1.4
Baryt 1.25
Barzahlung 18.21
    18.26
Basalt 1.26 7.14
Basar 18.25
Base (Verwandt-
    schaft) 16.9

Basedow 2.41
Basen 1.28
Basengeschwätz
    16.35
basieren auf 3.16
    12.22 13.46
Basilika 20.20
Basilikum 2.28
Basilisk S. 101 10.15
    16.72 17.12 19.9
Basiliskenblick 2.43
    8.14 10.15 11.42
Basis 3.16 3.34 5.31
    6.2 9.26 17.2
—, auf edler 16.50
— der Operationen
    9.15 16.73
Basketball 16.57
Basrelief 3.48 15.10
baß 4.50 11.30
Baß 3.16 15.17
Bassermannsche Ge-
    stalten 16.94
    16.116
Basset 15.15 15.17
Bassethorn 15.15
Baßgeige 2.33 11.9
    15.15
Bassin s. Becken
Bassist 15.11 15.13
Baßlaute 15.15
Baßnote 15.17
Basson 15.15
Bast 2.3 2.16 3.20
    4.33 4.44 17.8
basta! 6.4 9.6 9.33
Bastard 1.21 2.7
    2.10 2.21 16.9
    16.12 16.92 16.94
bastardisch 13.51
Bastei 16.77
basteln 5.39 9.28
bastfarben 7.19
Bastille 16.117
Bastion 16.2 16.77
    17.14
Bastonade 16.78
    19.32
Bataillon 4.17 16.74
Bataillonskomman-
    deur 16.74
batalljen 9.40

Batik 7.23 15.4 15.6
batten 9.46
Batterie 2.16 4.17 7.5
    16.74 16.79 17.11f.
    17.15
—, elektrische
    17.17
— auffahren 16.76
— Flaschen 4.17
—, galvanische 9.82
—, getarnte 9.74
— vorfahren lassen
    16.76
— zum Schweigen
    bringen 16.76
Batist 17.8
Bätzel 2.15
batzen 7.33
Batzen 18.21 18.27
Batzenstrick 4.50
Bau 1.11 4.33 5.8
    5.12 5.26 5.39
    8.28 9.22 9.52
    11.17 13.8ff.
    13.42f. 17.1
—, nicht vom 12.37
— krönen 4.12
—, vom 12.32
Bauart 9.22 11.17f.
    12.42 13.20 13.31f.
    13.55 13.38ff.
    13.42 15.3 17.10
Bauch 2.16 3.19
    3.48 4.10 10.11
    11.22 17.6
—, auf dem — rut-
    schen 16.32
— dienen, dem
    10.11
Bauchaufschlitzer
    19.9
Bauchbinde 13.1
Bauchdienerei 10.11
Bauchfellentzün-
    dung 2.41
bauchig 3.48
Bauchladen 17.5
    18.23 18.25
Bauchlandung 8.6
Bauchredner 7.34
Bauchrednerkunst
    13.13

Bauchrutsch 16.115
bauchrutschend 11.48
Bauchspeichel-
    drüse 2.16
Bauchtanz 16.55
    16.58
Bauchung 3.48
Bauchwarze 4.4
Baucis und Phile-
    mon 16.11
Baude 17.1
— baude 16.64
bauen 1.23 2.5 5.26
    5.39 9.35 9.54
    9.78 11.16 11.35
    14.2 16.116 17.1
    19.17 20.1
— auf 3.16 11.35
    12.22 12.25 12.41
—, goldene Brücken
    16.22 16.48
—, Hütten 16.1
Bauer 2.5 2.14
    5.21 9.53 11.28f.
    12.37 16.4 16.53
    16.60 16.91ff.
    16.117
—, flegelhaft wie
    ein 16.53
— vom Lande
    12.25
Bäuerin 16.4
bäuerisch 11.28f.
bäuerlich 16.92
Bauerndirne 2.15
    16.4
Bauernfänger 13.51
    16.72 18.8
Bauernflegel 16.92
Bauerngut 2.5
Bauernheimsuchung
    16.8
Bauernhof 2.5
Bauernjungen 1.8
Bauernkerl 11.29
Bauernkrieg 16.73
Bauernmädchen 16.4
Bauernmanier 16.53
bauernmäßig 11.28f.
bauernplietsch
    (nordd.) 12.53
bauernschlau 12.53

Bauernstand 2.5
  16.4 16.92
Bauernschaft 16.2
Bauernvolk 16.92
Bauersmann 2.5
baufällig 6.27 7.48
  9.61 9.63 9.74
— werden 9.61
Baufeld 1.13
Baugrube 17.2
Baugrund 17.2
Bauhandwerker 17.1
Bauherr 17.1
Bauhof 9.22f.
Baukasten (spielen)
  16.56
Baukis, Philemon
  und 16.11
Bauklötze 11.30
Baukunst 17.1
Baukünstler 9.18
  9.22
Bauland 17.2
Baulichkeit 17.1
Baulinie 3.23 3.25
Baum 2.1f. 5.35
— der Erkenntnis
  16.44
—, NN-Baum 2.48
—, Zum grünen
  16.64
baumartig 3.53
Baumaterial 4.18
Baumbild 2.48
Baumblätter 2.27
Baumeister 9.18 9.22
  16.60 17.1
baumeisterlich 3.37
baumeln 2.46 3.17
  8.33
Bäume 11.8 11.31
— ausreißen 2.38
bäumen 9.72
—, sich aufwärts
  8.28 9.72 16.6
—, sich — gegen
  9.72 16.116
Baumgang 2.6 8.11
Baumgarten 2.5
Baumgott 20.7
Baumgruppe 2.5
Baumkuchen 2.27
Baumkunde 2.2
baumlang 4.12

baumlos 2.7 3.22
  9.49
Baumnymphe 20.7
Baumodell 17.1
Baumpflanze 2.1
baumreich 2.5
Baumschlag 2.5
  3.22
Baumschule 2.5
  9.22f.
Baumschütze 16.71
baumstark 5.34f.
Baumstumpf 2.3
  4.24 4.34
Baumstütze 3.16
Baumwachs 7.53
  16.78
Baumwolle 1.29
  17.8
Bauopfer 20.16
Bauplatz 17.2
Bauprogramm 17.1
bäurisch 11.29 16.1
Bausch 2.5 4.3
— und Bogen 3.9
bauschen 4.3
bauschig 4.3
Bausen 2.42
Baustätte 2.41 3.2
  9.22 17.2
Bausteine, künst-
  liche 1.26
Baustelle 3.2 17.2
Baustil 3.37 5.26
  17.10
Baustoff 17.1
Bautasteine 4.12
  14.9 15.10
Bauten 17.1
Bautrupp 16.17
  16.74
Bauunternehmer
  16.60 17.1
Bauwerk 17.1
Bauwich 3.10
Bauxit 1.25
bauz 8.31
bauzen 7.33
Bazar 11.52 18.25
Bazi 16.33
Bazillus S. 92 2.41
  2.43 4.4
beabsichtigen 9.2
  9.4 9.14f 12.3
  12.41

beabsichtigt 9.2
beachten 9.42 12.7
  12.13 16.26
beachtenswert 9.44
Beachtung 9.35 9.42
  9.44 12.7 12.49
  16.26 16.85 16.97
— finden 9.44
  16.85 16.95
—, keine — schen-
  ken 16.34
Beamte(r) 2.36 4.50
  16.60 16.96ff.
  16.112f.
Beamtenadel 16.91
Beamtenbutter 2.27
Beamtenfett 2.27
Beamtenton 16.53
beamtet 16.99
beängstigen 11.4
  11.12ff. 11.31
  11.42 16.68
beängstigend 11.14
  11.42
beanspruchen 9.40
  9.81 12.7 16.20
  16.106 18.2 19.22
beanstanden 16.33
beantragen 16.20
  16.22 19.19 19.27
— Revision 16.65
beantworten 13.26
bearbeiten 5.40 9.26
  9.57 14.5 16.78
  16.95
—, das Feld 2.5
  5.24 9.26 14.5
Bearbeiter 14.11
Bearbeitung 14.11
  16.95
beargwöhnen 12.23f.
Beate 16.3
Beatrix 16.3
beaufsichtigen
  16.96f 16.111
beauftragen 16.103
  16.106
Beauftragter 16.103
beäugeln 10.15
  16.42
beäugen 10.15
bebaubar 2.5
bebauen 2.5 4.41
  17.1

bebbern 8.33
beben 5.37 7.40
  8.33f. 11.4 11.31
  11.42
bebend 5.25 5.37
—, mit — er
  Stimme, 9.7 11.42
  13.14
beboomölen 11.31
bebürden 7.41 9.55
  9.73
bebuscht 2.2
Becher 1.2 2.31 3.49
  17.6
—, voller 2.32
becherförmig 3.49
bechern 2.31f.
  16.38 16.64
Beck 16.60
Becken 1.16 2.16
  3.49 4.14 15.14f.
  17.6
beckenförmig 3.49
Beckenschläger 15.11
Becker 16.60
Beckmesser 12.53
  16.33
Beckum 12.56
bedachen 3.20
Bedacht 9.42 11.8
  11.36 11.40 12.3
  12.7
— nehmen auf
  11.40 13.48
bedacht 11.40
— sein 20.1
bedächtig 5.19 6.34
  8.8 9.42 11.8
  11.12 11.40 11.43
  12.3 12.7
bedachtlos 6.14 9.27
  9.39 9.43 11.6
  11.39 12.12
bedachtsam 5.38 9.42
  11.8 11.40 12.3
Bedachung 3.20
bedanken, sich 11.54
—, sich schön 16.27
bedappeln 12.31
bedackeln 16.72
Bedarf 2.26 4.17f.
  4.31 4.48 9.81
  11.37 18.22 siehe
  bedürfen

bedarf der Klärung
12.23
bedauerlich 5.47
16.36 16.94 s. be-
daure 13.29 16.27
bedauern 11.27
11.31f. 11.50 19.5
Bedauern 11.27
11.31f. 11.50 19.5
—, sein — aus-
drücken 16.82
Bedauerns, mit dem
Ausdruck des
16.82
bedauernswert 5.47
9.45 11.13 11.50
bedauernswürdig
5.47 9.60 11.13
18.4
bedaure 13.29 16.27
bedecken 3.3 3.20
4.12 4.42 7.1 7.3
—, sich 1.7
bedeckt 1.7 11.32
16.93
— bleiben 3.20
Bedeckung 3.18 3.20
7.3 9 75f. 16.77
16.101 17.9 17.14
bedenken 5.19 6.6
6.34 8.8 9.7 9.42
11.40 12.3 12.7
13.9
— geben, zu 9.17
12.23 13.10 13.47
16.33 16.68
— mit 18.12
—, sich 12.23
—, sich anders 9.5
9.9
—, sich hin und
her 9.7
Bedenken 9.5 9.7
9.17 11.42 11.46
12.3 12.23 13.47
— bekommen 12.23
— hegen 9.7
—, ohne 9.39
— tragen 12.23
bedenklich 2.41 9.7
9.42 9.55 9.74
11.42 12.23 16.33
16.44 19.8

Bedenklichkeit 9.42
s. oben 11.39
—, voll 9.42
Bedenkzeit 6.1 6.6
6.15 6.34 9.5 9.7
9.24 9.33 9.36
11.40
bedeppt 11.32 11.42
bedeuten 5.31 9.44
12.43 13.1f.
13.17 13.44.
s. Bedeutung
—, viel zu 9.44
—, wenig zu 9.45
13.18 16.94
bedeutend 4.1f. 9.44
12.52 16.85
bedeutsam 9.44
13.16f.
Bedeutsamkeit 16.85
Bedeutung 5.24 9.44
12.7 12.43 13.1
13.17 16.85
—, Mann von 16.8
—, ohne — sein
13.18
Bedeutungslehn-
wort 13.16f.
Bedeutungslehre
13.17
bedeutungslos 4.4
5.7 9.45 13.18
16.94
Bedeutungslosig-
keit 9.45
bedeutungsvoll 9.44
12.41 13.2 13.16
13.33
bedienen 2.44 8.15
16.112 16.114
—, sich 9.46 9.84
18.6
—, die Geschütze
16.73
bedienstet 16.113
Bediente(r) 16.112
bedientenhaft 11.48
16.115
Bedientenrock 3.20
13.1 16.86 17.9
Bedientenschaft
11.47
Bedientenseele
11.48 16.114f.

Bedienung 9.18 9.35
9.70 16.96
16.111f. 16.114
bedingen 5.31 5.34
13.48 19.14
bedingt 4.52 5.12
5.24f. 5.31f.
12.2 12.24 13.48
19.15
Bedingung 5.12f.
5.24 5.31f. 9.77
13.48 19.1 19.15
19.17
—, unter jeder 9.72
— vorschreiben
9.77 16.111
Bedingungen 19.15
— auferlegen 16.84
bedingungsweise
13.48 19.15
bedrängen 9.12 9.40
9.55 9.60 9.74
11.13f. 11.60
16.20 16.76 19.9
—, den Feind 16.76
Bedrängnis 4.25 5.47
9.55 9.74 11.13
16.107 18.4
bedrängte 9.55 9.74
Bedrängung (Ein-
engung) 4.9
5.47 9.55 11.13
16.76 16.107 18.4
s. Bedrückung
— bevorstehen
6.23 9.74 13.10f.
16.68
bedrippt 11.42
bedrohen 9.3
13.10f. 16.68
bedrohlich 9.74
16.68
bedrücken 7.35 8.27
8.30 9.40 9.60
11.14 11.60 16.97
16.111 19.9
bedrückend 9.40
Bedrücker 11.60
16.108 19.9
Bedrückung 11.14
11.60
bedudeln, sich 2.33
bedudelt 2.33

Bedünken 9.11 12.22
bedürfen 5.6 9.81
11.36
Bedürfnis 9.1 9.3
9.81 11.16 11.36
Bedürfnisanstalt 2.35
bedürfnislos 11.12
11.6f. 20.13
Bedürfnislosigkeit
11.12 11.37 11.47
bedürftig 4.25 18.4
beduselt 2.32f.
Beefsteak 2.27
beehren 9.4 16.64
—, mit einem Be-
suche 16.64
beeid(ig)en 13.28
13.50
beeifern, sich 9.18
9.38
beeilen 6.14 6.35
8.7 9.12 9.39
—, sich 8.7 9.38
beeindrucken 11.17
beeinflussen 4.18
5.9 5.18 9.12 9.17
16.95 16.97
beeinflußt 9.12
Beeinflussung 9.12
beeinträchtigen 9.17
9.50 9.55 9.63
9.73 11.12 11.14
12.51 18.15 19.21
—, die Gesundheit
9.63
Beeinträchtigung
9.17 9.50 9.60f.
9.65 9.73 12.51
16.33 16.35 18.9
18.15 19.21
— erfahren 9.50
— der Gesetze 19.20
Beelzebub 19.9 20.9
beend(ig)en 4.41 6.4
9.33 9.35
—, Wanderung 2.45
8.20
Beeneken, Gebrüder
2.16
beengen 4.4f. 4.9
4.17 4.25 7.35
9.55 11.14
—, Lage 18.4

beengt 4.22 4.25
Beengung 2.39 11.4
  11.42
beerben 18.5
beerdigen 2.48 3.25
  8.26
Beerdigung 2.48
Beere 2.3
Beet 2.5
befähigen 5.2 5.34f.
  9.25f. 12.33 12.52
  19.22
befähigt 9.26 9.84
  12.52
Befähigung 9.48
  9.52 12.47 12.52
  16.25 16.103
befahrbar 16.6f.
befahren 16.6f.
Befahrnis 5.12
befallen 5.45
— werden 2.41
befangen 11.42
  11.47 12.13 12.55
  19.11
Befangenheit 11.42
  11.47 12.13
befassen, sich 9.18
  9.38 9.42
befehden 9.72 11.14
  16.67 16.69f.
  16.73
Befehl 8.13 13.6
  16.29 16.95
  16.103 16.106
  16.111 16.114
  16.116 19.19 19.24
—, zu — sein 9.84
  13.28 16.24
  16.114
befehlen 16.106
  19.24
befehlend 16.106
befehligen 16.97
  16.106
befehlerisch 16.95ff.
befehligen 16.106
Befehls — 16.99
Befehlshaber 16.74
  16.97f.
befehlshaberisch
  16.90 16.95

Befehlsleiter 16.99
befeinden 11.60
  16.66
befestigen 4.25 4.33
  5.35 6.7 16.117
—, sich 4.3
befestigt 18.27
Befestigung 4.25 4.33
  5.35 9.76 16.77
  17.14
befeuchten 7.57
befeuern 4.51 8.7
Beffchen 2.27 17.9
  20.18
befiedert 3.20 3.53
befilzen 18.8
befinden (sich) 3.3
  5.1 5.12 11.11
  12.22 12.29 16.2
—, sich wohl 2.38
  5.46 9.77 11.15
  18.1
—, sich nicht wohl
  2.41 5.47 9.78
  11.15 11.31
Befinden 2.38 5.12
  12.20
befindlich 3.3 16.2
befingern 10.2
befiselt 2.33
beflaggen 15.7 17.10
beflecken 7.11 9.60
  9.63 11.28 11.60
  16.35 16.93 19.9
befleckt 9.67
Befleckung 9.61
  9.67
— des Namens
  16.94
befleiß(ig)en, sich
  9.14 9.18 9.21
  9.38 9.40 9.42
  12.35
beflissen 9.38 12.7
  12.35 16.32
  16.114f.
Beflissener 12.35
Beflissenheit 9.18
  9.21 9.38 9.42
  12.3 12.7 16.114
beflügeln 8.7 12.52
beflügelt 8.7
befohlen 19.24
—, zur Tafel —
  werden 16.64

befolgen 9.31 11.48
  16.114
Beförderer 9.70
beförderlich 9.46
  9.56 9.69
befördern 2.40 9.18
  9.54 9.57 9.69
  16.103
Beförderung 4.3
  5.26 8.3 8.7 9.35
  9.39 9.70 14.8
  16.6f. 16.46 16.85
—, Tag der 16.39
beforstet 2.5
befrachten 8.3
befragen 12.8 12.33
  13.9 13.25
Befragung 13.30
befreien 4.34 9.54
  9.70 16.25 16.116
  16.118 19.5 19.13
  19.25
—, sich 16.118
befreiend 11.22
Befreier 8.18 9.57
  9.70 11.52 16.41
  16.118 20.7f.
befreit 9.54
  16.118f. 19.25
— vom Irdischen
  2.45
Befreiung 2.40 5.43
  9.20 16.25 16.118
  19.22 19.25f.
  20.10 s.
befreien
— von der Sünde
  19.5
befremden 11.14
  11.30
befremdend
  5.20 9.32 11.28ff.
befreunden 9.70
  11.51f. 16.41
—, sich — mit 9.31
  9.70 12.47 16.41
befreundet 11.53
  16.9 16.41
—, gut — sein
  16.41
befrieden 16.48
  16.84
befriedericht 11.16

befriedigen 8.23
  10.14 11.8 11.10
  11.16 11.19 11.60
  16.48f. 18.12
—, Ansprüche 16.26
—, die Rachgier
  16.81
—, schwer zu
  16.33
befriedigend
  4.23 9.59 16.31
—, nicht 16.33
befriedigt 11.9
  11.16 11.19
Befriedigung 4.23
  11.9f. 11.22
  16.26 16.30 18.26
  19.24
befristen 6.15
befruchten 2.6
Befruchtung 2.6
  2.18ff. 5.26
  9.26
befugen 16.25
  16.103
Befugnis 4.23 5.34f.
  16.19 16.25 16.95
  16.97 16.103
  16.119 19.19
  19.2f. 19.25
  19.27
— erteilen 16.24f.
Befugnisse 19.25
befugt 16.25 19.22
befühlen 10.2
befummeln 9.18
  9.21
Befund 2.38 12.11
  12.14 12.20 12.49
befunden, ward zu
  leicht — 9.1
  12.48f. 12.51
befürchten 6.23
  11.42 12.23
Befürchtung 2.41 9.7
  11.42 12.20 12.24
  12.41
Befürchtungen
  11.42
befürworten 9.12
  12.47
Beg. 16.98
begaben 5.35
begabt 9.52 12.52

Begabung 5.2 5.34f.
9.52 12.2 12.52
14.2
begaffen 10.15f.
16.53
begatten 1.6 2.19
5.26 16.11
Begattung 2.19
begaukeln 16.72
begaunern 18.8
begebbar 18.23
begeben 9.36 11.39f.
18.21
—, sich 5.24 5.30
9.16 16.6f.
—, sich einer Sache
18.12
—, sich in 9.74
—, sich in den Ehe-
stand 16.11
Begebnis 5.30 5.44
begegnen 3.9 5.1
5.44 8.19ff. 8.25
9.4 9.16 16.64
—, jemanden ehr-
furchtsvoll 16.30
—, sich 16.64
—, überall 3.3 4.17
4.22
—, den Wünschen
9.4 12.47 16.24
Begegnis 5.44
Begegnung 3.9 4.33
5.44 8.21 16.64
begehen (gehen) 8.1
9.53 9.78 11.29
16.6 19.10f.
—, feierlich 16.87
—, Sünde 19.10
Begehr 9.14 11.36
16.20
Begehren 9.2 11.36
16.106
begehren 9.2 9.81
11.16 11.36 16.20
16.25 16.106
18.23 18.26
19.22ff.
—, Genugtuung
16.81
—, einen Preis 18.23
—, Zahlung 18.26

begehrenswert 9.48
11.10 11.36
begehrlich 10.21
11.11 11.36 19.24
begehrt 18.23
Begehung, feierliche
16.87 20.16
Begehrungstrieb
11.36
begeifern 16.35
16.37 20.4
begeistern 9.12
11.5 11.20f
—, die Gesellschaft
11.20
begeistert 2.33 11.5
11.53
Begeisterung 5.35
9.18 9.37f. 11.4ff.
11.9 11.35f. 11.38
11.53 12.3f. 12.28
12.52 16.87 20.12
—, Feuer der 12.28
—, Orkan der 16.31
—, religiöse (Fana-
tismus) 20.1
Beghine 20.13
Begier(de) 9.2 9.18
11.5 11.11 11.36
11.57 16.44 siehe
Begehr, begierig
— anregen 9.12
11.16 16.43
— frönen, der 11.11
begierig 9.4 9.18
9.39 11.36 12.41
— zu wissen 12.6
12.8
begießen 2.31 7.57
9.17 9.21 9.73
11.48
—, mit kaltem
Wasser 9.17 9.73
11.43
begigeln, sich 2.33
Beginn 6.2 9.29
Beginnen 6.2 9.29
beginnen 6.2 9.21
9.29 19.5
—, wieder 6.33

beglaubigen 5.6
12.26 13.1 13.28
13.46 16.103
19.22 s. Beglau-
bigung
beglaubigt 5.6 12.26
Beglaubigung 13.1
13.46 16.103
19.16
Beglaubigungsschrei-
ben 16.25
Beglaubigungs-
urkunde 13.46
begleichen 16.80
18.18 18.21 18.26
19.26 s. aus-
gleichen
Begleich(ung) 18.20
s. oben
begleiten 4.28 4.37
6.12f. 9.75 15.11
15.13 15.15f.
16.38 s. Begleiter
—, mit den Augen
10.15 11.35f. 11.53
12.7
Begleiter 3.3 4.37
8.15 9.31 9.70
9.75 11.53 16.41
16.101 16.112
— durch das Leben
9.31 16.11
—, treuer 16.41
Begleiterscheinung
11.59
Begleitflugzeug
16.74a
Begleitschein 13.1
14.9
Begleitschiff 8.5
9.75 16.74
Begleitumstände
5.12
Begleitung 8.15
15.16 s. begleiten
—, seine — an-
bieten 16.38
Beglerbeg 16.98
beglücken 9.56 11.10
— mit 18.12
—, mit einem
Lächeln 11.53
16.115

Beglücker 20.8
— der Menschheit
20.7
beglückt 5.46 11.9
11.21f. 18.1 20.10
—, sein 18.1
beglückwünschen
11.20ff. 11.50
16.39
Beglückwünschung
16.39
begnaden 20.1
begnadet 5.46 12.21
begnadigen 16.47
19.30
Begnadigung 11.52
16.47 19.30
Begnadigungsrecht
16.95 16.97
Begnadung 12.2
begnügen 11.16
—, sich 11.47
begraben 2.48 4.14
5.10 11.14 11.41
13.4 16.117
—, das Kriegsbeil
16.48
—, die Streitaxt
16.48
— in 3.24
—, in Vergessenheit
11.47 12.40 13.4
—, laß dich 16.33
—, lebendig 19.32
—, unter sich 5.42
Begräbnis 2.48 3.25
Begräbnisstätte 2.48
begreifen 4.48 10.2
12.3 12.31f. 13.33
—, in sich 3.24 3.58
—, nicht — können
7.3 9.53 11.30
13.35
—, wer das —
kann 16.33
begreiflich 13.33
13.38
Begreiflichkeit 13.33
begrenzen 3.9 3 23ff.
4.4 6.4 12.11
13.48 15.7 16.117
begrenzt 4.9 9.59

Begrenzung 3.1
3.25 4.9
Begrenztheit 3.1
begriesmulen 9.78
Begriff 12.4 12.22
12.28 12.32 19.25
—, dehnbarer 13.34
—, einen hohen —
haben von 16.30
—, im — stehen
6.23f.
—, keinen — haben
von 12.37
— sein, im 4.46 6.2
6.16 6.23 9.18f.
begriffen sein 9.18
begrifflos 19.9
begrifflich 12.2
Begriffsbestimmung
13.44
Begriffsbildung 12.3
Begriffsfolge 12.3
12.14 12.29
Begriffsjurist 12.55
Begriffsmangel 9.60
12.19 12.27
Begriffsscheidung
12.3
begriffsstutzig 12.56
Begriffstausch 13.36
Begriffsvermögen
12.2
begrübeln 12.3
begründen 5.34
12.9 12.14f. 12.29
13.46 19.13
—, einen eigenen
Hausstand 16.11
begründet 12.26
13.46 19.22
Begründung 12.15
begrüßen 11.16
13.24 16.30 16.38
16.87
—, freudig 11.9
Begrüßungsformel
16.61
Begrüßungswort
13.16 13.24

begucken 10.15f.
Beguinen 20.13
20.17
begünstigen 9.70
11.52f. 16.25 16.41
19.20f.
begünstigt 5.46 9.77
Begünstigung 9.70
19.21
begutachten 12.12
19.27
begütert 18.3
begütigen 5.38 11.8
11.33f. 16.48f.
behaart 3.20 3.53
Behaarung 2.16
behaben, sich 7.2
behäbig 9.24 11.8
11.16f. s. behag-
lich
behaftet mit 2.41
5.2 9.31 11.1
behagen 11.10
Behagen 11.16
behaglich 3.3 8.2
9.24 9.36 9.54
11.9f. 11.16f.
11.22 11.34
— machen 16.42
—, in — en Umstän-
den 4.23 5.46 18.3
Behaglichkeit 11.16
behalten 4.32 9.77
11.8 11.30 12.7
12.39 16.97 19.27
—, im Auge 7.1
9.42 10.15 12.7
12.39
—, im Gedächtnis
12.35 12.39
—, die Oberhand
9.77 16.84 16.95
—, für sich 9.84
13.4
—, in Sicht 7.1
10.15
—, im Sinn 12.39
Behälter 4.19 17.6f.
Behältnis 17.6f.
behandeln 9.23 9.25
16.96
—, ärztlich 2.44

behandeln, veräcbt-
lich 16.36
—, von oben herab
16.34
behandelt, er — die
Frauen als Frei-
wild 16.44
—, leichthin, nach-
lässig, obenhin
16.34
—, wird noch 9.34
—, schlecht 19.9
—, schnöde 16.53
behändigen 8.3 18.12
Behandlung 2.44
9.18 9.23 11.52
16.96
—, gute 11.52
—, in 2.41
—, wegwerfende
16.53
Behandlungsweise
9.25
Behang 2.16 3.20
behängen 3.20 17.10
behängt 15.7
— sein 17.10
beharken 16.76
beharren (auf, bei)
6.7 9.2 9.6 9.8
9.30 12.22 13.28
16.119 19.6 19.18
19.22
— bei 9.6
beharrend 8.2
beharrlich 6.1 6.6f.
6.34 7.46 9.2 9.6
9.8 9.18 9 30 11.8
16.107 19.6
Beharrlichkeit 6.7
7.46 9.8 9.38
16.107
Beharrungsvermögen
6.7 8.2 9.19 9.24
9.36 16.65
behauen 4.7f.
4.34 5.39
—, aus dem Groben
5.2 9.26 12.33
behaupten 9.77
13.28f. 13.46
19.12 19.22
—, sich 51. 6.7
16.77

behaupten, das Feld
9.77 16.73 16.77
16.84
—, ins Gesicht 19.12
—, sein Recht 19.22
Behauptung 12.22
13.28
behausen 3.3 16.1
16.64
Behausung 3.3 9.75
16.1f. 16.64
17.1
beheben 9.58
—, Mißverständ-
nisse 16.48
beheimatet 3.3 16.1
Behelf 5.29 9.13
9.70 13.51 16.104
behelfen, sich 9.3
9.25
—, kümmerlich 4.25
18.4
Behelfs — 6.15
behelfsmäßig 6.15
behelligen 11.14
16.69
behende 8.7 9.52
Behendigkeit 9.52
beherbergen 3.3 9.15
9.70 9.75 16.1f.
16.64
beherrschen 4.12
5.38 11.8 11.11f.
11.37 12.32 16.95
16.97 16.106 19.3
—, das Feld 16.76
—, den Luftraum
16.74a
—, ich kann mich
16.27
—, seine Leiden-
schaften 19.3
—, sich 9 5 11.8
—, die Sprache
13.21 13.38
beherrschend 16.95
16.97
beherrscht 11.5
Beherrschung 9.17
11.12
beherzigen 11.7
12.39 19.3
beherzigenswert 9.44
beherzt 9.6 11.38
Beherztheit 11.38

behexen 9.12 20.12
behext 20.12
behilflich 9.46 9.70
— sein 9.46
behorchen 10.19
10.20
Behörde 16.19
16.95ff. 16.99
16.102 19.28f.
behördlich 5.6 9.12
12.26 19.27
behufs 9.12
9.14
behülflich 9.46 9.70
behumpsen 16.72
18.8
behüte 13.29
—, Gott 12.48 13.29
16.33 16.82 20.16
behüten 9.75
behutsam 9.42 11.40
12.7 13.10
Behutsamkeit 11.40
bei 1.21 3.3 3.9 3.29
4.28 4.37 4.51 5.6
5.23 11.10 12.14
— alledem 5.13
— einer Flasche 2.32
16.38 16.55 16.64
— Gelde 18.3
— einem Haar 3.9
9.74 12.47
— sich haben 18.1
— Hofe 16.61
16.91
— Tische sein 2.26
16.64
— weitem 8.17
— weitem nicht
4.46 5.23 16.82
— der Sache sein
9.21 12.7
bei- 4.28
Beiarbeit 18.5
beibehalten 6.7
beibiegen 12.33
—, sich 18.9
Beiblatt 4.28 14.11
Beiboot 8.5
beibringen 1.21
9.17 11.45 11.60
12.33 13.46

beibringen, die
Flötentöne 16.78
—, es einem 16.78
—, gute Sitten
12.33
—, Lebensart, Höf-
lichkeit 16.38
—, Manieren 16.38
Beichte 13.4f. 19.5
20.16
beichten 13.5 19.5
20.13
Beichtiger 20.17
Beichtkind 19.5
20.22
Beichtsiegel 13.4
Beichtstuhl 13.4 19.5
20.20f.
Beichtvater 20.17
beidarmig 16.57
beide 4.37
beiderseits 4.37
5.28 9.68 9.71
18.20
Beiderwand 17.8
beidhändig 3.30f.
beidrehen 8.2 8.12
Beiessen 2.27
Beifall 9.11 9.77
11.45 12.47 16.31f.
— äußern 11.20f.
16.87
— brandender,
donnernder, frene-
tischer, nicht en-
denwollender
16.31
— ernten, verdie-
nen 16.31
— klatschen 16.31
—, mit — über-
häufen, über-
schütten 16.31
— rauschender,
stürmischer,
wütender 16.31
—, wahrer Sturm
des 16.31
— zollen 16.31
beifallen 12.24
beifällig 16.24
16.31
— aufnehmen 16.31
Beifallsäußerung
16.31

Beifallsbezeigung
16.31
Beifallsnicken 16.31
Beifallspender
16.31f.
beifallswürdig 16.31
beifliegen 16.117
beifolgen(d) 4.22
4.28
beifügen 4.3
4.28 4.38 4.48
Beifügung 4.28 4.33
Beifuß S. 84 2.28
beige 7.19
beigeben 4.28
—, klein 11.43
11.48 16.83
16.114 19.5 19.11
beigefügt 14.8
beigelegt 14.8
beigenannt 13.18
13.48
beigeordnet 4.38
8.15
Beigeordneter 9.70
16.96 16.98
16.104
Beigericht 7.65 7.68
beigeschlossen 3.25
4.28 14.8
Beigeschmack 1.21
7.65
beigesellen 4.33
— sich 4.17 4.37
8.15 9.69 16.17
16.64
Beihilfe 9.70 18.12
18.26
Beikammer 16.102
Beikessel 17.6
beikommen 4.8 8.19
11.8 12.20 18.5
—, nicht 3.8 4.42
5.11 9.65 9.78
11.8
—, nicht — können
5.3 9.55 11.8
16.52
Beil 3.55 17.11
17.15 19.32
Beilage 4.28 14.8

Beilager 2.19 16.11
16.44
— feiern 16.11
beiläufig 3.9 4.4
4.22 6.35 9.16
beilegen 4.22 4.28
8.2 8.20 9.36
12.15 12.47 16.48l
16.90 19.14 19.17
—, einem etwas 12.29
—, das Zerwürfnis
16.48
—,nicht den gering-
sten Wert 16.36
—, Streitigkeiten
16.47
Beilegung 12.47
16.24 16.49 16.80
19.17 19.26 s. o.
beileibe nicht 13.29
Beileid 11.50 16.38
Beileidsbezeigung
11.50 16.38
beiliegen(d) 3.19
4.22 4.28 14.8
beimachen 7.39
beimengen 1.21
beimessen 5.28 7.39
9.44 12.15 19.12
—, die Schuld 16.33
19.12
—, Wichtigkeit 9.44
Beimischung 1.21
4.22 9.61
beimischungsfrei 9.66
Bein 2.16 2.21 2.33
3.18 7.43f. 8.31
9.41 9.72 11.17
16.6 17.5 18.15
— stellen 9.77 16.65
16.71
—, kein 3.4 13.29
Beine 8.7 8.28 9.38
9.53 9.70 18.29
— bringen, auf die
8.28 9.70
—, jemanden —
machen 8.7
— kriegen 18.9
— erhalten, sich
auf den —n 2.38
— auf den —n sein
2.37

Beine, auf die —
  helfen 9.70
—, sich auf die
  machen 8.7 8.18
—, sich die — in den
  Leib stehen 6.7
—, wieder auf die
  — stellen 2.44
  9.21
beinahe 3.9 4.1 4.4
  5.7 9.74
Beiname 13.16 13.19
Beinarbeit 16.57
Beinbruch, Hals-
  und -bruch 16.38
Beinfleisch 2.27
beinhalten 5.8
Beinhaus 2.46 2.48
Beinkleid 3.20 17.9
beinlos 7.50
Beinschiene 17.11
  17.14
Beinwurz S. 70
beiordnen 3.37 4.8
  4.28 4.37f.

Beiordnung 4.48
beipacken 4.28
beipflichten 12.47
  16.24 16.31
Beiram 20.16
Beirat 13.9
beirren 9.5f. 9.55
  12.7
beisammen 3.9 8.15
  9.69 12.14 13.9
  16.41 16.64
— sein 16.64
Beisaß 16.4 16.92
  16.94
Beisatz 4.28
Beischlaf 2.19 16.11
  16.44
Beischläferin 16.13
beischließen 4.28
Beigeschmack 1.21
  7.65
beischreiben, det
  mußte (berl.)
  13.35
Beischrift 4.28
Beischlüssel 2.27
Beisein 3.3

beiseite 3.29 4.49
  9.43 13.27
— legen 4.29 5.43
  9.19 9.43 9.85
— liegenlassen 12.38
— schaffen 5.42
— schieben 9.43
— sprechen 7.27
  13.27
Beisel 16.64
Beisetzung 2.48
Beisitzer 19.28
Beispiel 4.36 5.9
  5.18 9.12 9.37
  12.10 12.29 13.44
  19.3
— geben 5.35
Beispiele, durch —
  beweisen 13.44
beispielhaft 9.44
  19.3
beispiellos 4.5f.
  5.20 5.22 6.29
  9.64 19.3
beispielhalber 5.18
beispringen 9.70
beißen 2.26 2.42
  7.68 9.21 10.1 10.9
  11.13 11.28 11.30
  16.34 16.67 16.79
—, auf Granit 9.78
—, den letzten
  18.15
—, in den sauren
  Apfel 9.21 16.83
—, ins Gras 2.45
—, nichts zu —
  haben 18.4
—, sich 16.70
—, sich in die
  Lippen 11.23
  16.31 16.34 16.54
—, in das Taschen-
  tuch 11.23 16.54
—, in den Teppich
  11.31
—, um sich 11.60
  16.34
—, in die Zunge
  7.68
beißend 7.40 7.68
  11.12 11.14 11.22f.
  16.33 16.35

Beißer 2.16
Beißker S. 100
Beißkorb 16.117
beißt keine Ofen-
  schrauben ab
  12.56
Beistand 9.69f.
  16.95
—, rechtlicher 19.28
beistehen 9.70
  11.52 16.17
Beisteher 9.70 12.32
Beisteuer 4.28
  4.48 9.57 9.70
  18.12 18.26
—, milde 11.52
beisteuern 4.28 9.69
  18.12
beistimmen 12.47
  16.24 16.31
Beistimmung 12.47
  16.24 16.31
Beistrich 14.5
Beistrom 7.55
Beitisch 2.26
Beitrag 4.42
  9.69f. 14.10f.
  16.113 18.5
  18.12 18.26
beitragen 9.68
  9.70 11.23 18.26
beitreiben 16.106
Beitreibung 16.106
beitreten 4.33
  4.38 4.48 9.68f.
  12.47 16.17 16.24
  19.14
—, einer Meinung
  12.47
Beitritt 4.28
  4.38 4.48 16.24
  19.17
Beiwache 16.2 16.74
Beiwagen 8.4
—, Motorrad mit
  und ohne 16.57
Beiweg 8.11
Beiwerk 4.28
  15.7 17.10
beiwohnen 2.19 3.3
Beiwort 13.16
beizählen 4.48'

Beize 2.12 7.11
  7.54f. 8.26
  16.64
beizeiten 6.33 6.35
beizen 7.11
Beizer 16.60
Beizimmer 17.2
bejahen(d) 11.16
  12.47 13.28
bejahrt 2.25 6.2
bejammern 11.31ff.
  11.50 19.5
bejammernswert
  5.47 11.12f.
  11.41 11.50 18.4
bejauchen 18.8
bejubeln 11.22 16.31
  16.87
bekalmen
  s. beruhigen
bekämpfen 9.17
  9.72f. 11.12
  16.33 16.67 16.70
  16.76 19.13 19.24
—, Angriff 19.13
—, Ansicht 9.17
—, Irrtum 12.26
  12.32f.
—, Krankheit 2.38
  2.40 2.44
—, Langeweile 11.9
  16.55
—, Leidenschaft 9.20
  11.12
—, Meinung 9.17
  9.72
—, Schmerz 11.8
—, Schwierigkeit
  9.40 9.77
—, Unrecht 19.24
—, Vorurteil 12.26
Bekämpfung 16.73
bekannt 4.50 12.32
  13.3 13.6 16.41
  16.85
— durch 13.1
— machen mit
  13.5 16.64
— mit 12.32 13.6
  16.41
— werden 16.41
  16.85
—, gut 16.41
—, nichts davon
  12.37

Bekannter 11.37
16.41
bekanntermaßen
7.1 12.32 13.6
Bekanntgabe 13.2f.
13.6
bekanntgeben 13.2
13.6
bekanntlich 12.32
Bekanntmachung
13.6 14.1 20.13
—, amtliche 16.106
Bekanntschaft 11.53
12.32 16.41 16.64
— anzuknüpfen
suchen 16.64
—, eine 16.41
—, gute 16.41
— machen 16.41
16.64
bekappen 12.31
bekaufen, sich 18.27
bekehren 5.26 12.22
12.33 19.5 20.1
20.17
—, sich 5.23 5.30
19.5 20.1
Bekehrer 12.33 20.17
bekehrt 19.5 20.1
Bekehrter 9.9 12.35
20.1 20.13
Bekehrung 5.26 8.17
9.9 12.22 12.33
13.46 19.5 20.1
20.13
Bekehrungsanstalt
12.36
Bekehrungssucht
16.21 20.6f.
bekennen 13.5 13.28
13.49 19.5 19.11
—, Farbe 5.18
12.26 13.5 13.49
—, nicht Farbe
16.27
—, sich schuldig
19.5
—, sich — zu 12.47
16.24 20.1 20.3
Bekenner 20.1
Bekenntnis 12.22
12.47 13.5 13.26
13.28 19.5 19.27
20.1 20.7
—, falsches 13.51

beklagen 11.13
11.26 11.31ff.
11.50 19.5
—, sich 16.82 19.12
beklagenswert 5.47
19.9
beklagenswürdig
5.47 9.60 11.12f.
11.41 11.50 18.4
Beklagter 19.12
19.28
beklappt 12.57
beklatschen 14.1
16.31
bekleben 3.20 13.1
bekleckern 7.57 9.67
beklecksen 7.11
bekleiden 3.20 9.18
9.22 16.97 16.104
17.9
—, ein Amt 9.18
9.22 16.95 16.99
16.112
—, mit einem Amte
16.103
Bekleidung 3.20
17.9
Bekleidungsrat 16.60
beklemmend 7.28
beklemmt 11.32
Beklemmung 2.39
4.9 11.4 11.13
11.28 11.42
beklommen 11.32
Beklommenheit
11.13
beklopfen 12.8
bekneipt 2.32f.
beknüllen, sich 2.33
beknüppeln, sich
2.33
bekobern, sich 2.44
bekommen 5.21 5.24
7.65 9.38 9.77
11.5 11.42 12.20
18.5
—, einen Korb
16.12
—, eine Nase 16.33
—, Fühlung 16.73
—, für seine Mühe
16.46 19.32
—, gut 2.44 16.38
—, Oberwasser 16.84

bekommen, Prügel
zu kosten, zu
schmecken 16.78
—, Wind 12.32 12.43
—, wohl 5.46 9.77
bekommen, zu Ge-
sicht 10.15 11.1
—, Lust 9.14 11.36
bekömmlich 2.44
7.65
bekomplimentieren
16.38
beköstigen 2.26
bekräftigen 12.47
13.28 13.46 16.24
19.22
bekränzen 9.77
16.31 16.85 16.87
17.10
bekränzt werden
9.77
bekreuzen 11.42
11.59
—, sich 20.16
bekreuzigen, sich
20.16
bekriegen 16.67
16.70 16.73
bekritteln 12.48
16.33 16.35
bekritzeln 3.20 14.5
bekümmeln, sich 2.33
bekümmern 11.14
11.32 16.73
—, sich — um 9.18
9.44
Bekümmernis 5.47
9.78 11.13f.
11.26 11.31f.
11.42
bekümmert 11.32
bekunden 11.54
11.62 13.2 13.21
13.28 13.46
—, seine Verachtung
deutlich 16.36
Bekundung 13.2f.
belächeln 11.21
11.23 16.34 16.54
Belachenswertes
11.24

beladen 4.19
5.47 7.41 16.7
16.93 s. belasten
Belag 2.41 4.43 7.10
Belagerer 16.76
belagern 3.24f.
16.20 16.76
Belagerung 3.24
16.117f.
— sgeschütz 17.11f.
— szustand 5.20
16.108 19.19
Belami 5.46
belämmert 11.14
11.32
Belang 5.13 13.17
—, von 9.44
belangen (beschuldi-
gen) 16.81 19.12
19.20 19.32
belanglos 5.37
9.45 16.94
Belanglosigkeit 5.37
9.45
belangreich 9.44
Belangung 19.12
19.27
belassen 9.7 9.19
9.41 11.16
—, bei etwas 5.7
6.4 9.33
—, es dabei 9.7 9.34
belasten 4.19 7.41
9.55 16.7 18.16
19.12 19.24 19.27
belastend 19.12
belästigen 6.38 9.55
9.73 11.13f. 16.20
16.64 16.69 19.9
Belästiger 9.73
Belastung 7.41
19.27
Belastungsmoment
19.12
Belaub 9.76 16.56
Belaubung 3.53
belauern 12.8
Belauf 18.26
belaufen auf, sich
4.33 4.35 18.26
belauschen 7.3
10.19 12.6 13.3
Belche S. 99

beleben 2.40 5.26
5.35 5.39 11.5
11.10 11.20ff.
11.34f.
— sich 2.44
belebt 2.17 4.17
Belebung 2.17 5.35
13.36
Belebungsmittel
2.44 9.58 11.34
beleckt 9.27
Beleg 13.46
belegen 3.3 3.20
13.46 16.117 19.16
19.27
— bei 12.35
—, einen Platz
6.33 19.16
—, mit Acht und
Bann 16.29
—, mit Arrest 9.72f.
19.16 19.27
—, mit Beschlag
18.6 19.32
—, mit dem Bann
16.37
—, mit Truppen
16.2
—, Rechnung 18.26
—, Truppenansamm-
lungen erfolgreich
16.76
Belegexemplar 14.6
18.29
Belegschaft 1.23 9.18
16.4 16.16 16.74
belegt 3.20 4.2 7.10
7.13 7.27 13.15
14.9
—, wehrwirtschaft-
liche Anlagen
wurden erfolg-
reich 16.76
belehnen 16.103
16.113 18.12
18.16
Belehnung 18.1
18.12 18.16
belehren 12.32f.
13.2 19.5
—, eines besseren,
anderen 13.2 13.5
16.33
belehrsam 12.33

Belehrung 12.33
13.9
beleibt 4.10
Beleibtheit 4.10
beleidigen 9.63
11.12ff. 11.28f.
11.31 11.59 12.51
16.33 16 53 16.76
16.90 16.94 19.9
—, das Auge 9.61
11.27f.
—, den Gaumen
10.9
—, das Gefühl
11.6f. 11.13f.
16.33
—, den Geschmack
11.28 16.53
—, die Nase 7.64
—, das Ohr 7.26
15.18 16.44
— (gehässig) 11.62
beleidigend 11.62
16.35
beleidigt 11.31 11.58
Beleidigung 9.60
11.31 11.48
12.51 16.14 16.34f.
16.53 16.76 16.90
—, persönliche 16.67
—, sich in —en er-
gehen 16.35
beleihen 18.16
belesen 12.32
Belesenheit 12.32
12.35
Beletage 17.2
beleuchten 7.4 12.7f.
13.2f. 13.44 13.46
—, näher 12.7
Beleuchtung 7.2
7.4 12.8 13.44
15.4
—, indirekte 7.5
Beleuchtungskörper
7.5
beleumundet, übel
19.10
belfern 7.33 16.33
16.67
Belfried 4.12 17.14
Belial 20.9
Belialsöhne 20.4

belichten 15.8
Belieben 9.2 9.11
11.36 16.111
16.119
—, nach 9.11 16.97
beliebig 9.11
beliebt 9.31 11.53
16.31 16.41 16.85
—, mir 9.2
—, sich — machen
11.52f. 16.38
16.64
Beliebheit 11.53
16.31 16.85
beliefern 18.23
bellen 3.5 7.29 7.33
bellender Magen
10.10
Belletrist 13.2 14.1
Belletristik 13.2
Bellevue 16.64
Bellona 16.73 20.7
beloben 16.31
Belobigung, öffent-
liche 16.46
belöffeln 18.8
belohnen 11.54f.
16.46 16.80 18.26
Belohner 18.12
Belohnung 11.54
16.31 16.46 s. belohnen
Belt 1.16 1.18 7.55
beluchsen 16.72 18.8
belügen 13.45 13.51
16.72
belustigen 11.10
11.21 16.55
—, sich 16.55
—, sich — über
11.22 11.28 16.54
belustigend 11.10
Belustigung(en)
11.9f. 11.20f.
16.55 16.64
belzen 4.22
belzig 2.33
bemächtigen 9.77
11.36 16.97 16.117
—, sich 18.5f. 18.9
—, des Feldes 9.77
—, der Geister
12.22

bemächtigen, der
Herrschaft 16.95
—, des Herzens
11.36 11.37 11.53
—, jemandes 11.4
16.117 19.32
—, der Seele 5.12
11.1 11.4 11.5
—, der Sinne 11.36
11.53 11.58 16.44
16.81
bemakeln 9.60 16.93
19.9
bemäkeln 16.33 19.8
Bemäkelung 9.60f.
11.28 13.9 16.33
19.8
bemalen 3.20 7.11
bemannen 3.3 9.26
9.75 16.2 16.11
16.74
Bemannung 4.17
9.75 16.4 16.7
s. oben
bemänteln 12.27
13.4 13.35 13.45
13.51 16.72 19.13
bemasten 15.7 17.10
Bembel 17.6
Bemberg 17.8
bemeiern 18.8
bemeistern 9.77
11.11 19.35 16.95
16.97 16.111 19.3
—, Leidenschaft 19.3
—, sich 18.5
bemerkbar 7.1 10.1
11.4
bemerken 10.1
10.15 11.4 12.20
13.21
bemerkenswert 4.50
9.44
bemerklich 4.4
bemerkt (bereits)
6.28
Bemerkung 7.1
10.1 12.7 13.1
13.28 13.39 13.44
14.10
—, hämische 16.53
bemessen 6.9 12.12
12.20 12.49 18.2
18.12
—, reichlich 18.13

bemitleiden 11.50
bemitleidenswert
5.47 11.12f. 18.4
bemittelt 4.23 18.3
Bemme 2.27
bemogeln 18.8
bemoost 3.20
bemopsen 18.8
bemoostes Haupt
2.24f. 12.35
bemühen (belästi-
gen) 11.36 16.20
—, sich 9.18 9.21
9.28 9.38 9.40
9.42 9.65 9.77
—, sich — um
(bitten) 16.20
—, sich umsonst
9.78
bemühend 11.14
11.59
Bemühung 9.18
9.21 12.8
bemüßigen 9.12
16.107f.
bemüßigt 11.3
—, sich — fühlen
9.3
bemuttern 11.52
16.90 16.96 16.117
benachbart 3.9
benachrichtigen 13.2
13.7
benachteiligen 7.7
9.50 11.13f. 16.72
18.8 18.15
benachteiligt wer-
den 9.50
benachten 7.7
benachtet 12.37
benagen 9.61 16.35
19.9
—, den guten
Namen 16.35
benamen 13.16
benamsen 13.16
benannt 13.1 13.16
Bendemann 16.60
Bendlerblock 16.74
benebeln 12.56
benebelt 2.32f.
bene 12.47
benedeien 11.54

benedeit 11.10 20.7
Benedikt 16.3
Benedeiung 11.54
16.31 20.16
Benediktiner 20.17
Benediktion, s. Be-
nedeiung 11.54
20.16
Benefiz 14.3 18.12
Benefizvorstellung
9.47 16.87
benehmen 5.3 5.6
9.5 9.17 9.73
11.28f. 11.32 11.48
12.13 16.93
—, den Atem 5.3 9.73
11.31 11.42 12.46
—, die Hoffnung
5.3 5.37 9.17 9.73
11.26 11.41 12.46
16.27
—, die Möglichkeit
16.65
—, sich 5.11 9.25
—, sich anständig
16.38
—, sich ungezogen
16.53
—, sich vorbei 16.93
—, Zweifel 5.6
13.46
Benehmen 5.11 7.2
9.25 11.18 11.29
16.38 16.61 19.14
—, artiges 16.38
16.61
—, grobes 11.28
16.53
—, strafbares 19.11
—, zurückstoßendes
16.52
Benehmigung 5.11
9.25
beneiden 11.57
11.60
beneidenswert 5.46
benennen 13.16
Benennung 13.16
Benert 17.7
benetzen 7.57
Benga (zigeun.)
19.29
bengalisches Licht
13.1 13.11 17.10

Bengel 2.14 2.22
9.53 11.28f. 12.37
16.33 16.53 17.11
11.60 16.53
bengelhaft 11.28f.
11.60 16.53
Bengelei 16.53
benibbelt 2.33
Benimm 5.11 9.25
16.38
Benjamin 2.22 16.3
Benno 16.3
benommen 2.33
2.39
benötigen 4.25 4.28
4.31 9.81 11.36
Benseler 16.60
Bensemann 16.60
Bentheim 11.5
Ben tud Jonge 2.48
benutzbar 9.84
benutzen 9.18
9.46
benützen 9.48 9.84
Benutzung 9.84
Benzin 1.26 1.29
5.35 7.5 7.38
Benzinesel 8.4
Benzinlampe 17.15
Benzler 16.60
Benzoe 7.53
Benzol 1.29 7.38
beobachten 5.19 7.1
9.28 9.31 10.6
10.15 11.12 12.7f.
12.20 16.26 16.88
19.24 20.13
Beobachter 10.15
12.32 16.74a
Beobachtung 9.31
10.15 12.7f. 13.1
13.25 19.24
Beobachtungsort
16.71
Beobachtungsposten
16.71
Beobachtungsver-
such 9.28
beordern 16.106
bepacken 4.19 7.41
8.3
bepflanzen 2.5
bepflastern 3.20
17.92
bepinseln 7.11

bequem 5.19 8.2
9.24 9.36 9.48
9.54 11.10 12.47
—, es sich —
machen 9.36
11.16 11.22 11.36
bequemen, sich 9.5
Bequemlichkeit
11.10 18.13
—en des Lebens
11.9f. 18.13
Berapp 3.20
berappen 18.26
Berappungsarie
18.26
berasen 2.5
beraten 9.70 11.62
12.33 13.9 19.19
—, sich 13.9 16.102
—, mit sich 12.3
—, schlecht 9.53
—, übel 9.51 9.53
13.51
Berater 9.52 9.70
13.9 19.28
—, geistlicher 20.17
beratschlagen 12.3
Beratung 13.30
16.102
Beratungssaal 13.30
17.2
berauben 4.30 11.14
11.30 16.93 16.117
18.6 18.9 18.15
—, der Ehre 16.35
16.44 16.94
—, der Freiheit
16.111 16.117
—, des Gesichts
10.18
—, der Habe 18.6
18.9
—, der Kraft 5.37
—, der Krone
16.105 16.116
—, des Lebens 2.46
5.29
—, der Macht 5.36
16.105
—, der Rechte 19.21
19.23
←, des Vergnügens
11.13 11.60

beraubt 11.42 20.3
Beraubung 18.6
  18.9 18.15
Beräucherung 16.31f.
berauschen 2.32f.
  11.5f. 11.9ff.
  11.17
berauschend 2.31
  11.17
berauscht 2.33 11.5
  11.9
Berberitze S. 38
Berceuse 15.14 15.16
berechenbar 4.19
  4.35 5.2
berechnen 4.35 5.24
  9.47 11.40 12.3
  12.8 12.12 12.42
berechnend 9.14
  12.52 19.7
berechnet 9.2 9.25
— für 9.2 9.14
  11.36
Berechnung 4.35 9.2
  9.12 9.14 11.40
  12.3 12.8 12.12
  12.41f. 18.21
  18.30
—, falsche 9.78
  12.27 13.51
berechtigen 16.25
  16.103 19.22
berechtigt 16.25
  16.97 16.103
  19.18 19.22
Berechtigung 16.25
  16.103 19.22f.
—, ausschließliche
  18.1
—, mit voller 19.22
bereden 9.12 13.9
  13.30 16.32f.
  16.35 16.72
Beredsamkeit 13.21f.
beredt 13.21
Bereich 1.15 3.1
  3.25 4.13 4.47
  5.2 9.23 16.95
  16.97 16.119 18.1
—, äußerster 3.23
bereichern 9.57
  9.64 18.3 18.5
bereifen 1.9

bereift 2.25 3.20
  3.47 7.13 7.40
bereinigen 18.26
Bereinigung 3.37
  18.26
bereisen 8.1 12.8
  16.6f.
bereit 8.7 9.4 9.26
  9.38 11.3 11.40
  19.6
—, sich — machen
  9.26
— sein 9.26 12.41
bereiten 9.26 11.10
  9.31
—, einen herzlichen,
  warmen Empfang
  16.38
—, dem Feinde
  einen heißen,
  warmen Empfang
  16.77
Bereiter 2.10 9.26
  9.31 12.33 16.6
  16.112
bereits 3.9 6.10f.
  6.19 6.35 8.18
Bereitschaft 8.7 9.4
  9.26 12.41 16.73
—, in — sein 16.74
—, in — stehen
  16.77
Bereitschaftsdienst
  13.10
Bereitung (Pferd)
  9.31
bereitwillig 9.4
  11.52
Bereitwilligkeit 9.4
berennen 16.76
bereuen 5.23 5.30
  8.17 11.31f. 19.5
  20.1
Berg 1.13 3.48
  4.2 4.12 8.18
  8.28 11.13
—, feuerspeiender
  5.36
— goldene —e ver-
  sprechen 9.12
—, Haare stehen zu
  —e 11.31 11.42
—, hinter dem —
  halten 13.4 13.23
  13.49 13.51

Berg, ist noch nicht
  über den 2.41 5.7
  9.74
— kreißender 9.26
  9.78 12.46 13.52
— NNBerg 2.48
—, über alle —e 3.4
  3.8 8.18 16.6
—, über den
  bringen 2.44
—, über den — sein
  2.44
—, wie der Ochs
  am 9.7 12.56
bergab 8.30
—, geht 5.47
Bergamot(te) S. 136
  2.27 7 63
Bergarbeiter 1.23
  16.60
bergauf 8.28
Bergbahn 8.28 16.6
Bergbau 1.23
Bergbaukunde 1.23
Bergbesteiger 16.6
Bergbesteigung 8.28
Bergbewohner
  16.119
Bergegeld
  16.46 18.5
Bergelohn 16.46
bergen 3.19 4.18
  9.75f. 18.5
—, sich 3.27
Bergerecht 18.5
Bergfahrt 8.28
Bergfeuer 13.1
  13.10f. 16.59
Bergfex 11.45 16.6
  16.57
Bergfried 4.12
Berggeist 20.5f.
Berggipfel 4.12
Berggott 3.33
bergig 4.12
Bergkapelle 20.20
Bergkette 4.12
Bergknappe 1.23
Bergkreuz 13.1
Bergkristall 1.25
  1.28
Bergkuppe 3.33
  4.12

Berglehne 3.13
Bergleute 1.23
Bergluft 16.119
Bergmann 1.23
  16.60
Bergmännchen (Ko-
  bold) 20.7
Bergmannshaufen
  2.48
Bergmatte 1.13
Bergnymphe 20.7
Bergpech 7.53
Bergrat 1.23
Bergriese 4.12
Bergreihe 4.12
Bergrücken 4.12
Bergspitze 3.33
Bergsteiger 16.6
  16.57
Bergsturz 5.27 8.30
Bergung 9.75f.
Bergwacht 9.70
Bergwerk 1.23 4.18
Bergwind 1.6
Bericht 13.2 13.6f.
  14.1 14.8f.
  19 27
— erstatten 13.2
  14.1
—, falscher 12.27
  13.17 13.45 13.51
  16.72
berichten 13.2 13.6
  14.1 14.9 19.27
—, falsch 13.51
Berichterstatter 13.2
  14.1 14.9 14.11
Berichterstattung
  14.9 s. Bericht
berichtigen 3.21
  9.57 13.5 13.29
  13.44 13.48 18.18
  18.26
Berichtigung 9.57
  12.9 12.14 13.37
  18.18 19.13 19.17
  19.26
beriechen 10.6
berieseln 7.57
Berieselung(sanlage)
  7.55 7.57f.
beritten 8.1 16.6

Berittener 16.74
19.29
Berlicke-berlocke
6.14
Berline 8.4
Berliner Blau 1.28
7.21
—, Wir 13.52
Berlocke 3.17
8.33 17.10
Berme 3.13
Bernhard 16.3
Bernhardiner(in)
S. 126 20.17
Bernstein 7.19 7.53
Berolina 4.2
Bersagliere 16.74
Berserker 4.50 5.36
11.5 11.31
Berserkerzorn 5.36
Berserkerwut 11.38
16.76
bersten 3.57 4.34
5.36 7.29 7.47
8.22 11.23 11.31
—, vor Neid 11.57
—, vor Wut 11.5
11.6 11.31
Bert 16.3
Berta 16.3
Berthold 16.3
Bertram 16.3
berüchtigt 13.6
16.93f.
berücken 9.12f.
9.74 11.10 11.53
12.53 12.55 13.51
16.32 16.72 18.8
20.12
—, die Sinne 11.10
11.36 11.53 12.27
16.72
—, durch Schmeiche-
leien 16.32
berückend 11.17f.
berücksichtigen 9.42
11.40 12.7 13.48
16.26 16.38 19.3
19.7
Berücksichtigung
9.12 16.31
Beruf 9.18 9.22
9.78 16.60 19.24
— ausüben 9.18

berufen 3.3 4.17
16.97 16.103
16.106 19.22 20.12
—, etwas 16.90
—, sich — auf
13.46
Berufer 19.27f.
beruflich 16.60
Berufsberater 16.60
Berufsberatung
16.60
Berufsethos 19.2
Berufskleidung 17.9
Berufskraut S. 80
berufsmäßig 9.22
9.52 16.60
Berufsmensch 12.55
Berufspflicht 19.24
Berufsspieler 16.60
Berufswahl 16.60
Berufung 8.17 16.20
16.103f. 19.13
19.27
— an die höhere
Instanz 13.29
19.27f.
— einlegen 13.47
19.27
— gegen 16.27
beruhen auf 3.16
5.7 5.34 12.15
13.46
— lassen 9.19 9.33
9.41
beruhigen 2.44 5.19
5.38 7.28 8.2 9.17
9.33 9.36 11.8
11.34 11.47ff.
12.22 16.48
—, das Gewissen
16.47 19.5
—, den Schmerz
2.40 11.52
—, sich 5.26
beruhigend 5.38
beruhigt 5.46 11.8
12.22
Beruhigung 8.2
9.36 11.8 11.16
11.38 11.50 16.48
19.3 20.13
—, mit aller 11.8
11.38 12.22 19.3
20.13

Beruhigungsmittel
2.44 5.38 11.8
berühmt 13.6 16.85
—, nicht 9.59
Berühmtheit 16.85
berühren 3.9 5.13
10.2 11.4 11.7
11.13 11.32 12.5
12.13
—, angenehm 11.5
11.9f. 11.16
—, schmerzlich
11.31
—, sich — mit 5.17
—, unangenehm
11.13
—, unsittlich 16.44
berührt 11.5 11.9
11.42
Berührung 3.8f.
5.13 8.9 8.19
8.21 10.2 11.5
—, jede — ver-
meiden 16.36
—, nicht in —
kommen 3.8 4.34
16.52
berührungslos 4.34
Berührungspunkt
4.33 5.13 8.21
—e, manche —
haben 12.47
16.41
berußen 7.14
Beryll 1.25 7.18
17.10
Beryllium 1.24
Berzer 4.4
Berzerl 4.4
besäen 2.5 15.7
besagen 13.17
—, nichts 13.18
besagt 6.28
besagtermaßen 6.28
besaiten 15.11 15.15
besänftigen 5.38
9.36 11.8 11.33f.
16.49
—, das Gewissen,
Gewissensbisse
16.47
Besänftigung 11.50
Besanmast 8.5
Besatz 3.20 3.23
17.10

Besatzung 8.5f. 9.75
16.4 16.74 16.74a.
16.77
Besatzungskind
16.12
besaufen, sich 2.32f.
10.14
besäuseln, sich 2.33
beschädigen 9.50
9.63 9.65 11.14
11.60 19.9
Beschädigung 4.31
9.50 9.65 19.9
beschaffen 5.8 18.10
Beschaffenheit 1.20
5.8 5.12 11.1
—, äußere 5.8
—, innere 11.2
beschäftigen 9.23
9.81 9.84 11.36
12.3 12.7 16.103
—, sich — mit 9.8
9.18f. 9.21f.
9.38 12.3 12.5
12.35
beschäftigt 9.4
— mit 9.18
Beschäftigung 9.18
9.22 18.20
beschäftigungslos
9.24 9.41
Beschäftigungsspiele
16.56
beschälen 2.19
Beschälung 2.19
beschämen 11.48f.
16.33 16.93f.
19.5
beschatten 7.6f.
10.15 12.8 16.101
beschattet 7.7
beschauen 10.15
12.7
beschaulich 9.24
9.36 11.16 12.3
— leben 9.36
Bescheid 9.52 12.11
12.14 13.2 13.9
13.26 13.30
16.106 19.27
— geben 9.6
12.43 13.2 13.26
13.30 16.33 16.38
16.55 16.106 19.27

Bescheid tun 2.31
16.64
—, nicht — wissen
12.37 13.29
— wissen 9.52
12.11 12.32
bescheiden 9.59
11.12 11.16 11.47f.
13.26 16.50
16.106 18.10
bescheidene Natur
12.55
Bescheidenheit
11.47f. 16.50
bescheinen 7.4
bescheinigen 13.28
13.46 16.103 18.26
Bescheinigung 13.1
13.46 14.9 19.16
bescheißen 18.8
beschenken 16.22
18.12
beschenkt werden
18.5
bescheren 18.12
Bescherung 9.78
18.12
—, schöne 5.47
beschicken 8.3
16.103
—, sein Haus 2.45
3.37 16.103
beschickern, sich 2.33
beschieden 5.45
beschießen 16.76
17.12f.
beschiffen 16.7
beschimpfen 9.63
11.60 16.33 16.35
16.37 16.53 16.93
19.9 19.12
—, seinen Namen
9.60f. 16.44
16.94 19.8
Beschimpfung 9.61
16.33ff. 19.12
beschirmen 9.70 9.75
16.77
Beschirmer 9.75
11.52 16.41 20.8
— der Menschheit
20.8
Beschirmung 16.77
Beschiß 16.72
beschissen 9.60 11.14

beschlafen 2.19 6.36
9.7 12.3
—, eine Sache 6.36
12.3 13.9
Beschlag 19.16
—, mit 19.27
—, mit — belegen
16.117
17.10
Beschläge 4.22 15.7
beschlagen 2.19
12.32
— sein 7.57
—, ist gut — unter
der Nase 13.21
—, wohl 4.41 9.52
12.32
Beschläger 16.60
Beschlagnahme 4.30
16.29 16.106 18.6
19.32
beschlagnahmen
18.6 19.16
beschleichen 7.27
12.45 16.76
beschleunigen 6.35
8.7 9.12 9.38f.
beschleunigt 9.39
beschließen 6.4 9.2
9.6 9.33 9.35
16.106 19.19
—, seine Tage 2.45
Beschließer(in) 3.58
9.22 16.101
16.112
beschlossen 5.31 5.45
9.3 9.14
beschlossenermaßen
9.14
Beschluß 6.4 9.6
12.5 12.20 16.106
19.27
beschmausen 16.55
beschmeißen 18.8
beschmieren 3.20
7.11 9.61 9.67
11.28 14.5 15.4
beschmort 2.33
beschmuggeln 18.8
beschmutzen 9.63
9.67 11.28 16.94
—, den Namen
16.44 19.8 19.10
Beschmutzung 16.35

beschneiden 2.5 4.7
4.30 14.11
—, die Flügel 5.37
9.72 16.29 16.117
Beschneidung 4.30
20.16
beschnellen 18.8
beschnitten 16.114
18.21
beschnüffeln 10.6
beschnuppern 10.6
beschnurjelt 2.33
bescholten 16.93f.
19.8
beschön(ig)en 5.38
9.13 13.35 13.45
13.51 16.72 19.13
Beschönigung 9.13
19.13
beschossen werden
16.76
beschränken 3.23
4.5 4.49 5.38
13.48 16.29 16.117
beschränkt 4.4 4.9
4.25 4.46 9.53
11.46 12.37
12.55f. 16.117
—e Aussicht 7.3
10.17
— Mittel 4.25 18.4
— Umstände 4.25
Beschränktheit 4.1
9.53 12.55f
Beschränkung 4.5
4.9 5.1 11.8
11.46f. 13.48 16.29
16.117 18.11
beschreiben 3.20
8.12 13.1 14.1 14.5
Beschreibung 4.50
11.30 13.1 14.1
14.9 15.1
—, spottet jeder
16.33
—, über alle 4.50
11.30 13.52
beschreiten 19.27
—, den Kriegspfad
16.73
beschriften 14.5
beschuhen 3.20
17.9

beschuldigen
12.15 16.33 19.12
19.22 19.27
—, falsch 16.35
Beschuldigter 19.12
19.28
Beschuldigung 13.46
16.33 16.93f.
19.12 19.27
beschulen 12.36
beschummeln 18.8
beschupsen 18.8
Beschuß 16.76 17.12
—, im — liegen
16.73
beschützen 9.70
9.75 16.77
Beschützer 9.70
11.52 16.41 16.101
beschwatzen 9.12
16.32 16.72
Beschwerde 2.39
2.41 5.47 9.40
9.55 11.13f. 11.32f.
16.33 16.65 19.12f.
19.27
Beschwerdeführer
16.20
beschweren 7.41
9.73 11.14 11.32
— das Herz 9.5
11.13 11.31
— sich 11.32 13.5
beschwerlich 5.47
9.40 9.55 9.73
11.14
Beschwernis 9.61
9.73 11.32
beschwichtigen 2.44
5.38 7.28 9.36
11.8 11.16 11.34
13.23 16.47ff.
—, Gefühle 11.8
—, Gewissen 11.47
19.5
—, Hader 16.49
—, Lärm 7.28
—, Schmerz 2.40
—, Zwietracht
16.40
beschwindeln 13.51
16.72 18.8f.
beschwingen 7.42

beschwingt 2.33
7.42 8.7 11.5
beschwipsen, sich
2.33
beschwipst 2.33
13.27
beschwören 8.14
11.50 13.28 16.20
16.23 20.12
—, den Sturm
16.48f.
beschworken sein
1.7
Beschwörung 13.9
16.20 20.12
Beschwörungsformel
13.50 20.12
Beschwörungs-
zeremonie 20.12
beseelen 2.17 5.26
5.39 11.1 11.21f.
16.55 16.118 20.1
beseelt von göttl.
Gnade 20.13
besegeln 16.7
besehen 5.10 10.15f.
12.8
—, näher 12.7f.
—, Prügel 16 78
beseibeln 9.67 16.72
beseitigen 2.46 3.4
4.30 4.49 5.42
8.18 9.26 9.33 9.75
9.77 9.85 16.105
18.6 18.9
—, Gefahr 9.75
—, Hindernisse
9.26 9.77
—, Schwierigkeiten
9.6 9.8 16.48
—, Vorurteil 12.32
—, Zerwürfnisse
16.49
Beseitigung 4.34
beseligen 11.5 11.10
20.1
beseligend 11.10
11.53 20.10
Beseliger 20.8
— des Weltalls
20.7
beseligt 11.9 11.53
20.1

Beseligung 11.9f.
20.1 20.10 20.13
Besen 2.15 5.3
9 66
—, fresse einen —,
wenn nicht 13.28
—, mit eisernem
16.108
—, neue 9.38
Besenritt 20.9
besessen 9.1 9.31
11.5 11.36 11.44
12.57 20.12
— von 9.31 12.55
Besessener 12.57
Besessenheit 12.57
besetzen 3.3 15.5
16.73 16.84 16.103
17.10 18.5
—, ein Amt 16.103
besetzt 4.21
Besetzung 16.73
beseufzen 11.33
11.50
besichtigen 10.15
12.7f.
Besichtigung 10.15
16.88
besiedeln 16.2 17.1
besiegbar 5.2 5.37
besiegeln 5.6 6.4
9.6 9.35 13.1
13.46 13.50 19.8
19.14 19.16 19.31
—, mit einem
Händedruck, mit
einem Kuß 16.43
—, sein Schicksal
2.45 5.47 9.6
19.31
besiegelt 5.6 9.3
9.6
besiegen 9.35 9.73
9.77 11.8 16.73
16.76 16.84
—, Schwierigkeiten
9.35
—, sich selbst 11.8
19.2
besiegt werden 9.78
16.83
besingen 11.21f.
14.2 15.13 16.31
16.87 20.13 20.16

besinnen, sich 6.36
8.8 9.5 9.7 11.1
12.3 12.23 12.39
—, sich anders 9.9f.
—, sich — auf 12.39
—, sich lange 6.7
8.8 9.7
Besinnung 5.7 11.1
11.5 11.8 11.31
11.42 12.3 12.14
12.18 12.39
— kommen, zur
2.17 2.37 2.40
11.1 12.18
— verlieren 11.6
— nicht verlieren
11.8
besinnungslos 5.36
10.3 11.5
Besinnungslosigkeit
10.3
Besitz 4.18 18.1
18.3
—, ausschließlicher
18.1
—, bäuerlicher 18.3
— ergreifen 16.76
18.6
— erlangen 18.5
—, im — sein 18.1
—, im — bleiben
9.77
—, in — geben
18.12
—, gemeinschaft-
licher 16.17
—, rechtswidriger
19.20
—, seinen 18.5
—, unrechtmäßiger
19.20
—, zukünftiger 18.2
19.22
Besitzberechtigung
19.22
besitzen 9.45 9.52
11.16 11.52f.
11.61 16.97
16.110 18.1 19.22
—, die Liebe,
Neigung 11.53
16.42
Besitzer 18.1
—, -besitzer 16.60

besitzlos 4.25f. 18.4
18.15 18.19
Besitznahme 3.3
16.2 16.95 16.97
18.1 18.5f. 18.9
18.22 19.22
—, rechtswidrige
19.23
Besitztum 18.1
Besitzung 18.1f.
Besitzwille 18.7
besoffen 2.32f.
12.57
Besoffenheit 2.33
besohlen 9.58
besolden 16.46
18.26
besonderer 2.13 4.36
5.20
besonderes 11.45
Besonderes, ist
nichts 9.59
Besonderheit 4.50f.
5.9 5.20f. 9.10
besonders 4.1 4.34
4.36 4.41 4.50f.
5.20 11.17
— hervorheben 7.26
9.44 13.28 13.33
besonnen 5.38 11.8
11.40 12.11 12.53
Besonnenheit 9.42
11.8 11.40
besorgen 9.18 9.23
9.25 9.35 9.74
11.42 16.96 18.9
—, es einem 16.78
—, gut 9.52 9.77
Besorgnis 9.42
11.12f. 11.42
besorgt 4.29 9.42
11.13 11.42
Besorgtheit 9.42
Besorgungen 18.22
bespannen 3.20
bespitzeln 12.8
bespötteln 16.54
besprechen 12.14
13.2 13.9 13.30
20.12
Besprechung 12.14
12.49 13.2 13.9
13.30 14.10f.
16.102 20.12

besprengen 1.21
7.23 20.16
besprenkeln 7.23
bespringen 2.19
bespritzen 1.21 7.23
7.57 8.22 9.67
20.16
—, mit dem Gift
der Verleumdung
16.35
besprochen 13.30
bespülen 7.55
Bessemerbirne 7.37
besser 9.57 9.64
— als nichts 4.25
9.59 9.65
—, sich — dünken
16.90
— werden 2.40 2.44
bessere Hälfte 2.15
16.11
besseres Jenseits
20.10
bessern 2.40 2.44
9.57 16.33 19.5
—, sich 8.17 19.5
—, sich nicht 19.6
Besserung 2.38 2.40
8.17 9.57 19.5f.
—, Weg der 2.44
Besserungsanstalt
9.22f. 16.117
19 33
Besserwisser 5.20
9.8 11.27 16.33
bestallen 16.103
Bestallung 16.103
Bestallungsbrief
16.103
Bestand 4.1 4.17f.
6.7
—, eiserner 4.17
beständig 5.9 5.19
6.6f. 6.31 6.34
9.6 9.8 9.30f.
19.1
Beständigkeit 5.19
6.6f. 9.6 9.8 19.1
Bestandteil 4.33f.
4.42 9.44
bestärken 5.35 9.70
13.46
bestarmig 16.57

bestätigen 12.26
12.47 13.2 13.28
13.46 16.24 16.103
19.14 19.22 19.24
—, Empfang 13.26
Bestätigung 12.47
13.1f. 13.28 13.46
16.24 16.103
19.14 19.22
bestatten 2.48 8.26
Bestattung 2.48
bestäuben 2.6 9.67
bestaunen 11.17
Beste, das 9.11 9.56
9.64 9.84
—, das — tun, sein
9.18 9.28 9.40
9.42
beste 11.16
—, aufs — ver-
werten 9.84 12.50
18.5
—, der erste 16.3
— Jahre 2.24
—, nach —m Ge-
wissen 11.25 12.22
16.54
—, von der —n Seite
nehmen 11.35
besten, alles zum
— kehren 16.47
—, sich zum —
wenden 5.46
—, zum — halten
11.22 12.25 12.51
13.4 16.34 16.54
16.72
bestechen 9.12 16.22
18.22 19.20
bestechlich 18.7
19.7f.
Bestechlichkeit
19.8f.
Bestechung 9.53
16.72 18.12 19.17
Bestechungsversuch
16.22
Besteck 4.17 17.15
bestehen 2.17 5.1
5.7 6.1 6.7 9.2
9.21 9.74 11.38
16.107 16.119
19.22

bestehen, Abenteuer
9.21 9.74 11.39
— auf 9.6 9.8 13.28
16.107f. 19.15
19.18f. 19.22
— auf seinem
Kopfe 9.8
— aus 1.20 4.33
4.42 4.48
— bleiben 6.7
—, die Probe 9.56
12.26 19.1
—, nicht zu Recht
19.20
Bestehen 5.1
bestehlen 18.6 18.9
besteigen 8.28 16.6
16.97
bestellen 2.5 8.3
9.35 13.2 16.10
16.20 16.26 16.106
18.22
—, sein Haus 2.45
3.37
Besteller 18.22
bestellt 13.51
bestens 11.54
besternt 7.4 15.7
16.85 16.88 17.10
Bestes 11.51
—, sein — tun 9.38
9.42
besteuern 16.100
18.6
bestgehaßt 9.74
11.62
bestialisch 11.11
11.60ff. 16.44
19.9
besticken 15.7
Bestie 2.8f. 11.61
11.63 19.9
bestimmbar 5.1f. 9.6
9.11f. 12.4 12.11
12.32
bestimmen 3.37 9.6
9.11f. 12.11f.
12.20 12.49 13.16
13.44 16.96
16.106 18.2
—, für 18.12
—, näher 13.26

bestimmt 5.1f.
5.6 5.9 5.19
5.45 5.47 9.6
9.8 9.44 12.26
13.2 13.28 13.33
16.24 16.106
16.108 19.3
Bestimmtes 9.14
Bestimmtheit 7.1
13.28 13.33 13.39
13.41
Bestimmung 5.45
8.11 9.11 9.14
9.22 12.20 13.6
13.16 13.48 16.10
16.103 16.106
19.14 19.19
Bestimmungsort
8.20
bestrafen 16.33
16.78 16.80f.19.32
Bestrafung 19.32
bestrahlen 2.44 7.4
Bestrahlung 2.44 7.4
7.35
bestrampelt 12.57
Bestreben 9.1ff. 9.21
11.36
bestreben 9.21
—, sich 9.14 9.18
9.28 16.70
bestreichen 3.20
—, das Feld 16.76
bestreitbar 5.7
12.23 13.47
bestreiten 5.7 13.29
13.47 16.33 16.67
18.26
bestreuen 3.20 8.22
bestricken 9.74
11.5 11.10 16.72
bestrickend 11.16f.
bestücken 17.12
bestürmen 16.20
16.76
bestürzen 11.30
12.45f.
bestürzend 11.42
12.13
bestürzt 11.30 11.42
Bestürzung 9.74
11.4f. 11.30 11.42
—, in — bringen
13.11
bestußt 12.57

Besuch 3.3 13.30 16.6 16.38f. 16.41 16.55 16.64
—, auf — bitten 16.64
—, der (Gast) 16.64
—, die Ehre eines —es schenken 16.64
—e abstatten, machen 16.64
besuchen 3.3 8.20 16.6 16.38f. 16.64
Besucher 16.41
—, regelmäßiger 9.31
Besuchsfahrt 16.6f.
Besuchskarten austauschen 16.64
Besuchszimmer 17.2
besudeln 9.60f. 9.63 9.67 9.86 11.27f. 16.93f. 19.9f.
—, sich nicht — wollen 16.36
Besudelung 9.67 16.35
betagt 2.25
betakeln 9.26 9.81
betasten 3.9 10.2
betätigen, sich — an 9.22 9.69f.
Betätigung 9.18
betäuben 2.44 7.26 10.3 10.19 11.5 11.8 11.30
—, das Gewissen 11.8 19.6
—, die Sorge 2.32 11.11 16.55
betäubend 7.26 7.29 7.62 11.20 15.18
betäubt 9.41 11.42
Betäubung 10.3 11.30
Betäubungsmittel 11.8
betauen 1.9 7.57
betaut 7.57
Betbank 20.21
Betbruder 16.72 19.5 20.1 20.13f.

Bete S. 32 2.27
beteiligen 9.69f.
—, sich 4.37 9.18 9.38 9.69 18.2 18.12 18.16
beteiligt sein 18.2
Beteiligter 4.37 8.15 9.18 9.22 9.70 18.2 19.11 19.27
Betelnuß 11.11
beten 19.5 20.1 20.13
Beter 20.13
Betgang 16.6
Bethlehem 17.3
betimpeln 18.8
betimpelt 2.33
beteuern 13.28 13.50 16.23
Beteuerung 16.23
Betfahrt 16.6 20.16
Bethaus 20.20
betiteln 13.16 16.86
betitelt 6.28 14.10f.
Beton 1.26 7.44
betonen 5.10 7.26 9.44 13.21 13.28 13.33 14.2
betonieren 7.44
Betonklotz 16.77
Betonung 7.26 7.34 9.44 13.13 13.36 14.2
betören 9.12 11.5 11.17 11.53 12.27 13.51 16.32 16.44 16.72
—, durch Schmeicheleien 16.32
betörend 11.17
betört 11.5 11.53
Betörung 9.8 11.6 11.8 11.53 12.25 12.55ff. 16.44 16.72
Betpult 20.20f.
Betracht 5.3 5.13 9.11 12.7 12.15
—, in — kommen 9.44
—, in — ziehen 13.9
betrachten 10.15 12.3 12.7f. 12.32
Betrachter 10.15 12.8

beträchtlich 4.2 4.20 4.50 5.1 9.44
Beträchtlichkeit 4.2
Betrachtung 12.3 12.7f. 12.12 12.32 12.35 14.10
— versunken, in 9.24 20.13
Betrachtungen, fromme 20.1
Betrag 4.17 4.35 5.1 18.21 18.26
betragen 4.35 4.41 16.90 18.26
— sich 5.11 9.25
Betragen 5.11 9.25 16.38 16.61
—, gezwungenes 13.51
—, gutes 19.24
betränt 7.57 11.32f.
betrauen 16.103 16.113
betrauern 11.32f.
beträufeln 7.57
Betreff 5.13
betreffen 5.13 12.5
betreffende 6.28
betreffs 5.13 12.4f.
betreiben 9.18f. 9.21ff. 9.25 9.30 9.38f. 16.21 18.20
—, jem. 18.26
Betreiben 18.6
betressen 15.7 17.10
betreten 3.3 6.2 8.1 8.11 8.23 9.55 11.30 11.42 11.49 19.27
— auf 19.12
—, einen Weg 8.11
— sein 13.23
Betretenheit 11.42
betreuen 2.44 9.42 9.70 16.96
Betrieb 9.21 9.23 9.38 9.82 16.55 18.20 18.25
—, außer 9.85
—, in — sein 9.18
— volkseigener (VEB) 16.17

betriebsam 9.6 9.37f. 12.35
Betriebsamkeit 5.35 9.37
Betriebsführer 16.60
Betriebskapital 18.2 18.21
Betriebskosten 18.26
Betriebskraft 5.35 9.37
Betriebsleiter 9.22 16.60
Betriebsstörung 9.63
betrinken, sich 2.32f. 10.14
betroffen 5.47 11.13 11.30 19.11
Betroffenheit 3.38 9.55 11.30 12.45
betrogen 11.32 11.62
—, in seiner Hoffnung 5.47 11.30f. 11.41 12.46
Betrogener 16.72
betrüben 11.13f.
—, sich 11.32f.
betrüblich 11.33
Betrübnis 5.47 11.13f. 11.32ff. 11.50
betrübt 5.27 11.13 11.32
Betrug 11.52 12.53 13.51 16.32 16.72 18.9 19.8 19.11 19.20f.
—, frommer 11.52
betrügen 16.72 18.8 19.20f.
—, um die Ehre 16.35 16.44
—, wer den — will, muß früh aufstehn 12.52
Betrüger 16.72 19.8
Betrügerei 16.32
betrügerisch 12.53 19.8
betrüglich 12.27
betrunken 2.32f.
Betsaal 20.20
Betschwester 16.72 19.5 20.1 20.13f. 20.17

Betstuhl 20.20
Betstunde 20.16
Betstundengang
  20.13
Bett 3.44 4.13 7.56
  8.2 9.36 11.28
  11.34 16.11 17.3
—, Trennung von
  Tisch und 16.15
—, im — liegen
  2.41 9.24 9.36
Bettag 16.59
Bettdecke 3.20
Bettel 9.49 9.60
  16.20
bettelarm 4.50 18.4
Bettelbrief 16.20
Bettelbruder
  16.92ff. 20.17
Bettelei 16.20
bettelhaft 9.45
  16.20 16.92 16.94
  18.4
Bettelkram 9.45
Bettelmann 2.27
Bettelmönch 18.4
  20.17
betteln 9.24 16.20
  16.115 18.4
Bettelorden 20.17
Bettelpack 16.93f.
  18.4
Bettelstab 18.4
—, an den — brin-
  gen 18.6
—, an den — kom-
  men 5.47
Bettelsack (Bettler)
  18.4
Bettelstolz 11.44f.
  16.30
Bettelvolk 16.92ff.
betten 3.3 16.2
Bettgefäß 17.8
Bettflasche 7.35
Bettgenosse 16.13
Bettgenossin 16.13
Bettgestell 17.3
Betthase 11.53 16.13
Bettina 16.3
Bettlade 17.3
bettlägerig 2.41
Bettler 16.20 16.60
  16.93f. 16.115
  18.4

Bettschatz 16.13
Bettseicher 11.48
Bettstatt 17.3
Bettstelle 17.3
Bett(t)uch 3.20
Bettung 8.2
Bettvorleger 2.16
Bettwanze S. 98
Betty 16.3
betucht 11.30 11.32
betupfen 7.57
Betwoche 20.16
Betzimmer 17.2
beuchen 9.66
Beuge 3.43
beugen 3.43 3.46
  7.50 8.30 11.8
  11.48 13.31 16.108
  16.111 16.114f.
  19.20 19.23 20.13
—, die Knie 16.30
  16.38 16.83
  16.110f. 16.114f.
  20.16
—, den Nacken
  16.111 16.114
—, das Recht
  19.20f. 19.23
—, sich 4.13 8.30
  9.3 11.43 16.83
  16.114f.
—- sich ins Joch der
  Ehe 16.11
—, sich nicht zu —
  wissen 16.53
Beugung 3.15 3.46
  8.32 13.31
Beule 2.41f. 3.48
  4.10
beunruhigen 3.18
  3.38 11.5 11.13f.
  11.42 11.60 13.11
  16.73 16.75f.
beunruhigend 9.74
  11.14 11.42 13.11
  16.68
Beunruhigung 5.18
  5.20 8.34 9.74
  11.6 11.12 11.42
  16.67f. 16.73
beurgrunzen 12.49
beurkunden 13.1
  13.28 13.46 14.9

beurlauben 4.34 8.18
  9.85 16.105
— sich 4.34 9.19
  12.11 16.6 16.38
  16.105 16.118f.
beurteilen 11.17f.
  12.8 12.11f.
  12.20 12.29 12.49
  12.52 13.9
—, abfällig 16.33
  16.35
beurteilt, verkehrt
  9.53
Beurteilung 12.12
  12.20
—, falsche 12.19
Beute 9.14 9.47 9.78
  16.111 18.5f. 18.9
— des Hungers
  2.29 4.25 18.4
— des Kummers
  11.13 11.31
—, zur — werden
  5.29 5.42 16.83
  16.111
—, leichte 5.37 9.54
  12.25 16.72
beutegierig 18.9 19.7
Beutel 17.6f. 18.10
  18.19 18.21 18.26
beuteln 8.25 8.34
  16.67 16.78 19.22
  19.32
—, sich 16.70 18.8
Beutelschneider
  16.72 18.8
Beutelschneiderei
  18.8f.
Beuteltier S. 124
beutesüchtig 19.7
Beutewein 9.56
bevölkern 2.6 3.3
  4.3
Bevölkerung 2.13
  4.17 4.20 4.41
  16.4
Bevölkerungsdichte
  4.2 4.17
bevollmächtigen
  5.34f. 16.25
  16.103 19.22
Bevollmächtigte(r)
  5.22 5.29 9.18
  9.22 13.8 16.103f.
  19.27f.

Bevollmächtigung
  13.1 16.25 16.103
  19.22
bevor 6.1 6.10f.
bevormunden 16.96
Bevormundung
  12.33 16.96
  16.103f.
bevorrechtet 16.119
  19.22
Bevorrechtung
  19.21f.
bevorstehen 5.31
  6.23f.
bevorzugen 19.21
—, ein Haus 16.64
bevorzugt 16.91
Bevorzugter 11.53
  16.90
bewachen 9.42
  9.75 12.7 16.77
  16.117
Bewachung 4.37 9.75
  16.101
bewaffnen 9.26
  16.73 17.11
bewaffnet 9.26
—, mit bloßem Auge
  10.15
—, bis an die Zähne
  16.74
—e Macht 16.74
Bewaffnung 17.11
bewahre 13.29
—, Gott 12.48 16.33
bewahren 5.43 6.7
  9.75 11.8 11.12
  11.40 13.4 14.9
—, seine Keuchheit
  16.50
bewähren
—, sich 9.52 9.56
  11.38 12.26
—, sich nicht 9.9
  9.53 9.65 13.51
  19.8
Bewahrer 9.75
bewahrheiten, sich
  12.26 13.46
Bewahrheitung 12.9

bewahrt 4.29
bewährt 5.35 6.27
9.31 9.48 9.52 9.56
12.32 16.41 19.3
Bewahrung 5.43
Bewährung 12.9
—, zur 9.28
Bewährungseinheit
9.74
Bewährungsfrist
9.28 19.30
bewaldet 2.5
bewältigen 9.55
9.77 12.35 16.84
16.107 16.111
—, Gefühle 11.8
Bewältigung 16.107
bewandern 8.1 16.6
bewandert 9.52
12.32 12.35
bewandt 5.12
Bewandtnis 5.12f.
bewässern 7.55 7.57
bewegen 7.55 8.1
9.12 11.5 11.50
11.53 12.6
—, sich 8.1 16.6
—, sich — lassen
16.110f. 16.114
—, zum Aufstand
16.67 16.116
—, zu Tränen 11.3
11.50
bewegend 9.12
Beweggrund 5.31
9.12
beweglich (Sinnes-
wechsel) 5.25 8.1
8.3 9.9 9.38 11.33
Beweglichkeit 5.24
8.1 9.18 11.7
11.20
bewegt 11.5
Bewegung 5.25 8.1f.
8.9 9.21 9.38
11.4ff. 11.50
16.116
— abwärts 8.27
8.30
—, abweichende 8.12
— aufwärts 8.28
—, hin u. her 8.33
— hindurch 8.25

Bewegung, in eine
— eintreten 16.17
—, kreisförmige 8.32
—, langsame 8.8
—, sich — machen
16.6
— rückwärts 8.17
—, schnelle 8.7
— setzen, in 5.24
6.2 9.21
—, sich in — setzen
8.1 16.6
—, Himmel u.
Hölle in —
setzen 5.36 9.40
—, unregelmäßige
8.34
—, wiederholte 8.33
Bewegungen, der
Feind suchte ver-
geblich unsere —
zu stören 16.83
Bewegungsapparat
2.16
Bewegungslehre 8.1
8.9
bewegungslos 8.2
11.8 11.30
Bewegungstrieb 8.9
bewehren 16.73
beweiben 16.11
beweibt 4.37 16.11
beweihräuchern
16.32
beweinen 11.31f.
11.50 19.5
beweinenswert 5.47
11.13
Beweis 5.6 13.1
13.46 19 12f.
— antreten (Be-
schuldigung)
19.12
—, schlagender
19.12
-beweis 13.46f.
Beweisaufnahme
19.27
beweisbar 13.28
13.46
Beweise 9.75 19.30
beweisen 5.6 12.14
13.3 13.17 13.28
13.46 19.13

beweisend 5.4
5.6 12.15
Beweisführung 12.14
13.46 19.29
Beweisgrund 13.46
Beweiskraft 12.14
12.29 13.46
beweiskräftig 12.14
13.46
Beweismittel 13.46
Beweisschrift 13.46
bewenden lassen,
es dabei 9.19 9.20
9.41 16.109
Bewenden 9.19 9.34
bewerben, sich 9.14
9.21 9.38 11.36
16.20 16.70
—, sich um die
Freundschaft 16.22
—, sich um die Gunst
11.53 16.32 16.42
16.115
Bewerber 9.28 11.53
16.20f.
Bewerbung 16.20
16.42
bewerfen 3.20 8.9
16.76
bewerkstelligen 5.24
5.31 9.18 9.25
9.35 9.55 9.77
16.26 16.107
—, durch Gewalt
16.107
—, leicht zu 9.54
—, nicht leicht zu
9.55
bewerten 12.11f.
12.20 12.49
bewilligen 11.50
12.47 13.28 16.24f.
18.2 18.12 19.22
bewilligt 19.22
Bewilligung 9.2
16.118 18.12 19.22
bewillkommnen
16.38 16.64
bewimpeln 15.7
17.10
bewimpert 3.54f.
bewirken 5.4 5.31
5.34 5.39 9.12
9.77 16.95
—, Frieden 16.47

bewirten 2.26 9.70
9.76 16.1 16.41
16.55 16.64
— mit 18.12
bewirtschaften 2.5
Bewirtung, s. be-
wirten
bewispern 7.27 20.12
bewitzeln 11.22f.
16.54
bewohnbar 9.84
bewohnen 3.3 16.2
Bewohner 16.4 20.9
— der Luft 2.9
bewölken 7.6f.
—, sich 1.7
bewölkt 1.7 7.7
Bewölkung 1.4 1.7
7.60
bewuchern 16.72
18.6ff. 18.11
18.16 18.27 19.8
Bewunderer 11.53
bewundern 11.17
11.30 11.53 12.17
12.49 16.30f.
bewundernswert
9.56 11.10 11.16f.
19.3
bewundert 16.31
Bewunderung 11.17
11.30 11.53 16.30f.
— erregen 16.31
—, in — verloren
16.31
—, mit — erfüllen
16.31
bewunderungswürdig
19.3
Bewurf 3.20 17.2
bewußt 9.2 9.14 10.1
11.1 11.4 12.7
s. Bewußtsein
bewußtlos 9.16 10.3
12.37
— werden 2.39
2.41f.
Bewußtsein 2.17
5.26 10.1 11.1f.
11.4f. 12.2 12.32
—, ins — rufen 5.39
Bewußtseinslage 11.2
Bey 16.97f.

bezahlen 9.35 9.50
11.13 16.26 16.46
18.26 19.32
— für 18.12
—, in gleicher
Münze 16.80
—, mit dem Leben
2.45
—, (sich gut) 9.46
18.6 18.13
—, die Kosten 9.70
9.78 18.12 18.15
—, sich schön
2.41
—, ist nicht zu
18.27
—, teuer 9.50 11.12
18.13 18.15 18.27
—, zu viel 18.14
—, voll 18.26
bezahlt 4.40 9.38
— machen 9.46
—, macht sich 18.5
—, sich — machen
18.26
Bezahlung 16.46
18.26
bezähmbar 2.8
bezähmen 2.8 2.31
9.17 11.8 11.11f.
12.33 16.111
—, Gefühle 11.8
—, Leidenschaft
11.8 11.47
—, sich 11.8
—, Unwillen 11.47
—, Wünsche 11.12
19.2
—, die Zunge 11.40
13.23
bezaubern 9.12
11.5f. 11.9f. 11.17
11.30 11.53 20.12
bezaubernd 11.10
11.16f. 11.53
bezaubert, s. bezau-
bern 11.9 11.53
Bezauberung 9.12
11.5
bezechen, sich 2.32f.
bezeichnen 8.11
9.11 9.15 12.11
12.15 12.33 13.1
13.3 13.16f. 13.46
16.106 19.12

bezeichnen, den
Ursprung 5.41
12.15
—, den Weg 8.11
9.15 12.33 16.96
16.106
bezeichnend 5.2 5.9f.
9.44 13.1
Bezeichnung 13.1
13.10 13.16f.
14.1
Bezeichnungslehre
13.16
bezeigen 7.1 11.22
11.50 11.54 13.3
16.87
—, Achtung 16.30
bezeugen 5.6 10.15
13.1f. 13.28 13.46
13.50
bezeugt 5.6
bezichtigen 16.35
19.12 19.27
Bezichtigung 16.93
19.12
beziehen 3.3 8.23
11.39 12.15 16.4
18.5 18.18
18.20ff. 18.26
19.8
— auf (sich) 5.5
5.13 5.20 13.46
—, Lager 16.73
—, läßt sich — auf
13.17
—, neue Stellungen
16.83
—, sich 1.7
—, sich — auf
13.46
— von 18.20 18.22
—, Waren 18.22
Bezieher 18.22
Beziehung 5.5 5.13
9.33 11.53
—, in jeder 4.41
13.50
Beziehungen 9.70
16.41 16.95
—, angenehme —
unterhalten 16.64
—, die — abbrechen
16.67
—, die — wieder-
aufnehmen 16.48

— enge, freund-
schaftliche — un-
terhalten 16.41
—, in nähere —
treten 16.41
Beziehungen, intime
16.41
—, korrekte 16.67
beziehungslos 4.3
4.34 5.6 5.11f.
5.14 5.21 8.2 8.22
12.19 16.119
Beziehungslosigkeit
5.6
beziehungsweise 5.6
bezielen 9.14
beziffern 4.35
—, sich 4.35
Bezirk 1.15 3.1f.
4.42 9.22f.
Bezirksamt 16.99
Bezirksgericht
19.27f.
Bezirkskommando
16.70 16.96
bezirzen 9.12 9.74
11.53
bezopft 2.32 5.43
6.2 6.27 9.31
11.28f.
Bezug, s. beziehen
3.20 5.13 8.23
18.20 19.14
—, in — auf 5.13
5.19
Bezüge 18.5 18.26
bezüglich 5.13
12.4f.
Bezugnahme 5.13
bezugslos, s. be-
ziehungslos 5.14
Bezugsquelle 4.18
18.25
Bezugsrecht 18.30
Bezugsschein 13.1
19.22
—, ohne 16.72
Bezugsverhältnis
5.14
bezupfen 18.9
bezwecken 9.2 9.14
9.35 13.17 16.26
bezweifeln 5.7 9.7
12.23

bezwingbar 5.2
bezwingen 5.38 9.35
9.73 9.77 11.5
11.12 11.38 16.84
16.111 16.117
—, Furcht 11.42
—, Gefühl 11.8
—, Leidenschaften
11.12 11.47 19.2
—, Schmerz 10.3
11.8 11.12
—, Unwillen 11.47
B.G.B. 19.18
Bhagavad Gita
20.19
bi= 4.37
Bibber 2.27
bibbern 8.33f. 10.5
Bibel 5.6 14.11
20.16f. 20.19
—, davon steht
nichts in der 16.27
Bibeleid 12.26 13.28
—, unter 13.50
Bibeleskäs 2.27
bibelfest 12.32 20.1
Biber S. 126 2.16
3.20 17.8f.
Bibernelle S. 62 2.28
Bibelschnur 16.23
Bibelstunde 20.16
Bibi 17.9
Bibliographie 12.32
14.9 14.11
Bibliomane 12.32
Bibliomanie 12.32
14.11
bibliophil 12.32
Bibliophile 12.32
14.11
Bibliothek 14.11
17.2
Bibliothekar 14.11
biblisch 20.19
Biceps 2.16
Bickbeere S. 65 2.27
Bickel 16.56
Bicker 16.56
biderb 13.49 19.1
Bidet 17.6
bieder 11.26 11.46
12.56 13.40 13.49
16.92 19.1 19.3
Biederkeit 19.1

Biedermann 19.1
19.3f.
—, unter der Maske
eines 16.71
Biedermeier 11.26
15.1 15.3
biegbar 7.50
biegen 3.43 3.46
7.45 7.50 8.12
13.31 16.108
16.115
— oder brechen 9.6
16.108
—, sich 7.45 16.115
biegsam 4.4 4.11
7.45f. 7.50 9.54
15.17 16.114f.
Biegsamkeit 7.46
7.50
Biegung 3.13 3.15
3.43 3.45f. 13.31
Bielbrief 14.9
Biele 2.22
Biene S. 97 3.55 9.18
9.22 9.38 11.53
Bienenhaus 4.20
Bienenkorb 4.17
9.23 17.1 17.3
Bienensaug S. 75
Bienenstich 2.27
Bienenstock 9.23
Bienenwachs 1.29
Bier 2.31 4.50 7.54
—, schlechtes 2.31
Bierdeckel 17.9
Bierdimpf 2.31
biereifrig 9.38
Biergarten 16.64
Bierfaß (Trinker)
2.32
Bierhaus 2.31 16.64
17.1
Bieridee 9.10
Bierjunge 16.69
Bierkeller 16.64
Bierleiche 2.32f.
Bierorgel 15.15
Bierquelle 16.64
Bierreise 2.31
Bierwurst 2.27
Biesfliege S. 96
Biest 2.8 11.61 19.9
Biester, schwarze
17.13

Biesterei 16.54
Biete 17.6
bieten 5.2 8.17 9.37
9.77 11.10 11.38
16.22 18.20
—, den Arm 16.38
—, feil 18.23 19.14
—, Gelegenheit 5.2
6.37 9.11 9.28
16.22
—, die Hand 9.69f.
11.47 16.38 16.41
— lassen 11.48
16.115
—, einen Preis
18.20 18.22
—, den Rücken
8.17f. 12.13 16.90
—, Schach 9.77
—, die Spitze 9.72f.
9.77 11.38 16.69
—, die Stirne 9.72
11.38 16.65 16.77
—, Trotz 16.69
16.116
—, die Zeit 16.38
Bigamie 16.11 16.13
bigott 9.8 12.37
12.55 20.1 20.13
Bigotterie 9.8 20.1
20.13
Bikini 3.22 17.9
bikonkav 3.49
bikonvex 3.48
10.16
Bilanz 4.35
18.30
— machen 4.17 4.27
Bilch S. 126
Bild 5.9 5.17f.
11.17 12.4f. 13.1
13.36 14.9 15.1
15.4 15.8 17.10
20.5
—, ein — entwerfen
14.1
—, im 12.31
—, im sein 12.32
—, NN-Bild 2.48
—, ins — setzen
13.2f. 13.6
— oder Wappen
16.56

— der Zerstörung
5.42
bildbar 5.26 7.50
12.35
Bildbaum 2.48
Bildberichter 16.75
Bildberichterstatter
15.8
Bildbuche 2.48
Bildeiche 2.48
bilden 4.41 4.48
5.1 5.20 5.26 5.39
9.57 12.32f. 15.1
15.4 15.9f. 16.38
—, Brückenkopf
16.76
—, ein Karee 16.73
—, Kessel 16.76
—, eine Partei 16.17
bildende Kunst 15.1
Bilder 18.21
Bilderanbetung 20.2
Bilderbeschreibung
15.1
Bilderbuch 14.11
Bilderdienst 20.2
20.7
Bildergalerie 4.17
15.4
Bilderkunde 15.1
bilderreich 5.22
12.33 13.36 13.43
14.1
Bildersammlung
4.17 15.4
Bilderschrift 14.5
15.1
Bildersturm 5.42
Bilderstürmer 5.42
19.9 20.4
Bildfichte 2.48
Bildfläche 3.41
Bildföhre 2.48
Bildformer 15.1
Bildhauer 15.10
16.60
Bildhauerei 15.10
17.10
Bildhäuschen 2.48
Bildkiefer 2.48

bildkräftig 13.41
Bildkreuz 2.48
bildlich 12.10 13.1
13.36
Bildner 5.39 12.22
12.33 15.1 15.4
Bildnerei 15.10
bildnerisch 15.1
Bildnis 5.18 13.36
15.4
Bildnismaler 15.1
15.4
Bildrolle 2.48 15.4
bildsam 12.35 15.4
Bildsäule 14.9 15.10
—, gleich einer
8.2 11.8 11.37
bildschön 11.17
15.4
Bildseite 3.26 18.11
18.21
Bildstein 2.48
Bildstock 2.48
Bildstreifen 15.9
Bildung 5.8 5.26
5.39 12.32f. 16.38
16.61 16.121
—, gelehrte 12.32
Bildungsanstalt
12.36
bildungsfähig 5.26
12.35
Bildungsfex 11.45
Bildungsgelegenheit
12.33
Bildungslehre 5.39
Bildungslosigkeit
12.37 16.53
Bildungsphilister
11.26
Bildungsprotz 11.45
Bildungsschuster
12.33
Bildungstrieb 5.39
12.6
Bildweberei 15.4
Bildwerk 5.39 15.1
15.10
Bill 19.19 19.22
Billard 16.55ff.
Billardkugel 3.50
Bille 9.76
Billenbrot 2.27

Billenpauker 16.60
Billett 13.1f. 14.8
billig 4.25 9.59
  11.29 12.14 12.46
  18.28 19.1 19.18
  19.22
billigen 12.47 16.24
  16.31
billigerweise 5.4
  19.18
Billigkeit 18.28
  19.18 19.22
Billigkeitssinn 12.47
  16.24 19.1
Billigung 16.31
Billion 4.39
Bilsenkraut S. 71
Bilwis 20.5
Bilwitz 20.5
Bimb 16.78
Bimbam 11.5
Bimetallismus 18.21
bimmeln 7.30 13.1
Bimpf (österr.) 2.22
  12.56
Bims 1.26 18.21
bimsen 11.60 16.78f.
Bimsstein 1.26 9.66
Binde 2.44 3.20
  3.47 4.11 4.33
  13.1
— bei der —
  kriegen 16.78
—, einen hinter die
  — gießen 2.31
Bindebalken 3.33
Bindeglied 4.33
Bindehaut 2.16
— -entzündung 2.41
Bindemittel 4.33
binden 4.33 9.73
  16.107 16.111
  16.117 18.15 19.20
  19.24 20.12
—, die Hände
  16.117
—, auf die Nase
  13.4
—, eine Sauce 7.51
—, auf die Seele
  13.9 16.20
—, sich 16.10 16.23
  19.24
—, die Zunge
  13.23

bindend 9.6 19.19
  19.24
Binder 16.60 17.9
Bindestrich 14.5
Bindestrich-
  amerikaner 1.21
Bindewort 4.33
  13.16 13.31
Bindfaden 1.8 4.11
  4.33 17.8
Bindung 4.33 4.48
  5.13 17.8
Bindungstag 16.8
Binge 3.49
binnen 3.19 3.25
  6.9 6.15
— kurzem 6.24
Binnenhafen 1.16
Binnenhandel 18.20
Binnenland 1.13
  1.16 3.19
Binnenmeer 3.19
  7.54
Binnenraum 3.19
Binnenreim 13.13
Binnenschiffahrt
  8.5 16.7
Binnensee 1.16 1.18
Binnenstadt 3.19
Binnenverkehr 18.2
Binnenwasser 1.16
  1.18 3.19 7.56
Binokel 16.56
binomisch 4.37
Binse S. 26 5.6 5.37
  9.45
Binsen 18.15
Binsenschnitter 20.5
Binsenwahrheit
  9.45 9.54 13.42
Binsicht 4.17
Biochemie 2.44
Biograph(ie) 14.1
  14.10
Biologie 2.8 2.17
  5.26 5.39
biologisch 2.17
Biomagnetismus
  5.35
Birchermüsli 2.27
Biostatik 12.12
Birke S. 28
Birkengretchen 16.78

Birkenpinsel, mit
  dem rot malen
  16.78
Birkenzauber 16.78
Birkhuhn S. 119
Birne S. 48 2.3 2.16
  2.27 3.50 7.5
  12.57
Birnenform 3.50
Birsch 2.12 16.55
birschen 8.15
Birutsche (Fahr-
  zeug) 8.4
bis 3.8 4.37 4.50
  5.7 6.1 6.22 8.11
  16.31
— auf weiteres 6.15
— in die Puppen
  13.52
Bisam S. 126 7.63
  17.9
Bischof 2.31 7.54
  16.98 20.17
bischöflich 20.16f.
Bischofsfarbe 7.22
Bischofshut 20.18
Bischofskreuz 2.48
Bischofsmantel
  17.9 20.18
Bischofsmütze 16.86
  16.100 17.9 20.18
Bischofssitz 20.16f.
  20.20
Bischofsstab 16.100
  20.18
Bise 1.6 3.23
bisexuell 5.22
bisher 6.1 6.18
  6.22
bisherig 6.22
Biskuit 2.27
bislang 6.18 6.22
Bismarckhering 2.27
Bismarcktorte 2.27
Bison S. 128
Biß 2.41
bißchen 4.4 4.24
Bißgurn S. 100
  11.58
Bissen 2.26 4.4
  4.34 4.42 8.23
bissig 11.58 11.60
  16.33 16.53 16.67
Bissigkeit 11.58

Bißwunde 2.42
Bister 7.16
Bistum 1.15 20.16f.
bisweilen 3.36 6.3
  6.16 6.30
Bitru 20.9
Bittbrief 16.20
Bitte 9.12 13.9
  16.20 16.82 20.13
—, eine richten
  an 16.20
—, inbrünstige
  20.13
— um Waffenstill-
  stand 16.83
bitte 16.20
— schön 9.4 16.20
  16.24
— sehr 16.27
bitten 9.12 11.30 13.9
  16.20 16.115 18.4
  19.5 20.13 20.16
—, auf die Toilette
  16.69
—, die Herrschaften
  lassen 16.64
— lassen 16.20
—, um Erlaubnis
  16.25
—, um Gnade
  11.50
—, um die Hand
  16.10
—, um Verzeihung
  16.82 19.26
—, um gutes
  Wetter 16.82
—, wenn ich —
  darf 16.20
—, zu Gast 16.64
—, zu Tisch 16.64
bittend 16.20
bitter 5.47 7.68 9.37
  10.9 11.13f. 11.32
  11.60 16.33
—e Pille 5.47
—e Worte 16.33
bitterböse 4.50 19.9
bitterkalt 7.40
Bitterkeit 7.68
  10.9 11.13f.
  11.32 11.62 16.53
bitterlich (schmerz-
  lich) 11.12

Bitterling S. 100
Bittermandelöl 1.29
Bitternis 11.13
  11.14
Bittersalz 1.28
Bittersüß S. 72
Bittgang 16.6 20.16
Bittgebet 20.13 20.16
Bittgesang 20.16
Bittrich 16.60
Bittschrift 16.20
  19.13
Bittsteller 11.36
  16.20 16.115 18.4
Bitumen 7.53
Bitze 2.5
bitzeln 10.5
Bivalven (Muscheln)
  S. 98
Biwak 8.2 16.2
  16.73f.
biwakieren 3.3
  16.2
bizarr 5.20 11.14
  11.23f. 11.30
  12.28 15.2
Blachfeld 1.13
Blackscheißer 16.60
Bläderle 2.41
bläffen 7.33 13.22
blaguieren 16.89
Blahe, Plache 3.20
blähen (sich) 1.6
  3.48 4.3 7.48
  7.60 11.45 13.52
  16.85 16.89f.
Blähhals 3.48
Blähung 1.6 2.35
  4.10
blaken 7.6 7.64
bläken 7.33f.
Blamage 8.4 9.78
  11.49
blamieren (sich) 9.53
  9.78 11.24 11.29
  11.49 12.56 16.33
  16.93
blank 3.4 3.52 7.4
  7.12f. 18.4 19.29
Blankmützenwetter
  1.5

blankziehen 3.22
  16.70 17.11
Blanko 16.103 18.30
Blankokredit 18.16
Blankowechsel
  16.103 18.30
Blankscheit 7.45
Blankvers 14.2
blas mir in Schuh
  16.27
Bläschen 3.50
Blase 3.48 3.50 4.3
  4.41 7.59 16.17
  17.6
Blasebalg 1.6 3.48
  3.50 7.59 7.61
  17.6 17.15
blasen 1.6 7.60
  11.14 11.32 15.14
  20.12
—, das Feuer 7.35
  7.39 11.5
—, den Marsch
  16.33
—, die Trompete
  15.14 16.31
—, Trübsal 11.32ff.
Blaser 17.9
Bläser 15.14
Blasenkatarrh 2.41
Blasensteine 2.41
blasiert 9.19 10.14
  11.8 11.19
  11.25ff. 11.45
  12.44
Blasiertheit 9.19
  10.14 11.26
Blasinstrument 15.15
Blasmusik 7.26
Blasphemie 9.86
  16.33f. 20.3f.
Blasrohr 4.50 17.12
blaß 2.41 5.37
  7.12f. 7.19 11.42
  13.42
— werden 11.4
  11.6 11.13 11.42
Blässe 7.12f.
blassen 7.12
blaßgrün 7.18
Bläßhuhn (Bleß-
  huhn) S.122
blaßrot 7.17
blaßwangig 7.12
  11.32

blätschen 16.78
Blatt 2.3 2.16 2.27
  4.11 4.13 4.42f.
  5.21 5.25 11.46
  12.7 12.37 14.5
  14.11
—, das — hat sich
  gewendet 5.24
  9.77f. 13.41
  16.80
—, kein — vor den
  Mund nehmen
  11.46 13.5 13.49
— Papier 14.4ff.
—, unbeschriebenes
  4.13
—, vom — spielen
  9.27 15.14
Blättchen 5.24
blatten 7.33 16.72
Blatter 2.41 3.48
blätt(e)rig 2.2 4.42f.
  7.48
Blattern 2.41
blättern 14.7
Blatternarben 11.28
blatternarbig 3.44
  3.49 3.53 11.28
Blätterteig 2.27
Blätterwald 14.11
blattförmig 4.13
Blattgrün 1.29 7.18
blattlos 2.7 3.22
  9.49
Blattner 16.60
Blattstich 2.16
Blattwerk 15.7
blau 2.33 4.49 7.21
  8.18 10.5 11.30
  16.91 18.8
— anjelofen (berl.)
  12.57
— anstreichen mit
  dem hagebüchenen
  Pinsel 16.78
—, Äther 1.1 7.4
— machen 9.24
Blaubart 2.46 10.21
  16.11 16.44 19.9
Blaubeere S. 65 2.27
Blaubeerkuchen 2.27
blaublütig 16.91
Blaubuch 14.9

Blaue, das 9.21
—, der 19.29
—, ins 9.27
—, ins — hinein
  9.16
Bläue 7.21
blauen 7.21
bläuen 7.21
blauer Fleck 2.42
— Heinrich 2.27
— Himmel 1.1ff.
— Lappen
  (100 DM) 4.39
Blaufuchs 17.9
Blaugerber 16.60
blaugrün 7.18
Blaujacke 16.74
Blaukreuzler 11.12
blaulappen 1.5
bläulich 7.21
Blaulicht 2.44
— (Alarmsignal)
  13.11
Blausäure 2.43
Blaustrumpf 2.15
  11.45 11.49 12.32
  12.34 12.55 16.12
  16.50f.
Blech 4.9 4.11 11.28
  12.19 12.56 12.57
  13.22 18.21
—, das Täterä-
  tätä) 15.14
blechen 18.26
blechern 15.18
Blechhaufen 15.14
Blechinstument
  15.15
Blechkuchen 2.27
Blechner 16.60
Blechrat 16.60
Blechreiter 19.29
Blechschere 17.15
Blechschmied 9.18
  16.60
Blechschuster 16.60
blecken, die Zähne
  11.31 16.68
Blei 1.23f. 17.12f.
  19.20 19.32
—, ist im 9.64
Blei (Schwere) 1.24
  7.41 s. bleiern
Blei(e) S. 100
Bleibe 16.1 17.1

bleiben 2.46 3.3 4.22
4.24 4.32 5.6 5.20
6.7 6.34 6.36 8.2
9.30 9.42 11.8
11.37 11.61 12.39
19.2 19.6
—, dabei 9.6 9.8
9.30f. 9.35 12.7
13.28 16.26
—, auf dem Felde
der Ehre 16.73
—, gefaßt 11.8
12.41
—, gelassen 16.109
— hängen 6.7
9.41 9.50 18.15
—, am Leben 8.18
16.118
—, ledig 16.12
—, vom Leibe 9.20
9.41
—, neutral 9.7
—, nichts anderes
übrig 9.3 16.107
— auf dem Platze
5.29 8.2
—, im Rückstand
18.17
—, bei der Sache
9.42 13.33 s. da-
beibleiben
—, sitzen 9.41 9.78
12.36 16.12
—, stecken 8.26
9.55 13.14
—, stehen 9.41
—, zurück 2.39
3.27 5.19 6.34
8.27 9.24 9.41
12.37 12.56
—, sich gleich
9.31
bleibend 6.6f. 6.34
Bleibens, es ist
seines — nicht
8.18
bleibt auf der
Linie 12.44
— beim alten 6.34
— jedermann unbe-
nommen 16.25
—, wo — die gute
Erziehung 16.33

bleich 2.41 4.50
7.12f. 11.4 11.6
11.13 11.32 11.42f.
— wie der Tod
7.12
bleichen 7.12f. 9.66
Bleichgesicht 7.12
Bleichheit 7.12
Bleichsucht 2.41
bleichsüchtig 5.37
7.12
Bleidächer v. Ve-
nedig 16.117
bleiern 7.12 7.15
7.41 9.24 9.53
11.8 11.26
— (Schlaf) 10.3
Bleiessig 1.29
Bleifarbe 7.14f.
bleifarbig 7.6 7.12
7.15
Bleifeder 14.5 s.
Bleistift
Bleiglanz 1.25
Bleigießen 12.43
Bleikammer 16.117
Bleiklumpen 7.41
16.53
Bleischeit 12.12
bleischwer 7.41
Bleisiegel 13.1 16.118
Bleisoldaten 16.56
Bleistift 9.28 14.5
—, fliegender 16.74a.
—, guter 16.114
Bleiweiß 2.43 7.13
Blende 1.21 3.19
7.5f. 10.17 13.4
15.8
blenden 7.4 10.18
11.5 11.10 11.30
11.35 11.45 11.53
13.4 13.51 16.30
16.88 18.12
blendend 7.11
11.16f. 12.27
13.51 16.31 16.88
Blender 12.50 13.51
16.31
Blendlaterne 7.5
Blendleder 7.6
Blendling 1.21
Blendscheibe 7.6

Blendtüre 5.18
Blendung 3.20
Blendwerk 7.5
11.36 12.25 12.27f.
13.51 16.72
— der Hölle 16.72
Blesche 17.6
Blesse S. 128
bleu 7.21
Bleuel 8.9
bleuen 6.78
Blick 2.16 10.15f.
11.31f. 11.36 11.53
11.62 12.7 13.2
16.16 16.93 16.115
19.11
—, den —en aus-
setzen 7.1
—, den — zu
Boden senken
11.49 16.50
—, böser 11.60
11.62 20.12
—, drohender 16.53
— erhaschen 10.15
—, auf den ersten
9.27
—, beim ersten 7.2
—, der — fällt auf
7.1
—, mit feuchtem
11.32 11.50
—, finsterer 16.53
— haben 12.52
— heften, auf 10.15
12.7 12.41
—, mit leuchten-
dem 11.9
—, nicht aus dem
— lassen 12.7
—, dem — preis-
geben 7.1
—, richten auf 12.7
—, spöttischer 16.34
—, süßer 16.32
—, verständnisvolle
—e tauschen 12.47
— verfolgen mit
dem 12.7
—e, zärtliche 16.42
— zurückrichten
6.18ff.
blicken 10.15

Blickes, keines —
wert halten 16.34
—, keines — wür-
digen 16.34 16.36
Blickfeuer 13.1
16.42
Blickgefecht 16.42
blind 4.50 5.20 5.36
7.6f. 7.10 8.6
9.3 9.16 9.27
10.18 11.6 11.8
11.37 11.39 12.13
16.109
—, auf einem Auge,
10.17
— für 7.3 11.37
12.31 16.109f.
— für eigenes Ver-
dienst 11.47
— sein für 16.25
Blindagen (Blen-
dungen) 3.20
Blinddarm 2.16
Blinddarment-
zündung 2.41
blinde Gasse 3.58
Blindekuh 16.56
Blindenasyl 9.76
Blindendruck 4.12
8.28 14.8
Blindenhund 9.70
Blindenschrift 14.5f.
14.8
blinder Angriff,
s. Lärm
— Handel
12.27
Blinder, das sieht
ein — mit dem
Fuß 13.33
blindes Fenster 5.18
Blindflug 8.6
Blindgänger 9.60
17.13
Blindgewölbe 16.117
blindgläubig 9.8
12.25
Blindheit 2.41
10.18 12.37
—, mit — geschlagen
12.55
blindlings 3.38 9.3
9.16 10.18 11.6
11.39

Blindschleiche S. 101
Blindstempel 7.3
Blindtüre 5.18
blindwütig 9.8
blinken 7.4 13.2
Blinker 13.1
Blinkfeuer 13.1
blinzeln 10.17 13.1
Blitz 1.10 5.36 6.20
7.4f. 8.7 11.30
12.45
— aus heiterem
Himmel 5.47
11.30 12.45
—, wie der 5.44
8.7
—, wie vom — ge-
troffen 11.30
12.45
Blitzableiter 1.10
9.76 17.2 19.29
blitzartig 5.27 6.14
blitzblank 4.50
9.66
blitzeblau 4.50 7.21
blitzen 1.10 7.4
blitzend 11.31
Blitzesschnelle, mit
9.39
Blitzfunke 7.4
Blitzgespräch 9.39
13.2
Blitzkrieg 8.7 9.37
Blitzlichtaufnahme
15.8
Blitzpfosten 2.48
Blitzröhre 3.57
blitzsauber 4.50 9.66
11.16f.
Blitzschlag 5.42 9.74
11.30
blitzschnell 8.7
Blitzstein 2.48
Blitzstrahl 1.10 7.4
blitzwenig 4.50
Blitzzug 8.4
Blizzard 1.6
bloc, en 4.41
Block 4.1f. 7.43
15.1 15.4 16.76
16.99 16.117f.
19.32

Blockade 3.24 3.58
9.73 9.75 16.73
16.76 16.117f.
— aufheben 16.118
Blockadeschiff 16.77
Blockbildung 16.17
Blockbündnis 9.68
Blockflöte 15.15
Blockhaus 16.77
16.117
blockieren 3.58 9.73
Blockierung 3.58
Blocksberg 20.9
Blockschiff 9.73
16.77
Blockschrift 14.5f.
14.8
blöd(e) 9.53 10.18f.
11.42f. 11.45
11.47 12.56f.
—, nicht — sein
16.90
Blödian 12.56
Blödigkeit 11.8
11.43 11.47f.
Blödist 12.56
blödsichtig 10.17
Blödsichtigkeit 10.18
Blödsinn 9.53
12.56f.
— blühender,
höherer 12.57
blödsinnig 4.50
12.56
Blödsinniger 12.56
blöken 7.33
blond 7.12 7.19f.
11.17
Blonde 17.10
—, kühle (mit
Schuß, mit Strippe)
2.31
blondieren 9.57
Blondine 2.15 7.19
Blos 17.7
bloß 3.22
4.25 11.30
Blöße 3.22 4.25
9.74
—, sich eine — geben
4.25 11.28f.
bloßgestellt 13.5
16.54 16.93f.
16.113

bloßköpfig 3.22
16.30
bloßlegen 12.20
13.2f. 13.5
bloßstellen 7.1 9.74
13.2f. 13.5 16.33
16.54 16.93
—, sich 7.1 16.33
16.93
Bloßstellung 9.74
11.39 16.94 19.12
blubbern 8.33 13.14
Bluff 9.13 13.51
bluffen 11.42 16.68
16.72 18.8
blühen 2.1 2.3 2.5
2.38 5.26 5.46
9.77 11.17 11.47
—, im Verborgenen
11.47
—, es —t ihm 5.44
blühend 2.22 5.46
9.77 11.16f. 13.43
—e Wangen 2.38
—er Stil 13.43
—es Aussehen
2.38
Blühezeit 6.2
Blümchen 2.3 11.47
Blume 2.3 2.16 7.63
9.64 10.8 11.17
11.19 12.10 16.85
17.10
— bringen, die 2.31
—, durch die 12.10
13.34 13.36
—, zarte 19.4
blümen 7.23
Blumenarrangement
16.39
Blumenduft 7.62
Blumenflor 2.5
16.88
Blumengefilde 2.5
Blumengehänge
17.10
Blumengewinde
3.47 15.7 17.10
blumenhaft 19.4
Blumenhändler 2.5
16.60
Blumenkelch 17.6
Blumenkranz 16.84
17.10

Blumenlese 1.21
4.17 14.1
blumenreich 2.2
13.43
Blumenschale 15.7
17.10
Blumensprache 11.53
Blumenstock 2.1
Blumenstrauß 7.63
15.7 17.10
Blumentisch 15.7
17.10
Blumentopf 17.13
Blumentopp 4.50
Blumenvase 17.6
17.10
Blumenverkäuferin
16.22
Blumenzeit 6.2
blümerant 11.15
blumig 13.43
Blunderbüchse
17.11f.
Blunzn (wien.)
12.56
Bluse 3.20 17.9
Blusenmann 9.18
9.22 16.116 17.9
Blut 2.16f. 3.19
4.20 4.50 5.1 5.9
5.36 7.17 7.54
9.31 9.40 11.2
11.5 11.8 11.14
11.17 11.31 11.59f.
16.9 16.18 18.15
— ablassen 2.35
16.18
— auffrischen 2.10
2.40
—, sich baden in
16.73 s. Blutbad
—, blaues 16.91
— für Blut 16.80f.
19.32
— und Boden
16.18
—, böses 11.60
11.62 16.33
16.66f. 16.81
16.116
Blut, ohne edles
16.94
— und Eisen 16.67
16.73

Blut, erregtes 11.5f.
16.31 16.70 16.73
— gerinnen machen
11.14 11.42
—, mit Gut und
16.73
—, die Hand in —
tauchen 2.46
11.60 16.108
—, heißes 11.38
—, im 3.19 5.9
—, im — liegen
2.42 5.2 5.9
—, jem. bis aufs
— reizen 16.69
—, das junge 2.22
—, mit kaltem 11.8
11.60 16.70
— lassen 2.45 18.15
—, neues — zu-
führen 5.40
— regenerieren 2.4
2.40
—, ruhiges 11.8
— sieden machen
11.62 16.31
— stocken machen
11.28 11.42
—, Ströme von —
vergießen 16.73
— vergießen (töten)
2.46 5.29 16.67
16.70
— wallen machen
11.53 11.62
—, waten im 2.46
16.73
— zuführen 2.40
5.35 5.40
Blutader 2.16 7.56
blutarm 2.41
5.37 7.12 11.28
18.4
Blutarmut 5.37
Blutbad 2.46 5.42
11.60 16.67 16.75
— anrichten 16.73
Blutbann 16.37
19.22 19.27

blutbefleckt 2.46
9.67 11.60f.
Blutblase 17.9
Blutbuche S. 29 2.48
Blutbühne 19.32
blutdrückend 2.44
Blutdruckmittel
5.38 11.8
Blutdurst 2.46 11.60
blutdürstig 11.60
16.81 s. Blutbad
Blüte 2.3 2.22 6.2f.
9.64 11.17
—, in der — des
Lebens 2.45
Blutegel S. 93 2.44
18.16
bluten 2.42 4.50
8.24 18.26
— lassen 18.6
Blüten 9.77
blutend 11.13
Blütenlese 4.17 9.11
Blütenträume 11.35
12.28
Bluter 2.41
Blütezeit 2.22 6.2f.
blutfarbig 7.17
Blutfeld 16.75
blutgedüngt 16.75
Blutgefäß 2.16 7.56
Blutgeld 18.26 19.8
Blutgericht 16.81
Blutgerüst 19.32
blutgierig 11.60
Bluthund 2.46 5.42
11.60 19.9
Bluthusten 2.35
blutig 2.46 9.67
11.60 16.108
— abweichen 16.77
blutiger Laie 12.37
blutjung 2.22 4.50
Blutkapelle 20.20
Blutlaugensalz
1.28
blutleer 2.41
blutlos 2.41 5.37
Blutmensch 11.63
19.9
Blutopfer entrichten
16.73
Blutprobe 12.8

Blutrache 2.46 5.29
16.8of.
Bluträcher 16.81
Blutrausch 11.5
blutrot 4.50 7.17
11.42
blutrünstig 11.61f.
Blutsaat 2.46
blutsauer, es wird
ihm 4.50 9.5
Blutsauger 11.61
18.1 18.16 19.9
Blutschande 11.53
16.44 19.10
blutschänderisch
16.44
Blutschuld 2.46
16.81 19.10f.
19.19
Blutsfreund 16.9
Blutspender 9.70
Blutstockung 2.41
Blutstrom 16.73
Blutsturz 2.41
Blutsühne 16.81
19.32
blutsverwandt 16.9
Blutsverwandtschaft
16.9
blutt 3.22 18.4
Bluttat 2.46
Bluttransfusion
5.40
bluttriefend 9.67
11.60
Blutumlauf 8.32
Blutung 2.35 5.37
blutunterlaufen
2.42 11.28
Bluturteil 19.31
Blutvergießen 2.46
5.29 11.60f. 16.73
Blutvergießer 8.7
Blutvergiftung 2.41
2.43
Blutverlust 2.42
5.37
blutvoll 9.56 13.41
blutwenig 4.4 4.24f.
4.52
Blutwurst 2.27
Blutzapfen 16.116
Blutzersetzung 2.41

Blutzeuge 2.46
20.13 20.17 20.19
Blutzoll entrichten
2.46 16.73
Bö(e) 1.6
Boa S. 101 17.9
Bobas 20.5
Bobele 2.22
Bobrennen 16.57
Bobsleigh 16.57
Boccia 16.56
Bock S. 127 2.31
3.18 4.50 7.64 8.4
9.49f. 9.78 10.21
11.31 11.44
12.27f. 16.44
16.57 16.64 16.72
16.117 17.5 19.32
— als Gärtner
12.27 12.34 16.72
— schießen 9.53
9.55 9.78 12.19
12.27 12.55 13.45
—, in den — span-
nen 16.117
— zwischen die
Hörner küssen
4.11
Bockägele 16.56
bockbeinig 9.8
Böcke 4.34 9.53
9.78
— und Schafe 20.22
—, wenn — lammen
6.5
Böckchen 2.10
Böckelchen 2.5
bocken 9.8 16.65
bockig 9.8 12.55
Bock-Kasten 2.5
Bockmist 12.56
Bocksbart S. 88
Bocksbeutel 2.31
bock(s)füßig 20.9
Bockshorn 2.31
— jagen, ins 11.42
16.68
Bocksprung 8.34
Bockwurst 2.27
Bodega 2.31 16.64
Boden 1.13 1.15
2.5 3.16 3.34
4.13 4.42 11.48
17.2 18.1

Boden bearbeiten
2.5 9.26
—, zu — árücken
11.13f. 16.84
—, zu — schlagen
9.73
—, den — verlieren
9.78
Bodenbesitz 1.15
18.1
Bodenertrag 2.5 18.5
Bodenerzeugnisse
2.1 2.5
Bodenfenster 4.12
17.2
Bodengeschoß 3.33
17.2
Bodengewächs 2.2
Bodenkammer 3.33
17.2
Bodenkreditanstalt
18.30
Bodenkultur 2.5
bodenlos 3.1 4.14
4.50 11.59
Bodenreform 18.12
Bodenrente 18.5
Bodensatz 3.34 4.32
7.43 8.30 9.45
9.67 12.9
Bodenschichten 1.14
bodenständig 1.22
11.46 16.4
Bodenwelle 1.14
16.77
Bodenwuchs 2.5
bodenwüchsig 16.4
Bodenzins 18.5
Bodmerei 18.16
Bodo 16.3
Boeckh 16.60
Boediker 16.60
Bogdan 16.3
Böe 1.6 5.36
Bogen 3.46 3.48f.
4.13 8.12 8.32
11.45 14.6 14.11
15.15 16.108 17.2
17.12
— beschreiben 8.32
— den — kennen
12.52
— spannen 9.40
— den — über-
spannen 13.52

Bogenform 3.46
bogenförmig 3.46
Bogenführung 15.11
15.14
Bogengang 3.46
3.57 17.2
Bogengröße 14.8
Bogenhalle 17.1
Bogenlampe 7.5
Bogenlinie 8.12
8.32
Bogenschütze 16.74
17.12
Bogensprung 8.29
Bogenstrich 15.11
Bogner 16.60
Bogumil 16.3
Boheme (Bohème)
15.1 15.4 15.11
16.94
Bohémien 11.6
Bohle 4.13 4.42f.
böhmische Dörfer
12.37
Bohne S. 50 2.27
—, blaue 17.12f.
—, nicht die 13.29
—, schlechte 19.5
bohnen 3.52
Bohnenkaffee 1.22
9.56
Bohnenkönig 16.110
Bohnenkraut 2.28
Bohnenlied 11.59
—, das geht doch
über das 16.33
Bohnenstange 4.6
4.11f.
Bohnenstroh 4.50
—, grob wie 16.53
bohnern 3.52
Bohrbrunnen 4.14
7.55
Bohrdreher 17.15
bohren 1.23 3.49
3.57 8.25 11.13f.
—, in den Grund
5.29
Bohrer 3.55 3.57
17.15
Bohrloch 3.57
Bohrmuschel S. 98

Bohrturm 1.23
Bohrung (Kaliber)
4.9
Bohrwinde 17.15
böig 1.6
Boiler 4.18 17.6
Bojar 16.91
Boje 7.42 9.75
13.1 13.10
Bök 2.3
Bola 17.13
Bolas 9.74
Bolero 16.55
16.58 17.9
Bolgermann 19.29
Bollchen 7.66
Bolle 6.9
Bollen 2.33 3.50
bölken 13.22
Böller 7.29 17.11
Böllerschießen 16.39
Bollerwagen 17.13
Bollwerk 3.24 9.73
9.76 16.77 17.14
Bols 16.64
Boltchen 2.27 7.66
Bolus 1.28 2.44
7.49
Bolzen 3.50 4.25
4.33 8.8 17.13
bolzengerade 3.40
Bombardement
16.76
bombardieren
16.76
Bombardon 15.15
Bombast 11.24
11.28 11.45 13.18
13.43 13.52 16.89
bombastisch 11.24
11.29 13.43 16.89
Bombe 5.36 16.57
17.6 17.13
Bomben loswerden,
hereinsetzen 16.76
bombenfest 4.50
6.7 9.75
Bombengeld(er)
4.50
Bombengeschäft 4.50
Bombenhagel 17.13
Bombenhitze 4.50
Bombenkerl 5.35
bombensicher 9.75
Bomber 16.74a.

Bommel 3.17 8.33
bon 16.24
Bon 13.1 18.21
18.26
bona fide 12.26
Bonbon 2.27 7.66
—, nur mit dem —
im Munde 3.22
Bonbonniere 17.7
Bonds 18.21
Bonepertshut 2.5
bonforzionös 11.17
Bönhase 4.49
bon homme 9.59
Bonifaziuskreuz
2.48
Bonität 18.3
Bonmot 11.23 12.2
12.52
Bonne 11.16 16.112
Bonus 18.30
Bonvivant 10.21
14.3
Bonze 9.31 12.55
16.60 16.90f. 16.95
16.102 20.17
Boot 8.5
Bootes 1.2
Bootfahrt 16.7
Böotier 11.26
12.37
Bootsmann 16.7
16.60 16.97
Bor 1.24
Borax 1.25
Borazit 1.25
Bord 1.16 3.23
4.42 9.20 17.4
—, an 3.3
— gehen, an 16.6f.
—, über 9.85 16.105
—, über — gehen
2.45
—, über — werfen
5.42 9.19f.
16.105
Börde 1.13
bordeauxrot 7.17
Bordell 10.21
16.44f.
Bordfunker 8.6
16.74a.
bordieren 17.10
Bordierung 3.23

Bordkante 3.23
Bordüre 3.23 17.10
Bordwaffe(n) 17.12
Bordwart 16.74a.
Boreas 1.6
Boretsch S. 70 2.28
Borg, geben auf
  18.16f.
borgen 5.18 18.16f.
—, fremde Gedan-
  ken 12.37 16.72
—, von Peter und
  Paul 9.86
Borgis 14.6
Borke 3.20
Born 5.31 7.55
— der Begeiste-
  rung 14.2
— der Weisheit
  12.32
bornieren 12.56
borniert 9.53 12.37
  12.56
Borniertheit 9.53
  12.56
Borrettseide 17.8
Borsäure 1.28
Börse 16.64 17.7
  18.5 18.20 18.21
  18.25 18.27f. 18.30
Börsenaktie 18.21
Börsenkönig 18.3
Börsenkrach 9.78
  18.15 18.19
Börsenmakler 18.23
  18.30
Börsenpapier 18.21
Börsenspekulant
  9.16
Börsenspieler 9.16
  12.12 18.30
Börsianer 18.30
Borste 3.53 3.55
Borstenvieh S. 127
borstig 3.53 3.55
  9.5 16.53
Bort 4.13 4.42
Borte 3.23 17.10
Borwasser 1.28
Borzel 2.22
bösartig 2.41 9.63
  11.58 11.60 11.62
  19.9
Boschhorn 13.1
Böschung 1.16 3.13

böse 5.3 5.47 11.14
  11.24 11.31
  11.58ff. 16.53
  19.8 19.21
—, es sieht —
  aus 9.55
— machen 16.31
— Sieben 16.33
— Zeiten 5.47
Böse, der 9.50
  19.9 20.9
—, alles —
  wünschen 11.62
  16.67
bosen 11.31
Bösen, im — schei-
  den, auseinander-
  gehen 16.67
Böser 20.4
böser Finger 2.41
— Geist s. Geist
böses Blut, s. Blut
— Wetter 1.7
Böses 9.50 11.13
  11.60 19.9
— nachreden, nach-
  sagen 16.33 16.35
—, nicht 19.4
Bösewicht 19.8f.
  19.11 20.3 20.9
boshaft 11.62 16.35
  16.53 16.67 19.8f.
Bosheit 5.36 9.8
  9.30 11.31
  11.60ff. 16.33
  16.35 16.54 16.67
  16.81 19.8f.
—, mit konstanter
  6.34
Boskett 2.5
bosseln 15.10
bossieren 3.48 15.10
Boston 16.55f. 16.58
böswillig 11.61
Böswilligkeit 11.62
Botanik 2.1
botanisch 2.1 2.5
Botanischer Gar-
  ten 2.5
botanisieren 2.1
Bote 8.3 13.2 13.8
  16.6 16.112
— des Herrn 20.19
—, durch —n 14.8

—, hinkender 6.36
  8.8
böten 20.12
Botendienst verrich-
  ten 13.2 13.6 14.8
Botenfrau 16.112
botmäßig 16.111
Botmäßigkeit
—, unter — bringen
  16.84 16.111
  16.114
Botokude 16.120
Botschaft 13.7
  16.103 20.19
Botschafter 13.8
  16.60 16.103f.
Botsche 2.5
Böttcher 16.60
—, toter 2.48
botten 8.1
Bottich 17.6
Bouclé 17.8
Boudoir 17.2
Bougie-Woogie 16.58
Bouillon 2.27 5.35
Boulevard 3.24 8.11
  9.79
Bouquet 4.17 7.63
  7.65 10.8 17.10
Boussole 13.9
Bovist S. 10
Bowiemesser 17.11
Bowle 2.31 17.6
boxen 16.57 16.70
Boxer 16.57 16.74
Boxerei 16.70
Boxergewichte 7.41
Boy 16.112
Boykott 4.49 16.52
  16.66
boykottieren 4.49
  12.38 16.52 16.66
  19.32
Boz 20.5
bräägle 7.39
brabbeln 13.14
  13.22 13.27
brach 1.13 2.5 9.27
  9.36
Brache 1.13 2.7 9.27
  9.36
brachen 2.5 9.85
Brachfeld 1.13
brachial 2.16
brachliegen 9.85

Brachse S. 100
Brachylogie 13.37
Brack 1.18 4.32
  9.45 9.49
Bracke S. 126
brackig 10.9
Brackwasser 7.55
  7.68
Brägen 2.16
brägenklittig 12.57
Brahma 20.7
Brahmane 20.2
Brahmine 20.2
  20.17
Bram S. 46
Bramarbas 11.45
  16.74 16.89f.
bramarbasieren
  16.69 16.73 16.89
bramarbasierend
  16.73
Bramme 4.42
bramsig 12.13
Branche 9.18 9.22
  16.60
Brand 2.4 2.41 5.42
  7.4 7.36 9.61
  9.69 10.13 13.2
—, in — stecken
  7.35f.
Brandblättchen 7.38
Brandbock 7.37
Brandbombe 7.38
  17.13
Brandbrief 16.68
brandeilig 9.39
branden 5.36
brandender Beifall
  16.31
Brander 7.38 8.5
brandig 9.60 9.63
Brandkanister 17.13
Brandkugel 7.38
  17.11 17.13
Brandlegung 7.35
  19.9
Brandmal 2.42
  19.32
brandmarken 13.1
  16.33f. 16.35
  16.93f. 19.12
  19.31f.
Brandmarkung
  13.1 16.94

Brandmauer 3.23
3.25 3.58 17.2
Brandmeister 7.36
Brandopfer 16.80
19.26 20.16
Brandpfahl 19.32
Brandpilz S. 9
brandrot 7.17
Brandschaden 5.29
5.42
brandschatzen 5.29
5.42 18.6 18.9
18.26
Brandschatzung
(Steuer) 18.26
Brandschiff 8.5
Brandstätte 7.37
Brandstifter 7.36
9.12 11.60 19.9
Brandstiftung 7.35f.
Brandung 1.18 5.36
7.26 7.55 8.32ff.
9.74
Branke 2.16
Branntwein 2.31
Branntwein-
brennerei 9.22f.
Branntweinhöhle
2.31 16.64
Branntweinsäufer
2.32
Branntweinvertilger
2.32
Brante 2.9 2.16
Brapsch 7.51
Brasse 8.5
braten 7.35 7.39
10.4 11.30
Braten 2.27 7.35
12.23
—, den — riechen
12.20 12.32
Bratenrock 17.9
Bratenschoner 2.27
Bratkartoffeln 2.27
Brätling S. 9
Bratpfanne 7.37
Bratrost 7.37
Bratsche 15.15
Bratspieß 7.37 17.15
Bratwurst 2.27
Bratwurstglöckle
16.64
bratzeln 7.39

Brau, Bräu 1.21 2.31
-bräu 16.64
Brauch 5.19 9.31
16.38 16.61 20.16
—, gegen allen
19.23
—, in 9.31 16.61
brauchbar 9.46 9.48
9.52 9.84
brauchen 9.25 9.81
9.84 11.36 11.47
18.26 20.12
—, nicht 16.119
braucht, was man
4.23
Brauchtum 20.16
Braue 2.16 3.23
3.46 3.48
brauen 1.21 5.39
9.26
Brauer 16.60
brauges sein 16.67
Brauhaus 9.22f.
Bräumling 2.27
braun 5.25 7.16
10.21
— und blau
schlagen 16.78
Braun, Meister
S. 126
Braunbier 2.31 2.41
Bräune 2.11 7.16
Brauneisenstein 1.25
bräunen 7.16
—, sich 7.16
Braunkohle 1.26 7.38
bräunlich 4.52 7.16
Braunwurz S. 72
Braus, in Saus und
11.11 16.55 18.14
Brause 2.30 7.55f.
Brausekopf 9.39
11.20 11.58
brausen 1.6 5.36
6.6 7.26 7.30 7.32
7.59 8.34
Brausen 7.30
Brausepulver 5.38
7.59
Brausewind 5.36
7.26 9.39
s. Brausekopf
Bräustübl 16.64

Braut 2.15 11.53
16.10 17.12
— Christi 20.17
— mit rauhen Ober-
schenkeln 2.41
Brautausstattung
18.12
Brautberg 2.48
Brautbuche 2.48
Brautgabe 16.39
Brautgemach 16.11
Brautgeschenk 16.11
Bräutigam 2.14
16.10
Brautkauf usw.
16.11
Brautkleid 17.9
Brautleute 16.10
bräutlich 16.10f.
Brautnacht, es wäre
mir eine 16.24
Brautpaar 16.10
Brautschatz 16.11
Brautschau 16.10
Brautstand 16.10
brav 9.59 11.26
11.38 16.50 16.114
19.1 19.3f.
Bravheit 19.1
bravissimo 16.31
bravo 11.38 16.31
Bravo 2.46 5.36
11.39 16.24 19.9
Bravour 9.52 11.38
Break 8.4
brebeln 11.27
Breccie 7.49
brechbar 7.47
Brechdurchfall 2.41
brechen 3.43 4.34
5.42 7.47f. 8.3 8.7
8.12 9.21 9.29
9.32f. 11.14
11.32f. 11.48
16.67 16.96 16.108
19.5 19.13 19.20f.
19.25 19.31f.
—, Bahn 5.24 6.2
9.29
Brot — mit 16.64
—, Ehe 16.44
—, das Eis 6.2
16.41
—, den Frieden
16.67

brechen, das Gesetz
19.20f. 19.23
19.25
—, mit einer Ge-
wohnheit 9.32f.
—, den Hals 5.47
9.78
—, das Herz 11.32
—, in die Knie
16.83
—, Krieg vom
Zaune 16.70
—, eine Lanze für
jem. 9.70 16.31
16.70 16.73
19.13
—, das Licht 8.12
— mit 16.67
—, nichts zu —
haben 18.4
—, die Pflicht 19.25
—, aus den Reihen
4.34 4.49 5.20
—, das Schweigen
13.21
—, sich 2.35 5.24
8.12 8.18 9.5
11.59
—, den Stab 16.33
19.31
—, den Starrsinn
16.95 16.106ff.
—, den Stolz 11.48
—, einen Streit
vom Zaune 16.67
—, Treue 16.14
—, mit der Ver-
gangenheit 5.24
9.20 19.25
—, durch die Wol-
ken 7.1
—, das Wort 13.51
16.27f. 16.72 19.8
Brechen 11.59
brechend 4.21
Brecher 7.55 9.72
Brechmittel 2.35 2.44
11.28 11.59
Brechnuß S. 68
Brechstange 3.57
Brechung 7.4 8.12
8.22
Brechweinstein 1.29

Bredouille 5.47 9.55
—, ist in der 18.19
Breeches 17.9
bregeln 11.27
Bregen 2.16 2.27
Brei 2.27 4.50 7.51
9.80 11.40
— zermalmen, zu
5.29 5.42
breiig 7.50f.
Breimaul 13.22
breit 3.1 4.8 4.10
4.13 8.8 11.26
12.9 13.43
—, so lang als 4.8
4.16
— treten 13.22
14.1
breiteren, des 4.22
13.22
Breite 1.15 3.1
4.3 4.8 13.43
13.48
—, in die — gehen
4.3
—, in seiner gan-
zen 4.40
Breite(n)grad 1.11
1.13 16.1
breitmachen
—, sich 11.45 16.90
breitschlagen 9.12
—, sich — lassen
16.24
breitschulterig 4.10
5.34f.
Breitschwanz 17.9
Breitseite 3.29
16.76 17.12
—, eine volle —
geben 16.76
breittreten 5.19
13.22
— lassen 16.110
Brekeler 11.27
Bremer Stadtmusi-
kanten 15.18
bremmeln (hess.)
13.14
Bremse S. 96 9.73
bremsen 2.36 8.2
8.8f. 9.17 9.73
Bremser 16.57
16.60

Brenk 17.6
brennbar 7.35f.
brennen 3.46 4.50
6.16 7.35f. 7.68
9.38 10.1 11.13f.
11.27 11.36 17.10
—, die Haare 3.46
—, jem. eine —, die
roocht aber 16.78
Brennen (Schmerz)
2.41
brennend 7.11 9.39
9.44 11.4 11.6
11.28 11.36
— vor 11.36 11.53
11.58 16.31
Brenner 7.5
Brennerei 9.22
Brennerzange 17.15
Brennessel S. 29
2.27 3.55 9.53
9.55 10.1 11.28
— berühren 9.53
Brennfleck 16.60
Brennglas 10.16
Brennhexe 7.37
Brennmaterial 4.17
7.38
Brennpunkt 3.28
4.18 5.10 9.44
Brennspiegel 7.35
Brennstoff 7.38
brennt, es — auf
den Nägeln 6.36
Brennweite 10.15
Brente 2.27
brenzlig 7.35 7.64
7.68 9.70 9.74
11.38
Bresche 3.10 3.57
4.34 8.25
—, in die — sprin-
gen 16.77
— schießen 16.76
bresthaft 2.41 5.37
Brett 2.48 3.12 3.14
3.18 4.13 4.42f.
11.53 17.5
—, steif wie ein
7.44
— vorm Kopf
haben 12.56
Bretten 2.16

Bretter (Theater)
14.3
—, vier — und zwei
Brettlein 2.48
—, sechs 2.48
Brettl 14.3
Brettle 16.6 16.57
17.9
Brettspiel 16.55f.
Breve 16.106 19.19
20.16
Brevet 16.25
16.103 16.106
Breviarium 14.12
Brevier 14.12 20.19
Brezel 2.27 3.46
Briambel, langes
9.80
Bridge 16.56
Brief 4.49 13.2 13.7
14.8 18.21 19.16
—, anonymer 16.71
—, blauer 16.105
—, Brand-, Dop-
pel-, Droh-, Eil-,
Erpresser-, Kar-
ten-, Liebes-,
Mahn- 14.8
—, unter — und
Siegel 13.46 16.23
19.14 19.16
Briefaufschrift 13.1
Briefaustausch 14.8
Briefbeschwerer 7.41
Briefbote 8.3
Briefcouvert 3.20
Briefe 14.8
— wechseln 14.8
Briefgebühr 14.8
18.26
Briefgeheimnis 13.4
Briefkarte 14.8
Briefkasten 2.16 14.8
17.7
brieflich 9.80 14.5
14.8
Briefmarke 13.1
18.21
Briefschaften 14.9
Briefschreiber 14.8
Briefsteller 5.18
13.9 14.11
Briefstil 13.38

Brieftasche 14.9 17.7
18.19 18.21
Brieftaube 8.3 13.2
14.8
Briefträger 8.3 13.2
14.8 16.60
Briefumschlag 3.20
14.8 17.7
Briefwaage 7.41
Briefwechsel 14.8
Bries 2.27
Brigade 16.74
Brigadechef 16.74
Brigadier 16.74
Brigant 18.9
Brigante 8.5
Brigantine 8.5
Brigg 8.5
Brighella 11.23
14.3
Brigitte 16.3
Brikett 7.38
brillant 7.4 9.56
9.64 11.16f. 11.23
13.41 16.85
—er Einfall 11.23
12.2
Brillant 1.26 17.10
Brille 10.16 11.35
Brimborium 9.45
13.43
bringen 5.31 8.3
9.29 9.35f. 9.46
9.50 9.52 9.77
11.14 12.5 12.15
16.85 16.117 18.5
18.13 18.16 18.21
19.7 19.32
—, auf die Beine
9.70
—, beiseite 18.9
—, zur Besinnung
5.38 11.8 13.47
—, an den Bettel-
stab 5.47 18.4
18.6
—, in Bewegung 8.1
—, zum Bewußtsein
11.1
—, unter Botmäßig-
keit, unters Joch
16.84
—, unter Dach 9.35
bringen, in Einklang
16.49 19.17

bringen, zu Ende
9.35
—, es zu etwas
5.46 9.75 9.77
16.91 18.3 18.5
—, auf falsche
Fährte 16.72
—, zu Falle 9.72f.
9.78 16.44
—, in Gang 6.2
8.9 9.21 9.26
12.39
—, auf andere
Gedanken 9.9
11.22
—, zu Geld 18.5
—, ins Gleis 3.37
—, vor Gericht
19.27
—, Gewinn 9.46
18.5
—, um Hab und
Gut 11.61 18.6
18.14
—, unter die Haube
16.11
—, nach Hause
9.70 9.75
—, nicht über das
Herz 5.37 9.5
11.50
—, übers Herz 9.5
—, unter einen Hut
16.40
—, Katzenmusik
16.34
—, zu einer Krise
9.6 9.35
—, ins Leben 2.21
5.39
—, ums Leben 2.46
—, vom Leben zum
Tode 2.46 19.32
—, ans Licht 12.20
13.3 13.5
—, an den Mann
16.11 18.23
—, in Mode 16.61
—, um den guten
Namen 16.35
16.94
—, große Opfer
16.73
—, in Ordnung
16.47 19.26

bringen, zu Papier
14.5 14.9
—, zur Raison 11.8
—, zur Reife 2.5
9.35 12.33
—, ins Rollen 9.29
—, zur Ruhe 11.8
—, sein Schäfchen
ins Trockne 18.5
19.7
—, zum Schweigen
9.33 9.77 13.4
13.23 13.47 16.76
—, an sich 18.5f.
—, außer sich 11.31
—, mit sich 5.34
—, es vor sich 9.77
—, Ständchen 16.42
—, an den Tag
13.3 13.5
—, zu Tage 13.3
13.5
—, bis ans Tor
16.38
—, auf den Trab
16.33
— um 18.6
—, in Umlauf 13.6
18.21
—, ins Unglück
11.61
—, in Verbindung
12.15 13.44
—, zur Vernunft
5.38 11.8 12.33
13.47 16.48 16.108
—, in Verruf 16.35
16.94
—, zur Vollkom-
menheit 9.52 19.3
—, unter falschem
Vorwande an
sich 16.72
—, vorwärts 9.38
—, es weit 9.77
16.85
—, es nicht weit
9.78
—, zur Welt 2.21
5.39
—, zu einem Wen-
depunkt 9.6 9.35
9.77
—, zustande 9.35

bringen, zuwege
9.35 9.77
Brink 1.13
Brinkmeier 16.60
Brinksitzer 16.4
Brio 11.20
Brise 1.6
Brisolett 2.27
Bristol 16.64
Britsche 11.32
Britschka 8.4
Bröckchen lachen
2.35
Bröckelche, reiches
18.3
bröck(e)lig 7.48f.
bröckeln 4.34 7.48
18.28
Brocken 4.10 4.24
4.32 4.34 4.42
17.9
— loswerden, her-
einsetzen 16.76
—, schwere 17.13
—, seine — zusam-
menpacken 16.8
brodeln 3.35 7.38f.
8.34
Brodem 7.35f.
7.59 7.64
Brokat 17.8 17.10
Brömele 2.27
Brom 1.24 11.8
Brombeere S. 45
2.27
Bromsilber 1.28
Bronchien 2.16 7.61
Bronchitis 2.41
Bronnen 7.55
Bronze 1,21 1.27
7.16 15.9f.
bronzen 7.16
Bronzezeit 6.9
bronzieren 7.16
Brookit 1.25
Brosamen 2.27 4.4
4.34 4.42
Brosche 17.10
broschieren 4.33
14.11
Broschüre 14.11
Brösel 2.27 4.42

Bröselein 4.4 4.34
7.45 9.49
Brot 2.27 9.22 9.81
11.32 16.108
16.111 16.113
18.5 19.33 20.16
— brechen mit 16.64
—, daß kein Hund
mehr ein Stück —
von ihm nimmt
16.33
—, geht nach
18.5
— und Wein 20.16
Brotbeck 16.60
Brötchen 2.27
Brötchen, letztes
2.45
Broterwerb 9.22
Brotgeber 18.12
18.26
Brotherr 18.12
Brotkorb 11.60
— höher hängen
4.25
Brotkorbgesetz 4.25
18.6
Brotladen 2.16
brotlos 4.25 8.18
16.105 18.4
— werden 16.105
18.4
—e Künste 2.7 9.49
Brotmarke 18.22
Brotmesser 3.55
Brotneid 9.72 11.57
16.67
Brotrand 2.27
Brotsch 2.27
Brotsack 17.6
Brotstudium 9.22
12.35
Brotverwandlung
20.16
brotzeln 7.30 7.39
brr 7.64 8.2 8.8
Bruch 1.19 2.41f.
3.10 3.36 3.43
3.45 4.25 4.34f.
4.42 7.48 9.19
9.45 9.63 9.78
11.31 16.28 16.67
16.116 19.25
—, den — erweitern
16.67

Bruch, den — heilen
16.48
— einrichten 2.44
Brüche, gehen in die
4.34 4.42 5.42
7.47 9.78 18.15
18.19
brüchig 7.47f. 9.63
Bruchstelle 3.36
Bruchstück 4.32 4.34
4.42 9.34
— (Fragment, Zitat)
14.12
bruchstückweise 4.42
Bruchteil 4.42
Bruchzahl 4.35 4.42
Brücke 4.25 4.33
5.29 7.41 8.11
8.27 12.29 16.57
17.9
—, die mannver-
soffene 2.48
Brücken, goldene
9.54 9.70 19.17
—, goldne — bauen
4.33 16.22 16.48f.
Brückenkopf 16.77
— bilden 16.76
Brückenwaage 7.41
Bruder 5.16f. 9.70
11.21 11.51 16.9
16.41
—, barmherziger
20.17
—, dienender 20.17
— Habenichts 18.4
— im Herrn 20.22
—, ich sags meinem
großen 16.68
— in Apoll 14.2
— Liederlich 16.44
18.14
— Lustig 18.14
Brüder 20.22
Brüdergemeinde
20.13
—, nasse 2.32
—, zusammenhalten
wie 16.41
Bruderkasse 16.17
Bruderkrieg 16.73
brüderlich 11.51f.
16.40f.

Brüderlichkeit 11.51
16.40f.
Brüdern, bringt
unter 18.27
Bruderschaft 4.33
9.68f. 11.52
16.1 16.9 16.17
16.40f. 16.64
20.17 20.22
Brüdersäule 2.48
Brudersohn 16.9
Bruderstochter 16.9
Brühe 2.27 2.30
7.39 7.51 7.54
7.65 7.68
brühen 7.39
Brühl 1.19
brühwarm 4.50 6.14
6.26
Brüllaffe 11.33
brüllen 4.50 7.24
7.26 7.33f. 11.22
11.31 11.33 15.13
Brüllen 11.23
Brummbär 11.27
16.53
Brummbaß 15.15
Brummel 16.63
brummeln 7.27
brummen 7.27
7.32f. 9.40 11.27
11.31 11.33 13.14
15.13 19.33
—, in den Bart
7.27 11.27 13.14
13.27
— vor Dummheit
12.56
Brummgeige 15.15
brummig 11.27
16.53
Brummkreisel 15.15
Brummschädel 2.33
2.41 11.15
Brummstall 16.117
brünett 7.16
Brunft 10.21 11.36
16.44
Brunhilde 16.3
brunieren 7.16
Brünne 17.9 17.11
17.14
Brunnen 2.30 2.44
4.14 4.17f. 7.55
9.51 17.6

Brunnenanstalt 2.44
Brunnengast 2.41
Brunnenhaus,
Brunnenkammer,
s. Brunnenstube
Brunnenkresse S. 40
Brunnenkur 2.44
Brunnenputzer 4.50
Brunnenstube 4.17
7.56
Brunnenvergiftung
übelster Art 16.35
Brünner 16.60
Brunnewitzer 2.30
Brunnquell 7.55
Bruno 16.3
Brunst 10.21 11.36
16.44
brünstig 10.21 11.36
brüsk 5.27 16.53
brüskieren 16.34
16.69 19.9
Brust 2.16 3.26
3.48 9.3 11.1f.
11.5 11.31 11.45
11.61 12.2 16.90
16.107 19.5 19.11
19.18
— geben 2.30
—, es auf der —
haben 2.16 2.39
2.41
—, die Pistole auf
die — setzen
16.68
—, sich in die —
werfen 3.11
11.44f. 16.69
16.89f.
—, an die —
ziehen 16.43
Brustbeutel 18.21
Brustbild 5.18 15.4
15.10
Brüste der Wissen-
schaft 12.35
brüsten, sich 11.45
16.89
Brustharnisch 3.20
16.77 17.14
Brustkasten 2.16
Brustknochen 2.16

Brustkorb 2.16
Brustlatz 17.9
Brüstle 17.9
Brustlehne 3.24
9.76 16.77
Brustleiter 3.57
Brustnadel 17.10
Brustorden 16.87
Brustschild 16.77
Brustschleife 17.10
Brustschwimmen
16.57
Bruststern 16.87
Bruststimme 7.26
7.34 15.13 15.17
Brustton 9.44 11.45
— der Überzeugung
13.49
Brüstung 3.24 9.76
16.77 17.2 17.14
Brustwarze 2.16
Brustwehr 3.24 9.76
16.77 17.2 17.14
Brut 2.8 2.10 2.20
2.22 4.17 5.41
16.17
brutal 5.36 11.11
11.28 11.60f. 16.53
16.107 19.9f.
Brutalität 11.29
11.61 19.9
Brutanstalt 2.10
brüten 2.18 5.26
5.39 9.26 12.3
—, Rache 16.81
Brutsche 2.16
Brutstätte 5.24 5.31
Brütung 9.26
Brutto 4.41
Bruttoregister-
tonnen 4.19 16.75
brutzeln 7.36
bst! 7.28 13.23
bubbern 8.33
Bube 2.22 16.72
16.92 16.94 19.8ff.
bubenhaft 13.51
16.35 16.53 16.55
19.8
Bubenstück 19.9
Büberei 12.53 16.72
19.8f.
Bubespitzle 2.16

Bubi 2.22 5.37
11.53
Bubikopf 2.16 17.10
— mit Spielwiese
2.41
bübisch 11.60
12.53 16.35 16.53
19.8ff.
Bubonenpest 2.41
Bubu 20.5
Buch 4.42 4.50 14.3
14.9 14.11
—, aufgeschlagenes
11.46 13.3 13.49
19.4
— des Lebens 2.17
5.45 5.47
— des Schicksals
5.45
— mit sieben
Siegeln 12.37 13.4
13.23 13.35
—, versiegeltes
12.37 13.4
—, wie er im —
steht 4.50
Buchbinder 16.60
Buchdrucker 14.11
16.60
Buche S. 29
buchen 13.1 14.1
14.9 14.11 16.57
18.5 18.26
Bücher Mosis 20.19
— schreiben 14.1
Bücherbrett 17.4
17.7
Bücherei 14.11
Bücherfälschung
18.8
Bücherfreund 12.32
14.11
Büchergestell 17.5
Bücherkarren 14.11
Bücherkenntnis
12.32 14.11
Bücherkunde 14.11
Büchermacher 14.11
Büchernarr 12.32
14.11
Büchersaal 14.11
Büchersammlung
14.11

Bücherschrank 17.4
17.7
Bücherwagen 14.11
Bücherwart 14.11
Bücherwurm 12.32
14.7
Buchfälschung 18.8
Buchführer 14.1 14.9
Buchführung 3.37
12.12 18.21f. 18.30
Buchgelehrsamkeit
12.32
Buchhalter 12.12
14.1 14.5 14.9
16.60
Buchhaltung 12.12
16.60 18.21
18.30
Buchhändler 14.11
16.60
Buchhandlung 14.11
Buchkredit 18.16
Buchmacher 5.6f.
Buchmann 11.45
Buchnarr 12.32
Buchs S. 55
Büchse 3.24 3.50
17.6f. 17.12
Büchsen- 5.43
Büchsenmacher 16.60
Büchsenöffner 3.57
Buchstabe 14.5f.
19.19
— des Gesetzes
19.19
— großer, kleiner
14.5
—, toter 9.45 13.18
19.18ff.
—, vier —n 2.16
Buchstabenrätsel
13.4
Buchstabenrechnung
4.35 12.12
buchstabieren 9.55
12.35 13.26 14.7
buchstäblich 4.41
9.35 12.26 16.26
Bucht 1.11 1.18
3.46 3.49 17.3
Buchteln 2.27
buchtig 3.49
Buchung 13.46
Buchweizen S. 30
2.27

Buchweizen-
Wibkes 2.5
Buchweizenstück 2.5
Buchwissen 12.32
Buckel 2.16 2.41
3.48 4.12 11.22
11.28 11.30 11.43
11.59 16.38
—, den — runter-
rutschen 11.59
— den — blau
färben 16.78
— krümmen 11.43
16.30 16.38 16.115
—, steig mir 'n
— nauf 16.27
buck(e)lig 3.46 3.50
3.53 3.60 11.27f.
buckeln 16.115
bücken, sich 4.13
8.30 16.115
Bückling 2.27 16.30
16.38
—e machen 16.38
Buckskin 17.8
Bückware 6.29
Buddel 9.78 17.6
buddeln 1.23 3.49
12.6 12.8
Buddhismus 20.1
20.19
Buddhist 20.1
buddhistisch 20.1
Bude 9.33 11.20f.
11.23 17.1 18.19
18.25
—, sturmfreie 16.44
— zu, Affe tot
16.27
Buden 2.5
Budenzauber 11.21
16.54
Budget 12.12 18.25
Budike 18.25
Budiker 16.60
Büfett 16.64 17.4
Büffel S. 127 9.8
12.56
Büffelhaut 7.43 10.3
11.8
büffeln 9.38 12.35
Buffo 14.3 15.13

Bug 2.27 3.26
3.43 3.45 3.48 8.5
— im Hemd 2.20
Bügel 3.46
Bügeleisen 3.52
17.15
bügelfest 5.35
bügeln 3.12 3.52
8.9
Bügelzimmer 17.2
Bugschütze 16.74a.
bugsieren 8.9 8.11
8.14 9.70 16.7
Bugspriet 3.26 8.5
Büh(e)l 4.12
Buhldirne 10.21
16.45
Buhle(r) 9.12 9.14
10.21 11.53 16.21
16.44
buhlen 11.36 11.53
16.32 16.42 16.44
16.115
Buhlerei 16.44
Buhlerin 10.21
16.45
buhlerisch 11.53
16.44
Buhne 1.16
Bühne 3.18 4.12
7.1f. 8.18 8.28
10.15f. 14.3
16.75 17.2
—, hinter der
14.3
—, von der —
abtreten 7.3
—, von der — ver-
schwinden 2.45
4.26 8.18
Bühnenbearbeitung
14.3
Bühnenbild 15.4
Bühnendichter 14.3
14.11
Bühnendichtung
14.2
Bühnenerfolg 9.77
16.88
Bühnenheld 14.3
16.89
Bühnenheldin 14.3
Bühnenmaler 15.4
bühnenmäßig 14.3

Bühnenwand 14.3
Bühnenweihfest-
  spiel 14.3
Bühnenwerk 7.2
  14.3
Bukett, s. Bouquet
  7.63 10.8 15.7
Buhurt 16.70
bukolisch 2.10 14.2
Bukolische Poesie
  2.10 14.2
Bulette 2.27
Bullauge 3.57
Bulldogge, Bullen-
  beißer S. 126 5.36
  11.31 11.38 16.53
Bulle, der S. 127
  2.14 4.2 4.10 4.50
  5.35 16.101 16.106
  19.29
—, die päpstliche
  19.19
Bullenhitze 7.35
bullern 7.29f. 7.39
Bulletin 13.6f.
Bullrichs Salz 1.28
Bult-Hocken 2.5
Bülten 2.5
bum 7.29
Bumerang 8.10 8.17
  9.14 17.11
Bumme 2.27
Bummel 16.2 16.6
  16.55
Bummelant 9.24
Bummelei 9.19
  9.24 9.43
bummelig 9.24
bummeln 8.1 8.8
  9.19 9.24 9.43
  11.11 16.28
— gehen 16.55
Bummeltag 16.8
Bummelzug 8.4 8.8
bummern 1.10 7.26
Bummler 9.24
Bumpfer 16.33
bums, Bums 4.17
  4.25 7.29 8.21
  9.68 16.16 16.40
  16.55 16.64

bumsen 7.26
Bumsköppe 16.74
Bumskülen 1.8
Bumsmusik 15.18
bumsstill 7.28 13.23
Buna 1.27 1.29
Bund 3.24 4.17
  4.33 9.68 16.17
  16.40 16.64
—, den — fürs
  Leben schließen
  16.11
—, den ewigen —
  schließen 16.11
—, einen —
  schließen 16.17
—, sich die Hand
  zum —e reichen
  16.41
Bündel 4.17
—, der 2.22
Bündelberg 16.8
Bündelfest 16.8
Bündelfesttag 16.8
Bündelsgeburtstag
  16.8
Bündelshochzeit
  16.8
Bündeltag 16.8
Bundesgenosse 9.70
  16.41
Bundeslade 20.20f.
Bundesrat 16.102
Bundesstaat 16.19
Bundestag 16.102
Bund-Haufen 2.5
bündig 4.8 4.25 9.6
  12.14 13.39 13.46
  13.49 16.53 16.108
Bundkuchen 2.27
Bündnis, Bund 4.33
  9.68f. 16.17
  16.41 16.64 19.14
—, ein — eingehen
  16.17
Bundschuh 16.116
  19.20
Bungalow 17.1
Büngelkraut S. 54
Bunker 8.5 9.76 16.77
  17.1f. 17.14 19.33
Bünseltag 16.8
Bunsenbrenner 7.37

bunt 1.21 4.17 4.50
  5.22 7.11 7.23
  11.21 16.61f.
  17.10
— zugehen 3.38
  11.20 19.20
—e Reihe 1.21
  2.15
Buntdruck 7.23
  14.6
buntfarbig 15.7
  16.88
Buntfarbigkeit 7.23
Buntheit 7.23
Buntkupferkies 1.25
buntscheckig 5.22
  7.23
Buntschnitt 7.23
Bupper 2.16
Bürde 5.47 7.41
  9.40 9.50 11.14
  19.24
Bureaukrat, Bureau-
  kratie 16.96
Burette 17.6
Burg 1.11 9.76 16.2
  16.77 17.1 17.14
Burgbann 1.15
Bürge 13.46 19.16
bürgen 13.28 13.46
  18.16 19.16 19.22
  19.24
Bürger 2.14 12.55
  16.4 16.91f. 16.97
  16.119
— zweiter Klasse
  16.34
Bürgerheim 16.64
Bürgerkrieg 16.67
  16.73
Bürgerkrone 16.84
  16.87
bürgerlich 11.46f.
  16.92 16.94 20.22
—e Gesetzgebung
  19.19
—er Tod 19.32
Bürgermeister 16.60
  16.96ff.
Bürgermeisterei
  16.99 16.102 19.28
Bürgerpack 16.92
  16.94
Bürgerrecht 16.119
  19.22

Bürgerschaft 16.92
Bürgerschule 12.36
Bürgersinn 11.51
Bürgerstand 16.92
Bürgersteig 8.11
Bürgerstolz 11.44
Bürgertreue 19.24
Bürgertugend 11.51
Bürgertum 16.91
Bürgerwehr 16.74
Burgflecken 16.2
Burgfriede 3.9 16.40
  16.48
Burggraben 3.24
  17.14
Burggraf 16.97
Burghard 16.3
Burgherr 18.1
Burgmann 16.4
Burgsaß 16.4
Bürgschaft 9.75
  13.46 16.23 18.17
  19.16 19.22 19.24
  19.27
Buridan 9.7
Burjunge 2.27
Burkanen 2.27
Burke 17.6
brulesk 11.22ff.
  16.54
Burleske 5.18 11.24
  14.3 16.54
Burnus 3.20 17.9
Büro 9.23 16.99
  17.2 18.25
Bürobedarf 14.11
Bürokrat 12.55
  16.53 16.60
Bürokratie 16.91
  16.95f.
bürokratisch 3.37 8.8
  9.80 16.53
bürokratisieren 12.55
Bürokratismus 3.37
  16.108
Büromöbel 17.3
Büroschreiber 16.112
Bürostil 13.38
Bursche 2.14
  2.22 9.22 12.35
  16.74 16.112
—, flotter 11.20
  12.35 16.55
Bürschel 4.4

Burschenschaft 4.33
9.68 16.17
burschikos 11.20
Bürste 3.53 9.66
15.1
bürsten 2.31 9.66
Bürstenabzug 5.18
14.6
Bürstenbinder 2.32
4.50 8.7
Bürzel 2.16
Bus 8.4
Bussard S. 115
Busch 1.13 2.1 2.5
4.17 12.8
—, auf den —
klopfen 12.8
13.25
— und Feld 3.7
—, Zieten aus dem —
16.71
Busch (Heidelbg.)
16.56
Busche 2.5
Büsche 8.18
Buschel 2.5
Büschel 4.17
Buschelhaufen 2.5
Buschi 2.22
Buschido 19.24
buschig 2.5 3.53
Buschklepper 18.6
18.9
Buschwerk 2.1 2.5
Buschwindröschen
S. 37
Büse 8.5
Busen 1.18 2.16
3.19 3.48f. 11.1f.
11.5f. 11.13
11.36 11.43 11.52f.
11.55 12.2 19.18
19.24
— der Natur 3.18
—, starker 2.16
Busenfreund 16.41
Busennadel 17.10
Bußbank 19.5 20.21
Buße 11.47 16.47
16.80f. 18.18 18.26
19.5 19.26f. 19.32
20.1 20.13 20.16
büßen 9.50 16.80
19.26 20.1

büßen jem. 19.32
—, nicht — lassen
16.47
—, seine Lust 10.14
10.21
— müssen 9.50
16.80f.
büßend 11.33
Büßer 20.13
19.26
Büßergewand 16.80
17.9 19.26
Büßerhemd 16.80
17.9 19.5
—, härenes 19.26
Büßerkleid 19.26
busserln 16.43
bußfertig 19.5 20.13
Bußfall 11.48
Bußgang 20.16
Bußgebet 20.16
Bußgeld 19.32
Bußgesang 20.13
Bußgürtel 16.80
19.26
Bußopfer 16.80
19.26
Bußpredigt 16.33
16.80
Bußsteine 2.48
Bußtag 2.29 9.36
16.59 16.80 19.26
20.13 20.16
Bußübung 16.80
19.26 20.13
Büßung 19.32
Bußwerk 16.80
Bussole 8.11 13.9
Büste 2.16 3.18
5.18 15.1 15.10
Büstenhalter 3.17
17.9
buten 3.18
Butike 18.25
Butte S. 99 2.27
17.6
Bütte 17.6
Büttel 1.8 16.97
16.101 19.29 19.32
Bütten (Papier)
14.5
Buttenmost 2.27

Butter 1.29 2.27
7.50 7.52
—, alles in 9.77
12.47
—, gute 1.22
— in der Sonne
4.5
—, Stockfisch aber
ohne — 16.78
—, wie 7.50
Butterblume S. 35
17.9
Butterbrot 2.27
—, um ein 18.28
Butterei 4.18
Butterfaß 17.13
Bütterich 2.16
butterig 7.52
Buttermilch 2.30
buttern 2.35 7.51
Butterschmalz 1.21
Butterseite 3.26
Butterstullen
schmeißen 16.56
Butterwoche 2.29
20.13
Büttner 16.60
Butz 2.35 19.29
Butzelmännele 20.6
Butzemann 11.42
20.5
Butzen 2.3 3.19
Butzenscheibenlyrik
12.55 15.3
butzt, den hätt's 2.45
Buweroll 11.53
buwweln 13.22
Buxe 17.9
Buxtehude 3.8
Buzekerl 20.5
Buzel 2.22
B. V. (Bierverschiß)
16.93
Byssus 17.8
byzantinischer Stil
16.115 17.10

C
(vgl. K, Z)

c 4.38
Ca 2.41
Cachenez 17.9
Cachucha 16.58

Cäcilie 16.3
Café 2.26 16.64
— chantant 14.3
— Größenwahn 15.4
Cafetier 16.60
Cake-Walk 16.58
Calcium 1.24
calembour 11.22
Camembert 2.27
Cameralia 16.96
Camilla 16.3
Campagne 16.21
Camposanto 2.48
Cancan 16.55 16.58
Canopus 1.2
Canotier 17.9
Cantus 15.11 15.17
capé 12.31
Cape 17.9
Capella 1.2
Cappa magna 20.18
Capriccio 15.12
captatio benevolen-
tiae 9.29 13.21
Carmen 14.2 16.3
Casanova 9.12 10.21
11.53
Caesium 1.24
Cäsar 16.3 16.97f.
Cäsarewitsch 16.97
Cassa s. Kasse
casus 5.44 13.31
— belli 16.67 16.73
Caudillo 16.98
Causeuse 17.3
Cella 20.21
Cellist 15.14
Cello 15.15
Celsius 13.52
Cembalo 15.15
Census 4.35
Cent 18.21
Centenarium 4.39
12.39 16.59
Centime 18.21
Cento 1.21
central s. zentral
Centurie 4.39 16.74
cerebral 2.41
Ceremonie
s. Zeremonie
Ceres 16.64 20.7
Cerevis 2.32 3.20
Cernebog 20.7

Cetus 1.2
Chabruse 9.69
Chaib 16.33
Chaise 8.4
chaise-longue 3.16
 17.3
Chalkogene 1.24
Chalzedon 1.25
Chamäleon S.101
 5.7 5.18 5.25
 7.23 9.9
Chambregarnist 16.4
chamois 7.16
Champagner 2.31
 7.54 7.59 11.21
 16.55
Champignon S. 9
 2.27
Champion 9.70
 16.74
Chan 16.97f.
Chance s. Glück
 5.46 9.16 11.35
 18.5
changeant 7.23
Chanson 14.2
Chaos 3.38
chaotisch 3.38
chapeau-claque 3.20
 17.9
Chaperon 16.10
 16.101
chaperonieren
 16.101
Charade 13.25
Charakter 5.8 9.6
 11.2 12.22 15.1
 15.3
Charaktereigen-
 schaften 11.6ff.
 19.1ff.
charakterfest 9.6
 19.1
charakterisieren
 5.8 12.11 14.1
Charakteristik(um)
 5.9
charakteristisch 5.9
 11.2 12.11
charakterlos 5.2 9.9
 16.115 19.8 19.10
Charakterschrift 14.5
Charakterschwäche
 5.37

Charakterspieler
 14.3
Charakterstärke 19.1
Charakterstück
 14.3 15.12
charaktervoll 19.3
Charge 14.3 15.9
 16.91
Charengero 19.29
chargieren 13.52
 15.2
charismatisch 20.15
Chariten 20.7
Charivari 3.38
 15.18
Charlatan 13.51
Charleston 16.58
Charlotte 16.3
— russe 2.27
charmant 11.10
 11.16 16.38
Charme 11.17
Charmeuse 17.8
Charons Kahn 2.45
 20.11
chartern 19.14
Chartreuse 2.31
Charybdis 9.55
 9.74
Chassepot 17.12
Chasseur 16.74
Chateaubriand 2.27
Chat noir 16.64
Chauffeur 8.11
 16.6 16.96 16.112
Chaussee 8.11
Chausseefloh 8.4 16.6
chaussieren 3.52
Chauvinismus 16.18
Chauvinist 16.18
Chef 16.60 16.74
 16.96ff. 18.26
Chemie 1.20 5.26
—, organische 1.20
Chemikalien 1.20f.
 2.44
chemisch 1.21 9.66
Chemisett 17.9
-chen 4.4
Chenschterle 17.4
Cherchez la femme
 9.12
Cherub(im) 20.6
-ches (Frankf.)
 16.56

chevaleresk 16.38
Chevaulegers 16.74
Cheviot 17.8
Chiffon 17.8
Chiffre 13.4
Chiffreschrift 13.4
 14.5
Chignon 17.10
Chilesalpeter 1.25
 1.28
Chimäre 5.20 12.28
 13.51
chimärisch 13.51
Chinaporzellan 17.6
Chinavase 17.10
Chinchilla 17.9
Chinese 7.19
chinesische Mauer
 3.23
Chinin 1.29
Chiragra 2.41
Chiromant 20.12
Chiromantie 12.43
 20.12
Chirurg 2.44 16.60
Chirurgie 2.44
Chlor 1.24 1.26
 7.60
Chloräthyl 10.3
Chlorit 1.25
Chlorkalk 1.28
Chloroform 1.29
 10.3
chloroformieren 2.44
 11.8
Chlorophyll 2.44
 7.18
Chlorose 2.41
Chlorsilber 1.25
Chodscha 20.17
Cholera 2.41 9.74
Choleriker 11.6
 11.58
cholerisch 11.31
Chor 15.13 17.2
 20.16f. 20.21
Choral 15.13 20.16
Choralbuch 20.16
 20.19
Choreographie 16.58
Chorführer 12.33
Chorhemd 3.20
 17.9 20.18
Chorherr 20.17
Choriambus 14.2

Chorist 14.3 15.13
Chorknabe 20.17
Chorlied 14.2
Chorrock 3.20 17.9
 20.18
Chorsänger 15.13
Chorwerk 15.13
 15.16
Chrestomathie 12.33
 14.11f.
Chrie 12.5 14.10
Chrisam 20.16
Christ 20.1 20.13
Christa, Christel,
 Christiane,
 Christine 16.3
Christabend 16.59
 20.16
Christenheit 20.1
Christentum 20.13
Christenverfolgung
 2.46 16.107
Christian 16.3
Christkind 12.56
 20.8
Christkindlein 20.7
christlich 20.1 20.16
Christofle 1.27
Christologie 20.19
Christoph 16.3
Christus 20.8
Chrom 1.24 7.19
chromatisch 7.11
 15.11
Chromeisenstein 1.25
Chronik 6.9 13.7
 14.1 14.9 14.11
 20.19
Chronist 6.9 13.7
 14.1 14.9 20.19
Chronologie 6.36
chronologisch 3.37
 6.9
Chronometer 6.9
Chronoskop 6.9
Chrysantheme S. 83
Chrysoberyll 1.25
Chrysolith 1.25
Chrysopras 1.25
Chulo 16.70
Chunsu 20.7
Cicero 13.21
Cicerone 12.33 16.96

Cicisbeo 11.53
Cingulum 20.18
circa 3.9
Circe 9.74
Cis (Musik) 15.17
City 18.25
Claqueur 16.31
clavicular 2.16
Clou 9.64
Clown 9.49 11.22
Co., NN und 4.37
  18.2
Coadiutor 2.22
Cobbler 2.31
Cocktail 2.31
cogito ergo sum
  5.1 11.1 12.1
Coiffeur 16.60
Comble 11.59
comme il faut 9.56
con fuoco 11.20
con sordino 7.27
conditio sine qua
  non 9.44 9.81
  19.15
condition, à 9.11
Condottiere 16.98
Conférencier 11.23
  16.60
Confidente 14.3
Confrater 9.70
connubium 16.11
Contagium 9.67
Contenance 11.8
contra 3.32 5.23 9.72
  13.47 16.65
contumaciam, in
  3.4 19.31
coram (persönlich)
  3.57
corpus delicti 13.46
  19.12
— juris 14.11 19.19
Cottage 17.1
Couch, s. Kautsch
Couleur 7.11
coupieren 4.34
Cour schneiden,
  machen 11.53
courfähig 16.61
  16.91
Courmacher 11.53
Courschneiderei
  16.38 16.115

Cousin 16.9
Covercoat 17.9
Cowboy 2.10
Crack 16.57
Création 5.39 16.61
  17.9
Creme 2.27 2.44
  7.51f. 9.56 9.64
  16.62 16.91
Cremer 16.60
cremor tartari 1.29
Crêpe 2.27
Crêpe de Chine 17.8
crescendo 4.3 7.26
  15.11
cri, dernier 16.61
Crux 11.14
c. t. 6.36
Cul de Paris 3.48
cum grano salis
  13.17 13.48
Cumberland 2.27
Cunctator 9.7
Cut 17.9
Czako 3.20 17.9
Czapka 3.20 17.9
Czardas 16.58

D

da 3.3 5.27 6.13
  9.12 12.7
da und dort 6.30
da capo 4.37 6.28
  6.33 15.11 16.31
dabei 3.3 6.7 9.8
  9.30 9.38 16.24
d'accord 12.47
Dach 2.16 3.20 3.33
  4.12 8.23 8.28
  9.75 16.1 16.33
  17.2 18.19
Dachdecker 16.60
Dachfenster 4.12
Dachkammer 4.12
  17.2 18.4
Dachpappe 3.20
Dachrinne 3.48
  7.56 17.2
Dachs S. 126 2.22
dachsen 2.36 9.24
Dachshund S. 126
Dachstube 4.12 17.2
  18.4

Dachstuhl 4.12
  12.57
Dachtel 16.78
Dachtraufe 7.56
Dachverzierung
  15.7 17.10
Dachzimmer
  s. Dachkammer
dackeln 8.8
dädalisch 13.38
Dädalus 8.6
Dadel 12.56
dadurch 5.31 9.12
  9.82
Däfeli 2.27
dafür 5.28 5.31
  9.16 9.71 18.20
  — zu haben 16.55
Dafürhalten 12.20
  12.22 12.49
dagegen 3.32 5.23
  5.28 9.5 9.71ff.
  16.27 18.20
dagewesen 6.28
Dagmar 16.3
Dagoba 20.20
Dagon 20.19
daheim 3.3 3.19
  8.20 11.9 11.26
—, sich — fühlen
  9.54
daher 5.31 9.12
  12.15f. 12.20 12.29
daherreden 13.22
dahier 3.3
dahin 5.42 6.18ff.
  8.1 8.18 12.40
  16.6 18.15
dahingegangen 2.45
dahinleben 11.16
dahingestellt 5.7
  9.7 9.45 12.23
dahinter 3.19 3.27
  8.7 9.21 9.29 9.40
  12.20 12.25 12.32
  13.5 13.18
Dahlia S. 81
Daimio 16.98
Daktylus 14.2
dal 3.34
Dalai Lama 16.97f.
  20.17
dalbern 11.21
dalken 11.22
Dalken 2.27
dalket 12.56

Dalles 2.33 5.47
  18.4 18.19
dalli 8.7
Dalmatika 16.100
damalig 6.19
damals 5.44 6.13
  6.18ff.
Damast 17.8
Damaszener 17.11
damaszieren 17.10
Dame 2.15 2.23
  16.9 16.38 16.56
  16.62
Damebrett 16.56
Dämel, Dämlack,
  12.56
Damenmantel 17.9
Damenzimmer 17.2
Damespiel 16.56
Damhirsch S. 127
damit 9.14 9.73
dämlich 12.56
Damm 1.16 2.38 3.24
  3.58 7.56 7.58
  8.11 9.73 9.76
Dammbruch 5.27
  9.74
dammelig 12.56
dämmen 3.24 4.5
  9.73
dämmerig 6.4 7.6
Dämmerlicht 7.7
dämmern 5.7 6.2 6.4
  7.4 7.6 8.19
  9.29 12.13 12.31
Dämmerschein 5.7
  7.4 7.6
Dämmerschlaf 10.3
  20.12
Dämmerschoppen
  2.31
Dämmerung 6.2 6.4
  7.4
Dämmerzustand
  12.13
Dammweg 8.11
Damoklesschwert
  9.74
Damon u. Phintias
  16.41
Dämon 5.36 5.47
  11.60 19.9 20.2
  20.5 20.9
Dämonen-
  beschwörung
  20.12 20.16

dämonisch 9.74
11.17 11.60 19.9
20.9
Dampf 2.33 5.35
7.35f. 7.59f. 8.7
9.26 11.42
—, Hans 9.38
—, unter 16.7
Dampfbad 2.44 7.35
7.37
Dampfdruckmesser
1.4
dampfen 7.35 7.39
16.7
dämpfen 5.38 7.27
7.40 9.17 9.73
11.8 11.12 11.34
13.23 16.107
Dampfer 8.5 16.7
Dämpfer 5.38 7.27
15.15
dampfförmig 7.60
Dampfkessel 7.60
Dampfkraft 9.82
Dampfnudel 2.27
4.10
Dampfroß 8.4
Dampfschiffahrt
16.7
Dampfwagen 8.4
Damsel 16.78
Damwild S. 127
danach 6.12 8.15
Danaergeschenk
9.74 12.53 16.71
19.9
Danaidenarbeit 9.78
Dancing 16.58
Dandy 16.63
Dandytum 11.45
daneben 2.41 3.9
3.29 9.53 9.78
11.29 12.19 12.27
15.18
Daniel 12.52 16.3
19.28
dank 5.31
Dank 11.54f. 16.46
16.113 19.2 20.13
Dankabstattung
11.54
dankbar 11.54
16.113
Dankbarkeit 11.54
16.113

danken 11.54
16.27 16.46
dankerfüllt 11.52
11.54
Dankgang 20.13
Dankgebet 20.13
20.16
danklos 11.55
Dankopfer 20.16
dankpflichtig 9.70
11.52
Danksagung 20.13
dankvergessen 11.55
dann 5.34 6.12f.
12.16
— und wann 6.28
6.30 6.32
dannen gehen, von
8.18 16.6
Dappe 16.33
dappeln 7.30 8.1
dappig 9.53
daran 3.29 9.21
Darangabe 18.15
darauf 4.12 6.12
8.15
— kommen 12.20
daraus 8.24 12.16
— klug werden
12.31
darben 2.29 4.25
10.10 18.4 18.11
darbieten 16.22
—, sich 3.26 5.44
Darbietung 14.3
darbringen 16.22
16.30 16.39 18.12
19.26 20.16
dareingeben, sich
9.3 9.5 11.27
16.110
Darg 1.19
darin 3.19 3.25
darlegen 12.15 13.2
13.44 13.46 14.1
Darlegung 13.2
13.44 13.46
Darlehn 18.16f.
18.21 18.25
Darm 2.16 3.19
Darmkatarrh 2.41
darnach 5.34 6.12
8.15 16.33
darniederliegen 2.41

Darre 2.41 7.47
7.58
darreichen 18.12
darstellen 5.1 5.8
7.2 14.1 14.3 14.10
15.1 15.4 19.13
Darsteller 14.3 15.9
Darstellung 7.2
13.1f. 13.44 14.1
14.3 15.1f.
— falsche 13.51
15.2
dartun 13.1f.
13.46 19.13
darüber 3.33 4.12
4.22 4.28 4.51 12.5
darum 3.24 5.31
8.32 9.12 9.14
12.16
darunter 1.21 3.34
Darwinismus 5.26
16.9 20.3
d. h. 13.44
das auch noch 13.29
— hat er davon
16.80
— mußte kommen
12.44
— sei ferne 16.27
— wäre noch
schöner 16.27
— will ich meinen
13.28
Dasein 2.17 3.3 5.1
6.16
—, Kampf ums 9.22
9.40
Daseinsform 2.17
5.12
daselbst 3.3
dasig 3.3
dasitzen 9.24
dastehen 9.49
16.93 18.4
daß 5.31
dasselbe 5.15f. 9.31
Dasselfliege S. 96
Dasymeter 1.4 7.60
Data 13.1 13.46
datieren 6.1 6.9
Dativ 13.31
Datsch 2.16 2.27
Datsche 17.1
Dattel S. 22 2.27

Datum 6.1 6.9
13.1 13.46
Dau 8.5
Daube 17.6
däuchten 12.22
12.24 12.28
däuen 8.9
Dauer 6.1 6.6f. 6.34
9.30
dauerhaft 6.6f.
14.2
Dauerkragen 17.9
Dauermieter 18.17
dauern 6.7 11.32
11.50
dauernd 6.1 6.6f.
9.30
Dauerredner 13.22
Dauerwelle 17.10
Dauerzustand 9.31
Dauk 7.44
däumeln 12.43
Daumen 2.16 9.73
10.2 11.52 16.107
16.111 18.10
daumengroß 4.4
daumenlang 4.4
Däumling 4.4
Daumschrauben
16.79 16.108 19.32
Daune 3.54 7.42
Daunenbett 7.50
17.8
Dauphin 16.98
Daus 12.52 20.9
David und Jona-
than 16.41
Davispokal 16.57
davon 3.4 3.8 7.3
8.18 11.42 16.6
16.118
— haben 9.46
davonkommen 2.44
2.44 9.75f. 19.17
19.30
davonlaufen 8.7
8.18 11.28 11.59
davontragen 5.46
9.77 19.30
davor, siehe vor
8.13
dawider 9.72
Dazit 1.26
dazu 4.28
dazukommen 4.28
dazumal 6.2 6.21

dazwischen 3.25 6.15
8.26
dazwischenfahren
9.73 16.107
dazwischenfallen
3.10
dazwischenkommen
3.25 9.73
Dazwischenkunft
8.26
Dazwischentreten
3.10 3.25 3.36
6.3 8.26 9.38
9.73 16.49
de profundis 19.5
20.13
Debakel 5.27
Debatte 12.14 13.30
16.67
debattieren 13.30
Debet 18.17
Debüt 9.29 14.3
Decalocitis 10.10
Dechant 20.17
dechiffrieren 13.26
14.7
Deck 3.33 8.5
—, das — klären
9.26 9.66
Deckbett 7.35 17.9
Decke 2.16 3.18
3.20 3.33 3.58
9.13 9.69 9.76
16.17 16.72 17.9
18.10
Deckel 3.20 3.58
9.75 19.13
decken 2.19 3.20
18.26
Deckfarbe 3.20 7.11
Deckmantel 9.13
13.51 20.14
Deckname 13.4 13.19
Deckoffizier 16.74
16.97
Deckschicht 16.72
Deckung 9.75
16.77 17.14 18.16
18.21 18.26
Dedikation 18.12
Deduktion 12.14
12.16
deduzieren 12.16
Deernsafgohn 16.8
Defäkation 2.35
defekt 4.46 9.63

Defekt 4.25 4.46
9.63 9.65
Defensive 16.77
Defensivwaffe 17.14
Defiliercour 16.87f.
defilieren 16.6
definieren 12.8
13.16f. 13.44
Definition
13.17 13.44
definitiv 5.6 6.7
9.6 9.8 13.28
16.106
Defizit 4.25 4.46
18.15
Deflation 18.21
18.27
Deformation 3.60
9.63 11.28
Defraudant 16.72
18.8f.
deftig 4.50 5.35
9.6 9.38
Degen 16.57 16.69
17.11
Degeneration 3.60
9.61
degenerieren 3.60
9.61
Degengehenk 3.24
Degout 9.5 10.9
11.59 16.92 16.94
degoutiert 11.28
Degradation 9.63
16.105 19.32
degradieren 16.105
dehnbar 4.3 5.7
7.45f. 7.50 9.54
13.34
dehnen 4.3 7.45
13.43 13.52
Dehnung 4.3
5.25 7.45 13.43
Dehnungszeichen 4.3
Dehors 3.18 16.38
19.24
Dei 16.98
Dei gratia 16.98
Deibel 4.50 16.27
Deich 1.13 1.16
2.5 3.24 7.56
7.58 9.73
Deichgraf 16.98
Deichsel 8.4 8.11
deichseln 9.21

Deimos 1.2
Deining 7.55
Deise 17.2
Deismus 20.7
Deka 4.39
Dekade 4.39
Dekadenz 5.37 9.61
12.34
Dekalog 19.24
Dekan 16.96 20.17
Dekanat 16.99
20.16f.
dekatieren 7.6
Deklamation 7.34
13.21 13.41
deklamieren 13.21
13.41 14.2
Deklaration 13.44
14.9
deklassieren 16.93f.
Deklination 8.12
13.31
Dekokt 7.35 7.54
Dekolleté 3.22
dekolletieren, sich
3.22
Dekomposition 3.38
4.34 16.116
Dekoration 13.43
15.3 15.7 16.86ff.
17.10
Dekorationsmaler
7.11 15.4 16.60
dekorieren 11.17
15.7 16.59 16.85
17.10
Dekorum 16.50
16.61 19.3
dekrepit 2.25
Dekret 16.103
16.106 19.19
Dekretale 16.106
19.19
dekretieren 16.106
Delegation 13.8
16.102
delegieren 16.103
Delegierter 16.103
delektieren 2.26
Delfter Blau 7.21
delikat 9.56 10.8
11.10 11.17
Delikatesse 7.65
10.8 11.17
Delikt 19.11

Delila 10.21
Delinquent 19.9
19.28
Delirium 2.32f. 2.41
11.5f. 12.28 12.57
deliziös 9.56
10.8 11.10 11.17
16.51
Dell 12.56
delogieren 8.18 16.8
Delphi 5.7 12.43
20.20
Delphin S. 127
Delta (Mündung)
7.56 8.22ff.
Demagog 12.34 13.21
16.21 16.67 16.98
16.116 19.9
Demagogie 16.95
16.97
demanten 1.26 7.44
Demarche 13.2 16.49
Demarkation 3.23
demarkieren 3.23
demaskieren 3.22
13.5
Dementi 9.57 13.29
13.47
Dementia 12.57
dementsprechend
5.12f.
demgegenüber 5.23
demgemäß 5.8 5.12
5.17 12.16 12.47
13.46
Demi(monde) 16.45
Demission 16.105
demnach 12.16
13.46
demnächst 6.24
demobilisieren
16.48
Demokrat(ie)
16.19 16.95 16.97
16.102 16.119
demolieren 5.42
Demolierung 5.42
Demonstration 9.72
13.3 13.46 16.16
16.68
demonstrativ 9.14
13.47 16.116
demonstrieren 12.33
13.3 13.46 16.21
Demontage 5.42

Demoralisation 9.61
9.63 11.43 19.10
Demosthenes 13.21
demungeachtet 5.20
5.23 13.48
Demut 11.43 11.48
16.114f. 20.1
demütig 11.48
16.20 16.94 16.114
20.13
—en sich 11.14
16.83 16.115
19.5 20.13
Demütigung 11.13
11.24f. 16.78
16.93 16.107
demzufolge 5.12
5.34 12.16 13.46
Denar 18.21
denaturieren 7.68
10.9
denaturiert 9.49
dengeln 3.55
Denkart 11.1
12.3 12.22 19.18
denkbar 4.50 5.2
5.4f.
Denkbild 12.4 12.29
Denkbuch 9.26
14.11
denken 12.2ff. 12.22
12.24 12.39 12.48
13.27 19.2
—, laut 13.27
—, nicht daran
16.27
Denker 11.8 12.14
12.54
denkfaul 12.56
Denkfreiheit 16.119
16.121
Denkhaltung 5.8
11.2 12.3
Denkkraft 12.2
Denkmal 2.48
4.12 12.39 14.5
14.9 15.10 16.46
16.85
Denkmalsdruck 9.42
Denkmünze 13.1
15.10 18.21
Denkorgan 2.16
Denksäule 14.9
Denkschrift 14.9f.

Denksport 12.8
16.56
Denkspruch 12.17
13.1 13.20 14.2
denkste 12.27
Denkstein 14.9
Denkungsart
s. Denkart
Denkvermögen 9.52
Denkweise 11.1
12.3 12.22
denkwürdig 9.44
Denkzettel 12.39
16.33 16.78 19.32
denn 5.31 9.12
9.14 12.15
dennoch 5.20 12.48
13.48
dental 2.16 13.13
Dentist 2.44 16.60
Denunziant 13.5
16.35 19.8 19.12
Denunziation 13.2
13.5 19.12 19.27
denunzieren 13.5
19.12 19.27
Departement 1.15
4.47 5.8
Depesche 9.39 13.2
13.7f. 14.8
deplaciert 9.51
deponieren 5.43 8.3
13.2 13.28 14.9
18.16 19.16
Deportation 4.49
8.3 8.18 19.32
Depositenkasse 4.18
18.30
depossedieren 18.4
18.6
Depot 4.18 18.25
18.30
Depp 12.56
deppen 16.33
Depravation 9.61
Depression 1.7 2.41
11.13f.
deprezieren 16.82
deprimieren 11.14
11.32
Deputat 4.18 4.42
16.113 18.2 19.24
Deputation 16.103
Deputierter 16.103
derart(ig) 4.50 5.8f.
12.47

derb 2.38 4.2 4.10
5.35 7.43 9.27
11.14 11.61 13.33
13.49 16.53 16.92
Derby 16.57
dereinst 6.23 6.25
dere(n)thalben s.
deswegen 5.31
dergestalt 4.50 5.8
dergleichen 5.17
12.47
derisch 10.20
Derivat 5.41
derlei 5.17
dermalen 6.19
dermaßen 4.50
Dermatologie 2.44
dermatscht 2.46
dermen 16.68
dernier cri 6.26
16.61
derselbe 5.15f.
derweil 6.15
Derwisch 20.17
derzeit(ig) 6.16
Desaster 9.78
desavouieren 13.29
13.47
Deserteur 4.34 8.18
9.9 16.74 19.8
desertieren 9.9 16.6
19.8 19.25
desgleichen 4.28 5.16
5.18
deshalb 5.31 9.12
9.14 12.15f.
Desiderat 9.81 11.36
designieren 9.11
9.14
Desillusion 12.46
Desinfektion 7.64
9.66
desinfizieren 2.44
9.57 9.66
desinteressiert 11.37
Desorganisation
3.38 9.61 16.116
19.20
despektierlich 16.34
Desperado 11.39
Despot 16.97
16.108
despotisch 16.95
16.108 19.20

Despotismus 16.97
16.108 19.20
dessentwegen 5.31
dessenungeachtet
13.48
Dessert 2.27 7.66
Dessin 5.8 15.1
Dessous 17.9
Destillation 1.22
7.60 9.66
Destille 2.31 16.64
desto 4.51f. 5.36
destruktiv 12.34
16.116
desultorisch 3.36
6.32 9.9
desungeachtet 13.48
deswegen 5.31 9.14
12.16 12.29
Deszendent 16.9
Deszendenz(theorie)
5.41 6.34 16.9
detachieren 7.48
Detail 4.4 4.42 5.9
detaillieren 8.22
9.42 14.1
Detaillist 18.23
Detektiv 10.15 12.8
12.53 13.9 19.29
Detektor 15.15
determiniert 9.6
Determinismus 9.3
Detlef 16.3
Detonation 5.36
7.26 7.29
detonieren 15.18
deuchen 12.22
deus ex machina
12.45 20.12
Deut 4.24 9.45
13.1 18.21
deuteln 13.45 16.72
deuten 8.11 12.31
13.1 13.26 13.44
16.36
Deuter 12.33 13.44
20.12
deutlich 7.1 7.24
7.34 10.19 13.3
13.17 13.28 13.33
13.44 15.13 16.53
Deutlichkeit 7.1
13.33

deutsch 3.37 16.18
—, auf gut 11.46
13.5 13.33 13.41
13.44 13.49 16.33
16.53 19.1
Deutsch, gebrochenes
13.32
Deutschkatholik
20.1
Deutschtum 5.8
16.18
Deutschtümelei
12.55 13.32 16.18
Deutung 13.17
13.26 13.44
Devalvation 18.19
devaschdiere 5.42
Devise 5.19 12.17
13.1 18.1 18.21
20.1
Devon 1.14
devot 11.43 11.48
16.32 16.38
16.114f. 20.13
Devotion 20.16
Dewa 20.7
Dewanagari 20.19
Dextrin 1.29
Dextrose 1.29
Dey 16.98
Dez 2.16
Dezember 6.9
Dezemvirat 4.39
Dezennium 4.39 6.1
dezent 16.50f.
Dezentralisation
4.34 7.48 8.22
Dezernent 16.96
Dezimal 4.35 4.39
Dezimalbruch 4.34f.
4.42
Dezimalmaß 4.39
Dezimalsystem 3.37
4.39 12.12
Dezimalteil 4.34
4.42
Dezimalwaage 7.41
Dezimeter 4.6
dezimieren 2.46
4.5 4.30 16.108
19.32
Diabas 1.26
diabolisch 9.60
11.60 11.62f. 19.9
20.9

Diadem 3.47 16.100
17.9f.
Diagnose 12.8 12.11
12.20
diagonal 3.13 3.15
Diakon 20.17
Dialekt 13.12ff.
13.32
Dialektik(er) 12.10
12.19 13.30
dialektisch 5.21ff.
12.14 12.48 13.2
Dialog 4.37 13.30
Diamat 20.3
Diamant 1.25f. 4.6
7.44 17.10 18.27
diametral 3.13 3.32
5.21 5.23
Diana 2.12 4.9
16.50 20.7
diaphragmatisch 2.16
Diapositiv 7.8
Diarium 14.9
Diarrhoe 2.35 2.41
Diaspora 3.8 8.22
Diät 2.29 2.44 4.5
4.25 9.20 9.32
11.12
Diäten 16.46 18.26
Diätetik 2.44
Diathermie 2.44 7.35
Diäthyläther 1.29
diatonisch 15.11
dichotomisch 4.37
4.45
dicht 3.9 3.58 4.9
4.17 4.25 4.33
7.43 13.39 13.41
Dichte 3.23 4.17 5.35
7.10 7.43
dichten 3.58 7.43
12.21 14.2
Dichter 11.7 14.2
14.11 16.60
—, fahrender 14.2
16.6
—, gekrönter 16.85
Dichterader, -feuer,
-flug, -freiheit,
-gabe, -geist,
-gott, -itis 14.2
Dichterkünste
12.28

Dichterling 14.2
Dichterquartett
16.56
Dichterquell,
Dichterroß 14.2
dichthalten 13.4
Dichtheit 7.43
Dichtigkeit 4.25 4.33
5.35 7.10
Dichtkunst 14.2
dichtmachen 3.58
9.58
Dichtung 3.58 12.4
13.51 14.2
Dichtungsart 14.2
15.13
dick 4.10 4.50
—, durch — und
dünn 7.10 9.6
9.40 11.38 11.53
11.59 13.52 16.41
— tun 11.44f.
16.69 16.89f.
— werden 2.20 4.3
Dickbauch 4.10
dicke 13.28
Dicke 4.1 4.10 7.43
dicken 7.51
Dickermann 2.27
dickfellig 9.5 9.41
10.3 11.8
dickflüssig 7.51
Dickflüssigkeit 7.51
dickhäutig 7.43
10.3 11.8
Dickicht 2.1
Dickkopf 9.8 10.3
dicklich 7.51
Dickmilch 2.30
Dicksack 4.10
Dickschädel 9.8
dicktuerisch 11.45
13.52 16.69 16.89
Dickwanst 4.10
didaktisch 12.33
dideldum, dideldei
15.11
Dieb 18.9
Dieberei 18.9
Diebeshaken 3.57
diebessicher 9.75
Diebessprache 13.2
13.12
diebisch 11.9 11.22

Diebstahl 18.6 18.9
19.8 19.11f.
19.20f.
Diele 3.52 4.12
16.64 17.2
dielen 3.12 3.52
Dieme 2.5
dienen 9.18 9.22
9.46 9.48 9.69f.
11.11 11.17 12.48
13.46f. 16.33 16.38
16.74 16.111ff.
19.10 20.13 20.1\
20.22
— als 5.8 9.84
—, von der Pike
auf 4.41 6.2
— zu 9.47f.
9.81ff.
Diener 9.22 9.69f.
16.111ff.
— Gottes
20.16ff.
—, Ihr 16.38
—, stummer 17.5
Dienerin 16.112
dienern 8.30 16.38
Dienerschaft 16.112
Dienertracht 16.112
dienlich 9.45ff. 9.56
9.70 9.82 9.84
Dienst 9.18 9.22
9.38 9.40 16.49
Dienstag 6.9 16.8
Dienstalter 16.85
Dienstbalken 16.112
Dienstbarkeit
16.11 16.99
16.112ff.
16.117 20.16
dienstbeflissen 9.4
9.18 11.52 16.38
16.114f.
Dienstbolzen 16.112
Dienstbote 16.112
Dienstbotenwechsel
16.8
diensteifrig 9.38
16.114
dienstfähig 2.38
5.35
dienstfertig 11.52
16.38 16.114f.
dienstfrei 9.24

Dienstfresser 9.38
Dienstfuchser 9.38
Dienstherr 16.96f.
Dienstkleidung
   13.1
Dienstknappen
   16.112
Dienstleistung 9.69f.
   9.82 9.84 11.52
dienstlich 9.22 11.25
   16.99
Dienstmädchen
   16.112
Dienstmann 8.3
   16.112
Dienstordnung
   16.106
Dienstpersonal
   16.112
Dienstraum 9.23
Dienstreise 16.6
   18.29
Dienstrock 3.20
   17.9 16.112
Dienstsache 9.18
   13.4 18.29
Dienstspritze 16.112
diensttauglich 2.38
   5.35
Diensttracht 16.112
   17.9
dienstunfähig 2.25
   2.41 5.37 9.49
   9.53 9.85
Dienstvergehen
   19.25
dienstvergessen
   19.8
dienstverpflichtet
   16.113f.
Dienstweg 8.8 9.80
   16.99
dienstwillig 16.114
dies 5.15
diesbezüglich 5.13
   12.5
dieselben, immer
   16.33
Dieselöl 1.29 7.38
dieserhalb 5.31
   9.12 9.14 12.15f.
dieses weniger 13.29
diesig 1.7 7.6 7.10
diesjährig 6.16
diesseits 3.29

Diesseitigkeit 11.21
Dieter 16.3
Diet(e)rich 3.57 16.3
   17.15
dieweil 6.13
diffamieren 16.35
Differential 4.35
   17.16
Differentialrechnung
   4.35 12.12
differentiell 5.21
   12.12
Differenz 4.32 5.21
   12.48 16.67
differenzieren 4.34
   5.21 12.11 13.16
differenziert 11.7
   11.18
Differenzierung 4.34
differieren(d)
   5.21 16.67
diffig 8.7
diffizil 11.19 11.58
Digamie 16.11
Digesten 19.19
Digger 1.23 18.3
digital 2.16
Digitalis S. 73
   2.43f.
Dignität 16.85
Digression 8.12
   13.43
Diktat 16.84 16.106
Diktator 11.60
   16.95f.
diktatorisch 11.61
   16.97 16.106
   16.108
Diktatur 16.19
   16.95 16.97
diktieren 14.5 16.84
   16.95 16.97
   16.106 16.108
Diktion 13.38
Diktionär 13.12
   13.16 13.44 14.11
Diktum 13.28
   16.106
Diladizche 16.78
dilatorisch 6.36 8.8
Dilemma 5.7 9.7
   9.11 9.55 12.23
Dilettant 9.53 15.11

dilettantisch
   9.80 12.37
Dill S. 62 2.28
Dilldapp 12.56
Dille 3.57
diluvianisch 6.2
Diluvium 6.2
   6.21 7.54
Dimension 4.1 20.12
diminuendo 5.37
   15.11
diminutiv 4.4f.
Diminutiv(um)
   4.5 13.16 13.36
Dimission 16.105
dimorph 4.37
Din 4.16
Diner 2.26
Ding 1.20 4.50 5.1
   11.21 12.5 19.8
   19.27 20.1
dingen 9.84 16.113
   18.17
Dinger 2.22 17.13
dingfest machen
   16.117 19.27
Dingfriede 16.48
   19.27
dinghaft 5.1
Dinglehre 5.1
Dingmarkt 16.8
Dingsda 3.4 12.23
   12.37 13.4
Dingskirchen, in 3.4
Dingwort 13.16
Dinkel S. 18 2.27
Dinnestag 16.8
Diogenes 11.12
   11.63 16.52
Dione 1.2
Dionysios 16.3
dionysisch 11.5
Dioptriden 10.16
Diorama 7.2
Diorit 1.26
Dioskuren 1.2 4.37
Diözese 1.15 20.16
Diphterie 2.41
Diphthong 13.13
Diplom 13.46 14.9
   16.86 16.103
Diplomat 12.52 13.4
   13.8 13.23 16.60
   16.103 19.14

Diplomatenstück
   9.52
Diplomatie 9.52
   11.40 12.53 13.51
   16.49 19.14
Diplomatik 14.5
diplomatisch 9.52
   11.40 12.53 13.51
   16.32 16.38
diplomatisches
   Korps 16.102
Dippe 17.6
Dippegucker 12.6
Diptychon 20.20f.
direkt 3.40 6.16
   8.11 9.79
Direktion 8.11
   16.96
Direktive 13.9
Direktor 3.37
   12.33 16.96ff.
Direktorin 16.96
Direktorium 16.95
   16.102
Direktrice 16.98
Dirigent 12.33
   15.11 16.99
dirigieren 8.11 15.12
   16.96 16.106
Dirndlkleid 17.9
Dirne 10.21 16.45
   19.9f.
Disagio 16.29
Disen (Gottheit)
   20.7
Disharmonie 5.21
   5.23 11.28 12.48
   15.18 16.67
Diskant 7.34 15.13
Diskont(o) 4.30
   18.15f. 18.21 18.30
diskontieren 18.21
   18.23
diskreditieren 9.61
   13.29 16.33 16.35
   16.93
Diskrepanz 5.21
   5.23
diskret 11.52 13.4
   13.23
Diskretion 9.11
   11.40 12.52
à discrétion 9.11
diskurieren 13.30
Diskurs 13.30

Diskus 16.57
Diskussion 12.8
  13.30
diskutierbar 5.2
  5.7
diskutieren 12.3
  12.8 12.14 13.21
  16.102
disparat 5.21 5.23
dispensieren 9.19f.
  9.85 16.25 16.28
  16.105 16.118
  19.25
disponieren 3.37
  9.15
disponiert 9.4
  11.3
Disposition 3.37
  5.2 9.15 9.26
  11.3 16.105
Disput(ation)
  12.48 13.30 14.10
  16.67
disputieren 13.28f
  16.70
disputiersüchtig
  11.58 12.8
Dissertation 14.10
Dissident 5.20
  20.2f.
Dissonanz 5.21 5.23
  7.31 15.18 16.67
Distanz 3.8 3.10
Distel S. 86 3.53
  3.55 9.49
Distichon 4.37 14.2
distinguiert 16.85
Distinktion 5.11
  16.61f. 16.85
Distrikt 1.15
Disziplin 3.37 9.22
  9.26 9.68 11.12
  12.33 16.95 16.97
  16.114 19.32
Disziplinarverfahren
  19.32
disziplinieren 12.33
  16.107 19.32
Dithyrambe 11.5
  14.2 15.11 16.31
dito 6.28
Ditto 2.33
Diva 14.3 16.85
divergieren 5.21ff.
  8.18 8.22 16.65

Diversant 16.116
diverse 4.17 5.21
Dividend 4.42
Dividende 4.42 18.2
  18.5 18.21 18.26
  18.30
Dividendenjauche
  2.31
dividieren 4.34f.
  4.42
Divination 12.30
  12.42
divinatorisch 12.1
Division 4.35 4.42
  16.74
Divisionär 16.74
  16.96
Divisor 4.35 4.42
Diwan 14.11 16.100
  17.3
Dobch 16.56
Dobcher 4.4
Dobe 2.16
doch 5.20 5.23 9.72
  12.48 13.48
Docht 7.5 7.38
Dock 1.16 8.5 9.23
Docke 2.5 15.1
Dodekaeder 3.42
  4.39
Dodekapolis 4.39
Dogcart 8.4
Doge 16.97
Dogge S. 126
Doggele 20.5
Dogger 8.5
Dogma 12.17 12.22
  12.29 20.1
Dogmatiker 13.28
dogmatisch 5.6
  12.55
Dogmatismus 9.8
  12.22 12.25 12.55
  20.1
Dohle S. 101 2.33
Dohne 2.12 9.74
Dokes 2.16
Doktor 2.44 12.32
  16.86
Dr. denunz. 19.12
  — der Rechte
  19.28
  — der Theologie
  20.17

Doktorand 12.32
Doktorarbeit 14.10
Doktorat 16.86
Doktordiplom
  12.36 16.86
Doktorfrage 9.55
Doktorhut 12.36
  16.86
Doktrin 12.22
  12.32ff.
doktrinär 5.6 9.8
  12.26 12.33f.
Doktrinär 12.32
  12.37 13.28 16.90
Dokument 13.1 13.46
  14.9 19.16
dokumentarisch
  12.26 13.46
dolce far niente 9.24
Dolch 17.11
Dolde 2.3 4.17
  8.22
Dollar 18.21
Dolle 8.5
Dollen 4.33
Döllmer 12.56
Dolly 16.3
Dolman 3.20 17.9
Dolmen 2.48 14.9
Dolmetsch(er) 13.44
  13.53 16.60
dolmetschen 13.44
Dolomit 1.25f.
Dolores 16.3
dolos 19.21
Dolus 9.14 16.72
Dom 3.48 4.12
  17.1 18.25 20.20
Domäne 1.15 18.1
Domestike 16.112
domestizieren 2.10
  11.48
Domherr 2.32 20.17
Domherrnschmuck
  20.18
Dominante 5.10
  15.11
dominieren(d) 4.51
  5.10 16.95ff.
Dominik 16.3
Dominikaner(in)
  20.17
Dominium 1.15
Domino 3.20 16.55f.
  17.9

Domizil 16.1f.
Domkapitel 20.17
Domprediger 20.17
Dompteur 2.10
Domra 15.15
Domschule 12.36
Don 16.86
Don Juan 10.21
  11.53 16.42ff.
Don Quixote
  9.53 11.39 12.28
  12.57
Donar 20.7
Donardistel S. 86
Donation 18.12
Donaukarpf 16.33
Donna 2.15 11.53
  16.112
Donner 1.10 5.36
  7.26 11.5 11.30
  11.42
Donnerbolzen
  11.30
Donnerbüchse
  17.12
Donnerbusen 4.2
Donnerkeil 1.10 11.5
donnern 1.10 7.26
  16.37
Donnerrollen 1.10
Donnerschlag 1.10
  7.26 7.29 11.30
Donnerstag 6.9
Donnerstimme 7.26
Donnerwetter 5.36
  11.5 11.30f.
  16.33
Donquixotismus
  12.28
doof 12.56
doofen 12.13
Doppel, das 4.37
  5.18
Doppeladler 4.37
  13.1
Doppelausfertigung
  4.37
Doppelboden 13.34
  16.72
Doppeldecker 8.6
doppeldeutig 13.34
Doppelehe 16.14
Doppelfenster 7.27
  7.35

doppelförmig 4.37
Doppelgänger
  4.37 5.16f. 20.5
Doppelgriff 15.11
Doppelkinn 4.10
doppelkohlensaures
  Natron 1.28
Doppelkopf 16.56
Doppellaut 13.13
Doppellicht 5.7
  7.6 12.23
Doppelliter 4.19
Doppellösung 12.11
  13.34
Doppelpunkt 14.5
Doppelrolle 19.8
doppelschneidig
  5.35
Doppelschritt 12.12
doppelsichtig 10.17
Doppelsinn 5.7
  12.11 13.34 13.51
Doppelspiel 13.51
  15.11 16.72 19.8
Doppelstück 4.37
doppelt 2.33 4.37
  10.17
Doppeltür 7.27
Doppelwährung
  18.21
Doppelzentner 7.41
doppelzüngig 9.9
  12.53 13.51 16.32
  19.8
Dora 16.3
Dorant S. 82
Dorf 16.2
Dorfbewohner
  16.4
Dörfer, böhmische
  12.37 13.35
Dorfkirche 20.20
Dorfschulze 16.96ff.
Doria 11.5
dorischer Stil 15.1
Dormel 8.34 12.56
Dorn 3.55 11.13f.
  11.59 11.62 17.15
Dornenkrone 16.79
  20.8
dornig 3.55 5.47 9.74
Dornröschenschlaf
  11.8
Dorobanzen 16.74

Dorothea 16.3
dörren 2.27 4.5 5.43
  7.35 7.39 7.58 10.4
dorsal 2.16 3.27
Dorsch S. 99 2.27
Dorschen S. 42 2.27
dort 3.2f.
dös gibt's fei net
  16.27
Dose 17.6f.
dösen 2.36 9.41
  12.13 12.56
Dosis 2.43f. 4.17
  4.42
Döskopp 12.56
Dossier 14.9 19.27
dossieren 3.13
Dost(en) S. 74
Dotation 18.12
dotieren 18.12
Dotschen S. 42 2.27
Dotter 2.27 3.19
dotzeln 8.33f.
Dötzken 2.22
Double 5.17 15.9
Doublé 5.18
Douceur 18.12
Doveskandig 19.33
down 2.39 8.2
Doyen 2.25 16.96
Dozent 12.32f.
dozieren 12.33
Drache 1.2 2.43 5.36
  11.58 11.60 20.9
Drachen 8.6 16.74a.
Drachenfels 11.27
  13.22
Drachennest 9.74
  19.9
Drachensaat 16.67
  16.73
Drachme 18.21
Draffel 12.56
Dragoman 13.44
  13.53
Dragonade 16.79
Dragoner 4.2 16.74
Dragun 2.28
drahen 16.58
drähnen 13.22
drähnsnaken 13.22
Draht 4.11 4.33
  12.7 13.8 17.7
  18.21
Drahtantwort 13.2

Drahtbericht 13.2
drahten 13.2
drahtförmig 4.9 4.11
Drahtfunk 13.10
drahtig 4.11
Drahtkommode
  15.15
Drahtkultur 5.18
  11.28f. 13.51
drahtlos 8.7 13.2
Drahtpuppe 7.47
  9.53 16.72 16.112
  17.15
Drahtschere 4.34
Drahtseil 4.33
Drahtverhau 16.77
Drahtzange 17.15
Drahtzaun 3.15
Drahtzieher 5.31
  16.95
Drain 8.24
Drainage 7.56 7.58
  9.66
drainieren 7.58 8.24
Drainierung 7.56
Draisine 8.4
drakonisch 11.61
  16.108 19.32
drall 4.10 7.44
Drall 3.46 5.35 8.32
  12.57
drallig 12.57
Drallkasten 12.57
Drama 5.44 14.3
Dramatik 14.3
Dramatiker 14.3
dramatisch 5.27 5.36
  11.5 14.3
dramatisieren 13.52
Dramaturg(ie) 14.3
Dramolett 14.3
dran 3.9 4.10
Drang 8.9 9.1f.
  9.12 9.38 11.5
  11.36 12.1 16.107
— der Geschäfte
  9.39f.
drängeln 8.9 11.27
drängen 4.17 4.20
  5.35 6.16 8.7
  5.37ff. 9.81 16.20
Dränger 11.6
Drangsal 4.25 5.47
  18.4
drangvoll 4.21
dranhalten, sich 9.38

drankommen 2.45
  5.47 13.25
dranlangen 10.2
dransetzen 9.38
Draperie 3.20
Drapierung 3.20
  17.10
Drassem 16.78
drastisch 5.34f.
  9.37 13.33
dräuen, s. drohen
drauf 8.7
— ankommen
  lassen 5.7 9.16
— und dran 6.24
Draufgänger 8.16
  9.6 10.21 11.38f.
  16.44
draufgehn 2.45
  11.38 16.76 18.13
  18.15
draufhelfen 13.2
daraufkommen
  12.2
drauflos 11.38
  16.78
draußen 3.4 3.18
  8.24
— halten, sich 3.4
Dreadnought 8.5
  16.74
drechseln 3.50 5.26
  5.39 15.10
Drechsler 15.1 15.10
  16.60
Drechslerei 15.10
Dreck 8.30 9.45 9.51
  9.67 13.29
Dreckeimer 17.7
Dreckelche 18.12
Dreckfink 9.67
dreckig 9.67 11.27f.
  18.11
Drecksack 16.33
Dreckwetter 1.7
Dreesch 1.13
Dreh 9.25
Drehbahn 3.50
  17.16f.
Drehbaum 9.73
Drehbuch 15.9
Drehbühne 14.3
drehen 3.46ff. 8.12
  8.17 8.32 9.77
  15.9f. 16.58 19.8

drehen, eine Nase
12.53 16.54 16.72
—, einen Strick
9.74
—, sich 5.25
—, sich um 5.1 12.5
— und wenden,
sich 9.5 9.7
— und zu wenden
wissen, sich zu
12.53
Dreher 16.55
16.58 16.60
Drehgitter 3.57f.
9.73
Drehkater 2.41
Drehkreuz 3.58
Drehleier 15.15
drehnig 9.7
Drehorgel 15.15
Drehpeter 8.8 9.7
Drehpunkt 8.32
Drehring 8.32
Drehscheibe 8.32
Drehstrom 17.17
Drehsturm 1.6
Drehtür 3.58 8.25
Drehung 3.46 8.32
siehe drehen
Drehwurm S. 93
2.41 8.32
drei 4.38 8.7 9.29
Drei Mohren 16.64
— Steine 2.48
Dreibein 2.5
Dreiblatt 4.38
Dreibock 2.5
Dreibund 4.38 16.17
Dreidecker 8.6
dreidimensional
3.42
Dreidraht 9.7 12.56
Dreieck 3.43 4.38
17.9
Dreieinigkeit 4.38
20.7
Dreier 12.49 18.21
dreierlei 5.21f.
dreifach 4.38
dreifältig 4.38
Dreifaltigkeit 20.7
dreifarbig 7.23
Dreifuß 12.43 17.5

Dreigroschenjunge
19.29
Dreikäsehoch 2.22
4.4
Dreiklang 4.38
15.11 15.17
Dreikönig 16.59
16.64 20.16
dreimal 4.38
Dreimännerwein
2.31 7.68 10.9
Dreimännerzigarre
2.34
Dreimaster 8.5 17.9
Dreingabe 4.28
dreinschauen 11.32
Dreirad 8.4
Dreisatz 16.57
dreispaltig 4.45
Dreispitz 3.20
16.100 17.9
Dreisprung 16.57
dreißig 4.39
dreist 9.6 11.38f.
11.45 16.53 16.90
Dreistigkeit 11.39
dreistündig 6.1
Dreiteilung 4.45
Dreiverband 4.38
dreiviertel Packung
2.20
Dreizack 1.18
17.11
dreizähnig 4.38
dreizehn 11.41
Drell 17.8
Dresche 16.78
dreschen 4.34 16.78
16.84 19.32
—, Karten 16.56
Dreschflegel 2.5
Dreschmaschine 2.5
Dress 17.9
dressieren 2.10 9.26
9.31 11.48 11.60
12.33 16.78
Dressur 2.10 9.31
12.33
Dressurprüfung
16.57
Dreyer 16.60
drieseln 7.55
Driftströmung 1.6
7.55 8.11

Drill 12.33
Drillbohrer 8.25
17.15
drillen 3.57 8.32
9.26 11.60 12.33
Drillich 17.8
Drilling 4.38 16.9
Drillmeister 12.33
drin(nen) 3.19
3.25
dringen 8.16 9.12
9.39 11.5 16.20
dringend 9.39 9.44
9.81 16.20
dringlich 9.44 9.81
drinnen 3.19
Dritte 8.26
Dritteil 4.45
Drittel 4.34 4.45
Drittelung 4.45
Dritten abschlagen
16.57
drittens 4.38
Dritter 3.25
droben 3.33 4.12
Droge 4.45
Drogerie 2.44
Droge 2.44
Drohblick 16.68
Drogist 16.60
drohen 6.23f. 9.74
13.10f. 16.68
drohend 9.74 11.42
13.11
Drohgebärde 16.68
Drohne S. 97 9.24
9.41
dröhnen 7.26 7.30
dröhnend 7.26 9.44
Drohschreiben 13.2
16.68
Drohung 16.68
Drohwort 16.68
drollig 11.22f.
Drolligkeit 11.23
16.55
Dromedar S. 127
8.3
Drops 2.27 7.66
Droschke 8.4
Droschkengaul 9.40
Drossel S. 110 2.16
2.25 3.58 11.28
15.13

Drosselklappe 7.61
drosseln 3.58 4.9
4.30 9.73 18.10
Drossler 2.46
Drost(e) 16.96ff.
drüben 3.4 3.8 3.29
3.32
drüber 4.51
Druck 4.25 5.35 7.41
8.9 9.3 9.12 9.40
9.44 9.55 10.1f.
11.13ff. 11.48
14.6 14.11 16.76
16.95 16.107f.
16.111 16.117
18.4
Druckanstalt 9.23
Druckbogen 14.6
Drückeberger 8.18
9.24 9.41 16.48
drucken 13.2 14.6
15.5
drücken 4.5 7.41
8.9 10.1 11.53
16.38 16.41ff.
—, an die Wand
16.84
—, den Markt 4.22
—, den Preis 18.28
—, sich 8.18 9.41
drückend 7.35 9.40
9.55 11.14
Drucker 14.6 16.60
Drücker 3.57 17.15
Druckerei 9.23 14.6
Druckfehler 12.27
13.32 15.2
Druckknopf 3.58
4.33
Druckplatte 5.18
Druckpunkt 8.18
9.24
Druckrevision 9.57
Druckschrift 14.6
14.11
drucksen 8.8
Drucksinn 10.2
Druckstock 5.18
Drude 20.5 20.12
Drudenfuß 3.43
20.12
druff 16.76
Druffappel 4.10
Druide 20.17

Drum und Dran,
das 3.24 5.12
drumkommen 18.15
drunten 3.34
drunter durch 16.93
— und drüber 3.38
Druse 3.24
Drüse 2.16 3.48
Dschebel 4.12
Dschingiskhan 11.63
16.108 19.9
Dschungel 2.1 19.20
Dschunke 8.5
du 4.37 13.24
du! du! 16.68
du und du, auf
16.41 16.64
Dualismus 4.37
Dual(ität) 4.37
Dubel 12.56
Dübel 4.33
dubios 12.23 19.8
Dublette 4.37 5.18
Dublone 18.21
Duce 16.98
Düchelche 9.49
ducken 16.33 16.93
—, sich 4.13 8.30
11.40 11.43
16.114f.
Duckmäuser 11.43
19.8
Duckstein 1.14
duddeln 8.8
dudeln 2.31 15.14
15.18
Dudelsack 15.15
Duell 16.67 16.69f.
—, amerikanisches
2.47
Duenna 2.15 16.101
Duett 4.37 15.13
Duft 7.62f.
dufte 9.6 11.17
11.38
duftig 7.42 7.60
7.63
duftlos 7.62
duhn 2.33
Duhsche 12.56
Dukaten 18.21
Dukatengold 1.22
Duktus 14.5

-dul 11.36 13.52
Dulcinea 16.112
dulden 2.41 5.45
11.4 11.8 11.13
11.28 11.50 16.25
16.109 19.32
Dulder 11.13
duldsam 11.52
16.109f.
Duldung 11.50
16.25
duliöh 11.22
dulksen 16.78
Dullerdopp 16.56
Dult 16.59 18.25
Duma 16.97 16.102
Dumdum 17.13
dumm 9.53 11.26
11.46 12.13 12.25
12.56 16.53 18.8
18.15
— machen 12.56
16.72
Dummbart 12.56
dummdreist 11.39
Dummheit
9.45 9.53 9.78
11.26 11.39 11.46
12.13 12.19 12.27
12.37 12.56f.
13.18
Dummkopf 12.37
12.56
Dümmling 12.56
Dummrian 12.56
Dummsdorf 12.56
dummstolz 11.44
dumpf(ig) 7.27
7.57 9.1 9.24
9.67 9.74 11.8
11.42 13.23
Dümpfel 1.18
Dumpfheit 9.24
Dumping 18.28
Dune (Daune) 3.54
Düne 1.16 4.12
7.48
düngen 2.5
Dünger 2.5 9.46
9.67 9.69
dunkel 5.7 7.3 7.7
7.14 9.28 9.55
10.18 12.1 12.23
12.37 13.4 13.34f.
16.93f. 19.8

Dünkel 11.44f.
12.50 12.56 16.53
16.89f.
dünkelhaft 11.44f.
Dunkelheit 5.7 7.7
13.35
Dunkelkammer
7.6 10.16ff. 15.8
17.2
Dunkelmänner
12.37 15.8 16.93
Dunkelmännerlatein
13.32
dunkeln 7.6f.
— lassen, im 5.7
13.35
dunkelrot 7.17
dünken 12.22
—, sich besser
11.44f.
dunkle Abkunft
5.41 16.92ff.
— Punkt, der
16.94
dünn 4.4 4.9 4.11
4.24f. 7.54 9.45
— gesät 4.24 6.29
Dünnbier 2.31
Dünndarm 2.16
Dünndruck 14.6
Dünne, der 2.41
Dünne, Dünnheit
4.9 4.11 7.48
dunnemals, von 6.21
Dunnerhagel 11.5
Dunnerlettcher 11.5
dünnmachen, sich
8.18
Duns 12.57
Dunst 6.8 7.6 7.10
7.59f. 7.62ff. 9.13
9.45 12.37 13.51
16.89
—, leerer 4.26 9.45
12.25 12.28 13.51
16.72
dunstartig 7.60
dünsten 7.35 7.39
Dunstkiepe 17.7
Dunstkreis 3.24
7.60
Dunstobst 2.27
Dünung 1.18
Dunzel 12.56

Duo 4.37 4.45
15.12
Duodez 4.4 4.39
14.11
Dupe 12.56 16.72
düpieren 12.25
16.72
Duplik 13.26 13.47
19.13
Duplikat 4.37 5.18
14.5f
Duplizität 5.16f.
Dur (und Moll)
15.11
Duralumin 1.27
durch 3.15 6.7
8.11 8.25 9.25
9.69 9.82
— und durch 4.41
5.14 8.25 9.8
— zu engen Wolf
gedreht 12.57
durcharbeiten 14.7
durchaus 3.7 4.41
4.50 5.14 13.28
— nicht 5.3
durchbeben 11.5
durchbeißen, sich
9.77
durchbeuteln 16.78
durchbiegen 9.8 9.37
durchblättern 8.7
12.7f. 12.13 14.7
durchbleuen 16.78
durchblicken 10.16
12.8 12.11 12.14
12.31f. 12.52 13.33
durchbohren 2.46
3.57 8.25
durchbohrend 16.68
durchbrechen 3.15
4.11 4.34 8.25
8.30 16.84 16.118
durchbrennen 8.18
16.6 16.118 18.9
18.19
durchbringen 9.77
16.95 18.14
—, sich 9.22 9.55
18.4 18.10
durchbrochen 3.15
3.57 7.48
Durchbruch 3.57
4.34 8.25 16.84
16.118

durchdringen 3.3 3.7
3.19 8.23ff. 9.35
13.5 16.95
durchdringend 7.26
10.15 16.68
durchdrücken 8.25 9.3
durchdrungen 11.5
12.22 16.30
durchduften 7.63
durcheilen 8.7
Durcheinander 1.21
3.38 11.5 12.19
13.35 15.18
Durchfahrt 3.57
8.3 8.25 16.6
Durchfall 2.35 2.41
durchfallen 5.3 8.30
9.78
durchfechten 9.8
durchflapchen 16.78
durchfliegen 8.7
durchforschen 12.8
durchfressen 9.63
durchführbar 9.54
durchführen 9.8 9.21
9.35 9.52 9.77
16.26 16.95 19.24
19.27
durchfurchen, das
Meer 16.7
Durchgang 3.57 4.33
8.1 8.3 8.11 8.25
durchgängig 3.7
4.41 6.6
durchgedreht 11.5
durchgehen 8.7
8.18 8.25 11.31
16.6
— lassen 9.43
16.25 16.47
16.109
durchgehend 3.7
4.41 6.6
durchglühen 11.4
durchgreifen 5.35
9.6 9.37 16.108
durchhalten 6.7 9.8
16.77
durchhauen 4.34f.
9.54 16.78 19.32
—, sich 8.25
durchhecheln 16.33
16.54
durchhelfen 9.70

durchhetzen 8.7
durchhungern 2.29
11.12 18.10
Durchkämm-
kommission 16.74
durchkämpfen 9.8
9.18 9.40 16.70
19.13
—, sich 9.77
durchkommen 1.5
3.57 8.18 9.75
9.77
durchkreuzen 3.15
8.25 9.72f. 16.65
durchkrümmen
17.12
Durchlaß 3.57 7.56
8.3
durchlässig 3.57 7.48
Durchlaucht 16.86
durchlaufen 7.55
8.25
Durchläufer 8.7
8.27 16.117
durchlesen 12.7 14.7
durchleuchten 7.4
8.25
durchlochen 13.1
durchlöchern 3.57
16.116
Durchlochung 3.57
17.15
durchlumpen 16.55
durchmachen 5.44f.
11.8 11.13
Durchmarsch 2.35
8.1 8.25
Durchmesser 3.47
durchmustern 12.7
durchnässen 7.57
durchnehmen 12.7
12.33 14.7
durchpassieren 8.25
durchpatschen 7.57
durchpauken 8.7
durchpausen 5.18
15.4
durchpeitschen 8.7
9.77 16.78
durchpflügen, das
Meer 16.7
durchpressen 8.25
durchproben 9.26
9.28

durchprügeln 16.78
durchqueren 3.15
16.6
Durchquerung 3.15
8.27
durchquetschen, sich
8.25
durchreisen 8.25
12.8 16.5f.
durchreißen 4.34
durchrieseln 7.55
durchringen 9.78
19.5 20.1
durchrinnen 8.25
Durchriß 4.34
durchrudern 16.55
durchsacken 8.31
Durchsage 13.6
durchschaudern
7.40 11.5 11.42
11.58
durchschauen 10.15f.
12.7f. 12.20 12.31
durchscheinen(d) 7.8
durchscheuern 5.42
9.63
durchschießen 3.25
8.26 14.11
durchschiffen 16.7
durchschimmern 7.8
Durchschlag 3.57
4.37 5.18 8.9
17.15
durchschlagen 3.57
4.34 5.9 5.17
8.24 9.77
—, sich 8.18 9.22
9.55 16.67 18.4
durchschlagend
9.12 13.46
Durchschlagskraft
8.9
durchschleusen 8.25
durchschlüpfen 8.18
16.118 19.30
— lassen 16.47
durchschneiden 3.15
4.34
Durchschnitt
4.17 4.34 6.3 7.2
9.45 9.59
durchschnittlich
12.12
Durchschnittsmaß
12.12

Durchschnittspreis
4.17 18.27f.
Durchschnittszahl
4.17
durchschreiten 8.25
durchschweifen 8.25
durchsegeln 16.7
durchsehen 9.57
10.16 12.7f.
durchseihen 8.24f.
9.66
durchsetzen 6.7 9.3
9.6 9.8 9.35
9.77 19.22
Durchsicht 12.7
durchsichtig 2.41
4.11 7.8 7.48
9.66 13.33f.
durchsickern 7.56
8.24 13.2 13.6f.
durchsintern 7.56
8.24
durchspießen 8.25
durchsprechen 12.14
12.33
durchstarten 9.30
durchstechen 3.57
8.25
Durchstechereien
18.8
durchstecken 18.12
durchstehen 9.8
Durchstich 3.15 3.57
4.34
durchstöbern 12.8
Durchstoß 3.57
durchstreichen 7.3
13.29 16.6
durchstreifen 16.6
durchsuchen 12.8
16.6
durchteilen 4.34
4.45
durchtrieben 12.52f.
durchtrippeln 8.25
durchwachsen 9.59
durchwachteln,
-wackeln, -wam-
sen, -wapchen,
-wassern, -wei-
chen, -wichsen
16.78
durchwandern 16.6
durchweben 3.15

Durchweg 8.11
durchweg(s) 3.7
durchwirken 3.15
durchwitschen 8.18
9.75 19.30
durchziehen 2.19
3.15 8.25 16.6
16.33 16.54
Durchzieher 2.42
durchzittern 11.5
11.42
durchzucken 11.5
Durchzug 1.6 8.1
8.25 16.6
durchzwängen, sich
8.25
dürfen 5.4 16.25
19.22
dürftig 4.24f. 9.60
18.4
dürr 2.7 4.4 4.9
4.11 4.25 7.58
11.28 13.39f.
Dürre 2.7 4.25
5.42 7.58
Durst 2.32 4.25
10.13f. 11.36 18.7
Dusche 1.8 7.55
8.30 16.33
Duschraum 17.2
Düse 3.57 4.9
Dusel 2.33 2.36
5.46 9.24 9.77
Düsenjäger 8.7
16.74a.
Dussel 12.56
dusselig 12.56
Dust 7.49 9.67
duster 7.7 13.35
düster 7.6f. 11.12f.
11.31ff.
düsterer Himmel
9.74 11.42
Düte 3.20 17.7
Dütendreher 16.117
Dutsch 2.16
Dutt 2.16 11.11
16.55
Dutzend 4.39
Dutzendmensch
9.45 12.37
dutzendweis 4.20
duzen 16.41

Dynamik 5.34f. 8.9
15.11
dynamisch 5.35 8.9
Dynamit 1.29 8.22
17.12
Dynamo 5.35
17.16f.
Dynast 16.98
Dynastie 16.9
16.97f.
dys- 9.55
Dysenterie 2.41
Dyspareunie 16.50
D-Zug 8.4

E

Eau de Cologne
7.63
Ebbe 4.5 4.13 4.15
4.25 5.25 7.55
7.58 8.17 8.33
— und Flut 5.25
6.33 7.55 8.33
— in der Tasche
4.25 18.4
ebben 4.5 4.15 8.33
eben 3.12 3.51f.
5.15 5.24 6.12
6.16 9.12 9.59
— noch 6.20
Ebenbild 5.9
5.16ff. 15.1
ebenbürtig 4.27
5.16f. 16.91
Ebene 1.13 1.16
3.12 3.14 3.51
4.8 4.13 5.21
— geraten, auf die
schiefe 9.61 19.10
ebenfalls 4.28 5.16
12.47
Ebenheit 3.52
Ebenholz S. 68 7.14
Ebenmaß 3.37 3.59
11.16f. 11.28
ebenmäßig 3.59
ebenso 5.16f. 12.47
16.24
ebensogroß 4.27
ebensoviel 4.27
Ebenwert 4.27
ebenwertig 4.27

Eber S. 127 2.14
— geht im Korn
1.6
Eberesche S. 48
Eberhard 16.3
Eberraute S. 83
Eberwurz S. 86
Ebige 16.78
ebnen 1.13 3.12
3.40 3.51f. 5.38
8.30 9.70
—, den Weg 9.54
9.70
Ebner 16.60
ecce-homisch
zichtigen 16.78
Echo 5.18 5.34
7.25 8.10 8.17
12.47 13.26
echoen 7.25
Echolot 10.19
echt 1.22 9.56
11.17 11.46 12.26
13.46 19.1 19.3
Echtbürtigkeit 16.97
Echternach 20.20
-eck 16.64
Eckard 16.3
Eckart (der getreue)
12.42 13.10
16.41f. 16.101
Eckchen 11.16
Ecke 1.11 2.46
3.43 8.12 11.42
16.1
—, ganze 3.8
—, um die 3.9
—, um die — brin-
gen 2.46
Ecken, an allen —
und Enden 3.7
3.24
—, von allen —
und Kanten 3.7
3.24
Eckensteher 8.2
9.24 16.94
Ecker 2.3
Eckhaus 17.1
eckig 3.43 3.55
11.28
Eckigkeit 3.43
Eckpfeiler 3.16 9.44
17.2

Eckpfosten 3.18
9.44 16.77
Ecksäule 9.44
Eckstein 3.18 9.44
16.77 17.2
Eclair 2.27
éclat 7.1 11.5
Ecossaise 16.55
16.58
Edda 16.3 20.19
edel 9.56 9.64 11.52
16.85 18.27 19.2f.
Edeldame 16.91
Edelgas 7.60
edelherzig 18.13
Edeling 16.91
Edelknabe 2.22
16.91 16.112
Edelknappe 16.91
16.112
Edelmann 16.91
16.97f.
Edelmut 11.52
18.13 19.2f.
edelmütig 19.2
Edelpilz S. 9
Edelrost 3.20
Edelschmus 13.18
13.35
Edelsinn 19.2f.
edelsinnig 19.2f.
Edelstein 1.26 9.64
17.10 18.27
Edelweiß S. 81 7.13
19.4
Edelwild S. 127 2.27
Eden 5.46 11.9
16.64 20.10
Edgar 16.3
edieren 14.6 14.8
Edikt 13.6 16.106
19.19
Edith 16.3
Edition 14.11
Editor 14.11
Edmund 16.3
Eduard 16.3
Edukation 9.26
12.32f. 16.38
Edwin 16.3
Efendi 16.97f.
16.104
Efeu S. 60
Effekt 5.34 16.88

Effekten 5.1 9.81
18.1 18.21 18.30
effektiv 5.1 5.6
9.77 12.26
egal 4.27 6.6 9.45
11.37 12.13
egalisieren 4.27
5.16
Egge 2.5 3.53 17.15
eggen 2.5
egoismo, sacro
16.18
Egoismus 9.47
11.63 19.7
—, krasser 19.7
Egoist 9.47 11.63
18.7 18.11 19.7
egoistisch 9.47
11.63 19.7
Egon 16.3
egozentrisch 9.47
11.63
Egyptienne 14.8
eh' (österr.) 5.14
6.11
ehe 6.11
e-he (etw. nasal)
13.28
Ehe 16.11
— im Kreise 16.14
— zur linken
Hand 16.14
—, Auflösung der
16.15
—, die — einsegnen
16.11
—, freie 16.13
—, morganatische
16.11 16.14
—, wilde 16.13f.
Eheband 16.11
19.24
Ehebett 16.11
— entweihen, das
16.14 16.44
ehebrechen 16.14
Ehebrecher 10.21
16.14 16.44
ehebrecherisch 16.44
Ehebruch 16.14
16.44
Ehebund 16.11
ehedem 6.18ff.
Ehefessel 16.11

Ehefrau 16.11
Ehefreuden 16.11
Ehegatte 4.37 16.11
Ehegattin 16.11
Ehegemach 17.2
Ehegespann 16.11
Ehegespons 16.11
ehegestern
6.18ff.
Ehehälfte 4.37 16.11
Eheherr 16.11
Ehejoch 16.117
Ehekontrakt 16.11
Ehekrüppel 16.11
eheleiblich 19.22
Eheleute 4.37 16.11
ehelich 16.11 19.22
ehelichen 4.33 16.11
ehelos 4.36 16.12
Ehelosigkeit 16.12
16.52
ehelustig 11.53
ehemals 6.18ff.
Ehemann 16.11
Ehepaar 4.37 16.11
Ehepakt 16.11
19.14
eher 6.11 8.13 9.11
9.26
— bricht die Welt
zusammen 6.5
—, je — je lieber
8.7 11.36
ehern 6.7 7.16 7.43f.
11.8
—e Stirn 16.90
Eheschänder 10.21
16.44
Eheschändung 16.14
Ehescheidung 16.15
ehescheu 16.12
Ehesegen 2.6 2.22
5.41 16.9
ehest 6.35
Ehestand 16.11
—, sich in den —
begeben 16.11
—, sich in den —
stürzen 16.11
Ehestandslokomotive
8.4
ehestens 6.24 6.35
8.7

Ehestifter 4.33 922
16.49
Eheteufel 16.11
Ehetrennung 16.15
Eheversprechen 16.1c
Ehevertrag 16.11
19.14
Eheweihe 20.16
Ehni (hess.) 16.9
Ehrabschneider
16.35
ehrbar 16.50 16.92
19.1 19.4
Ehrbarkeit 16.50
19.1
Ehre 9.77 16.30f.
16.85f. 16.93 19.1
— bezeigen 16.87
— bringen 16.85
— erweisen 16.87
—, auf 12.26 13.28
13.50 16.23
—, auf — und Ge-
wissen 13.50
—, auf dem Felde
der — bleiben,
fallen 2.46 16.73
—, äußere 16.86
—, der berauben
16.35 16.44
—, der Mahlzeit —
antun 10.11
—, die — des Hau-
ses machen 16.38
—, die — eines Be-
suches schenken
16.64
—, die — nehmen,
verletzen 16.35
— schenken, die
16.64
—, Feld der 16.75
—, für Gott, — und
Vaterland 16.73
—, größte 20.16
—, habe die 16.38
—, letzte — er-
weisen 2.48
— machen 16.31
—, um die — be-
trügen 16.44
—, um die — brin-
gen 16.35 16.44
— verlustig gehen
16.93

Ehre zollen 16.30
—, zur — gereichen
16.31
ehren 11.48 16.30
16.46 16.85 16.87
18.10
Ehren 16.85
—, in allen 16.50
—, mit 9.77
—, mit — zu
sprechen 16.30
—, mit — zu ver-
melden 16.30
—, nicht in — hal-
ten 16.34
—, zu — von 16.87
Ehrenamt 16.85f.
ehrenamtlich 18.29
Ehrenbett 2.48
16.88
Ehrenbezeigung
16.30 16.87
Ehrenbild 15.10
Ehrenbogen 16.84
16.87
Ehrenbürger 16.86
Ehrendame 4.37
16.91 16.112
Ehrendenkmal
15.10
Ehrendieb 16.35
Ehrendienst 16.85
Ehrendiplom 14.8
16.86
Ehrendolch 17.11
Ehrenerklärung
16.80 16.82 19.13
19.26
Ehrenerweisung
16.85f.
ehrenfest 19.1 19.3
Ehrenfräulein
16.112
Ehrengabe 16.39
Ehrengehalt 11.54
16.46 18.5
Ehrengericht 16.49
Ehrengewand
16.100
ehrenhaft 16.26 16.31
19.1 19.3 19.18
Ehrenhaftigkeit
19.18
ehrenhalber (pflicht-
gemäß) 19.24

Ehrenhandel 16.67
16.70
—, einen — ausfech-
ten, durchkämpfen
16.70
Ehrenjungfrau
16.87f.
Ehrenjungfrauen
16.39
Ehrenkleid 16.100
17.9
Ehrenkompanie
16.88
Ehrenkränkung
16.35 16.67 16.69
16.76
Ehrenkranz 16.84f.
16.87 17.10
Ehrenkreuz 16.87
Ehrenkrone 16.84ff.
Ehrenlohn 16.46
Ehrenmal 2.48 12.39
20.20
Ehrenmann 19.1
19.3f.
—, dunkler 16.36
16.93f.
Ehrenmitglied
16.85f.
—,Ernennung zum
16.46
Ehrenname 16.85
Ehrenpforte 16.84
16.87
Ehrenplatz 16.30
16.85 16.87 18.29
Ehrenposten 9.49
9.74 16.85
Ehrenpreis S. 72
16.46
Ehrenpunkt 16.67
19.1 19.24
Ehrenrat 19.1 19.27
Ehrenraub 16.35
Ehrenräuber 16.35
16.44
Ehrenrechte 19.32
—, bürgerliche
19.31f.
Ehrenrede 16.31
Ehrenrettung 19.13
19.30
ehrenrührig 16.35
16.93f.

Ehrenrührigkeit
16.35
Ehrensache 13.28
16.67 19.1 19.24
Ehrensalut 2.48
Ehrensalve 16.87
Ehrensäule 14.9
15.10 16.87
Ehrenschänder 16.35
19.8f.
Ehrenschändung
16.14 16.35
Ehrenschuld 11.5
11.54 16.23 16.56
16.113 18.17 19.24
Ehrenseite 3.31
16.30
Ehrensitz 16.30
16.87
Ehrensold 16.46
16.113 18.26
Ehrenstein 2.48
Ehrenstelle 16.85f.
Ehrentag 16.11
16.39 16.59
Ehrentempel 20.20
Ehrentitel 16.85f.
Ehrenverleihung
16.85f.
Ehrenverletzung
16.34f.
ehrenvoll 16.85
16.87 19.3
Ehrenwache 16.85
16.87
ehrenwert 16.85 19.1
Ehrenwort 13.28
13.50 16.23 16.118
19.16
—, sein — geben
13.50
—, kleine 5.7
Ehrenzeichen 16.86f.
ehrerbietig 11.48
16.30 16.38 20.13
20.16
Ehrerbietung 11.48
16.30 16.38
Ehrerweisung 16.87
Ehrfurcht 11.48 16.30
16.85 20.1 20.13
— ausdrücken 16.38
— erheischen, ge-
bieten 16.30

Ehrfurcht, von —
durchdrungen sein
16.30
—, von — ergriffen
werden, erschauern
16.30
ehrfürchtig 11.48
ehrfurchtsvoll 16.30
—, jemanden — be-
gegnen 16.30
Ehrgefühl 16.85
—, ohne 16.93 19.10
Ehrgeiz 9.12 9.14
9.38 11.16 11.36
11.44f. 16.85
—, ohne 11.37
11.46
ehrgeizig 11.36
11.44f.
ehrgeizlos 11.37
ehrlich 11.46
13.49 16.53 19.1
—, er macht ihr
16.11
ehrliebend 19.1
ehrlos 16.36 16.93
19.8 19.10
Ehrlosigkeit 16.93
19.8f.
ehrpusselig 16.51
ehrsam 11.46 16.85
16.92 19.1
Ehrsucht 9.12 9.14
11.36 16.85
ehrsüchtig 11.44f.
Ehrung 8.13 16.85
16.87
ehrvergessen 19.8
Ehrverletzung 16.35
ehrwidrig 16.93f.
Ehrwürden 16.86
ehrwürdig 2.25
6.27 12.32 16.30
16.85 16.87
Eh- und Wehstand
16.11
ei 11.5 11.30 11.53
12.45 16.43
Ei 2.20 2.22 2.27
3.19 3.50 5.16
5.26 5.31 6.2 9.29
9.52 11.7 11.17
16.57
Ei des Columbus
9.52 12.2 12.45

— das schlägt dem
Fass das — aus
16.33
—, für en 15.28
— legen 5.39
Eiern gehen, auf
9.55
eiapopeia! 2.36 9.24
11.8 11.33f. 14.2
15.11 15.13
Eibe S. 12
Eibisch S. 57
Eiche S. 29 2.38
5.35 6.7 16.18
—, wie eine 2.38
—, Zur 16.64
Eichel 2.3
eichen (Maß) 12.12
13.1
Eichenkreuz 2.48
Eichenlaub 4.50
Eichhörnchen S. 126
8.7
Eid 13.28 13.50
16.23 19.27
—, falscher 13.51
—, einen — ab-
legen, leisten
16.23
—, unter 13.50
Eidam 16.9
Eidbruch 13.51
19.8
eidbrüchig 19.8
Eidechse S. 101
Eiderdaune 3.54 7.42
Eiderente S. 119
Eideshelfer 13.50
19.13
Eidgenossenschaft
4.17 9.69 16.17
16.19
eidlich 13.28
Eierschalen (hinter
den Ohren)
2.22 4.48
Eierspeisen 2.27
Eierstab 15.7 17.10
Eierstich 2.27
Eiertanz 9.55
Eifer 9.18 9.21
9.38 11.5f. 11.14
11.58 12.3 12.35
19.24
—, blinder 9.39

Eiferer 9.6 9.8 11.6
eifern 11.5
Eifersucht 9.72
11.56f.
Eifersüchtelei 11.56
eifersüchtig 11.56
eiförmig 3.47 3.50
eifrig 5.36 9.4 9.8
9.18 9.21 9.38f.
11.5 11.36 12.3
12.35 19.24
Eigelb 3.19
eigen 4.48 5.9 5.14
5.18 5.20 5.33
9.42 11.7 11.16
11.47 11.58 12.57
18.1
—, zu haben 18.1
—, zu — sein 18.1
—er Antrieb 8.4
9.2 9.4 17.16
—er Herr, sein
16.119
Eigenart 5.8 5.14
5.20 11.1f. 13.38
15.1 15.3 16.18
eigenartig 5.20
Eigenbrötler 4.36
5.20 16.52
Eigendünkel 16.90
Eigener 5.20 16.117
Eigenermächtigung
9.2
eigenhändig 9.18
14.5
Eigenheim 17.1 18.1
Eigenheit 5.2 9.65
11.1
Eigenkapital 1.22
Eigenliebe 9.47 11.45
19.7
Eigenlob 11.45
16.31 16.89
eigenmächtig 19.20f.
19.23
Eigenmächtigkeit
19.23
Eigenname 13.16
Eigennutz 9.47 18.7
19.7
eigennützig 19.7
eigens 9.14
Eigenschaft 5.9 5.31
5.35 11.2

Eigenschaft, die —
erteilen 5.35
Eigenschaftswort
13.16
Eigensinn 9.8 9.10
11.58 16.53 16.116
eigensinnig 9.8 12.55
16.53 16.116
eigenständig 5.14
16.119
Eigensucht 11.63
19.7
eigensüchtig 9.47
11.63 19.7
eigentlich 4.50 5.10
12.26 13.17 13.44
16.53 19.24
Eigentum 18.1
18.3 18.5
Eigentümer 18.1
eigentümlich 5.8f.
5.20 11.51 11.59
13.35 16.119
Eigentümlichkeit
4.37 5.8f. 5.20f.
11.2 13.38
Eigentumsrecht 18.1
Eigentumsvorbehalt
19.16
Eigenwille 9.8
eigenwillig 9.8
Eigenwuchs 11.2
eigenwüchsig 1.22
5.14 12.21
eignen 5.9 18.1
—, sich 9.48 18.1
19.18
Eigner 18.1
Eignung 9.48 9.52
Eiland 1.17
Eilbote 9.39 13.8
14.8 16.60
—n, Durch 6.14
Eilbotschaft 9.39
Eilbrief 13.7
Eile 5.36 8.1 8.7
9.38f. 9.77 11.6
— haben 9.39
— mit Weile 8.8
11.40
eilen 8.1 8.7 9.18
9.38f. 9.77
16.6
—, zur Fahne
16.73

eilends 8.7
Eilers 16.60
eilfertig 8.7 9.39
9.43
eilig 8.4 8.7 9.4
9.39
Eilinder 17.9
Eilinie 3.47
Eilmarsch 8.7
Eilwagen 8.4
Eilzug 8.4
Eimer 1.8 17.6
Eimerhalten 16.116
ein 4.36 5.8 5.15
11.53
— Als-Ob 12.29
— Fleisch und Blut
16.9
— für allemal 9.6
16.106 16.108
19.19
— Herz und eine
Seele 16.40f.
— und aus 8.1
— und dasselbe
5.15 5.17
—, auf die —e oder
andere Weise 9.8
—, in —em fort
6.6f. 6.33f.
—, mit —em Male
5.27 12.45
—, von —em zum
andern 5.26
—, wie — Mann
4.33 9.68 12.47
—, zwei Seelen und
— Gedanke 12.47
ein- 1.21 3.20 3.23
3.46 3.57 4.5 4.9
4.33
Einakter 14.3
einander 5.23 9.71
einarbeiten 12.8
einarbeiten, sich 9.31
12.35
einarmig 2.42 9.65
einäschern 2.48 5.42
7.36
Einäscherung 2.48
5.42 7.36 16.80
einatmen 1.6 8.23
10.6

einäugig 9.65 10.17
11.28
Einback 2.27
einbalsamieren 5.43
Einband 3.20
Einbauchung 3.49
Einbaum 8.5
einbegriffen 4.48
einbehalten 18.6
einbeinig 9.65
einbeizen 1.21
einbelzen 2.5
einberufen 4.17
16.74
Einberufung 16.74
16.102
einbetten 3.23f.
einbeziehen 4.38
4.48 8.23
einbiegen 3.45f. 3.49
8.11
Einbiegung 3.43
3.46 3.48f.
einbilden 11.44f.
12.22
—, sich 12.22 12.24
12.27f.
Einbildung 7.2 9.10
11.44f. 12.4 12.28f.
12.56f. 13.51 16.90
Einbildungskraft
12.4 12.21
einbinden 3.20 4.33
14.11
einblasen 1.6 7.27
8.23 13.2 13.5
einbläuen 7.21
einbleuen 12.33
16.78
Einblick 12.32
— gewinnen 12.32
einböschen 1.16 3.23
7.58
einbrechen 8.23 18.9
Einbrecher 3.57 8.23
18.9
Einbrecherwerkzeug
3.57 9.83
einbringen 8.23 9.47
16.46 18.5 19.27
—, Klage 19.27
einbröckeln 8.23
einbrocken 8.26
16.78 19.32
einbröseln 3.20

Einbruch 3.10 4.34
5.47 6.2 8.23
8.26 9.29 9.77
16.76 18.9
— der Nacht 6.4
einbruchsicher 9.75
einbuchten 16.117
Einbuchtung 3.49
einbuddeln 2.48
Einbug 3.45
einbürgern 3.3 9.31
16.2 16.119
Einbuße 9.50 9.61
18.15
— erleiden 9.50
einbüßen 8.8 18.15
19.23
eindämmen 1.16 3.3
3.25 3.58 5.38 7.58
9.73 11.8 17.14
Eindämmung (Ver-
teidigung) 16.77
eindecken, sich 18.22
Eindecken 8.5f. 16.6
eindeutig 13.33f.
16.44
eindeutschen .13.53
Eindichter 8.26
eindicken 7.41
eindimensional 3.39
eindorren, eindörren
7.35 7.58
eindrängen, sich
3.25 4.22 8.23 8.26
eindrillen 9.26 12.33
eindringen 1.21 3.19
3.25 8.23 8.26 9.37
12.6 16.73 16.76
16.84
— auf 16.73
16.76
—, in das Geheim-
nis 12.6 12.20
—, mit Gewalt 5.35
19.20
eindringlich 9.44
11.4f. 13.39
13.41 13.46
— zureden 9.12
16.20 16.33
Eindringlichkeit
(Eindruck) 11.5
Eindringling 3.25
6.26 8.23

Eindruck 3.49 5.4 8.9
9.37 10.1 11.4f.
11.17 11.28 11.59
12.3f. 12.22 12.32
13.1
—, guten — machen
11.16f. 16.31
Eindrücke, seine
12.22
eindrücken 8.23
—, dem Gedächtnis
12.39
Eindrücklichkeit
11.5 13.41
eindruckslos 10.3
11.8 12.40
eindrucksvoll 5.34
9.46 11.4f.
11.7 11.17 13.39
13.41 16.95
einduseln 2.36
Eine, der 20.7
einebnen 3.51 4.27
5.16
Einehe 16.11
einem anders kom-
men 16.78
einen 4.33, s. einigen
einen unter der Jacke
2.35
einengen 4.5 4.9
4.11 9.55 13.48
16.117
einer für alle und
alle für einen 5.16
9.71 16.73
einer oder der an-
dere 6.30
— wie alle 12.47
— wie es viele gibt
16.93
Einer 2.13 4.36 8.5
einerlei 4.36 5.16 6.7
6.33 9.45 11.26
11.37 13.42
—, das 11.26
Einerleiheit 5.15
einernten 18.5
einerseits 4.42 9.71
— andrerseits 4.34
eines für das andere
5.28
— oder das andere
9.11

einesteils 4.42 9.71
einexerzieren 12.33
einfach 1.22 4.36
4.50 9.54 9.59
11.46f. 12.18 13.33
13.40 13.44 13.49
15.3 16.94
— ausgedrückt 13.44
— weg 12.40
Einfachheit (Stil)
11.12 11.46 13.40
einfädeln 8.25 9.15
11.53 16.96
einfahren 2.26 8.26
Einfahrt 1.11 3.10
3.57 8.11 8.23
16.6
Einfall 4.50 5.29
8.23 8.26 9.10 11.3
12.2f. 12.28 14.2
16.73 16.76
Einfälle 11.23 12.2
einfallen 4.5 12.2
12.24 12.39 13.26
15.14
—, das könnte mir
16.27
—, in die Rede
3.36
—, sich — lassen
12.24
Einfalt 11.46 12.25
12.56 13.49 15.3
19.4
einfältig 9.53 12.19
12.25 12.56
Einfaltspinsel 9.53
12.37 12.56
einfalzen 4.33 14.11
Einfamilienhaus 17.1
einfangen 11.53
15.8 16.117 18.6
einfarbig 7.11
einfassen 3.23
Einfassung 3.23f.
9.76 17.10
einfetten 7.52
einfeuern 7.35f.
einfinden, sich
8.20
einflechten 1.21 3.25
4.33
Einflieger 8.6
einfließen lassen
3.25 13.2

einflößen 1.21 2.30
3.25 7.54 8.26 9.12
9.37 11.35 11.38
11.42 11.45 11.48
11.50 12.33
—, Achtung 16.30
—, neues Leben 2.44
Einflugversuche,
feindliche — ver-
hindern 16.77
Einfluß 5.31 5.34f.
912 9.44f.
12.22 16.85 16.95
16.97 16.110
— haben 16.95
—, ohne jeden
16.110
einflußlos 5.37 9.45
16.94
einflußreich 9.44
16.85 16.95
einflüstern 7.27 9.12
12.24 13.2 13.5
Einflüsterung 13.2
einfordern 16.20
18.26
einförmig 1.22 5.16f.
6.7 6.33 9.12
11.25ff. 13.40
13.42
einfressen 9.61
einfried(ig)en 3.23
3.25
einfrieren 18.6
einfuchsen 12.33
einfugen 8.26
einfügen 3.23 3.25
4.33 8.26 16.2
einfühlen, sich 5.18
12.32
Einfuhr 8.23 16.38
18.20 18.22
einführen 6.26 8.13
8.23 8.26 9.26
9.29 9.31 12.33
16.61 16.64 16.87
18.22f. 20.15
—, sich — lassen
16.64
Einführung 3.23
6.2 8.13 8.23
8.26 9.25 9.31
12.33 14.1 16.38
16.41 16.87 20.13
20.16

einfüllen 3.25 8.3
8.23 8.26
Eingabe 14.8 16.20
19.13
Eingang 3.10 3.57
6.2 8.11 8.23
16.8 17.2 18.26
Eingänge 18.26
eingangs 6.2
Eingangsamt 19.28
eingeben 2.44 8.23
9.12 12.21 13.9
19.12
eingebildet 4.26 5.1
7.2 10.12 11.27
11.32 11.44f. 11.47
12.24 12.27f. 13.29
13.51 16.53 16.9c
eingebogen 3.46
3.49
eingeboren 4.36
5.8 16.1
Eingebor(e)nenrecht
16.119
Eingebor(e)ner 16.4
eingebunden 14.4
Eingebung 11.4 11.48
12.2 12.4 12.21
12.28 12.52 13.9
—, göttliche 12.21
20.19
eingebürgert 3.3 9.31
16.4
eingebüßt, hat alles
18.4
eingedenk 12.7 12.39
eingedickt 13.39
eingeengt 4.9 4.17
7.43 16.117
eingefahren 9.52
eingefallen 2.41
eingefleischt 5.9
9.31 19.10
—er Bösewicht
19.9 20.3
eingegeben 20.19
eingehen 2.19 2.45
4.5 8.17 9.29 9.53
11.52 12.8 12.13
12.31 16.72 18.5
18.17 19.14 19.24
— auf 9.21 12.47
13.28 14.1 16.24f.

eingehen, auf einen
Gedanken 16.40
— und ausgehen
16.64
—, ein Bündnis 16.17
—, Freundschaft
16.41
—, Verpflichtung
16.23 19.24
—, wieder 18.18
eingehend 9.42 12.7
13.43f.
Eingehtag 16.8
eingekeilt 4.9 9.55
eingelegt 3.21 17.10
eingemacht, hat 18.19
Eingemachtes 2.27
7.66
eingemeinden 4.3
4.48
eingenommen (für)
9.8 9.31 11.9
11.36 11.52f
16.41
— sein 16.41
—, von sich 11.44
eingepackt haben 2.25
eingepfarrt(e) 20.22
eingepfercht 4.50
eingepflanzt 3.19
5.4
eingerechnet 4.28
eingerichtet 14.12
eingesargt 11.41
eingeschlafene Füße
10.3
eingeschlagen, das
hat 7.29
eingeschlossen 3.19
3.24f. 4.28 4.48
16.117
eingeschoben 3.25
eingeschränkt 3.25
4.4 4.9 4.46
eingesessen 16.1
eingesperrt 16.117
eingespielt 9.52
Eingeständnis 13.28
eingestehen 12.47
13.3 13.28 19.5
eingestellt 11.2f.
Eingeweide 2.16 2.27
3.19
eingeweiht 9.52
12.32 20.15

Eingeweihten, die
12.32
eingewurzelt 3.19
5.6 5.9 6.7
6.27 8.2 9.31
eingezogen 13.4
16.52 16.74
— leben 16.52
eingießen 8.23
Einglas 10.16 17.10
eingliedern 3.37
4.47f.
eingraben 2.46
13.4 14.5
eingravieren 15.5
eingreifen 8.26 9.18
9.37f. 9.69 9.72f.
9.77 16.49
eingrenzen 3.23ff.
16.117
Eingriff 2.44 8.23
9.72 19.11 19.20
19.23
einhaken 3.17 16.43
Einhalt 8.2 9.17
9.72f. 16.29
— gebieten 3.36 8.2
9.17 9.32f. 9.41
9.72f. 16.29
einhalten 3.36 8.2
9.19 9.33 9.36
9.41
—, Versprechen
16.26 19.1
einhämmern 12.33
einhandeln 18.20
18.22
einhändigen 18.12
einhängen 2.19 8.15
16.43
—, sich 4.37
einhauchen 8.23
einhauen 2.26 10.11
16.70 16.76
einhegen 3.24
einheimisch 3.3 3.19
4.33 16.4
einheimsen 2.5 9.35
9.75 9.77 16.26
18.5f.
Einheirat 16.11
Einheit 3.28 3.37
4.33 4.36 16.18f.
16.40 16.74 20.7

Einheit der Stimmen
12.47
—, seelische 12.47
16.17
einheitlich 1.22 3.37
3.59 4.36 4.41
5.16 9.64
— gestalten 3.37
5.16
Einheitlichkeit
3.37 4.36
Einheitskurs 18.21
einheizen 2.31
7.35f. 16.78
einhelfen 9.70
einhellig 4.41 9.68ff.
12.47 16.40
einherbewegen 8.1
Einherier 20.5 20.10
einherstelzen 11.45
einherstolzieren
11.44f.
einholen 2.5 4.52
8.7 8.20 18.22
—, die Einwilligung
16.10
Einholen 20.13
Einhorn 5.20 11.30
12.28
Einhufer S. 128
einhüllen 3.20 13.4
17.9
einig 9.68ff. 12.47
16.17 16.40f.
—, sich — sein 16.10
einige 4.17 4.24
einigeln, sich 16.77
einigemal 6.33
einigen 4.33 16.40
—, sich 9.68 16.17
16.40 16.48 18.20
19.17
einigermaßen 4.52
5.17 9.59
Einigkeit 9.68ff.
12.47 16.40f.
—, die wieder-
herstellen 16.48
Einigung, mystische
20.1
Einigungsamt 16.49
16.99 19.27
einimpfen 8.23
Einimpfung 4.33

einjagen 11.42
—, Furcht 16.68
Einjährig-Frei-
  williger 16.74
einkacheln 7.36
einkalkuliert 12.44
einkapseln 3.20
Einkapselung 12.55
einkassieren 18.5f.
  18.26
Einkauf 4.28f. 18.22
einkaufen 18.20
  18.22
Einkäufer 16.60
  18.22
Einkaufsgenossen-
  schaft 18.22
Einkehr 3.3 19.5
einkehren 3.3 16.64
—, in sich 19.5
Einkehrhaus 3.3
  16.64 17.1
einkeilen 3.25 4.9
  4.33 8.23 8.26
einkellern 3.3 5.43
einkerben 3.43 13.1
einkerkern 3.23
  16.117 19.32f.
Einkerkerung 16.117
einkesseln 16.76
  16.84
Einkesselung 16.73
Einkind 4.24f. 16.9
einkitten 4.33 7.43
einklagen 16.20
  18.26 19.27
einklammern 3.23
  13.29 19.23
Einklang 5.19
  12.47 15.11 15.17
  16.40
— der Herzen
  11.53 16.41
—, in — bringen
  4.27 16.49 19.17
einkleiden 17.9
  18.22
Einkleidung 3.20
  13.20 17.9 20.17
einklemmen 3.23
  3.25 4.9 11.32
einklinken 3.58 4.33
einknicken 3.43 4.34
einkochen 5.43

einkommen 18.5
  18.18f. 18.26
— gegen 12.48
— um 16.20
Einkommen 18.3
  18.5 18.21 18.26
Einkommensteuer
  18.26
einkreisen 9.26
einkrusten 3.20
  7.43f.
Einkünfte 18.3 18.5
  18.26
einladen 9.12 11.10
  16.21f. 16.64
einladend 11.10
  11.36 16.38
Einladung 2.26 9.12
  16.22 16.55 16.64
Einlage 3.21 3.25
  4.18f. 4.48 6.15
  18.2 18.10
— (Zahn) 8.26
Einlagekapital 18.2
  18.16
einlagern 3.3 4.18
  4.29 5.43
Einlaß 3.57 8.11
  8.23
einlassen 3.23 8.23
  11.53 16.25
—, sich 9.18 9.21
  9.38 9.69
—, sich — auf 9.21
—, sich auf etwas
  16.23
—, sich — mit
  16.41 16.70
einläßlich 13.43
Einlauf 2.44 8.23
  9.66
einlaufen 4.5 4.11
  8.20 16.7 18.5
  18.26
—, in den Hafen
  der Ehe 16.11
einlaugen 9.66
einleeren 8.23
einlegen 1.21 3.23
  4.19 5.43 7.23
  8.23 16.85 19.13
  19.27
—, Ehre 16.87
—, eine Lanze —
  für 16.70

einlegen, Fürsprache
  16.49
—, Geld 18.16 19.16
—, gute Worte 16.49
  19.13
—, Protest 16.65
einleiten 6.2 8.13
  9.21 9.29 16.96
  19.27
—, die Schlacht
  16.73
—, eine Sache 9.26
  16.96
einleitend 6.2
Einleitung 6.11 8.13
  8.16 9.21 14.1
  14.3 14.11 15.11f.
  20.13
einlenken 5.38
  16.83 16.109 19.5
—, wieder 5.38
  16.47f.
einlernen 12.33
  12.35 12.39
einleuchten(d) 5.4
  11.10 12.22 12.26
  12.47 13.33 13.46
einliefern 16.117
  18.12
einliegend 3.19
  3.23 4.28
einlochen 16.117
  19.33
einlogieren 16f.
einlösen 9.35 16.26
  18.18 18.26 19.1
  19.24
—, sein Wort nicht
  16.28
—, Wechsel 18.26
—, Wort 9.35 16.26
  19.24
Einlösung (Zurück-
  gabe) 18.18
einlullen 2.36 9.36
  11.8 11.28 13.51
einmachen 2.27 3.20
  5.43 7.66
Einmachfleisch 2.27
  5.43 7.65 7.68
Einmachfrüchte
  2.27 5.43 7.66
einmal 4.36 6.17
  6.19ff. 6.25

— ist keinmal 9.13
  11.37 19.13
— und nicht wieder
  6.29
—, alle auf 4.22
  12.47
—, auf 5.27 12.45
—, es war 6.18ff.
—, noch 4.37 6.33
Einmaleins 4.35
  12.12 12.33
einmalig 4.36 11.17
Einmannboot 8.5
  16.74
Einmarsch 8.23
  16.76
einmarschieren
  8.20 8.23 16.73
Einmaster 8.5
einmauern 3.23
  3.25 16.117
—, lebendig 19.32
—, bei lebendigem
  Leibe 2.46 19.32
einmengen 1.21 4.22
  4.28 8.21 8.26
—, sich 3.25 8.26
  9.18 9.38 9.73
einmieten 3.3 16.2
einmischen 4.28
—, sich — in 9.18
  9.38 9.73 16.49
Einmischung 1.21
  4.22 9.18 9.70
  9.73 16.9 16.29
  16.49 16.53
einmummen 3.20
  17.9
Einmündung 3.46
  4.33 7.55 8.23
einmünzen 18.21
einmütig 4.41 968f.
  12.47 16.40
Einnahme 18.3 18.5
  18.26
einnebeln 7.10
einnehmen 2.44 8.23
  11.10 11.53 11.59
  16.32 16.38 16.84
  16.111 18.5f. 18.26
—, für sich 16.32
  16.41
—, gegen sich 11.59

einnehmend 11.9f.
11.17 16.38
16.55
Einnehmer 16.26
18.26
einnicken 2.36 9.24
9.36
einnieten 4.33
einnisten 3.3 8.26
16.2
—, sich 4.22
Einöde 1.13 2.7
3.4 4.26 16.52
einölen 2.44 3.52
7.52 15.7 17.10
20.15f.
einordnen 3.37 4.28
4.47f. 12.20
—, sich 5.19 16.114
einpacken 3.20 3.23
3.25 4.52
einpassen 12.47
einpauken 9.40
12.33 12.39
einpeitschen 16.21
Einpeitscher 9.70
16.21 16.31
einpfählen 3.23
einpfarren 4.48
20.22
einpferchen 3.23
3.25 4.9 16.117
einpflanzen 3.3 16.2
Einpflanzung 2.5
8.26
einpflöcken 3.23
einpfropfen 1.21 2.5
einpökeln 5.43
einprägen 12.33
12.35 12.39 13.1
15.10
einpressen 4.5 7.43
13.1 16.2
einpuppen 5.24
17.9
—, sich 5.24 16.52
einquartieren 3.3
8.20 16.1f.
Einquartierung 16.1
einrahmen 3.23f.
einrammen 3.11
4.14 8.23 8.26
einrangieren 3.37

einräuchern 5.43
7.62 9.66
einräumen 5.2 12.17
12.47 13.5 13.48
16.2 16.24f. 18.12
19.22 19.27
einrechnen 4.28
Einrede 9.5 9.17
9.72 12.48 13.29
13.47 16.33 16.65
19.13
einreden 9.12 12.22
12.25 12.28 13.9
—, Mut 9.12 11.38
einregistrieren 14.9
einregnen, sich 1.8
Einreibung 2.44
einreichen 16.20
16.105 19.12
19.27
—, Protest 12.48
16.65
einreihen 3.3 3.35
3.37 3.45 4.28
4.38 4.47f. 16.1
16.74 18.2
Einreihung 3.37
4.48
einreißen 4.3 4.34
5.42 6.26 9.31
einrenken 2.44 4.33
16.49
einrennen 5.42 9.49
einrichten 3.37 5.39
6.2 9.15 9.21
9.26 9.29 9.52
11.16 12.47 15.12
15.14 17.1
—, sich 18.10
—, sich häuslich 3.3
Einrichtung 3.37
5.8 9.26 9.83
17.16
Einriß 4.34
einrollen 3.20
einrücken 8.20 8.23
8.26 9.77 13.6
16.1 16.74
—, eine Anzeige in
die Zeitung 13.6
14.6
einrühren 4.28 5.47
eins 5.15 8.7 11.37

eins a 11.17 16.31
— für das andere
18.20
— ins andere 3.35
4.28
— oder das andere
9.11
— nach dem an-
deren 4.36 6.31
16.27
— gegen zehn 5.4
Eins 4.36 9.29
siehe ein
—, das — und Alles
20.7
einsäckeln 18.5f.
einsacken 3.20 17.7
18.5
einsäen 2.5
einsagen 13.2
Einsager 14.3
einsalben 2.44 7.51
einsalzen 5.43 7.68
einsam 4.34 4.36
11.63 16.52
— leben 16.52
—, du bist wohl
12.57
Einsamkeit 4.36
16.52
einsammeln 4.17
9.77 18.5
—, Vorteile 9.77
Einsarg 17.8
einsargen 2.46 2.48
3.20 9.20 11.41
—, Hoffnung 11.41
Einsatz 9.4 9.29
9.37f. 11.38 16.74
16.74a. 16.76
17.10 192 19.16
—, rollender 16.74a.
16.76
einsatzbereit 9.4
9.37 16.18 19.2
Einsatzgruppe 2.46
Einsatzhemd 17.9
einsaugen 3.23 3.25
5.8 7.55 7.57
8.23 11.2
—, mit der Mutter-
milch 12.35

einsäumen 3.25
Einsäumung 3.23
einschachteln 3.20
3.25
einschalten 1.21 3.3
3.23 3.25 5.35 7.4
8.23 8.26 9.29
—, sich 8,26
Einschaltung 3.36
4.48 8.26
einschärfen 9.44
12.33 13.9 16.29
16.106 19.24
—, dem Geist 12.33
einscharren 2.48
8.26 13.4
einschaufeln 2.48
einschenken 2.31
8.23 11.46 16.55
einscheuern 4.17
4.29 18.6
einschichtig 4.36
einschicken 8.3
einschieben 1.21
3.25 3.36 4.33
8.26
Einschiebsel 3.25
8.26
Einschiffung 16.7
einschirren 2.10
einschlafen 2.36
9.24 9.36 11.25f.
einschläfern 2.36
2.44 5.38 9.36
11.26 11.34
—, Gefühle 11.8
einschläfernd 2.44
11.8 11.26
Einschlag 1.10 3.15
3.17f. 3.20 5.9
16.95 17.8
einschlagen 2.5 3.20
3.45 3.57 4.34
5.42 8.11 9.25
9.77
—, Weg 8.11 9.25
einschlägig 12.5
einschleichen 7.27
8.23 11.53
—, sich 7.27 8.23
—, sich in die Gunst
11.53 16.32
Einschleppung 8.3

einschließen 3.19
3.23ff. 3.58 4.28
4.48 9.55 9.73 13.4
16.76 16.117
einschließlich 4.28
4.48
Einschließung 3.24
3.58 9.73 16.76
einschlummern 2.36
2.45 9.36
einschlürfen 2.30
10.6f.
Einschluß 3.21 4.19
4.48
einschmeicheln, sich
8.23 11.53 16.32
16.115
—, sich in die Gunst
16.32
einschmelzen 5.42
7.35 7.54 18.21
einschmieren 3.52
7.52 9.67
einschmuggeln 8.23
einschmutzen 9.67
einschnallen 3.20
einschnappen 11.31
einschneiden 3.43
4.34
einschneidend 5.35
9.37 9.44 11.4
11.13
einschneien 1.9
Einschnitt 3.10 3.44
3.49 4.34 13.1
einschnüren 3.20 4.9
einschränken 3.23
4.5 4.7 4.9 4.11
4.24 4.30 9.73
16.29
—, sich 4.25 5.38
18.10
Einschränkung 3.25
4.4f. 4.25 9.73
11.12 13.48 16.29
16.117 18.10 19.15
Einschränkungen
16.117
einschreiben 14.8f.
18.26
Einschreiben 9.75
14.8
Einschreibung 19.14

einschreiten 3.23
3.25 9.18 9.38
9.73 16.49 16.108
19.29
einschrumpfen 4.5
4.11 8.17
Einschub 3.25 8.26
einschüchtern 9.3
11.42f. 11.47 16.30
16.68 16.90
Einschüchterung
11.42 16.68 16.108
einschulen 9.26
12.33
Einschuß 3.15 5.9
17.8
einschustern 12.33
Einschütt 17.8
einschütten 2.31
8.26
einschwalben 3.15
3.17
einschwärzen 7.14
8.13 8.23 19.20
einschwenken 8.12
8.32 12.47 16.6
einsegnen 20.12
20.15f.
—, die Ehe 16.11
Einsegnung 20.13
20.15f.
einsehen 12.31 13.33
Einsehen, ein —
haben 9.33 16.83
einseifen 2.33 16.32
16.72 18.8
einseitig 3.60 12.55
13.51 15.2 19.8
19.21
— erziehen 12.34
Einseitigkeit 19.8
einsenden 8.3
einsenken 2.48 4.14
8.27 8.30
einsetzen 2.5 3.3
4.14 4.33 8.26
9.16 9.29 11.38f.
16.2 16.103
—, feierlich 16.87
—, motorisierte
Truppen 16.76
—, sein Leben 9.28
9.74 11.39 16.73
—, sich — für 9.70

Einsetzung 16.97
16.103 20.15f.
Einsicht 9.52 12.2
12.32 12.52
einsichtig 9.52 12.52
16.109
einsichtsvoll 9.52
12.7 12.52 16.109
Einsiedelei 3.4 16.52
20.20
Einsiedeln 20.20
Einsiedler 4.34 16.52
20.13
Einsiedlertum 4.34
einsilbig 13.4 13.13
13.23 13.39 16.53
Einsilbigkeit
(Sprache) 13.39
einsinken 4.14
Einspan 16.12 16.52
einspannen 9.26
9.40
Einspänner 4.36
5.20 8.4 16.12
einspännig fahren
16.6
einsparen 18.10
einspeichern 4.18
5.43
einsperren 3.23
3.25 3.58 16.117
19.32f.
einspielen 11.53
—, sich 9.68
einspinnen, sich
16.52
Einsprache 9.72
12.48 13.47 16.65
19.27
einsprechen, Trost
11.50
einsprengen 7.57
einspringen 9.27
9.30 9.70
einspritzen 2.44
7.57
Einspritzung 2.44
8.23 8.26
Einspruch 9.5 9.72
12.48 13.29 13.47f.
16.27ff. 16.33
16.49 16.65 16.106
19.13 19.27
— erheben 9.72f.
16.27 16.33 16.65

Einspruch, keinen —
erheben 16.25
einspunnen 19.33
Einssein 4.36
einst 6.17 6.21 6.25
einstallen 2.10 3.3
16.1
einstampfen 5.42
Einstand 16.57
einstechen 3.57 9.73
einstecken 3.3 3.25
11.8 16.117 18.5f.
—, Beleidigung 11.8
—, eine Niederlage
16.83
einstehen 5.29
16.112 19.16
19.24
— für 19.11 19.16
einstehlen, sich 7.27
8.23
—, in die Gunst
11.53
einsteigen 8.23 8.28
9.69 18.9 18.16
18.22
einstellen 3.3 3.36
6.4 8.20 9.19f.
9.32f. 9.36 9.78
9.85 15.8
16.2 16.29 16.106
19.30
—, sich 3.3 5.17
5.44 8.20
—, Widerstand 16.83
Einstellung 11.2f.
12.22 18.19
— der Feindselig-
keiten 16.48
— des Verfahrens
19.30
einstens 6.21 6.26
Einstich 3.57
einstig 6.19
einstimmen 12.47
15.11
—, in den Friedens-
chor 16.40
einstimmig 4.33
9.68f. 12.47 15.17
16.40
Einstimmigkeit
12.47 13.28 16.40

Einstimmung 15.17
  16.20 16.25
einstmals 6.21
  siehe einst
einstopfen 8.26 16.2
einstoßen 3.57
einstreichen 18.5
einstreuen 1.21 8.22
einstudieren 9.14
  12.33 12.35 12.39
einstudiert 9.14
  11.45 11.49
einstürmen (auf)
  5.36 8.7 9.12
  16.76
Einsturz 5.27 5.42
  8.30f. 9.78 18.19
einsturzdrohend
  9.74
einstweilen 6.1 6.15
einstweilig 6.15
einsuggerieren 20.12
Eintagsfliege S. 96
  6.8
Eintänzer 16.58
  16.60
eintauchen 7.55
  7.57 8.26 20.15
eintauschen 5.29
  18.20
Einteelche, die
  neue (sächs.) 16.8
einteilen 3.37 4.25
  4.34 4.42 4.47
  18.2
einteilig 4.36
Einteilung 3.10
  3.36f. 8.22 9.25
eintönig 7.11f.
  11.25f. 13.42f.
Eintönigkeit 11.26
Eintopf 1.21 2.27
Eintracht 12.47
  16.40 16.48 16.64
einträchtig 9.68f.
  9.70 12.47 16.40f.
  16.48
einträchtiglich 16.40
Eintrag 17.8
— tun 9.50 9.73
eintragen 3.25 5.45
  9.46 13.1 14.5
  14.9 18.5 18.26
  19.16 19.32

einträglich 9.46f.
  18.5
Einträglichkeit 9.47
Eintragung 14.9
eintränken 16.80
—, es 19.32
—, etwas 16.78
einträufeln 1.21
eintreffen 8.19f.
  12.26 12.44
Eintreffen 12.44
eintreiben 8.23 18.5
  18.26
Eintreiber 16.21
Eintreibung 16.106
eintreten 5.30 5.44
  8.19f. 8.23 8.26
  20.15
— für 5.22 16.31
  19.13 19.16
— in 16.17
eintrichtern 12.33
  16.78
Eintritt 3.57 4.48
  6.2 8.23
Eintrittskarte 13.1
eintrocknen 4.5 4.11
  7.35 7.58
einträpfeln 1.21
eintrüben, sich 1.7
eintun 2.5
eintunken 7.57 8.26
eintürmen 16.117
einüben 12.33 12.35
ein- und ausgehen
  6.31 8.1
einverleiben 4.3 4.28
  4.33 18.5 19.16
—, sich 18.6
Einverleibung 4.33
Einvernahme 13.25
Einvernehmen 12.47
  16.40f. 19.14
—, das — aufrecht-
  erhalten 16.40
—, gutes 16.40
—, herzliches 16.41
—, sich ins — setzen
  19.14
einverstanden 9.4
  11.16 12.47 16.24
  16.40
— sein 5.16 12.47
  16.40
—, nicht — sein
  12.48 16.33

Einverständnis 9.69
  12.47 16.24 19.14
—, gutes 16.41
—, heimliches 16.72
—, Ihr — voraus-
  gesetzt 16.25
—, im — handeln
  16.40
·—, zum — gelangen
  16.48
Einwand 9.17 9.72
  12.48 13.26 13.29
  13.47 16.33 16.65
  19.13
Einwände machen
  16.33
Einwanderer 3.8
  16.6
einwandern 16.1 16.6
Einwanderung 4.3
  8.23 16.1
einwandfrei 5.1 9.56
  9.64 12.14
—, nicht 9.60
einwärts 3.19 8.23
einweben 4.33 17.10
einwecken 5.43
einweichen 2.33 7.50
  8.26
—, sich 2.33
einweihen 6.2 9.29
  12.33 13.2 16.87
  20.16
—, in das Geheimnis
  13.2 13.5
Einweihung 6.2 9.29
  20.16
einwenden 3.23 9.5
  12.48 13.47
Einwendung 16.33
  siehe Einwand
einwerfen 3.23 3.25
  4.34 5.42 13.47
—, Fenster 16.34
einwickeln 3.20 16.32
  16.72 18.8
einwiegen 9.36
einwilligen 12.47
  16.24f. 16.114
—, nicht 16.27
Einwilligung 16.24f.
—, die — der Eltern
  einholen 16.10
einwintern 2.5 5.43

einwirken 5.24 9.12
  9.71 11.4 16.95
Einwirkung 9.12
  11.4 16.95
Einwohner 2.13 3.9
  16.4
Einwurf 9.5 13.37
  16.33 16.57
einwurzeln 3.3 9.31
einzacken 3.43
Einzahl 4.36
einzahlen 9.70 18.26
  18.30
Einzahlung 9.70
  18.26
einzähnen 3.43
Einzäumung 3.24
  16.117
einzäunen 3.23
Einzäunung 3.24
einzeichnen 8.23 14.9
einzel- 2.13 4.34 8.22
Einzelaktion 19.20
Einzelberufe 16.60
Einzelfall 4.36
Einzelgänger 4.36
  5.20 16.12 16.52
Einzelhaft 16.117
Einzelheit 4.4 4.34
  4.42 5.1 5.9 5.44
  9.42 12.7 14.1
Einzelheiten 12.8
— eingehen, in die
  12.8 14.1
Einzelherrschaft
  16.97f.
Einzelkampf 16.67ff.
Einzelkämpfer 16.74
Einzellauf 16.57
Einzelleben 16.12
  16.52
Einzeller 2.7
Einzelmensch 16.3
einzeln 4.34 4.36
  8.22 16.12
einzelne gehen, ins
  9.42 14.1
Einzelne, der 16.3
Einzelner 4.36 16.12
Einzelstimme 15.11
Einzelwesen 16.3
Einzelwirtschaft
  16.12

Einzelzelle 19.32f.
einziehen 3.3 4.17
  8.20 8.23 11.32
  11.48 16.1 16.8
  16.74 18.11 18.21
  18.26 19.32
—, den Schwanz
  16.83
—, Erkundigung
  12.8
Einziehung (Münze)
  9.61
einzig 4.1 4.36 4.50
  5.20 16.119 20.7
einzigartig 4.50
  11.17
Einzigkeit 4.36
Einzug (Ankunft)
  8.20 16.6 16.8
—, festlicher 16.87
einzwängen 3.23 3.25
  4.9 8.26 16.117
eiopopeio!
siehe eiapopeia!
eirund 3.47 3.50
Eis 1.25 2.27 7.40
  9.21
—, auf — legen 5.43
—, das — brechen
  9.21 16.41
Eis- 7.40
Eisbahn 3.52 9.52
  16.55 16.57
Eisbank 1.17
Eisbär, mürrisch
  wie ein 16.53
Eisbein 2.16 2.27
Eisberg 1.17 4.12
  7.40
Eisblumen 7.40
Eisbombe 2.27 7.40
Eisbrecher 1.16f.
  2.31 8.5
Eiscrême 2.27
Eisdiele 16.64
eisen 7.40
Eisen 1.24f. 1.27
  5.35 7.44 9.21 9.38
  9.52 16.107 16.117
—, altes 9.85
—, heißes 9.55
—, wird durch Blut
  und — entschie-
  den 16.73

Eisenbahn 8.4 8.11
  16.6
— spielen 16.56
—, die letzte 9.78
—, es ist die höchste
  6.36
—, Zur 16.64
Eisenbahnpionier
  16.74
Eisenbahnspiel (Ich
  reise nach Jerusa-
  lem, wer reist
  mit?) 16.56
Eisenbahnweiche
  8.12
Eisenbart 2.44
Eisenfresser 11.38
  11.58 16.74 16.89f.
eisenfresserisch 16.73
Eisenglanz 1.25
Eisenhut S. 36
Eisenoxyd 7.16
Eisenschlips 17.9
Eisenspat 1.25
Eisenzeit 6.9
eisern 1.20 5.35 7.44
  9.8 11.40 11.61
  16.108
—e Jungfrau 19.32
Eisessig 1.29
Eisfeld 7.40
Eisfläche 3.52 7.40
  16.55
Eisgang 7.40 7.55
  9.74
eisgekühlt 7.40
Eisgetränke 7.40
eisglatt 3.52
eisgrau 7.15
Eishaus 7.40
Eishockey 16.57
eisig 7.40 11.8 11.61
eiskalt 4.50 7.40
  16.81
Eiskeller 7.40
Eisklumpen 7.40 11.8
Eiskühler 7.40
Eiskunstlauf 16.57
Eislaufen 16.55
  16.57
Eismaschine 7.40
Eispunkt 7.40
Eisregen 1.9
Eisregion 7.40

Eisrieke 16.50
Eisschießen 16.57
Eisschnellauf 16.57
Eisscholle 7.40
Eisschrank 5.43 7.40
Eisschuhe 16.6 17.9
Eissegeln 16.57
Eissport 16.57
Eistanz 16.57
Eisvogel S. 113
Eiswaffel 2.27
Eiszapfen 7.40
Eiszeit 6.21 7.40
Eiszone 7.40
eitel 3.5 4.26 4.50
  9.45 9.49 9.78 11.9
  11.45 11.47 13.51
  16.89
— Rederei 13.18
Eitelkeit 9.49 11.45
Eiter 2.35 2.41 2.43
  7.54
Eiterbeule 19.8 19.10
Eitergang 3.57
eiterig 9.67
eiternd 9.63 11.14
Eiterung 8.24
Eiweiß 2.26 3.18f.
  7.51
Eiweißstoffe 1.29
Ekarté 16.56
ekel 11.19
Ekel 9.5 10.12 10.14
  11.13 11.26f. 11.59
  11.62
ekelerregend 10.9
  11.14 11.59
ekelhaft 7.64 10.9
  11.13f. 11.28 11.59
  16.44
Ekkehard, getreuer
  19.24
Eklat 5.26 13.7 16.33
  16.58
eklatant 5.14 13.3
  13.6
Eklektiker 9.11 15.3
eklektisch 9.11
Eklektizismus 9.11
  15.3
eklig 4.50 10.12
  16.108
Eklipse 7.3 7.7
Ekliptik 1.1f.
Ekloge 14.2

Eklogit 1.26
Ekstase 11.5f. 11.9
  11.53 12.28 20.1
  20.13
ekstatisch 11.5 11.53
  12.28
Ekzem 2.41 3.20
Elaborat 9.35 14.10f.
Elain 7.52
elasticum 7.45
elastisch 7.45 7.50
  8.2 8.10
Elastizität 2.40 5.35
  7.45 7.50 8.10 8.29
  9.8 9.18 9.38
Elbentrötsch
  (schwäb.) 12.56
  20.5
elbisch 20.5
Elch S. 127
Eldorado 5.46 11.9
  18.3
Elefant S. 127 4.2
  9.75 16.64 16.101
Elefantenführer
  12.33
Elefantenhaut 7.43
  10.3 11.8
—, wie 7.46
Elefantenküken 4.10
Elefantenzahn 7.13
Elefantiasis 2.41 4.10
  4.22
elegant 11.16f. 16.61
Elegant (Stutzer)
  11.45 16.63
Eleganz 11.17f.
Elegie 11.32f. 14.2
elegisch 11.13f. 14.2
elektrifizieren 17.17
elektrisch 8.7 11.13
  11.30 12.45
— (Licht) 7.5
Elektrische, die 8.4
  16.6 17.17
elektrisieren 2.44
  9.12 11.4ff. 11.30
Elektrisiermaschine
  9.82
Elektrizität 5.34f.
  7.4f. 9.82
Elektro- 17.17

elektroakustisch
15.15
Elektroden 3.32
Elektrodynamik 5.34
Elektromagnetismus
5.34
Elektrometer 12.12
Elektromotor 9.82
Elektron 4.4
Elektrophor 9.82
Elektroskop 12.12
Elektrotechnik 7.4
Elektrotherapie 2.44
Element 1.20 1.24
4.34 4.42 5.1 5.16
6.2 9.27 9.54
12.32 17.17
—, in seinem 5.46
elementar 4.50 5.35
9.1
Elementarbuch 9.25
12.33 14.11
Elementarereignis
5.24 5.27 5.44
Elementarprinzip
12.17
Elementarschule
12.36
Elemente 1.25 1.28
11.59 12.32f. 16.94
16.116
— unlautere 19.9
elend 2.41 4.25 4.50
5.47 9.45 9.60
11.13f. 16.93f.
18.4 19.9
Elend 4.25 5.47
11.13f. 18.4
—, das graue 19.33
—, heulendes 2.33
—, ins — stoßen
16.52
—, langes 4.12
Elender 16.93f.
19.8ff.
elendiglich 5.47
Elends, Beute des —
werden 5.47
Elendsquartier 18.4
Elen(tier) S. 127
Elevator 8.28
Eleve 12.35
Elf 4.39 20.5
Elfe 7.42 20.6

Elfen 20.6
Elfenbein 7.13 7.19
Elfenbeinkugel 7.45
Elfenbeinschnitzerei
15.10
elfenhaft 11.17 20.5f.
20.9
Elfmeter 16.57
Elfriede 16.3
Elft 4.39
elfter, in — Stunde
6.36
Elger 2.12
elidieren 4.5 4.7
eliminieren 4.26 4.30
5.42
Elisabeth 16.3
Elisabethinerin 20.17
Elise 16.3
Elision 4.5 4.7
Elite 9.11 9.56
16.91
Elixier 2.44 7.54
Eljen! 16.31
Ella 16.3
Ellbogen 2.16 3.43
3.45 3.48
Elle 2.13 2.16 4.6f.
Elleboge, ich reiß
dir die Baa bis
an — raus 16.68
Ellenbogen 2.16
Ellenreiter 16.60
Ellenware 17.8
Eller 16.9
Elli 16.3
Ellipse 3.47 3.50 4.7f.
4.30 13.39
Ellipsoid 3.50
elliptisch 3.46 7.5
Elmsfeuer 1.10 7.4f.
Elohim 20.7
Elongation 4.6
eloquent 13.21
Elritze S. 100
Elsa 16.3
Elsbeere S. 48
Elsbeth 16.3
Else 16.3
Elster S. 102 4.50
13.22
—, wie eine 4.50
18.9

Eltern 4.50 11.44
16.9 18.3
—, nicht von schlech-
ten 4.50 12.52
Elternhaus 9.76 16.1
Elternliebe 11.53
elternlos 5.37
Eltervater 16.9
Elvira 16.3
elysisch 20.10
Elysium 5.46 11.9
20.10
Email 1.21 3.20 3.52
7 4 15.4 17.10
Emailfarbe 3.20
Emailleur 15.1
Emanation 5.26
Emanzipation 9.54
16.12 16.49 16.116
16.118f.
emanzipieren 16.118
emanzipiert 16.12
16.119
Emballage 3.20
Embargo 8.2 9.73
16.29 16.117
Emblem 13.1 16.100
Embolie 2.41
Embonpoint 4.10
Embryo 2.20ff.
5.26 6.2 9.27 9.29
— militärisches
16.33
embryonal 4.4 4.24
embryonisch 4.4
9.26
Emendation 9.57f.
Emerald 7.18
emeritieren 16.105
emeritiert 16.105
Emeritus 9.85
16.105
Emeute 16.116
Emigrant 16.5f.
Emigration 8.24 16.6
Emil und Franz
16.74a.
Emilie 16.3
eminent 4.50 9.44
16.85
Eminenz 16.86
20.17
Emir 16.97f.

Emissär 9.70 13.8
16.103
Emission 2.35 8.18
8.24 13.6 18.21
18.30
emittieren 8.18 13.6
Emm 18.21
Emma 16.3
Emmentaler 2.27
Emmer S. 18
Emmerling s. Ammer,
Goldammer
Emmi 16.3
Emotion 11.5
emotional 11.5
empern (süddeutsch)
11.36
Empfang 8.20 8.23
13.30 16.38 16.64
16.88 18.23 18.26
—, dem Feinde einen
heißen, warmen —
bereiten 16.77
—, einen warmen,
herzlichen — be-
reiten 16.38
—, eisiger 16.53
—, feierlicher 16.87f.
—, festlicher 16.64
—, warmen —
geben 16.64
empfangen 2.20 8.20
8.23 10.19 11.54f.
16.38 16.64 16.87
18.5 18.12 20.15f.
—, mit offenen
Armen 16.64
—, Schmerzens-,
Sühngeld 16.46
Empfänger 8.3 13.24
14.8 15.15 18.5
empfänglich 9.4 9.12
11.3 11.7 11.52
11.54
—, jem. — machen
9.12
Empfänglichkeit
11.2 11.4
Empfängnis 2.20
5.39
Empfangsabend
16.55 16.64
Empfangsgerät
15.15

Empfangsraum
13.30 17.2
Empfangsschein
16.26
Empfangstag 16.64
Empfangszimmer
17.2
empfehlen 8.18 9.12
13.9 16.31
—, sich 8.18 9.48
13.9 16.6 16.38
—, sich auf franzö-
sisch 8.18 16.6
16.53
empfehlenswert
9.48 9.81 13.9
16.31
—, nicht 16.33
Empfehlung 9.12
9.70 13.9 16.31
16.38
—, mit bester —
bin ich, zeichnen
wir 16.38
Empfehlungsbrief
9.26 14.8 16.64
empfindeln 11.7
11.49 16.51
empfinden 10.1 11.4
11.9 11.26 11.50
11.53 11.59 11.62
19.5f.
—, nicht — lassen
19.5f.
Empfinden 11.18
empfindlich 11.4
11.7 11.14 11.31
11.58 16.53 19.32
Empfindlichkeit 11.4
11.7 11.31 11.58
16.53
empfindsam 5.37
7.50 9.7 11.4
11.6f. 16.110
Empfindung 9.12
11.1f. 11.4 11.14
11.54 124 12.22
12.24 12.32
—, physische 10.1
Empfindungsart
11.2f.
empfindungslos 10.3
11.8 11.61
Empfindungssitz
11.4 12.2

empfindungsvoll
11.7 11.50
Emphase 7.34 9.44
13.36 13.41
emphatisch 9.44
13.16f. 13.28
Empire 15.3 19.28
Empirie 1.20 12.20
Empirik 12.9
empirisch 1.20 5.1
9.28 12.9
empiristisch 1.20
empor 3.33 4.12 8.28
emporarbeiten, sich
9.77
emporbringen 8.28
Empore 8.28 14.3
20.20f.
empören 5.36 9.72
11.14 11.31
—, sich 16.65 16.80
16.116
empörend 11.6 11.14
11.27f. 11.31 11.59
Empörer 16.116
emporgetragen 16.85
Emporium 16.2 18.25
emporklimmen 5.46
8.28 9.77
emporkommen 8.28
9.77 18.3
Emporkömmling 5.46
12.37 16.92 16.94
emporlodern 7.4
7.36 8.28
emporquellen 8.28
emporragen 3.11
4.12 8.28 16.85
emporreißen 16.121
emporrichten 3.11
emporstreben 9.37f.
emportauchen 7.42
Empörung 3.38 5.27
5.36 9.72 16.65
16.67 16.116
— des Gefühls
11.5f. 11.28 16.33
emsig 9.8 9.18
9.21f. 9.38 9.40
9.42 12.3 12.35
Emsigkeit 9.8
Emulsion 2.44 7.51
en avant 8.16
en détail 4.24

en face 3.26 15.4
en gros 4.20
—händler 18.23
en miniature 4.4
Enaksohn 4.12
Enceladus 1.2
Endabsicht 9.2
9.12ff. 13.4
Ende 2.45 3.27 4.26
4.32 5.10 5.34 6.4
9.14 9.18 9.20 9.33
9.35 9.55 9.61 9.77
11.14 11.26
—, böses 5.47 9.61
9.78 11.14 19.32
—, das dicke 9.50
11.14
—, das — aller
Tage 6.25
—, ein — mit-
latschen 16.42
—, ein — nehmen
6.8 9.33
—, es geht zu 2.45
—, faules 9.78
—, ganzes 3.8
— gut, alles gut
9.35 9.77 16.11
—, kein — finden
13.43
—, kein — nehmen
4.20
— machen 2.47
5.42 8.2
—, nicht zu — kom-
men 13.22
—, schmähliches 9.78
—, zu 2.45
endemisch 2.41 6.7
6.31
enden 2.45 9.33
9.35
Enden 2.16
endenwollend,
nicht 11.22
endenwollender,
nicht — Beifall
16.31
Endergebnis 5.10
9.35 12.20
endgültig 5.6 6.4
6.7 9.6 9.33
13.28 16.106
endigen 9.33
endimanché 15.7

Endivie S. 88 2.27
Endlaut 13.13
endlich 2.45 6.8
6.36 9.33 9.35
— viele 4.17 4.20
Endlichkeit 6.8
endlos 4.2 4.6 4.17
4.20 4.40 6.6f.
6.34
Endlösung 2.46
Endossement 18.30
Endpunkt 6.4 8.20
9.14
Endreich 16.48
Endsieg 9.33 9.77
16.84
Endspurt 8.7 9.35
16.57
Endstation 8.20 9.33
Endung 4.28 13.8
Endwirkung 5.34
Endymion 11.17
Endzeit 6.25
Endziel 8.20 9.35
Endzweck 9.14 13.4
Energie 5.35 9.6
9.37f.
— des Stiles 13.33
13.41
energielos 5.37 9.7
9.19 9.24 9.41
16.110
Energielosigkeit 9.7
9.19
energisch 5.35f. 9.6
9.18 9.21 9.37
16.108
Enfant terrible
11.24 11.42 11.46
13.5 13.49
eng 3.58 4.9 4.11
4.25 12.55f.
Engagement 9.22
9.28 14.3 16.23
16.55 16.67 19.14
engagieren 9.84
16.55 16.113
—, sich 16.113
18.30
engbrüstig 4.11
Enge 4.9 9.3 9.55
9.77 16.50f.
—, in die — treiben
9.55 9.77 13.47
16.76 19.12

Engel 5.38 11.16f.
11.46 11.50ff.
16.109 16.118 19.4
20.6 20.10
—, böser 5.47
— des Todes 2.45
— mit dem Flam-
menschwert 3.58
— fliegt durchs
Zimmer 13.23
—, gefallener 20.9
—, gestürzter 20.9
—, rettender 16.118
Engelanbetung 20.6
engelfromm 19.4
engelgleich 9.64
11.10 11.16f. 11.53
19.3f. 20.6
engelhaft 9.64 11.17
11.50ff.
Engellehre 20.6
Engelmacherin 2.46
engelschön 11.16f.
Engelsgeduld 11.8
Engelsgüte 11.8
11.51f. 16.47 16.82
Engelshaar 4.11 4.42
Engelsüß (Poly-
podium vulgare)
S. 11
enger Geist 12.55
Engerling S. 97
engherzig 11.63
12.55 16.108 18.11
19.7
Engländer 11.8
17.15
Engländerei 5.18
11.45
engländern 5.18
englisch 8.18 20.6
Englische Fräulein
(Nonne) 20.17
Englische Krankheit
2.41
Englischer Gruß
20.16
Engpaß 3.10 4.9
4.25
engstirnig 12.55
enharmonische Ver-
wechslung 15.11
enk (bayr.) 16.3
Enkaustik 15.4
Enke 16.60

Enkel 5.41 6.12
16.9
Enklave 3.23 3.25
4.48 9.11 16.19
Enkomion 16.31
Enongermoer 20.5
enorm 4.2 4.17
4.40 4.50
Enormität (Über-
maß) 4.51
enragiert 9.38 11.6
11.36
Ensemble 4.33 14.3
15.11 15.14
ent- 3.4 3.22 4.30
4.34 8.24
entadeln 9.61 16.93
19.32
entarten 5.24 5.26
9.61 19.10
entartet 15.2 19.10
entäußern, sich
18.12
—, sich selbst 19.2
entbehren 3.4 4.25
4.46 9.32 11.47
13.29 18.15
— können 19.2
—, nicht 9.81
entbehrlich 4.24
4.32 9.49 9.85
entbehrt jeder
Grundlage 13.51
Entbehrung 4.25
4.46 9.32 18.4
18.15
entbieten 16.38
16.106
—, Gruß 16.38
entbinden 2.21 4.34
9.54 16.25 16.118
19.25 19.30
Entbindung 2.21
4.34 5.39 16.47
19.30
entblättern 3.22
entblöden 11.45
—, sich nicht 16.90
entblößen 3.22
18.15
—, das Haupt 16.38
entblößt 3.4
Entblößung 3.22
entbrannt 11.36
entbrechen 16.90

entbrennen (für)
11.14f. 11.31 11.36
11.53 1631
entbunden 9.54
19.25
entbürden 7.42 9.54
16.118 19.13 19.25
entdachen 3.22
entdämmern 6.19
7.3 7.7 9.33 19.33
entdecken 10.15
12.20 13.5 13.26
Entdecker 12.20
Entdeckung 5.39
12.20 12.32
Entdeckungsreise
12.8
entdeutschen 19.32
Ente S. 118f. 2.27
9.6 13.51
—, kalte 2.31
entehren 9.86 16.9
16.35 16.44 16.93
—, sich 16.94 19.8
entehrend 16.34
19.8 19.32
Entehrter 16.94
Entehrung 9.60f.
9.86 16.34f. 16.44
16.94 19.8 19.10
enteignen 18.6
Enteignung 18.6
enteilen 6.8 8.7
8.18
Enten, Schoof
4.17
Entente 16.17
enterben 18.6
Enterbter 18.4
Enterbung 18.6
Enterhaken 16.76
Enterich S. 118
entern 16.76
entfachen 4.3 4.51
7.36
entfädeln 3.37
entfahren 2.35 9.16
13.5
entfallen 9.19 9.41
12.40
entfalten 3.51 4.3
4.41 9.38 13.5
16.88
—, die Segel 16.7
—, sich 2.22 4.3
5.25f. 8.22

entfaltet 11.17
Entfaltung 4.3 7.1
entfärben (sich)
7.12 11.4 11.42
entfernen 3.4 3.8
4.23 4.30 4.34
8.3 8.18 8.24
9.54 18.6
—, sich 3.4 8.12
8.18 16.6
—, sich voneinan-
der 3.43
—, vom Amte 9.20
16.105
entfernt 3.4 3.8
5.3 9.20 11.59
—, sich — halten
8.18 9.20 11.28f.
16.52
—, weit 12.48
Entferntheit 3.8
Entferntsein 3.8
Entfernung 3.4 3.8
4.30 8.3 8.18
—, kurze 3.9
—, sich in geziemen-
der — halten
16.30
Entfernungs-
schätzer 16.74
entfesseln 4.34
5.31 9.12 16.118f.
Entfesselungs-
künstler 16.118
entfiedern 3.22
entflammen 7.36
9.12 11.4f. 11.31
11.53 16.31
entflammt 11.5
11.36
entfliegen 16.6
entfliehen 6.8 8.7
8.18 16.6 16.118
entfließen 6.2 8.24
—, dem Munde
13.21
entfremden 3.8 18.6
—, sich 16.66
entfremdet 3.8
11.62
Entfremdung 3.8
11.62 16.52 16.66f.

Entführung 8.3
8.18 11.53 13.4
16.6f. 18.6
entgegen 3.32 5.23
8.19 9.5 9.72
11.28 13.47 16.27
entgegen- 9.72
entgegenarbeiten
9.15 9.55 9.72f.
16.65
entgegeneilen 8.19
entgegenführen 8.21
entgegengehen 3.9
8.19
entgegengesetzt
3.32 5.23 8.17
9.72 12.48 13.47
16.65 16.67
entgegenhalten
12.48 13.29 13.47
entgegenhandeln
16.116 19.25
entgegenjauchzen
16.87
entgegenkommen
8.19 9.4 11.52
12.47 16.22 16.40
16.64 16.110
16.114 19.17
—, auf halbem
Wege 16.64
—, im Preis 18.28
—, Wünschen 16.24
Entgegenkommen
9.4 11.52 16.22
16.114
entgegenkommend
11.52 16.114
entgegenlaufen
8.19
entgegensehen 6.23
11.35 12.41f. 20.1
entgegensetzen 3.32
9.72
entgegenstehen 5.23
9.72 16.65
entgegenstehend
5.23
entgegenstellen
5.23 9.72
—, sich 9.72 16.65
16.67
entgegenstreben
9.72

entgegentreten
9.72f. 11.6 11.38
· 13.47 16.65 19.24
entgegenwirken
9.72 16.65
entgegnen 13.26
13.29 13.47 19.13
Entgegnung 12.48
13.26 13.47 19.13
entgehen 7.3 8.18
11.36 12.13 13.4
16.118
—, sich etwas —
lassen 9.43 12.13
entgeistert 11.30
11.42
Entgelt 11.54 16.46
18.20 18.26 19.26
—, gegen 16.112
entgelten 11.54
16.46 16.80 18.18
19.32
— lassen 16.80
19.32
—, nicht — lassen
16.47
entglänzen 7.6
entgleisen 8.12 9.53
9.78 12.27 19.10f.
—, ich hau dir eine
vorn Bahnhof,
daß dir sämtliche
Gesichtszüge
16.68
Entgleisung 12.27f.
entglimmen 7.35
7.39
entglühen für
11.53
enthaart 3.22
enthalten 3.19 3.21
4.1 4.48 11.12
17.6f.
—, sich 9.3 9.5 9.17
9.19f. 9.33 9.41
9.85 11.8 16.27
enthaltsam 2.29
5.38 11.12 16.50
18.10
Enthaltsamkeit
11.12 16.50 19.2
20.13
Enthaltung 9.5
9.19 9.32f.
enthärten 7.50

enthaupten 2.46
19.32
entheben 16.25
16.105 16.118
19.25
Enthebung 19.30
entheiligen 9.86
20.4
Entheiligung 9.86
20.3f.
enthoben 19.13
19.25
enthüllen 3.22 13.3
13.5 20.12
Enthüllung 3.22
9.35 13.3 13.5
enthülsen 3.22
Enthusiasmus
11.4f. 11.9f. 11.35
11.53
Enthusiast 9.6 12.28
enthusiastisch 11.5
11.53
Entität 5.1
entjochen 4.34
16.118
Entjungferung 2.19
16.44
entkeimen 5.26
5.43 6.2 9.66
entkleiden 3.22
16.105 19.32
—, der Macht
16.105
Entkleidung 3.22
entkommen 8.18
9.75 16.118
entkorken 3.57
entkörpern 20.5
entkräften 2.39 5.37
9.73 13.47 16.105
entkräftet 2.39 5.37
Entkräftung 2.39
4.25 9.17 9.73
13.47 16.105
entladen 2.35 3.4
9.54
Entladung 5.36 7.29
8.9
—, atmosphärische
1.10
entlang 3.14 3.29
entlarven 3.22 12.20
13.3 13.5 19.12

entlassen 4.34 4.49
8.17f. 8.24
9.85 16.105
16.118 19.25 19.30
Entlassung 4.34 4.49
8.18 9.85 16.105
16.118 19.30
Entlassungsgesuch
16.105
— schreiben 16.105
entlasten 4.5 7.42
9.36 9.54 16.118
19.5 19.13
—, das Gewissen
19.5
entlastet 9.54 19.30
Entlastung 9.54
16.118 18.16 19.13
19.30
Entlastungsmoment
19.13
Entlastungszeuge
19.13
entlaubt 3.22 16.93
entlaufen 8.7 8.18
20.2
entledigen 9.54
—, sich 9.35 16.118
19.24
—, sich jemandes
2.46
entledigt 19.25
Entledigung 9.35
16.118 19.25
entleeren 2.35 4.26
8.24
Entleerung 2.35
entlegen 3.8
entlehnen 18.9 18.17
Entlehnung 5.18
entleiben (sich)
2.47
entleidet 9.5
entleihen 18.17
entloben, sich 9.9
16.15 16.118
Entlobung 9.9 9.20
16.15
entlocken 9.12 12.8
18.6
entlohnen 16.46
16.105 18.12 18.26
Entlohnung 16.46
16.80 16.105 18.12
18.26

entmachten 16.93
entmannen 2.7 4.30
  5.37 11.12 11.42
  11.48
Entmannung 19.32
entmasten 9.27 9.61
  9.63
entmenscht 11.6of.
  11.63 19.9f.
Entmischung 1.22
entmummen 3.22
  13.3 13.5
entmündigen 16.117
Entmündigung 19.23
entmutigen 9.17
  9.73 11.32 11.42
entmutigend 9.17
Entmutigung 9.17
  11.42
Entnahme 18.6
entnationalisieren
  5.16
Entnazifizierung
  16.47 19.13
entnehmen 4.30
  12.14 12.16 12.25
  12.29 13.46f. 18.21
  18.26
entnerven 5.37
entnervt 5.37
Entomologie 2.8f.
entpfropfen 3.57
entpressen 11.33
  16.107 18.6
—, Seufzer 11.32
entpuppen (sich)
  5.24 5.27 7.1 13.5
—, sich — als 13.5
entquellen 5.34 5.41
  6.2 8.24
entraten 9.32 9.85
  18.15
— können 9.49
— müssen 4.25 4.46
—, nicht 9.81
enträtseln 11.30
  12.20 13.26
entrechten 11.48
Entrecôte 2.27
Entree 17.2 siehe
  Eingang, -tritt
entreißen 9.77 13.3
  18.6
—, der Gefahr 8.18
  16.118

entreißen, Geheimnis
  13.3
—, Sieg 9.77
Entremet 2.26
Entrepot 4.18
entrichten 18.26
—, Blutopfer, Blut-
  zoll 16.73
entriegeln 3.57
entrinnen 8.18 9.75
  16.118
entrollen 3.40 6.8
  13.2f. 13.5 13.44
  14.1
entrücken 4.34 8.18
  20.5
entrückt 11.5
Entrückung 20.1
  20.13
entrümpeln 3.37
Entrümpelung 3.37
  9.85
entrunzeln 3.51
entrüsten 5.36 11.14
  11.31 11.62
entrüstet 11.62
Entrüstung 11.31
Entrüstungssturm,
  geschlossener
  16.65
entsagen 5.37f. 9.9
  9.20 9.32 9.50
  9.85 11.8 11.48
  16.104f. 20.15
  20.22
—, der Welt 16.52
Entsagung 9.9 9.19f.
  9.85 11.12 11.51
  13.29 16.105 19.2
  19.25
entsatteln 16.118
Entsatz 9.70
  16.118
entschädigen 4.27
  16.46 16.80 18.18
  19.26
Entschädigung 16.46
  18.18 19.26
Entscheid 19.27
entscheiden 9.6 9.11
  12.11 12.49 13.26
  16.106 19.27
—, sich 5.27 9.6 9.11
  12.11 19.14

entscheidend 9.44
  12.17 13.46
  16.106f.
Entscheidung 9.11
  9.35 9.44 12.49
  13.26 13.44 19.17
  19.27
—, falsche 12.19
—, richterliche 19.27
—, zur — bringen
  6.4 16.49 19.17
Entscheidungsgrund
  5.10
Entscheidungspunkt
  9.11
entscheidungsvoll
  9.44
entschieden 5.1 5.6
  9.6 12.26 13.28
  16.106ff.
—, wird durch Blut
  und Eisen 16.73
Entschiedenheit 5.6
  9.6
entschlafen 2.45
Entschlafener 2.45
entschlagen, sich
  9.5 9.20
—, sich der Sorge
  16.55
entschleiern 3.22
  13.5
entschließen, sich
  9.6 9.8 9.11
—, sich anders 9.9
—, sich nicht —
  können 9.11
Entschließung 9.6
  9.14 13.6
entschlossen 9.6
  11.38
— sein 9.14
Entschlossenheit 9.6
  9.8 11.38
entschlummern 2.36
  2.45 9.36
entschlüpfen 6.8
  8.18 9.16 9.43
  9.75 12.13 12.40
  16.118 19.30
— lassen 13.49
  16.109f.
Entschluß 9.2 9.6f.
  9.14
Entschlußkraft 9.6

entschuldbar 19.13
entschuldigen 16.47
  19.13 19.25
— Sie (mich) 16.27
— Sie bitte 16.82
—, sich 16.82
—, sich — lassen 3.4
Entschuldigung 9.13
  11.47 16.47 16.82
  16.108 19.13 19.26
—, bitte um 16.38
—, keine — gelten
  lassen 16.108
Entschuldigungs-
  grund 19.13
Entschuldungsaktion
  18.18
entschwinden 6.8
  6.19 6.21f. 7.3
  12.40
—, dem Blick 7.3
  13.4
—, dem Gedächtnis
  12.40
entschwunden 3.4f.
  12.40
entseelt 2.45f.
entsenden 16.103
  16.106
entsetzen 4.34 9.70
  9.85 11.42 11.59
  16.105 16.116
  16.118 18.6
—, sich 11.28 11.49
Entsetzen 11.30
  11.39 11.42 11.59
entsetzlich 4.50
  11.14 11.28 11.42
  11.59ff. 19.10
entsetzt 11.30 11.42
Entsetzung 16.105
entsichern 9.26
entsiegeln 3.57 13.5
entsinken (Mut)
  11.42
entsinnen, sich 12.39
—, sich nicht 12.40
entsinnlicht 8.28
entsittlichen 9.63
Entsittlichung 9.61
  19.10
entspannen 9.36
  9.54 11.8
Entspannung 9.36
  16.48

entspinnen, sich 5.1
5.26 5.44 6.2 9.29
entsprechen 4.27
5.13 5.17 9.48
9.77 12.47
—, der Erwartung
9.77
entsprechend 3.14
3.16 4.23 5.34
9.46 9.48 12.10
19.18
—, dem Gesetz
19.18
Entsprechung 4.27
entsprießen 5.41 6.2
entspringen 5.34
5.41 6.2 8.18 8.24
9.29 16.118
entsprossen 5.34
entstammen 5.41
entstehen 5.1 5.26
5.34 6.2 9.29
Entstehen 4.46
Entstehung 5.26
5.39 9.29
entstehungs-
geschichtlich 12.15
entsteißen 18.26
entstellen 9.61 9.63
11.28 13.51 15.2
16.72
Entstellung 3.45
3.60 11.27f. 13.45
13.51 15.2
entstiegen 20.5
entströmen 6.2 8.24
entstürzen 8.30
Entsündigung 19.5
19.26
enttäuschen 11.27
12.46
enttäuscht 11.27
11.32
Enttäuschung 9.20
9.78 11.27 11.41
12.46
entthronen 16.105
16.110
Entthronung 16.105
enttrümmern 3.37
entvölkern 3.4 4.26
8.18 16.52
entvölkert 3.4 4.26

entwachsen 4.51
—, der Rute 2.23 4.3
entwaffnen 5.37f.
9.77 11.8 12.45
16.48f.
Entwaffnung 16.48
Entwährung 18.15
entwässern 7.58
Entwässerung 7.58
entweder — oder
9.3 9.6 9.11
18.20
entweichen 6.8 8.18
16.118
entweihen 9.67
9.86 20.4 20.22
—, das Ehebett
16.14
entweiht 20.22
Entweihung 9.61
9.67 9.86 16.93f.
20.3
entwenden 16.72
18.9
entwerden 20.1
entwerfen 3.37 5.2
9.14f. 9.26 14.1
15.1 15.4
—, ein Bild 14.1
—, Gesetze 19.19
entwerten 9.63
18.21
entwertet 18.15
Entwertung 8.27
9.61 9.63 18.15
18.19
entwetzen 8.18
entwichen 8.7 8.18
16.118
entwickeln 4.3 5.39
8.7 9.15 9.26 9.57
15.8
—, sich 4.3 5.24
5.26 6.2 9.57
entwickelt 2.21 2.23
9.35
Entwicklung 2.22
2.40 4.3 5.24 5.26
9.33 9.57 9.61
16.73 16.121
Entwicklungs-
geschichte 5.26
5.39

entwinden 8.24 9.77
18.6
entwirren 3.37 4.34
9.54
—, den Knoten 9.54
Entwirrung 3.37
entwischen 8.18
16.118
entwöhnen 9.32
Entwöhnung 9.19
9.32 9.85
entwölken, sich 7.4
entwölkt 7.4
entwölkte Stirn 11.9
entwürdigen 9.86
Entwürdigung 9.86
16.34 16.94
Entwurf 9.14f.
9.26f. 9.34 12.42
14.5 15.1 15.4
entwurzeln 5.42 8.18
8.24 16.8 18.6
entwurzelt 9.7
entzaubern 5.24
11.26 12.20 12.46
20.12
entziehen 9.73 16.29
16.105 16.117f.
18.6 18.15 19.23
19.32
—, das Wort 13.23
16.33
—, sich 9.5 9.19f.
9.24 16.28 16.118
19.25
—, sich dem irdi-
schen Richter
2.47
—, sich der Arbeit
9.24
—, sich der Schlinge
16.118
Entziehung 4.23
16.29 16.105 18.6
18.15 19.23 19.31
Entziehungsanstalt
2.32
Entziehungskur 9.32
11.12
entziffern 13.26
13.44 14.7
—, nicht zu 13.35
entzücken 11.4f.
11.9f. 11.53

Entzücken 11.9
11.53
entzückend 11.16f.
11.53
entzückt 11.5 11.9
11.53
Entzückung 11.5
20.1 20.12f.
entzügeln 5.36 16.25
16.118f.
entzügelt 15.3
entzündbar 7.35f.
entzünden 5.36 7.4
7.36 11.53 11.62
entzündet 7.17
Entzündung 2.41
7.17 7.35 11.5
entzwei 4.34 4.45f.
5.42 9.63
—, ist 9.63
entzweien 4.34
16.67
—, sich 16.66f.
entzweit 16.66
Entzweiung 4.34
11.62 16.66f.
Enzian S. 68
Enzyklika 13.6
16.106 19.19
Enzyklopädie 12.8
12.32f. 14.9 14.11
enzyklopädisch
12.32
Enzyme 1.29
eo ipso 5.15
Eos 6.2 7.4 20.7
Epaulett(e) 13.1
16.86f. 16.100
17.10
Ephebe 2.21
ephemer 6.8
Ephemeriden 14.11
Ephraim 16.3
Epidemie 2.41
epidemisch 2.41
3.7 9.31 9.63
Epidermis 2.16 3.20
Epidiaskop 10.16
Epigone 5.18 5.37
6.12 8.15 16.9
epigonenhaft 9.59f.
Epigonentum 15.3

Epigramm 11.22f.
13.20 14.2 16.33
16.54
epigrammatisch
13.39
Epigrammatist
11.23
Epigraphik 14.5
Epik 14.2
Epikureismus 11.11
Epikureer 10.11f.
11.11 11.19
Epilepsie 2.41 8.34
Epilog 8.15 14.3
épingles, à quatre
16.61
Epiphanias 16.59
20.16
episch 14.2
episkopal 20.16f.
Episkopat 20.16f.
Episode 3.36 5.34
5.44 6.1 6.15 14.3
episodisch 9.45
Epistel 14.8 20.19
Epitaph(ium) 2.48
Epitheton 4.28 13.16
Epitome 4.7 14.12
epochal 9.44
Epoche 6.1 6.9 9.44
epochemachend 5.34
9.44 16.95
Epode 14.2
Epopöe 14.2
Epos 14.1f.
Eppich S. 62
Equilibrist 9.52
16.60
Equipage 8.4
equipieren 17.15
er 2.14 16.3
— ist ab 16.105
— und sie 16.11
Er 2.14
-er 4.3
erachten 12.14 12.22
Erachten 12.20 12.29
erarbeiten 9.35 18.5
Erasmus 16.3
Erbadel 16.95 16.97
18.1
erbarm 11.50
— dich und ... 16.20
erbarmen 11.50

Erbarmen 11.50
11.61 16.109
—, ohne 11.61 16.81
erbärmlich 4.4 4.50
9.45 9.60 11.13f.
16.94 19.8f.
erbarmungslos
11.60f. 16.81
erbarmungswürdig
9.60
erbauen 5.39 17.1
20.1 20.16
—, sich 20.13
Erbauer 5.39
erbaulich 20.1 20.13
20.16 20.19
Erbauung 5.39 20.1
20.13 20.16
Erbauungsort 20.20
Erbauungsstunde
20.16
Erbbegräbnis 2.48
erbberechtigt 19.22
Erbe 4.32 5.9 6.12
9.30 9.84 18.1 18.5
20.10
—, das 5.17
—, das — des Lichts
20.1
erbeben 8.33f. 11.4f.
11.42f.
—, im Innersten
19.11
erbeigen 18.1
erbeingesessen 18.1
erben 5.9 5.17 6.23
9.54 12.41 18.1
18.5
—, gern 18.7
erbeten 16.20 20.13
erbetteln 16.20 18.5
erbeuten 18.5f. 18.9
Erbfehler 5.9
Erbfeind 16.66 20.9
Erbfolge 6.12 8.15
16.9
Erbgut 18.1
Erbhof 2.5
erbieten, sich 16.22
erbitten 16.20 20.16
erbittern 11.14 11.62
erbittert 11.13 11.31
11.62

Erbitterung 11.5
11.31 11.60 11.62
16.66
Erbkrankheit 2.41
12.57
erblassen 2.45 7.12f.
11.5 11.42 19.11
Erblasser 2.45 4.32
18.12
erbleichen 7.12f.
11.42 16.93 19.11
erblich 2.41 5.8f.
18.1
— belastet 12.57
erblicken 10.15f.
11.35 12.20
erblinden 10.18
erblonden 7.19
erblühen 4.3
erblüht 11.17
Erbmasse 5.8f. 11.2
Erbonkel 18.3 18.12
erborgen 18.17
erborgte Federn
13.51 16.72
erbost 11.31 11.62
erbötig 9.4 16.22
Erbprinz 16.91 16.98
erbrechen 2.35 3.57
4.34 8.23 18.9
—, sich 8.24
Erbrechen 2.35 2.41
Erbrecht 12.41 18.1
19.22
Erbsaß 18.1
Erbschaft 18.1 18.5
18.12
Erbschleicher 19.8
Erbse S. 50 3.50 4.4
11.7 17.9
Erbsen 2.27 11.28
erbsengroß 4.4
Erbstück 4.32
Erbsünde 19.11
Erbteil 2.41 18.1
Erbweisheit 12.53
Erbzins 18.1
Erda 20.7
Erdachse 1.11 3.50
8.32 17.5
Erdalkali 1.24
Erdapfel S. 71
Erdaufwurf 16.77
Erdbahn 3.46f.
Erdball 1.1 1.3

Erdbeben 5.20 5.27
5.36 5.42 8.9 8.33f.
Erdbeere S. 46 2.27
erdbeerfarben 7.17
Erdbeertorte 2.27
Erdbeschreibung 1.11
3.2
Erdbewohner 2.13
Erdboden 1.13 8.30
s. Erde
—, dem — gleich-
machen 3.12 3.14
5.29 5.42 8.27
—, ich schlag dir
auf den Dez, daß
d'ungespitzt in —
neifahrst 16.68
Erdbrand 7.35
Erdbruch 3.49
Erdbürger 2.13
Erde 1.2f. 1.13 1.16
1.20 2.45f. 3.16
3.34 5.39 11.9
16.93 16.115 20.5
—, der — wieder-
geben 2.48
—, ebener 3.51
—, nicht von dieser
20.7
—, sich in die —
verkriechen 11.49
—, unter die —
bringen 2.46
11.60ff.
Erdenbürger 2.13
—, junger 2.13
Erdenfreuden 16.55
Erdengüter 6.8 18.1
18.3
erdenken 9.14f. 12.4
12.14 12.21 12.28
Erdenkind 2.13
Erd(en)kloß 2.13
Erd(en)rund 1.3
Erdensohn 2.13
Erdentage 2.17
erdentrückt 11.5
Erdenwallen 2.17
Erdenwurm 2.13
Erderschütterung
5.20 5.36 8.33f.
erdfahl 7.12 7.15
11.4f. 11.42
Erdferne 3.33

Erdfläche 1.3
Erdforschung 1.3
  1.23
erdgeboren 2.13
Erdgegend 1.11
Erdgeist 20.5
Erdgeschöpf 2.13
Erdgeschoß 3.34
  4.13 17.2
Erdgürtel 3.24
Erdharz 7.53
erdichten 12.28 13.51
  14.2
Erdichtung 12.29
  13.51
Erdkreis 1.3 1.13
  3.47
Erdkrume 1.14
Erdkugel 1.3 3.50
Erdkunde 1.11 3.2
  — (milit.) 8.31
Erdloch 3.49 16.77
Erdmännchen 4.4
  20.6
Erdmetalle 1.24
Erdnähe 3.9
Erdnuß S. 53 2.27
Erdnußröster (schl.
  Auto) 8.4 16.6
Erdöl 1.26 1.29 7.38
  7.52f.
erdolchen 2.46 11.62
—, mit den Blicken
  11.62
Erdpech 7.53
Erdrauch S. 40
Erdraute S. 40
Erdreich 1.13
erdreisten 11.38f.
—, sich 9.21 11.38f.
  16.90
erdrohen 16.68 18.6
erdröhnen 7.26 8.33
erdrosseln 2.46 3.58
  19.32
erdrücken 2.46 5.42
  7.41 9.77 16.73
  16.84 16.111
Erdrücken 1.3 4.12
erdrückend 4.2 4.10
  4.22 5.35 9.40
  9.55 11.13 11.32
—e Sorge 5.47
  18.4
Erdrutsch 5.27 8.30
Erdscheibe 1.3

Erdschichtenkunde
  1.3 1.23
Erdschocke S. 86
  2.27
Erdscholle 1.13
Erdstoß 5.27 8.9
Erdstrich 1.15 3.24
Erdteil 1.13 1.15
erdulden 2.41 5.44
  11.4 11.8 11.28
  16.25 16.109f. 19.3
Erdumsegelung 8.32
  12.8 16.7
Erdwachs 1.26 1.29
  7.53
Erdzunge 1.16 4.9
Erebus 7.7 20.11
-erei 4.17 9.23
  17.15
ereifern, sich 11.5f.
  11.31 11.58
ereignen, sich 5.1
  5.24 5.30f. 5.44
  6.30f.
Ereignis 5.24 5.30
  5.44 9.44
—, freudiges 2.20
ereignisreich 9.44
ereilen 8.7
ereilt, vom Arm der
  Gerechtigkeit 19.32
—, vom Schicksal
  2.45
Erektion 8.28 10.21
Eremit 4.34 16.52
  20.13
Eremitage 3.4 16.52
  20.20
ererben 18.5
ererbt 11.2 18.5
erfahren 5.1 5.6 5.44
  9.50 9.52 9.77
  11.3f. 12.20 12.32
  12.52 13.3
Erfahrung 5.1 5.6
  9.31 9.52 12.32
  12.52 14.1
Erfahrungen 11.13
  14.1
—, bittere —
  machen 11.13f.
erfahrungsgemäß
  6.33 9.28 12.9
  12.14 12.44
erfahrungslos 2.22
  9.53 12.37

erfassen 9.21
  12.30ff. 12.35
  13.33 16.97 18.5f.
—, das Ruder 16.95
—, die Gelegenheit
  5.2 6.35 6.37
erfinden 5.39 9.15
  12.20f. 12.28 13.51
  14.2
—, frei 13.51
Erfinder 5.39 9.15
  9.52 12.21
erfinderisch (ge-
  schickt) 9.52 12.21
  12.52
Erfindung 5.39 9.15
  12.20 12.28 13.51
  16.72
—, hat bei der —
  des Pulvers im
  Nebenzimmer ge-
  sessen 12.56
Erfindungsgabe 9.52
  14.2
Erfindungsgeist 9.52
erflehen 16.20 20.16
erflossen 9.12 16.106
Erfolg 5.34 5.44
  5.46 9.46 9.77
  12.20 16.31 18.5
—, der große 16.85
—, durchschlagender
  16.31
—, klingender 18.26
erfolgen 5.34 5.44
  8.15
erfolglos 5.37 9.49
  9.78 16.94
Erfolglosigkeit 9.78
erfolgreich 9.46 9.77
Erfolgsanbeter 19.8
Erfolgshunger 11.44
erforderlich 9.3 9.44
  9.81 19.24
erforderlichenfalls
  9.81
erfordern 4.31 9.42
  9.81 11.36 16.20
  16.106 19.22
—, Gehorsam 16.95
  16.108
—, Vorsicht 9.42
  11.40
—, Wachsamkeit
  9.81 11.36f. 12.7
  16.101 19.24

Erfordernis 9.81
  11.36 16.106
erforschen 9.21 9.28
  12.6 12.8 12.20
  13.3
Erforscher 16.6
Erforschung 9.28
  12.3 12.8
erfragen 12.8 12.20
  13.25
erfrechen, sich 11.38
  16.90
erfreuen 11.5 11.9f.
  11.21f. 18.1
—, sich 11.22 16.55
erfreulich 5.46 9.56
  11.9f. 11.21
erfreut 11.9
erfrieren 2.45 7.40
Erfrierung 2.41
erfrischen 2.26 2.40
  5.35 5.40 7.40
  9.57f. 11.10 11.34
erfrischend 2.30
  11.10
Erfrischung 2.26 2.30
  2.40 5.35 9.36 9.58
  11.10
erfroren 7.40
Erfrorener Mann
  2.48
erfühlen 12.20 12.32
erfüllen 3.3 9.18 9.35
  9.46 11.5 11.16
  16.26 16.85 18.26
  19.1 19.3 19.24
  20.13
— mit 11.4f.
—, die Welt mit
  seinem Ruhm 16.31
—, gewissenhaft
  19.1
—, Hoffnung 9.77
  12.44
—, mit Bewunderung
  16.31
—, sich 12.26 12.44
—, Wort, Ver-
  sprechen 16.26
erfüllt 11.36 20.1
— von 9.1
Erfüllung 9.77 11.17
  16.24
—, in — gehen 12.26
—, nicht in — gehen
  9.78

erfunden 9.53 13.51
ergänzen 4.28f. 4.41
9.57 9.70
Ergänzung 4.25
4.28f. 4.33 4.41
9.70
—, in 9.30
ergattern 18.5f. 18.22
ergaukeln 16.72 18.8
ergaunern 16.72 18.8
ergeben 9.7 11.8
11.11 11.16 11.48
11.53 12.14 12.16
16.41 16.114f.
19.7 19.10
—, auf ewig 16.41
—, ganz 16.38
— Ihr (Ihnen) 16.38
—, sehr 16.38
—, sich 5.34 11.43
16.83 16.111
16.114
—, sich auf Gnade
oder Ungnade
16.83
—, sich — in 11.8
Ergebenheit 11.43
11.48 11.53 19.2
20.1 20.13
ergebenst 11.54 16.38
Ergebnis 4.32 4.35
5.34 5.39 5.44 6.4
9.77 12.4 12.14
12.16 12.20
ergebnislos 4.25f.
9.78
Ergebung 11.4 11.8
11.15f. 16.24
16.83 16.111
16.114 19.2
ergehen
— Gnade für Recht
— lassen 16.47
19.19
—, sich 8.33f. 13.21
16.6
—, sich in Artig-
keiten 16.38
—, sich in Beleidi-
gungen 16.35
Ergehen 2.38
ergiebig 2.5f. 4.20ff.
9.46 12.31 18.5
ergießen (sich) 7.55

erglänzen 7.4
erglühen 7.4 7.17
7.35 11.5 11.9
11.31 11.36 11.53
— für 11.36 11.53
erglühend 11.36
ergo 12.16 13.46
ergötzen 11.10 16.55
—, sich 11.12
Ergötzen 11.9
11.21f.
ergötzlich 11.10 16.55
Ergötzlichkeiten
11.22 16.55
Ergötzung 11.10
ergrauen 2.25 7.15
ergraut (in) 4.41 6.7
9.8 9.42 16.60
Ergrauter, ein —
in Sünden 20.4
ergreifen 8.18 9.21
9.29 9.38 11.4f.
11.42 11.50 12.6
16.96f. 16.117
18.5f. 18.9 19.13
19.32
— bei 19.12
—, Besitz 16.76
19.23
—, das Herz 11.4
11.6 11.50 11.53
—, die Offensive
16.73
—, die Waffen 16.73
—, Gegenmaßnah-
men 16.65
—, in flagranti
19.11f. 19.23
ergreifend 11.4f.
11.13 11.17 11.27
11.32 11.50 15.4
ergriffen 11.5 11.36
11.38 11.42 11.53
—, von Ehrfurcht —
werden 16.30
ergrimmen 11.31
ergrimmt 11.31
ergrübeln 12.4 12.20
12.28
ergründen 12.6
12.8f. 12.20 12.52
13.3 13.26
—, Geheimnis 13.5
ergrünen 7.18

Erguß 2.35 2.42 4.22
7.55 8.24 13.5f.
13.21f. 14.8
— der Gefühle 13.5
Ergußsteine 1.26
erhaben 3.48 4.12
4.51 11.16f. 13.41
16.85 16.90 19.2f.
19.18
— über 8.27 9.19
9.41
—, über alles 9.56
—, über jeden
Zweifel 13.46
Erhabene, das lächer-
lich 16.54
Erhabenheit 3.33
3.48 11.30 11.44
13.41 16.85 19.2
erhalten 5.43 6.7
9.70 18.5 19.22
—, das Jawort 16.11
—, Genugtuung
16.46
—, wieder 18.18
Erhalter 4.29 9.70
20.7
erhältlich 5.2 18.22
Erhaltung 5.43 9.70
Erhaltungskosten
18.26
erhandeln 18.22
erhängen 2.46 19.32
Erhard 16.3
erhärten 7.44 13.28
13.46 13.50
—, nicht — können
19.30
erhaschen 2.12 8.7
9.77 12.20 18.5f.
erheben 4.37 8.28
8.33 11.33 16.85
16.87 16.90f. 16.97
16.103 16.116
18.5f. 18.26 19.12
19.19 19.22 20.4
20.13
—, Anspruch 19.22
—, auf den Schild
9.11 16.31
—, bis in den Him-
mel 13.31f.
—, den Sinn zum
Himmel 20.16
—, den Stock 16.67f

erheben, den Zeige-
finger 16.68
—, die Augen 10.15
—, die Augen zum
Himmel 20.16
—, die Hände 9.11
16.20 20.16
—, die Stimme 7.34
15.11 15.13 15.17
20.16
—, ein Geschrei 11.33
—, Einspruch 16.27
16.33 16.65
—, Freudengeschrei
11.20 16.31
—, Geld 18.26
—, in den Himmel
16.30
—, keinen Einspruch
16.25
—, Protest 9.72
16.33 19.27
—, sich 3.11 4.12
8.28 9.11 9.29 9.33
16.85 16.87 16.116
erhebend 11.10 11.44
20.13
erheblich 4.2 4.20
4.50 9.44
Erheblichkeit 4.50
9.44 13.17
Erhebung 3.33 3.48
4.12 8.28 9.72 12.8
13.25 16.65 16.85
16.91 16.116
Erhebungen 12.8
erheiraten 16.11 18.5
erheischen 9.81 16.20
16.106 19.24
—, Ehrfurcht 16.30
erheitern 11.10
11.21 16.55
Erheiterung 11.9f.
11.22f. 16.55
erhellen 7.4 12.14
12.16 12.33 13.2
13.46
Erhellung, innere
12.31
erhenken 2.46 19.32
erheucheln 13.51
16.72 18.9
erhitzen 2.39 7.35
7.39 9.12 11.5
13.51 16.31
—, sich 11.5

erhitzt 2.39 5.36
erhitzte Phantasie
  12.28
erhoffen 6.23 9.21
  11.35 12.41
erhöhen 3.48 4.3
  4.12 4.51 8.28 9.57
  11.36 13.52 16.85
—, den Preis 18.27
—, sich (selbst)
  16.89
Erhöhung 3.13 3.33
  3.48 4.3 4.12 4.22
  8.28 13.52 16.85
erholen, sich 2.38
  2.40 2.44 5.40 9.24
  9.36 16.55 18.27
—, sich gut 4.10
—, vom Schaden
  18.18
Erholung 2.40 9.24
  9.36 9.58
erholungsbedürftig
  2.39 11.58 12.57
Erholungsheim 19.33
Erholungszeit 9.36
erhorchen 12.20
erhören 10.19 12.44
  12.47 16.20 16.24f.
erhört, nicht — wer-
  den 16.12
Erhörung 20.13
Erich 16.3
-erich 2.14
Eridanus 1.2
Erika 16.3
erikarot 7.17
-erin 2.15
erinnerlich 12.39
erinnern 5.17f. 11.54
  12.39 13.9
—, sich 5.17 6.22
  12.39
Erinnerung 5.7 11.54
  12.4 12.39 14.9
  16.20
— freundliche 16.33
Erinnerungs-
  bäumchen 2.48
Erinnerungsbild 2.48
Erinnerungshügel
  2.48
Erinnerungskapelle
  2.48

Erinnerungskreuz
  2.48
erinnerungslos 12.40
Erinnerungsmal 2.48
Erinnerungsstein 2.48
Erinnerungstafel 2.48
Erinnerungszeichen
  2.48 12.39
Erinnyen 16.81 19.5
  20.7
Eris 16.67 20.7
Erisapfel 16.67
Eristiker 16.67
erjagen 9.77 18.6
erkalten 7.40 11.62
erkälten, sich 2.41
erkältet 2.41 13.15
Erkältung, Erkal-
  tung, Kälte 2.41
  7.40 11.62 16.67
Erkaltung der Ge-
  fühle, des Herzens
  16.67
erkämpfen 9.35 9.54
  9.77
erkaufen 5.28 9.12
  9.50 16.119 18.20
  18.27
erkecken, sich 16.90
erkenn' ich meine
  Pappenheimer,
  daran 12.44
erkennbar 7.1 12.32
  13.1 13.33
Erkennbarkeit 7.1
erkennen 2.19 7.1
  10.15 12.11 12.20
  12.31f. 13.1 13.33
  16.44 19.27 19.31
— auf 18.26
—, Mißbilligung zu
  — geben 16.33
—, seine Verachtung
  deutlich zu —
  geben 16.36
—, sich — lassen 7.1
—, zu Recht 19.27
  19.31
erkenntlich 11.52
  11.54 16.38 16.46
  18.18
—, sich — erweisen
  11.54 16.46
—, sich — zeigen
  18.12

erkenntlich, sich —
  zeigen wollen
  16.22
Erkenntlichkeit 11.54
  16.46 18.18
Erkenntnis 12.11
  12.20 12.32 19.5
  19.16 19.27
—, vom Baum der
  — essen 16.44
Erkenntnisvermögen
  12.2 12.11
Erkennung 12.39
Erkennungsszene
  12.41 16.64
Erkennungswort
  16.73
Erkennungszeichen
  13.1
Erker 3.48 17.2
Erkerfenster 3.48
erkiesen 9.11
erklärbar 13.33
erklären 11.30 11.62
  12.15 12.31 12.33
  13.26 13.28 13.33
  13.44 19.12f. 19.31
—, den Krieg 16.67
  16.69
—, für ungültig
  19.23
—, für unschuldig
  19.30
—, für vogelfrei
  16.29 19.32
—, in Acht und
  Bann 19.31
—, in die Acht 16.37
—, Liebe 16.42
—, sich 16.10f.
  16.42
—, sich — gegen
  16.33
erklärend 13.2
Erklärer 12.33 13.44
  14.1
erklärlich 12.41
  12.44 13.33
Erklärung 12.33 13.2
  13.5f. 13.26 13.44
  13.46 14.1 14.10
Erklärungen fordern
  16.69
erklecklich 4.17 4.23
  4.50

erklettern 8.28 9.77
  16.76
erklimmen 8.28 16.85
—, die höchsten
  Stufen 9.77 16.85
erklingen 7.24f.
  15.17
erkobern, sich 2.44
erkoren 9.11
Erkorene, der 16.10
erkranken 2.41
Erkrankung 2.41
erkühnen, sich 9.21
  11.39 16.90
erkunden 12.20
erkundigen, sich 13.25
Erkundigung 12.8
Erkundung 8.23 12.8
Erkundungsflug
  16.74a.
erkünsteln 13.51
erkünstelt 11.45
  13.52 16.61
erküren 9.11
erlahmen 2.39 5.37
  8.8 9.5 9.24 9.41
  9.43 16.110
Erlahmung 9.19
erlangbar 5.2 9.54
erlangen 9.35 9.77
  16.85 16.97 16.118
  18.5f. 18.9 19.8
  19.22
—, das Bewußtsein
  2.17 2.40 11.1
—, Herz und Hand
  16.11 16.42
—, Reichtum 18.3
—, unter falschem
  Vorwand 16.72
—, wieder 18.18
Erlaß 13.3 13.6
  16.47 16.106 19.19
  19.25
erlaßbar 19.13
erlassen 16.25 16.97
  19.19 19.25 19.30
—, den Dank 16.38
—, die Strafe 16.47
  19.30
erläßlich 19.13
Erlassung 16.25
erlauben 5.2 12.47
  16.24f. 16.90
  16.119 19.15

erlauben, sich 16.25
16.53 16.90 16.119
19.23 19.25
—, sich Ungebührlich
keiten 16.53
Erlaubnis 16.25 19.13
—, die — erteilen
16.25
—, die — ver-
weigern 16.29
—, mit 16.38
—, um — bitten,
ersuchen 16.25
Erlaubnisschein 16.25
erlaubt 16.25 19.22
erlaucht 16.85 16.91
Erlaucht 16.86 16.91
erlauschen 10.19 13.3
erläutern 12.33 13.26
13.44
Erläuterung 13.26
13.44
Erle S. 28
erleben 5.6 5.44
11.4 12.20 12.32
Erleben 12.4
Erlebnis 5.31 5.44
9.44 11.11 14.1
—, das religiöse
20.1
Erlebnisse 14.1
erlebt 12.26
erledigen 2.46 9.33
9.35 9.39 16.26
16.49 16.84 19.31
erledigt 2.39 2.46
3.4 5.47 9.78
— sein 2.45 16.36
—, ist 18.19
Erledigung 5.7 9.19
9.33ff. 19.17
—, der — harrend
5.7 6.23 9.41
erlegen 2.12 2.46
18.26 19.16
—, Geld 18.26 19.16
erleichtern 2.40 2.44
4.5 5.38 7.42 9.54
11.8 11.21 11.33
11.34 18.9 19.5
19.13
—, das Leben 11.10
11.21f.
—, die Schuld 19.13
—, sein Herz 13.21

erleichtert 9.54 19.25
Erleichterung 2.40
9.54 9.57 9.70 13.5
19.25
Erleichterungsgrund
19.13
Erleichterungsmittel
2.44
erleiden 5.47 11.4
11.8 11.12ff.
18.15
—, schwere Prüfun-
gen 5.47
erlernen 9.52 12.11
12.32 12.35 13.33
Erlernung 12.8
erlesen 9.11 9.56
9.64 11.18
erleuchten 7.4 12.33
13.2
Erleuchtung 12.2
12.32
erliegen 2.39 2.45
9.78 11.13 16.83
erlisten 9.77 16.72
Erlkönig 20.5f.
erlogen 12.27 13.51
Erlös 18.5 18.23
erlösbar 16.118
erloschen, das
Lebenslicht 2.45
erlöschen 2.45 6.19
7.7 9.33
erlösen 2.44 9.54
11.34 16.118f.
19.25 19.30 20.1
—, von der Sünde
20.13
Erlöser 9.70 11.52f.
16.41 16.118.
20.7f.
Erlöserkreuz 2.48
erlöst 2.45 9.54
Erlösung 5.43 11.34
16.118 19.26 20.1
20.8 20.10
— vom Übel 2.44
11.34f. 20.11
erlügen 13.51 16.72
Erlustigung 11.9
ermächtigen 16.25
16.97 16.103 19.22
ermächtigt 16.103

Ermächtigung 16.25
16.95 16.97 16.103
19.22
—, aus eidener 9.2
ermahnen 12.33
12.43 13.9f. 19.24
Ermahnung 9.12
12.33 12.43 13.9f.
16.33 19.27
ermangeln 4.25 9.60
9.65 16.28 19.25
20.3
—, nicht 9.35 9.81
16.26
—, nicht — können
9.81
Ermangelung 3.4
4.5 4.25 4.46 5.29
9.19 18.4
—, in — an 4.46
13.29
ermannen 11.38
—, sich 2.38 2.40
9.6 11.38
ermäßigen 5.38 11.8
11.47
—, die Strafe 16.47
ermäßigt 18.28
Ermäßigung 4.5
4.19 18.28
ermatten 2.39 9.19f.
9.24 9.36 11.26
ermattend 9.40
Ermattung 2.39
5.37
Ermattungsstrategie
11.40
ermessen 12.3f.
12.12 12.24 12.29
Ermessen 9.2 12.4
12.8 12.20 12.22
12.29 12.42f.
—, freies 16.119
—, nach eigenem
9.11
ermitteln 12.8
13.44
ermöglichen 5.2
ermorden 2.46
Ermordete(r) 2.48
ermüden(d) 9.24
9.40 11.13f. 11.26
Ermüdung 11.26

ermuntern 9.12 9.39
9.70 11.5 11.9f.
11.20 12.7 13.9
16.55
Ermunterung 9.12
13.9
ermutigen 9.12
9.37 9.70 11.34f.
11.38 13.9
Ermutigung 5.35
9.12 9.37 9.70
11.34f. 11.38 13.9
Ern 17.2
Erna 16.3
ernähren 2.26
4.29 9.70
—, sich 9.22
—, sich kümmerlich
4.25 18.4
Ernährer 4.29
18.12 20.7
Ernährung 2.26
Ernährungsfront 2.5
ernennen 3.3 9.11
16.103
—, zum Ehren-
mitglied 16.46
Ernennung 16.97
16.102f.
— zum Ehren-
mitglied 16.46
Ernennungs-
schreiben 16.103
Ernennungsurkunde
16.103
Ernestine 16.3
erneuern 2.40 4.37
5.24 5.26 5.40
6.26 6.28 9.57f.
—, die Freundschaft
16.47
—, sich 6.28
erneuert 6.26
Erneuerung 2.40
4.37 5.27 5.40
6.26 6.30 6.33
9.58
erneut 6.28
erniedrigen 4.5 8.30
9.58 9.61 9.63
11.48 12.51 16.34f.
16.93
—, sich 11.43 16.34
16.94 16.115 19.5
19.8

erniedrigt 16.93
Erniedrigung 4.5
8.27 9.61 16.34
ernst 2.41 5.38 9.8
9.44 11.8 11.25
13.23 16.108
—, für — nehmen
16.30
—, nicht — nehmen
16.34 16.36
Ernst 9.4 9.6
9.18 9.44 11.8
11.25 11.31f.
13.23 16.3 16.108
— des Lebens 16.60
—, in vollem 12.26
Ernstfall 16.73
ernsthaft 9.44 11.25
Ernsthaftigkeit 13.23
ernstlich 9.6 9.44
12.26 13.28
— vorstellen 16.33
Ernte 2.5 9.35
9.47 14.12 16.46
18.5
Erntebier 16.59
Erntefest 16.55
16.59
Erntegans 16.59
Erntemonat 6.9
ernten 2.5 9.35
9.77 11.55 16.26
16.85 16.91 18.5
—, Beifall 16.31
—, nach Verdienst
9.77f. 16.46 16.80
— ohne zu
säen 5.46 16.91
18.6
— wie man
säet 16.80
ernüchtern 11.8
11.48
Eroberer 9.77
erobern 9.77 11.53
16.73 16.84 18.5
—, das Herz 9.77
11.53 16.73
—, die Seele 16.21
Eroberung 9.77
11.53 16.73
eröffnen 9.21 9.26
9.29 11.35 13.2
13.5 18.16 18.20

eröffnen, das Feuer,
die Feindseligkei-
ten 16.73 16.76
—, die Schlacht
16.73
—, Laufgräben
16.76
Eröffnung 6.2 8.13
9.21 9.29 13.2f.
13.5
erörtern 12.3 12.8
12.12 12.14 13.9
13.26 13.30
Erörterung 12.3
12.12 12.14 12.20
12.29f. 13.26 13.30
13.44 13.46 16.33
16.67 16.70
—, ernstliche 16.33
Eros 11.53 20.7
Erosion 3.49 4.5
erotematisch 13.30
Erotik 11.53 14.2
erotisch 10.21 11.53
16.44
Erotoman 10.21
Erotomanie 10.21
11.53 16.44
erpicht 4.50 9.8
9.14 9.21 9.38
11.36 12.6
— auf 9.31
erpressen 9.3 11.13f.
16.20 16.68
16.107f. 18.6 18.9
18.26
Erpresser 16.68 19.8
Erpressung 16.68
16.106f. 18.6f.
19.8 19.23
erproben 12.9
erprobt 5.35 9.48
9.52 9.56 16.41
19.1 19.3
erquicken 2.30 2.40
7.40 11.9f. 11.34
erquickend 2.40
11.17
erquicklich 11.10
11.34
Erquickung 2.30
11.34
erraffen 18.6 19.23
erraten 12.1 12.24
12.43 13.26

erraten lassen 13.39
—, die Gefühle
16.40
erratisch 3.38 8.18
erregbar 11.5ff.
11.58
erregen 5.31 5.36
5.39 9.12 9.17
11.5 11.8 11.10
11.14 11.17 11.22f.
11.30f. 11.36 11.42
11.50 11.62 16.85
16.88 16.93 19.12
—, Aufsehen 16.31
—, Bewunderung
16.31
—, Mißbilligung
16.33
erregend 11.17
13.11
Erreger 2.41 5.31
erregt 11.5 11.13
11.22 11.31 11.42
Erregtheit 11.5
Erregung 9.37 11.5
11.31
—, seiner — Luft
machen 16.33
erreichbar 5.2 9.54
erreichen 4.41 4.52
8.19f. 9.14 9.35
9.77
—, nicht 9.65 9.78
erretten 16.118
Erretter 9.70
errichten 5.39 8.28
9.21 17.1 18.23
erringen 9.77 16.85
18.5
—, den Sieg 16.84
—, die Liebe,
Neigung 16.42
—, sich goldene
Lorbeeren 16.31
erröten 7.17 11.47
11.49 16.93 19.11
Erröten 16.93
Errungenschaft 5.34
16.118 18.5
Ersatz 3.27 5.18
5.29 6.15 9.45 9.58
9.60 9.70 16.46
16.72 16.104
18.18 18.20 19.26

Ersatz leisten 16.46
19.26
Ersatzmann 5.29
16.103f.
Ersatzmannschaft
16.74
Ersatzmittel 9.82
16.104
Ersatztruppe 16.74
ersaufen 2.45
ersäufen 2.46
— in 3.24
erschaffen 5.1 5.31
5.39
erschallen 7.24
erschauern 8.34 11.5
11.42
— vor Ehrfurcht
16.30
erscheinen 5.29 7.1f.
8.20 9.29 9.33
14.6 16.104
Erscheinung 5.1 5.26
5.44 7.2 11.17
11.30 12.28 14.3
20.5
—, glänzende 16.85
—, in — treten 7.1
erschießen 2.46 19.9
19.32
erschlaffen 2.39
7.50 11.26
erschlafft 11.26
Erschlaffung 11.26
erschlagen 2.46
—, jemand 18.17
— um 16.20
erschleichen 13.51
16.72 18.5 18.8
19.23
erschließen 3.57
12.33 13.26 13.44
Erschließung 3.57
erschmeicheln 16.32
18.5
erschnüffeln 12.20
erschöpfen 2.39 4.31
4.41 5.37 5.42
erschöpfend 13.33
erschöpft 2.39 5.37
Erschöpfung 4.31
5.37 9.20
erschossen 11.5 11.30

erschrecken 11.42
12.45
erschreckt 11.42
erschrocken 11.42
erschüttern 3.38 5.24
5.36f. 8.33f. 9.17
9.44 9.63 11.5
13.47
erschüttert 11.5
Erschütterung 5.27
8.9 9.72 11.5 11.30
erschweren 9.55 9.73
11.14 19.12
Erschwerung der
Kämpfe 16.83
erschwindeln 16.72
18.8
erschwinglich 9.54
18.28
ersehen 11.59 11.62
12.20 12.29 13.33
ersetzbar 5.29
s. Ersatz
ersetzen 5.29 9.58
16.46 18.18
18.26 19.26
ersichtlich 5.6 7.1
10.15 12.16 13.3
13.33 13.46
ersinnen 5.39 9.14f.
12.20 12.28
ersitzen 6.7 9.8
18.5 19.22
erspähen 10.15 12.8
12.20
ersparen 4.29 18.10
—, einem nichts
16.33
—, sich die Mühe
9.41 9.49
Ersparnis 4.18 18.1
18.10
ersprießlich 2.5
9.46 9.56 9.77
erst 4.51 5.3 6.11
6.20 6.36
— recht 9.8 9.14
16.65 16.116
Erst- 6.26
erstarken 2.38 2.44
4.3
erstarren 7.40 7.43
8.2 10.3 11.8
11.30 11.42 11.59

erstarrt 8.2 11.30
Erstarrung 2.45 9.36
erstatten 18.18 18.26
—, Bericht 13.2 14.1
Erstaufführung 14.3
erstaunen 11.30
12.46
—, nicht 11.8
12.41f.
Erstaunen 11.30
12.46
—, in — setzen
12.46
erstaunlich 4.1f.
4.50 11.30
erstaunt 11.30
Erstausgabe 14.11
Erstdruck 14.6
erste 4.36 4.50 9.29
11.53
— der — beste
5.45 6.14 9.16
16.3
— die — Geige
spielen 9.44 16.61
16.85 16.95
— Eindruck 7.2
— Gelegenheit 6.37
Erste, das 5.33
— der 9.77
erstechen 2.46 19.9
erstehen 5.1 5.26
5.39 9.29 18.22
19.14
ersteigen 8.28 9.77
16.76
—, die höchste Stufe
9.77 16.85
ersteigern 18.22
erstellen 8.28 9.21
9.35 17.1f.
erstenmal, zum 6.2
erstens 4.33
erster 4.4 6.2 11.53
— Blick 7.2
ersterben 2.45 11.48
16.115
ersterbend 16.20
16.38
erstes Auftreten 6.2
9.28 14.3
Erstgeborener 2.22
6.2

Erstgeburt 2.22 9.29
ersticken 2.45f. 5.37
5.42 7.27 9.73 11.8
13.4 13.23 16.117
19.6 19.10
—, das Wort 13.23
—, die Stimme des
Gewissens 11.8
11.61 19.6
—, Gefühle 11.8
11.61 19.6
erstickend 4.9 4.22
7.35 7.64
erstickt 11.50
erstklassig 9.44 9.56
erstlich 4.33
Erstlinge 6.11 6.26
18.12 20.16
erstmalig 6.2
erstrahlen 7.4
erstreben 9.14 9.21
9.40 11.36
erstrecken, sich 3.1
4.1 4.6 6.9 6.34
—, sich — über 6.7
Erstreckung 3.1 4.6
erstunken und
erlogen 13.51
erstürmen 16.76
16.84
ersuchen 9.12 11.36
16.20
—, um Erlaubnis
16.25
Ersuchen 9.12
ertappen 12.45 19.12
—, auf frischer Tat
19.12
erteilen 16.106f.
18.12 19.22 19.25
20.15f.
—, Absolution 16.47
19.25
—, Auftrag 16.106
—, Auskunft 13.2
13.26
—, Ausputzer,
Wischer 16.33
—, Befugnis 16.24f.
—, Bewilligung
16.24f.
—, das Recht 19.22
—, eine Rüge 16.33
—, Lob 16.31
—, Macht 5.34
—, Unterricht 12.33

ertönen 7.24ff.
15.11ff. 15.17
ertöten 11.8 20.13
Ertrag 4.22f. 5.34
6.9 9.47 18.5
18.26
ertragen 11.4 11.8
11.13
erträglich 4.1f. 4.4
4.23 9.59
Erträgnis 18.5 18.26
ertragreich 2.5f. 9.47
18.5
Ertragsfähigkeit 18.5
ertragsunfähig 2.7
ertränken 2.46
—, die Sorgen 2.31
16.55
erträumen 12.28
ertrinken 2.45 9.78
—, mit Mann und
Maus 2.45 4.41
ertrotzen 9.8
ertüchtigen 2.38 9.26
erübrigen 4.24 4.32
9.49 18.5 18.10
—, nichts anderes
16.107
Erübrigtes 4.32
eruieren 12.8 12.20
Eruption 5.36 8.24
Eruptivgestein 1.26
erwachen 2.22 2.37
9.18 9.38 11.1
12.7 19.5
—, aus dem Traum
12.39 12.45
—, wieder 2.44 9.38
Erwachen, kein —
mehr 2.45
erwachsen (aus) 2.23
5.32 5.34
Erwachsener 2.23
erwacht 16.18
erwägen 9.14 f. 9.42
11.40 12.3 12.7 f.
12.12 12.29 13.9
erwägend 11.40
Erwägung 11.40 12.8
12.15 12.17 12.20
12.29
erwählen 9.11

Erwählte(r) 16.10
20.1
erwähnen 13.2
—, nicht einmal —
wollen 13.23 16.36
—, nicht zu 4.28
—, rühmend 16.31
erwähnenswert, nicht
9.45
Erwähnung 9.11 13.2
16.31
—, lobende 16.46
erwärmen 7.35 11.5 f.
11.50
—, sich — für 11.4
11.52f. 16.31 19.13
Erwärmung 7.35
erwarten 2.20 5.4
5.31 6.23 11.35 f.
12.41 16.64
—, sein Wohl oder
Wehe 16.42
—, steht zu 6.23f.
—, zu Gast 16.55
16.64
Erwarten 9.77
erwartet 12.44
Erwartung 5.4 9.77
11.30 11.35 12.24
12.41 19.15
—, getäuschte 9.78
Erwartungen 11.35
— bestätigen 9.77
12.44
erwartungslos 12.45
erwartungsvoll 11.35
12.7 12.41
erwecken 2.37 5.4
5.31 5.39 9.12 11.5
11.31 11.34 f.
11.42 11.53 11.59
11.62 12.39 19.12
20.1
—, zarte Gefühle
11.35 11.53
erweckt 20.1
erwehren, sich 9.73
16.77 19.13
erweichen 5.38 7.50
11.4 11.8 11.50
Erweichung 5.26
Erweis 7.1 13.44
13.46

erweisen 11.50 11.52
11.54 f. 11.60 12.9
13.28 13.46 15.1
16.85 16.87 19.6
19.18
—, Achtung 16.30
—, Aufmerksamkeit
11.53 16.38
— Ehre 16.85 16.87
—, Gefallen 9.46
9.70
—, Gutes 11.51
—, Reverenz 16.38
—, schlechten Dienst
9.50 11.60
—, schuldlos 19.13
—, sich 9.18 12.20
13.46
—, sich erkenntlich
16.46
—, sich galant 16.38
erweislich 13.46
erweitern 4.3 4.8
7.48 11.31
—, den Bruch 16.33
16.67
Erweiterung 4.3 4.10
7.48 9.47
Erwerb 9.47 18.5
18.26 19.7
erwerben 16.85
18.5f. 18.9 18.22
19.22 20.10
— den Ruf 12.22
16.35
Erwerbsleben 18.25
erwerbslos 18.4
Erwerbssinn 18.7
Erwerbszweig 9.22
16.60
Erwerbung 18.5
erwidern 13.26 13.47
18.18
—, das Kompliment
16.80
Erwiderung 11.23
11.54 13.26 13.47
14.10 16.80f. 19.13
—, in 13.26
—, treffende
11.22 f. 16.46
erwiesen (-ermaßen)
5.6 12.20 13.46
Erwin 16.3

erwirken 5.34 9.12
9.35 9.77 16.24f.
16.97 19.13
erwischen 2.41 9.53
12.20 15.8 16.78
16.117 18.5f.
19.12
—, beim Ohr 19.32
erwischt 2.45
erwünscht 9.81 11.10
11.34 11.36
erwürgen 2.46 19.32
Erz 7.44 8.2 15.10
—, tönendes 13.18
—, wie aus —
gegossen 8.2
Erz- 4.50
Erzabt 20.17
erzählen 13.2 13.21
14.1 16.89
erzählend 14.4
Erzähler 13.2 13.7
14.1f.
Erzählung 13.2
13.21 14.1
Erzbischof 16.98
20.17
Erzbischofssitz 20.16
Erzbistum 1.15 20.16
erzböse 19.9f.
Erzdechant 20.17
erzeigen 11.50 16.85
—, sich 7.1
erzen 7.44
Erzengel 20.6
erzeugen 2.6 2.18
5.31 5.39 11.5
Erzeuger 5.39 16.9
Erzeugnis 5.34 5.39
18.5 18.24
Erzeugung 2.19 5.39
erzeugungskräftig
2.6
Erzeugungspreis
18.28
Erzfeind 16.66 20.9
Erzgauner 4.50
Erzgesteine 1.26
Erzhalunke 4.50
Erzherzog 16.91
erziehen 5.26 5.39
9.26 9.35 12.32f.
12.36 16.38 16.97

Erzieher 12.33
13.9
Erzieherin 12.33
16.112
Erziehung 9.26
12.32f. 16.61
—, gute 12.32 16.38
—, Mangel an 16.90
—, schlechte 16.53
—, wo bleibt die
gute 16.33
Erziehungsanstalt
12.36
Erziehungslehre
12.33
Erziehungswissen-
schaft 12.33
erzielbar 5.2
erzielen 5.39 9.14
9.35 9.47 9.77
16.26 18.5
erzittern 8.33f. 11.4
11.42
Erzkämmerer 16.91
erzkatholisch 4.50
Erzlump 16.94 19.8
Erzmarschall 16.86
Erzspitzbube 19.8
Erzstift 20.16f.
erzürnen 5.36 11.14
11.31 11.62 16.67
—, sich 16.67
erzürnt 11.31
erzwingbar 5.2
erzwingen 8.25 9.3
9.6 9.8 9.12 9.35
9.77 16.26
16.107f. 19.22
—, seinen Weg 8.25
Erzwingung 19.27
erzwungen 11.43
11.45 12.48
es 5.1
— denkt mir
(südd.) 12.39
— gebricht mir an
9.65
— gewesen sein
19.11
— gibt etwas 16.78
— ist auch danach
16.33
— ist aus 5.47
— ist nicht an dem
13.29

es macht 18.26
— muß sein 19.24
— reicht nicht 9.65
— reicht nicht weit
9.60
— schwant mir
12.42
Escarpin 17.9
Esch 1.15 2.5
eschappieren 8.18
Eschatologie 6.4 6.25
9.33
eschatologisch 6.25
Esche S. 69
Esel S. 128 8.3 9.7
9.51 9.78 12.56
— in der Löwen-
haut 16.72
—, du bist wohl
vom wilden — im
Galopp gesch. . . .
16.33
Eselsbrücke 9.54
9.82 13.53 16.72
Eselsfurz 17.13
eselsgrau 7.15
Eselsohr 3.43 3.45
Eselstritt 11.55
Eskadre 16.74
Eskadron 16.74
Eskapade 16.44
18.14
Eskimo 2.27
Eskorte 8.15 9.75
16.106
eskortieren 9.75
esoterisch 12.32
13.4 13.35
Espe(n)laub S. 28
8.33 11.42
Esplanade 3.4 3.14
16.64
Esprit 11.23
Essay 13.39 14.10
Essayist 14.1
eßbar 2.26 7.65
Eßbukett 7.63
Esse 7.37 7.61 17.2
17.9
essen 2.26 11.8 11.45
11.58 16.111
16.113

essen, aus einer
Schüssel 16.17
—, läßt sich 10.8
—, vom Baum der
Erkenntnis 16.44
Essen 2.26
— fassen 2.26
Essenrüpel 16.60
essentiell 5.1 5.10
9.44 9.81
Essenz 2.31 2.44
7.54 9.44 14.12
Esser 2.26 4.31
Essexit 1.26
Eßgelage 16.55
Eßgier 10.11
Essig 1.29 2.28 5.3
7.65 7.67
—, damit. war es
9.78
Essigäther 1.29
Essigester 1.29
Essigobst 2.27
essigsauer 7.67
Essigsäure 1.29
Eßlöffel 17.6
Eßlust 10.10f. 11.36
eßlustig 11.36
Eßmantel 9.66
Eßsucht 10.10
Eßware(n) 2.26f.
Eßzimmer 17.2
Estomihi 20.16
Estrade 14.3 15.11
17.2
Estragon 2.28
Estrich 4.12 17.2
etablieren 3.3 6.7
16.2 18.25
—, sich 9.21
Etablissement 17.1
18.25
Etage 17.2
Etagere 17.4 17.6
Etappe 3.27 4.42
8.2 9.75 16.74
Etappenschwein
3.27
etappenweise 8.8
Etat (Budget) 9.15
12.12

etepetete 11.7 12.55
16.51
Ethik 19.1ff. 19.24
ethisch 19.24
ethnisch 16.18
Ethnographie 2.13
ethnographisch
16.18
Ethnologie 2.13
Ethos 19.3
—, das hohe 19.2
19.13
Etikette 9.31 13.1
16.38 16.61 16.88
etikettieren 13.1
13.16
etliche(s) 4.17 4.24
Ette 16.9
Etter 3.24
Etüde 12.33 15.11f.
Etui 3.20 17.3
17.6f.
etwa 3.9 5.7 5.17
— so z. B. 13.44
etwas 5.1 9.14
11.45 11.53
—, auf — aus sein
9.2
—, es wird — aus
ihm 9.77
—, für jeden 1.21
— für Sie 9.56
— los sein 18.15
Etwas 4.52 5.1
etwelche 4.17 4.24
Etymologie 5.41
13.2 13.16f. 13.44
etymologisieren
13.44
et(z)liche 4.17
Eucharistie 20.16
eucharistisch 20.16
Euchologien 20.19
Eudämonismus 5.46
Eudiometer 1.4
Euer Gnaden 16.86
Eugen 16.3
Eugenie 16.3
Eulalia 16.3
Eule S. 114 10.17
11.28 16.52
Eulen 9.49
— nach Athen
tragen 4.22

Eulenspiegel(ei)
11.22f. 13.45
16.55
Euler 16.60
Eumeniden 16.80f.
19.32
Eunuch 2.7 5.37
16.101
Euphemismus 13.16
13.34 13.36
euphonisch 15.17
Euphorie 11.9
eurasisch 1.21
europäisch 12.54
europäisieren
12.54
europamüde 11.8
11.13
Euter 2.16 2.30
3.48
Euterpe 15.11
Euthanasie 2.43
Eva 2.15 16.3
Evakostüm 3.22
evakuieren 3.4 8.18
Evangeliarium 20.19
evangelisch 20.19
Evangelist(en) 20.17
20.19
Evangelium 5.6
20.19
Eventualität 5.2
eventuell 5.2 6.23
9.16 12.24
Everglaze 17.8
evident 5.1 5.6 7.1
13.3 13.33 13.46
— machen 13.46
Evidenz 13.46
Evolution 4.3 5.24
5.26 8.1 8.28
evviva 11.21 11.36
11.52 16.31 16.87
Ew. Hochwohlge-
boren 16.86
Ewe 6.1
Ewer 8.5
ewig 6.6f. 6.34 11.26
11.32 20.7 20.10
ewig, auf 6.18
—, auf — treu
ergeben 16.41
— treu bleiben
16.42

ewig und drei Tage
6.6
Ewige, der 20.7
Ewige Lampe 16.64
20.21
Ewiger Jude 6.33
Ewigkeit 2.45 4.40
6.6f. 9.33 20.7
20.10
—, eine — dauern
6.6f.
—, in der 6.25
—, in die — ein-
gehen 2.45
ewiglich 6.6
ewigmenschlich 2.13
ewigweiblich 2.15
ex officio 12.26
16.95 19.22
exakt 3.37 9.42
12.26 12.55 13.33
13.39
Exaltation 11.5f.
exaltiert 11.5f.
11.29 13.52 15.3
Examen 9.28 12.33
12.36 13.25
—, bestandenes
16.39
Examinand 9.28
12.35
Examinator (Lehrer)
9.28 12.8 12.33
examinieren 5.7
12.3 12.7ff.
12.33 13.25
Exarch 16.104
Exaudi 20.16
Exbummel 16.6
Excelsior 16.64
Excentric 11.23
excentrisch siehe
exzentrisch
Exegese 13.44 20.19
Exeget 13.44
exegetisch 13.44
exekutieren 18.26
Exekution 2.46
Exekutive 16.95
16.107 19.27 19.29
exekutive Gewalt
16.95

Exempel 5.17 12.10
12.29 13.46 19.32
— statuieren 19.32
Exemplar 4.36 5.17
11.24 14.11
exemplarisch 9.64
19.3 19.32
exerzieren 9.26
Exerziermeister
12.33 13.33
Exerzitien, geistliche
20.13
Exerzitium 9.26
12.33
Exhaustor 1.6
Exhibitionismus 3.22
exhumieren 2.48
8.28
Exil 8.18 16.52 19.32
Existentialist 20.3
Existenz 2.17 3.3 5.1
9.22 11.59 18.5
—, dunkle, ver-
schleierte 7.10
—, katilinarische
19.9
—, verpfuschte 9.78
Existenzminimum 4.4
4.24f. 19.22
Existenzphilosophie
2.17 12.8
existieren 2.17 5.1
existiert für mich
nicht mehr 16.66
Exitus 2.45
Exklave 4.48
exklusive 4.49
Exklusivität 16.52
Exkommunikation
4.49 8.24 16.37
20.2
exkommunizieren
4.49 16.37 16.52
19.32 20.2
Exkönig 16.105
Exkrement 2.35 9.67
Exkulpation 19.13
19.30
Exkurs 3.36 4.22
13.43 14.10
Exkursion 16.6
exmatrikulieren 4.49
Exodus 8.24
exorbitant 4.50 13.52

exorzisieren 20.12
Exorzismus 20.12
exoterisch 11.46
13.6
exotisch 4.49 5.20
16.5
Expander 16.57
Expansion 3.1 4.3
4.6 4.8
expansiv 4.3 4.28
expedieren 8.3 9.70
Expedition 16.6
16.73 18.25
expektoral 2.35
Expektorans 2.44
Expektoration 13.5
13.21
Experiment 9.28
12.8f. 12.20 13.46
Experimentalphysik
1.20
Experimentator 9.28
experimentell 9.28
12.9
experimentieren
9.28 12.9
Expert(e) 9.52
12.32 12.52
Expertise 12.22
Explikation 13.44
explodieren 5.36
7.26 7.29 8.22
11.6 11.31
Explosion 5.27 5.36
5.42 7.26 7.29
8.9 9.74
Explosionsgeschoß
17.11
Explosionsstoffe 8.22
explosiv 11.58
Explosivstoff 8.10
8.22
Exponent 4.35 5.1
13.1 16.96 16.98
exponieren 7.1 9.74
13.3 16.94
exponiert 16.76
Export 2.31 8.3 8.24
18.20 18.23
Exporteur 18.23
exportfähig 9.56
exportieren 8.3 8.29
Exposé 14.12 15.9

Exposition 4.17
18.23
expreß 8.4 8.7
9.14 13.28
Expreßbote 9.39
expressionistisch
15.3
expressiv 9.14 9.44
11.5 13.41
Expreßzug 8.4 8.7
exquisit 9.56 9.64
10.8 11.10 11.16f.
Exstirpation 5.42
18.6
Exsudat 2.35
Extase s. Ekstase
Extemporale 12.35
14.10
extemporieren 6.14
9.27
Extension 3.1 4.1
extenso, in 4.41
Exterieur s. Äußeres
3.18 7.2 17.9
exterritorial 9.75
extra 4.22 4.28 4.50
9.14
Extraauslagen 18.26
extrabillig 4.50
Extrabote 13.8
extrafein 4.50
extrahieren 4.30 8.24
14.12 18.6
Extrakt 2.44 4.7
14.12
Extraordinarius
12.33 16.60 16.86
Extratour 16.14
16.58 18.14
Extrauniform 17.10
extravagant 11.6
11.24 12.57
Extravaganz 4.22
11.11 11.23 11.28
12.28 12.57 13.52
18.14
Extrawurst 19.22
Extrazug 8.4
extrem 4.50 11.6
Extremist 11.6 16.18
Extremität(en) 2.16
exzellent 11.17
Exzellenz 16.3 16.86
Exzentrik 14.3

exzentrisch 5.20 11.6
11.24 12.9 13.52
Exzentrizität 9.10
exzeptionell 5.20
exzerpieren 14.12
Exzerpt 9.11 14.12
Exzeß 4.22 11.11
11.60 16.44 16.116
19.10

F

Fabel 12.27f. 13.51
14.1f.
—, zur — werden
16.85
fabelhaft 4.50 9.56
11.17 13.29 16.31
Fabelland 12.28
fabeln 12.25 12.28
12.50 13.51
14.1f.
Fabelwesen 5.20
Fabius Cunctator
11.40
Fabrik 9.23 17.16
Fabrikant 9.18
Fabrikartikel 18.24
Fabrikat 18.24
Fabrikation 5.39
Fabrikzeichen 13.1
fabrizieren 5.39
12.21
fabulieren s. fabeln
Fach 9.22 12.32
12.36 16.60
Fachbuch 12.33
fächeln 1.6 7.40 8.33
Fächer 1.6
—, den — spielen
lassen 11.49
fächerartig 8.22
fächern 3.37 7.40
Fachgestell 17.6
Fachgruppe 16.60
Fachmann 9.52 12.32
Fachschule 12.36
Fackel 7.5
fackeln 9.6 14.5
fackeln, nicht
lange 6.14 9.6
16.78
Fackeltanz 16.55
16.59

Fackelzug 11.17
16.87f.
fad(e) 7.69 9.53
9.59 9.65 10.9
11.26 11.37
Faden 4.9 4.11 4.25
4.33 4.44 4.50
5.37 9.6 17.8
—, der — fängt
bei Adam und
Eva an 13.43
—, dünner 5.37
— hängen, an
einem 9.74
—, kein trockener
— mehr am Leib
7.57
—, roter 6.6 12.17
fadenartig 4.9
fadenförmig 4.11
fadengerade 11.26
fadenscheinig 3.22
5.37 6.27 9.60
Fadenwürmer 2.41
Fadesse 11.26
Fadheit 7.69 9.59f.
11.25f. 11.37
Fadian 11.26
Fagott 15.15
Fähe S. 126
fahen s. fangen
16.72 16.117
fähig 5.35 9.46
9.52 9.84 12.35
12.52 16.95
Fähigkeit 5.2 5.35
9.40 9.46 9.48
9.52 12.2 12.32
12.35 12.52 16.95
fahl 7.6 7.12
7.15 11.42
Fahlerz 1.25
Fähnchen 17.9
fahnden nach 9.14
11.36 12.8
Fahne 2.16 2.33
4.34 7.64 13.1
15.7 16.18 16.74
16.86 17.10
—, der — folgen,
nachgehen 16.74
—, mit fliegenden
9.77 12.47 16.84
16.88

Fahne, schwören,
zur 16.23 16.73f.
Fahneneid 16.23
16.73
—, den — ablegen,
schwören 16.74
Fahnenflucht 8.18 9.5
9.9 13.29 16.27
16.116 19.25
fahnenflüchtig 4.34
16.116 19.8
19.25
Fahnenflüchtiger
16.74 19.8
Fahnenjunker
16.74
Fahnenmeer 16.88
Fähnlein 16.74
Fähnrich 16.74
fahrbar 16.7
Fähre 8.5 8.27
fahren 8.1 8.3ff.
8.11 9.20 11.42
12.2 16.6f. 20.22
—, auf den Grund
9.55
—, aus der Haut
11.14 11.31
—, einspännig
16.6
—, in d. Haare
16.67
—, in die Höhe
11.5 11.42 13.11
— lassen 2.35
11.41 16.118
18.15
— lassen, die Hoff-
nung 11.41
—, Schlitten —
mit 11.60 16.79
16.108
—, zweispännig 16.6
fahrend 11.39
Fahrender 14.2
16.6
— Sänger 15.13
Fahrer 8.4 16.6
16.60 16.74
Fahrgast 16.5f.
Fahrgestell 8.6
—, verbogenes
3.46

fahrig 3.38 9.43
11.20 12.13
Fahrkarte 9.78
fahrlässig 9.19 9.24
9.43 11.8 12.13
16.28 19.25
Fahrlässigkeit 9.24
16.28
Fährmann 16.7
16.60
Fahrnis 4.18 9.74
18.1
Fahrplan 3.37
Fahrrad 8.4 16.6
Fahrradmarder
18.9
Fahrstraße 8.11
Fahrstuhl 3.17 8.4
8.28
Fahrt 8.1 8.7
11.31 16.6
—, freie 8.16
—, in — kommen
13.21
Fährte 7.62 8.15
9.21 12.8 13.1
—, auf der 8.15
—, auf falsche
— bringen 9.73
16.72
—, auf falscher 9.78
12.27
— bekommen 12.4
—, unrechte 9.55
Fahrtenmesser
17.11
Fahrtenplan 3.37
Fahrwasser 5.4
8.11
—, im richtigen
5.4 5.46
Fahrweg 8.11
Fahrwerk 8.6
—, verbogenes 3.46
Fahrzeug 8.4 8.6
Faible 11.2 11.36
fair 19.1 19.3
Fäkalien 2.35 9.67
Fake 16.78
Fakir 11.47 16.52
20.13 20.17
Faksimile 5.18
15.1 15.4f.
Faktion 16.17

Faktionstreiben
16.67
faktisch 5.6 5.44
12.26
Faktor 4.35 5.1
5.34 14.5 16.95f.
16.103
—, der — Zeit 16.77
Faktorei 9.22f.
18.25
Faktotum 9.18
9.70 16.112
Faktum 5.6 5.44
Faktura 14.9
16.20
Fakturist 18.23
Fakultät 12.36
fakultativ 5.2 9.11
16.119
falb 7.12 7.19
Falb(e) S. 128
Falbel 3.45 3.48
17.10
Falkaune 17.2
Falke S. 115
Falkenauge 10.15
Falkenier 12.33
Falkner 2.12
16.60
Falknerei 2.12
Falkonett 17.12
Fall 2.20 2.41 3.13
5.1 5.3 5.6 5.12
5.20f. 5.27 5.32
5.42 5.44 7.55
8.31 9.11 9.77f.
11.10 11.41 12.5
13.31 14.2
—, auf keinen 16.27
—, böser 11.32
—, den — setzen
12.24 12.29
—, der — sein
5.1 5.44 12.26
—, ein krasser —
von denkste
16.27
—, für den — des
—es 12.42
—, hoffnungsloser
9.55
—, im 5.12
—, im — der Not,
9.74 9.81

Fall, in jedem —
13.50
—, in keinem 13.29
—, kitzliger 9.55
—, Knall und 6.14
—, trauriger 5.47
—, zu — bringen
5.42 9.73 9.77
13.47 16.44
—, zu — kommen
9.78 16.44 19.8
Fallbeil 2.46
19.32
Falle 2.12 9.13 9.26
9.55 9.74 9.78
12.53 13.4 16.71f.
16.76 17.3
—, eine — stellen
16.71
— gehen, in die
9.74 11.46 12.25
16.72
Fälle, für (auf)
alle 9.6 9.26
12.42 13.28 13.48
Falleisen 16.72
fallen 2.45f. 4.13
4.15 5.10 5.20f.
8.30f. 8.34 9.5
9.20 9.53 9.55
9.61 9.78f.
11.30f. 11.34
11.41 11.44 11.46
16.83 16.90 18.28
19.12 19.24
—, auf dem Felde
der Ehre 2.45
16.73
—, auf die Füße
9.77
—, auf die Knie
11.54 16.20 16.115
20.16
—, aus allen
Himmeln 12.45f.
—, aus den Wolken
12.45
—, die Maske —
lassen 13.5
—, ein Wort 13.2
—, in den Arm
9.72f. 16.65
—, in die Augen
4.2 7.1 12.20
13.3

fallen, in die Flanke,
in den Rücken
16.76
—, in die Grube
12.25
—, in die Hände
16.117
—, in die Rede
13.30
—, in die Schlinge
9.78 12.25
—, in Stücke 8.22
—, in Ungnade
11.62
— lassen 8.31 9.20
9.33f. 16.105 19.30
— lassen, unter
9.19 9.33
—, lästig 16.20
—, mit der Tür ins
Haus 5.27 5.36
— schwer 9.5 9.40
9.55
—, sich in die
Arme 16.38
16.41ff.
—, um den Hals
16.43
—, zu Füßen
16.20 16.30 16.83
16.115
—, zur Beute 9.78
16.83 16.111
—, zur Last 11.27
19.12 19.24
Fallen stellen 12.53
fällen 8.30f. 12.49
19.27
Fallensteller 2.12
9.21
Fallgatter 16.77
Fallgitter 3.58 9.73
16.71
Fallgrube 2.12 16.71
fallieren 9.78 18.19
fällig 12.44 18.26
Fälligkeitstermin
18.30
Fallissement 9.78
18.19
fallit, Fallit 9.78
18.19
Fallreep 8.5 8.11

falls 5.2 5.12 5.32
19.15
Fallschirm 8.6 8.30
9.76
Fallschirmjäger
16.74
Fallschirmspringer
8.6 8.30
Fallstrick 9.13 9.74
16.71
Fallsucht 2.41
fallt, sie — us de
Kleider 4.11
fällt aus wegen
Nebel 9.19 9.78
— glatt 9.78
— mir nicht im
Traum ein 16.27
— vom Fleisch 4.11
Falltüre 3.57 9.74
16.71
Fallwind 1.6
Falott 16.94
falsch 4.50 9.10
9.51 9.60 9.78
11.31 11.35
11.46f. 11.60 12.19
12.27 12.53 13.19
13.45 13.51 15.18
16.32 16.35
19.8ff. 19.21
— auslegen 12.27
16.72
— gegriffen 15.18
— spielen 15.18
—e Fährte 12.27
12.34
—er Ton 15.18
—es Spiel
treiben 12.53
—es Zeugnis ab-
legen 13.51 16.35
19.8
Falsch 12.27
— ohne 11.46
13.48f. 19.3f.
Falscheid 13.51
fälschen 1.21 5.18
9.63 13.45 13.51
16.72 19.8
Fälscher 16.72
Falschgeld 18.21
falschgläubig 20.2
Falschheit 12.27
12.53 13.51 19.8
falschherzig 19.8

falschmünzen 16.72
Falschmünzer 16.72
18.21
Falschmünzerei 18.9
Falschspieler 16.72
Fälschung 5.18
13.51 16.72 19.8
19.23
Falsett 7.34 13.15
15.13 15.18
Falsifikat 5.18
Falstaff 4.10
Faltboot 8.5
Falte 3.43 3.45
11.22
fälteln 3.45
falten 3.43 3.45
·11.31 20.13
—, die Stirn 9.7
11.31 16.33
Falten werfen 3.45
faltenlos 3.52
Faltenrock 17.9
Faltenwurf 3.18
17.10
Falter S. 95 7.23
15.1
faltig 3.43 3.45
fältig 4.3
Falz 3.44f.
Falzbein 17.15
falzen 3.43 3.45
14.11
Falzwand 14.3
Fama 13.7 13.22
16.85 16.93
familiär 16.9 16.41
Familie 4.47 8.20
11.16 16.9
—, aus guter 16.91
—, im Schoße der
16.16 16.40
— von 16.91
Familienähnlichkeit
5.17
Familienband 16.9
Familiendrama 2.46
Familienglück 11.9
16.40
Familienknicker
17.9

Familienkreis, im
16.40
—, trauter 16.64
Familienleben 16.64
Familienliebe 11.53
familienlos 2.7
Familienname 16.60
Familienrecht 19.19
Familienzucht 16.50
Familienzug 5.9
Familienzwist 16.67
famos 9.56 16.31
16.85
Famulus 16.112
Fanatiker 9.8 11.6
12.28 20.2 20.14
fanatisch 5.36 9.8
11.4ff. 12.28
12.55ff. 16.18
fanatisieren 12.27
12.55
Fanatismus 9.8 11.5
12.55 20.1 20.3
20.14
Fandango 16.55
16.58
Fanfare 7.26 13.1
15.15 16.73 16.84
16.87f.
Fanfarengeschmetter,
mit 16.88
Fanfarenklänge 9.29
Fang 2.12 2.16 11.36
16.78 16.97
—, auf den
gehen 16.45
Fänge 2.16 16.78
16.95 16.97
fangen 2.12 2.41
9.21 9.78 11.5f.
11.53 12.7 12.20
16.72 16.117 18.6
18.8
—, Feuer 5.36
7.36 11.4 11.6
16.31
—, Grillen 12.28
—, mit seinen eig.
Worten 13.47
—, sich in der
eigenen Schlinge
16.80
Fänger 19.29

Fangerles (schwäb.)
16.56
fang'n, wirst glei
eini 16.78
Fangnetz 2.12
Fangobad 2.44
Fangschnur 2.12
Fangschuß geben
2.46
Fanny 16.3
Fant 2.22
Fantast 11.6
fantastisch 11.17
Fape 7.31
Farbe 7.11 9.9 15.4
19.11
— bekennen 13.5
13.49
—, nicht —
bekennen 16.27
— verlieren 7.12
— wechseln 5.25
9.9 11.47 13.5
—, zur — schwören
16.23
Färbekessel 17.6
färben 7.11 9.57
13.51
—, den Buckel
blau 16.78
farbenblind 10.17
Farbenblindheit
10.17
Farbenbrechung 7.4
7.11
Farbenbrett 15.1
15.4
Farbendruck 7.23
15.5
farbenfreudig 7.11
Farbengebung 15.4
Farbenglanz 16.88
17.10
Farbenkasten 15.1
15.4
Farbenkleckser 9.53
12.37 15.4
Farbenlehre 7.11
Farbenpracht 15.4
farbenreich 7.23
Farbenreichtum 7.23
Farbensinn 10.15
Farbenspiegel 7.23
Farbenspiel 7.23

Farbenwechsel 7.23
15.4
Färber 16.60
Färberei 9.23
Farbfilm 15.9
Farbgebung 7.11
15.4
farbig 7.11 7.23
15.4
Farbiger 2.13 7.14
farblos 7.12 9.59
9.65
Farblosigkeit 7.12
9.59 9.65
Farbstoff 1.29 7.11
Farbton 7.11
Färbung 7.11
Farbwert 7.11
Farbwirkung 7.11
Farce 9.54 11.24
14.3
farcenhaft 11.23f.
farcieren 3.21
Farinen 7.66
Farm 1.15 2.10 18.1
Farmer 2.5 16.4
Farne, Farnkraut
S. 11 7.63
Faro 7.4 13.1
Farre S. 127
Färse S. 128 2.15
farzen 2.35
Fasan S. 119 2.27
7.23
Fasanerie 2.10
Faschiertes 2.27
Faschine 16.77
Faschinenmesser
17.11
Fasching 16.55
16.59
Faschist 16.18
faschistisch 16.18
Faseküchle 2.27
Faselei 9.53 12.2
12.13 13.18
Faselhans 9.43
13.18 13.22
faselig 9.43
faseln 9.43 9.53
12.56f. 13.51
Faser 4.11 4.25 4.33
4.42 4.44 11.36
Fäserchen 4.4

faserig 3.53 4.11
4.42 4.44
Faserwolke 1.4
Faserwurzel 2.3
Fasnacht, die alt
6.38
Faß 2.32 3.50 4.10
17.6
—, das schlägt dem
— den Boden aus
16.33
Fassade 2.16 3.18
3.26 9.13 17.2
Fassadenkletterer
8.23 18.9
faßbar 1.20 5.1f.
7.43
Faßbender 16.60
Faßbinder 16.60
fassen 3.9 3.19 4.1
4.33 9.21 9.52
9.78 9.84 11.8
11.30 11.38 11.53
11.59 12.31 12.35
13.33 16.95f.
16.117 18.5f. 19.5
—, in Gold 17.10
—, in sich 4.19 4.48
—, ins Auge 9.14
10.15 12.7
—, sich 2.44 11.8
—, sich an der Nase
19.5
—, sich ein Herz
11.38
—, sich kurz 9.6
13.39 16.53
—, Zuneigung 16.41
faßlich 13.33
Faßlichkeit 13.33
Fasson 5.8 5.11f.
11.30 16.61
—, eigene 16.109
—, nach eigner —
selig werden lassen
9.2 9.25 16.109
Fassung 9.77 11.5
11.8 11.30 11.40
11.42 12.13 13.20
13.38 16.93
—, außer — brin-
gen 9.55 11.5
—, kurze 13.39
— verlieren, die
11.5 11.42 12.45

Fassungskraft 4.1
9.52 12.2 12.35
fassungslos 9.7
11.30 11.42
Fassungslosigkeit
11.5 11.30 11.42
12.45
fast 3.9 4.2 4.25
5.7 11.36
fasten 2.29 4.25
10.10 19.26 20.13
Fasten 2.29 19.26
20.13
Fastentag 20.16
Fastenzeit 2.29
20.13 20.16
Fastnacht 16.55
16.59
Fasttag 2.29 4.25
19.26 19.32 20.13
Faszikel 4.17 14.9
14.11
faszinieren 11.5
11.9 11.17 11.53
Fata Morgana 3.5
4.26 10.17 11.35
12.28
fatal 2.41 5.47
9.55 11.13f. 11.62
Fatalismus 9.3 9.14
11.8 12.42
Fatalist 11.8
Fatum 5.45 5.47
20.7
Fatzke 11.45 12.56
16.63 16.89
fauchen 1.6 7.30
7.33 11.31
faul 7.64 8.8 9.6
9.19 9.24 9.41
9.60 9.63 9.67
9.78 11.41 19.8
19.10
—, es steht 18.19
Faulbaum S. 57
Fäule 2.4
faulen 9.61 9.67
faulenzen 9.24 9.41
Faulenzer 9.24 9.41
19.10
Fauler 19.29
Faulheit 8.8 9.24
9.60
faulig 7.64 10.9
Fäulnis 7.64 9.61
9.67

Faulpelz 9.24
Faultier S. 125 8.8
9.24
Faun 10.21 16.44
Fauna 2.8 16.4
faunenhaft 16.44
faunisch 16.44
Faust 2.16 9.2 9.51
9.83
— ballen 9.51
16.67ff.
—, betrachte dir
einmal meine
16.68
—, auf eigene 9.2
9.6 9.21 16.118
19.20
—, die — unter die
Nase halten 16.67
—, geballte 16.68
—, gepanzerte
16.68 16.73
—, meine — dein
Kirchhof 16.68
—, mit geballter
16.68f.
—, wie die — aufs
Auge 9.51
Faustball 16.57
Fäustchen 11.22
— lachen, sich ins
13.4 16.34 16.54
faustdick 9.52
— hinter den
Ohren 12.53
Fäuste 11.31 11.33
Fäustel 17.15
Fausthandschuh 3.20
faustisch 9.38 11.36
Faustkampf 16.57
16.67
Faustkeil 17.11
Fäustling 3.20 17.9
Faustpfand 18.17
19.16
Faustrecht 11.46
16.94 16.107f.
16.116 18.6 18.9
19.20f.
Faustschlag 16.67
19.32
—, einen — landen
16.70
Fauteuil 17.3
faux pas 9.53 11.29
12.27

fauzen 16.78
Favorit(in) 11.53
Faxe(n) 9.10 11.21
13.51 16.55
Fayence 1.28 7.35
7.39 17.6
fazial 2.16 10.15
Fazit 12.12 12.14
FD-Zug 8.4
Feber 6.9
Februar 6.9
Fechner 16.60
fechsen 2.5
Fechser 2.3
Fechsung 2.5 18.5
Fechtboden 16.75
Fechtbruder 9.24
16.6 16.92 16.94
fechten 16.20 16.67
16.70 16.73
— gehen 16.20 18.4
Fechten 16.57
Fechter 16.74
Fechthandschuh
16.77
Fechtkunst 16.73
Feder 3.20 3.53
5.18 7.42 7.45
8.10 8.29 13.38
14.5 15.1 15.4
15.7 17.10
Federball 16.57
Federbett 7.35 7.50
17.9
Federbusch 13.1
15.7 16.87 16.100
17.10
Federfuchser 14.1
14.5 14.9 16.60
Federgewicht 7.41
Federhalter-
akrobat 16.60
Federharz 7.53
Federheld 14.11
Federhut 16.87
16.100 17.10
Federkraft 5.35 7.45
8.10 8.29
federkräftig 7.45
Federkrieg 12.14
federleicht 4.50 7.42
Federlesens, nicht
viel — machen
6.14 9.7 16.53
16.108

federlos 3.22 16.78
Federmesser 3.55
federn 3.20 7.45
8.10
federn (teeren und)
16.79 19.20 19.32
Federn 2.16 11.45
18.15
—, erborgte 16.72
—, fremde 13.51
16.89
—, mit fremden
16.72
—, sich mit frem-
den — schmücken
5.18 16.72
federnd 7.45
Federritt 17.8
Federstahl 7.45
Federstrich 14.5
16.97 16.108
—, mit einem —
16.106
Federung 7.50
Federvieh 2.8
Federweißer 2.31
Federwolke 1.4
Federzeichnung 15.4
Federzug, mit einem
14.5 16.108
19.14
Fee 7.42 11.17
11.30 11.53 20.5f.
20.12
Feengestalt 11.17
20.6 20.9 20.12
feenhaft 11.17
20.12
Feenkünste 20.12
Feenland 12.28
Feenmärchen 14.1
Feenreich 12.28
Feenwelt 12.28
Fegefeuer 11.13
16.80 19.26 20.10f.
fegen 8.1 8.7 9.66
—, hinweg 5.42
Feger 9.66
Feh S. 126 17.9
Fehde 16.66f.
16.70 16.73
Fehdebrief, einen
— senden 16.67

Fehdehandschuh
16.67 16.69 16.73
Feh(e) S. 126
fehl 9.51
—, es ist — am
Ort 6.38 9.49
Fehl, ohne 9.64
11.16 19.3f.
Fehlanzeige 3.4 9.19
fehlbar 5.7
Fehlbenennung 13.19
Fehlbetrag 3.4 4.25
18.15
Fehlbitte 9.78 16.27
Fehldatierung 6.10
fehlen 3.4 4.5
4.25f. 4.46 9.19
9.53 9.78 9.81
11.5 11.31 11.36
12.27 13.29 13.45
16.28 16.44 19.10
—, etwas jem. 2.41
— lassen 4.25 4.46
fehlend 3.4 13.29
Fehler 4.34 4.46 5.8
5.37 9.53 9.65
9.78 11.28 11.42
12.19 12.28 13.32
13.45 13.51 16.28
16.57 19.3 19.10f.
— aufmutzen 16.33
—, ein scharfes
Auge für fremde
16.33
—n nachspüren
16.33
—, ohne 19.3
fehlerfrei 9.56 9.64
11.16f. 12.26
12.28 19.4
fehlerhaft 4.46 9.51
9.60 12.19 12.27
13.32 13.47 16.33
fehlerlos 9.56 9.64
11.16f. 12.26 19.1
19.3f.
Fehlfarbe 9.78 11.28
Fehlform 9.53
Fehlgang 9.53 9.78
16.28
Fehlgeburt 2.21
6.38 9.78

fehlgehen 8.12 8.22
9.78 12.27
fehlgeschlagen 12.27
fehlgreifen 12.27
13.45
Fehlgriff 9.78
12.27f. 13.45
Fehlhandlung 9.51
Fehljahr 9.78
Fehlleistung 9.51
fehlschießen 12.27
Fehlschlag 9.78
fehlschlagen 9.78
fehlschließen 12.19
Fehlschuß 8.27 9.78
12.19
Fehlstoß 8.27 9.78
12.19
fehlt(e), das —
gerade noch 11.5
13.29 16.27
Fehltritt 8.30f. 16.28
16.44
Fehltritt, einen —
tun 19.10
fehlts, da 9.51
Fehlzug 12.27 16.28
Fehrle 16.60
feien (gegen) 9.75
Feier 9.24 9.36
11.21 16.24 16.56
16.59 16.64
16.87f.
Feierabend 6.4 9.19
9.24 9.33 9.36
9.85
Feierabendglocke 6.4
feierlich 9.33 9.36
9.44 9.80 11.25
11.32 12.28 13.43
16.30 16.85 16.87
20.1 20.13 20.16
Feierlichkeiten 11.25
11.32 16.55 16.64
16.85 20.16
feiern 2.31 9.24
9.33 9.36 9.41
9.77 11.11 16.31
16.55 16.64 16.85
16.87
—, das Beilager
16.11
— mit 16.64

Feiertag 9.36 16.8
16.55 16.59 16.85
16.87 20.13 20.16
— machen 16.55
Feiertagsgewand
17.10
feige 11.43
Feige (Frucht) S. 29
2.27
Feigenblatt 11.49
16.50 17.9
Feigheit 11.42f.
Feiglaps 11.43
Feigling 11.43
Feigwarze 2.41
Feigwurz S. 46
feil 16.44 18.22f.
18.28 19.7f.
feilbieten 18.23
Feile 7.49 15.1
17.15
feilen 3.52f. 3.55
feilhalten 9.24 18.23
—, seine Reize
16.44f.
Feilheit 9.61 16.44
19.8
Feilicht 7.49
feilschen 18.20 18.28
19.14
Feim(en) 2.5 4.17
fein 2.26 4.11 4.50
5.8 7.48 7.50
7.65 9.56 10.8
11.7 11.10 11.16ff
11.30 11.45 12.53
16.32 16.38 16.61
—, ist — heraus
5.46
Feinbäckerei 2.26
7.65 16.60
Feind 5.6 9.53 11.38
11.59 16.65f.
16.74
—, abgesagter 16.66
—, das muß ihm
der ärgste —
lassen 5.6 13.28
—, den — aufrollen
16.76
—, den — be-
schießen 16.76
—, der alt' böse
20.9
—, der böse 9.9

Feind, der — suchte
vergeblich unsere
Bewegungen zu
stören 16.83
—, der innere 16.74
—, ist ein abgesag-
ter — von 16.27
—, sich auf den —
werfen 16.76
Feindberührung
16.73
Feinde, dem — einen
heißen, warmen
Empfang bereiten
16.77
—, liebet eure 16.47
—, von — säubern
16.84
Feindflug 16.74a.
feindlich 9.72 11.60
11.62 16.65 16.67
Feindschaft 11.31
11.59f. 11.62
16.65ff. 16.73
—, anstacheln zur
16.67
feindselig 11.60
11.62 16.65ff.
16.81
feind(selig) gesinnt
sein 16.66
Feindseligkeiten
11.62 16.66f.
16.73 16.76
—, die — eröffnen
16.73 16.76
—, Einstellung der
16.48
Feindteile zersprin-
gen 16.77
Feinfroste 5.43 7.40
feinfühlend 11.7
feinfühlig 11.4
11.7 16.50
feingebildet 16.38
Feingefühl 11.7
11.17ff. 12.11
16.38 16.50
16.109 19.1
Feingehalt 4.17 5.8
9.56 12.12 18.21
Feingold 18.21
Feinheit 4.9 9.64
11.18

feinhörig 10.19
feinkörnig 5.8 7.49
Feinkost 10.8
feinmachen 15.7
—, sich 17.10
feinnervig 10.1 11.7
Feinschmecker(ei)
10.10ff. 11.17
11.19 12.11
feinsinnig 12.52
16.38
feist 4.10
Feist 2.16
feisten 4.10
Feix 16.74
feixen 11.21f. 16.54
fejen 8.1
Felber S. 28
Felchen S. 99 2.27
Feld 1.13 2.5 3.1
8.18 9.20 9.22
9.26 9.77f. 12.5
13.1 16.75 18.1
—, auf dem — der
Ehre bleiben, fal-
len 2.46 16.73
—, das — behaup-
ten 9.77 16.77
—, das — beherr-
schen, bestreichen
16.76
—, freies — für
16.119
—, in — und Wald
3.6
—, das — räumen
8.17f. 9.20 9.78
16.75 16.83 16.105
— und Wald 3.7
— ziehen, ins 16.73
Feldabdachung 16.77
Feldarbeit 2.5
Feldbau 2.5
Feldbereinigung 8.21
Feldbestellung 2.5
Feldbett 17.3
Feldbinde 3.24 13.1
Feldblume 2.2
Feld(Front-)bücherei
14.11
Feldeinsamkeit 7.28
Felderzeugnis 2.5
Feldfläche 1.15

Feldflasche 17.6
Feldfrevel 18.9
Feldgeistlicher 16.60
16.74 20.17
Feldgendarm 16.74
Feldgerät 17.15
Feldgeschrei 13.1
16.73
Feldgeschütz 17.11f.
feldgrau 7.15
Feldgrauer 16.74
Feldherr 16.74 16.97
Feldherrnstab 16.100
Feldhüter 16.101
Feldjäger 16.74
19.29
Feldkapelle 2.48
20.20
Feldkaplan 20.17
Feldkreuz 2.48
Feldlager 3.4 16.2
16.73 16.75
Feldland 1.13
Feldlazarett 2.44
Feldmann 16.60
Feldmark 1.13
Feldmarschall 16.74
Feldmesser 12.12
Feldmesserei 3.41
Feldmeßkunst 12.12
Feldmessung 12.12
Feldpost 14.8
Feldprediger 20.17
Feldrain 1.13
Feldsalat 2.27
Feldschar 4.17 16.74
Feldscher(er) 2.44
Feldschlacht, offene
16.73
Feldschlange 17.11f.
Feldschütz 16.74
Feldspat(e) 1.25
Feldspital 2.44
Feldstecher 10.16
Feldstein 2.48
Feldstuhl 17.3
Feldwache 9.75
16.74
Feldwächter 16.101
16.117
Feldwachtmeister
16.74
Feldwebel 7.59 16.74
Feldweg 8.11

Feldwirtschaft 2.5
Feldzeichen 13.1
Feldzeugmeister
16.74
Feldzug 9.15 16.73
—, einen — mit-
machen 16.74
Felge 3.47
felgen 2.5
Felicitas 16.3
Felix 16.3
Fell 2.16 3.20 3.53
4.13 4.42f. 18.6
18.8
—, das — gerben
16.78
—, das — locker-
machen 16.78
—, ihm juckt das
16.78
Felle 18.15
Fellah 16.92 16.94
16.120
Felleisen 17.7
Fels(en) 1.13 3.13
4.12 5.35 5.44 6.7
7.44 9.74
felsenfest 4.50 5.6
6.7 7.44 8.2 9.6
11.38
felsenhart 7.44
Felsenherz 11.60
Felsennest 16.77
felsig 7.44
Felssturz 5.27 8.30
Felswand 3.13 4.12
Felu(c)ke 8.5
Feme 2.46 4.49
19.20
Femgericht 19.20
19.27
feminin 2.15 11.43
Femininum 2.15
Femm 2.5
Fenchel S. 18 S. 62
2.27
Fenn 1.19
Fenster 2.16 3.57
7.8 9.86 11.31
18.14
—, blindes 5.18
— einwerfen 16.34

Fenster, Geld durchs—
werfen 9.86 18.14
—, daß die — klir-
ren 7.26
—, vorspringendes
3.48
Fensterbehang 3.20
Fensterladen 7.6
fensterln 16.42
Fensterpapier 7.9
Fensterpromenade
11.53 16.42
Fensterschirm 7.6
Feo 16.3
Ferdinand 16.3
Ferge 16.60
Ferien 6.15 9.36
12.36
Ferienkolonie 2.40
12.36
ferienreif 2.39
Ferkel S. 127 2.22
9.67
Ferkelstecher (Win-
keladvokat) 19.28
Ferman 16.25 16.106
Fermate 6.15 8.2
15.11
Ferment 4.34 5.1
Fermente 1.29
fern 3.8 4.49
— ab (liegend) 3.8
— davon 5.21 12.48
13.29
—, nah und 3.1 3.7
Fernaufklärer
16.74a.
fernbleiben 3.4
Fernblick 10.15f.
12.42
ferne, das sei 13.29
16.27
Ferne 3.8
ferner 3.8 4.22 4.28
4.33 5.44
Ferner 7.40
fernerhin 4.22
Ferngeschütz 17.12
fernhalten 11.40
—, den Kummer
16.15
—, sich 3.4 3.8 9.20
—, sich — von 9.32
—, Zwietracht 16.40
Fernkampfbatterie
17.12

Fernkampfbomber
16.74a.
fernliegend (be-
ziehungslos) 4.49
fernmündlich 13.2
Fernrohr 10.16
Fernruf 13.2
Fernschreiben 14.8
Fernschrift 13.2
fernsehen 15.9
Fernseher 10.16
Fernsicht 7.2 7.8
10.15f. 12.42 15.4
fernsichtig 10.15ff.
Fernsprache 13.2
Fernsprecher 13.1f.
13.8
Fernstecher 10.16
fernstehend 4.49
Fernstehender 4.34
Fernverkehr 18.20
Fernzel 2.16
Ferse 2.16 3.18
4.13 8.15 8.19
— folgen, auf der
3.9 3.27 8.15 8.19
— geben 8.18
— segnen, mit dem
8.18
Fersengeld 8.17f.
— geben 16.6
fertig 2.39 2.45
4.33 4.41 6.4
9.26 9.33 9.35
9.64 18.19
—, ab is ab und
— is 16.69
— bringen 5.35
—, sich — halten
9.26
— los 9.29
—, sich — machen
9.26 11.40
— sein mit (ent-
sagen) 9.20 16.84
Fertige, gib der von
de 16.78
fertigen 5.39
Fertigkeit 9.48 9.52
fertigmachen 9.35
fertigstellen 4.41
9.35 19.14
Fertigstellung 9.35

Fes 3.20 17.9
fesch 11.10 11.17
Fessel 2.16 4.13 4.25
4.33 9.73 16.111
16.117 19.32
—, in — schlagen
11.53
Fesselballon 8.6
fessellos 16.12
16.118f.
fesseln 4.33 9.73
11.10 11.53 12.6f.
16.111 16.117
—, an sich 11.53
Fesseln 11.17 11.53
16.117ff.
fesselnd 16.55
Fesselung 3.24 3.58
16.117
fest 3.58 4.33 4.50
6.7 7 43f. 7.46
9.6 9.8 11.35
11.38 16.41 16.108
18.27 19.1
-fest (z. B. bibelfest)
12.39
Fest 2.26 11.21
16.55 16.59 16.64
—, es wäre mir ein
16.24
Festabend 16.64
festbeißen 9.38
Festbeleuchtung
16.88
festbinden 16.117
festbleiben 9.6 9.8
feste, aber —! 13.28
Feste 9.76 16.2
Festessen 16.55
festfahren 8.26
festgebannt (Stau-
nen) 11.30
Festgebet 20.16
festgefahren sein
9.55
festgelegt 9.6 14.9
Festgepränge 16.88
festgestellt 5.6 5.9
5.19 13.6
Festgewand 17.10
festhalten 4.33 6.7
9.8 12.39 15.8
16.117 18.10
festigen 6.7

Festigkeit 4.33 6.7
7.4 8.2 9.6 9.8
11.8 11.38 11.40
16.108 19.1
Festigung 7.43
Festivität 11.10
11.21 16.55 16.64
Festkalender 16.59
Festkleid 17.10
Festland 1.13 1.16
3.16
festlegen 8.2 14.9
18.16 19.15
festlich 16.64 16.87
Festlichkeit 11.9f.
11.17 11.20ff.
16.55 16.64 16.87f.
20.16
festmachen 4.33
9.75
Festmahl 16.55
Festmeter 4.19
festnageln 8.2 16.33
19.12
festnehmen 8.2
16.117 19.32
Festopfer 20.16
Festordner 16.55
Festrübe 2.34
Festsaal 17.2
Festschrift 16.39
festsetzen 3.3 13.28
13.46 16.24 16.106
16.117 19.14f.
Festsetzung (Plan)
9.26 19.14
Festspiel 11.10
Festspielhaus 14.3
feststecken 4.33 9.55
9.73
feststehen 5.6 6.7
12.26 13.6
feststehend 3.34 6.7
8.2 12.26 13.6
19.22
feststellen 5.6 12.8
12.20 12.26 13.28
13.46 16.24f. 19.14
Feststellung 19.15
Festtag, an hohen
—en und Feiertagen
6.30
— s. Festlichkeit
20.16

Festung 9.75f. 16.2
16.77 16.117
17.14 19.33
—, auf 16.117
—, fliegende 16.74a.
Festungshaft 19.32
Festungsmauer 16.77
Festungswerk 16.77
festverzinslich 18.30
Festwetter 1.5
Festzeit 16.55
Festzug 3.35 16.88
Fetisch 11.36 20.7
20.16
Fetischismus 11.36
20.1f. 20.16
fett 2.33 3.52 4.10
7.52 11.28 14.6
— machen 9.45
— werden 4.3 18.3
Fett 2.16 7.52 11.11
16.91
— ansetzen 4.10
—, in seinem 5.46
—, sein — kriegen
16.78
fettarm 7.47
Fettdeckel 17.9
Fettdruck 14.6
Fette 1.29 3.16 17.2
fetten 4.10 7.52
Fettfleck 17.10
fettfüttern 4.10
fetthaltig 7.52
Fetthenne S. 43
fettig 3.52 7.52
Fettigkeit 2.27 7.52
Fettlebe 11.11
— machen 2.26
Fettnapf 18.7
Fettnäpfchen 9.53
11.59 11.62
Fettung 7.52
Fettwanst 4.10
fettwanstig 11.28
Fettwanze 4.10
Fetzen 4.34 4.42
4.50 17.8 19.14
Fetzenkerl 5.35
Fetzer 2.16
feucht 7.54 7.57
9.63 11.33 11.50
feuchtfröhlich 2.32
11.21

Feuchtigkeit 7.57
— anziehen 7.57
Feuchtigkeitsmesser
7.57
feudal 16.91 16.95
16.97
Feudalrecht 16.111
18.1
Feuer 4.50f. 7.4
7.35f. 8.7 9.6
9.12 9.21 9.38
9.40 9.52 9.67
9.69f. 11.6 11.21
11.38 11.53 13.41
13.44 16.31 16.76
17.12 19.2 19.13
19.16 20.9
—, bengalisches 13.11
— bringen, in 5.36
— dämpfen 7.40
— der Begeisterung
11.5
— der Hölle 20.11
—, durch — und
Wasser 9.6 11.38
16.40f.
— eröffnen, das
(Anfang) 16.76
— fangen 5.36
7.35f. 11.5 11.53
16.31
— fassen 11.4
—, feindliches 9.74
— geben 16.73
16.76 16.79
— gehen, durchs
9.70 16.17
— geht aus 7.40
— geraten, in 9.12
11.6 16.31
— gießen, Öl ins
5.36 16.67
—, griechisches 17.11
—, im — stehen
9.74 16.73
— legen 7.35f.
— löschen 7.40
— machen 7.35f.
— rufen 13.11
— schüren 9.12
— spielen, mit dem
11.39

Feuer und Flamme
11.5
— und Flamme
sein 16.24
— und Flamme
setzen, in 9.12
— und Flamme
speien 16.31
— und Schwert
5.42 16.107
—, unter — nehmen
16.76
— unterdrücken
7.40
—n, zwischen zwei
9.55 9.74
Feueranbeter 20.2
Feueranbetung 20.2
Feuerball 7.5
Feuerbestattung
2.48
Feuerbock 7.37
Feuerbrand 7.38
Feuereifer 9.37 11.5
Feuereisen 11.58
feuerfest 7.40 9.75
Feuerfliege 7.5
Feuerfunke 7.4
Feuergarbe 7.4
feuergefährlich
7.36 9.74
Feuergeist 5.35 9.37
Feuerglocke 13.11
Feuerherd 7.37
Feuerhimmel 1.1
Feuerkugel 7.5 11.7
Feuerlärm 13.11
Feuerleger 19.9
Feuermann 16.60
Feuermännchen 20.5
Feuermauer 3.25
9.76
Feuermeer 7.4 7.36
Feuermohn S. 39
feuern 7.17 7.29
16.76 17.12
Feuerpfuhl 7.35
Feuerpolizei 7.36
9.70
Feuerprobe 9.74
11.38 11.63 12.9
19.27 20.2

Feuerprobe bestehen,
die 11.38
feuerrot 4.50 7.17
11.49 19.11
Feuerruf 13.11
Feuersäule 7.4 7.35
Feuerschein 7.4
Feuersbrunst 7.35ff.
Feuerschiff 8.5 13.1
Feuerschirm 7.6
9.76
Feuerschlag 17.12
Feuerschloß 17.12
Feuerschlund 3.49
4.14 5.36 17.12
Feuersgefahr 9.74
feuersicher 9.75
Feuersnot 9.74
feuerspeiender Berg
5.36
Feuerspritze 9.76
feuersprühend 11.31
Feuerstein 1.25 7.44
Feuerstoß 16.76
Feuerstrahl 7.4
Feuertaufe 9.74
Feuertiene 17.6
Feuerturm 13.1
13.10
Feuerüberfall 16.76
Feuerung 4.18
7.37f. 7.53
Feuerverehrung 20.2
Feuerwaffe 17.12
Feuerwanze S. 98
Feuerwasser 2.31
Feuerwehr 9.70 9.76
Feuerwerk 7.4f.
7.35f. 16.55 16.59
16.88
Feuerwerker 7.36
16.74
Feuerwerkskörper
7.5
Feuerzange 7.37
Feuerzeug 7.38
—, bei mir 18.4
Feuilleton 14.10f.
Feuilletonist 14.1
14.11
feuilletonistisch 14.1
feulen 9.66

feurig 5.36 7.4
  7.17 7.23 11.5
  11.20 11.38 11.53
  11.58
Feurio! 13.11
Fex 12.57 16.63
Fez 3.20 11.21
  16.55 17.9
Fiaker 8.4
Fiasko 9.50 9.53
  9.78 18.19
Fibel 9.25 12.32f.
  12.36 14.11 17.10
Fiber 4.11 4.42 4.44
Fibroin 1.29
ficht, es — ihn
  wenig an 9.45
Fichte S. 13
Ficke, die 17.7
fickeln 8.33
Ficker 19.29
fickerig 11.6
fickfacken 16.78
Fickmühle 9.71
Fideikommiß 18.1
fidel 11.9f. 11.20f.
  16.55
Fidelitas 11.21
Fidibus 7.38
Fidulitas 11.21
Fiduzit 16.38
Fieber 2.41 7.35
  10.4f. 11.36 12.28
  12.57
Fiebererreger 2.43
fieberhaft 9.38f.
  11.5f. siehe oben
Fieberkurve 8.34
Fiebermittel 2.44
fiebern 2.41 7.35
  8.34 11.5 12.57
Fieberwahn 12.28
fiebig 4.11
Fiedel 15.15
Fiedelbogen 15.15
fiedeln 15.14
Fiedler 15.11 15.14
fiepen 7.33
fies 10.9 11.59
Figur 5.8 5.18 7.2
  13.36f. 15.1 15.7
  15.10 15.17 16.88
  17.10

Figur machen, eine
  11.17
—, schlechte 16.93
—, sich eins in die
  — schütten 2.31
—, traurige 16.93
Figura zeigt, wie
  7.1
Figurant(in) 9.45
  14.3
Figuration 15.12
figurieren 5.1 7.1
figürlich 12.10 13.36
Fiktion 12.28f.
  13.51
fiktiv 12.29
Filet 2.27 3.57 7.8
  8.25
Filialanstalt 4.34
Filialbank 4.34
Filiale 4.34 4.42
  18.25
Filialgeschäft 4.34
  18.25
Filialkirche 20.20
Filiation 5.41
filieren 17.8
Filigran 3.15 3.57
Filltag 16.8
Film 4.11 7.9 15.8f.
—, beim — sein
  15.9
Filmgewaltiger 15.9
Filmregisseur 15.9
Filou 12.53 19.8
Filter 3.57
filtern 4.34 9.66
Filterung 8.25
Filtration 8.25 9.66
filtrieren 8.25 9.57
  9.66
Filz 3.20 17.8f.
  18.11
Filzbeine 2.41
filzen 2.36
filzig 3.53 18.11
Filzlaus 2.41
Filzpariser 17.9
Fimmel S. 29 12.57
final 9.14 9.33
Finale 6.4 9.33
  15.12
Finalität 9.14

Finanzamt 18.26
Finanzbeamter 16.60
  18.26
Finanzen 18.21
Finanzgeschäft 18.25
  18.30
Finanzgewaltiger
  18.3
finanziell 18.21
Finanzier 18.21
  18.30
finanzieren 18.12
Finanzkunde 18.25
  18.30
Finanzmagnat 18.3
Finanzprüfer 16.60
Finanzsache 18.30
Finanzstratege 18.3
Finanzwelt 18.25
Finanzwesen 18.25
Findeisen 16.60
Findelhaus 9.76
Findelkind, siehe
  Findling
finden 5.20 9.44
  9.46 11.17 11.19
  11.27 11.30 11.36f.
  11.45 11.53 11.59
  11.62 12.7 12.15
  12.20 16.85 16.95
  16.97 18.5 19.5
  19.17 19.31
—, Anklang 11.17
  16.24 16.31
—, Anschluß 16.44
  16.64
—, auf eigene
  Kosten 12.46
—, das Urteil 19.27
—, den Schlüssel
  13.44
—, den Weg zum
  Herzen 9.12 11.4
  11.53 19.5
—, die Zeit lang
  11.26
—, Fehler 16.33
—, fehlerhaft 16.33
—, Geschmack an
  10.8 11.9f. 11.22
  11.36
—, Glauben 12.22
—, in sich 5.9

finden, kein gutes
  Haar — an jem.
  16.33
—, keine Gegen-
  liebe 16.27
—, keine Worte
  11.30
—, keinen Glauben
  13.29
—, Mittel 9.69
—, nicht in der
  Ordnung 16.33
—, nicht schuldig
  19.30
—, nicht zu 3.4
—, sein Aus-, Fort-,
  kommen 5.46
—, seine Rechnung
  9.46
—, seinen Mann
  9.72 16.65
—, sich 5.1 16.10
—, sich — in 5.19
—, sich zurecht
  12.11
—, Zeit 9.36
Finderlohn 16.46
  18.5 18.18
findig 9.52 12.52
Findling 2.48 5.37
  5.45
Findlingsblock 2.48
Fine 16.3
Finesse 9.52 12.53
  13.51 16.72
Finger 2.16 8.11
  9.7 9.24 9.43
  9.53 9.78 9.83
  10.2 11.36 11.47
  11.59 12.7f. 16.93
  16.109 18.15
  19.27 19.32
— auf den Lippen
  (Mund) 13.4 13.23
— deuten, mit dem
  8.11 12.7 16.36
  16.94
—, drei — der
  rechten Hand
  emporgestreckt
  13.50
— Gottes 12.43
  13.10 16.80

Finger, an den her-
  sagen 4.24 12.39
— in der Pastete
  5.24 9.18 9.69
  18.9
—, jemd. unter die
  — kriegen 16.78
—, klebrige 18.9
—, kleiner 2.16
  9.54 16.97
— klopfen, auf die
  16.33 19.32
—, lange 18.9
—, schlimmer 2.41
— sehen, auf die
  12.7 16.97
— sehen, durch
  die 9.43 16.25
  16.47 16.82
— verbrennen, sich
  die 9.53 9.78 13.5
— weisen auf, mit
  dem, siehe: Finger
  deuten
— wickeln, um
  den kleinen 16.95
— wickeln lassen,
  sich um den 9.7
  11.8 11.47 16.25
Fingerabdruck
  13.46
Fingerbiebche 5.37
  11.43
Fingerdeut 13.1ff.
Fingerhut S. 73 17.6
Fingerhutheld 16.60
Fingerhutvoll 4.4
  4.24
Fingerjucken 11.35f.
Fingerkraut S. 46
Fingerlang, alle 6.31
Fingerling 17.9
fingern 5.31 9.21
  9.35
Fingern, an den —
  zu zählen 6.29
— saugen, aus den
  13.51
—, mit — auf
  jmd. zeigen 16.34
Fingerrechnung 4.35
Fingersatz 15.11
Fingerschaben 11.60
Fingerspitzengefühl
  10.2 11.18 12.1

Fingersprache 13.1
Fingerzeig 13.1ff.
  13.9
fingieren 12.29
fingiert 12.28 13.51
Fink(e) 12.52
Finkeljochen 2.31
Finken 17.9
Finkenvögel S. 103
Finkler 2.12 16.60
Finne S. 93 2.41
  3.48 11.28
finnig (häßlich)
  11.28
Finnüsken 7.37
Finnwal S. 127
finster 4.50 5.7 7.3
  7.7 7.14 11.25
  11.32 13.4 13.35
  16.53
Finsterling 12.37
finstern 7.7
Finstern, im —
  tappen 5.7 9.55
  13.35
Finsternis 7.3 7.7
  20.3 20.9
—, ewige 20.11
Finte 9.13 12.53
  16.57 16.72
Finter 9.38
Fips, Meister
  (Schneider) 9.18
  16.60
Firlefanz 9.45 13.18
firm 9.6 9.52 12.32
Firma 13.16 16.17
  18.30
—, alles für die
  18.17
Firmament 1.1f.
Firman 19.19
Firm(el)ung 16.59
  20.16
firmen 20.16
Firmling 16.9
Firmpate 16.9
Firn 4.12 7.40
Firner(wein) 2.31
  7.40 7.54
Firnis 3.20 7.53
  11.17f. 11.53 15.1
  15.4 16.61
firnissen 3.20 3.52
  11.17 15.7 17.10

First 3.33 17.2
Fisch S. 99 2.27 4.50
  5.7 5.20 9.59f.
  11.13
— auf trockenem
  Land 9.55 11.28
— faule 9.13 13.51
— im Wasser, wie
  der 2.38
—, seine — kriegen
  16.78
Fischbein 3.20 7.45
Fischblut 11.8
Fischdampfer 8.5
fischen 2.12 9.21
  9.28 11.36
—, im trüben 12.53
  16.67 19.8
— nach 11.36 12.8
—, nach Schmeiche-
  leien 11.45
Fischer 2.12 16.60
—, Toter 2.48
Fischerei 2.12
Fischerfahrzeug 8.5
Fischerhütte 16.64
Fischerring 16.100
  20.18
Fischgeräte 3.55
Fischleim 4.33
Fischotter S. 126
Fischweib, schimpfen
  wie ein 16.37
Fischzug 18.6
Fisel 2.16
Fisimatenten
  machen 9.5 9.13
  12.19 13.18 13.51
  16.72
fiskalisch 16.19 18.21
Fiskus 18.21
Fisole S. 50 2.27
  16.78
fisselig 2.33
fisseln 1.8
Fissur 2.42
Fistel 2.41 3.57
  7.31 11.28 13.14f.
  15.18
Fistelstimme 13.15
  15.13
fisten 2.35
fitaprüm (köln.)
  16.27
Fittich 2.16 8.28
  9.70 9.75f. 16.7

Fittich, unter die
  —e nehmen 16.77
Fittichen, auf des
  Windes 8.7
— sich erheben auf
  8.28
fitzen 16.78
Five-o'clock(-tea)
  2.26
fix 6.7f. 8.2 9.6
  9.39 9.52 11.20
— und fertig 8.7
  9.26 9.35
fixe Idee 9.8 12.27
  12.55 12.57
fixen 6.24 18.30
fixieren 3.3 3.37
  6.7 7.43 8.2
  10.15f. 15.8 16.66
Fixigkeit 9.39
Fixstern 1.1f.
Fixum 18.5
Flabbe 2.16
flach 3.12 3.51f.
  4.13 4.15 9.59
  11.26 12.55f. siehe
  Flachheit
— fallen 9.19
Fläche 1.13 3.1
  3.12 3.41 3.51
  4.13 siehe Flach-
  heit
—, bebaute 17.1
flächen 3.51
Flächengröße 3.12
  3.41 3.51 4.13
  4.43
Flächenmaß(e) 1.15
  4.16
Flächenraum 3.41
  4.16
Flachheit 1.13 3.1
  3.14 3.40 3.51f.
  4.8 4.13 4.15
  11.26 s. Wölbung
flachklopfen 4.11
Flachkopf 12.37
  12.55f.
Flachland 1.13 3.12
  3.14 4.13
Flachrelief 3.48
  15.10
Flachrennen 16.55
  16.57
flachrichten 2.5

Flachs S. 54 4.11
4.42 4.44 18.21
flachsen 16.54 16.78
18.8
Flachzange 17.15
flackerig 11.6
flackern 7.4 7.35f.
8.34
fladdern 13.22
Fladen 2.27 7.43
Flader 2.3
Flage 1.6 1.8
Flagellant 16.78
20.13
Flageolett 15.15
Flagge 13.1 15.7
17.10
—, gelbe 13.10
— segeln, unter
einer 13.16
— streichen, die
16.83 16.111
—, weiße 16.83
flaggen 16.88 17.10
Flaggenoffizier
16.74 16.97
Flaggenstange 13.1
Flaggschiff 16.74
flagrant 13.6 19.12
flagranti, in 5.6
19.11
Flak 9.73 16.77
Flakon 17.6
Flaksoldat 16.74
Flamberg 2.46 17.11
Flämen 2.16
Flamingo S. 124
Flamme 7.4f. 7.20
7.35f. 11.5f. 11.53
—, Feuer und —
sein 16.24
flammen 7.4 7.6 7.36
flämmen 7.6
Flammen 9.12
—, in — aufgehen
7.36
—, in — ausschlagen
7.36
—, in — geraten
5.36
—, in — stehen
7.36
—, wird ein Raub
der 7.36

Flammenblick 16.31
— verzehren, mit
einem 11.53
flammend 5.36 11.5
11.31
Flammenmeer 7.4
7.35
Flammensäule 7.4
Flammenschrift
13.10
— an der Wand
13.10
Flammenstrich 14.5
Flammentod 2.45f.
19.32 20.2 20.16
Flammeri 2.27
Flanell 7.35 17.8
Flaneur 9.24
flanieren 9.24 9.41
Flanke 2.16 3.29
—, die — aufrollen
16.73
—, in die — fallen
16.76
flanken 16.57
Flankenangriff 16.76
flankieren 3.29 9.75
Flan(t)sche 4.33
Flapch 19.10
flapchen 16.78
Flappe 11.32
Flaps 16.90 19.10
flapsig 4.10
Flasche 9.60 17.6
—, eine — aus-
stechen 16.55
flaschengrün 7.18
Flaschenpost 13.2
Flaschenzug 3.17 8.3
8.19 8.28 17.16
Flaschner 9.18 16.60
Flaser 7.23
Flatterfahrer 18.9
flatterhaft 3.38 4.34
5.25 6.30 9.7 9.9
9.43 10.12 11.11
11.21 16.55 19.10
Flatterhaftigkeit
9.10 siehe flatter-
haft
flattern 3.17 5.25
7.42 8.7 8.33 16.7
Flattersinn s. flatter-
haft 9.7

flattieren 11.10
16.31f. 16.38
flau 2.41 5.37
7.69 8.8 9.19 9.24
9.41 10.9f. 11.15
18.23 18.28
—, auf —en Magen
2.29
Flauheit 8.8
Flaum 2.16 3.52
3.54 7.42 7.59
flaumbärtig 2.22
Flaumfeder 3.53f.
flaumig 3.20 3.53
7.50
flaumweich 7.50
16.110
Flaus 4.17
Flausch 2.16 17.8
Flausen 9.13 13.51
Flausenmacher 16.89
Flaute 4.5 9.24
18.19
Flauto solo 15.15
fläzen, sich 9.24
Flechse 2.16 4.33
5.35
Flechte S. 10 2.41
3.15 3.17 3.45
9.67 17.10
flechten 3.15 3.46
11.14 17.8 19.32
Flechtwerk 3.15
Fleck(en) 1.11 2.27
8.8 9.58 9.65 9.67
11.28 11.38 11.52
16.2 16.94 19.3
Fleck, nicht vom —
kommen 8.8 9.55
—, vom 6.14
—, vom — kommen
9.38
flecken 7.23 8.7 9.54
9.67
fleckenlos 9.64 9.66
11.17 19.1 19.4
Fleckenlosigkeit 19.1
Fleckerln 19.10
Fleckfieber 2.41
fleckig (buntfarbig)
7.23 9.67 siehe
oben
Flecktyphus 2.41
Fleckwasser 9.66

Fledderer 18.9
fleddern 18.9
Fledermaus S. 125
Flederwisch 9.66
11.6
Flegel 2.22 8.9
9.53 11.29 16.90
17.15
Flegelei 11.29 16.53
16.90
flegelhaft 9.53
11.28f. 16.53
16.90
— wie ein Bauer
16.53
Flegeljahre 2.22 9.10
flegeln 11.29
flehen 16.20 19.5
20.13 20.16
—, um Mitleid 11.50
Flehen 16.20 20.13
flehentlich 16.20
Fleisch 2.3 2.10 2.16
2.19 2.27 5.1 5.7
9.31 10.21 11.14
—, den Weg alles
2.45
—, sündiges 19.10
— und Blut 1.20
2.13 2.17 12.35
12.39 16.9 16.11
—, wildes 3.48
Fleischbank 9.23
Fleischbrodl 2.27
Fleischbrühe 2.27
Fleischer 2.46 16.60
Fleischeslust 11.36
16.44
Fleischfarbe 7.17
fleischfarben 7.17
Fleischfresser S. 126
Fleischgerichte 2.27
fleischgewordenes
Wort 20.7
Fleischhacker 16.60
Fleischhauer 16.60
fleischig (Umfang)
4.1 4.10
Fleischklöße 2.27
fleischlich 10.21
16.44 20.3
— gesinnt 20.3
Fleischlichkeit 16.44
20.3
fleischlos 4.4 4.11

Fleischschranne
18.25
Fleischspeise 2.27
Fleischtöpfe 18.3
— Ägyptens 4.18
Fleischwerdung
20.7f.
Fleiß 9.2 9.8 9.18
9.38 9.42 12.7
12.35
—, mit 9.14
fleißig 9.21 9.38
9.42 12.3 12.35
flektieren 13.31
flennen 11.32f.
Flennliese 11.33
fletschen, die Zähne
11.31 16.68
Flett s. Flöz
Fletz 17.2
fleuchen 2.8 4.41
Fleurons 2.27
flexibel 7.45 7.50
Flexion 13.31
Flexophon 15.15
Flibustier 18.9
flicken 4.25 4.33 4.41
9.58
—, etwas am Zeug
16.33
Flicken 9.58
Flickfrau 9.58
Flickgedicht 14.2
Flickwerk 1.21 3.38
9.53 9.58 9.78
15.2
Flickwort 13.18
Flieder S. 69 S. 77
7.22 7.63
Fliege S. 96 3.53
11.26 17.9
fliegen 3.12 3.17
3.33 4.50 5.20 6.8
7.42 8.1 8.6f. 8.28
11.5 11.53 12.27
16.74a. 16.105
—, ich schlage dich,
daß die Lappen
16.68
—, ins Loch 19.33
fliegend 11.6
fliegende Hitze 2.41

fliegende Jagd 12.28
20.6
fliegenden Fahnen
9.77 11.5 11.9
16.84 16.87
fliegender Fisch S. 99
5.20
—, Holländer 12.28
20.6
— Koffer 8.6
Fliegengewicht 7.41
Fliegenkopf 14.6
Flieger 8.6 16.57
16.60 16.74a.
Fliegeralarm 13.11
Fliegerbombe 9.74
17.13 16.74a.
Fliegerei 8.6
Fliegerhorst 9.23
Fliegertätigkeit
16.76
fliehen 3.4 3.13 8.1
8.7 8.18 9.20 11.28
11.59 16.6 19.4
—, die Gesellschaft
16.52
Fliese 4.13 4.42
Fliesenleger 16.60
Fließ 3.53
fließen 5.25 5.34
7.54f. 8.1
fließend (schwebend)
3.17 9.54
— aufsagen 12.32
—e Rede 13.21f.
—er Stil 11.17
Fließpapier 8.23
Fliete 2.44 3.57
Flimmerhaare 10.2
Flimmerkiste 15.9
flimmern 7.4 10.17
11.17 16.88 17.10
—, die Augen —
machen 16.78
—, vor den Augen
10.17
flimmernd 11.17
15.8 16.88 17.10
flink 6.8 6.23 8.7
9.38f. 9.52 11.20
Flint 1.25 7.44
Flinte 9.20 11.41
17.12
Flintenspieß 17.11

Flintenweib 16.71
Flip 2.31
flirren 10.17
flirten 16.64
Flitsch 17.11
Flitscherl 2.22
Flittchen 2.22 11.11
11.53 16.45
Flitter 9.45 16.72
17.10
Flitterstaat 11.28
16 72 17.10
Flitterwochen 5.46
6.14 11.9 16.11
Flitzbogen 4.50 12.7
17.12
flitzen 8.7
Flitzgustav 17.13
Flocke 4.34 7.40
7.42 7.57
Flocken 2.27 4.42
flockig 3.53 4.42
7.48
Flodder 2.41
flöfen 2.34
Floh S. 96 4.4
—, einen — ins Ohr
setzen 9.7 12.23
12.34 16.35
Flöhe 2.41 11.45
—, die — abkehren
16.78
Flohkiste 17.3
Flohkommode 17.3
Flohleiter 3.57
Flor 3.20 11.32f.
— vor den Augen
10.17
Flora 2.1 20.7
Floreszenz 2.3
Florett 17.11
Florettfechten 16.57
florieren 2.38 5.46
9.77
Florin 18.21
Floskel 13.18 13.43
17.10
Floskelmacherei
13.35
Floß (Schiff) 8.5
9.67
Flöß 2.41
Flosse (Fisch) 2.16
9.83

Flöte 2.34 6.34 11.5
15.15
—, erste 16.95
flöten 7.27 7.32f.
15.11 15.14
flötend 15.18
flötengehen 2.45
18.15
Flötentöne 11.60
—, die — beibrin-
gen 16.78
Flötist 15.11 15.14
flott 4.22f. 7.42
8.7 9.38 11.9ff.
11.17 11.20f. 16.7
16.44 16.55 16.64
18.13f.
— erhalten 5.46
— leben 11.9 16.44
16.55 18.14
— machen 9.21 9.26
9.70
— von der Hand
gehen 9.54
Flott 2.27
Flotte 8.5 16.74
Flottenbefehls-
haber 16.74 16.97
Flottenkomman-
dant 16.74 16.97
Flottille 8.5 16.74
flottmachen 9.70
Flöz 1.23 4.13 4.42f.
Flözer 16.7
flözförmig 4.13
Fluch 5.42 5.47 9.60
16.37 19.9 20.3
— der bösen Tat
9.61
— und Verderben
über 16.37
Fluchandrohung
16.37
fluchen 4.50 16.37
— wie ein Bandit
16.37
Flucht 3.4 3.35 8.7
8.17f. 9.20 9.77
11.42 16.6 16.118
— aus der mensch-
lichen Gesellschaft
16.52

Flucht, den Gegner in die — schlagen 16.77 16.84
—, der Erscheinungen 5.25ff.
— in die Öffentlichkeit 13.5
—, Zimmer- 17.2
flüchten 2.47 8.18 11.42f. 16.118
flüchtig 5.25 6.8 7.3 7.42 7.48 7.60 8.1 8.7 8.18 9.7 9 9f. 9.43 12.13 12.27 12.40 12.56 13.42 13.51 16.52
Flüchtigkeit 6.8 7.60 8.7 12.13
Flüchtling 8.18 11.43 16.5f.
Fluchtlinie 17.2
Fluchwort 16.37
Flug 3.17 8.6f. 8.11 16.7
— der Gedanken 12.28
Flugbahn 3.46
Flugball 16.57
Flugblatt 13.6 14.9 14.11
Flugboot 8.6
Flügel 2.16 3.29 4.34 4.42 8.8 9.73 9.83 11.13 11.32 11.41 15.15 16.7 16.74 16.114 16.117 17.2
— beschneiden 9.49 9.73 16.29
—, die — stutzen 8.8 16.29
— hängenlassen, die 2.39 5.37 11.3 11.41
—, linker 3.30
—, rechter 3.31
Flügeladjutant 16.74
Flügelaltar 20.21
Flügelhorn 15.15
Flügelkleid 2.22
flügellahm 5.37
Flügelmann 4.12 5.18 16.74

Flügelgroß 5.20 8.3 14.2
Flügeltür(e) 3.57
Fluggast 8.6
flügge 2.21ff. 9.26
Flughöhe 4.12
Fluginsasse 8.6
Fluglehrer 8.6
Flugmaschine 8.6 16.74a.
Flugplatz 8.6
Flugpost 9.39 14.8
flugs 6.14 8.7
Flugsand 5.25 9.67 9.74
Flugschrift 14.9 14.11 16.35
Flugschüler 8.6
Flugsport 8.6 16.57
Flugtag 16.57
Flugwaffe 16.74a.
Flugwasser 7.59
Flugwesen 8.6
Flugzeug 8.3 8.6f. 16.74a.
Flugzeugberger 16.74
Flugzeugführer 16.74a.
Flugzeughalle 8.6
Flugzeugmutterschiff 16.74
Flugzeugpersonal 8.6
Flugzeugschuppen 8.6
Flugzeugträger 16.74
Fluh 4.12
Fluid(um) 3.24 5.12 7.54
Flunder S. 99 2.27 11.30
Flunkerer 16.89
flunkerhaft 16.89
flunkern 13.51 16.89
Flunki 16.60
Flunsch 11.27
Fluor 1.24
Fluoreszenz 7.4
Flur 1.13 2.5 4.13 4.42 17.2
Flurbuch 14.9
Fluren, verheerte 16.75

Flurnamen 2.48
Flurschaden 5.47
Flurschadenhölzer 2.16
Flurschütze 16.101
Flurverfassung 19.19
Flurwächter 16.101
Flurzwang 19.19
Fluß 2.41 7.55 8.1 11.5
— der Rede 13.21f.
— geraten, in 7.54 11.4 13.21
—, im — sein 8.1
—, in — kommen 7.54 13.21f.
—, rascher — der Zeit 6.8
—, weißer 2.41
flußabwärts 8.30
flußaufwärts 8.28
Flußbett 3.49 7.56
Flußgott 20.7
flüssig 7.54 18.21
Flüssigkeit 7.54 17.6
— in Bewegung 7.55
Flüssigkeitsmesser 7.54
flüssigmachen 18.21
Flüssigmachung 7.54 18.20f.
Flußpferd S. 127
Flußschiffahrt 8.5
Flußspat 1.25
flüstern 7.27 7.32 13.2 13.4 13.14f. 13.22
—, jemanden etwas 16.79
Flut 1.18 4.1 4.20 4.22 5.25 5.27 7.55 8.16 8.33
fluten 5.25 7.55 8.33
flutschen 8.7 9.54 9.77
flutscht, es 9.54
flutterig 9.43
Flüztag 16.8
Focke S. 117
Föderation 16.17
Föhle 2.22

fohlen 2.21 5.39
Fohlen S. 128 2.21f. 17.9
Föhn 1.6 7.35
Föhre S. 13
Fokus 3.28
Folge 3.35 3.37 4.22 4.33 5.24f. 5.31 5.34 5.44 6.12 6.32 6.34 8.15 9.25
—, in der 6.18
folgen 5.8 5.19 5.34 6.12 8.15 9.21 12.14 16.114
—, aufeinander 3.35
—, der Fahne 16.74
—, der Mode 16.61
Folgen 2.20
folgend 6.12 8.15
Folgender 8.15
folgendermaßen 5.9 13.44
folgenreich 5.31 9.44
folgenschwer 9.44 9.50
folgerecht 3.37 5.25 12.14 12.16
folgerichtig 5.24 9.54 12.14 12.16 19.18
folgern 5.4 5.24f. 12.14 12.16f. 12.20 12.29 12.55 13.44 13.46
Folgerung 12.16
folgerungsweise, siehe folgern
folgewidrig 12.19 12.27 13.51
Folgezeit 6.12
folglich 5.24 8.15 12.16 13.46
folgsam 9.54 11.48 16.30 16.111 16.114
Folgsamkeit 16.114
folgt auf dem Fuße 6.14
Foliant 14.11
Folie 4.11
— dienen, als 5.23
Folio 4.16 14.11

Folio, in 4.2
Folkething 16.102
  19.27
Folklore 20.1
Folter 11.13f. 11.60
  16.79 19.32
Folterbank 19.32
foltern 11.13f. 16.79
  19.32
Folterwerkzeug
  19.32
Fomalhaut 1.2
Fondant 2.27
Fond(s) 3.27 4.17
  18.21
Fontäne 7.55 8.28
foppen 11.22
  12.25f. 12.51 13.4
  16.34 16.54 16.72
Förde 1.18
Förderer 9.70
Förderkorb 8.28
förderlich 2.44 9.46
  9.56 9.69f. 9.82
  11.36
fordern 16.20 16.69
  16.106 19.12 19.22
  19.24 19.27
—, auf Degen,
  Pistolen, Säbel
  16.69
—, Erklärungen
  16.69
—, Genugtuung
  16.81
—, zur Reschenschaft
  16.69
fördern 1.23 4.3
  8.16 9.38 9.70
  9.81 18.16 18.26
fördersam 9.46
Forderung 9.70
  9.81 16.20 16.106
  18.1 18.16 19.16
  19.22
— auf, Genug-
  tuung 16.69
—, die sittliche
  19.24
—, einer — statt-
  geben 16.24
—en, dubiose 18.15

Förderung 4.3 9.46
  9.70
Forelle S. 99 2.27
Forke 3.43
Form 3.39ff. 4.8
  5.1f. 5.8 5.10 5.12
  5.18f. 5.26 7.2
  9.31 9.36 11.8
  11.17 11.47 13.20
  14.2 15.3 19.18
— annehmen 5.19
  7.1
—, die — wahren
  16.61
—, gebundene 14.2
—, gesetzliche 19.19
—, in aller 19.19
—, ist in 12.35
—, kirchliche 20.16
—, leere 9.31
—, regelmäßige
  3.59
—, unregelmäßige
  3.60
forma, pro 16.71
formal 12.11
Formaldehyd 1.29
Formalien 19.19
Formalin 1.29
Formalismus 3.37
  13.38 13.42
Formalist 12.11
formalistisch 9.80
  12.11
Formalität
  (Zeremoniell)
  16.61 16.88
Format 4.1 4.50
  9.44 9.56 14.8
  14.11
—, Mann von 12.52
Formation 5.2 5.8
  5.12 5.26 16.74
formbar 5.26 7.50
  9.54
Formel 4.35 5.19
  12.17 13.28 14.2
  16.106 19.19
formell 5.8 9.80
  13.18 13.28 16.38
  16.88
formen 3.37 5.8
  5.26 5.39 9.26
  12.33 14.2 15.1
  15.4 15.10

Formen 20.16
—, gesetzliche 19.19
Formenstecherei
  15.5
Former 5.26 5.39
  12.33 15.1 16.60
Formfehler 15.2
  19.20
Formgefühl 11.18
formgewandt 11.18
  16.38
Formgleichheit
  (Form) 5.16
Formkunst 15.10
förmlich 5.6 9.80
  11.45
Förmlichkeit 16.61
  16.88 siehe Form,
  formell
formlos 3.60 11.28
  16.53
Formlosigkeit 3.60
Formol 1.29
Formschönheit 11.17
Formstecherei 15.5
Formular 9.15 9.31
  13.6
formulieren 3.37
  13.16 13.20
Formung 5.8 5.26
  15.1
formvollendet 11.17
  14.2
Formwille 15.3
forsch 2.38 9.6
  9.37f. 11.38
forschen 9.21 12.3
  12.6ff. 13.3
forschend 10.15
Forscher 12.8
  12.20 16.6
—, besonnener 9.59
—, forscher 12.32
Forscherblick 12.52
Forschergeist 12.6
forschlustig 12.6
Forschung 12.3
  12.8f.
—, voraussetzungs-
  lose 12.9
Forschungsreise 16.6
Forschungsreisender
  16.6
Forschungtrieb
  12.6

Forschungsweise
  12.8
Forst 2.1 2.5
Forster 16.60
Förster 2.5 2.12
  16.60 16.101
  19.29
Försterei 2.5
Försterhaus 16.52
Forstmann 2.5
Forstwart 16.101
Forstwesen 2.5
Forstwirtschaft 2.5
Forstwissenschaft
  2.1
fort 3.4 3.8 5.29 6.7
  6.34 8.7 8.16f.
  16.6 18.15
— in einem
  6.34 9.30
— und fort 6.6f.
  6.18 6.31
fort- 3.4 6.34 8.18
  16.6
Fort 9.76 16.2
  16.77 17.14
fortan 6.12 6.18
  6.23f.
fortbegeben, sich
  8.18
Fortbestand 6.6f.
fortbestehen 6.7
fortbewegen 8.1
  8.18
Fortbewegung 8.1
  8.9
Fortbildung 9.57
Fortbildungsschule
  12.36
fortbleiben 3.4
fortbringen 3.4 5.26
  8.18 12.33
Fortdauer 6.1 6.7
fortdauern 6.6f.
  6.34 siehe oben
forte 7.26 15.11
Fortepiano 15.15
fortfahren 6.7 6.18
  6.23 9.30 16.6
Fortfall 4.30
fortfliegen 8.18
fortführen 8.18 9.30
  16.6

Fortgang 3.35 4.3
6.7 8.16 8.18
9.30 siehe Fort-
schritt, Fort-
setzung
fortgehen 8.18
fortgesetzt 6.1 6.34
9.30 11.11
fortgesoffen, es
wird 2.32
fortgeworfen, deine
Mutter hat wohl
das Kind — und
die Nachgeburt
aufgezogen 16.33
forthelfen 9.70
—, sich 9.52
fortissimo 7.26
15.11
fortjagen 3.4 8.18
8.24 9.19 16.105
fortkehren 8.18
fortkommen 2.40
4.3 4.17 4.34 5.1
6.7 7.3 8.16 8.18
9.77 16.6
Fortkommen 4.3
— finden, sein 5.46
9.77
fortlaufen 6.34 8.7
8.18 16.6
fortlaufend 6.34
fortleben 2.17 6.12
6.23 12.39
fortmachen 8.18
fortpflanzen 2.6
5.40
Fortpflanzung 2.6
2.18 5.26 5.27
5.39 7.24f. 8.3
fortpflanzungsfähig
2.6
fortreißen 5.27
8.9 9.12
—, mit sich 9.12
13.21
fortschaffen 8.3 8.18
18.6
fortschicken 8.18
16.105 siehe fort-
jagen, fortschaffen
fortschieben 3.4
fortschleichen, sich
16.6

fortschreiten 4.3
8.16 9.38
Fortschritt 3.37 4.3
5.26 5.44 6.34
8.7 8.16 9.18
9.30 9.38 9.57
12.6 12.32 16.121
Fortschritte machen
4.3 9.38
fortschrittlich 9.57
fortschwemmen 3.4
fortsetzen 3.8 3.35
4.33f. 4.46
6.6f. 6.18 8.15
9.18 9.21 9.30
Fortsetzung 9.30
14.11
fortspülen 3.4
fortstehlen, sich
8.18 13.4 16.6
fortstürzen 8.7 9.39
forttreiben 8.18 9.16
Fortuna 5.46 9.16
20.7
Günstling 5.46
Fortunatushütchen
4.18
Fortunatussäckel
20.12
fortwähren 6.1 6.6f.
9.30
fortwährend 6.1 6.7
6.30 6.32ff. 9.18
9.31
fortwandeln 19.6
fortwaschen 4.30
fortwursteln 3.38
9.31
fortziehen 4.30
8.18 16.6 18.6
Forum 19.27 .
Föß, hat nix an
die 18.4
fossil 1.1 6.27 7.44
fossile Brennstoffe
1.26
Fossilien 1.23 6.27
Foto 15.8
Fotograf 15.8
Fotografie 15.8
Fotomontage 15.8

Föttchesfühler 10.2
Fötus 2.20f.
Fourage 2.26 4.18
4.29
fouragieren 18.6
18.21
Fourier 4.29
fournieren 17.15
Foxterrier S. 126
11.39
Foxtrott 16.58
Foyer 17.2
Foz'n 2.16
Fraa, wie die —
von Bensheim
6.38
Fraache, das 16.9
Fracht 4.19 8.3
18.24
Frachtbrief 13.1
14.8
Frachter 8.5
Frachtgut 4.19 8.3
Frachtzug 8.4
Frack 2.33 3.20
17.9
—, den — ver-
schlagen 16.78
Fracksausen 11.42
Frage 5.3 5.7 9.29
9.55 12.4f. 12.8
13.25 13.37
— anschneiden 9.29
12.5 13.25
— aufwerfen 12.2
—, außer — stellen
13.46
—, delikate 9.55
—, der — aus dem
Wege gehen 13.35
—, der — aus-
weichen 13.4
—, die — erhebt
sich 13.25
—, die soziale 18.4
—, in — kommen
9.11 9.45
—, in — ziehen
12.23 13.29
—, kommt nicht in
5.3 16.27
—, peinliches 13.25
Fragebogen 3.37
5.41 12.8f.

fragen 11.37 12.8
13.25 16.10 19.20
—, da — Sie 'n
Hausknecht 16.27
—, es fragt sich
13.25
— nach, nichts
9.43 11.8 11.37
—, nach niemand
zu — haben
16.119
Fragen, drei —
hinter der Tür
16.56
Fragesteller 12.8
frageweise 12.8
Fragewörter 12.8
Fragezeichen 14.5
fraglich 5.7 9.7 12.8
12.23 13.25
fragliche, der 6.28
fraglos 5.6
Fragment 4.1 4.4
4.24 4.32 4.34
4.42 9.34
fragmentarisch (un-
zusammen-
hängend) 3.36
Fragner 16.60 18.23
fragselig 12.8
fragwürdig 9.7 9.60
12.23 19.8
Fraktion 4.34 9.69
Fraktionstreiben
16.17
Fraktur reden
16.33
Fraktur 2.41
— schrift 14.6 14.8
Framea (Waffe)
17.11 17.13
Franc 18.21
Française 16.55
16.58
Franctireur 16.71
16.74
frank 11.46 13.49
16.119
Frank 16.3 18.21
Franken, der 18.21
frankieren 13.1
18.26
franko 14.8 18.29

Frankreich 11.9
—, wie Gott in —
leben 5.46
Franse (Zier) 3.17
17.10
fransig (rauh) 3.53
Franz 16.3
„Franz, Emil"
16.60
Franz und Emil
16.74a.
Franzefuß 16.56
Franziska 16.3
Franziskaner(in)
16.64 20.17
Franzose 17.15
Franzosenkrankheit
2.41
Franzosenschlag
2.48
französisch 8.18
—, sich auf — emp-
fehlen 16.6 16.53
französisieren 5.18
frappant (ähnlich)
5.9
frappieren 11.30
12.45
Frascati 16.64
fräsen 3.44 17.15
Fraß 2.26 7.68
10.9
— der Fische 2.45
Fräsung 3.44 17.15
Frater 20.17
fraternisieren 9.69
16.40f.
Fratz 2.22
Fratze 2.16 11.28
15.2
Fratzen schneiden
16.54
fratzenhaft 11.28f.
Frau 2.15 2.21
2.23 16.11 16.107
19.10
—, an der toten
2.48
—, böse 20.12
—, das kann eine
alte — mit dem
Stocke fühlen
13.33

Frau, der Schlag
müßt mich treffe
und du müßt mei
— heirate 16.37
—, gnädige 16.3
—, Mann und 16.11
— Pollak 12.37
—, seine 16.11
—, tote 2.48
— und Gebieterin
16.11
—, weise 16.60
—, weiße 13.10
20.5
—, zur — nehmen
16.11
Frauen, behandelt
die — als Frei-
wild 16.44
Frauenemanzipation
16.12 16.119
Frauenflachs S. 72
Frauengemach 17.2
frauenhaft 2.15
Frauenhasser 11.63
Frauenhilfe 20.22
Frauenkloster 20.20
Frauenlist 12.53
13.51
Frauenlob 11.53
Frauenmantel S. 47
Frauennatur 2.15
Frauenregierung
16.95 16.97
Frauenschaft 2.24
16.17
Frauenschänder
10.21
Frauenstimmrecht
9.11
Frauenwesen 2.15
Frauenzimmer 2.15
2.23
Fräule 16.9
Fräulein 2.15 2.22
12.33 16.12
fraulich 2.15 2.23
Fraulichkeit 2.15
Fraupert 20.5
frech 4.50 11.11
11.39 11.58 16.44
16.53 16.90
Frechdachs 16.90
Frechheit 11.11
11.39 11.58 16.44
16.53 16.90

Frechling 16.90
Frecke 20.7
Fred 16.3
Fregatte 4.2 4.12 8.5
frei 1.22 3.1 3.17
3.57 4.34 5.18
7.48 8.18 9.2 9.11
9.27 9.54 9.85
11.21f. 11.46 13.49
14.8 15.2 16.12
16.25 16.53 16.61
16.90 16.118f.
16.121 18.28f.
19.25 siehe Zu-
sammensetzungen
— hier ist 16.56
— von 1.22
— weg 8.16
Freia 20.7
Freiballon 8.6
Freiberger 18.29
Freibeuter 18.9
Freibeuterei 18.9
freibleibend 19.15
Freibrief 16.25
19.14 19.22
Freibürger 16.119
freidenkend 20.3
Freidenker(ei) 20.2f.
Freidenkertum 20.3
Freie 3.1
—, ins — machen
8.24 16.6
freien 11.36 16.11
16.42
Freien, im 3.18
—, im — leben
16.48
Freier 11.53 16.10
16.20 16.119
freierdings 9.2
Freierei 16.42
freier Geist 12.54
16.119
Freiersfüße 16.42
—, auf —n gehen
16.20 16.42
Freiersmann 11.53
freies Geleit 9.75
Freifrau 16.91
Freifräulein 16.91
Freigabe 16.118
Freigänger 16.74

freigeben 16.25
16.118f. 18.18
19.25 19.30 siehe
frei
freigebig 4.28 4.31
11.52 18.12f. 19.2
Freigebigkeit 11.52
18.13 19.2 siehe
freigebig
Freigeborener
16.119
Freigebung 16.118
19.30
Freigeist 16.119
20.3
Freigeist(erei) 20.2f.
freigeistig 20.3
Freigericht 19.27f.
freigesinnt 16.118
freigesprochen 9.54
19.30
Freigut 18.1
freihalten 9.26 9.70
16.55 18.12 18.26
Freihandel 18.20
freihändig 9.27
11.36
Freiheit 9.2 9.27
16.25 16.117ff.
16.121 19.19
19.23 19.25 siehe
frei
—, sich die —
nehmen 16.25
freiheitlich 16.109
Freiheitsbaum 4.12
Freiheitsberaubung
16.107 16.111
16.117 19.32
Freiheitsdrang
16.118f.
Freiheitsdurst
16.118f.
Freiheitsfeind
16.111 16.117
Freiheitsliebe
16.119
freiheitsliebend
16.118
Freiheitsstrafe
19.32f.
Freiheitstrieb 16.119

Freiherr 16.91
freiherzig 13.49
Freiin 16.91
Freikarte 18.29
— in der Hand
  halten 9.77
Freiknecht 2.46
freikommen 16.118
  19.30
Freikörperkultur
  3.22
Freikorps 16.74
Freilager 18.25
freilassen 16.118
Freilassung 16.118f.
Freilauf 9.54
freilegen 1.23 3.22
  12.20
freilich 5.23 13.28
  13.48
Freilos 16.46 18.29
freimachen 9.26 9.54
  13.1 14.8
—, sich 3.22
Freimachung 16.118
Freimann 2.46
Freimaurer 20.2
Freimaurerei 13.4
  16.17
Freimaurerloge
  16.17
Freimut 11.46 13.49
freimütig 13.49
Freisasse 16.4
Freischar 16.74
Freischärler 16.71
  16.74 16.116
Freischein 18.29
Freischöffe 16.97
  19.28
Freischüler 12.35
  18.29
freisetzen 4.34
  16.118
freisinnig 16.118
Freisitz 18.1
freisprechen 16.47f.
  16.118 19.13 19.25
  19.27 19.30
Freisprechung 19.30
Freispruch 16.47
  16.118 19.13 19.30
Freistaat 16.19
  16.95 16.97

Freistätte 9.76
  20.20
freistehen 9.11
  16.25
freistellen 9.11
  16.25
Freistil 16.57
Freistoß 16.57
Freitag 6.9 11.42
—, schwarzer 9.78
Freitisch 18.12
  18.29
Freitod 2.47
Freitreppe 8.11 8.28
  17.2
Freiübung 16.57
Freiumschlag 14.8
  18.29
Freiung 9.76
Freiwerber 16.103
Freiwild 16.44
freiwillig 9.2 9.11
  11.36
Freiwilliger 16.74
Freizeit 2.40 9.36
  9.85 16.119
Freizeitgestaltung
  11.21
Freizügigkeit 16.6
fremd 3.8 4.49
  5.18 5.21 6.26
  9.32 11.45 12.37
  13.4 16.5 16.52
—, der Sache 4.49
—, mit —en Federn
  schmücken 11.45
  16.89
fremdartig 3.8 4.49
  5.20ff. 9.32 11.28
Fremde 3.8 4.34
  16.5
Fremdenbuch 14.11
Fremdenhaß 16.18
Fremdenheim 16.64
Fremdenlegion
  16.74
Fremdenpreise 18.27
Fremder 3.8 4.34
  16.5
fremdgehn 16.14
fremdgesteuert
  16.95
Fremdherrschaft
  16.95 16.97

Fremdkörper 3.8
  4.49 9.67
Fremdling 3.8 16.5
fremdrassig 4.49
fremdsprachlich
  13.35 13.53
Fremdwort 13.16
Fremdwörterhatz
  13.53
Fremdwörterunfug
  13.32
frenetisch 11.6
frequentieren 9.31
Frequenz 3.3 6.30
  6.33 17.17
Fresko (al) 15.1
  15.4
Fressalien 2.26
Fresse 2.16 11.62
—, halt die 13.23
fressen 2.26 4.50
  5.3 5.42 10.11
  11.11 11.32 11.53
  12.31 13.33 14.7
  16.38
—, Kilometer 8.7
  16.57
—, um sich 4.3
Fressen 2.26 11.9
fressend 11.13
Fresser 2.26 10.10f.
Fresserei 10.11 11.11
Freßgier 10.11 11.36
freßgierig 10.11
Freßkopf 16.60
Freßlade 2.16
Freßmaschine 2.16
Freßsack 2.26 10.11
Freßsucht 10.11
  11.11 11.36
Frettchen S. 126
Freud und Leid
  teilen 16.41
Freude 9.77 11.9f.
  11.14 11.20f. 11.50
  16.31 16.55
—, seine — aus-
  drücken 16.39
— verursachen
  11.10
Freuden, irdische
  20.15
—, weltliche 16.55

Freudenbecher
  11.11
Freudenbezeigung
  11.21 16.31 16.64
Freudenbotschaft
  13.7
freudenerregt 11.21
Freudenfeier 11.21
  16.55
Freudenfeind 11.31
  11.63 16.52
Freudenfeuer 7.35f.
  16.47 16.55 16.59
  16.87
Freudengefühl 11.9
  11.21
Freudengeheul 11.22
Freudengeschrei
  11.22 16.31
Freudenhaus 10.21
  16.45
Freudenleben 5.46
  11.9 20.10
freudenleer (Un-
  glück) 5.47 11.13
  11.25f. 11.31f.
freudenlos (Unglück)
  5.47 11.12 11.25f.
  11.31f.
Freudenmädchen
  10.21 16.45
freudenreich 11.9
  11.21 siehe Freude
Freudensprünge
  11.22 16.55
Freudenstörer 9.73
Freudentag 11.9
  11.21 11.47 16.11
  16.39 16.55 16.64
Freudentaumel
  11.9
Freudentränen 11.4
  11.9 11.22
— vergießen 11.21
freudestrahlend 11.9
freudetrunken 11.9
freudevoll 11.9
freudig 9.4 11.9f.
  11.21f.
freudlos 5.47 11.13
  11.26 11.32
Freudlosigkeit, siehe
  freudenlos 11.32

freuen (sich) 2.17
11.9f. 11.21
11.35f.
—, auf, sich 6.23
6.24 11.9 11.35f.
— mit, sich
11.9 11.36 16.39
—, über, sich 11.9
Freund 4.37 8.15
9.70 11.10 11.34
11.53 16.41f.
—, falscher 16.32
16.66
— in der Not
11.34
—, mein lieber —
u. Kupferstecher
16.33
—, so hat's bei
meinem — auch
angefangen 16.33
— und Feind 4.33
4.41
Freundeshand, sich
die — reichen
16.47
Freundin 10.21
11.53 16.13 16.41
freundlich 9.70
11.10 11.34 11.52
11.54 16.38
16.40f. 16.109
—, bitte recht 15.8
Freundlichkeit 11.48
11.52 16.38
—, falsche 16.32
freundlos 5.37 9.55
11.62 16.52
freundnachbarlich
16.41
Freundschaft 4.37
11.53 16.40f.
16.48 16.64 19.8
—, dicke 16.41
—, die — aufsagen
16.67
—, die — erneuern
16.47
— eingehen 16.41
—, falsche 13.51
16.32 19.8
—, gute — halten
16.40f.

Freundschaft, sich um
— bewerben 16.22
—, wahre 19.1f.
freundschaftlich
11.52 16.40f.
Freundschaftsband
16.40f.
Freundschaftsdienst
11.52
Frevel 9.60 11.39
19.9ff. 19.20f.
19.32 20.3f.
frevelhaft 11.39
19.10 19.21 20.4
freveln 19.10
19.20 20.4
Frevelrede 16.33
16.53
Freveltat 19.10f.
19.20
Frevelwort 16.33
16.53 20.3f.
Frevelzunge 16.33
16.35
Frevler 19.8f. 19.11
20.3f.
frevlerisch 19.20
Frey(r) 20.7
Freya 20.7
Fricandeau 2.27
Fridolin 16.3
Frieda 16.3
Friede 5.38 7.28
11.8 16.40 16.48
16.82
—, ewiger 16.48
Friedefürst 20.7
Frieden 2.48 8.2
11.16
— bewirken 16.47
— halten 11.8
16.40
— herstellen 16.47ff.
— leben, in 11.16
16.48
— machen 5.38
16.48
— schließen 5.38
11.47 16.49
— sei mit dir 16.38
— stiften 5.38 8.2
16.47
—, den — stören
16.67 16.70

Frieden vermehrt
usw. 16.48
— vorschreiben
16.84
Frieden(sab)schluß
16.49 19.14
Friedensanerbieten
16.49
Friedensbedingung
16.48f.
Friedensbewegung
16.48
Friedensbezirk 19.27
Friedensbruch 16.67
16.70 16.73
Friedenschor, in
den — einstimmen
16.40
Friedensengel 16.48f.
20.6
Friedensfreund
11.51 16.48
Friedensfront 16.17
Friedensfürst 20.7f.
Friedensgericht
16.49 19.27f.
Friedensgöttin 16.48
Friedenshand 16.47
Friedenskämpfer
16.48
Friedensliga 16.48
Friedensopfer 16.80
Friedenspalme
16.48f.
Friedenspfand
16.48f.
Friedenspfeife 16.48
Friedensrichter 19.28
Friedensschluß
16.48f.
Friedensstifter
16.49
Friedensstiftung
16.47ff.
Friedensstörer 9.73
11.27 11.31 16.70
Friedenssymbol
16.48f.
Friedenstaube 16.48
Friedenswacht, auf
— ziehen 16.48
Friederike 16.3
friedfertig 5.38 11.8
11.47 16.47f.

Friedfertigkeit 16.47
Friedhof 2.46 2.48
20.13
Friedhofsruhe 7.28
friedlich 5.38 9.36
11.9 16.40 16.47ff.
— und schiedlich
16.49
friedliebend 16.40
16.48
friedlos 5.25 8.1
9.18 11.5 11.8
11.27 11.36 16.52
16.67 16.73 19.26
19.32
Friedrich 16.3
Friedrichsd'or
18.21
friedsam 5.38 11.16
16.48
friedvoll 11.16
frieren 4.50 7.40
10.5
Fries 3.33 15.7
17.8
Frigg(a) 20.7
frigid 11.8 16.50
Frigidaire 7.40
Frika(n)dellen 2.27
Frikassee 1.21 2.27
frikassieren 5.42
16.79
frisch 2.22 2.27
2.38 2.40 5.6
6.26 7.11 7.40
8.17 9.6 9.38
9.56 11.17 11.20f.
11.38 13.49
— drauf los 9.18
— im Gedächtnis
12.39
— und frei 13.49
— von der
Leber (weg) 11.41
—, wie — gekotzt
2.41
—e Farbe 2.38
6.26 7.11
—e Luft 7.60
—er Tat, auf 5.6
9.18 12.45 19.11
frischauf! 9.18

Frische 7.40
— des Geistes 12.39
—, in alter 2.38
Frischei 9.56
frischen 2.21 9.12
frischfarbig 2.38
6.26
Frischling 2.22
Frischwasser 7.54f.
frischweg 6.14
Friseur 16.60 17.10
frisieren 5.8 11.30
13.51 15.7 17.10
Frisiermantel 3.20
friß 16.107
Frist 6.1 6.9
6.14f. 9.33 9.36
11.47 19.30
— setzen 6.9
fristen (Zeit) 6.14
—, das Leben 2.17
18.4
fristlos 6.14
Fristung 16.118
Frisur 2.16 17.10
Frittate 2.27
Fritz 16.3
Fritzi 16.3
frivol 9.10 9.45
11.11 12.19 16.44
froh (herzig) 11.9f.
11.21 11.35 16.55
—es Ereignis 2.21
fröhlich 11.9f. 11.21
20.13
Fröhlichkeit 11.9
11.21 11.23 16.55
16.64
frohlocken 7.34 9.77
11.9 11.21f. 11.60
16.87
Frohlocken 11.22
16.87
Frohmut 11.9
Frohnatur 11.20f.
Frohsinn 11.9 11.21
16.55
frohsinnig 11.21
fromm 5.38 11.43
11.48 11.52 19.3f.
20.1 20.13
Fromme, der 20.14

Frömmelei 12.55
16.72 20.1ff.
20.14
frömmeln 20.14
frommen 8.16 9.47
frommgläubig 20.13
Frommheit 19.3
Frömmigkeit 19.3
20.1 20.13f.
siehe fromm
Frömmler 13.22
16.72 20.14
frömmlerisch 20.2
20.13
Fron 9.40 16.111
Fronarbeit 9.18
fronbar 16.112
Fronbote 19.29
Frondienst(barkeit)
16.111
fronen 9.40 16.111
frönen 9.31 11.11
19.7 19.10
Fronfeste 16.117
Fronknecht 16.112
Fronleichnam 20.16
Front 3.26 9.56
16.17 16.75
—, bewegliche 16.83
—, die — ver-
kürzen 16.83
— machen gegen
16.65
— und Heimat
4.41
Frontabschnitt 16.75
frontal 2.16 3.26
Frontalität 15.3
Frontbauer 2.5
Frontbegradigung
16.83
Fronterlebnis 16.73
Frontgesicht 3.26
Frontschwein 16.74
Frontwechsel 16.83
Frosch S. 100 11.8
—, sei kein 16.20
Frösche im Bauch
2.35
Froschkönig 16.64
Froschschenkel 2.27
Froschnatur 11.8
11.37

Frost 7.40
—, man merkt, daß
der — früh ein-
getreten ist 12.57
Frostbeule(n) 2.41
7.40
frösteln 7.40 8.34
10.5 11.42
frostig 7.40 11.8
Frostigkeit 11.8
frottieren 3.53
frotzeln 16.54
Froufrou 17.9
Frucht 2.3 2.6 2.18
2.27 4.22f. 5.25f.
5.34 5.39 5.46
9.12 9.35 9.46
9.77 16.46
Fruchtarten 2.3
18.5
fruchtbar 2.5f. 4.23
5.39 9.46 9.77
12.28
Fruchtbarkeit 2.6
5.26 5.39 9.46
siehe Frucht
Fruchtbaum 2.2
Fruchtbonbon 7.66
fruchtbringend 9.77
Früchtchen 19.10
Früchte(eingemachte)
2.27 7.66 9.77
— tragen 2.6
Fruchteis 2.27
fruchten 9.77
Fruchthaufen 2.5
Fruchtkasten 2.5
fruchtlos 5.37
9.49 9.78 11.37
Fruchtlosigkeit 9.49
Fruchtsaft 2.30
Fruchtzucker 1.29
frugal 4.24 11.12
früh 6.2 6.13
6.35
— aufstehen 11.40
12.53
— gealtert 2.39
Frühe 6.2 11.40
früher 6.10f.
6.19ff. 9.11 11.34
—, genau wie 9.31
— oder später
6.18ff. 6.23
—, wie 9.58

frühestens 6.23
Frühgebet 20.13
20.16
Frühgeburt 6.38
9.78
Frühgemüse 2.5
2.22
Frühgeschichte 6.21
Frühjahr 6.1f. 6.9
Frühling 6.1f. 6.9
Frühlingserwachen
2.22 10.21
Frühlingspunkt 1.2
Frühlingstage,
erste 1.5
Frühmette 20.16
frühmorgens 6.2
6.33
frühreif 6.38
Frühschoppen 2.31f.
Frühstück 2.26
frühstücken 2.26
9.24 16.84 von
abgeschossenen
Flugzeugen)
Frühstunde 6.2
frühvollendet 2.45
Frühzeit 6.2 15.3
frühzeitig 6.35
Frühzeitigkeit 6.35
Fruktuose 1.29
Fuchs S. 126 7.16f.
12.52f. 17.9
fuchsen 11.31 11.60
Fuchsenzeit 9.26
fuchsfarbig 7.17
Fuchsin 1.29 7.17
Fuchsjagd 16.55
Fuchsmajor 9.26
fuchsrot 7.17
Fuchsschwanz S. 32
fuchsschwänzelnd
16.32
Fuchsschwänzerei
16.32
fuchsteufelswild 4.50
fuchswild 11.31
Fuchtel 16.78 19.32
fuchteln 8.34
fuchtig 11.31
fuckeln 18.8
Füdele 2.16

Fuder 4.19
fuderweise 4.17 4.20
Fuffzcher 11.60
Fuffzehn 9.36
Fuffziger, falscher
   19.8
Fug (u. Recht) 13.46
   19.18 19.22
fügbar 9.54
Fuge 3.43ff. 3.48
   4.25 15.12
Fugeisen 4.33f.
Fugen, aus den —
   gehen 4.10 9.61
—, aus den — sein
   3.38
fügen 9.25 11.8 11.16
   11.48 12.47
—, hinzu- 4.22 4.28
—, sich (ereignen)
   5.30 5.44
—, in, sich 9.3 11.16
   12.47 16.25 16.32
   16.114f.
   siehe Fügsamkeit
—, sich nicht 16.65
füglich 9.48 12.47
   19.18
fügsam 7.50 16.114f.
Fügsamkeit 7.50
   9.3f. 9.54 11.8
   11.43 11.48 16.32
   16.114f.
Fügung 5.45 9.3
— des Himmels 5.45
— in 16.24
fühlbar 1.20 4.50 7.1
fühlen 10.1f. 11.3f.
   11.9 11.13 11.16
   11.27 11.31
   11.52ff. 11.62 12.1
   12.8f. 19.5f. 19.11
—, auf den Zahn
   12.9
—, sich 11.4 11.44
   16.85 16.88 16.93
—, sich heimisch
   11.16
—, sich verantwort-
   lich 19.24
—, sich verbunden
   16.41
Fühler 2.16 9.28
   10.2 12.9

Fühlhorn 10.2
fühlig 11.4
fühllos 11.8 11.61
   19.8
Fühllosigkeit 10.3
   11.8 11.60f. 19.9f.
Fühlorgan 10.2
Fühlung 3.9 9.28
   12.9
— haben 16.73
— halten 3.9
— nehmen 4.33
   16.40
Fuhre 8.3f.
führen 8.11 8.13
   9.35 11.45 16.85
   16.96f. 16.108
   17.10 18.8 18.13
   19.12f. 19.27 20.1
   20.16
—, am Narrenseil
   16.54
—, aufs Glatteis
   16.72
—, den ersten Stoß
   16.76
—, ein Leben im
   Verborgenen 16.52
—, ein Muschelleben
   16.52
—, einander 16.43
—, hinters Licht
   16.54
—, Honig im Munde
   16.32
—, im Schilde 9.14
   16.71
—, pöbelhafte Reden
   16.37
—, sich 5.11
—, zu Gemüte 2.26
   16.33
—, zum (Trau)Altar
   16.11
führend 9.44
führender Geist
   12.33
Führer 3.37 8.11 8.13
   11.38 12.33 13.9
   13.44 14.12 16.57
   16.74 16.85
   16.96ff.
führerlos 9.74
Führermaterial 16.98
Führernatur 11.44

Führerpersonal 16.98
Führerschaft 16.95
   16.97
Führerstaat 16.98
Führerstab 16.100
Führerstandarte
   16.100
Führerwort 16.23
Fuhrmann 1.2 8.4
   16.6 16.60 16.96
Fuhrmannspeitsche
   4.50
Führung 5.11 7.56
   8.11 8.13 8.15 9.15
   12.33 16.95f.
Fuhrwerk 8.4
Fülle 3.21 4.1f. 4.10
   4.17 4.20ff. 4.48
   10.14 10.19
füllen 3.3 3.21 3.58
   4.10 4.19 4.21
   4.41 8.23 8.26
   18.5 siehe oben
—, an-, aus-, ein-
   8.3
—, Bauch usw. 10.11
—, die Gläser 16.55
Füllen S. 128 2.22
Füll(fed)er 14.5
Füllsel 3.21 6.15
Füllung 3.21 3.58
   17.10
Fulmination 16.37
fummeln 9.66
Fund 12.20
Fundament 3.16 3.34
   6.7 9.26 9.44 17.2
fundamental 4.1 6.7
Fundamentalrecht
   19.19
fundamentieren 3.16
Fundbüro 18.15
Fundgrube 4.17f.
fundieren 3.16 13.28
   13.44
fundiert 12.32 18.3
Fundierung 13.28
funditus 4.50
fünf(fach) 4.39
   11.4 11.36 12.14
fünf Minuten vor
   Zwölf 6.36 9.74
fünf(e) grad sein
   lassen 9.19 9.43
   11.8 12.13 16.24
   16.28 16.47 16.109

Fünfakter 14.3
Fünfeck 3.43
fünfjährig 6.1
Fünfkampf 16.57
Fünfling 2.5
Fünfminuten-
   brenner 16.43
Fünfsatz 16.57
Fünfteilung 4.39
   4.45
Fünftel 2.5 4.45
Fünfuhrtee 16.55
   16.58
Fünfundzwanzig
   hinten drauf 16.78
Fünfzehn 4.39
—, kurze — machen
   6.15 9.6
Fünfzeiler 14.2
fünfzig 4.39
— zu — stehen
   5.7
Fünfzigstunden-
   woche 9.40
fungieren 5.8 5.11
   9.18 9.25
Funke 7.4 7.35f.
funkeln 7.4 11.23
   11.31
funkelnagelneu 6.26
funken 17.12
Funken 8.7 9.78
   17.9
—, den — anfachen
   16.67
Funkenfänger 9.76
Funkentelegraphie
   13.1
Funksprecher 14.3
Funkspruch 13.2
Funktion 5.34f. 9.18
   9.22 19.24
—, außer 9.24
—, in 9.18
—, religiöse 20.16
Funktionär 16.96
funktionieren 9.18
   9.77
Funkturm 4.12
fünsch 11.60
Funsel 7.5

Funzen (Wien) 11.28
für 4.41 5.8 5.10
   5.14 5.18 5.28f.
   5.32 9.11 9.14
   11.36
—, Mann — Mann
   4.41
— nischt und wie-
   der nischt 18.29
— sich 4.36
— und — 6.6 6.18
fürbaß 8.16
Fürbittafel 2.48
Fürbitte 16.20 16.49
   19.13 20.13
Fürbitter 16.20
Fürbringer 16.60
Furche 3.10 3.44
   3.48f.
furchen 3.44 3.49
   11.31
Furcht 9.17 9.19
   9.74 11.4 11.13
   11.30 11.38
   11.42f. 12.24
   16 97 19.1
— einjagen 16.68
—, von — ergriffen
   11.42
furchtbar 4.50 9.60
   11.14 11.28 11.42
   11.50
furchteinflößend
   11.42 13.11 16.95
   16.97
fürchten 6.23 9.40
   11.38 11.42 11.56
—, sich 11.42
furchterfüllt 11.42
fürchterlich 4.50 9.44
   11.12 11.14 11.28
   11.42 11.62
furchterregend 11.42
   13.11
furchtlos 11.35
   11.37f.
Furchtlosigkeit 11.38
furchtsam 11.42 11.47
Furchtsamkeit 11.43
fürder(hin) 4.22 4.28
   6.18
Furie 5.36 11.28
   11.31 11.58 16.81
   19.9 20.5

furienhaft 20.5
furienmäßig 20.5f.
furios 11.31
fürliebnehmen 11.16
Furnier 3.20
furnieren 3.20
Furore machen 11.5
   11.30 11.44 14.3
   16.31 16.85
Fürsorge 9.26 9.42
   9.70 11.40 12.7
fürsorglich 4.29
   11.51
Fürsprache 16.20
   16.49 19.13
— einlegen 16.49
Fürsprecher 13.21
   16.49 1913. 19.28
Fürst(in) 16.91
   16.97f. 20.9
Fürst Pückler 2.27
Fürstbischof 20.17
Fürstendiener 16.112
Fürstenhaus 16.98
Fürstenhof 16.64
Fürstenhut 16.100
Fürstenkrone 16.100
Fürstensitz 16.97
Fürstentum 1.15
   16.19
fürstlich 16.85 16.91
   16.95 16.97 18.13f.
   19.2
Furt 4.15 7.55f.
   8.11 8.25 8.27
Fürtuch 9 66 17.9
Furunkel 2.41 11.28
Furunkulose 2.41
fürwahr 5.6 12.26
   12.47 13.28 13.50
Fürwitz 16.90
Fürwort 13.16
Furz 7.60 7.64 12.2
—, den — zum Don-
   nerschlag machen
   13.52
furzen 2.35
Furzkiste 17.3
Fusel 2.31 7.54 7.68
Füsilier 16.74
füsilieren 2.46
Fusion 1.21 4.33
   9.69

Fuß 2.16 2.25 2.27
   3.9 3.16 3.34 4.6
   4.13 4.41 5.14
   8.15 9.19 9.26
   9.48 9.53 11.14
   11.62 14.2 16.6
   16.111 17.5 19.27
—, auf freiem 16.118
—, auf gespanntem
   — stehen 16.66
— brechen 2.42
—, den — küssen
   16.30
— fassen 3.3
—, großer 18.14
—, immer auf
   großem 18.13
—, mit einem — im
   Grabe stehen 2.41
   2.45
—, zu 16.6
Füß, ich hab kalte
   16.27
Fußangel 9.74 13.10
   16.71
Fußball 2.20 16.55
   16.57
Fußbank 17.5
Fußbekleidung 3.20
Fußboden 3.12 3.34
   4.13
Fuße, auf freund-
   schaftlichem —
   stehen 16.41 16.64
—, auf gutem 16.41
Füße 8.18 8.20 9.38
   9.77f. 11.31 16.90
   16.93 16.108
   16.113 19.20 19.32
— abtreten 9.66
—, große 2.16
Fußeisen 19.32
Fussel 4.44
fusselig 9.49
fusseln 4.34
füßeln 16.43
fußen 3.16 19.18
Füßen
—, auf eigenen
   16.119
—, den Staub von
   den — küssen,
   lecken 16.32
—, mit den —
   trampeln 16.31

Füßen mit — treten
   16.36
—, zu — fallen
   16.30 16.83
—, zu — liegen 4.13
— zu — sitzen
   12.35
Fußfall 8.1 8.30
   16.20 16.32 16.38
   16.114
—, einen — tun
   16.20 16.30
Fußfällche 2.48
fußfällig 16.20
Fußgänger 16.6
Fußgestell 9.26
Fußkugel 9.73 19.32
Fußlatscher 16.74
   19.29
Fußnote 13.44 14.10
Fußpfad 8.11
Fußreise 16.6
Fußsack 2.16 17.9
Fußsohlenhiebe
   19.32
Fußsoldat 16.74
Fußstampfen 11.31
Fußstapfen 5.18 8.15
   13.1 14.9
Fußtaste 15.15
Fußtritt 11.43 19.32
Fußtrittfänger 2.16
Fußung 3.34
Fußvolk 16.74
Fußweg 8.11
futsch 5.42 18.15
— in die Versen-
   kung 3.4
— ist — 9.63 18.15
futschikato 5.42
   18.15
Futter 2.26f. 3.21
   4.17f. 4.29 17.8
—, gut im — stehen
   4.10
— schütten 2.26
Futteral 3.20 3.22
   17.7
Fütterer 4.29
   (Versorger)
Futterkneipe 2.26
Futterluke 2.16
futtern 2.26 11.27
   16.33

füttern 2.26 3.21
　16.38 16.64
futterneidisch 11.57
Fütterung 2.26
futuristisch 15.3
　15.18
Futurum 6.23ff.
　13.31

G

Gäa 20.7
Gabardine 17.8
Gabar(r)e, Gabasse
　8.5
Gabe 5.35 9.52
　11.52 12.35 14.2
　16.46 18.12 18.26
Gabel 2.26 3.15 3.43
　4.25 4.45 8.12
　8.22 17.15
gabelförmig 3.43
　4.37 4.45 8.22
Gabelfrühstück 2.26
Gabelhirsch S. 127
gabeln 3.15
—, sich 3.43 4.45
　8.22
Gabelstange 3.26
Gabelung 3.15 4.37
　4.45 8.12 8.22
Gabelweih S. 116
　4.50
Gaben, fromme
　20.16
Gabriel 20.6
Gabriele 16.3
gackern 7.33 11.22
Gackern 7.33
Gaden 17.2
Gaffel 3.43 4.45
gaffen 10.15f. 11.30
　12.6
—, ins Gesicht 16.53
gag 12.2
Gage 16.46 18.26
Gäggis 2.3
gähnen 2.36 2.39
　3.10 3.57 9.24
　11.26
gähnend 3.57 11.26
Gähnsucht 11.26
Gake S. 118 12.56
　16.33

gaken 7.33
gaksen 2.35 2.41
Gala 11.17 16.88
　17.9f.
Galaktometer 7.54
Galan 10.21 11.53
　16.14 16.44
galant 11.10 16.38
　16.61
—, sich — erweisen
　16.38
—e Abenteuer 16.44
Galanterie 16.38
　16.42 16.44
—, große 2.41
Galavorstellung
　11.45 16.88
Galeasse 8.5
Galeere 8.5 16.93
　16.117 19.32f.
Galeerensklave
　19.31
galen 11.22
Galeone, Galeote 8.5
Galerie 3.24 3.57
　4.12 4.17 15.4
— von Waren 4.17
Galgen 19.32
Galgenberg 2.48
Galgenfrist 6.36
Galgenkreuz 2.48
Galgenpack 16.92
Galgenphysiognomie
　11.28
Galgenposamentier
　16.60
Galgenstrick 4.50
　16.94 19.9
Galgenvogel 16.94
　19.9
Gallach 16.60
Gallapfel 2.4
Galle 2.16 7.68 10.9
　11.14 11.31 11.59f.
　11.62 16.33
Galle-Matthias
　(schwäb.) 12.56
galle(n)bitter 4.50
Gallenblase 2.16
Gallenblasen-
　entzündung 2.41
Gallenfieber 7.19
Gallensteine 2.41

gallern 16.78
Gallert(e) 7.51
gallertartig 7.51
gallig 11.58
Galligkeit 11.31
Gallimatthias 12.19
　12.56
Gallium 1.24
Gallizismus 13.32
Gallomanie 5.18
　13.32
gallsüchtig 11.31f.
Gallwespe S. 97
Galmei 1.25
Galon 17.10
Galopp 8.7 16.58
—, du bist wohl vom
　wilden Esel im
　— gesch... 16.33
Galoppade 15.11
　16.55
galoppieren 8.7 8.29
　12.27 16.6
Galoppsport 16.57
Galosche 3.20 17.9
Galtvieh 2.22
galvanisieren 3.20
Galvanismus 5.35
Galvanoplastik 5.18
　14.6
Galvanotypie 15.5
Gamander S. 72
Gamasche 3.20 17.9
Gambe 15.15
Gambit 9.29 16.56
Gambrinus 2.32f.
　7.54 16.64
Gambrinusverehrer
　2.32
Gamel (schles.) 12.56
Gamelan, der große
　15.14
gamin 2.22
Gammon 16.56
Gamsbart 15.7
ganfen 18.9
gang 5.19 19.9
— und gäbe 5.19
　6.31 9.31 13.6
　16.61
—, in — bringen 6.2
　8.9 9.29

Gang 2.26 5.11 7.56
　8.1 8.9 8.11 8.16
　9.18 9.21 9.25
　9.29 16.6 20.13
— die harten
　Kämpfe sind noch
　im —e 6.16
　16.83
— erster 8.7
— vierter 8.7
-gang 8.11
Gangart 7.2 8.7
Gänge (Essen) 2.26
gangbar 3.57 6.31
　13.6 18.21 18.23
Gängelband 2.22
　12.35f. 16.100
　16.107 16.111
　16.117
gängeln 16.96
Gängeviertel 18.4
Gangfisch S. 99
Ganggesteine 1.26
gängig 9.31
Gangspill 8.28
Gangster 19.9
Ganove 19.8
Gans S. 118 2.15
　2.27 4.50 11.45
　12.56f. 13.22
—, Goldene 16.64
Gänsdreck 18.8
Gänse des Kapitols
　9.75 13.11
Gänseblümchen S. 80
Gänsebrust 2.27
Gänsefuß S. 31
Gänsehaut 7.40 10.5
　11.42
Gänsekiel 14.5
Gänsemarsch 8.15
Gänserich S. 117
Gänsewein 2.30
Gant 18.19 18.23
Ganymedes 11.17
　16.60 16.112 20.7
ganz 4.1 4.41 5.3
　5.17 5.19 5.21
　9.64 11.5 11.17
　11.31 11.38 11.40
　11.42 12.7
— früh 6.21
—, net. (alem.) 13.29
— richtig 13.28
— und gar 4.41

42*

ganz und gar nicht
5.3 12.48 13.29
Ganze 9.6 9.8
—, aufs — gehen
4.41 9.8 9.14
—, es geht ums 16.73
Gänze, in —, zur
4.41
Ganzes 4.33 4.35
— im ganzen ge-
nommen 4.41 4.48
Ganzheit 4.33 4.41
gänzlich 4.1 4.33
4.41
Ganzmetallflugzeug
8.6
Ganzton 15.11
gar 4.50 9.33 10.8
11.30
— nicht 5.3 11.30
Garage 8.2 17.1
Garant 2.22 9.70
19.16
Garantie 9.75 13.46
19.16
garantieren 11.8
13.28 13.46 16.23
19.16 19.24
Garantieschein 19.16
Garaus machen 2.46
Gärbchen 2.5
Garbe 2.5 4.17 8.21
17.13
gärben 2.35
Garbenhaufen 2.5
Garbenreihe 2.5
Garbenrichten 2.5
Garbenstand 2.5
Garbenständer 2.5
Garbenstandnamen
2.5
Garçon 16.12
Garçonne 16.12
Garde 9.44 9.64 9.75
16.74 16.101
Garde du corps
16.74
Gardelitzen 2.27
Gardemaß 4.12
Garderobe 3.4 3.20
17.2 17.9
Garderobier 16.101
Gardine 3.20 7.6
13.4 14.3
— -n, eiserne 19.33
—, schwedische 19.33

Gardinenpredigt
2.15 13.22 16.33
—, eine — halten
16.33
Gardist 4.12 16.74
gären 3.38 5.26 5.36
7.59 7.67 8.33
Garküche 16.64
Garn 4.33 4.44 9.55
9.74 11.46 16.72
16.118 17.8
—, ins — gehen
11.46 16.72
— locken, ins 9.74
garnieren 3.23 4.28f.
15.7
Garnierung 3.23
15.7 17.10
Garnison 3.3 9.75
16.4 16.34 16.74
garnisonieren 3.3
9.75 16.2
Garnisonkapelle
20.20
Garnisonkaplan
20.17
Garnisonkirche
20.20
Garnisonprediger
20.17
garnisonverwen-
dungsfähig 5.37
Garnitur 3.20 3.23
4.17 16.16 17.10
Garotter 19.9
Ga(r)st 2.5 11.29
16.53
garstig 9.67 11.14
11.28f. 11.59 16.67
Garstigkeit 11.28
Gärstoff 5.26
Garten 1.13 2.5
Gartenanlage 1.13
Gartengestalter 16.60
Gartenhaus 3.4 17.1f.
Gartenmöbel 17.3
Gartenzelt 3.4
Gärtner(ei) 2.5 9.50
16.60
Gärung 3.38 4.34
5.24 5.35f. 7.59
8.34 11.5 11.58
16.116
— der Gefühle 11.5
Gärungsmittel 5.24

Gas 5.35 7.5
7.38 7.60 8.7
Gasangriff 7.64
Gasbrand 2.41
Gäscht 7.59
Gase 2.43
Gasel(e) 14.2
gasförmig 7.60 7.64
Gasförmigkeit 7.60
Gaskammer 2.46
Gaskocher 7.37
17.16
Gaslicht 7.5
Gasmaschine 17.16
Gasmesser 1.4 7.60
Gasmotor 9.82
Gasometer 1.4 7.60
17.6
Gasriecher 10.6
Gasröhre 17.6
Gasse 1.11 4.33
8.11 8.25 12.17
—, blinde 3.58
—, hohle 8.25
— machen, eine
8.25
Gassen 2.5 9.9
9.38 19.32
Gassendirne 10.21
16.45
Gassenhauer 15.11
15.13
Gassenmensch 9.67
gassi gehen 8.24
Gast 16.5 16.41
—, der steinerne
20.5f.
—, ein gern gesehe-
ner, lieber — sein
16.64
—, ständiger 6.31
—, zu — bitten
16.64
Gäste 2.5
Gästebuch 14.11
Gästehaus 16.64
Gasterei 2.26 16.55
gastfrei 18.13
Gastfreund 16.41
gastfreundlich
16.38 16.64 18.13

Gastfreundschaft
16.64 18.13
Gastgeber 3.37 4.29
16.41
Gasthaus 2.26 16.64
17.1
Gasthof 2.26 16.64
gastieren 6.8
gastlich 16.1 16.64
18.13
Gastlichkeit 16.64
18.13
Gastmahl 2.26 16.55
Gastrolle 6.8 9.28
14.3
—, eine — geben
6.8
Gastspiel 14.3
Gaststätte 2.26 16.64
Gasttafel 2.26
Gastwirt 16.60 18.1
Gatt 3.37
Gatte 16.11
Gattenliebe 11.53
gattenlos 16.12
Gatter 3.15 3.24
3.58 9.73
Gattertür 3.57
16.77
Gattin 16.11
Gattung 4.17 4.47 5.8
gau 8.7
Gau 1.15 16.19
16.99
Gaube 2.5
Gauch S. 114 11.24
19.10
Gauchheil S. 67
Gaudi 11.9 11.22
16.55
Gaudieb 16.72 19.9
Gaudium 11.9 11.22
16.55
Gaugericht 19.28
Gaukelbild 3.5
Gaukelei 5.27 9.13
16.54 16.72 20.12
gaukeln 16.72 20.12
Gaukelspiel 16.54f.
16.72 siehe oben
Gaukler 9.52 12.52
13.51 16.72 20.12
Gaul S. 128 4.50
8.3 11.55

Gäul(e), mach die
— net scheu (hess.)
13.52
— nicht scheu
machen 11.40
Gauls(Gäuls)kur
2.44
Gaumen 2.16 7.65
— beleidigen 10.9
— kitzeln 10.8
—, Zunge klebt am
10.13
Gaumenkitzel 10.8
Gauner 16.72 18.8
19.8f.
Gaunerei 12.53 18.9
gaunerhaft 12.53
19.8
Gaunersprache 13.12
13.32 13.35
Gaupe 17.2
Gautsche 16.56
gauzen 4.50 7.33
Gauzer 19.29
Gavotte 16.55 16.58
Gaze 7.9 17.8
Gazelle S. 127 7.42
8.7 11.17
—, wie eine 7.42
Gazette 14.11
Ge-, das 3.38 7.26
7.30 13.22
geachtet 16.30 16.85
geächtet 4.49 16.34
16.36 16.52 19.31
siehe ächten
Geächteter 16.36
16.52 19.9 19.11
geädert 7.23
geartet 5.8 5.12
Geäse 2.16
Geäst 2.3
Gebäck 2.27
Gebälk 3.16 17.2
geballt 15.3
Gebambel 11.29
Gebändel 11.53
gebändert 7.23
gebannt 11.30 12.7
Gebärde 13.1f.
— der Mißachtung
16.34

gebärden 11.31
—, sich 5.11 9.18
11.31 13.1
Gebärdenmacher
16.54
Gebärdensprache
13.1
gebaren, sich 5.11
Gebaren 5.11 9.31
—, widerrechtliches
19.11
gebären 2.17 2.21
4.20 5.39
Gebärmaschine 2.6
Gebarung 16.96
Gebäude 2.16 9.35
17.2
Gebauer 16.60
gebaut 11.17
Gebein(e) 2.16 2.45
3.16 17.5
Gebelaune 18.13
Gebelfer 7.33
Gebelle 7.33
geben 5.1 5.27f. 5.31
9.20 9.29 9.36
9.66 9.70 9.85
11.11 11.22 11.30
11.35 11.37 11.41
11.45 11.55 12.7
13.46 14.3 16.56f.
16.90 16.97
16.105f. 16.108
18.1 18.12f. 18.16
19.1 19.10 19.13f.
19.16 19.18f.
19.32 20.1 20.15f.
geben (ab-, auf-,
über-, zu-) 8.3
—, acht 9.42
—, Anstoß, Ärger-
nis 16.33
—, auf Borg 18.16
—, aus der Hand 8.3
9.20
—, Beispiel 5.18
13.44
—, das Geleit 16.38
—, das Ja-Wort
16.11
—, den Arm 16.64
—, den Laufpaß
16.105
—, die Hand 16.38
16.42

geben, die Hand dar-
auf 16.23
—, die Schuld 16.33
—, ein Ansehen,
sich 11.45 16.51
—, ein Rendezvous
16.64
—, eine Naht
Kattun, Talkum
16.78
—, eine Pille zum
Schlucken 16.33
—, eine volle Breit-
seite, Lage 16.76
—, eine Wucht
16.78
—, eine Zigarre
16.33
—, einem eine 16.78
—, einen Ausputzer,
Wischer 16.33
—, einen Denkzettel
16.33 16.78
—, einen Korb
16.27
—, einen Rand
16.76
—, eins 19.32
—, etwas 9.42
—, Feuer 16.73
16.76
—, Frist 6.9
—, Gesellschaft
16.64
—, honigsüße Worte
16.32
—, jemanden seinen
Teil 16.33
—, kein Gehör
16.53
—, nicht einen
Knopf, Pfiffer-
ling, Strohhalm
dafür geben
16.36
—, Satisfaktion
16.69
—, Schliff 16.38
—, sein Wort 16.23
—, seine Karte —
lassen 16.69
—, seinem Unwillen
Worte 16.67
—, sich 7.2 9.25
9.33

geben, sich — als
16.72
—, sich einen fal-
schen Anschein
16.72
—, sich falsch 16.72
—, sich Manieren,
ein Ansehen 16.51
—, sich zufrieden
16.24
—, Tatzen 16.78
—, von sich 2.35
8.24
—, warmen
Empfang 16.64
—, Zeit 6.15
—, zum besten
18.12
Geben 18.12
gebenedeit 20.7
— sein, werden
16.31
Geber 18.12
gebessert 19.5 20.1
Gebet 16.20 20.13
20.16
— des Herrn 20.13
— nehmen, ins
12.33 13.3 16.33
—, stilles 20.13
Gebetbuch 20.19
Gebetskranz 20.13
Gebetsmantel 20.13
Gebetsmühle 20.13
Gebetsriemen 20.13
gebettet, gut 18.3
gebeugt 11.32
Gebiet 1.15 3.1
12.5 18.1
gebieten 9.12
16.96f. 16.106
—, Ehrfurcht 16.30
—, Einhalt 9.73
16.29
Gebieter 16.11 16.98
20.9
Gebieterin 2.15
16.11
gebieterisch 9.6
11.44 16.53 16.90
16.97 16.106
Gebiet(e)s, Leiter
eines 16.60
Gebiets- 16.99
Gebilde 5.1f. 5.39

gebildet 5.8 5.12
9.52 12.32 13.2
13.12 16.38 16.61
Gebimmel 6.30
Gebinde 4.17
Gebirge 1.13 4.1f.
4.12 7.41 19.33
gebirgig 4.12
Gebirgsstock 4.2
Gebirgszug 3.35
gebisch 18.13
Gebiß 2.16 9.17
11.58 16.116f.
—, das — anlegen
5.38 9.17
—, das — zwischen
die Zähne
nehmen 16.65
gebläht 4.10 9.77
Gebläse 1.6
geblendet 10.18
Geblök(e) 7.33
geblümt 7.23
Geblüt 5.8 11.2
— liegen, im 5.9
9.31 11.1 12.1
gebogen 3.43 3.46
3.48
geboren 2.17 5.21
—, neu 2.40 20.1
—, niedrig 16 94
— werden 2.17
geborener, ein 9.52
geborgen 9.75
Gebot 9.12 9.81
12.17 12.22 16.22
16.29 16.103
16.106 18.22
19.13 19.19 19.24
— stehen, zu 9.84
16.114
—e, zehn 19.24
geboten 9.3 9.81
gebrandmarkt 16.94
19.31
Gebrandmarkter
19.31
gebrannter Kalk
1.28
gebranntes Wasser
2.31
gebraten, apart
19.21
Gebräu 1.21 2.30
4.25

Gebrauch 5.19 9.25
9.31f. 9.84f. 16.38
16.61
— machen 9.84
19.22
gebrauchen 9.25
9.84 19.13
—, sich zu allem —
lassen 16.32
gebräuchlich 5.19
9.31
gebrauchsfähig 9.46
gebraucht 6.27
gebräunt 7.16
Gebrause 7.26 7.30
gebrechen an 4.25
Gebrechen 2.41 4.46
9.65 19.10
—, ohne 19.3
gebrechlich 2.41 5.25
5.37 7.47 9.60
Gebrechlichkeit 5.37
Gebreste(n) 2.41
5.47
gebrochen 2.39 5.37
7.6 7.12 7.25
11.13 11.32f. 13.32
Gebröckel 7.48f.
Gebrüder 4.17 16.9
Gebrüll 7.26 7.30
7.34
Gebrumme 7.27
13.14
gebschnitzig 18.13
gebucht 14.9
Gebühr 9.40 16.46
18.1 18.26 19.24
gebühren (sich) 18.1
19.18 19.22 19.24
Gebühren 18.5 18.26
19.27
gebührend 19.18
19.22
gebührenfrei 14.8
18.29
gebührlich 11.17
16.38 19.22
Gebührnis 18.26
gebührt, es — sich
19.18
Gebund 4.17
gebunden 5.37 6.27
16.117 19.25
—, früh 15.3
—, in Pappe 14.11

Gebundenheit 9.3
Geburt 2.21 5.9
5.26 5.39 6.2 9.29
11.44 16.91 20.15
—, von erlauchter
16.91
—, von unedler
16.94
gebürtig 5.41 16.1
Geburtshelfer 2.21
2.44
Geburtsrecht 19.22
Geburtsstätte 16.1
Geburtstag 6.9 9.29
16.39 16.59
Geburtswehen 2.41
Gebüsch 2.1 2.5
Geck 11.19 11.28
11.45 12.56 16.63
16.89
geckenhaft 11.28f.
11.45
Geckenhaftigkeit
11.45
gedacht 12.2 12.29
Gedachtes 12.4
Gedächtnis 6.19
12.39
— anfüllen, beladen,
beschweren 12.39
—, stetes 12.39
— wie ein Sieb
12.40
—, zum 2.48
Gedächtnisfeier
16.87
Gedächtniskreuz
2.48
Gedächtniskunst
12.39
Gedächtnisschwäche
12.40
Gedächtnisschwund
12.40
Gedächtnisstein 2.48
Gedächtnistafel
12.39 14.9
Gedächtnisübung
12.39
gedämpft 7.27

Gedanke(n) 3.7 5.3
8.7 9.9 9.14f. 9.43
12.2ff. 12.7 12.13
12.22 12.32 12.39
12.52 16.97 20.1
20.4
—, ein — von
Schiller 16.24
—, kein 13.29
—, zwei Seelen und
ein 16.41
—, auf einen —
eingehen 16.40
—, einen — aus-
drücken 13.21
—, eines —s Länge
6.1 6.8
—, fremde —
borgen 16.72
—, ganz in — sein
13.23
—, glänzende 12.2
—, in 12.13
— vertieft, in 12.3
12.7f. 12.13
Gedankenaustausch
13.23 13.30
Gedankenbild 12.4
Gedankenflucht
3.38
Gedankenflug 12.4
Gedankenfreiheit
16.119
Gedankenfülle 12.3
12.28
Gedankengang 12.3
12.14 12.29
Gedankengut 12.4
gedankenlos 9.27
9.43 9.53 12.40
12.56 13.42
Gedankenlosigkeit
9.53 11.8 12.13
12.40
Gedankenmann
12.13
Gedankenraub 5.18
Gedankenreihe 12.3
12.14 12.29
gedankenrein 19.4
Gedankenscheune
2.16
Gedankenspiel 3.5
Gedankensplitter
11.23 12.2

Gedankensperrung
  12.27
Gedankenstrich 3.36
  6.15 12.2
— en, zwischen 3.25
Gedankentiefe 12.3
Gedankenver-
  bindung 12.10
gedankenvoll 12.3
Gedankenwelt 12.32
  12.52
gedanklich 12.2
gedankt 11.54
Gedärm 2.16 3.19
Gedeck 4.17
gedeckt 2.33
Gedeih 9.6
gedeihen 2.1 2.38
  2.40 4.3 5.46 9.35
  9.77
Gedeihen 5.46 9.77
gedeihlich 2.38 2.44
  5.46 9.77
gedemütigt 16.94
Gedenkbild 2.48
Gedenkbuch 14.11
gedenken 9.14 9.26
  12.39
—, feierlich 16.87
—, mit warmen
  Worten der Ver-
  dienste 16.31
—, rühmend 16.31
Gedenkfeier 16.87
Gedenkkapelle 2.48
Gedenkkreuz 2.48
Gedenkmünze 13.1
Gedenksäule 2.48
Gedenkstein 2.48
Gedenktafel 2.48
  12.39 14.9
Gedenktag 6.9
gedenkwürdig 9.44
Gedenkzeichen 2.48
Gedicht 11.17 14.2
—, dramatisches
  14.3
gediegen 1.22 7.43
  9.56 11.23 11.25
  11.30 12.26 19.1
Gediegenheit 1.22
  4.41 7.43 9.56
  12.26 19.1
Gedingtag 16.8

gedoppelt 4.37
Gedränge 4.17 4.20
  9.55
— geraten, ins 5.47
  9.55
gedrängt 4.9 4.21
  7.43 13.39 16.108
Gedrängtheit 4.9
  4.17 4.33 13.39
gedrechselt 11.29
  13.43
gedreht 3.46
gedrittelt 4.38 4.45
Gedröhn 7.26 7.30
gedroschen 11.28
gedruckt 4.50
gedrückt 11.13 11.32
Gedrücktheit 11.32f.
gedrungen 4.1 4.9f.
  5.35 7.43 13.39
  13.41
geduckt 3.34
Gedudel 7.30f. 15.14
Geduld 5.38 6.7
  9.8 9.38 11.8
  11.12 11.16 11.31
  11.37 16.109
geduldig 4.50 5.38
  9.8 11.8 11.16
  16.47 16.82
Geduldsfaden 11.31
Geduldsspiele 16.56
gedunsen 4.10 13.43
geehrt 11.53 16.30f.
  16.85 16.87
geeicht 9.52 12.32
geeignet 5.9 9.48
  9.84 12.47
Geesch 2.5
Geest(land) 1.13
Geest-Hocken 2.5
Gefach 3.18
gefackelt, nicht 9.6
Gefahr 9.55 9.74f.
  11.38f. 11.40
— laufen 9.74
gefahrbergend 9.74
gefährden 9.74
gefährdet sein 9.74
gefahrdrohend 16.68
Gefährdung 9.74
Gefahren 9.78
— aussetzen 9.74

Gefahrenzone 16.75
gefährlich 2.41 9.74
  19.9
—, nicht 4.24
Gefährlichkeit 9.74
  19.9
gefahrlos 9.75
Gefahrlosigkeit 9.75
Gefährt 8.4
Gefährte 4.37 8.15
  9.70 16.11 16.41
Gefälle 3.13 3.15
  7.55 8.30 18.5
  19.27
gefallen 9.52 11.10
  11.17 11.30 11.36
  11.53 16.44f.
—, aus allen
  Himmeln 12.45
—, aus den Wolken
  11.30
—, bist wohl als
  Wickelkind nackig
  von der Wasch-
  kommode 16.33
—, er ist 19.10
— lassen 16.115
Gefallen 9.70 11.10
  11.19
— erweisen,
  siehe gefällig
Gefallene 10.21
  11.38 16.44f.
Gefallenen, die
  20.11
gefällig 9.4 9.70
  11.10 11.17 11.52
  16.22 16.24 16.32
  16.38 16.114
Gefälliges, Ihr —
  vom 14.8
Gefälligkeit 11.52
  16.24 16.38 16.113
gefälligst 16.106
gefallsüchtig 11.45
  16.51
Gefallsüchtige 16.63
gefällt, wie — dir
  dein Nachbar?
  16.56
gefälscht 5.18 12.27
  13.51 19.23
gefaltet 3.45 11.48
gefangen 9.78

Gefangenenlager
  19.33
Gefangenenwärter
  16.101
Gefangener 16.117
  19.27f. 19.33
gefangenhalten
  16.117
Gefangenhaus,
  siehe Gefängnis
Gefangennahme
  3.24 16.117
gefangennehmen
  11.10 11.53
Gefangenschaft
  16.117
Gefängnis 16.117f.
  19.27 19.32f.
Gefängniswärter
  16.60
gefärbt 1.21 7.11
Gefasel 12.19 13.30
Gefäß 5.31 17.6f.
Gefäßerweiterung
  2.41
gefaßt 2.45 11.8
  11.41 12.52
Gefaßtheit 11.8
  12.41
Gefecht 9.39 16.67
  16.73
— setzen, außer
  16.84
gefechtsbereit
  9.26 16.73
— machen 16.76
gefechtsklar 9.26
  16.73
Gefechtsstand 16.75
Gefechtstätigkeit
  16.73
gefehlt, ist 9.78
—, weit 13.29
gefeiert 16.31 16.85
  16.87
gefeit (gegen) 9.75
gefesselt 11.53
  16.111 16.117
Gefiedel 7.30 15.14
  15.18
Gefieder 2.16 3.20
  3.53
—, von seltenstem
  9.64

gefiedert 3.20
Gefilde 1.13 11.9
  20.10
— elys(ä)ische 20.10
gefingert 11.29
Geflecht 3.15 3.17
  3.46
gefleckt 7.23
Geflimmer 7.4
Geflissenheit 12.3
geflissentlich 9.2 9.14
  12.7
geflohen 16.52
Geflügel S. 101ff.
  2.27
geflügelt 8.7
geflügelte Worte
  14.9
Geflunker 16.89
Geflüster 7.27 13.2
  13.4
Gefolge 3.35 4.37
  5.31 8.15 16.112
— haben, im 5.31
Gefolgschaft 8.15
  16.97 16.112f.
Gefolgsmann 4.37
gefoppt 9.78 16.54
Gefoppter 16.72
gefordert 19.24
geformt 5.8
gefragt 18.23
—, sehr 18.27
Gefräß 2.16
gefräßig 2.26 10.11
  11.36
Gefräßigkeit 10.11
Gefreiter 16.74
gefressen 11.59
  11.62
—, er hat ihn fast
  16.33
gefrieren 4.25 7.40
  7.43f. 11.42
Gefrierpunkt 7.40
Gefrorenes 2.27 7.40
  7.51
Gefüge 5.8 5.12
gefügig 5.37 9.54
  11.48 16.114
Gefügigkeit 5.37
  7.50 9.7 9.54
  11.43 16.115
gefügt 5.45

Gefühl 9.12 10.1
  11.1f. 11.4f. 11.10
  11.14 11.31f.
  11.42 11.50
  11.52ff. 12.4
Gefühle, die — er-
  raten 16.40
—, Erkaltung der
  16.67
—, gleiche — hegen
  16.41
gefühllos 10.3 11.8
  11.61
Gefühllosigkeit 10.3
  11.8 11.40 11.61
Gefühlsaustausch
  16.41
Gefühlsbewegung
  11.58
Gefühlsdichtung
  14.2
Gefühlserguß 13.5
Gefühlserschütterung
  11.58
Gefühlsertötung
  11.8
Gefühlskälte 11.61
Gefühlslähmung
  10.3
Gefühlsleben 11.4
gefühlsmäßig 12.1
Gefühlsmensch
  11.6f. 12.1
Gefühlsorgan 10.1
  11.4
Gefühlston 5.12
Gefühlswerte 5.12
gefühlvoll 11.7 11.51
gefunden, hat sich
  wieder 19.5
Gefunkel 7.4
gefurcht 3.44 3.53
gefürstet 16.91
gegabelt 3.15 3.43
  3.47 4.45 8.22
gegangen, deine
  Mutter ist wohl
  lange nicht in
  schwarz 16.68
—, von uns 2.45
— werden 16.105
gegeben 5.1 5.14
  5.45 9.3 11.23
Gegebenes (Beweis)
  13.46

Gegebenheit 5.1 5.45
Gegebensein 5.14
gegen 3.9 3.32 5.4
  5.23 5.29 8.10
  9.72 11.29 11.59
  11.62 16 65 16.80
siehe Zusammen-
  setzungen
Gegen- 5.23
Gegenangriff 16.77
Gegenanschlag 9.72
Gegenanstalten
  treffen 9.72
Gegenantwort 13.26
Gegenargument
  13.47
Gegenbefehl 16.105
Gegenbescheid 19.13
Gegenbeschuldigung
  16.80
Gegenbeweis 13.46f.
  19.13
Gegenbeziehung 9.71
Gegenbild 5.23
Gegend 1.13 2.5 3.4
  4.42 5.46 7.2 15.4
— unsicher machen
  16.6
gegeneinander aus-
  spielen 16.67
Gegeneinander-
  stellung 8.21
Gegenerklärung
  13.28f.
Gegenfüßler 3.8 3.32
  8.31
Gegengabe 5.28
Gegengewicht 4.27
Gegengift 2.43f.
Gegengrund 9.17
  13.47
Gegenhandlung 9.72
  16.65
Gegeninstanz 9.17
Gegenklage 16.80
Gegenkomplott
  9.15 9.72f. 9.76
Gegenkritik 12.49
  14.10
Gegenleistung 16.46
  18.20
—, ohne 18.29
Gegenliebe, keine
— finden 16.27

Gegenlist 16.80
Gegenmarsch 8.17
Gegenmaßnahmen
  ergreifen 16.65
Gegenmaßregel
  9.73 16.80
Gegenmine 9.72f.
Gegenmittel 2.44
Gegenneigung 11.53
Gegenpart 16.66
Gegenpartei 9.72
  16.65 19.27
Gegenpol 3.32 5.23
  11.62
Gegenprojekt 16.80
Gegenpunkt 3.32
Gegenrechnung 9.72
  18.18
Gegenredner 16.65
Gegenregister 9.72
  16.65
Gegenrevolution
  5.27 16.80
Gegensatz 3.32 5.23
  9.72 13.37 16.65
  19.27
siehe Gegenseite
—, in — bringen
  3.32 5.23
— stehen, im 3.32
Gegensätze ziehen
  sich an 3.32 5.23
gegensätzlich 9.72
  16.65
Gegensätzlichkeit
  4.37 5.23
Gegenschein 5.18
Gegenschlag 9.72
  16.80
Gegenseite 3.15
  3.32 5.23 9.72
  16.65 18.21 19.27
gegenseitig 5.22 5.28
  8.26 9.71 16.80
  18.20
Gegenseitigkeit
  5.28 9.71
Gegensinn 13.19
Gegenspieler 16.65f.
Gegenstand 1.20
  5.1f. 12.5 12.8
—, der — des
  Spottes sein
  16.54

Gegenstand, einen —
  behandeln 14.1
gegenstandslos 9.45
Gegenstoß 8.10
  9.72 16.77
Gegenstreben 9.72
Gegenstreich 16.80
Gegenströmung 9.73
Gegenstrophe 14.2
Gegenstück 5.17f.
  5.23 5.29 12.10
Gegenteil (Logik)
  5.23 13.47
—, ins — verkehren
  16.72
gegenteilig 5.23 9.72
  16.65
gegenüber 3.9 3.32
Gegenüber, das 3.32
gegenüberliegen(d)
  3.32
gegenüberstehen 3.26
  9.72 16.67
gegenüberstellen
  3.32 12.10 18.21
Gegenüberstellung
  12.10
gegenübertreten 9.72
  11.60 16.65ff.
Gegenverschwörung
  16.80
Gegenvorstellung
  19.13
Gegenwart 3.3 3.32
  6.16 20.10
gegenwärtig 3.3 5.1
  6.13 6.16
Gegenwehr 16.77
  19.13
Gegenwert 4.27
Gegenwind 1.6 9.73
  16.65
gegenwirkend 9.72
Gegenwirkung 4.27
  8.10 9.72 16.65
Gegenwohner 3.8
  3.23
Gegenzauber 20.12
  20.16
Gegenzeichen 13.1
gegenzeichnen 14.5
  19.14

Gegenzeugnis 13.47
Gegenzug 1.6
gegessen 9.78
—, sie haben noch
  keinen Scheffel
  Salz miteinander
  16.5
geglättet 3.52 7.4
gegliedert 3.37
Gegner 5.23 9.73
  13.30 16.65f. 16.74
Gegner, den — in
  die Flucht
  schlagen 16.77
—, geschworener
  16.66
—, wie — selbst
  zugesteht 13.47
gegnerisch 3.32 5.23
  16.65 16.67
Gegnerschaft 9.72f.
gegriffen 19.12
gegründet, nicht auf
  das Recht 19.23
geh haam 16.27
— mit deiner
  Gitarr' 16.33
Gehääre 2.16
Gehabe 9.10
gehaben 9.25
—, sich 5.11f. 7.2
  9.25
—, sich wohl 2.38
  9.77
Gehaben 5.11
Gehacktes 2.27
Gehader 16.67
gehagelt 4.21
Gehalt 1.20 3.19
  4.1 4.17 4.19
  4.33 9.56 12.12
  13.17 14.2 14.9
  16.46 18.5 18.21
  18.26 siehe Inneres
gehalten 9.3 11.25
—, er ist — worden
  16.74
— sein (Pflicht)
  19.24
— werden 16.85
gehaltlos 9.45 11.26
  13.18
gehaltvoll 4.21 5.1

gehandicapt 4.52
Gehänge 3.17 17.10
Gehängter, ist ein
  ganz 12.53
geharnischt 3.20
geharnischte Rede
  16.33
gehässig 11.14
  11.59f. 11.62 16.67
Gehässigkeit 11.28
  11.62 16.67
Gehäuf 2.5
gehäuft 4.17
Gehäuse 3.20 17.2
  17.7
gehbar 9.54
Geheck 2.22 4.17
Gehege 2.12 3.24
  16.117
—, ins — kommen
  11.14
geheiligt 5.19 20.1
  20.7 20.13
geheilt 2.38 16.118
geheim 7.27 13.4
Geheimbund 9.69
  16.17
geheimer Anschlag
  12.53
Geheimer 19.29
Geheim(e)rat 16.86
Geheimfach 4.18
  13.4
Geheimgemach 3.4
  13.4 20.7
geheimhalten 13.4
Geheimhaltung 13.4
Geheimlehre 13.4
  20.12
Geheimnis 12.6 13.4
—, ins — einweihen
  13.2
—, öffentliches 13.5
  13.30
Geheimniskrämer
  13.4 13.35
Geheimnisse 13.4
  16.43
— haben 12.47
geheimnisvoll 9.7
  12.23 13.4 13.35
  20.5 20.12
Geheimplatz 13.4
Geheimpolizei
  16.101

Geheimpolizist
  19.29
Geheimrat 16.86
Geheimratsecken
  2.41
Geheimschrift 14.5
Geheimsinn 13.4
  13.34f. 13.45
  13.51
geheimtun 13.4
Geheisch 16.20
Geheiß 9.12 16.106
—, auf 16.97
— tun 16.114
gehen 5.2f. 5.33 8.1
  8.11 9.4 9.18 9.20
  9.33 9.36 9.48
  9.52 9.77 11.5
  11.10 11.27 11.31f.
  11.40 11.45f. 11.48
  11.53 11.59 11.61
  12.2f. 12.8 16.6
  16.118 18.15
  18.19 19.1 19.3
  19.10 19.30 19.33
  20.13 20.15f.
—, Arm in Arm
  16.43
—, auf den Strich,
  Fang 16.45
—, auf die Mensur
  16.70
—, auf Freiersfüßen
  16.20 16.42
—, aus dem Leben
  2.47
—, aus dem Wege
  16.36 16.52
—, bummeln 16.55
—, den Weg alles
  Fleisches 2.45
—, durchs Feuer —
  für 16.17
—, eigene Wege
  4.36
—, es — (an)
  4.23 9.54 9.59
—, es — wie es
  9.16 9.19
—, fremd 16.14
—, Hand in Hand
  16.17
—, hops 18.19
— in 17.9

gehen, in die Falle,
ins Garn 16.72
—, in sich 8.17
11.48 19.5 20.1
—, ins Gericht 16.33
—, jemanden um
den Bart 16.32
—, mit der Mode
16.61
—, mit jemand(em)
16.42
—, rechts 16.30
—, schnell 2.45
—, Schritt 16.6
—, seiner Wege 16.6
—, sich — lassen
16.53
—, sicher 9.26 9.42
9.52
—, sie — mitein-
ander 16.10
—, streng ins
Gericht — mit
16.33
—, über Leichen
11.61
—, über Stag 16.7
—, unter die Sol-
daten 16.74
—, verlustig 19.23
—, von uns 2.45
—, zugrunde 9.78
—, zu Leibe 16.76
—, zu Werke 19.21
Gehen 16.57
gehend, vor sich
9.34
—, zu Herzen 20.13
Gehenk, siehe:
Gehänge
Gehenkten, Im 2.48
—, Beim 2.48
gehenlassen 9.7
11.11 16.25 16.109
Gehenlassen, das
16.25
Gehenna 20.11
gehetzt 2.12 19.9
geheuer 5.4 5.7
11.42
—, nicht 9.74 11.42
20.5
Geheul 7.30 11.32
15.18

Gehilfe 3.3 9.18
9.22 9.70 16.41
16.60 16.112 20.17
Gehirn 2.16 12.2
12.52
— geklaut 12.57
Gehirnakrobat
16.60
Gehirnerschütterung
2.42
Gehirnerweichung
2.41 12.57
gehirnlos 9.43 12.56
Gehirnpest 12.57
Gehirnschwund
12.40
gehoben 11.5 11.9
11.21 13.43
—, vom Glück —
werden 5.46
Gehöft 17.1 18.1
Gehöhne 16.33
16.54
Gehöhnter 16.54
geholt 2.45
Gehölz 2.1f. 2.5
Gehör 10.19f.
— haben 15.11
—, kein — geben,
schenken 16.53
— schenken 12.7
13.5 16.24f.
gehorchen 9.4 16.83
16.111 16.114
—, der Mode 16.61
—, nicht 16.116
Gehorchendürfen,
das Glück des —s
11.48
gehören 18.1 19.22
—, sich 19.22 19.24
Gehörfehler 10.19f.
Gehörgang 10.19f.
gehörig 4.50 12.14
18.1 19.18 19.22
19.24 s. gehören
Gehöriges 19.18
gehörlos 10.20
Gehörlosigkeit
10.20f.
Gehörn 2.16
gehörnt 3.48 3.55
16.14

Gehörnter 20.9
Gehörorgan 10.19
gehorsam 9.54 11.43
11.48 16.114 19.24
Gehorsam 11.48
16.26 16.97 16.108
16.114 16.116
19.24f.
—, den — aufkün-
digen 16.65
gehorsamst 11.48
16.38
Gehörschwund
10.20
Gehörsinn 10.19
gehört, es — sich
19.18
—, es — sich nicht
19.21
—, hast wohl lange
dein eigenes Ge-
schrei nicht 16.68
— nach X in die
Gummizelle 12.57
—, Sie haben wohl
noch nichts von
Atomzertrümme-
rung 16.68
Gehpelz 17.9
Gehrock 3.20 17.9
Gehsteig 8.11
geht 5.2 11.59 18.23
— ab 18.23
— aufwärts 5.46
—, das — doch über
das Bohnenlied,
über die Hut-
schnur 16.33
—, es 4.23 9.54
—, es — auch so
11.37
—, es — gut 18.3
18.23
—, es — hart auf
hart 16.70
—, es — ihm glatt
hinunter 16.32
—, es — ihm gut
2.38
—, es — mir ab 3.4
18.15
—, es — ums Ganze
16.73

geht mit ihm durch
5.36
— von Ohr zu Ohr,
von Mund zu
Mund 13.6
— wie am Schnür-
chen 12.39
—, wo man — und
steht 3.7 6.31
— zum Sterben 2.45
— 's, wie 16.38
Gehtag 16.8
Gehudel 14.5
Gehülfe, siehe
Gehilfe
Gehupe 7.30
gehüpft wie ge-
sprungen 9.45
Gehwarzen 2.16
Geiben 2.41
geier 10.12
Geier S. 116 4.50
10.10
Geierauge 10.16
Geifer 2.35 7.59
11.31 11.60 16.33
Geiferer 16.33
geifern 2.35 8.24
11.31 16.33 16.35
16.37
Geige 15.15
—, die erste 9.44
16.61 16.85 16.95
16.97
geigen 8.33 15.11
15.14
—, eins 16.78
—, gehörig Bescheid
16.33
Geigen 11.35
Geigenharz 7.53
Geiger 15.11 15.14
geil 2.6 4.22 10.21
11.36 11.53
Geilheit 11.11 16.44
Geisel 19.16
Geiser 7.35 8.28
Geiß S. 127 2.15 2.27
Geißblatt S. 78
Geißbock S. 127 2.14
Geißel 9.44 11.14
11.63 16.78 19.9
19.32

Geißelbruder 20.13
Geißelhiebe 19.32
Geißelinfusorien
S. 92
geißeln 16.33 16.35
16.78 19.9 19.32
Geißelung 11.13
16.78 16.80 19.26
20.13
Geißler (Büßer)
20.13
Geißtöter 1.6
Geist 2.45 3.4 3.37
4.26 8.34 9.81
11.1f. 11.22f.
11.42 12.2f. 12.7
12.13 12.52 13.17
16.121 20.5ff.
20.9
— aufgeben 2.45
—, böser 5.47 11.31
11.62 16.116 19.9
20.9
—, der große 20.7
—, der heilige 16.78
20.4 20.7
— des Bösen 20.9
—, enger 12.55
—, sein böser 9.12
— und Witz 12.53
—, unruhiger 9.9
—, Zum 16.64
—es, sich des —
bemächtigen 12.22
Geister 11.38 12.28
20.12
—, böse unruhige
20.9
—, von allen guten
—n verlassen
12.27
Geisterbanner 20.12
Geisterbannung
20.12
Geisterbeschwörer
20.12
Geisterbeschwörung
20.5 20.12
geisterhaft 7.12
11.28 20.5f.
Geisterklopfen
20.12
Geisterlehre 20.9
geistern 8.33 20.5

Geisterseher 20.5
20.12
Geisterseherei 11.42
20.12
Geisterstunde 20.5
geistesabwesend
3.4 9.53 12.13
Geistesabwesenheit
12.13
geistesarm 9.53
12.56
Geistesarmut 9.53
12.56
Geistesbeschaffen-
heit 11.2
Geistesblitz 12.2
12.52
Geistesfriede 11.16
Geistesfrische 12.39
Geistesfunke 11.22f.
Geistesgabe 9.52
—, mit -n nicht
gesegnet 12.56
Geistesgegenwart
6.14 11.8 11.40f.
12.52
geistesgegenwärtig
11.8 12.52
geistesgestört 12.57
geistesgleich 5.17
Geisteshaltung 11.2
12.3
Geisteskraft 5.35
geisteskrank 2.41
Geisteskrankheit
2.41
Geistesleben 12.2
12.54
Geistesnacht 12.57
Geistesrichtung 11.1
Geistesschöpfung
12.4
Geistesschwäche
12.56
Geistesstörung 12.57
Geistesstumpfheit
11.26
Geistesträgheit 12.13
Geistesverfassung
12.3
geistesverwandt
12.47 16.40
Geistesverwirrung
9.53
Geisteszustand
11.2f.

geistig 4.26 11.12
12.2 12.7 20.5
20.7
— infizieren 12.34
— minderbemittelt
12.56
— weggetreten
12.56
geistige Epidemie
12.54
— Getränke 2.31
— Größe 12.54
Geistigkeit 11.2
12.2 20.5
geistlich 20.16f.
—e Weihe 20.16
Geistliche(r) 20.15
20.17
geistlicher Berater
20.17
— Stand 20.17
geistliches Gericht
20.16
— Ornat 20.18
Geistlichkeit 16.91
20.16f.
geistlos 7.69 9.53
11.8 12.13 12.56
13.18 13.35
Geistlosigkeit 12.57
siehe oben
geistreich 11.23f.
12.2 12.52 16.55
geistreicheln 11.45
geistverwandt 5.17
geistvoll 11.23 12.2
Geiz 18.11 19.7
19.10
Geizdrache 18.11
Geize 2.3
geizen 2.7 9.14
18.10f.
—, mit dem Tadel
nicht 16.33
Geizhals 18.11
geizig 18.11 19.7
—, mit dem Lob
16.33
Geizkragen 18.11
Geizteufel 18.11
Gejammer 7.34
11.32 13.11
Gejauchze 7.26
16.31
Gejaule 11.33

Gejodel 7.26 7.30
Gejohle 7.26 7.31
Gejubel 16.31
gekauft 9.12 19.8
Gekeife 16.67
gekerbt 3.43f.
gekettet 16.111
Gekicher 7.34
11.21f.
Gekläff 7.31
Geklapper 7.30
Geklatsche 13.7
13.22 16.31 16.35
geklaut 12.57
gekleidet 11.47
Geleckse 14.5
Geklimper 7.30
15.18
Geklingel 6.33 7.30
Geklirr 7.30f.
Geklopfe 7.30
Geknarr 7.30f.
Geknatter 7.29f.
geknebelt 16.117
geknechtet 16.111
16.117
geknickt 2.39 11.13
11.32
—e Lilie 5.47 11.13
Geknirsche 7.31
Geknister 7.29
gekommen, sind Sie
gut nach Hause
16.38
gekonnt 11.29 15.3
—, zu 15.3
Gekose 16.42f.
Gekrächze 7.31
gekränkt 11.7 11.58
16.54 16.93f.
gekräuselt 3.46
Gekreisch 7.34 16.67
Gekritzel 14.5
gekrönt 16.91 16.97
gekröpft 3.43 3.48
Gekröse 2.16 2.27
3.19
Gekrotze 14.5
gekrümmt 3.43
gekühlt 15.3
gekünstelt 13.51
gekürzt 14.12
gelacht, das wär
13.29 16.27

Gelächter 7.34
11.20ff. 16.34
16.54f.
—, das allgemeine —
werden 16.54
—, dem — preis-
gegeben 16.54
—, höhnisches 16.34
—, homerisches 11.22
—, Mittelpunkt des
—s werden 16.54
—, sardonisches
16.54
—, zur Zielscheibe
des -s machen
16.54
geladen 11.6 11.31
Gelage 2.31f. 11.11
16.38 16.55
gelähmt 2.41 5.37
Gelahrtheit 12.32
Gelalle 13.14
gelallt 11.29
Gelände 1.13
Geländegewinn
16.84
Geländer 3.24 3.58
9.76
Geländeunregel-
mäßigkeit 4.12
Geländeverlust 16.83
gelangen, zu 8.20
9.35 9.77 16.85
18.5 18.20 19.5
19.14 19.17
—, zum Einverständ-
nis 16.48
gelangweilt 9.19
Gelärm 7.26
Gelaß 3.4 17.1f.
gelassen 5.38 8.8
9.24 11.8 11.16
11.25 11.47f. 13.52
— bleiben 16.109
Gelassenheit 11.8
11.48
Gelatine 1.29 7.9
7.51
geläufig 9.31 9.52
12.32 13.6
Geläufigkeit 9.52
gelaunt 9.4 11.2f.
11.21
Geläute 2.46 2.48
6.33 7.27f.
geläutert 9.66 11.18

gelb 7.19 11.43
11.57
Gelbbuch 4.18 14.9
gelbe Gefahr 4.3
— Rübe 2.27
Gelbfieber 2.41
Gelbgießer 9.18
gelbgrau 7.19
gelbgrün 7.18
Gelbholz 7.19
Gelbkreuz 2.43 7.64
gelblich 7.19
gelbrot 7.17
Gelbscheibe 7.6 15.8
Gelbschnabel 2.22
12.56f.
Gelbstern 4.11 16.60
Gelbsucht 2.41 7.19
11.57
Geld 4.50 9.86 18.3
18.5 18.11 18.13f.
18.16 18.21 18.23
18.26f. 19.16
—, zu — kommen
5.46 18.5
—, bei — sein 18.3
— und Gut 18.1
Geldangelegenheit
18.21
Geldanlage 18.12
Geldanweisung 18.26
Geldaristokratie
16.91 18.3
Geldaufnehmer
18.17
Geldbeutel 17.7
18.21
Geldbörse 17.7
Geldbuße 19.32
Gelddurst 18.11
Geldeintreiber 18.16
Gelder 18.17
Geldeswert 18.21
Geldgeber 18.16
Geldgeschäft 18.21
Geldgier 18.7 18.11
geldgierig 18.11
Geldheirat 16.11
Geldkatze 17.7
18.21
Geldleute 18.3
geldlich 18.21
Geldmann 18.3
Geldpreis 18.21
Geldprotz 11.45
18.3

geldprotzig 11.45
Geldrolle 18.21
Geldschein 18.21
Geldschneiderei
18.27
Geldschrank 17.4
17.7 18.21
Geldschrankknacker
3.57
Geldschrein 17.4
17.6 18.21
Geldschuld 18.17
geldstolz 16.90
Geldstolz 11.44
Geldstrafe 19.32
Geldstück 18.21
Geldsucht 11.36
Geldsumme 18.21
Geldüberfluß 18.3
Geldumlauf 18.21
Geldverlegenheit
18.4
Geldverleiher 18.16
18.23 18.30
Geldwechsler 18.23
Geldzeichen 18.21
Gelée 2.27 7.51
geleckt 11.29
—, geht wie 9.54
Gelege 2.6 2.22 4.17
gelegen 3.3 6.37 9.44
9.46 9.48 16.2
—, du hast wohl
lange nicht im
Straßengraben
16.68
— kommen 6.35
6.37 9.46 9.48
Gelegenheit 5.2 5.12
5.31 6.31 6.37 9.6
9.11 9.18 9.28
9.38 9.52 9.84
18.28
— benutzen, er-
greifen 6.37
— bieten 6.37 9.28
16.22
—, seine — ab-
warten 16.81
— versäumen 6.36
Gelegenheits-
arbeiter 9.24
Gelegenheits-
dichter 14.2
Gelegenheits-
dieb 9.27

Gelegenheits-
gedicht 11.36 14.2
Gelegenheits-
macher 10.21 19.8
Gelegenheits-
sucher 19.8
gelegentlich 3.36 5.13
6.28ff. 6.35
gelehrig 2.10 9.4
9.28 12.35f.
Gelehrigkeit 9.4
Gelehrsamkeit 12.32
12.35 12.52 13.2
13.35
gelehrt 12.32f. 12.52
13.35
Gelehrtensprache
13.38
Gelehrtenwelt 16.91
Gelehrte(r) 12.32
14.11 16.60
Gelehrtheit 9.52
12.32
Geleier 7.30
Geleise 3.39 8.11
—, aus dem — brin-
gen 12.45
— kommen, aus dem
3.38 8.12 9.78 11.4
11.30 11.42 12.45
19.10
Geleit 11.33
—, das — geben
16.38
Geleitboot 16.74
Geleitbrief 9.75
16.106
Geleit(e) 4.37 8.15
9.75
geleiten 2.48 9.75
Geleitzug 8.5 9.75
16.77
gelenk 9.52
Gelenk 2.16 4.33
—, falsches 2.41
Gelenkentzündung
2.41
Gelenkerkrankung
2.41
gelenkig 7.45 7.50
9.52
Gelenkigkeit 7.50
9.52

Gelenkmaus 2.41
Gelenkrheumatismus
 2.41
Gelenkwasser 3.52
gelernt 9.52 9.55
 16.60
Gelerr, das 9.45
Geleucht 7.5
Gelichter 16.17
 16.92 16.94
geliebt 11.53
Geliebte(r) 11.53
Geliebte in Christo
 20.22
geliefert 2.33 5.47
 9.78
—, ist 9.63
— sein 2.45
gelind 5.38 16.109
Gelindheit 11.8
Gelindigkeit 16.109
gelingen 9.77
Gelingen 9.77
Gelispel 7.27 13.4
 13.14
gellen(d) 7.26 7.31
 13.11 15.18
Gellflöte 15.15
geloben 11.35 13.50
 16.23
Gelöbnis 13.50
 16.23 20.16
gelobt 16.31
—, von jedermann
 — werden 16.31
gelockt 3.46
gelöschter Kalk 1.28
gelöst 1.21
gelöstes Rätsel 13.3
Gelse S. 96 3.55
gelt 16.20
Gelte 17.6
gelten 5.1 5.36f. 9.3
 18.21 19.22
—, etwas 9.44
— lassen 16.108
Gelten 1.8
geltend 5.1
— machen 9.44
 13.28 13.46 16.95
 19.13 19.20 19.22
—, sich — machen
 9.44 9.52 11.45
 16.85 16.89f.

Geltling 2.7
Geltung 9.46 9.56
 16.85 16.95 18.21
Geltungsbedürfnis
 11.45
Geltungsbereich 9.46
 16.95
Geltungsdrang 11.44
Gelübde 13.50 16.23
 20.13 20.15
Gelünge 2.16 2.27
gelungen 9.77 11.23
 13.39
Gelüst(e) 9.1 10.21
 11.11 11.36 16.44
gelüsten 11.36
gelüstet, es 9.2
Gelze 2.7
gelzen 2.7
Gelzer 16.60
gemach 5.38 8.8
 11.8
Gemach 3.4 17.2
gemächlich 5.38 6.34
 6.36 8.8 9.54 11.8
Gemächlichkeit 9.54
gemacht 9.52 16.24
Gemächt 2.16
Gemahl(in) 16.11
—, Herr und 16.11
gemahnen 5.17
Gemälde 5.18 7.2
 15.1 15.4
—, historisches 15.4
Gemäldehalle 4.17
Gemansche 1.21
Gemara 20.19
Gemarkung 1.15
 2.35 3.23
gemäß 5.4 5.13 5.17
 5.31
Gemäß 17.6
Gemäßheit 12.47
gemäßigt 5.38
gemästet 3.21 4.10
Gemäuer 3.23 3.25
 17.1
gemein 4.33 5.9 5.19
 9.31 9.45 9.60
 11.11 11.14
 11.27ff. 16.44
 16.53 16.79
 16.92ff. 16.115
 18.7 19.8ff. 19.18

Gemeinacker 1.15
 16.16f.
Gemeinde 1.15 4.17
 9.31 12.25 16.2
 16.16f. 16.99 20.13
—, religiöse 20.22
Gemeinde- 16.99
Gemeindedepp 12.56
Gemeindediener
 16.60 16.112
 20.17
Gemeindegrund 1.15
 16.16f.
Gemeinderat 16.96
 16.102
Gemeindeverwal-
 tung 16.97
Gemeindevorstand
 16.97f.
Gemeindevorsteher
 20.17 siehe oben
Gemeine s. Gemeinde
Gemeine(r) 16.74
 16.94
gemeingefährlich 9.74
Gemeingefühl 11.4
Gemeingut 3.7 16.17
 18.1
Gemeinheit 9.45
 16.36 16.53 19.8f.
gemeinhin 5.19 6.31
 9.31
gemeiniglich 6.31
 9.31
Gemeinnutz 9.46
 19.2
gemeinnützig 11.51
 19.2
Gemeinplatz 5.19
 9.31 9.54 12.26
 13.16 13.18 13.42
gemeinsam 4.20 4.33
 20.13
Gemeinschaft 4.17
 4.33 9.68 16.9ff.
 16.17 16.41 16.64
— machen 16.17
gemeinschaftlich
 4.33 9.68f. 16.17
 siehe oben
Gemeinschafts-
 sendung 16.40
Gemeinschafts-
 spiele 16.56
Gemeinsinn 11.51
 11.63

gemeinsinnig 11.51
gemeint, ist nicht so
 16.82
gemeinverständlich
 13.33
Gemeinwesen 3.7
 16.18 siehe Ge-
 meinschaft
Gemeinwohl, sich am
 — versündigen
 16.72
Gemenge 1.21 4.33
Gemenglage 3.6
gemessen 5.38 9.6
 11.8 11.25 16.108
Gemetzel 2.46 5.42
 11.60 16.67 16.73
 16.75
gemieden 16.52
Gemination 4.37
Gemisch 1.21 4.33
gemischt 1.21 11.13
—, wenn's — wird
 16.44
—er Zug 8.4
Gemme 15.10
gemoppt, kriegt eine
 16.78
Gemsbart 17.9
Gemse S. 127
Gemunkel 16.93
Gemurmel 7.27
—, beifälliges 16.31
Gemurre 11.32 13.14
Gemüse 2.22 2.27
Gemüseanfall 18.5
gemüßigt 16.107
gemustert 7.23
Gemüt 11.2 11.32
 11.50 11.52 16.61
 19.4
—, kindliches 19.4
—, Versäuerung des
 —es 16.53
— verstocktes 19.6
Gemüte, (einen) zu
 — führen 2.31
 16.33
gemutet 11.3
gemütlich 6.36 9.36
 8.8 11.8ff. 11.16
 11.21 11.47 11.52
 16.55

Gemütlichkeit 11.16
11.52
Gemütlosigkeit 11.60
Gemütsanlage 11.1f.
Gemütsart 11.2
Gemütsbewegung
11.5
gemütskrank 2.41
11.32 12.57
Gemütsregung 11.50
Gemütsruhe 11.8
11.15f.
Gemütsverfassung
11.3
gen 8.11
genannt 13.16
genannte, der 6.28
genant 11.49 16.51
Genarrter 12.25
16.72
genäschig 10.12
genascht 11.62
genau 5.10 5.15 5.18
9.35 9.42 11.27
11.58 12.26 12.44
12.55 13.16f. 13.28
13.33 13.35 14.1
16.26 16.108
18.10f. 19.1 19.14
19.18
—, es nicht so —
nehmen 18.9
Genauigkeit 13.38
19.1 siehe oben
Gendarm 16.74
16.101 19.27 19.29
—, der schwarze
16.60
—, Räuber und
16.56
Genealogie 5.41 14.9
16.9
genealogisch 5.41
16.9
genehm 11.10 11.36
19.14 19.19
genehmigen 2.31
12.47 16.24f.
16.118 19.14 19.19
Genehmigung 12.47
16.24f. 16.103
16.118 19.14 19.19
geneigt (willig) 3.13
9.4 9.7 11.2f.
11.36 16.24 16.41
— sein 9.4

Geneigtheit 3.13 5.2
9.2 9.4 9.14 9.31
11.1f. 11.17 11.36
11.52f.
General 3.37 16.74
—, kommandieren-
der 16.74
— Nebel 16.77
— Winter 16.77
General- 16.86 16.99
Generaladmiral
16.74
Generalarzt 2.44
16.74
Generalbaß 15.11
Generalbefehl 13.6
16.106
Generaldirektor
3.37
Generalfeldmarschall
16.74
Generalisation 12.29
generalisieren 12.14
12.16
Generalität 16.74
Generalklatsche 13.5
Generalleutnant
16.74
Generalmajor 16.74
Generalmarsch 13.11
16.73
Generaloberst 16.74
Generalpardon 16.47
Generalprobe 9.26
15.11
Generalstab 16.74
16.102
Generalsuperinten-
dent 20.17
Generalvikariat
20.17
Generation 2.13 6.1
Generator 17.17
generell 4.41
generös 16.109
Genese 4.3 5.41
genesen 2.21 2.38
2.40 2.44
Genesis 5.26 5.31
5.41
Genesung 2.40 9.58
genetisch 2.6 5.26
5.41 12.15
Genetiv 13.31
Genfer Konvention
11.52 16.41

gengst nuff 8.28
genial 9.52 12.21
12.52
Genialität 9.52 12.52
Genick 2.16 4.33
19.32
— brechen 2.45f.
Genickfänger 17.11
Genickstarre 2.41
Genie 9.24 9.52
11.45 12.21 12.52
14.2
Genien 20.6
genieren 11.14 11.47
— sich 11.45 11.49
16.51
genierlich 11.49
Geniesoldat 16.74
genießbar 2.26 7.65
9.77 10.8
genießen 11.9 11.11
16.85 18.1 19.25
siehe Genuß
—, das Leben 16.55
18.14
—, etwas 2.26
—, Vertrauen 16.30
16.41
Genießer 2.26 10.11
11.11 18.14 19.10
genießerisch 11.11
genißlich (schles.)
10.12 18.11
Genist(e) S. 101
16.1
genital 2.16 10.21
Genitalien 2.16 5.26
Genitalsphäre 2.16
Genius 12.21 20.6
—, böser 5.47 11.59
20.9
—, guter 20.6
genommen, er ist
— worden 16.74
Genoss(e) 4.37 4.48
5.9 5.17 9.70 16.4
16.11 16.41
Genossenschaft 4.33
9.68 16.16f. 16.41
siehe Gemeinschaft
genossenschaftlich
16.17
genötigt 9.3 16.107
Genre 15.4
Genrebild 15.4
Gent 16.63

Gentleman 16.38
19.1
genug 4.1 4.23 4.50
4.52 9.33 10.14
11.12 11.31
— für heute 9.33
16.38
— haben 2.33 2.45
9.5 10.14
—, mehr als —
haben 2.33
Genüge 4.23 11.16
— haben 4.23
— tun 19.24
genügen 4.23 5.14
—, nicht 4.25
genügsam 11.12
11.16 11.47 18.10
Genügsamkeit 11.12
11.16 18.10
Genugtuung 4.27
9.35 16.26 16.46
16.69f. 16.80f.
18.18 19.26
— begehren 16.81
— erhalten 16.46
—, sich — ver-
schaffen 16.81
genuin 5.14
Genus 4.47 13.31
Genuß 7.65 9.84
10.8 10.21 11.9f.
16.55 18.1
—, physischer 11.22
—, übermäßiger
10.11 11.11 16.44
16.55
Genußbold 11.11
Genüsse, kulina-
rische 2.26 10.8
16.55
genußlos 11.26
Genußmensch 11.11
Genußmittel 11.11
11.22
genußmüde 10.14
genußreich 11.10
Genußschein 18.2
Genußsucht 11.11
18.14
genußsüchtig 10.11
11.11 siehe Genuß
Geodäsie 12.12
Geodät 12.12

geöffnet 3.57 11.30
Geogenie 1.1
Geognosie 1.1 1.23
geognostisch 1.1 1.3
Geogonie 1.1
Geographie 1.11 3.2
Geöhr 2.16
Geologe 1.23
Geologie 1.23 6.21
geologisch 1.3
geölt 8.7
—, geht wie 9.54
Geometer 3.41 12.12
Geometrie 3.41
  12.12
geometrischer Ort
  1.11 3.2
Geordnetheit 3.37
Georg 16.3
Georgel 7.31 11.33
  15.18
Georgine S. 81
  12.35 16.3
gepaart 4.37 8.15
Gepäck 4.17f. 8.3
  17.15 18.1
Gepäckmarsch 16.57
gepackt 11.42 11.62
Gepäckzug 8.4
gepanzert 3.20 11.8
  16.77 17.14
gepeinigt 11.13
  11.36 16.79
gepellt, wie aus
  dem Ei 6.26
gepfeffert 16.44
  18.27
Gepfeffertes 16.78
Gepflogenheit 9.31
gepfropft 4.21
gepiekt 12.57
Gepiepse 7.31
Geplagtheit 11.13
Geplänkel 16.67
  16.73
Geplapper 7.30
  13.22
Geplätscher 7.30
geplatzt, ist 18.19
Geplauder 13.22
Geplausch 13.30
gepökelt 4.9 5.43
  7.68
Gepökeltes 2.27
gepolstert 4.10 7.50

Gepolter 7.26 7.30
Gepräge 5.8 7.2
  13.1 18.21
Gepränge 11.45
  16.61 16.88 17.10
geprängelos 11.46
Geprassel 7.29f.
gepriesen 16.31
  16.85
—, von jedermann
  — werden 16.31
geprügelt 11.48 16.78
gepudert 3.20
geputzt 4.50 17.10
Gequake 7.31 7.33
gequält 11.13 11.29
  11.36 16.79
gequetscht 4.21 7.31
  15.18
Gequietsch 7.30
Ger 17.11 17.13
gerade 3.11 3.40
  6.16 6.20 8.11 9.8
  9.12 9.14 9.72
  9.79 11.30 11.46
  13.49 19.1
—, fünf — sein
  lassen 16.24 16.47
—, nun 9.72
— sein lassen 9.43
—, so 4.23
— Zahl 4.37
Gerade, die 1.11
  3.40 9.79
geradeaus 3.40 8.16
geradeaus, vor
  Hunger nicht —
  sehen können
  10.10
Gerader, kurzer
  16.57
gerädert 2.39
geradeso 5.15f.
geradestehen 3.11
— für 19.11 19.16
geradestellen 3.11
gerade(s)wegs 3.40
  5.23 8.11
geradezu 3.40 4.1
  4.41 4.50 5.6
  9.79 13.49
Geradheit 3.40
  11.46 19.1

geradlinig 3.40 9.79
Geradsinn 13.49
  19.1
Geräff 2.16
gerammelt 4.21
gerändert 7.23
gerappelt 4.21
Geraschel 7.32
Gerassel 7.26 7.30f.
Gerät 4.18 9.83
  17.3ff. 17.15
geraten 8.17 9.48
  9.61 9.77f. 11.5
  11.31 11.59 16.93
  18.17 19.10
—, an den Un-
  rechten 9.78
—, außer sich 11.5f.
—, in Meinungsver-
  schiedenheiten
  16.67
—, sich in die Haare
  16.67 16.70
—, unter die Räuber
  9.61
Geräteturnen 16.57
Geratewohl 9.12
  9.16
— aufs 9.16 9.27
Gerätschaften 9.83
  17.15 18.1
geräuchert 5.43
Geräuchertes 2.27
geräumig 3.1 4.8
Geräumigkeit 3.1
  4.1
Geräusch 2.16 7.24
  7.26
geräuschlos 7.28
geräuschvoll 5.36
  7.26
gerben 4.50 16.78
  19.32
—, das Fell, das
  Leder 16.67 16.78
Gerber 16.60
Gerbsäure 1.29
Gerda 16.3
gerecht 9.7 11.52
  12.14 19.1 19.3
  19.18 19.22
—, etwas — werden
  16.31

gerecht, in allen
  Sätteln 9.52
—, jem. — werden
  16.30
— werden, seiner
  Stellung 9.18 11.52
  12.14 19.3 19.18
  19.24
Gerechte 19.4 20.10
  20.22
Gerechter 20.1
  20.13
gerechtfertigt 19.13
  19.18 19.22 20.1
  20.13
Gerechtheit 19.1
  19.3
Gerechtigkeit 16.96
  16.119 19.1 19.18
  19.20 19.22
  19.27ff. 19.32
  20.7f.
—, der Mahlzeit —
  widerfahren
  lassen 10.11
—, strafende 16.81
  20.7
—, unparteiische
  19.18
Gerechtigkeitssinn
  19.3
Gerechtsame 16.97
  16.119 19.22
  19.27
Gerecke 2.41
gereckt 3.11 15.3
Gerede 13.7 13.18
  13.22 13.30 16.93
— bringen, ins 16.35
— kommen, ins
  13.22 16.34 16.93
—, leeres 13.18
geregelt 3.37
gereichen 18.5
— zu 5.31
—, zum Verderben
  5.47 9.74 11.14
  18.15
—, zum Vorteil
  18.5
—, zur Ehre 16.31
  16.85 16.88
—, zur Schande
  16.94

gereift 12.52
gereinigt 9.66 14.12
16.50
Gereit 2.16
gereizt 11.5 11.31
11.58 16.67
Gereiztheit 11.58
16.66f.
gereuen 9.9 11.31
19.5
Gerhard 16.3
Gericht 2.26 19.12
19.27ff. 19.32
—, das jüngste 6.25
20.10
—, geistliches 19.28
20.16
—, ins — gehen
16.33
—, letztes 20.7
—, Stimme des —s
16.80
—, streng ins —
gehen mit 16.33
Gerichte 2.27
gerichtlich 16.95
16.97 16.103
19.12 19.27
Gerichtsbank 19.27
Gerichtsbarkeit
16.95 16.97 19.27
Gerichtsbeisitzer
19.28
Gerichtsbezirk
19.27
Gerichtsbote 19.27
19.29
Gerichtsdiener 16.60
19.27 19.29
Gerichtsgang 19.27
Gerichtsgebaren
19.27
Gerichtshalter
19.27ff.
Gerichtsherr 18.1
19.28 siehe Ge-
richtsbarkeit
Gerichtshof 16.102
19.27
—, Herr 19.28
Gerichtskosten 19.27
gerichtskundig 13.46
Gerichtordnung
19.19 19.27

Gerichtsperson 19.28
Gerichtsplatz 19.27
Gerichtsrat 19.28
Gerichtssaal 19.27f.
Gerichtsschranke
19.27f.
Gerichtsschreiber
19.28
Gerichtssitz 19.27
Gerichtssitzung 19.27
Gerichtssporteln
19.27
Gerichtssprengel
19.27
Gerichtsstand 19.27
Gerichtsstätte 19.27f.
Gerichtsstube 19.27
Gerichtsstuhl 19.27
Gerichtstag 19.27
Gerichtstermin 19.27
Gerichtsverfahren
19.27
Gerichtsverhandlung
19.27
Gerichtsverwalter
19.28
Gerichtsvollzieher
16.60 16.97 18.23
19.27 19.29
Gerichtszwang 19.27
gerieben 12.53
Geriebenheit 12.53
Geriesel 7.27 7.48
gering 4.4 4.9 4.24
5.3 9.45 11.28
16.92 16.94
geringelt 3.46
geringer 4.52
geringerer Grad 4.52
geringfügig 4.4 9.45
Geringfügigkeit 4.4
geringhaltig 4.4 4.42
18.21
Geringheit s. gering
geringschätzen 9.43
11.37 12.51 16.33
16.90 16.93
geringschätzig 11.37
11.44 16.34 16.90
Geringschätzung 9.43
11.37 12.51 16.33f.
16.36 16.90 16.94
geringster 11.19
Gerinne 3.45 3.49
7.56 8.24

gerinnen 7.40 7.51
11.59
Gerinnsel 7.51
Gerippe 2.16 2.45
4.9 4.11 4.33
9.15 9.44 17.5
—, wandelndes 4.11
20.5
gerippt 3.44f.
Geriß 4.50 11.36
11.53
gerissen 12.53
—, den hat's 2.45
geritzt, die Sache ist
12.47 16.24
Gerlach 16.60
Germ-Hefe 5.26
Germania 4.2
Germanismus 13.52
Germanium 1.24
Germer S. 35
gern 9.4 11.36
11.53 11.59 12.47
16.24
— gesehen 11.52
16.41
— haben 9.4 12.47
16.41
Gern(e)groß 2.22
11.45 12.50 16.89
—, der kleine 12.50
Geröchel 7.30
Geröhricht S. 16
Gerolle 7.30
Geröll(e) 1.14 7.48f.
geronnen 7.51
Geröste 2.27
Geröstete 2.27
gerre 11.33
Gerste S. 18
Gerstenkorn 2.41 4.4
Gerstensaft 2.31 7.54
Gert 16.3
Gerte 2.3 16.78
gertenschlank 4.11
Gertrud 16.3
Geruch 7.62 10.6
20.1
— der Heiligkeit
20.13
—, übler 16.93
Geruchlosigkeit 7.63
Geruchsinn 10.6
Geruchsorgan 2.16
7.62

Gerücht 13.2 13.4
13.6f. 16.93f.
—, als — entstehen
13.2
—, haltloses 13.51
Gerüchte, falsche —
ausstreuen 16.35
gerüchtweise 13.6
gerufen, kommt wie
9.48
geruhen 9.2
geruhig 5.38 11.8
16.48
gerührt 4.50 11.4f.
11.50
Gerührtsein 11.50
geruhsam 5.38
Gerumpel 7.30
Gerümpel 9.45 9.49
9.60
gerundet 3.47
gerungen, du hast
wohl lange nicht
mit einem Bären
16.68
Gerupfter 16.72
Gerüst(e) 3.18 4.33
9.26 9.44 9.82
17.2 17.5
gerüstet 9.26
gesagt getan 6.14
—, zu seiner
Schande sei es
16.93
—, wie bereits 6.19
gesalbt 16.97
Gesalbter 20.7f.
Gesalzenes 16.78
Gesäme 7.49
gesammelt (gefaßt)
11.8
gesamt 4.41
Gesamt 4.41
Gesamtgut 18.1
Gesamtheit 4.17 4.33
4.41
Gesamtmacht 4.17
Gesamtmenschliches
11.2
Gesamtquantum 4.33
Gesamtquittung
18.26
Gesamtvermögen
18.1

Gesandte(r) 13.8
16.60 16.103
Gesandtschaft 13.8
16.103
Gesang 7.34 13.13
14.2 15.11ff. 15.17
16.55
— auf Flügeln des
—es 15.11
— und Instrumente
15.16
Gesangbuch 20.16
20.19
Gesanglehrer 12.33
Gesangverein 15.13
Gesäß 2.16 3.27 3.48
—, mageres 2.16
gesät, reich 4.20
gesättigt 4.23 10.14
Gesättigtsein 10.14
Gesäusel 7.27
geschafft, hats 5.46
Geschäft 2.16 9.18
9.21f. 18.5 18.20
18.23 18.25 18.30
19.24
Geschäfte 2.35 9.18
9.22 9.39f.
— machen 18.20
geschäftig 9.18 9.22
9.37f.
— sein 9.26
Geschäftigkeit 9.18
9.21f.
Geschaftlhuber 3.7
geschäftlich 9.22
18.20 18.25
Geschäfts- 13.2
Geschäftsaufsicht
18.19
Geschäftsbücher 9.22
12.12
Geschäftsbürde 9.22
Geschäftsdiener
16.112
Geschäftsfach 9.22
Geschäftsfreund 4.37
4.48 18.22
Geschäftsführer 16.96
16.98 16.103
Geschäftsgebaren 9.31
Geschäftsgeist 18.7
Geschäftsgenosse
4.48 s. Geschäfts-
freund

Geschäftsgrundlage
19.15
Geschäftshaus 17.1
Geschäftslokal 18.25
geschäftslos 9.19 9.24
Geschäftslosigkeit
9.24 9.41
Geschäftsmann 16.60
18.23
—, großer 18.7
—, tüchtiger 9.52
geschäftsmäßig 9.23
9.25 11.26
Geschäftsneid 11.57
Geschäftsort 18.25
Geschäftsraum 18.25
Geschäftsreisender
16.6
Geschäftsstelle 18.25
Geschäftsstille 9.36
Geschäftsteilhaber
9.70
Geschäftsträger
16.103
geschäftstüchtig 18.7
Geschäftsüberhäufung
9.22
Geschäftsübertragung
16.103
Geschäftsunterneh-
men 18.20
Geschäftsverbindung
18.20
Geschäftsvermittler
9.70 16.49 18.20
18.23
geschändet 16.94
Geschändete 10.21
geschätzt 9.56 16.31
16.85
—, wenig 16.34
Geschätztheit 9.56
gescheckt 7.23
geschehen 5.44
—, es muß 19.24
— lassen 9.19
—, pflichtgemäß
19.24
Geschehen, das 5.44
—, das große 16.73
Geschehnis 5.44
Gescheide, kleines
2.16
Gescheine 2.3

gescheit 9.52 12.52
gescheitert 9.78
Gescheitheit 12.52
Gescheitle 11.45
geschellt 11.31
Geschelte 16.67
Geschenk 16.22 16.39
16.46 18.12 18.26
geschenkt (wohlfeil)
11.55 18.26 18.28
—, fast 18.28
—, wie 18.28
Geschenkwerk 17.10
Geschichte 5.1 5.44
6.19 9.31 11.14
14.1 14.9f.
—, schöne 9.55
—, verwickelte 9.55
Geschichten 9.80
Geschichtsforscher
14.1
Geschichtsklitterung
1.21
Geschichtsschreiber
14.1 14.9
Geschick (Schicksal)
5.45 9.3 9.52 14.9
—, rächendes 16.81
Geschicklichkeit
9.52 12.32 12.35
12.52
Geschicklichkeits-
spiele 16.56
geschickt 3.31 9.48
9.52 12.35
s. schicken
Geschiebe 7.48
geschieden 1.22 4.34
16.15
geschiedene, sind —
Leute 16.66
Geschiedenheit 7.48
16.15
geschieht, das — ihm
recht 16.80
Geschimpfe 16.33
Geschirr 17.6 17.15
geschissen, du bist
wohl vom wilden
Esel im Galopp
16.33
geschlagen (Uhr)
4.41

Geschlecht 2.13 4.37
4.47 16.9 16.91f.
20.4
—, das schöne 2.15
—, das schwache
2.15
—, das starke 2.14
—, das zarte 2.15
geschlechtlich 2.19
11.53
Geschlechtskrank-
heiten 2.41
Geschlechtskunde
16.9
Geschlechtsliebe
11.53
Geschlechtsorgane
2.16
Geschlechtsregister
16.9
Geschlechtsteile 2.16
Geschlechtstrieb
16.44
Geschlechtswort
13.16
geschliffen (höflich)
16.38
Geschliffenheit 3.52
12.53
Geschlinge 2.16 2.27
3.19
geschlossen 3.47 3.58
4.41 5.14 9.64
11.53 13.39 16.17
16.40
Geschlossenheit 3.58
13.39
Geschluchze 11.32
Geschmack 7.65 10.7
11.17f. 11.28f.
11.36 11.59 12.11
16.38 16.61
— der herrschende
16.61
— finden 11.36
— verletzen 10.9
— verlieren 7.69
—, verwöhnter 9.56
— von (wenig) 4.4
geschmacklos 7.69
9.65 10.9 11.28f.
11.37
Geschmacklosigkeit
7.69 10.9 11.28
13.32

Geschmackslehre
11.17
Geschmacksrichtung
11.17
Geschmackssinn
10.7
Geschmacksurteil
11.17f.
Geschmacksverirrung
3.38 11.28f.
Geschmacksvoll-
endung 11.17
Geschmackswidrig-
keit 11.28
geschmackvoll 11.10
11.17f. 13.41
Geschmause 16.55
Geschmeichel 16.32
16.42
geschmeichelt 11.9
Geschmeide 17.10
geschmeidig 5.8
7.45 7.50 9.54
16.32 16.38
16.114f.
Geschmeidigkeit
3.52 7.50 9.54
16.115 siehe ge-
schmeidig
Geschmeiß 16.94
16.115
Geschmetter 7.26
Geschmier(e) 14.5
15.2
geschmiert 3.52
—, geht wie 9.54
geschminkt 3.20
13.51 siehe
Schminke
geschmissen 11.30
geschmückt 15.7
17.10
geschmuggelt (be-
trogen) 13.51
Geschmunzel 11.21
Geschmuse 9.13
Geschnäbel 16.42f.
geschnaggelt, es
hat 6.36
geschnappt
—, hat 2.20
Geschnarche 7.34
Geschnatter 7.33
13.22

geschneit 11.30
geschniegelt 11.29
15.7
Geschnitter, das
2.41
Geschnörkel 17.10
geschnörkelt 3.46
geschoben 19.8
Geschöpf 2.8 2.13
2.17 5.1f. 5.34
11.50 19.9
—, gemeines 19.9
Geschoß 17.2 17.12f.
—, Tells 16.71
geschossen 8.7 12.57
geschraubt 11.29
Geschraubtheit 11.29
11.45
Geschrei 7.26 7.31
7.33f. 11.21
11.32f. 11.45 13.1
13.6f. 16.33 16.67
16.82
—, hast wohl lange
dein eigenes —
nicht gehört 16.68
—, viel 16.89
—, viel — und
wenig Wolle
11.45 13.52
geschrieben 20.19
—, klein 18.29
geschuckt 12.57
geschult 9.52 12.32
16.67
geschunden 3.22
geschupft 12.57
Geschütz 7.29
17.12f.
Geschützbedienung
16.73f.
Geschütze, die —
bedienen 16.73
Geschützpark 16.74
17.12
Geschützsalve 7.29
16.76 16.88
geschützt 9.75
—, gesetzlich 19.22
Geschützturm 17.12
Geschützweite 17.12
Geschwächte 10.21

Geschwader 8.5f.
16.74 16.74a
Geschwaderchef
16.74
Geschwafel 12.19
12.56
geschwängert 1.21
2.20
geschwärzt 7.14
Geschwätz 9.13
13.7 13.18 13.21f.
13.27 13.30
geschwätzig 13.22
Geschwätzigkeit
13.22 16.90ff.
geschweift 3.46
geschweige 5.28
geschwind 8.7 9.39
Geschwindigkeit
5.36 6.8 8.1 8.7
9.18 9.39 11.30
Geschwirr 7.30 7.37
Geschwister 4.37
5.17 16.9
Geschwisterkind
16.9
Geschwisterliebe
11.53
Geschwöge 12.56
geschwollen 2.20
4.10 9.44 11.44f.
Geschwollenheit 3.48
11.45
Geschworene 19.28
Geschworenenbank
19.27f.
Geschworenen-
gericht 16.102
19.27
Geschworenen-
richter 19.28
Geschwulst 2.41
3.48 4.10 11.28
Geschwür 2.41 3.48
11.14 11.28
gesegnet 5.46 18.3
20.13
—, vom Himmel —
sein 5.46
—en Leibes 2.20
gesehen 11.53 18.4
—, gern 16.41
— haben 9.61 18.15
Geseires 13.22

Gesell(e) 4.37 4.48
9.70 16.112
siehe Genosse
—, gemeiner 16.92
16.94
gesellen, sich 4.33
9.69
Gesellenbrief 14.8
Gesellenstück 12.36
gesellig 11.53 16.55
16.64
Geselligkeit 11.9
16.55 16.64
Gesellschaft 2.13
2.26 4.17 4.33
8.15 9.68f. 11.21
16.16f. 16.55 16.64
16.85 16.91 16.94
19.5
—, die Creme der
16.62
—, die feine 16.91
—, die — fliehen,
meiden 16.52
—, Flucht aus der
menschlichen 16.52
— geben 16.64
—, gemischte 16.94
—, gute 16.61f.
16.91
—, menschliche
2.13
—, seine — ver-
weigern 16.52
Gesellschafter(in)
9.70 16.112 siehe
Gesellschaft
—, stiller 18.2
gesellschaftlich
16.17 16.19 16.64
Gesellschaftslöwe
16.38
Gesellschaftssaal
13.30 16.55 16.64
Gesellschaftsspiel
16.55f.
Gesenke 1.13 4.13
gesessen, das hat
16.78
Gesetz 5.19 9.31
12.17 14.2 16.25
16.97 16.106
16.116 19.11
19.13 19.18.ff.
19.24 19.27 19.29

Gesetz der Trägheit
16.65
—, göttliches 20.19
—, kraft des —es
19.18
— nach dem du an-
getreten 5.45
— übertreten 19.23
—, ungeschriebenes
9.31 19.24
Gesetzausleger 19.28
Gesetzauslegung
19.19
Gesetzblatt 16.106
Gesetzbuch 19.19
Gesetze 16.90 19.21
Gesetzesbruch 5.20
19.20
Gesetzeskraft 19.19
Gesetzeskundiger
19.28
Gesetzesrolle 20.19
Gesetzestreue 19.24
Gesetzesumgehung
19.20
Gesetzesverletzung
19.8
gesetzgebend 19.19
Gesetzgeber 13.9
16.97ff.
Gesetzgebung
16.96f. 19.19
—, bürgerliche 19.19
Gesetzkünstler 16.60
gesetzlich 9.3 16.85
16.96f. 19.19 19.22
19.24 19.27
Gesetzlichkeit 16.96
19.19 19.22
gesetzlos 16.116
Gesetzlosigkeit
9.2 9.19 16.116
19.8 19.10f. 19.20
19.23
gesetzmäßig 19.18f.
19.22
Gesetzmäßigkeit
19.19
gesetzt 2.24 5.38
11.8 11.25 12.3
19.1
Gesetztheit 11.8

gesetzwidrig 19.10
19.20f. 19.23
Gesetzwidrigkeit
19.11 19.20
Geseufze 11.32
gesichert 9.75
Gesicht 2.16 3.18
3.26 5.8 5.17 5.21
5.23f. 7.2 9.48
10.15f. 11.17 11.28
11.30 11.32 11.59
16.93 19.12 19.20
—, aus dem — ge-
fallen sein 2.35
—, außerhalb des
stehen 7.3
—, das andere 2.16
—, das — wahren
7.2
—, ins — gaffen
16.53
—, ins — lachen
16.34
—, ins — sagen
13.28
— kommen, zu 7.1
—, noch ein Wort
und dein — ist
ein Pfannkuchen
16.68
— verlieren 10.18
—, zu — bekommen
10.15
—, zweites 20.12
Gesichterschneiderei
16.54
Gesichtserker 2.16
Gesichtsfarbe,
blühende 2.38
Gesichtsfeld 7.1
gesichtslos 10.18f.
Gesichtslosigkeit
10.18
Gesichtsmensch
10.15
Gesichtspersianer
2.16
Gesichtspunkt 10.15
12.4 12.22
Gesichtsseite 3.26
Gesichtssinn 10.15
Gesichtstäuschung
10.17
Gesichtsverwirrung
10.17

Gesichtszug 5.8
Gesichtszüge 13.1
—, ich hau dir eine
vorn Bahnhof,
daß dir sämtliche
— entgleisen
16.68
Gesims(e) 3.33
15.7 17.2 17.10
Gesinde 16.112f.
Gesindel 16.92
16.94
Gesindemarkt 16.8
Gesindetag 16.8
Gesindewandertag
16.8
Gesindewechsel 16.8
gesinnt 12.22
—, feind(selig) —
sein 16.66
—, himmlisch 20.1
—, weltlich 20.3
Gesinnung 9.2 11.1f.
11.36 12.3 12.22
19.3f.
—, barmherzige
11.50 11.52 12.22
—, edle 11.51 19.2
—, gute 16.18
—, niedere 11.60
19.7f.
—, sklavische 16.115
Gesinnungsfieber
11.51
gesinnungslos 19.8
gesinnungstüchtig
19.3
gesittet 16.38 19.4
Gesittetheit 16.38
16.50
Gesittung 16.38
16.121
Gesocks 16.94
Gesöff 2.30f.
gesondert 4.36
Gesondertheit 4.34
4.36 5.20 8.22
gesonnen sein 9.14
siehe Gesinnung
Gespann 4.17 4.37
11.30
gespannt 4.50 11.62
12.6f. 12.41
— sein auf 12.6f.

Gespenst 4.26 7.2
10.17 11.28 11.42
12.25 12.27f. 20.5
20.12
Gespenster 11.42
20.12
— sehen 12.27
Gespensterberg
2.48
Gespenster-
erscheinung 20.6
gespensterhaft 6.8
7.12 11.42
Gespensterseherei
11.32 12.25 siehe
oben
Gespensterwesen
20.5f.
gespenstisch 11.28
11.42 20.5
Gesperr Fasanen
4.17
gesperrt 14.6
Gespiel(in) 4.37
16.41 16.56
Gespinst 3.15 3.17
17.8
gespitzt 3.55
Gespitztheit 3.55
gesponnen, fein 4.11
Gespons 4.37 8.15
16.11
gespornt 9.26
Gespött 16.34 16.54
Gespräch 13.7 13.9
13.21 13.30
—, ins — kommen
13.3
gesprächig 13.2
13.21 16.38
Gesprächigkeit 11.48
13.22 16.64 s. o.
Gesprächsfetzen 4.46
Gesprächsform 13.30
gesprächsweise 13.30
Gespreiztheit 16.89
gesprenkelt 7.23
Gestade 1.16
Gestalt 1.20 3.18
3.24 4.1 5.8 5.12
7.2 13.38 15.1
—, gedrungen von
5.35

gestalten 5.8 5.26
   15.1 15.4 15.9f.
   16.19
   siehe Gestalt
—, einheitlich 5.16
Gestaltlosigkeit 3.60
Gestaltung 5.8 15.1
Gestammel 13.14
Gestampfe 7.26
geständig 12.47
   19.5 19.27
Geständnis 12.47
   13.3 13.5 13.28
   13.46 19.27 siehe
   Bekenntnis
Gestank 7.64 9.67
gestatten 16.24f.
   16.109 19.22
—, sich 19.23
gestatten Sie? 16.38
gestattet 16.25 19.22
Geste 13.1f.
Gesteck 11.28
Gestecker 2.22
gesteckt 4.21
gestehen 13.5 13.28
   19.5
—, Liebe 16.42
Gestehungskosten
   18.22
Gestehungspreis
   18.28
gesteilt 3.11
Gestein 1.23 1.26
Gestell 3.16 9.60
   11.28 17.2 17.4f.
   17.16
gestellt 13.51
Gestellungsbefehl
   16.74
gestelzt 11.29
gestern 6.18ff.
gestiefelt und ge-
   spornt 9.26
Gestikulation 13.1
gestikulieren 13.1
gestimmt 9.4 11.1f.
   s. stimmen und
   Stimmung
Gestirn 1.1f. 7.4
   11.21
gestirnt 1.2 7.4 7.7
Gestöber 1.9 7.57

gestochen, vom
   Kitzel 16.44
—, wie 9.52 14.5
gestockte Milch 2.30
gestohlen 9.45 11.59
Gestöhn(e) 7.34
   11.33
gestopft 4.21
gestorben 2.43 9.78
gestört 12.57
gestoßen 11.30 16.93
gestoßener Zucker
   7.66
Gestotter 13.14
gestraft mit 5.47
gestrandet 9.78
gesträubt 3.53
Gesträuch 2.1f.
gestreckt 4.6 8.7
gestreift 3.39 7.23
gestreng 16.108
gestrichen 11.42
gestrig 6.19f.
Gestrige, das ewig
   9.31
Gestrüpp 2.1f. 2.5
gestuft 5.26 11.18
Gestühl 20.21
Gestundung 6.9 9.33
gestürzt 11.42
Gestüt 2.10
gestützt 3.16
Gesuch 9.12 14.8
   16.20
—, ein — stellen
   16.20
Gesuchsteller 16.20
gesucht 6.29 11.29
   18.23
Gesuchtheit 13.43
Gesudel 14.5
Gesumme 7.27
Gesumse 7.32
gesund 2.38 2.44
   4.50 9.56 12.18
   20.13
—, ich will nicht —
   vom Platze kom-
   men 13.50
—, sich — machen
   18.3 18.5
—, sich — stoßen
   18.5
— und munter 2.38

gesundbeten 20.12
Gesundbeter 2.44
gesunden 2.44
gesunder Menschen-
   verstand 12.18
Gesundheit 2.38
   20.13
— ausbringen 13.24
   16.64
— beeinträchtigen
   2.41
— erschüttern 2.41
— schädigen 2.41
— selbst sein 2.38
Gesundheitslehre
   2.44
Gesundheitspflege
   2.44
gesundheitswidrig
   2.41
gesunken (seicht)
   4.15
getadelt 16.33
Getäfel 3.20f.
getan, hat nichts 19.4
Getändel 16.42f.
   16.55
geteilt 4.34 4.42
   11.32 11.50 siehe
   getrennt
Getier 2.8
getigert 7.23
Getöse 3.38 7.26
getragen 9.54 11.25
   15.12
Getrampel 7.30
Getränk 2.30 2.32
   7.54 11.12
Getränke, geistige
   2.31
Getratsch(e) 13.14
   13.22
getrauen, sich 11.38
   11.43
Getreide S. 18 2.27
Getreidehaufen 2.5
Getreidekammer
   4.17f.
Getreidemakler
   18.23
Getreidepuppe 2.5
Getreiderost 2.4

Getreidesilo 4.18
Getreidestiegen 2.5
getrennt 3.8 4.34
   7.48 16.15
— leben 16.15
getreu 16.41
Getreuer 9.70
getreulich 9.35 16.26
Getriebe 4.20 9.82
   17.16
getrieben (Stoß)
   8.9
— werden 16.7
getriebene Arbeit
   15.10
Getriller 7.30
Getrippel 8.1
getroffen 5.47 11.30
Getrommel 7.30
getrost 11.35
Getue 9.18 11.49
   13.43 16.32 16.89
Getümmel 3.38 4.17
   4.20 5.36 8.34
getupft, getüpfelt
   7.23
geübt 9.52 12.32
Geübtheit 9.52
Gevatter(in) 13.22
   16.92 16.94
Gevatter Hein 2.45
Gevatterschaft 16.9
   16.95
Geviert 4.39
—, im 4.16
geviertelt 4.45
Gevögel S. 101ff.
Gewächs 2.1 2.31
gewachsen 1.22 4.23
   4.27 5.17 9.27
Gewächshaus 2.5
Gewächte 1.9
Gewaff 2.16
gewagt 9.74
gewählt 11.17f.
gewahr 5.6 10.1
   11.4
— werden 10.1
   10.15 12.20 12.32
Gewähr 9.75 13.46
   19.16 19.22
gewahren 10.15 11.4
   12.20

gewähren 9.70
11.10 11.50 12.43
12.47 13.5
16.23ff. 16.109
18.12 18.16 19.16
19.22 19.25
—, Ablaß 16.47
—, Obdach, Unter-
kunft, Zuflucht
16.1
gewährleisten, Ge-
währleistung 19.16
Gewahrsam 9.75
16.117
—, in 16.117
Gewährsmann 12.32
12.54 19.28
Gewährung, siehe
gewähren 16.25
gewahrwerden 10.15
12.20 12.32
Gewälsch 13.2
Gewalt 5.35f.
8.9 9.3 9.37 9.40
16.95 16.97 16.107
18.1 19.20
— antun 16.44
—, durch 16.107
— geht vor Recht
19.23
— haben, in der
16.95
—, höhere 9.3
—, ja mit 9.54
—, rohe 5.36
16.107 19.20
—, überirdische 20.7
Gewalthaber 16.97f.
Gewaltherrschaft
16.95 16.97 16.108
gewaltig 4.1f. 4.50
5.35 13.41 16.95
16.97
Gewaltmensch 5.35
Gewaltraub 18.6
gewaltsam 5.36 11.61
16.107 19.23
Gewaltstreich 9.18
19.23
Gewalttat 16.107
gewalttätig 16.107f.
19.20
Gewalttätigkeit
16.107 19.20

Gewand(ung) 3.20
17.9 20.18
—, geistliches 20.18
Gewandmeister 14.3
gewandt 9.18 9.38f.
9.52 12.52 13.38
16.61
Gewandtheit 9.52
13.38
Gewann(e) 1.13 1.15
2.5
gewärmt 7.69
gewärtig 16.114
— sein 12.41
gewärtigen 6.23f.
11.35 12.41
—, hat zu 19.32
Gewäsch 13.21f.
gewaschen 4.50 9.52
9.66
Gewässer 1.18 7.55
—, stygische 20.11
gewässert 7.23
Gewebe 3.15 17.8
geweckt 12.6 12.52
Gewehr 2.16 7.29
9.19 17.12
—, mit dem — an
der Seite schlafen
16.77
—, ins — treten
16.30
Gewehrfeuer 16.76
Gewehrkugel 17.13
Geweih 2.16 3.55
16.14
—, man hört die
—e wachsen
13.23
geweihte Stätte
20.20
Geweine 11.32
gewelkt 2.39
gewellt 3.46 7.23
gewendet, das Blatt
hat sich 5.27
16.80
Gewerbe 8.32 9.22
16.60 18.20
Gewerbefleiß 9.42
Gewerbetreibender
9.18
Gewerbsmann 9.18
Gewerk(schaft) 9.22
16.17

Gewerzel 2.22
gewesen 6.18ff.
— sein 2.45
—, will es nicht —
sein 19.13
Gewicht 2.16 7.41
9.44 9.73 12.12
16.85 16.95 16.97
18.21
—, ins — fallen
7.41 9.44
— legen auf 9.81
Gewichtheben 16.57
gewichtig 7.41 9.44
12.15 16.85 16.95
Gewichtigkeit
7.41 16.85
gewichtlos 7.42 9.45
Gewichtlosigkeit
7.42 9.45
Gewichtsverlust
2.41
Gewichtswurf 16.57
gewickelt, schief
9.78
gewieft 12.53
gewiegt 12.53
Gewieher 7.33 11.22
gewillt 9.4
— sein 9.2 9.4
9.14
Gewimmel 4.17
4.20
Gewinde 3.46f. 9.55
15.7 17.10
Gewinn 9.46f.
9.77 18.5 19.7
— bringen 9.47
18.5
Gewinnabschöpfung
18.6
Gewinnanteil 18.5
gewinnbringend
9.46 9.56 18.5
— anlegen 9.84
gewinnen 1.23 5.26
9.12 9.47 9.77
11.8 11.53 12.6
16.84f. 16.95 16.97
16.118 18.5
—, das Herz 16.42
—, die Oberhand
16.84
—, über sich 9.5

gewinnend 11.10
11.17
Gewinner 18.5
Gewinnsucht 18.7
19.7f.
gewinnsüchtig 19.7
Gewinnvortrag 18.5
Gewinsel 11.32f.
Gewinst 9.47 9.77
18.26
Gewirk 3.15 17.8
Gewirr(e) 3.38
4.17 4.20
gewiß 5.6f. 11.30
12.22 12.26 12.47
13.28 13.46
gewiß halten 12.22
gewisse 4.17
Gewissen 12.47
19.4ff. 19.10 19.24f.
—, böses 19.11
—, das — beruhigen
16.47
— erleichtern 13.5
—, erwachtes 19.5
—, ins — reden
16.20 16.33
—, mit ruhigem
19.24
—, nach bestem
12.22
—, reines 19.4
—, ungerührtes 19.6
gewissenhaft 9.42
12.26 16.26 19.1
19.3 19.24
Gewissenhaftigkeit
19.1 19.3 19.24
—, mit geziemender
16.26
gewissenlos 11.55
11.60ff. 16.35
19.7f. 19.10f.
19.20f. 19.25
20.3 siehe oben
Gewissensangst 19.5
Gewissensbiß 19.5
19.11
—e beruhigen, be-
sänftigen 16.47
Gewissensehe 16.13
Gewissensnot 19.5

Gewissenssache
19.24
Gewissenszwang
20.1f.
Gewissenszweifel
19.5
gewisser, ein 16.94
gewissermaßen 4.1
5.7 5.13 12.29
Gewißheit 5.6 12.20
20.1
—, sich — verschaf-
fen 12.20
—, traurige 2.45
gewißlich 5.6
Gewitter 1.10 5.36
7.57 11.42
Gewitteraas 16.33
Gewitterkeil 11.5
gewittern 1.10
Gewitterregen 1.8
gewitterschwanger
9.74
gewitterschwer
11.42
Gewittertulpe S. 67,
S. 72
Gewitterwolken
1.10 9.74
—, drohende 9.74
gewitzigt 9.52 12.53
13.10
Gewoge 8.33
gewogen 11.53
11.59f. 11.62
gewogen sein (nicht)
11.60 11.62
Gewogenheit 11.53
gewöhnen, sich
5.19 9.31
Gewohnheit 5.9
5.19 9.4 9.20
9.25 9.31ff. 9.62
16.61
Gewohnheitsdieb
9.62
gewohnheitsmäßig
9.31
Gewohnheitsmensch
9.31
Gewohnheitsrecht
9.31 19.19 19.22
Gewohnheitssäufer
2.32

Gewohnheitstier
9.31
gewöhnlich 4.17
4.33 5.9 5.19 6.30
9.31 9.45 9.59
9.62 11.28f. 11.55
12.44 16.94
gewohnt 9.31
— sein 9.31
Gewöhnung 9.31
Gewölbe 3.20 4.12
17.2 18.25
gewölbt 3.48f.
Gewölk 1.4 7.10
7.60
—, finsteres 9.74
gewollt 11.29
geworden 16.93
Geworfenheit 5.45
Gewühl 4.17 4.20
16.73
gewunden 3.43 3.46
11.29
Gewundenheit 3.46
Gewünschtes 11.36
gewürdigt 16.30
gewürfelt 3.15 7.23
12.53
Gewürge 9.40
Gewürm S. 93
Gewurstel 3.38
Gewürz 2.28 10.8
Gewurzel 4.4
gewürzt 7.68
Gewürzwein 2.31
7.54 7.65
Gewussel 3.38
gezackt 3.43 3.48f.
3.55
Gezäh 17.15
gezählt werden, zu
den Unsterblichen
16.85
gezähnt 3.43 3.48
3.55
Gezänk 16.67
Gezappel 2.22 8.33
Gezeiten 1.18 6.33
7.55 8.33
Gezeppel 4.4
Gezeter 7.26 7.30
Geziefer S. 94 4.4
geziemen 9.48
geziemen, sich 19.24

geziemend 12.47
19.22 19.24
— mit -er Ge-
wissenhaftigkeit
16.26
Geziere 2.16 11.49
geziert 11.29 11.45
11.48 16.51
— tun 11.48
Geziertheit 11.48f.
13.43 16.51
Gezirpe 7.32f.
Gezisch(e) 7.27 7.32
16.33
gezogen 9.42 19.10
—, er ist — worden
16.74
Gezücht S. 100 16.94
gezuckert 7.66
Gezweige 2.2f. 4.34
Gezwitscher 7.33
gezwungen 9.3
11.29 11.45 16.107
Ghasel(e) 14.2
GHQ 16.74
Ghule 20.5f.
Giaur 20.2f.
gib der von de
Fertige 16.78
Gibbel 10.10
gibt an 11.44
—, es — von denen,
die nichts kosten
16.78
—, es — welche
16.78
— 's, dös — fei net
16.27
— 's nicht 16.27
— seinen Senf
dazu 13.21
— zu raten 13.35
Gicht 2.41
gichtbrüchig 2.41
5.37
Gickel S. 119 11.45
Gickele 2.27
gickeln 11.22
Giebel 2.16 3.33
3.55 4.12
Giebelverzierung
15.7 17.10
Gienmuschel S. 98
giepern 11.36

giepsig 11.36
Gier 10.11 11.36
gieren 9.14
giererfüllt 11.36
gierig 2.26 10.11
11.36 18.6f.
Giermagen 2.26
Gierpansch 2.26
10.11
Gierschlung 2.26
Gießbach 7.55
gießen 4.51 5.39
7.55 11.8 15.10
—, hinter die Binde
2.32
—, in Strömen 1.8
—, Öl ins Feuer
16.67
Gießer 15.10 16.60
Gießerei 9.22f.
15.10
Gießkanne 1.8 7.55
17.6
Gießkunst 15.10
Gift 2.43 11.31
11.60 11.62 19.9
— darauf nehmen
13.50
—, mit dem — der
Verleumdung be-
spritzen 16.35
—, scharf wie 3.55
— und Galle 11.31
— und Geifer 10.9
Giftbecher 19.32
giften 11.31
giftgrün 7.18
Gifthauch 5.42
giftig 2.41 2.43
9.50 9.60 9.63 11.6
11.31 11.60f. 16.66
Giftkoch 16.60
Giftküche 13.51
Giftlehre 2.43
Giftmichel 11.58
Giftmischer(in) 2.43
Giftnudel 2.34
Giftpfeil 11.14
Giftsack 11.58
Giftschlange S. 101
2.43
Giftstoff 2.43
Gifttöpfchen 11.58
Giftzahn 2.43
Gig 8.4f.

Gigant 4.2 5.35
gigantisch 4.12 5.35
Gigerl 11.45 16.63
Gigolo 16.58 16.60
gilben 7.19
Gilde 4.17 9.68
  16.17
Gilet 17.9
gilt, es 9.44 16.24
— für 13.17
giltig, siehe gültig
Gimpe 20.18
Gimpel S. 104 9.53
  12.25 12.37 12.51
  12.56 16.72
Ginster S. 53
Gipfel 3.33 3.48
  4.12 4.41 9.64
  11.36 11.59
Gipfelfresser 16.6
gipfeln 3.33
—, in etwas 9.77
Gipfelpunkt 4.12
  5.41
gipig 4.11
Gips 1.25 1.28 3.20
  4.33 7.49
Gipsabdruck 15.10
Gipsabguß 15.10
Gipsarbeit 15.7
  17.10
Gipsverband 2.44
  7.43f. 17.9
Giraffe S. 127 4.12
  19.32
Girandole 7.5
girieren 14.5
Girlande 3.46 15.7
  16.88 17.10
Giro 18.21 18.30
Girozentrale 18.30
girren 7.33 11.53
Girsch S. 63
Gischt 7.59
gischtig 7.59
Gisela 16.3
Gitarre 15.15
—, geh ham mit
  deinr 16.33
Gitter 3.15 3.24
  3.57f. 9.73
gitterförmig 3.15
Gittergewebe 3.15
Gittertor 3.57

Gittertür 3.57 16.77
Gitzi S. 127 2.27
glaab, dös — i
  (bayr.) 13.28
Glace 2.27
Glacéhandschuhe
  11.40
glacieren 7.40
Glacis 16.77
Gladbach 2.16
Gladiator 16.74
Gladiatorenkampf
  16.70
Glanz 2.33 3.52 7.4
  9.64 11.17 11.28
  11.47 16.85 16.88
  16.93 17.10
glänzen(d) 7.4 9.56
  11.17 11.28 15.7
  16.85 16.88 17.10
—, durch Häßlich-
  keit 11.28
glänzender Gedanke
  12.2
glanzlos 7.6
Glas 1.28 6.1 7.8
  7.47 10.16 11.40
  17.6
—, kein leeres —
  sehen können 2.32
Glasbrenner 16.60
Glasdruck 5.18
  15.4f.
Glasenapp 16.60
Glaser 16.60
Gläser 1.26
—, die — füllen
  16.55
—, volle — nicht
  leiden können 2.32
gläsern 7.8 7.47
Glasfläche 3.52
Glasglocke 9.75
glashart 7.47
Glashärte 7.47
Glashaus 9.74
glasieren 3.52 7.40
glasig 7.8f.
Glasmalerei 15.4
Glast 7.4
Glasur 3.52 7.4
Glaswolle 17.8

glatt 3.12 3.51f. 3.59
  4.50 7.52 9.52
  9.54 9.66 9.77
  11.10 11.17 11.29
  12.53 13.28 13.51
  16.31f. 16.38
  16.115 20.3
—, aber 16.24
—, geht ihm —
  herunter 16.32
Glätte 3.51f. s. glatt
Glatteis 1.9 3.52
  9.74
— führen, aufs
  9.74 16.72
glätten 3.12 3.40
  3.51f. 3.59 5.38
  9.54 9.58 11.34
Glattheit 3.52
glattstellen 18.26
glattzüngig 13.51
  16.32
Glatze 2.41 3.22
— mit Gartenzaun
  2.41
glatzköpfig 3.22
Glaube 5.6 11.30
  11.35 12.17 12.22
  12.24f. 12.41 12.55
  13.51 16.18 16.114
  19.8 19.21 20.1
  20.2f. 20.7 20.13f.
—, wahrer 20.2
glauben 5.6 11.30
  12.22 12.24 20.1
—, daran 2.45
— machen 12.22
Glauben, auf Treu
  und 16.23
— erschüttern 9.7
  12.23
— finden 12.22
—, in gutem 12.26
— und Gewissen
  12.22
Glaubensartikel 20.1
  20.7
Glaubensbekenntnis
  20.1 20.7
Glaubensbote 12.33
Glaubenseifer 20.13
Glaubensfreiheit
  16.119
Glaubensgenosse 9.70

Glaubenskampf 16.70
  20.1
Glaubenslehre 20.1
glaubenslos 20.3
Glaubensloser 20.3
Glaubenslosigkeit
  20.3
Glaubenssatz 5.6
  12.17 20.1 20.7
Glaubensstärke 12.22
Glaubensstreiter 20.1
Glaubenstreue 12.22
Glaubenswut 20.2
Glaubenszwang
  20.1f.
Glaubersalz 1.28
Glaubhaftigkeit
  12.26 13.49 19.1
gläubig 12.22 20.1
  20.13
Gläubiger 18.16
  18.19 20.13
Gläubigkeit 20.1
glaublich 5.4 12.22
glaubt, das — ja
  keiner 16.33
glaubwürdig 5.4 5.6
  12.26 19.1 19.13
Glaubwürdigkeit 5.4
  5.6 12.26 13.46
  13.49 19.1 19.13
Glaukom 2.41 10.18
gleich 3.52 4.27 5.9
  5.16f. 6.8 6.14
  6.24 11.31 11.42
— groß 4.27
—, ist (=) 4.27
— machen, dem
  Boden 5.42
— null 9.45
—, Sie werden —
  rasiert 6.24
— weg sein 2.36
gleichartig 5.16f.
Gleichartigkeit 5.16
  5.18f. s. Gleichheit
gleichbedeutend
  5.15f. 13.16
Gleichberechtigung
  19.22
gleichbleiben, sich
  6.7 9.45
gleichen (sich) 5.15f.
  12.10

gleichfalls 4.28
gleichförmig 3.59
5.16 5.19
Gleichförmigkeit 3.37
3.59 5.9 5.17 5.19
9.31 11.25
gleichgerichtet 3.14
gleichgestellt 12.47
gleichgestimmt 3.59
Gleichgewicht 3.59
4.27 8.31 11.8
11.16
— bringen, ins 9.58
11.8 11.16
— verlieren 2.33
Gleichgewichtssinn
10.1
gleichgültig 9.3
9.5 9.7 9.19 9.24
9.41 9.43 9.45 9.59
9.65 11.8 11.26
11.37 11.61 12.13
Gleichgültigkeit 9.5
11.37 11.61 12.13
Gleichheit 3.51f.
4.27 5.16f. siehe
Gleichförmigkeit
Gleichklang 5.17
12.47 13.13 14.2
gleichkommen, nicht
9.65
Gleichlauf 3.14
12.47
gleichlaufend 3.14
5.16
gleichläufig 3.14
Gleichlaut 5.16 12.47
gleichmachen 3.12
4.27 16.107
Gleichmacherei 5.16
Gleichmachung 5.16
Gleichmaß 6.33
gleichmäßig 1.22 3.37
3.52 5.16f. 5.19
6.7 6.34 12.47
Gleichmäßigkeit 3.37
Gleichmut 11.8
11.12 11.16 19.2
gleichmütig 11.8
11.47
gleichnamig 13.16

Gleichnamigkeit
13.16 13.34
Gleichnis 5.17f.
12.10 13.34ff. 14.1
Gleichrichtung 3.14
gleichsam 5.9 5.17
gleichschalten 3.37
4.48 5.16 16.107
16.115
Gleichschaltung
16.84
gleichsetzen 5.15
gleichstellen 3.37
4.27 5.17 12.47
16.118f.
Gleichstellung 4.48f.
9.54 16.118
Gleichstrom 17.17
gleichteilig 4.34
Gleichung 4.27
4.35 12.10 siehe
Gleichnis
gleichwertig 4.27
5.22 5.29
gleichwohl 12.48
13.48
gleichzeitig 6.13
Gleichzeitigkeit 6.13
Gleis 3.37 9.31
11.42
—, aufs tote — ge-
schoben werden
5.47
—, ins alte — brin-
gen 9.58
Gleise 8.11f.
gleisig 3.14
Gleisner 13.51 16.32
19.8 20.14
Gleisnerei 5.18 13.51
16.32 16.72 19.8
20.3 20.14
gleisnerisch 13.51
16.32 20.3 20.14
Gleiße S. 62
gleißen 7.4
Gleitboot 8.5
gleiten 3.52 8.1 8.6
8.30 9.54 16.6
Gleitflug 8.6 8.30
Gleithang 1.16
glennern 16.56

Gletscher 3.33 4.12
7.40
Gletscherbrand 2.41
Gletscherspalte 9.74
Glied 2.16 4.33f.
4.42 9.83 16.9
—, kein — rühren
11.42
—, in Reih und
16.74
—, nützliches 19.5
Glieder 11.31
Gliederbau 5.8
Gliederfuß 2.41
gliedern 3.37
Gliederpuppe 16.56
Gliederreißen 2.41
Gliedertier S. 98
Gliederung 3.37 4.34
5.16
Gliedmaßen 2.16
4.34
gliedweise 4.42
glimmen 7.4 7.6
7.35f. 9.19 13.4
Glimmentladung 1.10
Glimmer 1.25
glimmern 7.4 13.4
Glimmerschiefer 1.26
Glimmrolle 2.34
Glimmstengel 2.34
7.68
glimpflich 4.4 4.23
5.38 16.109
Glimpfwort 13.34
Glissage 16.58
glitschen 3.52 8.1
8.30f. 16.56
glitschig 3.52 7.51
glitzer, nicht ganz
9.74
glitzern 7.4 15.7
global 1.3 3.7 9.44
Globetrotter 12.31f.
16.6
Globus 1.3 1.13 3.50
15.1
Glocke 3.17 3.50
7.25 15.14f. 16.87
16.106
—, an die große —
hängen 13.5 16.31
Glockenblume S. 80
Glockenform 3.49f.

glockenförmig 3.49
glockenklar 15.17
Glockenläuten 7.30
Glockenrock 17.9
Glockenspiel 7.25
15.15 20.16
Glockenturm 4.12
Glockner (Glöckner)
16.60 20.17
Gloffe 2.5
gloria in excelsis
20.16
Glorie 16.85 16.92
20.7
—, himmlische 20.7
20.10
Glorienschein 16.85
Gloriole 7.4 16.85
glorreich 16.85 16.87
20.7
Glossar(ium) 13.16
13.44
Glossator 13.44
Glosse 3.25 4.18
4.28 13.1 13.39
13.44 14.5 14.10
glosten 7.4
glotzen 10.15f. 11.30
glubschen 10.15
Glück 5.46 9.47 9.54
9.74f. 9.77f. 11.9
11.16 11.35 11.48
16.119
— auf! 11.35 16.38
—, auf gut 9.16 9.28
— des Gehorchen-
dürfens 11.48
16.115
— haben 9.54
— hat den Rücken
gekehrt 5.47
—, in — und Un-
glück zusammen-
halten 16.41
— in Person 5.46
—, junges 16.10
— muß man haben
12.45
— wünschen 16.39
Glucke S. 119 9.75
glücken 5.46 9.77
glücklich 2.33 5.46
9.77 11.9f.

glückselig 5.46 11.9f.
Glückseligkeit 11.9
20.10
Glückseligkeitslehre
20.10
glucksen 7.27 7.33
7.55
Gluckser 2.41
Glücksfall 5.46 9.16
9.47 18.1
Glücksgöttin 5.46
20.7
Glücksgreifen 9.16
Glücksgüter 18.3
Glücksjäger 19.7
Glückskind 5.46 9.77
Glückskleeblatt 4.39
Glückslage 11.9
Glückslauf 9.77
glückspendend 9.77
Glückspilz 5.46
9.77
Glücksrad 5.24 9.16
Glücksritter 9.16
11.16
Glückssache 9.16 9.28
Glücksspiel 5.7 9.16
9.28 16.55f.
Glücksstern 5.46f.
Glückstag 11.9
Glückswendung 5.46
Glückswurf 9.77
glückverheißend
11.35
Glückwunsch 11.22
11.50 13.2 16.39
Glückwunschadresse
16.39
Glückwunschtele-
gramm 16.39
Glucose 1.29
Glühbirne 2.16 7.5
glühen(d) 5.36 7.4
7.35f. 10.4 11.5
11.13 11.36 11.53
Glühlicht 7.5
Glühwein 2.31 7.54
Glühwürmchen 7.5
Glühzulp 2.34
Glumse 2.27
Glundern 7.44
glupsch(en) 11.57

Glüsteert 20.5
Glut 5.36 7.4 7.35f.
9.38 11.4ff. 11.53.
13.41
Glutäen 2.16
Glutbecken 7.37
Gluterabend 16.8
Glycerin 1.29 7.52f.
Glycose 1.29
Glykokoll 1.29
Glyptik 15.5
Glyptothek 15.4
G.m.b.H. (GmbH)
16.17 18.2
Gnade 11.50 11.53
16.20 16.47 16.109
16.111 20.1 20.7
— für Recht ergehen
lassen 16.47
—, göttliche 20.1
20.3 20.7
—, keine 16.108
—, sich auf — oder
Ungnade ergeben
16.83
Gnaden, Ew. 16.86
—, von Gottes 16.97
Gnadenbrief 16.103
Gnadenbrot 18.12
Gnadenengel 20.6
Gnadengehalt 18.12
Gnadensöldner
16.112
Gnadenstoß 2.46
5.29 6.4 9.35 19.32
— geben 2.46
Gnadenwohl 9.11
gnädig 11.45 11.50
16.109
Gnädige, die 2.15
Gnädiger Herr 16.86
gnaren 13.22
gnauen 11.33
Gnaus 2.3
Gneis 1.26
Gnom 4.4 20.5f.
Gnome 14.2
Gnosis 20.2
Gnostiker 20.2
Gobang 16.56
Goebbels 13.51
Gobelins 3.20 15.6
Gocke 17.9
Gockel S. 119 11.45

Gode 20.15
Godeskraut S. 70
Göding 19.27
Gof 2.22
Göhre 2.22
Gold 1.24 4.50 7.17
7.19f. 9.56 9.60
11.53 17.10 18.3
18.21 18.23
—, in — fassen 15.7
Goldadern 1.14
Goldarbeiter 16.60
Goldbarren 18.21
goldbraun 7.16
golden 7.19 11.9
11.23 12.17
goldene Brücken
bauen 9.70
—, das — Rad 16.57
— Kette 16.87
— Kugel 16.64
— Zeit haben 5.46
goldenes Kalb 18.7
20.2
goldfarben 7.20
Goldfinger 2.16
Goldfrank 18.21
Goldfüchse 18.21
Goldgehänge 17.10
goldgelb 7.19
Goldgräber 1.23 18.3
Goldgrube 18.5
Goldhunger 18.11
goldig 11.17 11.53
Goldkette 16.100
Goldkind 11.53
Goldkraut S. 67
Goldlack S. 41
Goldmacherkunst
5.26
Goldmine 18.3
Goldmünze 18.21
Goldonkel 18.12
Goldregen S. 53 18.3
18.5
goldrot 7.17
Goldrute S. 85
Goldschmied 9.18
Goldschmidt 16.60
Goldstickerei 17.10
Goldstück 18.21
Goldwaage 9.42
Goldwährung 18.21
18.28
Golem 15.1 20.5

Golf 1.16 1.18 3.10
16.57
Golfstrom 7.35 7.55
8.11
Goliath 4.2 4.12
5.35
Gollatschen 2.27
Göll 20.15
Gomorrha 19.10
Gondel 8.5f.
gondeln 8.1 8.5
Gondolier 16.7
16.96
Gong 13.1 15.15
16.57
Gonn 11.52
gönnen 8.8 9.36 11.9
11.40 11.52 11.57
16.25 16.109 18.12
19.18
—, anderen auch
etwas 18.13
—, sich einen 2.31
Gönner 9.70 11.53
16.41 18.12
—, hohe 16.95
gönnerhaft 11.45
Gönnerschaft 9.4 9.46
9.70 9.75 11.52f.
16.31 16.95 16.97
19.21
Gonorrhoe 2.41
Göpel 17.16
gordischer Knoten
9.55
Gorgo(ne) 11.28
11.42 20.5
Gori 18.21
Gorrel 20.15
Gösch 13.1 16.110
Gosche 2.16
goschen (bayr.) 16.78
Goschenmonteur
16.60
Goscherl 16.43
Gosse 3.44 3.49 7.56
8.24 9.67 19.10
Göte 16.9
Goth 20.15
Gotha 16.91
Goethit 1.25
Gotik 3.43 15.1 15.3
gotisch 3.43
gotische Schrift 14.5

Gott 5.2 5.6 5.33 8.18 9.19 9.24 9.27 11.8 11.17 11.30 11.32 11.35f. 11.39 11.46 11.50 11.54 18.29 19.10 19.18 20.1 20.4 20.7f. 20.10 20.13 20.16
—, ach 11.33
—, als — den Schaden besah 6.12
—, bei 13.28 13.50 16.23
— behüte, bewahre 13.29 16.33
—, b'hüt 16.38
—, da sei — davor 13.29
—, daß — erbarm 13.29
—, das walte 13.28
—, den lieben 9.41
—, der alte deutsche 20.7
—, der liebe 20.5 20.7
—, der unbekannte 20.7
— ehren 20.13
— erschaffen, wie uns 3.22
—, für —, Ehre und Vaterland 16.73
— gebe! 5.2 11.36
—, grüß euch 16.38
— hab ihn selig 2.48
—, ist von — verlassen 12.56
—, Mit 16.38
—, Mit — für König und Vaterland 16.73
—, Reich -es 20.1
—, so — will 19.15
—, so wahr mir — helfe 13.50 16.23
—, wahrhaftig in 13.50
— weiß wieviel 4.20
— Zebaoth 20.7
— zum Gruß 16.38
gottbegeistert 20.1
gottbegnadet 5.46 11.10 20.1 20.13

Götter 9.9 11.24 20.7
Göttern, bei allen 13.50
Götterbote 13.8
Götterdämmerung 6.25
Götterfunken 11.36
gottergeben 11.16 20.1 20.13
götterhaft 10.8
Gotterkenntnis 20.1
Götterschmaus 10.8
Götterspeise 2.27 10.8
Götterstärke 5.35
Göttertrank 2.30 7.54 10.8
Göttertropfen 7.54
Gottes, daß du meinst, die Mutter — ist ein Raubvogel 16.68
—, Diener 20.17
—, Finger 16.80
— freie Natur 3.1
—, Mann 16.33
—, Reich 20.1
—, Segen 4.20
—, Söhne 20.6
—, steht in — Hand 5.45
—, um — willen 9.74 11.42 13.29 16.20
—, wahrhaftigen 13.50
— Wort 16.106 20.19
Gottesacker 2.48
Gottesauge 2.48
Gottesbegeisterung 20.1 20.13
Gottesbraut 20.17
Gottesdienst 20.13 20.16
Gottesfurcht 20.1 20.13
gottesfürchtig 9.6 20.1 20.13
Gottesgabe 18.3
Gottesgabendrechsler 16.60
Gottesgehorsam 20.7 20.16

Gottesgeißel 5.42
Gottesgelehrter 20.17
Gottesgelehrtheit 20.1
Gottesgericht 16.80 19.27
Gottesglaube 20.1 20.13
Gottesgnadentum 16.97 20.16f.
Gotteshaus 9.76 20.20
Gotteskasten 20.21
Gotteskind(er) 20.1 20.13
Gottesknecht 20.17
Gotteslästerer 20.1
gotteslästerlich 20.4
Gotteslästerung 9.86 19.11 20.3f.
Gottesleugner 20.2
gottesleugnerisch 20.3
Gottesleugnung 20.3
Gotteslohn, um 18.29
Gottesstaat 20.16f.
Gottesurteil 12.9 19.27
Gottesverächter 20.3
Gottesverehrung 20.2
Gottesworthandlanger 16.60
Gottfried 16.3
gottgefällig 20.1 20.13
— leben 20.13
gottgeweiht 20.1
Gottgeweihtheit 20.1
gottgläubig 20.3
Gottheit 20.7
Göttin 11.17 11.53 20.4 20.7
göttlich 9.64 11.10 11.16f. 19.3 20.7 20.13 20.19
göttliche Macht 20.7
Göttlichkeit 20.7 20.13
Gottlieb 16.3
gottlob! 11.54

gottlos 19.6 19.10 20.3f.
Gottlosenpropaganda 20.4
Gottlosigkeit 19.9f. 20.3
Gottmensch 20.7f.
Gottseibeiuns 20.9
gottselig 20.1
Gottseligkeit 20.13
gotterbärmlich 4.50
gotträflich 4.50
Gottstrammbach 11.5
gottverachtend 20.4
Gottverächter 20.4
gottverdanzig 11.5
gottverflucht 20.4
gottvergessen 20.4
gottverlassen 3.4 11.41 12.27 12.56 16.52 20.3
Gottvertrauen 20.1 20.13
gottvoll 10.8 11.23
Götze(n) 11.36 20.7 20.16
Götzenbild 20.2 20.16
Götzendiener 20.2
Götzendienerei 16.115 20.2 20.22
götzendienerisch 20.2
Götzendienst 20.2 20.16
Götzenleuchter 16.60
götzenverehrend 20.2
Götzenverehrung 20.16
Gouache 3.20 15.4
Gourmand 2.26 10.10ff. 11.36
Gourmet 2.26 10.10
goutieren 10.8
Gouvernante 12.33 16.112
Gouverneur 16.74 16.96ff.
GPU 19.29
Grab 2.25 2.46 2.48 4.50 8.2 11.32 20.5 20.20
— des armen Mädchens 2.48

Grab, mit einem Fuße
im 2.25 2.41 5.37
— wie das 13.4
13.23
grabähnlich 7.25
Grabbelmutter 2.44
Grabbo 1.26
Grabdenkmal 2.48
graben 1.23 3.49 9.50
9.74 12.53
—, eine Grube 12.53
Graben 3.25 3.44
3.49 7.56 9.73 9.76
16.75 16.77 17.14
—, Wall und 16.77
Grabesstille 7.28
Grabgesang 11.32f.
Grabkreuz 2.48
Grabmal 2.48 13.1
Gräbner 16.60
Grabrede 11.32f.
Grabscheit 17.15
Grabschrift 2.48
Grabstein 2.48 13.1
14.5
Grabstichel 3.55
Grabtuch 2.48
Gracht 8.11
grad 9.77
Grad 3.37 4.1 4.13
4.41 4.50ff. 5.7
5.34ff. 12.10
16.85
—, der dritte
13.25
Graddel 11.45
grade 12.13
Gradflügler S. 94
Gradierung 7.68
Gradierwerk 7.68
Gradlinig(keit) 3.40
G(e)radsinn 13.49
Gradual(e) 20.16
graduell 3.37 5.19
graduieren 3.37
gradweise 4.42
Graf 16.60 16.91
16.98
Grafenstand 16.91
Gräfin 16.60 16.91
16.98
Grafschaft 1.15 16.19
Gräge 2.3

Graitel 2.16
Gräkomanie 13.52
Gral 11.30 20.20f.
gram sein 16.66
Gram 11.13f. 11.31f
grambedeckt 11.32
grämen 11.32f.
—, sich 19.5
Grämen 2.27
gramgebeugt 11.32
Gramineen S. 15
grämlich 11.31f.
11.58 16.53
Grämlichkeit 11.31
16.53
Gramm 7.41 12.12
Grammatik 9.25
12.33 13.12 13.31
grammatisch 13.12
Grammeln 2.27
Grammophon 15.14f.
Grammophonnadel,
mit der — geimpft
13.22
Gran 4.4 7.42
Granat 1.25 7.17
17.10
Granatapfel S. 60
Granate 7.38 17.13
Granatgewehr 17.12
Granatwerfer 17.12
Grande 16.91
grande dame 16.62
Grandezza 11.44f.
—, feierliche 16.88
grandios 9.44 11.17
16.88
granieren 7.49
Granit 1.26 7.44
9.78
graniten 7.44
Granitporphyr 1.26
Granne 2.3 2.16 3.53
3.55
Gränten 2.27
grantig 11.27 11.31
16.53
Granulierung 7.49
Granulit 1.26
Grape fruit S. 55
2.27
Grapen 17.6
Grapheur 15.5

Graphierung 15.5
Graphik 15.4
Graphiker 15.4
graphisch 13.33 14.1
15.4
Graphit 1.25f.
Grapholog 16.60
Graphologie 14.5
Gras S. 15ff.
—, ins — beißen
2.45f.
—, über eine Sache
— wachsen lassen
12.40 13.23
Grasaff 2.22
grasen 2.26
Grasen 16.38
Graser 2.16
Grasernte 2.5
grasgrün 4.50 7.18
grasig S. 16 2.2
Grasland 1.13
graslos 2.7 3.22 9.49
Grasmücke S. 108
graß 4.1 5.14 11.28
grassieren 4.3 4.20
4.33 9.31 9.61
gräßlich 4.50 11.28
11.42 11.59 11.62
19.9
Grasteppich S. 16
1.13 3.52 7.18
Grat 3.43 3.48 3.55
4.9
Gräte 2.16 3.55
9.60
grätenlos 7.50
grätern 13.22
Gratifikation 16.46
18.12 18.29
gratis und franco
18.12 18.29
grätschen 4.34
Grattier S. 127 8.7
Gratulant 16.39
Gratulation 11.21f.
11.50 16.39
Gratulationscour
16.39
Gratulationskarte
16.39
gratulieren 11.20ff.
11.50 16.39

grau 2.25 2.33 6.4
7.6 7.15 11.41
12.13
— in grau 7.12 15.4
graues Haupt 2.25
Graubart 2.25
graubäsig 10.12
Gräue 7.15
grauen 6.2 7.4 7.6
9.5 11.42
Grauen 6.2 7.4
11.27 11.42
grauenhaft 11.28
11.42
grauenvoll 11.42
11.59
graugrün 7.18
gräulich (grau) 7.15
graupeln 1.9
Graupeln 4.17 7.40
Graupen 1.9 2.27
11.27
Graupenpalais 19.33
Graus 11.28 11.42
grausam 11.14
11.60f. 16.79
16.108
Grausamkeit 11.61
16.79 16.108
Grauschimmel 8.3
grausen 11.28 11.42
11.59
Grausen 11.42 11.59
grausig 11.28
Grauwacke 1.14 1.26
7.49
grave 11.25
Graveur 15.1 16.60
gravid 2.20
Gravidität 2.20
gravieren 13.1 15.5
Gravierung 15.5
Gravität 11.8 11.31
Gravitation 7.41
8.14 8.30
Gravitationslehre
7.41
gravitätisch 11.8
11.25 11.31
Gravüre 15.4
Grazie 11.16ff. 20.7
Grazien 4.38 11.17
grazil 4.11

graziös 7.42 11.10
11.17
Gräzismus 13.32
grebetzen 2.35
Greenhorn 6.26 9.29
12.35 12.37 12.56
Greif 11.30
greifbar 1.20 3.3
3.42 5.1 7.43 12.26
13.3
greifen 3.9 5.1 9.78
10.2 11.10 11.52
16.117 18.6 18.12
18.26
—, daneben 12.27
— nach 18.6
—, nicht in Schmutz
16.36
—, sich jemd. 16.78
—, um sich 4.3 9.61
Greifen 16.56
—, zum 3.9
—, Zum 16.64
Greifer 19.29
Greifling 17.9
greinen 11.32f. 16.67
Greintag 16.8
Greis(in) 2.25
Greisenalter 2.25
Greisenhaftigkeit
12.56
Greisler 16.60 18.25
grell 7.11 7.13 7.26
7.31 11.28f. 13.52
15.2 15.18
grellfarbig 11.28f.
Gremium 4.17
Grenadier 4.12 16.74
Grensing S. 82
Grenzaufseher
16.101
Grenzbach 3.25
Grenzball 16.57
Grenzbegriff 12.29
13.48
Grenzberichtigung
4.34
Grenze 1.15 3.9 3.18
3.23ff. 4.34 6.4
8.19 11.11f.
—, grüne 16.29
—, natürliche 11.45
—, Truppen an der
— zusammen-
ziehen 16.68

grenzen 3.9
Grenzen 11.48
— ziehen 16.29
grenzenlos 3.14 4.40
4.50
Grenzer 9.26
Grenzfall 4.50 12.23
Grenzfluß 3.23
Grenzgebirge 3.23
3.25
Grenzland 3.9
Grenzlandbauer 2.5
Grenzlinie 3.23 3.25
Grenzmark 3.23 3.25
13.1 siehe Grenze
Grenznachbar 3.9
Grenzsperre 3.23 3.25
3.58
Grenzstein 3.23 3.25
13.1
Grenzstrich 3.23
Grenzverletzung
16.73
Grenzwächter
16.101
Grenzwall 3.23
Grenzwert 4.4
Grenzzeichen 3.25
13.1
Gretchen 16.3 16.50
Grete 16.3
—, Hans und 16.11
Greuel 11.28 11.62
19.10 19.20
Greuelhaftigkeit
11.28
greueln 11.41
Greueltat 11.60
19.10f. 19.20
greulen 12.43 16.65
greulich 11.14 11.28f.
11.42 11.62
Grieben 2.27 2.41
Grieb(sch) 2.3
Griechen, Beim 2.48
griechisch (Stil) 15.3
Griechisch-Römisch
16.57
grienen 4.50 11.22
griensch 11.27
Griesgram 11.27
16.53
griesgrämig 11.31f.
16.53

griesgrau 7.15
Grieshaber 16.60
Grieß 2.27 7.49
grießig 7.49
Grießkrämer 18.23
Grießwart 16.67
Grießwärtel 16.70
Griff 9.25 9.52 11.38
16.57 16.97 17.9
17.15
—, kühner 11.38
Griffbrett 15.15
Griffel 14.5
Griffelkunst 15.5
griffig 11.17
Grille S. 94 7.33
9.10 12.28 16.54
Grillen fangen 12.28
Grillenfänger 11.32
Grillenfängerei 9.10
11.31f.
grillenhaft 5.20 9.10
11.23f. 11.31f.
12.28
Grimasse 11.28 11.32
15.2 16.54
Grimassen schneiden
16.54
grimassenhaft 11.27f.
grimm 11.31 11.58
16.61
Grimm 5.36 11.6
11.31 11.38 11.60
11.62 16.81
Grimmdarm 2.16
grimmig 4.1 4.50
5.36 11.14 11.31f.
11.38 11.60
— kalt 7.40
Grind 2.16 2.41 3.20
9.67
Grindskopf 16.33
grinsen 11.22 11.28
16.54
Grinsen 11.21ff.
11.27f. 16.54
Grippe 2.41
grippös 2.41
Gripsmassage 9.40
12.33
Grisette 2.15 10.21
16.45

grob 3.53 4.10 4.50
9.53 11.28f. 11.61
13.49 16.34 16.53
16.90
— werden 16.53
— wie Bohnenstroh,
ein Klotz, Sack-
leder 16.53
groben, aus dem —
hauen 9.26
grober 11.29
Gröber 16.60
Grobheit 3.53 9.53
13.49 16.53 16.90
Grobian 9.53 11.6
11.28f. 12.37 16.53
grobknochig 11.28
grobkörnig 5.8
11.28
Gröbs 2.3
Grog 2.31 7.54
groggy 2.39 16.57
16.83
grölen 7.31 7.34
11.22 15.18
Groll 11.31 11.59f.
11.62 16.66f.
grollen 1.10 7.30
11.31f. 11.62
16.66f.
Grönländer 8.5
Groom 16.6 16.112
Gropengießer 16.60
Gröper 16.60
Groppen 17.6
Gros (Zahl) 4.39
4.42 9.44 16.74
— der Armee 16.74
Groschen 4.41 18.10
18.21
—, der — ist ge-
fallen 12.31
Groschenschmierer
14.11
groß 4.1f. 4.12 4.41
5.19 8.7 8.28
9.44 11.17 11.31
11.43 11.45 11.53
12.32 13.41 16.85
19.2
—, das —e Los 4.40
— tun 16.69
— und klein 4.33
4.41
— werden 2.23

Großadmiral 16.74
16.97
großartig 16.85
—, das ist doch
16.33
Großaufnahme 15.9
großdenkend 16.109
große Welt 16.62
Große 2.23
Größe 4.1f. 4.12
9.44 9.52 14.11
16.85
siehe groß
—, geistige 12.52
12.54
—, gewesene 16.93
—, Stern erster
16.62
—, unbekannte 16.93
Großeltern 2.25 16.9
Größengrade 4.1
Größenverhältnis 4.1
Größenwahn 11.44
12.57
Größenwahnsinn
2.41
Großer, ein ganz
12.21 16.85
größer 4.51
— ,werden 4.3
Großes 11.45
großes Format 12.54
Großfeuer 5.42
Großfinanz 18.3
Großflugzeug 8.6
großgeschrieben
11.45
großgezüchtet
künstlich 12.34
Großgrundbesitzer
2.5
Großhändler 18.23
Großheit 13.41
großherzig 19.2
Großherzog 16.98
Großherzogtum 16.19
Großhundert 4.39
Großindustrieller
18.3
Grossist 18.23
großjährig 2.23
Großkampfschiff 8.5

Großkampftag 9.37
16.73 18.23
Großkaufleute 18.3
Großkind 16.9
Großkopf 11.45
großkopfet 11.45
Großkopfeten 16.91
16.95
Großkordon 16.86f.
großkotzig 11.45
16.89
Großkraftwerk 17.17
Großmacht 16.19
großmächtig 4.50
Großmama, das
kannst du deiner
— erzählen 12.23
großmaschig 3.15
Großmaul 11.45
16.89f.
Großmogul 16.97f.
Großmut 11.40
11.52 12.40 18.13
19.2
großmütig 11.52
18.13 19.2
Großmutter 2.25
9.60 16.9 20.9
Großneffe 16.9
Großnichte 16.9
Großonkel 16.9
Großreinemachen
9.66
Großschlachtschiff
8.5 16.74
großschnäuzig 11.45
Großsprecher 16.89
Großsprecherei 11.45
16.89
großsprecherisch
11.45 16.89f.
Großstadt 16.2
Großstadtluft 7.64
9.67
Großtante 16.9
Großtat 9.18
Großtuer 11.45
16.89
Großtuerei 11.28f.
11.45 13.52
großtuerisch 11.45
16.89
großtun 11.45 16.89
Großtürke 16.98

Großvater 2.25 16.9
—, als der — die
Großmutter nahm
6.21
Großvaterstuhl 3.16
17.3
Großwarenhändler
18.23
Großwesir 16.98
großzügig 12.54
16.109
Grot (Geld) 18.21
grotesk 3.60 5.20
11.22ff. 11.28f.
13.52 15.2
Groteske 11.24 16.54
Grotte 3.49 17.1
20.20
Grotz(en) 2.3
Grübchen 3.43 3.48f
Grube 1.11 1.23 2.46
2.48 3.49 3.57 4.14
4.18 9.74 9.76
— fallen, in die
9.50 9.78
— graben, eine 9.74
12.53
—, in die — fahren
2.45
Grübelei 11.19 11.32
grübeln 9.26 10.12
11.32 12.3
Grubenfahrer 1.23
Grubengas 1.29 7.60
Grubenhund 8.4
Grubenlampe 7.5
Gruft 2.46 2.48
—, die hohle 2.48
—, in die — steigen
2.45
Grummet 2.5
grumpeln 1.10
grün 2.22 4.46 6.26
7.18 11.60 11.62
12.25 12.56
— hinter den Ohren
2.22 12.56
einem nicht — sein
11.60
Grün 7.18
—, bei Mutter
sein 3.18 16.1
grüne Bohnen 2.27
— Seite 3.31

Grund 1.13 1.16 2.5
3.16 3.18ff. 3.34
4.32 4.41 4.50
5.10 5.24 5.31
9.7 9.12f. 9.44
11.13 12.8 13.46
18.1 19.11
— bearbeiten, den 2.5
— gehen, zu —e
5.42
—, in den — boh-
ren 5.42
—, in — und Boden
rezensieren 16.33
—, in — und Boden
zerstören 5.42
— legen 12.33
— und Boden 1.13
Grundbalken 3.16
Grundbirne S. 71
3.50
Grundbuch 14.9
Grundeigentum 18.1
Grundeinstellung
12.22
Grundeis 7.40 11.42
Grundelement 1.20
5.10 6.2 9.27
12.32
gründen 5.31 9.21
9.26 9.29 17.1
—, eine Partei 16.17
— in 5.34
— sich — auf 3.16
Gründer 5.39 16.17
18.30
Grundertragnis 18.5
grundfalsch 4.50
Grundfläche 3.1 3.16
3.34 4.13
Grundgedanke 12.5
12.17
grundgelehrt 4.50
12.32
Grundgesetz 19.22
Grundgestalt 5.18
Grundgewebe 5.10
grundgütig 4.50
Grundheil S. 82
Grundherr 18.1
grundieren 3.20 9.26
Grundkapital 18.21
Grundlage 3.16 3.34
5.19 5.31 6.2 9.15
9.26 9.44 12.33
— schaffen 2.26

grundlegend 3.34
  5.24 5.31 9.44
  12.17 siehe oben
gründlich 4.1 4.41
  4.50 9.42 9.52 12.8
  12.32
Gründlichkeit 9.42
grundlos 4.14 12.19
  12.27 13.29 13.51
Grundmauer 3.16
  17.2
Gründonnerstag
  20.16
Grundpfeiler 3.16
Grundregel 12.17
grundreich 18.3
Grundrente 18.5
Grundriß 3.18
  9.15 9.25f. 12.33
  14.12 15.1
Grundsatz 3.34 5.19
  12.17 16.106 19.1
  19.19
grundsätzlich 4.41
  5.24 12.17 19.1
grundschlecht 4.50
  19.9
Grundschuld 19.16
Grundstein 3.16
  9.26 9.44 17.2
Grundsteinlegung 6.2
  9.26 9.29
Grundstock 4.33
  4.42 18.21
Grundstoff 5.1
Grundstrich 14.5
Grundstück 1.15
grundstürzend 4.41
  5.21
Grundton 5.19
Grundträger 3.16
Gründung 5.39 9.26
Gründungswesen
  16.17
Grundvermögen
  4.17f.
grundverschieden
  5.21
Grundzug 5.9
grunelt, es 7.63
Grünen, die 19.29
—, Zum — Baum
  16.64

grünen(d) 5.46
  7.18 9.77
Grünfäule 2.4
Grünkern 2.27
Grünkreuz 2.43
grünlich 7.18
Grünling S. 9 2.27
  9.53 12.57
Grünschnabel 2.22
  9.53 12.56
Grünspan 1.28 3.20
  7.18
Gruntschel 2.27
grunzen 7.33
Grunzen, es wäre
  mir ein 16.24
Gruppe 4.17 4.20
  4.47 15.10 16.16
  16.74 16.74a.
gruppenartig 4.17
Gruppenehe 16.11
gruppieren 3.37
  4.17
Gruppierung 3.37
gruseln 11.42
Gruß 8.18 13.23f.
  16.30 16.38
—, englischer 20.13
  20.16
— entbieten 16.38
—, Gott zum 16.38
—, mit bestem
  16.38
—, stummer 16.38
Grüß Gott 13.24
  16.38
grüessi 16.38
Grüße 14.8 16.74a.
  17.13
grüßen 8.18 13.24
  16.38
Grußkomment 16.64
Grütze 2.27 7.51
— im Kopfe haben
  12.52
Grützkasten 2.16
Gschäft, ein 18.5
Gschaftlhuber 3.7
  9.38
gschamig 11.49
  16.51
Gscherter 16.60
gspaßig 11.30
Gspusi 11.53
gstellt 11.17

Gstunzen 16.56
Guano 9.67
Guardian 20.17
Guasch 3.20
Guben 2.5
Gubb 2.5
guck 11.30
Gucke 17.7
gucken 2.33 10.15f.
  11.30 12.7 12.13
  18.15
Gucker 2.16
guckguck 16.56
Guck-in-die-Welt
  2.22
Guckkasten 7.2
guddern 1.8
Gude 20.7
Gudrun 16.3
Guerilla 16.67
Guerillabanden
  16.74
Guerillakrieg 16.71
Gufe 3.55
Gugel 17.9 20.18
Gugelfranz 16.60
Gugelhupf 2.27
Guido 16.3
Guillotine 19.32
Guillotinierung
  2.46 19.32
Guinea 18.21
Guinee 18.21
Guirlande 3.47
  17.10
Guitarre 15.15
Guitarrone 15.15
Gulasch 2.27
Gulaschkanone 2.26
Gulden 18.21
gülden 7.19
Gulle 7.64
Gülle 2.5
Gulli 7.56
Gully 8.24
gültig 4.23 5.1 9.64
  19.19
Gültigkeit 9.56
Gumma 2.41 11.28
Gummer S. 79 2.27
Gummi 7.45 7.50
  7.53
Gummi arabicum
  4.33

gummiartig 7.45
Gummifluß 2.4
Gummigutt 7.19
Gummiräder 9.54
Gummischuh 3.20
  17.9
Gummizelle 7.45
  11.8 12.57
gummös 2.41
gumpen 8.29
Gumpen 1.18f.
Gundelrebe S. 76
Gundermann S. 76
Günsel S.73
Gunst 5.46 9.4
  9.46 9.70 9.76f.
  11.31 11.52f. 16.33
  19.21
—, die — des
  Schicksals er-
  fahren 5.46
—, in — stehen
  16.41
—, sich um die —
  bewerben 16.32
—, sich in die —
  einschmeicheln
  16.32
— verscherzen
  12.27 18.15
Gunstbezeigung 9.70
  11.54
günstig 5.46
  6.35 6.37 9.46
  9.56 9.70 11.35
Günstling 11.53
  19.21
— des Glücks 5.46
Günstlingswirtschaft
  19.21
Günther 16.3
Gurgel 2.16 2.31
  3.10 7.61 18.14
—, durch die —
  jagen 2.31
Gurgelberg 2.48
gurgeln 7.27 7.34
  7.55
Gurke S. 79 2.16
  2.27 5.20 7.67
  9.55 11.24
Gurkenhobel 5.20
Gurkenkraut S. 62
  2.28
Gurkha 16.74

Gurre

Gurre / haben

Gurre S. 128 2.39
gurren 7.33
Gurt 3.18 3.24
4.25 4.33 17.2
17.9
Gürtel 3.18 3.24
3.47 4.25 4.33
16.50 16.77 17.9f.
Gürtelrose 2.41
Gürtler 16.60
Gurtwerk 3.18 17.2
Guru 20.17
Guscht 2.35 7.59
Gusla 15.15
Guß 1.8 4.22
5.16 7.57 7.66
14.6 14.8
—, aus einem 4.41
9.64
Gußeisen 1.27
gußeisern 9.60
Gußkunst 15.10
Gußstück 4.42
Gustav 16.3
Gusto 7.65 11.17
—, nach seinem 9.2
gut 7.63 7.65 9.47
9.56 9.75 10.8
11.8f. 11.11
11.15ff. 11.21
11.23 11.34f. 11.46
11.52f. 11.62 16.24
16.109 18.3 19.4
— beisammen sein
2.38
— bekommen 2.38
16.38
— dran 18.3
—, ganz 12.47
— gewachsen 3.59
—, hat es 5.46
—, ich bin dir —
dafür, daß 16.23
— imstande sein
2.38
— schmecken 10.8
—, seien Sie so 16.20
—, sonst gehts Ihnen
16.27
— stehen mit 16.41
— tun 2.40
— und gerne 9.56
—, wieder —
werden 16.47

Gut 1.15 2.5 5.39
11.61 17.1 18.1
18.21 18.24
—, mit — und Blut
16.73
— Heil, — Holz,
— Naß 16.38
Gutachten 12.11
12.14 12.22 12.49
13.2 13.26 14.9
19.27
gutartig 11.52
Gutbefinden 2.38
9.11 12.11 12.20
19.27
gutbringen 18.26
Gutdünken 9.11
12.22 16.97 16.119
Gute 11.52
—, alles — in
diesem Sinne 8.18
— Nacht 16.38
gute Natur 2.38
— Qualität 9.56
Güte 9.46f. 9.56
11.5 11.51f. 16.109
19.3 20.7
—, durch 14.8
—, wollen Sie die —
haben 16.20
Gutedel 19.8 19.10
gutem, in 16.48
Guten Abend 16.38
— Morgen 16.38
— Tag 13.24
Guter, ein 11.23
guter Dinge sein
11.20
Güter 4.18f. 18.1
18.24 19.33
Güterbestätter 18.23
Güterhalle 9.23
Güterschlächter
18.16
Güterschlächterei
18.21
Güterzug 8.4
Gutes 4.50 11.11
11.52
Gütestelle 16.49
gutgesinnt 16.114
gutgläubig 19.4
Guthaben 18.16
18.21

gutheißen 12.47
16.24 16.31 16.103
19.14 19.19
Gutheißung 12.47f.
16.24 16.31 16.47
16.103 19.14 19.19
19.22
gutherzig 11.52
Gutherzigkeit 11.52
gütig 11.5 11.50ff.
11.54 16.109
gütlich 11.9 16.48
—, sich — tun 2.26
11.11
gutmachen 16.46
16.80 18.20 19.26
gutmütig 11.47
11.52 16.38 16.47
Gutmütigkeit 11.46
16.38 16.47 16.82
19.4
Gutnacht, aber
dann 9.78
Guts 2.27
gutsagen 19.16
Gutsagung 19.16
19.22
Gutsbesitzer 2.5
16.97f. 18.1
Gutschein 13.1 18.1
18.21
gutschreiben 18.26
Gutschrift 18.16
19.22
gutsherrlich 18.1
gutsitzend 3.59
Gutspflichtiger
16.112
gutsprechen für
19.16
Gutsprechung 19.22
gutstehen 19.16
19.22
— für 13.46 19.22
Guttapercha 7.45
7.53
Guttempler 11.12
Gutturallaut 13.13
Gymnasiast 12.35
Gymnasium 12.36
19.33
Gynai(ko)kratie
16.97
Gynäkolog 2.44
16.60

H

Haar 2.2 2.13 2.16
3.20 3.53 4.11 4.25
4.42 7.42 9.74
—, um ein 9.74
—e lassen 9.50 12.46
18.15
—, in den —en liegen
11.62 16.67
Haaresbreite 3.9
4.9 9.74
haarförmig 4.9 4.42
haarig 3.20 3.53
4.42 4.50
Haarkräusler 17.10
Haarkünstler 17.10
Haarnetz 3.17
Haarrauch 7.53
haarscharf 3.9 3.55
Haarschmuck 17.10
Haarspalterei 12.11
16.33
Haarspitzenkatarrh
2.33
Haarstern 1.1
haarsträubend 11.5
11.28 11.30 11.42
11.59
Haarstrich 4.11
4.42 14.5
Haartour 17.10
Haartracht 17.10
Hab und Gut 4.18
18.1
Habe 4.17f. 18.1
18.21
— berauben 18.6
18.9
—, fahrende 18.1
habeat sibi 9.45
haben 4.41 5.1 5.3f.
5.9 5.13 5.16 5.21
5.31 9.36 9.52
11.36 11.45 11.59
11.62 12.31 16.97
18.1 18.3 19.4
19.12 19.22
—, auf sich ruhen
19.24
—, dafür zu —
sein 9.11 16.24

687

haben, die Ehre 16.38
—, die Pflicht 19.24
—, es dazu 18.3
—, etwas auf dem
Rohre 9.14 12.41
—, Fühlung 16.49
16.73
—, hinter sich 3.27
9.35
—, in die Mache
16.78
—, nichts 18.4
—, noch zu — sein
16.12
—, sich 9.10 11.45
16.51 16.89
—, sich gedacht
12.20
—, will etwas dafür
19.7
—, wie schon gehabt
12.32
Haben 18.16
Habenichts 18.4
Haber siehe Hafer
Haberecht 9.8
16.90
Haberfeldtreiben
7.31 16.33 19.20
Habergeiß 20.5
Habgier 18.6f.
18.9 18.11 19.7
habgierig 19.7
habhaft 18.5
Habicht S. 116
Habit 3.20 17.9
20.18
Habitué 9.31 16.5
Habitus 2.38 5.8
5.11
Habseligkeiten 18.1
Habsucht 11.36 18.7
18.11
habsüchtig 11.36
18.7
Hach 2.5
Haché 1.21 2.27
Hachse 2.16
Hacienda 3.4 18.1
Hackbrett 15.15
Hacke 3.55 17.15
hacken 4.34
Hacken (nordd.)
2.16 9.38 17.9

Hackepeter 2.27
—, Zum 16.64
Häckerling 2.10
9.45 9.49
Hackfleisch machen
5.42 16.68
Hackmesser 3.55
Hacksch S.127 16.44
Häcksel (im Kopfe)
12.56
Hadatsch 19.29
Hader 16.67 16.70
17.8
Häderer 2.16
Haderlump 16.33
16.94
hadern 16.67
Hadern (Lumpen)
9.49
Hades 20.11
Hafen 1.11 1.16
1.18 8.2 8.5 8.20
9.76 17.6
—, in den — der
Ehe einlaufen
16.11
Hafensperre 9.73
Hafer S. 21 2.27
9.10 11.5 11.11
11.21 19.10
—, der — sticht ihn
10.21
Haferkasten, Zum
16.64
Haferkrieger 2.5
Hafermann 20.5
Haferqueller 16.60
Haferschleimvilla
2.44
Haff 1.16 1.18
Haffel 2.16
Hafner 16.60
Hafnium 1.24
Haft 4.25 16.117f.
19.32f.
haftbar 18.17 19.24
haften 13.28 13.46
19.14 19.16 19.24
— für 18.26
Häftling 16.117
19.31
Haftpflicht 19.16
Haftung 19.16

Hag 1.13 2.5 3.24
Hagebusch 3.24
Hagebutte S. 47 2.27
Hagedorn S. 48
Hagel 1.9 4.20 7.40
7.57 11.5
hageldicht 4.50
Hagelgans S. 117
Hagelkorn 2.41
Hagelkreuz 2.48
hageln 1.9 4.17 4.20
Hagen 2.5
hager 4.4 4.11
11.27f.
Hagestolz 2.14 4.34
4.36 16.12 16.52
19.7
Hagiograph(en)
20.19
Hagiographie 20.7
Hagrose S. 47
Häher S. 102
Hahn S. 119 2.14
3.57f. 4.51 7.56
8.24 9.45 9.77
11.53 12.41 16.85
16.88 16.94 17.12
— auf seinem Mist
12.55
—, den roten —
aufs Dach setzen
7.36
— im Korb 3.24
11.53 16.55 16.91
—, mit gespanntem
9.26
—, Roter 16.64
Hahnenfuß S. 38
Hahnenruf 6.2
Hahnenschweif 15.7
Hahnentritt 2.21
Hahnrei 16.14
Hai S. 99
Haiduk 16.74
Hain 1.15 2.1 2.5
20.20
—, geheiligter 20.20
Hain(buche) S. 28
Hainbutte S. 47
hak unter, kleiner
Klunter 16.42

Häkchen 14.5
Hakelber(e)nd 20.7
Häkelei 3.15 3.17
16.67 17.8
häkelig 9.55
häkeln 3.13 4.33
16.33 17.8
Haken 2.16 3.17
3.19 3.24 3.43
3.46 3.55 3.58
4.25 4.33 8.12
9.73f. 16.57
—, hat einen 9.55
hakenförmig 3.43
3.46
Hakenkreuz 15.7
Hakennase 2.16
Hakenschlüssel 3.57
Halali! 2.12 5.29
16.55 16.57
halb 4.45 6.3 9.7
9.34 12.13
— drüber 2.33
— so wild 13.48
— und halb 1.21
—e Kost 4.25
—es Dutzend 4.39
halb- 1.21
Halb- 1.21
Halb und Halb 2.30
halbamtlich 9.12
Halbbildung 12.34
Halbblut 1.21 2.10
8.3
Halbbruder 16.9
Halbdunkel 7.6
halbdurchlässig 7.48
halbdurchsichtig 7.9f.
halbecht 12.23
Halbedelstein 17.10
Halbengländer 1.21
halber 5.31
halbfertig 9.34
halbfett 14.6
Halbflügler S. 94
halbflüssig 7.51
halbgebildet 12.37
16.120
Halbgott 19.4 20.7
Halbheit 4.45 5.37
9.7 12.23
halbhoch 4.52
Halbidiot 12.56
halbieren 4.5 4.34
4.45 6.3

halbiert 4.45
Halbinsel 1.13
  1.16f.
Halbjahr 6.1
Halbjungfrau 10.21
Halbkasten 2.5
halbklar 7.9
Halbkreis 3.46
Halbkretin 12.57
Halbkugel 1.13 15.1
Halbkutsche 8.4
halblang 13.52
halblaut 7.27
Halbleinen 14.11
Halblicht 7.4 7.6f.
  15.1
Halbmantel 3.20
Halbmast 2.48 4.13
Halbmond 3.46
  16.77
halbnackt, der Kerl
  läuft — herum
  16.33
Halbnarr 11.6
Halbporzellan 7.39
Halbrechter 16.57
Halbreim 14.2
Halbrelief 15.10
halbrund 3.48
Halbsäckel 16.33
Halbschatten, siehe
  Halblicht
Halbscheid 4.45
halbschlächtig 1.21
Halbschlaf 2.36
  9.24
Halbschock 2.5
Halbschuh 17.9
halbschürig 1.21 5.7
  9.60 9.65
Halbschwergewicht
  7.41
Halbseide 17.8
halbseiden 1.21
Halbseidener 16.63
Halbstämmling
  1.21
Halbstarker 2.22
Halbstein 7.38
Halbstiefel 3.20
Halbstiegen 2.5
Halbton 15.11
Halbung 4.45

halbvollendet 9.19
  9.34
halbwegs 4.45 6.3
Halbwelt 10.21
  16.45
halbwertig 4.42
  4.52
Halbwisser 12.37
halbwüchsig 2.20
  2.22 9.27 9.65
Halbzeit 16.57
Halbzirkel 3.46
Halbzylinder 17.9
Halde 1.13 1.23
  3.13 4.18
NN-Halde 2.48
Halfesdag 16.8
Halfgäste 2.5
Hälfte 4.34 4.45 6.3
—, besere 16.11
—, schönere 16.11
hälften 4.45
Halfter 2.10
  16.117f. 19.32
halkyonisch 5.46
Hall 7.24f.
Hällche 2.48
Halle 16.64 17.1f.
  18.25
Halleluja(h) 20.10
  20.16
hallen 7.25f. 7.30
-hallen 16.64
Hallig 1.17
Hallo(h) 13.1 13.24
  16.38
Hallodri 9.24 16.33
  19.10
Hallore 16.60
hallt, die Welt —
  von seinem Rufe
  wider 16.31
Halluzination 4.26
  12.27f. 12.57 13.51
halluzinieren 12.57
Halm 2.3
Halma 16.56
Halo 3.24
Halogene 1.24
Hals 2.16 4.9 4.11
  4.25 4.33 8.7 9.22
  9.39 9.43 11.14
  11.26 11.31 11.39
  11.59 16.118 18.4
  18.7 18.17 18.26
  19.32

Hals aus vollem 7.26
—, das lügst du in
  den — hinein
  13.51
—, er hat sie am
  16.11
—, es geht um den
  5.47
— geben 7.33
— oder Laut geben
  7.33
—, rauher 13.15
—, steifer 2.41
— über Kopf 5.36
  8.7
—, um den — faller
  16.43
— umdrehen 2.46
— und Beinbruch
  8.18 11.40 16.38
Halsabschneider
  18.7 18.11
Halsband 3.47 17.10
Halsberge 17.11
  17.14
Halsbinde 3.20 17.9
halsbrecherisch 9.74
Halseisen 16.117
  19.32
halsen 8.11 16.7
Halskette 17.10
Halskragen 3.20
  17.9
Halskrause 17.9
Halskreuz 16.87
Halsorden 16.87
Halsschmuck 17.10
halsstarrig 9.8 9.55
  16.116 19.6
Halsstarrigkeit 9.8
  9.55 16.116 19.6
Halstuch 3.20 17.9
Halswirbel 2.16
  17.5
halt! 8.2 9.33
Halt 4.25 8.2 9.33
  9.36 9.70 11.35
  13.10 16.95 16.97
  17.5
—, der sittliche 19.3
hält, man — viel auf
  jemanden 16.31
—, was das Leder
  16.78
haltbar 6.7 9.75

halten 3.16 3.19
  3.36 5.11 5.16
  6.6f. 9.26 9.35f.
  9.52 9.70 11.8
  11.12 11.21f.
  11.30 11.52f.
  11.59f. 12.9 12.14
  16.57 16.88 16.93
  16.97 16.108
  16.110 18.12
  18.16 18.18f. 18.22
  18.26 19.1 19.5
  19.10 19.12 19.20
  19.24f. 20.13 20.16
—, Abstand 16.36
—, an sich 5.38 13.4
— auf 11.44
—, auf etwas 9.2
—, auf sich 19.1
  19.4
—, den Mund, Rand,
  Schnabel usw. 13.23
—, die Faust unter
  die Nase 16.67
—, die Langweile
  von sich 16.55
—, die Stange 9.70
—, die Stellung 16.77
—, Disziplin 16.95
—, eine Gardinen-
  predigt, eine Vor-
  lesung 16.33
—, es mit jemd.
  16.41
—, es so 9.25
—, Frieden, Freund-,
  Kameradschaft
  16.40f.
— für 11.30 12.14
—, Gelage 16.55
—, hinter dem Berge
  13.51
—, Hochzeit 16.11
—, in Händen 19.22
—, in Schach 16.77
—, kurz 16.108
—, Moral-, Stand-
  pauke 16.33
—, nicht in Ehren
  16.34
—, schadlos 16.46
—, Schritt 6.12
—, sich 1.5 5.11
  9.20 16.77
—, sich abseits 16.52

halten, sich — an
5.18 18.26
—, sich dran- 9.6
—, sich in geziemen-
der Entfernung
16.30
—, sich nicht — kön-
nen 9.78
—, unter seiner
Würde 16.36
—, vor Augen 16.33
—, wenig — von
16.36
—, Wort, Ver-
sprechen 16.26
—, zueinander 9.96
—, zugute 16.31
—, zu jemd. 16.40
—, zum besten 16.54
—, zum Narren
16.34 16.54
Halteort 1.11 16.1
Halter 17.15
Haltestelle 1.11 8.20
16.6
Haltezeichen 13.1
-haltig 1.21 4.21
haltlos 5.37 9.7 9.9
11.6 12.19 13.51
19.10 19.13
Haltlosigkeit 7.48
haltmachen 8.2
Haltung 5.2 5.11 7.2
7.48 9.23 9.25 11.2
11.44 16.38 16.61
19.4
Halunke 16.93f.
19.8f.
ham wohl'n kleenen
Webefehler 12.57
hämatogen 5.34
Hamburger, Fliegen-
der 8.7 16.6
Hamen 9.74
hämisch 11.60 11.62
16.53 16.54 16.67
Hamlet 9.7
Hämling 2.7 5.37
Hämoglobin 4.11
Hämorrhoiden 2.41
Hammel S. 127 2.27
12.37 12.56
Hammelbeine 2.16
11.60
—, an den —n neh-
men 16.33

Hammelherde 9.45
16.94
Hammelkohl 2.27
Hammelsprung
16.102
Hammer 8.9 9.11
17.15
— und Amboß, zwi-
schen 9.55
hämmerbar 7.50 9.54
15.10
hämmern 6.33 7.30
7.50 8.9 11.14
15.10 15.18 17.15
—, kaltes Eisen 9.49
Hammerschlag 4.11
7.48f.
Hammerschmidt
16.60
Hammerwerfen
16.57
Hammerwerk 1.23
9.22f.
Hampel 11.46 16.110
Hampelmann 8.33
9.7 14.3 16.55f.
16.110 siehe
Hanswurst
hampeln 8.33
Hamster(er) S. 126
4.18 17.9 18.11
18.22
hamstern 4.18 4.29
5.43 18.11 18.22
Hamut 2.5
Hanake 16.33
Hanau, net für —
und Umgebung
16.27
Hand 2.12 2.16 3.29
5.6 5.20 8.7 9.6
9.11f. 9.16 9.18
9.20f. 9.35 9.38
9.45 9.48 9.54
9.68ff. 9.77 9.79
9.83 10.2 11.8 11.23
11.60 13.1 16.96f.
16.108 16.114
16.116 18.1 18.4
18.12 18.19 18.26
19.13f. 19.16 19.24
— anlegen 2.46f.
6.2 9.2 9.18 9.21
9.23 9.25 9.57
9.70

Hand aufs Herz
13.49f.
—, aus freier — (un-
vorbereitet) 9.27
11.36
—, daß man die —
nicht vor Augen
sieht 7.7
—, die — bieten,
drücken, reichen,
schütteln 16.38
—, die — darauf
geben 16.23
—, die — drohend
erheben 16.68
—, die — erheben
16.67
—, die — geben
16.42
—, die — küssen
16.30 16.38
—, die Schwarze
16.68
—, von, eigener —
sterben 2.47
—, eine — wäscht
die andere 9.71
—, freie — lassen
16.25
— gehen, von der
9.54
— in (gehen) 3.25
3.29 4.33 4.37
8.15 9.68ff. 16.17
16.40f. 16.64
—, in — mit 6.13
—, Herz und — er-
langen 16.42
—, in die — neh-
men 9.18
—, in die — spucken
16.78
—, küß die 16.38
—, lege meine — da-
für ins Feuer 13.50
— legen auf 18.6
—, linke 19.3
—, mit dem Hute in
der 16.20 16.30
—, mit der linken —
abtun 16.34
—, mit — und Mund
versichern 16.23
—, mit — und
Siegel 16.23

Hand nehmen 12.33
—, nicht in die 16.27
—, oftene 18.13
—, rechte 5.35 9.38
9.70 9.81 19.2
—, rechte — geben
13.50
—, seine — abziehen
von 16.27
—, seine — legen
auf 18.5
—, sich die —
reichen 16.47
—, sich die — zum
Bunde reichen
16.41
—, starke 16.108
—, tote 20.17 20.20
—, über der — sein
16.67
—, um die — an-
halten 16.10f.
16.42
— und Handschuh
sein 16.40
— unter der 13.4
18.28
—, von der — wei-
sen 9.85
— zu Hand, von
4.28
—, zur linken —
trauen 16.11 16.13
Handarbeit 5.39 9.18
15.6
—, weibliche 17.8
Handball 16.57
Handbewegung,
ruckartige 9.56
— vor der Stirn
12.57
Handbuch 12.8
12.32f. 13.9 14.12
16.6
Handbücher 9.31
Handbüchse 17.12
Händchen, das
schöne 3.31
Handdruck 16.42
Hände 9.19 9.36 9.40
9.69f. 11.5 11.21f.
11.33 11.48 11.51
11.53 16.87 16.93
16.103 16.110
18.1 18.5 19.25

Hände, die — auf-
legen 16.31
—, die — bittend,
flehend erheben
16.20
—, die — in Blut
tauchen 16.73
—, die — schmieren
16.22 18.26
— falten 20.13
—, mit beiden —
zugreifen 16.24
—, mit reinen, un-
befleckten 19.4
— schütteln 16.38
—, sein Schicksal in
die — legen 16.42
—, sich die — in Un-
schuld waschen
16.27
—, volle 18.13
— weg 13.10
Händedruck 11.54
16.38 16.43 16.64
—, ein kräftiger 16.39
—, mit einem — be-
siegeln 16.43
Händeklatschen
16.31
Handel 5.28 9.18
9.55 11.39 16.67
16.69 18.20 18.22f.
18.25 19.14
—, blinder 9.16
—, peinlicher 9.55
Händel 11.58
— stiften 16.67
— suchen 11.58
handeln 5.28 9.18
9.22 9.25 9.38 12.4
16.108 16.119
18.20 19.1f. 19.14
19.21 20.4
—, eigenmächtig
19.21
—, im Einverständ-
nis 16.40
—, mit Milde, Nach-
sicht 16.47
—, rechtlich 19.18
—, sich — um 12.4
Handeln, freies 9.2
Handelsartikel 18.24

Handelsdampfer 8.5
—, bewaffneter 16.74
handelsein 18.20
— werden 19.17
handelseinig 19.14
Handelsgenosse 9.70
Handelsgericht
19.27f.
Handelsgesellschaft
18.23
—, offene 18.2
Handelsgesetz 19.19
Handelsherr 16.60
Handelskammer
16.102
Handelskompagnie
4.17 16.17
Handelskonvention
18.20
Handelsmann 16.60
Handelsmarine 16.7
Handelsplatz 18.25
Handelsrecht 19.19
Handelsschiff 8.5
Handelssymbol 18.20
händelsuchend 11.58
Händelsucher 16.74
Händelsucherei 16.67
Händelsucht 11.58
16.67
händelsüchtig 11.58
11.60 16.67
Handelsvertrag
18.20 19.14
Handelsvollmacht
18.30
Handelswelt 9.22
18.30
Händereichen 16.38
Händeringen 11.32f.
händeringend 11.33
handfertig 9.52
Handfertigkeit 9.18
9.23 9.52
handfest 5.34f.
Handgalopp, im
9.54
Handgeld 19.14
19.16
— anbieten 16.22
Handgelenk 9.54
11.58
—, aus dem 9.27
—, ein loses —
haben 16.78

handgemein werden
16.73
Handgemenge 16.67
16.70
handgewebt 17.8
Handgicht 2.41
Handgranate 17.13
—n werfen 16.76
Handgranaten-
werfer 17.12
handgreiflich 4.1
5.1f. 5.6 7.1 13.3
13.5 13.46 16.78
— werden 16.76
16.78
Handgriff 9.25 9.52
Handhabe 9.13
17.15
handhaben 9.23 9.25
9.84 16.96 19.18
Handhabung 9.18
16.96 19.27
— der Gesetze 19.27
handhaft 5.1 13.46
Handicap 6.12
Handkäse 2.27
Handkoffer 17.7
17.13
handkoloriert 15.4
Handkuß 8.30 16.30
16.38 16.43
Handlanger 9.18
9.22 9.70 16.32
16.112 19.7
Händler 16.60 18.23
Handlesekunst 12.43
Handleser 16.60
handlich 9.48 9.54
Handlung 9.18 14.3
18.20 18.25 20.16
—, heilige 20.16
—, strafbare 19.11
—, unsittliche 19.11
Handlungen 19.10
—, fromme, gute
19.3
Handlungsbeflissener
16.60 16.112
Handlungsdiener
16.112
Handlungsgehilfe
16.60
Handlungsreisender
16.6

Handlungsweise
9.23 9.25 19.3
Handpferd 2.7 8.4
Handpresse 14.6
Handreicher 16.112
Handreichung 9.70
Handsatz 14.6
Handschar 17.11
Handschlag 16.23
19.14
—, mit — bekräfti-
gen 13.50
Handschraube 17.15
Handschrift 13.1
13.38 13.46 14.5
15.3
—, flotte, gute, leser-
liche 14.5
Handschriften-
deutung 14.5
Handschuh 3.20 17.9
—, den — aufneh-
men 16.65
—, den — hinwerfen
16.67
—, Hand und —
sein 16.40
Handschuhmacher
16.60 16.92 16.94
Handstreich 5.36
6.14 9.18 11.38
16.73 16.76
Handtuch 7.58 11.42
Handumdrehen, im
6.14 8.7 9.54
Handvoll 4.4 4.17
Handwagen 8.4
Handwerk 9.18 9.22
9.33 9.72f. 18.20
— legen, das 9.73
Handwerker 9.18
9.22 16.91
Handwerkertum
16.91
Handwerksgesetz
19.19
Handwerkskammer
16.99
handwerksmäßig
9.22f. 9.25
Handzeichnung
15.4

Hanebambel
16.110
hanebüchen 4.50
11.31
Hanf S. 29 2.27
4.11 4.42 17.8
19.32
Hanfsamen 11.9
Hang 3.13 9.1 9.4
11.2 11.36 11.53
NN-Hang 2.48
Hangar 8.6
Hängebauch 4.10
Hängeboden 17.2
hangeln 8.28
Hängematte 3.17
17.3
hangen 3.17 11.36
hängen 2.46 3.17
3.19 5.5 5.25
9.20 9.33 9.75
11.48 11.53 11.60
16.115 19.7 19.32
— an 5.34
—, an die große
Glocke 13.5
16.31
—, an ihm bleibts
19.11 19.31
— lassen, die
Flügel, den Kopf
5.37 11.41 16.93
— nach 11.36
—, niedriger 11.43
13.5 16.33
—, seinen Pelz an
einen fremden
Stand 16.14
—, sich an die
Rockschöße 16.17
—, wünsche mit
Ihnen zu 16.69
hängenbleiben
18.15
hängenlassen 11.32
11.41 16.93
—, das Maul 11.27
—, den Kopf 16.93
—, die Lippe 16.53
Hänger 17.9
Hängezöpfe 2.16
2.22 16.72
Hängeschloß 16.117

Hanke 2.16
Hanna 16.3
Hänneschen 11.23
Hanns 16.3
Hans 9.9 16.3
Hans Huckebein
9.78
— Muff 20.6
— Narr 11.23
— und Grete 16.11
— Wurst 11.23
Hansdampf in
allen ,Gassen 3.7
8.33 9.38 16.33
Hanse 16.17
Hanseatengeist 9.37
Hanselmännchen
20.6
hänseln 12.25
12.51 16.54
Hanswurst 5.18
5.25 11.23f. 14.3
16.54f. 16.72
hanswurstartig 3.20
11.23f.
Hanswurstiade
11.23f. 16.54f.
Hantel 16.57
hantieren 9.18
Hantierung 9.18
hantig (bayr.) 11.27
hapern 9.55
haploid 4.36f.
Häppchen 4.4 4.24
Happen 2.26 4.42
happig 4.50 11.36
18.7 18.27
happy end 16.11
Harakiri 2.47 16.70
Harald 16.3
Haraß 17.7
Harder 16.60
Harem 16.11 16.44
Haremswirtschaft
16.11 16.44
Häresie 4.34 13.51
20.2
Häretiker 4.34 20.2
häretisch 13.51
20.2
Harfe(nist) 15.15
— schlagen 15.14
harfen 15.14
Harfen 2.5

Harfenjule 15.18
Harfner 15.14
Harke 2.5 9.38
9.52 17.15
Harlekin 3.20
7.23 11.23 14.3
16.54 s. Hans-
wurst
Harm 5.47 9.50 11.32
härmen, sich 11.31f.
harmlos 2.44 5.36f.
9.16 9.56 9.75
11.46 12.25 13.49
19.4
Harmonie 5.17
9.68f. 11.16f.
12.47 13.49
15.10f. 15.16f.
16.40f.
Harmonielehre
15.17
harmonieren 3.59
15.1 16.40
Harmonika 15.15
harmonisch 3.59
7.11 11.16 15.17
16.40f.
harmonisieren 3.59
15.17 16.40
Harmonium 15.15
Harn 2.16 2.35
7.54
Harnapparat 2.16
Harnblase 2.16 2.41
harnen 2.35
Harnisch 3.20
11.14 11.31 16.60
16.77 17.9 17.14
— geraten, in
11.31
Harnleitersteine
2.41
Harnröhre 2.16
7.56
Harnsäure 1.29
Harpagon 18.11
Harpune 17.11
17.13
harpunieren 2.12
Harpyie 20.5f.
harr! 3.30

harren (auf) 5.7
6.6f. 6.23f. 9.19
9.34 12.41
harsch 16.53
Harschheit 16.53
hart 5.35 7.31
7.43f. 7.67f. 9.55
11.14 11.60f.
12.8 13.40 15.4
16.53 16.81 16.108
— an 3.9
—, es geht — auf —
16.70
— vor 3.9
— wie Stein 7.44
—e Nuß 13.4
Härte 5.35 6.7
7.31 7.43f. 7.47
7.68 9.37 10.9
11.7 11.60f. 13.40
16.53 16.81
16.108
Harteknäcker 17.9
härten 7.40 7.43f.
Hartgeld 18.21
hartgesotten 11.8
19.6
Harthen 2.2
hartherzig 11.60f.
16.108 19.7
Hartherzigkeit 11.8
11.60 16.108 18.11
19.7 19.9f.
Hartheu S. 59
harthörig 10.20
Harthörigkeit
10.20
hartköpfig 9.8
hartleibig 2.41
Hartmann 17.9
hartmäulig 9.8
Hartmut 16.3
hartnäckig 6.7 9.6
9.8 9.55 11.38
12.55 16.108
16.116
Hartnäckigkeit 9.6
9.8 9.55 11.38
12.55 16.108
16.116 19.6
Hartschädel 12.56
hartstirnig 12.56
Harz 7.51ff.
harzig 7.51

Harzigkeit 7.51
Hasard 9.16 s. Glück
hasardieren 11.39
Hasardspiel 16.55
s. Glücksspiel
Hasardspieler 9.16
11.39
Haschee 2.27
haschen nach 9.21
16.56 16.88 16.115
Haschen 16.56
Häschen 9.53
Hascher 19.29
Häscher 19.27 19.29
Hascherl 11.50
Haschhasch 16.56
Hase S. 125 2.27 8.7
9.28 9.51 9.55
11.42f. 11.53
12.37
—, falscher 2.27
— im Busen, der
11.43
—, mein Name ist
12.37
Hasel S. 29
Haselmaus S. 126
Haselnuß S. 29 2.27
Haselstock 16.78
16.100
Hasenfuß 11.43
Hasenherz 11.43
hasenherzig 11.43
Hasenpanier 8.18
13.11
Hasenpfötchen 2.27
Hasenscharte 2.41
Haslacher 16.78
Haslinger 16.78
Haspel 3.50 3.55
8.32 17.16
haspeln (Umdre-
hung) 8.32
Haß 11.28 11.31
11.59f. 11.62
16.36 16.66f. 16.81
—, der heilige 16.18
— hegen, nähren
16.81
— säen, schüren,
verursachen 16.67
hassen 4.50 11.59
11.62 16.66f.
16.81

hassenswert 9.60
11.13f. 11.62
16.34 16.36 19.9
Hasser 16.66
haßerfüllt 11.60
11.62 16.66
häßlich 3.60 11.14
11.27f. 11.42
11.48 19.9f.
—, klein und —
werden 16.83
Häßlichkeit 11.27f.
Haßliebe 9.71
Hasso 16.3
hast an Zweifi
16.69
— du in den Mond
geguckt, — du
mit dem Mond
jekaalt (köln.)
12.57
Hast 8.1 8.7f. 9.38f.
haste Worte 11.30
hasten 8.7 9.39
hastig 8.7 9.39
11.6 11.20 11.39
hat das Pulver
nicht erfunden
12.56
— ein bißchen zu-
wenig 12.56
— ein Brett vor
dem Schädel
12.56
— einen Furz ge-
frühstückt 12.57
— einen Spritzer,
Triesel, Triller,
Vogel, Piepmatz,
einen im Zylin-
der 12.57
—, er —'s 18.3
— es faustdick
hinter den Ohren
12.52f.
—, es — ihn 2.33
— es in sich 9.56
— es nicht so 18.4
— etwas 9.56
— etwas los, weg
12.52
— fünf in sechs
Kästen (mecklbg.)
12.57

hat gefunkt 12.31
— nichts auf sich
9.45
— noch etwas ab-
zumachen 16.81
— se net all 12.57
— sich hinterdenkt,
hintersonnen
12.57
— sich was 13.29
— sie nicht alle auf
dem Christbaum
12.57
— was 2.41
— wohl d. Mutter
nicht gekocht
12.37
—s in sich 12.52
hätscheln 16.42f.
hatschi 2.35
Hatschier 16.74
16.101
Hatz(e) 2.11f. 5.29
8.7 16.55 s. Hetze
Haube 3.20 17.9
—, unter die —
bringen 16.11
—, unter die —
kommen 16.11
Haubitze 2.33 7.29
17.9
Hauch 1.6 2.17 4.24
7.42
hauchen 7.60
Hauchlaut 13.13
Haudegen 11.38
16.74
Haue 16.78 17.15
hauen 5.15f. 8.9
11.11 11.16 12.27
16.76 16.78
16.116 18.8 19.10
19.32
—, ge— 5.7
—, auf den Käse
16.76
—, in den Sack 16.8
—, in die Pfanne
16.84
—, jemand hinter
die Schallgardine
16.78
—, sich 16.70
Hauer 2.16

Häuer 1.23 16.60
Haufe(n) 2.5 2.48
4.1f. 4.17 4.20
4.22 8.21
16.16f. 16.74
— Asche 2.45
—, der große 16.94
—, in hellen 4.20
—, über den —
rennen 16.84
—, Toter 2.48
häufen 4.20 4.33
16.93
—, sich 4.20
haufenweise 4.20
Haufenwolke 1.4
häufig 4.17 5.19 6.7
6.30f.
Häufigkeit 6.30 6.33
Häufung 13.37 13.43
Hauhechel S. 29 2.5
Haulemännchen
20.5
Haumiblau, für
5 Pfg. 16.78
Haupt 2.5 2.16
3.33 6.2 9.44
16.96 16.98
—, aufs — schlagen
16.84
—, das gekrönte
16.98
—, das — entblößen
16.38
—. mit entblößtem
16.30
Hauptaktion 9.18
Hauptaltar 20.21
Hauptangriff 16.76
Hauptbalken 3.3
Hauptbuch 18.21
18.30
Haupterfolg 4.50
Hauptgedanke 12.5
Hauptgeschäftsstelle
16.99 18.30
Hauptgrund 5.10
Haupttheer 16.74
Hauptkirche 20.20
Häuptling 16.85
16.98 16.116
Hauptlinie 9.15
Hauptmacher 4.50
Hauptmacht 5.35
16.74

Hauptmann 9.44
  16.74 16.95ff.
Hauptmasse 4.33
  16.74
Hauptneigung 11.1
Hauptperson 9.18
  9.44 16.85
  16.97f.
Hauptprobe 6.11
  9.70 16.103
Hauptquartier 3.2
  4.18 16.97
Hauptquittung
  18,18
Hauptrolle 9.44
Hauptsache 4.33 5.10
hauptsächlich 4.41
  4.51 9.44 9.81
Hauptschanze 16.77
Hauptschlacht 16.70
Hauptschlag 16.26
  16.76
Hauptschlüssel 3.57
  9.44 9.69
Hauptseite 3.26
Hauptstadt 16.2
Hauptstärke 5.35
Hauptstelle 18.25
Hauptstraße 8.11
Hauptstreich 9.18
Hauptstrom 7.55
Hauptstück 4.33
Hauptstütze 5.35
  9.82
Hauptteil 4.42 4.51
  5.16
Hauptträger 17.2
Haupttreffen 16.74
Haupttreppe 8.11
  17.2
Hauptwort 13.16
hauruck 9.18
Haus 4.50 8.7 9.27
  9.38 9.76 9.79
  11.21 11.46 11.55
  12.2 16.1 16.9
  16.85 16.87f. 16.90
  17.1 18.1 18.4
  18.30
— beschicken, bestel-
  len, sein 2.41 2.45
  3.37
—, das — einlaufen
  6.31

Haus der Gemeinen
  16.102
—, ein glänzendes
  16.85
—, ein — bevor-
  zugen 16.64
—, ein — machen
  16.64 18.13
—, frei 18.29
—, für — und Herd
  16.73
—, großes 18.13
—, offenes 16.64
  18.13
—, öffentliches 10.21
  16.44f.
—, und Hof 3.1 3.7
  4.41
— zu Haus, von
  3.1 3.3 3.7
—, zweideutiges
  16.44
-haus 16.64
Hausangestellte(r)
  16.60 16.112
Hausäbel 17.11
Hausarrest 16.117
  19.32
hausbacken 11.26
  11.46f. 16.50
Hausbesuch 2.41
  16.64
Hausbibel 20.19
Häuschen 11.5 11.31
Hausdame 16.112
Hausdetektiv 16.101
Hausdrache 11.58
  16.67
—, feuriger 20.5
Hause, außer dem
  3.4 3.18
—, daß du die
  Knochen im Sack-
  tuch nach — tra-
  gen kannst 16.68
—, er ist von 16.60
—, in meines Vaters
  20.10
—, komm mir nur
  nach 16.78
—, komm nur bloß
  nach 16.68
—, nach — bringen
  9.75

Hause, sich wie zu —
  fühlen 16.64
—, sind sie gestern
  gut nach — ge-
  kommen? 16.38
—, zu 3.3 3.19 9.54
— zu — sein, für
  Besuch 16.64
Hausehre 16.11
Hauseigentümer
  16.4 18.1
Hauseinrichtung 17.3
hausen 3.3 4.50
  16.1
—, wie die Schweden
  5.42
Hausen S. 99
Häuser 2.5
Häusermakler 16.49
  18.23 18.25
Hausflur 17.2
Hausfrau 16.11
Hausfreund 11.53
  16.14
Hausfriede 16.40
Hausgang 17.2
Hausgebet 20.16
Hausgeflügel
  S. 117—19
Hausgehilfin 16.112
Hausgeist 20.6
Hausgerät 4.18
  17.3ff. 18.1
Hausgespenst 20.5f.
Hausgiebel 4.12
Hausgreuel 11.29
Haushalt 3.2 16.1
  16.4 18.21
haushalten 18.10
  18.27
Haushälterin 16.96
  16.98 16.103
  16.112
haushälterisch 18.10
Haushaltung 16.112
Haushaltungsgeld
  18.21
Haushaltungskosten
  18.26
Haushalt(ungs)plan
  18.21 18.30
Haushaltungsvor-
  stand 16.11
Hausherr 16.11 18.1
haushoch 4.12

Haushofmeister
  16.96 16.98
Haushund S. 126
hausieren 16.4 16.6
  18.23
Hausierer 16.6 16.60
  18.23
Hausierhandel 18.23
Hausjacke 17.9
Hauskapelle 20.20
Hauskäppchen 3.20
  17.9
Hauskleid 17.9
Hausknecht, da
  fragen Sie'n 16.27
Hausknochen 3.57
Hauskreuz 16.11
Hauslehrer 12.33
Häusler 12.57 16.4
  16.60
Häuslerwohnung 3.2
  17.1
häuslich 3.3 4.29
  9.23 11.46 16.1
  16.52 16.64 18.10
er Herd 3.2
Häuslichkeit 3.2 4.29
  9.23 11.46 16.1
  16.52 16.64 18.10
Hausmädchen
  16.112
Hausmannskost
  7.65 18.10
Hausmeister 3.58
  16.101 16.112
Hausmusik 15.11
Hausnarr 11.23
Hauspostille 14.9
Hausprophet S. 119
Hausrat 17.3 18.1
Hausschlüssel 16.33
  17.1
Hausschuh 3.20 17.9
Hausse 4.50 18.5
  18.27 18.30
haussierend 18.27
Hausstand gründen
  16.11
Haustafel 7.65 13.1
Hausten 2.5
Haustenne 17.2
Hausteufel 11.58
Haustier 2.8ff.
  11.47
Haustochter 16.112

Haustracht 11.46
Hauswächter 16.101
Hauswart 16.101
Hauswirt 16.4 18.1
Hausziege 2.9
Hauszierde 16.11
haut ihm! 16.33
16.68
Haut 2.16 2.41 3.18
3.20 4.11 4.41 4.43
6.7 9.21 9.70 9.78
11.2 11.14 11.31f.
16.111
—, bis auf die 7.57
—, ehrliche 19.1
—, faule 9.24
—, in keiner guten
— stecken 2.41
—, sich seiner —
wehren 16.77
— und Knochen 4.11
—, unter der 3.19
— zu Markte tra-
gen, seine 9.70
16.73
Hautabschürfung
2.42
Hautarzt 2.44
Häutchen 4.11
Hautcreme 7.63
häuten 3.22
Haute-volée 16.62
16.91 18.3
siehe Gesellschaft
Hautflügler S. 97
Hautfritze 16.60
Hautgout 7.64 19.10
Hauttuberkulose 2.41
Hauyn 1.25
Havanna 2.34
Havarie 5.47 9.78
Havelock 3.20 17.9
Haxen. 2.16
Haxtdorn 20.5
Hazardspieler 9.74
Hazienda 3.2 18.1
hazzi 2.35 7.63
he 13.24
—, ein bißchen 12.57
— (nasal) 13.25
he! he! 16.54
Hebamme 2.21 2.44
9.70 16.60
hebe dich weg 16.33

Hebe 2.31 9.70
11.17 16.112 20.7
Hebel 5.24 5.31 8.28
9.38 9.83 16.60
17.15f.
— ansetzen, alle 9.18
Hebelkraft 16.95
Hebemaschine 3.17
3.19 8.28 17.15
heben 1.23 2.31 4.12
4.51 6.7 8.28 9.29
9.57 16.105 19.5
—, den Reiter aus
dem Sattel 16.65
Heber 7.56
Hebewerk 3.17 17.16
Hebräer 20.1
Hebung 14.2
Hechel 3.53
—, durch die —
ziehen 16.33f.
Hechelei 16.33 16.54
Hechelmacher 4.50
Hechelrede 16.54
Hechse 2.16
Hechsel (Häcksel),
—, hat — im Kopf
12.56
Hecht S. 99 2.27 4.11
7.10 7.64 16.64f.
—, dürrer 4.11
— im Karpfenteiche
16.65
—, junger 2.22
Hechtsprung 16.57
Heck 3.27 8.5
Hecke 2.5 3.24 3.58
9.76
Heckelphon 15.15
hecken 2.21 5.26
Heckenrose S. 48
Heckenschütze 16.71
Heck(e)pfennig
4.17f. 18.21
Hecker 2.41f.
Heckmeck treiben
16.54
Heckschütze 16.74a.
Hecktaler 4.18
heda 12.7
heddern 12.27 13.14
Hederich S. 42
Hedonismus 11.11

Hedschra 6.2 8.18
20.1
Hedwig 16.3
Heer 4.17 16.16
16.74
Heerbann 16.74
Heeresgruppe 16.74
Heersäule 3.35 4.17
6.32 16.74
Heerschar 4.17 4.20
16.74 20.7
—en, himmlische
2.45 20.6
Heerschau 13.25
16.88
Heerstraße 8.11
Hefe 1.29 4.32 5.24
5.26 7.42 7.48
7.59 9.45 11.13
16.92 16.94
Hefeklöße 2.27
Hefele 16.60
Heft 14.11 16.97
17.15
Heftelmacher 4.50
12.7
heften 3.2 4.25 4.33
11.32 14.11 16.93
19.11 19.32
—, den Blick 10.15
heftig 1.6 4.50 5.36
8.9 9.37 9.39
11.4f. 11.14 11.31
11.38 11.58 16.108
Heftigkeit 5.35f. 8.9
9.39 11.4 11.6
11.31 16.31
16.108
Heftpflaster 2.44
Hegar 16.60
Hege 2.5
Hegemonie 4.41
16.97
hegen 2.5 5.43 9.70
11.4 11.35f. 11.42
11.50 11.53 11.62
19.5
—, gleiche Gefühle
16.41
—, Haß 16.81
— und pflegen 9.70
Heger 16.101
Hegereiter 16.101
Hegerkreuz 2.48
Hegezeit 16.109

Hehl, keinen — aus
etwas machen 13.2
hehlen 13.4
Hehler 13.4 18.22
19.9
hehr 11.16f. 16.85
heiapopeia!, siehe
heiopopeio
heichen 16.78
Heide 1.13f. 2.1f.
9.49 16.52
— (Ungläubiger)
20.2ff.
—, fluchen wie ein
16.37
Heidekraut S. 65
Heidelbeere S.65
2.27
Heidelerche S. 105
Heidemann 20.5
Heiden- 4.2
Heidenangst 11.42
heidenfroh 4.50
Heidengeld 4.50
Heidenkreuz 2.48
heidenmäßig 4.50
Heidenmission 20.17
heidenschwer 4.50
Heidenspaß 4.50
Heidentum 20.2 20.7
Heiderose S. 58
heidi 8.18 18.15
—, ist 18.15
Heidi 16.3
heidnisch 20.2f.
Heiduck 16.112
heikel 5.7 9.55 9.74
10.12 11.19 11.49
11.58 12.23
heiklig 10.12
heil 2.38 4.33 4.41
Heil 5.46 8.18 9.28
9.47 11.35 16.18
16.30f. 16.87 20.1
—, Gut 16.38
Heiland 11.5
11.52 16.41 16.118
20.7f. 20.10
Heilanstalt 2.44
Heilbad 2.44
heilbar 2.40
Heilbedürftiger
2.41
heilbringend 9.47

Heilbrunnen 7.55
Heilbutt S. 99 2.27
heilen(d) 2.38 2.41
  2.44 11.33f.
—, den Bruch 16.48
Heilgehilfe 9.70
heilig 11.5 11.31
  11.49 16.85 19.3
  20.1 20.5 20.7
  20.13
— bei allem, was
  hoch und — ist
  16.20
—, der —e Geist
  kommt 16.78
—, der —e Stuhl
  20.16f.
Heilige 11.50 20.6
— Schrift 5.6
  20.7 20.19
heiligen 20.1 20.13
Heiligen 2.48
Heiligenbild 2.48
  15.4 20.21
Heiligenhäuschen
  2.48
Heiligenleben 14.9
Heiligenpfleger
  20.17
Heiligensäule 2.48
Heiligenschein 7.5
  16.85 20.6
Heiligenschrein
  20.20f.
Heiligenstein 2.48
Heiligenstock 2.48
Heiligentafel 2.48
Heiliger 5.20 19.4
  20.1 20.13
— Abend 20.16
Heiligkeit 16.85
  20.1 20.7 20.13
—, Seine 16.86
  20.17
Heiligmonat 6.9
heiligsprechen 16.85
  20.1
Heiligsprechung
  16.85 20.13
Heiligtum 20.20
heilkräftig 2.44
Heilkunde 2.44
Heilkunst 2.44

Heilkünstler 2.44
heillos 4.50 9.63 19.9
  11.13
Heilmittel 2.44 9.47
  11.33f.
Heilpraktiker 2.44
  16.60
Heilprozeß 2.40
Heilquelle 2.44
Heilrufe 16.85
heilsam 2.44 9.56
  11.33f.
Heilsamkeit 2.44
  siehe Heilmittel
Heilsarmee 9.70
  20.1
heilsfroh 11.16
Heilsgewißheit 20.1
Heiltrank 2.44
Heilung 2.40 2.44
  9.58 11.34
Heilzauber 20.12
heim 8.17
-heim 16.64
Heim 3.2 4.18 9.76
  11.16 16.1 16.18
  17.1
—, schmücke dein
  15.6
Heimat 5.24 5.31
  8.20 9.29 11.51
  16.1 16.18
—, Front und 4.41
—, für — und Volk
  16.73
Heimat- 16.4
heimatberechtigt 3.3
  3.19 16.1 16.4
heimatlich 3.3 4.48
  8.20 16.1
Heimatliebe 16.18
heimatlos 3.4 18.4
Heimatrecht 16.119
Heimatschuß 2.42
  8.17
Heimatsgefühl 11.51
Heimatvertriebener
  16.5
Heimbetrieb 18.20
Heimchen S. 94 20.6
heimelig 11.10
Heimfahrt 8.17

heimführen 16.11
Heimgang 2.43 2.45
heimgehen 2.45 4.33
  8.17 9.33
heimgeigen 16.33
—, laß dich 16.33
heimgeschickt 9.78
— werden 5.47
heimgesucht 2.41 20.6
heimisch 3.3 3.19
  4.48 16.18
— sich fühlen
  16.64
Heimkehr 8.17 8.20
heimkehren 2.45 8.17
Heimkehrer 16.4
Heimkino 15.9
Heimkrieger 16.74
heimleuchten 16.54
  16.78
heimlich 7.3 13.4
  s. geheim
Heimlicher 19.29
Heimlichkeit 7.3 9.67
  9.74 11.40 12.53
  13.4 13.23 13.51
  16.35 19.8f. 19.21
Heimpariser (Ed.
  Engel) 11.45 16.63
heimschicken 16.27
Heimstätte 3.3 16.1
  17.1
heimsuchen 11.13
  16.64
Heimsuchung 5.47
  9.50 11.12ff.
  20.16
heimtragen 8.17 18.5
Heimtücke 9.60 11.60
  12.53 13.51 16.35
  19.8f.
heimtückisch 9.60
  11.60 12.53 13.51
  16.35 19.8f.
heimwärts 8.11 8.17
Heimweg 8.18
Heimweh 8.18 11.26f.
  11.36 11.51 16.18
heimzahlen 16.78
  16.80f. 18.18
  18.20 19.32
—, mit gleicher
  Münze 16.80
Heimzahlung 19.32

Hein, Freund 2.45
Heini, müder 9.24
Heinrich 16.3
heint 6.20
Heinz 16.3
Heinzelmännchen
  20.6
Heinzen 2.5
heiopopeio! 9.24 11.8
  11.33 14.2 15.11
Heirat 16.10f.
heiraten 4.33 16.11
—, der Schlag müßt
  mich treffe und du
  müßt mei Frau
  16.37
Heiratsantrag 16.42
heiratsfähig 2.21
  2.23
Heiratsgut 18.5
Heiratsschwindler
  18.8
Heiratsurkunde
  16.11
Heiratsvermittler
  16.11
Heiratsvertrag 16.11
Heiratszeremonie
  16.11
Heis(che) 17.3
heischen 9.2 9.12
  16.20 16.95 16.97
  16.106 19.24
Heischer 16.95 18.4
heiser 2.41 7.27
  13.15 15.18
Heiserkeit 7.27 15.18
heiß 4.50 5.35 5.36
  7.35 9.38 11.5
  11.8 11.40 11.53f.
  11.60
—, die Hölle —
  machen 16.79
heißa 8.29
heißblütig 5.36 11.1
  11.4ff. 11.20 11.31
  11.53 11.58
heißen 4.50 9.12
  11.45 13.16 16.20
  16.95 16.106
—, das will etwas
  16.31
—, willkommen
  16.38 16.64

Heißhunger 10.10f.
11.36
heißhungrig 10.10
11.36
Heißluftbad 7.35
Heißsporn 5.36 9.8
11.6 11.31 11.39
11.58
heißt, das (d. h.)
5.15 13.17 13.44
Heister S. 29
-heit 5.9
Heite 16.9
heiter 7.4 11.9
11.15f. 11.20ff.
11.30 16.55
Heiterkeit 11.9 11.16
11.21
heizen 7.35f.
Heizer 7.35 16.60
Heizermoses 16.7
Heizkörper 7.37
Heizsonne 7.37
Heizstoff 7.38
Heizung 7.35
Hekate 20.7
Hekatombe 4.39
20.2 20.16
Hektar 1.15 4.16
hektisch 2.41 4.4
4.11 11.5f. 11.36
Hektoliter 4.19
Hektor 11.38
Hekuba, ist ihm
9.45
Hel 20.7
Helbling 4.45
Helche 2.48
Held 5.10 9.38
11.38 15.9 16.31
16.85f. 19.4 20.8
— des Tages 16.31
Heldengedicht 14.1f.
Heldengestalt 4.2
heldenhaft 11.38
16.73
Heldenhaftigkeit
11.38
Heldenkeller 16.77
Heldenmut 11.38
heldenmütig 11.38
19.2

Heldensieb 2.44
Heldensinn 11.38
19.2
Heldentat 4.50
9.17f. 11.38 11.42
15.13
Heldentenor 14.3
Heldentod 2.46
16.73
— den — sterben
16.73
Heldin 16.85
heldisch 11.38
Helena 10.21 11.17
Helene 16.3
Helerchen 2.48
helfe, so wahr mir
Gott 13.50 16.23
helfen 2.44 9.46
9.48 9.70 11.52
13.9 16.17 19.13
19.28
—, auf die Sprünge
16.78
—, auf die Spur
16.20
—, ich werde dir
16.68
—, sich nicht zu —
wissen 9.55
Helfer 3.3 9.57 9.70
11.34 11.41 16.52
16.118 20.9
Helfershelfer 9.70
Helga 16.3
Helge 16.3
Helikon 14.2 15.15
Helios 20.7
Heliotrop S. 70 7.63
Helium 1.24 7.60
hell 1.22 7.4 7.8
7.11 7.13 7.24
9.66 11.22 13.33
Hella 16.3
helläugig 12.52
Helldunkel 7.6 7.15
15.4
helle 12.52
Helle 7.4f.
Hellebarde 17.11
17.13
Heller 18.10 18.21
hellgrün 7.18

hellhörig 7.24 10.19
hellicht, bei —em
Tage 6.38
Helligkeit 7.4
Helligkeitsmesser
7.4
Helling 8.5 9.23
hellrot 7.17
hellsehen 12.28
12.43
Hellsehen 12.28
Hellseher 12.20
12.43 16.60 20.5
20.12
Hellseherei 12.42f.
20.12
hellseherisch 12.43
helltönend 7.24
hellwach 2.37 11.4
Helm 3.20 16.77
17.9 17.14
Helma 16.3
Helmbusch 3.33
17.10
Helminthologie S. 93
Helmspitze 2.16
Helmut 16.3
Helote 16.112
16.117
Hemann 19.29
(weil er „he"
ruft)
Hemd 3.20 4.41
17.9 18.4
—, ein Schlag und
das — steht allein
da 16.68
—, kurzes 16.90
—, stop bei —
enei 16.27
hemdärmelig 3.22
Hemdenmatz 2.22
Hemdhose 17.9
Hemdsärmel 9.38
Hemisphäre 1.13
hemisphärisch 3.48
Hemmed, ma moit,
dea häb sein
Vater dur's
g'macht 16.33
hemmen 3.23 3.36
5.38 8.8 9.33 9.55
9.73 16.29

Hemmnis 9.33 9.55
9.72f. 16.29
Hemmschuh 9.73
16.29 16.117
Hemmung 5.37 9.17
9.72 16.65
hemmungslos 5.36
11.6 19.8
Hemmvorrichtung
9.73
Hengländer 16.33
Hengst S. 128 8.3
Henkel 3.18
henken 2.46 3.17
3.19 4.12 19.32
Henker 2.46 2.48
5.42 11.50 16.60
19.9 19.32
Henkersbeil 19.32
Henkersknecht 2.46
5.29 19.32
Henkersmahl 19.33
Henna S. 60 7.20
hennablond 7.20
Henne 1.19 2.15
9.53
Henneckeschicht
9.38
Henny 16.3
Henry IV. 2.16 16.61
Henriette 16.3
hepatisch 2.16
Heptade 4.39
Heptateuch 20.19
Hera 20.7
herab- 8.30
herab 3.34 4.13 8.30
11.44
—, von oben 16.90
herabbeschwören,
Tod und Verder-
ben 16.37
herabdrücken 4.5
herabgekommen
9.45 11.28
herabgewürdigt
16.93
herabkommen 8.30
16.93 18.4
herablassend 11.45
Herablassung 11.44.f

herabmindern 4.5
herabrufen 16.37
herabschauen 11.44
herabschleudern 8.30
herabsetzen 4.5 4.13
8.30 12.51 16.33
16.35 16.93
Herabsetzung 8.27
9.51 12.51
16.33ff. 16.93
herabspringen 8.30
herabsteigen 8.30
herabstimmen 4.52
herabwürdigen 8.27
9.63 12.51 16.33
16.35 19.8 siehe
Herabsetzung
herabziehen 12.51
herabzüchten 2.10
Herakles 20.7
Heraklesarbeit 9.55
Heraldik 13.1
heran- 8.19
heranarbeiten, sich
16.76
heranbilden 5.19
5.26
—, zum Menschen
16.38
herandrängen 8.19
herandringen 8.19
heraneilen 8.19
herangewachsen
2.23
herankämpfen, sich
16.76
herankommen 6.23f.
8.19 11.8
herankriechen 6.23
heranmachen, sich
16.115
herannahen 3.9
6.23f. 8.19
heranpirschen, sich
2.12 7.27
heranrücken, näher
16.43
heranstehlen, sich
7.3 7.27 9.74 13.4
16.71
heranstürmen 16.76
heranstürzen 5.36
8.7 16.76

herantragen, den
Angriff 16.76
heranwachsen 2.22
6.2
heranziehen 8.21
Herauch 7.9
herauf 4.12
herauf- 8.28
heraufbeschwören
5.31
heraufdämmern 5.26
6.23
heraufklettern 11.31
heraufziehen 6.2
8.19
heraus 3.18 12.20
16.31
—, aus sich 9.2
—, es muß 12.5
—, ist fein 18.3
—, neben 3.26
heraus! 6.33 8.24
16.31
heraus- 3.22 8.24
herausbeißen 4.49
8.18 13.52
herausbekommen
12.20 14.7
herausbilden 5.25
—, sich 9.31
herausbitten 16.69
herausbrechen 8.18
8.24
herausbringen 8.24
12.20 14.6
—, ganz groß 14.3
herausbuchstabieren
13.26 13.44
herausfahren 9.16
herausfallen 5.20
herausfinden 12.20
13.3
herausfischen 18.6
herausfließen 8.24
herausfordern 11.14
11.39 16.34 16.69f.
—, zum Duell,
Kampf 16.69
herausfordernd
11.29 16.67
Herausforderung
9.12 9.17 11.31
16.31 16.67ff.
16.73

herausfragen 13.25
herausfuttern, sich
4.10
herausfüttern 4.10
herausgeben 13.6
14.6 14.8 14.11
Herausgeber 14.11
herausgehen 8.24
11.5
—, aus sich 13.21
herausgekommen,
soeben 6.26
herausgeputzt 11.29
16.63
heraushaben 12.32
12.52
heraushängen 16.88
heraushauen 9.70
herauskennen 12.11
herauskommen 5.34
8.24 12.14 12.16
12.20 14.6 18.5
—, auf eins 4.27
—, gut 9.77
—, zum Munde
10.14
herauskönnen 6.7
herauskriegen 12.8
13.25
herauslesen 13.44
herauslocken 13.3
16.72 16.76f. 18.6
18.8f.
herausmachen 11.17
—, sich 2.44
herausnehmen 18.6
—, sich 16.90 19.23
—, sich zu viel
16.53
herauspauken 16.77
herausplatzen 9.53
11.22
herausputzen 11.45
13.52 15.7 17.10
—, sich 11.45 16.88
herausquellen 7.55
herausreden, sich
13.51 19.13
herausreißen (be-
freien) 9.70
16.119 19.13

herausrücken 9.5
13.49 18.12 18.19
18.26
—, mit der bitteren
Wahrheit 16.33
Herausruf 14.3
16.31
herausrufen 16.31
herausschälen, sich
5.26
herausschinden 16.20
herausschlagen 18.5
18.26
herausschmücken
11.16
herausspringen 18.5
herausprudeln 13.14
herausstaffieren
11.17 15.6f.
herausstellen 14.1
14.10
—, sich 11.45 12.20
herausstrecken 3.48
herausstreichen
11.16f. 16.31 19.13
—, sich 16.89
heraustreiben 8.24
15.10
herauswachsen 3.48
5.46 11.26
herauswaschen 3.48
9.66
herauswickeln 3.22
16.118
herauswinden 16.118
herausziehen 16.118
herb 7.67 10.9
11.17 11.31ff.
11.60 15.3 16.53
16.108
herbarisieren 2.1f.
Herbarium 2.2 2.5
herbe 7.68
Herbe 7.68
herbei 8.14
herbeiführen 5.24
5.31 6.4 9.35
—, Frieden 16.47
herbeilassen 9.5
herbeiziehen 16.107
Herberge 3.3 9.67
16.64

herbergen 3.3 16.1
Herbergsvater 16.64
Herbert 16.3
Herbheit 16.53
Herbigkeit s. herb
Herbst 2.5 6.1 6.4
  18.5
—, goldener 1.5
herbsten 2.5
herbstlich 6.4 7.19
  7.23
Herbstmarkt 16.8
Herbstmonat 6.9
Herbstzeitlose S. 23
Hercules s. Herkules
Herd 7.37 8.20
  11.51 16.18 17.2
  20.20
—, eigner 16.1
—, für Haus und
  16.73
— häuslicher 11.46
Herda 20.7
Herde 2.8 2.10 4.1
  4.17 4.20 16.92
  20.22
—, die große 16.94
Herdenmensch 11.37
  16.33
Herder 16.60
Herdstätte 7.37
herein- 8.23
hereinbrechen über
  5.47
Hereinfall 12.46
hereinfallen 9.50
  9.53 9.78 12.25
  16.72 19.31
hereinfliegen 9.78
  19.31
hereingeschneit
  kommen 6.38 9.51
hereinhämmern 16.76
hereinhausen, auf
  sich 2.41 9.63
hereinkriechen, hin-
  ten 16.32 16.115
hereinlassen 19.22
hereinlegen 9.72
  16.72 16.84 18.8
hereinplatzen 6.38
hereinpressen 4.21

hereinrasseln 16.72
hereinsausen 19.31
hereinschliddern
  19.31
hereinsetzen, Bom-
  ben, Brocken 16.76
herfallen 10.11
Hergang 5.44
hergeben 2.26 8.7
  18.12 18.23
—, (Geld) 18.16
—, sich zu allem
  16.32
hergebrachtermaßen,
  siehe Herkommen,
  herkömmlich
hergehen 5.44 8.33
hergeholt, weit
  13.35
hergelaufen 4.49
  16.94
herhalten 9.70 9.78
  18.15 18.26
— müssen 9.50
herhören 10.19
Hering S. 100 2.27
  4.11 4.50 7.68
Heringe, wie die 4.9
Heringsbändiger
  16.60 16.112
Heringsfänger 8.5
herkommen 5.25
  5.34 5.41
Herkommen, s. Her-
  kunft 5.26 9.31
  16.9
herkömmlich 9.31
  16.61
Herkulanum 11.5
  11.31
Herkules 1.2 4.2
  5.35 20.7
Herkulesarbeit 9.40
herkulisch 5.35
Herkunft 5.28 5.41
  6.32 16.94
—, diskreter 16.12
Herle, noi noi 13.29
herleihen 18.16
herleiten 12.15 13.31
  18.16
—, sich 5.34 5.41
Herleitung 5.28 5.41

Herling S. 57 7.67
Herma 16.3
hermachen, sich über
  2.26
Hermandad 19.27
  19.29
Hermann 16.3
— der Cherusker
  11.42
Hermaphrodit 1.21
  2.7 5.14
Herme 15.10
Hermelin S. 126
  16.100 17.10
Hermeneutik 13.44
  20.19
Hermesstab 18.20
Hermetik 20.12
hermetisch 3.58
Hermine 16.3
hernach 6.12 6.23f.
Herodes 2.16
Heroine 16.85
heroisch 11.38 11.44
  19.2
Heroismus 11.38
  13.41 19.2
Herold 8.13 12.42
  13.1 13.8 16.60
Heroldstab 16.100
Heros 11.38 16.85
  19.3f. 20.7
Herostrat 20.4
Herpetologie 2.8
Herr 2.14 2.23 16.38
  16.86 16.91
  16.97f. 16.119
  18.1 20.7f. 20.16
  20.22
— aus Kottbus 16.5
— Bramsig und Frau
  Knöterich 12.55
—, der alte 16.9
— der Schöpfung
  2.14
— gehnse in sich
  12.48
—, hochgestellter
  16.91
—, hoher 16.91
— je mersch nee
  11.33
— Rat 19.28

Herr Schnick und
  Frau Schnack 12.55
— sein eigner 16.119
— Soundso 12.37
— und Frau Neu-
  reich 18.3
— und Gebieter
  16.11
— und Gemahl
  16.11
— von 16.91
— Wichtig 9.44
Herrche 16.9
Herrchen 11.53
Herren 11.30
—, die 19.29
—, nur für 16.44
Herrenhaus 16.97
  16.102 17.1
Herrenhausmitglied
  16.97
herrenlos 16.119
Herrenpilz S. 9
Herrenreiter 16.57
  16.60 16.91
Herrenschnitt 2.16
  16.61
Herrenwinker 17.9f.
Herrenzimmer 17.2
Hergott 11.5 20.7
—, Beim NN- 2.48
—, lieber 16.108
Herrgottsfrühe, in
  aller 6.35
herrichten 4.41 9.26
Herrin s. Herr 2.15
—, seine Frau und
  16.11
herrisch 11.44 16.53
  16.90 16.95 16.97
  16.106 16.108
herrlich (gut) 9.56
  11.9f. 11.17 11.21
  15.7 16.85
Herrlichkeit 9.64
  11.10 11.16 11.47
  16.85 16.88 17.10
  20.13
—, himmlische 20.10
  20.16
Herrschaft 2.5 11.5
  11.31 16.95 16.97
  18.1

Herrschaften, die —
  lassen bitten 16.24
herrschaftlich 16.88
  16.97
herrschen(d) 5.1
  16.95 16.97 19.18
Herrscher 16.60
  16.97f. 20.7 20.9
Herrscherkult 20.2
herrscherlich 11.44
  16.97
Herrscherseele 11.44
Herrschersitz 16.100
Herrscherstab 16.100
Herrschertum 16.91
Herrscherwürde
  16.95ff.
Herrschsucht 11.44
  16.90
herrschsüchtig 16.90
herrühren 5.24 5.34
hersagen 12.39 13.21
herschnattern 13.21
herschreiben, sich —
  von 5.34
herstammen(d) 5.25
  5.34
herstellbar 5.26
herstellen 5.26 5.39
  9.26
—, Frieden 16.47f.
—, Kraft 2.44
Hersteller 5.39 14.11
Herstellung 2.40
  2.44 5.26 18.18
Herstellungs-
  kostenverleger
  16.60
Hertha 16.3 20.7
herüber 3.15
herüberholen 16.78
herum 3.24 11.40
  11.59
herum- 3.38 16.6
  16.44
herumbewegen 8.1
herumfingern 8.34
herumfipsen 9.49
herumführen 18.8
—, an der Nase
  16.54 16.72
herumfummeln 8.34
herumgehen 4.50
  9.80

herumhacken auf
  16.33
herumhantieren 9.49
herumkommen 4.23
herumkribbeln 4.4
herumkriegen 9.12
  16.21
herumlassen 16.78
Herumlungerer 9.24
herumlungern 6.7
herummachen 9.38
herummimen 9.49
herummurksen 9.49
herumnoddeln 9.49
herumpolken 9.49
herumpopeln 9.49
herumpoussieren
  16.44
herumreden 9.80
herumschlagen, sich
  9.55
herumschlendern
  16.6
herumschmökern
  12.6
herumschusseln 9.49
herumschwänzeln
  11.53
herumschwärmen
  16.6
herumsprechen, sich
  12.32 13.6f.
herumstehen 9.49
Herumsteher 9.49
herumstreichen 16.6
  16.44
herumstreifen 9.24
herumtanzen 11.45
herumtigern 8.34
  9.49
herumtreiben 19.9
—, sich 8.34 16.6
Herumtreiber 9.24
  11.53 19.10
herumtreten auf
  16.79
herumturnen 8.34
herumwirtschaften
  9.49
herumwursteln 9.49
herunter 3.34
herunter- 8.30
herunterbringen
  9.63

heruntergehen
  18.28
—, glatt 11.10
heruntergekommen
  2.41 4.25 9.61
  11.28
heruntergewirt-
  schaftet 9.49 9.78
herunterhandeln
  18.28
herunterhauen,
  einem eine 16.78
herunterholen 9.21
herunterkommen
  4.5 4.11 5.47 9.61
  9.65 9.78 11.2
  18.4
herunterleiern 13.21
heruntermachen
  16.33
herunternehmen
  8.27 8.30 16.33
herunterputzen
  16.33
herunterreden, sich
  etwas 13.5
herunterreißen 5.17
herunterrutschen
  11.59
heruntersetzen
  16.33
herunterstellen 8.30
herunterwürgen
  2.26
herunterziehen
  16.35
hervor- 8.24
hervorbrechen 7.55
  8.24
hervorbringen 5.1
  5.26 5.39 11.5
  13.3 14.2
hervorgehen 12.16
  12.20 13.46
— aus 5.34
hervorheben 5.21
  7.26 9.44 13.17
  13.28 13.33
hervorkommen 7.1
hervorragen(d)
  3.48 4.50 5.11
  7.1 9.44 9.56 9.64
  12.52 16.85

hervorrufen 5.24
  5.31 5.39
  11.5 11.17 11.22
  11.30 11.59 16.31
—, einen Sturm 5.31
  5.36
—, Skandal 16.33
hervorsprudeln
  13.21
hervorstechen 16.85
hervortreten 7.1
— mit 14.11
hervortun, sich
  9.52 11.38 16.85
hervorzaubern 12.45
  20.12
Herz 2.16 2.27 3.19
  3.28 3.34 5.2
  9.4f. 9.12 9.44
  11.1f. 11.5 11.10
  11.13f. 11.16
  11.21 11.32ff.
  11.38 11.41f.
  11.50 11.52ff.
  11.60ff. 12.2
  15.11 16.42
  16.109 19.3 19.5f.
  20.13 20.16
— an Herz 16.42
—, ans — drücken
  16.43
— ausschütten 13.5
—, das — brechen
  11.14
—, das — gewin-
  nen 16.42
—, das harte 19.6
—, ein — und eine
  Seele 12.47 16.41
—, im 3.28
— ins — schließen
  16.41
—, nicht übers —
  bringen 5.37
—, sein — auf der
  Zunge tragen
  13.5
— und Hand erlan-
  gen 16.10f. 16.42
—, verhärtetes 19.6
Herz, viel 2.16
—, weiches 16.110

Herzader 7.56
herzählen 14.1
Herzbändel 11.53
Herzbeklemmung
2.41 11.42
herzbetörend 11.53
herzbewegend 5.47
11.5f. 11.13f.
11.50
Herzblatt 11.46
11.53 16.42
Herzblut 2.17
herzbrechend 11.14
18.4
Herzchen 11.46
11.53
Herzeleid 11.13f.
herzen 16.42f.
— und küssen
16.43
Herzen 2.27
—, auf dem —
haben 16.20
—, aus seinem —
keine Mörder-
grube machen
13.49
—, mit heißem 9.38
—, vom — weg
reden 13.49
— von — kom-
mend 11.52f.
16.41
—, zwei — und ein
Schlag 16.11 16.40
Herzens, Abwen-
dung des 16.66
—, auf den Knien
meines 16.39
Herzensdame 11.53
Herzensdieb 11.53
Herzenseinfalt 19.4
Herzensergießung
13.5 13.21
Herzenserkaltung
16.67
Herzenserleichterung
13.5 13.21
Herzensfreund 16.41
Herzensliebling
11.53
herzensrein 19.4
Herzensruhe 11.16

Herzensseite 3.30
Herzenstakt 11.51
Herzenswallung
11.1
Herzenswärme
11.53
Herzensweide
11.10
Herzenswunsch
11.36
herzentzückend
11.17f.
herzerfrischen(d)
11.10
herzergreifend 11.6
11.14
herzfesselnd 11.53
herzgebobbelt 11.53
herzhaft 2.28 5.35
9.6 11.38 16.73
Herzhaftigkeit
5.34f. 11.38
16.73
herziehen über 16.33
herzig 11.16f. 11.46
herzinniglich 11.53
Herzjesubinkerl
2.16
Herzklappenfehler
2.41
Herzklopfen 2.39
2.41 11.4 11.42
herzlich 4.50 5.2 9.4
11.52f. 16.41
— willkommen
16.38
Herzlichkeit 11.4
11.52f. 16.41
16.64 20.13
herzlichst 11.54
16.38
herzlos 11.8 11.60f.
19.7
Herzlosigkeit 11.8
11.60f. 16.81
19.10
Herzog 16.85 16.91
16.97f.
Herzogtum 1.15
16.97
Herzschlag 2.17
herzstärkend 11.10
Herzstärkung 2.31
16.41
herztausig 11.53

Herzverfettung 2.41
Herzverhärtung
19.6
Herzwallung 11.1
herzzerreißend
11.13f.
Hetäre 10.21 16.45
16.60
hetärenhaft 16.44
Hetärie 16.17
Heterodoxie 20.2
heterogen 1.21 4.49
5.6 5.11 5.21f.
heteronom 4.49
Hetman 16.74
Hetzblatt 16.35
Hetze s. Hetzjagd
8.7 9.18 9.39f.
16.57
hetzen 2.12 2.31
4.51 8.7 8.15 11.6
11.42 11.60 11.63
16.35 16.67
Hetzer 9.38 11.63
12.34 16.67
Hetzerei 16.67
Hetzjagd 2.12 5.29
8.7 11.60 16.35
16.57 16.67
Hetzpresse 13.51
Hetzpropaganda
16.21
Hetztag 16.8
Heu 2.5 4.50 18.3
—, das — herein-
haben 5.46
— und Stroh 3.38
—, wie 4.20
Heuchel 2.5
Heuchelei 5.18 12.55
13.51 16.32 16.72
19.8 20.3 20.14
heucheln 13.51 16.51
16.72 16.90
Heucher 16.56
Heuchler 13.51
16.32 16.35 16.51
16.72 19.8 20.2f.
20.14
heuchlerisch 13.51
16.32 19.8 20.14
heuer 6.16
Heuer 1.23 8.5
16.56 18.26

Heuergangszeit 16.8
heuern 9.84 16.113
18.17 19.14
Heuertag 16.8
Heugabel 11.45
17.15
Heulboje 7.26
7.31 15.18
heulen 4.50 5.19
5.25 7.33 11.32f.
16.115 18.12
Heulen 20.11
— und Zähneklap-
pern 20.11
Heuler 11.33
Heulpeter 11.7
11.33
Heulpfeil 15.15
Heulspeer 15.15
Heumonat 6.9
Heuochs 12.56
heureka! 12.20 12.45
heurig 6.16
—er Hase 2.24
Heuriger 2.31 7.54
heuristisch 12.29
Heuschober 4.18
17.1
Heuschrecke S. 94
heute 5.25 5.27 6.16
8.8 9.9
—, bis 6.22
—, das ist die
Jugend von 16.33
—, genug für 16.38
—, lieber — als mor-
gen 8.7
— und morgen 6.33
—, von — auf mor-
gen 6.14
heutig 6.16
heutzutage 6.16
Hexaeder 3.43 4.39
Hexagon 4.39
hexagonal 4.39
Hexameter 4.39 14.2
Hexe 2.25 2.30 5.47
9.12 11.17 11.27f.
11.53 12.43 20.5f.
20.12
hexen 9.39 20.12
Hexenberg 2.48
hexenhaft 20.12

Hexenkessel 16.116
Hexenkind 20.5
Hexenküche 3.38
  20.12
Hexenmeister 9.52
  12.52 20.12
Hexenpakt 20.12
Hexensabbat 3.38
Hexenschuß 2.41
Hexenwind 1.6
Hexerei 5.20 5.27
  9.39 9.52 20.12
Heyer 16.60
Hias 16.60
Hiatus 3.10 3.36
hickeln 16.56
Hickhack 16.67
Hidalgo 16.91
Hieb 2.32f. 2.41
  9.78 11.23 16.54
  16.76 16.78 19.32
Hieber 17.11
hiebfest 9.75
Hiebwaffe 17.11
Hiebwunde 2.42
Hiefe S. 47
hiefrig 4.11
hier 3.2f. 8.20
  18.21
—, bist wohl nicht
  von 12.57
— und da 6.30
  8.22
Hierarchie 16.95
  16.97 20.16f.
hieratisch 15.3
hierauf 6.23f.
hierher 8.20
—, bis — und nicht
  weiter 16.77
Hierodule 16.45
Hieroglyphe 14.5
  15.1
Hieroglyphik 15.1
Hieronymus 16.3
Hierophant 12.32
hiesig 3.3
Hifthorn 2.12 15.15
hih 11.59
hild (niederd.) 8.7
Hilde 16.3
Hildegard 16.3
hilf 11.50

Hilfbild 2.48
Hilfe 2.40 2.44 9.4
  9.18 9.38 9.46
  9.57 9.69f. 9.82
  11.33f. 11.52
  13.11 16.112
—, mit 9.69
—, mit Gottes 9.28
Hilfegeschrei 13.11
Hilfeleistung 9.70
Hilferuf 13.11
hilfeverleihend
  11.33
Hilfio 13.11
hilflos 5.36f. 9.27
  9.55 9.73. 11.13
Hilflosigkeit 5.37
hilfreich 9.70 11.52
Hilfs- 6.15 12.29
hilfsbedürftig 2.41
  4.25 18.4
hilfsbereit 4.29
  11.51f. 16.38 18.13
Hilfsbereitschaft
  16.38
Hilfsbuch 14.1
  14.12
Hilfsgeld(er) 18.12
Hilfskreuzer 16.74
Hilfsmittel 9.21
  9.82
Hilfsquelle 4.21
  4.29 9.82 18.3
Hilfsschule 12.56
Hilfstruppen 9.70
  16.74
Hilfswerk 20.22
NN-Hill 2.48
hille 8.7
Himbeere S. 45 2.27
Himmel 1.1 2.33
  2.45 4.12 5.46
  7.8 8.28 8.30 9.21
  9.38 11.5 11.8f.
  11.14 11.30 11.33
  11.35 11.50 11.54
  12.13 16.87 19.8
  20.1 20.5 20.7
  20.10 20.13
—, das schreit zum
  16.33

Himmel, den — zum
  Zeugen anrufen
  16.23
—, düsterer 9.74
  11.42
— erheben, in den
  (sich) 13.52
  16.30f.
— fahren, gen 2.45
—, gestirnter 1.2
— hängt voller
  Geigen 11.35
—, im siebenten
  2.33
—, sich in den —
  lachen 2.45
— und Erde 2.27
— und Hölle 16.56
—, unter freiem
  3.18 7.60 8.18
  16.52
—, aus allen —n
  fallen 12.46
himmelan 3.33 4.12
himmelangst 4.50
  11.42
himmelblau 7.21
Himmelfahrt 20.16
Himmelfahrtskom-
  mando 2.46 9.74
  16.74
Himmelfahrtsnase
  2.41
himmelhoch 3.1 5.27
  11.21
himmelhochjauch-
  zend 5.46 11.20f.
Himmelreich 20.1
  20.10
Himmels willen,
  um 11.50
Himmelsbraut 20.1
  20.17
himmelschreiend
  19.8
Himmelsfähnrich
  16.60
Himmelsfenster 1.2
Himmelsgabe 18.3
Himmelsgegend 1.1
  1.12
Himmelsgewölbe
  1.1f. 3.20
Himmelsglobus 1.2
Himmelsgürtel 3.24

Himmelsklamotte
  16.74a.
Himmelskörper
  1.1f. 7.5
Himmelskugel 3.50
Himmelskunde 1.2
Himmelslicht 7.4
Himmelslichter 1.2
Himmelsmächte
  20.6
Himmelsrand 3.8
Himmelsraum 1.1f.
Himmelsrichtung 1.1
  1.12
Himmelsspeise 2.27
Himmelsstrich 1.11
  1.13
himmelstrebend
  20.1
Himmel(s)stürmer
  4.40 11.6 11.39
  11.58
Himmelswesen
  19.3f.
Himmelszelt 1.2
Himmelsziege S. 120
himmelweit 5.21
Himmi 11.5
himmlisch 1.2 4.1
  5.46 7.66 9.56
  11.9f. 11.16f.
  11.30 19.3 20.7
  20.10
—e Heerschar 20.6
—e Wesen 20.6
hin 2.33 2.46 6.19
  8.11 8.18 11.30
  11.53 12.3
—, ist 9.63
— und her 8.1 8.33
  9.9
— und wieder 3.36
  6.16 6.28 6.30
  8.22
Hin und Her,
  ewiges 9.7
hin- und herwenden
  12.23
hinab 3.34 4.14
  8.27
hinabgehen 8.30

hinablassen 8.27
8.30
hinan 8.28 11.37
hinappeln 8.31
hinauf 3.33 8.28
11.59
hinaufziehen 3.17
hinaus 3.18 3.28
4.51 8.18 8.24
11.44
hinausballotieren
16.52 16.56
hinausbefördern 8.3
hinausekeln 4.49
8.18
hinausgehen, neben
16.14
hinauslaufen 5.10
5.16
hinausmüssen 2.35
hinauspfeffern
11.31
hinausschieben
6.35f. 8.8
Hinausschiebung
(langwierig) 6.6
hinausschießen 4.22
8.22 9.78
hinausschmeißen
8.18
hinausweisen 16.27
hinauswerfen 3.4
8.18 8.24 9.86
18.14
hinauswollen 5.10
9.14
hinbefördern 8.3
Hinblick 5.13 12.10
12.12
hinbringen 9.35
11.26
Hinde S. 127
hinderlich 9.51 9.73
hindern 9.55 9.73
16.117
Hindernis 3.58 9.17
9.51 9.55 9.59
9.72 16.29
Hindernislauf 16.57
Hindernisse 9.8 9.26
9.54f. 9.77 20.9
Hinderung 16.29
hindeuten 12.41
13.17

Hindin S. 127
hindotzen 8.31
hindurch 3.15 8.9
hindurchsehen 12.38
hineiern 8.31
hinein 8.23 9.29 11.8
hinein- 1.21 3.25
8.23
hineindenken 19.2
hineinfallen 8.26
9.51
hineingeheimnissen
13.34
hineingehen 8.23
hineingeraten 3.25
hineinknäulen 3.25
hineinknien 9.38
hineinkommen 8.23
hineinlegen, den
schuldigen Re-
spekt 16.38
hineinleuchten 13.5
hineinpampfen 2.26
hineinpanschen 2.26
hineinplatzen 3.36
9.51 9.53 12.45
hineinpressen 3.3
hineinreiten, jemd.
5.47
hineinstecken 8.26
12.6 18.26
hineinwachsen, in
den Rücken 2.41
hineinwerfen 8.26
hineisen 8.31
hinellern 8.31
hinfallen 8.31
hinfällig 2.25 2.39
2.41 4.5 5.5 5.37
6.4 6.8 12.19 13.47
Hinfälligkeit 2.41
4.5 5.37 6.8 9.61
12.19 12.40 12.46
13.47
hinfetzen, -hauen,
-huschen, -setzen
8.7 9.39 15.4
hinfliegen 8.31
hinfort 6.12 6.18
6.23f.
Hingabe 9.20 12.7
19.2

hingeben 9.31 11.9
11.11 11.21 11.32
12.3 12.9 18.23
19.2 20.1
—, sich 9.8 16.42
19.4 20.16
Hingebung 11.43
11.53
hingegeben 11.53
hingegen 13.47
hingegossen 11.5
hingehen 8.33
— lassen 16.47
hingerichtet 19.32
hingerissen 11.5
11.53
hingeschieden 2.45
hingestreckt 3.12
hingezogen 11.53
Hingezogenheit
11.53
hingravitieren 9.1
hingucken 3.7
hinhalten 6.1 6.6
6.34 6.36 8.8 9.7
9.13 9.73 12.41
12.46
—, den Kopf 16.73
hinhauen 8.31 9.27
14.5
Hinhorche 16.78
hinhören 10.19 12.7
—, nicht 12.13 16.27
Hinkel S. 119 11.43
12.56
hinken(d) 2.41f. 4.46
5.19 5.27 5.36f.
8.8 9.65
Hinkunft, in 6.23
hinlangen 10.2
hinlänglich 4.23
Hinlänglichkeit 4.23
hinlegen 8.30f.
9.27 14.3 16.57
hinlerchen 8.31
hinmachen 2.46
11.27
hinmorden 2.46
11.60ff.
hinnehmen 9.5 11.8
11.48
hinneigen 9.1 9.4
Hinneigung 11.1
11.36 11.53

hinnen, von 8.18
hinopfern 2.21 2.46
5.29 9.77 11.13f.
18.15 19.2
hinpflanzen 9.8
hinreichen(d) 4.23
4.29 11.48
hinreißen 9.5 11.5
11.10 11.17 11.53
12.6 16.55
hinreißend 11.5
11.53 15.17
hinreißungsfähig
11.6
hinrichten 2.46
19.32
Hinrichtung 2.46
19.32
Hinrichtungsstätte
2.48
hinrotzen 9.63
hinsausen 8.31
hinscheiden 2.45
hinschlachten 5.29
—, mit kaltem
Blute 16.70
hinschlagen 8.31
11.30
hinschleppen, sich
2.39 6.7 8.8
hinschmachten 11.36
hinschmeißen 8.31
9.33
hinsetzen 5.39 8.6
Hinsicht 5.13
hinsichtlich 5.8 5.13
12.5
hinspucken 3.7
hinstehlen, sich 8.11
13.4
hinstellen 17.1
hinsteuern 9.14
hintanhalten 6.12
9.72
hintansetzen 16.28
19.2
Hintansetzung 9.19
16.34
hinten 3.27 8.17
11.40
— herum 8.18
16.72 19.23

hinten, kriegt eins —
vor 16.78
— und vorne 3.7
hinter 3.27 4.14
8.15 11.29
— den Kulissen
13.4
— der Szene 13.4
— sich 8.16
—m Berg halten
13.4
Hinterbacken 2.16
Hinterbeine, sich
auf die — stellen
16.65
Hinterbliebene(n)
6.12 8.15 18.1
hinterbringen 13.2
13.5
—, Gerüchte 13.2
Hinterdeck 3.27 8.5
16.7
hintere 3.27
hintereinander 3.35
8.15
— kommen 16.70
— weg 6.34
Hinterer 2.16
hinterfotzig 11.60
19.8
Hinterfüße 8.28
Hintergedanke 9.14
13.4 13.51
hintergehen 9.86
12.53 13.45 13.51
16.72 18.8 19.8
19.21
Hinterglied 3.27
Hintergrund 3.27
11.47 19.2
hintergründig 19.8
Hinterhalt 9.67 9.74
13.4 16.71f. 16.76
—, in den — locken
16.76
hinterhältig 3.27
11.60
Hinterhaus 17.11f.
hinterher 6.12 9.38
11.36
Hinterlader 17.12f.

Hinterland 3.27
hinterlassen 6.23
13.2 18.12
—, eine Karte
16.64
Hinterlassenschaft
18.1
hinterlegen 3.3
18.30 19.16
Hinterlegung 18.16
Hinterlinie 3.27
Hinterlist 11.60
12.53 13.4 13.51
19.4 19.8 19.21
hinterlistig 11.60
12.27 12.53 13.4
13.51 19.8
Hintermann 8.15
Hintermänner 16.95
Hintern, den Spani-
schen auf dem —
tanzen lassen
16.78
Hinterquartier 2.16
Hinterreihe 3.27
hinterrücks 3.27
— angreifen 16.35
Hintersaß(—sse)
16.92 16.94 16.112
Hinterseite 3.27
hintersinnig 12.57
Hinterster 2.16
hinterstichig 12.57
Hinterteil 2.16 6.4
8.15
hintertreiben 9.73
—, einen Plan 16.65
Hintertreibung
9.72
Hintertreppe 8.11
17.2
Hintertreppen-
politik 19.21
Hintertreppen-
roman 11.29
hintertrieben 12.53
Hintertüre 8.11 9.54
12.53 13.5 16.72
Hinterwäldler 9.53
12.55 16.52 20.1
Hinterzimmer 17.2
hintreten 13.5
Hintritt 2.45

hinüber 2.33 2.45
hinübergehen 2.45
8.30
hinüberschlummern
2.45
hinunter 2.43 3.34
8.30
hinunteressen 11.8
hinuntergehen 8.30
hinuntergießen 2.30
hinunterschlingen
2.26
hinunterspülen 2.31
hinunterstürzen 2.30
hinunterwürgen
11.8 16.38
hinweg 3.4 3.8 8.18
16.6
hinwegfegen 5.29
16.84
hinwegfliegen 8.18
16.6
hinwegnehmen 18.6
hinwegsehen, dar-
über 16.109
hinwegwaschen
19.66
hinwegwischen 7.58
Hinweis 13.2 13.9
13.39
hinweisen 9.12 12.7
13.3 13.9
—, mit dem Finger —
auf 16.36
hinwerfen 15.4
—, den (Fehde-)
Handschuh 16.67
16.69
Hinz(e) S. 126
Hinz und Kunz
16.92 16.94
Hinzenmännchen
20.6
hinzeigen 8.11
hinziehen 6.7 8.8
hinzielen 9.14
hinzu 4.28
hinzudrängen 4.17
hinzufügen 4.28
4.33 4.48 13.21
Hinzufügung 4.3
4.28

hinzugefügt 4.22
hinzukommen 9.68
hinzusetzen 4.22
4.28 9.69
hinzutreten 4.17
Hiob 11.8 11.13
11.32f.
Hiobspost 11.42
13.7
hip hip hurra 11.22
Hippe 2.5 5.42
17.15
Hippen 2.27
Hippenschinder 1.6
hipperig 4.11
hippetee (hambg.)
12.57
Hippodrom 14.3
16.57
Hippokras 2.31
hippokratisches Ge-
sicht 2.45
Hippolyt 16.50
Hirn 2.16 2.27 12.2
12.52
Hirnbestie 16.60
Hirnerweichung 2.41
12.57
Hirnfatzke 12.32
Hirngespinst 3.5
4.26 5.20 9.10
12.2 12.4 12.28f.
Hirnhautentzün-
dung 2.41
Hirnkasten 2.16
Hirnkrankheit 12.57
hirnlich 12.4
hirnlos 12.56
Hirnschädel 2.16
Hirnschale 2.16
Hirnschlag 2.41
hirnverbrannt 9.51
12.19 12.56f.
Hirnverkleisterung
12.34
Hirnwurst 2.27
Hirsch S. 127 2.27
8.4
—, Zum -en 16.64
Hirschfänger 17.11
Hirschgeweih 16.14
Hirschhornsalz 1.28
Hirschkuh S. 127

Hirse S. 21 2.27
Hirt(e) 2.10 9.75
  16.60 16.101 20.17
—, der gute 20.8
Hirtenflöte 15.15
Hirtengedicht 14.2
Hirtenpfeife 15.15
Hirtenstab 16.100
Hirtentäschel S. 42
hissen 4.12 8.5 8.28
  13.1 16.7
hist 3.30
Historie, historisch
  6.19 12.15 14.1
Historienmaler 15.1
  15.4
Historiker 14.1
Hitze 7.35
  9.18f. 9.38f. 11.5f.
  11.31 11.39 11.58
—, fliegende 2.41
  11.58
Hitzegefühl 10.4
Hitzewelle 7.42
Hitzgickel 11.58
hitzig s. Hitze 7.36
  9.39 11.5 11.31
  11.38f. 11.58
Hitzkopf 11.6 11.58
hitzköpfig 11.31
  11.39 11.58
Hitzschlag 2.41
Hiwwel 2.41
hm hm 7.63 11.37
  13.28
Hobel 3.55 17.15
Hobelbank .17.15
hobeln 3.51ff. 16.38
Hobeloffizier 16.60
Hobelspan 4.9 4.11
Hoboe· 15.15
Hoboist 15.14 16.74
hoch 4.1 4.3 4.12
  11.45 11.53f.
  11.59 16.31 16.87
  16.92 19.2
—, bei allem, was
  mir — und heilig
  ist 13.50 16.20
—, da geht es — her
  18.14
—, das hängt, das ist
  mir zu 13.35
—, drei Mann 4.38

hoch haben 2.33
— in den 2.24
— kauen 10.12
— lebenlassen 16.64
— soll er leben,
  dreimal — 16.31
— und heilig be-
  teuern 13.50
— und niedrig 3.7
  4.41 4.50
—, zu — anschlagen
  12.50
—, zu (sein) 12.56
— zu Roß 11.44
  16.6
Hoch! 1.5 11.21f.
  16.31 16.38f.
—, ein — ausbringen
  16.38
hochachten 11.53
  16.31 16.85 16.87
Hochachtung 16.30f.
  16.85
—, alle 16.30
—, meine 16.38
—, mit vorzüglicher
  16.38
hochachtungsvoll(st)
  16.38
Hochaltar 20.20f.
Hochamt 20.16
Hochantenne 3.12
  4.12
hochaufgeschossen
  4.12
Hochbahn 16.6
hochbegabt 9.52
  12.52ff.
hochbetagt 2.25
Hochbetrieb 9.37
  16.59 18.25
Hochbootsmann
  16.97
hochbringen 11.31
Hochburg 9.44 16.96
Hochdecker 8.6
hochdeutsch 11.45
  13.2 13.12
Hochdruck 2.41 5.34f.
  9.38 12.12
Höche 2.5

Hochebene 1.13f.
  4.12 4.42
Hochehrwürden
  16.86
hochentwickelt
  16.121
hocherfreulich 4.50
hochfahrend 11.44f.
  11.48 16.90
hochfein 4.50
Hochfinanz 18.3
hochfliegend 11.45
  11.48 13.52
Hochflut 4.12 4.20
  7.55
Hochgebirge 4.12
hochgeboren 16.91
hochgeehrt 16.85
Hochgefühl 11.5
hochgehen 11.5 11.31
  16.117
— lassen 16.117
  18.8
hochgehend 5.36
Hochgenuß 10.8
  11.9f. 16.55
hochgeschätzt 11.53
  16.31·
Hochgeschrei 16.31
hochgesinnt 19.2
hochgestellt 16.91
hochgestochen 11.45
hochgewachsen 4.12
hochgradig 4.50 5.36
hochhalten 9.44
  11.36 16.30
—, das Banner 16.18
Hochhaus 17.1
Hochheim 11.31
hochherzig 18.13
  19.1f.
Hochherzigkeit 19.2
hochkantig 8.18
Hochkirchler 20.1
hochkomisch 4.50
  11.23f.
hochkommen 11.59
Hochkommissar
  16.103
Hochland 1.13 4.12
hochmodern 4.50
hochmögend 16.95
Hochmut 11.45
  16.53 16.90 19.10

hochmütig 11.44f.
  16.53 16.90 16.108
Hochmutsnarr 11.45
Hochmutsteufel 11.44
hochnäsig 11.44
hochnehmen 11.60
  16.54 16.72 16.117
  18.8 18.26f.
hochnotpeinlich 19.12
Hochofen 7.37
hochortlich 9.12
  13.2
hochprozentig 4.50
Hochrad 8.4
hochragen 3.11
hochrappeln, sich
  wieder 2.44
Hochrelief 3.48 15.10
Hochrenaissance 15.3
hochrot 4.50 7.17
hochrund 3.48
Hochsaison 6.37
hochschätzen 11.53
  16.30f.
Hochschätzung
  16.30f.
Hochschein 12.37
hochschrauben 8.6
  8.28
Hochschule 12.36
hochsinnig 11.52
  19.1f.
Hochsitz 2.12 9.44
Hochsommer 7.35
Hochspannung 5.35
  9.74
Hochsprung 16.57
höchst 4.1 5.6
Hochstapler 16.72
  16.89 16.94 18.8
höchstbesoldet 18.3
höchste, es ist — Zeit
  6.36
Höchste, der 20.7
höchstens 9.60 13.48
Höchstgeboren 16.86
Höchstmaß 4.50
Höchstpreis 18.28
Hochtour 16.6
hochtrabend 9.44
  11.44f. 13.52
  16.88f.
hochtragend 2.20
hochtreiben 18.27

hochverdient 16.31
Hochverrat 19.8
19.11
Hochverräter 19.8
hochverzinslich 18.5
Hochwasser 5.42
hochwertig 9.56
hochwichtig 4.50
Hochwild S. 127
Hochwohlgeboren
16.86
Hochwürden 16.86
20.17
Hochzeit 14.6 16.11
16.55 16.59
— halten 16.11
—, goldene, silberne
usw. 6.19 16.11
16.59
hochzeitlich 16.11
Hochzeitsbitter 16.11
Hochzeitscarmen
14.2
Hochzeitsfackel 16.11
Hochzeitsfeier 16.11
Hochzeitsfest 16.11
Hochzeitsgedicht
16.11
Hochzeitsgeschenk
16.39
Hochzeitsnacht, bei
mir 16.50
Hochzeitspredigt
20.16
Hochzeitsrede 16.11
s. ähnliche Zusam-
mensetzungen
Hochzeitsschmaus
16.11
Hochzeitssegen 16.11
Hochzeitszeremonien
16.11
hocken 3.3 3.34
Hocken 2.5
Hocker 17.3
Höcker 2.41 3.45 3.48
3.50 3.53 3.60
9.12 11.27f.
höckerig 3.48 3.53
3.60
Hockerstellung 3.34
Hockey 16.57
Hodel (schlechtes
Auto) 8.4

Hoden 2.16
Hodenbruch 2.41
Hodler 16.60
Höd(u)r 20.7
Hoeldag 16.8
Hof 2.5 3.2 4.41 7.4
8.25 11.53 16.61
16.91 16.97 16.112
16.115 17.1 18.1
18.4
— machen, den
11.53 16.20 16.31f.
16.38 16.115
—, Nordischer 16.64
Hofbauer 16.60
Hofbote 13.8
Hofdame 16.91
16.112
Hofer 16.60
Hofes, Aufseher eines
16.60
hoffähig 16.61 16.91
Hoffarbe 13.1
Hoffart 11.45 16.90
hoffärtig 11.45 16.90
hoffen 5.2 5.4
6.23f. 7.18 11.35f.
12.41
hoffentlich 5.4 11.36
Hoffest 11.44 16.88
Höffmannstropfen
2.40
Hoffnung 6.23 9.17
9.73 9.77 11.27
11.32 11.34f. 11.41
11.53 12.24 12.41
— anregen 12.41
— aufgeben 12.45
—, gescheiterte 9.78
—, guter 2.20
—, keine — lassen
12.45
— vernichten 12.46
Hoffnungsanker
11.35
hoffnungsfreudig
11.35
Hoffnungsfunke
11.35
Hoffnungsglanz
11.35
hoffnungslos 5.3
9.60 9.74 9.78
11.31f. 11.41 12.45
19.12

Hoffnungslosigkeit
9.74
Hoffnungsschimmer
11.35
Hoffnungsseligkeit
11.35
Hoffnungsstrahl
11.35
hoffnungsvoll 11.20f.
11.35 12.41
Hofhaltung 16.112
Hofhund S. 126
9.75 16.101
hofieren 11.53 16.20
16.32 16.38 16.115
höfisch 16.32 16.61
Hofkapelle 20.20
Hofkaplan 20.17
Hofknicks 16.30
16.115
Hofleben 16.61
höflich 9.4 11.43
16.30 16.32 16.38
16.61
Höflichkeit 11.18
11.48 16.38 16.61
— beibringen 16.38
— bezeigen 16.38
Höflichkeitsphrasen
16.38
Höfling 16.32 16.91
16.112f. 16.115
Hofmacher 11.53
16.32
Hofmacherei 16.38
16.42
Hof(f)mann 16.60
hofmännisch 16.32
Hofmarschall 16.97
Hofmeier 16.60
Hofmeister 12.33
16.60 16.112
hofmeistern 16.33
16.90
Hofnarr 11.23 16.33
16.54
Höfner 16.60
Hofpartei 9.68f.
Hofprediger 20.17
Hofrat 13.9
Hofreite 2.5
Hofrichter 16.60

Hofschranze 16.32
16.115
Hofsitte 11.47 16.32
16.88
Hofstaat 8.15 11.47
16.88 16.112
Höft 16.2
Höfte 1.16
Hofton 16.61
Hoftracht 11.47 16.88
Hoftrauer 9.67
Hofwürdenträger
16.91
Hofzwerg 16.54
Höhe 2.20 3.2 3.33
3.40 4.12 5.17 8.28
9.77 11.10 11.31
11.59 15.13 15.17
16.85
—, auf der — sein
2.38 12.32 16.61
—, das ist die rechte
16.33
—, das ist doch die
16.33
—, in die — gehen
4.3
Hoheit 9.44 9.64
16.85f. 19.2
— der Gesinnung
11.47 11.52f. 19.2
Hoheitsrecht 16.95
16.97
Hoheitsträger 16.96
hoheitsvoll 11.44
Hoheitszeichen 13.1
Hohelied 16.31 20.19
Hohenastheimer 2.31
Höhengleichheit 4.12
4.27
Höhenkreis 6.3
Höhenmensch 16.119
Höhenrauch 7.59
Höhensonne 2.44
Höhenweg 4.12
Hohepriester 20.17
Höhepunkt 3.33 4.12
4.50 5.24 5.30
hoher Grad 4.50
Höherentwicklung
16.121

höherer Blödsinn
12.19
höherer Grad 4.51
höherstellen 12.49
hohes Alter 2.25
hohl 3.49 3.57 4.46
7.25 13.18
13.51 15.18
Hohl 9.76
Höhle 1.11 3.19 3.49
3.57 4.14 9.74
11.38 13.3f. 16.56
·16.71 17.1 20.20
Hohleisen 17.15
höhlen 7.48
Höhlenbewohner
16.52
Hohlfuß 2.41
Hohlheit 3.49 3.57
4.26 4.46 7.48
12.37 13.18 13.51
Hohlkopf 12.37
12.56
Hohlmaße 4.19 17.6
Hohlrinne 3.45
Hohlschanze 16.77
Hohlspiegel 10.16
Hohltaube S. 119
Höhlung 3.49
hohlwangig 2.41
Hohlweg 3.10 4.9
8.11 8.25
Hohn 5.23 11.31
11.38 16.33f.
16.36 16.54 19.20
höhnen 11.22 16.54
Hohngelächter 11.21
— der Hölle 16.54
höhnisch 11.23f. 11.44
16.34 16.53f.
Hohnlächeln 16.54
hohnlachen 11.22
16.54
Hohnrede 16.54
Höizen 2.5
hökern 18.23
Höker(in). 16.60
18.23 18.25
Hokuspokus 5.20
5.24 13.18 16.72
20.12
hold 11.17 11.53
16.31 16.42
— sein, jemandem
11.53 16.21

Holde 11.53
Holder 16.56
holdrio 11.22
holdselig 11.17 11.53
Holdseligkeit 11.16f.
holen 8.3 9.36 9.52
16.78 19.2
—, die Kastanien aus
dem Feuer 9.46
9.70 9.74
—, heran-, herbei-,
nach- 8.14
—, sich einen Korb
16.12
—, sich etwas 2.41
holla 12.7 13.24
Holland in Not·9.74
Holländer, fliegender
20.5
holländern 8.32 14.11
16.57
Holle, Frau 1.9
Hölle 9.38 11.5
11.13f. 11.38 11.60
16.79 19.6 19.9
19.26 20.4f. 20.9
20.11
—, Blendwerk der
16.72
—, das Leben zur —
machen 16.79
—, die — heiß
machen 16.79
—, die — ist los
7.26
—, Himmel und
16.56
—, Hohngelächter
der 16.54
—, in die — fahren
2.45
Hollehopp 16.56
Hollemännchen 20.6
Höllenbombe 17.13
Höllenbraten 19.9
Höllenbreughel 3.38
Höllenbrut 20.6
Höllendrache 11.63
19.9
Höllenfürst 20.9
Höllenhund 19.9
Höllenkunst 20.12
Höllenlärm 7.26
Höllenmaschine
17.11 17.13

Höllenpfuhl 20.11
Höllenreich 20.11
Höllenspuk 20.5f.
Höllenstein 1.28
Höllentiefe 4.14
Höllentreiben 20.6
Höllenwerk 20.5f.
Höllenwesen 20.5
Holliowend 16.8
höllisch 4.1 4.50
11.14 11.60 19.9f.
20.1 20.9 20.11
Holm 1.17 2.5
Holmgang 16.67
16.70
Holokaustum
(Brandopfer) 20.2
holometabol 5.25
holperig 3.53
Holperigkeit 3.53
Hölscher 16.60
Hölsgesmarkt 16.8
holter 8.7
holterdipolter 8.31
Holunder S. 77 2.27
Holz 1.29 4.17 5.8
5.17 7.38
—, Gut 16.38
—, in weichem —
bohren 13.18
—, viel — bei der
Herberge, bei der
Wand, bei der
Hütten, vor der
Tür 2.16
Holzapfel 7.67
Holzauge 16.74a.
Holzdubel 12.56
holzen 16.78
Holzerei 16.70
hölzern 1.20 9.53
11.26ff. 15.3
Holzessig 1.29
Holzfäller 16.60
Holzfrevel 19.20
Holzgeist 1.29
Holzhacker 16.60
Hölzinger 16.60
Holzinstrument
15.15
Holzkohle 1.26 7.38
Holzmann 16.60
Holzsaul 2.48

Holzschlegel, dem
kalbt der 5.46
Holzschneidekunst
15.5
Holzschneider 15.1
15.5
Holzschnitt 5.18
15.4f.
Holzschnitzer(ei) 15.1
15.10
Holzschuer 16.60
Holzschuh 17.9
Holzstecher 15.1 15.5
Holztaube S. 119
Holzung 2.5
Holzwart 16.60
Holzweg 8.12 9.78
—, auf dem — sein
9.74 12.27
Holzwolle 7.50
Holzwurm 5.42
Homeier 16.60
Homer 14.2
homerisches ,Geläch-
ter 11.21f.
hominem, ad 16.53
16.76
homo novus 3.8 16.93
homogen 1.22 5.16f.
homolog 3.14 4.27
5.17
Homologie 5.17
homonym 13.13 13.16
13.34
Homonymie 13.34
Homöopath(ie) 2.44
homöopathisch 4.24
Homunkulus 4.4
honett 19.4
Honig 1.29 2.27 7.51
7.54 7.66 10.8
— im Munde führen
16.32
honiggelb 7.19
Honigkuchen 2.27
Honigmaul 16.32
Honigmonat 11.9
Honigmond 5.46
16.11
honigsüß 7.66
—e Worte geben
16.32
Honigwasser 7.66
Honigworte 16.32

Honkel 2.16
Honneurs, die —
  machen 16.38
Honorar 16.46 18.26
Honoratior(en)
  16.30 16.91
honorieren 16.46
  18.21 18.26
Honorierung 18.26
hop 8.29
Hopfen S. 29 9.60
Hopfenstange 4.11
hopla 8.1 8.29 8.31
  13.10 16.82
hopp 8.7
— nehmen 16.117
hoppassen 12.27
Hoppelpoppel 2.27
  2.31
hops 5.42 18.15
—, ist 18.15
hopsa 8.29
hopsen 8.29 16.56
Hopser 16.55 16.58
Hora 20.16
hörbar 7.24 10.19
  13.33
—, kaum 7.27
Horbel 16.78
horch 10.19 12.7
Horchbretter 12.13
horchen 10.19 12.6
Horcher 10.19
Horchgerät 10.19
Horchposten 10.19
Horde 4.7 4.17 16.17
  17.4 17.7
hören 5.4 10.19f.
  12.6f. 12.36
  16.114 20.16
—, das Gras wachsen
  10.19 12.35 12.52f.
—, nichts 10.20
—, nichts davon —
  wollen 16.27
—, nichts von sich —
  lassen 13.23 14.8
Hörensagen 13.4
Hörer 10.19f. 12.35
Hörerschaft 10.19
hörig 11.53 16.111
  16.114
-hörig 11.36

Höriger 16.4 16.94
  16.112 16.117
Hörigkeit 16.92
  16.111
Horizont 1.1 1.4f. 3.8
  7.1 10.15f. 12.32
  12.54f.
—, über seinen 12.37
horizontal 3.12
Horizontale 3.12
  3.14 16.45
Hormel 7.31
Hormon 1.29 2.17
Horn 1.29 2.16 3.55
  9.69 11.8 15.15
—, ins— stoßen 13.1
  16.31
Hornbild 7.9
Hornblende 1.25
Hörnchen 2.27
hörnen 16.14
Hörner 9.21 11.9
  11.11 11.56 16.12
  16.108 19.10
— aufsetzen 16.14
— zeigen 9.72 11.6
  16.65 16.108
Hornfels 1.26
Hornfisch S. 99 2.27
Hornhaut 2.16 2.41
  10.15
hornig 7.44
Hornisse S. 97
Hornist 15.11 15.14
  16.74
Hornochs 12.56
Hornsignal 13.11
  16.73
horntoll 11.56
Hornung 6.9
Hornvieh 12.56
Hornwerk 16.77
Horoskop 12.43
  20.12
— stellen 12.43
Horoskopsteller
  20.12
horrend 13.52 18.27
Hörrohr 10.19f.
Hörsaal 10.19 12.36
  13.30 17.2
Hörspiel 14.3
Horst 2.5 3.2
  3.33 16.3 17.1

horsten 3.3
Hort 2.22 9.76 12.36
  18.3
hört! hört! 12.7
  16.31
—, da — sich doch
  alles auf 16.33
horten 4.18 18.11
Hörweite 3.9
Höschen 2.27
Hose 3.20 5.16 7.9
  9.45 17.9 18.21
—, in dene — net
  16.27
Hosemeister 16.60
Hosen 11.42 16.97
—, die — spannen,
  strammziehen, ab-
  knöpfen 16.78
Hosenband 4.25 4.33
Hosenkoch 16.60
Hosenladen 3.58
Hosenlatz 3.58
Hosenmatz 2.22
Hosenscheißer 2.22
  11.43
Hosenschnalle 3.24
Hosenstall 3.58
Hosenträger 4.33 17.9
Hosespannes (bad.)
  16.78
Hosianna 16.31 20.16
Hospital 2.44
Hospiz 3.2 9.76
  16.64
Hostie 20.16
hot 2.33
Hotel 16.64
Hotelier 16.60 18.1
Hotelwanze 18.9
Hother 20.7
hötschen 16.56
hott 3.31 8.11 9.12
Hotte 17.6
Hottentott 16.92
  16.94 16.120
Höwel 1.17
hu, hu-hu 9.74 10.5
  16.56
hü 3.30 8.2
Huber 16.60
Hubert 16.3
Hübner (Huber)
  16.60 16.92

hübsch 9.56 11.10
  11.16f. 11.45
Hubschrauber 8.6
huch (nein) 16.51
Hüchel 2.5
Huchen S. 99
Hucht 2.5
Hucke 2.16 17.5
—, die — voll lügen
  13.51
Hückel 2.5
Huckster 2.5
Huckup 20.5
Hudelei 3.38 9.2
hudeln 9.43 16.54
Hudler 1.8 9.53
  12.37
Huf 2.16 3.34
Hufe 1.15 2.5 18.1
Hufeisen 3.46 16.60
— verlieren 16.44
hufen 8.8 8.17
Huflattich S. 85
Hufnagel 16.60
Hüfner 16.60
Hufschmied 2.44
Hüfte 2.13 2.16 3.29
Huftiere S. 127
Hügel 1.13 2.5 2.48
  3.15 3.48 4.12 8.28
  8.30
Hügeldepot 2.16
Hügelreihe 6.32
hügelig 4.12
hugh 9.33
Hugo 2.34 16.3
Huhn S. 119 4.50
  5.20 12.56
—, blindes 10.18
Hühnchen 11.48
—, hat noch ein —
  zu rupfen 16.33
  16.81
Hühner 11.32
—, als hätten es die
  — zusammenge-
  kratzt 14.5
—, mit den —n auf-
  stehen 6.35
—, mit den —n
  schlafen gehen 6.35
Hühnerauge 2.13
  2.41 3.48 11.62
Hühnerbrust 2.41

Hühnerfutter 2.35
Hühnerhaus 3.3
Hühnerhof 2.10
Hühnerhund 2.8
Hühnerkorb 16.117
Hühnerleiter 8.11
Hühnerstall 16.117
Hühnersteige 16.117
Hui 8.7
— im· 6.14
huit, huit! 16.78
Huld 11.16f. 11.50
11.52f. 16.30f.
16.38 16.109 20.7
20.10 20.13
—, die — des
Schicksals erfahren
5.46
Hulda 16.3
huldigen 11.11
12.47 16.85 16.87
20.16
—, einer Meinung
12.22 12.47
Huldigung 9.77
16.30f. 16.38 16.84
˙16.87 16.114
20.16
Huldin 11.16 20.7
huldreich 11.50
11.52 16.109
huldvoll 16.42
Hülfe, siehe Hilfe
Hulk 8.5
Hülle 3.18 3.20 3.58
9.66 9.74 13.4
16.71 17.7 20.14
— und Fülle, in
4.17 4.20
hüllen 11.32f. 19.5
—, in Schweigen
13.23
—, in Weihrauch-
wolken 16.31
hüllenlos 3.22
Hülse 3.20 17.7
Hülsebusch S. 56
Hülsenfrucht S. 50
Hulst S. 56
human 11.50ff.
16.109 16.121
Humanismus 11.51
12.54

Humanität 2.13
11.50ff. 16.121
Humanitätsduselei
11.50
Humbug 13.51 19.8
Humerale 20.18
Hummel 7.33 11.20
Hummel, Hummel!
16.38
— wilde 17.13
hummeln 8.33
Hummer S.93. 2.27
Humor 9.10 11.1
11.21ff.
Humoreske 14.1
Humorist 11.23
humpeln 2.42 5.20
8.8
Humpen 17.6
— leeren 2.31
Humus 1.13f. 3.20
Hund S. 126 2.8f.
4.25 4.50 5.10
8.15 9.45 9.50
9.53 9.55 9.78
11.14 11.48 11.62
13.11 16.85 16.114
18.4 19.9
—, da wird der —
in der Pfanne
verrückt 16.33
—, das jammert
einen toten 16.33
—, daß kein —
mehr ein Stück
Brot von ihm
nimmt 16.33
—, feiner 16.63
—, großer 1.2
—, kalter 2.27
—, kleiner 1.2
— kommen auf den
4.25 5.47 9.50
9.61 18.4
— und Katze 11.28
11.62 16.66f.
—, ungläubiger 20.3
—, unter dem 9.60
—, Zum tollen 16.64
Hunde 3.5 9.52
11.45 18.15 19.19
—, bissige 13.10
—, Kleine 1.8

Hunde, vor die —
gehen 5.47
—, wenn — mit
dem Schwanz
bellen 6.5
Hundehitze 7.35
Hundehund 16.33
Hundehütte 2.10
hundekalt 7.40
Hundeleben 5.47
hundemäßig 4.50
9.60
Hundert 4.17 4.39
Hunderte 4.20
—, zu —n 4.20
—r 4.39
hundertjährig 2.25
6.9
Hundertmeterlauf
16.57
Hundertmeter-
schwimmen 16.57
hundertprozentig
1.22 4.41 9.8
Hundertschaft 4.39
16.74
Hundertste, der 3.38
Hundertzwanzig
4.39
Hundeschnauze 7.40
11.8 11.37
Hundeseele 11.48
16.115
Hundetrab 8.8
Hundevolk 16.94
Hundewetter 1.6f.
hündisch 11.37 16.20
16.32 16.114f.
Hundsbeutel 16.33
hundsdumm 4.50
12.56
Hundsfott 16.33
19.9
hundsgemein 4.50
16.94 19.9
Hundsgerber 16.60
Hundsgefräß 10.9
hundsmiserabel 9.60
Hundspetersilie S. 62
Hundsrose S. 48
hundsschlecht 9.60
Hundstage 7.35 16.8
Hüne 4.2 5.35
Hünengrab 2.48 13.1
hünenhaft 5.35

Hunger 4.5 4.25
10.10f. 10.14
11.36 18.4
—, erster 4.23
—, den — stillen
2.26 10.14
—, vor — nicht ge-
radeaus sehen
können 10.10
hung(e)rig 2.29 4.25
10.10f. 11.36 18.10
Hungerkloster 2.44
Hungerkünstler 2.29
Hungerkur 2.29
2.44 4.25
Hungerleiden 2.29
Hungerleider(ei)
18.4 18.10
hungern 2.29 4.5
4.25 10.10 11.36
18.4 18.10
Hungerpfoten 4.25
18.4
Hungersnot 4.25
5.29 5.42
Hungersteine 4.15
7.58
Hungertage 2.29
20.13
Hungertod 2.29
Hungertuch 4.25
18.4
— nagen, am 4.25
Hunkel 2.3
Hunne 5.42 11.60
—, hausen wie die
—n 5.42
Hupe 13.1
16.6 16.55
hüpfen 5.16 8.28f.
16.6 16.55
Hupfer 8.29
Huppel 3.48
Hüppel 2.5
Hüppner 16.56
Hürde 3.24 9.73
16.117
Hürdenlauf 16.57
Hure 10.21 19.9
huren 16.44
Hurenspiegel 2.41
Huri 11.16

hurra 16.18 16.31
  16.84 16.87
Hurrastimmung 11.5
Hurratüte 17.9
Hurrikan 1.6
hurtig 6.8 6.33
  8.7 9.18 9.38f.
  9.52
Husar 4.2 16.74
Husarenjacke 17.9
Husarenritt 11.38
Husarenstück(chen)
  11.38f. 16.76
husch 8.7 10.19
Husch, im 6.14
Husche 1.8 16.78
  19.29
huschen 7.42 8.7
Hüskes 2.5
Hüßche 16.60 19.29
Hussit 20.1
hüsteln 2.35 2.41
husten 1.6 2.35 2.41
  7.60 11.45
— auf 11.37
—, etwas — werden
  16.27
Husten 2.41
Hut 3.20 3.37
  9.75f. 11.5 11.31
  11.40 12.7 17.9
— ab 16.39
—, auf der — sein
  11.40 12.7
—, den abnehmen
  16.38
—, mit dem — in
  der Hand 16.20
  16.30
—, Spatzen unterm
  16.53
—, steifer 17.9
—, unter einen —
  bringen 16.40
Hutabnahme 16.38
hüte dich 13.10
hüten 9.75 11.40
—, sich 13.10 16.27
Hüter 9.75 16.101
Hutfeder 17.10
Hutkrempe 3.24
Hutsche 17.5
hutschen 16.43
Hutschnur 11.59
  16.33

Hutschnur, über
  die 16.33
Hutsimpel 12.56
Hütte 1.23 2.5 3.2
  4.18 7.37 9.76 17.1
— hütte 16.64
Hütten bauen 3.3
  16.1
Hüttenwanze 16.6
Hüttenwesen 1.1
  1.23
Hutzel 4.5
hw! hw! 7.35
Hyäne S. 126 5.35
  11.58 19.9
hyänenhaft 5.36
  11.60
Hyazinthe S. 20
hybrid 1.21 5.20
Hybris 11.44
Hydra 1.2 16.68
Hydrant 7.55f.
Hydraulik 7.54f.
Hydrodynamik 7.54
hydrographisch 1.18
Hydrometer 12.12
Hydropathie 2.44
Hydrostatik 7.54
Hygiene 2.44
hygienisch 2.44 9.66
Hygrometer 7.54
  7.57
Hymen(äus) 16.11
  16.50
Hymne 16.31 20.16
Hymnos (us) 14.2
  15.13 20.16
hyper- 4.22 13.52
Hyperbel 1.11 3.46
  13.36
hyperbolisch 3.46
  13.52
Hyperion 1.2
Hypertonie 2.41
Hypertrophie 4.1
  4.22
Hyphen 4.33 13.1
  13.16
Hypnose 2.44 10.3
  11.30 16.97
Hypnotiseur 20.12
hypnotisieren 2.44
  8.14 11.5
Hypochonder 2.41
  11.26f. 11.31f.

hypochondrisch
  11.32 16.53
Hypostase 20.8
Hypotenuse 3.13
  3.15
Hypothek 18.16f.
  18.25 18.30 19.16
Hypothekenbank
  18.16f.
Hypothese 9.28
  12.24 12.29
Hypothesen 12.15
hypothetisch 5.2 5.7
  5.32 12.24 12.29
  13.48
Hysterie 2.41 5.36
  9.10 11.31f. 11.36
  11.58 12.57
hysterisch 5.36 9.10
  11.1 11.6 11.32
  11.36 11.58 12.57
Hysteronproteron
  6.10

I (i)

i 11.53
—, bis aufs Tüpfel-
  chen auf dem
  16.26
i. A. 5.29
iberhaapts 16.69
ich 5.28 11.1f.
  11.45 16.3
Ich 11.1f.
—, anderes 9.70
  16.41
—, das 5.10
—, das liebe 19.7
—, zweites 5.7 9.70
  11.1 16.3 16.103
Ichbewußtsein 11.4
ichhaft 11.1
Ichsucht 9.47 19.7
-icht 4.17
Ichthyologie 2.8
Ida 16.3
ideal 9.64 11.17
Ideal 3.5 9.14 9.64
  11.16f. 11.53
  12.28 13.29
idealisieren 11.17
  12.50
Idealismus 12.28
Idealist 12.28 16.119

idealistisch 12.54
  15.3
Idealität 9.64
Idealkonstruktion
  12.29
Idealvorstellung 9.14
Idee 4.4 4.24 5.28
  9.64 12.2 12.4
  12.29 12.32
—, fixe 9.8
— haben 12.22
—, keine 4.26
—, seine —n ent-
  wickeln 13.21
ideell 5.1 12.2
Ideenfolge 12.3
Ideenkette 12.43
Ideenreichtum 12.2
Ideenverbindung 12.3
identifizieren 5.15
  12.20
Identifizierung 5.15
  12.10
identisch 5.15
Identität 5.7 5.15
Ideogramm 14.5
Ideolog 12.22 12.28
Ideologie 12.4 12.22
ideologisch 12.22
Idiom 13.2 13.12f.
  13.39
Idiosynkrasie 9.5
  11.7 11.59
Idiot 12.19 12.56f.
Idiotenmätzchen
  16.72
Idiotikon 13.16 14.9
idiotisch 12.56
Idis 20.5
Idol 11.36 11.53
  20.2 20.7 20.16
Idolatrie 20.2 20.7
Idylle 14.2
idyllisch 14.2
Igel S. 125 2.32 3.55
— (-Stellung) 16.77
—, feiner 16.63
Igelit 1.27
Ignaz 16.3
Ignorant 12.37
Ignoranz 9.53 12.37
ignorieren 12.38
  12.48 13.4 16.34
  16.36
Ihr Geehrtes 14.8

Ikarus 8.6 11.39
Ikarusflug 12.50
ikke 16.3
Ikonographie 15.1
illegal 19.20 19.23
illegitim 13.51 19.23
Illegitimität 13.51
19.20 19.23
illoyal 16.116 19.8
19.25
Illoyalität s. oben
19.11
Illumination 11.47
16.55 16.88
illuminieren 7.4
16.59
illuminiert 2.33
Illusion 4.26 11.35
12.19 12.25,12.28f.
13.29 13.51 16.72
Illusionist 9.52 20.12
illusorisch 12.27 13.51
Illustration 5.9 13.44
15.1
illustrieren 13.44
Ilmentritsch 20.5
Iltis S. 126 17.9
19.29
im 4.50 5.23 5.32
— ganzen gut 9.59
— Gegenteil 13.29
— Griff 12.32
— Hinterhalt liegen
13.4
— Kopf haben 12.39
— Schatten leben
13.4
imaginär 5.1 12.27f.
13.29
Imaginärzahl 4.35
13.51
Imagination 12.29
Imam 16.98 20.17
imbezill 12.56
Imbiß 2.26 2.40
Imbißstube 16.64
Imitation 5.29 15.1
imitativ 5.18
imitieren 5.18
Imker 16.60
immanent 3.19 5.9
Immanuel 16.3
immateriell 4.26 9.45
12.2 20.5

Immatrikulation
12.35
Imme S. 97
immens 4.50
immensurabel s. un-
meßbar
immer 5.19 5.90
6.6f. 6.19 6.31
11.7f. 11.21 11.26
13.28 16.38
—, auf 6.18
— dieselben 16.33
— wieder 6.31 6.34
immerdar 6.6 6.23
immerfort 5.9 5.19
6.6 6.31
Immergrün S. 68 6.6
immerhin 9.72 12.48
immerwährend 6.6
6.34
immerzu 6.6 6.34
9.30 16.24
Immobiliar-Ver-
mögen 18.1
Immobilien 1.15
17.1
Immoralität 16.44
Immortelle S. 81
immun 9.75 10.3
immunisieren 2.44
Immunität 16.119
19.22 19.25
imperativ(isch)
16.106 19.19
Imperativ, kate-
gorischer 19.11
19.24
Imperator 16.85
16.98
imperatorisch 16.97
Imperfekt 13.31
Imperial 4.16
Imperialismus 16.97
16.100 19.23
Imperialist 18.7
impertinent 16.90
Impertinenz 16.53
16.90
Impetus 5.35
impfen 2.44 8.26
Impfung 4.33
Implorant 16.20
Imponderabilien
5.12f. 16.95
imponieren 11.17
16.30

Import 8.22f. 8.26
18.20 18.22
Importe 2.34
Importeur 8.3 18.23
importieren 8.23
18.20 18.23
imposant 4.2 11.16f.
16.85
Imposantheit 4.2
impotent 2.39 5.37
11.8
Impotenz 5.36 12.55
Imprägnation 1.21
4.33
imprägnieren 1.21
3.58
Impresario 16.96
16.98
Impressionismus 15.1
impressionistisch 15.3
Impromptu 11.23
12.2 15.12
Improvisator 14.2
improvisieren 9.27
Impuls 8.9 9.1 9.12
11.5
impulsiv 5.27 9.1
11.5 11.20
imputieren 8.23
imstande sein 5.35
in 1.21 3.3 3.19 3.23
5.3 5.15 5.31 6.3
6.12
— acht nehmen 11.40
— allen Sätteln ge-
recht 12.53
— Anspruch nehmen
16.89
— Aussicht stellen
12.43
— contumaciam 3.4
— den Augen 12.22
— den Schmutz
ziehen 12.51
— den Wind schla-
gen 12.40 16.116
— der Vergangen-
heit leben 12.39
— dulci jubilo
11.20f.
— flagranti 5.6 9.18
12.45 19.11
— medias res 9.79
— sich gehen 19.5
20.13

Ina 16.3
inaktiv 9.19 9.41
11.8
Inangriffnahme 9.21
Inanspruchnahme
9.29
Inauguration 9.29
16.95 16.103
inaugurieren 9.29
16.87 16.103
Inbegriff 4.50 5.7
9.64 14.12
inbegriffen 4 28 4.48
Inbetriebnahme 9.21
Inbrunst 11.4f. 20.1
20.16
inbrünstig 9.44 20.13
indem 5.28 5.31 6.1
6.9 6.13
Indemnität 16.47
indessen 5.23 6.12
6.15 9.72
Index 12.12 13.1
14.9 16.29
Indezenz 16.44
Indianer 7.16f.
Indicium 13.46
Indier 7.16
indifferent 9.7 9.41
11.8
Indifferenz 9.7 9.24
11.8
Indignation s. Un-
wille
Indigo 1.29 7.21
indirekt 9.80 9.82
13.35
indisch 8.2
indiskret 13.5
Indiskretion 9.53
19.10
indiskutabel 5.3
16.53
indisponiert 11.3
13.15
Indisposition 2.41
Indium 1.24
individualisieren
4.34 5.21 12.11
13.16
Individualist 11.11
Individualität 4.36
5.8 11.2
individuell 5.20f.
Individuum 2.13 4.36
11.59 16.3

Indizien 19.12
Indizienbeweis 19.27
Indizium 13.46
indolent 8.8 9.24
11.8 11.47 12.13
Indolenz 2.36 9.19
9.24 11.8 11.37
indossieren 12.47
19.16
Induktion 12.8f.
12.14 12.29
Industrie 5.26 5.39
9.12
Industriekapitän 18.3
Industrieller 16.60
Industrieschule 12.36
Industriewerte 18.30
ineinander 8.21
ineinanderfügen 3.1
Ineinandergreifen,
das 9.71
ineinanderschlingen
3.15
Ineinssetzung 5.15
infallibel 11.45
infam 9.60 11.14
11.59 16.35 16.94
19.8ff.
Infamie 19.8f.
Infant 16.91 16.97f.
Infanterie 16.74
Infanteriegeschoß
17.13
Infanterist 16.74
infanteristisch 17.12
infantil 2.22 5.37
9.60 12.56
infaust 2.41
Infektion 2.41 2.43
Infektionsstoff 9.67
Infel 16.100 20.18
Inferiorität 5.37
11.42
infernalisch 7.64 9.60
9.63 11.60 12.10
20.6 20.11
Inferno 11.13 20.11
Infiltration 3.23 7.57
infiltrieren 7.57
infinitesimal 4.4
infizieren 2.41 2.43
5.18 8.3 9.63 9.69
19.9
Infizierung 8.3

Inflation 4.20 4.22
5.42 18.15 18.19
18.21
Influenza 2.41
influenzieren s. be-
einflussen
infolge 5.24f. 5.28
5.31 8.15 9.12
infolgedessen 5.31
Information 12.32f.
13.2 13.6 13.30
informatorisch 13.2
informieren 12.32
13.2 13.9
informiert 12.32
Inful 16.100 20.18
Infusion 1.21 7.54
Infusorien 4.4
- ing 4.4 11.53
Inge 16.3
Ingeborg 16.3
Ingenieur 9.18 9.22
16.60 16.74
ingeniös 12.21
inghenkt, er het'm
16.78
Ingredienz 1.21 4.42
5.9
Ingrimm 11.31 11.62
ingrimmig 11.60
Ingwer S. 26 2.27f.
Ingwerbier 2.31
Inhaber 16.4 18.1
inhaftieren 16.117
inhalieren 2.44 8.23
Inhalierung 7.60
Inhalt 3.19 4.1 4.17
4.19 4.48 5.1
5.2 5.16 13.17
13.44 14.5 14.9
20.1
inhaltlos 9.60 13.18
inhaltsreich 4.21
inhaltsschwer 13.16
Inhaltsverzeichnis
14.12
Inhärenz 5.2
inhärieren 5.9
inhibieren 9.73
inhuman 11.60
Initial- 6.2
Initiale 4.2 14.6
initiativ 8.13

Initiative 6.2 9.2 9.6
9.29
Initiation 20.16
initiieren 20.15
Injektion 2.44 8.26
Injurie 11.13 11.60
16.76
Inkarnat 7.17
Inkarnation 5.1
20.7f.
Inkasso 18.5 18.26
Inklination 3.43
8.12 11.36
inklusive 4.22 4.28
4.48
inkognito 9.76 13.4
inkommensurabel
5.21
inkommodieren
11.13f.
inkompetent 4.25
5.37 9.52 19.23
inkomplett 4.46 9.65
inkongruent 5.21
Inkongruenz 5.21
inkonsequent 9.9f.
Inkonsequenz 12.19
13.51
inkonzinn 3.60
Inkorporation 4.33
inkorrekt 12.19 13.32
13.51 19.11
Inkrimination 19.12
inkrustieren 3.20
7.43
Inkubation 2.43
Inkubus 20.6
Inkunabel 14.11
Inland 1.13 3.19
Inlandhandel 18.20
inländisch 3.19
Inlandverkehr 18.20
Inlaut 13.13
Inlet 17.8
inmitten 1.21 3.19
3.23 3.25 3.28 6.3
innehaben 3.3 16.97
17.1 18.1
innehalten 8.2 9.33
19.3
innen 3.19 3.25
5.25 6.3
Innen 3.28
Innenarchitektur 15.6
Innenleben 11.2
Innenraum 3.19 17.2

Innenrolle 2.16
Innenseite 3.19
Innenstadt 16.2
18.25
Innenwelt 11.1f.
inner(e) 3.28 3.34
12.1
Innereien 2.27
innerer 11.1f. 11.8
11.38 12.2
Inneres 2.27 3.19
4.19 5.2 6.3 11.1
11.5 11.31
innerhalb 3.19 6.15
innerlich 3.9 3.19
3.28 5.9f. 9.7
11.1 11.32
—, hats — wie die
Ziegen 12.56
innerst 5.10
innerste, der 3.19
Innerstes 3.19 11.14
innert 6.15
Innervation 10.1
innewerden 11.4
12.20 12.30
innewohnen 3.19 5.2
5.9
innig 11.53f. 16.41
Innigkeit 11.53
innigst 11.36
Innozenz 16.3
Innung 4.37 16.17
19.27
Innungsgesetz 19.19
Innungswesen 16.17
inokulieren 8.26
inopportun s. un-
günstig 9.50
in petto 9.14 13.4
inquirieren 13.25
19.27
Inquisition 12.8
13.25 19.28 20.2
20.16
Inquisitor 12.8
inquisitorisch 12.8
16.97 19.12 19.27
I.N.R.I. 20.8
Insasse 16.4 18.1
insbesondere 4.1 4.51
Inschrift 13.1 14.5
14.9 15.1
Inschriftenkunde 14.5
Insekten S. 94f. 4.4

Insel 1.17 4.34 4.49
— der Seligen 12.28
20.10
Inselt 2.16
Inserat 13.6
inserieren 8.23 8.26
13.6
insgeheim 13.4
insgemein 4.41
insgesamt 4.17 4.41
Insiegel 16.100
Insignien 13.1
— der Herrschaft
16.100
Insinuation 8.23
12.24 13.9
insinuieren, sich 11.53
Insinuierung 8.23
insistieren 9.44
Inskription 13.1
insofern 5.32
Insolenz 16.53 16.90
insolvent 9.78 18.4
18.19
Insolvenz 6.23f.
9.78
Inspekteur 16.74
Inspektion 10.16 12.7
Inspektor 2.5 9.52
16.96 16.101
Inspiration 8.23
11.4f. 11.36 12.2
12.21 12.28 14.2
20.13
—, göttliche 20.19
inspirieren 11.5 12.52
inspiriert 9.12 20.19
Inspizient 14.3
16.101
inspizieren 10.16
Installateur 16.60
Installation 16.87
16.103 17.3ff.
installieren 3.3 8.23
16.95 16.103
inständig 16.20
instandsetzen 9.58
Instanz 5.6 16.99
19.27
—, Anrufung der
höheren 16.20
—, höchste 5.6
Instanzenweg 8.8
9.80

Instinkt vgl. Vor-
gefühl 2.10 9.1
11.36 12.1 12.30
13.39
instinktartig 11.4
instinktmäßig 11.4
instinktiv 9.1 9.3
12.1
Institut 9.23 12.36
Institution 3.37 5.8
institutionalisieren
16.99
instruieren 12.33 13.9
Instruktion 12.33
13.9
instruktiv 12.33
Instruktor 12.33
Instrument 9.26 9.83
14.9 15.11 15.14ff.
17.15 19.16
instrumental 9.82
Instrumentalmusik
9.69 15.13ff.
Instrumentarium
17.15
Instrumentation
15.15
Instrumentenbauer
16.60
instrumentieren
15.12 15.14
Insubordination
16.116
Insulaner 1.17
insular 1.17 4.34
4.36
Insult 11.13 16.34
insultieren 16.53
16.76 16.90
Insurgent 16.116
insurgieren 9.72
16.116
Insurrektion 16.116
inszenieren 9.14 14.3
Inszenierung 8.23
14.3 16.21
Intaglio 5.6 15.10
intakt 9.75
Intarsie 3.25 15.7
Integral(e) 4.35 4.41
Integralrechnung
4.35
integrierend 4.34
4.35 5.8
Integrierung 4.35

Integrität 4.33 19.1
Intellekt 12.2
intellektualistisch
12.55
intellektuell 11.26
12.35 13.35
Intellektueller 12.6
13.35 16.60
intelligent 9.52 12.52
Intelligenz 12.52
Intelligenzbestie
12.32 12.50
Intendant 14.3 16.74
16.96ff.
intendieren 9.14
Intensität 4.50 5.34
5.36
intensiv 4.1 4.50 5.35
intensivieren 4.51
Intention 9.14
Interdependenz 9.71
Interdikt 16.29 16.37
interessant 9.44 11.53
16.55
Interesse 5.5 9.44
9.47 11.26 12.6f.
12.13 12.39 16.64
16.95 18.1 18.21
Interessen 18.16
18.21
—, Wahrung berech-
tigter 16.77
interessenlos 9.45
11.37
Interessenlosigkeit
11.37 12.11 12.13
Interessensphäre
9.22 16.95
interessieren 9.14
9.44 11.5 11.10
11.36 12.6f. 16.47
16.55 19.7
interessiert 9.81
11.36 18.2
Interim 6.14f.
interimistisch 6.15
Interimsschein 9.28
Interjektion 13.16
interlinear 1.21
3.25 8.26
Interlinearglosse 5.18
Interlinearversion
13.52f.

Intermezzo 3.36
4.49 6.15 14.3
15.12
intermittieren 2.41
6.32
intern 3.19 5.2
Internat 12.36
international 9.71
12.54 16.64
Internationalrecht
19.19
internieren 16.117
19.33
Internierung 16.117
Internist 2.44
Internuntius 16.103
Interpellation 12.8
13.25
interpellieren 9.33
13.25
Interpolation 1.21
3.23 3.25 8.26
interpolieren 3.23
3.25 8.26
Interpret 12.31 13.44
Interpretation 13.44
interpretieren 12.31
13.26 13.44
Interpunktion 4.34
13.31 14.5
Interregnum 6.1
6.15f. 9.33
Intervall 3.36 15.11
intervenieren 8.26
9.73 16.49
Intervention 3.23
5.34 6.3 8.26 9.73
16.49
Interview 12.8 13.2
13.30
intestinal 2.16
intim 16.41 16.43
Intimitäten 16.43
Intimus 9.70 16.41
intolerant 16.90
Intoleranz 9.8 11.60
12.55 16.90
Intonation 7.24 15.17
intonieren 7.34 15.11
intransitiv 5.14
intravenös 2.16
intrigant 12.53
Intrigant 9.15 9.18
9.38 19.8

Intrig(u)e 9.13 9.15
9.18 12.53 16.54
intrigieren 9.38 12.53
16.54 16.67
intrikat 9.55
Introduktion 8.13
8.23 15.11
Intuition 12.1f. 12.30
intuitiv 12.1 12.30
invalid 2.25 2.39
2.41 5.37
Invalide 2.39 2.41f.
Invalidenhaus 9.76
Invariante 5.15 6.7
6.34
Invasion 8.23
Invasor 16.76
Invektive 16.33
Inventar(ium) 14.9
Inventur(aufneh-
men) 4.35 18.23f.
18.28
Inversion 5.32 8.17
investieren 16.103
18.12 18.16
Investierung 18.16
Investitur 16.103
20.15f.
Invocavit 20.16
involvieren 5.8 5.31
inwärts s. einwärts
inwendig 3.19
in(ne)wohnend 5.2
Inzest 16.44 19.9
Inzucht 2.5 2.10 8.3
9.61 16.9 16.11
inzwischen 3.19 3.23
6.1 6.3 6.13 6.15
io 13.11
Ion 4.4
ionisch 15.1 17.10
ipso, eo 5.33
Irade 16.106
irden 1.20
irdisch 1.3 1.20 2.13
6.8 20.3
Irdischen, Weg alles
2.45
Irene 16.3
irgend (-wer, -wo)
3.8 5.7
irgendwann 6.17
Iridium 1.24
Iris S. 25 2.16 7.23
13.8 20.7
— (Farbe) 7.23

Irish Stew 2.27
irisieren 7.23
Irma 16.3
Irmgard 16.3
Irmtraud 16.3
Ironie 11.24 12.19
13.19 13.34 13.36
13.51 16.33 16.54
ironisch 11.24 13.34
13.36 13.51 15.3
16.33 16.54 20.3
ironisieren 16.54
irrational 9.1
irrationell 12.19
irr(e) 3.38 9.8 12.57
13.51
irreführen 3.38 12.25
12.34 13.4 16.72
18.8
irreführend 12.27
13.51
Irreführung 9.53
—, bewußte 13.51
irregehen 12.27
irregulär 3.60
irreleiten 9.53 13.51
Irreleitung 12.27
irrelevant 9.45
irreligiös 20.3
irren 8.1 8.33 12.27
13.45 13.51 19.10
—, sich 9.53 12.27
—, umher 8.34
Irrenanstalt 12.57
16.117
Irrenhaus 12.57
16.117
Irrenhäusler 12.57
irreparabel 9.61
irrereden 12.57
Irresein 2.41
irrewerden 12.23
Irrgang 3.38 3.46
8.32 9.55
Irrgarten 3.46
Irrglaube 12.27f.
12.34 20.2
irrgläubig 20.2
Irrgläubiger 12.48
20.2
Irrgläubigkeit 20.2
irrig 12.19 12.27
13.47
Irrigator 7.56 8.23

irritieren 11.31
Irrläufer 8.12
Irrlehre 12.27 12.34
20.2
Irrlicht 5.25 7.4f.
8.34 12.27 12.46
13.51 20.5
irrlicht(er)ieren 5.18
5.25 8.1 8.33
Irrsal 12.27
Irrsinn 2.41 12.2
12.56
irrsinnig 4.50 12.19
12.57
Irrtum 6.36 9.78
12.19 12.27f. 12.37
12.55 13.15 13.45
13.51 16.54
19.10f.
—, lächerlicher 16.54
irrtümlich 12.27
19.10
Irrung 6.36
Irrwahn 3.5
Irrwisch 5.18 5.25
7.4f. 9.9 9.18 11.6
11.20 12.27 13.51
isabellenfarben 7.15
7.19
isch obe duse (alem.)
12.57
Ische 2.15
Ischias 2.41
Isegrim S. 126
11.60 16.9 16.51
Isidor 16.3
Isidora 16.3
-isieren 5.18
Isis 13.4 20.7 20.19
Islam 20.1
-ismus 11.26
11.36 12.55 13.32
13.52 16.18 18.7
Isolation 4.34
Isolde 16.3
isolieren 4.34 4.36
5.6 16.52
—, sich 16.52
Isolierschicht 8.26
isoliert 4.36 6.29
16.34
Isoliertheit 4.34 5.6
6.29
Isolierung 4.34 16.52

Isothermen 7.35
isothermisch 7.35
Israelit 20.1
ist an der Zeit 9.81
— auf Draht 12.18
12.52
— baff, erschossen
11.30 12.45
— dahin 18.15
— gang und gäbe
13.6
— heraus 13.6
— hin 18.15
— ihm über 16.84
— kein Kirchenlicht,
kein Licht 12.56
— Luft, einfach
nicht da 12.38
— mir bis hier 11.27
— nicht auf d. Kopf
gefallen 12.52
— nicht gesund, an-
gebufft, krank im
Kopf, überdreht
12.57
— nicht so gemeint
16.82
— nicht von hier
12.37 16.5
— nicht weit her
9.59
— nichts dabei 19.3
— päpstlicher als der
Papst 12.55
— so als wenn 12.22
— vonnöten 9.81
— weg 11.53 18.15
-ist 12.32
Isthmus 1.13 1.16
4.9 4.25 4.33f.
-istik 12.32
-istisch 12.55 13.52
16.18
item 2.33 4.28 4.34
13.29 19.15
Item, da ist noch
ein 9.17 9.55
iterativ 6.28
ithyphallisch 10.21
-itis 2.41
itzt 6.16
i. V. 16.104
Ivo 16.3
iwes 5.1
i wo 13.29

J (j)

ja 11.16 12.23 13.25
13.28f. 13.47
Ja 13.28 16.83
jach 11.6
jachern 2.39 10.13
Jacht 8.5
Jacke(tt) 3.20 5.16
9.45 11.59 17.9
Jackenfett 16.78
jackern 8.7
Jade 1.25 7.18
Jagd 2.12 8.7
8.15 9.21 9.40
12.8 12.28 16.6
16.55 20.5
—, wilde 12.28 20.5
Jagdbeute 2.27
Jagdfrevel 18.9
Jagdgeschichte
13.51f. 16.89
Jagdgewehr 17.12
Jagdgründe 2.45
20.10
Jagdhund S. 126 1.2
9.21 16.55
Jagdmesser 17.11
Jagdrecht 16.25
19.22
Jagdruf 2.12 16.55
Jagdschein 2.46 19.20
19.22
Jagdschutz 16.74a.
Jagdspringen 16.57
Jagdstrumpf 3.20
17.9
Jagdtier 2.27
Jagdwagen 8.4
Jagdwerk 2.12
Jagemann 16.60
jagen 2.12 2.46 8.7
8.9 8.15 8.18 9.38
11.28 11.42 11.45
16.6 16.55 18.14
—, jem. ins Bocks-
horn 11.42 16.68
— nach 9.38 9.40
11.45
—, nur so 16.84
Jagen 1.15 4.16
Jäger 2.12 8.15
9.21 16.60 16.74
— zu Pferd 16.74

Jägerball 16.57
Jägerei 2.12
Jägerhaus 16.52
Jägerhütchen 17.9
Jägerhütte 16.64
Jägerlatein 13.51f.
16.89
Jägerlied 14.2 15.13
Jägerschutz 16.77
Jägersheiligen 2.48
Jägersteak 2.27
Jägerwäsche 2.44
11.28 17.9
jäh 3.11 3.13 5.36
8.28 11.39 15.3
Jähe 3.13 3.15 4.12
Jähhunger 10.10
11.36
jählings 6.14 12.45
Jahn, Turnvater
16.57
Jahr 6.1 6.9
—, das — schreiben
6.9
— für — 6.33
—, zu —en ge-
langen 2.25
Jahr und Tag 6.7
— —, nach 6.12
— —, seit 6.7
— —, vor 6.21
— zu Jahr, von 6.7
jahraus, jahrein
6.6f. 6.31 6.33
Jahrbuch 6.9 14.9
Jahre 2.24f.
—, die sieben fetten
18.5
—, nach —n 6.12
jahrelang 6.1
jähren, sich 6.19
Jahresfeier 6.33
16.55
Jahresfest 16.55
Jahrestag 6.9 6.33
16.87
Jahreszeiten 1.4 6.1
6.9
—, Hotel Vier
16.64
Jahrfünft 4.39 6.1
Jahrgelder 18.26

Jahrhundert 4.39 6.1
6.9
Jahrhundertfeier
4.39 6.33
jährlich 6.9 6.31 6.33
Jahrmarkt 16.59
18.25
Jahrtausend 6.1 6.9
Jahrzehnt 4.39 6.1
6.9
Jahwe 20.7
Jähzorn 5.36 11.31
jähzornig 5.36 11.31
11.39 11.58
Jakob 16.3
Jakobiner 16.116
Jalousie 7.6
Jam 2.27
Jambus 14.2
Jammer 5.47 11.14
11.31ff. 11.50
13.11
Jammergeschrei
11.33
Jammergestalt 9.60
11.33
Jammerlappen 5.37
jämmerlich 4.50 9.45
9.60 11.13f. 11.33
19.9f.
Jämmerling 9.60
jammern 7.34 11.33
jammerschade 4.50
11.32
jammert, das —
einen toten Hund
16.33
Jammertal 2.17
jammervoll 4.32 9.60
11.13f. 11.33
Janhagel 16.92 16.94
Janitschar 16.74
janken 7.31 11.33
Janker 17.9
Jänner 6.9
Januar 6.9
Januskopf 4.37 13.34
Janustempel 16.48
Japan 14.6
Japaner 7.19
Japanvase 17.10
Japetus 1.2
jappen 2.39

japsen 2.39
Jardiniere 15.7 17.10
Jargon 13.12 13.32
13.35
jarnicht 11.30
Jasager 12.47 16.32
16.115
Jasmin S. 69 7.63
Jaspis 1.25
jaß 9.38
Jaß 16.56
Jatagan 17.11
jäten 4.30 5.42 9.66
Jauche 2.5 7.64 9.67
Jauchegrube 7.64
9.67
Jauchert 4.16
jauchzen 5.27 7.26
11.9 11.21 16.31
16.87
Jauchzen 11.21f.
Jauchzer 11.22
jaulen 7.31 7.33
11.33 15.18
Jaultute 13.11
jaunern 7.33
Jause 2.26 7.65
jausen 2.26
jawohl 5.6 12.47
13.28
jawoll 16.24
Jawort 12.47 16.11
Jazz 16.58
Jazzband 15.14
jazzen 16.58
je 5.21 5.32 6.28
— eher, je lieber
11.36
— nachdem 5.13
5.21 5.32 9.48
19.15
— und je 6.31
jeck 11.21 12.57
jedenfalls 5.6
9.6 13.28 13.48
16.24
jeder 4.33 4.41
jedermann 4.41 13.33
jederzeit 6.6 6.31
jedesmal 6.31 6.33
16.33
jedesmalig 6.33
jedoch 5.20 5.23
13.48

jedweder 4.41
jeglicher 4.41
Jehova 20.7
Jelängerjelieber
(Blume) S. 78
jemand 2.13 4.36
9.44
— als wie ich 16.3
— etwas knallen
13.51
— Gerüchte hinter-
bringen 13.2
jemine 11.33
jener 3.38 6.21
Jenny 16.3
jenseitig 9.64
jenseits 33.8 3.27
3.29
Jenseits 2.46 20.10
—, aus dem 20.5
—, besseres 2.46
11.62 20.1 20.10
Jeremiade 11.33
jerum 11.5
Jesabel 11.60 19.9
jeschen 8.7
Jessas 11.5
Jessasmariandjosef
11.5
Jesuit 12.14 12.53
13.51 20.14 20.17
—, affiliierter 20.17
Jesuitengedärm 2.27
Jesuitenmoral
s. Jesuitismus
jesuitisch 9.9 11.40
12.11 12.19 12.53
13.51 20.3 20.14
20.17
Jesuitismus 12.14
13.51 20.14
Jesus 20.7f.
Jette 16.3
jetzig 6.16
jetzo 6.16
jetzt 6.13 6.16
— oder nie 6.37
—, von — ab 6.18
— wird mir's aber
zu toll 16.33
Jetztzeit 6.16
jetzund 6.6 6.16

jeuen 16.56
jeweilig 6.16
jewiß doch 13.28
Jingo 16.18
Jiu-Jitsu 16.57 16.77
Joachim 16.3
jo allwäg 11.30
Job 9.22
Jobber 18.23 18.30
Joch 1.15 3.33 4.16
4.37 9.18 9.40
11.48 16.108
16.111f. 16.118
—, sich beugen ins —
der Ehe 16.11
—, unter das —
beugen 16.108
16.111
—, unters — bringen
16.84
Jockei 16.6 16.57
16.60
Jockel 11.52
jockeln 8.8
Jod 1.24 1.26
jodeln 7.34 15.11
15.13
Jodler 15.11 15.13
Jodoform 1.29
11.8
Joggl 12.56
Joghurt 2.30
Johanna 16.3
Johannes 16.3
— Piepenstengel
12.53
Johannisbeere S. 44
2.27
Johanniskraut S. 59
Johannistag 20.16
Johannistrieb 6.4
johlen 7.26 7.31
7.34 15.17f.
jo jo jo (schw.)
13.29
Jokus 11.21
Jolanthe 16.3
Jolle 8.5
Jonathan 16.3
—, David und 16.41
jondeln 8.1
Jongleur 9.52 12.52
15.13

jonisch s. ionisch
Joppe 3.20 17.9
Jörg 16.3
Joseph 16.3 16.50
Josephine 16.3
Jost 16.3
Josua 16.3
Jota 4.4
Jottes, Mann 11.30
Jourfix 16.64
Journaille 13.51
14.11 16.35
Journal 14.1 14.9
14.11
Journalist 14.1 14.9
16.60
jovial 11.9 11.21
11.47
Jovialität 11.21
Jubel 7.26 .11.9
11.20f. 16.31
16.55 16.87
Jubelfeier 16.31
Jubelgedicht 16.31
Jubelgesang 16.31
Jubelgeschrei 11.21f.
Jubeljahre (alle)
6.29 6.32
Jubelklang 11.21
16.87
Jubellied 16.31
jubeln(d) 11.9
11.21f.
Jubeltag 16.59
Jubilar 16.39 16.85
Jubilate 20.16
Jubiläum 11.21
16.39 16.55 16.59
16.87
jubilieren 11.21
20.10
Juchhei, langer 4.12
Juchzer 11.22
jucken 10.1 11.10
11.36 16.78
Jucken 2.41 10.1
Judaskuß 16.72 19.8
Judaslohn 18.26 19.8
Jude 18.11 18.16
20.1 20.5
—, Alter 2.48
—, ewiger 20.5
Judengraben 2.48
Judenhaus 9.51
Judenknochen 2.16

Judenpech 1.26 7.53
Judenschule (Syn-
agoge) 3.38 20.20
Judentum 20.1
Judica 20.16
jüdisch 8.8
Judith 16.3
Judiz 12.1
Jugend 2.22 2.24
16.33 19.4
— von heute 11.8
16.33
Jugendblüte 11.17
Jugendeselei 9.43
12.13
jugendfrei 16.50
Jugendfreund 16.41
jugendfrisch 11.17
Jugendleiter 12.33
Jugendliebe 11.53
jugendlich 2.22 4.46
11.17
Jugendstil 15.3
Jugendsünden 19.11
Jugendzeit 2.22
juhu 11.22
Juli 6.9
Julia 16.3
Julius 16.3
— Am 2.48
— Im 2.48
Julklapp 12.45 20.16
Jumper 17.9
jung 2.22 11.17
12.25 12.35f.
— und alt 3.7 4.41
— e Gänse 2.22
—er Erdenbürger
2.21f.
Junge 2.21f. 16.9
— kriegen 11.31
Junge! Junge! 11.17
Junge, fixer 9.52
—, schwerer 19.9
—, Toter 2.48
jungen 2.21f. 4.20
Jungen 12.7
— die blauen 16.74
jungenhaft 2.22 11.17
Junger 2.31
jünger 4.52
Jünger 6.12 8.15
9.70 12.35 20.17
20.22
— des Äskulap 2.44

jüngerer Mann 2.24
Junges 2.21f. 4.52
— Blut 2.22
Jungfer 2.15 2.20
  16.12 16.50
—, alte 16.12
jungferlich 2.15
  11.24 11.49 16.50
Jungferngrab 2.48
Jungfernrede 6.2
  9.29
Jungfernschaft 16.50
Jungfernstand 4.36
  16.12 16.50
Jungfrau 1.2 2.15
  16.12 16.50
—, eiserne 19.32
jungfräulich 2.15
  9.27 16.50 19.4
Jungfräulichkeit
  16.50 19.4
Junggeselle 2.14 4.36
  16.12 16.52
Junggesellenleben
  16.12
Junggesellenstand,
  dem — Valet
  sagen 16.11
Junggesellentum
  4.36
Junggesellenwirt-
  schaft 3.38 16.12
  16.52
Junggesellin 16.12
Jungholz 2.22
Jüngling 2.14 2.22
Jünglingsalter 2.22
jüngst 6.20
Jüngster Tag 6.4
  6.25 20.10
Jüngstes Gericht 6.25
  20.10
Jüngstgeborener 2.22
  16.9
Juni 6.9
junior 2.22 2.24
Junker 11.44 16.74
  16.91 16.97f.
Junkerherrschaft
  16.97
Junkerschaft 16.95
Junkertum 11.44
  16.91
Junkerwesen 16.90
Juno 4.2
junonisch 4.2

Junta 16.102
Jupiter 1.2 11.44
Jupon 17.9
Jupp 16.3
Jup(p)e 3.20 17.9
Jura 1.14 19.18
Jürgen 16.3
juridisch 19.27
Jurisdiktion 19.27
Jurisprudenz 19.19
Jurist 19.28
Juristenbund 19.28
Juristendeutsch 13.32
Juristensprache 13.38
juristisch 19.27
Jury 9.11 11.18
  12.49 19.28
Juryfreien, die 4.34
Jus 2.27 19.18
—talionis 16.80
just 4.1 6.20 9.12
  9.14 11.15
— darum 9.12
Justitia 19.18
Justiz 19.27
Justizirrtum 19.21
Justizmord 19.20
Justizrat 16.60 19.28
Justus 16.3
Jute S. 58 4.11 4.44
  17.8
Jutta 16.3
juvivallera 11.22
Juwel 9.56 9.64
  17.10
Juwelier 16.60
Jux 11.21-23 16.55
Juxbaron 11.23
juxen 11.11

K

Kaaba 20.20
kabacken 16.78
Kabale 9.15 12.53
Kabarett 11.23 14.3
  16.55 16.64
Kabbala 13.4 13.35
  20.12
kabbalistisch 13.4
  20.12
kabbeln, sich 16.67
  16.70
Kabbes S. 41 2.16
  9.60

Kabel 4.33 4.44
  13.2 17.17
Kabeljau S. 99 2.27
Kabelleger 8.5
kabeln 13.2
Kabine 4.42 8.5f.
  17.17
Kabinett 16.97 16.99
  16.102 17.2
Kabinetts- 16.99
Kabinettsorder 19.19
Kabinettsrat 16.102
Kabinettwein 2.31
  9.56
käbisch 10.12
Kabliau s. Kabeljau
Kabriolett 8.4
Kabuff 17.2
Kabuse 17.1f.
Kachel 3.20 7.39
  17.6
Kachler 16.60
kacken 2.35
Kadäätsch 16.56
Kadaver 2.45
Kadenz 13.13
  15.11f.
Kader 16.16 16.74
Kadett 2.22 6.26
  9.29 12.35 16.74
  16.94
Kadi 19.27f.
Kadmium 1.24
Kadrillenschwenker
  17.9
Käfer S. 96 2.33
Kaff 12.19 13.22
  16.2
Kaffee S. 77 2.2
  2.30 2.40 7.16
  7.54
Kaffee und Kuchen
  16.39
Kaffeebasen-
  geschwätz 16.35
Kaffeebrett 8.3
Kaffeegeschwätz
  16.35
Kaffeehaus 16.64
Kaffeehausbesitzer
  16.60
Kaffeeklatsch 13.22
  13.30 16.35 16.64
Kaffeemühle 7.49
Kaffeepott 17.6

Kaffeesack 16.60 18.3
Kaffeesatz 9.49 12.43
  20.12
Kaffeeschwester
  13.22 16.35
Kaffer 12.33 12.56
  16.53 16.92 16.94
Kaffruse 9.68
Käfig 2.10 3.24
  16.117f. 17.1
Kafiller 2.46
Kaftan 3.20 17.9
kahl 2.7 3.4 3.22
  4.26 9.49
Kahler 16.60
Kähler 16.60
Kahlheit 3.22 9.49
Kahlkopf 2.41
kahlköpfig 11.28
Kahm S. 9 9.67 10.9
Kahn 8.5f. 16.74a.
  17.3 19.33
Kai 1.16 8.5 9.23
Kaibl 17.7
Kainszeichen 13.1
Kaiser(in) 16.97f.
—, für — und Reich
  16.73
Kaiserbein 2.27
Kaiserhof 16.64
kaiserlich 16.95 16.97
Kaiserreich 16.19
  16.97
Kaiserschmarren 2.27
Kaisertum 16.95
  16.97
Kaiserwetter 1.5
Kaiserwort 16.23
Kajak 8.5
Kaje 1.16
kajolieren 16.43
Kajüte 8.5
Kakao s. Kakaobaum
  2.30 7.16 7.54
  12.57
— durch den —
  ziehen 16.33
Kakaobaum S. 58
kakeln 7.33
Kakerlake S. 94
  2.41 7.21 10.17
Kakophonie 11.28
  15.18
Kakteen S. 32
Kalabreser 17.9

Kalamität 5.47 9.55
9.78 11.13f.
Kalasche 16.18
kaläß 10.12
Kalauer 11.21ff.
16.55
Kalb S. 127; 128
2.22 2.17 5.18
12.56 17.9
—, goldenes 18.7
18.21 20.2 20.7
20.16
Kälbchen 11.46
kalben 2.21
Kalberkern S. 61
Kälberkropf S.61
kalbern 11.21
kälbern 18.3
Kalbfell folgen, dem
16.73f.
Kalbfleisch 2.22 2.27
Kaldaunen 2.27
Kaldaunenschlucker
16.74
Kaleidoskop 7.23
10.16
kalendas, ad —
graecas 6.5
Kalender 6.9 14.9
20.16
Kalendermacher 6.9
12.57 16.52
Kalendertag 16.8
Kalennetag 16.8
Kalesche 8.4 16.78
kalfaktern 16.32
Kalfaktor 16.32
kalfatern 3.58 9.58
Kaliban 16.53
Kaliber 4.1 4.8 4.50
17.12f.
Kalif 16.98
Kalifornien 18.3
Kaliko 17.8
Kalilauge 1.28
Kalisalpeter 1.25 1.28
Kalium 1.24
Kalk 1.28 4.33 7.26
11.42 12.55
Kalkbrennerei 7.37
Kalklicht 7.5
Kalkmilch 1.28
Kalksilikatgesteine
1.26
Kalkspat 1.25

Kalkstein 1.26
Kalktuff 1.14
Kalkulation 9.15
9.26 12.12
kalkulieren 4.35 9.15
11.40 21.12
Kalkwasser 1.28
Kalligraphie 14.5
Kalmus S. 22
Kalomel 1.28
Kalorie 2.26 7.35
Kalorik 7.35
Kalorimeter 7.35
Kalotte 17.9
kalt 2.45 7.40 11.8
11.13 11.37 11.42
11.48 11.61 12.13
13.42 16.50 16.66
16.105 19.7
—e Dusche 16.33
—e Schulter zeigen
12.38
Kaltblut S. 128
kaltblütig 9.24 11.8
11.38 11.40 11.60
12.52
Kaltblütigkeit 11.40
Kälte 7.40 10.5 11.8
11.37 11.62 16.66
—, sibirische 7.40
Kälteindustrie 7.40
Kältegefühl 10.5
Kalten haben 11.31
Kalter 17.6
Kältewelle 5.42
kaltgestellt sein 12.38
kaltherzig 11.60
16.66
kaltmachen 2.46
Kaltschale 2.27
kaltschnäuzig 11.37
11.61
Kaltsinn 11.37
kaltsinnig 11.37
kaltstellen 4.34 7.40
16.105
Kalvarienberg 11.13
Kalville 2.27
Kalvinist 20.1
Kalziumkarbid 1.26
Kamarilla 9.68f.
16.17 19.8
Kambrium 1.14
Kambüse 2.26 8.5
16.64 17.2 s. Kom-
büse

Kamee 3.48 15.10
Kamel S. 127 12.56
Kamelhaardecke 17.8
Kamelie S. 59
Kamellen, alte (olle)
6.27 7.66 9.45
Kamera 10.16 15.9
Kamerad 4.37 4.48
8.15 9.70 16.11
16.41
Kameradschaft
9.68ff. 16.40f.
16.64
Kameradschaftsehe
16.11 16.13
Kameralia 16.96
18.30
Kameralien 16.96
18.25 18.30
Kameralist 16.97f.
Kameramann 15.8f.
Kameruner 2.27
Kamille S. 81
Kamin 3.57 7.37 7.61
12.56 17.2
Kaminkehrer 16.60
Kamisol 2.33 3.20
17.9
Kamm 3.33 3.53
5.16 11.44f. 12.10
kämmen 3.52 9.66
15.7
Kammer 4.18 16.99
16.102 17.2
-kammer 4.18 17.2
Kammerdiener 16.112
Kämmerer 16.91
Kämmergericht
19.27f.
Kammergut 18.1
Kammerherr 16.91
16.112
Kammerjäger 2.46
16.60
Kammerkätzchen
16.112
Kämmerlein 3.19
Kammermusik 15.15
Kammerrat 13.9
Kammerzofe 16.112
Kammgarn 17.8
Kamorra 16.17
Kampagne 16.21
16.73
Kampanile 4.12
20.21

Kämpe 11.38
kampeln, sich 16.70
Kampen 2.27
Kampf 9.7 9.40 9.55
9.72 16.67ff. 16.73
16.77 19.7 19.22
— ums Dasein 9.40
16.70 16.77 19.7
Kampfbahn 16.57
Kampfball 16.57
kampfbereit 11.58
Kämpfe 16.83
kämpfen 9.40 9.55
9.72 9.78 16.67
16.70 16.73 16.83
19.22
— für (recht-
fertigen) 19.13
—, gegen Wind-
mühlen 9.49 9.78
— mit sich 9.7
—, um sein Recht
19.22
Kampfer S. 34 1.29
Kämpfer 9.8 16.18
16.57 16.74 16.77
kämpferisch 16.18
16.70
Kämpfernatur 11.58
Kampfeshitze 16.76
Kampfeswut 5.36
Kampfflugzeug
16.74a.
Kampfgebiet 16.75
Kampfgefilde 16.75
Kampfgeist 11.38
16.18
Kampfgewühl 16.76
Kampfgruppe 16.74
Kampfhahn 11.38
11.58 16.67 16.90
Kampflust 11.58
kampflustig 11.58
Kampfplatz 16.75
Kampfrichter 16.57
Kampfgroß 16.74
Kampfstätte 16.75
Kampfstoffe 2.43
kampfunfähig
machen 16.84
Kampfwagen 17.12
Kampfwart 16.57
16.70
Kampfzone 16.75
kampieren 16.2
Kamuffel 12.56

Kanadier 8.5 11.46
Kanaille 16.94 19.18
Kanal 1.16 3.44f.
  3.49 3.57 4.33
  7.55f. 8.11 8.24f.
Kanalbrühe 7.69
  10.9
Kanalisation 7.58
kanalisieren 7.58
Kanapee 17.3
Kanarienvogel S. 103
  7.19 15.13
Kandare 16.117
Kandel 3.48 17.2
Kändel 17.2
Kandelaber 7.5
Kandelzucker 7.66
Kandidat 9.28 11.36
  12.33 12.35 16.20
  20.17
kandidieren 11.36
  16.20 16.70
kandieren 2.27 5.43
  7.66
Kandis 2.27 7.66
Kaneel 2.28 12.7
Kanevas 17.8
Kamin 17.9
Kaninchen S. 125
  2.6 2.10 2.27 4.20
  17.9
Kanister 17.6
Kanker S. 94
kann 11.30
— auch anders 19.7
— einem leid tun
  5.47
— es nicht bei sich
  behalten 13.5
— nicht bis drei
  zählen 12.56
— nicht klagen 2.38
— nicht mehr 2.39
— nicht mitkommen
  12.56
— nichts dafür 19.4
—, so — ich's auch
  16.33
Kanne 2.31 17.6
Kannegießer 13.22
Kannegießerei 13.30
kannegießern 13.22
kannelieren 3.49
Kannelierung 15.7
Kannen, es regnet
  wie mit 1.8

Kannibale 11.29
  11.61 16.94 19.9
kannibalisch 4.50
  11.60f. 19.9
Kannibalismus 19.10
Kanon 5.19 9.64
  15.13 16.106 19.19
  20.19
Kanonade 16.73
  16.76 17.12f.
Kanone 2.34 7.29
  12.52 16.85 17.12f.
Kanonen 11.38
— (Stiefel) 3.20 17.9
— auf den —
  schlafen 16.77
— auffahren 16.76
— statt Butter 16.73
Kanonenboot 16.74
Kanonendonner
  16.73
Kanonenfieber 11.42f
Kanonenfutter 2.46
  16.73 16.94
— abgeben 16.73
Kanonenkugel 8.7
  17.13
Kanonenrohr,
  heiliges 11.5
Kanonenstiefel 17.9
Kanonier 16.74
kanonieren 16.76
  17.12
Kanonikalien 20.18
Kanonikat 20.17
Kanonikus 20.17
Kanonisation 20.15
kanonisch 5.19 20.1
  20.16f. 20.19
— Recht 19.19
kanonisieren 20.1
  20.7
Kanonisierung 20.15
Kantate 14.2 15.16
  20.16
Kante 2.27 3.23 3.43
—, hohe 18.10
kantern 16.6
Kanthaken 16.78
  16.117 19.32
Kanthariden 10.21
Kantianer 5.18
kantig 3.43 3.55
Kantilene 15.11
Kantine 2.26 16.64
Kanton 1.15

Kantonist, unsicherer
  9.9 16.72 18.19
  19.9
Kantönligeist 12.55
Kantor 12.33 15.11
  20.17
Kantorgrab 2.48
Kantschu 16.78 19.32
kantschuen 16.78
  19.32
Kanu 8.5
Kanzel 2.12 4.12 8.6
  12.36 13.21
  16.74a. 20.20f.
Kanzelhusar 16.60
Kanzelrede 13.9
  13.21 20.16
Kanzelvortrag 13.9
  13.21 20.16
Kanzlei 16.99 17.2
Kanzleirat 16.99
  19.28
Kanzleischrift 14.5
Kanzler 16.91 16.96f.
  16.99 16.103f. 19.28
Kanzone 14.2
Kaolin 1.26 1.28
Kap 1.13 1.16 3.48
Kapaun S. 119 2.7
  2.27 5.37 16.50
Kapazität 4.1 9.52
  12.12 12.32 12.52
  16.85
Kapdon 19.29
Kapelle 2.48 15.11
  15.13f. 20.20f.
NN-Kapelle 2.48
Kapellmeister 12.33
  15.11 16.96
Kaper S. 40 2.28
Kaperbrief 16.80
  18.6 18.9
Kaperei 18.6 18.9
kapern 18.6 18.9
kapieren 12.31 12.35
  13.33
kapillar 4.11 4.44
kapital 4.2
Kapital 4.18 9.84
  18.3 18.16 18.21
  18.25
—, ich haag der uffs
—, daß der di
  Zinse em Bart
  erunner rappele
  16.68

Kapital, mobiles
  18.21
—, raffendes 18.16
— schaffendes 18.16
— schlagen aus 9.84
Kapitalertrag 18.5
Kapital(ien) 4.17
  18.1 18.3 18.17
  18.21
kapitalisieren 18.5
Kapitalismus 18.1
  18.3
Kapitalist 18.3
Kapitalsanlage 18.5
  18.16
Kapitän 16.7 16.60
  16.74 16.96 16.98
Kapitänleutnant
  16.74
Kapitel 4.42 12.5
  13.16 14.11 16.102
  20.17
kapitelfest, nicht
  2.41
Kapitell 3.33 15.7
kapiteln 16.33
Kapitol 16.77
—, Gänse des 13.11
Kapitular 19.19
  20.17
Kapitularherr 20.17
Kapitulation 16.76
  16.83 16.111
Kapitulationen 19.22
kapitulieren 16.74
  16.83
Kaplan 20.17
Kapok 7.50
kaponieren 9.63
  vgl. kapponieren
kapores 5.42
Kapotthut 17.9
Käppchen 20.18
Kappe 3.20 5.16
  17.9 19.13
—, auf die —
  kommen 16.67
Käppe 2.5
kappen 2.7 4.7
  4.30 4.34
Kappenabend 16.55
Kappes 2.27 12.57
Kapphausten 2.5
Kapphusten 2.5
Käppi 3.20 17.9
kapponieren 5.42

Kappzaum 16.117
Kapriole, Kaprio-
lenmacher 8.29
11.23 16.54
Kaprize 9.10
kaprizieren, sich auf
5.18 9.6 9.8 9.10
Kapsel 3.20 17.7
Kapsen 2.5
kaput(t) 2.25 2.39
2.45 4.46 5.37
5.42 9.63 9.78
18.19
kaputt sein 2.39 4.46
5.42 18.19
Kapuze 3.20 17.9
20.18
Kapuziner 2.30 20.17
Kapuzinerrausch
2.33
Kar 3.49
Karabiner 17.12
Karacho 8.7
Karaffe 17.6
Karambolage 8.9
8.21
Karamel 1.29 2.27
Karamelle 7.66
Karat 7.41 12.12
karatieren 13.1
karätig 12.12
Karausche S. 100
2.27
Karavelle 8.5
Karawane 16.6
Karawanserei 3.3
16.64
karbatschen 16.78
Karbid 7.5
Karbolfähnrich 2.44
Karbolkaserne 2.44
Karbolsäure 1.29
Karbon 1.14
Karbonaro 16.116
Karbonatgesteine
1.26
Karbunkel 2.41 3.48
Karch 8.4
Kardamom 2.28
Kardan 17.16
Kardangelenk 8.10
Kardätsche 3.53
9.66
Karde S. 79 3.53
kardial 2.16

Kardinal 2.31 20.17
Kardinalblau 7.22
Kardinalshut 16.86
16.100 20.18
Kardinalsmantel
20.18
Kardinalsversamm-
lung 20.17
Kardinalswürde
20.17
Karfiol S. 41 2.27
Karfreitag 20.16
Karfunkel · 1.25 2.41
7.17 17.10
karg 2.7 4.4 4.9
4.24 11.12 13.39
kargen 18.10f.
—, mit dem Tadel
nicht 16.33
Kargheit s. karg
kärglich 4.9 4.25
18.4
Kargo 4.17 4.19 8.3
karieren 3.43 7.23
kariert 3.15 3.43 7.23
Karikatur 3.60 5.18
11.23 11.24 11.28
13.45 13.52 15.2
16.54
karikieren 3.60 15.2
16.33 16.54
karikiert 11.24
Karin 16.3
Karitas 20.13 20.22
Karkasse 2.25
Karl 16.3
Karl Moor 16.96
Karla 16.3
Karline 2.31
Karma 5.45 9.3
Karmeliter 20.17
Karmelitergeist 2.31
Karmesin 7.17
Karmin 7.17
Karmoisin 7.17
Karneol 1.25 17.10
Karner 2.48
Karneval 16.55 16.59
Karnickel S. 125
5.31 19.11 19.31
Karnies 3.33 15.7
karnöffeln 16.78
Karo 2.27 3.43
Karola 16.3
Karosse 8.4

Karotte S. 64 2.27
Karpfen S. 100 2.27
Karpfenteich, Hecht
im 16.65
karräteln 8.4
Karre 8.4 9.51
Karree 3.43 3.58
— bilden 16.73
Karren 8.4
Karriere 8.7 9.77
16.60
— machen 5.46 9.77
16.85
Karrieremacher
16.115
Karriole 8.4
karriolen 8.4
Kärrner 9.22
Karst 7.47 7.48 17.15
Karsta 16.3
Karsten 16.3
Kartätsche 17.13
Kautaune 17.12
Kartause 20.20
Kartäuser 2.31 20.17
Karte 2.26 9.15 9.77
11.39 13.1 15.4
16.6 18.22 19.22
19.29 20.12
— abgeben 16.64
—, alles auf eine —
setzen 9.74 11.39
Kartei 14.9 17.4
Kartell 4.33 16.17
16.69
kartellieren 4.33
Kartellverband
16.17
Karten dreschen
16.56
— auf den Tisch
13.5
— legen, schlagen
12.43 20.12
—, mit offenen —
spielen 13.5 13.49
—, seine — geben
lassen 16.69
Kartenabnehmer
16.96
Kartenbrief 13.2
14.8
Kartenhaus 5.37 6.8
Kartenlegerin 12.43
16.60
Kartenlotterie 16.56

Kartenspiel 16.56
18.8
Kartenstelle 16.103
Kartoffel S. 71 2.16
2.27 3.50 6.9
Kartoffelbauch 4.10
Kartoffelmehl 2.27
Kartoffelniesen, zum
11.31
Kartoffelschmarren
2.27
Kartographie 1.11
15.1
Karton 15.4 17.7
kartonieren 4.33
14.11
Kartusche 17.12
Karussell 3.47 16.55
Karyatide 3.18 15.7
15.10 17.2 17.10
Karzer 16.117
19.32f.
Karzinom 2.41
Kasack 17.9
kascheln 3.52 16.56
kaschen 16.56
Kaschemme 16.64
Kascher 3.58
kaschieren 13.4
Kaschla 16.56
Kaschmir 17.8
Kaschott 16.117
Käse 2.27 6.9 18.21
—, alles 9.78
—, auf den — hauen
16.76
—, Edamer 17.13
Käseblatt 14.11
Käsekeilchen S. 58
2.27
Käsekuchen 2.27
Kasel 20.18
Kasematte 3.20 9.76
16.117 17.1
Kaserne 17.1
Kasernenhofton
16.53
kasernieren 3.3
käsig 7.13 7.51
Kasimir 16.3
Kasino 16.17 16.55
16.64 17.1
Kaskade 7.55f.
Kaskett 16.77
Käsmatte 2.27
Kaspar 16.3

Kasperle 11.24 14.3
Kassa 18.21
Kassakurs 18.21
Kassandra 5.47 11.41
  12.43 13.10
Kassandraruf 13.10
Kassation 16.105
Kasse 4.18 17.4
  18.4f. 18.21 18.26
—, diebessichere 18.21
—, feuerfeste 18.21
—, ist bei 18.3
—, per 18 26
Kassenbestand 18.21
Kassenlöwe 16.60
Kassenmagnet 14.3
  18.5
Kassenraum 17.2
Kassenschein 18.21
  18.30
Kassenstück 6.31 18.5
Kassenvorrat 18.21
Kasserolle 17.6
Kässe-Schuckes
  (schwäb.) 16.56
Kassette 17.4 17.7
Kassiber 13.2 14.8
kassieren 9.33 9.85
  16.105 18.5 18.26
Kassierer 12.12
  16.60 18.26
Kassiopeia 1.2
Kastagnetten 7.30
  15.15
Kastanie S. 29; 56
  2.27 7.16 9.69f.
  10.21 19.2
kastanienbraun 7.16
Kästchen 16.56 17.7
Kaste 4.34 16.91
kasteien 19.32 20.13
  20 16
Kasteiung 19.26
  19.32 20.13 20.16
Kastelfuhre 16.8
Kastell 9.76 16.77
  17.1 17.14
Kastellan 16.60
  16.112
Kasten 2.5 3.20 4.2
  4.10 8.5 11.28
  12.52 12.57 15.8
  16.57 17.7. 18.21
  19 33
Kastengeist 12.55
  16.91

Kastenhaufen 2.5
Kästner 16.60
Kastor und Pollux
  16.41
Kastrat 2.7 5.37
Kastratenstimme
  13.15
Kastration 4.30
  19.32
kastrieren 2.7 4.30
  5.37 9.60 19.9
kastriert 14.12
Kasuistik 9.7 9.13
  13.51 19.24 20.3
kasuistisch 12.19 19.24
Kasus 9.55 13.31
Katafalk 2.48
Katakomben 2.46
  2.48 14.9
Katakombendasein
  13.4
kataleptisch 8.2
Katalog 14.9 18.23
Katalogwert 18.23
Kataplasma 2.44
Katapult 8.6 8.9
  17.12
Katarakt 7.55f.
  10.19
Katarrh 2.41
Kataster 12.12 14.9
Katastrophe 5.27
  5 42 5.47 11.14
—, Sie sind ja eine
  16.33
katatonisch 12.57
Kate 3.3 17.1
Käte 16.3
Katechet 20.17
katechetisch 13.30
Katechismus 9.25
  12.17 14.12 20.19
Katechumen 12.35
Kategorie 4.47 5.1
  5.8 12.4
kategorisch 5.6 12.26
  13.28 13.46 16.106
  16.108
kategorischer Im-
  perativ 19.11 19.24
Kater S. 126 2.14
  2.32f. 19.5
Kateridee 9.10
Katerl 2.16
Kat'exochen 4.50
Katharina 16.3

Katharsis 11.8
Katheder 12.36
Kathederbeschluß
  13.46
Kathedrale 20.20
Kathete 3.11
Katheter 2.44
katheterisieren 2.41
  2.44 3.57
Kathode 17.17
Katholik 20.1
Katholizismus 20.1
Katholizität 4.41
Kathrine 16.3
—, schnelle 2.41
katilinarische Exi-
  stenz(en) 16.94
  16.116 19.9
Katinka 16.3
Kätner 16.60
Kato 11.12 16.108
Kattun 17.8
— geben 16.78
Kattunfritze 16.60
Katz 4.24
—, das ist für die
  9.49 9.78
— und Maus 16.56
katzbuckeln 16.115
Kätzchen (Pflanze)
  S. 28 11.53
Katzedonier 16.56
Katze S. 126 2.15
  4.50 9.16 9.53
  11.38ff. 11.59f.
  11.62 12.27 12.53
  13.15 18.15 20.5
— im Sack (kaufen)
  9.16 9.53 11.39
  12.27
—, leben wie Hund
  und 16.62 16.66f.
—, neunschwänzige
  16.78
Katzen 1.8 6.5
  16.33
katzenartig 13.4
  13.51
Katzenauge 1.25 7.5
  13.1
Katzenbuckel 16.38
Katzendreck 7.64
katzenfalsch 16.32
Katzenfleisch 7.46
katzenfreundlich
  12.53 16.32

Katzenholz 2.48
Katzenjammer 2.33
  9.61 11.27
Katzenkopf 16.78
  17.12
Katzenköpfe 3.53
Katzenmusik 7.31
  15.18 16.34
Katzenpfote 9.69
Katzensprung 3.9
Katzenwäsche 9.67
katzig 16.67
Katzmarek 16.112
kauchen 3.34
kaudal 2.16
kaudern (stammeln)
  13.14
Kauderwelsch 13.14
  13.32 13.35
kauderwelschen
  13.14
kaudinisches Joch
  11.48 16.83
Kaue 17.1
kauen 2.26 7.65
  13.14
kauern 3.34 4.13
  8.26 8.30
Kauf 5.28 9.5 9.16
  11.8 11.39 18.20
  18.22 18.25
—, blinder 9.16
  11.39 13.51 16.72
—, in — nehmen 9.5
  11.8
Kaufs, nicht leichten
  — davonkommen
  lassen 16.33
kaufen 5.16 5.28
  11.39 16.78 18.20
  18.22
—, die Katze im
  Sack 9.16 9.53
  11.39
—, englisch 18.9
—, sich jemand 16.33
Käufer 4.31 16.5
  18.22
Kauffahrer 8.5
Kauffahrteischiff 8.5
Kaufhalle 18.25
Kaufhaus 18.25
Kaufherr 16.60 18.23
Kaufkraft 18.3 18.21
käuflich 16.44 16.110
  16.116 18.22 19.7f.

Käuflichkeit 19.7ff.
s. bestechen
Kaufmann 16.60
18.23 18.25
kaufmännisch 18.20
18.25
Kaufmannschaft
18.25
Kaufmannssprache
13.38
Kaufpreis 18.22f.
Kaufrecht 18.22
kaufwürdig 18.28
Kaugummi 2.34
kaukadsch 10.12
Kaule 4.14
— gehen 16.117
Kaulquappe S. 100
2.22
kaum 4.4 5.5 6.5
6.29 13.29
— einer 4.24
— sichtbar 4.11
kaupeln 18.20
Kauple 2.5
kausal 5.31 12.15
Kausalerklärung
12.15
Kausalität 5.31
Kausalzusammen-
hang 5.31
kaustisch 16.54
Kautabak 2.34 7.68
Kaute 3.49 4.14
Kautel 9.75 11.40
Kaution 9.75 19.16
19.27
Kautschuk 1.29 7.45
7.53
Kauz S. 114 4.34
5.20f. 11.24 12.57
16.52
—, lustiger 16.55
—, närrischer 16.54
Käuzchen S. 114 5.47
Kavalier 9.75 11.53
16.38 16.91 19.1
—, bei mir 18.13
Kavalierstart 16.89
Kavalkade 3.35
Kavallerie 16.74
Kavallerist 16.6 16.74
Kavatine 15.12f.
Kaviar S. 99 2.27
9.51 9.56 10.8
Kay 16.3

Kazet 16.117 19.33
-ke 4.4 11.53
Kebse 16.13
Kebsehe 16.13f.
keck 9.6 11.38 11.45
16.53 16.90
keckern 7.33
Keckheit 11.58 16.90
Keeg 2.16
Kefir 2.30
Kegel 1.10 2.5 2.20
3.48 3.50 4.41
16.9 16.55f. 16.60
—, mit Kind und
4.41 16.8
— schieben 1.10
Kegelabend 16.55
Kegelbahn 3.12 16.55
Kegelbahnmine 17.13
Kegelform 4.11
kegelförmig 3.50
kegeln 1.10 16.56f.
Kegler 16.38
Kehlabschneider
2.48 19.9
Kehldeckel 7.61
Kehle 2.16 2.31 3.10
3.57 7.61
—, trockene 2.31
11.36
Kehlkopf 2.16 2.41
7.61
Kehlkopfkatarrh
2.41
Kehllaut 13.13
Kehraus 8.24 9.33
15.12
— machen 9.33
Kehre 3.46 8.32
kehren 8.17 9.66
12.13 16.108
—, alles zum besten
16.47 16.82
—, die Waffe gegen
sich selber 2.47
—, sich an etwas 9.45
Kehricht 4.17 9.45
9.67
Kehrreim 6.33 14.2
Kehrseite 3.27 5.12
5.23 8.17 9.19
9.50 11.59 13.47
18.21
kehrtmachen 8.12
8.17f.
Kehrum, im 8.17

keifen 11.31 16.33
16.70
Keiferin 11.31 11.58
16.33
Keil 3.43 3.55 4.34
8.26 9.73 16.74
17.15
—, einen — treiben
zwischen 16.67
—, einen vor-
treiben 16.76
Keile 16.78
keilen 16.21
Keiler S. 127 2.14
Keilerei 16.67 16.70
keilförmig 3.43
Keilschrift 14.5
Keim 2.3 2.22 5.24
5.31 9.27 9.29
—, im — ersticken
9.73
keimen 2.1 2.22 4.3
5.24 9.29
kein(er) 3.4 4.26 5.3
5.15 11.8 11.46
12.14 13.29 19.4
20.3
kein Blatt vor den
Mund nehmen
11.46 13.5
— Geheimnis aus
etwas machen 13.5
— Sterbenswörtchen
13.4
— X für ein U vor-
machen 12.52
keine Hoffnung
haben 12.45
— Notiz nehmen 12.38
keinen über sich
haben 16.119
keinerlei 4.26 5.3
keinesfalls 5.3 13.29
keineswegs 5.3 12.48
13.29
Keitel 9.74
Keks (Cakes) 2.27
12.57
Kelch 2.3 2.27 3.49
17.6 20.16 20.21
— des Leidens 11.13
—, den — des Lei-
des leeren 5.47 11.13
—, heiliger 20.16
20.21

kelchförmig 3.49
Kelim 17.8
Kelle 17.6
Keller 2.26 4.13 17.2
-keller 16.64
Kellerei 18.25
Kellerhals S. 59
Kellerloch 17.2
Kellermeister 16.60
kellertief 4.14
Kellerwechsel 18.19
Kellerwohnung 17.1
Kellner 8.3 16.60
16.112
Kelter 2.5 7.54
keltern 7.54
Kemenate 17.2
Kengel 17.2
Kenkel 2.35
Kenkes 16.56
kennen 11.18 11.36
11.44 11.61 12.32
12.52 16.41 16.64
16.90 16.114 19.4
19.10
—, etwas gründlich
9.52
—, nicht mehr 16.34
—, nicht mehr —
wollen 16.52
—, seine Stellung
16.30
—, sich 16.41 16.64
kennen lehren 11.48
kennenlernen 16.41
Kenner 9.52 11.18
11.30 12.32
—, nur für 13.35
Kennerschaft 12.11
Kennkarte 13.1 16.25
Kennmarke 13.1
kenntlich 13.33
Kenntnis 9.52 12.32
Kenntnis nehmen
von 13.2
— sammeln 9.52
12.35
Kenntnisse, unver-
daute 9.49
Kennzeichen 5.9
5.11 12.9 12.11
13.1 13.46
kennzeichnen 5.21
13.1 13.3
kennzeichnend 5.9
12.11

Kentaur 1.2　5.20
　12.28
kentern 8.31
Keramik 15.10
Kerb 16.59　18.25
Kerbe 3.43　5.15
　9.70　13.1
Kerbel S. 61　2.28
kerben 3.43f.
Kerberos 20.11
Kerberus 3.58　9.75
　16.101
Kerbholz 3.44　4.35
　19.11
— haben, auf dem
　16.78　19.11
Kerbschnitzerei 3.44
Kerbtiere S. 94
Kerfe S. 94
kerkenzig 10.12
Kerker 16.117f.
　19.32f.
—, schwerer 19.33
Kerkerluft 2.43
Kerkervogt 16.101
Kerl 2.14　5.35　9.6
　9.53　11.29　11.38
　16.33　16.92　16.94
　19.9
—, der — läuft halb-
　nackt herum 16.33
—, feiner 19.4
—, ich will ein
　schlechter — sein,
　wenn 13.50
—, lange — s. 4.12
—, schlechter 19.9
—, Toter 2.48
Kern 2.3　3.19　3.28
　5.10　9.44
—, dem — der Sache
　ausweichen 13.35
　16.72
—, der gute 19.5
—, des Pudels 5.10
kerndeutsch 4.50
Kerne 17.6
Kerner 2.48　16.60
Kerngedanke 12.17
Kerngehäuse 2.3
kerngesund 2.38　4.50
kernhaft 2.17　19.1
Kernhaftigkeit 19.1
kernig 13.39ff.　19.1
Kernleder 9.56

Kernpunkt 3.28　5.10
—, dem — aus-
　weichen 13.51
Kernschatten 7.6
Kernseife 1.29
Kernspruch 12.17
　13.20
Kernstück 5.10
Kerntruppe 9.44
　9.75　16.74
Kerst 2.27
Kerze 7.4f.
　16.57
kerzengerade 3.11
　4.12　4.50　11.5
Kerzenstärke 7.4
Keschkesch 18.21
keß 11.17　11.38
　11.53　16.90
Kessel 2.12　3.49
　4.13f.　7.37
　16.73　17.6
—, bilden 16.76
Kesselflicker 1.8
　16.60
Kesselraum 7.37
Kesseltreiben 2.12
　16.35　16.76
Kesseltrommel 15.15
Keßler 16.60
Ketone 1.29
Ketsch 8.5
ketschen 2.26
ketschern 16.56
Kette 3.15　3.17　3.35
　4.17　4.33　9.73
　16.74f.　16.100f.
　16.117　17.8　17.10
　18.6　19.32　20.18
—, goldene 16.86
— Hühner 4.17
ketten 9.73　16.117
Ketten 16.116　16.118
Kettenbruch 6.34
Kettengerassel 7.30
　20.5
Kettenhund S. 126
　9.75　11.33　11.58
　16.74a.　16.101
Kettenkugel 9.73
　16.117　17.13　19.32
Kettensträfling
　19.31
Kettentanz 16.58

Ketzer(ei) 4.34　12.23
　20.2　20.4
Ketzergericht 20.2
Ketzerglaube 20.2
ketzerisch 20.2
keuchen 2.39　7.32
Keuchhusten 2.41
Keule 2.27　4.10
　16.57　17.11
Keulenweitwurf
　16.57
Keuper 1.14
keusch 11.46　11.49
　16.50　19.4
Keuschheit 11.46
　11.49　16.50
Keuschheitsgürtel
　11.56
Khaki 7.16
Khasana 8.18
Kichererbse S. 50
　2.27
kichern 7.27　7.34
　11.21f.
kicken 16.57
Kicker 16.57
Kidding 2.27
Kiebitz S. 121
　2.27　12.6
Kiebitzei 2.27　10.8
Kiefer S. 13　2.16
Kiekenapp 20.5
Kieker 10.15　11.35
—, auf dem — haben
　11.62　16.108
Kiek-in-die-Welt
　2.22
Kiel 3.16　3.34　8.5
Kielflügel 15.15
Kielgang 4.14
kielholen 16.78
　19.32
Kielkropf 2.21　20.5
Kielraum 3.34　4.13
　8.5
Kielwasser 3.27　7.55
　8.15
Kiemen 2.16
Kien 7.38　12.7
Kienbaum (Kiefer)
　S. 13
Kienspan 7.5
Kiepe 17.5
Kies. 7.48f.　18.21
Kiesaat 10.12

kiesätig 10.12
Kiesel 1.26　7.44
　11.61　16.56
Kieselgur 1.25
Kieselsäure 1.28
Kieselschiefer 1.26
Kieselsinter 1.25
kiesen 9.11
Kiesewetter, Hans
　12.57
kiesig 7.48f.
kietern 18.20
Kiez 17.3　17.5　18.4
Kieze 17.7
kikeriki 7.33
Kilbe 16.59　18.25
Kilian 11.5
kille machen
　11.10　16.43
killekille 11.22　16.43
killen 2.46
Killer 19.9
Kilo 7.41
Kilobombe 17.13
Kilogramm 7.41
Kilometer 4.6　16.57
Kilowattstunde 5.35
Kilt 17.9
Kilte S. 22; 41
Kimme 2.16　3.43
Kimmung 1.11　3.2
　3.12　3.16　4.2　7.1
　10.15ff.　12.28
Kimono 17.9
Kind 2.6　2.21f.
　4.4　4.41　4.52　5.26
　5.34　5.41　9.16　9.27
　9.51　11.2　11.35
　12.33　12.57　16.9
　19.4　20.4
—, am toten 2.48
—, das — beim Na-
　men nennen 13.49
—, daß es ein — be-
　greift 13.33
— der Liebe 16.12
— des Lichts 20.1
— des Todes 2.45f.
—, für Weib und
　16.73
—, gebranntes 19.5
— mit dem Bade
　ausschütten 4.22
　9.51　13.52

Kind, mit — u. Kegel
4.41 16.8
—, Totes 2.48 9.78
—, totgeborenes 9.49
9.78
—, uneheliches 16.9
—, wenn das — in
den Brunnen ge-
fallen ist 6.36
9.51
Kindbett 2.21 20.13
Kinder 11.28 20.4
20.6 20.22
— den Flur 2.1
Kinderei 9.45
Kinderfrau 16.112
Kinderfräulein 12.33
Kinderfreund 11.51
Kindergarten 9.76
12.36
Kindergärtnerin
12.33 16.60
Kinderhand 2.16
Kinderlähmung 2.41
kinderleicht 4.50
9.54
kinderlos 2.7
Kindermädchen 9.75
16.60 16.112
kindermäßig 2.22
Kinderohrfeigen-
verfertiger 16.60
Kinderopferung
20.2 20.16
Kinderpopo 3.52
Kinderpossen 9.45
Kinderpuppe 16.56
Kindersärge 17.9
Kinderschuhe 2.22f.
4.4
—, stecken noch in
den 4.4
Kinderspiel 9.44f.
9.54 16.56
Kinderstube 2.22
5.11 12.36 16.38
17.2
—, Mangel an 16.33
— schlechte 16.53
Kinderstuhl 17.3
Kindertag 16.8
Kindertrompete 7.31
Kinderwagen 8.4
17.13
Kinderwärterin
16.112

Kindesbeine 2.22
Kindeskind 5.26 5.41
16.9
Kindesliebe 11.53
Kindheit 2.22
kindisch 2.22 9.45
12.19 12.25 12.56f.
kindlich 2.22 16.9
Kindskopf 11.24
Kindstaufe 16.59
Kindtaufe 20.13
Kinematik 8.1
Kinematograph 15.9
Kinetik 8.1 8.9
kinetisch 8.1
Kinkerlitzchen 9.45
Kinn 2.16
Kinnhaken 16.57
16.70 16.78
Kinnlade 2.16
Kinnmatratze 2.16
Kino 12.23 15.8f.
17.1
Kinooperateur 15.9
Kintopp 15.9
Kiosk 14.11 18.25
Kipfel 2.27
Kippe 2.34
— machen 2.21
kippeln 8.33
kippen 2.31 4.7 8.31
11.30
Kipper 18.21
Kirbe 16.59 18.25
Kirchdanksagung
20.13
Kirche 2.45 4.50 5.6
5.19 9.51 9.80
12.22 16.17 17.1
20.1 20.3f. 20.13
20.16f. 20.20 20.22
—, die allein selig-
machende 20.1
—, die — im Dorf
lassen 13.52
—, die — ums Dorf
tragen 9.51 9.80
Kirchenältester 20.17
20.22
Kirchenämter 20.17
Kirchenbann 16.37
Kirchenbesucher 20.16
Kirchenbrauch 20.16
Kirchenbuch 14.9
Kirchenchor 15.13
Kirchendiener 20.17

Kirchendienst 20.17
Kirchenempore 20.21
Kirchenfest 20.16
Kirchenfrevel 20.3f.
Kirchenfürst 20.17
Kirchengebet 20.16
Kirchengemeinde
20.22
Kirchengesang 15.11
15.13
Kirchengesetz-
gebung 19.19
kirchengesetzlich
19.19
Kirchenjahr 16.59
20.16
Kirchenlicht 12.56
Kirchenlied 15.13
20.16
Kirchenmaus 4.50
18.4
Kirchenmusik 20.16
Kirchenpfleger 20.17
Kirchenpult 20.21
Kirchenrat 20.17
Kirchenraub 18.9
20.4
Kirchenregiment
20.17
Kirchenschänder
20.4
Kirchenschändung
20 4
Kirchenschatz 20.21
Kirchenschiff 17.2
20.21
Kirchensitz 20.21
Kirchenstuhl 20.21
Kirchentag 20.22
Kirchentonarten
15.11
Kirchentum 20.17
Kirchenvater 14.4
20.17
Kirchenversamm-
lung 4.17 20.16f.
Kirchenvorstand
20.17 20.22
Kirchenvorsteher
20.17
Kirchgang 20.13
Kirchgänger 20.1
Kirchhof 2.48 9.36
20.5
—, meine Faust, dein
16.68

kirchlich 12.22 20.13
20.17 20.20
— -es Recht 19.19
Kirchner 20.17
Kirchspiel 20.22
Kirchturm 4.12 17.2
Kirchwart 20.17
Kirchweih 16.55
16.59
Kirke 9.12 10.21
Kirmes 16.55 16.59
kirre machen 11.43
16.111
kirren 9.74
Kirsch(e) S. 49 2.27
2.31 7.17
Kirschen 11.58
—, die — in Nach-
bars Garten 16.14
Kirschenmichel 2.27
kirschrot 7.17
Kirschtorte 2.27
Kismet 5.45
Kissen 7.50 17.3
17.5
Kiste 3.20 3.24 4.33
5.1 16.57 17.7
18.21 19.33
— (Flugzeug) 8.6
16.74a.
— rücken 16.8
— schwingen 2.33
Kistenrücken 16.8
Kistentag 16.8
Kistner 16.60
Kitsch 9.60 11.29
15.3
kitschig 11.29
Kitt 4.33 7.51
Kittchen 16.117
19.33
Kittel 3.20 17.9
kitten 4.33
Kitten-Hucker 2.5
Kitty 16.3
kitzbohnelen 1.9
Kitz(e) S. 127 2.21f.
Kitzel 10.1 11.36
—, vom — gestochen
16.44
kitzeln 10.1 11.10
11.22 16.43f. s. o.
—, den Gaumen 10.8
—, die Ohren 16.32

kitzlig 5.7 9.55 9.74
11.10 11.58 12.23
—er Fall, Punkt
9.55
klabastern 8.1
Klabautermann 20.5
Klabrias 16.56
Klachterhaufen 2.5
Klacks 4.42
Kladde 9.26 14.5
Kladderadatsch 5.42
klaffen 3.10 3.57
kläffen 7.31 7.33
16.33
Kläffer S. 126 16.89
Klafter S. 128 4.6
klaftern 8.1
Klafünf 15.15
klagbar 19.12
— werden 19.12
19.27
Klage 2.41 7.34
11.13 11.33 16.33
16.65 19.12 19.27
Klagegedicht 14.2
Klagelied 11.33 14.2
20.19
klagen 2.41 7.33f.
11.13 11.19 11.32f.
13.5 19.27
— über 2.41 11.13
11.33 13.5
Klagen 11.33
Kläger 19.22 19.27
klägerisch 19.12
Klagesache 19.27
Klageweg 19.27
Klageweib 11.32f.
Klaggesang 11.33
kläglich 5.47 9.45
9.60 11.13f.
11.32f. 19.9
Klag(e)lied(er) 20.19
klaglos 11.8 11.16
Klag(e)ruf 11.32
klag(e)süchtig 11.32
Klaiber 16.60
Klamauk 7.26 8.34
16.21 16.55
klamm 7.40 10.5

Klamm 1.13 3.10
3.49 4.9
Klammer 3.23 3.25
3.36 4.33 4.48
8.26
—(n), in 3.25
Klammeraffe 8.4
Klammerbeutel 12.57
klammern 11.35
—, sich — an 9.8
Klammhaken 19.29
Klamotte 8.4 8.6
Klamotten 2.16 9.60
9.81 17.9 18.1
18.21
—, seine — packen
16.8
Klamottenschmeißer
16.60
klamüsern 12.20
Klan 16.16
Klang 7.24 7.33f.
13.13 15.17
klanglich 13.13
klangreich 7.26 15.17
Klangspiel 13.13
klangvoll 7.26 15.17
Klangwelt 15.11
Klangwirkung 7.25
Klapp 7.29
Klappe 2.16 3.45
3.58 7.61 15.15
17.3
klappen 9.77
Klappen, es kommt
zum 9.44
Klapper 7.31 20.21
klapperdürr 4.4 4.11
4.50
klappern 7.30f. 11.42
16.21
Klapperschlange
S. 101 14.5 16.60
Klapperstorch S. 116
2.21
Klappertopf
(Pflanze) S. 73
Klappgons 16.56
Klapphornvers 14.2
Klapphut 17.9

Klappmatismus
17.16
klapprig 2.25 2.41
6.27
Klappstuhl 17.3
Klaps 12.57 16.78
Klapsrese 12.57
klar 1.22 3.37 4.50
5.6 7.1 7.4 7.8
9.26 9.66 11.17
12.14 12.52 13.3
13.5 13.13 13.16f.
13.28 13.33 13.46
13.49 15.17 19.4
—, ist sich — über
12.31
—, jemandem den
Standpunkt —
machen 16.33
—, na Klärchen
13.28
—, seine Verachtung
— an den Tag
legen 16.36
— Schiff 9.26
— über und nischt
drunter 3.22
— und deutlich
13.33
— wie dicke Tinte,
wie Kloßbrühe
13.33
— machen 13.44
Klara 16.3
Kläranstalt 9.66
klaren, ist im 12.32
klären 1.22 3.37 5.6
9.66 12.3 13.2
—, das Deck 16.76
Klarheit 5.6 7.4 7.8
9.54 13.33
Klarinette 15.15
klarlegen 13.44
klarmachen 11.48
12.33 13.33 13.44
16.76
klarsehen 12.31
Klarsicht 12.52
klarstellen 12.20
Klärung 1.22 12.23

Klasse 4.47 4.50
11.17 12.33 12.35f.
16.16 16.85 16.91f.
—, Bürger zweiter
16.34 16.94
—, die besitzende
18.3
—, die untere 16.94
—, einfach 9.56
—, erster 4.50
— sein 16.91
klassenbewußt 11.44
Klassenbewußtsein
11.44
Klassenbuch 19.32
Klassenjustiz 19.21
Klassenmoral 12.55
Klassenstaat 16.97
Klassenwahn 11.44
klassifizieren 3.37
4.47 18.2
Klassik 15.3
Klassiker 14.1f.
klassisch 3.59 6.27
11.17f. 11.26 11.46
15.3 16.121
—, das ist 16.33
Klassizismus 8.17
11.26 15.3
Klassizist 13.52
Klat 9.24
Klatsch 7.29 13.4
13.7 13.22 16.35
Klatschbase 13.5
13.22
Klatsche 13.5 13.53
klatschen 7.26 7.29f.
9.77 11.21 13.5
13.22 14.1 16.31
Klatschen 9.77
Klatscherei 13.5
klatschhaft 13.22
Klatschkäse 2.27
klatschnaß 7.57
klatschsüchtig 16.35
Klatschweib 13.5
Klattengrav 2.48
Klaue 2.16 3.46 14.5
15.3 17.15
— des Löwen 13.38
klauen 18.9
Klauen 2.16 16.97
Klaus 16.3 20.6
Klause 16.52 17.1
20.20
Klausel 4.42 19.14f.

Klausner 4.34 16.52
20.13 20.17
Klausur 16.117 20.15
Klausurarbeit 13.25
Klaviatur 15.15
Klavichord 15.15
Klavier 15.14f. 15.18
Klaviermusik 15.14f
Klavierstimmer
16.60
Klavizimbel 15.15
Klawesmann 20.6
Klebe 4.33
Klebehose 9.38
kleben 4.33 4.50
15.9
—, einem eine 16.78
klebrig 7.51 18.9
Klebstoff 4.33
klecken 2.5 8.3
Kleckerbusch 9.66
Kleckerkasten 2.5
Klecks 9.67 11.28
klecksen 9.53 9.67
14.5 15.4
—, Klecksographie
15.4
Kledage 17.9
Klee S. 51 7.63
—, über den grünen
— loben 13.52
16.31
Kleeblatt 4.38f.
Kleemeister 2.46
Kleereiter 2.5
Kleiber S. 106
Kleid(er) 3.20 4.3
17.9 20.18
— grünes 2.45
— weißes 1.9
kleiden 17.10
Kleiderkammer 17.2
Kleiderkarte 17.9
Kleidermode 16.61
Kleidernarr 11.45
16.63
Kleiderwart 16.101
Kleidung 3.20 17.9
20.18
Kleie 7.49
klein 2.22 4.4 4.7
4.41 4.50 5.26
11.16 11.31 11.42f
11.48 11.53 16.83
16.114 19.11

Klein aber mein 11.16
— aber oho 9.44
9.56
klein, bei —em 5.26
— beigeben 11.43
16.114 19.11
— denkend 19 7
—, der — e Mann
16.92
— kriegen 11.48
— machen, sich 4.13
— und häßlich wer-
den 11.42 11.48
16 83
Klein, das 2.27
kleinbürgerlich 12.55
Kleinchen 4.4
Kleine 2.22 11.53
16.13
—en Mann im Ohr
12.57
kleiner 4.52
— sein 4.5 4.52
— werden 4.5
Kleiner, na 13.24
—es Dutzend 4.39
kleines, über ein
6.24
Kleinformat 4.4 14.11
Kleingeld 18.3 18.21
kleingläubig 11.41
20.3
Kleingläubigkeit
20.3
Kleinhandel 18.23
Kleinhändler 18.23
Kleinheit 4.4
Kleinholz
— machen 5.42 8.31
Kleinigkeit 4.24 4.42
9.45 9.54
—, kostet eine 18.27
Kleinkaliberschießen
16.57
Kleinkinderbewahr-
anstalt 9.76
Kleinkrämer 12.55
Kleinkrieg 16.67
16.71
kleinkriegen 11.38
11.60 12.31 16.78
16.111
Kleinkunst 15.6
kleinlaut 7.27 11 42f.
11.48 13.23
kleinleutemäßig 16.92

kleinlich 4.4 9.45
11.27 12.19 12.55
19.7
Kleinlichkeit 19.7
Kleinmut 5.37
11.32 11.42f.
11.48
kleinmütig 11.32
11 42f.
Kleinod 9.64 17.10
Kleinrentner 18.4
Kleinschmidt 16.60
kleinst 4.4
Kleinstadt 16.2
Kleinstädter 12.55
kleinstädtisch 11.29
12.55
Kleister 1.29 4.33
7.51 17.15
kleisterig 7.51
kleistern 4.33
Klemens 16.3
Klemme 4.25 9.55
9.74 9.78 18.4
klemmen 18.9
—, sich 2.42
—, sich dahinter 9.29
Klemmer 10.16
Klempner 16.60
Klempnerladen 17.10
Klempners Karl
19.29
klengen 2.5
Klepper S. 128 2.33
Kleptoman 18.9
Kleptomanie 11.36
18 9
klerikal 12.22 20.16f.
Kleriker 20.17
Klerisei 20.17
klerren 13.22
Klerus 20.17
Klette S. 87 3.53
4.33 4.37 19.29
Kletten, wie die
4.50 16.40
klettern 8.1 8.28
11.31
Klettervögel S. 112
Klicke 4.33 9.69
vgl. Klique
Klicker 16.56
Klient 9.75 16.5
16.112 18.22
19 28

Klientel 9.75 18.22
klieren 14.5
klierig 7.51
Kliff 1.16
Klima 1.4 1.6—10
Klimatologie 1.4
Klimax 3.33 4.12
4.41 13.37
Klimbim 11.21 16.55
16.59
klimmen 8.28
Klimperkasten 15.15
klimpern 15.14
15.17f.
Klinge 2.46 3.55
17.11 17.15
—, eine gute —
schlagen 2.26
Klingelbeutel 20.21
Klingelfahrer 18.9
Klingelkläselken
20.6
klingeln 7.26 7.30
13.1
Klingelputzer 16.60
Klingelzeichen 13.1
Klingelzug 3.17
klingen 7.24f. 7.30
15.16f.
—, hohl 7.25
— -der Erfolg, Lohn
18.26
Klingen, die —
kreuzen, messen
16.70 16.73
Klinik 2.44
klinischer Fall 2.41
Klinke 3.57 17.15
Klinkenputzer 16.94
Klinker 1.26
Klio 14.9
klipp klapp 8.33
klipp und klar 5.6
13.33 13.46
Klippe 1.13 1.16f.
4 9 4.12 9.74
Klipper 8.5
Klippfisch S. 99 2.27
Klippschule 12.36
Klippschüler 12.35
Klique 4.33 9.68f.
16.17 16.64 19.8
klirren 7.26 7.30f.
Klischee 5.18 11.26
15.5

Klistier 2.44 8.23
8.26 9.66
klistieren 9.66
Klisto 19.29
Klitsche 16.78 17.1
klitschnaß 7.57
Klitterung 1.21
klitzeklein 4.50
Kloake 7.56 7.64
9.67
Kloakenschmetter-
ling 16.33
Kloaskerl 20.6
Kloben S. 128 2.5
2.34 4.33 16.53
klobig 4.50 16.53
klönen 13.22 13.30
Klong 17.6
Klopfe 16.78
klopfen 7.26 7.30
8.9 12.8 13.1 16.78
16.89
—, auf die Finger
16.33 19.32
—, auf die Schulter
16.31
Klopfen 7.29
klopfend 12.41
Klöppel 7.25 8.9
klöppeln 3.15 17.8
Klöppelspitze 15.6
kloppen, Karten
16.56
Kloppfisch 16.78
Klops, Königsberger
2.27
Klopstock 16.60
Kloß 2.27 17.9
— im Mund 13.14
-- in der Kehle
15.18
Kloßbrühe 4.50
Klöße, Karl 13.29
Kloster 16.52 20.15
20.20 20.22
— gehen, ins 16.52
20.15
Klosterbruder 16.52
20.17
Klosterfrau 20.17
Klosterfräulein 20.17
klosterhaft 16.51
Klosterleben 20.15

klösterlich 16.52
20.17
Klosterschule 12.36
Klosterschwester
20.17
Klostervorsteher(in)
20.17
Klosterzwang 20.15
Klotilde 16.3
Klotsch 2.27
Klotz 4.2 4.10 7.43f.
9.73 16.53
—, grob wie ein
16.53
—, unbehauener
16.53
Klötze 18.21
Klötzen 2.27
klotzig 4.20 4.50
7.43 16.53 18.3
Klotzkopf 16.33
Klown 11.23f. 14.3
16.33 16.54
Klub 4.33 9.68
16.17 16.64
Klubsessel 9.41 17.3
Klucker 16.56
Kluft 3.10 3.49 3.57
4.14 17.9
klug 4.50 9.24 9.42
9.52 11.40 12.52f.
—, nicht daraus —
werden 13.35
— wie die Schlangen
12.53
— Haus 12.52
Klügelei 11.45 12.19
klügeln 12.3 12.11
12.19 16.72
Klugheit 9.42 9.52
11.40 12.52
klüglich 12.7 12.52
Klugscheißer 11.45
Klump 2.5
Klumpatsch (sächs.)
12.56
Klümpchen 2.27
Klumpen 3.48 4.2
7.41 7.43
Klumpfuß 2.41 11.28
klumpfüßig 11.28
Klüngel 16.16f.

Klunker 3.17 8.33
16.56 16.87 17.10
Kluntscher 2.27
Kluppen, in die —
kriegen 16.78
Klut 9.24
Klutentrampler 2.5
Klystier s. Klistier
knabbern 2.26
Knabe 2.22
—, alter 2.25
Knabenalter 2.22 6.2
knabenhaft 2.22
11.17
Knäckebrot 2.27
knacken 3.57 4.34
7.27 7.47
Knacker 2.25
Knacks haben 2.41
Knackwurst 2.27
Knall 5.36 7.26 7.29
—, hat 'n 12.57
— und Fall 5.27
6.14 12.45
knallblau 4.50 7.21
Knallbonbon 17.13
Knalldroschke 17.12
Knalleffekt 5.10
9.44 16.88
knallen 7.26 7.29
16.68 16.76
—, einem eine 16.78
—, jemand(en) etwas
13.51
Knäller 2.34
Knallerballer 2.34
Knallerbse 7.29
Knallgas 7.60
knallhart 7.44
knallig 7.11 11.29
15.2
Knallrohr 7.29 17.12
knallrot 4.50 7.17
Knallschote 16.78
knapp 4.4 4.7 4.9
4.24f. 4.50 13.39
13.41 14.12 15.3
16.108 18.4 19.33
Knappe 9.75 12.35
16.60 16.112
knappen 7.33 18.10
Knappheit 4.25
Knappschaft 1.23
knapsen 18.4

Knarre 7.31 17.12
knarren 7.30f. 15.18
Knarren 2.41
knassen 19.33
Knast 2.41 19.33
Knasterkerze 2.34
Knatsch 7.51 9.55
knatschen 2.26
knattern 7.30
Knatz 2.27
Knäuel 3.38 3.50
4.17 4.20
knaueln 13.22
knäueln 3.50
Knauf 3.48 17.15
knaufig 11.27
Knauser 18.11
Knauserei 18.10f.
19.7
knauserig 18.11 19.7
knausern 18.11
—, mit dem Tadel
nicht 16.33
Knaust 2.27
knautschen 15.11
Kneann 16.9
Knebel 2.16 16.117
knebeln 7.28 9.3
13.23 16.117
Knebeltrense 16.117
Knecht 9.22 16.112
— Gottes 20.17
knechten 16.111
16.117
knechtisch 11.48
16.32f. 16.111f.
16.115
Knechtmarkt 16.8
knechtselig 11.48
16.115
Knechtung 16.111
knecken 3.43
Kneckes 4.4
kneifen 4.5 11.14
11.43 16.83
Kneifer 10.16 11.43
Kneifkuß 16.43
Kneifzange 17.15
Kneipche 17.11
Kneipe 2.31 16.55
16.64
kneipen 2.31 11.14

Kneiperei 2.31 16.55
Kneipjacke 17.9
Kneippianer 11.12
Kneippsche Kur 2.44
Kneiß 2.41
Kneitebeu—Mätebeu
  16.8
Kneppchen 13.50
knerbeln 7.33
Knern 2.16
Knerwelpeter 11.27
knetbar 7.50
kneten 5.39 7.50
  15.10
kneten 1.21
Knick 3.43
Knickebein 2.31
knicken 2.45 3.43
  4.34 7.47 8.31
Knicker 3.55 16.56
  18.11
Knickerbockers 17.9
Knickerei 18.10f.
knickerig 18.10f.
Knickfuß 2.41
Knick—Husten 2.5
Knicks 8.30 16.30
  16.38
knicksen 8.30
Knickstiefel 2.25
Knie 2.16 3.43
  8.7 11.42 11.48
  16.114f. 19.5
  20.13
—, das — beugen
  16.30 16.83 16.114
  20.13
—, in die — brechen
  16.83
—, in die — zwingen
  16.84
—, sich auf die —
  werfen 11.48
  16.20
—, übers — brechen
  5.36 6.38 8.7
—, übers — legen
  16.78
Knieband 4.28 4.33
Kniebeuge 8.30
Kniebeugung 3.43
  16.30 16.38 20.13
Kniefall 16.114
kniefällig 16.20
kniefig 4.11

Knieholz S. 13 2.1
  3.43 4.13
Kniehosen 17.9
Kniekehle 2.16
knie(e)n 3.34 3.43
  8.30 11.53 16.20
  16.38 116.111
  16.115 20.13
  20.16
knien, aufs Leder
  16.78
Knien, auf den
  16.20 16.30 19.5
—, auf den — liegen
  16.38 19.5
Kniep 17.15
kniepig 18.11
Knieradler 2.41
Knieriem 16.60
Knieriminalrat
  16.60
Knierutscher 20.14
Kniescheibe 2.41
— kommt durch den
  Kopf 2.41
— lieber mit 'nem
  rostigen Nagel in
  die 16.27
Kniest 1.19
Kniestück 15.4
knietief 4.14
knietschig 11.27
  18.11
knif (KNIF) =
  kommt nicht in
  Frage 16.27
Kniff 9.25 12.32
  12.53 13.51 16.72
knifflig 9.55 12.19
  13.35
Knigges Umgang mit
  Menschen 16.38
knipsen 13.1 15.8
  17.17
Knirps 2.22 4.4 17.9
knirschen 7.27
  7.30f. 9.5 11.31
  11.33
knistern 7.27 7.29
  7.36
Knittel 17.11
Knittelverse 14.2
  16.54
knittern 7.30
knitz 12.53
Knobelbecher 17.9

knobeln 9.16 16.56
Knoblauch S. 19; 41
  2.28 7.64
Knöchel 2.16
knöcheln 11.60
Knochen 2.16 4.41
  7.43f.
— bis auf die 4.41
—, daß du die — im
  Sacktuch nach
  Hause tragen
  kannst 16.68
—, hat keine — im
  Leibe 7.50
—, laß dir vorher
  die — numerieren
  16.68
Knochenbrecher 2.44
Knochenbruch 2.41
Knochenbude 2.44
Knochenerweichung
  2.41
Knochenfraß 2.41
Knochengerippe 2.16
Knochengerüst 2.16
  4.33
Knochenhauer 16.60
Knochenhautentzün-
  dung 2.41
Knochenkotzen 11.14
  11.31 11.59
Knochenleim, be-
  stehen aus 5.37
knochenlos 7.50
Knochenmann 2.45
  16.60
Knochenmarks-
  vereiterung 2.41
Knochensammeln
  16.116
Knochenschuster 2.44
knochentrocken 7.58
Knochentuberkulose
  2.41
Knochenverkrümm-
  mung 2.41
knochig 4.11
Knockabout 11.23
  14.3
Knödel 2.27 13.15
knödeln 15.18
Knolle 2.3 3.48 3.50
  7.43
knollen 14.5
Knollen 3.48 3.50
  7.43

Knollenfink 2.5
  16.60
Knollengewächs 7.43
knollig 3.50 3.53
  4.50 18.3
Knopf 3.17 3.48
  3.50 4.4 4.33
  9.55 11.24 17.15
  s. Knoten
—, nicht einen —
  dafür geben 16.36
Knöpfe (Geld) 9.11
  18.21
knöpfen 4.33
Knöpfle 8.7
—, rechts 4.10
Knopfloch 11.32
  16.87 17.10
— mit leerem
  16.94
Knopflöcher, aus
  sämtlichen —n
  schießen 16.76
Knöpfstrümpfe 3.20
  17.9
Knopp, reicher 18.3
knören 7.33
knorke 11.17 16.31
Knorpel 2.16 7.46
— einen hinter den
  — schlippern 2.31
knorpeln 2.31
Knorren 3.50
knorrig 7.43 9.55
  16.53
Knorz 2.27
Knospe 2.3 2.16 2.22
  3.48 11.17
knospen 2.18 2.22
  4.3 5.26 8.26 11.17
knospenfrisch 2.22
knospenhaft 11.17
Knospung 2.18
Knote 11.29 16.53
knoten 3.15
Knoten 2.3 3.38
  3.45f. 3.48 3.50
  4.10 4.33 7.43
  9.54 9.55 9.73
—, den — durch-
  hauen 9.54 13.26
—, gordischer 9.55
— im Taschentuch
  12.39

Knotenblume S. 25
Knotenpunkt 16.2
Knotenschrift 14.5
Knotenstock 17.11
knotig 3.43 3.48
   3.53 7.43
Knotterdippche
   11.27
Knotterer 11.58
knottern 11.27 16.33
Knowwe 2.27
knuffen 16.78
Knulch 11.59
knüll 2.33
knüpfen 3.15 4.33
   16.41 17.8
Knüpfwerk 3.15
Knüppel 2.27 4.10
   8.9 9.72 16.74a.
   16.78 17.11
Knüppelberg 2.48
Knüppeldamm 8.11
knüppeldick 4.50
Knüppelmusik 15.14
knüppeln 16.78
knurren 7.33 11.33
   16.67
— der Magen 4.25
   10.10 11.36
Knurrhahn S. 99
knurrig 11.25
Knusperchen 2.27
   7.66
knuspern 2.26
knusprig 7.47 11.17
Knust 2.27
Knut 16.3
Knute 16.78 16.107
knuten 16.78
knutschen 16.43
Knüttel 16.78
knütteln 16.78 19.32
k. o. 16.57 16.83f.
K. o., technischer
   16.57
koagulieren 7.51
Koalition 9.68f.
   16.17
Kobalt 1.24 7.21
Kobaltglanz 1.25
Koben 17.1
Kobold 20.5
koboldartig 20.5f.
Koboldkind 20.5
Kobolz schießen 8.31
Kobra S. 101 19.9

Koch 2.26f. 7.39
   16.60 16.112
—, lateinischer 16.60
— (östr.=Brei) 7.51
Kochapparat 7.37
kochen 1.21 5.36
   7.35ff. 7.59 8.33f.
   9.26 9.57 11.8
   11.31 11.62 19.7
Köcher 17.7
Kochet 17.6
Kochgeschirr 17.6
Kochhitze 7.35
Köchin 16.112
Kochsalz 1.28
Koda 4.28 6.4 9.33
   15.12
Kodder 17.8
köddern 13.22
koddrig 11.15 16.90
Kode 13.4
Köder 9.12 9.28
   11.36
ködern 9.12 9.74
   11.36 11.53 16.72
Kodein 1.29
Kodex 14.5 14.9
   19.19
Kodifikation 4.41
kodifizieren 14.5
Kodizill s. Anhang
Koeffizient 4.35
koexistent 6.13
Koexistenz 3.9 5.1
   6.13 16.48
koexistieren 6.13
Koffein 2.43
Koffer 8.6 8.18 17.7
Kofferabend 16.8
Koffersonntag 16.8
Koffertag 16.8
Koffitzke 2.30
Kog 2.11
Kogge 8.5
Kognak 2.31f.
   7.54
kohärent 7.43 7.46
Kohärenz 4.33 7.43
Kohäsion 7.43 7.46
Kohen 20.17
kohl nich(t) 13.29
Kohl S. 41 2.27
   9.45 11.16 11.47
   12.19 12.56f. 13.51

Kohl, macht den —
   nicht fett 9 45
—, seinen — bauen
   11.16 11.47 13.4
—, seinen — pflan-
   zen 11.47 16.52
Kohlbrenner 16.60
Kohldampf 10.10
Kohle 1.26 7.14 7.38
Kohlehydrate 1.29
   2.26
kohlen 7.6 13.22
   13.51
Kohlen 11.13 11.52
Kohlenbaron 18.3
Kohlengas 2.43
Kohlenkästen 17.13
Kohlenklau 18.14
Kohlenmangel 7.40
Kohlenmeiler 7.37
Kohlenoxyd 7.60
Kohlenpfanne 7.37
Kohlensäure 1.28
   7.59f.
Kohlenstation 4.17f.
Kohlenstift 7.5
Kohlenstoff 1.24 1.26
Kohlenwasserstoff
   1.29
Köhler 2.27 16.60
Köhlerglaube 20.1
Kohlhaas, Michael
   9.8
kohlrabenschwarz
   4.50 7.14
Kohlrabi S. 41; 42
   2.16 2.27
Kohlrüben S. 41 2.27
Kohlsprosserln 2.27
Kohorte 16.74
Koinzidenz 5.15
Koje 3.19 8.5
Kokain 1.29 10.3
Kokarde 13.1 16.87
   17.10
köken 2.35
kokett 11.45 16.42
   16.51 16.64
Kokette 9.12 16.63
Koketterie 11.45
   16.42
kokettieren 11.44
   11.53 16.42 16.51
   16.64
Kokke 2.43
Kokolores 11.14

Kokos 17.8
Kokoschken 2.5
Kokosnuß S. 22 2.27
Kokotte 16.45
Koks 1.26 7.38 11.21
   17.9 18.21
Kokytos 20.11
Kolben 2.16 3.58
   7.37 17.6 17.11
   17.16
Kolibri S. 124 4.4
   7.53
Kolik 2.11
Kolk 1.19
Kollaps 2.39 2.41
   5 37 5.47 9.78
Kollation, kollatio-
   nieren 2.26 5.17
   8.21 12.10
kollatzen 2.26
Kolleg lesen 12.33
Kollege 4.37 9.70
   16.41 16.66
—, eiserner 14.6
Kollegheft 12.39
kollegial 16.17
Kollegialität 16.40
   16.64
Kollegium 4.17
   12.33 12.36 16.98
   16.102
Kollektaneen 14.10
Kollekte 18.12 20.13
   20.16
kollektieren 18.5
Kollektion 4.17f.
kollektiv 4.17 9.68
Kollektiv 4.17 9.68
   16.17
Kollektivvertrag
   19.14
Koller 3.20 8.34
   9.10 11.5 11.31
   12.57 17.9
kollerig 11.6 11.58
kollern 7.30 7.33
   8.31f.
Kollett 3.20 17.9
—, aufs — steigen
   16.67
Kolli 4.19
kollidieren 8.9 8.21
Kollier 17.10
Kollision 8.21 16.67
—, in — geraten
   9.73

Kollo 4.19
Kolloquium 12.36
  13.25 13.30
Kölner Hännesche
  14.3
Kölnisch Wasser 7.63
Kolombine 14.3
Kolon 14.5
Kolonel 4.6
Kolonie 3.3 16.2
  16.4 16.19 16.112
  17.1
kolonisieren 3.3
  16.1 16.121
Kolonist 2.5 16.4
Kolonnade 6.33 8.32
  17.2
Kolonne 3.35 6.34
  16.74
—, fünfte 16.94 19.9
— hü, brr 16.74
Kolonnenangriff
  16.76
Kolophonium 7.53
Koloratur 15.13
Koloratursängerin
  15.13
kolorieren 7.11 7.23
Kolorit 5.8 7.11
  15.4
Koloß 4.2 4.12 5.37
kolossal(isch) 4.2
  4.12 4.50
Kolossalität 4.2
Kolportage 11.29
  18.23
Kolporteur 16.6
  18.23
kolportieren 13.6
  18.23
Kolter 33.20 17.9
Kolumbus, Ei des
  9.52
Kolumne 14.11
Kolumnentitel 8.27
Köm 2.31
Kombination 4.33
  4.35 17.9
kombinieren 4.33
  12.1f. 12.10
Kombüse 2.26 16.64
Komet 1.2 7.5
Kometenbahn 3.46
  8.32
Kometenlauf 1.2
Komfort 11.10 18.13

komfortabel 11.16
Komfortabl 8.4
Komik 11.23f.
Komiker 11.23 14.3
  16.54
komisch 2.41 11.15
  11.22ff. 11.30
  11.59 12.57 14.3
Komische Alte 14.3
Komitee 4.17 16.96
  16.102 s. Ausschuß
komm mir nur nach
  Hause 16.78
— nur bloß nach
  Hause 16.68
Komma 6.15 14.5
Kommandant 16.74
  16.98
kommandieren
  16.97 16.106
Kommanditgesell-
  schaft 16.17 18.25
Kommanditist 18.2
Kommando 4.17
  16.95 16.97 16.106
—, auf 16.114
Kommandobrücke
  9.23
Kommandostab
  16.100
kommen 2.45 4.52
  5.3 5.24 6.23 8.20
  9.7 9.19 9.31
  9.35 9.46 9.50 9.55
  9.77 11.1 11.8
  11.14 11.31 11.53
  11.59 12.2f. 12.7f.
  13.30 16.11 16.93
  16.97 18.5 18.15
  18.23 19.17
—, auf den Hund
  9.50 18.4
—, auf den Kopf
  16.33
—, auf die Kappe
  16.67
—, auf keinen grünen
  Zweig 18.4
—, dumm 16.53
—, einem anders
  16.78
—, entgegen 16.22
—, hat so — sollen
  5.45
—, hintereinander
  16.70

kommen, komm ich
  heute nicht, komm
  ich morgen 9.24
—, in den Schwitz-
  kasten 16.78
—, in die Quere
  3.15
—, ins Rollen, ins
  Wanken 16.83
—, läßt nichts auf
  ihn 16.30
—, mit gezücktem
  Segen 16.10
—, mit nichts mehr
  in Berührung 3.8
  16.52
—, näher 8.19
—, nicht in Frage
  13.29 16.27
—, nicht von der
  Stelle 9.24
—, teuer 18.27
—, unter die Haube
  16.11
—, von 5.34
—, vor den Schuß
  2.12 3.9
—, wie — Sie dazu?
  16.33
—, wie — Sie mir
  vor? 16.33
—, zu Fall 2.20
  16.44 19.8
—, zu kurz 4.5 4.52
  18.15
—, zu nichts 9.78
—, zu sich 2.17 2.37
  11.1
kommend 6.23
—, von Herzen
  11.52 20.13
Kommende 20.17.
kommensurabel 5.17
Komment 16.61
Kommentar 13.44
Kommentator 13.44
  14.1
kommentieren 12.14
  12.33 13.44
Kommers 2.31 16.64
Kommerslied 14.2
Kommerz 18.20
kommerziell 18.20
Kommerzienrat
  16.86 18.3

Kommilitone 9.70
  16.41
Kommis 16.60 16.112
Kommissar (Kom-
  missär) 16.60
  16.99 16.103
kommissarisch 6.15
  16.104
Kommissarius 16.103
Kommißbrot 2.27
Kommißchristus
  16.60
Kommißhengst
  16.108
Kommission 4.17
  9.22 16.102f.
Kommissionär 16.60
kommlich 11.10
Kommode 17.4 17.7
Kommodore 16.74
Kommstracks 19.29
kommt, das — da-
  von 16.80
—, der heilige Geist
  16.78
— einen rauf 12.32
— ganz schön längs
  9.77
— hintennach 6.38
— immer wieder
  16.20
— nicht in Frage 5.3
  13.29 16.27
— so sicher wie das
  Amen in der
  Kirche 6.33
— vielleicht später
  raus 12.23
— unter die Räder
  9.78
— wie bestellt
  12.44
Kommtag 16.8
kommun 4.33 11.63
  16.94
kommunal 16.2
  16.16f. 16.94
Kommune 16.2
  16.94 16.116
Kommunion 20.16
Kommunionstafel
  20.21
Kommunionstisch
  20.21
Kommunismus 18.12

kommunizieren 4.33
20.16
Kommutation 5.24
5.28
Komödiant 13.51
14.3 16.72
Komödie 11.23f.
14.13 16.54 16.88
— spielen 13.51
komödienhaft 11.24
Kompagnon 4.37
9.70 18.2
kompakt 1.20 3.42
4.1 4.33 7.43
Kompaktheit 7.43
Kompanie 8.15 9.68
16.17 16.64 16.74
—, Mutter der 16.74
Kompaniemutter
4.29
Komparation 12.10
13.31
Komparativ 4.3
4.51f.
Komparent 19.27
Komparse 14.3
Komparserie 15.9
Kompaß 8.11 13.9
Kompaßpunkt 8.11
Kompendium 14.9
14.12
Kompensation 4.27
9.72 16.46 16.80
18.18
kompensieren 4.27
9.72 16.46 16.80
18.18
kompetent 9.52 12.32
16.85 16.95
Kompetenz 16.85
Kompilation 4.17
14.10ff.
Kompilator 14.1
14.11f.
kompilieren 8.21
14.1 14.11
Komplement 4.28
komplementär 4.21
komplett 4.21 4.23
4.41 4.50 9.35
Komplettierung 4.28
4.41 s. Auf-, Ab-
rundung
Komplex 4.17 4.33
16.50

Komplice 4.37 9.70
16.41
Komplikation 9.55
13.35
Kompliment 16.30
16.38 16.42
—, das — erwidern
16.80
Komplimenten-
macher 16.32
Komplimenten-
schneider 16.32
Komplize s. Kom-
plice
komplizieren 5.22
kompliziert 9.55
13.35
—er Knochenbruch
2.41
Komplott 4.33 9.15
16.17 16.116
Komponente 5.31
komponieren 14.5
15.12 15.16
Komponist 15.11f.
Komposition 1.21
13.38 14.5 15.4
15.11f.
Kompost 9.60
Kompott 2.27 7.51
Kompression, s. Zu-
sammenziehung
Kompressor 8.7 17.16
komprimieren 4.5
13.39 s. zusammen-
ziehen
Kompromiß 9.7
16.24 16.48f.
19.17 19.26
—, faules 19.17
kompromittieren
16.93
—, sich 9.53 16.93
Komtur 16.98
kondensieren 4.5
7.43 9.57
konditional 5.32
Konditor 16.60
Konditorei 2.26 7.65
16.64
Kondolenzbesuch
11.50
kondolieren 11.34
11.50
Kondottiere 16.74
16.96 16.98

Kondukteur 8.3f.
16.60
Konfekt 2.27 7.66
Konfektion 17.9
Konfektionär 16.60
Konferenz 13.30
16.64
konferieren 13.9
Konfession 12.22
20.1
konfessionell 12.22
konfessionslos 20.3
Konfetti 4.42 16.55
Konfirmand 12.56
20.15f.
Konfirmandenkuß
16.50
Konfirmation 16.39
16.59 20.15f.
Konfirmationskaffee
11.59
konfirmieren 20.16
Konfiskation 18.6
18.15 19.23 19.32
konfiszieren 18.6
18.15 19.23 19.32
konfisziertes Gesicht
11.28f.
Konfitüre 2.27 7.66
Konflagration 16.73
Konflikt 9.7 9.72
16.65 16.67 16.70
Konföderation
9.68ff. 16.17
konform 4.27 5.16
9.4 12.47
konfrontieren 3.32
konfundieren
s. irren
konfus 3.38 12.13
12.19
Konfusion 3.38
Konfusionsrat 3.38
9.55 13.19
Konfutse Konfuzius
20.19
kongenial 12.31
16.40
Kongestion 2.41
11.15
Konglomerat 1.14
1.21 4.17 4.33
7.49
Kongregation 4.17
4.33 16.17

Kongreß 4.17 16.102
kongruent 4.27 12.47
Kongruenz 5.16 9.48
12.47
König(in) 16.97f.
20.7
— der Tiere S. 126
—, mit Gott für —
und Vaterland
16.73
—, ungekrönter 9.64
königlich 11.17 11.44
16.95 16.97 18.13
19.2
Königreich 1.15
11.36 16.19 16.97
—, himmlisches
20.10
Königsgericht 19.28
Königskrone 16.100
Königskuchen 2.27
Königsschlange
S. 101
Königstag 16.8
Königswürde 16.97
Königtum 16.97
konisch 3.50 3.55
Konjektur 12.24
konjizieren 12.24
Konjugation 5.19
13.31
konjugieren 13.31
Konjunktion 1.2
4.33 13.16
Konjunktiv 13.31
Konjunktur 1.2
5.12f. 6.35
6.37 9.77 18.5
18.28 18.30
Konjunkturritter 9.9
9.52
konkav 3.49 10.16
Konklave 4.17 9.11
16.102 20.17
Konklusion s. Schluß
Konkordanz 14.9
Konkordat 19.14
konkret 1.20 5.1 5.6
7.1 7.43 12.26
Konkretisierung 7.1
Konkubinat 16.13f.
Konkubine 10.21
16.13 16.45
Konkurrent 9.73
11.57 16.65f.

Konkurrenz 9.72f.
16.65f. 16.70
konkurrenzlos 4.50
Konkurrenzraten
16.56
konkurrieren 9.21
9.72 16.70
Konkurs 9.78 18.19
— ansagen 18.19
Konkursmasse 18.19
Konkursverschleie-
rung 16.72
können 5.2f. 5.5
5.31 5.35 8.7 9.3
9.52 12.32 12.52f.
Können, das 9.48
12.32
Konnetabel 16.74
Konnex 4.33 5.13
Konnexion 16.41
16.95
Konnivenz (Nach-
sicht) 9.43 16.25
16.109 19.21
Konnubium 16.11
Konoid 3.50
Konrad 16.3
Konrektor 12.33
Konsekration 20.15f.
Konsens s. Zustim-
mung 12.47 16.24f.
konsequent 9.8 12.14
13.46
konsequentermaßen
12.16
Konsequenz
5.34 9.8 12.16
Konservatismus 5.43
6.7 9.19 9.31
konservativ 5.43 6.7
·9.24 9.31 9.58
Konservatorium
12.36 15.11 15.17
Konserve 5.43 7.66
Konservenbüchse 17.6
konservieren 5.43
6.7
Konsistenz 7.43
Konsistorium 16.102
20.17
Konskribierter
s. Rekrut
Konskription s. Aus-
hebung
Konsole 3.16 17.2
17.5

konsolidieren
4.33 18.3 18.30
—, sich 5.26
Konsolidierung 7.43
Konsols 18.30
Konsonant 13.13
Konsonanz
13.13 15.17
Konsorten 5.17
16.41 16.94
Konsortium 16.17
Konspiration 9.15
16.17 16.116
konspirieren 9.69
16.17
Konstabler 19.29
konstant 6.34 9.30
Konstante 5.15
konstatieren 13.28
Konstellation 1.2
5.12 11.35
Konsternation
s. Verwirrung
konsternieren
11.30 12.13 12.45
konstituieren 5.1
9.26 9.29 16.106
Konstitution 2.38
5.8 5.12 11.2
16.102 19.14 19.19
19.22
konstitutionell 19.19
19.22
konstitutiv 9.44
konstruieren
5.39 12.29
—, einen Satz 13.53
Konstruktion 5.8
12.28f. 13.38
13.44 13.51
Konsul 16.60 16.96
16.98 16.103
Konsulargericht
19.28
Konsulent 19.28
konsultieren 13.9
Konsum 4.31 16.17
18.25
Konsument 4.31
18.22
konsumieren 2.26
4.31 9.84
Kontakt 3.9 10.2
13.30 16.95 17.17
Kontamination 1.21
Kontemplation 12.3

20.1 20.13
kontemplativ 11.8
12.3
kontemporär 6.13
s. gleichzeitig
Konten 18.6
Konteradmiral 16.74
16.98
Konterbande 16.29
19.20
Konterfei 5.18 15.1
15.4
konterfeien 5.18
konterkarieren 9.72
Kontertanz 16.58
Kontext 14.9
— bringen, aus dem
3.36 3.38
Kontinent 1.13 1.16
kontinental 16.64
Kontinentalsockel
1.16
kontingent 3.9
Kontingent 4.17 4.42
16.16
kontingentieren 4.30
18.10
Kontingentierung
4.25 4.30 11.12
Kontiguität 3.9
kontinuierlich 6.34
Kontinuität 6.34
16.121
Konto 18.16f.
18.19f. 18.26
18.30
—, auf 18.16 18.30
—, laufendes 18.30
—, offenes 18.16
Kontokorrent 18.30
Kontor 11.30 18.25
Kontorist 16.112
kontra 5.23
Kontrabaß 15.15
15.17
kontradiktorisch 5.12
5.21 5.23 16.65
19.27
Kontrahage 16.69
Kontrahent 19.14
Kontrakt 14.9 16.23
19.14 19.16
Kontraktion 4.5
Kontralto (Contr'
alto) 15.13

Kontraposition 3.32
Kontrapunkt 15.11
15.17
konträr 3.32 5.12
5.21 5.23 9.19
16.27 16.65
Kontrast 3.32 5.21
5.23 12.10
kontrastieren 3.32
5.21 5.23 12.10
Kontre 16 58
Kontreadmiral
s. Konter . . .
Kontribution 18.12
19.32
— auferlegen 18.6
Kontrolle 9.72 12.7
12.9 16.29 16.65
16.96 16.101
16.108
Kontrolleur 16.96
16.98
kontrollieren 12.7ff.
16.96 16.101 18.10
Kontrollversamm-
lung 16.74
kontrovers 12.8
12.14 13.47
Kontroverse 12.14
12.29 16.67
Kontumeszenz 10.21
Kontur (Linie) 3.18
3.23 3.39 5.8 7.2
15.3
Kontusion 2.41
Konus 3.50
Konuszange 17.15
Konvenienz 9.31
9.48 11.47 16.61
konvenieren s. passen
Konvent 4.17 20.17
Konventikel 4.17
13.4 16.17 16.102
20.2
Konventikler 20.1
Konvention 5.19
16.38 19.14
—, Genfer 11.51
16.41
konventionell 9.31
⁻19.14
Konvergenz 3.9 5.17
8.21
konvergieren 3.15
9.68
Konversation 13.30

Konversation machen
13.30
Konversationsabend
16.64
Konvertit 9.9 20.15
konvex 3.48 10.16
Konvikt 4.29 12.36
Konvoi 9.75
Konvolut 14.9 14.11
Konvulsion 2.41
5.27 5.36 8.34
11.5
konvulsivisch 5.36
8.34
konzedieren 12.47
16.25 18.12
Konzentration 3.9
4.17 8.21
Konzentrationslager
16.79 16.117 19.33
konzentrieren 3.9
3.28 4.5 4.17 4.18
4.28 4.33 7.43
8.21
—, sich 9.14 12.7
—, sich rückwärts
16.83
konzentrisch 3.14
3 28
Konzept 9.26 9.55
9.72 14.5 14.9
Konzeption 2.6 2.19
12.2
Konzern 4.33 16.17
Konzert 12.47
15.11ff. 16.40
— geben 15.14
— der Presse 14.11
Konzertflügel 15.15
konzertieren 15.11
Konzertina 15.15
Konzertino 15.12
Konzertlager 16.117
Konzertmeister
r5.14
Konzertsänger 15.16
Konzession
13.48 16.24f.
16.118 18.12
19.22
konzessionieren 16.24
Konzil 4.17 16.102
20.17
konziliant 16.48
Konzilium 16.102
20.17

Konzinnität 5.16
11.17 13.38
konzipieren 12.2
14.5
konzis 4.7 13.16
13.39
Koofmich 16.60
Koog 1.16 4.13
Kooperator (Geist-
licher) 20.17
Koordination 4.48
koordinieren 3.37
4.28 4.33 4.48
Kopalharz 7.53
Kopeke 18.21
Kopenhagener Blau
7.21
Köper 17.8
Kopf 2.16 2.27 3.26
3.33 4.12 4.41 5.3
5.7 8.7 8.17 9.6ff.
9.14 9.17 9.38ff.
9.43f. 9.55 9.77
11.1 11.5 11 8
11.27 11.30ff.
11.39 11.42
11.53 11.59 12.2f.
12.52 15.4 16.88
16.93 16.98 16.116
16.118 17.6 18.17
19.32
— an Kopf 3.9
—, auf den —
kommen 16.33
—, auf den — stellen
12.19
—, den — hinhalten
16.73
—, den — schütteln
11.30 12.48 13.1
16 27
—, denkender,
klarer 12.52
—, die Wahrheit auf
den — stellen
16.35
—, ein Dach über
dem — haben
16.1
—, geriebener 9.52
— hochhalten 3.11
—, im — haben
12.39
— kosten 2.46
—, sich aus dem —
schlagen 9.20

Kopf, sich etwas in
den — setzen 9.6
—, sich in den —
setzen 12.22
—, um einen —
kürzer machen
2.46 19.32
—, unfähiger 12.56
—, vor den —
stoßen 11.59 16.34
—, wächst ihm über
den 9.55
— waschen, zurecht-
setzen 16.33
—, zu — steigen 2.33
Kopfarbeit 9.18 12.3
Kopfbedeckung 3.20
17.9
Kopfbekleidung 3.20
17.9
Köpfchen 12.52
Köpfe, die — zu-
sammenstecken
13.9 16.17
— rollen lassen 2.46
kopfen 16.57
köpfen 2.46 19.32
Kopfgicht 2.41
Kopfhänger 11.32
Kopfhängerei 11.32
kopfhängerisch
11.32
Kopfhörer 15.15
Kopfjäger 2.46
Kopfkissen 3.16
17.3
kopfkrank 12.57
Kopflaus S. 94 2.41
kopflos 11.5 11.42
12.13 12.40 12.56
Kopfnicken 13.1
13.28 16.38
Kopfnuß 16.78
Kopfputz 17.9f.
Kopfsalat S. 89 2.27
kopfscheu 12.23
Kopfschmerz 2.41
11.13 11.27
Kopfschur 20.18
Kopfschuster 16.60
Kopfschütteln 12.48
13.2 13.29 16.33
Kopfseite 16.33
18.21
Kopfspiel 16.57

Kopfsprung 9.27
16.57
Kopf stehn 11.30
Kopfstimme 7.34
13.15 15.13 15.18
Kopfstück 18.21
Kopftuch 3.20 17.9
kopfüber 8.7 9.39
Kopfzerbrechen 9.40
5.54f.
Kopie 4.37 5.18
12.47 13.51 14.5
15.1 15.8f.
Kopieranstalt 15.9
kopieren 5.18 15.1
15.8
Kopierstift 14.5
Kopist 5.18 14.5
Kopp 11.31 18.14
—, ich hau dir eine
auf den —, daß
der die Zähn regi-
mentsweise 16.68
Koppe 3.33
Koppel 1.13 3.24
4.33 17.9
koppeln 4.33
Kopula 4.33 13.16
Kopulation (Ehe)
16.11
kopulieren 16.11
19.32
—, mit des Seilers
Tochter 2.46 19.32
Korah, Rotte 16.37
20.4
Koralle S. 92
Korallen 17.10
Korallenriff 9.74
koram 13.30 s. co-
ram
Koran 20.19
Korb 2.26 3.15 4.51
8.3 8.6 9.77f.
11.53 16.27 16.85
17.7
—, einen — bekom-
men 9.78 16.12
—, einen — geben
16.27
—, sich einen —
holen 16.12
Korbball 16.57
Korb(e), Hahn im
4.51 9.77 11.53
16.85

körbeln 2.35
Korbmacher 16.60
Kord 17.8
Kordel 4.33
kordial 16.41
Kordialität 16.64
Kordon 3.24 9.73
  9.75 16.87
kören 2.10 9.11
Körhengst S. 128
Koriander S. 62 2.28
Korinthe S. 57 2.27f
korinthisch 15.3
Kork(en) 3.58 7.42
  8.34
Korkeiche S. 29
korksen 2.41
Korkzieher 3.46 8.32
  17.15
Korkzieherhosen
  3.45
Korn S. 18 1.6 2.31
  5.20 5.37 7.49
  9.20 11.41 17.12
  18.21 19.1 19.4
—, aufs — nehmen
  16.108
Kornak (Elefanten-
  führer) 12.33
Kornblume S. 87
  7.21
Körnchen 4.4 4.34
  4.42 7.49 9.45
Korndämon 20.5
Kornelius 16.3
Kornelkirche S. 60
Körner 16.60
Körnerkrankheit
  2.41
Kornett 15.15 16.74
Kornhansli 20.5
Kornhaufen 2.5
Kornhäuschen 2.5
Kornhüchel 2.5
körnig 7.48f.
Kornkasten 2.5
Kornmandl 20.5
Kornmann 20.5
Kornpuppe 2.5
Kornrade S. 34
Kornrichten 2.5
Kornspeicher 4.17f.
Kornstiegen 2.5
Kornweib 20.5
Kornwucherer 18.7
  18.23

Korona 3.47 4.33 7.4
  16.16
Koronis 4.33
Körper 1.20 2.16
  2.45 3.42 5.1 11.5
  11.31
—, fester 7.43
Körperbau 2.38
körperhaft 5.1
Körperhaltung 5.11
körperlich 1.20
— e Züchtigung
  16.78 19.32
— er Schmerz 11.13
— es Gefühl 10.1
Körperlichkeit 1.20
körperlos 4.26 12.2
  12.4 20.5
Körperlosigkeit 20.5
Körperschaft 4.33
  9.68f. 16.17 16.102
  19.27
Körperstellung 5.11
Körperteile 2.16
Körpertreffer 16.57
Korporal 16.74
Korporation 4.33
  9.68 16.17 16.91
Korps 4.17 4.33
  16.17 16.74
Korpsgeist 12.22
  12.55 16.17 16.64
korpulent 4.10
Korpulenz 4.10
Korpus 4.6 s. a. cor-
  pus delicti 13.46
  19.12 corpus iuris
  19.19
korrekt 3.37 12.26
  16.38 19.1 19.3
  19.7 19.18
— stehen mit 16.41
Korrektheit 12.26
Korrektionshaus
  9.22 16.117 19.33
Korrektur 9.57
  16.33
Korrekturfahne 14.6
Korrelation 5.28
  9.71
Korrepetitor 14.3
Korrespondent 14.8f
Korrespondenz 14.8
korrespondieren 3.59
  14.8
Korridor s. Flur 17.2

korrigieren 9.57
  16.33
korrumpieren 19.8
korrupt 19.8
Korruption 18.9
  19.8f. s. bestechen
Korsar 18.9 19.9
Korsarentum 18.9
Korselett 17.9
Korsett 3.20 17.9
Körslein 2.27
Korso 8.11 16.2
  16.75 16.88
Kortes 16.102
Korund 1.25
Korvette 8.5
Korvettenkapitän
  16.74
Korweschi 10.12
korybantisch 11.5
Koryphäe 16.85
Kosak 16.74
koscher 9.66
kosen 16.42f.
Koserei 16.43
Kosima 16.3
Kosmetik 17.10
kosmisch 1.1
Kosmogonie 1.1 5.26
Kosmographie 1.1
Kosmologie 1.1
Kosmopolit 11.51
  12.54 20.17
kosmopolitisch 12.54
Kosmos 1.1
Kossät 2.5
Kost 2.26
—, halbe 2.26f. 4.25
—, magere 2.29
kostbar 9.56 11.23
  11.53 18.27
Kostbarkeit 4.24
  6.29 9.56 11.10
kosten 2.26 7.65
  9.28 10.7 18.26-28
—, das Spanische zu
  — geben 16.78
—, den Kopf 2.46
—, eine Handvoll
  ungebrannter
  Asche zu — geben
  16.78
—, es gibt von
  denen, die nichts
  16.78

kosten, Prügel zu —
  bekommen 16.78
—, viel 18.27
—, wenig 18.28
Kosten 9.70 9.78
  18.26f. 19.21
Kostenanschlag
  18.30
kostefrei 18.29
kostenlos 18.29
kostet mich selbst so
  viel 18.28
Kostgänger 16.32
  16.64 16.115
Kosthappen 2.26
Kosthaus 16.64
köstlich 9.56 10.8
  11.10 11.17
  11.23
Köstlichkeit 11.10
Kostprobe 6.11
kostspielig 18.27
Kostüm 3.20 17.9
Kostümfest 16.55
Kostverächter 2.26
  10.11f.
Kot 7.51 7.64 9.67
  16.93
—, in den — zerren
  ziehen 16.35 16.93
Kotau 11.48 16.115
Kote 3.4 17.1
Kotelett 2.27
Koteletten 2.16
Kotlettenkünstler
  16.60
Köter S. 126
Koterie 16.17
Koterieunwesen
  16.17
Kötgen 16.60
Kothurn 17.9
kotig 9.67 11.28
Kotillon 16.55 16.58
Kotlache 1.19
Kottbus, Herr aus
  16.5
Kotten 2.5
Kotter 16.117
Kötter 16.4
Kötterer 16.60
Köttner 16.60
Kotzbombenelement
  11.5

Kotzebues Werke
  studieren 2.35
kotzen 2.35
Kotzen 2.41
—, zum 9.5 11.14
  11.31
Kouplet (Couplet)
  15.13
kourbettieren 8.28
  16.6
Kourmacher-schneide
  11.53
Kouvert
  s. Umschlag
Köze 17.5
közen 2.35
Kra(a)l 17.1
Krabbe S. 93 2.27
krabbelig 11.31
krabbeln 8.8
  10.2
Krach 4.34 5.36 7.26
  7.29 7.47 9.78
  16.67 16.70 18.19
— machen, kriegen
  16.33 16.67
—, mit Ach und
  9.40
krachen 7.26 7.29
  7.47 18.19 20.5
Kracher 2.25
Kracherle 2.27
Krachmandeln 2.27
krächzen 2.41 7.31
  7.33 13.14 15.18
Kracke S. 128
krackelig 7.47
Kracker 2.25
Kradschütze 16.74
kraft 5.31 9.82 16.97
  19.18
Kraft 3.19 5.3 5.33
  5.35f. 8.9 9.6
  9.37f. 9.40 9.44
  9.72 11.31 13.33
  16.95 19.19
— benehmen 2.39
  9.72
—, erste 16.85
— geben 5.35
—, heilende 2.44
  s. kräftig(en)
—, physische 5.36
— treten, in 6.2
  16.96 16.106 19.14
  19.22 19.27

Kraft, über die 5.3
— versagt 5.37
Kraftbrühe 2.27 7.65
Kräfte 2.38 9.40 9.55
  9.68 9.71 11.39
  s. Kraft
—, die — vereinen
  9.68
—, mit vereinten
  —n 9.68
— sammeln 2.40
—, zusammen
  wirkende 19.20
Kräfteschwund 2.39
  2.41 5.37
Kraftfahrer 16.6
  16.60
Kraftfahrzeug 8.4
Kraftfeld 9.71 16.95
Kraftgesang 14.2
kräftig(en) 2.28 2.38
  2.40 2.44 5.35
  7.11 9.37 9.46
  9.56 9.70 10.8
  11.17 16.95 20.1
Kräftigung 2.44 4.3
kraftlos 2.39 2.41
  5.37 7.69 9.7
  13.42 16.110
Kraftmeier 9.37
Kraftmensch 5.35
Kraftmesser 5.35
Kraftreserve 2.38
kraftstrotzend 2.38
Kraftsuppe 2.27 7.6;
  10.8
kraftvoll 5.35 9.6
  16.95
Kraftwagen 8.4
Kragen 2.16 3.20
  17.9 19.32
— gehen, an den
  5.47
—, es geht um Kopf
  und 9.74
Kragenschoner 17.9
Krähe S. 101
krähen 7.33 9.45
  13.52 16.94
Krähenauge S. 68
  2.43
Krähenfüße 3.45
  14.5
Krähhahn 16.59
Krahmer 16.60

Krähwinkel 13.22
  16.2
krähwinkelig 11.28f.
Krakau 2.16
Krake(n) S. 98
Krakeel 16.67 16.70
krakeelen 16.70
Krakeeler 11.31
  11.58 16.35 16.67
Krakel 3.43
krakelig 14.5
Kral 3.4 16.98
Kralle 2.16 3.46
Kram 4.41 9.45
  9.48f. 9.60 18.24
—, halber 9.60
Krambambuli 2.31
  7.54
Krämer 16.60 18.23
Krämerei 18.20
Kramerin 2.48
krämermäßig 18.20
Krämerseele 11.25f.
Krämervolk 16.92
  16.94
Krammenot 11.5
Krämpel 9.45
Krampen 4.33
Krampf 2.41 5.27
  5.36 8.34 9.78
  11.5 11.28f.
Krampfader-
  geschwader 2.24
Krampfadern 2.41
krampfen 18.9
krampfhaft 5.36 8.34
Krampus 20.6
Kran 3.17 17.16
Kranewit S. 12
Kranich 1.2 S. 119
Kranichhals 3.46
krank 2.41 11.36
  12.57
Kränke 2.41 11.31
kränkeln 2.41 11.12f.
kranken an 2.41
kränken 11.14 11.31
  11.60 16.34f. 16.9.
  19.9 s. Kränkung
Krankenbesuch 20.16
kränkend 16.35 19.9
  s. Kränkung
Krankenhaus 2.44
Krankenkasse 9.75
Krankenkost 7.69

Krankenschwester,
  du hast wohl lange
  nicht mit einer —
  poussiert 16.68
Krankensessel 8.3f.
  17.3
Kranker 2.32 2.41
  11.32
krankhaft 5.37 11.6
  19.10
Krankheit 2.41 11.27
— überdauern, über·
  nuppen, überste-
  hen, überwinden
  2.44
—, vierte 2.41
Krankheits-
  beschwörer 20.12
Krankheitsbestim-
  mung 12.11
Krankheitserreger
  2.41 2.43
Krankheitsstoff 2.41
Krankheitsträger
  2.43
Krankheitsüber-
  tragung 2.43
krankheitverhütend
  2.44
kränklich 2.41 5.37
  9.63
Kränklichkeit 2.41
Kränkung 11.13
  11.31 11.60
  16.33ff. 16.94 19.9
Kranz 2.27 2.48
  3.47 4.33 9.35 9.77
  11.33 15.7 16.16
  16.84f. 17.10
— von 3.24
— Zum grünen
  16.64
Kränzchen 4.33
  16.17 16.55 16.64
Kranzjungfer 16.11
Kranz'n 8.4
Kranzspende 2.48
Kraom gaon, ut'n
  20.13
Krapfen 2.27
Krapp S. 77 1.29
Krappe 3.58
Kräppel 2.27 4.10
Krasis 4.33

kraß 4.22 4.50 5.20
11.29 19.7
krasser Fall von
denkste 12.48 16.27
Krater 3.10 3.49
3.57 4.14 5.36
7.36 8.34
Kratersee 1.18
Kratopluten 18.3
Kratten 17.7
Krätz 9.45 9.60
Kratzbürste 3.53
11.58
kratzbürstig 11.58
16.67
Krätzche 11.23
Krätzchen 17.9
Krätze 2.41 7.49
9.67 11.28
—, böse 2.41
Kratzeisen 9.66
kratzen 3.53 7.31
10.1 10.9 15.18
16.70 18.9
—, jemand am Bart
16.32
—, sich den Kopf
9.7 9.55
Krätzen 2.27
Kratzer 2.42
Krätzer 2.31
Kratzfuß 16.30 16.38
kratzig, es geht ihm
18.4
krauchen 4.13
krauen 11.10 16.43
—, die Ohren 16.32
kraulen 11.10
Kraulen 16.57
kraus 3.46 3.53 13.35
Krause 3.45 17.10
19.29
Kräuselkrankheit 2.4
kräuseln 3.45f. 8.32
17.10
Krauser, schwarzer
2.34
Krauskohl S. 41 2.27
Krauskopf 17.10
Kräuspe 2.27
Kraut S. 41 2.27
4.12 4.50
—, ins — schießen
4.3 4.12 4.20
— und Rüben 1.21
3.38 4.50

Kräutchen rühr' mich
nicht an S. 56
11.6f. 11.58 16.50
16.67
Krauter(er) 2.25
11.27
Kräuter 2.2
Kräutermännlein
20.6
Krautjunker 2.5
16.60 16.91
Kräutlein 11.49
Krautwickel 2.27
Krawall 3.38 9.72
16.65 16.70 16.116
Krawallschachtel
16.67
Krawatte 3.15 3.20
17.9 19.32
Krawattenmacher
18.7
Krawattennadel
17.10
kraxeln 8.28
Kreatur 2.8 2.17 5.1
16.94 16.115 19.9f.
—, feile 10.21 16.32
—, üble 19.9
Krebs S. 93 1.2 2.4
2.27 2.41 4.50 5.25
8.17 16.60
—, gesottener 7.17
krebsen 8.1 8.8 11.27
Krebsgang 5.47 8.17
9.61
krebsrot 4.50 7.17
Krebsschaden 9.50
9.63 11.14
Krebstiere S. 93
krecksen 2.41 11.33
Kredenz 17.4
kredenzen 18.12
Kredenztisch 17.5
20.21
Kredit 11.35 16.94f.
18.1 19.1
—, offener 18.16
Kreditanstalt 18.16
Kreditbank 18.30
Kreditbrief 18.16
18.30
Kredite, einge-
frorene 18.15
Krediteröffnung
18.16

Kreditgenossenschaft
18.30
kreditieren 18.16f.
s. Kredit
kreditiert 18.12
Kreditinstitut 18.30
Kreditiv 16.103
Kreditoren 18.16
Kredo 9.51 20.1
20.7
kregel 11.20
Krehle 2.33
Kreide 1.14 7.13
11.42 15.4 18.17
kreidebleich 7.12f.
kreideweiß 4.50 7.13
11.42
Kreidezeichnung 15.4
kreieren 12.21 14.3
16.61
-kreis 3.47
Kreis 1.11 1.15 3.24
3.47 4.33 5.3 6.33
8.20 16.16 16.19
—, der — um 12.35
16.17
Kreisamt 16.96 16.99
Kreisbewegung 8.32
kreischen 7.26 7.31
7.34 11.33
Kreise 8.6 11.16
16.93
—, Ehe im 16 14
—, sich im — drehen
9.55
Kreisel 8.32 16.56
kreiselförmig 3.46
kreiseln 16.56
kreisen 6.33 8.32
Kreisform 3.47
kreisförmig 3.47
Kreisgericht 19.27f.
Kreisjagd 2.12 16.55
Kreislauf 5.25 6.33
8.32 9.80
Kreislaufapparat
2.41
Kreislaufstörung 2.41
kreisrund 3.47 3.50
Kreissäge 17.9
kreißen 2.21
kreißender Berg
12.46 13.52
Kreistanz 16.55
16.58

Kreiswendung 8.32
Krematorium 2.48
7.37
Krempe 3.23f.
Krempler 16.60
Kremser 8.4
Kren S. 40 2.27
krenelieren, Mauern
3.48
Kreole 1.21
krepieren 2.45 7.29
8.22
Krepp 17.8
Kresse S. 40 2.27
Kreszentia 16.3
Krethi und Plethi
16.92 16.94
Kretin 12.56f.
Kretonne 17.8
Kretscham 16.64
Kretschmer 16.60
kreuchen 2.8 4.41
Kreuger 16.60
Kreuz 2.16 2.33 2.41
2.48 3.15 5.47
9.50 11.5 11.12ff.
11.48 15.11 16 87
19 5 19 32 20.16
—, das Rote 2.48
9.70 11.51 16.41
20.22
— des Südens 1.2
—, Weißes 2.48
—, zu —e kriechen
11.48 16.83 19 5
kreuz und quer 3.15
3.38 9.38
Kreuzbild 2.48
kreuzbrav 4.50
kreuzdämlich 4.50
Kreuzelement 11.5
kreuzen 1.21 2.10
3.15 3.29 4.33
8.5 8.12 8.25 8.33
16.6f. 16.20
s. Kreuzung
—, die Klingen 16.70
16.73
—, sich 3.15
Kreuzer 16.74 18.21
kreuzfidel 4.50 11.21
kreuzförmig 3.15
Kreuzgang 17.2
20.21
Kreuzhaufen 2.5
Kreuzhocken 2.5

kreuzigen 2.46 11.14
19.32
Kreuzigung 20.13
Kreuzkraut S. 84
u. a.
Kreuzl 2.48
Kreuzle, Am 2.48
Kreuzmandel 2.5
Kreuzmarterl 2.48
Kreuzritter 19.29
20.1
Kreuzsäule 2.48
Kreuzstein 2.48
Kreuzstich 3.15
Kreuzstöckerl 2.48
Kreuzung 1.21 2.10
3.15 4.33 8.12
kreuzunglücklich
4.50
Kreuzverhör 12.8
13.25 19.27
Kreuzweg 8.11 9.11
20.5 20.9 20.20
kreuzweise 2.41 3.15
Kreuzworträtsel
16.56
Kreuzzug 16.73
krexen 2.41
Kribbe 1.16
kribbelig 11.31 11.58
kribbeln 10.2
Krickel 2.16
Krickente S. 118
Kricket 16.57
Krida 18.19
Krieche S. 49
kriechen 4.13 8.8
8.30 9.24 9.53
11.26 11.42 11.48
13.4 16.32 16.115
19.5
—, auf allen vieren
3.12
—, auf den Leim
9.53 16.72
—, zu Kreuze 11.48
16.83 19.5
—, im Staube 4.13
16.32
kriechend (hinter-
listig) 13.4 16.32
s. o.
Kriecher 2.1f. 16.32
16.115

Kriecherei 16.32
16.115 19.8
s. kriechen
kriecherisch 11.48
16.115 19.8
Kriechtier S. 101 8.8
Krieg 9.6 16.67
16.70 16.73 16.108
—, aufgezwungener
16.107
— bis aufs Messer
9.6 16.108
—, der frische fröh-
liche 16.67
—, der totale 16.73
— erklären 16.67
16.69
—, im offenen —
mit 16.73
—, in den — ziehen
16.73
—, kalter 16.68
— vom Zaune
brechen 16.70
kriegen 5.9 9.29
11.30f. 11.59
16.117 18.5 18.9
19.11
—, bei der Binde,
beim Schlafittchen,
beim Wickel 16.78
—, in die Kluppen
16.78
—, jemand unter die
Finger 16.78
—, Krach 16.67
—, sein Fett, seine
Fische, seinen Lachs
16.78
—, sich 16.11
—, sich in die Wolle
16.67
—, sie 16.78
Kriegen 16.56
Krieger 2.5 16.60
16.74
kriegerisch 16.73
Kriegertod 2.46
16.73
Krieges, neue Phase
des 16.76
Kriegführung 16.67
16.73
krieg'n Se det öfter?
12.57 16.33

Kriegsandenken 2.42
Kriegsanleihe 18.30
Kriegsbedarf 17.11
Kriegsbeil 16.48
Kriegsbereitschaft
16.68
Kriegsbericht-
erstatter 16.75
Kriegsbeschädigter
2.42
Kriegsbeschädigung
2.42
Kriegsbühne 16.75
Kriegsdienst 16.74
Kriegserklärung
16.67 16.69 16.73
Kriegsfall 16.67
16.73
Kriegsfieber 11.43
Kriegsfreiwilliger
16.74
Kriegsfurie 16.73
Kriegsgebiet 16.75
Kriegsgefangener
16.117
Kriegsgerät 17.15
Kriegsgericht 19.28
Kriegsgesang 16.73
Kriegsgeschrei 13.11
Kriegsgesetz 19.19
Kriegsgewinnler 18.7
19.7
Kriegshetzer 19.9
Kriegskasse 18.21
Kriegskomet 12.43
kriegskundig 16.73
Kriegskunst 16.73
Kriegslärm 16.73
Kriegslist 12.53
Kriegsmarine 16.7
16.74
Kriegsmut 11.38
Kriegspfad 16.73
Kriegsplan 16.73
Kriegsplatz 16.75
Kriegspotential 5.35
16.74
Kriegsrecht 19.19
Kriegsschauplatz
16.75
Kriegsschiff 8.5 16.74
Kriegssteuer 18.12
Kriegsverbrecher
11.63 16.76

kriegsverwendungs-
fähig 2.38
Kriegsvorrat 17.11
kriegswichtig 9.44
Kriegswissenschaft
16.73
Kriegszierat 16.87
Kriegszug 16.73
Kriegszuschlag 18.27
kriegt Beine 18.9
— einen dicken Kopf
11.31
— eins hinten vor,
etwas raus, eine
gemoppt 16.78
—, der es — mit mir
zu tun 16.68
—, er — es mit der
Angst 11.42
Kriminal 16.117
19.29
Kriminalfall 19.11
Kriminalhaus 16.117
kriminalisch 4.50
kriminell 19.10 19.20
Krimmer 17.8
Kringel 2.27 3.47
8.32
kringeln 11.23
Krinoline 3.20 17.9
Krippe 2.26 17.7
Kris 17.11
Krischer 16.116
Krischna 20.7
Krise (s. auch Krisis)
3.38 5.30 9.35
9.55 9.74 9.78
kriseln 9.55
krisenfest 18.3
Krisis 2.41 5.24 5.30
9.55 9.74 s. o.
Kristall 7.8
kristallinisch 1.23
3.59 7.8
Kristallisation 3.59
7.40 7.43
kristallisch 7.8
kristallisiert 3.59
7.43
kristallklar 13.33
Kristl 2.27
Kriterium 12.9
Kritik 12.11 12.14
12.49 14.10f. 16.31
16.33

Kritikaster 11.27
11.41 16.33 16.116
Kritiker 11.18 12.49
kritisch 9.44 9.55
11.19 11.27 12.11
12.23 14.9 16.33
20.3 s. Krise
kritischer Punkt
12.5
kritisieren 11.17f.
12.14 12.29 16.31ff
Krittelei 16.33 16.53
krittelig 11.58 16.33
kritteln 11.27 16.33
Krittler 16.33
krittlig 11.27
kritzeln 14.5 15.4
Kritzer 7.38
Krocket (Kroket)
16.56f.
kröddern 13.22
Kröger 16.60
Krokant 2.27
Krokodil S. 101
Krollkopf 17.10
Krone 1.2 2.16 2.33
3.33 3.47 5.29
9.35 9.64 11.17
16.84 16.86 16.97f
16.100 17.9 18.21
20.10 20.18
—, das setzt allem
die — auf 16.33
— der Schöpfung
2.13 2.15
— des Lebens 20.10
—, dreifache 20.18
—, Zur 16.64
Krönchen 2.33
krönen 9.35 16.103
Kronleuchter 3.17
7.5
Kronos 20.7
Kronprinz 16.91
16.98
Kronsbeere S. 65
Krönung 9.35 9.77
16.103 s. Krone
und krönen
Krönungstaler 18.21
Kronzeuge 12.32

Kropf 2.41 3.48 4.10
kröpfen 3.43
Kroppzeug 2.22
Kroquet 16.56f.
Krösus 18.3
Kröte S. 100 4.50
11.28
Kröten 18.21
krötig 11.58
Krott 2.22
Kroupier
s. Bankhalter
Krücke 2.16 3.16
3.43 12.29
Krückstock 16.78
Krug 16.64 17.6
18.25
Krüger 4.29 16.60
Kruke 5.20 11.24
17.6
Krume 1.13f. 2.27
4.4 4.34 4.42 7.49
9.45
Krümel 4.4 4.42
krumm 3.60 11.22
18.10 19.8
krummbeinig 3.46
11.28
krümmen 3.46 3.60
8.12 16.111
—, sich 8.30 16.32
16.115
Krummholz S. 13
16.60
krummnasig 3.46
krummnehmen 11.31
Krummstab 16.100
20.18
Krummstiefel 3.60
16.60
Krümmung 3.43 3.46
3.60 8.32
krümpen 7.6
krumplig 3.45
Krunkel 2.3
Krupp 2.41
Krüppel 2.41f. 11.28
krüppelhaft 2.41
11.28
krüppelig 11.28
krüsch 10.12

Krüspeling 2.27
Krustazee(n) S. 93
Kruste 2.27 3.20 3.23
— ziehen 7.43 7.51
Krustentier(e) S. 93
Krüz, Dat höltern
2.48
Kruzifix 20.16 20.21
Kruzifixn 11.5
Kruzitürkn 11.5
Kryolith 1.25
Krypta 20.20f.
Krypto- 13.4
Krypton 1.24
Krystall
s. Kristall
ksch 8.18
Kubb 2.5
Kübel 1.8 2.16 17.6
Kubik, ins —
erheben 4.38
Kubikmaße 4.19
Kubikmeter 4.19
Kubikzahl 4.35 4.38
Kübler 16.60
Kubus 3.43 4.1f. 4.35
4.38
Küche 2.26 9.23 17.2
— des Teufels 9.74
—, magere 4.25
—, offene 18.13
—, was — und Kel-
ler hergeben 2.26
Kuchen 2.27 7.43
7.65 13.29
—, Kaffee und 16.39
Küchenchef 2.26
Küchengerät 4.18
Küchenlatein 13.32
Küchenmeister 18.4
Küchenschelle S. 37
Küchenschemel 16.60
Küchenschürze 17.9
Küchlein S. 119 2.22
4.4
Küchler 16.60
kucken 18.29
Kuckuck S. 114 2.45
16.52
Kuckucksei 9.50
Kuckucksmagd 16.8

Kuckucksruf 6.28
6.33 730
Kuddelmuddel 3.38
Kufe 17.6
Küfer 16.60
Kuff 8.5
Kuffe 17.6
Kugel 3.50 17.12f.
— durch den Kopf
jagen 2.47
—, Goldene 16.64
Kugelarmbrust 17.12
Kugelblitz 1.10 7.5
kugelfest 9.75
Kugelform 3.50
kugelförmig 3.50
kugeln 3.50 8.9 8.32
9.11
—, sich 8.32 11.22f.
Kugeln wechseln
16.73
kugelrund 4.10
Kugelspiele 16.56
Kugesspritze 17.12
Kugelstoßen 16.57
Kugelung 9.11
Kuh S. 127 3.57
9.53 11.23 11.28
12.56f.
—, blinde 16.56
—, ist von einer al-
ten 7.46
—, wie in einer 4.50
7.7
Kuhbuben 1.8
Kuhfladen 9.67
Kuhfuß 17.12
Kuhhandel 9.71
19.17
kühl 2.45 5.38 7.40
11.8 11.37 11.59
13.4 16.53
—e Denkart 11.8
Kühlapparat 7.40
Kuhle 2.41 4.14
Kühle 7.40 11.59
kühlen 7.40 11.8
—, sein Mütchen
11.60 16.78 16.81
Kühler 7.40 17.6
Kühlhalle 7.40
Kühlhaus 7.40
Kühlheit s. kühl

Kühlraum 7.40
Kühlung 7.40
kühn 11.17 11.38f.
  16.31 16.73 16.90
Kühnheit 11.38 13.41
kühnlich 11.38
Kuhsaft 2.30
Kuhschwanz 8.33
Kujon 19.8
kujonieren 11.14
  11.60 16.79
Küken S. 119 2.22
  6.26
Kukuruz S. 22 2.27
kulant 9.4 9.52
  11.52
Kuli 9.22 9.40
  16.112
kulinarische Genüsse
  2.27 10.8 16.55
Kulisse 13.27 14.3
  15.4 18.30
—, hinter den —n
  7.3 13.4
—, vor den —n 3.26
Kulissenreißer 14.3
Kuller 3.50
Kulleraugen 11.30
Kullerchen 18.21
kullern 3.50 8.31
  13.22
Kullern 11.23
— im Bauch 2.35
Kulman 2.45
Kumination 3.33
  4.12
Kulminationspunkt
  3.33
kulminieren 1.2 3.33
Kult 11.17 20.16
Kultgeräte 20.21
kultisch 20.16
kultivieren 2.5 9.57
  16.61 16.121
kultiviert 11.18
  16.38 16.61
Kultstätte 20.20
Kulttanz 20.16
Kultur 2.5 5.26 9.27
  9.57 11.18 16.18
  16.38 16.61 16.121
—, zurück in die
  16.121
Kulturboden 1.13
  1.14 2.5

Kulturbremser 12.33
kulturell 16.121
Kulturschaffender
  15.4
kulturwidrig 11.29
Kult(us) 20.16
Kult(us)gebrauch
  20.16
Kultusvorstand
  20.17
Kumme 17.6
Kümmel S. 62 2.28
  2.31
—, den — reiben
  16.33
Kümmelblättchen
  4.38 16.56
Kümmelkäse 2.27
kümmeln 2.31
Kümmelspalter 12.55
  18.11
Kümmelstange 2.27
Kummer 5.47 11.13f
  11.27 11.32
—, Beute des —s
  werden 5.47
—, den ersäufen
  2.31
—, den — fernhalten
  16.55
— haben 11.32
kümmerlich 2.41 4.11
  4.25 9.45 9.60
  11.14 13.42
Kümmerling 9.60
  11.12 18.4
kummerlos 11.9
kümmern, sich um
  etw. 9.18 9.38
  9.42
Kümmernis s. Kum-
  mer 11.13 11.14
Kummerspeck 4.10
kummervoll
  s. Kummer 11.13
Kümmerwuchs 4.4
Kump 17.6
Kumpan 4.48 9.70
  16.41
Kumpel 1.23 16.60
Kumpen 17.6
Kumpf 17.6
Kumyß 2.30
kund 13.6
kundbar 13.6

Kunde, (der) 4.31
  9.24 16.5f. 18.22
—, (die) 12.32 13.2
  13.6f. 14.1
—, fauler 18.17
  18.19 19.9
künden 9.26 14.2
Kundendienst 13.2
Kundensprache 13.12
  18.21
Künder 13.44
kundgeben 13.2f.
  16.33
Kundgebung 13.3
  16.21 16.106
kündigen 3.4 9.20
  9.33 9.85 16.105
  16.116
Kündigung 16.105
Kündigungstag 16.8
-kundler 12.32
kundmachen 13.17
Kundmachung 13.2
  13.6
Kundschaft 18.20
  18.22
Kundschafter 10.15
  12.32 13.7
kundtun 13.6
künftig 6.18 6.23ff.
  20.1
künftighin 6.18
Kunigunde 16.3
  19.33
Kunkel 3.15 17.8
Kuno 16.3
Kunscht 7.35
Kunst 9.52 9.54
  12.32 15.1
— angewandte 15.6
—, bildende 15.1
—, brotlose 9.49
—, darstellende 14.3
  15.1
—, heitere 14.2
—, schwarze 20.12
Kunst- 1.21
Kunstakademie
  12.36
Kunstanstalt 9.23
  15.4
Kunstbetrachter
  11.18 12.49 15.4
  16.60
Kunstblatt 15.4

Kunstbutter 7.52
Kunstdruck 15.5
Künste, freie 11.18
Künstelei 11.45
  13.43 13.51 15.2
kunstfertig 9.52
Kunstfertigkeit 9.52
  12.32
Kunstfliegen 8.6
Kunstflieger 8.6
Kunstfreund 11.18
Kunstgebilde 5.39
kunstgemäß 9.25
kunstgerecht 9.25
  9.52 15.4
Kunstgeschichte 15.1
Kunstgewerbe 15.6
  17.10
Kunstgewerbler(in)
  15.6 16.60
Kunstgriff 5.27 9.13
  9.25 9.52 12.32
  12.53 16.72 20.12
Kunsthalle 4.17
Kunsthaus 15.4
Kunsthistoriker 15.4
Kunsthonig 1.21
  2.27
Kunstjünger 11.18
  15.1 15.4
Kunstkenner 11.18
Kunstlehre 11.18
Künstler 9.22 9.52
  11.18 12.52 14.3
  15.1 15.4 15.11
—, bildender 15.1
Künstlerblut 11.6
Künstlerhut 17.9
künstlerisch 11.16-18
  15.1 15.4
Künstlermähne 2.16
Künstlername 13.19
Künstlernatur 11.7
Künstlerspiele 14.3
Künstlerstolz 11.44
künstlich 1.26 5.18
  11.8 12.29 13.51
—, Sie — groß-
  gezüchtete Nach-
  geburt 16.33
Kunstliebhaber(ei)
  11.18
kunstlos 11.46
Kunstmaler 15.4
  16.60

kunstreich 9.52
Kunstreise 16.44
Kunstreiter 2.10 9.52
Kunstrichter 11.18
Kunstschmuser 11.19
Kunstschule 12.36
　15.4
Kunstschüler 15.1
　15.4
Kunstschütze 9.52
Kunstseide 1.29 17.8
Kunstsinn 11.18
Kunstsprache 13.16
Kunstspringen 16.57
Kunststecher 15.5
　16.60
Kunststoffe 1.27
Kunststopfen 9.58
Kunststopferin 16.60
Kunststück 9.18
　9.54f.
Kunstverständiger
　9.52 11.18
kunstvoll 9.25 9.52
Kunstwerk 15.1
Kunstwissenschaft
　15.1
Kunstwolle 1.21
　17.8
Kunstwollen 15.3
Kunter, hak unter,
　kleiner 16.42
kunterbunt 1.21 3.38
　5.22
Küpe 17.6
Kupee usw. s. Kou.
Kupfer 1.24f. 7.16
　7.20 18.21
kupferbraun 7.16
Kupferdruck 5.18
　15.5f.
kupferfarben 7.16
Kupfergeld 18.21
Kupferglanz 1.25
kupferglüh 7.20
Kupferkies 1.25
Kupferlasur 1.25
kupfern 1.20 7.16
Kupfernickel 1.25
kupferrot 7.17
Kupferschmied 16.60
Kupferstecher 15.1
　15.5
—, mein lieber
　Freund und
　16.33

Kupferstich 15.4f.
Kupfervitriol 1.28
Kupido 11.53
Kupon 18.2 18.30
Küpp 2.5
Kuppe 2.16 3.33
　3.48 4.12
Kuppel 3.48 4.12
Kuppelei 16.44
kuppeln 4.33 16.11
　16.44
Kuppelpelz 16.10
Kuppelung 4.33
Küpper 2.27
Kuppler(in) 10.21
　16.11 16.103 19.8
Kur 2.40 2.44 9.58
Kür 9.11 16.57
　16.102
Kurage 11.38
kuragiert 11.38
Kuranstalt 2.44
kurant 18.21
Kurant 16.5 18.21
　18.30
kuranzen 11.60 16.79
Kurare 2.43
Küraß 3.20 16.77
　17.14
Kürassier 16.74
Kurat 20.17
Kuratel 9.75 16.96
Kurator 9.75 16.103
Kurbel 8.32
Kurbelkasten 15.9
kurbeln 15.9
Kürbis S. 80 2.27
kuren 2.44
küren 9.11
Kurfürst 16.91
　16.97f.
Kurfürstendamm
　17.10
Kurgast 2.41 16.5
Kurhaus 2.44
Kurhotel 19.33
Kurialstil 13.38
Kurie 16.96 16.102
　20.17
Kurier 8.3 9.39
　13.8 16.6 16.60
kurieren 2.44
kurios 5.20 11.24
　11.29 11.30
Kuriosität 5.20 11.30

Kuriosum 6.29 11.30
kürisch 10.12
Kurort 2.44 16.55
　18.27
Kurpfuscher 2.44
　13.51 16.72
Kurrende 13.6 15.13
Kurrentschrift 14.5
Kurs 8.11f. 9.79
　12.33 18.21 18.28
　18.30
—, außer setzen
　18.21
—, den — drücken
　18.28
—, in — sein 18.21
—, über 18.27
Kürschner 16.60
Kurse 18.28
kursieren 18.21
Kursive 14.5
Kursivschrift 14.5f.
kursorisch 6.8
Kürste 2.27
Kursus 12.33 12.35f.
Kurswert 18.23
Kurszettel 18.30
Kurt 16.3
Kurtine 3.23 14.3
　16.77 17.14
Kurtisane 10.21
　16.45
Kurve 3.40 3.46 8.7
　8.32 15.3
kurven 8.6 8.32
Kurven, scharfe
　2.33
kurz 4.4 4.7 4.52
　5.4 5.10 6.8 11.28
　11.31 13.39 16.53
　16.108
— angebunden 13.4
　13.39 16.53 16.108
— halten, jemanden
　16.108 18.11
—, sich — fassen
　16.53
—, über — oder
　lang 5.4 6.23f.
— und bündig 13.33
　16.108
— und dick 11.28
— und klein
　schlagen 5.42 11.31
—, zu — kommen
　4.25 18.15

kurzatmig 4.7
Kurzband 2.5
Kürze 4.4 4.7 6.8
　13.39
kurze Entfernung
　3.9
— Fassung 13.39
kurzem, binnen 6.24
kurzen Prozeß
　machen 2.46 16.53
　19.20
kürzen 4.5 4.7
　4.24f. 4.30 4.46
　16.72 18.6
kürzer 4.52 11.60
— machen, um einen
　Kopf 2.46 19.32
kurzer Prozeß 19.20
　19.27 s. o.
kürzeren ziehen, den
　4.52 9.16 9.50
　9.78 16.83
kurzerhand 6.14
kurzfristig 6.24 9.39
　18.30
Kurzgeschichte 14.1
kurzlebig 6.8
kürzlich 6.19 6.20
　6.26
Kurzschluß 7.36
Kurzschrift 13.39
　14.5
kurzsichtig 10.16f.
　12.25 12.55f.
kurzum 4.41
Kürzung 4.5 4.7
　4.25 4.34 4.46
　14.12
Kurzwaren 18.24
Kurzwarenhändler
　18.23
kurzweg 4.41
Kurzweil 11.21 16.55
kurzweilig 11.20ff.
　16.38
Kurzwelle 2.44
　15.15
kusch 8.2
Kuschee 17.3
Kuschelgelände 16.77
kuschen 16.114
Kuse 2.16
Kusine s. Kousine
Kuß 16.38 16.42f.
—, mit einem — be-
　siegeln 16.43

Küß die Hand 16.38
küssen 11.48 11.53
  16.32 16.38
  16.43 16.114
—, auf die Stirn
  16.50
küssen, den Boden
  8.30
—, den Fluß, die
  Hand 16.30 16.38
—, den Staub von der
  Füßen 16.32
—, die Hand, den
  Saum des Kleides
  16.38
—, herzen und 16.43
Küssen 11.17
Kußhand 9.54 16.31
Kußhändchen 16.38
Küste 1.13 1.16 3.23
— klare 9.54
Küstenbatterie 16.77
Küstenfahrer 8.5
  16.7
Küstenfahrt 16.7
Küstenhandel 18.20
Küstenland 4.13
Küstensee 1.16
Küster 3.58 12.33
  16.60 16.101 20.17
Kustos 12.33 16.101
  20.17
Kutsche 8.4 16.6
Kutscher 2.31 8.4
  16.6 16.60 16.96
  16.112
Kutscherzigarre 2.34
kutschieren 8.4 16.6
Kutte 3.20 17.9
  20.15 20.18 20.22
Kutteln 2.27
Kuttengeier 16.60
Kuttenträger 20.17
Kutter 8.5
Kutterkist 17.7
Kützche 3.34
Kuvert s. Kouvert
  und Couvert 17.7
Kux 1.23 4.42 18.2
  18.21 18.30
Kuxen 2.5
k. v. 2.38 5.35
k. v.-Fabrik 2.44
Kwannon 20.7

Kyklop 4.1 5.35
  11.30
Kyma, lesbisches
  15.7
Kyniker 11.63 19.7
kynisch 20.13
Kyphose 2.41
Kyrie eleison 20.13
  20.16
KZ 2.46

L

-l, -li, -le 4.4
Labammel 4.12
Laban 4.12
Labbe 2.16
labberig 7.50 7.69
labbern 1.6
Labe 2.30
laben 2.40 7.54
  11.9f. 11.34
—, sich 11.9
labend 2.40 11.10
Laberdan S. 99 2.27
Labetrunk 2.40
Labiallaut 13.13
labil 11.7
Labkraut 2.2
Labommel 4.12
Labor, chemisches
  7.64
Laboratorium
  9.22f. 12.9 17.2
laborieren 2.41 9.40
  11.12f.
labrig 11.26
Labsal 2.40 9.58
  11.10 11.34
Labskaus 2.27
Labung 2.40
Labyrinth 3.38 3.46
  9.55 13.4
Lache 1.16 1.18f.
  4.15 9.67 11.22
lächeln 11.22 11.30
Lächeln 11.21f.
  16.115
lachen 7.34 11.20ff.
  siehe lächerlich
  und Gelächter
— daß ich nicht
  lache 13.29
—, ins Gesicht 16.34
—, sich ins Fäustchen
  16.34 16.54

Lachen 4.50 11.9
  11.23
—, das — nicht
  unterdrücken
  können 16.54
—, ist zum 16.54
lachend 11.32
lachenswert 11.23
Lacher 9.77 11.22
lächerlich 9.45
  11.20ff. 11.28f.
  12.2 12.56 13.29
  16.27 16.55
— machen 12.51
  16.34 16.54
—, sich — machen
  16.54
Lächerliche, ins —
  ziehen 16.34 16.54
Lächerlichkeit 11.23
  s. o.
lächern 11.22 11.24
Lachesis 20.7
Lachgas 7.59 10.3
lachhaft 12.19
Lachkoller 11.22
Lachkrampf 11.22
lachlustig 11.21f.
Lachs S. 99 2.27
  16.78 18.21
Lachsalve 11.22
lachsen 16.78
lachsrot 7.17
Lachsschinken 2.27
Lachtaube S. 119
  11.23
Lack 3.20 7.11 7.53
lackieren 3.20 3.52
  7.11 11.16f. 17.10
  18.8
Lackierer 16.60
Lackl 16.33
lackmeiern 13.51
  16.72 18.8
Lackmus 1.29 7.58
Lade 17.4 17.7
  18.21
laden 16.2 17.12
  19.12 19.27
—, auf sich 19.11
—, in die Schranken
  16.69
—, sich auf den Hals
  9.22

Laden 4.41 9.21
  9.33 17.1 18.25
—, ich bekam den —
  vollgerotzt 16.76
Ladenbesitzer 18.23
Ladendieb 16.72
  18.9
Ladendiener 16.112
Ladenhüter 6.27
  9.45 9.60 14.11
  18.23f.
Ladenschwengel
  16.60 16.112
Ladentisch 9.23
lädieren 9.50 9.60
  19.9
Ladnerin 18.23
Ladung 4.17ff. 7.41
  8.3 9.73 16.2
  17.11 17.13 18.24
  19.12 19.27
Lady 2.15
Laevulose 1.29
Lafette 8.4 17.11
Laffe 2.22 9.53
  11.45 12.37 16.53
  16.63
Lage 1.11 3.2 4.13
  4.42f. 5.12f. 5.30
  6.11 99.22 16.67
  18.13 19.2 19.15
—, eine volle —
  geben 16.76
—, gespannte 9.55
—, herrschende 4.12
—, in einer bösen,
  schlimmen, un-
  glücklichen — sein
  5.47
—, schlimme 19.13
—, schwankende 9.74
Lager 3.18 4.13
  4.17f. 4.42 8.2 8.18
  12.36 16.2 16.6
  16.73 17.1 17.3
  18.1 18.24f.
— aufschlagen 3.3
—, im — stehen
  16.74
—, reich assortiertes
  4.18
Lagerführer 9.26
Lagerhaus 4.17f.
  18.25

Lagerhyäne 4.29
Lagerist 4.29 18.23
lagern 3.3 3.12 8.2
  16.1
Lagerstätte 17.3
Lagerzins 18.26
Lagesinn 10.1
-lagnie 11.36
Lagune 1.16 1.18
  4.15
lahm 2.41 4.46
  5.37 8.8 9.7
  9.24 9.41 9.65 9.73
lahmen 2.41 8.8
lähmen 5.37 9.60
  9.65 9.73 19.9
Lahmer 9.51
lahmlegen 5.37 8.8
  9.72
Lahmlegung 11.8
Lähmung 5.37 10.3
  11.8 s. lahm
Lahn 4.11
Lahnung 3.23
Laib 2.27
Laich 2.20 2.22 5.26
  5.41 14.2
laichen 2.18
Laie 9.53 11.18
  11.30
Laienbruder 20.17
  20.22
laienhaft 9.53 12.37
  20.22
Laienprediger 20.22
Laie(nschaft)
  s. o. 20.22
Laienschwester 20.17
  20.22
Laienspiel 9.27 14.3
Laienstand 20.22
Laientum 20.22
Laimen 1.14
Lais 10.21
Lakai 16.112 16.114f.
lakaienhaft 16.115
Lake 7.68
Laken 3.20 17.8
lakonisch 13.39
Lakonismus 13.39
Lakritze 2.27 7.66
Laktose 1.29

Lalenburg 12.56
Lällbeck 12.56
Lalle 12.56
lallen 2.33 13.14
  13.44
Lalli 12.56
Lallwort 13.16
Lama S. 127 8.3
  16.97 17.8 20.17
Lamaismus 20.19
Lamaist 20.2
Lambertsnuß (Lam-
  perts-) S. 29
Lambeth walk 16.58
Lambrequin 3.20
Lambris 3.21
Lamé 17.8
Lamelle 4.13 4.42
Lamentation(en)
  11.32f. 11.50 20.19
lamentieren 11.32f.
Lamento 11.32f.
Lametta 16.87 17.10
  18.21
Lamm S. 127 2.22
  2.27 4.50 5.38
  11.47 16.64 16.109
  19.3 19.4
— Gottes 20.7f.
lammen 2.21
Lämmerhupf 16.58
Lämmerschwänzchen
  11.43
Lämmerwolke 1.4
Lammesgeduld 11.8
  16.109 19.4
lammfromm 16.82
Lampe 7.5 9.6
  11.26
—, einen auf die —
  gießen 2.31
—, Ewige 16.64
  20.21
—, rote 7.6 8.2
Lampenfieber 6.2
  9.26 9.28 11.42
Lampenschirm 7.6
Lampion 7.5
Lamprete S. 99
Lamporphyr 1.26
Lancier 16.55 16.74

Land 1.11ff. 1.16
  2.5 8.20 11.11
  11.29 11.46f. 16.19
  16.91 18.1 20.1
  20.11
—, ein — machen
  16.6
—, freies 16.119
— und Leute 11.51
—, von (vom) —
  stoßen 16.7
—, vom —e 9.27
landab 8.33
Landadel 16.91
Landammann 16.99
Landauer 8.4
landauf 8.33
Landaufenthalt
  16.52
Landaulett 8.4
Landbau 2.5
Landbestellung 2.5
Landbewohner 16.4
Landbezirk 1.15
Landbote 16.103
Landbrücke 8.11
Landdrost 16.97
  16.99
Lande 3.7
—, auf dem — sein
  16.1
landen 8.2 8.6 8.20
  16.7
—, einen Faustschlag
  16.70
Landen, in allen 3.7
Landenge 1.13 1.16
  4.9 4.33
Landepersonal 8.6
Ländereien 1.13
Landes- 16.99
Landesfürst 16.97f.
Landesgericht 19.27
Landesgesetzgebung
  19.19
Landesherr 16.98
Landeskirche 20.1
Landesmutter 16.97f.
Landesrecht 19.19
Landesschütze 19.29
Landessprache 13.2
  13.12
Landesteil 1.15

Landesvater 16.97f.
Landesverrat 19.11
Landesverräter 19.8
Landfrieden 11.42
Landgemeinde -1.102
Landgericht 19.28
Landgraf 16.97f.
Landgut 2.5 18.1
Landhaus 17.1
Landjäger 19.29
Landkarte 1.11 3.2
  9.15 13.9 15.1
Landkartenzeichner
  15.1 15.4
Landkreuz 2.48
landläufig 6.31 9.31
  13.2 13.12
Ländler 14.2 16.55
  16.58
ländlich 16.1
Landmädchen 16.4
Landmann 16.4
  16.60
Landmarke 13.1
Landmesserei 3.41
Landmessung 12.12
Landpomeranze 9.53
  11.29
Landrat 16.97
Landrecht 19.19
Landregen 1.8 7.57
Landrichter 16.97
  19.28
Landru 2.46 16.44
landsässig 16.1
Landschaft 1.15 7.2
  15.4
Landschafter 15.4
Landschaftsmaler
  15.1
Landser 16.74
Landski 19.29
Landsknecht 16.74
Landsmann 16.4
  16.41f.
Landsmannschaft
  4.33
Landspitze 3.48
Landstörzerin 16.6
Landstraße 1.11 8.11
Landstreicher 16.6
  16.94 19.9

Landstrich 1.13 1.15
Landsturm 16.74
Landsturmmann
16.74
Landtag 16.8 16.97
16.102
— machen 16.8
Landung 3.9 8.6 8.19
Landungsboot 16.74
Landungsplatz 1.11
8.20
Landungsstelle 16.7
Landverschickung
2.40
Landwehr 16.74
Landwirt 2.5 16.60
Landwirtschaft 2.5
18.1
Landzunge 1.13 1.16
3.48
lang 3.29 4.6 4.11
5.4 6.6 11.26f.
11.30
—, nimmer —
machen 2.45
—, so — wie dumm
12.56
— und breit 13.22
-lang 3.29
langatmig 13.22
13.43
Langband 2.5 6,7
lange 6.7 8.8
—, es ist — her 6.21
—, so — bis 9.8
Länge 4.3 4.6 13.43
längelang 4.41
langen 4.23 13.22
13.22
—, einem eine 16.78
—, sich 16.78
—, sich jemanden
16.33
längen 4.6
Längengrad 1.11
4.6
langer Stremel 13.2
längeren, des 6.7
13.22
langewegs 8.31
Lang(e)weile 9.19
9.36 11.9 11.13
11.26
—, die — von sich
halten 16.55

langfristig 6.7 18.30
Langhorn S. 97; 128
langjährig 6.7
Langlauf 16.57
langlebig 6.6f.
länglich 4.6
Langmann 2.16
Langmut 11.8 11.50
16.47
—, mit — vorgehen
16.47
langmütig 11.8
16.47
Langohr S. 125; 128
Langrichten 2.5
längs 3.14 3.29
langsam 5.38 6.36
8.8 9.19 9.24
9.41 11.8
Langsamkeit
s. o. 5.38
Langschäfter 17.9
langseits (längsseits)
3.29
Langspier 2.5
längst 6.18-21
— gestorben 2.25
längstens 6.35
Langstiegen 2.5
langstielig 11.26
Langstreckenflug-
zeug 8.6
Languste 2.27
langweilen 11.26
— sich 9.36 11.26
langweilig s. Lang-
weile 6.7 7.69
9.19 9.36 11.8
11.14 11.25f. 11.29
13.42
langwierig 6.7 8.8
Langwierigkeit 6.6
langziehen 4.6 11.60
Lanolin 1.29
Lanthan(iden) 1.24
Lanze 3.55 17.11
17.13 17.15 19.13
Lanze, eine — brechen
für 16.31 16.70
16.73 16.77
Lanzette 3.55 17.15
Lao-tse 20.19
lapidar 13.39 13.41

Lapidarstil 13.39
Lapislazuli 1.25
Lappalie 4.4 9.45
Läppche(n) 9.49
16.60
lappen 2.30
Lappen 2.16 4.34
4.42 8.18 9.66
16.108 16.118 17.8
18.21
—, blauer 4.39 18.21
—, schlagen, daß die
— fliegen 16.68
läppern, sich 4.20
läppisch 9.60 12.19
läppisches Wesen
13.42
Lapsus 9.78 12.28
lapsus linguae 13.19
13.32 13.34 13.51
16.54
Lärche S. 13
Laren 20.7
larghetto 15.11f.
largo 15.11f.
Larifari 9.45 12.19
13.18 13.51
Larve S. 96 2.22 3.26
7.6 9.74 13.4 13.51
16.71 16.115
— abnehmen 13.5
Larynx 7.61
lasch 5.37 7.48 7.69
9.19 9.41 11.8

Lasche 3.25
laß 9.41
lassen 4.32 5.4
5.6f. 5.23 8.8 9.15
9.19 9.29 9.40 9.42
9.85 11.5 11.8f.
11.11 11.21f. 11.27
11.29ff. 11.33
11.36 11.47 11.50
11.59f. 12.3 12.7
12.13f. 16.87
16.106 16.108f.
18.18 19.1f. 19.18
—, anstehen 9.19
—, aufsitzen 16.54
—, außer acht 16.28
—, das muß man
ihm 13.28
—, die leibliche Ruhe
nicht 16.20
—, frei, freie Hand
16.25 19.25
—, fünf gerade sein
99.7 9.43 16.28
—, gehen 16.25
—, hinter sich 16.85
—, im Stich 16.27
—, im Stiche, sitzen
8.18 16.14
—, kein gutes Haar
an jemand 16.33
—, keine Wahl 9.3
—, nicht aus den
Augen 9.21
—, nicht auslachen
13.29
—, nicht — können
19.10
—, sich 9.24
—, sich überraschen
12.45
—, unbenützt 9.19
—, unterwegs 9.85
—, von 8.18
—, wenig Hoffnung
12.45
Laßheit 9.24
lässig 9.19 9.24 9.41
9.43 19.25
Lässigkeit 9.19 9.24
9.36 9.41 19.25

743

läßlich 19.13
Lasso 2.12 3.47 4.33
  9.74 16.117
läßt nichts auf ihn
  kommen 16.30
— sich breitschlagen
  16.24
— sich nicht über-
  fahren 12.52
— sich telephonisch
  nicht sagen 13.4
— tief blicken 13.1
— zu wünschen
  übrig 9.60 16.33
-lassung 13.2
Last 4.17 4.19 5.1
  5.47 7.41 8.3
  9.38 9.40 9.55 9.73
  11.13f. 11.26 18.3
  19.12 19.24
—, zur — legen
  16.33
last not least 9.11
lasten 5.1 7.41
Lastenausgleich
  16.80
Laster 5.9 8.4 19.6
  19.8ff.
—, langes 4.12
Lästerbank 13.22
Lästerecke 11.27
Lästergeschichte
  16.35 19.10
lasterhaft 19.10
Lasterhaftigkeit 9.60
  19.8 s. Laster
Lasterhöhle 19.10
lästerlich 19.10
Lästermaul 16.33
  16.35 16.37
lästern 16.35 16.37
  19.9f. 20.4
Lasterpfuhl 19.9
  19.10 20.4
Lästerrede 16.33
Lästerschrift 16.33
Lästersucht 16.35
lästersüchtig 16.35
Lästertat 19.10
Lästerung 16.37
Lästerzunge 9.60
  16.35 19.9
lästig 2.39 4.22 7.41
  9.40 9.51 9.55
  11.14 11.26
— fallen 16.20

Lästigkeit s. o. 9.19
Lastschiff 8.5
Lasttier 8.3
Lastzug 8.4
Lasur 7.8 7.21
Lasurstein 1.25
lasziv 9.67 16.44
Lätare 20.16
Latein 9.55
—, mit seinem — am
  Ende sein 12.37
  13.47
Lateinschrift 14.8
Lateinschule 12.36
latent 3.19
Laterna magica 10.16
  15.9
Laterne 3.57 7.5
  19.29
— Wink mit der
  16.20
Laternenpfahl 4.11
Latifundium 2.5 18.1
Lätitia 11.20
Latitüde 4.8
Latrine 2.35 9.67
Latrinenbefehl 13.51
Latsch 5.16 13.22
Latsche 12.56 16.78
latschen 8.1 8.8
—, einem eine 16.78
Latschen 2.16 17.9
latschig 9.43
Latte 4.6 4.11f. 8.6
  11.62 16.74a.
—, lange 4.11
Lattenkammer
  16.117
Lattenseppel 16.29
Lattenzaun 3.23
Lattich S. 85 2.27
Latüchte 7.5
Latus 18.30
Latwerge 2.27 7.51
Latz 3.20
lätz 5.47 11.33 12.19
  12.27
Lätzel 9.66
lau 7.35 9.7 9.19
  11.8 19.7
—, weder kalt, noch
  11.8
Laub 2.3 7.18
—, nicht für einen
  Wald voll 16.27

Laubbaum 2.2
Laube 2.5 3.20 9.76
  17.2
Laubengang 3.49 8.11
Laubenkolonie 2.5
Laubfrosch S. 100
  7.18
laubgrün 7.18
Laubtaler 18.21
Lauch S. 24 2.27
Lauer 9.26 9.74
  16.71
—, auf der — liegen
  7.3 16.71
lauern 9.26 9.74
  12.7 12.41 13.4
Lauf 2.16 3.50
  5.44 6.1 6.9 6 32
  7.55f. 8.7 8.11 9.25
  11.22 11.31 11.33
  13.21f. 15.11 16.6
  16.57 17.6 17.12
—, freier 16.119
Laufbahn 9.22f.
  9.25
Laufbursche 8.3 13.8
  16.112
laufen 4.50 7.55 8.1
  8.7 11.31 11.40
  16.6 18.5 19.27
—, Amok 16.70
— lassen 19.30
—, Spießruten 16.33
  16.78
laufend 6.7 6.16 6.34
  18.21
—, auf dem —en
  sein 9.52 12.32
—en Jahres 6.16
Läufer 8.7 13.8 16.6
  16.57 16.112 17.8f.
Lauffeuer, wie ein
  8.7 13.6 13.8
Lauffrau 9.66 16.112
Laufgraben 8.11
  16.76f.
läufig 11.53
Laufkunde 6.29
  18.22
Lauflinie 16.77
Laufmasche 3.57
  9.58
Laufpaß 9.85 16.105

Laufschritt 8.7
Laufstraße 16.2
läuft 18.27
— auf eins hinaus
  9.45
— halbnackt herum
  16.33
Lauge 7.54 7.68
Lauheit 7.35 7.40
  8.8 9.19 11.37
Lauigkeit 9.19 11.8
  11.37
Laune 5.2 5.18 5.25
  6.30 9.2 9.4 9.7
  9.9f. 11.1 11.3
  11.21ff. 11.31
  11.58 11.62 12.2
  16.32 16.53 16.111
—, gute 11.20
—, schlechte 11.26
  16.53
launenhaft 5.20 5.25
  5.27 6.32 9.7 9.9
  11.58
Launenhaftigkeit
  9.10
launig 11.22f.
launisch 5.25 5.27
  9.9 11.58 16.53
Laup(el)dag 16.8
Laura 11.53 16.3
Laureat 14.2 16.85
Laus S. 94f.; 98
  11.31
Laus(e)allee 2.16
Lausbub 16.37 19.8f.
lauschen 10.19f.
  12.6f. 13.3f.
Lauscher 2.16 10.19f.
  12.32
lauschig 9.36 11.9f.
  16.55
Läuse 2.41
—, daß die —
  piepen 16.68
Läus, ich wollt, du
  hättst de ganze
  Kopp voll — u.
  zu kurze Ärmcher,
  daß de dich net
  emol kratze kannst
  16.37
Lausekälte 7.40
Lausekraut S. 30; 35

lausen 11.30 18.8
lausig 4.50
— kalt 7.40
Läustage 16.8
laut 5.31 7.24 7.26
11.21f.
Laut 7.24 7.34 13.13
13.16
Laute 15.15
lauten 13.13
läuten 7.26 7.30 13.1
16.44 20.16
Läuten 7.30
Lautensänger 15.11
15.16
Lautenschlagen 9.51
lauter 1.22 4.41 9.66
19.1 19.3f.
Lauterbrunner 2.30
Lauterkeit 9.66 19.1
19.3
läutern 1.22 9.57
9.66 19.5
Läuterung 1.22 9.66
19.26
Lautlehre 7.34 13.13
lautlich 13.13
lautlos 7.28
Lautlosigkeit 7.28
11.42
Lautsprecher 7.26
15.15
Lautstärke, mit
voller 7.26
Lautung 13.13
Lautverschiebung
13.13
Lautwandel 13.13
lauwarm 7.35
Lava 7.51
Lavendel S. 74 7.21
7.63
lavieren 3.29 5.25
8.12 8.33 9.7 9.41
12.53 16.7
—, vor dem Wind
(veränderlich) 5.25
Lavoir 17.6
Lawine 1.9 5.27
5.42 8.30 8.34 9.67
9.74
Lawn Tennis 16.55
lax 9.41 16.109f.
16.118 19.10 19.25

Laxheit 19.10
Lazarett 2.44
Lazarettgehilfen
16.74
Lazarus 18.4
Lazzaroni 9.24
-le 4.4
leb wohl 8.18 16.38
16.105 18.15
lebe 11.22
— hoch 16.87
—, so lange ich —,
nicht 13.50
Lebehoch 11.21f.
16.31
Lebel 17.12
Lebemann 10.21
11.11 16.44
leben 2.17 2.41 3.3
5.1 5.26 6.7
9.43 9.74 11.8f.
11.11 11.35f.
11.62 16.85 16.91
18.4 18.14 19.7
19.18
—, abgeschieden, ein-
gezogen, einsam
16.52
—, geistig über seine
Verhältnisse 13.22
—, getrennt 16.15
—, gläubig, gott-
selig 20.1
—, herrlich und in
Freuden 5.46
—, hoch — lassen
16.31 16.64·
—, im Freien 16.48
—, in den Tag
hinein 20.3
—, in Ruhe unter
dem Schatten des
Ölbaums 16.48
—, in Saus und
Braus 18.14
—, religiös 20.13
—, sich auseinander
16.15
— und genießen
10.11 11.9
—, weiß zu 16.38
—, wie Hund und
Katze 16.66f.

Leben 2.17 5.1 8.17
9.18 9.21 9.29 9.31
9.36 9.74 11.9
11.13 11.20f. 11.23
11.26 11.36 11.38
19.31f. 20.1 20.10
—, aufs weltliche —
Verzicht leisten
16.52
— aushauchen 2.45
—, aussehen wie das
2.38
—, beschauliches 9.36
20.1 20.16
—, das ewige 20.10
—, das — geht
weiter 6.8
—, das — genießen
16.55
—, das — sauer
machen 16.79
—, das — zur Hölle
machen 16.79
—, der Ernst des —s
9.22 16.60
—, ein — im Ver-
borgenen führen
16.52
— einhauchen 5.39
—, fürs — nehmen
16.11
— geben 2.17 2.21
—, gottgeweihtes
20.1
—, gottloses 20.3
— hingeben 2.46
—, Jahrmarkt des
—s 5.25
— kosten 2.46
— lassen 2.46
—, Neige des —s
2.25
—, neues 19.5
— opfern 2.46
— rufen, ins 5.39 6.2
9.26
— schenken 2.21
5.39
—, sein lassen 2.46
—, sein — teuer ver-
kaufen 16.73
—, sich das —
nehmen 2.47
—, sich des —s
freuen 2.17 11.21

Leben spüren 2.20
—, Tod und 16.56
—, ums — kommen
2.46
— verbringen 3.3
lebend 2.17 5.1
—es Geschöpf 2.8
lebendig 2.17 5.1
5.35 6.26 8.1 9.37
11.17 11.20 12.39
13.41 16.117
— begraben sein
12.40
Lebendigen, er
nimmts vom 18.7
Lebendigkeit 2.17
11.20
Lebensabend 2.25
Lebensalter 2.24
Lebensart 9.18 9.52
11.17 16.38 16.61
16.64
— beibringen 16.38
Lebensbedürfnis 9.81
Lebensbaum S. 12
Lebensbejahung
11.35
Lebensberuf 9.22
Lebensbeschreibung
14.1 14.9
Lebensbund 16.11
Lebenselixier 20.12
Lebensende 2.45
Lebenserinnerung
14.1
lebensfähig 2.17
Lebensfähigkeit 6.7
Lebensflamme 2.17
Lebensfreude 11.9
Lebensfunke 2.17
lebensgefährlich 2.41
2.46 9.74
Lebensgefährte 16.11
Lebensgefühl 11.2
11.4
Lebensgenuß 11.21
Lebensglück 5.46
11.32
Lebenshaltungs-
kosten 18.22
lebensklug 12.52
Lebensklugheit 11.8
Lebenskraft 2.17 5.35
Lebenskünstler 2.26
9.52 11.8 11.11

lebenslang 6.6
lebenslänglich 6.7
  16.117
Lebenslauf 14.1
  14.10
Lebenslicht aus-
  blasen 2.46 5.42
Lebenslust 2.44 5.35
  11.11 11.20f.
lebenslustig 11.21
Lebensmittel 2.26
  4.18 4.29
Lebensmittelhändler
  16.60
lebensmüde 11.26
Lebensmut 5.35 9.37
  11.9
lebensnah 12.26
Lebensneid 11.57
Lebenspfad 9.22
Lebensraum 3.1
Lebenssaft 2.16f. 3.19
  7.54
lebenssatt 11.26
  11.32
Lebensstellung 9.22
  18.5
Lebensteile 3.19
Lebensüberdruß
  11.26 11.32 11.37
lebensüberdrüssig
  11.32
Lebensunterhalt 18.5
Lebensverwirkung
  19.31
Lebenswandel 11.11
  19.3
Lebenswasser 20.12
Lebensweise 5.11
  9.25
Lebensweisheit 11.8
Lebenswende 19.5
lebenswichtig 9.44
Lebenszeichen 14.8
Lebenszeit 2.17 6.6
lebenzerstörend
  2.41 9.63
Leber 2.16 2.27
  11.31 11.46 11.59
  16.119
—, durstige 2.32
— feuchten 2.31
—, frisch von der —
  weg (sprechen)
  11.46

Leberblümchen S. 36
Leberfleck 2.41 11.28
leberfleckig 7.16
Leberhaken 16.57
Leberschrumpfung
  2.41
Leberwurst 2.27 11.7
  11.58
Lebewesen 2.17
Lebewohl 16.6 16.38
  16.105 18.15
lebhaft 5.34f. 7.11
  9.37f. 10.1 11.4ff.
  11.9 11.20f. 12.28
  13.41
Lebhaftigkeit 8.1 8.7
  11.5f. 11.20 11.22
  13.41
Lebkuchen 2.27
Lebküchler 16.60
leblos 1.23 2.45 8.2
  9.19 9.24 9.41
  9.65 10.3 11.25
  11.26
Lebrecht 16.3
Lebsucht 2.26 18.5
Lebtag 2.17
—, all sein 6.6
Lebzelten 2.27
lechzen 2.39 9.14
  10.13 11.36
leck 3.57
Leck 3.10 3.57 4.5
  4.34 8.24 17.2
Leckage 8.24
lecken 2.26 2.30
  3.57 11.30 11.36
  16.43 16.114
—, den Staub von
  den Füßen 16.32
—, gegen den Stachel
  16.65
—, jetzt leck du mich
  am A 16.38
lecker 2.26 7.65 10.8
  11.10 11.36
Leckerbissen 7.65
  10.8
Leckerei(en) 2.27
  11.10
leckerfötzig 10.12
leckerhaft 10.12
  11.36

Leckerhaftigkeit
  s. lecker
Leckerli, Basler 2.27
Leckermaul 10.10ff.
  11.36
leckermäulig 10.11f.
Leckweie 2.27
Leder 3.20 3.22 4.50
  16.57 16.70 16.78
lederartig 7.46
Lederer 16.60
Lederhose 17.9
ledern 7.43 7.46
  11.26 11.29
Lederseele 11.25
ledig 4.34 4.36 7.48
  8.18 16.12 16.118f.
  19.25
lediglich 4.25
Ledsche 2.16
Lee(seite) 1.6 3.27
  3.29
leer 3.1 3.4f. 4.25f.
  9.45 11.26 12.27
  13.18 13.42 19.23
— ausgehen 18.29
Leere 2.7 3.1 3.4
  4.25f. 11.26f.
  12.37 13.18
leeren 2.30 3.4 4.5
  4.26 4.31 8.3
  8.18 8.24 11.11
  11.13
—, sich 4.5
Leerlauf 9.49 9.51
  9.80
Lefze 2.16
legal 19.19 19.22
legalisieren 13.46
  16.25 19.22
Legalität 19.19
Legat 13.8 16.103f.
  16.106 18.5 18.12
Legationsrat 16.60
legato 4.33 15.11
Legel 17.6
legen 3.3 3.37 4.49
  5.6 5.9 8.3 8.30
  9.18f. 9.33 9.36
  9.38 9.43 11.12
  11.50 11.53 11.62
  12.9 16.103
  16.108 16.117 18.6
  18.10 19.12f. 19.32

legen, beiseite 9.49
—, die schuldige
  Rücksicht an den
  Tag 16.38
—, eine Schlinge
  16.71
—, Handwerk 9.73
—, Minen 16.76
—, nichts in den
  Weg 16.25
—, sein Schicksal in
  die Hände 16.42
—, sich 2.21 9.33
—, sich in die
  Riemen 8.7 9.38
—, sich ins Mittel
  16.49
—, übers Knie, über
  den Stuhl 16.78
—, Unzufriedenheit
  an den Tag 16.33
—, zur Last 16.33
Legende 12.28 13.51
  14.1 14.9
Legespiele 16.56
Leg-Haufen 2.5
legieren 1.21 4.33
  9.38
Legierung 1.21 1.27
  4.33
Legion 4.1 4.17 4.20
  16.74
legionsweise 4.20
legislativ 19.19
Legislative 16.102
  19.19
Legislatur s. Gesetz-
  gebung 19.19 19.27
legitim 12.26 19.18f.
  19.22
Legitimation 13.1
  13.46 16.103
  19.16
legitimieren 12.26
  16.103 19.22
Legitimität 16.97
  19.19
Legum 2.27
Leguminosen 2.26
Lehde 1.13
Lehen(sgut) 16.103
  18.1 18.17
Lehensdienst 16.111
Lehensherrlichkeit
  16.95

Lehensherrschaft
16.95
Lehensmann 16.112
18.17
Lehenspflicht 16.111f.
lehenspflichtig
16.111f.
Lehm 1.14 1.26 2.27
4.41 7.49 7.51
Lehmann 16.60
lehmig 7.51
Lehne S. 127 3.13
3.16 3.24 17.5
lehnen(d) 3.16 3.29
18.16
—, sich 3.13
Lehngelder 18.21
Lehnherrschaft 16.95
16.97
Lehnsherr 18.1
Lehnsmann 16.112
18.17
Lehnspflicht 16.111
Lehnsträger 16.113
Lehnstuhl 17.3
Lehnwort 13.16
Lehranstalt 12.36
Lehrart 9.25
Lehrbub 2.22
Lehrbuch 9.25 12.33
14.11
Lehre 9.26 12.4
12.16f. 12.22
12.32f. 16.106
—, falsche 12.34
—, göttliche 20.19
— vom Schall 7.24
— von der Dich-
tung 14.2
— von den Tönen
13.13 15.11
lehren 5.9 9.26 12.22
12.32f. 12.52 13.33
16.33
—, Mores 16.33
16.78
Lehren 12.33
Lehrer 12.33 13.9
16.60 20.16f.
Lehrerbildungs-
anstalt 12.36
Lehrerschaft 12.36
Lehrfabel 14.1

Lehrgang 9.25 12.33
12.35
Lehrgebäude 9.25
Lehrgeld (geben)
12.32 18.15
lehrhaft 12.33
Lehrherr 12.33
Lehrjahre 9.26
Lehrjunge 9.26 12.35
Lehrkanzel 12.36
Lehrkörper 12.36
16.16
Lehrling 6.26 9.22
9.25 9.29 12.35
16.112
Lehrmeinung 12.22
Lehrmeister 12.33
lehrreich 12.31 12.33
Lehrsatz 12.17 13.28
16.106 s. Lehre
Lehrspruch 12.17
Lehrstand 16.91
Lehrstuhl 12.36
Lehrweise 9.25
Lehrzeit 9.26 12.35f.
Leib 2.16 2.45
3.19 4.41 5.1
8.19 9.8 11.10
11.21 11.31 11.33
16.37
— des Herrn 20.16
20.22
— und Leben 2.17
— und Seele, mit
4.33 4.41 9.38
— vollschlagen 2.26
Leibbinde 3.24 17.9
Leibchen 3.20 17.9
Leibe 9.19
—, bei — nicht 13.29
13.50
—, vom — halten
9.19f.
—, zu — gehen
16.76
leibeigen 16.111
Leibeigener 16.92
16.94 16.112
16.117
Leibeigenschaft
16.111
Leibesbeschaffenheit
1.20 5.12

Leibeserbe 5.41 16.9
Leibesfrucht 2.21
Leibesfülle 4.10
Leibeskräften, aus
7.26
Leibesumstände 2.20
Leibfarbe 13.1
Leibfuchs 16.112
Leibgarde 9.75 16.74
16.77 16.101
Leibgedinge 16.11
18.1 18.5
Leibgendarm 16.74
Leibgericht 11.10
Leibgurt 18.21
leibhaft 5.1
Leibhafte, der 20.9
leibhaftig 3.34 5.1
5.17 19.9
Leibhaftige, der 1.6
20.9
Leibjäger 16.112
leiblich 1.20
Leiblied 11.10
Leibrente 18.2 18.5
Leibrock 3.20 17.9
Leibschaden 2.42
Leibseele, bei meiner
13.28
Leibstandarte 16.101
leibt und lebt 5.17
Leibtracht 13.1
Leibung 4.1
Leibwache 9.75
16.74 16.101
Leibzoll 2.26 18.14
Leichbrett 2.48
Leichdorn 2.41 3.45
3.48
Leiche 2.41 2.43 2.45
9.19
—, nur über meine
16.77
—, schöne 2.48
Leichen 11.61
Leichenbegängnis
2.48
Leichenbitter 2.48
11.32
Leichenbittermiene
11.25 11.31
leichenblaß 4.50
11.42

leichenfahl 11.42
leichenfarbig 7.12
Leichenfeier 2.48
Leichenfeierlichkeit
2.48 20.16
Leichenfeld 2.46 2.48
16.75
Leichenfinger 2.77
16.76
Leichenfrau 16.68
Leichengedicht 2.48
Leichengefolge 2.48
Leichengerüst 2.48
Leichengesang 2.48
Leichengift 1.29 2.43
leichenhaft 11.28
Leichenhalle 2.48
Leichenkammer 2.48
Leichenmarsch 11.32
Leichenort 2.48
Leichenparade 2.48
Leichenpaß 2.48
Leichenrede 2.48
20.16
Leichenschändung
16.68
Leichenschmaus 2.48
Leichenstarre 2.45
Leichenstätte 2.48
Leichenstein 2.48
Leichentuch 1.9 2.48
7.13
Leichenverbrennung
2.48
Leichenwagen 2.48
Leichenzug 2.48
11.32
Leichnam 2.45
leicht 4.4 7.42 9.4
9.7 9.10 9.43 9.52
9.54 11.6 11.8f.
11.11 11.17 11.58
12.13 16.44 19.10
—, auf die —e Achsel
nehmen 9.43
— begreiflich 13.33
— möglich 9.54
— verständlich
13.33
— zugänglich 16.44
Leichtathlet 16.57

Leichter 8.5
leichtern 7.42
leichtfertig 9.43
  11.11 11.39 16.28
  16.44
Leichtfertigkeit 9.43
Leichtfuß 9.9
leichtfüßig 8.7
Leichtgewicht 7.41
  16.57
leichtgläubig 11.46
  12.25 20.2
Leichtgläubiger 12.25
Leichtgläubigkeit
  12.25 16.72 20.1
  s. leichtgläubig
leichtherzig 11.20f.
leichthin 4.4 9.43
  — behandeln 16.34
Leichtigkeit 7.42
  9.52 9.54 12.52
leichtlebig 16.44
Leichtmetall 1.27
leichtnehmen 11.8
  11.34
Leichtsinn 9.7 11.11
  11.39 12.13
leichtsinnig 9.7 9.9f.
  9.19 9.27 9.43
  11.11 11.20 11.39
  12.13 12.56 16.44
  18.14
leid tun 11.32 16.82
leid werden 9.5
Leid 9.50 11.13f.
  11.32f.
—, Freud und —
  teilen 16.41
—, keinem zuleide
  19.18
— tragen 11.32
  s. Leid
Leidecker 16.60
leiden 2.41 11.8
  11.12f. 11.16
  11.52f. 11.59 11.62
  16.25
— an 2.41
—, nicht — können
  2.32 11.62
Leiden 2.41 4.11
  5.47 9.50 11.13
  11.28

leidend 2.41 11.28
— an 2.41 11.13
Leidenschaft 5.36
  11.1f. 11.4f.
  11.11f. 11.31 11.36
  11.53 11.58 16.31
  19.3
leidenschaftlich 5.36
  9.8 11.5f. 11.36
  11.53 11.58
Leidenschaftlichkeit
  11.1 16.31
  s. Leidenschaft
leidenschaftslos 11.8
  11.37 11.40
Leidensgang 5.47
Leidensgenosse 11.13
Leidenskelch 5.47
  11.13
Leidensschule 5.47
  11.13
Leidensweg 5.47
  11.13
leider! 11.32f.
leidig 9.5
leidlich 4.23 4.52
  9.59
Leids, sich — antun
  2.47
Leidtragender
  11.32f. 18.15
Leidwesen 11.13
  11.32
Leier 1.2 2.16 5.16
  9.31 11.26 15.15
—, die alte 6.28
Leierkasten 12.57
  15.14f.
leiern 11.26 15.11
  15.13 15.18
Leihanstalt 18.16
Leihbibliothek 14.11
  18.16
leihen 12.7 18.9
  18.16f.
—, ein (williges) Ohr
  10.19 16.24
Leihgabe 18.17
Leihhaus 18.16
Leilach 2.48 17.8
Leim 1.29 4.33
  7.51 7.53 9.53
  16.72 18.21

Leim, auf den Leim
  gehen, kriechen
  9.53 12.25 16.72
—, ist ein 9.60 9.78
leimen 4.33 9.58
  16.72 18.8
Leimfarbe 7.11
leimig 7.51
Leimrat 16.60
Leimrute 16.71f.
Leimsieder 8.8 9.7
  11.26
Leimtopf 17.6
-lein 4.4
Lein S. 54 4.33
Leine 4.33 8.18
leinen 1.20
Leinen 17.8
Leinen- 14.6
Leinkraut S. 72
Leinöl 1.29
Leintuch 3.20
Leinwand 15.1 15.8f.
  17.8
Leinwandreißer
  16.60
leise 7.27f. 11.48
  13.15 15.11
Leiselautkasten 15.15
Leisetreter 12.53
  16.32 19.8
Leisheit 7.27
Leiste 2.16 3.23 17.5
leisten 5.31 5.39 9.35
  9.39 9.36 9.52
  11.11 11.52 16.105
  16.111 18.17f.
  18.26 19.16 19.27
—, aufs weltliche
  Leben Verzicht
  16.52
—, einen Eid, Schwur
  13.50 16.23
—, Ersatz 1646
—, etwas 9.38
—, nichts 9.24
—, sich 18.22
—, sich nicht —
  können 18.27
—, Widerstand 16.65
  16.77
Leisten 5.16
Leistenbruch 2.41

Leistung 5.34 5.39
  9.18 9.22 9.35
  9.49 9.77 16.26
  16.121 19.24
leistungsfähig 9.38
  18.3
Leit 2.31
Leitartikel 14.11
leiten 8.3 8.11 8.13
  9.15 9.29 12.33
  13.1 13.9 16.8
  16.95ff. 19.27
  20.13
—, sich — lassen
  5.34
Leiter 3.37 8.11
  8.13 8.28 9.82
  12.33 16.57 16.60
  16.96ff. 20.17 s. o.
Leitfaden 4.7 9.25
  12.33 13.9 14.1
  14.12
Leitgeb 16.60
Leitgedanke 12.17
Leithammel 5.18
  8.13 16.96
Leithund 2.8 16.98
Leitkomponente 5.9
Leitmotiv 5.10 6.6
  12.17 15.11
Leitseil 12.33
  12.35f. 13.9 16.107
Leitstern 12.17 13.1
  13.9
Leitung 8.13 9.15
  16.96f.
—, lange 12.56
—, unter persönlicher
  15.14
Leke (Traufe) 17.2
Lektion 12.33 16.78
—, derbe 16.33 19.32
Lektor 12.33
Lektüre 14.5 14.7
Lemming S. 126
Lemuren 20.5f.
Lende 2.16 2.27
  3.29 9.26
lendenlahm 5.37
Lendenschnitte 2.27
Lendenschurz 17.9
Lene 16.3
lenkbar 8.11 9.54
  12.35

lenken 8.11 12.3 12.7
  16.96f. 16.110
  19.12
— auf 11.30 12.13
— lassen 12.35f.
—, seine Schritte
  16.6
Lenker 3.37 8.4 8.11
  16.96 16.98
lenksam 9.54 16.114
Lenksamkeit 9.54
Lenkseil 13.9
Lenkung s. leiten
  8.11
lento 8.8
Lenz 6.1f. 6.9
—, zweiter 2.24
lenzhaft 6.2
Lenzmonat 6.9
Leo 16.3
Leonhardtafel 2.48
Leopard S. 126 7.23
Leopold 9.76 16.3
  16.56
Leopoldine 16.3
Leporello 14.11
Lepra 2.41
leptosom 4.11
Ler 7.64
Lerche S. 105 2.27
  4.50 8.28 11.21
  15.11 15.13
Lerchensporn S. 40
Lerchenzunge
  (schmackhaft) 10.8
lernbegierig 12.35f.
lernen 5.9 9.52 12.8
  12.32 12.35f.
  12.39
Lernen 12.35
Lernender 12.35
Lernzeit 12.35
-les 16.56
Lesart 13.44
lesbar 13.33
Lesbarkeit 7.1
  13.33 14.5
-lese 4.17
Leseabend 16.55
Lesebuch 12.33
Lesehalle 14.7
Lesel 10.12

lesen 2.5 4.17
  12.35 13.44 14.7
  20.13 20.16
—, aus der Hand
  20.12
—, den Text 12.33
  16.33 16.78
Lesen 14.7
Leser 14.7
Leseratte 14.7
Leserkreis 12.25
  16.16
Lesesaal 14.7
Lesestoff 14.11
Lesezeichen 12.39
Lesung 14.7 16.102
letal 2.45
Lethargie 2.36 9.19
  9.24 11.8
lethargisch 8.2 9.24
  11.8 16.110
Lethe 12.40 20.11
Lethes Fluten 3.5
Letten 1.14
Letter 14.5f.
Letternmetall 1.27
Lettner 20.21
letzen 2.30 11.10
—, sich 11.9
letzte 4.32 5.10
  6.4 9.33 11.33
— Ölung 20.16
—r, Gang 2.48 19.32
—s Geleit geben
  2.48
—s Gericht 20.7
—s Röcheln 2.45
letzthin 5.10 6.20
letztlich 5.10
Leu S. 126 11.38
Leuchtbombe 7.5
Leuchte 7.5 12.32
  12.52
— der Wissenschaft
  12.54 16.85
leuchten 7.4 11.17
  11.45 16.88 17.10
—, einem heim- 11.60
  16.33 16.67f.
  16.78
leuchtend 7.4 7.11
  11.17
Leuchter 7.5

Leuchtgas 1.26 7.5
  7.60
Leuchtkäfer S. 96 7.5
Leuchtkanone 7.5
Leuchtkörper 7.5
Leuchtkugel 7.4f.
  13.1
Leuchtpedal 7.5
Leuchtplakette 7.5
Leuchtschiff 8.5
Leuchtturm 7.5 9.75
  13.1 13.10
Leuchtwurm 7.5
leugnen 12.48 13.29
  13.51 19.27
Leukämie 2.41
Leukoplast 2.44
  4.33
Leumund 16.31 16.85
  16.93
Leumundszeugnis
  19.4
Leute 2.13 9.13 9.52
  16.91 16.93 18.13
—, arme 18.4
—, die 16.35 16.112
—, die besseren 18.3
—, fremde 16.113
—, gute 9.53
—, kleine 9.45 9.59
  16.92
—, sind geschiedene
  16.66
— vom Bau 12.32
—, wie bei armen
  —n 18.13
Leut(e)fresser 16.89
leutehassend 16.52
Leuteschinder 11.63
  16.79 18.7 18.11
Leutestube 17.2
Leutgeld 19.32
Leutnant 13.23
  16.74 16.104
Leutpriester 20.22
leutselig 16.38 16.64
Leutseligkeit 11.48
  16.38 16.64
Leuzit 1.25
Levante 16.64
Leviathan 4.1f.
Levit 20.17
Levitation 20.5

Leviten lesen 16.33
  16.78
Levkoje S. 25
Lexikograph(ie)
  13.16
Lexikon 12.8 12.32
  13.16 14.9 14.12
Lexikonweisheit
  12.32
Lhassa 20.20
-li 4.4
Liäson 11.53 16.13
Libelle S. 95
liberal 11.51 16.109
  16.118 19.2
Liberalismus 16.116
  16.119 19.2
liberalistisch 16.118
  20.3
libidinös 10.21
Libido 10.21
Libretto 14.3 14.11
licht 4.24 7.4
Licht 2.16 5.10
  7.4f. 7.35f. 8.7
  9.13 9.53 9.55 9.57
  9.64 9.75 11.9
  11.35 11.45 11.47
  12.8 13.1 15.4
  16.116 19.29 20.6
  20.8
—, ans — bringen,
  kommen 7.1 13.3
— aus 7.7 16.116
— ausstrahlen 7.4
—, blaues 13.10
—, das — abdrehen
  7.7
—, das — sehen 2.17
— der Augen 10.16
— der Welt er-
  blicken 2.21
—, ewiges 2.45 20.10
—, falsches 12.22
  13.51 15.2
—, geht ein — auf
  12.31
—, grünes 8.16 13.1
—, hinters — führen
  13.51 16.54 16.72
—, im — der Öffent-
  lichkeit 13.1

Licht, in falsches —
setzen 15.2
—, milder(nd)es
19.13
—, rotes 13.1 13.10
—, sein — scheine
immerdar 16.30
— stehen, im 9.50
— und Schatten 7.4
— verbreiten 7.4
Lichtbild 5.18 7.8
15.8
Lichtbildkünstler
15.8
Lichtblick 5.20
Lichtbrechung 7.4
8.22
Lichtdom 16.88
Lichtdruck 5.18
15.4f.
lichten 4.5 4.24
4.30 7.48
—, die Anker 8.5
16.7
Lichtengel 20.6
lichterloh 7.35f.
Lichterträger 2.16
Lichtflut 7.4
Lichtheit 7.4
Lichtjahr 4.6
Lichtkunst 15.4
Lichtlehre 7.4 10.16
lichtlos 7.7
Lichtlosigkeit 7.7
Lichtmast 7.5
Lichtmeer 7.4
Lichtmeß 20.16
Lichtmesser 10.16
Lichtputze 3.55
Lichtputzschere 17.15
Lichtquelle 1.2 7.4
Lichtreklame 7.5
16.21
Lichtschatten 7.6
Lichtschein 16.85
Lichtschere 3.55
lichtscheu 2.41 7.6
10.17 19.8
Lichtschirm 7.6
Lichtschleuse 7.7
Lichtspiele 15.9
Lichtspieltheater 15.9
Lichtstreif 7.4

Lichtstrom 7.4
Lichtung 4.26 7.48
Lichtverpflanzung
7.4
Lichtverteilung 7.4
Lichtzeichen 13.1
Lid 2.16 3.20
lidieren 14.5
lieb 4.50 11.5 11.10
11.16f. 11.53 16.22
Lieb 11.53
liebäugeln 16.42f.
Liebchen 10.21 11.53
Liebden, Ew. 16.86
Liebe 8.14 8.21 9.9
11.36 11.48 11.53
11.62 12.7 16.22
16.42
—, die — besitzen,
erringen, zuwen-
den 16.42
—, die — erklären,
gestehen, zu-
schwören 16.42
—, freie 16.14
—, junge 16.10
—, keinem zuliebe
19.18
—, Kind der 16.12
—, platonische 16.50
— verscherzen, die
16.67
— zur Scholle 2.5
16.1
liebebedürftig 11.53
Liebedienerei 16.32
16.114f.
Liebedienerin 10.21
liebedienerisch 16.32
Liebelei 11.53
lieben 9.50 11.53
18.7
Liebender 11.53
liebenswürdig 11.17
11.46 11.52f.
16.38 16.42
Liebenswürdigkeit
11.10 11.52 16.38
lieber 11.30
—, nichts — als 9.4
Liebesabend 16.64
Liebesbande 11.53
Liebesbezeugung
16.42

Liebesblick(e) 11.53
16.42f.
Liebesbote 16.42
Liebesbrief 13.2
14.8 16.42
Liebesdichtung 14.2
Liebesdienst 11.52
16.113
Liebeserklärung
16.42
Liebesfeuer 11.53
Liebesflamme 11.53
Liebesgabe 2.34
16.42 18.12
Liebesgenuß 16.44
Liebesglut 11.53
Liebesheirat 16.11
liebesiech 11.53
Liebesintrige 16.44
Liebesknochen 2.27
liebeskrank 11.53
Liebeslied 14.2
Liebeslust 11.53
Liebesmahl 16.55
Liebesmüh, verlorene
9.78
Liebespein 11.53
Liebespfand 16.42
Liebesseuche 16.44
Liebestätigkeit 9.50
11.51
liebestoll 10.21 11.53
16.44
Liebestragödie 2.46
Liebestrank 20.12
Liebesvereinigung
2.19
Liebeswahnsinn
16.44
Liebeswerk 9.50
Liebeswut 16.44
Liebeszauber 11.53
liebet eure Feinde
16.47
liebevoll 11.50
11.52f.
liebgewinnen 16.41
—, sich 16.41
liebhaben 16.41
Liebhaber(ei) 9.1
9.53 11.17f. 11.36
11.53 12.32 14.3
Liebhaberin 14.3
Liebhaberpreis 18.27

Liebhaberwert 18.23
Liebkind, sich —
machen 16.32
16.115
liebkosen 16.43
Liebkosung 16.42f.
lieblich 11.10 11.17
11.53 s. liebens-
würdig
Lieblichkeit 11.17
s. o.
Liebling 5.46 11.53
lieblos 11.60f.
Lieblosigkeit 11.60f.
liebreich 11.50 11.52
16.38 16.42
Liebreiz 11.17
liebreizend 11.17
Liebschaft 11.53
16.13
Liebste 11.53 17.12
Liebster 11.53
Liebstöckel S. 63
2.28
liebwert 4.50
Lied 5.6 5.16 14.2
14.9 15.11ff.
16.111
Lied(er) ohne Worte
15.12
Liederabend 15.13
Liederkranz 15.13
liederlich 9.43 11.11
16.44 18.14 19.10
Liederlich, Bruder
16.44
Liederlichkeit 11.11
16.44 19.10
Liedersänger(in)
15.11
Liederschatz 4.17
Liedertafel 15.11
liedmäßig 15.11
15.17
Lieferant 18.23
liefern 5.39 9.70
18.12 18.23
—, eine Schlacht
16.73f.
Lieferung 14.11
Lieferungsgeschäft
6.24
Liege 17.3
Liegebett 3.12 8.2

Liegemöbel 17.3
liegen 2.41 3.3 3.12
3.34 5.2 5.9f. 5.12
5.21 5.31 5.34
9.24 9.36 9.75 11.2
11.14 11.22 11.48
11.62 12.4 18.10
19.5 19.24
—, an etwas 9.44
—, auf den Knien
11.48 16.38 19.5
—, auf der Bären-
haut 9.24
—, auf der Lauer
16.71
—, im argen 3.38
—, im Beschuß
16.73
—, im Staube 16.32
—, in den Haaren
11.62 16.67
—, in den Ohren
16.20 16.32 16.38
— lassen 9.34 9.43
9.45 11.37
— lassen, links 11.37
—, platt 16.115
—, vor Anker 8.2
Liegenschaft 1.15 2.5
18.1
Liegestuhl 3.12 8.2
17.3
Liegnitz 8.31
liegt hinter uns 6.19
— mir auf 16.27
— noch vor uns 6.23
— weit zurück 6.21
liejen, spuck mal hin,
wo de — willst
16.68
Liesch S. 15
Lieschen 2.41
Liesen 2.27
ließe sich 12.24
Lift 3.17 8.4 8.28
Liga 9.68 16.17
Ligatur 4.33
Ligroin 1.29
liiert sein 16.41
Li-king 20.19
Likör 2.31 7.66
Liktor 19.27 19.29

lila 7.22
Lilie S. 19; 25 7.13
7.63 11.13 19.4
—, geknickte 5.47
11.13
lilienbleich 7.13
lilienweiß 7.13
Liliput(an)er 4.4
liliputanisch 4.4
Lilli 16.3
Limburger 2.16 2.27
Limes 3.23 17.14
Limitation 13.48
limitieren 3.23 13.48
18.30
limnologisch 1.18
Limonade 2.30 7.69
11.12
Limone S. 55 2.27
Limusine 8.4
lind 3.54 5.38 7.27
7.35 11.34 16.109
Linde S. 58
—, Zur 16.64
Lindel 2.48
lindern 2.40 5.28
9.72 11.8 11.34
11.50 11.52 18.26
19.13
Linderung 2.40 9.57
11.34 s. o.
Linderungsmittel
5.38 11.8 11.34
Lindwurm 2.8 5.20
Lineal 3.40 4.6
9.42 12.12
linear 3.39 4.6 6.34
13.40 15.3
lingual 2.16
Linguist 12.32 13.12
Linguistik 13.12
linguistisch 13.12
Linie 3.24 3.39f. 4.6
4.9 4.47 5.10 5.26
5.41 7.2 7.35 8.11
8.15 9.15 11.17
12.12 13.1 14.2
14.5 15.3 16.9
16.74
—, auf der ganzen
3.7
—, die — durch-
brechen 16.73

Linie, gerade 3.40
—, in erster 9.44
—, moderne 4.11
—, vorderste, vor-
geschobene 16.74f.
Liniengebung 15.3
Linienschiff 16.74
Liniensoldat 16.74
Lining 11.53
liniieren 3.23
linke 3.30
Linker 16.57
linkhändig 3.30
linkisch 3.30 9.53
11.23 11.28f.
linkisches Wesen
9.53 11.23f. 11.28
links 3.30 9.8 9.45
11.37
— liegen lassen
11.37 12.51
Linksanwalt 16.60
19.28
Linksaußen 16.57
Linksdootsche 2.41
Linkser 2.41 3.30
linkshändig 3.30
Linoleumschnitt 3.44
15.4
Linon 17.8
Linse S. 51 2.16
3.48 10.16 15.8
linsen 10.15
Linsen 2.27 18.21
Linsengericht 4.26
9.45 18.28
Lint (Schild) 17.14
Linthelm 17.14
Liparit 1.26
Lippe 2.16 3.23
3.48 13.6 13.23
16.53f.
Lippenandacht 20.3
20.14
Lippenbekenntnis
20.14
Lippenbürste 2.34
Lippenlaut 13.13
Lippentriller 2.31
liquet, non 5.7
Liquidation 18.19
18.26 s. zahlen

liquidieren 9.33 18.23
18.26 s. zahlen
Liquidierung 18.26
s. zahlen
Liquidierungs-
kommando 2.46
Lira 18.21
Lisbeth 16.3
Lise 16.3
Lisière 3.23
Lismer 17.9
lispeln(d) 7.27 13.14
Lispeln 2.27
Lispler 16.32
List 9.15 9.25 11.40
12.33 12.52f.
13.51 16.72
Liste 3.35 3.37 4.18
4.49 13.1 14.9
18.23 19.14
—, schwarze 19.32
listig 9.25 11.40
12.53 13.4 13.51
s. List
Listigkeit s. List
Litanei 11.26 11.33
13.5 13.21 20.13
20.16
Liter 4.19 12.12 17.6
literarisch 13.2 13.12
20.14
Literast 16.60
Literat 12.32 14.1
16.60
Literatur 12.32 13.2
14.1 14.11
Literatursprache
13.12
Litewka 17.9
Litfaßsäule 13.5
Lithium 1.24
Lithograph 15.1 15.5
Lithographie 5.18
15.4
lithographieren
15.4f.
Lithosphäre 1.4
Litotes 13.36
Liturgie 20.16
Litze 16.100 17.10
Livree 3.20 13.1
16.86f. 16.112 17.9
Lizentiat 20.17

Lizenz 16.25 16.118
LKW 8.4
l. m. a² 16.27
Lob 9.56 11.21 11.54
  12.50 16.31f. 16.87
  19.3 20.13 20.16
— erteilen, spenden,
  zollen 16.31
—, mit — geizig,
  sparsam 16.31
  16.33
—, mit — überhäu-
  fen, überschütten
  16.31
—, überschwengliches
  16.31
— und Preis 16.30
—, von — über-
  fließen 16.31
loben 11.54 16.31
lobenswert 11.50
  16.31
Lobgedicht 16.31
Lobgesang 16.31
  16.87 20.13 20.16
Lobhudelei 12.50
  16.31f.
lobhudeln 16.32
Lobhudler 16.31f.
Lobhymne 16.31
löblich 16.31 20.16
Loblied 11.22 11.54
  16.31 16.87 16.89
  20.16 s. Lob
lobpreisen 16.31
  20.13
Lobpreiser 16.31f.
Lobrede 16.31
Lobredner 16.31f.
Lobsänger 16.31
Lobschrift 16.31
lobsingen 15.13 20.13
  20.16
Loch 1.11 2.32 3.49
  3.57 4.14 4.26 4.50
  8.7 8.18 8.24f.
  9.67 9.74 9.78
  11.21 16.71 16.117
  19.32f.
—, letztes 2.45
Lochbohrer 17.15
Locheisen 17.15
lochen 3.49 13.1

löcherig 3.57 7.48
löchern 16.20
Locke 2.16 3.17
  3.46 3.53 17.10
locken 3.46 7.33 8.14
  8.32 9.12 9.45
  11.36 11.53 16.76
  16.116 17.10
  s. verlocken
löcken s. lecken
Lockenkopf 17.10
Lockenperücke 17.10
locker 3.36 3.57 4.34
  7.47f. 9.6 9.54
  11.11 11.21 16.44
  16.110
Lockerheit 3.38 4.34
  5.8 7.48
— der Sitten 11.11
  16.44 18.14 19.7f.
  19.21 19.25
lockerlassen 9.8
lockermachen, das
  Fell 16.78
lockern (sich) 4.34
  7.48 9.54 16.118
Lockerung 4.34 7.48
lockig 3.46
Lockspeise 9.12 9.28
  11.36 16.32 16.72
Lockspitzel 13.5 19.9
Lockvogel 9.74 16.72
Loden 2.3 17.8
lodern 7.4 7.36
  8.28
Loding 19.27
Löffel 2.16 11.45
  12.56 17.6 18.8
—, hinter die —
  schlagen 16.78
—, mit dem — von
  der Wand ab-
  kratzen 16.68
—, silberner 18.3
— weggeworfen
  haben 2.45
löffeln 2.26
—, sich 2.31 16.80
Löffeln 9.53
Löffelvoll 4.4
löffelweise 4.42
Löffler 16.60
Lofn 20.7

Logarithmus 4.35
Logbuch 14.9
Loge 17.2
Logenbruder 20.2
Loggia 17.2
Logi 20.7
logieren 3.3 16.1f.
Logik(er) 3.38 12.14
  12.29
Logis 3.3 17.1
logisch 12.4 12.14
  13.46
logischerweise 12.16
  13.46
Logogryph 12.8 13.4
Logos 12.14
Lohe 3.52 7.36 7.38
  7.50
lohen 7.4 7.36
Lohgerber 16.60
Lohn 9.47 11.55
  16.46 16.80 18.12
  18.20 18.26 19.32
Lohnarbeiter 9.22
  16.60 18.26 19.7
Lohndiener 16.96
lohnen(d) 9.47 11.55
  16.46 16.80 18.5
  s. Lohn
—, sich 9.47
löhnen 18.26
Lohnherr 18.12
  18.26
Lohnkampf 16.70
Lohnlakai 16.112
Lohnsklave 18.4
Lohntüte 18.21
Löhnung 16.46 18.26
Löhr 16.60
lokal 3.1f. 4.48
Lokal 3.2 16.55
  16.64 s. Ort, Woh-
  nung
Lokalerscheinung
  5.20
Lokalgröße 9.59
lokalisieren 1.11 3.2
  4.5
Lokalisierung 16.2
Lokalität 1.11 3.2
  s. Ort, Wohnung
Lokalzug 8.4

Loki 20.7
Lokomotive 8.4 8.14
Lokomotivführer
  16.60
lokomotorisch 8.1
Lol, Löl, Löli 12.53
  12.56
Lola 16.3
Lolch S. 18
Lolle 8.5
Lombard 18.16 18.30
lombardieren 18.30
Lomber 16.56
longitudinal 4.6
Looping 8.6 8.29
  8.32
Lorbas 16.33
Lorbeer S. 34 2.28
  9.24 9.36 9.77
  16.31 16.46
  16.84ff.
Lorbeerkranz 15.7
  16.39 16.46 16.86f.
  17.10 s. o.
Lorche 2.30
Lorchel S. 9
Lord 16.91
Lords 16.74
Lore 8.4 16.3
  16.89
Lorelei 20.5f.
Lorenz 16.3
Lorette 10.21
Lorgnette 10.16
Lorgnon 10.16
Lori 8.4
Lorke 2.30
los 4.34 5.1 5.12 7.48
  8.7 8.18 16.116
  16.118 19.25
— sein 5.44
— und ledig 16.12
  16.118f. s. Locker-
  heit
— von Rom 16.119
  20.3
— werden 4.34
Los 5.31 5.45 9.16
  18.2
—, das große 4.46
  9.77
lösbar 4.34 7.54 9.54
Lösbarkeit 9.54
losbinden 4.34 16.118
losbrausen 5.36

losbrechen 16.116
16.118
—, in Zorn 5.36
Löschanstalt 9.76
Löschblatt 7.58
Löschbombe 9.76
löschen 4.30 7.7 7.40
8.3 9.33 16.7 18.26
—, Durst 2.30
—, Rachgier 16.81
Löschhorn 2.16
Löschmannschaft 9.76
Löschpapier 7.58
8.23 17.8 18.21
Löschplatz 9.23
Löschung 18.26
lose 5.8 7.48 8.22
11.11 11.58 12.13
16.44 19.8 19.10
s. los
Lösegeld 18.26 19.17
loseisen 4.34 9.70
16.118
losen 9.16 10.19
12.43
lösen 4.34 7.48 9.20
9.33 9.35 9.44
9.54 9.59 13.26
13.44 14.9 16.15
16.118 18.5 18.22
—, sich vom Feinde
16.83
losfahren 16.33
losgehen 7.29 8.18
9.29
losgelöst 5.14
losgetrennt 4.36
loshelfen 9.54
Loskauf 16.118 18.18
loskaufen 16.118
18.18
—, sich 19.26
Loskaufung 19.26
losketten 16.118
losknöpfen 4.34
loskommen 4.34
16.118
loslassen 4.34 16.118
19.30
loslaufen 8.7
loslegen 8.7 9.29
löslich 7.54
Loslösung 4.34 7.48

losmachen 4.34 8.7
9.29 9.54
s. lösen u. Locke-
rung
—, sich 4.34
losplatzen 5.36 11.22
lospruschen,
losprusten 11.22
losreißen 8.22
lossagen, sich 16.67
Lossagung 5.21 13.29
16.52
losschießen 9.29
losschlagen 16.76
18.23
losschließen 16.118
losschnüren 4.34
losschrauben 4.34
losschürzen 4.34
lossprechen 16.118
19.13 19.25 19.30
Lossprechung 16.118
19.13 19.25 19.30
Löß 1.14 7.48
Losse 2.16
losstürmen 16.76
Losung 2.35 13.1
16.73
Lösung 7.54 12.4
12.15 13.26 15.1
Losungswort 13.1
loswerden 4.34
18.15 18.23
—, Bomben 16.76
losziehen 8.18 16.33
— mit 13.6
— über 16.33
loszittern 8.18
Lot 3.37 4.14 4.25
4.33 7.41 12.12
—, die Sache ist im
3.37
loten 4.14
löten 4.33
Lothar 16.3
lötig 12.12
Lötkolben 16.60
17.15
Lötlampe 17.15
Lotos S. 39 15.7
lotoshaft 19.4
lotrecht 3.11
Lotse 8.11 16.7 16.60
16.96

lotsen 8.11 16.7
16.60 16.96
Lottche 8.7
Lotte S. 24 16.3
Lottel 9.43 12.56
Lotterbett 17.3
Lotterbube 16.44
16.92 16.94 19.9f.
Lotterie 9.16
Lotterleben 11.11
Lotto 16.55
Lotung (Tiefe) 4.14
Lötung 4.33
Louis (Zuhälter)
10.21
— d'or 18.21
Louistage 16.8
Lourdes 20.20
Lovelace 9.12
Löwe S. 126 1.2 4.50
9.44 11.38 13.1
16.85
— des Tages 16.31
Löwen, wie die
— (kämpfen)
16.73
Löwenanteil 4.33
4.51
Löwengrube 9.67
9.74 16.75
Löwenhaut 11.43
Löwenkäfig 11.39
Löwenmaul S. 72
Löwenmist 7.64
Löwenmut 11.38
Löwenzahn S. 88
2.27
Lowry 8.4
loyal 11.52 16.101
19.1f. 19.24
Loyalität 19.1f.
19.24
Lucca-Augen 2.27
Luchs S. 126 1.2
4.50 12.7 17.9
Luchsauge 10.15f.
luchsen 10.15
Lucht 17.2
Lucifer 20.9
Lucius 16.3
Lücke 3.10 3.36 3.49
3.57 4.25f. 4.34
4.46 9.65 13.29
19.13
—, fühlbare 9.81

Lückenbüßer 4.28
9.29 6.15 9.45
14.10 16.54 16.60
16.104
lückenhaft 3.36 3.57
4.25 4.46
lückenlos 4.41 6.34
Lückenstopper 6.15
Lucy 16.3
Luder 16.33 16.63
Ludolf 16.3
Ludwig 16.3
Lues 2.41
Luffa 3.53
Luft 1.1 1.6 3.1 3.4
3.8 4.26 5.5 5.12
7.8 7.42 7.60 8.18
8.28 9.26 9.33 9.45
9.78 11.5 11.31
12.13 16.119 18.29
19.13 19.32
—, an der 3.18
—, an die — setzen
8.24
—, dicke 9.74 16.74
—, die — schwän-
gern 7.62
—, eisenhaltige 9.74
17.13
—, es liegt in der
16.95
—, flüssige 7.40
—, freie 3.18
— geben 4.5
—, in die — gehen
5.36 11.31
—, in die — spren-
gen 5.42 16.76
—, in — zerfließen
12.46
—, ist — für mich
12.38 16.34
—, leere 9.45 13.51
—, leicht wie die
7.42
—, nach — schnap-
pen 2.39
—, reine 9.54
—, scharfe 1.6
— schnappen 16.6
— schöpfen 16.6
—, seinem Zorn,
seiner Erregung —
machen 16.33
16.67

Luftangriff 5.42
Luftbad 2.44
Luftballon 2.20 4.50
8.6 11.45 16.7
Luftbild 4.26 10.17
11.41
Luftblase 7.42 13.51
Luftbombardement
5.36
Luftbrücke 8.6
Lüftchen 1.6
luftdicht 3.58 5.43
Luftdruck 1.4 7.41
7.60
lüften 1.6 6.26 7.63
8.28
Luftfahrer 16.7
Luftfahrt 16.7
Luftfahrtministerium
16.74a.
Luftfang 7.61
luftförmig 7.60
Luftgangster 5.42
Luftgebilde 3.5
Luftgeist 20.7
Luftgesicht, Luft-
gespinst 3.5
Luftgewehr 17.12
lufthaltig 7.60
Lufthülle 1.4
luftig 1.6 4.12 4.34
7.42 7.60 18.14
s. Luft
Luftigkeit 7.42
Luftikus 9.9 18.14
Luftkampf 16.74a.
Luftklappe 7.61
Luftkorridor 8.6 8.11
Luftkreis 3.24 7.60
Luftkur 2.44
Luftlandetruppe
16.74
Luftlehre 7.60
Luftlinie 3.40
Luftloch 7.61
Luftmine 17.13
Luftpost 8.6 13.2
Luftraum 16.74a.
16.75
Luftriese 8.6
Luftröhre 2.16 7.61
Luftröhrenkatarrh
2.41

Luftschacht 7.61
Luftschicht 8.26
Luftschiff8.6 16.7
Luftschiff 8.6 16.7
Luftschiffahrt 16.7
Luftschiffhafen 8.6
Luftschlacht 16.74a
Luftschloß 3.5 5.3
11.35 12.28
Luftschutz 7.7
Luftschutzkeller 9.76
Luftspiegelung 4.26
10.17
Luftsprung 8.29
11.22 16.54f.
Luftströmung 1.6
Lüftungsanlage 9.66
Luftverkehr 8.6
Luftwaffe 16.74a.
Luftwarnung 13.10
Luftweg 7.61
Luftzug 1.6
Lug 16.72
— und Trug 12.53
Lugaus 13.10
Lüge 13.51 19.8 20.9
—, der — bezich-
tigen 13.29
lugen 10.15
lügen 4.50 13.45
13.51
Lügen haben kurze
Beine 16.81
— strafen 12.48
13.29 13.47 16.65
Lügenbrücke 16.72
Lügenbrut 13.51
Lügenfeldzug 13.51
lügenhaft 12.27 13.51
19.8
Lügenhaftigkeit
13.51
Lügenmaul 13.51
Lügenministerium
13.51
Lügenzentrale 16.21
16.72
Lugger 8.5
Lügner 13.51 16.72
lügnerisch 12.27 19.8
Luise 16.3
—, gute S. 48 2.27
Luitpold 16.3
Luke 3.49 3.57

Lukeleskäs 2.27
lukrativ s. lohnend
18.5
Lukull(isch) 10.8
10.11
Lukumi 2.27
Lulatsch 4.12
Lulei 12.56
lullen 5.38
Lulu 9.12 16.3
Lumbe 2.16
lumbal 2.16
Lumen 16.60
Lummel 2.27
Lümmel 9.53 11.29
12.37 16.33 16.53
16.92 16.94
Lümmelei 9.53 16.53
lümmelhaft 9.53
11.23 11.29 11.60
16.53
lümmeln, sich 9.36
Lummer 7.48
Lump 16.92 18.4
19.8 19.9f.
Lümpchen 17.9
lümpelen 18.8
lumpen 19.10
—, sich nicht —
lassen 18.13
Lumpen 9.45 9.49
17.8
Lumpengesindel
16.92 16.94
Lumpenkerl 16.92
16.94
Lumpenmann 11.28
Lumpensammler 6.4
16.60
Lumpenspinner 16.60
Lumperei 4.4 9.24
9.45 11.37 16.94
18.11 19.7
lumpig 9.45 16.92
18.4 18.11 s. o.
Luna 20.7
Lunapark 16.55
lunar 1.2
lunarisch 1.1
Lunch 2.26
Lunge 1.6 2.16f. 2.27
7.61
Lungenentzündung
2.41

Lungenkraut S. 79
u. ö.
Lungenödem 2.39
Lungenpest 2.41
Lungenschützer 17.9
Lungentuberkulose
2.41
lungern 9.24
Lunte 2.16 7.36 7.38
— riechen 12.20
12.23
Luntengewehr
17.12
lunzen 2.36 9.24
Lupe 4.4 10.16 12.8
lüpfen 8.28
Lupine S. 53
Luppe 4.42
Lupus 2.41
Lurch S. 100f.
Lure 15.15
Lusche 1.18f.
Luser 2.16
Lust 9.2 9.4f. 9.10
9.12 9.14 11.1ff.
11.9f. 11.20f.
11.36 11.53 16.44
16.55
— büßen 10.14
— und Liebe 9.4
16.55
—, öffentliche 16.55
lustbetont 9.14 11.10
Lustdirne 10.21 16.45
Lüste 11.11 16.44
Lüster 7.5
lüstern 10.21 11.36
16.44 18.6f.
Lüsternheit 10.21
11.36 16.44
Lustgefühl 11.4 11.9
Lustgreis 10.14 10.21
16.44
lustig 11.1 11.9
11.20ff.
— machen, über sich
16.34 16.54
Lustigkeit 11.22
s. lustig
Lustigmacher 11.23
Lüstling 10.10f.
10.21 11.11 11.36
16.44

lustlos 9.41 11.31f.
18.27
Lustlosigkeit 11.37
Lustmörder 2.46
Lustreise 16.55
Lustrum 4.39 6.1
Lustschloß 17.1
Lustseuche 2.41
Lustspiel 14.3 16.55
Lustwäldchen 2.5
Lustwandel 16.6
lustwandeln 16.6
16.55
lüteti 12.57
Lutheraner 20.1
lutschen 2.26 7.54
lütt 2.22 4.4
Lüttlelag 2.31
Lutz 16.3
Lützows wilde, ver-
wegene Jagd 11.38
Luv 1.6 3.29
Luxation 2.41
luxuriös 18.14
Luxus 4.22 9.49
10.12 11.10f.
11.19 18.14 18.27
Luxuspreis 18.27
Luxusware 9.56
Luxuszug 8.4
Luzerne S. 52
Luzifer 20.9
luziferisch 20.9
Lyddit 17.12
Lydia 16.3
Lymphe 2.13 7.54
lynchen 2.46 16.78
19.20 19.32
Lynchjustiz 19.20
Lynkeus 10.15
Lyra 15.15
Lyrik 14.2
Lyriker 14.2 15.11
lyrisch 11.7 14.2
15.11
Lyzeum 2.22 12.36

M

Maabotcher 17.9
Maabrick, hättst de
di — iwwerzwerch
im Leib 16.37

Mäander 3.46
Maar 1.18
Maat 16.7 16.60
16.74
Mäcen(as) 11.17
11.51 18.26
Mache 16.72
—, in der — haben
16.78
machen 4.35 4.41
5.3f. 5.8f. 5.18ff.
5.24 5.26 5.39 8.18
9.17f. 9.22 9.33
9.35 9.37 9.77
11.8ff. 11.14
11.16f. 11.22f.
11.31 11.38 11.45f.
11.59 14.3 16.85
16.89f. 16.97
16.103. 16.105ff.
16.114f. 18.8
18.22f. 18.26
19.12 19.15 19.19
19.23
—, allerhand An-
deutungen 16.35
—, Anstände 16.27
—, Aufhebens 16.31
—, Aufwartung
16.30 16.64
—, Ausflüchte 16.27
—, Ausstellungen,
Einwände, Vor-
behalte 16.33
—, Avancen 16.22
—, bange 16.68
—, Bekanntschaft
16.64
—, Besuche 16.64
—, Bücklinge 16.38
—, das Leben zur
Hölle 16.79
—, den Hanswurst,
Narren 16.55
—, den Hof 16.20
16.32 16.38
—, den Ohrenbläser,
Zuträger 16.32
—, den Pudel 16.32
—, den Vermittler
16.49
—, den wilden Mann
16.72
—, die Honneurs
16.38

machen, Ehre 16.31
—, ein Ende 8.2
—, ein Haus 16.64
—, ein Land 16.6
—, eine gute, eine
schlechte Partie
16.11
—, eine Partie 16.56
—, eine Runde 16.56
—, einen Ausfall
16.70
—, eine Dutt 16.55
—, einen Vorschlag
16.22
—, Feiertag, einen
blauen Montag
16.55
—, Fensterprome-
nade 16.42
—, frei 19.25
—, Frieden 16.48
—, Freuden-, Luft-
sprünge 16.55
—, Front — gegen
16.65
—, gefechtsbereit,
klar 16.76
—, Gemeinschaft
16.17
—, Heiratsantrag
16.10 16.42
—, ins Freie, Grüne
16.6
—, jemand fertig
16.84
—, Katzenmusik
16.34
—, keine Umstände
16.78
—, Krach 16.33
16.67
—, kurzen Prozeß,
kein Federlesen
16.53 16.78
—, lächerlich 16.34
—, nicht verantwort-
lich 19.25
—, nicht viel Feder-
lesens 16.53
—, nicht zu 16.27
—, rein 9.66
—, Reklame 16.31
—, schlecht 16.33
—, seine Aufwartung
16.38

machen, seinem Zorn
Luft 16.67
—, sich 1.5 2.44
—, sich anheischig
16.23
—, sich auf 9.21
—, sich auf den Weg
8.1 16.6
—, sich beliebt 16.64
—, sich Bewegung
16.6
—, sich breit 11.45
—, sich dahinter 9.29
—, sich davon 8.18
16.6
—, sich fertig 9.26
—, sich groß 11.45
—, sich lächerlich
16.54
—, sich lustig —
über 16.34 16.54
—, Sperenzien,
Schwierigkeiten
16.65
—, viel 18.27
—, Vorhaltungen,
Vorstellungen,
Vorwürfe, Szenen
16.33
— wir 16.24
—, unbrauchbar 19.9
—, uneinig 16.67
—, ungenießbar 10.9
—, zu 3.20
—, zu nichts 5.42
—, zu Schanden 9.72
—, zum Stichblatt
16.54
—, zur Zielscheibe
des Gelächters
16.54
mach die Gäul net
scheu 13.29
—, keene Mährde
(sächs.) 13.23
—, keine Sachen
13.29
machs gut 16.38
— halblang 13.52
macht nichts 16.47
— sich niedlich bei
16.32
Machenschaften 9.15
16.65 18.8

Macher 3.37 5.31
9.18 9.22
16.96
Mächer 16.96
Macherei 5.2
Machiavell(i) 12.53
Machiavellismus
12.53 19.7
machiavellistisch 9.14
12.53
Machination 9.15
Macht 4.13 5.1
5.34ff. 9.31 9.44
13.41 16.74 16.95
16.97 16.103
16.105 16.107
19.19 20.7
—, an der — sein
16.97
— ausüben 5.35
—, bewaffnete 16.74
— des Stärkeren
19.20
—, politische 16.97
—, überirdische 20.7
—, unendliche 20.7
Machtbefugnis 16.85
Machtbereich 9.22
16.95f.
Mächtepakt 16.17
Machtergreifung
16.97 16.116
Machthaber 16.91
16.96 16.98
mächtig 4.1f. 4.50
5.1 5.35 11.17
11.42 16.95 20.12
s. Macht
Mächtigkeit 4.10
machtlos 5.37
— sein 16.110
Machtlosigkeit 5.37
Machtraub 16.95 18.7
19.23
machtvoll 5.35
Machtvollkommen-
heit 16.95 16.97
machule 18.4 18.19
Machwerk 5.39
11.29
macklig 4.10
Madame 2.15
Madapolam 17.8

Mädchen 2.15 2.20
2.22 9.22 11.53
16.9 16.12 16.112
— für alles 9.18
16.112
— mit verbogenem
Fahrgestell 2.41
—, Totes 2.48
Mädchenalter 2.22
6.2
Mädchenhändler 19.9
mädchenhaft 2.15
2.22 9.60 16.50
Mädchenhaftigkeit
16.50
Mädchenjäger 10.21
16.44
Mädchenkammer
17.2
Made S. 93 5.46
Mädel 2.15
Mademoiselle 2.15
12.33 16.12
Mädesüß S. 45
madig 9.65
Madonna 11.17
20.7
Madrigal 14.2 15.11
15.13
maestoso 15.11f.
Maestro 12.33
Maf(f)ia 16.17
Magazin 4.18 14.11
16.44 18.25
magazinieren 18.10
Magd 9.16 16.112
— Tote 2.48
Magda 16.3
Magdalena 11.33
16.3 16.32
Mägdelein 2.15
s. Mädchen
Mage 16.9
Magen 2.16 2.27
2.41 11.36 11.59
11.62
—, gesunder 10.11
—, guter 18.7
—, knurrender 4.25
Magenbeton 2.27
Magenbitter 2.31
Magenblutung 2.41
Magenerweiterung
2.41

Magengegend 2.16
Magengeschwür 2.41
Magenkatarrh 2.41
Magenknurren 11.36
Magenkrebs 2.41
Magenlied 11.10
Magenpförtner 2.41
Magensäure 10.9
Magenschluß 2.26
Magenverengung
2.41
Magenverstimmung
2.41
mager 4.4 4.11 4.25
9.45 13.42 14.6
— werden 4.4
Magerkeit 4.9 9.45
Magermilch 2.30
Magie 20.12
Magier 20.12
Magiker 20.12
magisch 20.12
magische Geheim-
lehre 20.12
Magister 12.33
Magistrat 16.95ff.
16.102
Magistrats- 16.99
Magistratsdiener
19.27
Magistratsperson
19.28
Magnat 16.91
Magnesia 1.28
Magnesit 1.25
Magnesium 1.24
Magnet 5.34 8.14
8.21 9.12 11.36
Magneteisen 1.25
magnetisch 8.14
Magnetiseur 20.12
magnetisieren 8.14
Magnetismus 2.44
5.34f. 8.14 11.30
s. Magnet
Magnetkies 1.25
Magnetnadel 8.11
8.33 13.9
Magnetopath 2.44
16.60
magnifik 9.56
Magnifizenz 16.86
Magnolie S. 34

Magnus 16.3
Mahadewa 20.7
mahagonibraun 7.16
Maharajah 16.97f.
Mahd 2.5
Mahdi 20.8
mähen 2.5 3.52 4.34
8.30f.
Mahl 2.26 16.38
mahlen 2.26 7.49
Mahler 16.60
Mahlschatz 16.11
Mahlstätte 19.27f.
Mahlstrom 7.55
Mahlzeit 2.26 7.65
16.38 16.55
— halten 7.65
—, lukullische 10.11
mahlzeiten 7.65
Mähmaschine 2.5
Mahne 17.7
Mähne 2.16 3.53
mahnen 7.33 12.42
13.10 s. Mahnung
Mahner 12.33 13.9
18.16 19.11 19.24
Mahnmal 14.9
Mahnrede 12.33
Mahnung 12.43 13.2
13.10 16.33 16.106
Mahr 7.41 11.28
20.5
Mähre S. 128
mähren 8.8 13.22
Mai 1.5 6.9 16.119
Maibaum 4.12 16.119
Maid 2.15 2.22
16.12
Maidlefisseler 11.53
Maidlelecker 11.53
Maidleschmecker
11.53
Maie S. 28
Maieutik 13.25
maieutisch 13.30
Maifeier 16.59
Maifisch 2.27
Maiglöckchen S. 20
Maikäfer S. 97 2.41
7.33 16.8 17.13
maikäferbraun 7.16
maikäfern 9.26 9.29
Maikraut 2.28
Mailcoach 8.4

Mais S. 21 2.27
Maische 1.21
maisgelb 7.19
Maitrank S. 77 2.31
maitre de plaisir
  16.55
Maitresse 10.21 16.13
Maja 16.3
—, Schleier der 12.28
Majestät 11.44
  16.85 f. 16.98 20.7
—, göttliche 20.7
majestätisch 4.2
  11.16f. 11.44
  16.85 16.88 16.90
Majestätsbeleidigung
  19.11
Majestätsverbrechen
  19.11
Majolika 1.28 7.35
  7.39
Majonnaise 2.27
Major 16.74
— ohne Pointe 11.26
Majoran S. 75 2.28
Majorat 18.1
Majoratsgut 18.1
Majoratsherr 18.1
  20.9
Mojordomus 16.112
majorenn 2.21 2.23
  2.25
Majorität 4.51 9.11
  16.95
Majuskel 4.2 14.5
  14.8
makaber 2.45
makadamisieren 3.52
Makame 14.2
Makel 9.65 11.28
  16.33 16.93f.
makellos 9.56 9.64
  11.16 19.1 19.3f.
makeln 16.33 18.20
  s. Makel
mäkeln 10.12 11.19
  11.27 16.33
Makimono 15.4
Makkaroni 2.27
makkaronisch 1.21
Makkes 16.78
Makler 16.60
  16.103f. 18.23
  18.30 19.14

Maklerei 18.28
mäklig 10.12 11.19
  11.27
Mako 17.8
Makrele S. 99 2.27
Makrokosmos 1.1
Makrone 2.27
Makulatur 9.45 9.60
  18.19
mal 5.6 11.5
-mal 6.28 6.31
Mal (Merkzeichen)
  2.41f. 2.48 9.76
  13.1 16.56f.
Mal, mit einem 6.14
  12.45
Malachit 1.25 7.18
malade imaginaire
  11.31
Malaga 2.31
Malaie (Bräune) 7.16
Malakozoologie 2.8
Malaria 2.41 9.63
  9.67
Malchen 11.31 11.58
Malefikant 19.9
malen 5.18 5.39 7.11
  14.5 15.4
—, mit dem Birken-
  pinsel rot 16.78
—, werde dir was
  16.27
Malepartus 16.64
Maler 7.11 15.1 15.4
  16.60 18.4
Malerei 15.4 17.10
Malerin 15.4
malerisch 3.38 5.22
  11.16f. 15.3f.
Malermeister 15.4
Malerschule 12.36
Malerutensilien
  s. Malgerät
Malerwerkstatt 15.1
  15.4
Malgerät 15.4
Malheur 9.63
Malice 16.54
maliziös 11.62 16.35
mall 12.57
Malör 5.47

Malstube 15.1 15.4
Maltafel 2.48
Malte 16.3
Malter 4.25 7.41
Maltersack 4.10
Maltose 1.29
malträtieren 9.60
  11.14 11.60 16.79
Malvasier 2.31
Malve S. 57
Malvine 16.3
Malz S. 18 1.29
  2.27 9.60
malzen 9.26
Malzzucker 1.29
Mama 16.9
Mamakindchen 11.43
Mameluck 16.112
Mamme 16.9
Mammi 16.9
Mammon 4.17f. 18.3
  18.5 18.21 20.7
Mammonsdiener 19.7
Mammonsdienst
  18.11
Mammonsknecht
  18.7 18.11
Mammut S. 127 4.1f.
mampfen 2.26
Mamsell 2.15 2.20
  12.33 16.12
-man 13.52
Mana 5.35 20.5
Mänade 11.5
managen 5.31 9.21
Manager 3.37 5.31
  16.57
manche 4.17
mancherlei 4.17
manch(es)mal 3.36
  6.16 6.28 6.31ff.
Manchester 17.8
Manchestertum 18.20
manchmal 6.29f.
Mandant 13.9 19.28
Mandarin 16.60
  16.69 16.99
Mandarine S. 55
  2.27
Mandat 13.6 16.103
  16.106
Mandatar 16.103f.
Mandel S. 49 2.5
  2.16 2.27 4.39

mandelgrün 7.18
Mandeln 2.5 2.28
Mandeltorte 2.27
Mandibel 2.3
Mandoline 15.15
Mandorla 20.6
Mandragora 20.12
Mane 17.7
Manege 2.10
Manen 2.45 20.7
Manfred 16.3
mang 1.21 3.25 8.26
Mäng, nicht in die
  kalte la 16.27
Mangan 1.24
Manganit 1.25
Mangel 3.4 4.5 4.23
  4.25f. 4.46 5.47
  9.27 9.50 9.53
  9.65 9.75 11.16
  11.28 11.42 11.48
  11.63 13.42 17.16
  18.4 18.19 19.25
  19.30
— an Erziehung
  16.90
— an Geist 9.53
  11.46 12.13 12.37
  12.40 12.56
— an Glauben 20.3
— an Kinderstube
  16.53
mangelhaft 4.25 4.46
  9.60 12.27 13.29
Mangelhaftigkeit 4.5
  9.60 s. Mangel
Mangelholz 3.52
mangeln 3.4 4.11
  4.25f. 4.46 11.36
  11.48 s. o.
mangels 3.4
Mangelware 4.25
  6.29 9.56
Mangold S. 32 2.27
Manichäer 18.16
Manichäismus 20.9
Manicure 17.10
Manie 2.41 9.1 9.10
  11.36 12.57
-manie 11.36
Manier 5.11f. 5.18
  9.25 9.31 9.52
  13.38 16.61

Manier beibringen
16.38
—, feine 16.38
—, schlechte 16.53
—, sich — geben
16.51
manieriert 11.29
11.49 13.38 15.2
Manieriertheit 11.45
manierlich 16.38 19.4
manifest 7.1 13.3
Manifest 13.2 13.6
Manifestation 13.3
manifestieren 7.2
13.3
Manipel 16.74
Manipulation 9.23
16.72
manisch 11.36 12.57
Manitu 20.7
Manja 16.3
Manko 4.5 s. Mangel
Mann 2.14 2.21 2.23
4.41 8.8 8.18 9.6
9.18 9.24 9.44 9.78
11.8 11.12 11.16
11.30 11.38 11.42
11.46f. 16.11 16.74
16.85 16.91 16.94
16.116 18.11 19.1
19.4
— an — 3.9
— aufstehen wie ein
16.73
—, an den —
bringen 16.11
—, den wilden —
machen 16.72
—, der brave 19.2
—, der gemeine 16.94
—, der heilige 16.60
—, der kommende
16.95
—, der — seiner Zeit
16.62
—, der starke 16.95
16.98 16.108
16.118
—, der wilde 20.5
— des Einerseits
Anderseits 16.109
— des Tages 9.44
—, drei — hoch 4.38
—, einen guten 9.36

Mann, ein—, ein Wort
11.46 13.49 16.26
— für — 4.33 4.41
— gegen — 16.76
—, gemachter 5.46
18.3
— Gottes 16.33
—, harter 9.6
—, heiliger 20.6
—, ihr 16.11
— nehmen, zum
16.11
—, ruinierter 18.19
—, seinen — finden,
stellen 16.65
—, seinen — stehen
5.35
—, seinen — stellen
9.21 16.77
—, Toter 2.48 9.78
18.19
— und Frau 16.11
— und Maus 2.45
4.41
—, unser junger
16.60
—, vier — hoch 4.39
— von Wort 13.49
—, wilder 16.108
Manna S. 17 7.66
mannbar 2.14 2.21
2.23 5.26
Mannbarkeit 2.21f.
6.2
Männchen 2.5 2.14
4.4 8.28 11.53 20.5
Männe 11.53
Mannen, die 16.114
Mannequin 16.60
Männerfeindin 11.63
16.12
Männerherz 11.38
männertoll 16.44
Männertreu S. 28; 71
Männerwelt 2.14
Mannesalter 2.23
Mannes genug sein
5.35 11.12 11.38
Mannesmut 11.38
Mannestum 11.38
Manneswürde 2.16
mannhaft 2.21 5.35
9.6 11.38 16.73
19.1

Mannhaftigkeit 11.38
s. o.
Mannheit 2.14 2.21
mannigfach 5.21f.
mannigfaltig 4.17
5.11f. 5.14 5.22
Mannigfaltigkeit
5.22
männiglich 2.14 4.41
männlich 2.14 2.16
2.23 5.35 9.6 9.37
11.38 13.40 19.1
s. mannhaft
Männlichkeit 2.14
9.6 11.43
Mannsbild 2.14
Mannschaft 4.17 16.4
16.17 16.74
mannstoll 10.21
11.53 16.44
Mannweib 1.21 5.14
11.28
Manometer 1.4 5.35
7.60 11.30
Manöver 9.18 9.52
12.53 16.72
manövrieren 12.53
16.73 16.76
Mansarde 4.12 17.2
manschen 1.21 3.38
Manschette 3.20
11.42 17.9
Mantel 3.20 5.25 9.9
9.74 16.71 16.109
16.115 17.9 19.7
Mantelkind 1.21
16.92 16.94
Mantelträger 9.9
Mantik 12.43
Mantilla 3.20 17.9
mantisch 12.43
Manual 12.33 15.15
manuell 2.16
Manuskript 14.5
Mappe (Sammlung)
4.17 17.7
Maquis 16.74
Marabu S. 124
Marabut 20.17
Maranatha 20.8
Maräne S. 99 2.27
Maraschino 2.31

Marasmus 2.25 2.41
5.36f. 9.61
Marathonlauf 16.57
Marbel (Märbel)
16.56
Marcella 16.3
Märchen 5.5 12.28
13.51 14.1 14.9
märchenhaft 12.28
Märchenland 3.5
12.28
Marchese 16.91
Marder S. 126
Maremokum 19.13
Marga 16.3
Margarete 16.3
Margarine 1.29 2.27
7.52f.
Marginalien 13.44
14.10
Margot 16.3
Maria 16.3
Mariae Empfängnis
20.16
Mariage 16.56
Mariahilf 2.48
Marianne 16.3
Marie, Tote 2.48
Mariechen 2.27
Marienbild 2.48
Marietta 16.3
Marille S. 49 2.27
Marine 8.5 16.74
marineblau 7.21
Marinesoldat 16.7
marinieren 5.43
Marion 16.3
Marionette 9.7 14.3
15.1 15.10 16.72
Marionettenspiel
(-theater) 14.3
Marita 16.3
maritim 1.18 16.7
Mark 1.15 2.16
2.27 3.19 3.23 4.33
5.2 5.35 6.1 7.51
9.44 13.17 18.21
18.23
—, durch — und
Bein dringen 7.26
15.18
markant 13.3 13.41
Markasit 1.25

Marke 3.4 5.8 5.25
11.24 13.1 13.16
— Buchenlaub,
Bahnwärter, Der
Mann muß hinaus,
Dienstmädchen,
Erlkönig, Frei-
maurer, Hand-
granate, Hanni-
bal, Heiden-
röslein, Lafette,
Petrus, Rauchdu-
sie, Wer hat dich
du schöner Wald
2.34
—, führende 9.56
Marken 3.25
—, auf 19.22
Markenartikel 9.56
18.24
Märker 18.21
markerschütternd
15.18
Marketender 4.29
18.23
Marketerie 3.23
Markgraf 16.98
Markgräfin 16.97
markieren 5.18 5.21
9.14 9.44 9.51
11.45 12.11 13.1
13.52 16.72 16.89
16.108 20.14
Markierer 9.43
Markierstuhl 16.56
markiert 13.51
Markierung 13.1
markig 13.39
marklos 5.37
Markolf S. 102
Markstein 3.25 13.1
Markt 1.11 4.22 9.21
9.70 18.20 18.23
18.25
— drücken 4.22
—, schwarzer 18.25
—, seine Haut zu
-e tragen 16.73
markten 18.20 18.28
19.14
Marktflecken 16.2
Markthalle 18.25
Marktroller 17.5

Marktschreier 16.31
16.72 16.89
Marktschreierei
13.51 16.72 16.89
marktschreierisch
16.89
Marktsteher 9.24
16.94
Marktwert 18.23
Marktweib 16.37
Markung 1.15
markverzehrend
11.14
Marlitteratur 11.32
Marmel 16.56
Marmelade 2.27 7.51
Marmeladeneimer
17.13
Marmor 1.14 1.26
1.28 7.13 7.23
7.44 11.8 15.5
15.9f.
marmorhart 7.44
marmorieren 7.11
7.23
marmorkalt 11.61
marmorschön 11.17
Marner 16.60
marode 2.39 2.41
Marodeur 16.74 18.9
Marokkaner 7.16
Morone S. 29 2.27
Marotte 9.10
Marquis 16.91
Marquise (Schutz-
dach) 3.20
s. o.
Marrel 16.56
Mars 1.2 16.73 20.7
Marsjünger 16.74
marsch! 8.7 8.16 8.18
Marsch 1.13 1.16
1.18f. 6.19 8.1 8.18
15.11 16.6
—, den — blasen
16.33
—, in — setzen 8.3
Marsch(e) 1.13 1.19
Marschall 16.91
16.98 16.112
Marschallsstab
16.100

marschieren 8.1 8.18
9.77 11.38 16.6
Marschland 1.13 1.16
Marseillaise 16.73
Marsfeld 16.75
Marsjünger 16.74
Marter 2.48 5.47
9.50 11.13 11.28
16.79 19.32
-marter 2.48
Marterbild 2.48
Marterkapelle,
-kreuz 2.48
Marterl 2.48 14.2
martern 11.14 11.28
16.79 19.32
Martersäule 2.48
Marterstein, -stelle,
-stock, -tafel 2.48
Martertod 16.80
martervoll 11.14
Marterwerkzeug
19.32
Marterzeichen 2.48
Martha 16.3
Marthaloch 2.48
martialisch 9.6 16.73
Martin 16.3
Märtyrer 2.46 11.13
20.6 20.13 20.17
20.19
Märtyrertod 16.80
19.26
Märtyrertum 11.13
Martyrologium 20.19
Marumke S. 49
Mary 16.3
März 6.9
Märzen 2.31
Märzenbecher S. 25
Marzipan 2.27 7.66
Masche 3.15 3.17
4.33 9.55
Mäschel 2.2
Maschen 19.20 19.30
Maschine 4.2 5.34 8.4
9.54 9.82f. 16.74a.
17.16
Maschinengewehr
17.12
Maschinengewehr-
abteilung 16.74
Maschinenmensch
12.55

Maschinenöl 3.52
Maschinenpistole
17.12
Maschinensatz 14.6
Maschinenschrift 14.5
Maschinenzeitalter
17.16
Maschinerie 9.82
Maschinist 16.60
Masculinum 2.14
Maser 4.43
masern 7.23
Masern 2.41
Maske 3.20 7.6 7.44
9.13 9.74 13.4
13.51 15.1 16.55
16.71f. 17.9 20.14
—, unter der — des
Biedermanns 16.71
Maskenball 16.55
Maskenfest 16.55
Maskenkleidung 3.20
17.9
Maskerade 13.4 13.51
16.55 s. Maske
maskieren 13.4
—, sich 16.72
maskiert 7.3
Maskierung s. Maske
maskulin 2.14 5.35
Masochismus 11.48
Masochist 11.48
masochistisch 11.48
Masora 20.19
Maß 4.1 4.3 4.6 4.13
4.19 4.34 4.50 4.52
5.38 11.8 11.11f.
12.12 16.106 17.6
18.2 19.10
—, das macht das —
voll 16.33
—, gerüttelt 4.20
19.32
—, gleiches — und
Gewicht 19.18
—, nach 9.56 17.9
— nehmen 16.78
—, ohne — und Ziel
13.52
—, zweierlei 19.21
Massage 2.44
Massagebett 17.3
Massaker 2.46 16.73
massakrieren 2.46
Maßarbeit 9.56 17.9

Masse 1.20 4.1 4.17
4.20 4.33 7.41 7.43
16.92 16.94 18.19
18.21
masse, en 4.20
Massel haben 5.46
maßen 5.31
Maßen 11.30
—, aus der 4.50
massenbach 4.20
Massenerhebung 9.72
16.65 16.73 16.116
Massengrab 2.48
16.27
massenhaft 4.1 4.20
Massenmörder 19.9
Massenspeisung 2.26
Massenversammlung
16.102
Masseur(in) 16.60
Maßgabe 5.32
maßgebend 4.41 4.51
5.28 5.30f. 5.34
6.35 9.11f. 9.44
13.48 16.85 16.95
16.97
maßgeblich 9.52
19.19
Maßholder S. 56
massieren 2.44 3.53
massig 4.2 4.10 5.1
7.41
mäßig 4.23 4.50 5.19
5.38 9.59 11.8
11.12 11.16 16.109
18.10
mäßigen 5.38 9.17
11.8 11.34
—, sich 11.8
Mäßigkeit 9.32 11.8
11.12 11.16
16.109 18.10
Mäßigkeitsverein
11.12
Mäßigung 5.38
16.109
Massik 16.33
massiv 1.22 3.21 3.49
4.1f. 7.41 7.43
11.29 16.53
Massiv 4.2 4.12
Maßlehre 12.12
Maßlieb(chen) S. 80

maßlos 4.22 4.50 5.36
9.86 11.6 11.11
Maßlosigkeit 4.22
5.36 11.11 16.90
Maßnahme 9.18
9.25f. 19.32
Maßregel 9.15 9.18
9.26 9.78 9.82 13.9
maßregeln 16.33
16.96 19.32 s. o.
Maßregelung
s. maßregeln
Maßstab 4.13 12.12
maßvoll 19.18
Mast 2.26 4.6 4.10
4.12 8.5
Mastdarm 2.16
Masthuhn S. 119
2.27
mästen 2.26 3.21 4.3
4.10 8.23
—, sich 10.11 11.11
Mastix 4.51 7.53
Mastkorb 3.33 13.10
Mästung 4.10
Mastvieh 4.10
Masurium 1.21 1.24
Masurka 16.55
Matador 16.31 16.74
16.85
Match 16.57
Mater 14.6 20.17
Material 1.20 4.17f.
materialecht 9.56
15.3
Materialisation 5.39
7.1 20.5
materialisieren 1.20
Materialismus 1.20
16.94 20.1 20.3
—, dialektischer 20.3
—, gemeiner 16.92
20.3
Materialist 10.10
11.11 20.3
materialistisch 1.20
20.3
Materialität 1.20
Materialschlacht
16.73
Materie 1.20
materiell 1.20 5.1
Mathematik(er) 4.1
4.35 12.12

Mathilde 16.3
Matinee 15.11
Matjeshering 2.27
Matratze 2.36 3.18
17.3
—, an der —
horchen 2.36
Matriarchat 16.11
Matrize 5.18 14.8
Matrone 2.15 2.21
2.25
matronenmäßig 2.21
Matrose 16.7 16.60
16.74
Matrosenlied 15.13
Matsch 7.51
matschig 7.51 11.27
matt 2.39 2.41 5.37
7.6 7.12 7.27 7.69
9.19 9.24 9.41
10.17 11.8 11.26
11.28 13.42 16.110
s. Mattigkeit
Matte 1.13 2.5 2.27
3.17 16.57
mattgelb 7.19 s. matt
mattgrün 7.18
Matthaei am letzten
2.45
Matthes 5.35
Matthias 16.3
mattiert 7.9
Mattigkeit 5.37 7.27
9.41
mattrot 7.17
Mattscheibe 7.9 9.78
15.8
mattsetzen 9.77
Matur 13.25
Matzbeck 16.60
Mätzchen 16.72
mau 9.60
Mauchen 17.9
Maue 5.35
Mauer 3.11 3.13 3.18
3.25ff. 9.6 9.73
16.77 17.14
—, hinter vier —n
einschließen 16.52
Mauerblümchen
11.13 11.47
Mauerbrecher 8.9
17.11

mauern 11.40 17.1
Mauernweiler 9.52
16.85
Mauerpfeffer S. 43
Mauerraute S. 11
Mauersegler S. 112
Mauke 2.11
Maul 2.16 3.57 9.73
11.30 11.45 11.55
16.89
—, das — aufreißen
13.52
—, das — hängen-
lassen 16.67
Maulaffen feilhalten
9.24
Maulbeere S. 29
Mauldiarrhoe 13.22
maulen 11.27 11.31
16.67
Mauler 11.27
Mäuler 16.93
Maulesel S. 128 1.21
Maulfertigkeit 13.22
maulfromm 20.14
Maulgefecht 16.67
Maulheld 16.74
16.89f.
Maulhure 16.44
Maulkorb 13.23
16.117
Mauloffensive 16.21
Maulsalve 16.38
Maulschelle 16.78
19.32
maulschellen 16.78
Maultaschen 2.27
Maultier S. 128
Maultrommel 15.15
Maul- und Klauen-
seuche 2.11
Maulwurf S. 125
10.17 17.9
Maulwurfshügel 4.4
4.13
Maurer 16.60 17.1
Maurerkitt 4.33
Maurerschweiß 4.50
maurisch 15.3
Maus S. 126 4.4
4.41 8.7 9.6 9.78
—, Katz und 16.56
Mauschel 16.56 19.29
mauscheln 13.13 18.8

Mäuschen 2.16 4.50
mäuschenstill 4.50
7.28
Mauseloch 9.76 11.42
mausen 18.9
Mauser 3.22 17.11f.
Mauserei 18.9
Mausergewehr 17.12
mausern, sich 2.22
3.22 5.24
mausetot 2.43 2.45
4.50
mausgrau 7.15
Mausi 11.53
mausig 11.45
—, sich — machen
9.10
Mausloch 3.57
Mausohr S. 71; 82
Mausoleum 2.46
2.48 14.9
Maut 18.25f.
Mautner 16.60 18.26
mauzen 7.33
Max 16.3
Maxille 2.16
maximal 4.51
Maxime 5.19 12.17
16.106
Maximum 4.41
Maxixe 16.58
Mazagran 2.30
Mäzen 9.70 11.17f.
12.54 18.12
Mazurka 16.58
Mazzebäcker 16.60
Mazzenkäse 2.27
Mbret 16.98
M. d. R. 16.102
Mechanik 5.35 8.9
9.82
Mechaniker 9.18 9.22
16.60
mechanisch 5.33 8.9
9.1 9.3 11.37
mechanisieren 17.16
Mechanismus 9.82
17.16
Meckerer 11.27 11.41
16.33 16.116
Meckerfritze 11.19
meckern 7.33 11.27
16.33 16.65 16.116

meckfözig 11.27
Meckmeck 16.60
Medaille 14.9 15.10
16.84 16.86f.
17.10 18.21
Medaillon 15.4
Median- 3.28
Medicin s. Medizin
Medikament 2.44
Meditation 12.3
20.1 20.13
Medium 9.69 9.82
12.43 20.12
Medizin 2.30 2.44
8.23
Medizinball 16.57
Mediziner 2.44
Medizinmann 2.44
16.60 20.12 20.17
medi-zynisch 16.44
Medschli 4.17 16.102
Medusenhaupt
11.28 11.42
Meefz 7.64
meenst, du — wohl
13.29
Meer 1.18 11.60 16.7
—, das — durch-
pflügen 16.7
Meerbusen 1.16
Meerenge 1.16 1.18
4.25 4.33 7.54f.
Meergott 20.7
Meergreis 20.7
meergrün 7.18
Meerkatze S. 128
Meermädchen 20.7
Meermensch 20.5
Meernymphe 20.7
Meerrettich S. 40
2.27
Meerrohr 16.78
Meerschaum 1.25
Meerschweinchen
S. 125
Meerwasser 7.68
Meeting 8.21 16.102
s. Versammlung
Megalomanie 12.57
Megaphon 7.26
Megäre 5.36 11.27
11.58 20.7
Mehl 7.49

Mehlfrüchte 7.65
Mehlhose 16.60
mehlig 7.49
Mehlprodukte 2.27
Mehlspeise 2.27
Mehlwurm 16.60
mehr 4.3 4.41 4.51
11.16
— als genug 4.20
4.22
— als lieb 4.22
— oder weniger 7.8
Mehr 4.28
mehrdeutig 13.34
Mehrehe 16.11
mehren 4.3 4.20
6.33
mehrere 4.17
mehrfach 4.17
mehrfarbig 7.11
mehrförmig 5.22
mehrgliedrig 4.42
Mehrheit 4.17 4.33
4.51 9.11 16.95
Mehrkampf 16.57
mehrmalig 6.28
mehrmals 6.28 6.30
mehrmonatig 6.1
mehrsilbig 13.13
mehrstimmig 15.11
mehrteilig 4.42
Mehrzahl 4.17 4.41
4.51
mei 11.5
meiden 3.4 9.20 9.32
11.28 11.59 16.52
16.66 19.4
—, die Gesellschaft
16.52
Meidinger 11.22f.
Meier 16.60
Meierei 18.1
Meile 4.6
—, drei —n gegen
den Wind 7.64
Meilenstein 9.44 13.1
meilenweit 3.1
Meiler 7.37
mein 11.16

Meineid 13.51 19.8
meineidig 9.19 16.28
19.8
— werden 13.51
meinen 11.45 11.52
12.5 12.22 12.24
13.16f. 13.21
meinerseits 9.71
meinetwegen 9.45
12.47 16.24
Meinhard 16.3
Meinung 9.2 9.12
9.14 9.17 12.4
12.22 12.24 13.17
19.15
— beibringen 12.33
— beitreten, einer
12.47
—, die gute — ver-
lieren 16.33
—, die — erschüttern
9.7
—, eigene 12.22
—, eine gute — von
jem. haben 16.30
—, fremde 9.7
— gründen 12.22
— hegen 12.22
—, hohe 16.30
— huldigen, einer
12.22
—, jem. ordentlich
die — sagen 16.33
— kundgeben 12.49
—, meiner 12.22
13.48
—, öffentliche 16.95
Meinungsaustausch
13.30
Meinungsverschie-
denheit 12.48
16.67
Meinungswechsel 9.9
12.22
Meise S. 107 4.17
17.7
Meißel 3.55 17.15
meißeln 5.39 15.10
meist 5.19
Meistbegünstigung
18.20 19.14
meistens 5.19

Meister 5.18 5.39
9.18 9.22 9.52 9.77
12.33 12.52 15.1
16.86 16.96ff. 20.8
—, auf des —s
Worte schwören
12.55
— Iste 2.16
— Petz S. 126
— Pfriem 16.60
Meisterbrief 13.1
Meistergeist 9.52
12.52
Meistergesang 14.2
meisterhaft 9.52 9.56
9.64
Meisterhand 9.52
12.52
Meisterkämpfer 9.77
Meisterkopf 9.52
meisterlos 16.116
16.119
meistern 13.33 16.33
16.95
Meistersang, Meister-
sänger (-singer)
14.2
Meisterschaft 9.52
12.36 16.95 16.97
Meisterschaftsgürtel
16.84
Meisterstreich 9.15
9.52 9.77
Meisterstück 9.64
Meisterwerk 9.56
Meisterwurz S. 61
Meisterzug 9.77
Mekka 20.20
Mélac 5.42
Melancholie 2.41
11.32
Melancholiker
11.32
melancholisch 11.13
11.32 11.41
Melanesier 7.14
Melange 2.30
Melanie 16.3
Melaphyr 1.26
Melasse 2.27 7.66
Melber 16.60
Melchior 16.3
Melde S. 31 2.27

Meldegänger 13.2
melden 7.33 13.2
13.5 16.111 19.12
—, sich 8.20
Meldereiter 16.74
Meldezeichen 13.1
Meldung 13.2 13.6f.
melieren 1.21 7.23
meliert 7.15 7.23
Melinit 17.12
Melioration 9.57
Melisse S. 74 2.28
Melitta 16.3
melken 2.30
Melker 16.60
Melkkuh 4.17
s. Milchkuh
Melochebeiz 19.33
Melodie 14.2 15.11ff.
15.17f.
melodienarm 15.18
melodienlos 15.18
Melodion 15.15
melodiös 15.16f.
melodisch 7.34 13.13
15.16f.
Melodium 15.15
Melodrama 14.3
14.10
melodramatisch 11.6
14.3
Melone S. 79 2.27
17.9
Melos 15.11
Meltau 2.4 5.29 5.42
9.50 9.61
Melzer 16.60
Membran 4.11
memento mori 2.46
2.48 19.5
Memme 11.43
memmenhaft 11.43
Memoiren 14.1 14.9
Memorandum 9.26
12.35 12.39 14.9
memorieren 12.35
12.39
ménage à trois 16.14
Menagerie 2.10
4.17f.
Mendikant s. Bettler

mene tekel upharsin
13.1 13.10 16.68
Menge 4.1 4.17 4.20
4.33 4.35 4.40 8.21
16.92
mengen 1.21
s. mischen
Menger 16.60
Mengsel 1.21
Menhir 4.12
Meniskus 2.41 3.49
10.16
Menkenke 9.80
13.51
Mennige 1.28 7.17
Mennonit 20.1
Mensa 2.26
Mensch (masc.) 2.13
11.1 11.14 11.26
11.30 11.37 11.51
12.2 16.94 19.4
—, alter 19.5
— ärgere dich nicht
16.56
—, dem schreit kein
— nach 16.33
— halt die Luft an
13.23
— ick stoß dir ausn
Anzug 16.68
—, kein 3.4
— mach keene
Pakete 16.27
— Mattscheibe!
12.56
—, schlechter 19.9
—, unbedeutender
16.94
— (n.) 2.15 10.21
Menschen 16.93
19.18
—, wie die ersten
3.38
—, verlangt den
ganzen 16.60
—, zum — heran-
bilden 16.38
menschähnlich 2.13
Menschenalter 6.1
6.9
Menschenangst 11.42
Menschenfeind 11.63
16.52

Menschenfeindlich-
keit 11.63 16.52
Menschenflicker 2.44
Menschenfresser
19.9
Menschenfreund,
menschenfreund-
lich 11.51f.
Menschenfreundlich-
keit 5.6 11.50 11.52
Menschengeschlecht
2.14 19.9 20.9
Menschengestalt 19.9
Menschenhaß 11.63
Menschenhasser 11.63
menschenhungrig
11.53
Menschenkenner
12.32
Menschenkunde
2.13f.
Menschenliebe
11.50 11.53
Menschenmaterial
16.94
Menschenmöglichkeit
11.30
Menschenopfer 20.2
20.16
Menschenrecht
16.119 19.19
menschenscheu 11.63
16.52
Menschenschlachtung
20.16
Menschenschlag 16.18
Menschenskind 11.30
Menschentum 2.14
12.54
Menschenverachtung
11.63
Menschenverstand
12.52
Menscherkammer
17.2
Menschheit 2.13f.
4.17 4.41 16.118
19.9 20.8
Menschheitsdämme-
rung 6.25
menschlich 2.13 9 60
11.50ff.

menschliche Schwäche 19.10
Menschliches 2.13 2.45
Menschlichkeit 11.50f. 16.121
Menschtum 16.121
Menschwerdung 20.7f.
Menses 2.35
Menstruation 2.35
Menstruum 7.64
Mensur 16.67 16.70 16.75
Mentalität 11.2 12.3 12.22
mente captus 12.57
Menthol 1.29
Mentor 9.75 12.33 13.9
Menu 2.26 14.9
Menuett 16.55 16.58
Mephistopheles 19.9 20.9
mephistophelisch 9.60 11.60 19.9 20.9
mephitisch 7.64 9.60 9.63 9.67
Mercedes 16.3
Mercur 16.64
Mergel 1.14 1.26 7.49
Meridian 1.11 4.12 6.2
Merino 17.8
Merk 13.1
merkantil 18.25
merkantilisch 18.20
Merkbuch 9.26
merken 11.4 12.7 12.20 12.32
—, sich 12.7 12.39
merklich 11.4
Merkmal 2.48 5.9 12.9 13.1
Merks 12.31
Merkur 1.2 13.8 20.7
merkwürdig 6.29 9.44 11.30
Merkzeichen 2.48 13.1

Mermel 16.56
Merowingerschrift 14.5
merzen 4.30
meschugge 12.57
mesmerisieren 20.12
Mesmerismus 20.12
Mesner 3.58 16.60 20.17
mesquin 11.59 19.8
Messalina 10.21
meßbar 4.35 12.12
Meßbuch 20.16 20.19
Meßdiener 20.17
Messe 15.11 16.59 16.64 18.25 20.16
—, schwarze 20.4
Messel 2.16
messen 4.35 12.12
—, die Klingen 16.70
—, die Worte 11.40
—, sich 16.70
Messer 3.55f. 9.6 9.26 11.31 16.89 16.108 16.116 17.11 17.15
—, Kampf bis aufs 16.67 16.73
-messer 3.55 12.12
Messerheld 2.44
Messerkerl 2.48
messerscharf 3.55
Messerschmidt 16.60
Messerspitze 4.24
Meßgerät 20.21
Meßgewand 20.18
Messias 20.7f.
Messing 1.25 1.27 7.20 15.10
Meßopfer 20.16
Meßopferbrot 20.16
Messung 12.12
Meste 17.6
Mestize 1.21
Mesumme 18.21
Met 2.31 7.66
Meta 16.3
Metageographie 4.51
Metalepse 13.34
Metall 1.24 1.28 15.10
Metallbuchstabe 14.6

metallen 1.20
Metallgießerei 15.10
metallisch 15.17
Metallographie 15.5
Metallstecher 15.1 15.5
Metallurgie 1.1 1.23
metamorph 1.26
Metamorphose 5.24
Metapher 5.17 5.29 12.10 13.20
metaphorisch 12.10 13.35
Metaphysik 20.5
metaphysisch 12.2 20.7
Metastase 8.3
Metathese 8.3
Metempsychose 5.24
Meteor 1.2 6.8 7.5 11.30
meteorisch 5.36 7.4 7.60 12.12
Meteorolog(ie) 1.4
Meter 4.6 12.12 18.21
-meter 12.12
Metermaß 12.12
Meterzentner 7.41
Methan 1.29
Methanol 1.29
Methode 3.37 9.25
Methodik 9.25 12.8
methodisch 3.37 4.41 9.25
Methodist 20.1
Methusalem 2.25 4.50
Methylalkohol 1.29
Metier 9.22
Metonymie 5.22 5.29 13.36
metrisch 6.33 12.12 14.2
Metrologie 12.12
Metronom 6.9 6.33 8.33 15.11
Metropol 16.64
Metropole 3.28 16.2
Metropolit(an) 20.17
Metrum 14.2
Mett 2.27

Mette 20.16
Metteur 14.6
Mettwurst 2.27
Metze 10.21 19.9
Metzelei 2.46 5.29 11.60 16.67 16.73
metzeln 2.46
metzen 2.46
Metzger 2.46 16.60
metzgern 2.46
Meuchelmord 2.46
Meuchelmörder 19.9
meucheln 2.46 16.35
Meuchler 2.46
meuchlings 3.27
— anfallen 16.71
Meute S. 126 2.12 4.17 4.20
Meuterei 16.65 16.116
Meuterer 16.116
meuterisch 16.65 16.116
meutern 9.72 16.65 16.116
Meyer 11.30
Mezzosopran 15.13 15.17
Mezzotinto 15.5
MG 17.12
MG-Feuer 16.76
Mia 16.3
Miasma 2.43 9.67
miauen 7.33
Michael 16.3 20.6
Michaelis 6.9 20.16
Michel 16.92
—, deutscher 9.53 12.56 13.49
—, teutscher 16.53
Michele 18.10
mickrig 4.11 12.55
Mieder 3.20 17.9
Mief 7.64
miefen 11.27
Mieken 2.22
Mielscher, Toter 2.48
Miene 2.13 2.16 7.2 11.27 13.1
— der Mißachtung 16.34
—, saure 16.33

Mienenspiel 13.1
13.4
Miere S. 32
mies 11.15 11.28
11.59 19.8
miesedrähtig 11.32
Miesel 2.15
mieselig 4.11
Miesepeter 11.27
11.32
miesepetrig 9.7
miesepieprig 5.37
miesmachen 11.41
Miesmacher 9.17
11.27 11.41 11.43
Miesmuschel S. 98
Miesnick 11.28
Miete 17.7 18.1
mieten 3.3 16.2 18.12
18.17 18.22 19.14
Mieter 16.4 18.1
18.17
Miethaus 17.1
Mietkutsche 18.16
Mietling 16.112f.
16.115 19.8
Mietpferd 8.3
Mietskaserne 17.1
Mietsleute 16.4
Mietspartei 16.4
Mietstand 18.1
Mieze S. 126 16.3
Mignon 11.53
Migräne 2.41 11.31f.
Mikado 16.98
Mikosch 11.23
Mikrobe 4.4
Mikrokosmos 4.4
Mikrometer 4.4
12.12
Mikrophon 10.19
Mikroskop 4.4 10.16
mikroskopisch 4.4
7.3 10.16
Milbe S. 94 4.4
Milch 2.30 5.38 7.13
11.17 11.30 11.52
16.33
— der frommen
Denkart 11.8 16.47
-milch 7.15
Milchbar 16.64
Milchbart 2.20 2.22
Milchbutter 9.56

Milcher 2.14 2.27
Milchfarbe 7.13
Milchgesicht 2.22
Milchglas 7.10
milchig 7.9 7.51
Milchigkeit 7.9
Milchkuh 2.6 4.18
Milchmannshose 2.30
Milchmesser 7.54
Milchprodukte 2.27
Milchsäure 1.29
Milchschorf 2.41
Milchstraße 1.2 7.5
Milchweg 1.1 7.5
Milchzahn 2.16
Milchzucker 1.29
mild 5.38 7.35 7.50
11.8 11.50 16.38
16.109 19.32
Milde 5.38 11.8
11.43 11.47f. 11.50
11.52 16.38 16.47
16.109
mildern 2.40 2.44
5.38 7.50 11.34
11.52 13.48 16.47
19.13
Milderung 9.57 13.36
s. o.
— der Strafe 16.109
Milderungsgrund
19.13
mildtätig 11.52
18.12f.
Mildtätigkeit 11.52
18.12
miles gloriosus 16.85
Miliartuberkulose
2.41
Milieu 3.24 5.12
16.92
militant 16.70
Militär 16.60 16.74
16.99
Militärarzt 2.44
Militärdienstpflicht
16.111
Militärgericht 16.102
19.28
Militärgesetz 19.19
Militärherrschaft
16.95 16.97

militärisch 16.33
16.73
Militarismus 16.70
Militärmusik 15.11
15.14
Militärrecht 19.19
Militärschule 12.36
Military 16.57
Miliz 16.74
Milizsystem 16.74
Mille 4.39
Miller 16.60
Milliarde 4.17 4.39
Milligramm 7.41
Millimeter 4.6 9.42
Million 4.17 4.39
—, nicht für eine
16.27
Millionär 18.3
Millionen 4.20
millionenschwer 18.3
millionenweise 4.20
Milly 16.3
Milz 2.16
Milzbrand 2.41
Milzschwellung 2.41
Milzsucht 11.32
Mimas 1.2
Mime 14.3
mimen 5.18 14.3
Mimenschreiber 14.3
Mimi 16.3
Mimik 5.1 13.1 16.54
Mimiker 11.23 16.54
Mimikry 5.18 5.25
16.72 16.110
Mimose S. 50 11.7
11.58 16.50
mimosenhaft 11.7
Mimung 17.11
Minarett 4.12
20.20f.
minder 4.5 4.42 4.52
9.60 11.7
mindergradig 18.21
minderhaltig 4.42
Minderheit 4.24 9.11
minderjährig 2.22
4.52
Minderjährigkeit
2.22
Minderlieferung 4.5
4.25

mindern 4.5 4.13
minderwertig 4.42
4.52 9.60 18.21
Minderwertigkeit
9.60 9.65
Minderwertigkeits-
komplex 11.47f.
Minderzahl 4.32
mindesten, nicht im
5.3
mindestens 9.56
13.48
Mindestmaß 11.48
Mine 1.23 3.57
4.17f. 5.36 7.29
8.22 9.21 9.26 9.67
9.74 16.65 16.77
17.13
Minenfeld 16.71
Minengürtel 17.14
Minenhund 17.13
Minenlegboot 16.74
Minenräumboot
16.74
Minensuchboot 16.74
Mineral(ogie) 1.23
1.25
Mineralwasser 2.30
7.59
Minerva 16.64 20.7
Minette 1.26
Mineur 9.26
Miniatur 4.4f. 15.4
Miniaturmaler 15.4
minieren 3.49 3.57
minimal 4.4
Minimum 4.4 4.24
Minister 16.96
16.98f. 16.104
Ministerial- 16.99
Ministerialen 16.91
Ministerialrat 13.9
Ministerium 16.99
Ministerrat 16.102
Ministrant 20.17
ministrieren 9.70
20.16
Minna 12.57 16.3
—, Grüne 19.33
Minne 11.53
Minnesang 14.2
Minnesänger 14.2
15.11 15.13
minorenn 2.22
Minorit 20.17

Minorität 4.24 4.42
  9.11
Minotaur(us) 5.20
Minstrel 15.11 15.13
Minus 3.4 4.5 4.30
  18.15
minus 4.30
Minusbauch 3.49
Minuskel 4.4 14.5
  14.8
Minute 6.1 6.9 6.13
  6.35f.
minutiös 4.4 9.42
minutlich 6.33
Minze S. 75 2.28
mir 11.8
— nichts, dir nichts
  16.53 16.69
Mirabelle S. 49 2.27
Mirakel 11.30
mirakulös 11.30
Miriam 16.3
Misanthrop 11.63
  16.52
misanthropisch 11.63
  16.52
Misch- 1.21
Mischblut 5.41
Mischdruck 14.6 14.8
mischen 1.21 4.22
  16.56 16.78
—, die Karten 9.26
  16.56
Mischgericht 1.21
  7.65
Mischling 1.21 2.10
  5.41
Mischmasch 1.21 3.38
  16.92 16.94
Mischna 20.19
Mischpoke 16.9
Mischung 1.21
Mischvolk 1.21
Mischwolle 17.8
miserabel 9.45 9.60
  11.59 19.8
Misere 18.4
Miserere singen 19.5
Misericordias
  Domini 20.16
Mispel S. 48
Miß 2.15 2.20 12.33
  16.12

Miß Brown 2.16
Miß- 12.27
mißachten 9.19 9.43
  12.13 12.51 13.9
  16.33f. 16.36
Mißachtung 12.13
  16.33f. 16.36
  16.44 16.116 19.11
  s. o.
Missale 20.16 20.19
Mißanwendung 9.53
Mißbegriff 13.45
  13.51
Mißbehagen 11.13
  11.28
mißbenennen 13.19
Mißbenennung 13.19
mißbezeichnen 13.19
Mißbezeichnung
  13.19
Mißbildung 2.41 3.60
  9.65 9.78 11.27f.
  13.32 15.2
mißbilligen 9.72
  16.33
Mißbilligung 9.73
  13.10 16.27 16.29
  16.33
Mißbrauch 4.31 9.53
  9.86 13.45
mißbrauchen 9.86
mißbräuchlich 9.86
mißdeuten 13.45
  13.51
Mißdeutung 13.19
  13.22 13.34 13.45
Mißehe 16.14f.
missen 4.25 11.47
  13.29
—, nicht 9.81
Mißerfolg 9.78
Mißernte 4.25 9.78
Missetat 9.60 19.9ff.
  19.20
Missetäter 19.9 19.11
Mißfall 2.21
mißfallen 11.12
  11.14 11.59 11.62
  16.33
Mißfallen 9.5 11.13
  11.26 11.28 11.59
  11.62 16.33

mißfällig 9.5 11.14
  11.59 11.62 16.33
  s. o.
Mißfälligkeit 11.14
  11.28 11.59 s. o.
Mißform 11.27f.
  s. Mißbildung
Mißformen 3.60
  11.27
mißförmig 3.60
  11.27f.
Mißförmigkeit
  s. Mißform
Mißgebärde 16.54
mißgebaut 11.27f.
Mißgebilde 11.28
Mißgeburt 3.60 9.78
  11.27f. 16.33
mißgelaunt 11.26f.
mißgeschaffen
  11.27f.
Mißgeschick 5.31
  5.47 9.3 9.50 9.78
  11.13f.
Mißgestalt 3.60
  11.27f.
mißgestaltet 11.28
Mißgestaltung 3.60
mißgestimmt 11.26f.
  11.31f.
mißgewachsen 11.28
mißglücken 9.78
  12.45
mißgönnen 11.57
  11.60 s. Mißgunst
Mißgriff 9.51 9.78
  12.28 16.54
Mißgunst 11.26f.
  11.57 11.60 11.62
  18.11 19.7
mißgünstig 11.57
  11.60 11.62 19.7
  s. o.
mißhandeln 11.14
  11.60 16.79
Mißhandlung 19.9
Mißheirat 16.14f.
Mißhelligkeiten
  12.48 16.67
Missingsch 13.12
Mission 9.14 9.22
  16.21 16.103 19.24
—, Innere 9.57 20.22

Missionar 12.33
  16.21 20.17
Missionsfest, es wäre
  mir ein inneres
  16.24
Missionsschule 12.36
Missionsverein 20.22
Mißklang 11.28
  12.48 13.15
  15.17f.
mißklingen 15.18
Mißkredit 16.93f.
  20.1
mißlaunig 11.31f.
Mißlaut 15.18
Mißleitung 12.27
mißlich 5.47 9.55
  9.74 11.14 11.33
mißlingen 9.60 9.78
  12.45 12.46
Mißlingen 9.60 9.78
  12.46
mißlungen 9.78
Mißmut 11.31f.
mißmutig 11.27
  11.31f. 11.62 16.53
Mißpickel 1.25
mißraten 9.60 9.78
mißregieren 16.110
Mißregierung 9.53
  9.60 16.110
Mißstand 9.55 9.65
  19.8
Mißstimmung 11.27
  11.31f. 12.48
mißt mich dricke
  16.27
Mißton 3.60 7.31
  15.18
mißtönen 15.18
mißtönend 3.60
mißtrauen 12.23
Mißtrauen 12.23f.
  20.1
— erregen 12.23
  16.35
mißtrauisch 11.42
  11.56
Mißvergnügen 9.5
  9.19 11.13 11.26f.
  11.31f. 16.33

mißvergnügt 11.13
11.27 11.32 11.58
Mißverhalten 9.53
19.11
Mißverhältnis
11.27f.
mißverständlich
13.34
Mißverständnis 9.53
12.28 13.34 13.45
13.51 16.48 16.67
mißverstehen 9.53
12.27 12.55 13.35
13.45 16.72
mißverwalten 16.110
Mißverwaltung 9.53
Mißverwendung 9.53
Mist 2.5 4.41 5.18
7.64 9.45 9.60
9.67 11.29 12.19
12.57
Mistaas 16.33
Mistbeet 2.5 9.23
Mistel S. 29
misten 1.8
Mistgrube 9.67
mistig 9.67
Mistral 1.6
Mistvieh 9.67 16.33
Miszellen 4.28 14.10
mit 1.21 4.28 4.33
4.37 4.52 5.9ff.
5.25 f. 5.31 9.82
11.50
— allen Finessen
12.53
— Bedacht 12.52
— den Fingern auf
die rechte Schläfe
bohren 12.57
— dem Holzham-
mer, Topflappen
eins gekriegt 12.57
— dem Mantel der
christlichen Näch-
stenliebe zudecken
13.4
— dem Rücken an-
sehen 12.38
— den Augen zwin-
kern 13.1
— den Fingern deu-
ten, mit der Hand
winken 13.1

mit den Händen re-
den 13.1
— der Nase darauf-
stoßen 13.3
— der Pauke je-
piekt? 12.57
— der Schulter,
Achsel zucken 13.1
— eins 12.45
— nichten 5.3 13.29
— mit offenen Kar-
ten spielen 13.5
— sich zu Rate ge-
hen 13.9
Mitanwesender 12.32
Mitarbeit 9.82
Mitarbeiter 9.18 9.22
9.70 9.82 14.1
Mitberechtigter 18.2
Mitbeteiligter 9.70
mitbewerben, sich
16.70
Mitbewerber 11.57
Mitbewerbung 9.72
16.65
Mitbewohner 16.4
Mitbringsel 18.12
Mitbruder 4.37 8.15
16.41
Mitbürger 3.9 16.4
Miteigentümer 18.2
miteinander 4.33
5.21 11.53
—, es — haben
16.42
— gehen 16.42
—, sie gehn 16.10
—, wir haben noch
etwas — abzu-
machen 16.78
mitempfinden 11.50
mitenthalten 4.48
Mitesser 2.41 11.28
Mitfreude 11.50
mitfreuen 11.50
mitfühlen(d) 11.4
11.50 11.52 16.41
Mitgabe 18.5 18.12
mitgeben 2.26
Mitgefühl 11.4 11.9
11.50 11.52f. 11.61
16.81

mitgehen, durch dick
und dünn 9.69
—, ein paar Schritte
16.38
— heißen 18.9
mitgenommen 9.63
11.15
Mitgenosse 9.70
mitgerechnet 4.48
Mitgesell 16.41
Mitgift 9.70 16.11
18.5 18.12 18.26
Mitgläubiger 18.2
Mitglied 4.48 5.16
9.69f. 16.17 16.41
16.64
— der Regierung
16.97
mithelfen 9.68ff.
Mithelfer 9.70
Mithilfe 9.69f. 9.82
mithin 12.16
mithören 10.19
mitjammern 11.50
Mitkämpfer 9.70
16.41
mitkriegen 13.33
mitlatschen 16.42
Mitläufer 8.15
Mitlaut 13.13
Mitleid 9.5 11.4f.
11.50 16.90
mitleiden 11.50f.
Mitleiden(schaft)
9.21 11.4 11.50
mitleiderregend 5.47
mitleidig 11.50
16.109
mitleid(s)los 11.8
1660f. 16.81
16.108
Mitleid(s)losigkeit,
s. o.
mitmachen 4.33 9.33
9.38 16.24 16.74
Mitmensch 2.13 3.9
mitnehmen 2.39 9.54
9.63 11.5 11.32
16.117 18.5
—, auch noch 16.6
—, einen stark 2.41
Mitra 16.100 20.18

Mitrailleuse 17.11f.
mitrechnen 4.48
Mitregent 16.99
mitreißen 11.5
mitsamt 4.28
mitschuldig 9.70
Mitschuldiger 9.70
Mitschüler 16.41
mitsingen 15.11
15.13
mitspielen 9.69 15.14
—, einem 11.14
—, einem übel 16.79
Mitspieler 9.70
Mittag 1.12 6.1ff.
11.36
Mittagbrot, -essen
2.26 9.19
mittäglich 6.3
mittagmahlen 2.26
Mittagsengel, Mit-
tagsgeist 20.5
Mittagslicht 7.4
Mittagslinie 6.3
Mittagsmahl 2.26
Mittagstafel 2.26
7.65
Mittagswende 6.3
Mittänzer(in) 16.55
Mitte 3.28 3.34
4.17 6.3 8.18 9.79
—, goldene 16.92
mitteilen 13.2
mitteilsam 13.2
13.4f. 13.22
Mitteilsamkeit 13.2
Mitteilung 13.2
13.30
Mittel 2.44 9.16 9.35
9.69 9.82 16.91
18.1 18.3 18.21
s. Mitte
—, niederschlagendes
5.38
—, ohne 18.4
—, sich ins — legen
16.49
Mittel- 3.28
-mittel 2.44
Mittelalter 2.24 6.21
mittelbar 9.80 9.82
Mittelbegriff 12.29

Mittelding 4.52
Mittelfinger 2.16
Mittelgewicht 7.41
Mittelhand 9.30
Mittelhochdeutsch
6.21
Mittelklasse 16.92
mittelländisch 3.23
Mittelleiche 2.33
mittellos 4.25 9.27
18.4
Mittellosigkeit 4.25
9.27 18.4
Mittelmaß 4.17 4.23
9.59
mittelmäßig 4.4 4.23
6.3 9.59 12.56
Mittelmäßigkeit 9.45
9.59
Mittelohrentzün-
dung 2.41
Mittelpunkt 3.28
3.34 6.3 8.32 9.44
16.54
Mittelrichtung 9.79
mittels 9.82
Mittelschule 12.36
Mittelsmann 16.49
19.14 19.28
Mittelsperson 3.25
Mittelstand 3.28
16.92
Mittelstraße 4.23
5.38 9.79 16.92
Mittelstück 3.28
Mitteltreffen 16.74
Mittelweg 19.17
s. Mittelstraße
—, goldener 6.3
Mittelzone 6.3
mitten 3.24 6.3
mitten inne 3.10
3.25
mittendrin 8.26
mittendurch 9.79
Mitternacht 1.12 6.1
6.4 7.7 20.5
Mittler 3.28 3.34
16.49 20.7f.
mittlerweile 6.13
6.15

mittrauern 11.50
Mittwoch 6.9 6.33
mitweinen 11.50
Mitwelt 6.13 6.16
mitwirken 9.69
Mitwirkender
Mitwirkung 5.24
9.18 9.38 9.69f.
9.82
Mitwisserschaft
12.32
mitunter 6.30
Mitverwendung 1.21
Mixed Pickles 1.21
Mixtum compositum
1.21
Mixtur 1.21 2.44
Mnemotechnik 12.39
mnemotechnisch
12.39
m—m 13.29
Mob 16.92 16.94
Möbel 4.17f. 5.1
18.1
Möbelleute 16.8
Möbelwagen 17.13
mobil 5.25 8.1 8.3
16.68
Mobilien 18.1
mobilisieren 16.68
16.73
mobilmachen 16.68
16.73
Mobilmachungs-
order 16.74
möblieren 4.29 9.26
möchte 11.36 12.24
Möchtegern 9.53
möchtig 11.5
Mocken 2.27 4.42
modal 5.11
Modalität 5.11
Modder 1.19 7.51
16.9
Mode 4.5 5.18 6.16
9.31 16.61
Modeherrchen 16.63
modefarben 7.15
Modehedd 11.45
16.63
Modekönig 16.60
Model 3.49

Modell 5.18f. 5.39
15.1 15.4 15.10
Modelleur 15.1
Modellflugzeugbau
8.6
Modellierbarkeit
7.50
modellieren 5.39
15.10
Modellierkunst 15.10
Modelliermasse 7.50
Modellkleid 17.9
modeln 5.8 15.1
Modenarr 16.63
Modepuppe 11.45
16.63
Moder 4.32 9.67
moderato 15.11f.
moderig 7.64 9.67
modern 9.31 16.61
modern 2.45 4.34
7.48
Moderne, die 6.16
modernisieren 6.26
9.57
Modeteufel 16.61
Modetracht 16.61
Modifikation 5.11
5.24
modifizieren 4.5
12.11 13.29 13.48
Modifizierung 5.24
modisch 6.26 9.31
16.61
modrig 7.64 9.67
Modulation 5.24
7.34 13.13 13.20
15.11
Modus 5.8 5.12
16.119
mögen 11.36 11.53
11.59 11.62 16.93
Mögge 2.27
möglich 5.2 5.4 5.7
5.13 5.22 5.31
9.16 9.54 11.30
12.24 12.41 13.29
—, man sollte es
nicht für — hal-
ten 16.33
Mögliche, alles 16.31
Mögliches, sein 9.38

Möglichstes, sein —
tun 9.28
möglicherweise 5.13
12.24
Möglichkeit 5.2
12.24
möglichst 4.50
Mohammed 20.19
Mohammedaner 20.1
Mohammedanismus
20.1 20.17
Mohärwolle 17.8
Mohikaner 4.32
Möhl 9.60
Mohn S. 39 2.28
Mohnblatt 4.11
Mohnmese 2.27
Mohr 2.27 7.7 7.14
9.78 12.47 16.64
Möhre S. 64 2.27
Mohrenkopf 2.27
Mohrrübe S. 64 2.27
19.29
moirieren 7.23
moiré 7.23 17.8
Moje 16.9
mokant 11.22
Mokassin 3.20
mokieren, sich 16.34
16.54
Mokka 2.30
Mole 1.13 1.16 8.11
9.76
Molekül 4.4 4.34 4.2
molekular 4.4
Molenar 16.60
Molière 18.11
molieren 15.18
Molitor 16.60
Molke 7.43 7.51
Molkerei 2.10
molkig 7.51
Molkigkeit 7.51
Moll 11.32 15.1
15.17
Mollah 19.28 20.17
Molle 2.16 2.31 17.6
Mollebusch S. 48 2.27
Mollen 1.8
Mollenfriedhof 2.16
4.10
Mollenhauer 16.60
Möller 16.60

mollig 3.54 7.35
7.50 11.15f.
Molligkeit 4.10
Mollmaus S. 126
Molluske S. 98 7.50
Molo 8.11 9.76
Moloch 2.43 5.42
19.9 20.7 20.16
Molochdienst 20.2
20.16
molsch 11.27
Moltke 13.23
Molton 17.8
Molybdän 1.24f.
Moment 6.1 6.8 6.13
6.16 8.9 9.44 12.3
12.5 16.95
—, das 4.42 5.1
momentan 6.16
Momentaufnahme
15.8
Momus 11.27
Monade 4.4 4.36
11.23
Monarch 16.97f.
Monarchie 16.19
16.95 16.97
monarchisch 16.95
16.97
monarchistisch 16.97
Monat 6.1 6.9
monatlich 6.33
Monatsschrift 14.11
Monazit 1.25
Mönch 4.36 16.12
16.50 16.52 16.60
20.13 20.17
mönchisch 20.16f.
20.20
Mönchskappe 20.18
Mönchskloster 20.20
Mönchslatein 13.32
Mönchsleben 20.13
20.15
Mönchsschrift 14.5
14.8
Mönchstein 2.48
Mönchstum 20.13
Mönchswesen 20.16
Mond 1.1f. 2.16 3.8
3.50 4.50 5.18 6.1
7.5 9.21 9.53 11.17

mondän 11.17
Möndchen 2.16
Mondferne 3.33
Mondgott 20.7
Mondhof 3.24 7.4
Mondjahr 6.1 6.9
Mondkalb 12.56
Mondlicht 7.6
Mondschein 19.29
Mondsucht 12.57
Mondsüchtiger 12.19
12.57
monetär 18.21
Moneten 18.21
Mongole 7.19
monieren 16.33
Monika 16.3
Monilia 2.4
Monismus (Religion)
4.36 20.3 20.7
monistisch 3.28 4.36
Monitor 8.5 13.9
Monitum 13.10
Mönkemeier 16.60
mono- 13.27
Monochord 15.15
Monodie 11.32 15.13
Monogamie 16.11
Monogramm 13.4
13.13
Monographie 14.5
14.10
Monokel 10.16 17.10
Monolog 13.27
Monopol 16.64 18.1
19.22
Monopolherren 18.7
monopolisieren 18.1
18.22
monopolisiert 19.22
Monopolstellung
18.5
Monotheismus 20.7
Monotheist 20.1
monoton 5.16 6.7
6.33 11.26 11.27
Monotonie 6.7 11.2
13.40 13.42
Monsignore 16.86
20.17
Monstranz 20.16
20.20f
Monstre- 4.2

monströs 4.1f. 5.14
11.27 11.30 16.33
Monstrosität s. mon-
strös
Monstrum 4.1 11.28
11.30 11.50 19.9
Monsun 1.6
Montag, blauer 6.9
9.24 19.9
Monteur 16.60
Mongolfière 8.5f.
montieren 5.39
Montierung 9.35
Montur 3.20 17.9
Monument 2.46 2.48
4.12 12.39 14.9
15.10 16.87
monumental 4.2
13.41
Monumentalbau
17.1
Monumentalität 4.2
Moor 1.13 1.19 2.1f.
6.19 7.51
Moos S. 10 1.13 3.20
3.53 18.21
Mopp 9.66
Möpp 11.59
Moppel 4.10
Mops S. 126 5.46
12.56 16.74
mopsen 11.26 18.9
mopsfidel 2.38 11.21
mopsig 11.26
moquant s. mokant
Moquette 17.8
Moral 11.38 11.43
12.17 14.3 19.3
19.10 19.18 19.24
moralisch 2.33 11.12
11.53 19.3 19.5
19.9 19.24
moralisieren 12.33
Moralität 19.3 19.18
Moralpauke 16.33
Moralphilosophie
19.24
Moralprediger 9.78
13.22
Moräne 1.13f. 7.48
Morast 1.19 7.51
morastig 7.51

Moratorium 6.15
6.36 9.33 18.16
18.19
Morchel S. 9 2.27
Mord 2.46 2.48
Mordbrenner 19.9
Morddenkmal 2.48
morden 2.46 19.20
Mörder 2.46 5.42
11.53
Mörderberg, -haufen
2.48
Mördergrube 5.29
mörderisch 2.46 4.50
11.60 16.73 19.10
19.20
Mörderkuhle 2.48
mörderlich 4.50
Mörderstein 2.48
Mordgrund 2.48
Mordhügel 2.48
Mordio 13.11
Mordkeller 2.48
Mordkiefer 2.48
Mordkreuz 2.48
Mordkuhl 2.48
Mordlinie 2.48
mordlustig 11.60
Mordplatte 2.48
Mords- 4.2
Mordschonung 2.48
mordsheiß 7.35
Mordshunger 4.50
10.10
Mordskerl 4.2 11.38
12.52
mordsmäßig 4.50
Mordsnatur 2.38
Mordsradau 4.50
Mordsschweinerei
4.50
mordsschwer 4.50
Mordstein 2.48
Mordstelle 2.48
mordsteuer 4.50
Mordstieg 2.48
Mordstraße 2.48
Mordtanne 2.48
Mordtat 2.46
Mordteich 2.48
Mordwange 2.48
Mordweg 2.48
Mordwinkel 2.48
Mores lehren 16.33
16.78

morganatisch 16.13f.
morgen 5.25 5.27 6.5
6.23f. 8.8 9.9
Morgen 1.15 4.16
6.1f. 13.24 16.38
morgendlich 6.2
Morgendunst 1.7
Morgenfrau 16.112
morgenfrisch 2.22
Morgenfrost 7.40
Morgengabe 15.12
16.11 18.12
Morgengebet 20.16
Morgengrauen 6.2
7.4
Morgenkaffee 2.26
7.65
Morgenland 1.12
morgenländern 18.8
Morgenluft 11.35
Morgenrock 17.9
Morgenrot 2.22 6.2
6.33 7.4 7.17
11.17
morgens 6.2 6.33
Morgensegen 17.13
Morgenstern 17.11
Morgenstund hat
Gold im Mund
6.2 6.33
morgig 6.24
Morgue 2.46 2.48
Moribundus 2.41
Moritat 11.29 14.1f.
Moritz 16.3
Mormo 20.5f.
Mormone 16.11
16.44 20.1
Mormonentum 16.11
16.44
moros 11.27 16.53
Morpheus 2.36 9.24
Morphin 1.29
Morphinismus 2.41
Morphium 1.29
Morphologie 12.30
Mors 2.16
morsch 5.37 6.27
7.47 7.50
Mörser 7.29 7.49
17.12
Mortalität 2.43 2.45

Mörtel 3.20 4.33
7.51
Mörtelkelle 17.15
Mörteltrog
Mosaik 1.21 5.22
7.23 15.4 15.7
Moschee 20.20
Moschis morum
16.78
Moschükken 2.27
Moschus 1.29 7.63
Möserkes 18.3
mosern 16.33
Moses 18.3
— und die Pro-
pheten 18.21
Moskito S. 96 3.55
Moslem 20.1f.
Most 2.27 2.30f. 3.38
5.36 9.52
Mostrich S. 42 2.28
7.19
Mostschädel 12.56
Motion 5.24 13.31
Motiv 5.1 5.31 9.12
12.5 15.11f.
motivieren 5.34 9.13
12.15
Motivierung 12.15
Motor 5.34 9.82
17.16
Motorboot 8.5
motorig 8.6
motorisch 8.1 8.9
motorisieren 17.16
Motorrad 8.4
Motorradfahrer 16.6
motschen 8.8
Motte S. 95 11.30f.
11.53
Mottenkiste 2.25
6.27
Mottenklopfer 16.60
Mottenpulver 1.29
7.64
Motto 12.17 13.1
13.20 14.2 20.1
motzen 11.27 11.31
motzig 11.27
moussieren 3.55
moussierender Wein
2.31
Möwe S. 122 2.27
16.64

Mücke S. 96 2.16
4.4 12.57 13.52
Mucker 16.52 19.8
20.1 20.3 20.14
muckerisch 20.14
Muckertum 20.3
20.14
Muckl 17.7
Muckepicke 8.5
Mucks, kein 7.28
mucksen 11.48 13.23
mucksmäuschenstill
13.23
mucksch 11.31
müde 2.39 9.5 9.19
9.24 10.14 11.14
11.26
mudeln 8.8
mudelsauber 11.17
Müdigkeit 2.39
Muezzin 20.17
mufen 8.18
Muff 3.20 7.64 17.9
Muffel 2.16 4.42
muffeln 2.26 7.64
Muffer 2.16
muffig 7.64 11.27
mufflig 11.27
Mufti 16.98 19.28
Mühe 9.18f. 9.22
9.38 9.40 9.42 9.44
9.55 9.59 12.13
— geben, sich 9.42
mühelos 9.54
mühen, sich 9.18
9.38
mühevoll 9.40 9.55
Mühle 7.49 8.6
9.22f. 9.48 9.77
16.56 16.74a. 17.16
Mühlenrad im Kopfe
9.53
Mühlstein 7.41
Mühlteich 1.18
Muhme 16.9
Muhmenweisheit
20.1f.
Mühsal 5.47 9.40
9.55
mühsam 9.40 9.55
9.55 11.14
mühselig 5.47 9.40
9.55 11.14
Mulatte 1.21 7.16

Mulde 3.44f. 3.49
4.14 17.6
Mulden 1.8
Mülder 16.60
Müll 9.67
Müllabfuhr 9.66
Mullbinde 2.44
Mülleimer 17.7
Müller 16.60
Müllergeselle 2.48
Müllersche 2.15
Müllgrube 9.67
Müllner 16.60
mulmig 7.50 9.74
11.15
Multiplikand 4.35
Multiplikation 4.35
Multiplikator 4.35
multiplizieren 4.3
Multipräsens 3.6
Mumie 2.45 4.11
5.43
mumifizieren 5.43
Mumm 5.35 9.4f.
18.21
Mummel S. 39
Mummelgreis 2.25
Mummenschanz
12.2 13.5 16.54f.
16.72 16.88
Mumpitz 12.19 12.56
13.51
Mumps 2.41
Münchener 2.31
Münchhausen 13.51f.
16.89
Münchhausiade 12.28
13.51f. 16.89
Mund 2.16 3.23
3.57 6.2 8.23 9.16
9.49 9.78f. 11.23
11.27 11.30f. 11.39
11.45f. 11.59 16.89
16.115 18.3f. 18.10
Mund, dem — ent-
fliehen, entfließen
13.21
—, den — nicht öff-
nen 13.23
—, den — stopfen
7.28 13.23
—, den — vollneh-
men 13.52 16.31

Mund, den — zusam-
menziehen 7.68
—, der — steht nicht
still 13.22
—, in aller 13.6
—, ist nicht auf den
— gefallen 13.22
—, mit Hand und —
versichern 16.23
—, nicht einmal in
den — nehmen
wollen 16.36
—, reinen — halten
13.4 13.23
—, sich den — zer-
reißen 13.5
—, von der Hand in
den — 9.79
—, von — zu Mund
4.25
— verbrennen, sich
den 13.5
Munde, einem nach
dem — reden
16.32
—, Honig im —
führen 16.32
—, in aller — sein
16.31
—, nach dem — re-
den 16.32
Mundart 13.2 13.12f.
mundartlich 11.46
Mündel 9.75 16.112
mündelsicher 18.30
munden 7.65 10.7f.
11.10
münden 7.55
mundend 7.65
mundfaul 13.23
Mundfäule 2.41
mundgerecht 10.8
16.24
Mundharmonika
15.14f.
mündig 2.21 2.23
16.118f.
Mündigsprechung
16.118
Mundklistier 2.34
mündlich 7.34 13.2
13.12f. 13.25 13.30
Mündling 9.75
16.111f.

Mundloch 15.15
Mundraub 18.9
Mundschenk 16.91
16.112
Mundstück 15.15
mundtot machen
9.73 13.4 13.23
Mundtuch 9.66
Mündung 3.57 7.56
8.23f.
Mundvoll 4.4 4.19
4.24 4.34 4.42 7.65
Mundvorrat 2.26
4.17f. 4.27 4.29
7.65
Mundwalt 9.75
Mundwerk 11.58
16.89
—, ein gutes 13.21f.
Munition 4.17f.
17.13
Munitionskammer
4.17f.
Munitionswagen
17.13
munkeln 13.4 13.22
Münster 20.20
munter 2.37f. 4.50
9.18 9.38 11.9
11.20f. 16.55
Munterkeit 11.9
Muntung 19.22
Münze 5.26 9.23
12.25 16.80 18.21
münzen 5.39 18.21
Münzenkenner 18.21
Münzenkunde 18.21
Münzensammler
18.21
Münzer 16.60
Münzfälscher 18.21
Münzfuß 18.21
Münzrecht 16.95
16.97
münztechnisch 18.21
Münzwert 18.21
Muppe 2.16
Muräne S. 99
mürbe 7.47 7.50
Mürbes 2.27
Mürbheit 7.47
Murkel 2.22
murklig 4.11
Murks 16.56

murksen 9.18 9.43
murksig 4.11 11.15
Murmel 16.56
murmeln 7.27 7.55
11.32 13.14 16.37
Murmeltier S. 126
2.36 9.24
Murner S. 126
Murr 5.35
murren 7.33 11.27
11.33 16.67 16.116
Murren 7.33 11.31
11.32 16.67
mürrisch 11.27
11.31f. 11.58
11.60 16.53
—es Wesen 11.31
11.58
Murrkopf 11.27
16.53
murrsinnig s. mür-
risch 16.53
murxen 7.33
Mus 2.27 7.51
Muschel S. 98 2.27
16.52
muschelförmig 3.46
Muschelleben 16.52
Muschellinie 3.46
muscheln 13.22
Muscheltier S. 98
muschen 11.31
Muse(n) 2.41 5.5
13.2 14.2 15.11
20.7
Musel 2.27
Muselmann 20.2
Musenbrunnen 14.2
Musenjünger 14.2
Musensohn 14.2
Musentempel 14.2
Muser 16.60
Museum 4.17f. 6.27
15.4 16.17
Music Hall 14.3
Musik 11.34 15.11f.
15.16
—, türkische 2.41
musikalisch 10.19
15.11 15.16f.
Musikanten,
schlechte 9.53
Musikantenknochen
2.16

musikantisch 15.11
Musikautomat 15.15
Musikbande 15.14
Musikdirektor 15.11
16.96
Musikdrama 15.16
Musike 15.14
Musiker 9.60 15.11
15.13f. 16.60
Musikinstrument
15.14f.
Musikmeister 15.14
16.74
Musiknoten 15.11
Musikschrank 15.15
Musikschule 12.36
15.11 15.17
Musikstück 15.12
Musikzimmer 17.2
musisch 14.2
musizieren 15.11f.
15.13f. 20.12
Muskat S. 34 2.28
Muskateller 2.31
Muskel 2.16 5.35
Muskelschwund 2.41
Muskeltier 16.74
muskern 13.22
Muskete 7.29 17.12
Musketier 16.74
Musketon 17.11
Muskot 16.74
muskulär 2.16
Muskulatur 2.16
muskulös 5.35
Muß s. müssen 9.3
Muße 9.24 9.36
Musselin 17.8
musseln 13.22
müssen 5.7 9.3 9.5
9.81 16.107 19.24
Mußestunde 9.36
Mußezeit s. Muße
9.36
mussieren 7.59
müßig 9.19 9.24 9.36
9.41 9.45 9.49 9.51
Müßiggang 9.24
Müßiggänger 9.24
19.8
Mußspritze 17.9
Mußrömer 9.3

Musteil 19.22
Muster 4.18 4.36 5.8f.
5.12 5.18 9.64
13.36 14.6 14.8
16.61 16.85 17.10
18.29 19.3
Musterbild 5.18 19.3
Musterblatt 5.18
mustergültig 9.52
9.64
musterhaft 11.17f.
16.114 19.3f.
Musterknabe 3.37
19.4
Musterlese 4.17
mustern 7.23 10.15
10.19 12.7f. 16.73f.
Musterrolle 14.9
Musterspiegel 19.3
Musterung 2.44 3.22
10.16 12.8 12.20
Mustopf 12.13
Mut 9.6 9.17 9.38
11.3 11.16 11.21
11.32 11.34 11.38
11.42 11.50
—, den — sinken
lassen 5.37
Mutation 5.24
Mutatis mutandis
5.24 9.71
Mütchen 10.14 11.60
16.78 16.81
muten 1.23
mutieren 5.24 13.15
Mutierung 13.14
mutig 5.34f. 9.6 9.8
11.8 11.38f. 16.73
mutinieren s. meu-
tern
mutlos 5.37 9.7 9.24
11.13 11.32 11.42f.
mutmaßen 5.2 5.4
9.7 11.35 11.42
12.24 12.41 12.43
mutmaßlich 11.35
12.24 19.22
Mutmaßung 11.35
12.43
Mutter 2.21 5.24
5.26 5.31 16.9
16.33 16.68 16.74

Mutter Erde 1.3
— Gottes 20.7
— Grün 3.18
— werden 2.20
Mutterbuche 2.48
Mütterchen 2.25
Muttererde 16.18
Muttergottesbild
2.48
Muttergotteskapelle
2.48
Muttergottestanne
2.48
Mutterkorn S. 9 2.4
Mutterkreuz 16.87
Mutterland 16.18
Mutterlaut 13.2
Mutterleib 2.20 19.4
mütterlich 11.51
mütterlicherseits
16.9
Mutterliebe 11.53
Muttermal 7.11
Muttermilch 11.2
12.35
mutternackt 3.22
4.50
Mutterpfennig 18.21
Mutterrecht 16.97
Mutterschaf S. 127
2.15
Mutterschaft 5.26
16.9
Mutterschoß 3.19
5.31
Mutterschwein S. 127
mutterseelenallein
4.50 16.52
Muttersöhnchen 5.37
11.7 11.53 12.34
Muttersprache 13.2
13.12
Mutterweihe 20.13
Mutterwitz 9.52
11.22 12.18 12.52f.
mutterwütig 10.21
16.44
Mutti 16.9
mutuell 9.71
Mutwille 11.39 11.58
16.55 16.90
mutwillig 11.39
11.58 19.9

Mütze 2.30 3.20 4.20
17.9
Myom 2.41
Myriade 4.17 4.20
Myrmidone 16.74
Myrrhe S. 55 7.53
7.63
Myrte S. 59 16.11
Myrtenkranz 11.53
16.50 17.9
Mystagog 12.32
mysteriös 13.4
Mysterium 13.4
20.16
Mystik 20.1f. 20.12f.
Mystiker 20.2 20.5
20.13
mystisch 12.23 13.35
Mystizismus 13.35
Mythe 12.28
Mythologie 20.2 20.7
mythologisch 12.28
20.7
Mythos 12.28 13.51
14.9 16.18

N

na 11.5 16.65
na? 12.8
na
— also 12.44 13.46
— ja 9.5
— na 5.7 11.40
12.23
— so so 11.27
— und? 9.34 9.45
16.53
Nabel 2.16 3.28
Nabelreiber 16.58
Nabob 18.3
nach s. Zusammen-
setzungen 3.27
5.25 5.31f. 6.12
8.11
— Jahr und Tag
6.12
— Tisch 6.12
— und — 8.8
nach- 4.28 5.18 8.15

nachäffen 13.51
16.54
Nachäffer 16.54
Nachäfferei 5.18
nachahmen 5.18
15.1
Nachahmer 5.18
Nachahmung 5.18
Nachbar 3.9 3.24
16.4 16.41 16.56
16.66
nachbarlich 16.41
16.64
Nachbarschaft 3.9
16.40
nachbeben 7.25
nachbeten 5.18
Nachbeter 5.18
Nachbild 5.18 13.36
nachbilden 5.18
5.40 15.4
Nachbildung 5.18
15.5 s. Nachdruck
nachbrummen 19.33
nachdem 5.21 5.32
6.12 6.19 9.12
—, je 5.21
nachdenken 12.3
nachdenklich 12.3
nachdichten 13.53
Nachdruck 5.18 9.37
9.44 13.13 13.33
13.36 13.41 14.6
14.11 16.108 18.9
nachdrucken (nach-
ahmen) s. o. 5.18
nachdrücklich 5.35
9.6 9.37 9.44
13.16 13.33
Nachdrücklichkeit
s. Nachdruck 13.28
16.108
nachdrucksvoll 9.44
13.28
nachdunkeln 7.14
nachempfinden 5.18
12.31
Nachempfinder 5.18
nacheifern 5.18 9.38
nacheilen 8.15
nacheinander 6.12
6.34
Nachen 8.5

Nachfahre 5.41 6.12
16.9
Nachfolge 6.12 8.15
nachfolgen 3.35 5.29
6.12 8.15 s. o.
Nachfolger 4.37 6.12
8.15 9.70 20.17
nachformen 5.18
Nachforschung 12.8
14.10
Nachfrage 12.8
18.22
nachfühlen 12.31
nachgeäfft 13.51
nachgeben 4.5 5.37
7.50 9.6f. 16.83
16.110 16.114
nachgebend 18.28
nachgeboren 6.12
Nachgebühr 19.32
Nachgeburt 2.21
16.33
nachgedacht 9.44
nachgehen 8.15 9.74
11.36 12.8 16.55
16.74 19.4
Nachgenehmigung
16.47
nachgerade 6.16
Nachgeschmack 7.69
9.50
nachgestalten 13.53
nachgeworfen, wird
einem 18.28
nachgiebig 7.50 9.9
9.12 9.54 16.24
16.38 16.47 16.109
16.114
Nachgiebigkeit 9.4
16.109 16.114
Nachhall 7.25
nachhaltig 9.8 9.37
nachhangen 11.11
nachher 3.27 6.12
6.23 11.55
nachherig 6.12
Nachhilfe 9.70
Nachhilfeunterricht
12.33
nachhinken 2.39
6.36 9.78
Nachhut 3.27 8.15
9.75 16.74
nachjagen 9.21 19.7

Nachklang 7.25
nachklappen 6.12
nachklingen 7.25
Nachkomme 5.41
6.12 16.9
nachkommen 2.31
2.39 6.12 16.26
16.28 18.18 18.26
19.24f. 20.13
Nachkommenschaft
5.41 16.9
nachkontrollieren
12.8
Nachlaß 4.32 18.1
18.5 18.28
nachlassen 2.39 4.5
5.26 5.37 7.50
8.8 9.8 9.20 9.33
9.36 9.61 9.65
12.56 18.28
nachlässig 8.8 9.24
9.43 9.67 11.29
11.37 16.28 16.34
Nachlässigkeit 9.5
9.43 9.67
Nachlauf 16.56
nachlaufen 11.36
Nachläufer 6.12
nachleben 20.13
Nachleben 9.30 20.10
nachlegen 12.8
nachliefern 4.28
Nachlieferung
16.113
nachmachen 5.18
11.23 14.3
nachmalen 5.18
nachmalig 6.12
Nachmittag 6.1 6.4
nachmittags 6.33
Nachmittagskleid
17.9
Nachmittagstee 2.26
Nachnahme 14.8
18.18 18.26
nachnehmen 18.26
nachprüfen 12.9
Nachrede s. Nachruf
13.7 16.33 16.35
16.93
nachreden 16.33
16.35
Nachricht 13.2 13.6f.
16.25

Nachrichtenbüro
13.2
Nachrichtentruppe
16.74
Nachrichter 2.46
5.42 19.32
Nachruf 2.48 11.33
14.1
Nachruhm 12.39
16.85
nachsagen 16.33
16.35
Nachsagen s. Nach-
rede
Nachsaison 6.12
18.28
Nachsatz 4.28
nachschaffen 5.18
nachschauen 12.13
Nachschlag 16.57
Nachschlagebuch
12.8 13.9
nachschlagen 5.17
12.8 14.7
Nachschlagewerk
12.8 14.12
nachschleppen 3.17
Nachschlüssel 3.57
19.8
nachschreiben 14.5
Nachschrift 12.39
Nachschub 3.27 8.15
9.70 16.74
Nachschubkolonnen
16.74
nachschwingen 7.25
nachsehen 16.25 16.47
Nachsehen 9.50 9.78
18.8 19.32
nachsenden 14.8
nachsetzen 8.15
Nachsicht 9.17 9.43
11.50 11.61 16.25
16.47 16.108f.
nachsichtig 5.38 11.50
16.47 16.109f.
19.2 19.13
nachsichtslos 16.108
nachsinnen 12.3
nachsitzen 19.33
Nachspeise 2.27
Nachspiel 5.34 14.3
nachspüren 12.8
16.33

nachstehen 4.52
nachsteigen 8.15
11.36 16.42
Nachsteiger 10.21
11.36 11.53 16.44
nachstellen 9.74
16.66
Nachstellung 9.74
Nächstenliebe 11.51f.
16.109 19.2 19.7
20.13
nächstens 6.24
Nächster 3.9
nachsuchen 16.20
Nacht 6.1 6.4 7.7
—, bei — und
Nebel 6.38
—, dumm, häßlich,
schön wie die
4.50 11.17 11.28
—, eine — durch-
machen 16.55
—, gute 16.38
—, haßt ihn wie die
4.50
—, italienische 16.59
—, über 6.14 6.24
—, wie Tag und
5.21 5.23
—, zwischen — und
Dunkel 6.4 7.6
nachtasten 8.15
nachtblind 10.17
Nachtcafé 14.3
Nachteil 9.49f. 9.78
11.12 11.14 18.15
nachteilig s. o. 9.50f.
9.63
nachten 7.7
Nachtessen 2.26
Nachteule S. 114
10.17 11.28 16.74
Nachtfrost 7.40
Nachtgeschirr 17.6
Nachtgespenst 20.5
Nachthemd 17.9
nächtig 7.7
Nachtigall S. 111
4.50 15.13
— ick hör dir laufen
9.14
nächtigen 3.3

Nachtisch 2.26f.
Nachtjäger 16.74a.
16.77
Nachtkerze S. 72
Nachtkönig 16.60
nächtlich 6.33 7.7
Nachtlicht 7.5
Nachtmahl 2.26
nachtmahlen 2.26
Nachtmusik 15.12
nachtönen 7.25
Nachtpirat 5.42
Nachtrab 3.27
Nachtrag 4.28 14.9
nachtragen 11.62
12.39 14.9 16.47
16.81
nachträgerisch 16.81
nachträglich 6.12
13.48
Nachtreter 6.12 15.3
Nachtruhe 7.28
nachts 6.33
Nachtschatten S. 72
Nachtschicht 9.40
Nachtschwärmer(ei)
11.11 16.6
Nachtschweiß 2.41
Nachtstille 7.28
Nachtstück 15.12
Nachttisch 17.4
nachtun 5.18
Nachtwache 2.37
Nachtwächter 11.26
13.8 16.60
Nachtwandler 12.28
nachtwandlerisch
11.8
nachwarten 8.8
Nachwehen 2.21 5.34
6.12 9.61 11.13
nachweisbar 11.3
nachweisen 12.15
13.3 13.28 13.46f.
19.12f.
Nachwelt 6.12 6.23
16.85
Nachwirkung 5.34
11.13
Nachwuchs 2.22
Nachzehrer 20.5
nachzeichnen 15.1
nachzetteln 6.36
nachzittern 7.25

nachzuckeln 8.8
Nachzug 8.15
Nachzügler 3.27
6.36 8.15 16.74
Nackedei 3.22
Nacken 2.16 4.33
—, den — beugen
16.83
—, den Fuß auf den
— setzen 16.111
nackend 3.22
nackig 3.22
nackt 3.22 4.50
10.15 11.46 13.5
Nacktfrosch 3.22
Nacktheit 3.22
Nacktkultur 3.22
Nadel 2.3 3.55 4.33
17.15
—, auf —n sitzen
11.13
—, man hätte eine
— fallen hören
7.28
—, Ritter von der
9.18
Nadelbaum S. 12f.
Nadelgeld 18.21
nadeln 8.31
Nadelöhr 3.57
nadelspitz 3.55
Naderer 13.7
Nadir 1.2 3.16 4.14
Nagaika 16.78
Nagel 2.16 3.17
3.55 4.33 17.15
—, an den — hän-
gen 9.20 9.33
— auf den Kopf
treffen 9.52 9.77
13.16 13.44
—, gönnt ihm nicht
das Schwarze
unter dem 11.57
— im Kopf haben
11.44
—, lieber mit nem
rostigen — in die
Kniescheibe 16.27
— zum Sarg 11.14
11.31
Nagelbohrer 17.15
Nagelflue, Nagel-
fluh 1.14 7.49

nagelneu 6.26
nagen 2.26
—, am Herzen
11.32
—, am Hungertuch
4.25 18.4
—, nichts zu 18.4
— der Kummer
11.13f. 11.32
Nagetiere S. 125f.
nah, nahe 3.7 3.9
6.24
—, hat — ans
Wasser gebaut
11.33
— treten, zu, 16.53
16.69
Nähe 3.9 5.7
nahebei 3.9
nahegehen 11.32
Naheinstellung 15.9
nahelegen 9.12 16.20
naheliegend 5.4 9.54
nahen 6.23f.
—, sich 8.19
nähen 4.33
näher s. nah
— beleuchten 12.7
— bestimmen 13.44
— bringen 3.9
— kommen 6.24
— rücken 8.19
Näherin 9.58 16.60
nähern, sich 5.17 8.19
nahestehen(d) 3.9
11.53
nahezu 3.9 5.7 5.17
Nahkampf 16.57
16.76
Nährboden 5.31
nähren 2.26 4.29 9.70
—, Haß, Groll
11.62 16.81
—, Liebe 11.53
—, Schlange am
Busen 11.55
Nährer des Staates
16.94
nahrhaft 2.26 2.44
Nährmittel 2.27
Nährstand 16.91
Nahrung 2.26 4.18
—, geistige 14.11
Nahrungsmittel 2.27

Nährvater 4.29
Naht 4.33
—, eine — geben
16.78
—, hat eine — drauf
8.7
—, eine — zusam-
menspielen 12.13
Nähtisch 17.4
naiv 11.17 11.46
12.25 12.56 13.49
14.2 15.3 19.4
Naive 14.3
Naivität 11.46
13.49
najen! 11.30
Name 13.1 13.16
13.19 16.31 16.85
Namen, auf —
halten 19.1
—, das Kind beim
rechten — nennen
13.5
—, den — aufs Spiel
setzen 19.8
—, den (guten) —
beflecken, rauben,
schänden 16.35
16.93
—, im 16.97, 16.104
—, in Gottes 9.5
—, Leute von 16.91
—, sich einen —
machen 16.85
namenlos 4.50 16.93
Namenlosigkeit
16.93
namens 16.104
Namensänderung
16.11
Namensfest 16.39
20.16
Namenstag 6.9 16.59
Namensvetter 13.16
Namensverwechslung
13.19
Namenszug 13.1
14.9
namentlich 9.44
namhaft 13.16 16.85
nämlich 5.19 5.31
12.15 13.17 13.43f.
nämliche, der 5.15
Nänie 11.33

Nanismus 4.5
Nanking 7.19 17.8
nanu 11.30
Napf 17.6
Napfkuchen 2.27
Naphtha 1.26 7.52
Naphthalin 1.29
Napoleon 4.50
Napoleonsd'or 18.21
Narbe 2.42 3.10
  11.28 13.1
narbig 3.44 3.53
Narde S. 79 7.63
Narkose 2.36 10.3
  11.8
Narkotikum 2.44
  11.8 11.11 11.34
narkotisch 11.5 11.17
narkotisieren 2.44
  10.3
Narr 5.20 11.23f.
  12.56f. 14.3 16.55
  16.72
Narren, einen —
  fressen an 11.53
—, den — machen
  16.55
—, zum — halten
  16.34 16.54
narren 12.25 13.4
  16.34 16.54 16.72
  18.8
Narrenbein 2.16
Narrenhaus 16.117
Narrenhauskandidat
  12.57
Narrenseil 16.54
Narrenspossen 16.55
Narretei 16.54
Narrheit 12.56f.
narrig 12.57
närrisch 11.24 11.29
  12.57.
Narzisse S. 24
Narziß 11.45 16.50
nasal 2.16 13.13f.
naschen 2.26 11.19
  18.9
Näscherei 2.27 7.66
  10.8
naschhaft 10.11 11.11
  11.36 18.9
Naschkatze 18.9

Naschwerk 2.27
Nase 2.16 3.48 3.57
  10.6 12.1 16.33
—, alle —n lang
  3.7 6.31
—, an der — herum-
  führen 9.13 10.18
  16.54 16.72 18.8
—, auf der —
  herumtanzen 11.47
  16.110
—, auf die — bin-
  den 13.51
—, daß du die — im
  Gesicht behältst
  11.30
—, der — nach 3.40
—, die Faust unter
  die — halten
  16.67f.
—, die — beleidigen
  7.64
—, die — hochtragen
  11.44f.
—, die — in etwas
  stecken 9.38 12.6
—, die — putzen
  lassen 2.22
—, die — rümpfen
  9.5 11.19 11.27
  11.59 16.36
—, eine (gute) —
  haben 12.52
—, eine — bekom-
  men 16.33
—, eine — drehen
  9.52 12.53 16.54
  16.72
—, in die — bekom-
  men 10.6
—, lange 9.78
—, mit langer — ab-
  ziehen 9.78
—, Mund und —
  aufreißen 11.30
—, sich an der —
  fassen 19.5
—, sich die — be-
  gießen 2.33
—, unter die — rei-
  ben 13.2 16.33
—, vor der 3.3
näseln 13.14

Nasenbluten 2.41
Nasenkatarrh 2.41
Nasenstüber 8.9
Naserümpfen 11.27
  16.34
naseweis 6.38 11.45
  12.8 16.53 16.89f.
Naseweisheit 16.90
nasführen 13.51
  16.54 18.8
naß 7.57 11.33
—, für 18.29
Naß 7.54
Gut Naß! 16.38
Nassauer 4.37 9.84
  16.115 18.11 18.29
nassauern 18.29
Nässe 7.57
nässen 7.57
naßforsch 16.90
naßkalt 7.40
nates 2.16
Nation 16.18 16.73
national 16.18
Nationale 13.1
Nationalgefühl 16.18
Nationalhymne
  16.18
nationalisieren 9.31
Nationalismus 5.21
  16.18
Nationalist 16.18
nationalistisch 16.18
Nationalität 16.18
Nationalsprache
  13.12
Nationalstolz 11.44
  16.18
Nativität 12.43
Natrium(-), Na-
  tron(-) 1.24f. 1.28
natschen 11.33
natten 7.33
Natter S. 101 11.60
  19.9
Natur 1.1 1.22 3.18
  5.6 5.8 5.19 5.39
  9.7 9.27 11.2 11.8
  11.25 11.30 11.46
  11.58f. 12.26 12.44
  13.40 13.49
—, breite 12.53
  16.109 18.14 19.25

Natur, gegen die —
  gehen 11.59
—, hat eine gute 18.7
—, zweite 9.31 12.35
Natur- 2.31
naturalibus, in puris
  3.22
naturalisieren 16.119
naturalistisch 13.49
  15.3
Naturaltausch 18.20
Naturell 11.2
Naturerscheinung 1.4
  11.30
Naturfarbe 7.11
Naturforscher 12.8
Naturgabe 9.52 12.2
naturgemäß 5.6 12.1
naturgetreu 5.18
Naturgewalt 5.35
Naturheilkunde,
  -kundiger 2.44
Naturheilverfahren
  2.44
Naturkind 11.46
natürlich 1.22 2.45
  5.6 5.19 9.27 9.56
  11.46 11.48 12.26
  12.44 13.28 13.40
  13.49 19.1
Natürlichkeit 11.46
  13.49
Naturmensch 3.22
naturnotwendig 9.3
Naturrecht 19.19
naturrein 1.22
Naturreligion 20.2
Naturschutz 9.42
  9.75
Naturseide 17.8
Naturspiel 5.20
Naturstoffe 1.29
Naturtrieb 12.1
Naturzustand 3.22
  9.27 16.119
Naue 8.5
Naumann 16.60
Naute 7.66
Nautik 16.7
nautisch 16.7
navigieren 8.5
'ne Pause 12.56

nebbich 9.45
Nebel 1.7 7.3 7.6
7.10 7.59f. 9.45
13.51
—, englischer 7.10
—, fällt aus wegen
9.78
—, General 16.77
— vor Augen 10.17
nebelhaft 7.9 12.19
13.4 13.35
Nebelhorn 7.31 13.1
13.10f.
nebelig 7.9 s. Nebel
Nebelregen 1.8
Nebelreich 20.11
Nebelring 3.24
Nebelspalter 14.9
neben 3.9 3.29 12.57
Neben- 3.29
Nebenabsicht 9.13f.
Nebenanschluß 9.84
Nebenanstalt 4.34
Nebenarbeit 4.22 18.5
Nebenart 5.21
Nebenbank 4.34
nebenbei 3.9 6.15
Nebenberuf 9.18
Nebenbezüge 18.5
Nebenblatt 4.22
Nebenbruder 8.15
Nebenbuhler(ei) 9.73
11.57 16.65
Nebenbuhlerschaft
11.57 16.70
nebeneinander 3.14
3.29 6.13
nebeneinanderstellen
12.10
Nebenfarbe 7.11
Nebenflügel 4.34
17.2
Nebenfluß 7.55
Nebenform 5.21
Nebenfrau 16.13
Nebenfrucht 4.28
Nebengebäude 17.2
Nebengemach 17.2
Nebengeräusch 7.31
15.18
Nebenläufer 4.34
Nebenrolle 9.45
14.3

Nebensache 9.45
11.37
nebensächlich 9.45
Nebenschanze 16.77
Nebensonne 7.5
Nebenstehender 3.9
Nebenstelle 18.25
Nebenteile 2.27
Nebentrieb 2.3
Nebenverdienst 18.5
Nebenweg 9.15
Nebenwelt 6.13
neblig 7.6 7.10 7.60
nebst 4.28 4.33
Necessaire 17.7
necht (alem.) 6.20
necken 16.54
Neckerei 9.12 11.22
16.54
neckisch 11.23
nee 11.30 13.29
Neffe 16.9
Negation 13.29
Negativ 5.18 15.8
negativ 4.26 13.29
Neger 7.14
Negerkuß 2.27
negerschwarz 7.14
Negerschweiß 2.30
Negertanz 16.58
negieren 13.29
Negierung 13.29
Negligé 11.46 17.9
nehmen 2.31 5.28
12.3 16.24 16.53
16.69 16.84 16.105
16.119 18.6 18.17
18.22 19.13 20.1
—, an den Hammel-
beinen 16.33
—, Anfang 9.29
—, Anstoß 5.7 11.31
11.59 16.27 16.33
—, Anteil 12.6f.
—, auf den Arm
16.54 18.8
—, auf die leichte
Achsel 9.43 11.8
16.36
—, auf seine Achsel,
Kappe 19.13
—, auf seine Schul-
tern 9.21

nehmen, auf sich
9.21 11.12 16.23
16.93 19.24
—, aufs Korn 16.108
—, bei den Ohren
19.32
—, beim Kanthaken
(Halskragen)
16.78 19.32
—, beim Wort 16.20
16.24
—, Beine unter den
Arm 8.7
—, den Abschied
16.105
—, den guten
Namen 16.35
—, den Mund voll
16.31 16.89
—, den Schleier
20.15
—, die Ehre 16.35
—, eine andere
Wendung 5.11
5.24
—, ernst 9.42 16.30
16.34 16.36
—, es nicht so genau
16.119 19.25
—, Fühlung 16.40
—, für bare Münze
12.25
—, fürs Leben 16.11
—, für voll 16.30
—, Gebiß zwischen
die Zähne 16.65
16.116
—, Gift drauf 5.6
13.50
—, in Angriff 9.21
9.29
—, in Anspruch 9.84
12.3 18.26
—, in Augenschein
12.7f.
—, in den Mund
16.36
—, in die Arme
16.43
—, in die Hand
9.21 16.96
—, in Dienst 9.84
—, in die Zange
16.76

nehmen, in Kauf 11.8
—, in Strafe 19.32
—, ins Gebet 16.33
—, ins Verhör 19.27
—, kein Blatt vor
den Mund 11.46
13.5
—, Maß 16.78
—, Notiz 16.34
—, Reißaus 11.42
—, Rücksicht 16.90
16.109
—, Schuld auf sich
19.11
—, seinen Fortgang
9.30
—, seinen Lauf 8.11
—, sich das Leben
2.47
—, sich die Freiheit
16.25 16.119
—, sich wichtig
11.44
—, sich Zeit 8.8
9.24
—, sich zu Herzen
11.32 19.5
—, Stellung 12.5
— streng, im
Grunde genom-
men 5.10
—, übel (krumm)
11.27 11.31
—, unter Feuer
16.76
—, vorlieb 11.16
—, zur Frau (zum
Mann) 16.11
—, zur Kenntnis
13.2
—, zu sich 2.26
Nehrung 1.16
Neid 5.6 11.27 11.57
11.60 19.7 19.10
—, das muß ihm
der — lassen 16.30
neiden 11.57
Neidhammel 11.57
neidisch 11.57 11.60
11.62 19.7
Neidwurm 11.57

Neige 3.13 4.5 4.32
4.41 6.4 9.33 9.61
11.11
— des Lebens 2.25
neigen 3.13 8.30
9.1 9.14
—, sich 3.13 3.46 6.4
Neigung 8.11 9.1f.
9.4 9.14 11.2 11.36
11.53 16.42
nein 5.3 9.5 11.30
12.48 13.29 16.27
16.33
Nekromant 12.43
20.12
Nekromantie 20.12
nekromantisch 20.12
Nekrose 2.41
Nektar 10.8
Nelke S. 33 2.28 7.63
Nelson (Doppel-)
16.57
Nemesis 16.8of.
19.32
nennen 5.21 13.16
16.31
—, das Kind beim
rechten Namen
13.49
Nenner 4.35 5.8
5.16
Nennwert 18.23
Neo-Bechstein 15.15
Neon 1.24 7.5
Neophyt 9.29 12.35
20.15
Nep(p) 18.8
Nephelin 1.25
Nephrit 1.25
Nepote 16.9
Nepotismus 16.95
19.21
neppen 16.72 18.8
18.27
Neptun 1.2
Nerv 5.35 9.40 11.4
Nerven 2.16 4.50
11.8 11.27 11.31
11.42
Nervenbündel 11.7
Nervenentzündung
2.41

Nervenklinik 2.44
12.57
Nervensäge 11.14
Nervensystem 2.16
2.41
Nervenzusammen-
bruch 11.15
nervig 5.35 7.45
nervös 9.7 9.10 11.7
11.31 11.58
Nervosität 2.41 5.37
nervus rerum (o je-
rum, Peking,
Plenny) 18.21
Nerz S. 125 17.9
Nessel S. 75 17.8
—, sich in die
setzen 9.78
Nesselfieber 2.41
Nesselsucht 2.41
Nesseltiere S. 92
Nest 4.20 4.41 5.31
5.46 16.2 17.1 17.3
Nestel 4.33 17.9
Nestelknüpfen 20.12
Nesthäkchen 2.22
Nestor 2.25 13.9
nett 9.59 9.66 11.10
11.17 11.53
netto 6.14 18.26
Netz 2.12 3.15 3.57
9.55 9.74 12.53
16.57 16.72 16.118
17.7
—, das — auswerfen
nach 12.9
—, das — stellen
9.26 11.36
—, ins — locken,
ziehen 9.74 11.53
12.53
netzartig 3.15
Netzball 16.57
Netzdruck 14.6 15.5
netzen 2.30 7.57
Netzhaut 2.16 10.15
Netzhemd 17.9
Netzwerk 3.15 3.46
7.8
neu 5.21 5.24 6.26
8.17 9.32 11.5
11.30 11.34 12.37
neuartig 5.21 6.26
neubacken 6.20
Neubau 17.1

Neubauer 16.60
Neubearbeitung 9.57
Neubekehrter 12.35
20.15
neubeleben 2.40
Neubelebung 5.40
Neubürger 16.5
Neudruck 14.11
Neue Welt 16.64
Neuer 2.31 9.29
neuerdings 6.16 6,20
Neuerer 9.57
neuerlich 6.20 6.26
6.28
neuern 5.24
Neuerscheinung 6.26
13.7 14.11
Neuerung 5.21 5.24
6.26
Neuerungssucht
11.27
Neueste (der) 11.23
Neufundländer
S. 126
Neugeburt 20.1
neugestalten 5.26
Neugierde 12.6
neugierig 4.50 12.6
Neuheit 5.21 6.26
Neuigkeit 6.26 13.7
Neuigkeitskrämer
12.6 13.7
neuigkeitssüchtig
12.6
Neujahr 6.2 16.59
20.16
Neujahrswunsch
16.39
Neukaledonien
19.33
Neuland 1.13 1.16
neulich 6.20
Neuling 6.26 9.29
12.35 12.37 12.56
16.5
neumachen 9.58
Neumeier 16.60
neumodisch 6.26
16.61
Neumond 7.3
Neun 4.39
Neunauge S. 100 2.27
Neune, alle 16.57
Neuner 2.5

Neunling 2.5
neunmalgescheit
11.45
Neunzig 4.39
Neuorientierung
5.24
Neupedoge 16.8
Neuralgie 2.41
Neurasthenie 2.39
5.37
neurasthenisch 9.7
Neureich 11.45 12.37
Neuritis 2.41
Neurologie 2.44
Neurose 2.41 12.57
Neurotiker 2.41
Neuruppin, Onkel
Fritz aus 16.5
Neuschnee 1.9
Neusiedler 16.5
Neusilber 1.27
Neutöner 14.2 15.3
neutral 9.7 9.19
19.2 19.18
neutralisieren 9.72f.
Neutralität 9.7
Neuvermählte 16.11
Neuzeit 6.16
Nevele 19.29
Niagara 8.31
Niaiserie 12.56
nich 5.3 11.59 13.29
nicht 4.50 4.52 5.3 5.5
5.7 5.14 5.18 5.21
5.23 5.31 11.8
12.23f. 12.37
12.40 12.44 12.57
13.29
—, bei mir 16.27
— doch 16.51
— nur .., sondern
auch 4.33 4.51
— so recht 9.78
Nichtachtung 16.34
Nichtanerkennung
18.19 19.23
Nichtangriffspakt
19.14
Nichtannahme 16.27
Nichtbeachtung
16.116 19.25
Nichtbefolgung
16.116
Nichtbenutzung
9.19 9.85

Nichtbeobachtung
12.13
Nichte 16.9
Nichtentsprechen
4.25
nichtig 9.45 9.49
12.27 19.23
Nichtigkeit 9.45
9.49
Nichtigkeitsbe-
schwerde 13.29
16.65 19.27
Nichtmetalle 1.28
nichts 4.26 5.21
11.9 11.19 11.27
11.59 12.23 13.18
13.23 19.13
—, es ist —
dahinter 9.45
—, es ist, wird —
mehr 5.47 9.78
—, es hat — auf
sich 9.45
—, mir — dir 9.16
11.8 11.61 16.69
— für ungut 16.82
—, Halbes und —
Ganzes 9.59
— mehr zu hoffen
2.45
— mehr zu machen
2.45 5.47
— werden 9.61 9.78
—, sich — daraus
machen 11.8
11.37
Nichts 3.4 4.4 4.26
11.48
—, sich in — auf-
lösen 9.78
—, vor dem —
stehen 18.4
—, zu einem —
werden 16.93
Nichtschuld 19.13
nichtschuldig 19.30
nichtsdestoweniger
5.23
Nichtskönner 9.53
12.37
Nichtsnutz 9.51
19.10
nichtsnutzig 19.10

nichtssagend 9.45
12.56 13.18 13.35
13.42
Nichtstuer 9.24
Nichtstun 9.19
Nichtswisser 9.53
12.37
nichtswürdig 11.14
16.36 16.93 19.8f.
Nichtübereinstim-
mung 5.21
Nickel 1.24 4.4
18.21
nickeln 11.31
Nickels 20.6
nicken 2.36 12.47
13.1
Nicker 17.11
Nickerchen 2.36
nie 6.5 12.37
— und nimmer
13.29 16.27
Niebuhr 16.60
Niedel 2.30 7.51
nieder 3.34 16.34
nieder- 2.46
niederbrechen 2.39
niederbrüllen 9.37
niederdrücken 4.13
11.14 11.32
niederer 9.59
niederfallen 8.31
20.13
Niedergang 4.5
5.47 8.30 9.78
niedergedrückt
11.13 11.32
niedergehen 4.5
8.30
niedergeschlagen
11.13 11.32 11.48
Niedergeschlagen-
heit 11.13 11.26
11.41f.
niedergeschmettert
12.45
niederhalten 9.73
niederhauen 2.46
niederknieen 20.13
20.16
niederknüppeln
16.107
niederkommen 2.21

Niederkunft 2.21
5.39
Niederlage 4.18
9.78 16.73 16.83
18.25
Niederland 1.13
niederländisch 11.54
niederlassen 8.2 8.30
—, sich 3.3 8.2 9.21
18.23
Niederlassung 16.2
niederlegen 3.3 3.12
8.2 8.31 9.20
9.85 11.30 14.9
16.83 16.105
16.110
—, sich 9.36
niedermachen 2.46
Niedermeier 16.60
niedermetzeln 2.46
8.31
Niederprall 5.36
niederrassig 9.60
niederreißen 5.42
niedersäbeln 2.46
niederschießen 2.46
5.42
Niederschlag 1.8f.
4.32 5.34 7.43
8.30 9.67 16.57
Niederschläge 1.8
niederschlagen 2.46
5.42 7.43 16.84
16.105
—, sich 4.32
—, die Augen
11.48f. 16.50
16.82 16.93
—, den Prozeß, das
Verfahren 9.20
19.13 19.30
niederschmettern
8.31 11.48
niederschmetternd
11.14 12.45
niederschreiben 14.9
niederschreien 9.73
Niederschrift 14.9
19.14 19.27
niedersetzen (nieder-
sitzen, alem.) 8.2
8.30
niederstrecken 2.46
16.84

Niedertracht 16.93
19.8ff.
niederträchtig 11.14
11.60 16.36 16.93
19.8ff.
Niederträchtigkeit,
s. o.
Niederung 1.13 4.13
Niederungen 19.8
niederwärts 3.34
niederwerfen 9.77
16.84
niedlich 4.4 10.12
11.17 11.23
—, sich — machen
bei 16.32
— werden 16.43
Niedlichkeit 11.17
niedrig 4.13 4.15
4.41 9.45 11.48
16.93f. 16.115
19.8ff.
niedrigdenkend 19.8
niedriger hängen
11.48 13.5
Niedrigkeit 4.13
s. niedrig
nie(mals) 5.3
6.5 16.27
niemand 3.4 4.26
5.5 16.94
Niemand! 11.47
Niemand 9.45 16.94
Niemandsland 16.75
Niemann 16.60
Niemeier 16.60
Niere 2.16 2.27
—, an die — gehen
11.32
Nierenbeckenent-
zündung 2.41
Nierenentzündung
2.41
Nierenschrumpfung
2.41
Nierensteine 2.41
nieseln 1.8
niesen 2.35 7.32
7.60
Nießbrauch 9.84
18.1f.
Nießnutz 18.2
Nieswurz S. 35

niet- und nagelfest
7.43 18.j
Niete 9.11 9.60 9.78
nietig 11.31 11.58
12.55
Niflheim 20.11
Niggemann 16.60
Nigger 7.14 16.120
Nihilismus 11.37
16.94
Nihilist 16.116
19.9 20.3
nihilistisch 20.3
Niklas, Niklaus,
Nikolaus 16.3
20.6
Nikotin 1.29 2.43
Nikotinspargel 2.34
Nimbus 1.4 3.24 7.5
16.85 20.6
nimmersatt 11.27
Nimmersatt 10.10f.
18.7
Nimmerwieder-
sehen, auf 18.15
Nimrod 2.12
Niobe 11.33
Niod 1.24
Nippelspanner
17.15
nippen 2.26 2.30f.
4.24 9.28 10.7
11.19
Nippes 9.49 15.6
nipplich 4.11
Nirgendheim 3.5
nirgends 3.4f.
nirgendwo 3.5
Nirwana 3.4 4.26
20.10
Nische 3.19 3.49
17.2
Nischel 2.16
nischt 5.3
nisten 3.3
Nisterer (schwäb.)
13.7
Nitroglyzerin 1.29
17.12
nitschewo 9.45
11.37
Niveau 9.56 9.60
12.54

nivellieren 3.12 3.51
4.27 5.16
Nivellierung 3.14
Nixe 11.30 20.5
Nixkind 20.5
no? 13.25
Noah 2.33
nobel 16.61f.
16.91 18.13 19.2
nobilitieren 16.91
Noblesse s. nobel
noch 4.28 4.32 4.50
6.11 9.59 12.39
— nicht 4.46 5.7
— nie dagewesen
6.5
— und — 4.20 6.7
6.31
— mal 11.5
nochmals 6.28
Nöck 20.5
Nocke 3.43 3.48
Nockerln 2.27
Nocturno 15.12
nödelig 8.8
nödeln 8.8
nölen 8.8 11.26
noli me tangere
S. 50; 56
16.51 16.77
nölig 9.41
nollen 16.78
Nomade 16.6
nomadisch 8.1 16.6
Nomenklatur 13.12
13.16
nominieren
s. ernennen
Nominierung
s. ernennen
nonchalant 16.53
None 4.39
non liquet 12.23
Nonne 11.49 16.50
16.52 20.13 20.17
Nonne (Zoologie)
S. 95
Nonnenfürzchen
2.27
Nonnengewand
20.18
Nonnenkloster
20.20

Nonnenmacher
16.60
nonnenmäßig 16.51
Nonnenstand 20.15
Nonpareille 14.6
non plus ultra 4.50
9.56
Nonsens 12.19
12.57
noot, jo 's dut mer
16.27
Nord 1.6
norddeutsch 11.25
Norden 1.12 7.40
Nordischer Hof
16.64
nördlich 1.12
Nordlicht 7.5 11.21
Nordpol 7.40
Nordstern 13.1
nörgeln 11.27 16.33
16.116
Nörgler 11.27 16.33
Norit 1.26
Norm 5.19 12.17
19.19
normal 3.37 12.14
12.18 12.44
Normaldruck 14.6
Normalhemd 17.9
normalisieren 3.37
Normallinie 3.11
normativ 9.14
normen 5.16
Normenbrecher 9.38
normieren 5.16
Nörsing 2.16
Nosean 1.25
Not 4.25 5.47 9.3
9.55 9.81 11.13f.
11.34 16.118 18.4
—, der — gehor-
chend 9.5
—, hat seine liebe
9.55
—, mit genauer 8.18
9.74
—, mit Müh und
9.55
— kennt kein
Gebot 19.13
Not- 6.15
Notabeln 16.91
notabene 4.28

Notanker 9.82
Notar 14.9 16.60
19.28
Notbehelf 9.55 9.82
Notbremse 13.11
Note 4.28 5.9 9.26
13.2 14.6 14.8
14.10 15.3 15.11
—, nach —n 4.50
—, die persönliche
13.41
Notenpresse 4.20
18.15 18.21
Notenumlauf 18.21
Notfall 9.3 9.55
notfalls 9.81
Nothelfer 9.70
notieren 14.9
nötig 9.3 9.81 18.3
s. notwendig
nötig haben 9.81
nötigen 2.26 9.3
16.22 16.107
16.113
nötigenfalls 9.81
Nötigung 9.3 16.107
Notiz 13.2 13.6
14.9f.
—, keine — nehmen
16.34
Notizbuch 12.39
14.9
Notlage 9.55 s. Not
Notlandung 8.6
notleiden 18.4
notleidend 4.25
s. o.
Notlüge 9.13 13.51
Notmast 5.29
16.104
Notnagel 5.29
16.104
Notopfer 18.26
notorisch 12.32 13.6
Notruf 13.1 13.11
Notschrei 7.34
Notstand 9.55
Notung 17.11
Notzeichen 13.11
notwendig 9.3 9.81
16.107
notwendigerweise
9.3

Notwendigkeit 5.45
  9.3 9.25 9.81
  16.107
Notzucht 16.44
  16.107
notzüchtigen 9.3
Nouveauté 6.26
Novelle 14.1
November 6.9
  16.119
Novität 6.26
Novize 6.26 9.29
  12.56 20.15 20.17
Novum 6.26
nt-nt 11.33
Nu 6.8
—, im 6.14 8.7
nu schon mal janich
  16.27
Nuance 5.21
nubbeln 8.34
Nubien 7.35
Nubier 7.14
nüchtern 2.29 5.38
  11.8 11.12 11.26
  11.32 12.14 12.26
  12.55 13.18 13.40
Nüchternheit 11.12
  s. o.
nuckeln 2.30
Nuckelpinne 8.4
Nudel 2.27
—, freche 16.90
Nudelkulle 3.52
nudeln 4.10
Nudist 3.22
Nuditäten 3.22
  16.44
Nüff 2.16
Nugat 2.27
Nuge 2.16
Null 4.26 7.40 9.45
  12.56 16.34 16.94
  19.13
Nüllenflicker 16.60
Nulpe 3.60 11.24
  12.56
nulschen 2.36
numerieren 4.35 13.1
  16.68
Numero Sicher
  16.117
Numismatik(er)
  18.21

numismatisch 18.21
Nummer 4.35 5.8
  11.24 14.11
—, dufte 19.9
— Sicher 16.117
  19.33
numprig 4.4
nun (jetzt) 6.16
  12.16
— und nimmermehr
  6.5
nunmehr 6.16 6.18
nunmehrig 6.16
Nuntius 13.8 16.103
nur 4.25 4.50f.
  5.10 13.28
— so 16.84
Nürburgring 16.57
Nusche 2.16
nuscheln 13.14
nuseln 13.14
Nuß S. 28f. 2.16
  2.27 7.16 11.14
  12.8 16.68
—, eine — vom
  Baume schwatzen
  13.22
—, harte 9.40 9.55
  13.35
—, in einer 14.12
Nüsse, in die —
  gehen 2.45
Nußbrauner 2.30
Nüßchen S. 79 2.27
nusseln 13.22 13.35
Nußknacker 3.57
Nußtorte 2.27
Nüster 2.16
Nute 3.10
Nutria S. 125 17.9
nuttig 4.4 11.28
Nutzanwendung 9.84
nutzbar 9.47 9.84
Nutzbarkeit 9.47
nutzbringend 9.46
  18.5
Nutzen 9.46f. 18.5
  18.23
  s. nützlich
— ziehen aus 9.84
nützen 9.46f. 9.56
  s. o.
nützlich 9.46f. 9.70
  9.84 18.5
  s. Nutzen

Nützliches 11.40
Nützlichkeit 9.46
  s. o.
nutzlos 9.49 9.78
  9.85
Nutzlosigkeit s. o.
Nutznießer 18.5
Nutznießung 9.84
  18.1
Nylon 17.8
Nymphe 2.15

O

o 11.5
Oase 1.13 2.1 4.24
  7.55
ob 5.4 5.17 13.25
Obacht 11.40 12.7
Obdach 3.20 9.75f.
  16.1
— gewähren 16.1
obdachlos 3.22
Obduktion 3.57 4.34
  12.8
O-Beine 2.41 3.46
Obelisk 2.48 4.12
  14.9
oben 3.33 4.12 4.41
  11.44
—, von 16.34
  16.106
obenauf 3.33
obendrein 4.28 4.51
obenhin 3.18 9.43
Ober 16.60
Ober- 16.99
Oberamt 1.15 16.99
Oberamtmann 16.97
Oberarm 2.16
Oberarzt 16.74
Oberaufseher
  16.97f.
Oberaufsicht 16.96
Oberbefehl 8.13
Oberbefehlshaber
  16.74
Oberbett 17.9
Oberdechant 20.17
obere 3.33
oberfaul 4.50 9.60
  9.74 9.78

Oberfläche 3.18 3.20
oberflächlich 3.18
  3.20 4.15 9.43
  11.37 12.13 12.37
  13.42
Oberflächlichkeit
  12.37 s. o.
Oberförster 2.15
Obergeschoß 17.2
Obergewalt 4.41
  16.95 16.97
oberhalb 3.33
Oberhand 9.77
  16.97
— gewinnen 16.84
Oberhaupt 16.96ff.
Oberhaus 16.102
—, Mitglied des
  16.97
Oberhemd 17.9
Oberherr 16.98
Oberherrschaft 4.41
  16.97
Oberhofmeister
  16.112
Oberhoheit 16.97
Oberin 20.17
Oberjäger 16.74
Oberkammer 16.102
Oberkaplan 20.17
Oberlandesgericht
  19.28
Oberlehnsherrlich-
  keit 16.95 16.97
Oberlehnsherrschaft
  16.95
Oberlehrer 12.33
  12.55
Oberleitung 16.96
Oberleutnant 16.74
Oberlippe 2.16
Oberlyzeum 12.36
Obermeister 16.96ff.
Obermotz 16.96
Oberon 20.6
Oberpfarrer 20.17
Oberplatte 3.33
Oberprediger 20.17
Oberpriester 20.17
Oberpriestertum
  20.16f.

Oberrichter 19.28
Oberrock 3.20
Oberroß 12.56
Obers 2.30 7.51
Oberschicht 3.18
3.20
Oberschule 12.36
Oberschwindler 4.50
Oberseite 3.26
Oberst(leutnant)
16.74
Obersteuermann
16.97
Oberstübchen 12.57
Oberwachtmeister
16.74
Obertöne 15.11
Oberverdachts-
schöpfer 16.60
Oberwasser 16.84
16.97
Oberzahlmeister
16.74
Oberzinker 19.29
obgleich 5.23 9.72
13.47f. 16.65
Obhut 9.75
obige, der 6.28
Objekt 1.20 5.2f.
12.5
Objektiv 10.16
objektiv 12.14 12.31
13.49 19.2 19.18
Objektivität 19.13
19.18
Oblate 4.11 4.13
4.42 20.16
Oblation 16.22
obliegen 19.24
Obliegenheit 9.22
19.24
Obligation 16.23
18.21 18.25 18.30
19.16
obligatorisch 9.3
16.107 19.24
Obligo 18.17 19.16
oblong 4.6
Obmann 16.98f.
Oboe 15.15
Obolus 18.12

Obrigkeit 16.95
16.97 16.99 19.19
19.27 19.29
Obrigkeitsstaat
16.97
obschon 5.23 9.72
13.48 16.65
Observanz (Kirchen-
brauch) 5.8 6.27
9.31 19.19 20.16
Observatorium
10.15f.
Obsidian 1.26
obsiegen 16.84
16.107
obskur 7.6 16.92
16.94
obsolet 6.27
Obst 2.3 2.27 7.65
Obst(baum) 2.1f.
Obstgarten 2.5
obstinat 9.72
Obstipation 2.41
Obstkuchen 2.27
Obstruktion 9.73
16.116
Obstwein 2.31 7.54
obszön 9.67 11.11
11.28 16.44 16.53
obwalten 5.1
obwohl 5.23 9.72
13.48
obzwar 5.23 9.72
Occupation s.
Eroberung
Ochlokratie 16.95
16.97
Ochs S. 127 9.7
11.30 12.56
Ochse 11.8 11.29
12.56
Ochsen 2.48 16.64
ochsen 9.38 12.35
Ochsenauge 2.27
Ochsenfuhrwerk
2.48
Ochsenfuß 8.8
Ochsenpantoffel
16.33
Ochsentreiber 1.2

Ochsenziemer 16.78
19.32
Ocker 7.19f.
Oculi 20.16
öd 11.31
Ode 14.2
Öde 1.13 3.1 3.4
4.26 9.49 16.52
öde 2.7 3.4 3.22
5.29 9.27 9.49
16.52
Odel 7.64
Odem 2.17
Ödem 2.41 4.10
Odeon 15.11 17.1
oder 5.4 9.3 9.11
Oderkähne 17.9
Odermennig S. 45
Odeur 7.62f.
O. d. F. 16.79
Odin 20.7
Odinssaal 20.10
Ödipuskomplex
11.53
Odium 11.62 11.63
16.94
Ödland 1.13 9.49
Ofen 7.37 9.45 9.78
Ofenpfanne 17.6
Ofenschirm 9.76
Ofentopf 17.6
offen 3.22 3.57 5.7
7.1 9.7 11.46
12.7 12.25 12.33
13.5 13.33 13.49
16.76 19 1
siehe Öffnung
—, mit —em Munde
11.30 12.41
—e Rede 13.5
—e Tür 13.49
—es Haus 16.64
—es Meer 3.1
offenbar 5.6 7.1
13.3 13.33
offenbaren 13.3
13.5 13.49 14.2
Offenbarung 7.1
12.8 12.32 13.3
13.5f. 20.1 20.7
20.19 s. offen
Offenbarungseid
18.18f.

offenbleiben 5.7
offenhalten 11.40
11.40
Offenheit 11.46 13.3
13.49 19.1
s. Öffnung, offen
offenherzig 3.22
11.46 13.3 13.6
13.49 16 19.1
Offenherzigkeit
13.2f. 13.5 s.
Offenheit
offenkundig 5.6 7.1
12.32 13.3
Offenkundigkeit
13.6
offenlassen 5.7
offenlegen 12.20
offensichtlich 5.6 7.1
offensiv 16.76
Offensive 16.73
16.76
Offensivgeist 2.31
Offensivwaffe 17.11
offenstehen 18.19
offenstehend 12.8
öffentlich 13.6 16.19
16.93
—e Meinung 12.22
— Geheimnis 13.6
Öffentlichkeit 10.15
13.3 13.5f.
offerieren 16.22
s. anbieten
Offert(e) 16.22
s. Angebot
offiziell 5.6 12.26
13.3 13.28 16.97
16.99 19.3 19.19
Offizier 16.74 16.96
16.98
Offiziersaspirant
16.74
Offizierspatent
16.103
Offizin 9.22
offizinell 2.44
offiziös 9.12 12.26
13.3 16.99
öffnen 3.57 12.7
16.64

Öffnung 2.35 3.10
3.57
Offsetdruck 14.6
Ofner 16.60
oft 6.31
öfteren, des 6.28
öfters 6.30
Oger 11.42 20.9
oh! 11.33
oha! 16.65
Oheim 16.9
Ohm 4.19 5.35
16.9 17.17
ohne 3.4 4.30 4.49
11.46 11.55 13.29
— mich 9.5 16.27
— Unterlaß 6.34
— weiteres 9.79
16.24
ohnegleichen 4.36
4.50 9.64
ohnehin 5.14 9.4
Ohnmacht 2.39
2.41 5.37 10.3
11.8 11.15 16.93
ohnmächtig 5.37
11.15 16.111 s. o.
— werden 2.39
ohnseitig 19.18
oho 12.7 13.47
16.65
Ohr 2.16 9.79 10.19
13.7
—, ans — dringen
7.24
—, das — beleidigen
15.18
—, ein williges —
leihen 16.24
—, einen Floh ins
— setzen 16.35
16.95
—, hat sein 16.95
—, ist ganz 12.7
16.38
—, sich aufs —
legen 2.36 9.36
—, übers — hauen
18.8
—, von — zu 13.61
Ohr 3.57

Ohren 2.22 2.27
2.41 8.7 8.14 9.42
11.53 18.6 18.8
19.32
—, daß einem die —
gellen 7.26
—, die Leichenfinger
um die — pfla-
stern 16.76
—, die — kitzeln,
kraulen 16.32
—, die — hängen-
lassen 2.39
—, die — vollblasen
13.22
—, hinter die —
schlagen 16.78
—, hinter die —
schreiben 12.39
—, in den — liegen
16.20 16.32 16.38
—, taube 9.49
Ohrenbeichte 20.16
ohrenbeleidigend
7.31
ohrenbetäubend 7.26
Ohrenbläser 13.5
16.32 16.35
Ohrenmensch 10.19
Ohrensausen 2.41
10.20
Ohrenschmalz 2.35
Ohrenschmaus 7.34
11.9 15.17
ohrenzerreißend
7.26 7.31
Ohrenzeuge 10.19
12.32 19.27
Ohrenzwang 2.11
Ohrfeige 8.9 16.78
19.32
ohrfeigen 16.76
16.78 16.83
Ohrfeigengesicht
11.59
Ohrgehänge 17.10
Ohrlaufen 2.41
Ohrn 17.2
Ohrring 17.10
Ohrtrompete 10.20
Ohrwaschel 2.16
Ohrwürmchen S. 94
4.50

ohrzerreißend 15.18
Oidran 20.5
Okarina 15.15
okkult 12.43
Okkultismus 20.12
Okkultist 12.43
20.5
okkultistisch 20.12
Okkupant 16.76
Ökologie 2.1 3.3
Ökonom 2.5 16.60
Ökonomie 2.5 9.15
18.1
ökonomisch 18.1
18.10
Oktav 4.16 14.8
14.11
Oktave 4.39 15.11
15.17
Oktett 4.39
Oktober 6.9
Oktoberfest 16.59
oktogonal 3.41
Oktroi 18.26
oktroyieren 16.107
okular 2.16 10.15
10.16
Okulation 4.33 8.26
okulieren 2.5 4.28
8.23
Okulist 9.75
16.60
ökumenisch 4.41
Okzident 1.12
Öl 4.51 5.38 7.5
7.38 7.52 9.38
— am Hut haben
2.33
— in die Wunde
gießen 9.70
— ins Feuer gießen
5.36 16.67
Olaf 16.3
Ölbaum S. 69 16.48
Olbel 12.56
Ölberger 19.29
Oleander S. 11
ölen 3.52 7.52 13.22
Ölfarbe 7.11

Ölfarbendruck 14.6
15.4f.
Ölfeld 1.23
Ölgemälde 15.4
Ölgötze 11.26
ölig 3.52 7.52
Oligarchie 16.95
16.97
Öligkeit 7.52
Olim, zu —s Zeiten
6.21
Olive S. 69
olivengrün 7.18
Olivenzweig 16.48f.
Olivin 1.25
Ölkopp 2.33
Ölkrusel 7.5
Ölkusine 15.4
oll 9.60
Olla potrida 1.21
2.27
Olle, der 16.9
Oller, mein 16.11
Ölmalerei 15.4
-ologe 12.32
-ologie 12.32
Ölpapier 7.9
olpern 8.1
Ölsäure 1.29
Ölung 7.52
—, letzte 20.16
Olymp 20.7
Olympier 11.8 11.44
16.98 20.7
olympisch 11.8
Olympische Spiele
16.57
Oma 2.25 16.9
Omega 6.4
Omelette 2.27
Omen 5.47 12.43
13.1
ominös 11.41f. 12.41
Omnibus 8.4 16.6
Onanie 11.47 16.44
ondulieren 17.10
Onestep 16.58
Onkel 16.9 16.109
— Fritz aus 12.25
16.5
—, gelber 16.78
—, großer 9.65

onkeln 8.1
Onomastik, Onoma-
    siologie 13.16
Onomastikon 13.16
    14.11
ontisch 5.1
Ontologie 5.1
Onyx 1.25 17.10
Onze-et-demi 16.56
Opa 2.25 16.9
opak 7.6 7.8
Opal 1.25 7.23 17.10
opalfarbig 7.23
opalisieren(d) 7.23
Opanken 17.9
opeln 8.7
Oper 14.3 15.11
    15.16 16.55
Operation 2.44 4.30
    4.35 9.18 16.73
    16.76 s. schneiden
—, ärztliche 2.44
—, kriegerische
    16.73
Operationsgebiet
    16.75
Operationslinie 9.15
    16.73
Operationstisch 17.3
Operette 14.3 15.16
operieren 2.44 9.18
Operment 1.25 7.19
Opernglas, Opern-
    gucker 10.16
Opernsänger 15.16
Operntext 14.3
Opfer 2.46 5.29
    5.42 9.63 9.78
    11.13 16.22 16.80
    18.12 18.27 19.26
    19.31 20.2 20.13
    20.16
Opferaltar 20.21
Opferbaum 20.20
opferbereit 19.2
Opferbüchse 20.21
Opferdienst 20.16
opferfreudig 11.51
    19.2
Opfergabe 20.16
Opfergang 2.47
    20.13
Opferfeld 18.26
Opfermut 19.2

opfermutig 19.2
opfern 2.46f. 5.29
    5.42 11.51 16.32
    18.12 19.2 19.26
    20.2 20.13
    s. Opfer
Opfersinn 11.51
Opfersonntag 9.70
Opferspende 20.16
Opferstein 20.20f.
Opferstock 20.16
Opferteich 20.20
Opferung 19.26
Opferwille 19.2
opferwillig 11.51
    19.2
Opiat 5.38 10.3
    11.8
Opium 1.29 10.3
    11.8
Opossum S. 124 17.9
Oppers 2.5
Opponent 16.66
opponieren(d) 9.17
    9.72f. 11.27 13.47
    16.116
Opportunist 9.84
    16.32 19.8
opportunistisch 5.25
Opportunität
    s. Gelegenheit
oppositio in adiecto
    12.19
Opposition 3.32 9.72
    16.65 16.116
    s. Widerstand
oppositionell 9.72
    16.116
optieren s. wählen
Optik 7.4 10.16
Optiker 10.16 16.60
Optimat 16.91
Optimismus 11.35
    12.50
Opitimist 11.9
optimistisch 11.9
    11.35
Option 9.11
optisch 10.15f.
—e Instrumente
    10.16
opulent 18.3 18.13
Opus 14.11

Orakel 5.7 6.23 9.15
    12.42f. 12.52
    13.9f. 13.26 20.20
—, delphisches 5.7
orakeln 13.34
Orakelspruch 5.7
    13.34
oral 2.16
Orang-Utan S. 128
Orange S. 55 2.27
    7.20
orange 7.20
Orangeade 2.30
Oratorium 15.11
    15.16 20.16 20.20
orbi, urbi et 3.7
Orbilius 12.33
    16.78
Orchester 15.11
    15.14
orchestrieren 15.14
Orchestrion 15.15
Orchideen S. 26
    11.11
Ordal 12.9 19.27
Orden 11.48 16.17
    16.46 16 85 16.87
    17.10 20.13 20.15
    20.17 s. Zusam-
    mensetzungen
— tragen 17.10
Ordensband 16.46
    16.85ff.
Ordensbruder 20.17
Ordensfrau 20.17
Ordensgeistlicher
    20.17
Ordensgesellschaft
    16.17
Ordensjäger 11.45
Ordenskette 16.87
Ordensmann 20.17
Ordensmantel 20.18
Ordensregel 20.16
Ordensschleife 16.87
Ordensschwester
    20.17
Ordensspange 16.87
ordentlich 3.37 4.50
    9.42 16.103 19.4
    19.24 s. Ordnung

ordinär 11.28f.
    16.53
Ordinariat 20.17
Ordinarius 12.33
Ordinate 3.11
Ordination 2.44
    20.15f.
ordinieren 16.106
    20.15 s. o.
ordnen 3.37 6.7
    9.24 9.26 9.57
    18.18 18.26
Ordner 3.37
Ordnung 3.37 5.19
    9.25 16.106 19.18f.
    19.24
—, geht in 12.47
    16.24
—, in — bringen
    2.44 9.58 16.47
—, nicht in 2.41
    19.21
—, zur — rufen
    16.33
—, zweiter 9.45
ordnungsgemäß
    19.24
ordnungslos 9.27
ordnungsmäßig 19.24
ordnungswidrig 19.23
Ordnungswut 3.37
Ordonnanz 13.8
    16.74 16.112 19.19
Oreaden 20.7
Orenda 5.35 20.5
Orestes u. Pylades
    16.41
Organ 2.16 9.82
    14.11
Organdy 17.8
Organisation 3.37
    5.8 5.26 9.15 9.26
    9.77
Organisator 3.37
organisch 2.8 2.17
    3.37 5.26
organisieren 3.37
    4.29 9.15 9.21
    9.26 9.52 12.42
    16.17 18.9
Organismus 2.8
    2.17 5.1

Organist 5.14
Orgasmus 11.5
Orgel 15.14f. 20.16
20.21
Orgelbalgtreter
15.11
Orgelbauer 16.60
Örgele 17.6
Orgelkonzert 15.11
orgeln 7.33 15.18
Orgiasmus 11.5
Orgie(n) 11.11
16.55 19.10
Orient 1.12
orientalisch 8.8
orientieren 12.33
—, sich 5.18 10.15
Orientierung(sgabe)
9.52 12.39
original 12.2
Original 5.18 5.20f.
12.57 13.53 14.5
15.4 16.52 16.54
Originalabfüllung
1.22 9.56
Originalbericht 13.3
Originalgenie 12.2
Originalität 5.21
12.28
originell 11.23 12.28
Orion 1.2
Orkan 1.6 5.36
16.31
Orkus 20.11
Ormuzd 20.9
Ornament 15.3f.
15.7 17.10
ornamental 15.7
17.10
ornamentieren
11.16f. 15.7
Ornat 3.20 17.9
20.18
—, geistlicher 20.18
Ornithologie 2.8
Orphiologie 2.8
Orplid 1.17 3.5
Orsinibombe 17.11
Ort 1.11 1.13 1.15
3.2 5.12 16.2
—, am falschen 9.55
— beherrschen 4.12
—, geometrischer
1.11 6.33

Ort, geweihter 20.20
— und Stelle 3.3
—, von — zu 3.1
3.7
Ort (Landspitze)
1.16
Örtel 3.1
orten 3.2
orthodox 9.8 12.55
20.1 20.13
Orthodoxie 20.1
Orthoepie 7.34 13.16
Orthographie 14.5
Orthoklasporphyr
1.26
Orthopädie 2.44
örtlich 3.2
Örtlichkeit 1.11 3.2
Orts- 16.4
Ortschaft 16.2
ortsfremd 4.49
ortsgebunden 3.3
Ortsgedächtnis 12.39
ortsgemäß 12.47
Ortssinn 9.52 12.39
Ortsveränderung 8.1
8.3 8.11 16.6f.
Ös 17.2
ös 16.3
Ösch 1.13
Öse 3.58
Osiris 20.7 20.19
Oskar 2.27 4.50
16.3 16.87
Osmium 1.24
Osmose 8.25
Osphresiologie 7.63
Osramlampe 7.5
Ossarium 2.48
Ossi 16.3
Ost(a)ra 20.7
Ost(en) 1.6 1.12 3.29
ostentativ 9.14
Osterluzei S. 29
Ostermonat 6.9
Ostern 6.9 16.59
20.16
— und Pfingsten
auf einen Tag 6.5

Österreich 11.55
Osthilfe 18.19
östlich 1.12 8.8
Ostrazismus 19.32
Oswald 16.3
Oswin 16.3
Oszillation 8.33
oszillieren 3.17 8.33
Othello 11.56
Otmar 16.3
Otter S. 101 2.43
Otterngezücht 11.42
19.9
Ottilie 16.3
Otto 16.3
Ottomane 3.16 17.3
outrieren 15.2
outriert 4.22 11.6
Outsider 4.36 5.20
Ouvertüre 6.2 9.29
15.11f.
oval 3.48 3.50
Oval 3.48
Ovation 16.87
Öwes 17.2
Oxhoft 4.19 17.6
Oxyd 7.36
Oxydation 7.36 9.61
Oxyde 1.25 1.28
oxydieren 3.20
7.35f. 9.61
Ozäna 2.41
Ozean 1.18
—, den — durch-
pflügen 16.7
ozeanisch 1.18
Ozeanographie, oze-
anographisch 1.18
Ozeanriese 8.5
Ozokerit 1.29
Ozon 7.63

P

Päan 11.21 11.54
14.2 16.31 16.87
Paar 4.25 4.37 4.50
5.9 5.21 8.18 9.77
16.11
—, zu —en treiben
4.37 16.108

paar, ein 4.17
paaren 1.21 4.25
4.33 4.37
paarig 4.37
Paarlauf 16.57
Paarung 1.21 2.19
4.33 4.37 16.11
paarweise 4.37
Paarzeit 2.19
Pacht 18.1
pachten 6.7 18.17
Pächter 2.5 16.4
18.1
Pächterhaus 17.1
Pachthof 18.17
Pachtung 18.17
Pachulke 14.5f.
Pacifikation,
s. Beruhigung
Pack 4.17 4.41
16.92 16.94
—, mit Sack und
16.8
Päckchen 2.20 17.9
packen 3.3 3.9 3.37
8.18 9.13 9.26
9.44 11.5 12.6f.
16.8 16.117 18.6
—, es 9.77
—, seine Klamotten
16.8
—, sich 8.18
packend (Malerei)
11.5 11.17 15.4
Packer 16.8
Packesel 9.40 16.112
Packpapier 17.8
Packraum 9.23
Packung 17.7
Pädagoge 12.32
12.33
Pädagogik 9.25
12.33
pädagogisch 9.25
9.52 12.33
Pädagogium 12.36
Padde S. 100
Paddelboot 8.5
paddeln 8.5
Paddeln 16.57
Paddevuel 16.56
Paddock 19.33
Päderastie 16.44

Padischah 16.98
Pafel 18.23f.
paffen 2.34
Pagan(ismus) 20.2
Page 16.112
Pagenstecher 16.60
Pagina 4.35 14.11
paginieren 4.35
Pagode 20.7 20.20
Pagodenmännchen
8.33 12.47
pair, au 18.29
Pair 16.91 16.96f.
16.99
Pairskammer
16.102
Pairswürde 16.91
Pak 9.73 16.74
16.77 17.12
Pakatzen 11.5
Paket 4.17 16.27
17.7
Pakt 19.14
paktieren 19.14
Paladin 9.70 16.74
Palais 17.1
Paläographie 14.5
Paläologie 6.18ff.
Paläontologie 2.8f.
6.21
Palast 17.1 17.10
Palast- 16.64
palatal 2.16
Palatschinken 2.27
palavern 13.22
Paletot 3.20 17.9
Palette 15.1 15.4
Palimpsest 14.9
Palinodie 9.3 13.29
Palisaden 3.24 3.55
16.77 16.117
Palla 17.9
Palladium 1.24
20.16 20.18
Pallas 20.7
Pallasch 17.11
Palliativ 2.44 5.38
11.34 19.13
Pallium 20.18
Pallopeten 19.29
Palme S. 22 9.77
16.49 16.84ff.
Palmette 13.7 17.10
Palmsonntag 20.16

Paloppen 19.29
palpieren 10.2
Pampa(s) 1.13
pampampam 15.11
15.13
Pampelmuse 2.27
pampfen 10.11
Pamphlet 13.6
14.11 16.33 16.35
16.54
pampig 7.51
Pamps 2.27 7.51
pan- 16.18
Pan 7.28 20.7
Pan- 4.3 16.18 18.7
Panacee 2.44
Panama 17.9
Panaritium 2.41
Pandekten 4.10
19.19 19.24
Pandorabüchse 5.47
9.50
Pandur 19.27 19.29
Panegyrikus 16.31
Panier 13.1
panieren 3.20 7.65
Paniermehl 3.20
Panik 11.42f.
Panikmacher 11.43
panisch 11.42
Pankha 1.6
Pankraz 16.3
pankreal 2.16
Pännche 11.32
Panne 9.50 9.55
9.63 9.73 9.78
Pannkuchendag 16.8
Panorama 7.1f.
10.15f. 15.4
panoramisch 7.1
panschen 1.21 7.55
Pansen 2.16 2.22
Pantalon 17.9
Panter S. 126
Pantheismus 20.2
20.7
Pantheist 20.2
pantheistisch 20.2
Pantheon 20.20
Pantinen 11.30 17.9
Pantoffel 3.20 11.48
16.114 17.9
Pantoffelheld 5.37
9.7 11.43 11.47

Pantoffelherrschaft
16.95
Pantoffelwirtschaft
16.97
Pantomime 13.1
14.3
Pantomimiker 14.3
pantomimisch 13.1
Panzer 3.20 7.44
10.3 16.77 17.9
17.12 17.14
Panzerfaust 17.12
Panzerhemd 16.77
17.14
Panzerjäger 16.74
Panzerkreuzer 16.74
panzern 3.20 9.75
Panzerschiff 8.5
16.74
Panzerschreck 17.12
Panzerspähwagen
16.76
Panzertum 17.14
Panzerwaffe 16.74
Panzerwagen 17.14
Päonie S. 34 11.47
Papa 5.39 16.9
Papagei S. 104; 124
5.18 13.22
Papel 2.41
Papier 4.11 7.9
7.13 7.38 11.26
13.50f. 14.5f.
14.8f. 14.11 17.8
18.19 18.30 19.14
Papierdeutsch 13.38
13.42
Papierdrachen 16.56
papieren 13.18
Papierflut 9.80
Papiergarn 17.8
Papiergeld 18.21
19.16
Papierkorb 9.33
16.27
Papierkragen 11.31
Papierkrieg 12.48
14.5 14.8 16.99
Papierwirtschaft
18.21
Papinscher Topf
7.60
Papmeier 16.60

Papp 7.51
Pappdeckel 17.8
Pappe 4.50 7.51 17.8
Pappel S. 28 2.5
Pappelallee 8.11
päppeln 2.44
pappen 2.26 4.33
Pappenstiel 9.44f.
Papperlapapp 12.19
13.22
pappig 7.51
Pappler 13.22
Pappschachtel 17.7
Paprika S. 71 2.28
7.68
Papst 5.6 11.45 20.17
Papstkrone 20.18
päpstlich 20.16f.
—er Thron 20.16
Papstsessel 20.16
Papsttum 20.16f.
Papstwürde 20.16f.
Papua 7.14
Papyrus 14.9
par excellence 4.41
4.50
Para 18.21
Parabel 3.46 13.34
13.36 14.1
Parade 9.72 11.47
16.88
Paradeaufstellung
3.14
Parademarsch 15.12
Paradentose 2.41
Paradeplatz 1.11
Paradeschritt 16.87
paradieren 11.45
16.6 16.88 17.10
Paradies 5.46 11.9
19.4 19.33 20.10
paradiesisch 5.46
11.17 20.10
Paradigma 5.18
paradox 11.30 12.19
12.23
Paradoxon 12.27
13.4 13.37
Paraffin 1.26 1.29
7.53
Paragraph 2.32 4.42
13.6 13.20 14.11
16.106 19.15 19.30

Paragraphenmühle
16.99
Paragraphenreiter
12.55
Paraklet 11.34 20.8
Paralipomenon 14.10
Parallaxe 3.8
parallel 3.14 5.17
Parallele 3.14 12.10
s. gleichlaufend
parallelisieren 12.10
Parallelismus 3.14
Parallelität 3.14
Parallelogramm (der
Kräfte) 3.43 9.68f.
9.71
Paralyse 2.41
paralysieren 5.37
9.72f. 10.3 11.8
paralytisch 2.41 5.37
Paranoia 2.41
paranoid 12.57
Paranuß S. 60 2.27
paraphieren 14.5
19.14
Paraphrase 13.20
13.44 13.53
Paraplü 2.45 17.9
Parapsychologie 20.5
20.12
Parasit 4.37 16.5
16.32 16.112
16.115 18.29
parasitenhaft 16.32
Parasitismus 16.115
Paratyphus 2.41
pardauz 8.31
Pardel S. 126
Pardon 11.47 11.50
16.20 16.82 16.108
Parenthese 3.23 3.25
3.36 4.34 4.48 8.26
—, in 4.28
Parergon 4.28 14.10
Parforcejagd 2.12
5.36 16.55
Parfüm 7.63
parfümieren 7.63
Pari (al, über, unter)
18.21 18.30

Paria 4.49 16.52
16.94
parieren 8.10 9.73
16.77 16.114
Parität 4.27 5.16
paritätisch 5.16
12.47 18.21
Park 1.13 2.5 3.51f.
4.18
Parkett 3.20 9.74
17.2
Parkettsicherheit
16.38
Parkhotel 16.64
Parlament 4.17 16.98
16.102f.
Parlamentär 13.8
16.49
Parlamentarier 16.97
16.102
Parlamentarismus
16.95 16.97
parlamentieren 16.49
Parmäne 2.27
Parmesan 2.28
Parnaß 3.33
Paro 16.56
Parochie 20.22
Parodie 5.18 13.45
15.2 16.54
parodieren 11.23f.
16.54
Parole 13.1 16.73
19.16
Paroxysmus 5.36
8.34 11.5f.
Parrtorm 16.37
Part 1.18
Partei 4.17 9.68f.
12.22 16.17 16.67
16.96 19.27f.
s. Parteilichkeit
— ergreifen 9.70
Parteienwirtschaft
19.21
Parteigänger 9.70
Parteigeist 12.55
16.17
Parteigenosse 4.48
9.70
Parteigericht 19.28
Parteiherrschaft
16.97

parteiisch 12.55 19.8
19.20f.
parteilich 19.20f.
Parteilichkeit 5.11
9.69f. 11.36 11.53
12.55 13.51 16.17
16.67 19.8 19.20f.
parteilos 4.49 19.18
Parteilosigkeit 4.49
Parteimann 9.70
Parteisucht 16.67
Parteiung 16.67
Parteiwesen 19.21
Parterre 3.34 17.2
Parthenogenese 2.18
participation mysti-
que 11.6
Partie 4.17 4.42
15.12 16.6 16.11
18.3
partiell 4.42
Partikel 4.4 4.42
13.16
Partikularismus 4.34
5.21 12.55 16.52
Partisane 9.70 16.71
16.74
Partisanenkrieg
16.71
Partitur 14.11 15.15
partizipieren 18.2
Partner 9.70 13.30
16.41 16.58 18.2
19.14
Parvenu 5.46
11.28 18.3
Parzelle 2.5 4.42
parzellieren 4.34
4.42 18.2
Parzellierung 4.34
Parzen 20.7
Pas 16.58
Pascha 11.60 16.90
16.97f. 16.108
Paschawirtschaft
16.97
paschen 18.9 19.20
Paso doble 16.58
Pasquill 13.6 14.11
16.33 16.35 16.54

Paß 3.10 4.9 8.3
8.11 8.25 8.27
9.82 13.1 16.25
passabel 4.23 9.59
11.16
Passacaglia 15.12
Passage 4.42 8.11
15.11
Passagier 16.5f.
18.29
Passagierzug 8.4
Passah 16.59 20.16
passant, en 8.12
Passant 16.5f.
Passatwind 1.6
passée 5.47
—, ist 6.19
passen(d) 3.59 4.27
5.17 9.20 9.26
9.46 9.48 11.27
12.7 12.14 12.29
12.47 16.27 16.33
19.18
Passepartout 19.22
Paßgänger 8.3
passieren 5.44 8.25
9.59
passim 6.30
Passion 11.1f. 11.13
20.16
passiv 9.7 9.19 9.41
11.8 16.114
Passiv(um) 13.31
Passiva 18.17
Passivität 9.41 11.16
16.114
Paßkarte 16.25
Passus 13.20
Paste 2.27 7.51f.
-paste 2.27
Pastell(zeichnung)
15.4
Pastete 2.27 7.66
9.38
Pasticcio 1.21
Pastille 3.50
Pastinak S. 63 2.27
Pastor 16.60 20.17
pastoral 2.10
Pastorale 14.2
15.11f.
Pastorat 20.16f.

Pate 16.9 20.15
Patene 20.16
Patenschaft 16.9
patent 11.17 12.52
Patent 16.25 16.103
16.106 16.117
19.19
Patentante 20.15
Patentanwalt 16.60
patentieren 16.25
16.103 19.22
patentiert 19.22
Pater 16.3 20.17
Paternoster 3.17 8.4
20.13 20.16
pathetisch 9.44 11.25
13.43 14.2 16.88
pathologisch 2.41
11.6 12.57
Pathos 9.44 11.4
11.25 11.44 13.52
Patience 16.56
Patient 2.41 16.5
Patin 20.15
Patina 3.20 6.27
7.14
Patois 13.12
Patriarch 2.25 20.17
patriarch(al)isch 2.25
Patriot 11.51
patriotisch 16.18
Patriotismus 11.51
Patriziat 16.91
Patrizier 16.91
Patron 9.52 9.70
9.75 11.59 16.41
16.90 16.97 18.1
Patronatsherr 20.22
Patronatsrecht 16.95
16.97
Patrone 17.6 17.13
Patronengurt 17.7
Patrouille 8.23 9.75
16.74
patrouillieren 9.75
patsch 7.57 8.31
Patsche 2.16 5.13
5.47 9.55 9.78
16.78 19.32
patschen 16.78
patschnaß 4.50 7.57
Patschuli 7.63

Patterchen 2.16
Patz 9.67
patzen 6.38 9.53
12.27
patzig 11.45 16.90
Paukboden 16.75
Pauke 4.41 15.14f.
16.33
pauken 7.30 9.40
12.33 12.35
Pauken und Trom-
peten 4.41 7.26
Paukenschall 16.87
Paukenschlag 16.88
Pauker 12.33 16.60
Paukerei 16.67
Paul 16.3
Paula 16.3
Paulchen 5.37 11.47
Pauline 16.3
Paulus 5.24
Pauperisierung 18.4
paurig 12.55
pausbäckig 4.10
Pause 3.10 3.36 5.18
6.15 7.9 8.2 9.19
9.24 9.33f. 9.36
15.8 15.11 16.27
pausen (zeichnen)
15.4 s. Pause
pausenlos 6.34 8.7
9.30
pausieren 3.36 9.33
9.36
Pauspapier 7.9
Pavian S. 128 11.28
Pavillon 16.64 17.1
Pax 9.76 16.48
Pazifist 5.38 16.48
Pech 1.26 4.50 5.47
7.14 7.51ff. 9.50
9.55 9.78 17.15
— haben 5.47 9.50
9.78
Pechblende 1.25
pechig 7.51
pechös 5.47
pechschwarz 4.50
7.14
Pechsträhne 5.47

Pechvogel 5.47 9.53
9.78 11.13 12.37
Pedal 2.16 15.15
Pedant 3.37 9.42
11.25 12.32 12.37
12.55 16.33
Pedanterie 11.32
12.37 12.55
pedantisch 3.37 9.42
11.25 11.29 11.32
12.33 12.37 12.55
Pedell 16.101 19.27
19.29
pedes, per 16.6
Pee 2.16
Pegasus 1.2 8.3 14.2
Pegel 4.1 4.15
Pegmatit 1.26
Peideltag 16.8
Peies 2.16
Peigelwoche 16.8
peigern 2.45
peilen 8.11 10.15
Pein 5.47 11.13f.
20.11
peinigen 9.50 9.60
11.13f. 11.28 11.60
16.79 19.9
peinlich 3.37 9.42
9.55 11.14 11.27
11.49 12.26 16.53
—e Rechtssache
19.11
—es Recht 19.19
Peinlichkeit 19.1
Peitsche 9.12 16.78
16.100 16.107
16.111 19.32
peitschen 8.9 16.78
19.32
Peitschenhiebe 19.32
Peizaddik 19.29
peken 18.26
Pekesche 17.9
pektoral 2.16
pekuniär 18.21
pêle-mêle (Misch-
masch) 3.38
Pelerine 3.20 17.9
Pelgen 2.5
Pelle 2.16 2.30 3.18
pellen 3.22 11.17
Peloton 4.17 16.74
s. Schwarm, Rotte

Pelz 3.20 3.53
16.14 17.9
pelzen 4.22
Pelzer 16.60
Pelzgarnitur 17.9
Pelznickel 16.60 20.6
Pelzrock 3.20
Pelzverbrämung
17.10
Pelzvogel 16.60
Pelzwärtel 20.6
Pelzwerk 17.10
Penaten 16.1 20.7
Penchant 11.36
Pendant 5.17 12.10
Pendel 3.17 6.9
6.33 8.33
Pendelbewegung 8.33
pendeln 3.17 6.33
8.33
Penduluhr, Pendule
6.9
Penelope-Arbeit 9.34
9.49
penetrant 7.64 8.25
11.5
peng! 7.29 16.78
Pengö 18.21
penibel 9.42 12.55
Pennal 12.36
Pennäler 12.35
Pennbruder 16.6
Penne 12.36 17.3
19.33
pennen 2.36
Penny 18.21
Pension 2.26 4.29
16.64 18.3 18.5
18.26
Pensionär 9.85 12.35
16.105 16.112
pensionieren 8.2 8.17
9.19 9.36 9.85
11.32 16.105
Pensionierung 4.49
9.85 16.105
pensionsberechtigt
2.25
Pensum 4.17 12.33
Pentade 4.39
Pentagramm 3.43
4.39 20.12
Pentameter 14.2

Pentateuch 4.39
20.19
peppeln 2.26
per 2.41 8.11
— se 13.28
Perchta 20.7
Pereatrufe 16.34
peremptorisch 9.6
13.28 16.95 16.97
16.106ff. 19.24
perennieren 6.7
perfekt 4.33 4.41
9.35 9.52 9.64
12.32
Perfektum 6.18ff.
perfid 9.19 9.60
16.28 19.8ff.
Perfidie 9.60 16.72
19.8f.
Perforation 3.57
Pergament 1.29 3.20
14.5f. 14.9
Pergola 17.2
perhorreszieren 11.59
Perhydrol 1.28
Peridot 1.25f.
Perikope 20.19
Periode 2.35 6.1 6.9
13.20 13.31
Periodenbau 13.31
periodisch 3.36 5.19
6.31 6.33f.
periodisieren 6.9
Periodizität 6.33
Peripetie 5.27
peripher 3.18 9.45
Peripherie 3.18 3.24
3.47
Periphrase 13.20
13.36 13.43
Periskop 10.16
periskopisch 7.1
10.16
Perkal 17.8
Perkussion 8.9
Perkussionsgewehr
17.12
Perle 2.35 3.50 4.6
4.50 7.13 9.51
9.56 9.64 9.86
16.85 16.112 17.1c
perlen 7.55 7.59
15.17

Perlen 9.51 9.56
9.86
perlenförmig 3.50
Perlenweiß 7.13
11.17
Perlgrau 7.15
Perlhuhn S. 119
perlicke perlacke
5.27 20.12
Perlmutter 7.23
Perlon 17.8
Perm 1.14
permanent 6.1 6.7
6.34
Permanenz 6.1 6.6f.
6.34 9.8
Permutation 5.24
permutieren 5.24
5.28 18.20
peroral 2.26
Perpendikel 3.17
6.9 8.33
Perpendikelschlag
7.30
perpendikulär 3.13
3.43
perpetuieren 6.7 6.34
Perpetuum mobile
5.3 8.1
perplex 3.38 11.30
Persephone 20.7
Persianer 17.9
Persiflage 16.33
16.54
persiflieren 16.33
16.54
Persipan 2.27
Persistenz 9.8
s. Beharrlichkeit
Person 2.13 2.15
4.36 5.1 9.70 11.8
11.59 16.3 16.62
16.94 16.117
19.8f. 19.18
—, gemeine 19.9
persona grat(issim)a
11.53 16.41 16.85
Personal 16.112
Personalchef 16.96
Personalien 14.1
Personenbeschreibung
14.1

Personenzug 8.4
Personifikation
13.36 14.3 15.1
personifizieren 2.13
15.1
persönlich 5.1 5.5
9.44 9.79 11.38
13.30 16.53 16.67
Persönlichkeit 2.13
5.8 9.6 12.22
16.33 16.36 16.53
16.67 16.94
—, hohe 16.91
Perspektive 6.23
7.2 10.15f. 12.22
15.4
pertinent 5.13
Peru 18.3
Perücke 2.16 3.20
17.10
Perückenmacher
16.60
pervers 5.20f. 9.61
12.27 12.57 16.44
19.10
Perzeption 11.4
Pesel 17.2
pesen 8.7
Peseta 18.21
Peso 18.21
Pessimismus 11.32
11.41 12.23 12.51
Pest 2.41 4.50 5.42
7.64 19.9
— der Menschheit
19.9
—, Tod und 16.37
Pestfahne 13.10
Pesthauch 2.43
Pestilenz 2.41 19.9
pestilenzialisch 2.41
7.64 9.60 9.63
9.67
Pestkapelle, -kreuz,
-säule, -steine 2.48
Petarde 7.29 17.13
Petent 16.20
Peter 2.16 9.53 16.3
16.56 20.16
Petersilie S. 62 2.28
11.32
Peterstag machen
16.8

Petit 4.6
Petition 16.20
petitio principii
12.19 12.28
petitionieren 11.36
16.20
Petits fours 2.27
Petrefakt(en) 1.23
7.43f.
Petri Heil 2.12 9.77
Petroläther 1.29
Petroleum 1.26 1.29
7.5 7.38 7.52
Petrus 1.4 3.58
Petschaft 16.100
petschieren 9.35
19.14 19.16
petto, in — haben
6.23
Petz, Meister S. 126
petzen 13.5 16.79
peu, à — près 3.9
Peudeltag 16.8
Peugelwoche 16.8
Pezet 19.29
pf 7.35
Pfad 8.11 19.3 19.6
19.10 20.1
— des Verderbens
9.61 9.74 19.10f.
Pfadfinder 16.96
16.98
pfadlos 3.58 9.55
Pfaffe 11.25 16.60
20.17
—, Am toten —n
2.48
Pfaffenauge 2.27
Pfaffenherrschaft
16.97
Pfaffenmütze S. 73
Pfaffenregiment
16.95
Pfaffenschnitz 2.27
Pfaffentreiben
20.16f.
Pfaffentum 20.16f.
Pfaffenwesen 20.17
pfäffisch 13.4 13.51
Pfahl 2.42 11.14
19.32
NN-Pfahl 2.48

Pfahlbürger 12.55
Pfähle, seine vier
  16.1
pfählen 2.46 4.14
  19.32
Pfahlgraben 3.23
  17.14
Pfahlmuschel S. 98
Pfahlrost 3.16
Pfählung 3.25 19.32
Pfahlwerk 3.18
  16.77 17.2
Pfalz 17.1
Pfand 16.23 16.113
  18.17 19.16
Pfandbok 19.29
Pfandbrief 18.21
  18.30
pfänden 16.113 18.6
  19.16 19.32
—, jemand 18.26
Pfänderspiel 16.55f.
Pfandhaus 18.16
Pfandleihe(r) 18.16
Pfandmeister 19.29
Pfanne 2.31 7.37
  16.84 17.6
Pfannenflicker 16.60
Pfannkuchen 2.27
  16.68
Pfarradjunkt 20.17
Pfarre(i) 1.15 4.17
  20.16f. 20.22
Pfarrer 16.60 20.17
— Aßmann 9.2
Pfarrgemeinde 20.22
Pfarrhaus 20.20
Pfarrherr 20.17
Pfarrhof 20.20
Pfarrkind 20.22
Pfarrkirche 20.20
Pfarrverweser 20.17
Pfarrvikar(ius) 20.17
Pfau S. 121 1.2 4.50
  7.23 11.16 11.45
  16.88
Pfauenfeder 17.10
Pfeffer S. 28 2.28
  5.34 7.68 9.55
  10.1 11.14 11.62
— und Salz 7.15
  7.23
Pfefferkuchen 2.27

Pfefferminz S. 75
  2.28
pfeffern 2.28 7.68
  8.9 17.12
Pfeffernüsse 2.27
Pfeifchen 19.7
Pfeife 2.34 11.48
  15.15 16.111
  16.114
—, nach jemandes
—, tanzen 16.114
pfeifen 2.31 7.32 9.5
  9.78 11.37 13.6
  15.11 15.14 16.27
Pfeifen 7.32 16.34
Pfeifensutter 9.67
Pfeifer 15.11 15.14
pfeifgrad 3.40 4.41
Pfeifkonzert 16.33
Pfeifton 7.30 15.18
Pfeil 1.2 8.7 11.14
  11.53 17.13
Pfeilbrief 14.9
Pfeiler 3.11 3.16
  3.50 4.12 6.7 15.7
  17.2 17.10
pfeilgeschwind 4.50
  8.7
Pfeilgift 2.43
Pfeilschifter 3.55
  16.60
Pfennig 18.4 18.10
  18.21
—, auf Heller und
  18.10
Pfennigfuchser(ei)
  18.11 19.7
Pfennigsbeck 16.60
Pfennigtrompete
  7.31
Pferch 3.24
Pferd S. 128 2.27
  4.50 8.3 9.51 9.78
  11.25 11.44 16.57
—, das beste 9.56
—, kein 3.4
Pferdchen 16.56
  18.21
Pferde 9.52 16.87
—, zu 16.6
Pferdearbeit 9.18
  9.40
Pferdebahn 8.4 8.11
  16.6

Pferdedecke 3.20
Pferdefuß 9.74 13.1
  13.10 20.9
Pferdehalter 2.10
  16.74
Pferdeknecht 16.6
  16.37
Pferdekraft 5.34
  12.12
Pferdekur 2.44 9.55
Pferdelänge 16.57
Pferdemetzger 16.60
Pferderennen 8.7
  16.55 16.57
Pferdesport 16.57
Pferdestärke, PS
  5.35
Pfetter 20.15
pfetzen 11.14
Pff 10.4
Pfiff(e) 12.53 13.51
  16.72 s. Pfiffigkeit
Pfifferling S. 9 2.27
  9.45 11.37 16.36
pfiffig 12.19 12.53
Pfiffigkeit 9.15
  12.53 13.41 16.72
Pfiffikus 12.53
Pfingsten 16.59
  16.68 20.16
—, zu 6.5
Pfingstochse 4.50
  11.29 16.88 17.10
Pfingstrose S. 34
  11.47
Pfinztag 6.9
Pfipferle 2.41
Pfirsich S. 50 2.27
pfirsichfarben 7.17
Pfirsichhaut 3.54
  11.17
Pfirsichtorte 2.27
Pfister 16.60
Pflanz 7.64
Pflanze 2.1f. 2.5
  2.22 11.24
pflanzen 2.1 2.5 3.3
  4.14 5.31 8.18
  8.26 11.47 16.2
  16.52
Pflanzenanbau 2.5
Pflanzenarten 2.2

Pflanzenfett 2.27
Pflanzengeographie
  2.5
Pflanzengift 2.43
Pflanzengrün 7.18
pflanzenhaft 2.1
Pflanzenkost 2.27
Pflanzenkrank-
  heiten 2.4
Pflanzenkunde 2.2
Pflanzenleben 2.1
Pflanzennahrung
  2.1
Pflanzen-Physiologie
  2.1f.
Pflanzenreich 2.2
Pflanzenteile 2.3
Pflanzenwelt 2.1
Pflanzer 2.5 16.4
Pflanzerl 2.27
pflanzlich 2.1
Pflanzstadt 16.2
Pflanzstätte 3.2 5.31
Pflanzung 2.5 18.1
Pflaster 2.44 3.20
  3.34 8.11 16.2
Pflasterkreuz 2.48
pflastern 3.12 3.20
  16.76
Pflasterschmierer
  2.44 16.60
Pflastersteine 2.27
Pflastertreter 9.24
Pflatsch 1.8
Pflaume S. 49 2.27
  16.54
Pflaumenblau 7.22
Pflaumenkuchen
  2.27
Pflaumenmus 2.27
pflaumenweich 16.32
Pflege 2.44 5.43
  9.70
Pflegeamt 16.96
Pflegemutter 16.9
pflegen 2.10 2.26
  2.44 9.24 9.31
  9.36 9.70 10.11
  16.41 16.64
Pfleger 9.70 16.60
pfleglich 9.42
Pflegling 2.22
Pflegschaft 9.75
  16.96

Pflicht 9.18 9.22 9.40
16.26 16.28 16.57
16.107 19.1 19.3
19.10 19.18f.
19.24f.
Pflichtbeitrag 9.70
pflichtbewußt 19.1
19.24
Pflichtbewußtsein
19.24
pflichteifrig 16.114
Pflichtenkreis 9.22
Pflichtenlehre 19.24
pflichtenlos 19.25
Pflichterfüllung
16.114 19.3 19.24
pflichtfrei 19.25
Pflichtgebot 19.24
Pflichtgefühl 19.3
19.18 19.24f.
pflichtgemäß 9.3
16.114 19.1 19.18
19.24
pflichtgetreu 19.1
pflichtig 19.24
Pflichtjahr 16.111
Pflichtmäßigkeit
19.24
pflichtschuldigst
19.24
Pflichtteil 9.70 18.1
pflichttreu 16.114
19.1 19.3 19.24
s. Pflicht
Pflichttreue 19.3
s. o.
Pflichtübung 16.57
19.24
pflichtvergessen 9.19
16.28 16.116 19.8
19.10f. 19.25 19.28
Pflichtvergessenheit
16.28 16.116 19.8
Pflichtverletzung
13.51 19.10 19.25
s. o.
Pflock 3.58 4.5
4.14 17.15
pflücken 2.5 4.34
9.77 16.81 16.85
18.6
—, Lorbeeren 9.77
Pflug 2.5 9.18
pflügbar 2.5

pflügen 2.5 3.44f.
3.49 3.53 5.18
7.48 9.26
Pflugland 1.13
Pflugschar 1.2 2.5
3.55 17.15
Pflunde 2.27
Pfnüssel 2.41
Pforte 3.57 6.2
8.23
— des Jenseits 2.25
Pförtner 16.60
16.101 16.112
Pfosten 2.48 3.16
3.50 17.2
Pfote 2.16 4.13
10.2
Pfotenhauer 16.60
Pfriem 3.55 17.15
—, Meister 16.60
Pfriemer 16.60
Pfrill S. 100
Pfropf 3.58
pfropfen 1.21 2.5
3.58 4.22 4.33
8.26
Pfropfen 3.58 18.4
Pfropfenzieher 3.57
Pfropfreis 2.3 20.16
Pfropfung 4.33
Pfründe 18.5 18.26
20.17
Pfründer 9.19
18.4 20.12
Pfründner 9.85
18.5 20.17
Pfründnerhaus 9.76
pft 11.17
Pfuhl 1.19 2.5 9.67
Pfühl 17.3
pfui! 7.64 11.59
16.33 16.94
Pfui Deibel 7.64
16.27
Pfund 2.45 7.41
11.47 12.12 18.21
— Sterling 18.21
pfundig 11.17
Pfunds- 16.31
pfuschen 9.43 9.53
Pfuscher 9.53 12.37
Pfuscherei 9.53 9.78
16.72

Pfusch(er)werk 9.53
9.78
Pfütze 1.18f. 4.15
9.67
Phäake 9.24
Phalanx 4.17 16.74
Phänomen(on) 5.1
5.20 7.2 11.30
phänomenal 4.50
Phänomenologie 5.1
phänomenologisch
12.30
Phantasie 2.41 9.10
11.22 11.36 12.4
12.21 12.27f. 12.57
13.41 13.51f. 14.2
15.11f. 16.119
s. phantastisch
phantasiereich
12.28
phantasieren
(krank) 2.41
12.57 s. Phantasie
Phantasma 7.2
12.28
Phantasmagorie
12.28
Phantast 12.19
12.28 16.54
Phantasterei 11.6
11.24
Phantastik 9.10
phantastisch 4.50
11.6 11.17 11.23f.
11.28f. 11.28f.
13.43 13.52
Phantom 3.5 4.26
7.2 7.42 10.17
11.42 12.28 13.51
20.6
Pharao 16.98 19.6
Pharisäer 13.51
16.72 20.3 20.14
Pharisäertum 20.3
20.14
pharisäisch 13.51
20.2 20.14
Pharmakologie 2.44
Pharmazie 2.44
Pharus 7.5
Phase 5.12 6.1 7.2
16.76
Phasma 20.5f.

Phaeton 8.4
Phenole 1.29
Phidias 15.1
-phil 11.36
Philanthrop 11.51
Philanthropie 11.51
11.53
Philemon und
Baukis 16.11
-philie 11.36
Philipp 16.3
Philippika 16.33
Philippine 16.3
Philister 11.8 11.12
11.16 11.26 12.55
16.92
philiströs 12.55
16.92
Philologe 13.12
Philologie 13.12
philologisch 13.12
Philomele S. 111
Philosoph 9.7 11.8
11.16 11.47 12.32
Philosophast 13.35
16.33
Philosophie 12.32
philosophisch 11.8
s. o.
Phimose 2.41
Phintias 16.41
Phiole 17.6
Phlegeton 20.11
Phlegma 8.8 9.24
9.36 9.41 11.8
11.37
phlegmatisch 8.2 8.8
9.19 9.41 11.8
11.37
Phöbe 1.2
Phobie 11.42
Phobos 1.2
Phöbus 20.7
Phonetik 7.24 13.13
phonetisch 13.13
Phönix 5.20 5.40
11.30 19.4
Phonograph 7.24
13.8
Phonola 15.15
Phonolith 1.26
Phosgen 7.60
Phosphate 1.25

Phosphor 1.24 7.5
Phosphoreszenz 7.4
phosphoreszieren
7.4
Phosphorhölzchen
7.38
Phosphorkanister
7.38 17.13
phosphorisch 7.5
Photograph 15.1
16.60
Photographie 5.18
15.4
photographieren
5.18 15.4 15.8
Photometer 10.16
Phrase 9.13 13.18
13.20 13.22
15.11f. 16.38
—, hohle 13.18
Phrasendrescherei
13.18 13.43
phrasenhaft 13.43
Phrasenhengst 13.51
Phraseologie 13.20
Phraseur 13.51
Phrasierung 15.11
pht! 16.78
Phyllit 1.26
Physik 1.20 5.35
7.41
Physiker 16.60
Physikus 2.44 13.9
Physiognomie 2.16
3.26 5.8 7.2
Physiognomiege-
dächtnis 12.39
Physiognomik 11.2
12.30
physiognomisch
12.30
Physiologie 2.17
Physis 1.20
physisch 1.20 12.2
Pianino 15.15
pianissimo 7.27
15.11
Pianist 15.11 15.14
piano 7.27 15.11
Piano(forte) 15.15
Pianola 15.15
Piaster 18.21
Picador 16.74

Piccolo 4.4 15.15
16.60
picobello 11.17
picheln 2.31
Pichelsteiner 2.27
Picke 17.15
Pickel 2.41 3.48
11.28
Pickelhaube 3.20
16.77 17.9 17.14
Pickelhering 14.3
16.54
pickelig 9.67
picken 2.26
Picknick 2.26 16.55
Pièce 15.12
— de résistance 9.44
Piedestal 3.16 3.34
9.26
Piefke 17.13
pieken 3.55 11.14
11.44
piekfein 4.50 11.17
pieksen 3.55
Piep 7.28
piep, nicht mehr —
sagen 2.39
piepe 9.45 11.37
piepen 7.33 16.68
Piepen 11.23
Piepmeier 11.43
piepsen 7.31 7.33
15.18
piepsig 2.41
Pier 1.16
piesacken 11.14
11.60 16.79
Piesepampel 16.92
Pietät 11.47 11.53
16.30 19.13 20.14
Pietätlosigkeit 20.3
Pietist 20.3 20.14
pietistisch 20.3
pietschen 2.31
piff paff puff 7.29
17.12
Pigment 7.11
Pigmentmangel 7.12
Pik 11.62
Pikador 16.74
pikant 7.68 10.8
11.17 16.44
Pikanterie 13.41

Pike 4.41 11.31
17.11 17.13
—, von der — auf
6.22 12.35
Pikee 17.8
Pikett 9.76 16.55f.
16.74
pikieren 2.5 9.12
11.31
Pikiertheit 11.31
Pikör 8.13
Pikrinsäure 1.29
Pikrit 1.26
Pilaster 3.18 15.7
17.2 17.10
Pilaw 2.27
Pilger 16.6 19.26
20.13 20.17
Pilgerfahrt 20.16
pilgern 8.1 16.6
Pilgerung 8.1
Pilgrim 16.6 19.26
Pille 2.44 3.50 5.47
11.14 16.33 16.57
18.21
Pillendreher S. 97
16.60
Pilot 8.6 16.7 16.60
16.96 16.98
Pilotierung 16.96
17.1
Pils 2.31
Pilz S. 9 2.27 2.43
3.48 9.67
pilzförmig 3.50
Piment 2.28
pimpelig 5.37 11.7
11.19
Pimpernell, Pim-
pinelle S. 62 2.28
Pimpf 2.22
Pinakothek 4.17
15.4
Pinasse 8.5
Pincenez 10.16
Pin(dopp) 16.56
Ping 11.13
Pinge 3.49
pingelig 11.7 12.55
Pingpong 16.57
Pinie S. 13
Pinkel, feiner 16.63
pinkeln 1.8
Pinkepinke 18.21

Pinnagel 2.41
Pinne 4.33
Pinscher S. 126 9.59
16.92
pinschern 8.1
Pinsel 2.16 15.1
15.4 16.72 16.78
17.15
pinseln 11.35 15.4
Pinte 16.64
Pinunzje 18.21
pinzelig 12.55
pinzig 12.55
Pionier 2.22
8.13 9.26 9.37f.
12.8 12.33 16.74
Pipelchen 2.41
Pipette 17.6
Pipimädchen 2.22
pippsch 11.27
Pips 2.11 2.41
Pirat 18.6 18.9
Piratenakt 16.76
Piratentum 18.9
Piroge 8.5
Pirouette 8.29 8.32
Pirsch 2.12 16.55
pirschen 2.12 8.15
16.55
Pise 11.59
pispern 7.27
Pißchenpee 3.57
Pisse 7.54
pissen 1.8 2.35
11.45
Pissenlit 2.27
Piste 3.47
pisten 7.33
Pister 16.60
Pistole 2.47 8.7 9.3
16.107 17.12
18.21
—, auf —n fordern
16.69
—, die — auf die
Brust setzen
16.68
— geschossen, wie
aus der 5.36 8.7
Pistolenschießen
16.57
Piston 3.58 15.15
Piter 11.26

pitsch 7.57
pitschern 12.55
Pitschmann 17.13
pitschnaß 4.50 7.57
pittoresk 5.22 15.4
Piusbruder 20.14
Piuskopf 20.14
Piviale 20.18
Piz 4.12
pizzicato 15.11
15.15
PK-Soldat 16.74
PKW 8.4
Placet 16.103
Plache 3.20
placken 2.39 11.14
11.60
—, sich 9.18 9.38
9.40 9.67
Plackerei 9.40
pladdern 1.8
plädern 9.66
pläd(oy)ieren 19.27
s. plaidieren
Plafond 3.33 4.12
Plag 2.22
Plagalabschluß
15.11
Plage 5.47 9.40 9.50
11.13f. 11.25f.
Plagegeist 9.73 11.14
plagen 2.39 11.14
11.60 16.79
—, sich 2.39 9.18
9.38 9.40 12.35
Plaggeist 9.73
Plagiat 5.18 16.72
18.9 18.17
Plagiator 5.18
plagiieren 5.18
Plaid 3.20 17.9
plaidieren 19.13
Plaidoyer 19.27
Plaidrolle 17.7
Plaisir 11.9
Plakat 13.6 15.4
16.31
Plakatmalerei 15.6

Plakette 4.17 13.1
15.10 17.10
plan 3.51
Plan 3.2 3.37 3.51
4.18 9.6 9.25f.
9.55 12.42 13.1
13.9 15.1 16.6
16.65 16.70
Plane 3.20
planen 9.14f. 12.3
Plänemacher 9.15
Planet(arium) 1.1ff.
planetarisch 1.3 9.44
Planetenbahn 3.47
plangemäß 9.14
planieren 3.40 3.51
Planimetrie 3.41
Planisphäre 15.1
Planke 3.16 3.58
4.13 4.42 13.22
Plänkelei 16.67
plänkeln 16.73
16.76
Plänkler 13.10
planlos 3.38 9.16
planmäßig 3.37 4.41
9.14 9.25 12.44
Planmäßigkeit 3.37
planschen 7.55
Plantage 2.5 18.1
planvoll 3.37
Planwagen 8.4
plappern 7.30 13.5
13.22
plärren 7.31 11.32f.
15.18
Pläsier 11.21
Plasma 2.17 5.39
plästern 1.8
Plastik 2.44 13.33
15.9f.
Plastiker 15.1
plastisch 3.42 7.50
9.54 15.3 15.9f.
Plastizität 7.50
Plastron 17.9
Platane S. 43

Plateau 1.13 3.14
3.51 4.42
Platen 18.3
Platin 1.24f.
platinblond 7.19
platonisch 9.78 11.8
11.48 11.53 12.3
16.50
Platonismus 16.12
s. o.
Plätscher 17.13
plätschern 1.8 2.31
7.30 7.55
platt 3.12 3.14 3.40
3.51f. 4.13 4.42
11.23 11.26 11.30
12.55 13.12 13.42
Platt 13.12
Plättbrett 4.11 17.3
Plättchen 4.13
Plattdeutsch 13.12
Platte 2.16 2.26 2.41
2.48 3.22 3.51
4.13 4.42f. 8.18
15.5 15.8 17.6f.
— auflegen 10.19
Plätte 3.52 8.5
Plätteisen 2.16 3.52
plätten 3.12 3.40
3.52
Platter 16.60
Plätt(e)raum 17.2
Platterbse S. 69
platterdings 4.41 5.3
Plattform 3.12 3.14
3.16 3.51 12.15
12.22 17.5
Plattfuß 2.41
Plattheit 11.26
plattieren 3.20
Plattmütze 20.18
Plattner 16.60
Platz 1.11 1.15 2.37
3.2f. 3.37 6.11
6.35 6.38 8.2 8.18
9.22 9.46 9.48
11.4 16.2 16.85f.
16.99 16.119
Platzangst 2.41 11.42
Platzanweisung 16.2
16.96

Plätzchen 2.27 7.66
11.16
Platze 11.31
platzen 3.57 4.3 5.36
7.29 7.47 8.22
9.78 11.5 11.31
11.57 13.47 16.105
— vor 4.21
Platzgeld 18.5 18.25
Platzhalter 6.15
Platzhirsch 2.23
Platzmiete 19.14
Platzmieter 18.22
Platzmusik 15.11
Platzregen 1.8 7.57
Platzveränderung 8.3
8.18
Platzwechsel 16.8
Plauderei 13.21
Plauderer 13.22
plauderhaft 13.22
plaudern 13.5
13.21f. 13.30
Plauderstündchen
16.55
Plaudertasche 13.5
13.22
plauschen 13.22 13.30
plausibel 5.4 13.46
19.13
Plauze 2.16
Plebejer(tum) 16.94
plebejisch 9.60
11.28f. 16.53
16.94
Plebiszit 19.27
Plebs 4.17 11.28
16.53 16.94 18.4
Pleiße 3.25
Plejaden 1.1f. 4.17
Plempe 2.30 17.11
Pleite 9.50 9.78
18.19
pleite sein 18.19
Pleitegeier 18.19
plemplem 12.57
Pleonasmus 4.22
13.22 13.43
Pleuel 8.9 17.16
Plinsen 2.27 18.21
Plinthe 3.18 17.2
Plintjefahrer 1.8

Plissee 3.45
Plisseerock 17.9
plissieren 3.45
Plisteti 3.57
Plombe 3.58 13.1
plombieren 2.44
   3.58 4.21 13.1
Plon 16.59
Plötze S. 100 2.27
plotzen 2.34
plötzlich 5.20 5.27
   5.36 6.8 6.13f.
   6.35 8.7 11.6
   12.45
Plötzlichkeit s. o.
Pluchze 17.9
Pluderhose 17.9
pludern 11.5 13.22
Plumeau 17.9
plump 4.1 4.10 9.53
   11.28f. 16.33
Plumpe 7.55
plumpen 8.31
Plumpheit s. o.
plumps 8.31
Plumpsack 12.56
   16.56
plumpsen 8.31
Plumpudding 2.27
Plunder 9.45 9.49
   9.60 18.28
Plünderer 16.74
plündern 5.42 16.8
   18.5f. 18.15
Plündertag 16.8
Plünderung 18.9
   18.15
Plünnen 9.45 17.8f.
   18.1
Plural(ität) 4.17
pluralistisch 4.17
Plurius 19.13
Plurksch 4.12
Plurre 2.30
plus 4.22 4.28 18.5
Plüsch 3.53f. 15.6
   17.8
Pluster 2.41
Pluto 1.2 20.7 20.11
Plutokrat 18.3
Plutokratie 16.35
   16.62 16.91 16.97
Plutos 18.3 20.7
Pluviale 20.18

Pneckendriägersdag
   16.8
Pneumatik 7.60
pneumatische Post
   7.60
Po 2.16
pö 12.51 16.34
Pöbel 16.94
   s. Plebs
Pöbelausdruck 16.37
pöbelhaft 11.29
   16.53 16.94 19.10
Pöbelhaftigkeit 11.28
Pöbelherrschaft
   16.97 16.116
Poch 2.41 7.29 16.56
pochen 7.30 8.33f.
   11.45 13.1 19.18
   19.22
— auf 16.34 16.89
   19.22
pochenden Herzens
   12.41
Pocke 2.41 3.48
Podagra 2.41
Podest 3.34 14.3
Podex 2.16
Podium 8.28 12.36
   14.3
Poem 14.2
Poesie 14.2
Poesiealbum 14.11
poesielos 11.26
Poet(aster) 14.2
Poetik 14.2
poetisch 11.7 12.28
   14.2
—e Empfindung
   11.7
Pofel 9.60
Pogg im Hals 2.35
Pogrom 2.46 11.60
Pointe 5.10 11.23f.
pointiert 11.23
Pokal 16.46 17.6
   17.10
Pökel 7.68 8.26
Pökel- 5.43
Pökelfleisch 5.43
Pökelhering S. 99
   2.27
pökeln 5.43 7.68
   8.26
Poker 16.56

Pöker 2.1
pokulieren 2.31f.
pokus 5.27 20.12
Pol 1.11 3.7 3.32
polar 1.12 3.32 5.23
   7.40
Polarität 4.37 5.23
   9.72
Polarlicht 7.4f.
Polarstern 1.2 8.11
   13.1
Polei S. 72
Polemik 12.14 12.29
   12.48 13.47 14.10
   16.67
polemisch 12.14
   16.67
polemisieren 12.29
   16.67 16.70
Polenne (Polente)
   19.29
Polhöhe 4.50
Polic(h)inel(lo)
   11.23 14.3
Polier 16.60
polieren 2.40 3.51f.
   9.57 9.66 11.17
   15.17 17.10
   s. Politur
poliert (leuchtend)
   7.4
Poliklinik 2.44
Poliquetsch 19.29
Politik 9.15 9.25
   9.52 11.40 12.52f.
   13.49
Politiker 9.52 12.52
   16.60
politisch 9.25 9.52
   12.53 16.38
Politur 3.20 3.52
   15.16 16.38 16.61
   17.10
Polizei 3.37 9.70
   16.99 16.101
   19.27 19.29
Polizeibezirk 19.27
Polizeidiener 19.29
Polizeifinger 2.27
Polizeihund S. 126
polizeilich 16.95
   16.97
Polizeispion 19.27
   19.29

Polizeisprengel 19.27
Polizeistaat 16.19
   16.107
Polizeiverordnungen
   19.19
polizeiwidrig 4.50
   16.29
Polizist 16.37
   16.60 19.27 19.29
Polka 16.55 16.58
Pollen 2.35
Pollux, Kastor und
   16.41
polnischen Urlaub
   nehmen 16.53
Polo 16.57
Polonaise 16.55
   16.58
Polonium 1.24
Polster 2.27 3.16
   7.45 7.50 8.2
   11.34 17.3
polstern 3.21
Polsterstoffe 7.50
Polstertür 7.27
polter 8.7
Polterabend 6.11
Polterer 16.37 16.90
Poltergeist 20.5f.
poltern 7.26 7.30
   16.31 16.90
Poltern 20.5
Poly- 4.20
Polyandrie 16.11
polychrom 7.23
Polychromie 7.23
polygam 16.14
Polygamie 16.11
polyglott 13.2
Polygon 3.43
Polygonalzahlen 4.35
Polygraphie 14.5
Polyhistor 12.32
polymer 4.34
polymorph 5.22
Polyp S. 98 2.41
   19.29
polyphag 10.11
polyphon 5.22
Polyphonie 15.11
Polyskop 10.16
Polysyndeton 13.37
Polytheismus 20.2
Pölzung 3.18 17.5

Pomade 7.52
Pomadenhengst
  11.45 16.63 17.10
pomadig 6.36 8.8
pomadisieren 15.7
  17.10
pomali 8.8
Pomeisl 16.60
Pomeranze S. 55 2.27
Pomona 7.66 16.64
Pomp 11.45 16.88
  17.10
Pompadour 17.7
pomphaft 11.45
  15.7 17.10
Pompier 16.74
pompös 11.45 13.43
  15.7 16.88 17.10
Pomuchelskopp 11.32
Poncho 17.9
Ponte 8.5
Pontifex 20.17
Pontifikale 20.19
Pontifikat 20.16f.
Pontius 3.7 9.51
Ponto 8.5
Ponton 8.11
Pony S. 128 8.3
  17.10
Poocht 17.3
Poofe 17.3
Pootschen 17.9
Popanz 11.42 12.50
  20.5
Pope 20.17
Popel 2.35 20.5
Popeline 17.8
Popelmann 20.5
pöpeln 20.12
poplig 18.11
Popo 2.16
Poposcheitel 2.16
  9.42
poppern 11.42
populär 11.53 13.33
  16.31 16.85
popularisieren 13.33
Popularität 11.53
  16.31 16.85
  s. populär
Pore 3.57 7.56 8.24

Pornographie 16.44
pornographisch
  16.44
Pornokratie 16.44
  16.97
porös 3.57 4.34
  7.48 8.25
Porosität 7.48
Porphyrit 1.26
Porree S. 24 2.27
Porridge 2.27
Porsch s. Porst
Pörschel 2.16
Porst S. 64
Port 8.20
portabel 4.4
Portal 3.57 6.2 8.23
Portechaise 8.4
Porte-épée 16.100
Portefeuille 16.100
Portemonnaie 17.7
  18.3 18.21 18.26
Porter 2.31
Portier 3.57f.
  16.60 16.101
  16.112
Portion 2.26 4.17
  4.34 4.42 18.2
—, halbe 5.37
Portionshandlanger
  16.60
Portjuchheh 18.21
Porto 14.8
portofrei 14.8 18.29
Portrait 5.18 15.1
  15.4 15.8
porträtieren 14.1
  15.4
Porträtmaler 15.1
  s. Bildnis(maler)
Porzellan 1.28 7.39
  7.47 10.21 17.6
porzellanblau 7.21
Porzellankiste 11.40
Porzellanladen 9.51
  11.29
Porzellanmalerei
  15.4
Posamentier 16.60
Posaune 15.15
posaunen 16.21

Posaunenengel 4.10
Pose 5.11 11.45
  13.51
Poseidon 20.7
Position 5.12f. 13.28
  16.99
positiv 1.20 4.35 5.1
  5.6 9.8 11.10
  12.26 13.28 13.33
  16.108
Positivist 20.3
Possart 11.45
Pose 9.10 1120ff.
  13.18 14.3 16.55
Possen 9.45 9.73
  11.23 12.56 18.8
possenhaft 11.23f.
Possenlied 15.11
Possenreißer 11.23
  16.54f.
Possenspiel 11.23
  16.54
possierlich 11.22f.
Post 8.3 13.2 13.7
  14.8 16.64
—, durch die 13.2
—, fahrende 14.8
post festum 6.12
  6.36
postalisch 14.8
Postament 3.16 3.34
Postamt 14.8
Postanweisung
  14.8 18.26
Postauftrag 18.21
  18.26
Postbote 13.8 14.8
  16.60
postdatieren 6.11
  6.36
Posten 1.11 2.5 2.37
  3.2 4.17 4.42 5.13
  9.22 9.75 1140f.
  16.2 16.74 16.85
  16.91 16.97 18.19
  18.21
—, nicht auf dem
  — sein 2.41
—, verlorener 9.74
Postenkette 3.24
Posteriora 2.16
Postexpedition 14.8

postfrei 14.8
Postgaul 16.60
Postgeld 14.8
Posthalter 16.6
posthum 6.12
Postille 20.16 20.19
Postillon 8.4 14.8
  16.6 16.60 16.96
  16.98
— d'amour 8.1 13.2
  16.42
Postkarte 9.4 14.8
Postkutsche 7.19 8.4
postlagernd 14.8
postnumerando
  18.26
Postrat 16.60
Postscheckkonto
  18.30
Postskriptum 4.28
Postulat 12.14 12.17
  12.24 12.29 16.20
Post- und Reisespiel
  16.56
postwendend 6.14
Postzug 8.4
Pötäterle 7.38
Potemkinsche Dörfer
  13.51
potent 2.6 5.34f.
  16.95
Potentat 16.91
  16.98
Potential 5.2
Potentialität 5.2
potentiell 5.2
Potenz 2.6 4.12 4.35
  5.34f. 9.37
potenzieren 4.3
  4.35
Potenzierung 4.35
Pöterkes 2.5
Potiphar, Frau 9.12
  11.53
Potpourri 1.21
  15.11
Potsdamer 16.54
  17.9
Pott 17.6
Pottasche 1.28
Potter 16.60
Pottwal S. 127
Potzelement 11.5

potztausend 11.5
11.30
Poularde S. 119
2.27
Poussage 11.53
poussieren 11.53
16.38 16.68 16.115
Poussierstengel
11.53
pover 18.4
Powidl 2.27
Präbende 20.16
prachern 16.20
Pracht 11.17f. 11.45
13.43 16.85 16.88
17.10
Prachtband 14.11
Prachtbau 17.10
Prachtentfaltung
11.45
Prachtexemplar 9.64
Prä, das 19.22
prächtig 9.56 11.17
11.53 15.7 16.85
16.88
prachtliebend 11.45
16.88
Prachtstück 17.10
prachtvoll 9.56
11.17
Prachtwagen 8.4
präcis, s. präzis
Practicus, alter 9.31
Prädestination 5.45
9.3 9.11 9.14
prädestinieren,
s. o.
Prädikat 5.9 16.86
Präexistenz 6.11
Präfekt 16.97 16.99
16.104
Präfix 4.28 8.13
13.16
prägen 5.39 13.1
15.10 18.21
pragmatisch 5.31
prägnant 13.16f.
13.39
Prägung 5.8 16.18
18.21

Prähistorie (prähi-
storisch) 6.18ff.
prahlen 11.45
13.51f. 16.89
Prahlen 16.89
Prahler 16.72 16.89f.
Prahlerei 13.52
16.89f.
prahlerisch 11.28
11.45 12.50 13.51f.
16.89f.
Prahlhans 13.51
16.72 16.89
Prahm 8.5
Prairie 1.13 3.1
Praktiken 12.19
12.53 16.72
Praktikus 9.18 9.22
9.52 12.52
praktisch 9.22 9.28
9.52 9.84 12.18
12.52
praktizieren 2.44
9.18
Prälat 16.96 20.17
Prälatenstand 20.16
prälatern 13.22
prälatisch 20.16
Prälatur 20.16
Präliminarien 6.2
6.11 9.26
Praline(e) 2.27 7.65
17.9
prall 4.10 4.21 7.45
8.10
prallen 8.21
Prallhang 1.16
prälogisch 12.1
präludieren 6.11
8.13
Präludium 6.2
6.11 8.13 15.11f.
Prämie 9.47 9.77
16.46 16.84 18.2
18.5
prämiieren 16.46
Prämisse 12.15
12.29 13.46
prangen 11.17 16.85
16.88
Pranger 16.34
16.93f. 19.32

Pranke 2.16 10.2
pränumerando
18.26
Präparand 12.35f.
präparieren 5.43
9.26 12.35
präpariert 9.26 9.52
präpeln 2.26 11.27
Präposition 13.16
prären 13.22
Prärie 1.13 3.1f.
Praschen 2.27
Prasem 1.25
Präsens 6.16
Präsentation 16.22
16.38 18.12
präsentationsfähig
16.62 16.88
präsentieren 16.22
16.30 16.38 16.87
18.26
—, Gewehr 16.30
16.38
—, sich 16.64
Präservativ 2.44
12.42
Präses 16.97f.
Präsident 16.96ff.
Präsidentenstuhl
16.100
Präsidentschaft
16.95
präsidieren 16.96
Präsidium 16.96
16.99
prasseln 4.20 7.30
7.36
prassen 10.11 11.11
18.14
Prasser 10.11 11.11
18.14
Prasserei 10.11
11.11 18.14
prasserisch 10.11
11.11
Prätendent 19.22
Prätension 11.36
16.20
prätentiös 11.45
16.90
praeter propter 3.9
Präteritum 13.31
Prätor 19.28
Prätorianer 9.75

Prätorianertum
16.111
Pratze 2.16 4.13
prävalieren 5.10
Praxis 5.1 9.23 9.25
9.31 9.52
Präzedenzfall 6.11
Präzeptor 12.33
präzis 6.35 9.42
12.26 13.33 13.39
Präzision 6.35 9.42
13.39
predigen 9.49 9.78
12.33 20.16f.
—, tauben Ohren 9.49
—, in der Wüste 9.78
9.78 16.88
Prediger 12.33 16.60
20.13 20.17
Predigt 12.33 13.9
13.21 14.10f.
20.13 20.16
Predigthalter 13.22
Predigtstuhl 20.21
Preis 5.6 5.28 9.56
9.77 11.54 16.30f.
16.46 16.85 16.87
18.22f. 18.27f.
20.13
— drücken, den .
18.28
—, um jeden 5.6
Preisabbau 18.28
Preisdrücker 4.52
18.28
Preiselbeere S. 65
2.27
preisen 11.54 16.31
16.87 20.13 20.16
s. o.
Preiser 16.60
Preiserhöhung 18.27
Preisermäßigung
18.28
Preisfechten 16.57
Preisgabe 9.20
preisgeben 9.20
11.41 13.6 16.37
16.54
Preisgebung s. o.
Preisgedicht 16.31
preisgegeben 9.74
Preisgesang 16.31

Preishymne 16.31
Preiskämpfer 16.74
Preiskurant 18.21
Preislage 18.22
Preislied 16.31
  16.87 20.16
Preisliste 18.21f.
Preisruderer 9.77
Preisrudern 16.57
Preissenkung, Preis-
  stop 18.28
Preissteigerung
  18.27
Preistreiberei 18.27
Preisturnen 16.5
preiswert 18.28
preiswürdig 16.31
  18.28 19.3
prekär 5.7 9.74
  11.14 12.23
Prell 16.72
Prellball 16.57
Prellbock 8.2
prellen 4.12 8.9
  13.4 16.72 18.8
  19.32
Preller 16.72
Prellerei 12.53
  16.72
Premier 19.96ff.
  16.104
Premiere 6.26 14.3
Presbyter 20.17
  20.22
Presbyterianer 20.1
Presbyterium 20.17
preschen 1.8 8.7
preßbar 7.48
Presse 2.27 4.5f.
  9.26 12.36 13.2
  13.6 11ʹ†1 9ʹ†1
  17.16
pressen 4.5 4.7 4.11
  7.43 17.15
Pressestimmen 12.49
Pressezeichner 15.4
Pressezensur 13.23
pressieren 9.39
Preßkohlen 7.38
Preßluft 1.6
Pressung 4.5
Prestidigitateur
  20.12

Prestige 16.85 16.95
presto, prestissimo
  8.7 15.11f.
Pretiosen s. Schmuck
  17.10
Pretiosität 11.45
Preuße 3.37 8.8
  11.25
preußisch 9.37
  11.61
Preußischblau 7.21
preziös 11.45 13.43
  16.51
Priamel 3.35 14.2
Pricke S. 100
prickeln(d) 7.68
  10.1
Priel(e) 7.56
Prieme 7.68
priemen 2.34
Priepsel 4.4
Priester 16.60 20.17
Priesterbinde 20.18
Priestergürtel 20.18
Priesterherrschaft
  16.95 16.97 20.16f.
Priesterin 16.50
Priesterkleidung
  20.18
Priesterkragen 20.18
priesterlich 20.16f.
Priesterrock 20.18
Priesterschaft 20.17
Priesterweihe 20.17
Priesterwürde
  20.17
Prillecken 2.27
prima 9.56 11.17
  16.31
— vista 9.27 15.11
Prima 9.56
Primadonna 11.7
  14.3 16.85
primär 6.11 9.29
Primäraffekt 2.41
Primas 16.91 20.17
Primawechsel 18.21
  18.30
Primel S. 66
primitiv 2.22 6.2
  6.27 9.27 11.29
  11.46 12.1 12.55f.
  13.40 15.3 16.120

Primiz(feier) 16.103
  20.17
Primzahl 4.35
Prinz 11.45 16.91
  16.97f.
Prinzenstein 2.48
Prinzeßbohnen S. 50
  2.27
Prinzessin 11.7
  16.91
—, Räuber und
  16.56
Prinzip 5.19 9.12
  12.17 12.22 12.29
  16.106 19.1
Prinzipal 16.96
prinzipiell 12.17
prinzipienhaft 19.3
Prinzipienhaftigkeit
  19.1
Prinzipienlosigkeit
  19.10
Prinzipienreiter 9.8
  12.55
Prior(in) 20.17
Priorei 20.20
Priorität 6.11
  8.13 18.30
Prise 2.34 4.24 18.6
Prisengericht 19.28
Prisma 7.11 7.23
  10.16
prismatisch 7.11
  7.23
Pritsche 3.16 17.3
pritschen 1.8 16.72
  18.8
Pritzel 4.4
Prius, zeitliches 6.11
privat(im) 5.20 13.4
Privatbank 18.30
Privatdozent 12.33
Privatier 18.3
privatisieren 9.36
  16.52
Privatleben 16.52
  16.105
Privatlehrer 12.33
Privatunterhaltung
  16.55
Privileg 19.19 19.22

privilegieren 16.25
  16.119 19.22 19.25
privilegiert 16.119
  19.22
Privilegium 16.119
  19.19 19.22
pro forma 9.13
  16.71
probabel 5.4
probat 9.48
Probe 4.36 5.18 6.11
  9.28 9.56 12.9
  13.46 14.12 16.22
Probeblatt 9.28
Probebogen 12.9
Probedruck 15.6
Probeehe 16.11
  16.13
Probefahrt 12.9
proben 9.26 9.28
Proberolle 9.28 14.3
Probeseite 9.28
probeweise 6.15
  9.28
Probezeit 6.15 9.28
  12.9
probieren s. Probe
  9.28 10.7 12.9
Probiermamsell
  16.60
Probierstein 9.28
  12.9 13.46
Problem 9.55 12.5
  12.8 13.4 13.25
Problema 12.29
problematisch 5.7
  9.7 9.55 12.8
  12.23 13.4 13.25
Problemlage 12.8
Problemstellung
  12.8
Pröddel 7.64
Produkt 2.35 4.35
  4.41 5.34 5.39
  18.5 18.24
Produktion 5.39
  13.3 14.3
produktiv 2.6 5.39
  12.21 12.52 16.95
Produktivität 2.6
Produzent 5.39

produzieren 5.39
13.3
profan 20.3 20.22
Profanation 20.3
profanieren s. ent-
heiligen
Profession 9.18
9.22 16.60
Professional 16.57
16.60 16.99
professionsmäßig
9.18
Professor 12.3
12.32f. 13.44
16.60 16.86
Professorentum
16.91
Professur 12.36
Profet s. Prophet
Profi 16.57 16.60
Profil 3.29 5.8 7.2
13.29 15.4
Profit 9.47 18.5
18.26
profitbringend 18.5
Profithyäne 18.7
profitieren 9.46 18.5
18.23
profitlich 9.47
Profitmacher 19.7
Profoß 2.46 19.32
profund 12.52
Prognose 2.44 12.43
13.1
Prognostikon 12.43
13.1
Programm 4.35
9.15 9.25 12.42
14.10
Progression 4.3 6.34
progressiv 4.3 6.34
Projekt 9.14f. 9.26
Projektemacher 9.15
projektieren 9.14f.
Projektil 8.9 17.13
Projektion 8.3 15.1
15.8f.
Proklamation 13.6
proklamieren 13.6
Prokonsul 16.104
Prokrustesbett 9.51
16.107

Prokura 18.30
Prokuraführer
16.103
Prokurator 16.98
Prokurist 16.60
16.103 16.112
18.2 18.23
Prolepsis 6.11 6.35
proleptisch 6.11
Prolet 11.29 16.53
16.94
Proletariat 9.22
16.91f. 16.94 18.4
Proletarier 9.22 18.4
Proletariersekt 2.30
proletarisieren 18.4
Prolog 8.13 14.3
Prolongation 6.6
6.34 18.17
prolongieren 4.6 6.7
6.12 9.30 18.16f.
Promemoria 12.39
Promenade 2.40
8.11 16.6
Promenaden-
mischung 1.21
promenieren 16.6
prominent 9.44
16.62 16.85
Prominenz 16.85
Promiskuität 3.38
16.44
Promovierung 16.86
prompt 6.35 9.35
9.39 16.26
Promptheit 6.33
6.35 9.18
Pronomen 13.16
Propädeutik 12.33
Propaganda 9.69f.
12.22 12.33 12.36
16.21 16.95
Propagandanachricht
13.51
Propagandaredner
16.21
propagandistisch
16.21
propagieren 16.21

Propeller 8.6 16.74a.
17.16
Prophet 12.43
20.19
—, falscher 12.46
13.51 16.72 20.3f.
20.12
—, Moses und die
—en 18.21
prophetisch 12.43
20.19
prophezeien 12.43
20.12
Prophezeiung 6.11
6.23f. 12.43
prophylaktisch 2.44
5.43 6.11 12.42
Prophylaxis 2.44
Proportion 4.35 5.13
15.4
proportional 4.35
proportioniert 3.59
Proposition s. Vor-
schlag
Proppen, dicker
4.10
proppevoll 4.21
Propst 20.17
Prosa 11.26 14.4
Prosadichtung 14.2
Prosaiker 14.4
prosaisch 11.8
11.25f. 14.4
—er Mensch 11.25
Proselyt 5.24 12.35
Proselytenmacherei
12.22
Proserpina 20.7
20.11
Pros(i)t 2.31 16.38
16.87
proskribieren, Pro-
skription 2.46
16.29 18.6 s. Acht,
ächten, Verban-
nung
Proskynesis 16.115
Prosodie 14.2
Prospekt 7.2 9.15
10.15f. 14.9 14.12
15.4 16.21

prosperieren 18.3
Prosperität 18.3
prostituieren 9.61
9.63 9.86 16.44f.
prostituiert 16.44
Prostituierte 10.21
16.45
Prostitution 9.61
9.86 16.44f.
Proszenium 3.26
Proteine 1.29
Protektion 9.70 9.75
16.77 16.95
Protektorat 16.19
Protest 9.72 12.48
13.29 13.47
16.27f. 16.65
18.18f. 19.13
Protestant 12.48
20.1
Protestantismus 20.1
protestieren 9.72
12.48 16.27 16.65
Proteus 5.25 9.9
13.34
Prothese 5.29
prötjern 13.22
Proto- 6.21
Protokoll 14.9 19.14
19.16 19.27
Protokollführer
19.28
Prototyp 5.18
Protscher 19.29
prötteln 13.22
Protuberanz 3.48
7.4f.
Protz 11.45 16.89
protzen 11.31 11.45
16.89 18.14
Protzentum 16.89
18.3
protzig 11.45 18.14
Proviant 2.26 4.18
4.29
Provianthaus 4.18
Proviantmeister 4.18
4.29

Proviantplatz 4.18
4.29
Provinz 1.15 4.42
9.53 11.29 12.55
16.19
provinzial 9.59
Provinzialgesetz
19.19
Provinzialrecht
19.19
provinziell 12.55
Provinzstadt 16.2
Provision 16.46 18.5
18.26
Provisor 2.44 16.104
provisorisch 6.8 6.15
9.28 12.29
Provisorium 6.15
9.28 12.29
Provokateur 13.5
Provokation 16.69
Prozedur 9.18 9.25
Prozent 4.28 4.30
4.42 9.77
prozentig 1.21 12.12
Prozentsatz 4.42
18.16
prozentual 12.12
Prozeß 2.41 5.26
9.25 16.67 19.27
— machen, kurzen
2.46 9.6 16.53
Prozeßagent 19.28
Prozeßakten 19.27
prozessieren 16.67
19.27
Prozession 3.35 6.34
8.16 16.6 16.88
20.16
Prozeßordnung 19.19
prozessual 19.27
Prozeßweg 19.27
Prozeßwut 16.67
prüde 11.49 16.50f.
Prüderie 11.49 16.51
prüfen 9.28 10.15
12.3 12.7ff. 12.23
12.36 13.25
Prüfender 9.28
Prüfer 12.8
Prüfling 9.28 12.35
Prüfstein 9.28 12.9
13.46

Prüfung 5.47 9.11
9.28 10.16 11.13
12.3 12.9 12.36
13.25
Prügel 2.22 8.9 9.78
16.67 16.78 17.11
19.32
Prügelei 16.70
Prügeljunge 19.26
prügeln 8.9 16.78
—, sich 16.70
Prügelstrafe 16.78
19.32
Prügelsuppe 16.78
19.32
Prunk 11.45 13.43
16.88 17.10 18.14
prunken 11.45 16.85
16.88 17.10
prunkhaft 11.45 15.7
Prunkentfaltung
11.45
16.88 17.10
prunklos 11.46f.
Prunksucht s. Prunk
11.29 11.45 16.90
17.10
prunksüchtig 11.45
16.88
Prusse 11.55
prusten 2.35
psallieren 15.13
Psalm(en) 20.16
20.19
Psalmodie 15.11
15.13 20.16
Psalter 20.16
pschi! 2.35
Pseudarthrose 2.41
pseudo- 5.18 12.27
13.51
pseudonym 13.19
Pseudonym 13.4
13.19 13.51
Psilomelan 1.25
pst 12.7 13.10
13.23
Psyche 11.2
Psychiater 2.44

Psychiatrie 12.57
psychisch 11.2
Psycholog 16.60
16.95
Psyychologie 11.2
psychologisch 12.2
Psychom 12.57
Psychopath 2.41
12.57 19.10
psychopathisch 12.57
Psychose 2.41 12.57
Psychotherapeut
12.31
Psychotherapie 12.57
Ptomaine 1.29
Pubertät 2.22f.
publico, coram 10.15
publik 12.32 13.6
Publikation 14.11
Publikum 2.13 16.16
16.31
publizieren 13.6
14.6 14.8
Puck 20.5
Pucksünnertag 16.8
puddeln 7.55
Pudding 2.27
Pugel S. 126 5.10
9.53 16.32
—, begossener 9.78
16.33 16.93
—, den — machen
16.32
pudeljung 2.22
pudelnackt 3.22 4.50
pudelnaß 4.50 7.57
pudelwohl 2.38
Puder 3.20 7.49
Pudermantel 3.20
pudern 3.20
Puff 7.29 8.9 16.44
16.56
puffen 16.116
Pufferstaat 3.25
puh! 7.64
puitzen 7.33
puken 2.5
Pulk 8.6 16.74a.

Pulle 17.6
pullen 2.31 2.35 8,5
Pullmanzug 8.4
Pullover 17.9
pulpa 2.3
Puls 2.17 6.33 8.33
12.8f.
Pulsader 2.16 7.56
pulsieren 6.33 8.33
Pulslosigkeit 2.45
Pulsschlag 6.33 8.33
Pulswärmer 3.20
17.9
Pult 12.36 17.4f.
Pulver 2.44 4.4 7.49
9.26 16.73 17.12
18.21 19.32
Pulverfaß 9.74 11.58
Pulverförmigkeit
7.49
pulverig 7.49
pulverisieren 4.34
7.49
Pulverkopf 11.58
16.74
Pulvermagazin
17.12
Pulvermühle 17.12
pulvern 4.34 7.49
pulverscheu 11.43
Pulverturm 4.18
Pulverung 7.49
Pummel 4.10
Pump 18.10
Pumpe 4.18
7.55 17.16
pumpen 7.55 18.17
Pumpenheimer 2.30
Pumpernickel 2.27
Pumphose 17.9
Pumps 17.9
punctum puncti 5.1
5.10
Punkt 1.11 3.2 3.36f.
4.4 5.1 5.7 5.10
6.15 6.35 9.33
9.55 11.7 11.14
12.5 13.1 14.5
16.99 19.15

Punkt, beherrschender 4.12
—, der dunkle 5.7 16.36 19.10
— machen 13.23
—, ohne — und Komma 13.43
—, schwacher 13.47
— (in die Augen) springender 5.10 7.1 9.44 10.16 12.3 12.7
—, toter 8.2
—, wunder 11.54
—, zarter 9.55
Punktation 2.44 8.25
Pünktchen 4.4
punktieren 3.57 7.11 7.23 13.1
Punktierung 15.5
Punktion 3.57
pünktlich 6.33 6.35 6.37 9.35 9.42 12.26 16.26 16.108 19.1
Pünktlichkeit 6.35 16.26 19.1
Punktsieg 16.57 16.84
Punktsystem 17.9
punktum 9.6 9.33
Punktur 3.57
punnern 13.22
Punsch 2.31 7.54
Punt 8.5
puntern 13.22
punzen 17.15
punzieren 8.9 13.1
Pupille 10.16
Puppe S. 95 2.5 2.22 4.4 9.7 11.53 14.3 15.1 15.10 16.56
—, in die -n 4.40 4.50
Puppenklaus 20.6
Puppenreihe 2.5
Puppenstube 17.2
Pupperlhutschn 8.4
puppern 10.5 11.42
puppig 4.4
pur 1.22 9.66
Puranas 20.19

Püree 2.27 7.51
Purgativ 2.44
Purgatorium 19.26 20.11
purgieren 2.44 9.66
Purismus 13.53
Puritaner 11.12 16.50 20.13
puritanisch 11.12 16.50 18.10 20.1 20.13
Purpur 3.20 7.22 16.86 16.100 17.9f
purpurn 7.17
purpurrot 19.11
Pürsch 2.12
pürschen 2.12 8.15
Purzelbaum 8.31 16.56
purzeln 8.31 9.53
Puschel 12.57
pusseln 15.4
Pußta 1.13 2.1f.
Puste 2.39
Pustekuchen 13.29
Pustel 11.28
pusten 2.39 7.60
Pute S. 119 11.28 11.45
Puter S. 119 5.36 7.17 11.31 11.45 11.58
puterrot 7.17
putkelütt 20.5
Putsch 5.27 16.116
putschen 16.97 16.116
Putt 2.22
Puttchen 11.53
Püttcher 12.55
püttcherig 11.7 11.58
Pütter 16.60
Putz 3.20 11.45 16.88 17.9f.
putzen 9.66 11.17f. 15.7 17.10
Putzer 16.74
Putzfrau 9.66 16.112
putzig 11.23f.
Putzlumpen 9.66
Putzmacherin 16.60

Putzsucht 11.45
putzsüchtig 11.36 16.88
Putzwerk 17.10
Pygmäe 4.4
Pyjama 17.9
Pykniker 4.10
pyknisch 4.10
Pylades u. Orestes 16.41
pyramidal 4.50 11.17
Pyramidalzahlen 4.35
Pyramide 2.5 3.43 14.9
Pyridin 1.29
Pyrolusit 1.25
Pyromanie 7.36
Pyrometer 7.35
Pyrosphäre 1.4
Pyroxenid 1.26
Pyrotechnik 7.35
Pyrrhonismus 12.23
Pyrrhussieg 9.49 16.83 18.27
Pythagoras 11.12
Pythagoreer 11.12
pythagoreisch 11.12
Pythia 12.43 13.34

Q

qua 5.31
quabblig 7.50
Quacksalber 2.44 13.51 16.72 16.89
Quacksalberei 16.89 s. o.
quacksalbern 2.44
Quaddel 2.41 7.50
quaddern 13.22
Quader 4.42
Quadrant 4.45
Quadragesima 20.16
Quadrat 3.43 4.3 4.35 4.37 4.50 16.56
Quadratesel 4.50
Quadratlatschen 2.16
Quadratmeter 1.15

Quadratschädel 2.16 9.8 12.56
Quadratur 4.39 5.3 9.55
Quadriga 8.4
Quadrille 16.55ff.
Quadrupelallianz 4.39
Quadudder 2.22 4.4
quaggern 13.22
Quai 1.11 8.11
quaken 7.31 7.33
quäken 7.31
Quäker 20.1
Qual 5.47 11.13f. 11.26 20.11
quälen 9.12 9.60 11.13f. 11.28 11.32 11.36 11.60 16.20 16.79 19.5 19.9
—, sich 9.40 11.31
Quäler 16.79
Quälerei 9.12 9.60 s. Qual
Quälgeist 9.73 11.27
Qualität 5.8 9.56 siehe Eigenschaft, Güte
Qualle S. 92 7.50
Qualm 1.6 18.21
Qualmbolzen 2.34
qualmen 2.34 7.36
Qualster 2.35
qualstern 2.35 13.22
qualvoll 11.14
quammig 4.10 7.50
quängeln 11.27
Quängler 9.73
Quäntchen 4.24
Quante 4.4
Quanten 2.16
Quantität 4.17
quantitativ 4.1 4.17
quantité négligeable 9.45
Quantum 4.17 18.2
Quappe S. 100
quappig 4.10 7.50
Quarantäne 9.66 9.75 16.29
Quark 2.27 9.45 12.56 13.42

Quarkse 20.6
quarren 7.31 7.33
quarrig 7.31
Quart 4.16 4.39
  4.45 14.11 15.11
Quartal 4.45 6.1
Quartalssäufer 2.32
  6.33 9.62
Quartär 1.14
Quarterone 1.21
Quartett 4.35 4.39
  15.11f. 15.14 16.56
Quartier 8.2 8.23
  9.26 11.50 16.1f.
  16.73 17.1
— latin 15.4
Quartiermacher 8.13
  9.26
Quartiermeister
  4.29
Quarz 1.25f. 1.28
  7.5
Quarzglas 1.28
Quarzlampe 2.44
Quarzporphyr(it)
  1.26
Quas 7.51
Quasi- 12.29
Quasimodogeniti
  20.16
Quaß 2.31
quasseln 13.22
Quasselstrippe 13.22
Quaste 3.17 3.19
  17.10
Quästor 18.26
quaternio termino-
  rum 12.19
Quatsch 3.38 9.13
  11.23f. 11.29 12.19
  12.56f. 13.18 13.29
— mit Sauce 12.56
  16.27
Quatschbacke 13.22
quatschen 7.55 13.5
  13.22
quätscher 11.29
Quatschkopf 3.38
Quebbe 1.19
quebbig 7.50
Quecke S. 19
Quecksilber 1.24f.
  5.24f. 8.1 8.34 9.38
  11.20

quecksilbrig 8.34
queken 7.33
Quell 7.54
Quelle 4.18 5 24
  5.31 6.2 7.55 9.12
  9.29 9.82 14.9
  16.64
—, amtliche 13.3
—, warme 7.35
quellen 7.55 8.22
Quellkorn 2.20
Quendel S. 74 2.28
quengeln 16.33
Quengler 9.73 16.33
Quentchen 7.41
  12.12
quer 3.13 3.38
— durch alle 3.7
— durch die Mitte
  9.79
— durch X 14.1f.
— herüber 3.15
Quer(e) 3.15
— kommen, in die
  3.15
Querbalken 3.15
  3.18 3.33 17.2
queren 3.15 8.25
  8.27 16.65
querfeldein 8.25
Querflöte 15.15
querfrätsch 10.12
Quergasse 3.15 3.17
Querkopf 3.38 4.34
  9.8 12.57 16.52
  16.65
querköpfig 3.38 9.8
  16.53
Querköpfigkeit
  16.53
Querlinie 6.3
Querschiff 20.21
Querschleife 17.9
Querschnitt 3.15 7.2
  13.17 14.1 14.12
Quersinn 16.53
Querstrich 9.73
Querteilung 2.17
Querulant 11.27
  11.32 11.58 16.20
  16.33
Querwand 3.23
  3.25

Querxe 20.6
Quese 2.41
quesen 13.22
Quetsch 19.29
Quetsche S. 49 2.27
  12.36 16.64
quetschen 2.42 4.5
  8.21 13.25
Quetschkartoffeln
  2.27
Quetschung 2.42
  5.47 8.26 9.50
qui vive 11.40
quick 11.21
Quickborn 7.55
Quickenbaum 2.2
quicklebendig 2.38
Quidam 16.94
Quidproquo 3.38
Quieken, zum 11.23
quieken 7.31 7.33
  11.22
quieksen 7.31
quiemen 2.41
Quietismus 11.16
quietistisch 5.38
quietschen 7.30f.
  11.22 15.18
quietschfidel 2.38
  11.21
Quinte 4.39
Quintessenz 4.33
  5.10 9.44 14.12
Quintett 4.39 15.12
Quirl 8.33
quirlen 7.55 8.34
  11.20
Quisisana 16.64
Quisquilien 9.45
  13.18
Quissel 20.1 20.14
quitt 4.27
Quitte S. 48 2.27
quittegelb 7.19
quittieren 9.33 13.1
  16.105 18.26
Quittung 4.35 9.35
  16.26 18.18 18.26
Quitze S. 48
quo usque tandem
  16.33

quod erat demon-
  strandum 13.46
quod non 16.27
Quodlibet 1.21
  15.11
Quote 4.35 4.42
  5.16 18.2 18.26
Quotient 4.35 4.42
quoxen 7.33

R

Raa (Rahe) 8.5
rabanzen 9.38
rabastern 2.38
Rabatt 4.30 18.6
  18.15 18.28
Rabatte 2.5 3.24
rabbeln 13.22
Rabbi(ner) 12.33
  20.17
Rabe S. 101 1.2 4.50
  5.20 7.14 18.9
—, weißer 6.29
Rabenaas 16.33
Rabenfutter 2.45
rabenschwarz 4.50
Rabenvieh 16.37
  19.9
rabiat 11.31 12.55
Rabulist 12.14 19.28
Rabulisterei 16.67
Rabulistik 12.11
  12.19 12.53 13.51
rabulistisch 12.11
  12.19 12.53
Rachbegierde 16.31
Rache 11.60 16.80
  16.81
rachedurstig 16.81
Rachegott 5.36 16.81
  20.7
Rachegöttin 5.36
  11.31 16.81 20.7
Rachen 2.16 3.57
rächen 16.81
Rachenkatarrh 2.41
Rachenputzer 2.31
  7.54 7.68

Racheschwert 16.81
Rachgier 1131 16.81
rachgierig 16.81
Rachitis 2.41
Rachsucht 11.31
  11.60 16.81 19.9
rachsüchtig 11.58
  11.62 16.81
Rack S. 101; 119
  20.5
Racker 12.52 19.9f.
—, so ein 16.31
rackern 9.40
Racket, Rakett
  16.57
Rad 3.47 8.4 8.32
  11.14 16.7 16.57
  17.16 19.32
—, das fünfte — am
  Wagen 9.45 9.49
Radau 7.26 16.67
Radball 16.57
Raddampfer 8.5
radebrechen 13.32
radeln 8.1 8.4 16.57
Rädelsführer 16.96ff.
  16.116
Rademacher 16.60
rädern 2.46 11.14
  11.28 19.32
Räderwerk 17.16
Radfahrer 11.43
  16.6 16.32 16.115
Radi S. 42 2.27
radial 2.16
radieren 5.42 15.4
Radiernadel 15.4
Radierung 5.18 15.4
Radieschen S. 42
  2.27 2.45
radikal 4.41 9.6
  9.8 11.6
Radikalinski 9.8
  13.52
radikalisieren 9.6
Radikalismus 9.8
Radio 7.24 15.15
radioaktiv 7.4
Radium 1.24f. 2.44
  7.5
Radius 4.6
radizieren 4.42

Radjah 16.91
Radler 8.3 16.6
  16.112
— roter, blauer 8.3
Radlerbeine 3.46
Radmantel 3.20
Radnabe 3.28
Radon 1.24
Radonkuchen 2.27
Radrennen 16.57
Radschah 16.91
Radsche 15.15
Radschlagen 11.23
  11.30 16.57
Radschloß 17.12
Radschuh 9.73
Radsperre 9.73
Radsport 16.57
Radsteuerung 8.11
Raffel 2.16
raffen 4.5 4.29 8.14
  8.28 15.7 18.7
Raffer 15.9
Raffinement 12.53
Raffinerie 9.23
Raffinesse 12.53
raffinieren 1.22 2.40
  9.57
raffiniert 9.52
  11.17f. 12.53
Raffke 11.29 12.37
  16.120 17.10 18.3
Rage 11.31 12.57
ragen 3.11 4.2 4.12
  8.28
Raglan 17.9
Ragout 1.21 2.27
Ragtime 16.58
Rahe 8.5
Rahel 16.3
Rahm 2.27 2.30 7.51
  9.84
rahmen 3.23
Rahmen 3.23f. 5.20
Rahmenerzählung
  14.1
rahmig 2.33
Rahnen S. 32 2.27
Raimund 16.3
Raihgras S. 18
Rain 1.13
Rainer 16.3

Rainfarn S. 11
Rainweide S. 69
Raison, zur — brin-
  gen 16.84
räkeln, sich 9.24 9.41
Rakete 2.34 7.4f.
  8.7 8.22 8.28 13.1
  13.11 17.13
Rakija 2.31
Ralf 16.3
Ralle S. 112; 117;
  119; 122
rallentando 15.11
rallern 16.78
Ramadan 2.29 20.13
  20.16
Ramazan 20.16
Rambaß 2.31
Ramel 16.60
Ramie 17.8
Ramm S. 127
Rammbock S. 127
rammdösig 11.15
Ramme 8.9 17.15
Rammel 16.33
rammeln 1.6 2.19
Rammpflock 17.15
Rampe 3.13 9.76
Rampes 16.78
ramponieren 5.42
  9.50 9.63 11.28
  19.11
Ramsch 4.32 9.60
  16.69 18.23 18.28
ramschen 18.7
Ramschgeschäft 18.28
Ran 20.7
ranarbeiten 8.19
Rand 3.18 3.23 3.38
  5.36 8.3 9.61 9.74
  13.28 16.70 16.116
  17.11 17.14
—, aus — und Band
  3.38 5.36 13.52
  16.116
randalieren 16.67
  16.116
Randbemerkung 13.1
  13.44
Randglosse 13.44
  14.5
Randschnur 17.10
Randsiedlung 17.1

Randvermerk 4.28
Randzeichnung 15.4
Ranft 1.16 2.27 3.23
Rang 3.37 3.46 4.13
  9.79 16.85f. 16.91
  16.99
—, nach — und
  Stand 16.91
Range S. 32; 127
  2.22
Rangeln 16.57
rangieren 9.70 18.26
Rangliste 3.37 16.86
  16.91
ranglos 16.94
Rangordnung 16.91
Rangstufe 3.37
rank 4.11 7.45 11.17
Rank 3.40 8.32
Ranke 2.3
Ränke 9.15 9.38
  12.32 12.53 13.51
  16.72 19.8
ranken 8.28
—, sich 2.1 8.28
Ranken 4.42
Ränkeschmied 9.38
  16.67
ränkevoll 12.53 19.8
ranpirschen, ran-
  schlängeln, ran-
  schleichen, sich 8.19
Ranzen 2.16 17.7
ranzig 7.64 10.9
Ranzigkeit 7.64 9.67
ranzionieren 18.18
Ränzlein 4.10
Raphael 20.6
Rapier 17.11
Rappe S. 128 7.14
  8.3
rappelköpfisch 12.57
rappeln 7.30
Rappen S. 128 16.6
  18.21
Rapport 5.13 13.2
  14.1
rapportieren 13.2
  14.9
Raps S. 42
Rapunzel S. 79 2.27
rar 4.24 4.50 5.20
  6.29

Rarität 5.20 6.29
Raritätenkabinett,
  -kammer 7.2 15.4
Raritätenkasten 7.2
Raritätensammler
  6.29
rasch 5.36 6.8 8.7
  9.52 11.6 11.39
rascheln 7.27 7.32
Raschheit 8.7 9.52
Rasen 1.13 2.2 2.45f.
rasen 5.36 8.7 11.5
  11.31 11.62 12.57
rasend 4.50 8.7
  11.5f. 16.31
Rasender 12.19
Rasendwerden, zum
  11.14
Raserei 11.31 11.53
  12.57 16.31
Raseur 17.10
rasieren 3.22 3.52
  4.30 5.42
Rasierer 17.10
Rasiermesser 3.55
räsonnieren 11.27
  13.22 16.33
Räsonnierer 16.35
Raspa 16.58
Raspel 3.53 7.49
  17.15
raspeln, Süßholz
  16.32
räß 10.9
Rasse 1.22 2.9 4.47
  5.8 11.2 16.9
  16.18 16.91
rassegebunden 11.46
  12.56
Rassel 7.31 15.15
  16.56
rasseln 7.26 7.30f.
  20.14
rasselos 1.21 11.26
Rasselwächter 16.60
rassig 11.17 11.20
Rast 2.36 6.15 8.2
  9.33 9.36
Rasta 16.94 19.9f.
Rastelbinder 16.60
rasten 8.2 9.24 9.33
  9.36 9.41

Raster 3.15 7.49
ratlos 5.25 6.34
  8.1 8.34 9.38
Ratlosigkeit 11.6
Rastmeister 4.29
Rastplatz 3.23 3.25
  8.2
Rasttag 9.36
Rastral 15.11
Rasur 3.52
Rat 4.17 9.12 9.55
  12.3 13.9 13.30
  16.60 16.98f.
  16.102 18.10
-rat 16.60
Rate 18.2 18.26
Räteherrschaft 16.97
raten 9.70 12.8 13.9
  16.56
Ratenzahlung 18.17
  18.26
Ratgeber 9.70 12.33
  13.9 19.28
Rathaus 16.102
  19.27f.
Ratifikation 19.14
ratifizieren 12.47
  19.14 19.19
Ration 2.26 4.34
  4.42 6.7 11.40
  18.2
rational 3.37 13.33
rationalisieren 18.10
rationell 12.14 18.10
rationieren 4.25 4.30
Rationierung 10.10
rätlich 9.48
ratlos 9.7 9.53 9.55
  11.13
Ratlosigkeit 9.7 9.55
ratsam 9.48 13.9
Ratschbumm 17.13
Ratsche 7.31
ratschen 7.30 13.22
Ratschlag 13.9
ratschlagen 12.3
Ratschluß Gottes
  5.45
Ratsdiener 13.9
  19.29
Rätsel 5.7 9.55 12.8
  13.4 13.25 13.35

rätselhaft 5.7 11.30
  13.4 13.35
Rätselraten 16.56
Ratsherr 16.97
Ratskeller 16.64
Ratsversammlung
  4.17 16.17 16.96
  16.102
Ratte S. 126
Rattenfänger 8.14
  9.12 12.34
Rattengift 2.43
Rattenkönig 3.38
  4.20
rattern 7.30
Ratz S. 125f. 2.36
  4.50
ratzebutz 4.41 8.18
ratzenkahl 4.26 4.50
Raub 18.6 18.9
  18.15
Raubball 16.57
Raubbau 18.7
rauben 5.42 11.5
  11.32 16.35 18.6
Räuber 9.74 16.56
  18.9 19.9
—, unter die — ge-
  raten 9.61
Räuberei 18.9
Räuberhauptmann
  16.96 16.98
Räuberhöhle 9.67
  9.74
räuberisch 18.6 19.10
Räuberpistole 13.51
  14.1 16.89
Raubgesindel 16.74
raubgierig 11.36
  18.9
raublustig 18.9
Raubmord, Raub-
  mörder 18.9
Raubritter, Raub-
  rittertum 18.9
Raubschloß 16.77
Raubschütz 18.9
Raubsucht 11.36 18.9
Raubtiere S. 126
Raubvogel S. 115
  11.30 16.68
Raubwild S. 126
Raubzug 16.73 16.76

Rauch 7.6 7.36 7.42
  7.60 7.64 9.45 9.78
  11.45
rauchen 2.34 4.50
  7.36 7.39 11.31
  16.48
Räucherboden 17.2
Räucherkammer 17.2
Räucherkerze 7.63
räuchern 5.43 7.62f.
  9.66
Räucherpapier 7.63
Räucherpulver 7.63
Räucherung 16.31f.
  16.87 20.16
Räucherwerk 7.63
Rauchfahne 7.36
  16.76
Rauchfang 3.57 7.61
  17.2
Rauchfaß 20.16
rauchig 9.67
Rauchkolben 2.34
Rauchnächte 20.16
Rauchopfer 20.16
Rauchrolle 2.34
Rauchtabak 2.34 7.68
Rauchvergiftung
  2.43
Rauchverzehrer 7.63
Rauchzimmer 17.2
Räude 2.11 2.41
räudig 3.22 16.92ff.
  20.4
Räudigkeit 3.22
Rauf 2.44
rauf wie runter 10.9
Raufbold 11.39
  11.58 16.34 16.74
  16.78 16.90
Raufe 17.4
raufen 11.33 16.67
  16.70
Raufer 16.74
Rauferei 16.67 16.70
rauh 1.7 3.53 5.36
  7.31 10.9 11.28
  16.53 16.108
Rauhbauz 16.53
Rauhbein 16.53
Rauheit 3.53
Rauhfrost 7.40
Rauhigkeit 7.31
  siehe rauh

Rauhputz 3.53
Rauhreif 1.9 7.40
Rauke S. 42
raulen 7.33
Raum 3.1 4.1 9.15
  16.64 16.83 16.119
  17.2
—, freier 3.1
—, unendlicher 1.1
räumen 3.4 4.26
  4.49 8.18 8.24
  9.20 16.83 16.05
  18.23
—, aus dem Wege
  2.46
Raumgehalt 4.1
Raumgewinn 8.1
Raumgitter 3.57
raumhaft 3.1
Rauminhalt 4.1
räumlich 3.1
Räumlichkeit 1.11
Raummangel 4.9
Raumsinn 10.15
Räumung 4.26 8.18
  8.24
raunen 7.27 13.4
raunzen 11.27
  11.31 16.33
Raunzer 11.58
Raupe S. 95 13.1
  17.10 19.29
Raupenhelm 17.9
raus oder rein 9.6
—, es gibt etwas
  16.78
Rausch 2.32f. 11.5
  11.9
— (Nachwehen) 2.33
Rauschebart 2.16
rauschen 1.6 7.30
  7.32 7.55 11.22
  16.69
Rauscher 2.31
Rauschgift 2.43 11.5
Rauschnarkose 10.3
rausgehen (aus sich)
  11.20
rausjagen 1.7 8.18
rauskehren 16.33
rauskommen 8.18
räuspern 2.35 7.60
rausrappeln, sich
  2.40

Rausschmeißer 9.33
Raute 3.43
Rautenfläche 3.18
Rayon 1.15
Rayonchef 18.23
Razzia 16.73 16.76
  16.117 19.29
re- 8.10 8.17
Re- 5.40 8.17
Reagens 13.46
reagieren 5.11 5.34
  8.10 9.72 11.4
  11.31
Reaktion 5.23 5.30
  5.34 8.10 8.17
  9.72f. 16.65 16.97
reaktionär 5.43 16.65
  16.97 19.6
real 1.20 5.1 5.6
  5.44
Realgar 1.25
realisieren 1.20 9.35
  18.5 18.23
Realismus 1.20 15.3
realistisch 1.20 13.49
  14.2 15.3
Realität 5.1 12.26
Realitäten 18.1
Realschule 12.36
Rebbel 4.12
Rebe S. 57
Rebell 16.116
rebellieren 5.27
  9.72 16.116
Rebellion 5.27
  16.116
rebellisch 5.27 16.65
  16.116
Reben(blut) 2.31
  7.54
Rebhuhn S. 119
Rebus 12.8 13.4
Rechen 2.5 2.15
  11.28
Rechenbrett 4.35
Rechenexempel 4.35
Rechenfehler 12.27f.
Rechenmarke 12.29
Rechenmaschine
  4.35 12.12
Rechenmeister 4.35

Rechenschaft 16.33
  16.69 16.113
  19.12f. 19.24
rechenschaftspflichtig
  19.24
Rechenstube 12.12
Rechentisch 4.35
Recherchen 12.8
rechnen 4.35 5.5
  9.42 9.44 9.47
  9.69 11.35 12.12
  12.22 12.27 12.35
  12.41
— auf 9.47 12.41
Rechner 4.35 12.12
  16.60 18.7
rechnerisch 4.35
  12.12
Rechnung 4.35 9.46
  9.70 9.78 12.46
  16.65 16.81 16.109
  18.16ff. 18.26f.
  18.30
—, falsche 9.78
— tragen 5.25
Rechnungsarten 4.35
Rechnungsfehler
  12.19 12.28 13.51
Recht 9.3 9.8 16.90
  16.95 16.116
  16.119 18.1 19.1
  19.10 19.18ff. 19.27
— des Stärkeren
  16.107 19.20
—, gleiches 19.18
—, Gnade für —
  ergehen lassen
  16.47
—, kanonisches
  19.19
—, kirchliches 19.19
—, nach göttlichem
  19.22
—, nach — und
  Billigkeit 19.18
—, peinliches 19.19
  19.27
—, von —s wegen
  19.18 19.22
—, zu 19.19
recht 4.50f. 5.10
  9.8 11.31 11.42
  11.46 11.52 19.18
  19.24

recht, das geschieht
  ihm 16.80
—, erst 9.72 16.65
— machen 11.19
—, nicht so 2.41
  4.25
— tun 19.3
— und billig 19.19
Rechte, die 3.31
  19.28
—, fremde 19.23
rechte Hand 9.70
Rechteck 3.43
rechten 16.70
Rechten, zur 3.31
rechtfertigen 5.4
  16.31 16.47 19.13
  19.22 19.30
Rechtfertigung 16.77
  19.13 19.27 19.30
rechtgläubig 20.1
  20.13
Rechtgläubiger 20.1
  20.13
Rechtgläubigkeit
  20.1
Rechthaber 9.8
  12.37 16.89 16.90
Rechthaberei 12.55
  16.90
rechthaberisch 11.58
  12.55 16.67 16.90
rechtlich 13.49 19.1
  19.3 19.18f. 19.22
  19.27
Rechtlichkeit 19.1
  19.3
Rechtlichkeitssinn
  19.1
rechtlos 16.36
  16.111 16.116
Rechtlosigkeit 16.36
rechtmäßig 19.18f.
  19.22
Rechtmäßigkeit
  19.18 19.22
rechts 3.31 9.8
  16.87
rechts gehen 16.30
rechts oder links
  3.40
rechts und links
  3.7 3.24

Rechtsangelegenheit 19.27
Rechtsanwalt 13.9 16.60 16.97 19.28
Rechtsbehelf 19.27
Rechtsbeistand 13.9 19.28
Rechtsberaubung 19.20 f. 19.23
Rechtsboden 19.22
Rechtsbruch 19.21 19.23
rechtschaffen 13.49 19.1 19.3 20.13
Rechtschaffenheit 19.1 19.3 20.1 s. rechtlich
Rechtschreibung 14.5
Rechtsfall 19.27
Rechtsform 19.27
Rechtsfreund 19.28
Rechtsgang 19.19 19.27
Rechtsgefühl 19.18
Rechtsgelehrter 19.28
Rechtsgeschäft 19.14
rechtsgültig 19.19
Rechtsgültigkeit 19.19
Rechtshandel 16.67 19.27
rechtshändig 3.31
rechtskräftig 16.103 19.19
Rechtskunde 19.19
Rechtskundiger 19.28
Rechtslehre 19.19
Rechtsmittel 19.27
Rechtsmittelkläger 16.20
Rechtspflege 19.18
Rechtsprechung 16.97 19.27
Rechtssache 19.27
—, peinliche 19.11
Rechtssatzung 19.19
Rechtssinn 19.1 19.18
Rechtsspiegel 19.1 19.19

Rechtstitel 19.22
rechtsungültig 19.20
Rechtsverdreher 16.60 19.28
Rechtsverdrehung 12.19 19.8 19.23
Rechtsverfahren 19.19 19.27
Rechtsverhandlung 19.27
Rechtsverletzung 19.11 19.23
Rechtsverlust 19.23
Rechtsverwalter 19.28
Rechtsverwaltung 19.27
Rechtswahrer 19.28
Rechtsweg 19.27
rechtswidrig 19.10 19.20f. 19.23
Rechtswidrigkeit 19.21 19.23
Rechtswissenschaft 19.19
Rechtszug 19.27
rechtwinklig 3.11 3.43
rechtzeitig 6.33 6.35 6.37 9.48
Rechtzeitigkeit 6.35 6.37 9.48
Reck 16.57
reckbar 7.50
Recke 2.5 11.38
recken 4.6f.
—, sich 3.11 4.3 4.12
reckenhaft 5.35
Redakteur 14.1 14.11
Redaktion 16.96
Rede 5.10 9.45 9.54 11.23 13.21 13.24 19.25 19.27
—, davon kann keine — sein 16.27
—, der in — stehende 6.28
—, die — abschneiden 16.34
—, die — versagen 11.30
—, in die — fallen 3.25 13.21

Rede, keine — davon 13.29
—, nicht der — wert 4.24
—, offene 13.5
—, schneidende 16.33
— stehen 13.26
Reden Buddhas 20.19
—, beißende, spitze 16.33
— eingenommen, etwas zum 13.22
—, pöbelhafte 16.37
Redebild 13.36f.
Redeblume 13.36
Redefigur 13.20 13.36f. 13.52
Redefluß 13.22
Redefreiheit 16.119
Redegabe 13.21
Redekünstler 13.21
reden 4.50 5.4 7.34 9.49 9.78 11.46 13.3 13.13 13.21 13.30 16.89 16.109 16.115 16.119
—, dämlich 9.78
—, deutsch mit jemanden 11.46 16.53
—, einem zu Gefallen 16.32
—, einen bedeutenden Strahl 13.22
—, Fraktur 16.33
—, fusselig 9.78
—, in den Wind 9.78
—, ins Gewissen 16.20 16.33
—, mit sich selbst 13.27
—, nach dem Munde 16.32
—, von sich — machen 16.85
—, wie ein Wasserfall 13.22
— wir nicht mehr davon 16.47

Redensart 13.16 13.18 16.38
—, schöne 9.13 9.45 16.38
Redeitis 13.22
redescheu 13.23
Redeschmuck 13.43 17.10
Redeschwall 13.21
Redesucht 13.22
Redeteil 13.31
Redewendung 13.37
Redewut 13.22
redigieren 14.5 16.96
redlich 11.46 13.49 19.1 19.3
Redlichkeit 19.1 19.3 s. rechtschaffen
Redner 12.33 13.21f. 16.77
rednerisch 13.21
Redoute 11.11 16.55 16.77 17.14
redselig 13.2 13.21f. 13.20
Redseligkeit 13.2 13.30
Reduktion 4.5 4.7 5.26
Reduplikation 4.37
reduzieren 4.5 4.30
Reede 1.11 8.2 8.5 9.76
Reeder 16.7 16.60
Reeling 8.5
rell 19.1
Reellität 19.1
Referat 14.1
Referendar 12.33 16.97 19.28
Referent 16.99 19.28
Referenz 9.70
referieren 14.1 19.27
Reff 11.28 11.58 17.4 17.6 19.11
reflektieren 8.10 8.17 12.3
Reflektor 10.16
Reflex 5.18 5.34 7.4 8.10 8.17
Reflexion 12.3

Reform 2.40 5.26
9.57
Reformation 5.26
Reformator 9.57
20.2
reformieren 2.40
5.24 5.26 6.26 9.57
Reformierter 20.1
Reformkleid 17.9
Refrain 6.33 14.2
15.11
Refraktär 4.34 8.18
16.74
Refraktor 10.16
Regal 3.16 12.12
17.4
regalieren 2.26
16.55 16.64 18.12f.
Regatta 16.57
rege 8.7 9.38 11.20
Regel 2.35 3.37 5.17
5.19 6.33 9.31
12.17 16.106
19.18f.
— de tri 4.35
—, gemäß der 5.19
—, in der 5.19
regellos 3.38 5.25
6.30 8.34 9.27
19.20
Regellosigkeit s. re-
gellos 3.38 9.16
13.19 13.42
regelmäßig s. Regel
3.37 3.59 5.9
5.16 5.19 6.6f.
6.33 12.17
Regelmäßigkeit 3.59
5.19 6.33
regeln 2.40 3.37 3.59
5.19 6.33 9.57
16.96 18.26
regelrecht 3.37 4.50
5.19
Regelung 3.37 5.19
16.96
regelwidrig 3.38 3.60
5.20 6.30
regen 8.1 8.7 9.24
11.5 11.43 19.5
—, sich 8.1 8.7 9.18
9.38

Regen 1.8 7.55 7.57
9.61 9.78
— in die Traufe,
vom 9.78
Regenbogen 7.23
16.48f.
regenbogenfarbig
7.23
Regendach 17.9
Regeneration 5.40
9.58 20.13
regenerieren 2.40
5.35
Regenerierung 2.40
5.40
Regenhaut 17.9
Regenkappe 3.20
Regenmacher 1.4
Regenmantel 3.20
Regenquirl, -rad
17.9
Regenschauer 7.57
Regenschirm 4.50
9.76 12.7 17.9
17.14
Regent 16.97f.
16.104
Regentonne 4.18
Regentschaft 16.95
16.97
Regenwasser 7.57
Regenwetter 11.32
Regenwind 1.6
Regenwürmer S. 93
2.27
Regesten 6.9
regierbar 9.54
regieren 16.95ff.
16.110
Regierung 16.91
16.95ff. 16.99
Regierungsantritt
16.97
Regierungsbezirk
16.19
Regierungsrat (Bera-
ter, Behörde) 13.9
16.99
Regiment 4.17 16.74
16.97 16.108
Regimentskaplan
20.17

Regimentskomman-
deur 16.74
Regimentsprediger
20.17
regimentweise 16.68
Regine 16.3
Region 1.15 4.42
Regionalismus 5.21f.
regionalistisch 12.55
Regisseur 14.3 16.96
Register 3.37 14.9
14.12 15.15
Registrator 12.12
14.1 14.5 16.60
registrieren 6.9 14.9
Registrierkasse
12.12
Registrierung
s. Register 19.16
Reglement 16.106
reglos 8.2 11.8
regnen 1.8 7.55 16.78
regnerisch 7.55
Regreß 13.20 13.47
Regression 16.120
regressiv
s. rückwärts
regsam 8.7 9.38
Regsamkeit 8.1 9.18
Regula 16.3
regulär 3.37 3.59
6.34
Regularität 3.37
Regulator 6.9
regulieren 3.37 6.33
12.47 16.96
regulierter Jesuit
20.17
Regulierung 3.37
5.19 16.95f 19.27
Regulus 1.2
Regung 9.1 11.5
11.36 11.60
regungslos 8.2 11.30
Regungslosigkeit 8.2
11.8
Reh S. 127 2.27
7.42 8.7 11.17
—, wie ein 7.42
11.17

Rehabilitation 2.40
18.18
rehabilitieren 18.18
19.13
Rehpfötchen 2.27
Rehposten 17.13
rehren 7.33
Reibe 7.49
Reibeisen 7.49
11.58f.
reiben 3.53 7.31
8.33 9.66 11.22
16.33 16.55 16.67
Reiberei 16.67
Reibung 3.53 9.72
16.67
Reibungsfläche 16.66
reibungslos 9.54
reich 4.41 13.16
13.43 16.38 18.3
— an Beweisen 13.1
— und arm 3.7
Reich 1.15 15.11
16.19 16.95 16.97
18.7 20.10f.
reichen (bis) 3.8 4.6
4.52 11.45 16.47
16.64 20.16
reichhaltig 4.20
reichlich 4.1 4.20 4.22
4.23 4.50
Reichs- 16.99
Reichsacht 4.49 16.37
Reichsamt 16.96
16.99
Reichsanleihe 18.30
Reichsanwalt 19.28
Reichsanzeiger
16.106
Reichsbehörde 16.96
Reichsgericht 19.27f.
Reichsgesetz 19.19
Reichsgesetzblatt
13.6
Reichsgraf 16.91
Reichsinsignien
16.100
Reichskanzler 16.64
16.97 16.99
Reichsmarschall
16.74

Reichsnährstand 2.5
Reichsrat 16.97
16.102
Reichsrecht 19.19
Reichstag 16.97
16.102
—, polnischer 3.38
Reichstaler 18.21
Reichsverweser
16.96ff.
Reichtum 4.1 4.22
5.22 13.43 16.88
18.1 18.3 18.5
— gelangen, zu 5.46
9.77
Reichweite 3.8f.
Reidel 16.56
reif 2.23 2.25 6.4
9.26 9.64 11.17
12.3 12.52 12.57
15.3
s. reifen
Reif 1.9 3.23 3.47
7.13 7.40 7.57
17.10 18.3
Reife (Zeugnis)
2.23f. 9.26 9.35
reifen 1.9 2.1 2.23
2.25 5.26 5.39
9.15 9.26 9.64
Reifeprüfung 13.25
reifer 2.24
Reifezeit 6.4
Reifezeugnis 2.23
19.22
reifförmig 3.47
Reifrock 3.20 17.9
Reigen 3.39 8.29
10.21 16.55 16.58
16.97
Reigenführer 16.58
16.96
Reih und Glied 3.37
16.74
Reihe 2.5 2.45 3.14
3.35 3.37 4.17 4.33
4.47 5.20 6.33f.
8.15 14.49 16.16
—, nach der 3.37
reihen 3.35
Reihen 2.16 8.29

Reihenfolge 3.35
6.31 6.33f. 8.15
Reihenhaus 17.1
Reihenschrift 14.5
Reihentanz 16.55
16.58
Reihenwurf 16.74a.
Reiher S. 117 2.35
4.50
Reiherfeder 15.7
17.10
reihern 2.35
Reim 5.17 13.13
14.2
reimen 14.2
Reimerei 14.2
Reimlexikon 14.2
reimlos 14.4
Reimsatz 14.2
Reimschmied 14.2
rein 1.22 2.22 7.8
9.56 9.66 11.16ff.
11.46 13.40 13.49
16.50 19.1ff. 20.1
20.13
— des Teufels
12.57
— machen 9.66
Reineclaude S. 49
2.27
Reineke S. 126 12.53
Reinemachfrau 9.66
reinen, im 12.47
— Mund halten
13.4
— Wein ein-
schenken 13.2
reiner Fachmann
12.55
Reinertrag 18.5
Reinette S. 48 2.27
Reinfall 5.47 9.50
reinfallen 9.53
12.46
reinhalten, sich
16.50
Reinhard 16.3
reinhauen 8.7
Reinheit 9.66 11.17
13.40 19.4

Reinhold 16.3
reinigen 1.22 1.40f.
4.49 9.57 9.66
16.80 19.5 19.13
19.30
—, sich 19.26
Reinigung 19.26
20.13 20.16
Reinigungsprozeß
9.66
reinlich 9.66
Reinlichkeit 9.66
reinrasseln 18.8
reinrassig 1.22
Reinschrift 14.5
reinsichtig 7.8
reinster 4.50
Reintegration 5.40
reinweg 5.14
Reinzucht 2.10
Reis S. 16 2.3 2.27
5.41 16.9
Reis Efendi 16.104
Reise 8.18 16.6
16.38 16.55
Reisebuch 14.1 16.6
Reisefieber 9.26
Reisegeld 18.5
Reisegesellschaft
16.6
Reisegut 4.17f.
Reisekorb 17.7
reisen 8.1 8.7 9.31
16.6 19.33
Reisen, auf 3.4
Reisegerät 17.15
Reisender 16.5f.
16.21 16.60
Reiseonkel 16.6
Reisespiel 16.56
Reisetasche 16.7
Reisevergütung 18.5
Reiseziel 8.20
Reishaufen 2.48
reisig 8.1
Reisig 7.38
Reisighaufen 2.48
Reisläufer 16.74
Reißaus nehmen
8.7 8.18 11.42
Reißblei 1.26
Reißbrett 15.1 15.4

reißen 2.46 3.35
8.8f. 8.14 10.1
11.23 11.31 11.53
16.68 18.27
—, an sich 16.97
18.6
—, sich 2.42
Reißen (Krankheit)
2.41 16.57
Reißer 11.29
Reißmatichtig,
Reißmattheis 2.41
Reißnagel 4.33
Reißverschluß 3.58
Reitbahn 2.10
reiten 4.50 8.1 16.6
Reiten 16.57
Reiter 2.10 16.6
16.65 16.74 16.96
16.116
—, spanischer 16.77
Reiterfähnrich 16.74
Reitergrab 2.48
reiterlos 9.78
Reitknecht 16.112
Reitpeitsche 19.11
Reitpferd 8.3 12.56
Reitschule 2.10 3.47
16.55
Reitweg 8.11
Reiz 3.22 5.31
8.14 8.21 9.12
9.27 10.1 10.10
10.21 11.10 11.17
11.36 11.53 12.4
16.54
reizbar 11.6f. 11.13
reizbar 11.6f. 11.13
11.58 16.53
Reizbarkeit 11.6f.
11.13 11.58 16.53
reizen 5.31 5.36
8.14 8.21 9.12
10.1 11.5 11.14
11.31 11.36 11.53
12.6 16.69
reizend 9.12 11.10
11.17 11.53
Reizker S. 9
reizlos 7.69 11.28
11.37

Reizmittel 5.34
9.12 11.36
reizsam, Reiz-
samkeit 11.7
Reizschwelle 10.1
Reizwäsche 17.9
Reizung 2.41f. 5.35
Rekapitulation
6.28 14.12
Reklamation 9.65
Reklame 9.70 16.21
16.31
Reklamefigur 11.17
Reklamemacher
16.31f.
Reklamezeichner
15.4
reklamieren 16.20
rekognoszieren 11.40
12.8
Rekognoszierung
10.16 12.8
Rekommandation
siehe Empfehlung
Rekonvaleszenz
2.38 2.40
Rekonvaleszent
2.41
Rekord 4.50 9.40
9.56 16.57
Rekrut 9.29 12.35
16.74
rekrutieren 5.35 9.70
16.74
—, sich 5.41
Rekrutierung 5.35
9.58
rektal 2.16
Rektor 12.33 16.96
16.98 20.17
Rekurs 19.27
Relais 9.58
Relation 5.13
relativ 4.52 5.13
relativieren 5.13
Relativismus 11.12
Relativist 9.7 20.3
Relativum 13.16
Relegation 4.49 8.3
relegieren 3.4 8.18
16.52

Relegierung 8.18
relevant 9.44
Relief 4.12 5.18
15.10 16.68
Reliefdruck 5.18
Religion 20.1 20.3f.
20.7 20.13f.
Religionsbekenner
20.1
Religionsfrevel
20.3f.
Religionsgemeinde
(-gemeinschaft)
20.22
Religionsgründer
20.17 20.19
Religionslehre 20.1
20.7
Religionslehrer
20.17
religionslos 20.3
Religionsrad 20.13
Religionsspötter
20.3
Religions-
verachtung 20.3
Religionswissen-
schaft 20.1 20.7
religiös 12.26 20.1
20.13
—e Funktion 20.16
—e Handlung 20.16
—e Verrichtung
20.16
Religiosität 20.1
20.13
Reliquiarium 20.20f.
Reliquie 4.29 4.32
6.2 12.39 20.16
Reliquienkästchen
(-schatz) 20.20f.
Rembrandtdunkel
7.6
Remilitarisierung
16.68 16.73
Remington 17.11
Reminiszenz 5.18
12.39
Reminiszere 20.16
Remise 3.20
Remittend 8.17
Remonstration
19.27
Remoulade 2.27
rempeln 16.57

Rempter 17.2
Remuneration
siehe Belohnung
Renaissance 2.40
5.40 8.17 9.58
15.1
renal 2.16
Renate 16.3
Rendant 4.35 16.60
18.26
Rendezvous 16.64
Rendite 18.5 18.26
Renegat 8.18 9.9
19.8 20.2
renitent 9.72 16.116
Renitenz 9.72
Renke S. 99 2.27
Rennbahn 16.75
Rennboot 8.5
rennen 4.50 8.7
11.39 16.84
Rennen 9.77f. 16.6
16.55 16.57
Renner 8.3 8.7
Rennfahrer 16.57
16.60
Rennjolle 16.57
Rennmaschine
(-wagen) 16.57
Rennpfahl (Ziel)
8.11 9.14 16.56
Rennschiff 8.5
Renommee 16.85
renommieren 11.45
13.52 16.69 16.89
renommiert 13.6
16.85
Renommist 9.38
11.45 13.51 16.74
16.89f.
Renommisterei 16.67
16.89
Renonce 11.59
renovieren 2.40
9.57f.
renoviert 6.26
rentabel 9.47 18.5
Rentabilität 18.5
Rentamt 18.21
Rente 4.9 18.1 18.5
18.21 18.26 18.30
Rentenneurotiker
2.41

Rentenverwalter
18.26
Rentier S. 127 9.36
11.16 18.3
rentieren 9.47 18.5
Rentkammer 18.21
Rentmeister 18.26
Rentner 18.3ff.
Renumeration 18.18
18.26
reorganisieren 5.24
Reparatur 2.40 9.58
reparieren 9.58
repartieren 4.30
18.30
Repertoirestück 6.31
Repetent 12.33
repetieren 6.28 6.30
12.39
Repetiergewehr
17.12
Repetition 5.18
6.33
Repetitor 12.33
Replik 5.18 13.26
16.65
replizieren 13.26
19.13
Reportage 11.29
14.1
Reporter 13.2 14.9
Repräsentant 16.103
Repräsentation s. re-
präsentieren
16.103
Repräsentantenhaus
16.102
repräsentationsfähig
16.61f.
repräsentieren 16.103
Repressalien 2.46
16.80 18.9
Reproduktion 5.18
reproduzieren 5.18
Reptil S. 101
Republik 16.19 16.97
reputierlich 16.50
Requiem 2.48 20.16

requirieren 4.29
16.106 18.6
Requisit(en) 9.81
14.3
Requisition 16.106
res, in medias 6.14
resch 11.17 11.20
Reseda S. 43 7.18
7.63
Resektion 4.30
Reservat 16.29 19.22
Reserve 3.27 4.17
9.70 11.59 13.4
16.74 18.3
Reservefonds 4.17
reserviert 11.59 13.4
16.29 16.53
Reservist 3.27 16.74
Reservoir 4.17 7.56
17.6
Resi 16.3
Residenz 16.1 16.97
Residenzstadt 16.2
residieren 16.1
Residuum 4.32
Resignation 9.9 9.20
9.85 11.8 11.37
11.43 16.105
16.114
resignieren 9.33 11.8
16.105
Resistenz 9.24 9.72
16.65 16.116
Reskript 14.5 16.106
resolut 9.6 9.38
11.38
Resolution 9.6
Resonanz 7.24ff.
resorbieren 8.23
Respekt 11.48 16.30
16.38 16.85
respektabel 4.50
respektieren 16.30
respektlos 16.34
Respektsperson 16.30
16.85 16.96 16.98
respektsvoll 16.30
respektswidrig 16.34
Ressentiment 11.57
11.60
Rest 2.46 4.24 4.32
9.67 11.50

Restaurant 7.65
16.64
Restaurateur 16.60
Restauration 2.40
2.44 5.30 5.40
8.17 9.58 16.64
18.18
restaurieren 5.40
9.58 9.64
restierend 4.24
restituieren siehe
Schadenersatz 5.29
Restitution siehe
Schadenersatz 5.29
restlich 4.32
restlos 4.41
Resultat 5.34 9.35
9.77 12.16 12.20
resultatlos 9.78
resultieren 5.34
12.14 12.16
Resümee 14.12
retablieren 5.40
retardieren 8.8
Retentionsrecht
19.22
Reticule 17.7
Retina 10.15
retirieren 8.17f. 13.4
16.83
Retorte 1.21 7.37
7.60 17.6
retour 8.17
Retourkutsche 8.10
16.80
retournieren 18.18
retrograd 8.17
retrospektiv 6.18ff.
Retroversion 8.31
13.53
rette sich wer kann
13.11
retten 9.70 16.118
Retter 9.57 11.52
16.41 16.118 20.8
Rettich S. 42 2.27
Rettung 5.43 16.118
Rettungsanker 9.70
9.76

Rettungsapparat
9.76
Rettungsboot 8.5
9.76
rettungslos verloren
sein 5.47
Rettungsseil 9.76
Retusche 9.57
retuschieren 2.40
9.57 15.8
Reue 5.23 5.30 9.9
12.22 16.47 19.5f.
20.1 20.13
Reuegefühl 19.5
reuelos 11.16 19.6
Reu(e)losigkeit
19.6
reufle 8.7
Reugeld 8.17 19.26
19.32
reuig 5.30 19.5
reumütig 19.5
Reumütigkeit 19.5
Reunion 16.17 16.55
Reunionskammer
18.7 18.9 19.7
Reuse 2.12 7.56
reüssieren 9.77
reuten 7.48 9.66
Reuter 16.60
Revanche 16.80f.
revanchieren, sich
16.80
revenant 20.5
Reverenz 16.30
16.38
Revers 3.27 5.23
Reversseite 3.27
Revier 1.15 2.44
Revision 14.6 16.27
16.65 19.13 19.27
Revokation s. Widerruf
Revolte 5.27 9.72
16.65 16.116
revoltieren s. o.
Revolution 5.24 5.27
9.72 16.116

revolutionär 5.20
Revolutionär 16.116
revolutionieren
16.116
Revoluzzer 16.116
Revolver 16.12
Revolverblatt 16.35
Revolverjournalist
16.67
Revolverschnauze
16.35 16.53
Revolverschreiber
16.35
Revolverzeitung
16.35
revozieren 9.9 13.29
16.27 16.82 16.105
Revue 3.22 14.3
14.11 15.16
Rewach 9.47 18.26
rezensieren 12.49
16.33
Repension 14.11
16.33
Rezept 2.44
reziprok 5.29 9.71
Rezitation 13.21
Rezitativ 15.11 15.13
15.16
rezitieren 12.39
13.21
Rhabarber S. 30
—-torte 2.27
Rhapsode 12.2 15.12
Rhapsodie 12.2
rhapsodisch 3.36
Rhea 1.2
Rheingold 16.64
rheinisch 11.20
Rheinländer 16.58
Rheinwind 1.6
Rhenium 1.24
Rhetor 13.21f.
rhetorisch 13.43
Rhetorik(er) 13.21
Rheumatismus 2.41
Rhinozeros S. 128
10.3 11.8 12.56
Rhodium 1.24
Rhodus 9.6
Rhombus 3.43
Rhönrad 16.57
Rhythmik 15.11

rhythmisch 6.31 6.33
14.2 15.15ff.
rhythmisieren 6.33
Rhythmus 3.37 6.33
14.2 15.11ff.
Ria 16.3
Riadlhaufen 2.48
ribbeln 3.53
Ribisln S. 45 2.27
Richard 16.3
Richtblei 12.12
17.15
Richte 16.106
richten 2.46f. 3.37
3.40 3.59 8.11
9.21 9.26 9.57
11.35f. 12.7f.
16.20 20.13
— nach, sich 5.18
9.52
Richten 2.5
Richt't euch 3.40
Richter 11.25 12.49
16.60 16.99 19.28
20.7
Richterbank 19.28
Richterkollegium
19.27
richterlich 19.27
richterlicher Zu-
spruch 19.27
Richterstuhl 16.100
19.28
Richtfest 9.35
Richthaufen 2.5
Richtholz 19.32
richtig 4.50 5.4 5.24
12.14 12.26 12.29
12.47 19.18
—, sehr 13.28
Richtiges 19.18
richtiggehend 4.50
5.1
Richtigkeit 5.1 12.26
12.29 13.28
Richtigstellung 13.29
Richtlinie 5.19 8.11
13.9 16.106
Richtmann 19.12
Richtpfennig 18.21
Richtplatz 19.28
Richtschnur 5.19 9.64
12.9 12.17 13.9
16.106

Richtstatt (-stätte)
2.48 19.27f.
Richtung 1.11 3.2
3.14 3.37 3.40 7.55
8.11f. 9.14 9.25
9.79 11.2 12.22
13.17 15.3 16.61
—, falsche 12.27
Richtungsanzeiger
2.16
Richtungslinie 8.11
richtungsweisend
9.25
Richtweg 4.7 8.11
9.79
Ridicule 17.7
Riechbolzen 2.16
Riechbüchse 7.63
riechen 7.62 7.64 10.6
11.26 11.59 11.62
12.1 12.32 16.73
Riecher 2.16 12.1
12.20 12.52
Riechfläschchen 7.63
17.6
Riechkissen 7.63
Riechsäckchen 7.63
Riechstoffe 1.29
Ried 1.13 1.19
Riedel 1.13
Riefe 3.45
Riegel 2.42 3.58
4.33 9.73 16.29
16.65 16.117
Riegelstellung 3.58
Rieke 16.3
Riemchen 17.9
Riemen 4.25 4.33
8.5 16.7 17.16
Riemenschneider
16.60
Ries 4.17
Riese 4.2 4.12 5.35
Rieselfeld 7.64
rieseln(d) 1.8 7.27
7.55 7.57
Riesengeld 4.50
riesengroß, Riesen-
größe, Riesenhaf-
tigkeit 4.2
riesenhaft 4.1f. 4.12
Riesenkälte 4.50

Riesenlautsprecher
7.26
Riesenmaß 4.1f.
Riesenroß 12.56
Riesenschlachtschiff
8.5
Riesenstärke 5.35
Riesentier 4.2
riesig 4.2 4.12 4.50
5.35
Riesling 2.31
Riester 9.58
riewele 18.26
riez 8.1
Riff 1.16f. 4.12 9.74
Rifle 17.12
Rigaudon 16.58
rigolen 3.53 8.30
Rigorist 9.8 16.108
rigoros 16.81 16.108
Rigorosum 12.36
13.25
Rikscha 8.4
Rille 3.10 3.44
Rimesse 18.21 18.26
Rinaldo Rinaldini
16.96 16.98 18.9
Rind S. 127 2.27
12.56
Rinde 2.3 2.27 3.20
14.5
rindenlos 3.22
Rindsdoppel 2.27
Rindskarnuffel 12.56
Rindvieh 12.56
Ring 2.22 3.24 3.47
4.33 8.2 16.16f.
16.57 16.75 17.10
19.27f.
Ringbahn 8.4
Ringeisen 16.60
Ringelform 3.46
ringeln 3.46 3.58
—, sich 3.46
Ringelpiez 16.58
Ringelrennen 3.47
Ringelspiel 3.47
16.55
Ringeltanz 16.55
16.58
ringen 9.40 9.55
11.33 16.67 16.70

Ringen 9.40 16.57
16.70
Ringer 16.67 16.74
Ringfinger 2.16
ringförmig 3.47
Ringkampf 16.70
Ringkluppe 17.15
Ringlein 16.56
Ringlo S. 49 2.27
Ringrichter 16.57
Ringstraße 3.24 9.80
rings(um) 3.1 3.7
3.24
Ringtausch 16.8
Ringverein 16.17
19.9
Ringwechsel 16.11
rinlegen 2.26 16.72
Rinne 3.44f. 3.49
7.56 8.24
rinnen 1.8 4.24 7.55
8.24
Rinnsal 7.55
Rinnstein 7.56 8.24
9.67
Rippchen 2.27
Rippe 2.15f. 3.48
11.58 16.68
Rippenfellentzün-
dung 2.41
Rippenstoß 13.1
16.73
Rippespeer 2.27
Rips 17.8
Risiko 9.28 9.74
riskant 9.74
riskieren 2.31 9.28
11.38
Risotto 2.27
Rispel 2.3
Riß 2.42 3.10 3.45
3.57 4.34 9.15
15.1 16.6 16.67
16.78
risseln 1.9
rissig 7.47
Rist 2.16 3.58 16.67
Rita 16.3
ritardando 8.8
rite 9.59
Ritornell 15.12
Ritsche 17.5
Ritt 16.6

Ritter 2.27 9.75 11.28
11.38f. 11.53 16.60
16.77 16.85 16.91
16.98 19.1
—, fahrender 11.39
16.77
— ohne Furcht und
Tadel 11.38
— vom Geist 12.54
— von der Gemüt-
lichkeit 11.23
— von der Nadel
9.18 16.60 17.9
Rittergut 2.5
Ritterkreuz 16.87
ritterlich 11.38 16.73
19.1f.
Ritterlichkeit 11.38
16.38 19.2
Ritterrüstung 7.43
Ritterschlag 16.85
16.91 16.103
Ritterschloß 16.77
Rittmeister 16.74
Ritual 20.16
Ritualbuch 20.19
rituell 20.16
Ritus 20.16
Ritz(e) 3.10 3.45
3.57 4.34
ritzen 3.44
Ritzenschieber 9.66
16.60
ritzerot 4.50 7.17
Rivale 9.73 11.57
16.65
rivalisieren 9.21
16.70 16.85
Roadster 8.4
Robbe S. 126
Robe 16.100 17.9
Robert 16.3
Robinson Crusoe
16.52
Robot(dienst) 16.111
Robotbauer 16.112
roboten 16.111
Roboter 9.40 17.16
robust 5.35
Roche S. 99 2.27
röcheln 2.45 7.30
7.34
rocher de bronze 6.7
9.6

Roches 11.31
Rock 3.20 17.9
Röckchen 13.3
Rockelores 17.9
Rocken 17.8
Röcklein 1.9
Rockschöße 17.9
Rodebeule 2.48
rodeln 8.1 16.55
16.57
Rodelschlitten 8.1
16.57
roden 2.5 4.24 5.42
7.48 9.66
Rodomont(ad)e s.
Prahler(ei)
Rodung 1.13 7.48
Rogate 20.13 20.16
Rogation 20.13
20.16
Rogel 17.7
Rogen 2.22 2.27
Roggen S. 18
Roggenbolle 2.27
Roggenbrot 2.27
Roggenhocken 2.5
Roggenmann,
-muhme, -mutter
20.5
Rogner 2.15
roh 5.36 7.39 9.27
9.53 11.28f.
11.60f. 12.37 14.11
16.53 16.94 16.120
16.120
Roheit 11.8 11.58
11.61 16.53 16.90
19.10
Rohertrag 18.5
Rohkost 2.27
Rohling 5.42
Rohr S. 16 7.56 9.9
9.14 17.5f. 17.12
Röhr, das 7.37
Rohrdommel S. 117
Röhre 3.57 7.37 7.56
8.24 17.6 17.9
röhren 7.33
Röhricht 2.1f.
Rohrnudeln 2.27

Rohrpost 14.8
Röhrologie 16.60
Rohrspatz S. 105
4.50
Rohrstock 16.78
19.32
Rohstoff 1.20 4.18
Rohrzange 17.15
Rohrzucker S. 22
1.29
roi 11.55
Rokoko 346 15.3
Roland 11.38 16.3
Rolf 16.3
Rollbahn 8.11
Röllchen (Man-
schette) 3.20 17.9
Rolle 2.16 2.27 3.17
3.35 3.46 3.50
5.24 8.6 8.31 8.32
9.18 9.22 9.44ff.
9.68 14.3 14.9
16.51 16.88 16.93
16.97 17.5 17.16
rollen, sich 3.46
rollen(d) 3.46 3.50
7.30 8.1 8.4 8.6
8.9 8.32ff. 16.78
17.10 18.9
Rollen, ins — brin-
gen 9.21
—, ins — kommen
16.83
Rollenbesetzung
14.3
Roller S. 103 8.4
15.13
Rollfeld 8.6
Rollfilm 15.8
Rollmaß 17.15
Rollmops S. 98 2.27
7.67
Rollo 7.6
Rollschuh 16.6
16.57
Rollsessel 8.4
Rollsitz 8.33 17.3
Rollstuhl 17.3
Rolltreppe 8.4
Roman 13.51 14.1
Romancier 14.1f.
Romanisch 3.46 15.3
Romanschreiber
14.1

Romantik(er) 11.6
12.28
romantisch 11.7
12.28 14.2 15.3
Romanze 14.1f.
15.12
Römer 17.6
Römergrab 14.9
Römertugend 11.12
Romfahrer 20.17
römisch (Stil) 15.3
römisch-griechisch
16.57
römisch-katholisch
20.1
Römischkohl S. 32
2.27
Rommé 16.56
Rondo 15.12 16.58
Ronka 16.3
röntgen 8.25 12.8
Röntgenbild 3.19
15.8
Röntgenstrahlen
2.44 7.8
roocht 16.78
rosa 7.17
Rosa 16.3
Rosalie 16.3
Rose S. 48 2.41 5.38
5.47 7.17 7.63
11.17 15.7 16.85
Rosenfest 16.55
Rosengewächs S. 48
Rosenkohl S. 41 2.27
Rosenkranz 20.13f.
20.16
Rosenmund 11.17
Rosenöl 7.63
Rosenquarz 1.25
rosenrot 7.17 11.35
Rosenstock S. 48
Rosenstunden 11.9
Rosenzeit (Jugend)
2.22 6.2f.
rosig 3.54 7.17 11.9
11.35
Rosinante S. 128
Rosine S. 57 2.27f.
9.14 9.56 11.45
12.28 16.88 18.21
Rosinenengel 16.60
Rosmarin S. 74

Roß S. 128 8.3
11.44f. 12.56 16.6
Roßbändiger, Rosse-
lenker 16.6 16.96
Rösselsprung 16.56
Rosseschinder 1.6
Roßhaar 7.50
rossig 11.53
Roßkamm 16.72
18.23
Roßkur 2.44
Rößl, Zum Weißen
16.64
Rößliritt 16.55
Roßschweif 15.7
16.86 16.90 16.100
17.10
Roßtag 16.8
Rost 1.28 2.4f.
3.18 3.20 7.17
7.19f. 7.37 9.61
17.2
rosten 3.20 6.27
9.61
rösten 3.20 7.16
7.35f. 7.39
Rösterdag 16.8
Rosthaufen 2.5
rostig 9.67
rostrot 7.17
Roswitha 16.3
rot 4.50 7.17 10.5
11.31 11.58f.
11.62 12.17 16.78
Rotation 8.32
Rotationskupfer
(-druck) 5.18
Rotationsmaschine
8.32
rotblau 7.22
Röte 7.17
Rote Grütze 2.27
—, Das — Kreuz
2.44 16.41 20.22
Roten, Zum —
Ochsen 16.64
Roter Hahn 16.64
Rotes Licht 8.2
Röteln 2.41
Rötelzeichnung 15.4
röten 7.17
rotgelb 7.20
Rotgerber 16.60
Rotgültigerz 1.25

Rothaut 7.16
Rothschild 18.3
rotieren 6.33 8.32
Rotkäppchen 16.60
Rotkohl, Rotkraut
S. 41 2.27
Rotkupfererz 1.25
rötlich 7.17
Rotlauf 2.11 2.41
Rotraut 16.3
Rotspon 2.31
Rotte 4.17 4.20
4.37 16.17 16.74
Rotte Korah 5.36
16.37 16.116 20.4
Rottenführer 16.74
Rottenmeister 16.74
Rotunde 8.32 17.1
Rötung 7.17
rotweinen 11.33
Rotwelsch 13.12
13.32 13.35
Rotwild S. 127
Rotz 2.11 2.35 2.41
16.32
rotzen 2.35
Rotzglocke 2.35
Rotzinkerz 1.25
Rotzlöffel 16.33
Rotznase 2.22 2.41
16.33
Rotztrompete,
-tulpe 16.33
Roué 16.44
Rouge-et-noir 16.56
Roulade 2.27
Rouleau 3.58 7.6
Roulette 16.56
Route 8.11
Routine 5.19 9.31
9.52
routiniert 9.52
Rowdy 11.58 16.53
rubbeln 8.33
Rube, Beim 2.48
Rübe S. 41 2.16
4.50 11.24
—, Rote S. 32 2.27
Rubel 18.21
Rübenschwein 16.33

Rübenzucker S. 32
1.29
Rübezahl 16.64
20.5ff.
Rubidium 1.24
Rubikon 3.23 3.25
9.21
Rubin 1.25 7.17
17.10
rubinfarben 7.17
rubinrot 7.17
Rubrik 4.47
rubrizieren 3.37
4.47f.
Rübsen S. 42
Ruch 7.62
ruchbar 13.6
Ruchgras S. 16
ruchlos 11.61 19.8
20.3f.
Ruchloser 19.9f.
Ruchlosigkeit 11.61
19.9f.
Ruck 5.27 5.36 8.1
8.34 9.16
rück- 5.30 8.10
Rückantwort 13.26
Rückartung 5.30
Rückäußerung 13.26
Rückberufung 8.17
16.105
rückbezüglich
6.19ff.
Rückbildung 4.5
5.30
Rückblick 6.19ff.
12.3 12.39
rücken 4.1 11.38
16.8 16.73
Rücken 1.13
2.16 2.27 2.45
3.12 3.27 3.48
4.12 8.17f. 9.70
12.13 13.4 16.34f.
16.52f. 16.76
16.111
Rückenangriff 16.76
Rückendeckung 3.27
Rückenflug 8.6
Rückenkorb 17.5
Rückenmarksdarre
2.41

Rückenschwimmen
16.57
Rückentgegnung
13.26
Rückerinnerung
6.19ff. 12.39
Rücketag 16.8
Rückfall 2.41 5.30
6.28 8.10 8.17
9.62 18.18 19.6
19.10 20.4
rückfällig 4.37 5.30
6.28 9 9 19.6
— werden 9.62
Rückfälliger 9.9
Rückfluß 8.10
Rückfracht 8.17
Rückgabe 8.17 18.5
18.18
Rückgang 4.5 8.17
9.61
rückgängig 9.9 9.20
16.118
Rückgrat 2.16 17.5
rückgratlos 19.7
Rückhalt 13.4 16.74
13.49
rückhaltlos 13.2
13.49
Rückhand 16.57
Rückkauf 8.17 13.29
rückkaufen, rück-
käuflich 8.17
Rückkehr 5.23 5.30
6.33 8.17 8.20
16.6
Rückkehrer 16.4
Rückkoppler 15.18
Rücklage(kasse)
4.17f. 18.10
Rücklaß 4.24 4.32
Rücklauf 5.30 8.10
8.17 13.29
rückläufig 8.17
Rückmarsch 8.17
Rückprall 5.30 8.10
8.17f. 9.72
Rucks 2.36
Rucksack 17.7
Rückschall 7.25
Rückschlag 5.47
9.72 9.78 16.65
16.83

Rückschritt 5.30
8.17
rückschrittlich 8.17
Rückseite 3.27 18.21
rucksen 7.33
Rücksendung 18.18
Rücksicht 5.13 11.40
11.52 12.12 13.48
16.38 16.90 16.109
—, mit — auf etwas
12.12
Rücksicht(nahme)
9.42 11.40
rücksichtlich
12.15
rücksichtslos 9.6
9.27 9.43 9.53
11.8 11.39 11.45
11.60f. 11.62
12.13 13.49 16.53
16.90 19.7
Rücksichtslosigkeit
11.39 16.53 16.90
19.7
rücksichtsvoll 11.52
Rücksprache 13.30
Rücksprung 8.10
Rückstand 4.24 4.32
6.36 18.17
rückständig 4.32
5.43 6.36 11.29
12.55 18.17 18.19
Rückstellungen
18.10
Rückstoß 8.10
Rückstrahler 7.5
8.10 9.75
Rückstrahlung 7.5
Rückstrom 8.17
Rücktritt 8.17 9.19
9.20 16.52 16.105
Rückübersetzung
13.53
Rückversicherung
19.16
Rückverwandlung
5.23 5.30 5.40
Rückverweisung
19.13

Rückwanderer 16.6
rückwärts, rück-
wärtig 3.27 8.15
8.17
— gehen 9.61
—, sich — konzen-
trieren 16.83
Rückwärtsbewegung
8.17
Rückwechsel 18.18
ruckweise 5.27 6.32
rückwirken 9.72
Rückwirkung 5.34
8.10 8.17 9.71
9.72
Rückzahlung 18.18
18.26
Rückzieher 9.20
11.40
ruckzuck 8.7
Rückzug 8.17 8.18
9.55 9.70 16.76
16.83 16.118
rüde 11.61 16.53
Rüde S. 126
Rudel 4.17 4.20
Ruder 8.5 16.7
16.95ff. 16.100
17.15
Ruderboot 8.5
rudern 8.1 8.5 16.7
Ruderfahrt 16.7
Rudern 16.57
Ruderschiff 8.5
Rüdiger 16.3
Rudiment 4.32
rudimentär 4.4 4.32
Rudolf 16.3
Ruf 7.34 12.23
13.1f. 16.30 16.85
16.93 16.106 19.1
— zum Gebet 20.16
— antasten, den
guten 16.33 16.35
rufen 7.33f. 9.21
9.29 13.13 13.16
15.13 16.106
Rufer im Streit 5.36
8.13 11.38 19.24

Rüffel 16.33
rüffeln 16.33
Rugby 16.57
Rüge 16.33 19.32
Rugele 4.10
rügen 16.33 16.37
Ruh, die 9.76
— NN.s 2.48
Ruhe 5.38 6.7 7.28
8.2 8.8 9.24 9.33
9.36 9.41 9.74
11.8 11.44 16.20
16.40 16.48 16.105
20.10
— bringen, zur 9.36
— ist die erste Bür-
gerpflicht 11.8
—, letzte 2.36 2.45
2.48
—, sich zur — set-
zen 16.105
ruhebedürftig 2.39
Ruhebett 17.3
Ruhegehalt (Ruhe-
geld) 4.29 18.26
Ruhekissen 11.34
ruhelos 5.25 8.1
8.34 9.38
Ruhelosigkeit 11.6
ruhen 2.45 2.48 3.12
3.16 8.2 9.8 9.33f.
9.36 9.38 11.8
19.24
Ruheort 8.2
—, letzter 2.46
Ruhepause 6.15
Ruheplatz 8.20
Ruhepunkt 17.5
Ruhesitz 9.36 16.1
Ruhestand 4.49 8.2
9.36 9.85 16.105
— setzen, in 8.2
Ruhestätte 2.48 3.18
17.3
Ruhestörer 7.26
9.73
Ruhetag 9.36
Ruhezeichen 8.2 3.1
Ruhezeit 9.36
Ruhezustand 8.2
Ruhhaus 9.76

ruhig 3.37 5.38 7.28
8.2 9.36 11.8 11.12
11.40 11.47 16.48
19.4
— Blut 11.40
Ruhm 9.77 11.45
12.39 16.31 16.85
20.13
ruhmbedekt 16.85
rühmen 11.44 13.6
16.31 16.87
—, sich 16.87
Ruhmesflügel 16.85
Ruhmesleiter 9.77
Ruhmesposaune
16.31
Ruhmestempel 16.85
Ruhmestitel 16.31
rühmlich 16.31
16.85
ruhmlos 11.47 16.94
Ruhmlosigkeit
16.93f.
ruhmredig 11.45
Ruhmredigkeit
11.45 16.89
Ruhmsucht 16.85
ruhmsüchtig 11.45
Ruhmverkünder
16.31
ruhmvoll 16.85
ruhmwürdig 16.85
Ruhr 2.41
Rührei 2.27
rühren 8.1 8.7 8.32
9.24 9.36 10.2
11.5 11.48 11.50
16.31
—, sich (Tätigkeit)
8.1 8.7 9.18 9.38
Rühren, mensch-
liches 11.50
rührend 11.14 11.17
11.47 19.4
rührig 4.29 8.7 9.21
9.38 16.95
Rührigkeit 8.1 8.7
9.18
Ruhrkraut S. 80

Rühr-mich-nicht-an
11.7 11.49 11.58
16.50 16.67
rührselig 11.32
Rührseligkeit 11.50
Rührstück 14.3
Rührtrommel 15.15
Rührung 11.5 11.50
Ruin 5.42 5.47
9.50 9.78 18.15
Ruine 2.25 4.24
4.32 9.34 9.63
17.1
ruinieren 5.42 5.47
9.53 9.61 9.63
9.78 11.28 18.4
ruiniert 18.4
ruken 7.33
rülpsen 2.35 2.41
Rum 2.31 7.54
Rumba 16.58
rumgehen 11.26
Rummel 16.55
rummeln 1.10
Rumor 3.38
rumoren 11.20 20.5
Rumpelkammer 17.2
Rumpelmilch 2.30
rumpeln 7.30
Rumpelstilzchen 20.5
Rumpf 2.16 4.32
8.6
Rumpf- 4.32
rümpfen 3.45 9.5
11.19 11.27 11.59
16.36
Rumpfparlament
4.17 4.32 4.34
16.102
Rumpsteak 2.27
rumtrichtern 13.5
rund 3.9 3.47 3.50
Rund um X 14.1
16.57
Rundbild 15.4
Runde 3.24 3.47
3.50 9.75 13.10
16.6 16.16f. 16.56f.
18.13
runden 3.47 3.50
Rundfeile 17.15
Rundfunk 7.24 13.2
15.15

Rundfunkorgel 15.15
Rundfunksprecher
13.2 16.60
Rundgang 8.32
Rundgesang 14.2
15.13
Rundheit 3.47 3.50
rundherum liegen
3.24
Rundlauf 3.47 16.57
rundlich 4.10
Rundling 16.2
Rundreise 8.32 16.6
Rundrichten 2.5
Rundschädel 3.50
Rundschreiben 13.6
14.8
Rundstiegen 2.5
Rundtanz 16.55
16.58
Rundung 3.47 3.50
4.10
Rundzahl 4.17
Runen 14.5 20.12
Runenhügel 14.9
Runenstein 14.9
Runkelrübe S. 32
Runks(en) 2.27
Runzel 3.45 3.53
runzelig 3.45 3.53
11.28
runzellos 3.52
runzeln 3.45 11.31f.
16.53
Rüpel 11.28f. 16.53
16.90 20.5
Rüpelei 11.29
rüpelhaft 11.28f.
Rupert 16.3
rupfen 3.22 4.34
16.33 16.81 18.6
18.8 18.27
Rupfen 17.8
ruppig 16.94 18.11
Ruprecht 20.6
Rüsche 3.20 17.10
rusen 7.33
Rüshoop 2.48
Ruß 1.26 9.67
Russe S. 94
Rüssel 2.16 3.48 3.57
rußig 7.14 9.67
Russische Eier 2.27

Rüste 6.4 9.33
rüsten 9.26 16.73
17.11
Rüster S. 29 16.60
Rustica 3.53
rüstig 2.38
Rüstkammer 4.18
17.11
Rüstspanne 16.48
Rüstung 16.73 16.77
17.9 17.11 17.14f.
Rüstzeug 17.15
Rute 2.16 4.6 11.48
16.78 16.107f.
16.114 19.32
Rutenbündel 16.100
Rutenlaufen 19.32
Rüters 16.60
Ruth 16.3
Ruthenium 1.24
Rutil 1.25
Rutschbahn 3.52
Rutsche 17.5
rutschen 3.52 16.115
Rutscher 16.6
Rutschtag 16.8
rütteln 3.38 8.30f.
8.34 16.32 16.116
19.5
—, nicht — an 5.43

S

S, das große 2.41
S.M. (Seine Majestät)
16.98
Säächeler 12.56
Saal 17.2
Saalflugmodell 8.6
Saalschutz 9.75
16.101
Saat 2.5 5.26 5.34
9.26 16.9
Saatgefilde 1.13
16.75
Sabbat 6.9 9.36
20.16
Sabbatruhe 9.36
20.16
Sabberlatz 9.66
sabbern 2.35 7.57
9.67 13.22

Säbel 9.26 16.69
17.11
Säbelbeine 3.46
säbelbeinig 3.46
Säbelfechten 16.57
Säbelherrschaft 16.97
Säbelkoppel 17.9
Säbelrasseln 16.68
16.89
Sabine 16. 3
sabotieren 5.42 8.8
9.73 16.65
Sacharin 1.29 2.28
7.66 11.29
Sacharose 1.29
Sachberater 19.28
Sachdienlichkeit 9.48
Sache 1.20 4.50 5.1
5.6 5.10 5.44 9.8
9.18 9.21f.
9.31 9.35 9.42 9.45
9.51f. 9.68 9.70
9.77 11.17 11.35
11.59 12.3 12.5
12.7 12.13f. 13.33
16.72 16.96 18.1
18.3 18.10 18.26
19.8 19.12f.
19.26f.
Sachen, ich haue rin
so 120
—, in den — von
17.9
—, in — X contra Y
19.27
—, seine sieben —
packen 16.8
Sachführer 16.104
19.28
sachgemäß 9.48
12.14
sachkundig 12.32
Sachlage 5.12 12.32
sachlich 12.14 13.33
19.18
Sachlichkeit 13.33
—, neue 15.3
Sachregister 9.84
Sachs 17.11
Sachschaden 16.75
Sachsengänger 16.6

Sachsenspiegel 19.19
sacht 3.37 7.27 8.8
Sachverhalt 5.12f.
Sachverständiger
9.52 12.8 12.32
Sachverzeichnis
13.16
Sachwalter 19.96
16.103 19.14 19.28
Sack 2.36 4.18 4.41
7.7 8.33 9.16
9.53 11.32f. 16.8
17.7 18.21 19.5
19.26
— in — und Asche
11.32 19.5
— und Pack 4.18
4.41 16.8
säckeln 8.7
sacken 8.30 19.32
sackerlot 11.5
Sackgasse 3.49 3.58
8.11 8.17 9.55
Sackleder 16.53
Säckler 16.60
Sackpfeife 15.15
Sackratten S. 94 2.41
sacksiedegrob 16.53
Sacktuch 9.67 16.68
Sadduzäer 20.1
Sadismus 16.44
Sadist 11.60 16.79
19.9
sadistisch 16.79
säen 2.1 2.5 5.31
8.22 9.26 11.11
13.29 16.67 16.91
Safe 17.4 17.7 18.21
Safran S. 25 7.19
Saft 2.24 2.27 3.19
5.35 7.51 7.54
7.69
Saftbraten 2.27
saftig 2.26 4.50 5.35
7.54 7.57 16.44
Saftladen 3.22
saftlos 7.58 7.69
Saftlosigkeit 7.58
Sage 12.28 13.2 14.9
Säge 17.15

sagen 3.9 4.41 4.50
9.7 9.45 11.16
11.30 11.54 13.2f.
13.16 13.21 13.23
13.28f. 13.49 16.27
16.31 16.33 16.68
16.83 16.111 20.13
sägen 2.36
sägenförmig 3.43
sagenhaft 11.17 20.7
Sago S. 22 2.27
Sahara 2.7 7.35 9.49
Sahne 2.27 2.30 7.51
9.84
Sahnenrolle 2.27
Saibling S. 99
Saison 6.1 6.9 6.37
9.36
Saite 4.33 15.15
15.18 16.78 16.108
— aufziehen,
andere 5.24 16.78
16.108
—, gelindere 5.37
Saiteninstrument
15.15
Sakko 17.9
Sakrament 11.5 20.1
20.16
Sakramentshäuschen
17.4 20.20f.
Sakredi 11.5
Sakrileg 19.11 20.4
sakrilegisch 20.4
Sakristan 20.17
Sakristei 20.20f.
säkular 9.44
Säkularfeier 4.39
6.33
Säkularisation 18.6
20.22
säkularisieren 18.6
20.22
Säkulum 6.1
Salam 16.38
Salamander S. 100
Salamanderreiben
2.31 16.55
Salami 2.27
Salär 18.26

Salat S. 89 1.21
2.27 7.18 7.67
9.78
Salatschnecke 12.57
Salbaderei 13.22
salbadern 2.44 13.22
20.14
Salbe 2.44 7.52f.
11.33f.
Salbei S. 74 2.28
salben 7.52 17.10
20.1 20.15 20.16
salbig 7.52
Salböl 20.16
Salbung 7.52 9.44
20.1 20.15
salbungsvoll 9.44
13.43 20.1 20.15
saldieren 18.26
Saldo 4.32 18.30
Salizylsäure 1.29
sallvatzen 2.35
Salm S. 99 13.22
Salmiak(geist) 1.28
Salome 16.3
Salomo 12.52 19.28
salomonisch 11.40
19.18
Salomonsschlüssel
20.12
Salomons Siegel
S. 20 20.12
Salon 13.43 17.2
Salondame 14.3
salonfähig 16.61
Salonflügel 15.15
Salonheld 11.45
16.115
Salonstück 15.12
Salontiroler 5.18
11.45 16.6
Salonwagen 8.4
salopp 8.1 11.28
Salpeter 7.68
Salpetersäure 1.28
Salta 16.56
Salto mortale 8.29
16.57
Salü 8.18
Salut 16.38 16.87f.
salutieren 16.38
Salve 2.48 7.29
16.76 16.87 17.13

salvieren, sich 8.18
13.48
Salweide S. 28
Salz 1.25 1.28 2.28
7.68 11.23
—, attisches 11.22
salzen 2.28 7.68
Salzflut 1.18
salzig 7.68
Salzkuchen 2.27
salzlos 7.69 9.59
11.26
Salzsäure werden,
zur 11.30 11.42
Salzwasser 7.68
Salzwerk 1.23 7.68
Sämann 9.26
Samariter 11.52
16.41
Samariterdienst 9.70
Sämaschine 2.5
Samba 16.58
Samen 2.3 2.5 2.35
5.24 5.26 5.31
7.49 9.26 16.9
Samenkorn 4.4
Sämerei 2.5 7.49
Samiel 11.40 20.9
sämig 7.51
Sammelbüchse,
Sammelkasten
4.17
Sammellager 3.25
Sammellinse 10.16
Sammellokal 16.64
sammeln 4.17f. 4.29
4.41 8.21 11.52
12.3 12.7 14.1
18.6 18.26
—, sich 2.40 2.44
20.13
Sammelort, Sammel-
platz 3.28 4.18
Sammelpunkt 3.28
8.20f. 9.44
Sammelsurium 1.21
3.38
Sammelwort 4.17
Sammet s. Samt
Sammler 11.36
12.32 14.11

Sammlung 3.28
4.17f. 11.8 14.1
14.10f. 18.5
Samstag 6.9
Samt 3.52 3.54 7.50
17.8 17.10
samt 4.28 4.33 4.37
4.41
— und sonders 4.41
samtartig 3.52
samten 3.52 3.54
sämtlich 4.41
Samum 1.6 9.74
Samurai 16.91
Sanatorium 2.44
Sancho Pansa 4.37
Sand 1.14 1.28 3.20
4.20 7.78f. 9.13
9.78 11.45
— am Meer 4.20
—, auf — bauen
5.37 6.8 9.78
— in die Augen
streuen 9.13 10.18
11.45 12.25 13.51
16.72
Sandale 17.9
Sandbad 2.44
Sandbank 1.13 1.16f.
3.12 4.12 4.15
7.55 9.74
Sandelholz S. 29
sandfarben 7.15 7.19
Sandfläche 4.13
Sandglas 6.9
Sandhasen 16.74
Sandhose 1.6
sandig 7.49
Sandkorn 4.4
Sandmann 2.36 20.6
Sandro 16.3
Sandstein 1.14 1.26
7.49
Sandtorte 2.27
Sanduhr 6.9
Sandwich 2.27
Sandzucker 1.29
sanft 3.52 3.54 5.38
7.27 7.34 11.8
11.48 11.50 13.13
16.38 16.47 16.48
16.109 19.4

Sänfte 8.3 17.3
sanfter Heinrich
2.31
Sanftheit 3.54 5.38
Sanftmut 5.38
11.48 11.50 11.52
16.38 16.109 siehe
sanft
sanftmütig 11.8
11.48 11.51 16.109
Sang 14.9 15.13
sangbar 15.11 15.17
Sänger(in) 14.2 14.3
15.13 16.60
— des Haines
S. 102ff.
Sängerfest 16.59
Sängerknötchen 2.41
13.15
Sängerkreis 15.13
Sanguiniker 5.25
11.6 12.28
sanguinisch 11.2 11.6
11.20 11.35 12.28
Sanhedrin 16.102
20.17
sanieren 9.70 18.12
Sanikel S. 61
sanitär 2.44
Sanität 2.38
Sanitäter 2.44 16.74
Sanitätskorps 16.74
sanitätswidrig 9.63
Sankt Anton 16.52
Sankt Martin 20.6
Sankt Nimmerleins-
tag 6.5
Sanktion 16.103 18.9
19.14 19.22
sanktionieren 12.47
16.31 19.14 19.19
19.22
Sanktuarium 20.20
Sans-Külotte 16.92
Santiklaus 20.6
Saphir 1.25 7.21
17.10
sapienti sat 11.59
13.1
Sappe 16.77
sapperment 11.5
Sappeur 9.26 16.74
Sappho 16.12
sapristi 11.5

Sarabande 16.55
16.58
sarazenisch (Stil)
15.3
Sardelle S. 100
2.16 2.27 2.28
2.41
Sardine S. 100 2.27
sardonisch 16.33
—es Lächeln 11.22
Sardonyx 1.25
Sarg 2.48 11.14
11.31 17.7
Sargnagel 2.34
11.14 11.31
Sarkasmus 16.33
sarkastisch 11.22f.
16.33 16.35
Sarkom 2.41
Sarkophag 2.48
Sarras 17.11
Sarsenett 17.8
Sartor(ius) 16.60
Sascha 16.3
Sassolin 1.25
Satan(as) 5.42 11.17
11.60 12.52 19.9
20 9
satanisch 11.60 19.9
20.9
Satellit 1.2 4.37
8.15 16.112 16.115
Satin 17.8
Satire 11.23 14.1
16.33 16.35 16.54
Satiriker 11.23
satirisch 11.22ff.
16.33 16.54
Satisfaktion 16.69f.
16.81
Satrap 16.38
16.97f. 16.104
16.108
Satt(e) 17.6
satt 2.26 2.33 3.21
7.11 9.5 9.19 10.11
10.14 11.13 11.16
11.59 16.48
Sattel 2.10 9.52 9.70
16.65 16.105 17.3
sattelfest 12.32
Sattelkissen 17.3
satteln 9.26

Sattelnase 2.41
Sattelpferd S. 128
Satteltrunk 2.30
Satthals 4.10
sättigen 2.26 4.23
8.23 10.14
Sättigung 1.21 4.23
7.57 9.19 10.14
Sattler 16.60
sattsam 4.22f.
saturieren 2.26 8.23
11.16
Saturn(ia) 1.2 20.7
Saturnalien 16.55
16 59
Satyr 10.21 20.5
Satz 2.22 4.17 4.32
8.28f. 13.20
13.28 13.53 14.2
14.6 15.11f.
16.57 18.21
Satzband (copula)
4.33
Satzbau 13.20 13.31
Satzbiegung 13.37
Satzfügung 13.31
Satzgefüge 13.20
Satzlehre 13.31
Satzspiegel 14.6
Satzteil 13.31
Satzung 5.19 12.17
12.22 19.19 19.24
20.1 20.15f.
satzungsgemäß 19.22
Satzzeichen 13.31
14.5
Satzzeit 2.21
Sau S. 127 2.35 9.51
9.60 9.67 11.50
16.33 20.5
Saubauer 16.33
sauber 9.66 11.17
13.49
Sauberkeit 9.66
säubern 4.30 4.49
9.66 16.84
Säuberung 9.66
16.76
Saubohnen S. 50 2.27
Sauce 2.27 7.51 7.54
16.27
Saucière 17.6
saudumm 4.50 12.56

Säue 1.6 9.51 9.56
9.86
sauen 8.7 9.53
sauer 4.50 7.67 9.40
11.14 11.27 11.31
16.79
— werden 9.5 9.55
Sauerach 2.31
Sauerampfer S. 30
2.27
Sauerbeck 16.60
Sauerbrunn 7.59
Sauergärung 7.67
Sauerkirsche S. 49
2.27
Sauerkohl 2.16
Sauerkraut 2.27
säuerlich 7.67
Säuerlichkeit 7.67
Säuerling (Wasser)
2.30
sauern 9.61
säuern 7.67
Sauerstoff 1.24 7.60
Sauerstoffflasche 17.6
Sauerstoffgebläse
3.57
sauersüß 9.5
Sauerteig 5.26 7.48
sauertöpfisch 11.25
11.27 11.32 16.53
Säuerung 7.67
Saufabend 11.21
Saufaus 2.32
Saufbruder 2.32
saufen 2.30f. 2.32
4.50
— wie ein guter Öl-
presser 2.32
Säufer 2.32
Sauferei 2.31f.
säuferisch 2.32
Säufernase 2.41
Säufertum 2.32
Säuferwahnsinn 2.32
Saufeule 2.32
Saufgelage 16.55
saufgierig 2.32 11.36
Saufknorrn 2.41
Saufkumpan 2.32
sauflustig 2.32 11.11
Saufraß 10.9
Saugeld 4.50

saugen 2.30 7.54
8.23 18.4
—, aus den Fingern
13.51
säugen 2.30
Säugetier S. 124ff.
Säugling 2.21f. 9.32
Säuglingspflegerin
16.60
Sauglocke 16.44
saugrob 16.53
Saugwarze 3.48
Sauhaufen 3.38
Sauherdenton 16.53
säuisch 4.50
saukalt, Saukälte
4.50 7.40
Säule 2.48 3.11 3.50
4.12 4.32 14.9
15.7
Säulengang 3.35
3.57 17.2
Säulenhalle 17.2
Säulenknauf 3.33
Säulenschrift 14.5
Säulenstein 7.14
Säulenweg 17.2
Saulus 5.24
Saum 3.23 3.45 4.33
16.38
Saumagen 17.7
saumäßig 4.50 9.60
säumen 3.23 6.36
8.8 9.24
Säumen, ohne 9.6
säumig 6.36 8.8
9.19 9.41 16.28
18.19 19.25
Saumpfad 4.9 8.11
Saumroß S. 128 8.3
saumselig 6.36 8.8
9.7 9.24 9.43
16.28
Saumseligkeit 9.5
9.24 9.43 16.28
Saumtier 8.3
Saurach S. 38
Säure 7.60 7.67
saure Milch 2.30

Säureester 1.29
Säuren 1.28f.
Sauregurkenzeit
9.24 9.36 11.26
Saures 16.78
Saus und Braus
5.46 11.11 16.55
18.14
sauschwer 4.50
säuseln 1.6 7.27
7.32
sausen 1.6 7.30
7.32 8.7
Sauser 2.31
Sauseschritt 8.7
Sausewind 8.7 9.39
Saustall 3.38 5.42
Sauter 16.60
sauteuer 4.50
Sauwetter 1.7
Savanne 1.13
Saxnot 20.7
Saxophon 15.15
S-Bahn 16.6
Sbirre 16.101 19.29
Scabies 2.41 9.67
Scandium 1.24
Skala 15.11
sch 10.19
Schaar 4.15
Schab 20.5
Schabau 2.31
schabbern 13.22
Schabbesdeckel 17.9
Schabe S. 94
Schäbe 4.13 4.32
Schabefleisch 2.27
schaben 3.53 7.31
Schabernack 9.73
11.21 12.20 16.54
schäbig 4.25 9.45
9.60 16.92 16.94
18.4 18.7 18.11
19.7ff.
Schabkunst 15.4
Schablone 3.37 4.19
5.8 5.1 9.31 11.26
Schablonenmaler
5.18
Schablonenmensch
9.53 12.37

Schabracke 2.25
17.9
Schach 9.73 9.77
16.55f. 16.77
Schachen 2.48
Schacher 18.23
Schächer 11.50 18.4
19.9
Schacherer 16.60
18.23 19.9
Schächerkreuz 2.48
schachern 18.20
18.23
schachmatt 9.78
Schacht 1.23 3.49
3.57 4.14 4.18
16.78
Schachtel 2.25 11.28
17.7
Schachtelhalm S. 10
schachteln 8.26
schächten 2.46
Schächter 16.60
Schachtfahrer 1.23
Schachthäuschen
17.1
Schachturnier 16.56
schack schack in
großen Sprüngen
8.7
schacken 8.7
schackern 7.33
Schadchen 16.49
schade 11.32
Schädel 2.16 2.33
3.33 12.2 16.68
Schädelbrummen
11.13
Schädelstätte 2.48
schaden, Schaden
(Nachteil) 2.41
9.45 9.50 9.51
9.63 9.65 9.78
11.14 11.60 16.24
18.15 19.9 19.21
Schadenersatz 16.46
19.32
Schadenfeuer 7.36
Schadenfreude 11.60
16.54 19.9
schadenfroh 11.61
16.53f. 19.9

Schadgeist 20.5
schadhaft, Schad-
  haftigkeit 9.63
  9.65
schädigen 9.50 9.63
  11.14 11.60 18.15
  19.9
Schädigung 11.31
  18.15
schädlich 2.41 9.50f.
  9.63, 9.74 11.14
  11.60
Schädlichkeit 9.49
Schädling 5.47 11.63
  19.8f. 19.11
schadlos halten 4.27
  16.46 18.18 18.26
Schadloshaltung
  19.32
Schaf(bock) S. 127
  12.56 16.36 16.56
  16.93 17.9 19.10
  20.4
Schafblattern 2.41
Schäfchen 1.4 5.46
  11.53 18.5 19.7
Schafe S. 127 1.6
  4.34 20.22
Schäfer 1.6 2.10
  2.44 16.60 16.101
Schäfergedicht 14.2
Schäferhunde S. 126
  2.10
Schäferstündchen
  16.42
Schaff 17.4 17.6
Schaffeln 1.8
schaffen 4.50 5.1
  5.24 5.31
  5.39 5.44 9.18
  9.22 9.35 9.38
  9.77 9.85 11.10
  12.21 12.28 14.2
  15.1 16.118
Schaffender 5.39
  9.22
Schaffer 9.18
Schäffler 16.60
Schaffner 8.3 16.96
  16.112
Schafgarbe S. 82
Schafleder 4.50

Schäflein 20.22
Schafott 19.32
Schafsgeduld 19.4
Schafskleider 19.8
Schafskopf 9.53
  12.37 12.56 16.56
Schafsnase S. 48
  2.27
Schafspelz 20.4
Schaft 1.23 2.3
  17.15
-schaft 4.17 16.16
  16.19
Schaftstiefel 17.9
Schafwolle 17.8
Schah 16.98
Schakal S. 126
Schäkerei 11.22
schäkern 11.21
  16.43 16.55
schal 7.69 9.45 9.53
  10.9 11.26 11.37
Schal 17.9
Schale 2.16 2.30
  3.18 3.20 7.41
  7.44 11.31 16.53
  17.6 17.9
—, rauhe 13.49
  16.53
schälen 3.22 4.30
  11.17
Schalenwaage 8.33
Schalk 11.23
schalkhaft 11.23
Schalkslob 16.54
Schall 7.24 7.34
  11.45 13.13 13.18
  16.89
— und Rauch
  11.45
schalldicht 7.27
schalldurchlässig
  7.24
schallen 7.24ff.
  11.22f.
schallend 7.26
Schallgardinen
  16.78
Schallehre 7.24
schallsicher 7.27
Schalltrichter 7.26
Schallwelle 7.24
Schalmei 15.15

Schalmeientöne
  16.48
Schalotte S. 191 24
  2.27
schalten 8.9 9.18
  16.95 16.97
  16.119 17.17
Schalter 17.17 18.19
Schaltier S. 98 7.44
Schaltjahr 6.1 6.33
Schaluppe 8.5
Scham 11.48f. 16.44
  16.50 16.93 19.5
  19.8 19.10f.
—, falsche 11.47
  11.49
— vergehen, vor
  16.93 19.11
Schamade 16.83
Schamane 16.60
  20.12
Schambock 19.32
schämen 11.47f.
  11.49
—, sich 11.47 11.49
  16.93 19.5
Schamgefühl 11.48f.
  16.44 16.50 16.93
schamhaft, Scham-
  haftigkeit 11.48
  16.50
schämig 11.47
schamlos 16.36
  16.44 16.90 16.93
  19.8 19.10
Schamlosigkeit
  16.44 16.90 19.9f.
Schammas 9.67
Schamotte 1.26
schampunieren 9.66
Schampus 2.31
schamrot 11.49
Schamröte 7.17
  11.43 16.93
Schamteile 2.16
Schande 11.14 11.32
  16.33f. 16.93
  19.9f.
— auf sich laden
  19.11

schänden 9.67 9.86
  11.28 16.35 16.44
  16.93f. 20.4
Schänder 16.35
  16.44
Schandfleck 2.48
  9.60 9.67 16.93
  19.9f.
Schandfriede 16.83
schändlich 9.60
  11.14 16.36 16.44
  16.93f. 19.8ff.
Schändlichkeit 16.44
  19.8
Schandmal 16.94
  19.32
Schandmaul 13.5
  16.33 16.35 16.93
Schandpfahl 16.93
  19.32
Schandphilosophie
  19.9
Schandsäule 16.93
  19.32
Schandstelle 2.48
Schandtat 19.9f.
Schandudel 3.38
Schändung 9.61
  9.86 16.35 16.44
schandvoll 16.93f.
schanghaien 16.117
Schank 16.64 18.25
Schanker 2.41 11.28
Schankstube 16.64
Schanl 19.29
Schänzchen 17.7
Schanze 3.23 9.76
  11.38 16.56 16.77
schanzen 9.38 9.40
  12.35
Schapel 17.10
Schapp 17.4
Schapper 19.29
Schappseide 17.8
Schar 4.17 16.16f.
  16.74
Scharade 12.8 13.4
Scharbockskraut
  S. 37

Schäre 1.17
Scharen 4.20
scharen, sich 4.17
scharenweise 4.20
scharf 3.55 5.35f.
7.67f. 9.37 10.9
10.21 11.5 11.22f.
11.36 11.53 11.58
13.33 13.41 16.33
16.66 16.108
Scharfblick 10.15
12.52
Schärfe 3.55 7.68
9.37 11.31 13.41
16.108
schärfen 3.55 11.36
Scharfheit, siehe
Schärfe
scharfkantig 3.55
Scharfmacher 5.36
5.42 11.58
Scharfrichter 2.46
5.42 16.60 19.32
—, die elf 15.1
Scharfschütze 16.74
scharfsichtig 10.15f.
Scharfsichtigkeit
10.15
Scharfsinn 9.52
12.20 12.42 12.52
scharfsinnig 9.52
12.52
scharfzüngig 9.52
11.23 13.22 16.35
Scharlach 2.41
scharlachrot 7.17
Scharlatan 2.44
13.51 16.31 16.72
16.89
Scharlatanerie 16.72
Scharm 11.17 11.53
scharmant 11.10
11.17
Scharmützel 16.67
16.73 17.7
scharmützeln 16.76
Scharnier 4.33 8.32

Schärpe 3.24 3.47
4.33
Scharpie 2.44 4.11
scharren 3.53 7.49
Scharrfuß 16.38
Scharrvögel S. 119
Scharte 2.42 3.10
3.43 3.56
Scharteke 14.11
schartig 3.43 3.53
3.56
Scharwenzelei 16.32
scharwenzeln 16.32
16.115
schassen 3.4
Schatten 2.45 4.11
4.26 4.37 4.51
5.18 6.8 7.6 7.7
8.15 9.31 9.75
11.32 12.27 12.43
15.4 16.48 16.85
16.93 19.2 20.5
20.11
—, im — kühler
Denkart 11.8
Schatten- 5.37
Schattenbild 5.9
Schattengang 17.2
Schattengebung 7.6
schattenhaft 4.26
7.3 7.9 11.28
12.27 20.5
Schattenkaiser 5.37
16.110
Schattenmorelle S. 49
2.27
Schattenriß 3.18
5.18 15.4
Schattenseite 9.50
Schattenstrich 14.5
Schattenverteilung
7.6
Schattenwelt 20.11
Schattesite 3.27
schattieren 7.6f.
15.4
Schättierung 5.21
7.6 7.11
schattig 7.6f.
Schatulle 17.7
18.21

Schatz 4.17f. 9.56
9.64 10.21 11.53
16.42 18.1 18.3
18.21
-schatz 4.17
Schatzamt 18.21
Schatzanweisung
18.30
schätzbar 16.85
Schätzchen 10.21
schätzen 9.44
1.18 12.11f.
12.20 16.30f.
16.85
schätzenswert 9.56
16.85
Schätzer 16.60
Schatzi 11.53
Schatzkammer 4.17f.
18.21
Schatzkästchen 8.4
Schatzkind 11.53
Schatzmeister 18.26
Schatzschein 18.30
Schatzung 18.26
Schätzung 11.53
12.49 16.30f.
16.85
schätzungsweise 3.9
schau 11.30 12.7
Schau 4.17 7.1f.
9.13 12.30 13.3
13.51 16.88 20.1
— tragen, zur 3.18
7.2 9.13 13.51
Schaubude 16.55
Schaubudenangriff
9.78
Schaubühne 14.3
Schauburg 14.3
Schauder 7.40 8.34
10.5 10.15 11.4
11.14 11.42 19.29
schauderbar 9.5
schauderhaft 4.50
9.5 11.14 11.28
11.42 11.62
schaudern 8.34 10.5
11.42
schauderös 11.59
Schaudertat 19.9f.
schaudervoll 11.42

schauen 10.15f. 12.7
12.13 12.30 16.109
20.10
Schauer 1.8 4.22
7.40 8.34 10.5
11.4 11.28 11.42
Schauerballade 14.1
Schauerbock 11.59
schauerlich 11.14
11.42
Schauermann 16.60
schauern 8.34 10.5
schauervoll 11.42
Schaufahrt 16.88
Schaufel 17.15
Schäufele 2.27
schaufeln 8.3 9.18
Schaufeln 2.16
Schaufenster 7.1
Schaufläche 3.26
Schaufler 16.60
Schaugepränge
11.45 16.88
Schauhaus 2.48
Schaukel 3.17 8.33
16.56
schaukeln 3.17 8.33
9.21 9.77 11.35
Schaukelpferd 16.56
Schaukelpolitik 9.7
16.110
Schaukelstuhl 8.33
Schaum 6.8 7.42
7.59 9.45 11.31
schäumen 5.36 7.59
8.33 11.5f. 11.31
11.58 16.31
Schaumgebäck 2.27
7.65
schaumig 7.59
Schaumkraut S. 40
Schaumlöffel 17.6
Schaumütze 15.10
18.21
Schaumschläger
13.51 16.60
Schaumschlägerei
13.51
Schaumwein 2.31
7.59
Schauplatz 9.22
10.15
schaurig 4.50 11.14

Schauritt 16.88
Schauspiel 7.2
  11.30 14.3 16.55
  16.88
Schauspieler(in)
  13.51 14.3 16.60
  16.72 16.85 16.88
schauspielern 13.51
Schauspielhaus 14.3
Schauspielkunde
  14.3
schaustellerisch 9.13
Schaustellung 7.1
  13.3 16.88
Schaustück 14.3
  18.21
Schaute 12.57
Schautrieb 12.6
Schauzug 11.45
  16.88
Schawellche 17.5
-sche 2.15
Scheck 18.8 18.19
  18.21 18.26 18.30
Scheckbuch 18.26
Scheck(e) S. 128 7.23
scheckig 7.23 11.21
Scheckigkeit 7.23
scheel 10.17 11.28
  11.57 11.62
scheelsehen 11.60
Scheelsucht 11.57
  11.60
scheelsüchtig 11.57
  11.60 19.7
Schefer 16.60
Scheffel 4.19 11.45
  11.47 16.5 17.6f.
scheffeln 18.3
scheffelweise 4.20
Scheffer 16.60
Scheffler 16.60
Scheherazade 14.1
Scheibe 3.50 4.13
  4.42 8.32 9.14
  13.29
Scheibenhonig 12.46
  13.29
Scheibenschießen
  16.57
Scheich 16.98 20.17
— (ül Islam) 16.98
  20.17

Scheide 2.16 3.20
  3.22 3.58 4.34
  16.48 17.7
Scheideabend 16.8
Scheidebrief 4.34
  4.49 16.15
Scheidekunst 1.20
  5.26
Scheidelinie 3.9f.
  3.23 3.25 3.58
  4.34 4.45 8.12
  8.22 9.73 13.1
Scheidemünze 18.21
scheiden 1.22 2.45
  4.34 5.21 8.18
  8.22 12.11 16.15
  16.67
Scheiden und
  Meiden 4.34 16.67
Scheidewand 3.23
  3.25 9.73 14.3
Scheidewasser 1.28
  2.43
Scheideweg 4.45 9.7
  9.11
Scheidung 4.34
  8.18 16.14f.
Scheidungsparadies
  Reno 16.15
Schein 7.4 12.55
  13.1 13.46 13.51
  16.38 16.72 16.85
Scheinangriff 9.21
  16.76
scheinbar 5.4 5.17
  7.2 12.27 13.34
  13.51 16.72 19.13
Scheinbild 7.2
Scheine S. 57 2.3
scheinen 7.2 7.4
  12.22 12.24 16.30
Scheinfreund 16.32
  16.66
Scheinfriede 16.49
scheinfromm 20.3
  20.14
Scheinfrömmigkeit
  20.3
Scheingefecht 16.76
Scheingelehrter
  12.37
Scheingrund 9.13
  13.51

scheinheilig 11.25
  11.49 13.51 16.51
  20.2 20.14
Scheinheiliger 16.72
  20.3 20.14
Scheinheiligkeit
  13.51 16.51 20.14
Scheinkampf 16.72
Scheinkönig 16.110
Scheinling 2.16
Scheinmanöver
  16.72
Scheinreligion 20.14
scheinspröde 11.49
  16.51
scheintot 16.27
Scheinwerfer 7.5
  13.1 16.74
Scheinwissen 12.37
Scheiße 2.35 5.47
  7.64
scheißegal 9.45
scheißen 2.35 11.37
  16.34
Scheißkerl 11.43
Scheißtrümp 16.33
Scheit 4.42
Scheitel 2.16 2.46
  3.33 8.12
—, vom — bis
  zur Sohle 4.41
Scheitelhöhe 3.11
Scheitelkreis 1.11
  3.11 8.11
Scheitellinie 3.11
Scheitelmütze 20.18
Scheitelpunkt 3.33
scheitelrecht 3.11
Scheitelschnur 20.18
Scheiterhaufen 2.27
  2.46 2.48 19.32
scheitern 9.61 9.78
Schelch S. 127 8.5
schelehuchzen 11.33
Scheler 16.60
Schelf 1.16
Schellack 7.53
Schelle 11.38 11.59

schellen 7.26 7.30
  13.1
Schellen (Fesseln)
  2.16 16.117
Schellenbaum 15.15
schellenlauter Tor
  12.56
Schellfisch S. 99 2.27
Schellhengst S. 58
Schellkraut S. 39
Schelm 2.11 9.10
  11.23 11.50 11.53
  12.53 16.54 16.72
  16.81 19.8f.
Schelmerei 9.10
  12.53 16.54
Schelte 13.19 16.33
schelten 16.33
  16.37 16.67
Schelten 16.60
Scheltname 13.19
Scheltrede 16.37
Schema 5.19 9.25
Schema F 3.37
  9.31 16.99
Schematismus 4.36
  9.31
Schemel 17.5
Schemen 6.8 7.2 20.5
Schenke 16.64
Schenkel 1.2 2.16
  3.43
schenken 9.44 12.7
  12.13 16.22 16.24
  16.33f. 16.41
  16.47 16.53 16.64
  18.12 19.32
—, Beachtung 9.44
  12.7
Schenker 18.12
Schenkstube 16.64
Schenkung 18.12
schenne 16.33
schepp 11.28
Scher(er) S. 125
Scherbe(n) 2.15 4.32
  17.6
scherbeln 16.58
Scherbengericht
  16.105 19.32
Scherbett 2.31
Schere 2.16 3.55
  17.15

scheren 3.22 3.52
  4.11 4.30 4.34
  5.16 11.8 12.10
  12.13 18.5
—, sich 8.18
Scherenschleifer
  S. 126 1.21 16.33
Scherenschnitt 15.4
Schereowend 16.8
Scherer 16.60
Schererei 11.14
Scherflein 18.21
Scherge 19.29
Scherl 2.27
Schermaus S. 126
Schermesser 3.55
Scherz 9.10 9.44
  11.21f. 11.25 11.29
  12.26 16.54f.
scherzando 15.11
Scherzartikel 12.45
Scherzbold 11.23
scherzen 11.20ff.
  16.8 16.55
Scherzewoche 16.8
scherzhaft 11.21
  11.23 16.55 siehe
  Scherz
Scherzl 2.27 3.23
Scherzname 13.19
  13.32
scherzo 15.11f.
Scherztag 16.8
schesen 8.1
schettern 7.27 7.31
scheu 8.18 11.42f.
  11.47 11.59
Scheu 11.42 11.47
  11.59 16.51
scheuchen 8.7 8.18
scheuen 9.5 9.20
  9.38 11.42 11.43
  11.59 11.62 19.4
—, sich 9.5 16.93
Scheuer 2.5 4.18
Scheuerfrau 9.66
  16.60
Scheuerlappen
  9.66
scheuern 3.53 9.66
Scheuerpurzler 14.3
Scheuertor 11.30
Scheuklappe 7.6
  12.55

Scheuleder 7.6
Scheune 2.5 4.18
Scheunendrescher
  10.11
Scheusal 11.28
  11.59 19.9
scheußlich 11.14
  11.28 11.42 19.9
Schi 8.1
Schibboleth 4.34
  13.1
Schibeschlag 20.16
Schicht 1.23 3.51
  4.13 4.43 9.24
  9.33 9.36 16.16
  16.91 16.94
— machen 9.24 9.33
  9.36
Schichte 1.14 4.43
schichten 8.28
Schichtengebäck 2.27
schick 11.17
Schick 2.34 9.52
  11.17 16.61
schicken 2.46 4.23
  8.3 8.18 9.3 9.12
  11.8 11.27 16.54
  16.69 16.105
  18.26 19.18 19.27
—, sich — in 8.7
  9.5 9.52 11.8
  12.47 16.24 16.38
  19.18
schicker 2.33
schicklich 9.48 19.18
Schicklichkeit 9.48
  12.47 16.38 16.61
  19.18
Schicklichkeitsgefühl
  16.61
Schicksal 2.46 5.45
  9.3 9.16 9.50 9.77
  11.13f. 16.42 16.73
  19.31
—, schweres 5.47 9.3
  9.50 11.13f.
Schicksals Tücke
  5.47
schicksalhaft 5.45
Schicksalsbuch 5.45
  14.11
Schicksalsgöttin 20.7
Schicksalsschlag 5.47
  11.14

Schicksalsschluß 5.45
Schickse 2.15
Schickung 5.45 16.24
Schiebeln, zum 11.23
schieben 8.1 8.9
  9.21 9.34 9.43
  9.51 11.35 16.58
  16.72 18.8 19.12
  19.33
—, auf die lange
  Bank 5.19 6.12
  8.8 9.34 9.43
Schieber 2.33 8.33
  16.58 16.72 17.15
  18.8 19.8
Schiebermütze 17.9
Schiebetanz 16.58
Schieblade 17.4
Schiebochs 11.38
Schiebung 16.72
  18.8 18.23
schiech 11.28
schiedlich 16.48f.
Schiedsgericht(-hof)
  3.25 16.49 19.27f.
Schiedsmann 13.9
  16.48f. 19.17
  19.27f.
Schiedsrichter 12.49
  13.9 16.49 16.57
  16.70 19.28
Schiedsspruch 16.49
  19.17 19.27
Schiedsverfahren
  19.27
Schiedsvertrag 19.17
schief 2.33 3.13
  3.60 5.47 9.65
  9.74 9.78 11.22
  11.27f. 15.2
— hat — geladen
  2.33
— gewickelt 9.78
Schiefe 3.13
Schiefer 1.26 2.42
  3.20 4.42 18.21
Schieferdach 3.20
schieferig 7.47
Schiefertafel 9.42
  9.70 14.5
schiefgebaut 11.28
schiefmäulig 11.28
schiefnasig 11.28
  17.10
schiefrig 7.47

schielen 2.33 2.41
  3.13 9.14 10.17
Schienbein 2.16
Schiendalled 19.29
Schiene 8.11
schienen 4.33
Schienenstrang 8.11
Schienenzepp 8.4
schier 1.22 3.9
  7.43 8.7
Schierling S. 61f.2.43
Schießbaumwolle
  17.12
Schießbedarf 17.12f.
Schießbude 15.15
Schießeisen 17.12
schießen 2.1 2.46
  4.12 7.12 7.29
  8.7ff. 8.28 9.53
  9.78 11.5 12.2
  16.57 16.76 17.12
  18.9
—, ins Kraut 4.12
Schießen 11.23
Schießer 16.56
Schießhund 4.50
  12.7
schießig 11.23
Schießprügel 7.29
  17.12
Schießpulver 1.25
  17.12
Schießrohr 17.12
Schießscharte 3.57
Schießsport 16.57
Schießwaffe 17.12
Schiet 7.64
Schiff 1.2 4.42 8.3
  8.5 12.36 16.7
  16.117 17.2 17.6
  20.21
—, klar 9.26
Schiffahrer 16.7
Schiffahrt 16.7
Schiffahrtskunde
  16.7
schiffbar 16.7
Schiffbruch 5.42 5.47
  9.50 9.78
Schiffbrücke 8.11
Schiffchen 18.5
schiffen 1.8 2.35
  8.1 8.5
Schiffer 12.33 16.7
  16.60 16.98f.

Schiffergarn, -nachricht 13.51
Schifferliedchen 15.13
Schifferschule 16.7
Schifferstechen 16.57 16.70
Schiffsbefehlshaber 16.7 16.98
Schiffsfähnrich 16.74
Schiffsfriedhof 16.75
Schiffsführer 16.7
Schiffsgerät 17.15
Schiffsgericht 19.28
Schiffshaft 9.73
Schiffshebewerk 8.28
Schiffsherr 16.7 16.97f.
Schiffsingenieur 16.60
Schiffsjunge 12.35 16.7 16.60
Schiffskampf 16.67 16.73
Schiffskoch 16.60
Schiffsladung 8.3 18.1
Schiffsleutnant 16.7
Schiffsmannschaft 16.7
Schiffsraum 4.1 8.5
Schiffsschnabel 3.26
Schiffsseil 4.33
Schiff(s)treppe 8.11
Schiff(s)werft 9.23
Schiffswinde 3.17
Schiffswirt 16.7
schiften 3.55
Schiiten 20.1
Schikane 9.64 12.53 16.67 16.72
schikanieren 11.31 11.60 16.79
Schild 2.48 9.11 9.14 9.70 9.75f. 12.53 13.1 16.31 1671 16.73 16.77 16.97 17.10 17.14
Schilda 12.56
Schildbuche 2.48

Schildbürger 11.23
Schilddrüse 2.16
Schilderhebung 9.11 16.116
Schildermaler 15.4
schildern 14.1
Schilderung 14.1 15.1
schildförmig 3.48
Schildkröte S. 101 2.27
Schildkrötplatte 7.9
Schildpatt 7.9
Schildträger 9.75
Schildwache 9.75 13.10 16.101
Schilf S. 16 5.37
schilfen 2.5
schilfgrün 7.18
Schillereidechse S. 101 5.25 7.23
Schillerlocke 2.27
schillern(d) 7.4 7.23 8.33 9.9 13.34 16.88
Schilling 2.4 18.21
schilpen 7.33
Schimäre 3.5
Schimmel S. 128 2.31 3.20 7.13 9.67 10.9 13.52 16.20
schimmelig 3.20 9.67
schimmeln 6.27 7.13 7.57
Schimmer 7.4 7.11 11.17 11.35 12.37 16.85 16.88 16.90 17.10
schimmern 7.4 15.7 16.88
Schimpf 11.13 11.31 16.34f. 16.93f.
schimpfen 16.33 16.37 16.53 16.67 16.93 19.9
Schimpferei 5.36 16.67
schimpflich 11.62 16.33f. 16.36 16.90 16.93f. 16.115 19.8 19.32
Schimpfname 13.19

Schimpfreden 16.35
Schimpfwort 13.19 16.33 16.37 16.54 16.62
Schin 19.29
Schinakel 8.5
Schindaas 16.33
Schindanger 2.48
Schindeln 3.20
schinden 9.40 11.14 11.17 11.60 16.79 18.29 19.32
—, sich 9.38 9.40
Schinder 2.44 2.46 11.60 16.60
Schinderei 9.40
Schinderhannes 18.9
Schinderhengst 1.6
schindern 16.56
Schindluder treiben 16.54
Schinegelsbeiz 19.33
Schinken 2.16 2.27 4.10 9.14 14.11 15.4 15.15 16.74a. 16.78
Schinkenklopfen 16.56 16.78
Schinkenwurst 2.27
Schinnen 2.41
schinschern 3.52
Schippe 2.16 11.27 11.32 16.54 17.15 18.8
Schippel 4.42
schippen 16.77
Sipper 16.74 16.77
Schirm 3.20 7.6 9.70 9.75f. 16.77 16.95 17.14
— gewähren 9.75
schirmen 9.75
Schirmer 9.70 16.41
Schirmherr 16.96
Schirmherrschaft 16.97
schirmlos 9.74
Schirmlosigkeit 9.74
Schirokko 1.6 7.35
Schirrmann 4.29
Schirrmeister 16.96
Schirting 17.8
Schisma 4.34 12.48 20.2

Schismatiker 20.2
schismatisch 16.67 20.2
Schiß 11.42
Schisser 11.43
Schittchen 2.27
schitterig 4.11
Schiwa 20.7
schizophren 12.57
Schizophrenie 2.41
Schlabberjochen 13.22
Schlacht 11.38 16.67 16.73
schlächt 16.110
Schlachtaufstellung 16.73
Schlachtbeil 17.11
Schlacht(e)fest 11.21
schlachten 2.46 9.53 19.31
Schlachtenglück 16.73
Schlachtenmut 11.38
Schlachtenzorn 11.38
Schlachter 16.60
Schlächter 5.29 11.50 16.60 19.9
Schlächterhund 11.61
Schlachtfeld 5.42 16.75 18.25
Schlachtgewühl 16.73
Schlachthaus 2.46
Schlachtkreuzer 16.74
Schlachtlärm 16.73
Schlachtlied 16.73
Schlachtlinie 3.35 16.73
Schlachtopfer 11.13 19.26 20.16
Schlachtordnung 16.74
Schlachtplan 16.73
Schlachtruf 16.73
Schlachtschiff 8.5 16.74
Schlachtvieh 2.46
Schlack 7.51
Schlacke 4.24 4.32 7.43 9.45 9.49 9.67

schlackenlos 9.66
schlackern 1.9
Schlackwurst 2.27
Schlaf 2.36 2.45 6.7
  8.2 9.24 9.36 9.38
  9.41 9.54 11.8
  11.14 11.32
—, letzter 2.45
— wiegen, in 8.33
  9.36
Schlafanzug 17.9
Schlafapfel S. 48
Schläfe 2.16
schlafen 2.36 4.50
  9.24 12.13 16.77
schlaff 2.39 3.17
  5.37 7.48 7.50
  9.19 9.24 9.41
  16.110
schlaffen 8.8
Schlaffheit 16.110
Schlafhaube 9.24
Schlafittchen 16.78
  16.117
Schlafkrankheit 2.41
Schlafkunze S. 48
Schlafliedchen 14.2
  15.13
Schlaflosigkeit 9.38
Schlafmittel 2.44
  5.38 11.8 11.34
Schlafmütze 3.20 8.8
  9.24 9.41 11.26
  12.13
schlafmützig 9.41
Schlafpulver 11.34
Schlafraum 17.2
schläfrig 2.39 8.8
  9.19 9.24 9.41
  11.8
Schläfrigkeit 2.39
  9.41
Schlafrock, -sack 17.9
Schlafsofa 17.3
Schlafstelle 17.3
Schlafstuhl 17.3
Schlafsucht 2.36
  9.24 10.3
Schlaftrunk 5.38
  11.8
schlaftrunken 11.8
Schlafwagen 8.4
Schlafzimmer 17.2

Schlag 1.13 2.5 2.33
  4.42 4.47 5.8 5.23
  5.36 5.47 6.13f.
  6.31 6.34f. 7.29
  8.9 9.18 9.50 9.78
  11.5 11.13f. 11.30
  13.50 16.37 16.41
  16.67f. 16.70 16.76
  16.78 16.80
—, elektrischer 12.45
—, harter 12.46
— ins Kontor 11.30
Schlagader 2.16 7.56
Schlagadodro 4.12
  16.89
Schlaganfall 2.41
schlagartig 5.27 6.14
Schlagaustausch
  16.57
Schlagball 16.57
Schlagbaum 3.58
  9.73 16.117
Schlagbrücke 8.11
Schläge 16.78 19.32
schlagen 4.50 5.12 5.16
  5.24 5.42 7.31 7.33
  7.60 8.9 8.31
  9.12 9.37 9.69 9.77
  11.5 11.11 11.14
  11.23 11.30f. 11.33
  11.38 11.42 11.53
  11.62 16.28 16.33f.
  16.65 16.67f.
  16.70 16.72
  16.76ff. 16.84f.
  16.93 16.116f.
  18.6 18.21 19.5
  19.9ff. 19.20 19.25
  19.32 20.12 20.16
—, ein Schnippchen
  12.53 13.51 16.72
—, in die Schanze
  11.38
—, sich 16.67 16.70
  16.73
—, sich aufs Maul
  19.5
schlagend 11.23 13.46
Schlager 11.23
  15.13 16.31 16.85
Schläger 16.53 16.57
  16.74 17.11 19.9

Schlägerei 16.67
  16.70
Schlagetot 5.35 16.74
schlagfertig 6.14
  11.23 12.52
  13.21f. 13.26
Schlagfertigkeit
  11.23
Schlagfluß 2.41
Schlaginstrumente
  15.15
Schlagkraft 5.35
  12.14
Schlaglöcher 3.53
Schlagobers 2.27
Schlagrichten 2.5
Schlagring 17.11
Schlagsahne 2.27
  7.51
Schlagschatten 7.6
Schlagseite 2.33 3.13
Schlagwechsel 16.57
Schlagwort 11.23
  13.1f. 13.18 13.20
Schlagzeug(er)
  15.14f.
Schlaks 4.12
Schlamassel 4.25 5.47
  9.55 9.78 19.29
Schlamm 1.19 2.30
  7.51 7.59 9.67
Schlammbeißer
  S. 100 16.33
Schlammpeitzger
  S. 100
schlammig 7.51 7.57
  9.67
Schlammtrichter 8.34
Schlamp 3.38
Schlampampe 9.67
Schlampe 9.67
  11.28f.
schlampen 3.38
Schlamperei 3.38
  9.43 9.67
schlampig 3.38 9.43
  11.28f.
Schlange S. 101 1.2
  1.16 2.43 3.35
  4.50 9.12 11.55
  11.60 12.53 16.72
  17.12 18.22 19.9
  20.9
— am Busen näh-
  ren, eine 11.55

schlängeln, sich 3.46
  8.1 8.32 9.80
Schlangenbrut 19.9
Schlangenform 3.46
schlangenförmig
  3.43 3.46 4.11
Schlangenfraß 10.9
schlangenfreundlich
  16.32
Schlangenfreundlich-
  keit 16.32
Schlangengift 2.43
Schlangenlinie 3.46
  9.80
Schlangenträger 1.2
schlank 3.11 4.9
  4.11 4.50
Schlankheit 4.11
schlapp 2.39 2.41
  3.17 7.48 7.50
  8.8 9.7 9.24 11.15
  16.110
Schlappe 9.78
schlappen 2.30 8.1
Schlappen 17.9
Schlappermünztag
  16.8
Schlappheit 7.50
Schlapphut 17.9
schlappmachen 2.39
  8.8 11.15
Schlappmaul 13.5
  16.33
Schlappschwanz 5.37
  9.7 11.43
Schlaraffe 11.9
Schlaraffenland 9.24
  11.9f. 12.28
schlau 9.25 9.52
  11.16 11.40 12.52f.
Schlauberger 12.53
Schlauch 7.56 13.53
  17.6
Schlauchboot 8.5
schlauchen 2.39
  9.40 11.60 16.72
Schlaucherl 12.53
Schlauderkauz 2.27
Schläue 12.53
Schlaufe 3.46 4.33
  17.5
Schlauheit 11.40
  12.53

Schlaukopf 9.52
12.53
Schlaumeier 12.53
Schlawiner 15.4
16.94
Schlawitzer 11.53
Schlawwer 9.66
schlecht 2.41 4.50
4.52 7.64 9.60 9.78
11.13ff. 11.26f.
11.31 11.46 11.55
11.59f. 12.23 16.33
16.53 16.94 18.4
19.8ff. 20.3f.
— gehen 9.61 9.67
— und recht 4.25
9.59 11.46
schlechter 9.61
schlechterdings 4.41
Schlechtes nach-
sagen 16.33
schlechtgesinnt
16.116
schlechthin 4.41
4.50 5.33
schlechthinnig 4.41
5.6 5.14 9.44
Schlechtigkeit 9.60
19.9
schlechtweg 5.14
schlecken 7.54
Schlecker 10.12
schleckerig 10.12
11.36
schleckig 10.12
Schlegel 2.27 8.9
Schlegelmilch 2.30
Schlehdorn, Schlehe
S. 49 7.67
schleichen 2.41 6.7
7.27f. 8.8 9.74
11.26 13.4 16.6
16.71 19.8
Schleicher 19.8
Schleichhandel 19.20
Schleichhändler 16.72
Schleichware
9.74 16.72
Schleichweg 9.15
12.53
Schleie S. 100 2.27

Schleier 3.15 3.20
4.11 7.6 7.9
10.17 13.4 13.51
16.50 16.71 17.9
20.18
Schleier nehmen,
den 16.56 20.15
schleierhaft 7.9 13.35
13.51
schleierig 7.9
Schleifbahn 3.52
Schleife 3.15 3.46
3.47 3.52 4.33
9.55 13.1 17.10
schleifen 3.51f. 3.55
5.42 7.33 8.1
8.7 8.14 11.14
11.17 11.60 12.33
15.11 16.6 16.55f.
16.79 16.110
Schleifsäbel 2.16
Schleifung 5.42
Schleim 2.27 2.35
7.51 7.54 9.67
11.29
Schleimbeutelentzün-
dung 2.41
schleimig 7.51 7.54
9.67
Schleimigkeit 7.51
7.54
Schleimscheißer 16.33
schleistern 16.56
Schlemihl 5.47 9.53
9.78 11.13
Schlemilch 2.30
schlemmen 2.26
10.11 11.11 18.14
Schlemmer 2.26
10.10 10.11 18.14
Schlemmerei 10.11
18.14
schlemmerhaft 18.14
Schlempe 2.30 4.32
7.51
schlendern 8.1 8.8
8.34 9.24 16.6
16.56
Schlenderschritt 16.6
Schlendrian 8.8 9.24
9.31 9.36 9.43
Schlenkermarkt 16.8
schlenkern 8.1 8.33
Schlenkerwurst 16.8
Schlenklweil 16.8

Schleppe 3.17 17.9
schleppen 6.7 8.8
8.14 16.11
Schleppenträger
16.112 16.115
Schlepper 8.4f. 16.60
18.8
schleppfüßig 8.8
Schleppsack 17.7
Schlepptau nehmen,
ins 8.14
Schleuder 2.33 8.9
17.12
Schleuderball 16.57
Schleudermaschine
17.12
schleudern 8.9 16.37
16.76 19.12
Schleuderpreis, zu
einem 18.28
schleunig 6.8 8.7
9.39
Schleuse 3.58 4.18
7.55f. 8.26 9.73
Schliche 9.15 12.20
12.32 12.53
schlicht 11.22
11.46f. 13.33
13.40 13.44 15.3
16.92 16.94 18.10
19.1f.
schlichten 3.37
16.47ff. 19.14 19.17
19.27
Schlichtheit 11.46
Schlichtung 16.24
16.49 19.14
Schlick 1.14 1.19
schlickern 16.56
schliddern 3.52 8.1
8.31 16.56
Schlieferl 16.60
schließen 2.45 3.58
4.33 9.33 9.35
9.53 10.18 11.13
12.14 12.16 13.46
16.11 16.17 16.38
16.41 16.47f. 18.19
19.14 19.17

Schließer 16.60
Schließfach 9.75 17.4
18.21
Schließhaken 3.58
Schließkorb 17.7
schließlich 5.10 6.4
6.23ff. 6.24 8.15
9.33 9.35 9.81
Schlieten 2.5
Schliff 3.18 3.52
3.55 9.52 11.17f.
16.38 16.61
schliffig 3.55
schlimm 9.55 9.60
11.13f. 11.28f.
11.59
schlimmer werden
9.61
Schlimmste, das 2.44
schlindern 16.56
Schlinge 2.12 2.46
3.17 3.46f. 4.33
9.26 9.55 9.74
9.78 11.36 11.46
12.53 16.71f. 16.80
16.117f. 17.5
17.12 19.32
— gehen, in die
11.46
— legen, eine 9.26
9.74 16.71
Schlingel 2.22 11.53
schlingen 2.26 8.32
10.11 16.11
schlingern 8.34
Schlingnatter S. 101
Schlingpflanze 2.1f.
Schlink 3.58
Schlippermilch 2.30
schlippern 2.31
Schlips 3.20 11.45
17.9
Schlipsnadel 17.10
Schlitten 3.52 8.1 8.4
8.6 11.17 11.20
11.60 16.74a. 16.79
16.108
Schlittenfahrt 16.55
16.57
schlittern 16.56
Schlittschuhe 8.1
16.6 16.57
Schlittschuhlaufen
16.57

Schlitz 3.10 3.57
4.34
schlitzen 4.34 8.18
Schlitzohr 12.53
Schliwwer 2.42 4.42
schlohweiß 7.13
Schlorks 4.12
Schlorum 9.45
Schloß 2.16 3.58
16.117 17.1 17.10
17.12
— u. Riegel, hinter
16.117
Schloßen 1.9 7.40
Schlosser 9.18 16.60
Schlösser 16.60
Schloßhotel 16.64
Schloßhund 4.50
11.33
Schloßkapelle 20.20
Schloßkaplan 20.17
Schloßkirche 20.20
Schloßprediger 20.17
Schloßverwalter
16.112
Schlot 4.50 7.61
16.90 16.94 17.2
Schlotbaron 16.91
18.3
Schlotterei 9.43
Schlottergelenk 2.41
schlotterig 3.17 11.28
Schlotterigkeit 9.43
11.28
Schlottermilch 2.30
schlottern 4.8 8.34
10.5 11.42 19.11
schlotzen 2.26 7.54
Schlucht 3.10 3.44
4.9
Schluchtenbewohner
16.52
schluchzen 7.34
11.32f. 13.14
Schluchzer 11.33
Schluck 2.31 4.19
4.42
Schluckauf 2.35 2.41

Schlückchen 4.24
schlucken 2.26 2.30
8.23 11.8 16.83
Schlucken 2.41
Schlucker
—, armer 18.4
schlucksen 2.41 11.33
schludern 9.43
Schluffe 11.53
Schlüffel 16.53 16.90
Schluft 3.49
Schlummer 2.36
9.24 9.36
Schlummerlied 5.38
11.34 14.2 15.13
schlummern 2.36
9.24 13.4
schlummernd 9.41
13.4
Schlump(e) 5.16
11.28f.
Schlumpigkeit 9.43
Schlumpschütze
17.12
Schlund 2.16 2.32
3.10 3.57 4.14
7.61 10.11
Schlung 2.16
Schlunzhammel
16.60
Schlupf 3.15 3.17
schlüpfen 9.78 18.15
19.20
Schlupfer 17.9
Schlüpfer 17.9
Schlupfhafen 1.16
Schlupfloch 9.13
9.76 13.4
schlüpfrig 3.52 5.7
5.25 7.51f 9.67
13.34 16.44
Schlüpfrigkeit (Ge-
fährlichkeit) 3.52
9.74 16.44
Schlupfwinkel 3.3
8.17 9.76 16.71
17.1
schlupp 8.7
Schlupp 4.33
Schlüppchen 9.9
19.9f.

schlurfen 8.8
schlürfen 2.30 2.32
7.54 10.6f.
Schluri 12.40
Schlurre 3.20 17.9
Schluß 2.47 5.34 6.4
8.2 9.33 9.35
12.14 12.16 19.14
Schlußakkord 9.35
Schlußarbeit 9.35
Schlüssel 3.57f. 9.82
12.15 13.44 15.11
16.64 16.83 16.100
17.15 20.18
— Petri 20.18
Schlüsselbein 2.16
Schlüsselblume S. 66
Schlüsselbüchse 7.29
Schlüsselbund 16.100
Schlüsselburg 16.117
Schlüsselgewalt
16.100
Schlüsselloch 3.57
10.15
Schlüsselstellung
3.57 9.44 16.95
Schlußfolgerung
12.16 12.29
Schlußhahn 3.58
schlüssig 12.14
13.46f.
Schlußpfiff 9.33
Schlußrang 3.27
Schlußrede 8.15
Schlußreihe 3.27
schlußrichtig 12.14
Schlußrichtigkeit
12.14 13.46
Schlußseite 3.27
Schlußstein 9.35
Schlußstrich 9.33
Schlußsumme 4.35
Schlußvermögen
12.14
Schlutte 16.33
Schmach 11.13f.
11.31 16.33f.
16.36 16.93 19.9

schmachten 2.29 2.39
4.25 11.7 11.32
11.36 11.53
schmachtend (Liebe)
11.7 11.53
Schmachtfetzen
11.29
schmächtig 4.9
Schmachtriemen
18.10
schmachvoll 16.93
schmackhaft 7.65
10.8 11.10
Schmackhaftigkeit
10.8
Schmäckler 11.19
Schmadder 7.51
schmaddern 1.8
schmädere 13.22
Schmähartikel 16.35
Schmähbrief 16.35
Schmähdichter 16.35
schmähen 9.63 16.33
16.35 16.37 16.67
16.93
Schmäher 16.35
Schmähgedicht 16.35
schmählich 4.50 5.47
9.60 11.14 16.33f.
16.36 16.93 19.8
schmählustig 16.35
Schmähpamphlet
16.35
Schmährede 16.33
16.35 16.37 16.68
Schmähredner 16.35
Schmähschreiber
16.35
Schmähschrift 13.6
14.11 16.33 16.35
Schmähsucht 16.35
schmähsüchtig 11.60
16.33
Schmähung 9.61
16.35
schmakustern 16.78
schmal 4.9 4.11
11.17
schmälen 7.33 16.33
schmälern 4.5 4.7
4.9 4.11 12.51
16.34 18.6

Schmälerung 4.5 4.7
4.9 4.30 8.17
16.34f.
Schmalfilm 15.9
Schmalhans 2.29
4.25 18.4
— ist Küchenmeister
4.25 18.4
Schmalheit 4.9
Schmalreh S. 127
Schmalspurlatinist
12.35
Schmalspurpädagog
12.33
Schmaltier 2.15
Schmalz 2.27 7.52
Schmalzamor 4.10
Schmalzgebackenes
2.27
schmalzig 7.52 11.29
Schmalzler 2.34
Schmalztolle 2.16
Schmalztopf 17.9
Schmant 2.30 7.51
9.6
schmarotzen 16.32
16.115 18.29
Schmarotzer 2.41
16.20 16.32 16.112
16.115 18.4 18.29
Schmarotzerei 16.32
16.115
schmarotzerisch
16.32 16.115
Schmarotzertum
16.115
Schmarr(e)n 2.27
2.42 11.29 13.29
Schmatz 16.43
schmatzen 2.26 7.33
schmauchen 2.34 7.6
Schmaus 2.26 4.22
11.9f. 16.55
schmausen 2.26
16.55
schmecken 2.26 7.65
7.69 10.7ff. 11.10
16.78
Schmecker 10.12
Schmeichelei 9.12
11.45 16.31f. 16.38
16.43

schmeichelhaft
16.31f.
Schmeichelkätzchen
16.32
schmeicheln 11.10
11.45 12.34 16.31f.
16.38 16.42f.
16.72 16.115
—, sich 11.35
Schmeichelrede 16.32
16.38
Schmeichelsucht
16.32
Schmeichelwinde
20.17
Schmeichelworte
16.32 16.38
Schmeichelzunge
16.32
Schmeichler 16.31f.
schmeichlerisch 16.32
schmeißen 8.9 9.77
11.5 16.56 18.13
18.26
Schmelz 11.17
— der Jugend 2.24
schmelzbar 7.54 9.54
Schmelzbarkeit 7.50
7.54
Schmelze 4.5
schmelzen 1.21 4.5
4.50 5.26 7.50
7.54
schmelzend (Melo-
die) 15.17
Schmelzglas 3.20
Schmelzhitze 7.35
Schmelzhütte 7.37
9.23
Schmelzofen 7.37
Schmelztiegel 7.37
Schmelzung 7.35
7.54
Schmer 2.16 7.52
Schmerbauch 4.10
schmerbäuchig 4.10
Schmerl S. 115
Schmerle S. 100
Schmenz 11.13f.
11.33f. 16.27 19.5

Schmerzausbruch
11.33
schmerzbewegt 11.33
schmerzdurch-
drungen 11.32f.
schmerzen 2.41 9.55
11.4 11.6 11.13f.
schmerzend 11.14
Schmerzensgeld
16.46
Schmerzensruf
11.33
schmerzerfüllt 11.13
11.33
schmerzhaft 11.13f.
Schmerzhaftigkeit
11.14
schmerzlich 11.13f.
11.32 19.9
schmerzlos 10.3
11.8
schmerzstillend 2.44
11.34
schmerzvoll 11.13f.
Schmetten 2.30 7.51
Schmetterling S. 95
5.25 7.23 7.42 8.7
9.7 16.88 17.9
Schmetterlingskuß
16.43
Schmetterlingsstil
16.57
schmettern 2.31 7.26
Schmicke s. Schmitze
Schmied 16.15 16.60
— seines Glückes,
der 16.119
schmiedbar 7.50 9.54
Schmiede 9.23 9.48
12.32 17.15
Schmiedeeisen 1.27
schmieden 5.26 5.39
9.38 16.117
Schmiege 12.12
schmiegen, sich 16.32
16.115
schmiegsam 7.45
7.50 9.54 16.115
Schmiegsamkeit 7.50
9.54 16.32 16.114f.
Schmierage 9.67

Schmiere 3.52 7.52
9.55 9.67 9.75 12.7
14.3
— stehen 9.75 12.7
schmieren 1.21 2.31
3.52 7.52 9.12
9.53 14.5 15.4
16.22 16.32 16.78
18.22 19.8
Schmierenschau-
spieler 14.3
Schmierer 9.53 12.37
Schmiererei 9.43 9.53
15.2
Schmierfink 6.67
9.67
schmierig 3.52 7.52
9.67 11.28 19.8
Schmierigkeit 11.27f.
18.11
Schmierkäse 2.27
Schmieröl 3.52
Schmierseife 1.29
Schmierung 7.52
Schminke 3.20 7.11
16.72
schminken 3.20 7.11
Schmiß 2.42 5.35
11.17 11.28 16.78
schmissig 11.17
(Schmitz(e) 16.60
Schmock 11.19 11.45
16.60
schmoken 7.36
Schmöker 13.53 14.11
16.72
Schmolch 13.53
Schmolle 2.27
schmollen 11.27
11.31f. 16.53 16.67
S(ch)mollis 16.39
16.41 16.64
Schmollwinkel
11.27 17.2
Schmollzimmer 3.4
Schmonzes 12.57
13.18 13.35
schmoren 7.35 7.39
10.4
schmorgen 18.11
schmorren 2.34
Schmu 18.8 19.8
schmuck 11.67

Schmuck 11.17
11.46 15.7 17.10
18.1
schmücken 11.17
11.45 15.7 17.10
—, sich mit fremden
Federn 5.18 11.45
16.72 16.89
Schmuckglied 15.7
Schmuckleiste 15.7
schmucklos 11.46
13.40
Schmucksache 17.10
Schmuckstück 17.10
Schmuckwerk 15.7
schmuddelig 9.67
11.28
schmuddern 1.8
Schmuggel 19.20
Schmuggelei 19.20
schmuggeln 16.72
19.20
Schmuggelware 19.3
schmugglerisch 19.3
schmunzeln 11.21f.
Schmus 12.19 12.25
13.18 13.35 16.36
schmusen 13.22 16.43
Schmuser 11.53
13.22
Schmutz 7.52 9.45
9.67 11.28 16.36
16.44
— ziehen, in den
12.51
Schmutzerei 18.11
Schmutzfink 18.11
schmutzgrau 7.15
schmutzig 9.43 9.67
11.14 11.28
16.44 18.11 19.7
Schmutzigkeit 19.8
schmutzigweiß 7.15
Schmutzlappen 19.29
Schmutztitel 14.11
Schmuz 16.43
Schmuzettel 16.72
Schnabel 2.16 3.26
3.43 3.48 3.57
9.27 11.46 13.40
15.15
Schnabelkerfe S. 98
schnäbeln 16.43
schnabulieren 2.26

Schnack 9.13 12.56
Schnaderhüpfl 14.2
schnaffeln 2.31
schnafte 11.27
Schnake S.96 3.55
16.54
schnakig 11.23
Schnällchen 17.9
Schnalle 3.24 3.58
4.33 17.15
schnallen 16.78
18.10
Schnallenschuh 17.9
schnalzen 7.32f.
Schnöpel S. 99 2.27
schnappen 2.41 8.8
9.65 11.5 11.36
16.6 16.117 18.6
Schnapphahn 16.72
Schnappschuß 15.8
Schnaps 2.31 7.54
7.68 16.78
Schnapsbruder 2.32
schnapsen 2.31
Schnapser 16.74
Schnapsflasche 2.31
Schnapsidee 9.10
Schnapstrinker 2.32
schnarchen 2.36 4.50
7.30f. 7.34 9.24
Schnarre S. 100
7.31 15.15
schnarren 7.30f.
7.33 13.14
schnatte 11.17
Schnattermaul 13.21f.
schnattern 4.50 7.33
13.14 13.22
Schnau 8.5
schnauben 1.6 7.33
11.31 16.81
schnaufen 2.16 2.39
2.45 7.32
schnäuken, Schnäu-
per, schnäupern,
schnäupig 10.12
schnausen 12.6
Schnauzbart 3.53
Schnauze 2.16 2.27
3.48 3.57 13.22
16.89
Schnauzenschinder
16.60
Schnauzer S. 126
Schneck 11.17 11.53

Schnecke S. 98 2.27
3.46 8.8 9.24
16.52 17.10
Schnecken 2.16
Schneckenbohrer
17.15
schneckenförmig
3.46
Schneckennudeln
2.27
Schneckenpost 8.8
9.24
Schneckenschritt
11.26
Schneckenwindung
3.46
Schnee 1.9 2.27 4.50
7.13 7.40 7.48
7.57 7.59 9.66
19.4
Schneeball S. 78
17.13
Schneeberg 4.12
schneebleich 7.13
schneeblind 10.17
Schneebrunzer 9.19
Schneefall 1.9
schneefarbig 7.12
Schneefeger 16.60
Schneeflocke 1.9
7.40 7.42
Schneegans S. 117
2.22
Schneegestöber 1.9
7.40
Schneeglöckchen
S. 25
schneeig 7.13
Schneekette 9.73
Schneekönig S. 112
4.50 11.9
Schneekristall 1.9
Schneeregen 1.9
Schneeschuhe 8.1
16.6
Schneesturm 1.9
9.74
Schneetreiben 1.9
9.74
Schneewächte 8.27
Schneewehe 7.40
schneeweiß 7.13
Schnegel S. 98 9.24
Schneid 9.6 9.16
9.37 11.38

Schneidbohrer 17.15
Schneide 3.23 3.55
Schneidebrenner
3.57
Schneideinstrument
3.55 3.57
Schneidekluppe
17.15
schneiden 2.5 3.13
3.25 3.29 3.40 3.55
4.34 4.49 5.17
11.14 11.28 11.32
11.53 12.27 12.38
15.9 16.34 16.38
16.52ff. 16.57
16.115 19.7
—, sein Pfeifchen
19.7
schneidend (Winkel)
3.15 11.23 16.33
Schneider 2.22 2.24
4.39 4.50 16.60
16.92 16.94
—, Gevatter — und
Handschuhmacher
16.92 16.94
— von Ulm 8.6
Schneiderseele 9.7
11.26
Schneidewerkzeug
schneidig 3.55 9.6
9.37 11.38
Schneidigkeit 9.6
9.37f.
schneien 1.9
schneiken 10.12
schneikig 10.12
Schneise 8.11
schnell 4.50 6.8 8.7
9.38f. 9.52
Schnellader 17.12
Schnellauf 8.7
Schnellboot 16.74
Schnellbote 13.8
Schnellbrief 13.2
Schnelldampfer 8.5
Schnelle 8.7
schnellebig 12.40
Schnellemachfixe
2.41

schnellen 7.42 8.7
8.9 18.27
Schneller 8.9 16.56
schnellfüßig 8.7
Schnelligkeit 8.7
Schnellkraft 7.45
8.10 8.29
Schnellmaler 15.4
Schnellschiff 8.5
Schnellschrift 14.5
Schnellschritt 8.7
Schnellsegler 8.5
Schnellzug 8.4 8.7
9.39
Schnepel S. 99 2.27
Schnepfe S. 120 16.45
Schnepfendreck 2.27
10.8
Schneuel 2.16
schneuzen 2.35
schnicken 8.9
Schick-schnack
9.45 12.19
schniegeln, sich
11.45 16.88 17.10
schnieke 11.17
Schniepel 17.9
schnipfen 18.9
Schnipfer 16.33
Schnippchen 12.53
16.72 19.20
schnippisch 10.12
11.45 11.58 16.53
Schnipp-Schnapp
16.56
schnipsen 11.33
18.9
Schnitt 2.5 2.31
2.42 3.10 3.15
3.59 4.34 4.42
5.8 16.61 18.2
—, machen, einen
18.5
Schnittchen 4.42
Schnitte 2.27 4.13
4.34 4.42
Schnitter Tod 2.45
schnittig 11.17
Schnittkohl S. 24; 41
2.27
Schnittlauch S. 24
2.28
Schnittmeister 15.9

Schnittpunkt 8.21
Schnittware 18.24
Schnittwarenhändler
18.23
Schnittwunde 2.42
Schnitz 4.42
Schnitzchen 4.4 4.34
Schnitzel 2.27 4.42
Schnitzeljagd 13.1
16.57
schnitzeln 4.34 15.10
schnitzen 3.44 5.8
5.39
Schnitzer 9.53 9.78
12.28 13.32 16.54
16.60
Schnitzmesser
17.15
Schnitzwerk 5.39
15.7 17.10
schnoddrig 16.90
schnöde 11.14 11.55
16.34 16.53 16.90
Schnöpelwoche 16.8
schnorcheln 2.36
7.32
Schnörjel 2.16
Schnörkel 3.46 15.7
17.10
Schnorrenfisel 19.29
Schnorrer 16.6
16.20
Schnösel 2.22
schnöselig 10.12
schnubbeln 2.36
Schnucke S. 127
schnucken 18.9
Schnucki 11.53
schnuddeln 9.43
schnuffeln 2.35
schnüffeln 7.32 7.62
10.6
Schnull 2.16
Schnuller 2.34 11.8
11.34
Schnulze 9.60 11.7
11.29
schnupfen 2.34 8.23
Schnupfen 2.41 7.63
Schnupftabak 2.34
schnuppe 9.45
schnuppern 7.32
10.6

Schnur 3.35 4.11
4.33 11.11 13.1
16.9 16.57 17.10
19.10 19.32
Schnürband 17.9
Schnurbübl 20.5
Schnürchen 5.33
9.54 9.77
Schnure 2.16
Schnüre 16.87
Schnurebub 2.22
schnüren 4.5 4.9
4.11 4.25 8.1
Schnürenrock 17.9
schnurgerade 3.40
4.50
Schnürleib 3.20 17.9
schnürlen 1.8
Schnurrbart 2.16
3.53
Schnurre 2.33 11.21
11.23f. 16.54f.
schnurren 7.30 7.33
8.7
Schnurres 2.16
Schnürriemen 17.9
schnurrig 11.23f.
12.28
Schnürsenkel 4.33
17.9
schnurstracks 3.40
6.14
schnurz 9.45 11.37
Schnute 2.16 3.48
3.57
Schnutenfeger 16.60
Schobben 2.5
Schoben 9.67
Schober 4.17f.
Schock 2.5 4.39
5.27 11.42
Schocke 2.5
schockweise 4.17
4.20
Schof 2.5
schofel 16.53 16.94
18.7 18.11 19.8
Schofer 19.29
Schöffe 12.20 16.99
19.28
Schöffengericht
19.27f.
Schöffenstuhl 19.28

Schoggibolle 2.27
Schogun 16.98
Schoitasch 17.10
Schokolade 2.27
2.30 5.47 7.16
7.66
Schokoladenseite
5.47 9.78
Scholarch 12.33
Scholastik 12.11
12.32 12.55 20.1
scholastisch 12.11
12.19
Scholiast 13.44
Scholie, Scholion
13.44
Scholle S. 99 1.13f.
2.5 2.7 2.27
7.43 11.16
— bearbeiten, die
2.5
Schoemann 16.60
schon 6.11 6.14
6.19ff. 6.35
— aber 16.65
schön 3.59 4.50
9.56 10.8 11.5
11.10 11.19f. 11.46
11.54 16.20 16.24
— tun 16.51
Schöne Aussicht
16.64
schonen 5.43 9.42
9.75 11.40 11.50
16.25 16.109 18.10
schönen 9.66
Schönen, die 2.15
Schoner 3.20 9.66
17.9
— (Schiff) 8.5
schöner, das wäre ja
noch 13.29 16.27
Schöner von Boskop
2.27
schönes Geschlecht
2.15
schönfärben 11.17
19.13
Schönfärberei 13.45
Schöngeist 11.7
11.17ff. 11.45
Schöngeisterei
11.17f. 11.45

Schönheit 11.17f.
Schönheitsgefühl
  11.17f.
Schönheitskönigin
  11.17
Schönheitslehre
  11.17f.
Schönheitsmittel
  2.44
Schönheitspfläster-
  chen 17.10
Schönheitsreparatur
  9.58
Schönheitssinn
  11.17f.
schonsam 9.42
  11.40 16.109
Schönschrift 14.5
Schöntuer 16.32
schöntun 11.53 16.32
  16.38 16.42f. 16.51
Schonung 2.5 9.42
  11.40 11.50 16.20
  16.109
schonungslos 11.8
  11.61 16.108
Schonungslosigkeit
  16.108
schonungsvoll 11.50
Schönwetter 1.5
Schonzeit 9.36
Schopenhauer 16.60
Schopf 2.16 3.33
  3.53 6.37 9.6 9.38
  9.52 9.84
schöpfen 2.30 4.30
  9.27 9.36 11.35
Schöpfer 5.39 9.22
  12.21 14.2 15.1
  17.6 17.15 20.7
schöpferisch 5.26
  5.39 9.52 12.21
  12.30 12.52 14.2
Schöpferkraft 12.21
Schöpfertum 12.21
Schöpflöffel 17.6
Schöpfung 1.1 5.26
  5.34 5.39 9.22
Schöpfungsmorgen
  6.2

Schöppe 19.28
Schoppen 4.19 16.64
  17.6
— trinken 2.31
Schöppengericht
  19.28
Schoppenstecher 2.32
Schöppenstedt 12.56
Schopper 19.29
Schöps S. 127 12.56
Schorf 2.4 2.41f.
  3.20 9.63 9.67
  11.28
Schorlemorle 2.31
Schornstein 3.57
  5.46 7.61 17.2
  18.14f. 18.19
Schornsteinfeger
  7.14 11.35f. 16.60
schorren 16.56
Schoß S. 30 2.3 2.16
  4.42 5.26 5.41
  6.23 8.20 9.19
  9.36 9.54 11.9
  11.16 18.5 20.1
—, Hände in den —
  legen 9.19 9.36
Schöße 3.17 3.19
Schossert 16.56
Schoßhund S. 126
  9.75 11.53 16.115
Schoßkind 9.77
  11.7 11.53
Schößling 2.3 4.42
  5.41 16.9
Schote 5.50 2.27
  3.20
Schotenfrüchte S. 50
Schotenklowes 20.6
Schotten 2.27
Schotten (Mönche)
  20.17
Schotter 3.53 7.48
Schottisch 16.58
Schrader 16.60
schraffieren 15.4
  15.7
Schraffierung 7.6
schräg 2.33 3.13
  3.15 3.32
Schräge 2.5
Schragen 2.48 17.4

Schrägen 2.5
Schragn 4.12
schräh 3.15
schrämen 3.44
Schramme 2.42 3.10
  11.28
Schrammelmusik
  16.55
Schrank 17.2 17.4
Schränk 2.5
Schranke(n) 3.23f.
  9.73 11.8 11.11f.
  16.69 16.73 16.75
  16.117 16.119
  19.28
schrankenlos 3.1
Schränkzeug 3.57
Schranne 16.25 19.28
Schranze 16.32
  16.112 16.114f.
schranzenhaft 11.48
  16.32
Schranzentum
  16.115
Schrapnell 17.13
schrappen 3.53
Schrätteli 2.41
Schratt 20.5f.
Schrätz 20.6
Schraube 4.6 8.6
  8.32 12.57 16.7
  16.54 17.15f.
Schraubendampfer
  8.5
Schraubengang 3.46
  8.32
Schraubenlinie 3.46
Schraubenschlüssel,
  -zieher 17.15
Schrebergarten 2.5
Schreck(en) 9.61
  11.30 11.42
Schreckbild 11.28
  11.42 20.5
Schrecken, panischer
  11.42
schrecken 7.33 16.68
  16.90
schreckensbleich
  11.42
Schreckensherrschaft
  11.42 16.108
Schreckenskunde
  11.42

Schreckensregierung
  16.108
Schreckenssystem
  11.42 16.107
schreckensvoll 11.14
  11.28
Schreckerscheinung
  11.28
Schreckgespenst 11.28
  11.42 20.5
Schreckgestalt
  11.28
schreckhaft 11.43
Schreckhaftigkeit
  11.43
schrecklich 4.50 5.47
  11.14 11.28 11.42
  19.9
Schreckschuß 11.42
Schrecksekunde 11.8
  11.42
Schrei 7.24 7.31
Schreibart 13.38
  14.4f.
Schreibe, die 14.1
  14.4
schreiben 4.41 12.27
  13.16 13.38 14.2
  14.5 14.8 18.15
  18.19 18.27 19.32
  20.12
—, mit eisernem
  Griffel 6.7
—, das Jahr 6.9
Schreiben 13.2 14.8
Schreiber 14.1 14.5
  14.9 14.11 16.60
  19.28
Schreiberknecht
  16.112
Schreiberwirtschaft
  16.99
Schreibfehler 16.54
Schreibgerät 14.5
Schreibmaschine
  14.5
Schreibpapier 14.5
  14.9 17.8
Schreibschrank 17.4
Schreibspiele 16.56
Schreibstube 17.2
  18.25
Schreibstubenbulle
  16.60

Schreibsucht 14.5
Schreibtisch 17.4
Schreibweise 13.38
15.3
Schreibwut 14.5
Schreibzeug 14.5
Schreibzimmer 17.2
schreien 7.26 7.31
7.33 f. 11.29 11.33
11.42 13.13 15.13
16.33
schreiend 7.11
11.29
Schrein 17.4 17.7
18.21
Schreiner 9.18 16.60
schreiten 11.25 16.6
19.10
Schriemweg 4.7
Schrift 13.1 14.5f.
14.9 14.11 20.17
20.19
—, Heilige 5.6 20.17
20.19
— lateinische 14.8
Schriftart 16.5f.
Schriftchen 14.11
Schriften 14.9 14.11
19.14 19.27
Schriftführer 14.5
Schriftgelehrter
12.32 20.17
Schriftgrade 3.1 4.6
14.6
Schriftgrößen 4.6
Schriftleiter 12.49
14.11 16.60
Schriftleitung 16.96
schriftlich 14.5 14.8
19.14
Schriftlöschung
12.40
Schriftmetall 14.6
Schriftprobe 14.5
Schriftseite 18.21
Schriftsprache 13.12
Schriftsteller 12.32
14.1 14.11 16.60
Schriftstück 13.2
13.46

Schrifttum 14.1f.
14.12
Schriftverfälschung
16.72
Schriftverkehr 9.80
Schriftzeichnen 14.5
Schriftzeug 14.6
schrill 7.26 7.31
15.18
Schrillheit 7.31
Schrippe 2.27
Schritt(e) 3.7 3.9
3.37 4.6 4.42 5.16
6.13 6.31 8.1 8.8
9.14f. 9.18 9.21
9.26 9.29 11.36
16.6 16.22 16.38
16.49
— und Tritt, auf
3.7 6.31 11.36
— tun, den ersten
16.22
Schrittmacher 9.26
9.29 16.57
schrittweise 3.37
5.19 5.26 8.8
Schröder 16.60
schroff 3.11 3.13
3.53 16.53
Schroffheit 3.53
7.44 16.53
schroh 7.44 7.46
10.9
schröpfen 2.44 4.30
18.6 18.27
Schröpfer 2.44 17.15
Schröpfkopf 2.44
Schroer(s) 16.60
Schrot 3.50 17.13
18.21 19.1 19.4
Schrot und Korn
19.1
Schrotbrot 2.27
Schröter S. 97 16.60
schrotten 5.42
schrubben 9.66
Schrubber 9.66
Schrulle 9.10 11.24
schrullenhaft 11.24
schrullig 11.24
schrumpeln 3.45 4.5
6.27

schrumpfen 2.25
4.5 4.11
Schrumpfniere 2.41
Schrumpfung 4.5
Schrunde 2.42 11.28
Schub 6.33 8.3
8.24 19.32
Schubart 16.60
Schubert 16.60
Schubfach 4.47
Schubiak (Schub-
jack) 19.8f.
Schubkarren 8.4
Schublade 17.4
Schubladenkasten
17.4
Schublädle 2.20
Schublädlezieher
16.60
Schublehre 17.15
schubsen 8.9
schüchtern 11.42f.
11.47f. 16.50
Schüchternheit
11.42 11.47
Schucker 19.29
schuckern 8.34 10.5
Schuder 19.29
Schuft 16.72 16.94
19.8ff.
schuften 9.38 9.40
Schufterei 9.40 19.8
19.10
Schuftereibeiz 19.33
schuftig 19.8 19.10
Schuh 3.20 4.41
11.14 11.32 11.42
16.6 16.27 17.9
19.12 19.32
Schuhmacher 16.60
Schuhplattler 8.29
16.58
Schuhriemen 9.59
17.9
Schuhsenkel 17.9
Schuhsohlen 9.38
12.35
Schuhwerk 17.9
Schularbeiten 12.35
Schulbuch 12.32f.
Schuld 11.54
16.113 18.17 18.19
19.11 19.25

siehe Schulden und
schuldig
Schuldbefund 19.31
Schuldbekenntnis
19.5
schulbeladen 19.10f.
Schuldbeladener
19.9 19.11
Schuldbetrag 18.17
schuldbetroffen
19.11
schuldbewußt 19.5
19.11
Schuldbewußter
19.9 19.11
Schuldbewußtsein
19.5
Schuldbrief 18.16f.
schulden 11.54
16.113 18.17
Schulden 3.4 18.17ff.
18.26 19.26
— sich in stürzen
18.17
Schuldenausgleich
16.80
schuldenfrei 18.3
Schuldenmacher
18.14 18.17
Schulderkenntnis
19.5
Schuldforderung
18.16f.
schuldfrei 19.4
19.30
Schuldgefühl 19.5
Schuldgeständnis
19.5
schuldig 9.19 18.17
19.5 19.11 19.24
19.31
s. Schuld(igkeit)
Schuldiger 19.9
19.11
Schuldigkeit 9.22
16.107 16.113
19.19 19.24
s. schuldig
Schuldigsprechung
19.31

Schuld(en)konto
18.17
schuldlos 19.4 19.30
— sprechen 19.30
Schuldner 18.17
18.19
Schuldopfer 16.80
20.16
Schuldrechnung
18.17
Schuldschein 13.46
18.16f. 18.30 19.16
Schuldspruch 19.31
Schuldsumme 18.17
Schuldturm 16.117
19.33
Schuldverschreibung
18.17 18.30
Schuldwange 2.48
Schule 5.18 6.27
9.26 9.31 9.52
11.12 12.22f.
12.32f. 12.36 13.53
15.3 16.56 20.20
— absolvieren 9.52
schulen 3.37 9.26
12.33
Schüler 9.29 9.70
12.35 16.6
—, fahrender 16.6
18.4
schülerhaft 9.53
12.35ff.
Schülerrolle 6.2
Schulfuchs 3.37
11.25 11.45 12.32
·12.37 16.33
Schulfuchserei 11.49
16.33
Schulgang 20.13
Schulgebet 20.13
Schulgeld 12.37
schulgemäß 9.25
Schulgenoß 16.41
schulgerecht 9.25
Schulhaupt 16.95
schulisch 12.36
Schulkamerad 16.41
Schulmann 12.33
Schulmeister 11.25
12.33 12.55 16.33
16.60 16.90
schulmeisterlich
12.33

schulmeistern 12.33
16.33 16.90
Schulrat 12.33
Schulreiter 12.33
Schulschiff 12.36
Schulschwänzer 9.24
Schulsprache 12.32
12.35
Schulte 16.60
Schulter 2.16 2.27
3.18 3.48 9.21
9.68 11.8 16.27
16.31 16.36 16.52
16.87 17.5 19.24
Schultergehänge 3.17
Schultheiß 16.50
16.96 16.98f.
19.27f.
Schultz 16.60
Schulung 9.26 9.31
12.32f.
Schulungskurs,
-lager 9.26 12.36
Schulwissenschaft
13.2
Schulz(e) 16.60
16.96 16.98 19.28
Schulzeit 12.36
Schulzimmer 17.2
Schumann 16.60
Schumm 2.31 2.33
schummern 7.6
Schummerstunde 6.4
7.6
schummrig 7.6
Schund 9.45 9.60
11.29
Schüngeltage,
-woche 16.8
Schunkel 16.56
schunkeln 8.33 11.21
16.58
Schüntertag 16.8
schupfen 8.9
Schupo 19.29
Schuppe 4.13 4.42f.
schuppen 3.22
Schuppen 2.41 3.20
10.15 17.1
Schuppenflechte 2.41
Schuppenpanzer 3.20
schuppig 3.20 4.43
Schups 8.9
Schuradt 16.60

Schüreisen 7.36f.
schüren 5.36 7.36
9.38 11.5 16.67
schürfen 1.23 3.49
Schürhaken 11.58
16.67
Schurig 16.60
schurigeln 11.60
16.79
Schurke 16.72 16.94
19.8f. 19.29
Schurkerei 19.8
19.10
schurkenhaft 19.8
schurkisch 19.8
schurren 16.56
Schürze 2.16 2.20
3.20 9.66 9.75
17.9
— hängen an der
9.75
schürzen 16.8
Schürzenherrschaft
16.95 16.97
Schürzenjäger 10.21
11.53
Schürzenkind 9.75
Schürzkuchen 2.27
Schürztag 16.8
Schuß 2.33 4.24 5.35
7.29 8.9 8.19 8.25
11.21 13.1 16.57
16.68 16.76 17.8
— blinder 13.1
16.68
— durch 8.25
— kommen, vor
den 3.9 8.19
schußbereit 17.2
Schussel 12.56
Schüssel 1.21 2.26
10.11 16.17
17.6
Schüsselbrett 8.3
schusseln 12.13
16.56
Schüsseln 2.16
schusselig 9.53
Schußfahrt 8.30
schußfest 9.75
Schüßler 16.60
Schußwaffe 17.11f.

Schußweite 3.8 11.40
Schußwunde 2.42
Schuster 9.53 9.60
16.6 16.60
Schusters Rappen,
auf 16.6
Schusterbrust 2.41
Schusterbuben 1.8
Schusterjunge 2.27
Schute 8.5
Schutenhut 17.9
Schutt 1.8 1.14
7.36 7.49
Schüttboden 4.18
Schütte 2.4
Schüttelfrost 2.41
7.40 10.5
schütteln 1.21 3.38
8.18 8.34 9.27
9.32 11.21 13.1
16.27 16.38 16.68
—, aus den Ärmeln,
9.27 12.52
Schüttelreim 13.13
schütten 1.8 7.55
schütter 6.29
schüttern 13.15
Schüttler 2.41 8.34
Schutz 3.58 9.66
9.70 9.75f. 11.52
16.31 16.77 16.95
16.97 16.119
17.14 19.19
— gegen 3.58
Schutzbefohlener
9.75
Schutzbrief 9.75
Schutz- und Trutz-
bündnis 9.68f.
Schutzdach 9.76
Schutzdecke 9.76
Schürze 1.2 2.12
9.52 16.74 17.12
schützen 3.26 9.75
11.40
—, sich — hinter
3.27
Schützenfest 4.32
16.59
Schutzengel 9.75
16.41 20.6
schützengrabenver-
dächtig 2.38

Schützenhaus 16.64
Schützenkönig 9.77
　16.39
Schützenlinie 16.73
Schützer 9.70 9.75
　16.41 16.77 20.7f.
Schutzfarbe 5.18
　5.25 16.72
Schutzflehender
　19.26
Schutzgeist 11.52
　16.41
Schutzhaft 16.117
　19.33
Schutzheiliger 9.75
　16.41
Schutzherrschaft
　16.95 16.97
Schutzhütte 9.76
　17.1
schutzimpfen 2.44
Schützling 9.75
　16.41 16.112
schutzlos 5.37 9.74
Schutzlosigkeit 5.37
　9.74
Schutzmann 13.23
　19.29
Schutzmannschaft
　19.29
Schutzmarke 18.20
Schutzmittel 2.44
　12.42
Schutzraum 9.76
Schutzwaffe 17.11
Schutzwand 9.76
Schwaben, die sieben
　11.43
Schwabenstreich 9.51
Schwabing 15.4
schwach 2.39 5.37
　7.6 7.27 9.7 9.19
　9.41 9.45 11.15
　12.19 12.56 13.42
　16.110 18.28 19.10
　19.13
Schwäche 2.39 2.41
　5.37 8.8 9.1 9.7
　9.41 9.65 11.2
　11.36 13.42 16.110
　19.10
schwächen 2.39 4.5
　5.37 9.63 9.73
　13.47

schwächer liegen
　18.28
schwachherzig 11.43
　11.50
Schwachherzigkeit
　11.43
Schwachkopf 9.53
　12.56
schwachköpfig 9.53
schwächlich 2.41
　5.37 9.65
Schwächling 5.37
Schwachmatikus
　2.41 5.37
schwachsichtig 2.41
　10.17
Schwachsinn 2.41
　12.56f.
schwachsinnig 12.56
Schwachstrom 17.17
Schwächung 4.5 9.34
　9.61 16.44
Schwaden 4.20 7.60
schwadmen 7.6
Schwadron 16.74
Schwadroneur 16.89
schwadronieren
　13.22 16.89
Schwager 2.41 8.4
　16.6 16.9 16.60
　16.96
Schwägerin 16.9
Schwäher 16.9
Schwalbe S. 112; 122
　16.78
schwalben, einem
　eine 16.78
Schwalbenschwanz
　17.9
Schwalch 3.57
schwalgen 7.6
Schwall 4.22 13.43
Schwamm S. 9f. 2.27
　2.32 2.41 3.27
　3.48 7.38 7.50
　8.23 9.66f.
　12.40 16.47
schwammartig 3.57
Schwammbuckel 4.10
Schwämmchen 2.27
Schwämme S. 92
Schwammerl 4.10
schwammig 4.10
　7.48 7.50

Schwan S. 117 1.2
　7.13
Schwanengesang 2.45
　9.33
Schwang 9.31 16.61
schwanger 2.6 2.20
　9.14
schwängern 1.21
　2.20 8.26
Schwangerschaft
　2.20 5.39 9.26
schwank 7.45
Schwank 11.23f.
　14.3 16.54f.
schwanken 2.33 3.17
　5.7 5.21f. 5.25
　8.31 8.33 9.5
　9.7ff. 9.11 11.19
　11.42 12.23
Schwanz 2.16 3.17
　4.24 8.6 9.51
　11.32 13.25 16.83
schwänzeln 3.17 16.32
schwänzen 9.19
　9.24 16.28 19.25
Schwanzflosse 8.6
Schwanzkringler
　16.33
Schwappe 16.78
schwappen 8.33
Schwären 2.41 3.48
Schwarm 4.20 11.53
　16.16f.
schwärmen 4.20 8.22
　11.5 11.11 11.53
　12.27f. 16.6 16.31
　16.119
Schwärmer S. 95 7.5
　9.8 11.11 12.28
Schwärmerei 11.5
　11.53 13.52
schwärmerisch 11.5f.
　11.53 12.28
Schwarte 2.16 2.27
　14.11
Schwarz 7.14 9.77
　13.51 16.68
schwarz 2.41 4.49f.
　5.23 7.14 11.17
　11.31 11.42 11.55
　16.29 16.68 16.72
　18.25 18.29 19.23
　19.32 20.12
— auf weiß 13.46
　14.5

Schwarzbrot 2.27
Schwarzbeere S. 65
　2.27
Schwarzdruck 14.6
　14.8
Schwarze, der 20.9
Schwärze 7.14
schwärzen 7.14
　16.72 18.9 19.20
Schwarzer Peter
　16.56
Schwarzerde 1.14
Schwarzes 11.57
Schwarzfahrer 16.72
　18.29
Schwarzfahrt 9.86
Schwarzhörer 18.29
schwarzgrau 7.15
Schwarzkunst 15.5
　20.12
Schwarzkünstler
　9.52 12.43 16.60
　20.12
Schwarzkutte 20.17
schwärzlich, Schwärz-
　lichkeit 7.14
Schwarzmann 16.60
Schwarzmarktpreis
　18.27
Schwarzn 2.41
Schwarzrock 20.17
Schwarzseher 11.27
　11.32 11.41 12.23
　12.43
Schwarzseherei
　11.32 11.41
Schwarzsender 13.4
Schwarzwasserfieber
　2.41
Schwarzweißkunst
　15.4
Schwarzwild S. 127
Schwarzwurz(el)
　S. 88 2.27
schwatzen 13.21f.
　13.30 16.68
schwätzen 13.5
　13.22
Schwätzer 11.26
　13.22
Schwätzerei 13.7
schwatzhaft 13.2
　13.22
Schwatzhaftigkeit
　13.5

Schwebe 3.17 5.7
9.7 11.35
—, in der 5.7 6.1
Schwebebahn 3.17
8.28 16.6 -7.13
schweben 3.17 3.33
5.7 7.42 8.6 16.7
schwebend (lang-
wierig) 6.7
Schwede(n) 4.50
Schwedengrab,
-kreuz, -mord,
-stein 2.48
schwedische Gar-
dinen, hinter 19.33
Schwefel 1.14ff.
4.50 7.19 7.38
Schwefeläther 1.29
Schwefelbande 16.94
Schwefelhölzchen
7.38
Schwefelkies 1.25
schwefeln 13.51
Schwefelpfuhl 20.11
Schwefelsäure 1.28
Schwefelwasserstoff
7.60 7.64
Schweif 2.16 3.17
3.27
schweifen 8.1
Schweifung 3.46
schweifwedlerisch
11.48
Schweigegeld 9.17
19.27
schweigen 2.30 7.28
13.4 13.15 13.23
16.36 16.52
—, zu Tode 16.36
Schweigen 7.28 9.33
9.77 11.42 12.37
13.4 13.21 13.23
16.76
schweigsam 7.28
13.4 13.23
Schweigsamkeit
13.23
Schwein S. 127 2.27
2.33 4.50 5.46
9.67

Schweinegeld 4.50
Schweineglück 4.50
Schweinehitze 4.50
Schweinehund 11.38
16.33
Schweinerei 3.38
9.61 9.67 16.44
Schweinestall 9.67
Schweinewetter 1.7
Schweinfurter Grün
1.28
Schweinigel S. 125
16.33 16.44
schweinisch 16.44
Schweiß 2.16 2.35
2.39 7.57 9.38
9.40
schweißen 2.42 4.33
Schweißfuß 2.41
Schweißhund S. 126
Schweißloch 7.56
schweißtriefend 2.39
Schweißtuch 2.46
2.48
Schweizer 16.60
16.74 16.101
Schweizerdegen 14.6
Schweizergarde
16.112
schwelen 7.4 7.6
7.36
schwelgen 2.26 10.11
11.9 11.11 18.14
Schwelger 10.21
11.11 18.14
Schwelgerei 2.32
4.22 10.11 11.11
18.14
schwelgerisch 11.11
Schwelle 6.2 8.20
8.23
schwellen 3.48 4.3
4.10 7.45 11.5
11.44f.
—, die Brust 11.5
Schwellenwert 4.4
Schwellung 3.13 3.48
4.3 4.10 8.28 9.63
Schwemme 16.64
Schwendtner 16.60
Schwengel 2.22 3.17
schwenken 3.17 8.12
8.32f. 9.66

Schwenker 16.60
17.9
Schwenkung 3.46
8.12 8.32 9.9
schwer 2.20 2.33
4.50 7.41 9.5 9.44
9.55 11.13f. 11.19
11.32 11.58 12.56
13.35 18.3 19.9
Schwerarbeiter 16.60
Schwerathlethik
16.57
schwerblütig 11.25
Schwere 4.1 5.35
7.41 9.44 11.8
19.32
Schwerebrett 11.5
Schwerenot 11.5
Schwerenöter 11.53
12.52 16.38
schwerfallen 9.54
schwerfällig 4.1 4.10
5.19 8.8 9.7 9.19
9.24 9.41 9.53
9.55 11.8 11.28
12.13 12.56 16.53
Schwerfälligkeit
9.53
Schwergewicht 5.10
7.41
schwerhörig,
Schwerhörigkeit
10.20
Schwerkraft 8.30
20.5
schwerlich 5.5
Schwermut 2.41
11.13 11.32
schwermütig 11.13
11.32
Schwerpunkt 3.18
3.28 4.50 5.10
9.44 11.14 16.95
16.107
Schwerspat 1.25
Schwert 17.11
Schwertadel 16.84
Schwertfeger 16.60
Schwertleite 16.85
16.103

Schwerttanz 16.58
Schwerverbrecher
19.8
Schwerverdiener
18.5
schwerwiegend 9.44
Schweser 2.27
Schwester 5.17 16.9
16.41 16.60 20.22
—, barmherzige
16.41
— im Herrn 20.22
Schwesternküsse
2.27
Schwesterschaft
16.17
Schwestersohn 16.9
Schwibbogen 3.46
Schwieger 16.9
Schwiegermutter
11.58 16.9 16.67
Schwiegersohn 16.9
Schwiegertochter
16.9
Schwiegervater 16.9
Schwiele 2.41f. 3.48
schwierig 9.40 9.55
11.19 11.58 13.4
13.35
Schwierigkeit 9.8
9.26 9.40 9.42
9.54f. 9.77 13.35
16.65
schwimmen 5.19
5.25 5.46 7.42 8.1
8.28 9.54 9.78
11.9 11.33 12.23
16.7 16.65 16.115
Schwimmen 16.57
Schwimmer 2.16
Schwimmkraft 7.42
Schwindel 2.41 8.32
9.13 9.45 10.17
10.27 12.57 13.51
16.72 18.9 19.8
19.21
Schwindelanfall
8.33
Schwindelei 9.13
schwindeln 10.17
13.51 16.89

schwinden 4.5
Schwindler 13.51
16.72 18.8 19.8f.
Schwindsucht 2.41
4.5 11.31
schwindsüchtig
(klein) 4.11 5.37
Schwinge 2.5 2.16
9.75 17.7
schwingen 3.17 8.28
8.33 9.77 16.58
20.12
—, sich 8.28 9.77
Schwinger 16.57
Schwingung 8.33
Schwippschwager
16.9
Schwips 2.33
schwirren 7.27 7.30
7.32
Schwirrholz 15.15
20.12
Schwitzbad 7.35
Schwitze 2.27
schwitzen 2.35 2.39
7.35 7.55 7.57
7.60 8.24 9.40
9.46 10.4 11.42
Schwitzer 17.9
Schwoof 2.16 11.11
16.58
schwoofen 16.58
schwören 5.18 13.50
16.23 16.31 16.37
16.42 16.48 16.74
schwül 7.35 7.41
11.24
Schwüle 7.35 9.74
Schwulität 4.25 9.78
Schwulst 3.60 4.22
11.28 13.22 13.32
13.43 13.52 16.89
schwulstig 3.60
11.29 13.22 13.43
13.52 16.89
Schwumbse 16.78
schwummerig,
schwummelig
11.15

Schwung 2.22 3.46
5.35 8.9 9.29
9.31 9.38 9.52
16.60
schwunghaft 13.41
16.61
schwungvoll 14.2
15.3
Schwur 13.28 13.50
16.23 16.37
— falscher 13.51
Schwurgericht
19.27f.
scilicet 13.17
Scirocco 1.6 7.35
Scriba 16.60
Scribent 14.1
Scribifax 14.1
Scylla siehe Skylla
s'deet mir ufflije
16.27
Seal 17.9
Sebastian 16.3
Sebenbaum S. 12
sechs(fach) 4.39
Sechseck 4.39
Sechser 2.16 18.21
sechsminutig 6.1
sechsseitig 4.39
Sechsteilung 4.45
sechster 12.1
Sechsundsechzig
16.56
Sechzig 4.39
secieren s. sezieren
Sedativ 2.44 11.8
Sediment 7.43
Sedimentgesteine
1.26
See 1.6 1.18 3.1
4.17 8.5 9.54 16.7
Seearm 7.55
Seebad 2.44
Seebär S. 126 16.7
Seeblick 16.64
Seebehörde 16.97
Seefahrer 16.7
Seefahrt 16.7
Seefe (sächs.)
13.29
Seefelde 1.19
Seefisch S. 99f. 2.27

Seegang 7.55 8.34
Seegemälde 15.4
Seegras S. 15 7.50
seegrün 7.18
Seehund S. 126
— (Getränk) 2.31
Seejungfer S. 95 1.18
Seekadett 16.7 16.74
seekrank 2.35
Seekuh S. 127 12.56
Seele 2.13 2.45 3.19
3.37 4.26 4.41
4.50 5.10 6.3
9.8 9.44 11.1ff.
11.5 11.33 11.41
11.50f. 11.53f.
12.2 12.18 12.47
16.20f. 16.40f.
19.24 20.1 20.5f.
20.11
—, durstige 2.32
—, kleine 3.4
—, verruchte 19.9
Seelen, zwei und
ein Gedanke
5.16 12.47
Seelenachse 3.28
Seelenadel 19.2
Seelenamt 2.48
20.16
seelenblind 12.37
Seelenbrett 2.48
Seelendoktor 16.60
Seelenerrater 12.31
Seelenfrieden 11.16
seelenfroh 4.50
Seelengröße 19.2
seelengut 4.50 19.4
Seelenhaltung 11.2
12.3
Seelenharmonie
16.41
Seelenhirt 13.9
20.17
Seelenkünder 12.31
Seelenlage 11.2
Seelenleben 3.19
11.2 11.4
Seelenlehre 11.2
Seelenmesse 16.80
19.26 20.16
Seelenretter 20.17
Seelenruhe 11.8 12.22
seelenruhig 4.50

Seelenstärke 11.38
Seelenstöckl 2.48
Seelentäfele 2.48
Seelentränker 8.5
Seelentum 11.2 12.3
Seelenverfassung
11.2
Seelenverkäufer 8.5
seelenvoll 9.44 11.7
Seelenwanderung
5.24 5.40 20.10
Seelenwärmer 2.31
3.20
Seelenwelt 11.2
Seeleuchte 7.5
seelisch 11.1ff. 11.16
11.62 12.2
Seelsorger 13.9 20.17
Seemann 16.7 16.60
seemännisch 12.52
Seemannsgarn 16.89
Seemannsgrab 2.48
Seeoffizier 16.74
Seeräuber 18.9
Seeräuberei 18.9
Seerecht 19.19
Seeschlacht 16.67
16.73
Seeschlange 5.20
13.51
Seesperre 3.58
Seesterne S. 98
Seestraße 1.16
Seestück 15.4
Seeungeheuer 5.20
Seewasser 7.54 7.68
8.33
Seezunge S. 99 2.27
Segel 8.5 9.26 9.72
9.77 16.7 16.25
16.57 16.114
— hissen 8.18
— streichen 16.25
Segelboot 8.5 16.7
Segelfliegen 16.57
Segelflug(zeug) 8.6
segeln 8.1 8.5
9.54 16.7 16.57
—, unter einer
Flagge 13.16
Segelreise 16.7
Segelschiff 8.5
Segeltuch 17.8

Segen 2.6 4.3 5.46
16.10 18.5 20.16
segenbringend 9.77
regensreich 9.56
Segensspruch 16.31
Segge S. 15
Segler 8.5
— der Lüfte 7.60
Segment 3.46 4.34
4.42
segnen 11.54 16.31
20.12f. 20.15f.
—, mit den Fersen
8.18
Segnung 16.31 20.13
20.16
sehbar, Sehbereich
7.1
sehen 5.7 8.7 9.43
10.15f. 11.9 11.30f.
11.36 11.40 11.42
11.53 11.55 11.57
11.62 12.7ff. 12.22
12.32 16.64 16.93
16.109 19.32
—, bessere Tage
5.47 9.61 18.4
—, durch die Finger
16.25 16.47 16.109
—, sich — lassen 7.1
16.64
—, sich — lassen
können 9.56 11.17
—, sich nicht —
lassen 13.4
Sehenswürdigkeiten
6.29 16.55
Seher 2.16 12.43
20.12 20.17
Sehergabe 12.43
20.12
Sehne 2.16 4.33
5.35 7.46 9.79
sehnen, sich —
nach 11.36
Sehnerv 2.16
sehnig 5.35 7.45f.
sehnlich 11.36
Sehnsucht 11.26f.
11.36 11.53
sehnsüchtig 11.36
sehr 4.1 4.50 11.7
11.54 16.24

Sehrohr 10.16
Sehrunde 7.4 10.16
Sehstörung 10.17
Sehvermögen 10.15
Sehweite 3.9 7.1
sei dem, wie ihm
wolle 9.72
Seich 1.18 12.56
-beutel 13.22
seichen 1.8 2.35
13.22
seicht 4.15 12.55
Seichtigkeit 4.15
12.56
Seide 1.29 3.52 3.54
4.33 17.8 17.10
18.5
— spinnen, keine
9.78
Seidel 17.6
Seidelbast S. 59
Seidenhut 3.20
seidenweich 7.50
Seidenzwirn 11.5
seidig 3.52 11.17
seiern 13.22
Seife 1.29 7.52f.
7.63 9.66
Seifenblase 3.5 6.8
7.42 9.45 9.78
11.35 12.27 13.18
13.51
Seifenkistenrennen
16.57
Seifenkraut S. 43
Seifenschaum 7.59
Seifensieder (Ge-
ringschätzung)
4.50 16.92 16.94
seifig 7.51f.
Seiger 3.57
Seigerleinen 1.8
seigern 1.22
Seihe 17.6
seihen 1.22 3.37
8.25 9.11
Seiher 3.57
Seil 4.11 4.33 4.44
16.117 17.8
Seilbahn 3.17 8.28
Seiler 16.60
Seilhupfen 16.56

Seilsteuerung 16.57
Seiltänzer(in) 9.52
16.57
Seim 2.27 7.51 7.54
seimig 7.51
sein (existieren) 1.20
2.45 3.3 3.58 4.1
5.1f. 5.6
Sein 5.1 8.2
Sein oder Nicht-
sein 5.1
Seine, die 16.11
seine fünf nicht bei-
sammen haben
12.57
Seine, jedem das
19.18
seiner Zeit 6.19
seit 6.1 6.11f. 13.29
seitab 3.29
seitdem 6.11f.
Seite 3.23 3.29
4.35 5.9 9.44 9.70
11.16 11.35 14.8
14.11 16.17 16.30
16.83 18.10 19.10
19.27
— an — 3.14 4.37
16.41
—, grüne 3.31
—, schwache 9.65
19.10
—, von jeder 9.68
— stehen, zur 9.70
—, zur — von 3.29
Seiten- 3.29
Seiten 11.22 16.115
—, beide 19.18
—, von allen 3.7
3.24
Seitenaltar 20.20f.
Seitenansicht 3.18
3.29 7.2
Seitenbewegung 8.22
Seitenbild 3.29 7.2
Seitenflügel 4.34
20.20f.
Seitengalerie 3.29
Seitengasse 1.11 8.11
Seitengebäude 3.29
17.2
Seitengewehr 17.11
Seitenhieb 16.54
Seitenlage 3.29

Seitenschiff 20.21
Seitensprung 9.9
16.14 16.44
Seitenstechen 2.41
Seitenstück 4.28 5.7
12.10
Seitentisch 3.29
Seitentür(e) 3.57
Seitenverwandtschaft
16.9
Seitenwendung 3.46
Seitenwind 3.29
Seitenzahl 4.35
Seitenzweig 16.9
seither 6.12 6.18
seitlich 3.29
-seits 3.29
seitwärts 3.29 8.18
sejeln 8.1
Sekante 3.15
sekkieren 11.12 11.60
16.79
Sekret 2.35 7.54
Sekretär 9.70 14.1
14.5 14.9 16.60
16.99 16.103
16.112 17.4f. 19.28
Sekretärin 14.5 16.60
Sekt 2.31 7.59
Sekte 4.17 4.34
12.22 16.16
Sektfrühstück 2.31f.
Sektierer 20.2
Sektiererei 20.2
Sektion 4.34 4.42
4.47 12.8
Sektkorken 7.29
Sektkübel 7.40
Sektkühler 7.40
Sektor 4.34 4.42
Sekundant 9.70
16.57
sekundär (unwichtig)
6.12 9.45
Sekundawechsel
18.21
Sekunde, Augenblick
6.1 6.9 6.13 6.24
8.7 15.11
sekundieren 9.70
Sekundogenitur
16.97
selah 9.33

selbander 4.33 4.37
16.40
selber 5.33
Selberaner 4.34 5.14
selbiger 5.15
Selbigkeit 5.15
selbst 4.51 5.14 5.33
9.2 11.1 11.8
11.45
Selbst 5.10 11.1
16.41 19.3 19.7
Selbstachtung 11.48
Selbständig 5.1
16.119
Selbständigkeit 5.6
16.12 16.94 16.119
Selbstanklage 19.5
selbstanklägerisch
19.5
Selbstbefleckung 9.61
16.44
Selbstbeherrschung
9.6 11.12 11.17
11.40 16.119 19.2f.
Selbstbekenntnis 19.5
Selbstbescheidung
11.12
Selbstbeschränkung
11.12
Selbstbeschuldigung
19.5
Selbstbesiegung
11.12 19.3
Selbstbestimmung
9.2 16.95 16.119
Selbstbeweihräuche-
rung 11.45
selbstbewußt 11.44
Selbstbewußtsein
11.44 12.22
Selbstbezähmung
11.12
Selbstbezwingung
11.12
Selbstbinder 17.9
Selbstdisziplin 16.38
Selbsteinkehr 19.5
Selbstelei 19.7
Selbstentäußerung
11.48
Selbstentsagung
11.12
Selbsterhaltung
16.77

Selbsterkenntnis
11.48 19.5
Selbsterniedrigung
11.48 16.115
selbstgefällig 11.44
16.90
Selbstgefühl 11.44
12.22
—, Mangel an 11.48
Selbstgeißelung
20.13
selbstgenügsam 4.26
4.36 5.14
selbstgerecht 20.14
Selbstgespräch 13.21
13.27 13.30
selbstherrlich 11.44
16.108
Selbstherrlichkeit
11.45
Selbstherrschaft
16.108
Selbsthilfe 9.2 19.20
Selbstigkeit 9.47
selbstisch 9.47 11.63
19.7
Selbstjustiz 19.20
Selbstkostenpreis
18.28
Selbstkritik 11.48
Selbstlaut 13.13
Selbstler 9.47
selbstleuchtend 7.4
Selbstliebe 11.45
19.7
Selbstling 9.47 19.7
Selbstlob 11.45 16.31
selbstlos 9.50 19.2
9.70 11.51f. 19.2
Selbstlosigkeit 9.50
19.2
Selbstmord 2.47
19.20
selbstmurmelnd
13.28
selbstpeinigend 20.13
Selbstpeiniger 11.32
20.13
Selbstprüfung 11.48
Selbstquälerei 11.32
selbstquälerisch
20.13

selbstredend 5.6
13.28
Selbstregierung 16.97
Selbstschätzung 11.44
selbstschuldnerisch
19.1
Selbstschuß 9.74
13.10 16.71
Selbstschutz 16.101
selbstsicher 11.38
Selbstsucht 9.47
11.63 18.11 19.7
selbstsüchtig 9.47
11.63 19.7
Selbsttadel 19.5
selbsttätig 5.33
Selbsttätigkeit 9.2
Selbsttäuschung
12.25 12.28
Selbstüberhebung
11.45
Selbstüberschätzung
11.45 16.90
Selbstüberwindung
11.12 19.3
Selbstunterricht
12.32
Selbstunterschätzung
11.48
Selbstverdammung
19.5
selbstvergessen 11.51
Selbstvergottung
11.45
Selbstvergötterung
16.31
Selbstverherrlichung
16.31
Selbstverkleinerer
11.48
selbstverleugnend
19.2
Selbstverleugnung
9.50 11.12 11.51
16.82 19.2f.
Selbstversagung
11.12
selbstverständlich
5.6 12.32 13.16
13.28 19.24
Selbstverteidigung
16.77

Selbstvertrauen 9.6
11.38 11.42 11.45
— Mangel an 11.48
Selbstverurteilung
19.5
Selbstvorwurf 19.5
Selbstzufriedenheit
11.16 16.90
Selbstzweck 5.14
Selcher 16.60
Selektion 9.11 16.120
selig 2.33 2.45 5.46
11.9 16.109 20.1
20.10 20.13
Seligkeit 2.32 11.9
16.109 20.1 20.10
20.13
seligmachend 20.10
Seligmacher 20.7f.
Seligwerdung 16.80
Sellerie S. 62 2.27
Selma 16.3
Selo 19.29
selten 4.24 5.14 5.20
9.32 9.56
Seltenheit 4.19 4.24
5.20 6.29 9.56
Selters 2.30
seltsam 5.20 11.24
11.29f.
Sestsamkeit 5.20
9.10 11.23 12.28
Semantik 13.17
semantisch 13.17
Semasiologie 13.17
Semester 2.24 6.1
Semikolon 6.15
Seminar 12.33 12.36
19.33
Seminarist 12.35
semitisch 16.53
Semmel 2.27
Semmelarchitekt
16.60
semmelblond 7.19
Semmelhase 2.27
Semmelweis 16.60
Semmler 16.60
Senar 14.2
Senat 16.97 16.99
16.102 19.27
Senator 16.99 16.102
16.104

Sendbote 12.33
16.104
Sende 16.78
Sendefolge 9.15
senden 8.3 8.18 16.67
Sender 7.24
Sendespiel 14.3
Sendgraf 16.104
Sendling 13.8
Sendschreiben 13.6
Sendung 9.22 16.103
Sendungsglaube
16.18
Seneschall 16.97
16.112
Senf S. 42 2.28
7.19 7.68 13.21
Senfkorn 4.4
Senge 16.78
sengen 5.42 7.36
senil 2.25
Senior 2.25 6.4
Senkblei 4.14 12.12
Senke 3.44 4.13
Senkel 4.33 17.9
senken 4.5 4.14 4.52
8.30 16.93 18.28
Senkgrube 9.67
Senklinie 3.11
senkrecht 3.11
Senkrechte 3.11
Senkung 3.13 4.5
8.27
Senkwaage 7.54
Senne 1.13 3.33
8.11 16.59 18.25
Senner(in) 16.101
Sennhütte 16.64
17.1
Sensation 11.4
16.85
sensationell 11.30
16.85
Sensationslust 11.6
16.35
Sensationsprozeß
19.12 19.27
Sense 2.5 3.43 3.46
3.55 17.11 17.15
Sensenmann 2.45
sensibel 11.4 11.58
Sensibilität 10.1
11.4 11.7

sensitiv 11.4 11.7
Sensitivität 10.1
11.4
Sensualist 10.21
sensualistisch 11.4
Sensualität 11.11
11.22
sensuell 10.21
11.11
Sentenz 12.17 12.22
13.17 13.20 13.28
13.44 19.27
sentimental 11.7
11.32 14.2
Sentimentalität
11.50
separat 4.34
Separation 4.34
Separatismus 20.2
Separatist 4.34
separieren 4.34
Sepia S. 98 15.4
Sepp 16.3
Seppuko 2.47 5.29
Sepsis 2.41 9.74
September 6.9
Septentriones 1.2
Septett 4.39 15.12
septisch 2.41
Septuagesima 20.16
Septuaginta 20.19
Sequenz 15.11
Sequester 9.75 18.6
sequestrieren 9.75
18.16
Serail 16.11
Serailhüter 16.101
Seraph 19.4 20.6
seraphisch 11.10
20.6
Serenade 15.11f.
16.42
Serenissimus 16.98
Serge 17.8
Sergeant 16.74
Serie 3.35 4.17 5.19
6.34
Serien- 5.16
Serienartikel 18.24
seriös 9.25 11.25
Serpentin 1.26
Serpentine 3.46
Serum 2.44 7.54

servieren 2.26
16.22 16.57 16.112
Servierfräulein
16.112
Serviette 9.66
servil 11.47f.
16.115
Servitut 16.111
19.22
Servus 8.18 13.24
16.38
Sesam, tu dich auf
20.12
Sessel 3.16 17.3
seßhaft 3.3 6.7
Sestine 14.2
Sette 17.6
Setzei 2.27
setzen 3.37 5.13 5.15
8.3 8.29f. 9.17
9.21 11.35 11.45
12.29 15.12 16.2
16.33 16.88 16.77
16.97 16.105
16.107 16.111
16.117f. 18.16
18.21 19.14 19.21
19.27 19.32f. 20.1
—, den Stuhl vor
die Türe 8.18 8.24
16.105
— hinter Schloß
und Riegel 19.32
—, sich 7.43 8.2
8.30 9.36 16.6
16.65
—, sich auf sein
Altenteil 16.105
—, sich aufs hohe
Pferd (Roß)
11.44f.
Setzer 14.6 16.60
Setzling 2.3
Setzmaschine 14.6
Setzteich 2.10
Seuche 2.41 9.63
Seuchenherd 2.41
2.43 7.64 9.67
Seuchenstoff 2.43
Seuchenträger 2.43
seufzen 7.34 9.40
11.33 11.36 11.53

Seufzer 7.34 11.32f.
Seufzerbrücke 16.50
sex appeal 8.14
10.21 11.17 11.53
Sexagesima 20.16
Sexte 15.11
Sextett 4.39 15.12
Sexualneid 11.56
Sexualsphäre 2.16
10.21
Sezession 4.34 15.1
16.116
Sezessionist 4.34
sezessionistisch 15.3
sezieren 3.57 4.34
12.8
sforzato 15.11
Shaker 20.1
Share 18.2
Shawl 17.9
Sherlock Holmes
12.53
Sherry 2.31
Shetlandwolle 17.8
Shimmy 16.58
Shorts 17.9
Shrapnel, Schrap-
nell 17.13
Siach 16.33
Sial 1.3 1.14 1.26
Sibirien 19.32f.
sibirisch 7.40
Sibylle 12.43 13.35
16.3
sibyllinisch 13.35
sic transit gloria
mundi 9.78
Sichel 2.5 3.43 3.46
3.55 17.15
sichelförmig 3.43
Sichelhenke 16.59
sicheln 2.5
sicher 4.50 5.6 9.75
11.40 12.22 12.26
13.28 13.46 14.9
16.77 18.3 19.16
20.1
sichergehen(d) 9.42
11.40 13.10
Sicherheit s. sicher
3.58 5.6 8.18 9.6
9.75 11.8 16.77
18.25 18.30 19.16
20.1

Sicherheitsdienst
16.101
Sicherheitskommis-
sarius 9.42 11.43
Sicherheitslampe
9.76
Sicherheitsmaßregel
13.48
Sicherheitsventil
9.76
Sicherheitsverwah-
rung 16.117 19.33
Sicherheitswache
9.75
sicherlich 12.26
12.47 13.28
sichern 9.75 18.22
19.16
sicherstellen 18.6
19.16
Sicherstellung 19.16
Sicherung 9.75
11.40 19.16
Sicherungsverwah-
rung 19.33
Sichling 2.5
Sicht 1.5 3.8 6.7
6.15 6.24f. 7.1f.
7.8 10.15
—, in 10.15
sichtbar 5.1 7.1
10.15
— machen 7.2
Sichtbarkeit 7.1
sichten 1.22 3.37
4.30 4.32 4.34
7.1 8.25 10.15
12.11
sichtlich 5.6 7.1
13.33
Sichtung 3.37 4.30
Sichtwerbung 16.21
sickern 7.55 7.57
siderisch 1.1f.
Sidian 12.52
Sidonie 16.3
sie 16.3
Sie 2.15 12.57 13.24
16.3
Sieb 2.41 3.57 11.28
17.6
sieben 1.22 4.30
8.25 9.11 11.43
sieben s. sichten 3.37

Sieben (böse) 4.39
11.58f.
Sieben Schmerzen
20.16
Siebenmeilenstiefel
8.7
Siebenmonatskind
6.38
Siebensachen 18.1
Siebenschläfer S. 126
9.24
Siebensortenflegel
16.53
Siebentel 2.5 4.45
siebenter 11.9
siebenzig 4.39
Siebzehn und vier
16.56
siebzig 4.39
siech(en) 2.25 2.41
4.5 5.37
Siechenhaus 2.44
Siecher 2.41
Siechtum 2.41 5.37
Siedehitze 7.35
Siedelei 16.2
siedeln 3.3 16.1
sieden 5.36 7.35
7.39 7.59 8.33f.
11.6 11.53 11.62
16.31
siedend 11.31
Siedepunkt 4.12
7.35
Siederei 9.23
Siedler 2.5 9.26
16.4
Siedlerstolz 2.34
Siedlung 16.2 16.4
Siedlungshaus 17.1
Sieg 9.33 9.77 16.84
Siegel 3.58 9.35
13.1 13.4 13.46
14.5 16.23 19.14
19.16
—, Salomons 20.12
Siegellack 7.53
siegeln 3.58 9.35
13.1 13.46 19.14
19.16
Siegelring 16.100
Siegelwachs 7.53
siegen 4.24 9.77
16.73 16.84

Sieger 9.77 16.84
Siegerkranz 16.84
16.87
Siegerpreis 16.85
Siegesdenkmal
16.84
Siegesfeier 9.77
16.87
Siegeskranz 16.87
Siegeslied 11.21f.
Siegespreis 16.85
Siegestaler 18.21
Siegesthron 16.85
Siegeszeichen 14.9
16.84
Siegeszug 9.77
Siegfried 11.38 16.3
16.84
Siegfriednatur 11.46
sieghaft 11.17
Siegmund 16.3
siegreich 9.77
16.84
Siegvater 20.7
sieh 12.7
— mal an 12.20
siehst du 12.44
13.46
— mies aus 9.78
sieht scheu aus
9.78
— so aus 12.34
—, so — das aus
16.33
Siel 7.56 9.67
Siele 2.24
sielen, sich 9.24
Siena 7.16
Siemandl 5.37 9.7
Siemen 1.8
Siesta 2.36 9.24
9.36
Sigel 4.7
Sigmar 16.3
Signal 9.57 13.1
16.73
Signalement 13.1
13.16
signalisieren 13.1
Signalist 13.1
Signalpfeife 15.15
Signalposten 13.10
Signatur 13.1 19.16

signieren 9.35 13.1
19.14
Signor, Signora
16.86
Sigrid 16.3
Sigrist 16.60
Silbe 13.13f.
Silbenmessung 14.2
Silbenstecher 12.11
16.33
Silbenstolprer 13.14
Silbentrennung
13.13
Silber 1.24f. 7.13
17.10 18.21
Silberblick 2.41
Silberer 16.60
silberfarbig 2.25
7.13
Silberfuchs 17.9
Silbergeld 18.21
silbergrau 7.13 7.15
Silberhaar 2.25
silberhaarig 2.25
7.13
silberhell 7.34 13.13
15.17
silberig 7.13
silberlockig 6.4
Silbermann 16.60
silbern 7.13
Silbernagel 16.60
Silberschmied 9.18
16.60
Silberstange 18.21
Silberstift 15.4
Silberwährung 18.21
silberweiß 7.13
Sild 2.27
Silentium! 7.28
13.23
Silhouette 3.18 3.24
3.29 15.4
Silicium 1.24
Silikate 1.25
Silo 4.18 17.7 18.25
Silur 1.14
Silvanus 20.7
Silvester 9.33 20.16
Sima 1.14 1.26
Simili 1.21 5.18
5.29 16.72
Simonie 18.11 18.23
simpel 9.53 12.56
13.40

Simpel 1.22 11.46
12.56
Simplizissimus 9.53
15.1
Simplizität 11.46
15.3
Simplizius 9.53
Simri 2.16
Sims 3.18 3.33
16.78 17.2
Simson 5.35
Simulant 5.18
simulieren 5.9 5.18
12.3 13.51 16.72
simultan 6.12f.
Sin(n)au 5.47
sine ira ac studio
19.18
Sinekure 18.1 18.5
singen 4.50 5.6 7.34
11.21 14.2 15.11ff.
15.17 16.31 16.40
16.89 16.111
20.10 20.16
Singrün 5.68
Singschar 15.13
Singspiel 14.2f.
Singular 4.36
singulär 4.36 5.20
Singvogel 5.101ff.
15.11ff.
sinken 4.5 4.14f.
4.52 8.26 8.30
9.61 11.41 11.48
16.42 18.28
Sinn 5.10 9.7ff. 9.14
9.46 9.48 11.3ff.
11.10 11.14 11.16f.
11.30 11.42 11.53
11.59 12.1ff. 12.7
12.14 12.18 12.24
13.1 13.17f. 13.44
19.7 20.13
—, knechtischer
16.115
—, praktischer
12.18
sinnberauschend
11.10 11.53

sinnberückend 11.10
11.53
Sinnbild 13.1 13.34
13.36
Sinndeutung 13.44
Sinne (Empfindung
s. Sinn) 9.14 10.1
sinnen 9.14 12.3
12.8 16.81
sinnenhaft 12.26
sinnenmäßig 12.26
Sinnentaumel 11.5
Sinnesänderung 9.9
19.5
Sinnesart 11.1f.
Sinnesempfindungen
10.1f.
Sinneslust 16.44
Sinnesorgane 2.41
Sinnesrausch 12.46
16.44
Sinnestaumel 16.44
Sinnestäuschung
10.17 12.28
Sinnesverwirrung
11.6 12.57
Sinneswechsel 5.24
9.9
sinnfällig 5.1 13.33
13.40
Sinngebung 13.45
Sinngedicht 14.2
sinnieren 12.3
sinnig 9.52 11.16
11.53 12.3 13.16
16.33
sinnlich 1.20 10.21
11.11 11.17 11.53
16.44
—, Lust 16.44
Sinnlichkeit 10.21
11.11 11.22 16.44
sinnlos 5.3 9.49 9.53
10.3 11.39 12.2
12.19 12.56 13.18
Sinnlosigkeit 3.38
Sinnpflanze 5.50
11.6f. 11.58
sinnreich 9.52
Sinnspruch 13.20
14.2

Sinnvertauschung
13.36
Sinnverwandtschaft
13.16
Sinnverwechselung
13.36
sinnverwirrend 11.6
11.17
sinnvoll 3.37 13.16
Sinnwechsel 9.9
sintemal 5.31
Sinter 3.21 7.48
Sinterkloas 20.6
sintern 1.22 7.55
Sintflut 5.20 5.27
5.42
Siphon 2.30 7.54
7.56
Sipo 19.29
Sippe 4.17 4.47
9.69 16.9 16.17
Sippenforschung
16.9
Sippschaft (Gesamt-
heit) 9.68 16.9
16.17
Sire (Titel) 16.86
Sirene 5.5 7.31f.
9.12 10.21 11.30
13.1 13.11 15.15
20.5
Sirenengesang 11.11
16.21 16.23
19.10
Sirius 1.2
Sirmel 12.56
sirren 7.32
Sirup 2.27 2.30 7.51
7.54 7.66
Sirupsbengel 16.60
sistieren 9.73
Sistrum 15.15
Sisyphus 7.41
Sisyphusarbeit 9.19
9.34 9.49 9.78
Sitte(n) 5.19 9.31f.
11.29 16.38 16.44
16.50 16.61 19.10
19.29
—, gute 16.50 19.3
19.21

sittenfest 19.3
Sittenlehre 19.24
sittenlos 16.44 19.8
19.10
Sittenlosigkeit 16.44
19.10
Sittenreinheit 19.3
Sittenrichter(in)
12.55 16.33 16.108
Sittenschlager 14.3
sittenstreng 20.13
Sittenverfall 19.10
Sittenverletzung
19.10
Sitterle 16.60
Sittich 5.124
sittig 16.50
sittlich 9.31 9.49
11.45 16.38 16.50
16.61 19.3 19.18
19.24
Sittlichkeit 11.25
16.50 19.3 19.18
19.24
sittsam 11.48 16.50
Sittsamkeit 16.50
Situation 3.2 5.12
5.44
Sitz 1.11 3.2 6.34
16.1 16.87 16.97
17.3 19.28
— der Regierung
16.95
— des Teufels
20.2
Sitzbett 17.3
sitzen 2.33 3.3 3.16
3.34 9.55 9.78
12.13 12.35 16.78
18.11 18.19 19.33
sitzenbleiben 16.12
Sitzfleisch 2.16 6.7
8.2 9.38
Sitzleder 2.16
Sitzmöbel 17.3
Sitzredakteur 5.29
Sitzung 16.102
Siwas 20.7
Siwwesorteflegel
16.33

Siziliane 15.12
Skabiosa S. 79; 87
Skala 3.35 12.12
  15.11 15.17
Skalde 14.2 15.11
Skalp 2.16
Skandal 7.26 13.7
  16.33 16.67 16.70
  16.93f. 19.8 19.10
skandalös 16.93f.
  19.8
Skandalprozeß
  19.27
Skandalsucht 16.35
skandieren 13.21
  14.2
Skapulier 20.18
Skat 4.38 16.55f.
skatologisch 2.35
Skelett 2.16 2.45
  4.4 4.9 4.11
Skepsis 12.23 20.3
Skeptiker 12.23
  20.3
skeptisch 9.7 12.23
  20.3
Skeptizismus 20.3
Sketch 14.3
SKH 2.41
Ski 8.1 16.6 16.57
Ski(er) laufen 16.55
  16.57
Skizze 3.18 3.24
  5.18 9.15 9.25f.
  13.39 14.1 15.4
Skizzenbuch 4.17
skizzenhaft 13.39
skizzieren 5.18 9.15
  9.26 13.39 13.52
  14.1
Sklave 9.40 11.11
  16.94 16.111
  16.117
sklavenhaft 16.115
Sklavenhändler
Sklavenleben 5.47
Sklavensinn 16.115
Sklaverei 9.40 11.48
  16.111

sklavisch 11.48
  16.32 16.115
Skoliose 2.41
Skonto 4.30 4.32
  18.28
-skop 12.12
-skopisch 12.12
Skorbut 2.41
Skorpion S. 94 1.2
  2.43 11.12 11.14
  16.108
  — züchtigen, mit
  16.108
Skrupel 9.5 9.17
  12.23 19.5
skrupellos 16.115
  19.8
skrupulös 9.35 9.42
  12.26 16.26
Skrupulosität 9.42
  12.7 19.1 19.24
Skuller 8.5
Skulptur 15.9f.
Skunks 17.9
Skupschtina 16.102
Skurillität s.
  Possenhaftigkeit
Skylla und Charyb-
  dis 9.55 9.74 9.78
Slalom 16.57
Slang 13.12
Slippon 17.9
Sliwowitz 2.31
Slowfox 16.58
Slums 18.4
Slutsch 3.38
Smalte 7.21
Smaragd 7.18 17.10
smart 12.52
Smiegel 1.25
Smoking 17.9
Smookuver 8.5
Smutje 16.60
snaken 11.23 13.22
snatern 13.22
Snob 11.19 11.45
  16.63 20.14
so 4.50 5.2 5.6ff.
  5.19 5.25 5.28
  8.11 12.29 12.56
  16.90
  — gerade 9.59

  — gut wie gar
  nicht 6.29
  — ists 13.28
  — kann ichs auch
  16.33
  — la la 9.59
  — oder — 9.11
  9.37
  — sei es 12.47
  16.24
  — siehst du aus
  13.29
  — und nicht
  anders 19.24
  — was lebt, und
  Schiller mußte
  sterben 12.56
  — weit, — gut
  9.47
  — wie — 13.28
  — wieder nicht
  16.27
  — zu sagen 5.9
  13.36
sobald 6.1
Sobranje 16.97
  16.102
Sobrietät 13.40
social s. sozial
Socke 3.20 17.9
Sockel 3.16 3.34
  17.2 17.5
Socken 8.18 17.9
socken 8.1 8.8
Sockenhalter 3.24
Sod 7.56
Soda 1.28 2.30
Sodafontäne 2.31
Sodaliske 16.112
Sodalität 16.17
  16.64
Sodalith 1.25
sodann 4.28 5.44
  6.16
Sodawasser 7.59
  11.12
Sodbrennen 2.41
  7.67
Sodbrunnen 7.55
Sodom und Go-
  morrha 19.10
Sodomiterei 16.44
soeben 6.16 6.20

Sofa 11.7 17.3
sofern 5.32
Sofie 16.3 20.17
sofort 5.44 6.8
  6.13f. 6.16 6.23f.
sofortig 6.14
Sog 7.55 8.23
sogar 4.51 5.23
  13.48
sogenannt
  13.19
sogleich 6.16
Sohle 1.13 2.16 3.9
  3.16 3.34 3.49
  16.58
sohlen 2.40 13.51
Sohlenleder 7.46
söhlig 3.12
Sohn 5.26 5.41 16.9
  16.12 16.98 20.7f.
  — Davids 20.7f.
  — Gottes 20.7
  — des Mars 16.74
Sohnesliebe 11.53
Soiree 16.55 16.64
sokratisch 13.25
  13.30
solange 6.1 6.13
solar 1.2
Solawechsel 18.21
  18.30
Solbad 2.44 7.55
solch(ermaßen) 5.8f.
  5.12f. 5.17 12.29
Sold 16.46 16.112f.
  18.26
Soldat 11.16 16.73f.
Soldatches 16.56
Soldatenlied 15.11
soldatenmäßig 16.73
Soldatentod 2.46
soldatisch 6.35
Söldling 16.113
Söldner 16.74
  16.112f.
Sole 7.54 7.68
Solei 2.27
solenn 11.25
Solfeggien 15.13
solide(e) 6.7 7.43
  9.59 19.1

solidarisch 16.17
Solidarität 6.7 16.17
Solipsismus 16.52
Solist 4.36 15.11
  15.13 16.12
Solitude 16.57
Soll 9.35 18.17
Söll 1.18
sollen 11.45 12.42
  19.18 19.24
Söller 3.33 4.12
  17.2
Solo 4.36 9.44
  15.11f. 16.56
Solon 12.54
Solosänger 15.11
  15.13
Solözismus s.
  Sprachfehler
Solper 2.27
solvent 18.3
Solvenz s.
  zahlungsfähig
Solwasser 7.68
somatisch 1.20 2.16
Sombrero 17.9
somit 12.16
Sommer 6.1 6.9
  7.35
Sommerfäden 4.11
  4.42
Sommerfeld 2.20
sommerfleckig 7.23
Sommerfrische 2.40
  9.24 19.33
Sommerkönigin
  11.17
sommerlich 6.3 7.35
Sommerpuppen 2.5
Sommerschnupfen
  2.41
Sommersprossen
  2.41 11.28
sommersprossig 7.16
Sommerweg 8.11
Sommerwohnung
  19.33
Somnambule 12.28
  12.57
Sonate 15.12
Sonatenabend 15.15

Sonatine 15.12
Sonde 17.15
Sonderart 4.47 5.8
  11.2
sonderbar 5.14 5.20
  11.23f. 11.28ff.
  11.58f. 12.57
Sonderbund 19.14
Sonderdruck 14.11
Sondergericht 19.28
sondergleichen 4.50
  16.85
Sonderheit 11.23
Sonderklasse 4.47
  9.56
Sonderling 4.34
  4.36 5.20 16.52
  16.54
Sondermeldung 13.7
sondern 1.22 4.34
  4.51 5.20 5.23
  9.11 12.11
Sonderpunkt 9.44
Sonderrecht 19.22
sonders 4.41
Sondersprache 13.12
Sondertarif 18.27
Sondertümlichkeit
  5.14 5.20
Sonderung 1.22 3.37
  4.34 9.11 12.12
  16.52
sondieren 4.14 9.28
  12.8 12.12 13.25
Sondierung 4.14 9.28
  12.8 12.12
Sonett 14.2
Song 14.2
Sonja 16.3
Sonnabend 6.9
Sonne 1.1f. 3.28
  3.50 4.50 7.5 7.35
  7.37 9.24 9.46
  11.16f. 11.35
  16.64 16.85
  16.115 16.119 20.8
  — im Herzen 16.55
Sonneken 17.4
sonnen 11.9 11.45
—, sich — in 11.9
Sonnenanbetung
  20.2
Sonnenaufgang 6.2

Sonnenbahn 1.1f.
  8.11
sonnenblind 10.17f.
Sonnenblume 5.81
  17.9
Sonnenbrand 2.41
  7.16f.
Sonnenbrille 7.6
Sonnenbruder 9.24
Sonnencreme 7.16
Sonnenferne 3.8
  3.33 6.3
Sonnengott 20.7
sonnenhaft 1.2
  11.20
Sonnenjahr 5.1 6.9
sonnenklar 13.33
Sonnenkreis 3.24
Sonnenlauf 1.1
Sonnenlicht 7.4
  16.33
Sonnennähe 3.9
Sonnenrad 7.4
Sonnenring 7.4f.
Sonnenschein 1.5
  5.46 7.4
Sonnenschießen 1.11
Sonnenstäubchen 4.4
Sonnenstich 2.41
Sonnenstrahl 7.4
Sonnenuhr 6.9
Sonnenuntergang 6.4
Sonnenwende 6.3
sonnig 7.4 7.35
  11.17 11.21
Sonntag 6.9 9.36
  20.16
Sonntagsjäger 2.12
  4.52 9.53 9.60
Sonntagskind 5.46
Sonntagskleid 17.10
Sonntagsreiter 9.53
  9.60 11.45
sonnverbrannt 7.16
Sonnwendfeier
  16.59 20.16
sonor 7.24 7.26
  15.17
sonst 4.50 5.11 5.21
  6.16ff. 12.57
  16.27
sonstig 5.21 6.17
sonstwo 3.4

Sophismus 9.13 12.2
  12.19
Sophist 12.14
Sophisterei 16.67
Sophistik 12.19
  13.51
sophistisch 12.19
  12.27 13.51
Sopran 15.13 15.17
Soprangeige 15.15
Sopranist(in) 15.11
Sorbet 2.27 2.31
Sorge 5.47 9.12 9.22
  9.42 9.50 11.9
  11.12ff. 11.21
  11.31f. 11.40ff.
  12.13 12.23
  16.55
sorgen (Sparsamkeit)
  s. Sorge 9.21 9.41
  11.12f. 11.32 18.5
  18.10
Sorgenbrecher 2.31
sorgenfrei 5.46 11.9
  18.3
Sorgensucher 11.31f.
sorgenvoll 11.13
Sorgfalt 9.42 11.40
  12.7 19.1
sorgfältig 9.35 9.42
  11.40 12.3 12.7
  12.26 13.10 16.26
  19.1
sorglich 9.42 11.40
  12.7
sorglos 4.25 9.43
  11.8 11.35 11.37
  11.39 12.13 18.3
Sorglosigkeit 5.46
  11.8 11.37 11.39
sorgsam 9.26 9.42
  12.7 18.10
Sorte 3.37 4.47 5.8
  18.21
sortieren 3.37
Sortiment 9.11 18.25
Sortimenter 14.11
SOS 13.1
Sosein 5.8
Soße (Sauce) 2.27
  7.51 7.54 7.65
sotan 5.8
Soubrette 14.3 15.11
  15.13

Souffleur 14.3
soufflieren 9.70 13.2
soupçonös 11.7
Souper 2.26 7.65
Souterrain 17.2
souverän 11.44
    12.54 16.97
Souverän 16.98
Souveränität 16.95
    16.97 18.21
Sovereign 18.21
sowie 5.44
sowieso 5.14 12.37
Sowjet 16.98 16.102
sowohl als auch
    4.28 4.33
sozial 2.13 16.9ff.
    19.2
Sozialdemokrat
    11.50
Sozialismus 16.92
    19.2
sozialisieren 18.6
Sozietät 9.68
Sozius 16.41 18.2
Soziussitz 8.4
sozusagen 5.7 5.9f.
    12.29 13.36
Spachtel 15.1 15.10
    17.15
spachteln 2.26 15.4
spack 6.27
spackig 7.57
Spadassin 16.74
Spagat 4.33 16.57
    18.21
Spaghetti 2.27
spähen 10.15 12.6ff.
Späher 10.15 12.32
    13.4f.
Späherei 10.15 12.8
Spahi 16.74
Spähtrupp 8.13
    16.74
Spalier 3.24 3.35
    16.88
Spalt 3.10 3.43f.
    4.34
spaltbar 7.47
Spalte 3.10 3.45
    3.57 4.34 4.47
spalten 4.34 4.45
    7.47 16.67

Spaltpilz 5.26
Spaltung 4.34 4.45
    7.48 16.67 20.2
— des Bewußtseins
    5.12
Span 4.4 4.13 4.34
    4.42 4.44
Spandau 16.117
Späne 1.8 4.28 7.49
Spanferkel S. 127
    2.27
Spange 3.24 17.10
Spanier 4.50 11.44
spanisch 2.27 2.41
    12.37 13.35 16.78
— e Stiefel 19.32
— es Rohr 16.78
Spanischer Flieder
    S. 68
Spann 2.16 17.6
Spanne 3.9 4.6f.
    6.8f.
spannen 7.45 11.4
    11.14 12.6 12.41
    16.31 16.78 16.108
    16.117
Spanner S. 95 3.19
    10.15 19.29
spannfähig 7.45
Spannhaken 3.17
    3.19
Spannkraft 7.45
    8.29 9.37f.
—, geistige 9.8 9.18
—, Mangel an 5.37
spannkräftig 7.45
Spannriemen 16.117
Spannseil 16.117
Spannseite 3.13 3.15
Spannung 3.8 3.23
    4.6 5.35 6.15 7.45
    9.37 11.35 12.24
    12.41 16.54
    16.66f. 17.17
Spannungsfeld 9.71
Spanten 8.5
Sparbank 18.21
Sparbüchse 18.21
sparen 4.28f. 5.43
    9.45 18.10 18.13
—, sich 9.19

Spargel S. 20 2.27
    10.16
Sparkasse 18.10
    18.21 18.30
Sparkassenbuch
    18.30
Sparke 2.27
Sparkommissar
    18.10
spärlich 4.4 4.19
    4.24f.
Spärlichkeit 4.24
Sparren 3.18 9.10
    17.2
Sparrengunkes 12.57
Sparrenwerk 3.18
sparsam 4.17 4.25
    4.28f. 16.33
Sparsamkeit 4.25
    4.29 11.40 18.10
Sparstrumpf 18.10
    18.21
Spartakus 16.116
Spartaner 11.12
spartanisch (genüg-
    sam) 11.12 18.10
spasmodisch 5.36
Spaß 9.45 9.54
    11.20ff. 11.25
    11.29 11.31 12.26
    16.54f.
spaßen 11.21 16.55
spaßhaft 11.21 11.23
spaßhafterweise
    11.21
spaßig 11.22f.
Spaßlust 11.22f.
Spaßmacher 11.23
    16.54
Spaßvogel 11.23
spät 6.4 6.9 6.36
    16.27
— es Mädchen 2.25
Spatel 17.15
Spaten 2.5 17.15
Spatenstich, erster
    9.29
später 6.12 6.23f.
    8.15 16.27
spätestens 6.35

Spätherbst 6.4
spationieren 4.8
Spätlese 2.31
Spätling 6.12
Spätnachmittag 6.4
Spatz(en) S. 104
    4.24 12.13 16.53
Spätzeit 6.4
spatzenbeinig 4.4
Spätzle 2.27
Spauz 18.21
spazieren 8.1 16.6
spazierengehen 9.24
Spaziergang 1.13
    2.40 8.11 9.54
    16.6 16.55
Spazierhölzer 2.16
Spazierweg 8.11
Specht S. 112
Species 4.47
Speck 2.16 2.27
    4.10 5.46 7.52
    9.6 9.38 16.78
Speckank 4.10
Speckfahrer 16.74
speckig 4.10 7.52
Speckjäger 17.9
Specklein 2.27
Speckschwarte 2.27
    16.32
Speckseite 2.27 9.14
Spectabilität 16.86
spedieren 8.3
Spediteur 16.8
    16.60 18.22f.
Speditionsfirma 16.8
Speer 3.55 17.11
    17.13
Speerwerfen 16.57
Speiche 2.16 4.6
Speichel 2.35 7.57
    16.114
speichellecken 16.114
Speichellecker 11.60
    16.32 16.115
    19.8
Speichelleckerei 16.32
    16.115
speichelleckerisch
    11.48 16.115

Speicher 2.5 4.12
4.17f. 17.2 18.25
speichern 4.29
Speicker 16.56
Speien 11.59
speien 2.35 8.18 8.24
11.31 11.62
Speier 2.35
speiisch 10.12
Speik S. 74
Speisbub 16.60
Speise 2.26f. 7.65
Speisebrett 8.3
Speisefolge 2.26
Speisehaus 2.26
4.29 7.65 16.64
Speisekammer 4.17f.
17.2
Speisekaret 14.12
Speisekelch 20.21
Speisekorb 4.17 8.3
speisen 2.26 7.65
16.38
Speisenträger 8.3
Speiseopfer 20.16
Speiseröhren- 2.41
Speiser 16.60
Speisesaal 17.2
Speiseschrank 4.1
Speisewagen 2.26
8.4
Speisezettel 2.26
Speisezimmer 17.2
speisig 10.12
Speiskobalt 1.25
Speisung 2.26 7.52
Spektakel 7.26 14.3
Spektrum 7.2 7.11
7.23
Spekulant 9.16 9.84
18.23 18.30
Spekulation 9.21
9.28 9.78 18.20f.
18.25 18.30
Spekulatius 2.27
spekulativ 9.14
18.20
spekulieren 9.16
9.74 9.78 12.3
12 41 12.53 18.20
18.30

Spekulum 10.16
Spelt, Spelz S. 18
2.3
spendabel 18.13
Spende 16.39 18.12
18.26
spenden 11.10 11.34
11.50 11.52 16.31
18.12 20.16
Spendenverteilung
11.52
Spender 18.12
spendieren 2.31
18.12
Spener 16.60
Spengler 9.18 16.60
Spenzer 3.20
Sperber S. 115f.
4.11
Sperberbaum S. 48
Sperenzien machen
16.65
Sperma 2.35
Sperrad 9.73
sperrangelweit 3.57
4.50
Sperre 3.58 9.36
sperren 3.36 3.58
9.44 9.73 16.27
16.52 16.77 18.19
19.16
—, sich 9.5 9.72
16.15
Sperrfeuer 9.73
16.73
Sperrhölzer 2.16
Sperrkette 9.73
Sperrmark 18.6
Sperrstunde 18.10
Sperrung 3.58
Spesen 18.5 18.26
speuzen 2.35 5.17
Spezerei 18.24
Spezi 9.70 16.41
spezial 5.20
Spezialarzt 16.60
spezialisieren 5.21
13.16
Spezialist 2.44 9.52
12.32 16.60
speziell 2.31 4.46
5.2 5.20

Spezies 18.21
Speziestaler 18.21
Spezifikation
s. Aufzählung,
Verzeichnis
Spezifikum 5.9
spezifischer Prozeß
2.41
spezifisches Gewicht
7.41 7.43
spezifizieren 14.1
Sphäre 1.1f. 3.1 3.50
9.22 11.5 16.91
Sphärenklang 15.17
Sphäreometrie 4.35
sphärisch 1.1
Sphäroid
(sphäroidisch) 3.50
Sphinx 5.7 5.14
5.20 11.30 12.37
13.4 13.34f.
spicken 8.26 10.15
16.72
Spicker 16.56
Spickgans 2.27
Spicknadel 17.15
spiebrig 4.11
Spiegel 2.16 3.51f.
4.13 7.5 8.10 9.64
10.16 16.67 16.85
19.3
Spiegeläffchen 11.45
Spiegelberg 12.53
Spiegelbild 5.18 7.2
12.27
spiegelblank 7.4
Spiegelei 2.27
Spiegelfechterei 12.2
spiegelglatt 3.52
Spiegellehre 7.4
spiegeln 5.18 10.16f.
Spiegelung 5.18
Spieke S. 74 8.33
Spiel 2.16 4.20 4.39
9.15f. 9.38 9.49
9.54 9.69 9.72
9.77f. 11.39 14.3
16.33 16.55ff.
16.65 16.119 19.8
19.18
Spielart 5.11 5.14
5.20f.

spielen 5.18 5.25
7.23 9.16 9.18
9.35f. 9.44 9.52
11.30 11.39 11.45
11.60 14.3 15.1
15.9 15.11 15.14
16.43 16.55ff.
16.72 16.83 16.85
16.88 16.90 16.93
16.95 16.97
16.108 16.115
18.8
Spieler 9.16 9.70
15.11 15.14 16.55
Spielerei 9.45 9.54
16.55
Spielform 5.8
Spielgenoß 16.41
Spielhahn S. 119
Spielhalle 14.3
Spielhölle 19.10
Spielkamerad 16.41
Spielkind 2.22
Spielleiter 14.3
Spielleute 16.74
Spielmann 15.11
15.14 16.6 16.74
Spielmänner 2.35
Spielplan 4.17f. 9.15
4.13 16.119
Spieltag 16.8
Spielverderber 9.73
Spielzeug 9.45
16.55f.
Spielzimmer 17.2
Spier 2.5
Spierstrauch S. 45
Spieß 2.16 3.55
4.50 8.17 9.9
13.47 14.6 16.74
16.80 17.11 17.13
Spießaxt 17.11
Spießbürger 5.43
12.55 16.92
spießbürgerlich 5.43
Spießer 2.27 11.25f.
12.55 16.92
spießerhaft 5.43
Spießgeselle 9.70
16.41
Spießhammer 17.11

spießig 11.26 12.55
16.50 16.92
Spießruten 16.33
19.32
Spillbaum S. 56
Spiller 16.60
spillerig, spillig 4.11
Spilling S. 49
Spinat S. 32 2.27
Spinatwachtel 11.28
Spinatwächter 19.29
Spind 17.4 17.7
18.21
Spindel 8.32 17.8
Spindelbaum S. 56
spindeldürr 4.11
spindelförmig 3.43
Spindler 16.60
Spinnell 1.25
Spinett 15.15
Spinne S. 94 11.27f.
11.35f. 11.42
spinnefeind 4.50
11.62
spinnen 2.31 3.15
3.17 5.39 9.78
11.32 12.13 12.57
17.8 18.5 19.33
Spinnengewebe 7.42
9.45 9.67 13.51
Spinnenwebe 7.42
Spinner S. 95 12.57
16.60 16.74
spinnig 11.27 11.58
spinnötsch 11.31
Spinnrad 3.15 3.17
17.8
Spinnrocken 3.15
3.17
spintisieren 9.15
12.3
Spion 10.15f. 13.7
19.8 16.60
Spionage 12.8
spionieren 10.15
12.8
Spioniererei 10.15
Spiralbohrer 17.15
Spirale 3.46 8.32
Spiralfeder 7.45
Spirit(ual)ismus
12.28 20.5 20.12

Spiritist 12.43
spiritistisch 20.12
Spirituosen 2.31
7.54
spirit(u)oso 15.11f.
Spiritus 1.29 2.32
7.5
— familiaris 20.6
— rector 3.37 16.96
Spirituskocher 7.37
Spirochäte 2.43
spissen 7.33
Spital 2.44 9.76
Spitalkost 4.25
spittlich 4.11
Spitz S. 126 2.32f.
4.50
spitz 3.55 4.11 11.23
11.58 12.20 12.31
16.33 16.53
Spitzbart 2.16
Spitzbein 2.27
Spitzbogen 3.43
Spitzbube 1.8 11.23
11.53 16.72 18.8
19.8
Spitzbubenstreich
19.10
Spitzbüberei 18.9
spitzbübisch 19.8
Spitze 3.26 3.33
3.43 3.48 3.55
4.12 4.41 5.35f.
6.2 8.13 9.6 9.18
9.49 9.51 9.77
11.22f. 11.38
16.54 16.65 16.69
16.74 17.10 17.15
— treiben, auf die
4.34 5.36
Spitzeflicker 2.44
Spitzel 10.15 13.5
13.7 16.60 19.12
19.27 19.29
Spitzen 3.48 16.62
17.8 17.10
spitzen 3.43 3.55
10.19 11.35 12.7
—, sich auf etwas
11.35 12.41
Spitzenkatarrh 2.41
Spitzenleistung 9.56
spitzenreich 15.7

Spitzenreiter 8.13
Spitzenwäsche 17.9
Spitzer 2.33 16.57
Spitzfeile 17.15
spitzfindig 11.22
12.19 12.53
Spitzfindigkeit 9.52
10.12 12.19 12.53
12.55 13.34 13.51
Spitzhocken 2.5
spitzig 3.55
Spitzigkeit 3.55
Spitzkaffer 16.33
Spitzkopf 2.41
12.53
Spitzkugel 17.11
Spitzmarke 13.46
18.20
Spitznagel 16.60
Spitzname 13.19
16.34 16.54
Spitzrede 11.22
16.54
Spitzsäule 3.43 4.12
14.9
Spitzwort 13.32
16.54
spitzzüngig 16.35
Spleen 9.10 11.26
11.31f. 11.58
12.57
spleißen 4.33
splendid 18.13
Splenetiker 11.31
splenetisch 11.31
11.58
Spliete 7.37
Splint 4.33
Splinter 2.42 4.11
4.42 4.44
Splitter 2.42 3.25
3.55 4.11 4.34
4.44
splitter(faser)nackt
3.22 4.50
splitterig 7.47
splittern 7.47
Splitterrichter 16.33
Spökenkieker 12.43
20.5 20.12
Spondäus 14.2

spontan 5.33 9.1f.
11.36
sporadisch 4.34 6.32
8.22
Spore 2.2 2.43
Sporen 2.35 9.29
9.77 11.38 16.85
Sporn 3.48 3.55
5.31 9.12 15.10
spornstreichs 6.14
8.7 9.39
Sport 9.49 16.55
16.57
Sporteln (Prozeß)
18.5 18.12 18.26
19.27
Sportfeld 16.75
Sporthemd 17.9
Sportlehrer 16.60
Sportler 16.57
Sportmütze 17.9
Sportpalast 16.57
sportpraktisch 9.48
Sportschule 16.57
Sport(s)wagen 16.57
Sporusrassel 18.21
Spott s. spotten
9.78 11.22f. 11.35
16.54
spottbillig 4.50
18.28
Spöttelei 16.54
spotten 9.78 11.20
11.23 16.33f.
16.53f.
Spötter 11.23 16.33
16.36 20.4
Spötterei 16.34
16.54
Spottgeburt (von
Dreck und Feuer)
3.60 11.28 20.9
Spottgedicht 16.33
Spottgelächter 16.54
spöttisch (Religion)
s. spotten 11.24
16.33f. 16.53f.
20.3
Spottname 13.19
Spottpreis 18.28
Spottrede 16.54

Spottschrift 16.33
16.54
Spottsucht 16.33
Spottvers 16.54
spottwenig 4.50
sprachbegabt 13.21
Sprachdummheit
13.32
Sprache 7.34 9.44
11.5 11.30 11.42
13.2 13.12 13.21
14.2
Sprachfehler 12.27
13.32
Sprachforscher 13.2
13.12 13.32
sprachgelehrt 13.2
Sprachgelehrter 13.2
Sprachgeschichte
13.12
Sprachgestaltung
13.20
Sprachgewirr 3.38
15.18
Sprachkenntnis 13.2
Sprachklang 13.13
Sprachlehre 13.31
Sprachleib 13.20
sprachlich 13.2 13.12
sprachlos 7.28 11.30
11.33 11.42 13.15
13.23
Sprachlosigkeit
13.15
Sprachmittler 13.53
Sprachneuerung
13.32
Sprachrohr 7.26
13.2 13.8 16.95
Sprachschatz 13.16
Sprachschnitzer 13.34
Sprachstile 13.38
Sprachstörung 13.14
Sprachverwirrung
13.35
Sprachweise 13.38
Sprachwidrigkeit
13.32
Sprachwissenschaft
13.2 13.12
Sprechanismus 13.22
Sprechchor 16.21

sprechen 5.17 5.23
7.34 11.38 11.45
11.59 11.62 12.27
13.1ff. 13.13
13.21 16.30 16.73
16.89 16.118
19.12 19.20 19.27
19.31 20.12
—, durch die Blume
12.10 13.36
sprechend 13.1f.
13.21
Sprecher 5.29 12.33
13.12 13.21 13.30
13.44 16.96ff.
Sprechkunst 13.13
Sprechmängel 13.14
Sprechwerkzeug
13.12
Sprechwut 13.22
Sprechzimmer 13.30
17.2
Spreißel 2.42 4.42
Spreit(e) 4.43
Spreize 2.34 3.18
17.2
spreizen, sich 9.72
11.45 16.65 16.89
Spreizfuß 2.41
Sprengel 1.15 20.22
sprengen 3.57 4.3
4.34 5.42 7.29
7.57 8.7 8.22 16.6
16.76 16.118
Sprenggeschoß
17.11ff.
Sprenggeschütz 7.29
17.12
Sprengkugel 17.11ff.
Sprengladung 8.22
17.12
Sprengmittel 17.11f.
Sprengpulver 17.11f.
Sprengstoff 4.34
17.11f.
Sprengung 7.29 8.22
Sprengwagen 9.66
sprenkeln 7.23
Spreu 4.34 7.42
9.45 9.49
— vor dem Winde,
wie 6.8

Sprichwort 12.17
13.20 13.28 14.9
sprichwörtlich 12.32
13.6
sprießen 2.1 4.3
5.26 8.28 9.29
Spriet 3.26
Springbrunnen 7.55
springen 4.34 5.10
5.16 7.29 7.47 8.7
8.28f. 9.40 11.21
11.31 11.36 16.6
16.55 16.77
springen lassen 9.21
18.13 18.26
springender Punkt
5.2 9.44
Springer 2.27 8.29
Springfluß 7.55
Springflut 4.12 7.55
Springinsfeld 2.22
11.20
Springkraft 7.45
springlebendig 7.38
11.21
Springquell 7.55
8.28
Springwurz S. 55
Sprinter 16.57
Sprit 1.29
Spritzbrunnen 7.55
Spritze 2.32f. 7.55f.
8.23 9.44 11.8
17.6
spritzen 7.57 8.7
Spritzenhaus 16.117
spritzig 12.57
Spritzkuchen 2.27
Spritztour 16.6
Sprock(en)krüz 2.48
spröde 5.37 7.44
7.47 11.45 11.47
11.49 16.27
16.50f.
Sprödheit s. oben
Sprödigkeit 7.47
11.47 16.50
Sproß 2.3 2.22
4.42 16.9
Sprosse 2.16 2.20
3.55 5.26 16.9
sprossen 7.18 9.29
Sprosser S. 111

Sprößling 2.20 2.22
5.26 5.41 16.9
Sprotte S. 100 2.27
Spruch 12.17 13.2
13.20 13.28 14.2
14.9 19.31
Spruchband 14.9
Spruchbüchlein
20.19
Spruchdichtung 14.2
Sprüche 9.13 11.24
16.89 20.19
Sprüchemacher 11.45
Spruchkammer
19.27f.
Sprudel 2.30 2.44
7.54f. 7.59 8.32
8.34 11.12
sprudeln 7.55 7.59
8.33f.
sprühen 8.22 11.20f.
13.30
Sprühregen 1.8 7.57
Sprühteufel 11.6
11.20.
Sprung 3.10 3.36
4.7 4.34 5.27 6.8
8.10 8.28f. 9.14
9.26f. 9.63 13.2
16.70f. 16.78
Sprungbrett 7.45
8.29
Sprungfeder 7.45
8.10
sprunghaft 3.36 3.38
4.3 5.20 5.27 11.6
11.20
Sprungkraft 5.35
Sprunglauf 16.57
Sprungriemen 16.117
Sprungschanze 8.29
16.57
Sprungstall 17.3
Sprungturm 8.29
sprungweise 6.30
6.32 8.12
Spruthus 2.3
Spucke 2.35 2.41
4.33 11.30
spucken 2.35 6.32
11.31 11.45 16.33
16.68 16.78f.
Spuddle 2.22

Spuk 11.42 20.5
spuken 20.5
Spukerscheinung
    20.5
spukhaft 20.5f.
Spülabort 2.35
Spule 3.50 8.32
    17.16
spulen 8.32
spülen 9.66
Spülicht 9.67
Spülwasser 9.67
    10.9
Spulwurm 2.41
Spund 3.58
Spundloch 3.57
Spur 3.45 4.24 4.26
    5.3 7.62 8.11 8.15
    9.21 9.73 9.78
    12.7 12.32 12.34
    13.1f. 13.29 16.20
spüren 10.1 11.4
Spürhund 13.7
Spürjagd 2.12 12.20
spurlos 7.3 9.55
Spürnase 12.20
Spürsinn 12.20
sputen 9.18
—, sich 8.7 9.38
Sputzen 11.45
sputzig 11.24
Squatter 16.4
Sserpashija 20.5
st 10.19 13.23
Staat 1.15 3.20 4.17
    9.76 11.46f. 11.51
    16.18 16.61 16.88
    16.95 16.97 16.116
    17.9f.
— machen 11.17
Staaten, Vereinigte
    16.19
Staatenbund 9.68f.
staatlich 16.95
    16.97
Staats- 16.99
Staatsakt 16.87
Staatsakte 14.9
Staatsaktion 9.18
Staatsangehöriger
    16.4
Staatsanwalt 16.60
    16.97 19.28

Staatsanwaltschaft
    19.12
Staatsbegräbnis
    16.87
Staatsbesuch 16.88
Staatsbewußtsein
    11.51
Staatsbote 13.8
Staatseffekten 18.21
Staatsfeiertag 16.59
Staatsgesetz 19.19
Staatsgespräch 6.14
Staatsgewalt 16.95
    16.97 16.116
Staatsgrundgesetz
    19.14 19.19
Staatshämorrhoi-
    darius 16.60
Staatshut 4.50
Staatskrüppel 5.37
Staatskutsche 8.4
Staatslakai 16.60
Staatslos 18.21
Staatsmann 16.97
    16.99
staatsmännisch 9.52
Staatsoberhaupt
    16.97f.
Staatsobligationen
    18.21
Staatspapier 18.21
    18.30 19.16
Staatsraison 18.7
Staatsrat 16.97
    16.102
Staatsrecht 19.19
    19.22
Staatsschatz 18.21
Staatsschiff 16.74a.
Staatsstreich 9.15
    9.18
Staatsumwälzung
    16.116
Staatsverwaltung
    16.96
Staatswagen 8.4
Staatswissenschaft
    16.96
Staatszimmer 17.2
Stab 4.6 9.70 11.35
    16.33 16.74
    16.95ff. 16.99
    16.100 16.102
    16.112 17.5 19.31

Stabbrandbombe
    17.13
Stäbchen 2.34
Stabführung 15.11
Stabhochsprung
    16.57
stabil 6.7 7.41 7.43
    8.2 9.8
stabilisieren 6.7 7.43
    18.21
Stabilität 6.7
    s. o. und
    Unveränderlichkeit
Stabrechnung 4.35
Stabreim 5.17 14.2
Stabsarzt 2.44 16.60
    16.74
Stabsoffizier 16.74
    18.17
Stabstrompeter
    16.74
Stabsveterinär 16.74
staccato 15.11
Stachel 3.55 5.31
    9.12 9.55 11.12
    11.36 17.15
— löcken, wider den
    9.55 16.65
Stachelbeeren(torte)
    S. 44 2.27
Stacheldraht 16.77
    16.177
stachelig 3.53 3.55
    11.28
stacheln s. Stachel
    und anstacheln
Stachelschwein 3.55
Stachelverse 16.54
Stachelwort 16.54
Stachis 2.27
stachlicht 3.53
Staden 1.16
Stadion 16.57 16.75
Stadium 3.37 6.15
    9.14
Stadt 1.11 16.1f.
    16.75 16.99
stadtbekannt 13.6
Stadtbewohner 16.4
Stadtbezirk 1.15 3.9
Stadtbrille 10.17

Städter 16.4
Stadtfarbe 7.12
Stadtgericht 19.27f.
Stadtgeschwätz
    16.35
Stadtgesetz 19.9
Stadtgespräch 13.2
    13.6f.
Stadtgraben 3.24
Stadthaus 19.28
städtisch 16.1
Stadtkapelle 20.20
Stadtkirche 20.20
Stadtklatsch 16.35
Stadtklatsche 13.22
Stadtkommandant
    16.74
Stadtkreis 3.9 3.24
stadtkundig 13.6
Stadtrat 16.96
    16.102 19.27
Stadtrecht 19.19
Stadtschreiber 14.5
Stadtsoldat 16.74
Stadtstaat 16.97
Stadtvorstand 16.60
Staffage 3.24 15.4
Staffagenmaler 15.1
Staffel 2.5 8.11
    16.74f.
Staffelei 3.16 15.1
    17.5
Staffellauf 16.57
staffeln 3.37 5.21
Staffelstellung 16.74
Staffette 9.39 13.8
Staffierung 17.10
stagelgrün 9.45
stagnieren(d) 6.7 8.2
    8.8
Stahl 1.21 5.35 7.44
Stahlbad 16.73
Stahldruck 15.5
stählen 2.38 5.35
    7.44 9.37 10.3
stählern 5.35 7.44
Stahlfach 17.4
stahlgepanzert 11.8
stahlgrau 7.15

Stahlhelm 16.77 17.9
Stahlmöbel 17.3
Stahlpanzer 7.43
Stahlroß 8.4
Stahlrute 17.11
Stahlstich 5.18 15.5
Stake 1.16
staken 8.5
Staket 16.77
Stakete 3.24
staksen 8.1 8.8
Stalagmit 7.48
Stalaktit 7.48
Stalinorgel 17.12
Stall(ung) 2.10
  4.10 9.56 16.117
  18.21
Stallaterne 7.5
Stallbürste 3.53
Stalljunge 16.6
  16.37
Stallknecht 16.6
Stallmeister 16.6
  16.112
Stalltür 9.53
Stamm 2.3 3.37
  4.17 4.33 4.47 5.8
  5.17 9.31 18.7
Stammbaum 3.37
  5.41 6.34 8.22
  16.94
Stammbuch 14.11
  16.33
Stammerbgut 18.1
stammeln 13.14
stammen 12.56
stammern 13.14
Stammgast 9.31 16.5
Stammgut 18.1
Stammhalter 2.22
  9.30 16.9
stämmig 4.1 5.35
Stammkapital 18.21
Stammkunde 6.33
  18.22
Stammort 3.28 16.1
Stammrolle 3.37
Stammsitz 17.1
Stammvater 2.25
stammverwandt 16.9
Stammwort 13.16
Stampe 2.26
Stämpel s. Stempel
Stampes 7.51

stampfen 7.26 8.1 8.9
  8.34 15.10
Stand 3.2 3.37 4.10
  5.12 8.2 9.22 9.57
  16.60 16.91 16.94
  16.99 18.25
—, geistlicher
  20.17 20.22
— halten 9.72
—, höherer 16.62
  16.91
—, niederer 16.92
  16.94
—, weltlicher 20.22
Standard 5.19
Standarte 2.16 13.1
  16.74
Standbild 5.18 14.9
  15.1 15.10
Ständchen 6.8
  15.11f. 15.14 16.42
Stände, höhere 16.91
Ständehaus 16.102f.
Ständekammer s.
  Ständehaus
Ständer 2.5 2.16 3.16
  3.48 17.4
Ständerle 6.8
Standeserhöhung
  16.91
Standesliste 14.1
Standesperson 16.91
Ständestaat 16.97
Standgeld 18.5 18.25
Standgericht 19.28
standhaft 5.34f. 6.7
  9.6 9.8 11.8 11.12
  11.38
Standhaftigkeit 9.8
  11.12 11.38
ständig 6.6f. 6.34
  9.8
Standlinie 9.15
Standort 1.11 3.2f.
  3.34 12.22
Standpauke 16.33
Standpunkt 1.11
  3.2 5.12 6.19 6.27
  12.4 12.15 12.22
  16.33
Standquartier 3.28

Standrecht 2.46
  19.19f.
Standuhr 6.9
Standwild 2.9
Stange 2.16 2.27
  4.6 4.17 4.19 5.16
  9.8 16.57 17.9
  18.27
— halten, einem die
  9.70
Stangenreiter 8.13
  16.112
Stanislaus 16.3
Stänker 11.27 16.65
  16.90
Stänkerei 16.67
Stänkerer 9.73 16.90
stänkern 7.64 16.67
stantepe, stante pede
  6.14
Stanze 14.2
stanzen 17.15
Stapel 2.20 4.17 4.33
  9.29
Stapellauf 9.35
stapeln 8.1
Stapelplatz 18.25
Stapelware 4.17
stapfen 8.1
Stapkloas 20.6
Star 2.41 9.44 9.52
  10.18 12.33 13.5
  13.22 14.3 15.9
  15.13 16.62 16.85
Stär S. 127
stark 3.11 4.1 4.10
  4.50 5.34ff. 7.46
  9.37 11.4 11.8
  11.31 13.38 13.41
  16.95
— e Hand 16.108
Stärke 1.29 4.50
  5.35 9.44 12.32
  13.41 16.95
stärken 2.40 4.3 5.35
  9.70 11.34
—, sich 2.26
Stärkere 9.3
starkherzig 11.38
Stärkung 2.26
Stärkungsmittel 2.44
  11.34

starr 5.9 5.19 6.7
  7.44 8.2 9.19 9.41
  10.3 11.30 11.42
  12.55 16.53 16.108
starren 10.15 11.30
starrgläubig 12.55
Starrheit 8.2 9.8
  16.53 s. starr
Starrkopf 9.8
starrköpfig 9.8
  16.116
Starrkrampf 2.41
  10.3
Starrsinn 9.6 9.8
  16.53 16.108
starrsinnig 9.8 12.55
  16.116
Starrsucht 10.3
Start 6.2 8.6 8.18
  16.6
starten 8.1 8.6 8.9
  8.18 9.21 9.29
Starter 8.9 16.57
Startpersonal 8.6
Startsprung 16.57
Startschuß 8.9
stätig s. stetig
Statik 5.35 7.41
Station 1.11 2.48
  3.25 8.2 16.99
stationär 6.7 8.2
stationieren 16.2
Stationsvorsteher
  16.60
Statist 14.3
Statistik 4.35 12.8
  12.12 14.9
Statistiker 12.12
  14.1 14.9 16.60
statistisch 4.35 12.12
Stativ 3.16 15.8 17.5
Stätte 1.11 3.2 5.12
  20.11
— der Dahingeschie-
  denen 2.48
—, heilige 20.20
Stattel 17.7
stattfinden 5.1 5.30
  5.44
statthaben 5.1
statthaft 16.25 19.22
Statthalter 16.74
  16.96ff. 16.104

Statthalterei 16.95
Statthalterschaft
16.95
stattlich 4.1f. 4.10
11.16f. 11.44
16.85 16.88 16.90
Stattlichkeit 11.44
16.85 16.88
Statue(tte) 2.48 4.12
5.18 15.1 15.10
17.10
Statur 4.1 5.2 5.8
Status 3.2 5.12f.
16.85
status quo 5.16 5.35
6.7 6.11 6.18ff.
Statut 16.106 19.19
statu(t)arisch 19.19
satutenmäßig 19.19
Staub 2.43 2.45 4.13
6.8 7.49 8.18 9.45
9.67 9.77 11.27
11.33 11.48 13.52
16.93 16.114
— kriechen, im 11.43
16.32
—, sich aus dem
machen 8.18
— werden, zu 2.45
6.8
Stäubchen 4.4 7.42
Staubecken 1.18
Stauben 2.5
Staubfaden 2.3 4.11
4.42
staubgeboren 2.13
16.94
Staubgefäß 2.3
Staubhengst 16.60
Staubhülle 5.43
staubig 7.49 9.67
Staubmantel 3.20
17.9
Staubregen 1.8 7.57
Staubsauger 9.66
Staubsohn 2.13 2.45
Staubtuch 9.66
Stauchen 2.5 16.79
17.9
Staudamm 1.16
Staude 2.1f. 2.5
stauen 3.38 8.8 8.21
9.72 16.2

Stauer 16.60
Stauf 17.6
Stauke 16.78
stauken 16.78
staunen 11.30
staunenswürdig
11.30
Staupbesen 16.78
19.32
Staupe 2.5 2.11
Stäupe-Oos 16.33
stäupen 16.78 19.32
Staupsäule 19.32
Stausee 1.18
Steak 2.27
Stearin 1.29 7.5 7.52
Stearinkerze 7.38
Stearinsäure 1.29
Stechbahn 16.75
Stechbecken 17.6
stechen 3.55 3.57
5.21 8.5 9.60 10.1
11.12 11.14 11.17
11.21 11.23 11.28
11.36 15.5 16.76
16.78 16.80 18.6
19.9f.
stechend 5.35 11.4
11.22
Stecher 2.16
Stechfliege S. 96
3.55
Stechheber 17.6
Stechpalme S. 56
Steckbrief 3.18 12.8
13.1 13.6 14.1
19.12 19.32
Steckdose 17.17
Stecken 4.6 8.18 9.70
11.43 16.78 17.5
19.11
stecken 2.41 4.50f.
8.3 9.19 9.38 9.78
11.2 11.17 13.5
16.2 16.33 16.48
16.52 16.117 18.17
8.19 20.15
steckenbleiben 8.26
9.34 9.55 13.14

Steckenpferd 9.1 9.10
11.2 11.36
Steckkontakt 17.17
Stecknadel 4.50 9.45
Stecknadelkopf 3.50
4.4 11.37
Steckrüben 2.27
Steckschlüssel 17.15
Steffche 2.31
Steg 8.11 15.15
Stegreif 6.14 9.27
11.36 14.2
Stegreifdichter 14.2
Stegreiftheater 9.27
Stehbierhalle 16.64
stehen 2.33 3.3 3.11
3.16 4.50 5.4 5.10
5.12 5.14 5.31
6.14 8.2 9.20 9.31
9.38 9.70 9.84
11.3 11.7f. 11.13
11.38 11.42
11.52ff. 11.59 12.7
12.23 13.1 16.73f.
16.77 16.93
16.113f. 18.5
18.16f. 18.20
18.22f. 19.19f.
19.25
—, in Gunst 16.41
—, an der Spitze 6.2
—, auf dem Sprunge
9.14 12.41
—, auf Du und Du
16.41
—, auf gespanntem
Fuß 16.66
—, die Haare zu
Berge — machen
11.42
—, in Verkehr 16.64
—, in Verbindung
16.64
— lassen 16.27
—, mit einem Fuß
im Grabe 2.41
—, sich 18.3
stehend 3.11
Steher 16.57
stehlen 4.50 9.24
9.52 11.53 16.35
16.72 18.9 19.20

Stehlen 11.17
Stehplatz (Tram-
bahn) 3.2
Stehschoppen 2.40
Stehseidel 17.6
steif 7.44 9.42 9.53
9.55 11.27f. 11.45
11.48f. 16.53 16.88
16.90 16.108
steifen 7.44
—, sich 9.8
Steifheit 6.7 9.53
10.2 11.32 11.45
Steifigkeit s. o.
steifköpfig 9.8
steifleinen 11.45
Steifschechter 5.37
Steig 8.11
Steigbügel 3.16f. 17.5
Steigbügelhalter 9.70
Steigeisen 9.76
steigen 4.3 8.1 8.6
8.28 9.35 11.31
11.44 16.6 16.33
16.67
Steiger 1.23
steigern 4.3 4.13f.
4.51 8.28 13.31
13.52
Steigerung 4.1 4.3
4.12 4.22 4.51
8.28 13.31
Steigfähigkeit 8.6
Steigung 3.13 4.12
steil 3.11 3.13 8.28
Steile 4.12
Steilheit 3.11 3.13
4.12
Steilküste 1.16
Stein 2.48 5.42 7.43
8.7 8.30 9.29 9.45
9.55 9.72 11.8
11.34 11.53 11.60
11.62 14.9 15.10
16.56 16.108 18.21
19.8f.
— des Anstoßes 19.8
— der Weisen 13.4
20.12
— e statt Brot geben
16.108

Steinacker 9.49
Steinbild 2.48
Steinbock 1.2
Steinbrech S. 44
Steinbutt S. 99 2.27
Steindruck 5.18 14.6
 14.8 15.4f.
Steindrucker 15.1
 15.5
steinern 7.43 11.8
steinerweichend 7.31
 15.18
Steingut 1.28 7.39
steinhart 7.44
Steinhauer 16.60
Steinhaufen 2.48
 13.1
Steinheil 16.60
Steinhöwel 16.60
Steinhügel 13.1
steinigen 2.46
Steinkohle 1.26 7.38
Steinkreuz 2.48
Steinmetz 15.10
 16.60
Steinpilz S. 9 2.27
steinreich 4.50 18.3
Steinsalz 1.25
Steinsäule 2.48
Steinschlag 9.67 9.74
Steinschloß 17.11f.
Steinschneider 15.1
 15.5 16.60
Steinschneiderei 15.5
Steinstoßen 16.57
Steintafel 2.48
Steinzeit 6.21
Steinzeug 1.28
Steipe 17.5
Steiß 2.16
Steißtrommler 16.60
Stele 14.9
Stellage 17.5 17.16
Stelldichein 4.18
 16.64
Stelle 1.11 2.42 3.2f.
 5.29 9.33 9.74
 14.11 16.99 16.104
 19.3

stellen 2.46 3.3 4.51
 5.3 5.6f. 8.3 9.85
 11.35 11.38 11.45
 11.47 12.9 12.20
 16.65 16.71f. 16.85
 16.93 16.99 16.113
 16.115 18.16 18.26
 19.7 19.12 19.15f.
 20.12
—, an den Pranger
 16.34 16.54
—, das Netz 9.26
 9.74 11.36 12.9
—, kalt 16.105
—, seinen Mann 9.72
 16.65 16.77
—, sich 5.25 9.21f.
 9.72 16.65 16.70
 16.72 16.74 16.77
—, sich zur Wehr
 16.77
stellenlos 18.4
Stellennachweis,
 -vermittlung 16.60
stellenweise 6.29
Stellenwert 16.95
Stellhaufen 2.5
Stellmacher 16.60
Stellung 1.11 3.2 3.37
 4.13 5.11 5.13 9.18
 9.22 9.55 11.38
 11.48 12.5 12.22
 12.49 16.60 16.77
 16.83 16.85f. 16.91
 16.95 16.99 16.103
 16.112 19.32
—, falsche 9.55
Stellung sein, in
 16.112
Stellungnahme 12.22
Stellungskrieg 16.73
stellungslos 9.24
Stellungssystem
 16.77
Stellungswechsel
 16.77
Stellvertreter 3.3
 5.22 5.29 16.104
Stellvertretung
 5.22 9.82 16.103
Stellwagen 8.4 16.60
Stellwerk 8.11

Stelzen 3.16 8.28
 11.45 17.5
stelzen 8.1
Stelzenlaufen 16.56
Stelzvögel S. 106
Stemmeisen 3.55
 17.15
stemmen 2.31 18.9
Stemmen 16.57
Stempel 2.3 3.58
 5.2 5.18 9.35 13.1
 16.100 18.30 19.14
 19.16
stempeln 12.12
 12.22 13.1 13.16
 13.46 18.4
Stempelschneide-
 kunst 15.10
Stempelung 19.14
Steng 16.60
Stengel 2.3 3.17 3.19
 4.6
Stenograph 16.60
Stenographie 4.7 14.5
Stentorstimme 7.26
Stenz 19.9
stenzen 18.9
Stephan 16.3
Stephanie 15.4 16.3
Steppchen 20.5
Steppdecke 17.8
Steppe 1.13 2.1 9.49
steppen 4.33 16.58
Steppke 2.22
Sterbeglöcklein
 2.46 2.48
Sterbelied 11.32f.
sterben 2.41 2.43
 2.45 9.61 13.29
 13.49 16.73 16.107
 18.7
sterbenskrank 2.41
Sterbesakrament
 20.16
sterblich 2.45 11.53
Sterblicher 2.13
 16.92
Sterblichkeit 2.45 6.8
Stereographie 14.8
Stereometrie 4.35
 12.12

Stereoskop 10.16
stereotyp 6.7 6.28
stereotypieren 13.1
steril 2.7 9.49
Sterilisation 5.42
sterilisieren 2.7
Sterilität 2.7 9.49
Sterke S. 128
Sterling 18.21
Stern 1.1f. 2.16 2.48
 3.27 4.20 5.21
 5.45 7.5 9.64 9.77
 11.45 11.53f. 12.43
 13.1 14.3 14.10
 16.31 16.62 16.64
 16.85f. 16.100
 17.10
Stern(en)all 1.1
Sternanbeter 20.2
Sternanbetung 20.2
sternartig 1.1
Sternbahn 1.1
Sternbild 1.1f. 4.17
 13.1
Sternchen 13.44
Sterndeuter 12.43
 16.60
Sternenbanner 16.18
Sternengewölbe 1.2
Sternenhimmel 1.1f.
Sternenlicht 7.6
Sternenmeer, -raum
 1.2
sternenreich 7.4
Sternenschar 1.2
Sternenzelt 1.2
Sterngruppe 4.1 4.17
Sterngucker 1.2
 12.32 12.57
sternhagelvoll 2.33
sternkanonenvoll
 2.33
Sternkunde 1.1f.
Sternschnuppe 1.2
 7.5
Sterntaler 1.2
Sternwarte 1.2
 10.15f.
Sternzeichen 7.2
Sterz 2.16 2.27
Sterzl 4.4
stet 6.7 6.34

stetig (gleichmäßig)
3.37 5.19 6.7 6.34
8.2 9.8 12.3
Stetigkeit 3.37 5.19
6.7 6.34 9.8 11.8
stets 6.6
Steuer 8.5 8.11
16.7 16.95f.
16.100 16.106
17.15 18.6 18.12
18.26
Steueramt 18.26
Steuerbefreiung
19.22
Steuerbekenntnis
18.25
Steuerberater 13.9
Steuerbord 3.27 3.31
8.5
Steuereinnehmer
18.26
Steuererklärung
18.21
Steuerfreiheit 19.22
Steuerkarte 18.28
Steuerknüppel 8.6
Steuermann 8.11
9.75 16.74 16.96f.
steuern 8.11 9.72
16.96 16.110
Steuerruder 16.96
Steuersäule 8.6
16.74a.
Steuerung 16.96
s. Steuer
Steuerveranlagung
18.26
Steuerzahler 16.92
16.94
Steward 16.112
stibitzen 18.6 18.9
Stich 2.32f. 2.41
3.57 4.25 4.33
7.11 7.23 7.65
7.67 9.8 11.59
12.9 12.57 15.5
16.54f. 16.60
16.76
— lassen, im 8.18
9.20
Stichblatt 16.54
stichdunkel 4.50 7.7

Stichel 15.1 15.4f.
15.10
Stichelei 11.23 16.33
16.54 16.67 16.76
stichelhaarig 4.7
sticheln 15.5 16.54
16.76
Stichelrede 11.22
16.54
stichfest 9.56 9.75
stichhaltig 13.46
stichig 12.57
Stichling S. 99
Stichprobe 12.8f.
Stichwaffe 17.11
Stichwort 13.1f.
Stichwunde 2.41
sticken 3.15 17.8
17.10
Sticken 7.38
Stickerei 3.15 15.4
17.8 17.10
Stickstoff 1.24 7.60
Stieb 2.48
Stiebel 2.32
stieben 1.6 8.7 8.22
Stieber 8.9
stiebitzen 18.9
Stiefel 3.20 4.50
12.19 13.22 16.111
17.9
— spanische 19.32
Stiefeletten 3.20
17.9
Stiefelholz 17.15
stiefeln 8.1
Stiefelwichse 2.27
Stiefmütterchen S. 58
stiefmütterlich 16.9
18.11
Stiege 2.5 4.39 8.11
8.28
Stiegenhaus 2.5
17.2
Stiel 2.3 3.49 4.41
17.5
Stiemwetter 1.9
Stien 11.38
Stiepel 2.48
Stier S. 127 1.2
9.21 11.38
stieren 10.15

Stiergefecht 16.67
16.70
Stierkämpfer 16.74
stierl'n 10.12
Stiernacken 4.10
Stiesel 12.56
Stift 2.22 2.34 2.44
3.55 4.25 4.33
8.32 9.76 12.35f.
16.60 16.112 17.15
20.17 20.20
stiften 8.2 8.18 11.60
16.47f. 16.67 18.12
19.9
Stifter 18.12
Stifterfigur 20.22
Stiftsfräulein 20.17
Stiftsherr 20.17
Stiftshütte 20.20f.
Stiftslade 20.20
Stiftsschule 12.36
Stiftsstelle 20.16f.
Stiftung 5.24 5.26
9.26 18.12 20.15f.
Stiftungsfest 16.59
Stiftzahn 5.29
Stigma 13.1 16.33
16.94
stigmatisieren 13.1
Stil 5.5 5.8 5.12
9.25 9.44 11.17f.
13.2 13.20f. 13.38
14.2 14.5 14.11
15.3 16.38 16.61
17.10
Stilarten 13.38 15.1
15.3
Stilett 17.11
stilgerecht 11.17
stilisieren 5.8 9.57
11.17 13.16 15.1
still 2.45f. 5.38
7.27f. 8.2
9.36 9.74 11.8
11.47 12.27 12.53
13.4 13.23 16.2
16.48 16.93 16.98
20.13
Stille 5.38 7.27f.
8.2 9.36 9.74
11.42 19.3
Stilleben 5.18 15.4
16.52

stillegen 3.36 9.33
9.36 9.73
Stillegung 9.36
stillen 2.30 2.40
5.38 10.14 11.8
11.33f. 11.47 11.60
16.81
Stillgestanden! 16.87
Stillhaltekommission
18.19
Stillmesse 20.16
stillos 13.32
Stillosigkeit 15.2
Stillschweigen 7.28
13.23
stillschweigend 13.4
13.18
Stillstand 8.2 9.33
stilvoll 5.12 9.25
13.2 13.12
Stimmbänder 2.41
Stimmbereich 3.9
Stimmbildner 12.33
Stimmbruch 13.15
Stimme 1.10 7.24
7.33f. 9.11 9.44
11.50 12.1 12.49
13.13 13.15 13.21
15.11 15.17
— der Pflicht 19.24
—, mit erhobener
7.26 9.44 13.10f.
13.17 13.28 16.68
16.80 16.108 19.6
19.10 19.24 20.13
—, mit ersickter
7.27 11.13 11.32f.
13.14f.
—, innere 12.30 20.1
stimmen 5.21 9.11
9.26 11.3 11.10
12.14 12.16 12.26
13.46 15.11 15.15
15.17 16.47
Stimmeneinhelligkeit
12.47
Stimmführung 15.11
Stimmgabel 15.15
stimmhaft 7.34 13.13
stimmlich 7.34 13.13
stimmlos 13.15
15.18
Stimmlosigkeit 13.15
stimmreich 15.17

Stimmung 2.33 5.2
5.12 9.2 9.4 9.10
11.4 11.9 11.21
11.26 12.22 16.53
—, üble 11.7 11.58
16.53
Stimmvieh 12.25
16.94
Stimmwechsel 13.15
15.18
Stimulans 5.31
Stimulant 9.12
stimulieren 5.34
5.36 9.12 11.5
11.36
Stinkadores 2.34
7.64 7.68
stinkbesoffen 2.33
4.50
Stinkbock 16.33
Stinkbolzen 2.34
Stinkbombe 7.64
stinken 4.50 7.64
9.60 9.63 16.33
19.8
stinkfaul 4.50
stinkig 7.64
stinklangweilig
11.26
Stinkmorchel S. 3
7.64
stinkmüde 4.50
Stinkspargel
(Zigarre) 7.64
Stinktier 7.64
Stinktopf 7.64
Stint S. 99 4.50 11.9
Stipendiat 16.112
Stipendium 18.12
18.26
stippen 8.26
stippern 1.8
Stipulation 19.14
stipulieren 19.15
Stirn(e) 2.16 2.41
3.33 11.5 11.30
16.50 16.53 16.65
16.90
— bieten, die 9.72
16.77
—, eherne 16.90
Stirnband 3.47
17.
Stirnlocke 6.37

Stirnreif 17.10
Stirnrunzeln 11.32
Stirnseite 3.26 6.2
Stirnziegel 15.7
17.10
Stoa zum Mirka
2.48
Stöber S. 126 16.60
stöbern 9.66 12.8
Stock 2.3 2.48 3.18
4.6 4.12 4.17
8.9 9.76 15.5
16.67f. 16.78 17.2
17.5 17.11 18.21
18.24 19.32
— und Stein 4.41
stockbesoffen 2.33
stockblind 10.18
Stockdegen 17.11
stockdunkel 4.50
stocken 2.7 3.36 8.2
9.55 13.14 16.33
Stockente S. 118
Stöcker 16.60
16.101
Stockfechten 16.57
stockfinster 4.50 7.7
Stockfisch S. 99 2.27
10.3 16.78
Stockfleck 7.57
Stockhaus 16.117
19.32
Stockhiebe 19.32
Stockkrankheit 2.4
Stöckl 2.48
Stockmann 16.60
Stockmeister 16.101
19.27 19.29
Stockmilch 2.30
Stockstreiche 19.32
stocktaub 4.50
10.20
Stockung 8.2 9.24
9.36 13.14
Stockwerk 4.12 17.2
Stockzahn 2.16
Stoff 1.20 2.31 3.15
4.17f. 5.1f. 5.8
12.5 17.8
stofflich 1.20 5.1
Stofflichkeit
(Existenz).1.20 5.1
stofflos 12.2

Stofflosigkeit 4.26
13.29 20.5
Stöhnen 11.33
stöhnen 7.34 11.33
Stoiker 11.8 20.13
stoisch 5.38 8.2 11.8
20.13
Stoizismus 11.8
11.37 19.2 20.13
stökern 10.12
Stola 3.20 17.9
20.18
Stoll 16.60
Stollen 1.23 2.27
3.57 8.11 14.2
Stollenschrank 17.4
stolpern 8.30 8.34
9.53 9.78 16.6
Stolz 11.44 11.48
16.90 17.10
stolz 11.8 11.44f.
stolzieren 8.1 11.47f.
16.6 16.85
16.88ff. 17.10
Stopball 16.57
Stopfen 3.58
stopfen 2.26 3.21
3.58 4.21 8.23 9.58
9.73 16.2
Stopfung 3.21
stopp! 8.2 9.32
Stoppe 4.4
Stoppel 4.32 11.42
Stoppelfeld 1.13 3.53
Stoppelgedicht 14.2
Stoppelhahn 16.59
Stoppelhopser 2.5
16.60 16.74
Stoppeln 3.53
Stoppelsucher 16.60
Stoppelwerk 12.2
stoppen 3.36 8.2 8.8
9.33 9.72 13.23
16.57 16.74
Stopper 16.57
stopplig 3.53
Stoppplatz 8.2
Stoppuhr 6.9
Stöpsel 3.58
Stör S. 99 2.27
Storax 7.53

Storch S. 116 2.21
8.6 11.30 17.13
storchbeinig 4.4 4.11
storchen 8.8
Storchenbein 4.11
Storchtante 2.44
Störchle 18.19
stören 3.38 5.24 6.38
9.63 9.72f. 11.14
11.59 16.67 16.70
Störenfried 9.73
11.31 19.9
storr 9.51
Störrigkeit 9.8
störrisch 9.8 9.55
16.53
Störsender 9.72 15.18
16.65
Storthing 16.102
Störung 2.41 8.24
19.20
Störungsfeuer 16.73
Störungsfront 1.7
Stoß 4.1 4.17 4.20
5.27 5.36 7.29
8.9 8.34 9.5
10.1f. 16.76 17.9
Stössel 7.49 8.9
16.53
stoßen 8.1 8.9 8.21
8.34 9.69 11.33
11.59 12.20 16.31
16.33f. 16.52 16.68
16.76 19.9
—, ins Elend 16.52
—, von sich 9.19
Stoßseufzer 11.32f.
Stoßgebet 20.13
Stoßstange 8.10
Stoßtrupp 16.74
stoßweise 5.20 5.27
stottern 3.36 13.14
18.26
Stottern 2.41 13.14
stotzig 8.28
Strabismus 10.17
strack 3.40 7.44
stracks 3.40 6.8 6.14
Strafanstalt 16.117
19.32f.

Strafarbeit 19.32
Strafaufschub
  11.50f. 16.47
strafbar 19.10ff.
  19.20 19.32
Strafe 11.48 16.33
  16.80 19.26f. 19.30
  19.32 20.11
strafen 16.36 16.65
  16.78 19.32
Straferkenntnis
  19.31
Straferlaß 19.30
Strafermäßigung
  11.50 16.47
straff 3.11 3.13 3.37
  3.40 4.17 7.44 9.6
  16.108
straffällig 19.11
  19.20
Straffälligkeit 19.31
straffen 3.40
Straffheit 7.44
straffrei 19.30
Straffreiheit 16.47
  19.30
Strafgefälle 19.32
Strafgeld 16.113
  19.26 19.32
Strafgesetz 19.19
Strafgestundung
  16.47
Strafgewalt 19.31
Strafhaus 16.117
  19.32
Strafkolonie 19.32f.
Strafkompanie 9.74
  16.117
sträflich 16.33 19.10
  19.20 19.32
Sträfling 16.117 19.9
  19.11 19.31
Strafliste 19.11
straflos 19.30
Straflosigkeit 19.13
  19.25 19.30
Strafmaß 19.30
  19.32
Strafmoral 16.33

Strafnachlaß 16.47
Strafpredigt 16.33
Strafraum 16.57
Strafrecht 19.19
Strafrede 16.33
Straftat 19.11
strafversetzen 8.24
Strafversetzung 8.18
strafwürdig 19.32
Strahl 1.10 2.16 3.40
  4.6 7.4 7.55
  8.22 26.89
strahlen(d) 7.4 7.55
  8.22 11.16f. 16.85
  16.88
strählen 3.52 9.66
  15.7
Strahlenbrechung
  7.4 8.22
Strahlenkegel 7.4
Strahlenkranz 7.4f.
Strahlenmesser 10.16
Strahlenpilz 2.41
Strahlung 4.34 7.4
  8.22
Strähne 6.34
Stramin 17.8
stramm 3.11 3.13
  3.40 5.35 9.6 11.38
strämmen 10.9
strammstehen 11.48
strammziehen 16.78
Strampel 2.16
strampeln 8.34
Strand 1.13 1.16
stranden 8.31
Strandgeld 16.46
  18.5
Strandkanone 2.33
Strandkrabbe 11.43
Strandrecht 18.5
Strang 4.25 4.33
  9.68f. 11.11 12.39
  16.40 19.32
Stränge 8.27 9.55
  16.116 19.10
strangulieren 2.46
  19.32
Strapaze 9.18 9.40
Straße 1.11 3.12
  3.14 4.25 4.33 7.55
  8.11 9.24 9.54
  18.14

Straßenbahn 8.4
  16.6 16.44
Straßenbesen 11.20
Straßenbriet 2.22
Straßenfeger 16.60
Straßenfront 17.2
Straßengraben 16.68
Straßenkehrer 9.66
Straßenmensch 10.21
Straßenraub 18.9
Straßenreinigung
  9.66
Straßenrennen 16.57
Straßensammlung
  18.12
Straßenzüge 16.75
Strategie 9.15 9.23
  9.52 12.52 16.73
  16.83
strategisch 16.73
Stratosphäre 1.4
Stratosphärenballon
  8.6
sträuben 11.42 11.59
  18.19
—, sich 9.5 9.20
  9.40 9.72 10.14
  11.28 16.65
Strauch 2.1f.
Strauchdieb 16.72
straucheln 8.30f.
  8.34 9.53 9.78
  16.6 19.10
Strauchhaufen 2.48
strauchlos 2.7 3.22
  9.49
Strauß 4.17 7.63 8.7
  16.39 16.67 16.70
  16.73 17.10
Straußenfeder 17.10
Strebe 3.16 17.2
Streben 9.1 9.14
  11.36 12.3
streben 9.1f. 9.14
  9.21 11.36 12.8
  12.35 19.3 20.1
Streber 12.6 16.32
  16.115
streberhaft 12.35f.
strebern 12.35
strebsam 19.3
Strebung 9.1
streckbar 7.50 9.54

Streckbarkeit 7.50
  9.54
Strecke 2.12 2.46
  3.1 3.8 4.6
strecken 3.40 4.3 4.6
  16.83 18.10
—, sich 4.3
—, sich nach der
  Decke 12.47
Streckenzug 8.4
Streckung 4.7 7.44
Streich 6.13 7.29 8.9
  9.10 9.18 9.26 9.73
  11.12f. 11.22 11.38
  11.60 12.13 12.53
  16.54 16.67 16.70
  16.76 16.78 19.32
— spielen 16.54
— törichter 12.13
streicheln 10.2
  16.42f.
streichen 3.52 4.7
  4.30 5.29 7.3 7.11
  8.17 11.22 16.6
  16.32 16.37 16.78
  16.83 16.114
  18.15 20.12
Streichholz 7.36
  16.57
Streichinstrument
  15.15
Streichkörper 15.14
Streichmusik 15.11
Streichung 4.7 18.6
Streif(en) 2.32 3.40
  4.7 4.9 4.11 11.45
  13.1
streifen 3.9 7.23 16.6
streifig 7.23
Streifscharen 16.74
Streifzug 8.23 12.8
  16.6 16.73 16.76
Streik 3.38 9.36
  9.72 16.65 16.116
streiken 3.36 9.5
  9.24 9.33 9.36
Streikposten 16.116
Streit 8.13 11.38
  16.67 16.69f.
Streitaxt 16.48
  17.11
streitbar 16.33 16.73

Streitbold 16.90
streiten 5.23 9.8
  11.28 11.38 12.29
  16.67 16.70 18.26
  19.13 19.27
— für 19.13
Streiter 9.8 16.74
Streitfrage 12.8
  16.67
Streitgespräch 12.14
  12.29
Streithahn 16.74
Streithammel 11.58
  16.67
Streithecke 2.48
Streithengst 16.67
streitig 12.14
Streitigkeit 16.47
  16.67 16.70
Streitkräfte 16.74
  16.83
Streitpunkt 16.67
Streitroß 8.3
Streitsache 19.27
Streitsucht 11.58
  16.67
streitsüchtig 11.58
  16.67 16.73
Strelitze 16.74
Stremel 1.15
stremmen 18.9
streng 5.9f. 5.35
  9.37 13.44 16.53
  16.81 16.108 19.1
  20.13
— modern 5.19 6.26
  15.3
Strenge 11.32 16.53
  16.108 19.1
Strengflüssigkeit 7.46
strenggläubig 20.1
  20.13
Strenze S. 63
strenzen 18.9
Stresemännchen 17.9
Streu 17.3
streuen 1.21 2.5 3.38
  8.22 11.45 16.31f.
  16.72
Streusand 18.21
Streuselkuchen 2.27
Streuung 8.22

Strich 3.39f.
  3.53 4.9 4.11 4.50
  9.5 9.33 9.73 9.78
  11.59 11.62 13.1
  14.9 14.12 15.11
  16.45 16.65
— haben, auf dem
  9.14
—, unter dem 14.1
Strichbähncher 7.38
stricheln 15.4f.
Strichpunkt 6.15 14.5
Strichregen 1.8 7.57
Strick 4.11 4.25 4.33
  9.74 11.53 16.113
  16.117 19.9f.
  19.32
— drehen, einen
  9.74
Strickelche 11.33
stricken 3.15 17.8
Strickerei 3.15
Strickjacke 17.9
Strickleiter 8.11
Stricknadel 4.11
strief 16.108
Striegel 9.66
striegeln 9.66
  16.78f.
Striemen 2.42
Striezel 2.16 2.27
Strickspön 7.38
strikt 9.35 16.108
Strippe 2.31 3.22
  4.25 4.33 6.34
  17.17
Strippen 1.8
strippen 1.8
Strippenzieher 16.60
stripsen 18.9
strittig 12.8 12.14
  12.23 12.29 13.47
  16.67
—er Gegenstand
  16.67
Strizzi 10.21 16.90
Stroboskop 10.16
Stroh 17.8
Strohdach 3.20
strohdumm 12.56
Ströher 2.5

Strohfeuer 6.8 9.9
  11.6
strohgelb 7.19
Strohhalm 5.37 7.42
  9.16 9.45 9.76
  11.35 11.37 16.36
Strohhut 17.9
Strohinstrument
  15.15
Strohmann 5.29 5.32
  9.45 16.104
Strohsack 11.5 17.3
Strohwisch 13.1
Strohwitwe(r) 4.34
  16.14
Strolch 9.24 11.53
  16.94 18.9 19.9
strolchen 8.1
Strom 4.22 5.19
  5.25 7.5 7.55 8.1
  9.54f. 16.65 16.73
  16.115 17.17 20.10
— schwimmen,
  gegen den 9.55
  9.72
stromabwärts 8.30
stromaufwärts 8.28
Strombett 7.56
Ströme von Blut
  vergießen 16.73
strömen 1.8 4.20
  4.22 7.54f. 8.11
  8.16
Strömen, in 4.20
Stromer 11.53
stromern 8.1
Stromgott 20.7
Stromnetz 17.17
Stromschnelle 7.55
Stromsperre 18.10
Strömung 1.6 5.18
  7.55 8.11 8.16
  12.32
Strontianit 1.25
Strontium 1.24
Strophe 14.2
Stropp 11.53
strotzen(d) 2.38 4.1
  4.10 4.22 16.30
  16.85 16.89
strubbelig 3.38

Strudel 2.27 3.38
  7.55 8.32 8.34 9.67
  9.74
Struktur 5.2 5.8
  5.17 11.2
Strumpf 3.20 4.41
  7.5 8.18 11.21 17.9
Strumpfband 3.24
  4.33
Strumpfhalter 17.9
Strunk 2.3
Strunz 19.10
Strunze 2.22
strunzen 9.24
struppig 3.53 11.27
Struwelkopf 2.16
Struwelpeter 11.28
Strychnin 1.29 2.43
Stubben 2.3
— stube 16.64
Stube, gute 17.2
Stubenhocker 16.52
Stubenmädchen
  16.112
stubenrein 9.66
Stüber 8.9 18.21
Stuchen 2.5
Stuck 3.20
Stück 2.15 3.9 3.20
  4.19 4.34 4.42 5.17
  5.39 6.31 6.34 9.2
  11.53 11.60 14.3
  15.12 16.33 17.11
  18.2 19.10
Stuckateur 3.20 17.10
Stucken 2.5
stücken 4.33
Stücken, aus freien
  9.2 9.4
stückeln 4.33
Stuckerpflaster 3.53
stucksig 4.10
stückweise 3.36 4.34
  4.42 4.46 7.48
Stückwerk 1.21 3.38
  9.34 9.53
Student 2.48 9.24
  12.35
Studie 15.4
Studienanstalt 12.36
Studiengenosse 16.41
Studienrat 12.33

studieren 9.52 12.3
12.8 12.35 12.39
Studierter, ein 16.91
Studierzimmer 9.23
17.2
Studiker 12.35
Studio 9.23 9.28
15.4
Studium (studieren)
9.14 12.3 12.7f.
Stufe 3.33 3.37 4.13
5.12 5.16 8.11 8.28
9.77 16.85 16.99
19.8
— um — 4.13
9.61 19.8
stufen 5.21
Stufengang 3.13
3.35
Stufengestell 3.16
17.5
Stufenleiter 3.35
4.13 6.32
stufenweise 3.37
5.19 5.26
Stuhl 2.35 3.16
8.18 9.55 16.78
16.100 16.105
17.3 19.32
—, Heiliger 20.17
—, päpstlicher
20.17
Stuhlgang 2.35
Stuka 16.74a.
Stuken 2.5
Stukhaufen 2.5
Stukko 3.20
Stulle 2.27
Stullenpapier 7.9
Stülpe 3.20
Stulpen 3.20 17.9
stulpen 5.24
stumm 2.8 2.46 4.50
7.28 11.30 11.42
13.4 13.15 13.23
16.53
Stummel 2.34 4.32
Stummfilm 15.9
Stummheit 7.28
stumpen 8.9
Stumpen 2.16 2.34
Stümper 9.53 12.37
Stümperarbeit 9.78

Stümperei 9.53 15.2
stümperhaft 9.53
Stümperhaftigkeit
9.53
stumpf 3.56 7.11
9.19 9.41 10.3 11.8
11.37 11.59 12.13
Stumpf 2.3 4.7 4.24
4.32 4.34 4.41 5.42
stumpfen 3.56
Stumpfheit 3.56 9.19
9.41 10.3 13.23
Stumpfsinn 4.22 9.53
11.8 12.56f.
stumpfsinnig 12.56
Stunde 2.21 4.41
6.6f. 6.9 6.18 9.74
11.33 12.33 16.73
16.81
stunden 6.12 6.36
9.33
Stundenglas 4.9 6.9
Stundenkegel 12.35
stundenlang 6.1
11.62
Stundenmaß 6.9
Stündlein 2.45
Stündler 20.2
stündlich 6.9 6.30
Stundung 6.1 6.36
9.33 18.19
Stunk 16.67
Stunz 17.6
Stupa 20.20
stupend 4.50
stupfen 8.9
stupid 12.56
Stupidität 9.53
stuppen 8.9
stupsen 8.9
Stupsnase 2.16
stur 9.8 12.56
Sturheit 12.55
Sturm 1.6 3.38 5.20
5.27 5.36 7.60 8.7
8.34 9.74 11.5f.
11.42 15.3 16.31
16.48 16.76 16.83f.
Sturmbock 17.11f.
Sturmboot 16.74
stürmen 1.6 5.36 8.7
8.16 11.38 16.76
Stürmer 16.57 17.9
Stürmer und
Dränger 15.1

Sturmgebraus 7.26
Sturmgeschütz 17.12
Sturmgeselle 16.41
Sturmglocke 13.10
Sturmhaube 16.77
Sturmhocken 2.5
Sturmhut S. 36
stürmisch 1.6 3.38
5.27 5.36 10.21
Sturmlauf 8.7
Sturmleiter 16.76
Sturmsaat 5.24 9.61
Sturmtrupp 16.74
Sturmvogel 6.11
12.43
Sturmwind 1.6
Sturz 3.38 5.20 5.27
5.29 5.42 8.7 8.27
8.30f. 9.78 16.27
16.116
Sturzbach 1.8 7.55
Sturzbad 7.55
Stürze 3.20
stürzen 3.38 7.55 8.7
8.31 11.14 11.39
11.41 11.61 16.105
19.9
— sich 9.21
Stürzer 1.23
Sturzflug 8.6 8.30
16.74a.
Sturzflut 1.8
Sturzhaufen 2.5
Stürzner 16.60
Stuß 12.19 12.56f.
13.51
Stute S. 128 8.3
Stütze 3.16 5.35
5.37 9.70 9.76
11.35 12.29 16.103
16.112 17.2
— der Hausfrau
16.103 16.112
Stutzebock 16.56
Stützel 2.27
stutzen 4.5 4.7 4.23
4.30 4.34 5.37 8.8
9.5 9.73 11.30
11.42 16.107
Stutzen 2.27 17.9
17.11f.
stützen 2.44 3.11
3.16 9.58 9.70
18.12

Stützen der Gesell-
schaft 16.61f.
Stutzer(l) 16.63
17.9
stutzermäßig 11.45
Stutzflügel 15.15
stutzig 9.7 11.30
11.42 12.23
Stutzkopf 16.56
Stützpunkt 3.16 3.18
9.15 16.74 16.95
17.5
Stutzuhr 6.9
Stützung 3.16
Stüwer 16.60
stytisch 7.7 20.11
Styx 20.11
Suada 13.43
subaltern 4.42 9.59
12.55 16.92 16.94
16.112
Subhastation 18.28
Subjekt 2.31 11.1
11.59 16.33 16.36
19.9
subjektiv 11.1 12.2
20.5
subjektivistisch 12.23
subkortikal 12.1
subkutan 3.19
sublim 11.17
Sublimat 1.28 2.43
sublimieren 1.22
9.57
submissest 11.48
Subordination 3.37
4.42 8.15 16.111
16.114
Subsidien 18.12
Subsistenz 5.1 18.5
Subskribent 19.14
Subskription 18.12
19.14
Substantialität 1.20
5.1
substantiell 1.20
5.1f. 7.43
Substantiv 13.16
Substanz 1.20 3.19
4.18 5.1f. 5.8 9.44
13.17

substituieren 5.29
Substitut 5.22 5.29
  16.104 16.112
  18.20
Substitution 5.22
  16.103
Substrat 3.19 3.20
  5.31f. 12.17
subtil 7.42 9.42
  12.53
Substratum 3.19
Subtrahent 4.23
  4.30 4.35
subtrahieren 4.5
  4.23 4.30 4.35
Subtraktion 4.23
  4.30 5.35
Subvention(en)
  18.26
subventionieren
  18.26
Succession 6.12 6.33
  8.15
Suchaktion 9.38
Suchanzeige 12.8
suchen 4.50 8.18
  9.14 9.21 11.36
  11.39 11.50 11.58
  12.6 12.8f. 16.27
  16.64 16.70 16.81
  19.2 19.27
Sucher 15.8
Sucht 2.41 11.36
süchtig 2.41 9.86
  11.11
suckeln 7.54
Süd 1.6 1.12 7.35
Sudelei 9.53 9.67
  11.28 14.5 15.2
sudelig 11.27f.
Süden 1.12 3.32
  7.35
Südfrüchte 2.27
  7.65 16.27
Südhotel 19.33
Südländer 11.20
Sudler 16.60
südlich 1.12 5.46
  7.35
Südpol 1.12
Südseeländer 16.92
Suff 2.32
Süffel 2.32
Süffet 16.98

Suffix 4.22 4.28
  13.16
süffig 11.36
süffisant 16.54
Suffraganbischof
  20.17
Sufi 20.17
Sufzerl 2.48
suggeln 2.26
suggerieren 16.95
Suggestion 9.12
  16.97
suggestiv 5.35
Suggestivfrage 19.27
Suhle 1.18f. 4.15
Sühne 16.80 19.26
Sühnekapelle 2.48
Sühnekreuz 2.48
sühnen 2.47 18.18
  19.5 19.26 19.32
Sühnesteine 2.48
Sühnetermin 19.27
Sühngeld 16.46
Sühnopfer 16.31
  16.80 19.26 20.16
Suite 4.22 15.12
  16.112
Suitier 18.14
Sujet 12.5
Sukkade 2.28
Sukkubus 20.5
Sukzession 3.35
sukzessiv 6.12
Sultan 16.97f.
Sultanine 2.28
Sultanswirtschaft
  16.95 16.97
Sülze 2.27 7.51
  8.33
sülzig 7.51
summa summarum
  3.9 4.33 4.41
Summand 4.28
Summarien 14.12
summarisch 4.8 8.7
  9.43
—es Verfahren
  19.20
Summe 4.1 4.33 4.35
  4.41 5.1 18.21

summen 7.27 7.30
  7.32f. 15.1 15.13
summieren, sich 4.20
summierung 4.35
Sumpf 1.19 7.51
  11.41
sumpfen 19.10
Sumpfgas 1.29
Sumpfhuhn 2.32
  19.10
Sums 9.13 16.89
sumsen 7.32
Sumser 2.16 12.57
Sund 1.16 1.18 7.55
Sünde 4.50 11.17
  11.28 11.32
  16.93ff. 19.9ff.
  19.20 20.1 20.4
Sündenabwehr-
  kanone 16.60
Sündenbekenntnis
  19.5
Sündenbock 16.54
  16.80 19.26
Sündenerlösung
  20.13
Sündenfall 19.4
Sündengeld 18.26
Sündenhaufen 2.48
Sündenregister 19.11
Sündenschuld 19.11
Sündenwege 19.10
Sünder 5.30 9.62
  19.6 19.9 19.11
  19.31 20.3f.
—, armer 19.31
Sünderbank,
  Sündergewand
  19.5
Sündertod 16.80
Sündflut s. Sintflut
sündhaft 19.10
sündig 19.10f. 20.4
sündigen 19.10f.
  19.20
sündlos 19.4 20.1
  20.13
Sündopfer 16.80
Sunna 20.19
Sunniten 20.1
Super-, super- 4.22
  13.52
süperb 11.17
Superfötation 4.22

Superintendent
  16.96 16.98 20.17
Superiorität 4.51
superklug 11.45
Superlativ 13.52
supfen 2.32
Süppchen 19.7
Suppe 2.27 2.31 7.10
  7.51 7.65 9.69
  9.72 11.27 11.60
  16.33 16.65
  19.32f.
suppen 7.55
Suppengrün 2.28
Suppenhuhn 2.25
  11.28
Suppenschmied
  16.60
Supplement 4.22
  4.28
supponieren 12.29
Supposition 12.29
Suprarenin 1.29
Suprematie 4.41 5.46
  16.97
Sure 20.19
Surius 2.31
Surre 16.78
surren 7.32
Surrogat 5.18 5.22
  5.29 12.29 16.72
  16.104
Survival 4.32
Susanna 16.3
Suse 8.8
suspendieren 16.105
Suspendierung 9.19
  9.33 9.85 16.105
Suspensorium 3.17
süß 7.66 11.10
  11.16f. 11.53
  16.32 16.38
Süßchenbäcker,
  Süßchen lehmer
  16.60
Süße 7.66
süßen 2.28 7.66
Süßer 2.31 11.53
süßfreundlich 16.32
Süßheit 7.66
Süßholz 2.27 7.66
  16.32
Süßholzraspler
  16.32

Süßigkeit 7.66 11.10
süßlich 7.66 11.29
Süßmost 2.30
süßredend 16.32
süßsauer 1.21
Süßspeise 2.27 7.66
Süßstoff 2.28 7.66
Süßwasser 7.54f.
Süßwasserfisch 2.9
Süßwein 2.31 7.66
Sutane 17.9 20.18
Suter 16.60
Sutter 2.5
Sütterlin 16.60
Sutti 20.16
Suttner 16.60
Suzeränität 16.95
swadereeren 13.22
swadern 13.22
Sweater 17.9
Swing 16.58
swinplitsch 12.53
Sybarit 11.11 11.19
sybaritisch 18.14
Sybille 12.43
Syenit 1.26
Syllabus 13.6 14.12
　16.37 16.106
Syllogismus 12.14
Sylphe 7.42 11.17
　20.5ff.
Symbiose 4.33
Symbol(isierung)
　4.34 13.1 13.4
　13.34 13.36
symbolisch 13.1
Symbolismus 15.1
Symmetrie 3.37 3.59
　11.16f.
symmetrisch 3.59
　11.17
sympath(et)isch
　11.17 11.52f.
Sympathie 11.36
　11.50 11.52f. 12.6
　16.40f.
sympathisieren 16.40
Symphonie 15.11f.
symphonische
　Dichtung 15.12
Symptom 5.9 12.9
　13.1 13.46

Synagoge 20.20
Synaloephe 4.33
synchronisieren 15.9
Synchronism(us)
　6.12f.
Syndetikon 4.33
Syndikat 16.17
　16.102
Syndikus 19.28
Synekdoche 13.36
Synizese 4.33
Synkope 2.39 5.37
　6.32 13.39 15.11
　15.17
Synkretismus 20.2
Synode 4.17 16.102
　20.16f.
synonym 5.15
　13.16f.
Synonymik 13.16
Synonymon 13.17
Synopsis 12.10 14.9
　14.12
Syntax 13.20 13.31
Synthese 1.21 4.33
synthetisch 1.21 4.33
　5.18 12.30
Syphilis 2.41
syrisch (Stil) 15.1
System 3.37 4.33
　4.41 5.12 9.15
　9.25
systematisch 3.37
　4.41 6.33 9.25
systematisieren 3.37
Systole 8.21
Szene 5.44 7.2
　10.15 11.5f. 11.31
　14.3 15.1 15.4
　16.33 16.67
Szenerie 10.15 14.3
szenisch 14.3
Szepter 16.100

T

Tabak S. 72 2.34
　7.68
Tabelle 3.37 13.1
　14.9
Tabernakel 20.21
Table d'hôte 2.26
Tableau 7.2 10.15
　11.30 15.4

Tablett 17.5 17.7
Tabouret 17.3
Tabu 9.74
Tabulettkrämer
　18.23 18.28
tacken 7.27 7.30
Tadel 16.33 16.93
　19.32
tadelhaft 16.33
　16.94 19.11 19.21
tadellos 9.64 11.17
　11.53 16.38 19.1
　19.4
tadeln 16.33 16.37
tadelnswert,
　tadelnswürdig s.
　tadelhaft
Tadelsucht 11.60
　16.33 16.53
tadelsüchtig 16.33
　s. o.
Tadelsüchtiger 16.33
Tafel 2.26 2.48 3.37
　4.13 4.43 13.1
　14.5
—, gemeinsame 2.26
— halten 2.26
Tafeldecker 16.112
tafelförmig 4.43
Tafelfreuden 2.26
　16.55
Tafelklavier 15.15
Tafelland 3.12 4.43
tafeln 2.26
Tafelrunde 16.17
Täfelung 3.20
Tafelwerk 14.11
　15.4
Tag 2.45 5.9 5.21
　5.23 5.46f. 6.1ff.
　6.6f. 6.16f. 6.20
　6.24f. 6.33f. 7.4
　9.24 9.43 11.8f.
　11.11 11.17 11.32
　11.50 11.62 12.20
　13.3 16.8 16.31
　16.33 16.36 16.38
　16.59 16.81 16.85
　18.4 18.14 18.19
　20.10
Tagblatt 14.11
Tagdieberei 9.24
Tagebuch 6.9 14.1
　14.9
Tagedieb 9.24

Tagegeld 18.26
Tagegelder 16.46
Tagelöhner 9.22
　16.60 16.94 16.112
Tageltag 16.8
Tageltied 16.8
tagen 6.2 7.4 8.21
　16.102 19.27
Tagesanbruch 6.2 7.4
Tagesbefehl 13.7
Tagesberühmtheit
　16.85
Tagesbericht 13.6
　14.8
Tagesgespräch 9.44
Tageshelle 7.4
Tageslicht 7.4
Tageslohn 16.46
Tagesordnung 6.16
　9.31 12.4
Tagespresse 14.7
Tagesschreiber 14.1
　16.60
Tageule 16.74
Tagewählerei 20.12
Tagewerk 9.22
Tagfahrt 19.27
taghell 7.4
täglich 4.23 6.33
Täglichsbeck 16.60
Taglöhner 9.22 16.60
　16.94 16.112
Tagschicht 9.40
tagtäglich 6.33
Tagwerk 1.15 4.16
Tagung 8.21 16.102
Taifun 1.6
Taille 4.9
Tailormade 17.9
Takelage 9.26
Takelwerk 4.33 8.5
　9.26 17.15
Takt 6.9 6.33 9.52
　11.18 11.29 12.11
　14.2 15.11f. 16.38
taktfest 12.32
taktieren 6.33 15.14
Taktik 9.15 9.25
　9.52 16.73
Taktierer 9.52
taktisch 9.25 16.73
taktlos 9.53 11.29
　16.53
Taktlosigkeit 9.53
　11.29 16.53

taktmäßig 15.17
taktvoll 11.4 13.23
  16.38
taktwidrig 15.18
Taktwidrigkeit 15.18
Tal 3.10 3.34 3.49
  3.51 4.13f.
Talar 16.100 17.9
  20.18
Talent 9.52 11.45
  12.52 14.2
talentiert 9.52 12.52
Talentlosigkeit 9.53
talentvoll 12.52
Taler 18.21 18.27
Talfahrt 8.30
Talg 2.16 7.52
talgig 7.51f.
Talis 2.33
Talisman 5.43 20.12
Talk 1.25
Talken 2.27
Talkum 16.78
Talmi 5.18 9.60
  11.29 12.46
Talmi = 1.21
Talmud 20.19
talmudisch 12.19
talmudistisch 12.11
  12.55
Talon 18.30
Talschleicher 16.6
Talsohle 3.49
talwärts 8.30
Tambour 16.74
Tambourmajor 15.14
Tamburin 15.15
Tamp 3.27
Tamtam 11.47 15.15
  16.21 16.31 16.88
Tand 9.45 11.29
  17.10
Tändelei 16.43
tandeln 8.8
tändeln 9.43 16.43
  16.55
Tandem 8.4
Tang S. 9
Tangel S. 13
tangere, noli me
  16.77
Tango 16.58
Tank 4.10 8.4 17.6
  17.12 17.14
tanken 7.55

Tanker 8.5 16.74
Tankschlacht 16.76
Tanne S. 13 2.48
  4.50
Tannin 1.29
Tantal 1.24
Tantalusqualen 5.47
  11.36
Tante 2.25 2.35
  11.31 11.58 16.9
  16.56
Tantieme 4.42 18.26
tantig 11.29
Tanz 8.29 8.33
  11.21 15.11f.
  16.58 18.7
Tanzbein 16.58
tänzeln 8.1 8.32
tanzen 3.17 5.20
  8.28f. 8.32f. 9.74
  11.21f. 11.48
  16.58 16.78 16.111
  16.114
Tänzer 8.29 14.3
  16.55 16.58 16.60
Tänzerin 16.58 16.60
Tanzknopf 8.32
Tanzkränzchen 16.58
Tanzmeister 8.29
Tanzoper 14.3
Tanzorden 17.10
Tanzsaal 17.2
Tanzschritt 16.58
Tanztee 16.58 16.64
Tao 20.7
Tao Te King 20.19
Tapergreis 2.25
taperig 9.53
tapern 8.1
Tapet 9.14 9.29 12.5
  13.30
Tapete 3.20 15.7
Tapetentüre 3.57
tapezieren 3.20
Tapezierer 16.60
tapeziert 4.11
tapfer 11.38 16.73
Tapferkeit 11.38
  11.40
Tapioka 2.27
tappen 5.7 9.55
  13.35
Tapperl 16.56
täppisch 9.53 11.24
Taps 9.53 12.56

tapsig 9.53
Tarantel S. 94 5.36
  12.57
Tarantella 16.58
Targum 13.53
Tarif 18.23
tarnen 13.4
Tarnkappe 20.12
Tarnscheinwerfer 7.6
Tarok 16.56
Tartarin 13.51
Tartarus 20.11
Tartuffe, Tartüff
  13.51 16.51 16.72
  19.8 20.14
Tasche 4.51 9.19
  11.31 16.97 17.7
  18.11 18.19 18.21
—, füllen, die 18.5
Taschenausgabe 4.5
  4.52
Taschengeld 18.21
taschengroß 4.4
Taschenkrebs S. 93
  4.4
Taschenlampe 7.5
Taschenlaterne 7.5
Taschenmesser 3.55
  8.30
Taschenspieler 9.52
  14.3 16.72 20.12
Taschenspielerei 5.27
  16.72 20.12
Taschenuhr 6.9
Taschner 16.60
Tasse 12.57 17.6
Tassilo 16.3
Tastatur 15.15
Taste 15.15
tasten 10.2
Tasten(brett) 15.15
Tasteninstrument
  15.15
Tastorgan 10.2
Tastsinn 10.2
Tat 5.6 5.34 9.18
  9.44 11.30 11.38
  16.73 19.2 19.11
  19.13
Tatarbeefsteak 2.27
Tatbestand 5.12 5.44
Tatendrang 9.6 9.38
tatenlos 11.13
Tatenlosigkeit 9.41
Täter 9.22

tätig 9.18 9.21f.
  9.37f. 12.3
tätigen 9.35
Tätigkeit 9.18 9.22
  9.24 9.38
Tatkraft 9.37
tatkräftig 9.6
tätlich 16.76
Tatmensch 9.37
tätowieren 7.11 7.23
Tätowierung 17.10
Tatsache 5.1 5.6 5.25
  5.44 9.9 11.39
  12.26 12.47 13.33
  13.46 13.51 14.9
  16.72 16.115 19.7
tatsächlich 5.1 5.6
  5.10 5.44 12.26
Tatsächlichkeit 5.1
tätscheln 11.10 16.43
Tattersall 16.57
Tatze 2.16 9.83
  16.78
tatzig 7.51
Tau 1.9 4.33 4.44
  6.35
taub 10.3 10.20 12.13
  16.27
Taube S. 119 2.27
  13.8 16.48 19.4
Taubeere 6.5
Taubenaugen 16.109
taubenblau 7.21
taubengrau 7.15
Taubenkropf S. 33
Taubenschlag 4.20
  9.23 16.117
Taubheit 2.41 10.20
Täubling S. 9
Taubnessel S. 75
taubstumm 10.20
  13.15
Taubstummensprache
  13.1
tauchen 7.57 8.26
  8.30 11.60 13.25
  16.7 16.73
Taucherglocke 16.7
tauen 1.9 7.50 7.54
  7.57
— sich 8.7 9.39
Taufakt 20.16
Taufbecken 20.16
  20.21

Taufe 9.29 13.16
16.59 20.16
taufen 1.21 7.69 8.26
13.16 20.15f.
Taufhandlung 20.16
Täufling 20.15
Taufname 13.16
taufrisch 2.22
Taufstein 20.21
taugen 19.1
Taugenichts 9.24
tauglich 5.2 5.35 9.48
9.52 16.95
Tauglichkeit 9.52
tauig 7.57
Taumel 8.32 10.17
11.5 11.9 11.11
12.46
Taumelkerbel S. 61
taumeln 8.31 8.33f.
Tausch 5.24 5.28
18.20
tauschbar 5.25
tauschen 5.24 5.28
16.8 18.20
täuschen 11.30 12.25
12.27 13.50f.
16.72 18.8 19.8
19.21
täuschend 5.17 12.27
Tauschhandel 5.28
18.20
Tauschmittel 18.21
Täuschung 9.78 12.28
13.51 19.21
tausend 4.20 4.39
11.30 12.28
Tausende 4.20
tausendfältig 9.77
Tausendfuß S. 94
Tausendgüldenkraut
S. 68
tausendmal 16.33
Tausendsasa 9.52
11.23 11.53 12.52
Tausendschön S. 80
Tautäffchen S. 128
2.27
Tautologie 4.22 5.15
13.22 13.43
Tausendste 3.38
Tauwerk 4.33 8.5
Tauwetter 7.51
Taverne 16.64

Taxameter 8.4
Taxator 16.60
Taxe 8.4 12.49
Taxi 8.4
taxieren 12.12 12.49
tea-gown 17.9
Teakholz 7.14
Technik 15.3 17.15f.
Techniker 16.60
Technikum 12.36
technisch 9.52 12.29
Techtelmechtel 11.53
16.42
Teckel S.126 19.29
Tedeum 11.21 11.54
16.31 16.87 20.16
Tee S. 59 1.22 2.30
2.44 7.39 9.56
Teekessel 12.56
16.33 16.56
Teekind 11.53
Teekleid 17.9
Teelöffel 17.6
Teer 1.26 7.14 7.53
teeren 19.20 19.32
Teerfarben 1.29
Teerjacke 16.7
Teewurst 2.27
Teich 1.18 7.56
Teig 7.50f.
Teigaff 16.60
teigig 7.51
Teigschuster 16.60
Teil 2.33 4.42 11.40
14.11 16.33 18.2
19.18
teilbar 4.34
Teilchen 2.27 4.4
Teildruck 14.11
teilen 4.34 4.42 18.2
18.12
Teilhaber 4.37 4.48
9.70 16.41 18.2
teilhaft 4.42
Teilnahme 9.38 11.36
11.50 11.52 12.6
teilnahmslos 9.19
9.24 11.37 11.61
12.13
Teilnahmslosigkeit
9.19 11.61 11.37
teilnahmsvoll 11.50
teilnehmen(d) 11.50
11.52

Teilnehmer 4.48
9.70 16.41
teils-teils 1.21
Teilung 2.18 4.34
4.42
Teilungszeichen 4.34
teilweise 4.42
Teilzahlung 18.26
Teint 11.17 11.28
-tel 4.42
Teixl 20.9
Telefon 13.2
telefonieren 13.2
telefonisch 9.79
Telefonzelle 7.27
Telegraf 13.2
telegrafieren 13.2
Telegramm 9.39
13.2 14.8
Telegrammstil 13.39
Telemark 16.57
Teleobjektiv 10.16
Teleologie 9.14
teleologisch 9.14
Teleskop 10.16
tell 4.12
Tell 9.77 16.71
Teller 17.6f.
Tellur 1.24
tellurisch 1.3
Tempel 2.48 12.36
20.20
Tempelhalle 20.21
Tempelhof 20.21
Tempera 15.4
Temperament 10.21
11.2 11.31 11.58
Temperamentsaus-
bruch 11.5
temperamentvoll
9.38 11.5f. 11.20
11.58
Temperatur 7.35f.
Temperaturabnahme
7.40
Temperatursinn
10.2
Temperatur-
zunahme 7.35
Temperenzler 11.12
Tempo 8.1 8.7 11.20
15.11f.
tempo, a 6.13 15.11
Tempora 13.31
temporär 6.8

tempore, ex 9.27
Tendenz 9.1 9.14
11.36 18.28
tendenziös 9.14
13.52
Tender 8.4 9.70
tendern 8.1
tendieren 9.1 9.14
11.36
Tenne 2.5
Tennis 16.57
Tennisturnier 16.57
Tenno 16.98
Teno 9.70
Tenor 5.10 15.13
Tenorhorn 15.15
Teppich 3.20 8.6
9.34 16.56 16.88
17.8f.
Teppichkehrer 9.66
Teppichwurf 17.13
Teresia 16.3
Termin 6.9 19.27
Termingeschäft 6.24
18.30
Terminologie 13.12
13.16
Termintag 16.8
Terminus 13.16
16.64
Terpentin S. 13 7.52
Terpentinöl 1.29
Terrain 1.13 1.15
Terrakotta 1.28
5.39
Terrasse 3.12 17.2
Terrazzo 1.26
terrestrisch 1.3
terrible, enfant
11.46
Terrine 17.6
Territorium 1.15
Terror 9.3 11.42
16.68 16.98
16.107f. 19.20
Terrorangriff 2.46
terrorisieren 9.3
11.42 16.68 16.107
Terrorist 16.74
Tertial 6.1
Tertiär 1.14
Terz 4.38 15.11
Terzerol 17.12
Terzine 4.38
Terzerone 1.21

Terzett 4.38 15.13
Teschenmacher 16.60
Tesching 17.12
Test 12.8
Testament 2.45 12.42
  14.9 18.1 20.19
Testamenten-
  quetscher 16.60
Testat 14.9
testieren 14.5 18.12
testikular 2.16
Tetanus 2.41
Tête 8.13
Teterow 12.56
Tethys 1.2
Tetraeder 3.43
Teubner 16.60
teuer 4.11 9.50 10.10
  11.13f. 11.32
  11.53 16.73 18.27
Teuerung 4.25 18.27
Teufe 4.14
Teufel 2.41 4.3
  4.50 5.42 7.14 8.7
  8.18 9.52 11.5
  11.17 11.28
  11.37ff. 11.50
  11.58f. 11.62
  12.13 12.37 12.53
  12.57 13.21 16.33
  16.37 18.4 19.1
  19.6 19.9 19.18
  20.9 20.12
Teufelaustreibung
  20.12
Teufelchen 11.17
Teufelei 20.9
teufelhaft 20.9
Teufelsabbiß S. 45ff.
Teufelsakt 20.12
Teufelsbanner 20.12
Teufelsberg 2.48
Teufelsbrut 19.9
Teufelsgezücht 20.9
Teufelskerl 11.38f.
  12.52
Teufelskunst 20.12
teufelsmäßig 4.50
Teufelspakt 20.9
  20.12
Teufelswerk 20.9
Teufelswurz S.71
Teufelszwirn S. 70
teufen 1.23

teuflisch 11.60 16.79
  19.9 20.9
Text 12.5 12.33
  14.9 14.11 16.33
  20.19
Textbuch 14.11
Textilien 17.8
Textkritik 14.5
Textur 5.8
Thallium 1.24
Thalysia 16.64
Thamar 16.3
Thea 16.3
Theater 9.5 9.78
  10.15 13.51 14.3
  16.55 16.88
Theaterdichter 14.3
Theatermaler 15.4
theatralisch 11.45
  14.3 16.88
Thebaner 12.53
thé dansant 16.58
Theke 2.32 18.23
theken 2.33
Thekla 16.3
Thema 5.10 12.5
Themis 1.2
Theo 16.3
Theobald 16.3
Theodor 16.3
Theodora 16.3
Theokratie 16.97
  20.17
theokratisch 20.17
Theologe 20.17
Theologie 20.1 20.17
Theophil 16.3
Theorbe 15.15
Theorem 12.5
theoretisch 12.4
  12.29
Theorie 3.37 9.25
  12.4 12.15 12.22
  12.29 12.32
Theosophie 20.1
theosophisch 12.43
Therapie 2.44
Theriak 2.43
Therme 7.35
Thermochemie 7.35
Thermometer 7.35
  12.12
Thermophor 7.35
Thermosflasche 7.35
  17.6

Thermoskop 7.35
Thersites 16.35
thesaurieren 18.10
These 12.5 12.22
  13.28
Thespiskarren 14.3
Thielen 2.5
Thing 16.92 16.102
  19.28
Thomas 20.3
Thomasmehl 1.28
Thora 20.19
thorakal 2.16
Thorium 1.24
Thrombose 2.41
Thron 16.97 16.100
  16.105 20.4 20.6
  20.10
Thronbesteigung
  16.97
thronen 16.1
Thronerhebung
  16.97
Thronfolge 8.15
Thronfolger 16.98
Thronhimmel
  16.100 20.18
Thronräuber 19.23
Thronsessel 16.100
Thunfisch 2.27
Thusnelda 16.3
Thymian S. 74
  2.28
Tiara 16.100 17.9
  20.18
Tick 9.1 9.10 9.76
  12.57
ticken 7.27 7.30
tick-tack 8.33
Ticktack 7.30
Tiede 1.18
tief 3.19 4.14 5.47
  11.53 12.3f. 12.19
  12.52 12.54 13.35
  19.8
Tief 1.7
Tiefangriff 16.74a.
Tiefdecker 8.6
Tiefdruck 15.5
Tiefe 3.34 4.14
  15.13 16.7 20.11
Tiefebene 4.13
Tiefengesteine 1.26
Tiefenmesser 4.14

Tiefenschicht 3.19
tiefer 9.61 12.13
tiefernst 11.25
Tiefgang 4.14
tiefgreifend 9.44
tiefgrün 7.18
Tiefland 1.13 4.13
tiefrot 7.17
tiefschwarz 7.14
Tiefseeforschung
  4.14
Tiefsinn 11.32 13.35
tiefsinnig 11.32
  12.54 13.35
tiefst 11.54
Tiefstand 4.13 19.8
Tiegel 7.37 17.6
Tier 2.8f. 9.52
  16.85 20.5
Tierarten 2.9
Tierarzt 2.11 2.44
  16.60
Tierbändiger 2.10
Tierbeschreibung 2.8
Tiergarten 2.10 4.17
  16.75
Tiergift 2.43
Tierheim 2.11
tierisch 2.8 11.11
  11.22 11.60 12.1
  16.79 16.94
Tierkohle 1.26
Tierkrankheiten
  2.11
Tierkreis 1.2 8.11
Tierkreisfigur 1.2
Tierkreiszeichen 1.2
Tierkunde 2.8
Tierlaute 7.33
Tiermaler 15.4
Tierornament 15.7
Tierpark 2.10
Tierreich 2.8
Tierstimme 7.33
Tierstück 15.4
Tierzucht 2.10
tifteln 12.55
Tiger S. 126 5.42
  16.112
Tigerauge 1.25
Tigerherz 19.9
tigern 7.23 9.49
Tilbury 8.4
Tilde 14.5 16.3

tilgen 4.30 5.42 7.3
13.29 16.26 18.18
18.26 19.23 19.26
Tilgung 12.40
Till 16.3·
Till Eulenspiegel
8.17 11.23
Tilla 16.3
Timbre 13.13
Timm 16.3
Timon 16.52
Timotheusgras S. 21
Timpen 2.33
timplig 9.7 11.22
Tingeltangel 14.3
16.64
Tinktur 7.54
Tinnef 13.18
Tinte 4.25 4.50 5.47
7.11 7.14 9.55
14.5 18.19
Tintenblau 7.21
Tintenfisch S.98
2.27
Tintenkuli 14.1 14.5
14.9 16.60
Tintenlecker 16.60
Tintenpisser 16.60
Tintenstift 14.5
Tinterl 5.37
Tip 6.37 9.70 18.5
tip-top 11.17 16.31
tippelig 9.42 11.58
tippeln 8.1
tippen 10.2 11.17
14.5
Tippen 16.56
Tippfräulein 16.60
Tippöse 14.5 16.60
Tippse 16.60
Tirade 13.18
Tisch 2.26 5.42 6.11
9.19 9.31 9.33 9.37
11.22 11.31 13.30
16.15 16.64 16.99
16.113 17.5 18.29
20.16 20.21
—, grüner 12.55
16.99
Tischdecke 3.20
Tischgebet 20.13
Tischgenoß 16.41
Tischgespräch 13.30
Tischlein 20.12
Tischler 16.60

Tischrücken 20.12
Tischtennis 16.57
Tischtuch 4.34
Titan 1.2 1.24
Titaneisen 1.25
Titania 1.2
titanisch 4.2
Titel 12.5 13.1 13.16
14.11 16.46
16.85f. 16.91
18.30 19.23
Titelblatt 9.29
Titelseite 3.26
titschen 7.57 8.26
Tittenwief 20.5
Titulatur 13.24
Titularbischof 20.17
Titulatur 13.24
16.86
Tivoli 16.56 16.64
tja 5.7
Tjost 16.70
Toast 13.24
Tobel 3.44 3.49 4.14
toben 4.50 5.36 8.1
11.5 11.31
Toben 1.7
tobend 11.5
Tobias 2.39 16.3
Tobsucht 5.36 11.31
12.57
tobsüchtig 5.36
Toccata 15.12
Tochter 2.22 5.41
12.35 16.9 16.112
19.32
Tochterhaus 4.42
Tochtermann 16.9
Tockeltag 16.8
Tod 2.45ff. 4.11
4.50 5.27 5.42
11.30ff. 11.42
11.60 12.56 13.52
16.36f. 16.56
19.32
-tod 2.48
todbringend 2.46
9.74
Todesanzeige 13.6
Todesengel 20.9
Todesfall 2.45
Todeskampf 2.45
11.13
Todeskandidat 2.41
2.45

Todeskeim 2.41
Todeskennen 2.48
Todesschrecken 11.42
Todesschweiß 11.13
Todesstoß 5.42 9.78
Todesstrafe 19.31f.
Todesurteil 19.31
Todesverachtung
11.38
Todeszelle 2.46
todfein 4.50
Todfeind 16.66
todgeweiht 11.41
tödlich 2.41 2.43
2.46 5.6 9.63
11.14 1.26
todmüde 4.50
todnobel 4.50
Todruten 2.48
todschick 4.50 11.17
Todschlag 2.46
todsicher 4.50 5.6
13.46
Todsünde 19.10f.
Toffee 2.27
Toga 16.100 17.9
Toggelwoche 16.8
Tohuwabohu 3.38
toi toi 11.40
Toilette 16.69 17.2
17.9
Tolatschen 2.27
tolerant 5.38 9.7
11.8 11.50 16.109
19.2
Toleranz 11.52 16.25
16.109 19.2
toll 2.33 4.50 5.20
5.36 8.7 11.5 11.17
11.22f. 11.31
11.36 12.19 12.57
16.33
tolldreist 4.50
Tolle 2.16 17.10
tollen 5.36 11.11
Tollhaus 16.117
Tollhäusler 12.57
Tollheit 12.57
Tollkirsche S. 71
2.43
Tollkopf 11.6 11.39
tollkühn 9.74
11.38f.
Tollkühnheit 9.74
11.38f.

Tollwut 2.41
Tolpatsch 9.53
Tölpel 9.53 11.29
Tölpelei 9.53 9.78
tölpelhaft 9.53 9.78
tölpisch 9.53
Tomahawk 17.11
Tomate S. 72 2.27
3.50 9.9 11.28
tomatenfarben 7.17
Tombak 1.27
Ton (Lehm) 1.26
1.28 7.50 15.10
Ton 7.6 7.11 7.24
9.13 9.44 11.18
11.30 13.13 14.2
15.4 15.10f. 15.13
16.33 16.38 16.61
16.85 16.89
16.95ff.
tonangebend 16.85
16.95
Tonart 15.10f.
16.31 16.40
Tonbildung 15.12f.
Tondichtung 15.12
tonen 15.8 15.17
tönen 7.11 7.24
tönend 13.13
Tonerde 1.14 2.44
7.39
tönern 5.37 7.47
Tonfall 13.13
Tonfilm 15.9
Tongerät 15.14
Tongeschirr 7.39
Tongesteine 1.26
Toni 16.3
tonig 7.49f.
Tonkunst 15.10f.
Tonkünstler 16.60
Tonleiter 15.11
tonlos 13.15
Tonmeister 15.9
Tönnchen 17.9
Tonne 4.2 4.10
7.41 17.6
Tonnengewölbe 3.16
Tonnenmaß 4.1
tonnenweise 4.20
Tonschiefer 1.14
1.26
Tonschöpfung 15.12
Tonschritt 15.11
Tonsetzer 15.11f.

tonsillar 2.16
Tonsur 2.16 20.15
  20.18
Tontaubenschießen
  16.57
Tonverwirrung 15.18
Tonwelle 7.24
Tonwelt 15.11
Tonwerkzeug 15.14
Top 3.33
Topas 1.25 7.19
  17.10
Topf 3.38 5.16
  7.37 11.23 17.6
Topfen 2.27
Töpfer 15.10 16.60
Töpfergut 7.39
Töpferkunst 15.10
Töpferscheibe 8.32
Topfkieker 12.6
Topfkuchen 2.27
Topfkurgel 16.56
Topik 13.44
Topinambur S. 81
  2.27
Topografie 1.11
Topos 9.31
topp 16.24
Töppel 11.6
Toque 17.9
Tor 3.24 3.57 8.11
  8.23 11.46 12.25
  12.56 16.38 16.57
  16.83 16.110
Toreador 16.74
Torero 16.74
Torf 1.26 7.38
  18.21
torfen 2.36
Torheit 9.43 9.53
  12.13 12.19 12.56
töricht 9.45 9.53
Torkel 5.46
torkeln 8.31 8.33f.
Torl 16.56
Tornado 1.6 8.32
Tornister 17.7
Torpedo 9.74 17.13
Torpedoboot 16.74
Torpedoflugzeug
  16.74a.
Torschluß 6.36
Torschlußpanik 6.36
  8.7
Torschützer 16.57

Torschreiber 4.50
Torso 4.32 9.34
  15.10
Torte 2.27
Tortur 11.13
Torweg 3.57
torzeln 8.31
tosen 5.36 7.26 8.1
  11.5
tot 1.20 2.38f. 3.4
  5.37 5.42 9.19
  9.24 9.41 9.73 10.3
  11.22 11.26 16.27
total 4.41 4.50
Totale 15.9
Totalisator 9.16
totalitär 4.41
Totalität 4.41
totaliter 4.41
totdrücken 2.46
Tote 11.42
Tote Frau 2.48
Tote-Mann-Stein
  2.48
Totem 20.7 20.16
Totemismus 20.1
töten 2.31 2.46
  5.37 5.41
Totenamt 2.48 20.16
Totenanger 2.48
Totenbaum 2.48
Totenbeschwörung
  20.12
totenbleich 11.42
Totenbrett 2.48
Totengewölbe 20.21
Totenglocke 2.48
Totengräber 2.48
Totenhaufen 2.48
Totenhaus 2.48
Totenhemd 2.48
Totenhügel 2.48
Totenhümpel 2.48
Totenkammer 20.21
Totenkanzel 2.48
Totenklage 2.48
Totenkopf 13.10
Totenkreuzl 2.48
Totenloch 2.48
Totenmesse 2.48
Totenplatz 2.48
Totenreich 20.11
Totenreisig 2.48
Totensonntag 20.16

Totenstärke 5.35
Totenstein 2.48
Totenstille 7.28
Totentafel 2.48
Totentanz 2.45
Totenuhr 2.48
Totenwacht 2.48
Totenwasen 2.48
Totenweg 2.48
Totenwiese 2.48
Totenwiesel 2.48
Toter 2.45 7.26
— Kerl 2.48
— Mann 2.48
— Trompeter 2.48
totfahren 2.46
Totfeld 2.48
totgeboren 2.21 9.78
Totgefahrener 2.48
totgehen 2.45
Totgeschlagenen-
  haufen 2.48
Totgeschlagener 2.48
tothetzen 2.46
totlaufen 9.33
Toto 9.16 16.57
totpeitschen 2.46
totprügeln 2.46
totquälen 2.46
totreden 13.22
totschießen 2.46
Totschlag 2.46 2.48
Totschlagbuche 2.48
totschlagen 2.46 5.6
  9.24
Totschläger 17.11
Totschlagkreuz 2.48
Totschlagsmal 2.48
totschmeißen 2.46
totschweigen 12.38
  13.4 16.93
totsiegen 16.83
totstechen 2.46
tottreten 11.24
Tötung 2.46
totus 5.21
Toulifant 17.9
Toupet 2.16 16.90
Tour 6.34 8.9 9.31
  16.6f.
Tourist 16.6
Tournee 16.6
töwen 6.25
Tower 16.117
Toxikologie 2.43

Trab 8.7 16.33
Trabant 1.2 4.37
  8.15 9.70
traben 8.7 16.6
Trabersport 16.57
tracheal 2.16
Trachom 2.41
Trachyt 1.26
Tracht 7.41 16.78
  17.9 20.8
trachten 9.1 9.11
  9.14 9.38 11.36
  16.70
Trachten 9.14 11.36
  12.8
Trachtenkleid 17.9
trächtig 2.6 2.20
tracieren 9.15
tradieren 14.9
Tradition 14.9
  20.19
traditionell 9.31
Tragbahre 1.2
Tragbalken 17.2
tragbar 4.4 7.42
träge 8.8 9.7 9.19
  9.24 9.41
Trage 17.5
tragen 2.48 3.16
  4.22 5.33 6.26 8.3
  9.14 9.49 9.51 9.70
  9.77 9.80 11.33
  11.35 11.40 11.45
  11.51ff. 11.61f.
  16.14 16.21 16.31
  16.68 16.73 16.87
  16.109 16.114f.
  17.9f. 18.5 19.7
  19.11 20.14
Tragepfeiler 3.16
Träger 2.16 3.16
  11.31 16.60 16.97
  17.2
-träger 8.3
Tragfähigkeit 4.1
Tragfläche 8.6
Tragflügel 8.6
Trägheit 9.19 9.24
  9.31 9.41 16.65
  19.10
tragikomisch 11.24
Tragikomödie 14.3
  16.54
tragisch 11.14
Tragkorb 17.5

Tragleiste 17.5
Tragödie 2.45 5.42
  11.14 14.3
Tragweite 5.34 9.44
Traibler 8.5
Trainer 12.33 16.60
trainieren 9.26 12.33
Training 9.26
Trainingsanzug 17.9
Trainsoldat 16.74
Trajekt 8.5
Traktat 14.10
traktieren 16.78
  18.12f.
Traktor 8.4. 8.14
tra(lala) 15.11ff.
trällern 15.13
Tram 8.4
Tramaseide 17.8
Trambahn 16.6
Tramontana 1.6
trampeln 7.30 8.1
  16.31
Trampeltier S. 127
  12.56
Trampschiff 8.5
Tran 2.33 7.5 7.52
  12.13
Trance 11.5 20.12
tranchieren 4.34
Trandel 16.56
Träne 2.35 2.41
  11.14 11.32ff.
  11.50 16.93
tränen 2.41
Tränendrüse 11.50
Tränenerguß 11.33
tränenreich 11.33
Tränensaat 16.73
Tranfunzel 7.6
  12.56
tranig 7.52 8.8 9.7
Trank 2.30 2.40
tränken 2.30
Trankonditor 16.60
Trankopfer 20.16
Tranlampe 8.8
Transaktion 18.8
  18.23 18.30
Transept 20.21
Transfer 18.26
transformieren 5.24
Transit 8.27
transitiv 13.31
Transmission 17.16

transparent 7.8
  13.34
Transparent 7.8 15.4
Transparenz 7.8
  13.34
transpirieren 2.35
transponieren 5.18
  5.24 15.11
Transport 8.3
Transporter 8.5
transportieren 3.3
  8.3
Transportwesen 16.8
Transsubstantiation
  5.24
Transsuse 12.13
Transversale 3.15
transzendent 12.2
  20.7
Trapez 3.43
trappen 8.1
Trapper 2.12
Trappist 13.23
Trara 13.43
Tratsch 7.51
tratschen 1.8 13.22
trätschen 1.8
Tratte 18.30
trau 12.23
Traualtar 16.11
Traube S.57 2.27
  9.55 13.51 16.64
Traubenzucker 1.29
trauen 11.30 12.25
  16.11 16.13 20.16
Trauer 7.14 11.14
  11.32 11.34
Traueramt 20.16
Trauerflor 2.48
Trauergefolge 2.48
Trauergerüst 2.48
Trauergestalt 11.33
Trauerkleid 11.33
Trauerkloß 11.32
Trauerlied 14.2
Trauermarsch 2.48
  8.8 15.12
trauern 11.12f.
  11.32f.
Trauernachricht
  11.42
Trauerode 11.33
Trauerspiel 14.3
Trauerweide 11.33
Trauerwirbel 7.27

Traufe 3.48 7.55f.
  9.50 9.55 9.61
  9.78 11.14 17.2
träufeln 7.55 11.34
Traugott 16.3
traulich 11.10 11.16
  16.1 16.64
Traum 2.36 3.5 5.7
  9.33 9.78 11.36
  12.27f. 12.46
  16.27 20.5
traumatisch 2.42
Traumbuch 13.9
Traumdeutung 20.12
träumen 2.36 9.19
  11.36 12.3 12.13
  12.28 14.2 16.119
Träumen 5.7
Träumer 9.24 12.28
  13.27
Träumerei 12.13
  12.28
träumerisch 9.24
  11.32 12.13 12.28
traumhaft 9.1 11.17
Traumwelt 11.28
traurig 9.60 9.78
  11.13f. 11.26
  11.28 11.32f. 19.9
Traurige, der 16.60
Trauschein 16.11
traut 11.16 16.41
Traute 11.38 11.42f.
Trautgesell 16.41
Trautonium 15.15
Trauung 16.11 16.39
  20.16
Trauvertrag 16.11
travailler 11.55
traversieren 16.6
Travertin 1.14 1.26
Travestie 13.45
  15.2 16.54
travestieren 16.54
Treber 4.32
Trecktag 16.8
Treckeltid 16.8
Treckzeit 16.8
Treff 2.41
treffen 3.9 5.45 8.21
  9.26 9.42 9.52 9.77
  11.14 11.41 13.44
  16.37 16.64 16.106
  19.32

Treffen 8.21 16.73
treffend 11.23 13.16
Treffer 9.11 9.16
  9.77
trefflich 11.10 16.85
  19.3
Treffpunkt 4.18
treiben 2.45 4.3 5.1
  5.31 5.39 7.42 8.5
  8.9 8.11 8.18 8.34
  9.1 9.12 9.24 9.39
  11.23 11.31 11.42
  13.52 16.6f. 16.54
  16.67 16.76 16.93
  16.108 18.20 19.8
  19.10 19.27 20.12
Treiber 2.12 5.31
  9.12 9.38 16.112
Treibgut 8.34
Treibhaus 2.5 5.39
  7.35 7.37 9.23
  12.36
Treibjagd 2.12
Treibstoff 7.38
Trekker (Trecker)
  8.4
Trema 4.34 14.5
tremulieren 13.15
trendeln 8.8
trennbar 4.34
trennen 3.8 3.10
  3.36 4.34 4.49
  8.18 8.22 12.11
  16.15 16.67
Trennung 4.34 16.15
  16.67
Trennungszeichen
  4.34
Trense 16.117
trensen 7.33
Trente-et-quarante
  16.56
Treppe 3.35 5.46
  8.11 8.28
Treppenlöwe 16.60
Treppenterrier 16.6
  16.60
Treppenwitz 6.36
  11.24
Tresor 17.4 18.21
Tresse 13.1 17.10
Trester 2.3

treten 3.26 5.18 5.26
8.9 8.15 8.30 9.18
9.29 9.33 9.53
11.45 11.59 11.62
16.11 16.30 16.36
16.41 16.57
16.69f. 16.73
16.76 16.79 16.90
16.93 16.108
16.116 19.1 19.9
19.20 19.25
Tretmühle 6.7
9.22f. 9.31 9.40
11.26 16.117
19.33
Tretomobil 8.4
treu 4.50 6.7 9.31
11.53 13.49 16.23
16.26 16.41f.
16.114 19.1 19.3
19.24
Treu' 12.25 16.23
19.21
Treubruch 13.51
16.116 19.8
treudeutsch 19.1
Treue 9.31 16.14
16.23 16.26 16.28
16.30 16.42 19.1
19.8 19.24
Treuhänder 16.60
16.103 18.26
Treuhandgesell-
schaft 16.103
treuherzig 11.46
11.52 12.25 13.49
19.1 19.4
treulich 9.42 13.49
16.38
treulos 9.9 13.51
16.14 16.28 19.8
19.10 19.25
Treulosigkeit 19.8
19.25
Tri- 4.38
triadisch 4.38
Triangel 4.38 15.15
Triarier 2.24
Trias 1.14 4.38
Tribun 16.96
Tribüne 4.12 12.36
Tribut 16.46 18.12
Trichinen 2.41
Trichter 3.49 3.57
17.6

Trichterbrust 2.41
Trichterfeld 16.75
trichterförmig 3.57
Trick 9.15 9.25 9.52
12.53 15.9
Trickfilm 15.4 15.9
Tricktrack 16.56
Tridynit 1.25
Trieb 2.3 5.35 8.9
8.11 9.1f. 9.5
10.21 11.2 11.11f.
11.36
trieb (trüb) 16.27
Triebfeder 5.31 9.12
triebhaft 9.1 10.21
11.6 11.11 12.1
Triebkraft 8.9 9.82
triebmäßig 9.1 11.6
triebverhaftet 10.21
Triebwagen 8.4 8.7
Triebwerk 9.82
triefäugig 2.41
10.17 11.28
triefen 4.22 7.57
triefend 13.43
Triesel 16.56
trieseln 16.56
triezen 11.60 16.79
Trift 1.13
triftig 9.12 9.44
12.14 13.46 16.95
trigonometrisch 1.11
3.2
Trikolore 7.23 13.1
Trikot 17.8
Trikotage 17.9
Triller 15.11
Trillerfahren 16.55
trillern 7.33 15.13
Trillerpfeife 7.32
16.33
Trillerrakete 7.31
15.15 16.33
Trillion 4.39
Trilogie 4.38
Trimester 6.1
Trimeter 4.38 14.2
trimmen 3.12
Trimmer 16.60
Trine 11.29 12.56
Trinität 4.38 20.7
Trinitatis 20.16
trinken 2.30ff. 16.87
Trinken 2.30

Trinker 2.32
Trinkgeld 16.22
16.46 18.12f.
18.26
Trinkhorn 17.6
Trinkkamerad 16.41
Trinklied 14.2
trinklustig 2.32 11.36
Trinkspruch 13.24
16.87
Trinkstube 16.64
Trio 4.38 15.12
15.14
Triole 4.38
Trip 16.6
Tripelallianz 4.38
Triplizität 4.38
Tripmadam 2.28
Tripper 2.41
Triptychon 15.4
Triptyk 13.1
trist 11.26
Tritt 7.29 8.9 8.16
8.28 11.36 11.55
16.76
Trittbrett 17.15
Trittchen 17.9
Tritte 2.16
Trittling 17.9
Triumph 9.77
11.21f. 16.84
Triumphator 9.77
16.84
Triumphbogen 14.9
16.84 16.87
Triumphgesang
16.31
triumphieren 9.77
11.9 11.21f. 16.84
Triumphpforte
16.84
Triumphzug 9.77
16.88
Triumvirat 4.38
16.97f.
trivial 5.19 9.45
11.26 13.42
Trochäus 14.2
Trockeldag 16.58
trocken 2.7 4.25 4.46
7.58 11.8 11.12
11.23 11.25f.
11.36 12.4 13.40
Trocken- 5.43
Trockenboden 17.2

Trockendock 9.23
Trockenen, im
5.46f. 11.13 18.4
19.7
Trockenheit 5.42
7.58
trockenlegen 7.58
trocknen 4.15 5.43
7.58 11.34
Troddel 3.17 13.1
17.10
Trödel 9.45 9.49
11.29
Trödelmarkt 18.25
trödeln 8.8 9.24
Trödelphilipp 8.8
Trödler 16.60 18.23
Trog 3.44 17.6
17.15
Troglodyt 16.52
Troika 4.38 8.4
Troinmandl 20.5
Troll 20.5
Trolle S. 35
trollen, sich 8.18
Trolles 16.110
Trolltag 16.8
Trombe 15.15
Trombone 15.15
Trommel 3.50 7.27
15.14f. 16.31
16.34 16.74 16.85
16.106
Trommelfell 2.16
8.8
Trommelfeuer 16.21
16.73 17.12
Trommelklang
16.88
trommeln 7.30
16.21
Trommelschlag 7.26
Trommelschläger
9.51
Trommelwirbel 7.30
13.11 16.73 16.88
Trommler 8.14
15.14 16.21
Trompete 4.41 7.27
15.14f. 16.31
trompeten 7.33
16.21
Trompeten-
geschmetter 16.73
16.88

Trompetenstoß 7.26
Trompetenton 16.87
Trompeter 9.60
  15.14
Trope 13.36 17.10
Tropen 7.35
Tropenkrankheiten
  2.41
Tropf 9.53 11.50
  11.59 16.72
tropfbar 7.54
Tröpfelapparat 2.16
tröpfeln 1.8 7.30
  7.55 7.57
tropfen 7.55 7.57
Tropfen 2.31 2.44
  3.50 4.4 4.24f.
  4.42 8.24 9.45
  11.14
tropfenweise 4.42
Tropfstein 7.48
Trophäe 9.77 16.46
  16.84 17.10
tropisch 7.35
Tröppe 2.5
Tropus 13.36
Troß 3.27 8.15
  16.74
Troßschiff 8.5 16.74
Trost 11.32 11.34
  11.50 12.57
Trostbüchlein 20.19
trösten 11.34 11.50
Tröster 11.34 16.78
  20.8
tröstlich 11.10 11.34
trostlos 5.47 11.13
  11.32f.
Trostpreis 16.46
trostreich 11.34
Tröstung 11.50
Trott 9.31
Trottel 12.56
trottelhaft 12.56
trotten 8.1 16.6
Trotteur 17.9
Trottoir 8.11
Trottoirbeleidiger
  2.16
trotz 5.23 13.48
Trotz 9.8 11.38
  11.58 16.53 16.65
  16.69 16.116 19.6
Trotzbietung 9.8
  16.65 16.69 16.116

trotzdem 5.23 16.65
trotzen 9.8 16.65
  16.69 16.116
trotzig 9.8 11.38
  16.53 16.116
Trotzkopf 9.8
Troubadour 14.2
  15.13
Trub 3.13
trübe 1.7 1.21 5.47
  7.6 7.10 9.60 9.67
  11.32
Trübe 7.10 12.53
  16.67
Trubel 8.34 11.21
  16.59
trüben 1.7 7.6 7.10
  12.53 13.51 19.4
Trübheit 7.6
Trübling 9.60
Trübsal 11.13f.
  11.32
trübselig 11.13 11.32
Trübsinn 11.32
trübsinnig 11.32
Trübung 7.10 10.17
Truchseß 16.91
  16.112
Trude 16.3
truddeln 9.67
trudeln 2.31 8.1 8.6
  8.8 8.30 8.33f.
  11.23
Trüffel S. 9 2.27
Trug 3.5 12.53 13.51
  19.8
Trugbild 3.5 7.2
  12.4 12.27
trügen 12.27
trügerisch 12.19
  12.27 13.51
Truggewebe 12.53
Trugschluß 9.13
  12.19 12.28 13.34
Trugwerk 20.12
Truhe 17.4 17.7
Trulle 9.53 11.29
  12.56
Trumm 4.10 4.42
Trümmer 4.32 5.42
  9.63
Trümmerfeld 16.75
Trümmerfrau 3.37
Trümmerstätte 5.42
Trumpelchen 4.10

Trumpf 9.44 9.77
trumpfen 18.6
Trumpfkarte 9.82
Trunk 2.30 2.32
trunken 11.9
Trunkenbold 2.32
Trunkenheit 2.33
Trunkkugel 16.56
Trunksucht 2.32
Trupp 16.16
Truppe(n) 11.38
  14.3 16.16f.
  16.58 16.68 16.74
  16.76
Truppen-
  ansammlung 16.76
Truppenkörper
  16.16
Truppenmacht 16.74
Truppenschau 13.25
Trust 4.33 16.17
Truthahn S.119
  11.45 16.88
Trutzbündnis 9.68
trutzig 11.38
Tschako 16.77
Tschandala 16.94
Tschaperl 11.50
  11.53
Tschardas 16.58
Tscheka 19.29
Tschibuk 2.34
Tschibum 17.13
tschingdaradabumm
  15.15
tschöchern 9.51
tschukken 8.7
tschupp 8.1
Tuba 15.15
Tubben 17.6
Tube 9.40 17.6
Tuberkel 2.41
Tuberkelbazillus
  S. 9 2.41
Tuch 11.31 11.59
  16.74 17.8
Tuchent 17.9
Tuchfühlung 3.9
Tuchwarenhändler
  16.60
tüchtig 5.35 9.6 9.38
  9.46 9.52 11.38
  16.95
Tüchtigkeit 9.46
  9.48 9.52

Tücke 11.60 12.53
  19.8
tückisch 11.60 11.62
  12.53 16.35 16.53
  19.8
tuckeln 8.1
Tudorbogen 3.43
tüfteln 12.20
Tugend 5.9 11.49
  19.3f. 19.10 20.1
Tugendbold 11.49
  16.50 19.4
tugendhaft 11.49
  16.50 19.3f. 20.1
Tugendlehre 19.24
tugendlich 11.49
  16.50
Tugendmuster 19.4
tugendreich 19.3
tugendsam 11.49
  16.50 19.3
tugendschön 11.49
Tugendspiegel 19.4
Tugendübung 19.13
  20.13
tugendvoll 19.3
Tüll 7.8 17.8
Tülle 3.57
Tulpe S. 19 2.16
  11.45 17.6
-tum 16.18f. 16.97
-tümelei 16.18
Tumba 2.48
tummeln 8.7 9.38
Tummelplatz 9.23
Tümmler S. 119
Tumor 2.41
Tümpel 1.18 4.15
Tumult 3.38 7.26
  8.34 16.65 16.70
  16.116
tumultuarisch 3.38
tun 5.21 5.44 9.3
  9.18f. 9.21f.
  9.38 9.52 11.14
  11.44 11.48f.
  11.52 13.51 16.20
  16.22 16.26f.
  16.37 1651f.
  16.55 16.72 16.119
  19.1ff. 19.10
Tun 19.11
Tünche 3.20 7.11
tünchen 7.11 7.13

Tüncher 7.11 15.4
16.60
Tunicella 20.18
Tunichtgut 19.10
Tunke 2.27 7.54
16.41
tunken 8.26
tunlich 5.2 9.48
9.54
tunlichst 4.50
Tunnabratla 16.57
Tunnel 3.57 4.33
8.11 8.25
Tunte 11.28
tuntig 11.49
Tüpfel 9.35
Tüpfelchen 9.42
16.26
tüpfeln 7.23
tupfen 7.58
Tupfen 4.4
Turban 17.9
Turbine 8.32 16.7
17.16
turbulent 3.38
Türe 3.24 3.57 5.36
6.24 6.38 8.7 8.11
8.18 8.23 9.27 9.49
9.79 11.46 12.27
12.32 13.18 13.49
16.56 16.90 16.105
Turf 16.75
Türhüter 3.58
16.101
Türke 4.50 16.11
16.37
Türkei 3.8
Türkis 1.25 7.21
17.10
türkisch 2.27
Turl 16.56
Turm 2.5 3.11 4.12
6.7 11.38 16.77
16.117 17.1f.
17.14
Turmalin 1.25
Turmbau 3.38 10.4
türmen 8.7 8.18
8.28
turmhoch 4.12 4.50
Turmschädel 2.41
Turmschanze 16.77
Turmschiff 8.5

Turmspringen 16.57
Turmuhr 6.9
Türnagel 16.60
Turnen 16.57
Turnhalle 16.57 17.2
Turnier 16.70
Turnierball 16.57
Turnierplatz 16.75
Turnspiele 16.57
Turnus 6.28
Turnvater 16.57
Türsteher 16.101
16.112
Turteltaube S. 119
11.53 16.41
Tusch 7.26 11.22
16.31 16.39 16.87f.
Tusche 7.11
tuscheln 7.27 13.22
Tuschzeichnung 15.4
Tuskulum 15.4
tüstern 13.22
tuten 2.31 13.1
15.14
Tuten 12.37
Tuttchen 11.53
Tutti frutti 1.21
Tuttlingen 2.16
Tweed 17.8
Twist 2.34
Twostep 16.58
Typ 5.8 11.2 11.10
Typenfänger 16.60
Typenhaus 17.1
Typenschrift 14.5
Typhus 2.41
typisch 5.9 5.16
9.31 12.27 13.1
typisieren 5.16
Typografie 14.6
Typologie 13.45
Typus 5.8 5.19
13.36
Tyrann 11.60
16.97f. 19.9
Tyrann 11.60 16.97f.
19.9
Tyrannis 16.97
tyrannisch 16.108
19.20
tyrannisieren 9.3
tz 4.50

U

U-Bahn 16.6
übel 9.50 11.15
11.17 11.29 11.55
11.59
— ankommen 9.78
— mitspielen 16.79
19.9
—, nicht 9.59
Übel 2.41 5.47 9.50
11.13f. 20.10
übelberüchtigt 19.8
übelfinden 2.41
übelgesinnt 11.60
Übelkeit 2.41 11.15
11.59
übellaunig, Übel-
launigkeit 11.31f.
übellaunisch 11.58
Übellaut 7.31 15.18
übelnehmen 11.7
11.27
Übelnehmerei 11.7
übelnehmerisch
11.58
übelriechend 7.64
19.8 19.11
Übeltat 19.11
Übeltäter 19.9 19.11
übelwollen, Übel-
wollen 5.47 11.60
üben 9.26 11.50
11.52 11.60 12.33
15.18 16.108f.
19.18
über 3.8 3.15 3.33
4.12 4.22 4.24
4.41 4.51 5.3f.
5.13 5.16 6.18ff.
6.23f. 8.11 8.18
11.8 16.84
— alle Begriffe
13.55
— alle Berge 3.8
— alles 4.41 9.44
— die Maßen 4.50
— und — 4.22 4.41
4.50 6.33
über- 3.20 3.46
4.22 11.29 13.52
Über- 13.52

überall 3.1 3.7 4.20
4.22 9.38 11.8
11.45 12.6
Überall, Herr 9.38
Überalterung 2.25
Überanstrengung
9.18
überantworten 18.22
überarbeiten 2.39
9.40
überaus 4.1 4.50
Überbein 2.41 3.48
überbetont 11.29
überbieten 4.41 4.51
9.56 16.70
überbilden 12.27
überblättern 8.7
Überbleibsel 4.24
4.32 4.34 4.42
6.27 14.9
Überblick 10.15f.
12.12 12.52 14.12
15.4
überblicken 10.15
12.13 12.32
überbracht 9.31
Überbrettel 14.3
überbringen 8.3
Überbringer 8.3
Überbringung 8.3
überbrücken 4.25
4.33
überbürden 2.39 7.41
9.40
Überbürdung 2.39
9.18 9.40 9.73
überdachen 3.20
überdauern 6.6f.
überdecken 3.3
überdeutlich 4.50
überdies 4.24 4.28
4.32f.
Überdreadnought
8.5
Überdruß 6.31 9.5
9.19 10.14 11.12f.
11.24 11.26 11.28
11.31f. 11.59
überdrüssig 10.14
11.12f. 11.26 11.38
11.59
übereck 3.13
Übereifer 9.18 9.38f.
11.6 11.58

übereifrig 11.58
übereignen 18.12
übereilen 6.38 8.7
 9.39 9.43 11.39
übereilen, sich 9.38
Übereilung 6.32 6.36
 8.7 9.18 9.38f. 9.43
 11.6 11.39 11.58
übereinkommen 9.68
 12.47 16.24 19.14
Übereinkommen 5.16
 9.68f. 12.17 12.47
 16.24 16.29 16.48f.
 19.14 19.17
Übereinkunft 9.26
 12.20 16.24 16.61
 19.15
Übereinkunftspunkte
 19.15
übereinstimmen 4.27
 5.9 5.15 5.19
 9.48 16.24 16.40
übereinstimmend
 9.68 16.40
Übereinstimmung
 5.19 9.48 9.69f.
 12.47 15.17 16.24
 16.40 16.48
übereintreffen 5.7
überempfindlich
 11.58
überenzig 4.22
überessen, sich 10.11
 10.14
überfahren 2.46
Überfahrt 8.3 8.11
Überfall 5.20 5.27
 16.73 16.76
überfallen 8.27
 16.76
überfällig 3.4
Überfallkommando
 9.70 19.29
überfangen 3.20
überfirnissen 7.11
überfliegen 8.7 8.27
 14.7
überfliehen 8.27
überfließen 7.55
 11.54 16.31
überflügeln 4.41 4.51

Überfluß 4.1 4.17
 4.22 4.32 9.43
 18.3f. 18.14
überflüssig 4.22 4.29
 9.49 9.85 s. Über-
 fluß
überfluten 4.22 8.17
 8.27
Überflutung 4.22
 7.55
überfordern 16.72
 18.8 18.23 18.27
Überforderung 18.27
überfreigebig 18.14
Überfremdung 1.21
überfressen, sich
 10.11
Überfuhr 8.3ff. 8.11
überführen 2.48 8.3
 12.22 12.33 13.46f.
 18.6 19.12 19.27
 19.31
Überführung 2.48
 19.12 19.27 19.31
Überfülle 4.1 4.22
 18.14
überfüllen 4.22
 10.14
überfüllt 4.22
Überfüllung 4.22
 13.43
überfüttern 4.22
 10.14
Übergabe 8.3 16.23
 16.76 16.83 16.103
 16.111
Übergang 5.19 5.24
 5.26 8.11 8.27
 9.26 15.11
übergeben 9.43
 16.27 16.103
 16.105 18.12 19.12
 19.32
—, sich (Gehorsam)
 2.35 16.111
 s. Übergabe
übergefällig 16.32
übergehen 4.49f.
 7.67 9.9 9.19 9.31
 9.61 12.38 16.73
 16.76 18.5 18.27
 19.8
übergenau 12.55

übergenug 4.22 4.50
 10.14
übergeordnet 16.97
Übergeschäftigkeit
 9.18
übergeschnappt
 11.44 12.57
Übergewalt 5.35
Übergewicht 4.41
 4.51 5.11 5.34f.
 7.41 8.27 9.44
 9.77 16.95 16.97
Übergriff 4.22 8.27
 16.53 16.90 19.21
 19.23 19.25
überhalten (Täu-
 schung) 16.72 18.8
Überhandnahme
 5.11
überhandnehmen 4.3
 4.20
Überhang 3.48 3.51
 18.21
überhangen 3.13
 3.15 3.48
Überhast 9.18 11.39
überhasten 6.38 9.38
 11.39
überhäufen 16.31
Überhäufung 9.18
überhaupt 4.41
überheben 12.50
 13.52
—, sich 16.90
überheblich 11.44f.
 16.90
Überheblichkeit
 11.45
Überhebung 11.44f.
 12.50 13.52 16.90
überhell 11.7
Überhemd 3.20 17.9
überhoben 9.54
 16.118
— sein 9.19
überhöhen 4.12
überholen 4.41 4.51
 8.7 8.16f. 8.27
 9.58
überholt 6.19 6.27
 12.40
überhören 12.13
 12.38 13.25
überinterpretieren
 13.45

überirdisch 11.17
 11.53 20.5 20.7
 20.10
—e Welt 20.7
überjährig 6.4
überkandidelt 12.57
überkarg 18.11
überklug 11.45
überkochen 8.17 8.27
 11.6
überkommen 9.77
 18.5
überladen 2.39 4.22
 7.41 9.38 9.40
 10.14 11.29 12.50
 13.43 13.52
Überladung 4.22
 11.45 13.43
Überlandzentrale
 17.17
überlassen 9.31 11.9
 11.11 11.21 11.32
 16.52 18.12
—, sich 16.52
überlasten 7.41 9.18
 9.38 9.40
überlästig 11.12
 11.14
überlaufen 6.31 7.55
 8.27 9.9 10.14
 11.31 11.36 11.42
 11.58 19.8 19.25
Überlaufen, zum
 4.21
Überläufer 4.34 8.18
 9.9 16.74 19.8
überleben 4.24 4.32
 6.7
Überlebsel 4.32
überlebt 6.2 6.4
 12.40
überlegen 4.4 4.41
 4.51 5.11 5.34
 8.13 8.17 9.5
 9.7 9.9 9.14 9.42
 9.50 11.25 11.40
 11.44 12.3 12.7f.
 12.12 12.14 12.23
 12.42 12.52 13.9
 16.78 16.90
—, besser 9.9 12.12

Überlegenheit 4.51
  16.84 16.95
überlegt 3.37 5.38
  9.42 12.52
Überlegung 11.8
  11.40 12.3 12.7
  12.52
überliefern 14.1 14.9
  18.12
überliefert 14.10
Überlieferung 14.1
  14.9 14.10 16.23
  18.12
—, reich an 13.1
überlisten 9.77 12.53
  16.72 18.8 19.8
Überlistung 12.53
  16.72
übermachen 7.39
übermachen 18.12
Übermacht 4.41 5.11
  5.34f. 9.55 16.95ff.
Übermachung 18.26
übermalen 3.20
übermannen 16.84
  16.111
Übermaß 4.1f. 4.22
  4.24 4.32 4.41
  4.51 5.36 8.27
  11.11 13.52
übermäßig 4.2 4.22
  5.36 11.11 13.52
übermeistern 16.97
Übermensch 5.35
  11.44 12.50 13.52
  16.90 16.119 20.7f.
übermenschlich 4.2
  9.40 9.77 11.38
  20.7
übermitteln 18.26
übermorgen 6.24
übermüdet 2.39
Übermüdung 2.39
Übermut 9.10 11.21
  11.39 11.44f. 16.90
übermütig 11.21f.
  11.26 11.44 13.52
  16.90
übernachten 3.3
Übername 13.19
übernatürlich 5.20
  9.64 11.30 12.28
  20.5ff. 20.12

übernehmen 9.18
  9.21 9.30 9.40
  16.96f. 18.8 18.17
  18.26f. 19.16
  19.24
—, sich 2.33 2.41
  9.63 10.14 12.50
—, Verantwortlich-
  keit 16.23 19.16
  19.24
übernervös 11.6
übernuppen 2.44
überordnen 12.14
überparteilich 19.18
überpflastern 3.20
Überproduktion 4.22
überquellen 11.5
überquer 3.15
überragen 4.12 4.41
  9.64 16.97
überragend 16.95
überraschen(d) 5.21
  11.30 12.45 18.12
überrascht 11.30
Überraschung 11.30
  12.20 12.45
überredbar 9.12
überreden 12.22
  13.9 13.21 16.21
  16.95
Überredung 12.22
  12.33 13.9 16.32
Überredungskunst
  13.46 16.32
überreichen 16.83
  18.12
überreichlich 4.20
  4.22 4.50
Überreichung 18.12
überreizt 11.6
überreligiös 20.3
  20.14
überrennen 16.84
Überrest 4.24 4.32
  9.49
überrieseln 11.42
Überrock 3.20 17.9
überrumpeln 6.14
  12.45 16.76 16.84
Überrumpelung 6.14
  16.76
überrunden 16.84
übersatt 11.26f.

übersättigen 4.22
  10.14 11.19 11.26
übersättigt 9.19
  10.14
Übersättigung 4.22
  9.19 10.14 11.11
  11.13 11.26
überschätzen 9.44
  11.39 11.45 12.50
  13.52
—, sich 16.90
Überschätzung 12.50
überschauen 4.12
überschäumen 4.22
überschicken 18.26
Überschlag 12.12
überschlagen 7.35
  12.12f.
—, sich 8.7 8.31
überschnappen 12.57
  13.15 15.18
überschneiden 3.15
überschreiben 13.1
  18.12
überschreien 13.22
  16.90
überschreiten 8.27
  9.21 11.11f. 12.50
  13.52 19.23 19.25
Überschreitung 4.22
Überschrift 12.5
  13.1 13.16 14.5
Überschuh 17.9
überschuldet 18.17
Überschuldung 18.17
Überschuß 18.21
überschütten 11.45
  16.31 16.33 16.85
Überschwang 4.22
  11.5
überschwappen 7.55
überschwemmen 4.14
  4.22 7.55 7.57 8.17
  8.26f. 18.23
Überschwemmung
  4.3 5.20 5.27
  5.42 7.55 8.26
  9.74
überschwenglich 4.22
  16.31
Überschwenglichkeit
  8.27
Übersee 3.8

überseeisch 8.3
übersehen 4.49 9.43
  9.78 11.47 12.13
  12.27 12.38 13.4
  13.51 16.25 16.34
  16.64
Übersender 8.3
Übersendung 8.3
übersetzen 5.18 8.27
  13.44 13.53
Übersetzer 13.44
  13.53
übersetzt 4.22
Übersetzung 5.18
  8.3 13.44 13.53
—, freie 13.44
Übersicht 3.37 10.16
  12.32 12.52 14.1
  14.10 14.12 15.4
übersichtlich 3.37
Übersichtstafel 14.9
  14.12
übersiedeln 16.8
übersinnlich 12.28
  20.5
überspannt 5.14 5.20
  5.36 11.6 12.28
  12.57 13.52
Überspanntheit 12.57
  13.52
Überspannung 8.17
überspringen 4.3
  8.29 9.43 12.13
übersprungen 9.43
überstaatlich 12.54
überstanden 9.75
überstehen 2.40 2.44
  9.75
übersteigbar 5.2 9.54
übersteigen 4.1 4.12
  9.77 11.11 11.30
übersteigern 13.52
übersteuern 18.27
überstimmen 9.77f.
überstrahlen 4.41
  4.51 16.85
überstreichen 3.20
überströmen 16.31
Überstunde 9.40
überstürzen 3.38
  5.36 6.33 6.36 6.38
  8.7f. 9.18 9.38f.
  9.43 11.39
—, sich 11.6 11.39

überstürzt 5.27
5.36 6.38 8.7 9.43
11.6 11.39
Überstürzung 5.36
6.36 8.7 9.43 11.39
überteuern 16.72
18.8
Überteuerung 18.27
übertölpeln 12.53
13.51 18.8
Übertölpelung 12.53
13.51
Übertrag 18.30
übertragbar 2.41 8.3
9.63
übertragen 4.51 5.18
8.3 13.36 13.44
13.53 16.103 18.1
18.26 19.15f. 19.22
Übertragung 1.21
5.18 8.3 13.2 13.36
13.44 13.53 16.103
18.21 19.16
übertreffen 4.41 4.51
5.11 8.13 8.27
9.38 9.56 9.64
übertreiben 4.3 4.22
9.38 9.44 11.45
12.50 13.45 13.52
15.2 16.51
Übertreibung 4.22
8.27 12.50 13.36
13.52 15.2 16.89
übertreten 4.8 7.55
8.27 9.9 9.19
9.32 16.28 16.116
16.119 19.20 19.23
19.25
Übertretung 9.32
16.28 16.116 19.11
19.25 s. o.
übertrieben 4.22
9.18 11.19 11.23f.
11.29 11.49 11.53
11.58 12.28 12.50
13.45 13.52 16.90
18.14 20.13
Übertritt 9.9 19.8
s. übertreten
übertrumpfen 4.51
9.77
übertun, sich 4.22
übertünchen 3.20

übervölkert 4.17
übervoll 4.50 10.14
übervorteilen 9.77
16.72 18.8
Übervorteilung 18.27
19.7
überwach 11.7
überwachen 16.96
Überwachung 9.42
16.96
überwallend 11.6
überwältigen 5.42
9.77 11.8 16.107
16.111
überwältigend 4.2
4.10 5.35 9.59
Überwältigung
16.107
überweisen 13.4
13.46 16.103
18.12 18.26f. 19.31
Überweisung 16.103
überwerfen 3.20
—, sich — mit
16.67
überwiegen 4.41 4.51
5.35 9.72 16.95
überwiegend 4.33 5.1
überwindbar 5.2
9.54
überwinden 2.44
5.42 9.77 11.8
11.12 16.84 16.111
19.2
—, sich 9.5 11.18
Überwinder 16.84
Überwindung 8.27
11.12
überwölkt 7.7
überwuchern 4.22
Überwucherung
18.17
überwunden 9.55
Überzahl 4.17
überzählig 4.17 4.22
9.49
Überzahlung 18.27
überzeugbar 9.12
überzeugen 12.33
13.46 16.21
überzeugend 13.46
Überzeugung 5.6
12.22 20.1 20.7

Überzeugungskraft
13.46
überziehen 3.20
16.78
Überzieher 3.20
17.9
überzuckern 7.66
Überzuckerung 7.66
Überzug 3.18 3.20
Ubiquität 3.7
übler Geschmack
7.67f. 10.9
Übles nachreden
16.33 16.35
üblich 6.31 9.31 9.59
U-Boot 16.74
U-Bootfalle 16.71
U-Bootjäger 16.74
übrig 4.32 9.3 11.53
16.41
übrigbleiben 4.32
16.107
Übriges 4.24 4.32
übrighaben 11.52
übriglassen 16.33
16.107
Übung 9.26 9.31
9.52 12.33 19.24
Übungsschiff 12.36
Übungsstück 9.26
12.33
Udel 19.29
Ufer 1.13 1.16 3.23
20.11
Ufererhöhung 3.13
Uferland 4.13
uferlos 4.20
ufflije, 's deet mir
16.27
Uhr 2.45 5.19 6.9
6.33 6.35 20.5
Uhrkette 17.10
Uhrmacher 16.60
Uhrmacherei 8.6
Uhrwerk 17.16
Uhu S. 114 7.33
ui 11.5 11.30
Ukas 13.6 16.106
19.19
Ulan 16.74
Ulanensteig 2.48
Ulanenstück 16.76
Uldra 20.5
Ulema 20.17
Ulenflucht 7.6

Uler 16.60
Ulk 11.21 11.23
16.54
ulkig 11.23f.
Üller 16.56
Ullner 16.60
ullriche 2.35
Ulme S. 29
ulnar 2.16 2.35
Ulpsch 12.56
Ulrich 16.3
Hl. Ulrich anrufen
2.35
Ulrike 16.3
Ulster 17.9
ultima ratio 16.107
ultimativ 6.14 16.20
16.68
Ultimatum 5.6 6.14
16.20 16.22 16.68
16.73 16.107 19.15
Ultimo 9.33
Ultra 11.6 13.52
16.18
ultra- 13.52
Ultramarin 7.21
ultramontan 20.13
20.17
ultraviolett 7.3 7.22
um 3.52 5.7 5.12
5.31 6.19 9.12
— herum 3.24
— so 13.46
— und — 3.7
— zu 5.24 9.12
9.14 9.82
um- 3.23 3.46 5.24
Um, das 5.12
umändern 5.24
umarbeiten 5.24
9.58
umarmen 16.38
16.42f.
-uhr 15.15
—, sich 16.41
Umarmung 16.38
16.43
umbauen 17.1
umbetten 2.48
umbiegen 3.46
umbilden 5.24
Umbildung 5.21
5.24
umbinden 3.20
Umblasen, zum 5.37

umblättern 5.24
Umbra 7.16
umbrandet 16.85
umbrechen 14.6
Umbriel 1.2
umbringen 2.46f.
11.62
Umbruch 5.24 14.6
16.116
umdecken 3.20
umdrehen 5.24 8.17
16.80 18.10 19.21
Umdrehung 5.24
6.31 8.31f.
umerziehen 16.107
umfahen 16.43
umfallen 2.36 5.25
8.31 9.9f. 9.78
Umfang 3.1 3.18
3.24 4.1
umfangen 16.43
umfänglich 4.2
Umfänglichkeit 4.2
umfangreich 4.1
15.17
umfassen 3.24f. 4.1
4.33 4.41 4.48
16.42
Umfassung 3.24 4.48
Umfassungslinie 3.18
3.24
Umfassungsschlacht
16.76
umfluten 7.55
umformen 5.24 5.26
Umformung 5.24
Umfrage 12.8
umfriedigen 3.24
Umfriedung 3.24
Umgang (Verkehr)
2.19 8.32 11.53
16.38 16.42 16.64
— abbrechen, den
16.67
umgänglich 11.53
13.2 13.30 16.64
Umgänglichkeit
16.38 16.64
Umgangsformen
16.38
Umgangssprache
13.12
umgarnen 11.53
11.60 12.53 16.72
18.8

Umgarnung 12.53
umgeben 3.23f. 3.47
Umgebung 3.9 3.24
16.27
Umgegend 3.9
umgehen 8.32 9.14
9.86 12.19 12.53
13.2 13.6 16.64
16.72 16.76 18.10
19.8 19.20 19.25
20.5
— lassen 12.43 13.6
umgehend 6.14
Umgehung 8.27 9.13
9.19 9.80 13.51
16.76 19.20
— der Frage 12.19
umgekehrt 5.23
Umgeld 18.12 18.25
umgestalten 5.24
5.26 9.57
Umgestaltung 5.24
umgeworfen 9.78
umgraben 7.48
Umgrenze 3.25
Umgrenzung 3.23ff.
umgruppieren 8.17
16.83
umgucken 11.30
umgürten 3.23ff.
Umgürtung 3.24
umhalsen 16.43
umhandeln 18.20
Umhang 13.4 17.9
umhängen 3.20
umhauen 8.30f.
umhecken 3.25
umhegen 3.23 9.75
Umhegung 1.15
3.24 9.76 16.77
16.117
umher 3.24
umherbewegen 8.1
umherirren 3.4 8.1
8.18 16.52
umherstreichen 9.24
16.6
umherstreifen 9.24
umherstreunen 8.22
umherwerfen 3.38
umhin können, nicht
9.3 9.81
umhören 12.8

umhüllen 3.20
Umhüllung 3.20
3.24
Umkehr 5.23 5.30
8.17 8.31 9.9
9.62 19.5
umkehren 5.23f.
5.30 5.38 8.12
8.17 8.31 9.9f.
9.62 11.59 13.45
16.80 19.5 19.25
—, den Spieß 9.9
13.47 16.81
Umkehrung 5.23
8.17 8.31 13.17
umkippen 9.78
umklammern 3.23f.
4.33
umkleiden 3.20
umkommen 2.45
5.42 9.61 19.32
Umkreis 3.9 3.18
3.24 8.32
umkreisen 3.24f.
3.47 8.32
Umkreisung 8.32
Umlage 18.26
Umlauf 2.41 8.32
13.6 18.21
umlaufen 8.32 13.6
18.21
Umlaufschreiben
13.6
Umlaut 13.16
umlegen 2.46 8.31
Umleitung 8.12 9.80
Umliegendes 3.24
ummauern 3.23
ummodeln 5.24
ummünzen 18.21
umnachtet 12.37
12.56
umordnen 5.24
umpanzern 3.20
umpflanzen 8.3
umplündern 16.8
umprägen 18.21
umrahmen 3.23
umranden 3.23
umranken 3.24 8.32
umreißen 5.42 9.15
9.26 13.39 14.1
14.10
umringen 3.24f.
Umringung 3.24

Umriß 3.18 3.24
3.39 5.8 7.2 9.15
9.26 15.1 15.4
Umrißlinie 7.2
umrühren 3.38
umsatteln 5.24 16.60
Umsatz 18.20 18.23
18.30
Umsatzmittel 18.21
umsäumen 3.23 3.25
umschaffen 5.24
umschanzen 3.24
Umschanzung 3.25
umschatten 7.7
Umschätzung 9.61
Umschau 10.15 12.10
umschichtig 6.33 9.71
umschiffen 8.32
Umschiffung 8.32
16.6
Umschlag 2.44 3.18
3.20 3.45 5.20 5.24
5.27 8.17 14.8 17.7
18.20
—, im 14.8 14.11
umschlagen 3.45
Umschlaghafen,
-platz 18.20
Umschlagtuch 17.9
umschließen 3.23
3.46
Umschließung 3.58
umschlingen 8.32
Umschlingung 8.32
16.42
umschmeißen 11.5
18.19
Umschnürung 3.24
umschreiben 13.20
13.44 18.21
Umschreibung 9.80
13.20 13.36 13.43
umschulden, Um-
schuldung 18.16
18.19
umschulen 12.33
Umschwung 5.24
5.27 8.32
umsegeln 8.32
Umsegelung 8.32
16.7
umseh(e)n 9.54 12.8
umsetzbar 5.7 18.20

umsetzen 5.18 5.28
 8.3 8.18 14.3 15.1
 18.20f. 18.23
Umsicht 9.42 9.52
 11.40 12.7 12.52
umsichtig 4.29 9.42
 11.40 12.7 12.52
 18.10
Umsiedelung 16.8
umsinken 2.39 8.31
umsonst 9.49 9.78
 11.37 18.2
umspielen 16.57
umspülen 3.24 7.55
Umstand 2.20 5.2
 5.12f. 5.44 5.46
 9.6f. 9.27 9.38
 9.52 9.55 9.80f.
 12.24 19.13 19.15
 — machen 9.7
 —, schwieriger 9.55
Umstände, unter
 allen, keinen —n
 12.48 13.48 13.50
umständlich 8.8 9.51
 9.53 9.80
umstandshalber 5.13
Umstandskasten
 11.26
Umstandskommissar
 (ius) 8.8 9.33
 11.26
Umstandskrämer 8.8
 11.26
Umstandswort 13.16
Umstehende(r) 3.3
umstellen 5.24
 —, sich 5.25
Umstellung 5.24 8.3
 13.37
umstimmen 16.21
umstoßen 5.21 5.24
 8.30f. 9.9 13.47
 16.105 19.20
Umstoßung 16.27
umstrahlt 7.4
umstrickt 19.10
umstritten 12.14
 12.23 13.47 16.67
umstülpen 5.24
Umsturz 3.38 5.20
 5.24 5.27 5.29 5.42
 8.30f. 9.78 16.65
 16.105 16.116
 19.20

umstürzen 3.38 5.24
 5.42 8.31 9.44
 12.20
Umstürzler 19.9
umstürzlerisch 5.20
 5.27
Umsturzmann 19.9
Umsturzpartei 16.65
Umsturzregierung
 16.95 16.98
umtaufen 13.19
Umtausch 18.20
umtauschbar 5.28
Umtauschbarkeit
 18.20
umtauschen 18.20
umtoppen 2.5
Umtrecktag, Um-
 treibeabend, Um-
 treibetag 16.8
Umtrieb 9.15 12.53
 16.116
umtun 12.8
Umwallung 3.24
 16.77
umwälzen 9.44
Umwälzung 5.27
 5.29 5.42 8.32
 16.116
umwandeln 5.24
 5.26 9.58
Umwandlung 5.24
umwechseln 5.18
 5.20 5.22 5.24
 18.20f.
Umweg 8.11f. 8.32
 9.51 9.80
Umwelt 3.24
umwenden 5.24 8.7
 12.7
umwerfen (fallieren)
 5.24 5.42 8.31
 16.84 18.19
umwerten 5.24
umwickeln 3.20
umwogen 7.55
Umwohner 3.9 3.24
Umwölkung 7.7
umzäunen 3.19 3.23
Umzäunung 3.24
 9.76 16.117
umziehen 8.1 16.8
umzingeln 3.24f.
 8.32 16.76

Umzingelung 3.24
Umzug 16.8
Umzugstag 16.8
umzirkeln 3.25
un- 5.36
una voce 12.47
unabänderlich 9.8
unabdingbar 5.6 9.8
 9.81
unabgerichtet 9.27
unabgeschmeckt 7.69
unabhängig 5.14
 16.119 18.3
Unabhängigkeit 5.6
 5.14 16.94 16.119
 18.3
Unabhängigkeitssinn
 16.119
unablässig 6.6f. 6.34
 9.8 9.38
unabsehbar 9.74
unabsichtlich 9.3
unabweislich 9.81
unabwendbar 5.31
 9.3 16.107
unachtsam 11.8 12.13
Unachtsamkeit 9.19
 9.43 11.37 12.13
 16.28
Unadeliger 16.94
unaffektiert 11.46
 13.49
Unähnlichkeit 5.21
unandächtig 20.3
unanfechtbar 5.1
 19.22
unangebaut 9.27
unangebracht 9.51
unangemessen 5.21
 9.51 16.53 16.80
 19.21
unangenehm 2.41 9.5
 9.55 9.60 9.78
 11.12ff. 11.28f.
 11.59 16.53
unangesehen 16.34
unangreifbar 9.75
 19.1
unannehmbar 19.21
Unannehmlichkeit
 11.13f.
unansehnlich 4.4 9.45
 11.27f.

unanständig 9.67
 11.29 16.44 16.53
 19.8 19.10
Unanständigkeit 9.67
 11.28 16.35 16.44
 19.8 19.10
unantastbar 9.75
 19.1 19.4
unanwendbar 9.51
unappetitlich 10.9
unaromatisch 7.69
Unart 11.29 16.53
 16.90
unartig 9.60 11.29
 16.53 16.90 16.116
 19.10
unartikuliert 13.14f.
unästhetisch 11.28
unauffällig 7.3 13.1
 13.3f.
unauffindbar 7.3
 13.4
unaufgeblüht 9.27
unaufgefordert 9.2
unaufgefunden
 13.3f.
unaufgehalten 9.54
 16.119
unaufgehellt 13.4
unaufgeklärt 12.37
unaufgelöst 4.33
 7.43
unaufgeregt 11.8
unaufgetaut 7.40
unaufhörlich 6.6f.
 6.34 9.30
unauflösbar 4.36
Unauflösbarkeit 7.43
unauflöslich 3.37
 4.33 4.36 6.7
 7.43
unaufmerksam 12.13
Unaufmerksamkeit
 12.13
unaufrichtig 11.60
 13.51 16.116 19.8
Unaufrichtigkeit
 13.51 16.116 19.8
unausbleiblich 5.6
 5.31 5.34 12.44
unausdrückbar 4.1
 13.18
unausführbar 5.3
 9.55
unausgedrückt 13.18

unausgefüllt 3.4
11.26
unausgeglichen 5.11
5.36
unausgeheckt 9.27
unausgemacht 5.7
unausgerüstet 9.27
unausgesetzt 6.7
6.34 9.30
unausgesprochen
13.23
unausgestattet 9.27
unausgetragen 6.38
unauslöschlich 5.35
6.7 11.4 12.39
unausrottbar 6.6f.
9.31
unaussprechlich
11.23 11.30
Unaussprechlichen,
die 3.20 17.9
unausstehlich 11.14
11.28 11.30 11.59
11.62
unausweislich 5.6
5.31 9.3 9.6
16.107
Unband 5.36 11.6
11.20
unbändig 5.36 11.5
16.116
Unbändigkeit 11.6
16.119
unbarmherzig 11.61
16.108
Unbarmherzigkeit
11.60f. 16.108
unbeabsichtigt 9.16
13.18
unbeachtet 7.3 9.43
11.37 11.62 12.40
13.4 16.34 16.53
unbeansprucht 9.19
9.85
unbearbeitet 9.27
unbeargwohnt 13.4
unbeaufsichtigt
16.119
unbebaut 9.27
unbedacht 9.27 9.39
9.43 11.39 12.1
12.13

Unbedacht(samkeit)
6.36 9.24 9.39
9.43 12.13
unbedankt 11.55
unbedarft 12.56
unbedenklich 9.6
unbedeutend 4.4
9.45 9.60 12.56
16.93f.
unbedingt 5.14 5.16
9.3 9.6 9.81
13.28 16.108
16.111
Unbedingter, ein 9.8
12.55
unbedroht 9.75
unbeeinflußbar 9.8
unbeeinflußt 11.8
unbeendigt 4.46 6.6
9.19
unbefähigt 9.53
unbefangen 12.20
19.18
Unbefangenheit
11.37
unbefestigt 4.34
5.37
unbefiedert 3.22
9.27
unbefleckt 9.56 9.66
16.50 19.4
unbefreundet 16.5
unbefriedigend 4.4
11.12
unbefriedigt 11.13
11.27 16.33 16.67
18.17
unbefugt 16.29
19.20f. 19.23
Unbefugtes 19.21
Unbefugtheit 19.23
unbegabt 9.53 12.56
Unbegabtheit 9.53
unbegeben 16.12
unbegleitet 4.36
unbegonnen 9.19
9.27 9.41 9.84
unbegreiflich 4.50
5.3 11.30 12.23
13.35 20.7
Unbegreifliche, das
5.45

unbegrenzt 3.1 4.1f.
4.40 4.50 6.6
16.119
unbegründet 12.27
13.29 13.51 19.23
unbehaart 3.22
Unbehagen 11.13
11.15 11.27
unbehaglich 11.13f.
Unbehaglichkeit
11.13 11.28
unbehauen 3.60 9.27
unbeherrschbar 5.36
unbeherrscht 5.36
11.6
unbehilflich 4.2 4.10
9.55 11.28
unbehindert 9.54
unbeholfen 9.53
12.56 16.53
Unbeholfenheit 9.53
11.48 16.53
unbehütet 9.74
unbehutsam 9.43
11.39
unbeirrbar 9.8
unbeirrt 9.6
unbejammert 16.33
unbekannt 12.37
13.4 13.19 16.5
16.52 16.93
—e Größe 16.94
Unbekannte, der
große 19.13 20.7
Unbekannter 13.4
Unbekanntheit
16.52 16.93f.
unbekehrbar 9.8
12.55
unbekehrt 12.48
12.56 20.3
Unbekehrter 20.3
unbeklagt 11.62
16.33 16.66
unbekleidet 3.22
unbekümmert 11.8
11.37 11.39f.
12.13
unbelästigt 16.48
unbelebt 1.1 1.23
unbeleckt 9.27
unbelesen 12.37
unbeleuchtet 7.7

unbeliebt 11.28
11.59 11.62
unbelustigt 11.25
unbemalt 7.12
unbemannt 16.12
unbemäntelt 13.33
unbemerkbar 4.4
7.28
unbemerklich 4.4
unbemerkt 7.3 9.43
13.4 16.93f.
unbemittelt 4.25
18.4
unbeneidet 16.36
unbenommen, es
bleibt jedermann
16.25
unbenützt 9.19 9.85
unbepflanzt 9.27
unbequem 9.51
11.13f.
unberaten 9.53
unberechenbar 4.1
4.40 9.9 9.74 11.6
12.45
unberechtigt 5.36
19.20f. 19.23
Unbereitschaft 9.5
9.27
unberücksichtigt 9.43
unberufen 11.40
unberühmt 16.94
unberührbar 3.8
unberührt 9.19 9.85
10.3 11.8 11.17
16.50 19.4
Unberührtheit 9.66
16.50
unbesät 9.27
unbeschädigt 2.38
5.43 9.56 9.75
unbeschäftigt 9.24
unbescheiden 4.22
11.45 16.90
Unbescheidenheit
16.90
unbeschmutzt 9.66
unbescholten 16.85
19.1 19.4
Unbescholtenheit
19.1 19.18
unbeschönigt 12.26
13.33

unbeschränkt (Ausdehnung) 3.1 4.1f.
16.119
unbeschreiblich 4.1
4.50 11.30
Unbeschreibliches
5.14
unbeschützt 5.36f.
9.74 16.52
unbeschwert 11.21
unbeseelt 1.20 1.23
11.8
unbesehen 6.14 10.18
unbesetzt 3.4
unbesiegbar 5.35
11.38
unbesiegt 9.77
unbesonnen 9.39
9.43 9.53 11.20
11.39f. 12.56
Unbesonnenheit
9.53 11.39
unbesorgt 11.37
unbesprochen 13.4
Unbestand 5.24f.
unbeständig 3.36
3.38 5.25 6.8
6.30 8.12 9.7 9.9
16.6
Unbeständigkeit 6.8
9.9f.
unbestätigt 5.7
unbestechlich 19.1f.
Unbestechlichkeit
19.1
unbestimmbar, Unbestimmbarkeit 4.40
unbestimmt 4.1 4.4
4.26 5.7 5.25 6.30
9.7 9.16 12.48
13.18 13.29 13.35
unbestochen 19.18
unbestraft 19.30
unbestreitbar 5.6
19.22
unbestritten 13.6
19.22
unbesucht 16.52
unbesungen 13.4
unbeteiligt 9.19
11.37
unbeteuert 11.62

unbetitelt 16.92
16.94
unbeträchtlich 4.4
4.24 9.45
unbetrauert 11.62
unbeugsam 9.6 9.8
9.55 9.72 16.49
16.65 16.108
Unbeugsamkeit 7.44
9.6 9.72 11.60
16.108
unbevölkert 3.4
unbewacht 9.43 9.74
unbewaffnet 5.37
unbewegbar 7.41
unbeweglich 6.7 7.41
8.2 9.6 9.24 11.8
16.108
Unbeweglichkeit
9.36
unbeweibt 16.12
16.119
unbeweint 11.62
unbewilligt 16.29
unbewohnt 3.4
unbewölkt 7.4
unbewußt 5.33 9.1
9.3 9.16 12.1
12.37
Unbewußtes 11.2
unbezahlbar 9.56
11.23
unbezahlt 18.17
unbezähmbar 11.38
16.116
unbezweckt 9.3
unbezwingbar 5.34
5.36 9.72 9.75
11.6 11.38 16.116
unbezwinglich 5.35
9.75 16.65
unbiegsam 7.44
Unbilden der Witterung 1.7
Unbildung 9.27
11.29 16.53
Unbill 9.60 11.13f.
16.76 19.9
unbillig 19.8 19.10
19.21
Unbilligkeit 19.8
unblutig 16.48f.
unbotmäßig, Unbotmäßigkeit 16.116

unbrauchbar 9.19
9.45 9.49 9.51
9.53
unbußfertig, Unbußfertigkeit 19.6
unchristlich 20.2f.
Uncialschrift 14.5
und 4.28 4.33 5.10
Undank 11.55
undankbar 9.72 9.78
11.55 19.8
Undankbarkeit
11.55
undefinierbar 13.35
undenkbar 5.3
undeutlich 5.7 7.3
13.14 13.34f.
Undeutlichkeit 13.35
undeutsch 13.32
undicht 3.57
Undichte 7.48
undienlich 9.49f.
undienstfertig 11.60
undifferenziert 11.29
Undine 20.7
Unding 3.5 5.3
9.65 12.19
undiplomatisch 9.53
undiskutierbar 5.3
undiszipliniert 9.27
9.53 16.116
undressiert 9.27
undulatorisch 8.33
unduldsam, Unduldsamkeit 9.8 11.6f.
12.55 16.53 16.90
16.108
undurchdringlich
3.58 7.43f. 13.4
13.35 16.108
Undurchdringlichkeit
4.33
undurchführbar 9.55
undurchlässig 3.58
7.43
undurchsichtig 3.58
7.6 7.10 12.23
19.8
Undurchsichtigkeit
7.10
uneben 3.53
—, nicht 9.56
unebenbürtig 16.92
16.94

Unebenheit 3.53
5.11
unecht, Unechtheit
5.29 12.27 13.51
16.72 19.23
unedel 16.92
unegoistisch 11.51
19.2
unehelich 16.12
16.94
unehrbar 16.44 19.8
Unehre 16.34
16.93f.
unehrenhaft 16.93f.
Unehrenhaftigkeit
16.34 16.53f. 19.8
unehrerbietig 16.34
unehrlich 13.51
19.8
Unehrlichkeit 19.8
19.10
uneigennützig 9.50
9.70 11.51 19.2
Uneigennützigkeit
9.50 11.51
uneigentlich 13.36
uneinbringbar 18.19
uneingebildet 12.26
uneingeengt 16.119
uneingereiht 4.34
uneingeschränkt 4.50
16.119
uneingeschüchtert
11.38 11.43
uneingeübt 9.27
uneingeweiht 12.37
Uneingeweihter 4.34
uneinheitlich 5.22
uneinig 12.48 16.67
Uneinigkeit 4.34
5.21 12.48 16.67
uneinkassierbar
18.19
uneinlösbar 18.19
uneinnehmbar 9.75
uneinnehmend 11.27
uneins 5.23 16.67
uneintreibbar 18.19
unelegant 11.27ff.
unempfänglich 9.19
10.3 11.8 16.93
19.6 20.3 20.6

unempfindlich 6.7
9.75 10.3 11.8
11.60f. 12.13
Unempfindlichkeit
10.3 11.8
unendlich 3.1 4.2
4.40 6.6f. 11.22
20.7
Unendliche, bis ins
4.40
—, der 20.7
Unendlichkeit 1.1
3.1 4.40 6.6 20.7
unentbehrlich 9.3
9.81
unentdeckbar 13.4
unentfliehbar 5.31
unentgeltlich,
Unentgeltlichkeit
18.12 18.29
unenthaltsam 10.11
Unenthaltsamkeit
11.11 16.44
unentrinnbar 5.31
9.3
unentscheidbar 5.7
unentschieden 5.7
5.31 9.3 9.7 9.34
12.8 12.11 13.35
unentschlossen 5.25
8.33 9.7 9.10
9.19 11.40 12.23
Unentschlossenheit
5.25 9.41 11.42
12.1
unentsprechend 4.25
9.45 9.65
unentwegbar 6.7
unentwegt 6.7 6.31
9.8
unentwickelt 2.20
2.22 4.42 4.46
9.51 12.37 12.56
unentwirrbar 3.38
9.55
unentzifferbar 13.35
unerbeten 11.37
unerbittlich 9.6 9.8
9.72 11.14 11.60ff.
16.81 16.107f.
Unerbittlichkeit
11.62 16.81
unerfahren 2.20 4.46
9.27 9.53 12.37

Unerfahrenheit 9.53
12.37
unerfindlich 13.35
unerforschlich 13.4
13.35
unerfreulich 11.12ff.
unerfüllbar 5.3
unerfüllt 9.78 11.27
unerfunden 13.4
unergänzt 4.34
unergiebig 2.7 9.51
unergründlich 3.1
4.1 4.14 4.40
12.35 13.35
unerheblich 9.45
unerhellt 13.4
unerhört 4.1 4.50
5.3 5.20 6.29
11.30f. 16.27 16.29
unerinnerlich 12.40
unerkäuflich 19.2
unerkennbar 7.3
13.35
unerkenntlich 11.55
unerklärbar 13.18
unerklärlich 5.33
11.30 13.18 13.35
20.5
unerklärt 13.4
unerlangbar 9.55
unerläßlich 9.3 9.44
9.81 16.107
unerlaubt 16.29
19.20f. 19.23
19.25
Unerlaubtes 11.12
unerledigt 6.7
unerleuchtet 7.7
12.37 13.51
unermeßlich 3.1 4.1f.
4.40 11.30
Unermeßlichkeit
4.40
unermüdlich 2.38
9.6 9.8 9.18 9.30
9.38
Unermüdlichkeit 9.8
unerprobt 9.43 12.8
unerquicklich 11.13f.
Unerregbarkeit 11.8
unerreichbar 3.8 4.1
5.3 5.11 9.55 9.64
9.78

unerreicht 9.64
unerringbar 9.55
unersättlich 10.11
11.36 18.11
Unersättlichkeit
10.11
unerschaffen 13.29
unerschöpflich 4.20
4.22 4.40 5.35
Unerschöpflichkeit
4.17
unerschrocken 11.38
11.43
unerschütterlich 5.35
9.6 9.8 11.8 11.38
16.108 19.1ff.
Unerschütterlichkeit
9.6 11.8 11.38
16.108 19.1
unerschwinglich
18.27
unersetzbar 6.7
unersetzlich 11.41
18.15
Unersetzlichkeit
18.15
unersprießlich 9.49
9.51
unerträglich 11.6
11.12 11.14 11.25
19.21
unerwähnt 13.4
unerwartet 2.45
6.38 11.30 12.45
unerweichlich 16.108
unerwidert 11.55
unerwiesen 12.19
13.47
unerwogen 9.43
unerwünscht 11.12
11.14 11.37
unerzählt 13.4
unerzogen 9.27
Unesco 12.33
unfähig 4.25 5.37
9.27 9.51 9.53
12.37 12.56
Unfähigkeit 4.25
5.37 9.53 12.56
unfahrbar 9.55
unfair 19.8
Unfall 2.42 5.44
5.47 9.50 9.78
11.13f. 18.15
Unfallmal 2.48

unfaßbar 4.50 5.5
7.60 13.35
unfaßlich 11.30
12.45
unfehlbar 5.6 9.6
13.28 16.97 20.17
Unfehlbarkeit 5.6
20.17
Unfehlbarkeits-
dünkel 11.45
unfein 11.27ff.
unfertig 4.46 9.27
9.34 9.65
Unfertigkeit 9.19
9.27
Unflat 9.67 16.44
20.2
unflätig 9.67 11.14
11.27f. 16.44
unflügge 2.22 9.27
9.65
unfolgsam 16.116
Unfolgsamkeit
16.111 16.116
Unform 3.60
unförmig 3.60 11.28
Unförmigkeit 3.60
5.20
unförmlich 11.28
Unförmlichkeit 3.60
5.20
unfraglich 5.6
unfrei 9.7 11.48
16.111f. 16.117
Unfreier 16.117
unfreigebig 19.7
Unfreigebigkeit 19.7
unfreiwillig 9.3 9.5
11.24
unfreundlich 11.32
11.60 16.53 16.65f.
Unfreundlichkeit
9.72f. 11.31f.
11.60 16.53 16.66
Unfriede 5.21 16.67
unfriedlich 16.73
unfruchtbar 2.7
5.36f. 9.49 9.78
Unfruchtbarkeit 2.7
9.49
Unfug 9.51 16.53
19.10 19.20f.
unfügsam 9.55
16.116

unfühlbar 10.3
16.94
unfußbar 5.5
ungalant 16.53
ungangbar 3.58 9.55
ungastfreundlich
16.52
ungastlich 16.52
ungeachtet 9.72
16.34
ungeadelt 16.94
ungeadert 7.12
ungeahnt 12.45
ungebahnt 9.55
ungebändigt 11.6
ungebärdig 5.36
ungebessert 19.6
ungebeten 11.37
ungebeugt 3.40
ungebildet 9.27 9.53
11.28f. 12.37 16.43
16.53 16.92 16.94
ungebilligt 16.33
ungebogen 3.40
ungeboten 16.116
ungebräuchlich 9.32
ungebrochen 2.38
Ungebühr 19.21
ungebührlich 9.51
16.53 16.90 19.21
19.23
Ungebührlichkeit(en)
16.53 16.90
ungebunden 4.34
11.6 11.11 11.20
14.11 16.12 16.44
16.116 16.119
19.25
Ungebundenheit
4.34 7.48 11.11
14.4 16.116
16.119 19.25
Ungeduld 11.6 11.27
ungeduldig 11.5
11.27
ungeehrt 16.34
ungeeignet 9.27
9.49 9.51 9.53
ungefähr 3.9 4.4 4.13
5.7 5.33 5.45 9.7
9.12 9.16
—, von 5.8 9.12
Ungefähr 9.16
ungefährdet 9.75

ungefällig 9.5
11.60 16.53
Ungefälligkeit
16.52f.
ungefärbt 7.12
ungefiedert 3.22
ungeformt 3.60
ungefroren 7.54
ungefüge 4.2
ungegrüßt 16.34
ungehalten 11.31
11.62
ungeheiligt 20.3f.
ungeheißen 9.2
16.116 16.119
ungehemmt 9.77
16.119
ungeheuchelt 13.49
ungeheuer 4.2 4.22
11.30
Ungeheuer 4.1f.
11.27f. 11.30 19.9
20.5f.
Ungeheuerlichkeit
4.1 4.22 11.23
11.28 11.30 11.39
13.52
ungehindert 9.54
9.69 16.119
ungehobelt 9.27 9.53
11.29 16.53
ungehörig 5.21 9.51
16.53 16.90 19.8
19.21 19.23
Ungehörigkeit 9.51
19.23
ungehorsam 9.8
16.28 16.65 16.116
Ungehorsam 9.72
16.28 16.65
16.116 19.11
ungekämmt 9.67
11.28f.
ungekannt 16.52
16.93f.
ungeklärt 5.7 12.23
ungekreuzt 1.22
ungekrönt 11.17
ungekünstelt 11.46
13.40
ungelabt 2.39
ungeladen 16.52f.
ungeläutert 9.67
11.28f.

ungeleckt 11.28f.
16.53
ungelegen 6.36
9.51
Ungelegenheit 9.51
ungelegt 11.35
ungelehrig 9.53
Ungelehrigkeit 12.27
ungelehrt 12.37
Ungelehrtheit 9.53
ungelenk 4.1 4.10
5.36 9.53 9.55
ungeliebt 11.62
ungelobt 16.33
ungelockert 4.25
ungelogen 12.26
ungelöscht 7.35f.
ungelöst 13.4
ungelüftet 7.64
Ungemach 5.47
9.50f. 11.12ff.
18.4
ungemächlich (unbe-
quem) 9.51
ungemacht 3.38
ungemasert 7.12
ungemein 4.1 4.50
ungemischt 1.22
ungemustert 7.12
ungemütlich 11.12ff.
ungenannt 13.19
16.52 16.93f.
Ungenannter 13.4
13.14
ungenau 12.27 13.51
ungeneigt 12.48
ungeniert 11.46
16.61 16.64 16.119
ungenießbar 7.69
9.49 10.9 11.14
Ungenießbarkeit
10.9
ungenüge 9.53
Ungenüge 4.25
13.29
ungenügend 4.4 4.25
4.46 9.65 13.29
ungenügsam 11.27
Ungenügsamkeit
11.26
ungeöffnet 3.58
ungeordnet 3.38
Ungeordnetheit 3.38

ungepaart 4.36
ungepflügt 9.27
ungeprüft 9.43
ungeputzt 11.46
ungerade 3.43
ungerechnet 4.22
4.28 4.49
ungerecht 12.55
19.20f.
—es Urteil 19.20
Ungerechter 20.3f.
20.22
ungerechtfertigt
19.12 19.21
Ungerechtigkeit
19.9f. 19.21
ungereimt 5.21 9.51
11.23f. 12.2 12.19
14.4
Ungereimtheit 9.51
ungereinigt 9.27
9.67
ungern 9.5 9.8
ungeronnen 7.54
ungerührt 11.8
ungesäubert 9.67
11.27
ungesäumt 6.14
ungeschätzt 11.37
11.62 12.51 16.36
ungeschehen 9.19
9.34 9.41 19.26
Ungeschick 9.53 9.78
Ungeschicklichkeit
9.53
ungeschickt 9.51
9.53 11.28f. 11.46
ungeschlacht 4.2 9.53
11.27ff. 16.53
Ungeschlachtheit
16.53
ungeschliffen 9.27
9.53 11.29 13.49
16.53 16.92 16.94
Ungeschmack 10.9
11.28
ungeschmälert 19.22
ungeschmeidig 7.44
ungeschminkt 11.46
12.26
ungeschmolzen 7.43
ungeschmückt 11.46
12.26

ungeschrieben 9.31
ungeschult 9.53
ungeschwächt 5.35
ungesehen 7.3 9.43
ungesellig, Ungesel-
   ligkeit 16.52
ungesetzlich 9.19
   19.20ff.
Ungesetzliches 19.21
Ungesetzlichkeit
   16.28 19.20
ungesetzmäßig 19.20
ungesittet 11.28f.
   16.53
ungespitzt 16.68
ungestalt 3.60 11.28
Ungestalt 11.27f.
ungestärkt 5.37
ungestört 3.37 11.16
ungestüm 5.36 9.38
   11.38f. 11.58
Ungestüm 5.36 9.39
   11.6 11.31 11.39
   11.58
ungestützt 5.37
ungesucht 16.52
ungesühnt 19.6
ungesund 2.41 9.60
   9.63
Ungesundheit 9.63
ungetan 9.19 9.34
   9.41
ungeteilt 4.33
ungetrennt 4.25 4.33
   4.41
ungetreu 19.8
ungetrocknet 7.57
ungetrübt 1.22 7.5
   9.66 11.10 11.16
Ungetüm 11.28
   11.38 11.42 19.9
ungeübt 9.27 9.32
   9.53
ungewaschen 9.67
   11.28
ungeweiht 20.22
ungewiß 5.7 6.30
   9.5 9.7 12.11
   12.23 13.34f.
Ungewisse, das 9.27
Ungewißheit 5.7 9.5
   9.7 12.23 20.1
   20.3

Ungewitter 1.10
ungewöhnlich 4.2
   4.50 5.14 5.20
   5.22 6.29 9.32
   11.30
ungewohnt 4.49 5.20
   9.32 9.53 11.14
Ungewohntheit 9.32
ungewürdigt 12.51
ungewürzt 7.69
ungezählt 4.20 4.40
ungezähmt 2.10
Ungeziefer 2.9 9.67
ungeziemend 16.53
ungeziert 11.46
   13.40 13.49
Ungeziertheit 13.40
ungezogen 9.60
   11.29 16.53f.
   16.90 16.110 19.10
Ungezogenheit 16.53
ungezüchtigt 19.30
ungezügelt 11.11
   11.60 16.44 16.116
   16.119
ungezwungen 9.2 9.4
   11.16 11.46 16.61
   16.64 16.119
ungiltig s. ungültig
Unglaube 5.5 12.23
   20.1ff.
ungläubig 12.23 20.3
Ungläubiger 20.3
Ungläubigkeit 20.3
unglaublich 4.1 4.50
   5.3 5.5 11.30 12.23
   16.33
unglaubwürdig 16.33
   19.8
Unglaubwürdigkeit
   19.8
ungleich 4.50 5.11
   5.14 5.21
ungleichartig 5.22
ungleichförmig 5.20
Ungleichförmigkeit
   5.14 5.20
Ungleichheit 5.11
   5.18 5.21
ungleichmäßig 5.11
   5.21
Unglück 2.42 5.47
   9.50 9.78 11.13f.
   11.61

unglücklich 1.19
   5.47 9.50 9.78
   11.13 11.62
Unglücksbaum 2.48
Unglücksbild 2.48
Unglücksbotschaft
   5.47
Unglücksbringer
   5.47 19.9
unglückselig 9.50
   9.60 11.13
Unglückshand 9.53
   12.37
Unglückskreuz 2.48
Unglücksprophet
   5.47
Unglücksrabe 5.47
   9.78 11.13
unglücksschwanger
   9.51
Unglücksstätte 2.48
Unglückssäule 2.48
Unglücksstein 2.48
Unglücksstelle 2.48
Unglücksstern 5.47
Unglücksstifter
   5.47
Unglückstafel 2.48
Unglücksverkünder
   5.47
Unglücksvogel 5.47
   11.13
Unglückswurm 5.47
unglückverheißend
   11.41f.
Ungnade 11.31
   11.62 16.83
ungöttlich 20.3
ungrammatisch
   13.32
ungraziös 11.28f.
ungültig 8.17 12.19
   13.29 19.20
Ungültigkeit 12.19
   19.23
Ungültigkeitserklä-
   rung 9.19 13.29
   16.28 16.105
   19.23
Ungunst 1.7 11.60
   11.62

ungünstig 6.36 9.55
   9.60 9.72f. 9.78
   11.59f. 11.62
   16.33 16.65
ungut 16.82
ungütig 11.60
unhaltbar 12.19
   19.12f.
unharmonisch 15.18
   16.67
Unheil 5.47 9.50
   9.60 11.12ff.
   11.60 19.9
unheilbar 2.41 9.31
   9.60f. 11.13
   11.41f. 19.8 19.10
Unheilbarkeit 2.41
   9.61
unheilbringend 9.60
   19.9
unheildrohend
   11.14 16.68
unheilig 20.3f.
Unheiligkeit 20.3f.
unheilsam 2.41 9.63
unheilschwanger
   11.41 16.68
Unheilsprophet
   11.41
Unheilstifter 19.9
unheilvoll 9.63 9.74
   9.78 11.14
unheimlich 11.14
   11.27f. 11.30
   11.42 11.59
   20.5f.
unhöflich 11.29
   13.39 16.34
Unhöflichkeit 16.53
Unhold 11.28
   16.44 19.9 20.5
   20.9
unhörbar 7.28 10.20
   13.15
Unhörbarkeit 7.27
uni 7.11
uni- 4.36
Unicum s. Uni-
   kum
Uniform 3.20 16.18
   16.74 16.87
   16.100 17.9
uniformieren 3.37
   5.16

Uniformität 5.16
Unikum 4.36 5.20f.
unintelligent 12.56
uninteressant 9.45
 11.26 11.37
uninteressiert 19.2
Union 4.33 16.17
 16.19 16.40
unirdisch 20.5
unisono 6.13 12.47
 15.17
universal(-ell) 4.33
 4.41 5.9
Universalität 4.33
 4.41
Universalmittel 2.44
Universität 12.36
Universitätsneffe
 16.60
Universum 1.1
 4.40f.
unkanonisch 20.2
Unke S. 100 5.47
 12.43 13.10
unken 11.41 12.43
 13.10
unkenntlich 13.35
Unkenntnis 12.37
 16.44
Unkenruf 7.31 7.33
unkeusch 9.67 10.21
 16.44
unklar 1.21 3.38
 5.7 7.3 7.6f.
 7.9 9.67 12.19
 12.23 13.4 13.35
Unklarheit (Wissen)
 9.55 12.37
unklug 9.43 9.53
 11.39
Unklugheit 9.53
 11.39f.
unkonstitutionell
 19.20 19.23
unkontrolliert
 16.119
unkörperlich 4.26
 12.2
Unkosten 18.26
Unkraut 2.2 9.45
 9.49

unkultiviert 9.27
 9.53 11.29 12.28
 12.37 16.53
Unkultur 9.27 9.53
 11.29 12.28
 16.120
Unkunde 9.53 12.37
unkundig 12.37
unlängst 6.20
unlauter 9.67 16.44
unleidlich 11.14
 11.28 11.59 11.62
unlenkbar 5.36 9.8
 16.116
unlesbar 13.35
unleugbar 5.1 5.6
unliebenswürdig
 11.28 16.53
unliebsam 9.5
Unlogik 12.19
 12.27
unlogisch 5.5 12.19
 12.27 13.48 13.51
unlösbar 4.33 5.3
 9.55 13.4 13.35
Unlust 9.19 11.13f.
 11.26f. 11.31
 11.37
Unlustgefühl 9.5
unlustig 9.19 9.24
 11.31f.
unmaniert 11.46
unmanierlich 9.53
 11.28f. 16.53
Unmanierlichkeit
 9.53
unmännlich 11.43
 19.8
Unmasse 4.2 4.20
 4.22 4.50
unmaßgeblich 4.25
 9.45
unmäßig 4.2 4.22
 4.50 10.11 11.11
Unmäßigkeit 4.22
 11.11
unmelodisch 15.18
Unmenge 4.20 4.22
 4.50
Unmensch 11.61
 19.9
unmenschlich 4.50
 11.60 19.9 19.20
Unmenschlichkeit
 11.60f.

unmerklich 5.26 7.3
 13.4
unmeßbar 4.35 4.40
Unmeßbarkeit 4.40
unmethodisch 3.38
 9.27
unmißverständlich
 13.33
unmitteilsam 13.4
 13.23
unmittelbar 9.79
 12.1
unmodern 6.38
 9.31f. 11.28f.
— werden 4.5
unmöglich 5.3 6.5
 9.55 11.29 11.59
 16.34 16.93
Unmögliche, das
 9.21 9.39
Unmöglichkeit 5.3
 6.10 11.30
unmoralisch 16.44
 19.10 19.21
unmotiviert 9.16
Unmündigkeit 2.22
unmusikalisch
 15.17f.
Unmut 11.13 11.31
 11.62
unmutig 11.31f.
unnachahmlich 5.9
 5.21
unnachgiebig 9.6 9.8
 9.55 11.60f.
 16.116
Unnachgiebigkeit
 9.8
unnachsichtig 11.61
 16.108
unnachsichtlich
 11.60
unnahbar 3.8 9.55
 11.63 16.50 16.52
 16.90
Unnahbarkeit 16.52
Unname 13.19
unnatürlich 3.38
 5.20 11.28 11.45
 11.60 13.43 20.5
 20.12
unnennbar 4.50
 11.30
unnobel 16.92

unnötig 9.19 9.49
 9.85 11.40
unnütz 9.49 9.51
 9.78 9.85
UNO (Vereinte
 Nationen) 16.17
unordentlich 3.38
 9.27 9.43
Unordnung 3.38
unorganische Welt
 1.1
unorganisiert 9.27
unpaar 4.36
unparteiisch 12.14
 12.20 12.52 19.1
 19.18
unparteilich 19.1
 19.18
unpaß 2.41
unpassend 5.11 5.21
 6.36 6.38 9.51
 11.28f. 16.44
 19.23
unpassierbar 3.58
 9.55
unpäßlich 2.41
Unpäßlichkeit 2.41
unpatriotisch 11.63
unpersönlich 5.18f.
unphilosophisch
 12.56
unpoetisch 11.8 14.4
unpoliert 9.27
unpolitisch 9.53
 12.56
unpopulär 11.28
 11.59
unporös 3.58
unpraktisch 9.51
 9.55
unprivilegiert 19.23
unprobiert 12.8
unproduktiv 2.7
 9.49
unproportioniert
 3.60 11.28
unpünktlich 6.30
 6.36
unrasiert 9.67
Unrast 5.25 11.6
Unrat 9.67 11.14
 11.29
unratsam 9.51 9.60
Unratsamkeit 9.51

unrealisierbar 18.19
unrecht 19.21
Unrecht 13.51 19.4
  19.6 19.8 19.10
  19.21 19.24
Unrechtlichkeit
  19.8
unrechtmäßig 19.20f.
  19.23
unredlich 13.51 19.8
Unredlichkeit 13.51
  16.116 19.8 19.10
unreell 19.8
unregelmäßig 3.38
  3.60 5.14 5.20
  5.22 6.30 6.32
Unregelmäßigkeit
  5.14 5.20 5.22
  18.9 19.23
unregierbar 16.116
unreif 2.20 2.22
  6.26 6.38 7.67
  9.27 9.34 9.53
  9.65 12.35
Unreife 9.19 9.27
  9.34 9.53
unrein 9.67 11.28f.
  15.18 16.44 19.10
Unreine, das 9.26
  9.28
Unreinheit 9.67
  16.44
unreinlich 19.8
Unreinlichkeit 9.67
Unreizbarkeit 11.8
unrettbar 2.41 11.41
  11.42 18.15 19.6
unrhythmisch 3.38
unrichtig 12.19
  12.27 13.45 13.51
unriechbar 7.62
unromantisch 12.26
Unruhe 3.17 3.38
  5.25 5.27 5.35f.
  8.33f. 9.38 11.4
  11.6 11.13 11.38
  11.42 16.70
  16.116
Unruhestifter
  16.116
unruhig 5.20 5.25
  5.27 5.36 8.34
  9.38 11.42 11.58

unrühmlich 19.88ff.
Unrühmlichkeit
  16.33 16.94
unsagbar 4.1 4.50
  11.30
unsäglich 4.50 11.30
unsanft 5.36
unsauber 9.67
  11.27f. 19.8
unschädlich 2.44
  9.56 9.75 16.84
  16.117 19.4
  19.31f.
— machen 16.117
  19.32
Unschädlichkeit 2.44
  9.56 19.4
unschätzbar 9.56
unscheinbar 4.4 9.48
  11.28
Unscheinbarkeit 4.4
unschicklich 6.36
  9.51 11.28f. 16.44
  16.53
unschiffbar 9.55
Unschlitt 7.52f.
unschlüssig 5.7 9.7
  9.19
Unschlüssigkeit 5.7
  9.3 9.7 11.42
unschmackhaft 10.9
  11.14 11.37 11.59
Unschmackhaftig-
  keit 10.9
unschmeckbar 7.69
unschön 11.27f.
  19.8
Unschuld 3.22 9.27
  11.29 11.46 13.49
  16.27 16.44 16.50
  19.3f. 19.13 19.30
— vom Lande 11.46
  12.56
unschuldig 2.22
  9.16 9.27 9.56
  11.46 12.25 12.37
  13.49 16.50 19.3f.
  19.13 19.30 20.1
  20.13
— erklären 19.27
unschuldsvoll 19.4
unschwer 9.54

Unsegen 5.47
unselbständig 9.7
unselig 5.47 11.13
  20.11
Unseligkeit 11.13
  20.11
unsereiner 16.3
unsicher 5.7 9.7
  9.74 12.23 13.32
  16.6
Unsicherheit 6.30
  9.7 9.12 9.55 9.74
unsichtbar 3.4 4.4
  7.3 13.4
Unsichtbarkeit 7.3
  13.4
unsichtig 7.10
Unsinn 9.45 11.23
  12.2 12.19 12.27
  12.34 12.56f.
  13.18 13.29 13.35
  20.2
—, krasser 12.19
unsinnig 9.86 12.19
  12.56f. 13.18
Unsitte 9.53 12.56
  19.10
unsittlich 16.44
  19.21
Unsittlichkeit 16.44
  19.10
unsolid(e) 11.11
  18.14 19.8 19.10
unstatthaft 5.3
  16.29 19.23
unsterblich 6.6f.
  11.24 16.85
Unsterblichkeit 6.6
  16.85
Unstern 5.47 9.78
  11.14
unstet(ig) 3.36 5.25
  8.1 8.12 8.34 9.7
  9.9 11.6 16.6
Unstetigkeit 5.25
unstillbar 11.36
Unstimmigkeit 5.21
  5.23 12.48 16.67
unstreitig 4.1 5.6
  12.26
unsubstantiell 7.48
unsühnbar 19.9f.
Unsumme 4.1 4.17
  4.20 4.50

unsymmetrisch 3.38
  3.60 11.27f.
Unsympant 11.59
unsympathisch 3.38
unsystematisch 3.38
untadelhaft 16.31
  19.4
untadelig 19.4
Untat 19.9 19.11
Untätchen, ist kein
— dran 9.64
untätig 8.8 9.7 9.19
  9.24 9.41 11.28
Untätigkeit 9.19
  9.24
untauglich 5.37 9.49
  9.51 9.53 9.85
Untauglichkeit 9.51
  9.53
unteilbar 4.25 4.33
  4.36 7.43
Unteilbarkeit 4.33
  7.43
unten 3.16 3.27 3.34
  4.14 11.59 16.36
— liegen 3.27
unter 1.21 3.3 3.16
  3.25 4.13f. 4.42
  4.52 5.32 8.30
— dem Strich 14.10
unter- 3.16
Unter- 16.99
Unterabteilung 4.34
  4.42
Unterarm 2.16
unterärmeln 16.43
Unterarzt 16.74
Unterbalken 3.16
Unterbasis 3.16
Unterbau 3.16
unterbauen 3.16
unterbewußt 9.1
  9.16
Unterbewußtsein
  11.2 12.1
unterbieten 4.52
  18.28
Unterbilanz 18.15
unterbinden 4.5 9.73
Unterbindung 4.11
Unterbischof 20.17
unterbleiben 4.30
  9.19 9.41

unterbrechen 3.25
3.36 8.2 9.33 9.73
Unterbrecher 13.30
Unterbrechung 3.10
3.36 6.1 6.15
7.48 8.2 9.19f.
9.32f. 9.73 13.43
unterbringen 3.3
3.37 8.3 16.1f.
16.11 18.16 18.23
—, gut 9.77 9.84
Unterbringung
16.1f.
unterbrochen 9.34
Unterdechant 20.17
unterdessen 3.24 6.1
6.13 6.15
unterdrücken 5.36ff.
5.42 7.27 8.2
9.72 9.77ff. 11.8
13.4 16.84 16.111
16.117 19.17
Unterdrückung
9.77f.
untere 3.34
unterernährt 4.11
Unterernährungs-
beauftragter 10.10
Unterfangen 9.14
unterfangen, sich
3.16 9.21 11.38
unterfassen 16.43
Unterführung 8.11
Untergang 2.43
2.45 5.29 5.42
5.47 8.30 9.60
9.78 16.111 18.15
untergeben 16.112
Untergebener
16.112
untergehen 2.45
5.42 5.47 8.30
9.78
untergeordnet 4.42
4.52 9.45 16.92
16.94 16.111f.
untergeschoben
12.23
Untergestell 3.16
3.34
untergetaucht 3.4

Untergott 20.7
untergraben 3.57
5.29 5.42 9.26
9.61 9.63 9.73
11.43 16.76 18.21
Untergrund 3.16
3.34
unterhaken 16.43
unterhalb 3.34 4.13
Unterhalt 2.26
5.43 9.70 18.26
unterhalten 9.70
11.10 11.26 16.41
16.55 16.64
—, sich 13.27 13.30
16.55 16.59
unterhaltend 11.23
13.30 16.55
Unterhaltung 5.43
9.26 9.36 11.21
13.30 14.1 16.49
16.52 16.55f.
16.64 19.14
Unterhaltungs-
schriften 14.1
unterhandeln 9.62
16.49 18.20
Unterhändler 9.69
9.82 13.8 16.49
16.103 19.14
Unterhandlung
13.30 16.49 19.18
unterhauen 13.1
14.5 16.43
Unterhaus 16.102
unterhöhlen 9.72
16.76
Unterholz 2.2 2.5
Unterhose 3.20 17.9
unterirdisch 3.19
4.14 13.4
Unterjacke 17.9
unterjochen 5.42
9.3 9.77 16.84
16.90 16.97
16.107 16.111
16.117 19.9
unterjocht 9.77
Unterjochung 16.111
16.117
Unterkaplan 20.17
unterkellern 3.15f.

unterkittig 2.41
11.14
Unterkleid 3.20 17.9
Unterkunft 3.2 9.76
16.1
Unterlage 3.16 3.34
17.2
Unterlaß 6.6f.
unterlassen 9.3 9.5
9.9 9.19 9.32
9.41 9.85 11.12
16.28 18.19 19.25
Unterlassung 9.19
16.28 19.25
Unterlassungssünde
19.11
unterlaufen 5.44
unterlegen 3.21
13.45
Unterlehrer 12.33
Unterleib 2.16
unterliegen 2.39
16.83 16.111
16.114 19.25
untermauern 3.16
untermengen 8.23
8.26
Untermensch 11.63
Untermenschentum
16.94
Untermieter 16.4
unterminieren 5.29
9.15 16.76
untermischen 8.22
Untermutter 20.5
unternehmen 9.18
9.21 9.24 9.28
11.38 16.6
Unternehmen 9.14
9.21f. 18.20
unternehmend 9.6
9.38 11.36 11.38
11.43
Unternehmer 5.39
9.22 16.60 16.96
Unternehmung 9.18
9.21f. 9.28 16.73
Unternehmungsgeist
9.6
Unternehmungs-
losigkeit 9.19
Unternehmungslust
11.38

unternehmungslustig
9.21
Unteroffizier 16.74
unterordnen, sich
16.114 19.2
Unterordnung 3.37
8.15 16.111
16.114 16.117
Unterpfand 18.16
19.16
Unterprediger 20.17
Unterredung 13.2
13.30
Unterricht 12.33
unterrichten 12.32f.
13.2
Unterrichter 12.39
19.28
Unterrichtsanstalt
12.36
Unterrock 3.20
17.9
Unterrocksregiment
16.97
untersagen 9.73
16.29 16.106
16.116
Untersagung 9.73
Untersatz 3.16 3.34
17.2 17.5f.
unterschätzen 12.51
16.34
Unterschätzung 12.51
unterscheidbar 5.11
7.1
unterscheiden 10.15
10.19 11.18 12.11
12.20 12.52
—, sich 5.12 5.14
5.21
Unterscheidung 12.11
Unterscheidungsgabe
12.52
Unterscheidungskraft
12.52
Unterscheidungsver-
mögen 12.11
Unterscheidungs-
zeichen 2.16 12.9
13.1
Unterschicht 1.13
3.16 3.19 3.34

unterschieben 5.22
5.28 13.45
Unterschiebung 1.21
13.51
Unterschiebling 5.22
5.29
Unterschied 4.35
5.11 5.21 5.29
9.11
Unterschiedeseher
12.11
unterschiedlich 5.2
5.11 5.21
unterschiedlos 5.16
12.11
unterschlagen 9.86
16.72 18.8f.
Unterschlagung
9.86 16.72 18.8f.
19.8 19.11
Unterschleif 9.53
9.86 16.72 18.8
19.8 19.11
Unterschlupf 9.76
16.1 17.1
Unterschmeißel 20.5
unterschoben 9.7
unterschreiben 4.41
9.35 13.1 14.5
14.9 19.14
Unterschrift 13.1
13.46 14.5 19.14ff.
Unterseeboot 16.74
unterseeisch 4.14
untersetzt 4.1 4.10
5.35
unterst zu oberst
3.38 8.31
—, zu 3.16
Unterstand 3.49
9.76 16.77
Unterste, das 5.42
unterstehen 16.90
16.111
unterstellen 3.16
3.18 12.24 12.29
Untersteuermann
16.97
unterstreichen 9.44
13.1
Unterstrichler 14.1

unterstützen 3.16
3.18 5.43 9.70
11.33f. 11.52 13.46
18.12
Unterstützer 9.70
Unterstützung 5.43
9.70
untersuchen 9.28
12.7ff. 19.27
Untersucher 12.8
Untersuchung 2.44
12.3 14.1 14.10f.
19.27
Untersuchungshaft
16.117 19.27
Untersuchungsrichter
12.8 19.28
Untersuchungsstuhl
17.3
Untertagebau 1.23
untertan 16.111
Untertan 11.48 16.4
16.112 16.114
Untertanentreue
16.30 16.114 19.24
untertänig 11.43
11.48 16.20 16.30
16.32 16.107
16.111 16.114f.
untertänigst 4.13
16.38
Untertasse, fliegende
8.6
untertauchen 4.14
7.3 7.57 8.30
Unterteil 4.42
unterteilen 4.42
12.12
unterwachsen 2.2
unterwandern, Un-
terwanderung 8.26
unterwegs 8.1 16.6
unterweisen 12.33
13.9
Unterweisung 13.9
Unterwelt 16.63f.
19.9 20.5 20.9
20.11
unterweltlich 20.11

unterwerfen 9.77
11.48 12.9 16.83f.
16.107 16.111
16.113f.
s. unterjochen,
Unterjochung
—, sich 16.114
Unterwerfung 9.2f.
16.82f. 16.111
16.114
unterwinden 11.38
unterworfen 16.111
16.119
unterwühlen 9.72
unterwürfig 11.43
11.47f. 16.32
16.111 16.114f.
Unterwürfigkeit
11.48
unterzeichnen 13.1
19.14
Unterzeichnete, der
16.3
Unterzeichnung
19.14
unterziehen 9.66
12.8f.
unterziehen, sich
9.21 19.26
untief 4.15
Untiefe 4.14f. 7.55
9.67 9.74
Untier 2.9 4.2
11.27f.
untragbar 7.41
11.14
untrainiert 9.27
9.53
untrennbar 4.33
4.36 7.43 16.41
untreu 9.9 19.8
19.25
Untreue 13.51 16.14
16.116 19.8 19.25
untröstlich 11.13
11.33
untrüglich 5.6 13.46
untüchtig 4.25 9.51
Untüchtigkeit 4.25
9.51
Untugend 19.10
untunlich 5.3 9.55

unüberbietbar 4.50
9.64
unübereilt 9.42
unüberlegt 9.43
11.6 11.39f. 12.13
Unüberlegtheit
11.39
unübersetzbar 5.8
13.35 13.45
unübersichtlich
12.23
unübersteigbar 9.55
unübersteiglich 9.55
unüberstürzt 11.36
unübertragbar 13.45
19.22
unübertrefflich 4.50
9.56 9.64
unübertrieben 12.26
unübertroffen 4.1
4.41 4.51
unüberwindlich 5.3
5.35 9.55 9.75
11.38 11.43
unüberzeugbar 9.8
unüberzeugt 12.48
unumgänglich 5.31
9.3 9.81 16.52
16.107
unumstößlich 5.6
9.6 12.26
unumwunden 13.33
13.49
ununterbrochen 3.35
6.34 9.30
ununterdrückbar
5.36 9.72
ununterrichtet 9.27
12.37
ununterscheidbar 7.3
12.11 13.4
Ununterschiedenheit
5.15ff.
ununtersucht 9.43
ununterworfen
16.119
unveränderlich 5.9
5.19 6.7 9.6 16.41
20.7
Unveränderlichkeit
6.7 20.7
unverändert 5.16
6.7

unverantwortlich
19.9f. 19.12
19.20f. 19.23
19.25
Unverantwortlich-
keit 19.25
unveräußerlich 5.43
18.1
unverbesserlich 9.60
19.6 19.9
unverbildet 11.46
19.4
unverbindlich 16.22
16.94 19.25
unverblümt 13.33
13.49
Unverblümtheit
13.49
unverboten 16.25
19.22
unverbrennbar 6.7
unverbrüchlich 16.23
unverbunden 3.36
4.34
Unverbundenheit
5.6 7.48
unverdächtig 5.6
unverdaulich 2.41
9.36 9.49
unverdaut 9.49
12.56
unverdickt 7.54
unverdorben 5.43
9.56 11.46 13.49
19.1ff.
Unverdorbenheit
19.3f.
unverdrossen 9.18
9.38
unverehelicht 16.12
unvereinbar 4.34
5.12 5.14 5.20f.
5.23 9.51
Unvereinbarkeit 5.6
unvereinzelt 4.41
unverfälscht 1.22
9.56 12.26
unverfinstert 7.4
unverflüchtigt 7.43
unverfroren 11.45
13.3 16.53 16.90
Unverfrorenheit
11.8
unverführt 19.4

unvergänglich 6.1
6.6f. 9.75 16.41
16.85 20.10
Unvergänglichkeit
6.7
unvergeßlich 11.17
12.39
unvergleichbar 5.6
5.21
unvergleichlich 4.1
4.41 4.50f. 9.56
9.64 16.85 19.3
unverhältnismäßig
4.22 4.25
unverhärtet 11.50
19.5
unverheiratet 16.12
Unverheirateter
16.12
unverhindert 16.119
unverhofft 12.45
unverhüllt 13.33
13.49
unverjährbar 19.22
unverkäuflich 18.23
unverkennbar 5.6
7.1 13.33
unverkleinert 4.1
4.41
unverkrüppelt 2.38
unverkürzt 4.1 4.33
4.41
unverläßlich 18.19
unverletzbar 9.75
13.4
unverletzlich 6.7
9.75 19.22
Unverletzlichkeit
9.75
unverletzt 4.33
4.41 16.50
unverlierbar 9.75
unvermählt 16.12
unvermeidlich 5.6
5.31 5.34 6.6
9.3 12.44 16.107
Unvermeidlichkeit
9.3
unvermeintlich 13.19
unvermengt 1.22
unvermindert 4.1
4.33
unvermischt 1.22

unvermißt 3.3
unvermittelt 5.27
6.14
Unvermögen 2.7
5.37
unvermögend 2.7
4.25 5.37 9.49
16.94 18.4
unvermutet 6.8
12.45
unvernehmbar 7.28
unvernehmlich 7.27
unvernichtbar 6.7
Unvernunft 12.56
unvernünftig 5.3
9.43 9.51 9.53
12.13 12.19 12.27
12.56f.
unverrichtet 9.19
9.34 9.55
unverringert 4.1
unverrückbar 6.7 8.2
unverschämt 4.50
11.45 16.20 16.44
16.53 16.90 19.10
Unverschämter
16.90
Unverschämtheit
11.58 16.53 16.90
19.9
unverschleiert 13.33
unverschlossen 3.57
unversehen 9.27
unversehens 11.36
12.45
unversehrt 2.38
4.33 4.41
unversetzt 1.22
unversiegbar 4.22
unversiert 9.53
12.37
unversöhnlich 5.21
11.60ff. 16.66f.
16.81
unversöhnt 19.6
unversorgt 4.25 9.27
unversperrt 3.57
Unverstand 9.53
11.39 12.19 12.27
12.34
unverstanden 11.7
11.32 11.36 16.51

unverständig 9.43
9.53 12.13 12.27
12.56
Unverständigkeit
9.53
unverständlich 13.4
13.35
Unverständlichkeit
13.35 13.45
Unverständnis 12.13
12.37 12.56 13.45
unverstellt 13.49
unversteuert 18.28
unverstockt 19.5
unversucht 9.40
— lassen 9.20
unvertauschbar 5.8
Unverwandelbarkeit
6.7
unverteilbar 6.7
unverteilt 4.41
unverwendbarkeit
9.51
unverträglich 5.21
unvertraut 12.37
Unverwandelbarkeit
6.7
unverwandt 6.34
unverwechselbar
5.21
unverwehrt 16.24
unverweilt 6.14
unverwelkt 9.39 9.56
unverwendbar 9.51
unverwendet 9.19
9.85
unverwerflich 19.4
unverwirrt 3.37
unverwischbar 12.35
unverwischt 1.22
unverwundbar
20.12
unverwundert 12.44
unverwüstlich 2.38
9.75 11.20
Unverwüstlichkeit
2.38
unverzagt 11.38
Unverzagtheit 11.38
unverzeihlich 19.9f.
19.12
unverzüglich 6.14
unvollendet 9.19
9.34 9.65

unvollkommen 4.5
4.9 4.25 4.42 4.46
9.19 9.34 9.65
9.78 11.28 12.27
12.37 13.51 19.12
Unvollkommenheit
4.5 4.25 4.46 9.34
9.65
unvollständig 4.25
4.46 9.34 9.65
Unvollständigkeit
4.25 4.46
unvollzählig 4.46
unvollzogen 9.19
unvorbereitet 9.27
11.36
unvorgesehen 9.16
11.30 12.45
unvorhergesehen
9.16 11.30 12.45
unvorsätzlich 9.16
unvorsichtig 9.16
9.27 9.43 9.45
11.39f. 12.13
12.56
unvorstellbar 4.50
5.3
unvorteilhaft 9.51
unwägbar 4.4 5.12
Unwägbarkeiten
5.12
unwahr 12.27 13.51
19.8
Unwahrheit 12.28
13.51
unwahrnehmbar
7.3 7.28
unwahrscheinlich
4.50 5.5 11.30
12.27
unwandelbar 6.6f.
unwegsam 9.55
unweiblich 11.28f.
Unweiblichkeit
16.12
unweigerlich 16.107
unweise 12.56
unweit 3.9 8.19
Unwert 9.60
unwesentlich 5.8
9.45
Unwetter 1.7 5.36

unwichtig 9.45
13.18 16.36
Unwichtigkeit 9.45
13.18
Unwiderlegbarkeit
5.6
unwiderleglich 5.6
6.7 13.46
unwiderlegt 12.26
unwiderruflich 5.6
5.31 6.7 9.3 9.6
12.4 16.108
unwidersprochen 5.6
12.47
unwiderstehlich 5.35
5.36 9.3 11.17
11.23 11.45
unwiederbringlich
5.29 6.18ff.
11.41 18.15
Unwille 11.13 11.31
11.59 16.67
unwillig 9.5 11.12
11.28 11.31 11.60
11.62 12.48
unwillkommen
11.14 16.52
unwillkürlich (In-
stinkt) 9.1 12.1
12.9 12.28
unwirklich 12.28
13.29
Unwirklichkeit
13.29
unwirksam 5.37
9.41 9.49 16.94
unwirsch 11.27
11.58
unwirtschaftlich
18.14
Unwirtschaftlichkeit
18.14
unwissend 9.53
11.29 12.37 16.94
Unwissender 12.37
Unwissenheit 12.37
unwissenschaftlich
12.19
unwissentlich 12.1
11.15
unwohl 2.35 2.41
11.15
Unwohlsein 2.41
11.15

Unwort 13.32
unwürdig 16.36
16.44 16.93f.
16.115 19.8 19.10
Unwürdigkeit 16.36
Unzahl 4.17 4.20
4.22 4.50
unzählbar 4.40
Unzählbarkeit 4.40
unzählig 4.17 4.22
unzähmbar 2.10
5.36 16.65
unzart 3.53 5.36
11.27ff. 16.44
16.53
Unzartheit 16.44
Unze 7.41
Unzeit 6.36 6.38
9.51
unzeitgemäß 5.21
6.2 6.38 9.51
unzeitig 6.26 6.36
6.38 9.27 9.51
Unzenhandschuhe
16.57
unzensiert 16.119
unzerbrechlich 4.33
6.7
unzerbrochen 4.33
6.7
unzerknirscht 19.6
unzerschnitten 4.33
unzersetzt 12.37
unzerstörbar 6.6f.
9.75
Unzerstörbarkeit 6.7
unzerstört 4.33 6.7
Unzertrennbarkeit
4.33
unzertrennlich 16.41
Unzial (Schrift)
14.5f. 14.8
unziemlich 9.51
11.29 16.53 19.23
Unziemlichkeit 9.51
11.28
unzivilisiert 11.28
12.37 16.92 16.94
Unzucht 11.28 16.44
19.10
unzüchtig 9.67 11.11
16.44 19.10
Unzüchtigkeit 16.44

unzufrieden 11.13
11.27 11.36 16.67
16.116
Unzufriedener 16.65
Unzufriedenheit
11.13 11.26 16.33
unzugänglich 3.8
3.58 9.55 11.8
11.25 11.44 12.55
16.52 19.6 19.8
20.3
unzugehörig 4.49
unzugeritten 9.27
unzulänglich 4.4 4.25
4.46 5.36f. 9.51
9.55 9.65 9.78
13.29 16.53
Unzulänglichkeit
4.25 4.46 9.65
9.78
unzulässig 4.49 5.21
9.51 9.53 16.29
Unzulässigkeit 4.49
unzumutbar 19.21
unzurechnungsfähig
9.53 12.57 19.13
unzureichend 4.25
4.46
unzusammenhängend
3.36 4.34
unzuträglich 9.63
Unzuträglichkeit
16.67
unzutreffend 12.19
12.27
unzuverlässig 5.20
5.25 6.36 9.9
16.28 19.8 19.25
— sein 19.8
unzweckmäßig
9.51 19.8
unzweideutig 5.6
13.33
unzweifelhaft 5.6
12.22 12.26 13.6
13.46
Upas 2.43
üppig 2.6 4.10 4.20
4.22 10.21 16.44
18.14
Üppigkeit 2.6 4.22
11.11 16.44 18.14
Upsala 2.35
Ur- 2.25 6.21

Urahn(e) 5.41 16.9
uralt 4.50 6.27
Uran 1.24
Uranographie 1.1
Uranologie 1.1
Uranpecherz 1.25
Uranus 1.2
urban 11.18 16.109
16.121
Urbanität 16.121
Urbans Plag, St. 2.32
urbar machen 2.5
urbi et orbi 4.41
Urbild 5.18
Urbsi 2.3
urchig 9.37
Ureinwohner 16.4
Urenkel 16.9
uressen 10.12
Urfarbe 7.11
Urfehde 16.48
Urfeind 20.9
urfeln 1.8
Urform 5.18
urgemütlich 4.50
Urgeschichte 6.21
Urgroßvater 16.9
Urgrund 20.1
Urhandschrift 5.18
Urheber 5.26 5.31
5.39 12.20
Urheberschaft 5.26
5.39 13.36 16.113
Urian 2.43 20.9
Uriasbrief 16.71 19.8
Uriel 20.6
Urin 2.13 2.35
7.54 9.67
urinieren 2.35
Urinprophet 2.44
urkomisch 4.50 11.23
urkräftig 4.50
Urkunde 13.1 14.9
16.103 19.14
19.16 19.27
urkundlich 12.26
13.46 14.1 14.10
Urkund(mann) 19.28
Urkundsbeamter,
Urkundsperson
19.28
Urlaub 8.18 9.36
16.105 16.119
19.27

Urlaubsschein 16.25
Urlaut 7.34
Urmasse s. Urstoff
6.2
Urne 2.46 2.48
11.33 17.6f.
Urnenhain 2.48
Urphänomen 5.14
urplötzlich 4.50
12.45
Urquell allen Seins
20.7
Ursache 5.24 5.31
9.12 11.15 12.8
16.27
ursachlos 5.31
ursächlich 5.31 12.15
Ursasse 16.4
Urschel 11.28 12.56
Urschlerei 13.22
Urschrift 5.18 14.5
Ursprache 13.53
Ursprung 5.28 5.31
5.41 6.2 9.29
12.15
ursprünglich 2.25
5.28 9.1 9.27 9.29
16.119
Ursprünglichkeit
16.119
Urständ 5.40 16.59
Ursula 16.3
Ursulinerin 20.17
Urstoff 5.16 5.28
5.41 6.2 9.27
Urteil 9.11 11.18
11.40 12.2 12.11
12.14f. 12.18 12.20
12.22 12.49 12.52
19.12 19.20 19.27
19.30
— bilden, ein 12.22
—, falsches, abgeben
13.45
—, falsches 12.55
19.20
—, gerechtes 19.18
—, gerichtliches
19.27
—, Mangel an 12.19
—, salomonisches
19.27
—, sicheres 12.22
—, unsicheres 9.7

urteilen 9.11 12.11f.
12.14f. 12.18
12.49 16.108f.
19.27
Urteilsfällung 19.27
Urteilskraft 12.11
12.14 12.52
Urteilslosigkeit 12.19
12.56
Urteilsschöpfer 19.28
Urteilsspruch 19.27
Urteilsvermögen
11.18
Urtext 13.53
urtümlich 2.22 5.14
6.21 6.27
Urvolk 16.4
Urzeit 6.1
Usurpation 16.90
18.5f. 18.9 19.23
Usurpator 16.84
19.23
usurpieren 9.86
16.108
Usus 9.31
Utensilien 15.1 17.15
Utilitarismus 11.51
Utopien 3.5 11.35
12.28
utopisch 12.28
Utopist 12.28
utraquistisch 3.7
16.109
Uwe 16.3
uzen 16.54

V

Vabanque 9.16 9.74
Vabanquespiel 11.39
Vacuum 4.26
Vademecum 14.12
vae victis! 16.68
vag 5.7 13.35
Vagabund 8.1 8.18
9.24 11.16 16.6
16.92 16.94 18.4
19.8 19.10
vagabundieren 8.18
9.24 16.6
Vagant 16.6
vage 12.23
vaginal 2.16

vakant 3.4
Vakanz 3.4 9.36
Vakuum 3.4 4.26
Valentin, Valentine
16.3
Valet 2.45 16.6
16.11
Valeur 7.11 15.4
Valuta 18.21
Valutaschwein 9.84
Vampir S. 125 5.42
18.6 19.9 20.5f.
Vanadin 1.24
Vandale 5.42 11.29
16.53
vandalisch 11.63
Vanille S. 27 2.28
Vanillin 1.29
Vapeurs 11.17
Variable 16.119
Variante, Variation,
Varietät 5.21f.
5.24f. 7.23 14.9
15.11f.
Variationsbreite 5.25
Varieté 14.3 16.55
variieren 5.21f.
Vasall 9.70 16.112f.
Vasallentum 16.111
Vase 15.7 17.6
Vaselin 1.26
Vaseline 1.29 7.52
vastehste 4.50
Vater 5.7 5.31 5.39
16.9 20.7 20.9
20.17
— Philipp 19.33
Vaterhaus 16.1
Vaterland 16.1
16.18
Vaterländerei 16.18
vaterländisch 16.18
Vaterlandsfreund
11.51
Vaterlandsliebe
11.51 16.18
Vaterlandslosigkeit
11.63
Vaterlandsverräter
19.8
Vaterlandsvertei-
diger 16.74
väterlich 11.51

Vaterliebe 11.53
vaterlos 5.37
Vatermörder (Kragen) 3.20 17.9
Vaterrecht 19.19
Vaterschaft 5.39
5.41
Vaterstadt 16.1
Vaterunser 20.13
20.16
— beten, ein letztes
2.45
Vatikan 20.17 20.20
Vaudeville 14.3
Veda 20.19
Vedette 13.10
Vega 1.2
Vegetabilien 2.27
7.65 7.68
Vegetarier 11.12
Vegetarianismus
11.12
Vegetation 2.1 2.5
vegetativ 2.1
vegetieren 2.1 9.24
11.8
Vehemenz 5.36 9.38
Vehikel 8.4
Veilchen S. 58 4.50
7.22 7.63
Veilchenblau 7.22
Veilchendragoner
16.74
Veit 16.3
Veitstanz 2.33 2.41
8.34 12.57
Velin 14.5
Vellede 16.50
Velour 17.8
Vendetta 16.34
16.80f.
Vene 2.16 7.56
Venedig 16.117
Venenentzündung
2.41
venenös 2.43
Venerabile 20.21
venerisch 2.41 16.44
veni vidi vici 9.39
9.77
Venn 1.13
Ventil 3.57f. 7.56
8.24 15.15
Ventilation 1.6 9.66

Ventilation, schlechte
7.64 9.63
Ventilator 1.6 7.61
9.66
ventilieren 1.6 9.66
12.3 12.5 12.8
12.14 13.46
ventral 2.16
Venus 1.2 4.10 11.11
11.17 11.53 16.44
20.7
Venusdienst 16.44
Venusgürtel 3.47
Venuspriester(in)
10.21
ver- 1.21 2.45 3.38
3.46 7.3
Vera 16.3
veraasen 4.31 18.14
verabreden 9.15
12.47 13.30 19.14
—, sich 9.69
Verabredung 9.14
9.26 9.69 12.47
13.30 19.14
verabreichen 16.78
19.32
verabsäumen 9.19
9.85
verabscheuen s. verachten 11.28
11.59 11.62 16.36
verabscheuenswert
16.36 19.9
verabscheut 11.62
verabschieden (Trennung) 4.34 8.18
9.85 16.38 16.105
—, sich 16.6 16.38
Verabschiedung 8.18
9.85 16.6 16.27
16.38 16.105
verachten 11.19
11.37 12.51 16.34
16.36 16.90
Verächter 16.36
Verachteter 16.36
verächtlich 9.45 11.14
11.28 11.37 11.44
11.62 12.51 16.33f.
16.36 16.53 16.90
16.93f. 16.115

Verächtlichkeit 11.37
11.63
Verachtung 11.19
11.37 11.59 12.51
16.34 16.36 16.90
16.116
veralbern 16.54
verallgemeinern
12.14
Verallgemeinerung
12.14
veralten 6.19 6.27
veraltet 2.25 6.27
6.19ff. 9.32 9.45
9.49 9.60 11.28f.
13.32
Veranda 16.1 17.2
veränderlich 1.7
5.24f. 6.8 8.12
9.7
Veränderlichkeit
5.25
verändern 5.24
—, sich 5.24 16.8
Veränderung 5.24
—, plötzliche 5.20
5.27
verängstigen 11.42
verankern 7.43 8.2
veranlagen 12.12
Veranlagung 11.2
veranlassen 5.31 9.3
16.95 16.106
Veranlassung 5.31
9.12
veranschaulichen 7.1
12.33 13.33 13.44
13.46 15.1
veranschlagen 4.35
12.12
veranstalten 3.37
9.21 9.26 16.64
16.96
Veranstalter 3.37
9.21
Veranstaltung 3.37
9.15 9.26 16.55
verantworten 11.38
16.113 19.11 19.13
verantwortlich 16.113
19.12 19.24
Verantwortlichkeit
19.13

Verantwortung 9.21
16.23 19.12f.
19.16 19.24f.
19.27 19.32
verantwortungslos
19.25
veräppeln 16.54
verarbeiten 9.84
verargen 16.33 16.67
verärgert 11.58
verarmen 4.25 4.31
18.4
verarmt 4.25
Verarmung 4.25 4.28
18.4
verarzten 2.44 9.18
9.35
verästelt 4.42
verasten 18.14
veratmen 2.45
verausgaben 18.12
veräußerlich 18.20
veräußern 18.23
Veräußerung 18.23
verbaast 11.30
Verbalinjurie 16.37
verballhornen 13.19
13.32
Verballhornung
13.32
Verband 2.44 3.20
4.17 4.33 16.16f.
16.74f. 16.76
Verbandzeug 2.44
verbannen 4.49 8.18
8.24 16.29 16.37
16.52 19.31
verbannt 8.18 16.52
19.31
Verbannter 4.34
16.52 19.31
Verbannung 4.49 8.3
8.18 16.29 16.52
19.31f.
verbarrikadieren
9.73
verbatim 13.16
verbauen 9.72
verbauern 9.61 11.29
12.55 16.53
verbeißen, sich 11.8
11.12 11.22 11.31
verbergen 7.3 11.31
11.47 13.4 16.93

verbergen, sich 16.52
Verbergung 7.3 13.4
verbessern 2.10 2.40
　9.57
Verbesserung 9.57
　16.33
verbeugen, sich 8.30
　16.38 16.115
Verbeugung 8.30
　11.54 16.30 16.38
　16.115 20.16
verbiegen 3.60
verbiestert 9.38 11.5
　11.30 12.55
Verbiete 16.56
verbieten 9.17 9.73
　12.40 13.29 16.29
　16.106 16.117
verbilden 12.34
Verbildung 11.28
verbilligen 18.28
verbimsen 16.78
verbinden 1.21 4.33
　5.13 9.70 10.18
　11.40 16.11
—, das Nützliche mit
　dem Angenehmen
　11.36 12.52
—, sich 8.15 16.11
　16.17
verbindlich 11.52
　16.23 16.38 16.113
　19.15 19.19 19.24
Verbindlichkeit
　16.23 16.38 16.111
　16.113 18.21 18.26
　19.16 19.24
verbindlichst 16.38
Verbindung 1.21
　4.17 4.33 5.13
　9.33 9.68ff. 12.10
　12.47 16.11 16.17
　16.41 16.64
Verbindungen 1.28
　9.70 16.41 16.95
verbindungslos 4.34
　7.48
Verbindungsweg
　4.33
verbissen 9.6 9.8
　11.31f. 12.55
verbitten, sich 16.27
verbittern 9.63
　11.31f.

verbittert 11.32
　16.53
Verbitterung 11.27
　16.53
verblassen 5.37 7.12
　12.40
verbleiben 4.32
Verbleiben, das 9.8
verbleichen 7.3 7.12
verblenden 11.5
　11.45
Verblendung 9.8
　10.17 11.5f. 11.45
　12.55f. 20.2
verblichen (Tod)
　2.45
Verblichener 2.45
verblöden 9.61 12.37
　12.56
verblüffen 11.30
　11.42 12.13 12.45
verblüffend 4.50
verblüfft 11.30
Verblüffung 11.5
　11.30 12.45
verblühen 6.8 9.61
verblümen 13.51
verblümt 13.4 13.35
verbluten 2.45 5.37
　8.24
verbogen 3.46
verbohrt 9.8 12.55
　12.57
verbomben 5.42
verborgen 3.9 3.19
　4.50 11.47 13.4
　16.52 18.16f.
Verborgenheit 13.4
　16.93
verbösern 9.63 13.32
Verbot 9.73 13.29
　16.29 16.106
　16.117 19.19
verboten 4.50 16.29
　19.11 19.20
Verbotstafel 13.1
Verbrämung 17.10
Verbrauch 4.31
verbrauchen, Ver-
　braucher 4.31
verbrechen 5.39
Verbrechen 19.10f.
　19.20

Verbrecher 16.60
　19.8f. 19.11
verbrecherisch
　19.10f. 19.20
verbreien 7.51
verbreiten 11.42 13.6
　13.22 13.33 16.31
verbreitern 4.3 4.8
Verbreitung 2.6 3.3
　4.3 5.39 8.22 13.3
　13.6
Verbrennbarkeit
　7.36
verbrennen 2.42
　2.45f. 2.48 5.42
　7.35f. 9.53 9.78
　11.39 11.46 11.59
—, sich 7.36 11.59
　13.49
—, sich die Zunge
　13.49
Verbrennung 2.41
　2.46 7.36
Verbrennungsprozeß
　7.35f.
verbrettern 14.3
verbriefen 19.22
verbrieft 16.23 19.14
　19.19 19.22
verbringen 3.3
verbrüdern, sich
　16.17 16.40f.
Verbrüderung 16.41
verbrühen 7.35
verbubanzen 2.20
verbuchen, verbucht
　14.9 18.26 19.19
verbudlich 11.28
verbuhlt 11.53 16.44
Verbum 13.16
verbumfeien 9.63
　12.27
verbumfiedeln 18.14
verbummeln 9.24
　12.40
verbunden 11.54
　16.11 16.40f. 19.24
verbünden 4.33
Verbundenheit 16.40
verbündet 9.68 16.17
Verbündeter 9.70
verbürgen 13.28
　13.46 19.16
verbürgt 5.6 12.26
　13.6

Verdacht 5.2 5.4
　11.31 11.35
　12.23f. 13.46 19.12
verdächtig 5.7
verdächtigen 5.7
　12.23 16.35 19.12
Verdächtigung 16.35
　19.12
verdachtlos 12.25
Verdachtsgrund
　13.46 19.12
Verdachtspunkt
　19.12
verdackelt 12.56
verdammen 16.33
　16.37 19.9 19.12
　19.31
verdammenswert
　9.60 19.9
verdämmern 6.19
Verdammlichkeit
　19.11
Verdammnis 20.11
verdammt 4.50 11.14
　16.33 16.37 19.6
　20.11
Verdammung 16.33
　16.37 19.31
verdampfbar 7.60
　8.24
verdampfen 6.8 7.60
　8.24
Verdampfung 7.60
verdanken 11.54
　16.113 20.13
verdattern, verdat-
　tert 11.42
verdauen 2.16
Verdauung 2.35
Verdauungsapparat,
　-organ 2.16
Verdeck 3.34 4.13
　8.28
verdecken 7.3 13.4
verdeckt 19.8 19.29
verdenken 16.33
verderben 9.5 9.53
　9.6of. 9.63 9.67
　9.73 9.78 11.14
　11.28 11.59f. 11.62
　12.27 12.34 16.65
　19.9

Verderben 5.42 5.47
9.50 9.74 9.77f.
11.39 11.41 16.37
18.15 20.4 20.11
verderbenbringend
5.42
verderbendrohend
16.68
Verderbenstifter
19.9
Verderber 5.42 11.60
19.9
verderblich 9.60f.
9.63 9.74 11.60
Verderblichkeit 9.60
9.63
Verderbnis 9.61
verderbt 19.8ff.
Verderbtheit 19.9
verdeutlichen 13.33
verdeutschen 13.53
verdichtbar 7.48
verdichten 4.5 7.43
7.51 13.39
Verdichtung (halb-
flüssig) 7.51
verdicken 4.3 4.5
7.51
Verdickung 4.3 7.43
7.51
verdienen 9.77 11.38
18.5 18.22f. 19.8
—, sich 9.29 16.10
16.31
Verdienst 9.46 11.47
16.31 16.46 16.85
16.87 16.89 18.5
19.3 19.18
Verdienste schmä-
lern, die 16.34
—, fremde — sich
aneignen 16.72
—, mit warmen
Worten der — ge-
denken 16.31
Verdienstkreuz
16.86f.
Verdienstlichkeit
19.3
verdienstlos 19.10
verdienstvoll 16.31
19.3
verdient 9.38 16.31
19.32

verdientermaßen
19.18
Verdikt 19.27
verdilladulden 11.5
verdimmich 11.5
verdingen 18.16
verdolmetschen
13.26 13.44 13.53
verdonnern 19.31
verdoppeln 4.3 4.37
6.33
Verdoppelung 4.37
5.18 13.37
Verdorbenheit s.
verderben 9.49
19.10
verdorren 4.5 7.35
7.58 9.61
verdösen 12.40
verdrängen 5.22
5.29 16.50 16.105
18.6
verdrecken 9.67
verdrehen 3.38 3.60
5.23f. 8.32 9.63
11.23 11.53 12.19
12.27 13.45 13.51
19.21
verdreht 12.57
Verdrehung 3.60 8.37
11.28 13.34 15.2
16.35
verdreifachen 4.38
verdrießen 9.38
11.13f. 11.27
11.31 11.58
verdrießlich 11.14
11.26f. 11.31f.
11.58 16.53
Verdrießlichkeit
11.13 11.27 16.53
verdrossen 9.19 9.24
11.27 11.32
Verdrossenheit 9.19
9.24 11.26
verdrücken 2.26 2.31
Verdruß 11.13f.
11.27 11.31 16.33
verduften 6.8 7.3
7.60 13.4 16.6
verdummen 9.61
12.37 12.56
verdummt 12.37
Verdummung 12.37

verdunkeln 4.51 7.3
7.7 13.4 13.35
16.93f.
—, sich 7.7
Verdunkelung 7.3
7.6
verdünnen 1.21 4.3
4.5 7.48 7.55 7.57
7.69
Verdünnungsmittel
7.55
Verdünstung 7.60
verdursten 2.45
verdüstert 11.32
Verdüsterung 7.7
11.31f.
verdutzt 11.30 11.42
12.45
veredeln 2.5 2.10
9.56f.
verehelichen, sich
4.33 16.11
Verehelichung 16.11
verehren 11.53
16.30f. 16.38 16.87
18.12 20.13 20.16
Verehrer 9.70 11.36
11.53
Verehrung (Ruhm)
16.30f. 16.85 20.16
verehrungswürdig
16.30
vereidigen 13.50
16.113
Verein 4.17 4.33
16.16f. 16.40
16.64
vereinbaren 12.47
19.14
Vereinbarkeit 12.47
Vereinbarung 16.48f.
19.14
vereinen, sich 3.9
4.33 9.68 16.49
20.13
vereinfachen 3.37
9.54 11.46
vereinheitlichen 4.36
Vereinheitlichung
4.36
vereinigen 1.21 4.33
4.41 5.23 8.21
—, sich 9.69 16.17
Vereinigung 1.21
4.17 4.33 8.21 9.68
16.16 16.40 20.13

Vereinigungspunkt
8.21
vereinsamen 4.36
vereinsamt 4.34
Vereinshaus 16.17
Vereinsmeierei 16.95
Vereinstaler 18.21
vereint 9.68f. 16.17
16.40
vereinzeln 4.36
vereinzelt 4.34 4.36
5.14 5.20 6.29
8.22 16.12 16.52
Vereinzeltheit 6.29
Vereinzelung 8.22
vereisen 7.40
Vereisung 7.40
vereiteln 9.73 9.78
11.27 12.46 16.65
Vereitelung 9.73
verekeln 9.17
Verena 16.3
verenden 2.45
Verengung 4.11
vererben 5.9 6.12
18.12
Vererbung 5.9
verewigen 14.9 16.31
16.85
—, sich 14.5
verewigt 2.45
verfahren 5.11 9.25
16.109 19.21
—, sich 8.26 9.78
Verfahren 5.44 9.15
9.18 9.20 9.25
9.33 15.3 19.13
19.20 19.27 19.30
—, gerichtliches
19.19
—, objektives 19.18
—, peinliches 13.25
19.19
Verfall 2.41 4.5 4.34
5.37 9.61 16.121
18.15
— der Kräfte 2.41
5.37
— der Sitten 16.44
19.20
verfallen 2.25 4.5
9.62 11.53 12.2
19.6 19.8 19.10
19.32
—, der Gerechtigkeit
19.32

verfälschen 13.45
Verfälschung 1.21
5.18 9.61 12.53
13.45
verfangen 2.20 9.77
13.46
verfänglich 9.55
12.23
verfärben, sich 7.12
16.93
verfassen 14.5 14.11
Verfasser 5.39 14.1
14.11
Verfassung 5.8
11.1ff. 16.97
16.102 19.14 19.19
19.22
verfassungsmäßig
19.14 19.19 19.22
Verfassungsstaat
16.19 16.97
verfassungswidrig
19.20 19.23
verfaulen 9.67
verfault 2.45 5.37
verfechten 16.77
19.13
Verfechter 16.41
16.74 16.77
verfehlen 6.38 9.19
9.34 9.43 9.51
9.78 19.25
verfehlt 9.51
verfeinden 16.66f.
—, sich 16.67
verfeindet 11.62
16.66
verfeinern 7.48 9.57
11.18f. 16.38
16.121
Verfeinerung 11.17
16.61
— der Sitten 16.38
verfemen 4.49 16.33
16.36
Verfemung 16.66
19.32
verfertigen 5.26 5.39
9.18 9.35
verfestigen, sich 9.31
verfetten 4.10
Verfettung 4.10
verfilmen 15.9
verfilzen 3.38
verfinstern 7.7

Verfinsterung 7.7
verfitzt 3.38
verflachen 12.55
13.45
verflechten 3.38 3.46
verfliegen 5.25 6.8
7.60
verfließen 6.8 6.19
7.3
verflixt 4.50
verflossen 6.19ff.
verfluchen 16.37
verflucht 4.50 11.5
11.14 11.31 16.37
19.19 20.3
verflüchtigen 7.3
7.60
—, sich 5.26 6.8
7.60 8.24 9.78
Verflüchtigung 6.8
7.3 7.42 7.48 7.60
Verfluchung 16.37
verflüssigen 7.54
Verflüssigung 7.35
7.54
Verfolg 8.16 8.19
verfolgen 5.47 8.15
9.21 11.14 11.53
11.56 11.60f. 11.63
12.7f. 19.9
Verfolgung 8.15
11.60 19.9
Verfolgungswahn
11.31f. 12.57
verfrachten 8.3
verfranzen, sich
12.27
verfressen 2.26
11.36
verfroren 7.40
verfrüht 9.85
verfügbar 9.85
verfügen 9.26 16.106
19.19
—, sich 16.6
verfuggern 18.23
Verfügung 3.37 9.26
9.84f. 11.52 13.6
16.97 16.106 18.1
19.19 19.27
—, letzte 2.45
—, letztwillige 14.9
— treffen 9.26
—, zur 9.69 9.84
16.114

verführen 9.12 9.86
11.36 11.53 12.34
16.44
Verführer 9.12 10.21
16.44
verführerisch 11.10
12.27 13.51 16.44
Verführungskünste
16.32
vergaffen, sich 11.36
11.53
vergafft, in 11.53
vergällen 1.21 7.68
9.63
vergaloppieren 12.27
vergammeln 9.61
vergangen 6.19 12.39
Vergangenheit 5.7
6.19ff. 9.32 12.40
19.5 19.10 20.12
—, dunkle 16.93f.
vergänglich 5.25 6.8
7.3
Vergänglichkeit 6.8
verganten 18.6
Vergantung 18.23
vergasen 2.43 2.46
7.60
Vergaser 7.60
Vergaserstoff 7.38
Vergasung 7.60
Vergasungswaggon
2.46 8.4
Vergatterung 16.73
vergeben 2.43 16.10
16.47 16.119
vergebens 9.49 9.78
vergeblich 9.49
11.37
Vergebung 11.50
16.47 16.82
16.109 19.5
vergegenwärtigen
14.1
vergehen 2.39 5.25
5.37 5.42 6.8 7.3
9.33 11.5 11.29
11.32f. 11.53 16.93
19.11 19.20
—, sich 16.44 19.10
—, vor Sehnsucht
11.36
Vergehen 16.53
19.10f. 19.20 19.25

vergeistigt 15.3
vergelten 11.54f.
16.46 16.80f. 19.32
Vergeltung 11.54
16.46 16.80f. 18.18
19.32 20.11
Vergeltungsmaß-
nahmen 2.46
Vergeltungsrecht
16.80
vergelzen 4.30
Vergelzer 16.60
vergerben, einem das
Fell 16.78
Vergesellschaftung
16.16
vergessen 11.54f.
11.62 12.13 12.40
16.19f. 16.47 16.52
—, sich 11.62 16.44
19.10
Vergessenheit 2.31
12.40 16.47
vergeßlich 12.40
12.56
Vergeßlichkeit 12.40
vergeuden 4.31 9.24
9.86 18.14
Vergeuder 18.14
Vergeudung 18.14
vergewaltigen 2.19
9.3 16.44
Vergewaltigung
16.44 16.97
vergewissern sich
10.15 12.7f.
vergießen 7.55 8.22
11.22 11.33
—, Blut 2.44 11.60
16.67 16.70
—, Ströme von Blut
16.73
—, Tränen 11.32
16.93
vergiften 2.43 2.46
8.7
Vergiftung 2.41 2.43
2.46
vergilben 7.19
Vergißmeinnicht
S. 71 17.21
vergittert 3.15
Verglasung 3.20 7.43

Vergleich 5.17 12.10
12.47 13.36 16.47f.
16.80 18.26 19.14
19.17 19.26f.
vergleichbar 12.10
vergleichen 12.10
19.14 19.27
—, sich 16.48 19.17
vergleichsweise 12.10
Vergleichung 12.10
vergletschern 7.40
vergnügen 11.9f.
11.22 16.55 16.64
—, sich 11.21 s. o.
Vergnügen 9.4
11.9ff. 11.14
11.21 11.32 11.60
16.24 16.55 16.58
vergnüglich 11.10
vergnügt (heiter)
4.50 11.9 11.16
11.20f.
Vergnügungsfahrt
16.55
Vergnügungskom-
missar 16.55
Vergnügungsritt
16.55
Vergnügungssucht
11.11
vergnügungssüchtig
11.11 16.55
Vergnügungstour
16.55
vergolden 3.20 11.16
12.50 15.7 16.74
Vergolder 16.60
Vergoldung 17.10
vergönnen 5.46 9.4
16.25 16.109
vergotten 16.87 20.7
vergöttern 11.53
16.30 16.32 16.87
20.10
Vergötterung
(Götzendienst)
20.2 20.10
Vergottung 20.8
20.10
vergraben 8.26 11.47
13.4
Vergreisung 2.25
vergrößern 4.3 13.52
16.89
—, sich 16.8

Vergrößerung (Zahl)
4.35
Vergrößerungsglas
10.16
Vergünstigung
16.24f. 18.12
vergüten 4.27 16.46
18.18 19.26
Vergütung 11.54
16.46 16.80 18.5
18.18 18.26 19.26
Verhack 9.73 16.77
verhaften 2.31 4.48
16.117 19.27 19.33
Verhaftsbefehl
16.106 16.117
Verhaftung 16.117
19.27
verhageln 1.9 5.42
11.32
verhallen 9.33
Verhalten 5.11 9.25
verhalten 10.19 12.7
12.41
—, sich 9.19 9.25
13.2
Verhältnis 4.1 4.25
5.12f. 11.53 12.10
16.13f.
verhältnismäßig
12.10
Verhältniswort
13.16
Verhaltungsmaß-
regel 13.9
Verhaltungsweise
5.11
verhandeln 5.28
12.14 16.49 18.20
18.33 19.14
Verhandlung 9.34
13.30 19.14 19.27
verhängen 9.20
Verhängnis 5.45 5.47
9.16 11.14
verhängnisvoll 5.47
9.50 9.55 9.63
verhängt 5.45
verharmlosen 12.51
verhärmt 5.37 11.32
verharren 6.7 8.2
19.15
verharschen 2.44 3.58

verhärten 11.8 11.61
19.6 20.4
—, sich 7.43f.
Verhärtung 7.43 9.8
11.8 19.6 20.3f.
verhaspeln 3.38 13.14
verhaßt 11.28 11.59
11.62 19.10
Verhaßtheit 11.62
16.36
verhätscheln 5.46
9.61 9.63 9.77
10.12 11.53
Verhau 3.24 9.73
16.77
verhauchen 2.45
verhauen 16.78
verheddern 3.38 4.33
verheeren 4.50 5.42
9.61
Verheerer 5.42
Verheerung 5.47
9.50
verhehlen 13.4 13.51
verheimlichen 13.4
Verheimlichung 7.3
9.75 13.4 13.51
verheiraten 4.33
16.11
—, sich 4.33 16.11
Verheiratung 16.11
verheißen 16.23
Verheißung 12.43
16.23
verheißungsvoll
11.35
verheit 16.37
verherrlichen 16.31
16.87 20.13
Verherrlichung 11.17
16.31 16.85 16.87
20.16
verhetzen 16.67
16.116
verheutigen 12.55
verhexen 5.24 5.47
20.12
verhimmeln 11.53
verhindern 9.17
9.72f. 12.42 16.29
16.117
Verhinderung 9.17
9.73 16.117
verhirnlicht 11.26
verhoffen 9.24 11.40

verhöhnen 12.51
16.33ff. 16.54
Verhöhnung 16.33f.
16.44 16.54
16.116 20.4
verhonepiepeln 16.54
verhönigeln 16.54
verhoppassen 9.53
12.27
Verhör 12.8 13.25
19.27
verhören 12.8 13.25
19.27
verhüllen 3.20 7.3
13.4 13.35
Verhüllung 13.4
13.35 13.51 s. o.
verhungern 2.45
4.25 11.36
verhunzen 9.63
Verhunzung 9.61
verhüten 2.44 9.73
9.75 12.42 13.10
verhutzelt 2.25
Verifikation 12.9
verifizieren 12.9
12.26
verirren, sich 8.12
Verirrung 5.20 8.12
verjagen s. Vertrei-
bung 8.18
verjähren 6.27 12.40
19.22f.
verjubeln 18.14
verjucken 18.14
verjüngen 2.22 2.44
4.11 5.40 9.57f.
Verjüngung 2.38
2.40 9.58
verkalken 2.25 6.27
7.35f.
verkappen 13.4
verkappt 12.55
verkasematukkeln
2.26
verkäsen 7.43
Verkauf 18.20 18.23
18.25
verkaufen 5.28
16.111 18.20 18.23
19.8
Verkäufer 16.22
16.60 18.23
Verkäuflichkeit s.
verkaufen

verkauft 9.74
Verkehr 2.19 8.4
  9.33 16.6 16.41
  16.52 16.64 18.20
—, im Zeichen des
  18.22
—, mündlicher 13.21
  13.30
—, schriftlicher 14.8
verkehren 3.38 5.23
  5.30 6.31 13.30
  14.8 16.6 16.64
  16.72
Verkehrsmittel 8.4
  18.21
Verkehrspolizei 8.11
  16.101
Verkehrsschutzmann
  13.1
Verkehrsweise 16.38
verkehrt 2.30 3.38
  9.53 12.19
Verkehrtheit 3.38
  5.23
verkeilen 11.53 16.78
verkennen 12.51
  13.45 19.10
verketten 4.33
Verkettung 4.33
verkindschen 2.25
verkitschen 18.23
verkitten 3.58
Verkittung 4.33
verklagen 19.12
  19.27
Verklagter 19.12
  19.28
verklapsen 16.54
verklären 11.17
  12.50 20.10
verklatschen 13.5
verklauseln 13.48
verklausulieren
  13.48 19.14f.
verkleiden 13.4
  16.72
Verkleidung 3.20f.
  13.4 13.51 16.55
  16.64 16.71f.
verkleinern 4.5 4.42
  12.51 16.8 16.35
Verkleinerung 4.5
  4.52 16.33ff.
verkleinerungs-
  süchtig 16.35

Verkleinerungswort
  13.16
verkleistern 13.4
verklickern 13.44
verklingen 9.33
verklopfen 18.20
  18.23 19.32
verklößen 13.44
verknacken 2.26
  19.31
verknacksen 2.42
verknallen 9.86
  11.22 11.53
Verknappung 4.5
  4.25
verknassen 19.31
verknittern 3.53
verknöchern 2.25
  6.27 7.44 12.55
Verknöcherung 6.27
  7.44
verknoten 3.15 3.38
Verknotung 3.15
  3.38
verknüpfen 4.33
  5.13
Verknüpfung 4.33
  5.13
verknurren 19.31
verknusen 11.62
verkohlen 7.36 13.51
Verkohlung 7.36
verkommen 5.37
  5.47 9.65 11.28
  19.8 19.10
verkoppeln 4.33
verkorken 3.58
verkorksen 12.27
verkörpern 1.20 13.1
  14.3 15.1
Verkörperung 5.1 5.8
verköstigen 2.26
verkrachen 16.67
verkraften 17.16
verkratzt 12.57
verkriechen 11.42
  16.93
verkrümeln 3.38
—, sich 8.18 13.4
verkrumpeln 3.38
  3.43 3.45 11.31
verkrüppeln 4.5 5.37
  11.28
Verkrüppelung 3.60
  5.37 9.65 11.28

verkrüppelt 2.41
  3.60 4.4
verkühlen, sich 2.41
verkuhwedeln 3.38
verkümmeln 18.23
verkümmern 4.5 4.11
verkünden 13.1 13.6
  16.11 16.31
Verkünder 8.13 13.8
verkündigen 13.1
  19.19
Verkündigung 13.2
  13.6 19.19 20.13
  20.16f.
Verkünstelung 15.2
verkünstelt 13.51
verkuppeln 4.33
  16.10
verkürzen 4.5 4.7
  4.30 16.72
verkürzt 4.42
Verkürzung 2.41
  13.37
verlachen 12.51
  16.33f. 16.54
verladen 8.3
Verlag 14.6
verlagern 8.3
Verlagslektor 14.7
verlangen 9.81 11.36
  16.20 16.106 19.22
  19.24
Verlangen 9.14
  11.36 11.53 16.20
  16.106
verlängern 1.21 4.3
  4.6 6.12 6.36 9.30
  9.57
Verlängerung s. o.
verlangsamen 8.8
Verlaß, kein 19.8
verlassen 2.45 4.34
  4.36 4.49 8.18
  11.35 11.59
  11.62 12.22 16.6
  16.52
—, sich — auf 12.25
Verlassenheit 4.34
  11.13 11.41 16.52
verläßlich 5.6 16.41
Verläßlichkeit 19.1
Verlassung 4.5
Verlästerer 16.35
verlästern 16.33ff.
  16.37 16.93f. 19.9

Verlästerung 16.33
  16.35 16.37
Verlauf 5.44 9.25
verlaufen 4.10 9.78
  11.48
verlautbaren 13.6
Verlautbarung 13.6
verlebendigen 14.3
verlebt 5.37 10.14
verleckert 10.12
verledern 16.78
verlegen 3.4 3.38
  8.3 8.18 9.55 9.73
  11.30 11.42 11.47
  13.6 14.6 14.11
—, sich auf 9.21
—, den Weg 9.73
— machen 11.30
  16.93
Verlegenheit 4.25
  9.7 9.55 9.78 11.13
  13.23
Verlegenheitsbrücke
  9.13
Verleger 14.1 14.11
  16.60
Verlegung 8.3 8.18
verleiben 2.13 14.2
Verleihung 8.3
verleiden 9.5 9.17
  11.28
verleidet 9.5 11.28
  11.59
Verleih 15.9
verleihen 1.20 5.35
  11.17 16.88 16.103
  18.16 19.19 19.22
Verleihung 16.103
verleiten 9.12 13.9
Verleiter 9.12
Verleitung 9.12
  12.34
verlernen 12.40
Verles 16.73
verlesen 9.11 13.6
Verletzbarkeit 9.74
  11.7
verletzen 2.42 9.32
  9.63 11.14 11.28f.
  11.31 11.59f. 16.28
  16.34f. 16.53 19.9
  19.20 19.23 19.25
Verletzung 2.41f.
  9.61 9.65 16.44
  16.76 16.116 19.25
— der Pflicht 16.116
  19.25

verleugnen 9.20
11.44 12.38 13.29
13.51 16.34
—, sich 16.27 16.34
16.52f.
Verleugnung 9.9
verleumden 9.67
12.51 16.35 16.93
19.12
Verleumder 16.35
verleumderisch 11.60
16.35
Verleumdung 12.51
13.51 16.33 16.35
16.93
verlieben, sich 11.53
verliebt 4.50 10.21
11.36 11.45 11.53
16.42
verliegen, sich 9.36
verlieren 4.31 5.7 7.3
9.38f. 9.50 9.78
11.30f. 11.41f.
11.53 12.40 16.33
16.44 16.73 18.15
19.23
—, sich 7.3 8.12
8.18
Verlies 4.14 16.117
verloben 4.33 16.10
—, sich 4.33 16.10
Verlöbnis 16.23
Verlobte(r) 16.10
20.17
Verlobung 4.33
16.10 16.23
16.39
Verlobungsanzeige
16.39
Verlobungsring 17.10
verlocken 9.12
verlockend 11.10
11.53
Verlockendes 11.36
verlockt, leicht 19.10
Verlockung 9.12
16.32 19.10
verlogen 12.27 13.51
19.8
Verlogenheit 19.8
verloren 2.27 3.4
5.47 9.20 9.78
11.30 11.39 11.41
12.13 16.31 16.33
16.52 18.4 18.15
19.6 20.4

Verlorene 10.21
20.11
verlorengehen 7.3
verlöschen 7.7
verlöten 2.31
verlottern 9.24
11.28
Verlust 2.45 4.5 4.31
7.3 9.50 9.78 18.15
18.19
— bringen 9.50
— haben 9.50
verlustbringend 9.49
18.15
evrlustieren, sich 2.26
11.21 16.55
verlustig 9.50 16.93
Verlustquote 2.46
verlustreich 9.50
Verlustziffer 2.46
vermachen 18.12
Vermächtnis 18.1
18.5 18.12
vermählen 4.33
16.11
Vermählte(r) 16.11
Vermählung 16.11
vermaledeit 11.14
16.33
Vermassung 16.120
vermauern 2.41 3.58
vermehren 2.6 4.3
4.20 4.41 9.57
16.29 18.5
—, sich 4.20
Vermehrung 2.6 4.3
18.5
vermeiden 9.19f.
9.85 11.12 16.36
Vermeidung 9.19
vermelden 16.30
Vermeldung 20.13
vermengen 3.38
Vermengung 3.38
vermenschlichen 2.13
Vermenschlichung
13.36 20.8
Vermerk 13.1
vermessen 11.38f.
11.45 16.90
Vermessenheit 11.39
11.45 16.90
vermickert 4.4 4.11
vermiesen 9.5 9.17
11.28

vermieten 18.16
Vermieter 18.16
Vermietung 18.17
Vermillon 7.17
vermindern 4.5 4.7
4.11 4.24
Verminderung 4.5
4.7 4.42 4.46
12.51 18.15
vermischen 1.21 3.38
Vermischung, Unord-
nung 3.38 4.33
vermissen 7.3 9.17
11.36 18.15
vermißquiemt 4.11
vermißt 7.3
— werden 3.4
vermitteln 9.38 9.69
9.73 16.47ff.
18.20 19.17
vermittelnd 9.82
vermittelst 9.69 9.82
Vermitt(e)lung 8.26
9.38 9.69f. 9.82
16.48f. 16.103
19.17
Vermittler(in) 8.26
9.22 13.9 16.49
16.96 16.103
Vermittlernatur
16.48
Vermittlungsamt
16.49 19.28
Vermittlungsgebühr
18.5
vermöbeln 16.33
Vermöbelung 16.33
vermodern 9.61
Vermoderung 9.61
vermöge 5.31 9.12
9.82
vermögen 5.35
16.95
Vermögen 4.17f.
5.34f. 9.52 14.2
19.32
— kommen, zu 18.5
vermögend 4.23
Vermögenseinzie-
hung 19.32
vermögenslos 4.25
18.4
Vermögensverlust
19.32
vermottet 7.64

vermummen, sich
16.72
Vermummung 13.4
13.51 17.9
vermuten 5.4 12.22
12.24
vermutlich 5.2 5.4
6.23f. 12.24 12.41
12.44
Vermutung 5.2 5.4
12.22 12.24
vernachlässigen 4.49
9.34 9.43 9.85
11.62 12.13 12.38
12.51 16.28 19.25
Vernachlässigung
4.49 9.19 9.43
11.37 12.51 16.34
16.28 19.25
vernagelt 12.56
vernarben 2.40 2.44
vernarren, sich 11.53
12.3
vernarrt 11.53 12.3
vernaschen 11.11
16.43
vernehmbar 10.20
vernehmen 10.19
13.25 19.27
vernehmlich 7.24
10.19 13.33
Vernehmung 12.8
13.25 19.27
verneigen, sich 8.30
16.38
Verneigung 16.30
16.38
verneinen 9.5 12.48
13.29 13.47 16.27
16.29 20.9
Verneinung 13.29
16.27
vernichten 2.46 5.42
7.3 9.72 11.41
16.93
vernichtend 16.33
Vernichtung 2.46
5.42 5.47 9.73
9.78 16.105
Vernichtungskampf
16.67
Vernichtungsschlacht
16.73
verniedlichen 12.51
vernieten 4.33

vernüchtern, sich 2.26

Vernunft 9.17 11.8 12.2 12.18 12.52 16.48 16.108 19.18 20.4

vernunftbegabt 12.2 12.52

Vernunftehe 16.11

vernünfteln 12.19

vernunftgemäß 12.14

Vernunftheirat 16.11

vernünftig 5.38 9.42 9.52 11.8 12.18 12.26 12.52 19.18

Vernünftigkeit 12.18 19.18

Vernunftschluß 12.14 12.29

vernunftwidrig 12.56 13.51

veröden 4.5 5.42 9.61

veröffentlichen 13.5f. 14.6 14.11 16.106

Veröffentlichung 13.6 14.10f.

Veronika 16.3

verordnen 2.44 16.106 19.19

Verordnung 2.44 13.6 16.95 16.106 19.19 20.15f.

Verordnungsblatt 13.6 16.106

verpachten 18.16

verpacken 3.3 3.20

Verpackung 3.20

verpäppeln 5.37 7.50

verpassen 6.36 6.38 9.78

verpatzen 6.36 6.38 9.53 12.27

verpesten 7.64

Verpestung 7.64

verpetzen 19.12

Verpfählung 3.18 3.24 16.77 17.2

verpfänden 19.16

—, die Ehre 16.23

Verpfändung 16.23

verpfeffert 7.68

verpfeifen 13.5

Verpflanzung 8.3 8.18

verpflegen 2.26

Verpflegung 2.26 2.45 4.29 9.70

Verpflegungsanstalt 4.29

Verpflegungskommissar 4.29

verpflichten 9.70 16.113 19.14f. 19.24

—, sich 16.23 19.14 19.16 19.24

verpflichtet 9.3 11.54 16.113 19.24f.

Verpflichtung 9.22 11.54 14.3 16.23 16.26 16.28 16.107 16.111 16.113 18.17f. 18.26 19.14 19.16 19.24

verpfuschen 9.53 9.61

verpimpeln 7.35 7.50

verpinkert 4.33

verplempern 18.14

verpöbeln 11.29

verpönen 16.29 16.33

verposamentieren 18.14

verprassen 10.11 18.14

verproviantieren 2.26 4.29

verpuffen 7.60 9.78

verpulvern 18.14

verpuppen sich 5.24

Verputz 3.20

verputzen 3.52 11.62 18.14

verquatschen 13.19

verquicken 1.21 4.33

Verquickung 1.21 4.33

verquirlen 1.21

verrammeln 3.58 9.72f.

verramschen 18.23

verrannt 9.8 11.5 12.55

Verrat 13.51 16.72 16.116 19.8 19.25

verraten 9.74 13.2 13.5 19.8 19.12

Verräter 16.116 19.8f.

Verräterei 19.8

verräterisch 12.53 13.5 13.51 16.32 16.116 19.8ff.

verrauchen 7.14 7.60 8.24 9.67

verräuchert 7.64

verrechnen 4.35 9.50 12.19 12.27 13.51

—, mit 18.26

—, sich 9.50 12.45

Verrechnung 4.35 12.19 12.45 13.51

verrecken 2.45 11.31

verreden 16.27

verregnen 5.42

verreiben, Verreibung 7.49

verreisen 8.18 16.117

verreißen 16.33

verrenken 2.42

Verrenkung 2.41

verrichten 5.44 9.18 9.22 9.25 9.35 9.40 9.77 16.26 20.12f. 20.16

Verrichtung 5.44 9.18 9.22 9.35 16.26 20.16

—, kirchliche 20.16

verriegeln 3.58

verringern 4.5 4.24

Verringerung 4.5 16.33

verrinnen 6.8

verröcheln 2.45

verrohen 11.29 16.53

verrollen 8.18

verrosten 9.60f.

verrostet 5.37

verrottet 5.37 11.14

verrucht 11.14 19.9f.

Verruchter 20.4

Verruchtheit 19.9f. 20.3f.

verrücken 3.38 4.49 8.1 8.3 8.18 11.53

verrückt 4.50 11.5 11.31 11.36 11.53 12.57 13.29 16.27 16.33 19.13

Verrückter 12.19

Verrücktheit 12.57

Verruf 16.93 19.32

Verruf bringen, in 16.35

verrufen 9.60 16.33 16.93 18.21 19.10

Verrufenheit 16.33

Vers 4.42 12.31 14.2

versacken 2.45 4.14

versagen 2.7 5.37 6.32 9.19f. 9.60 9.78 11.11f. 11.27 13.29 16.27 16.29 18.19

—, sich 9.32

Versagen 9.65

versägen 4.51

Versager 9.19 9.60 9.78

Versalie 14.6

versalzen 2.28 7.68 9.61 9.63 9.72 11.60 16.65

versammeln 2.45 4.17 20.13

Versammlung 4.17 4.20 8.21 16.17 20.22

—, andächtige 20.16 20.22

Versammlungsplatz 16.102 18.25

Versammlungswelle 16.21

Versand 8.3 18.20 18.23

versanden 4.15 7.58

Versandung 4.15

versauen 1.21 9.63 11.28 12.27

versauern 6.27 9.61 12.55

versäuern 9.63

Versäuerung 10.9 16.53

Versäuferbrücke 2.48

versäumen 6.38 9.19 9.34 9.78 16.28 19.24f.

Versäumnis 9.19 9.43 9.78 19.25

Versäumnisurteil 19.31

verschachern 18.23

verschaffen 9.70 16.81 18.5 19.20

verschallern 18.23
verschamieren 11.53
verschämt 11.47
  11.49 16.50
Verschämtheit 11.47
verschändet 11.28
verschanzen 9.75
verschanzt 16.73
Verschanzung 3.24
  9.76 16.77
verschärfen 4.51 5.36
verscharren 2.48 8.26
  13.4
verscheiden 2.45
verschenken 18.12
verscherzen 11.31
  16.33
verscheuchen 8.18
  11.14 11.21 11.34
  11.42 16.55
verschicken 8.3 8.18
verschieben 6.36 8.8
  9.33 18.8
Verschiebung 6.36
  7.27 8.1 8.3
verschieden 5.21ff.
  12.48
verschiedenartig 1.21
  5.21
verschiedene 4.17
Verschiedener 2.45
verschiedenerlei 5.22
Verschiedenes 5.22
Verschiedenheit
  5.21f.
verschiedentlich 6.28
verschiedenwertig 5.2
verschießen 7.12 9.61
verschiffen 8.3
Verschiffungsplatz
  8.3 16.7
verschimmeln 9.61
  9.67
verschimpfieren
  11.28
Verschiß 16.33 16.93
  19.32
Verschlackung 7.43
verschlafen 6.36 6.38
  12.13
Verschlag 9.73 16.1
  17.2

verschlagen 7.35 9.45
  9.52 11.28 12.45
  12.53 13.4 16.78
Verschlagenheit 9.52
  12.53 13.4
verschlammen 7.51
verschlampen 3.38
verschlechtern 1.21
  13.32
Verschlechterung
  13.32
verschleckt 10.12
verschleiern 7.3 7.10
  9.13 10.17 13.4
  13.35 13.51
verschleimen 7.51
Verschleiß 5.42 9.61
  9.63
verschleißen 9.63
verschlemmen 18.14
verschleppen 6.36
Verschleppung 6.36
  9.24
verschleudern 3.38
  4.31 9.86 18.14
  18.23
verschließen 3.58
  9.75 10.20 13.4
verschlimmern 4.3
  9.63 11.14 12.27
  13.52
Verschlimmerung 4.3
  9.61 9.74 13.52
verschlingen 2.26
  3.46 5.42 9.55
  11.36 11.53 14.7
Verschliß 9.61
verschlissen 6.27
verschlossen 3.58
  11.32 11.40 13.4
  13.23 16.52f.
Verschlossenheit
  13.4 13.23 16.52
verschlucken 2.26
  11.31
verschlungen 3.46
  13.35
Verschlungenheit
  3.46 9.55
Verschluß 3.58
verschmachten 5.37
  10.13 11.36
verschmähen 9.19
  11.37 11.62 16.27f.
  16.36
verschmäht 11.62

verschmelzen 1.21
Verschmelzung 1.21
  9.68
verschmerzen 11.8
verschmieren 3.20
  9.67
verschmitzt 4.50
  11.40 12.52f.
Verschmitztheit
  12.53
verschmutzen 9.67
verschnappen 13.5
verschnaufen 9.36
verschneiden 1.21
  2.7 4.30 5.37
Verschnitt 1.21
Verschnittener 2.7
  5.37 16.101
verschnupft 11.31f.
verschollen 3.4 12.40
  13.4
verschonen 18.10
verschönen 15.7
verschönern 9.57
  11.17
Verschönerung 17.10
Verschönerungsrat
  16.60
verschossen 7.12
  11.53
verschränken 9.19
verschreiben 2.44
  16.106 16.111 18.2
  18.12
—, sich 16.111
Verschreibung 13.46
  16.23 16.106 18.16
  19.14 19.16
verschreien 13.6
  16.33 16.93
verschrien 13.6
verschroben 11.24
  11.29 12.57 13.35
Verschrobenheit
  11.24 13.35
verschrumpelt 2.25
verschüchtert 11.47
verschuften 13.5
verschulden 18.17
  19.20
Verschuldung 19.10
  19.12 19.20
verschütten 4.31
  5.42 9.53 11.42
  11.59 11.62

verschwägert, Ver-
  schwägerung 16.9
verschweigen 13.4
Verschweigen 13.4
verschweißen 4.33
verschwenden 4.22
  4.31 5.42 9.86
  13.52 18.14f.
—, Zeit 6.38 9.24
Verschwender 18.14
verschwenderisch
  4.17 4.22 4.31
  13.52 18.14
Verschwendung 4.22
  4.31 9.86 13.52
  18.14f.
Verschwendungs-
  sucht 11.11
verschwiegen 4.50
  7.28 11.40 13.4
  13.23
Verschwiegenheit
  11.40 13.4 13.23
verschwiemelt 19.10
verschwimmen 7.3
  7.12
verschwinden 4.5
  4.26 6.8 7.3
  8.18 9.33 18.9
Verschwinden 7.3
verschwindend 4.4
verschwistert 5.17
verschwitzen 12.40
verschwommen 7.6
  7.12 12.19 13.35
Verschwommenheit
  7.6
verschwören, sich
  4.33 9.15 9.69
  16.17 16.65
Verschwörer 16.116
Verschwörung 4.33
  9.15 16.17 16.65
  16.116
verschwunden 3.4
versehen 4.29 4.49
  5.9 9.26 18.12
Versehen 9.16 9.78
  12.27f. 16.28
  16.54 19.11
versehentlich 9.16
versehren 2.42 9.63
Verseinschnitt 14.2
Versemacher 14.2
Versendung 8.3

versengen 7.35f.
versenken 2.48 4.14
  5.42 7.3 8.30 12.3
  13.4
—, sich 12.3
Versenkung 4.13f.
  7.3 8.18 8.30
  12.3 13.4 14.3 20.1
Versenkungsrat 2.48
versessen auf 9.8
  9.31 9.38 11.36
  19.7
Versessenheit 11.36
versetzen 1.21 3.8
  3.43 4.49 5.24
  8.1 13.26 16.105
  18.16f. 19.12
  19.27 19.32
Versetzung 4.49 8.3
  8.18
— in den Himmel
  20.10
verseuchen 2.43
Versfabrik(ant) 14.2
Versfuß 14.2
versichern 3.58 5.6
  9.26 9.77 12.22
  13.28 13.46 13.50
  16.23
—, sich 9.26
Versicherung 4.29
  5.6 9.70 9.75
  13.28 16.23 19.16
  19.27
Versicherungsnehmer
  19.14
versickern 4.15
versieben 9.53
versiegeln 3.58 13.1
  13.4 19.16
versiegen 4.5
versiert 9.52 12.32
Versifex 14.2
versilbern 3.20 18.23
versimpeln 12.55f.
versinken 4.14 8.26
versinnbildlichen
  13.1
Versinnlichung 13.1
Version 14.9
versippt 16.9
versklaven 16.111
Versmaß 14.2
versoffen 2.32
  11.36

Versoffene Jungfern
  2.27
Versoffenheit 2.32
versohlen 16.78
versöhnen 16.47ff.
—, sich 8.17
Versöhner 20.8
versöhnlich 16.47f.
Versöhnlichkeit
  12.47 16.47
Versöhnung 12.47
  16.48f. 19.26
Versöhnungsfeier
  16.48f.
Versöhnungtag 2.29
  20.13
versorgen 4.29 9.26
  9.70 16.11 18.12
versorgt 4.18 9.26
Versorgung 4.29
  9.26 9.70
Versorgungsanstalt
  9.76
verspäten, sich 6.36
  6.38
verspeisen 2.26
verspekulieren 18.15
versperren 3.58 9.72
  13.4
verspielen 9.78 12.13
  18.14f.
verspießern 12.55
verspotten 11.24
  12.51 16.33ff.
  16.54 20.4
Verspotteter 16.54
Verspottung 16.36
  s. verspotten
versprechen 11.35
  12.27 12.41 16.22f.
  19.14
—, sich 12.27
Versprechen 16.10
  16.23 16.26 16.28
  19.1
Versprechung 11.35
versprengt 4.24 8.22
verspritzen 8.22
Verssatz 14.2
Verstand 9.17 11.30
  11.40 12.2 12.14
  12.18 12.52 13.17
—, gesunder 12.18
— der Verständigen
  11.40

Verstandesherrschaft
  11.25
Verstandesmensch
  12.14
verständig 5.38 9.52
  11.8 12.18 12.26
  12.35 12.52 19.18
verständigen 13.2
—, sich 12.47 16.48f
Verständiger 11.40
Verständigkeit 12.52
Verständigung 12.47
  16.48
verständlich 7.1
  12.14f. 13.33
Verständlichkeit
  13.33
verstandlos 9.53
Verständnis 9.52
  12.31f. 12.52
verständnisinnig
  11.52
verständnislos 9.43
verstänkern 13.5
verstärken 4.51 5.35
  13.52
Verstärker 7.26
Verstärkung 4.3
  9.70 13.52
verstaubt 6.27 9.67
Verstauchung 2.42
Versteck 9.76 13.4
  16.71
verstecken 7.3 9.76
  11.42 13.4
—, sich 4.52 16.17
Verstecken 16.56
Versteckerles, Ver-
  steckelches 16.56
Versteckplatz 9.76
  16.1
Versteckspiel 13.4
versteckt 12.53 13.4
  13.35 19.8
verstehen 5.25 5.46
  9.5 9.52 11.25
  11.31 12.31f.
  12.35 12.52 13.33
  16.40
—, sich 13.28 16.24
  16.40
Verstehen 12.31
Versteher 12.54
versteifen 7.44
—, sich 16.65
versteigern 18.23

Versteigerer 16.60
Versteigerung 18.23
  18.26
versteinen 19.6
versteinern 7.43f.
  11.8 11.30 11.42
  19.6
Versteinerung 1.23
  7.43
verstellen 3.38 9.55
—, sich 13.51 16.72
verstellt 13.51
Verstellung 5.18
  12.53 13.51 19.8
versterben 2.45
verstiegen 11.6 11.24
  12.56f. 13.52
verstimmen 11.31
verstimmt 11.27
  11.31f. 11.58 15.18
  16.33
Verstimmung 11.31
  11.58
verstocken 19.6
verstockt 19.6 19.9
  20.4
Verstocktheit 9.6 9.8
  12.55 19.6 19.9
  20.3
verstohlen 13.4
  13.51
Verstohlenheit 13.4
  13.51
verstopfen 3.58 9.63
  9.73
Verstopfung 2.41
  3.58
verstorben 2.45
verstören 3.38
verstört 11.32 11.42
Verstoß 11.29 12.27f.
  13.32 13.51 16.53
  16.116 19.10f.
  19.21 19.25
verstoßen 4.34 5.20
  9.37 11.29 16.15
  16.28 16.52 16.105
Verstoßung 8.18
  16.52 16.105
verstreichen lassen
  6.38
verstreuen 3.38 4.34
  8.22
Verstreuung 4.34
  8.22

verstricken 11.53
Verstrickung 19.10
verstümmeln 4.30
  5.37 9.65
Verstümmelung 2.41
  3.60 4.5 4.24 4.30
  4.46 5.37 5.47
  9.61 9.65
verstummen 2.45
  7.28 11.30 11.42
  13.47
Verstummung 11.30
Versuch 9.28
  12.9 14.10f.
versuchen 9.21 9.28
  9.42 10.7 11.39
  12.9
versuchend 9.12
Versucher 9.12 20.9
Versuchs- 6.15
Versuchsanstalt 9.28
  12.9
Versuchsballon 12.9
Versuchsverfahren
  12.9
versuchsweise 6.15
  9.28 12.9
Versuchung 9.12
  11.36
versumpfen 4.15 7.51
Versumpfung 9.61
versündigen, sich
  16.72 19.10
versunken 4.14 12.13
  13.4 20.13
versüßen 7.66
—, das Leben 11.9
  11.53
vertagen 6.12 6.36
  8.8 9.7 16.27
Vertagung 6.36
vertändeln 16.55
vertäuen 4.33
vertauschbar 5.28
vertauschen 3.38
  5.28 18.20
Vertauschung 5.28
  13.19
verteidigen 3.26 9.70
  9.73 9.75f. 16.31
  16.77 19.10 19.13
  19.27
Verteidiger 9.75
  16.57 16.60 16.74
  16.77 19.13 19.18
  19.28

Verteidigung 9.75
  16.74 16.77 19.13
  19.27
verteidigungslos 5.37
  9.74
Verteidigungswaffe
  9.76 16.77 17.11
  17.14
verteidigungsweise
  19.13
verteilen 3.37 4.31
  4.34 8.22 18.2
  18.12
Verteiler 16.60
Verteilung 4.31
verteuern 18.27
verteufelt 4.50
  11.14 20.9
vertiefen 3.49 4.14
  8.30 9.57 12.3
  13.45
vertieft 3.49 12.3
  12.7
Vertiefung 3.19 3.49
vertiert 11.60
Vertikale 3.11
Vertikow 17.4
vertilgen 2.26 2.31f.
  2.46 5.42 13.29
Vertilger 5.42
vertobaken 16.78
vertonen 15.11
Vertonung 15.11
  15.16
vertrackt 3.60
Vertrag 4.33 12.47
  14.9 18.25 19.14
  19.16f. 19.25f.
vertragen 2.32 9.75
  11.14 11.59
—, sich 16.40f.
  16.47f.
verträglich 11.47
  12.47 16.40 16.109
Vertragsbruch 19.8
  19.21
vertragsbrüchig 19.25
vertragsmäßig
  19.14f.
Vertragsschließer
  19.14
Vertragsurkunde
  19.14
vertrauen 5.6 11.35
  12.25

Vertrauen 5.6 11.35
  12.25 12.41 13.4
  13.49 16.41 19.1
  19.8 20.1
Vertrauensbruch 19.8
Vertrauensmißbrauch
  19.8
vertrauensselig 11.46
  12.25
Vertrauensseligkeit
  11.35
vertrauensvoll 11.35
  12.22
vertrauenswert 19.1
vertrauenswürdig,
Vertrauenswürdig-
  keit 19.1
vertrauern 11.32
vertraulich 13.4
Vertraulichkeit 16.41
vertraut 5.19 6.27
  9.31 12.32 16.41
 — mit 9.31 12.32
Vertrauter 9.70
  16.41
Vertrautheit 12.32
  16.41
Vertrecktag 16.8
vertreiben 3.4 9.24
  11.48 16.55 18.23
Vertreibung 8.18
  16.52 16.105
vertreten 2.42 5.1
  5.29 11.38
  16.103f. 19.11
  19.13 19.22
Vertreter 2.14 5.29
  11.24 13.8 13.36
  16.60 16.69 16.103
  19.28
Vertretung 5.29
  16.103
Vertretungsausschuß
  16.102
Vertrieb 18.20
vertrimmen 16.78
vertrocknen 2.25 4.5
  7.58
vertrödeln, die Zeit
  6.36
vertrotteln 12.56
vertrusten 4.33
Vertuer 18.14
vertun 4.31 18.14

vertuschen 13.4
verübeln 11.31
verüben 9.18 19.10
verulken 16.54
Verumständung
  5.12f.
veruneinigen, sich
  16.67
verunglimpfen 9.61
  12.51 16.33ff.
  16.93f.
Verunglimpfer 16.35
Verunglimpfung
  16.34f.
  s. verunklimpfen
verunglücken 2.42
  2.45 9.78
verunreinigen 9.61
  9.63 9.67 9.86
  11.28 16.34f.
  16.93f. 19.9
Verunreinigung 9.86
  11.26
verunstalten 3.60
  9.61 9.63 11.28
Verunstaltung 11.28
veruntreuen 13.51
  16.72 18.9
Veruntreuung 9.53
  19.11
verunzieren 11.28
verursachen 5.31
  5.34 11.10 11.14
  11.59f. 11.62 16.67
  19.9
verurteilen 12.49
  16.33 16.37 16.106
  19.12 19.27 19.31f.
—, zu 16.106
Verurteilter 19.31
Verurteilung 16.106
  19.31
Verve 9.37
vervielfachen 4.3
  4.20
vervielfältigen 2.6
  4.3 4.17 4.20 4.35
  14.6 15.5
Vervielfältigung 5.18
vervierfachen 4.39
vervollkommnen
  4.41 9.35 9.64
vervollständigen 4.41
  9.35

Vervollständigung
s. vervollkommnen
verwachsen 3.60
11.28
— mit 4.33
Verwahr 16.117
verwahren 5.43 9.75
13.4
—, sich 13.10
Verwahrer 16.101
verwahrlosen 9.43
9.63 11.28
Verwahrung 9.75
13.4 13.29 13.48
16.27 16.29 16.117
19.13 19.27
verwaist 16.9
verwalken 16.78
verwalten 16.96
19.18
Verwalter 2.5 16.96
16.101 16.103
16.112 18.26
Verwaltung 16.96f.
16.99 16.103
Verwaltungsapparat
9.49
verwamsen 16.78
verwandelbar 5.25
verwandeln 5.24
—, sich 5.24
verwandelt 5.23
Verwandlung 5.24
5.30 20.12
Verwandlungs-
künstler 20.12
verwandt 5.17 16.9
Verwandtenehe
16.11
Verwandter 16.9
Verwandtschaft 4.41
16.9
Verwarnung 13.10
16.106
verwaschen 13.35
verwässern 1.21
verwechseln 3.38
5.24 5.28 9.53
12.40 13.45
Verwechslung 3.38
5.28 12.40 16.54
18.20
verwegen 9.74
11.38f.

Verwegenheit 9.74
11.38ff. 11.43
16.90
verwehen 6.8 6.19
8.18
verwehren 9.73 13.4
16.29
verweichlichen 5.37
7.35 7.50 9.63 11.7
Verweichlichung 2.15
5.37 7.50 11.11
11.19
verweigern 9.5
16.27 16.29 16.52
16.116 19.25
Verweigerung 9.3
9.5 9.19 13.29
16.27 16.116 18.19
verweilen 6.34 8.2
9.30 16.1 20.10
Verweis 12.33 16.33
19.32
verweisen 16.33
16.52 19.32
Verweisung 4.49
8.3 8.18 16.105
verwelken 5.37 6.8
7.12 9.61
verweltlichen 20.22
Verweltlichung 20.22
verwendbar 9.46
9.48 9.52 9.84
Verwendbarkeit 5.2
9.46 9.48 9.52
verwenden 9.84
—, sich — für 16.49
19.13
Verwendung 9.84
16.20 16.49 16.105
verwerfen 3.38 4.49
8.18 8.24 9.5
13.29 16.27 16.33
16.105 19.31
verwerflich 16.36
Verwerfung 4.49
verwertbar 9.48
verwerten 9.48 9.84
Verwertungsstelle
18.25
verwesen 2.45 9.67
16.96
verwesend 9.60 9.63
Verweser 5.29 16.98
Verwesung 4.34
16.103

verwichen 6.19ff.
verwickeln 4.33
13.35
verwickelt 3.46 13.35
Verwickeltheit 3.38
Verwickelung 3.38
9.55 13.35
verwildern 9.61
Verwilderung 9.61
verwinden 11.8
verwirken 16.33
18.15 19.23 19.31f.
—, sein Leben 19.32
verwirklichen 9.35
9.77 12.26
Verwirkung 18.15
19.32
verwirren 3.38 5.7
9.55 11.5 11.30
11.53 12.13 12.27
13.4 13.35 16.93
s. Verwickelung
verwirrt 11.33 11.42
12.13 12.56f.
13.35
Verwirrtheit, Ver-
wirrung 3.38 9.55
11.30 12.57
verwirtschaften
18.14
verwischen 5.42 7.3
7.12 13.4
verwischt 7.3 12.40
Verwischung 7.12
verwittern 5.42 6.27
7.49
verwittert 7.49
Verwitterung 1.14
7.49
verwittibt, ver-
witwet 16.19
verwogen 11.38
verwöhnen 9.63
11.52 12.34
verwöhnt 5.37 5.46
10.12 11.19 11.53
verworfen 16.36
16.93 19.6 19.8f.
20.4
Verworfener 19.8
20.4
Verworfenheit
16.93f. 16.115
19.8ff.

verworren 3.38 12.37
13.35
Verworrenheit 3.38
9.55 12.37 13.35
verwundbar 11.12
verwunden 2.42
9.60f. 11.7 11.13
11.53 16.34 19.9
verwundert 11.30
Verwunderung 11.30
verwundet 2.46
Verwundeter 2.42
Verwundung 2.41f.
verwunschen 20.5
20.12
verwünschen 11.26
11.32 11.59 16.37
16.68 20.12
verwünscht 4.50
11.14 11.33 16.37
Verwünschung 16.37
verwüsten 5.42
Verwüster 5.42
18.14
Verwüstung 9.61
16.75
ver-x-fachen 4.3
verzagen 11.41f.
verzagt 11.13 11.32
11.42f. 11.47
Verzagtheit 11.42f.
11.47
verzählen, sich 12.27
verzanken, sich 16.67
verzapfen 13.22
verzärteln 5.37 7.50
9.63 11.7 11.43
11.53
Verzärtelung 10.12
11.11 11.53
verzaubern 5.24
20.12
Verzauberung 20.12
Verzehr 4.31
verzehren 2.26 4.31
5.42 11.36 11.53
Verzehrung 7.35
verzeichnen 3.37 5.1
9.15 14.9 15.2
Verzeichnis 3.37
4.17f. 12.12 13.1
13.16 14.9 18.23
Verzeigte, der 19.28
verzeihen 16.47
16.109

verzeihen Sie! 16.38
verzeihend 16.47
verzeihlich 19.13
Verzeihung 11.50
  13.24 16.20 16.47
  16.65 16.82
  16.109 19.5
verzerren 2.42 3.60
  7.31 9.63 11.28
  13.45 15.2
Verzerrung 3.60
  11.28 13.45 15.2
verzetteln 8.22
Verzettelung 8.22
Verzicht 9.20 13.29
  16.52 16.83 16.105
  19.25
verzichten 9.5 9.9
  9.19f. 9.32 9.85
  11.37 11.46 11.48
  13.29 16.33 16.83
  16.105
—, auf die Welt
  16.52
Verzichtleistung 9.9
  16.105
verziehen 3.60 6.36
  9.61 9.63 11.28
  11.31f. 11.59 16.8
—, sich 8.18
Verziehung 12.27
verzieren 11.16f.
  15.7
Verzierung 3.20
  13.37 13.43 15.4
  15.7 17.10
verzogen 11.53 16.8
verzögern 6.36 9.7
  9.73
—, sich 6.36
Verzögerung 6.36
verzopft 6.27
verzuckern, ver-
  zuckert 7.66
verzückt 11.5
Verzückter 20.12
Verzückung 11.5f.
  11.9 12.28 20.1
  20.12
Verzug 6.38 9.6 9.73
—, im 3.9
verzwatzeln 11.13
  11.31
verzweifachen 4.37

verzweifeln 9.55
  11.13 11.32 11.35
  11.41f. 12.45
verzweifelt 5.36
  9.55 11.13 11.32f.
  11.39 11.42
Verzweiflung 11.13
  11.31f. 11.41f.
Verzweiflungsmut
  11.38
verzweiflungsvoll
  11.41f.
verzweigen 3.15 4.34
  8.22
—, sich 3.43
verzweigt 4.34
verzwickt 11.58
  13.35
Vesper 2.26 6.4
  20.13
Vesperglocke 6.4
vespern 2.26
Vestalin 16.12 16.50
Vestibule 17.2
Vesuvian 1.25
Veteran 2.25
Veterinär 2.11 2.44
Veterinäroffizier
  16.74
Veto 16.29
Vettel 2.25 10.21
  11.28
Vetter 16.9
Vetterleswirtschaft
  16.17 16.95
Vetturino 16.98
vexieren 9.55 11.60
  20.12
Vexierpunkt 9.55
Vezier s. Wesir
via 8.11
— triumphalis 16.88
Viadukt 8.11
Viatikum 20.16
Vibration s. Schwin-
  gung
vibrieren 7.25 8.33
vice versa 5.28 9.71
  18.20
Vice... s. Vize...
Vicky 16.3
Vicomte 16.91
videlicet 13.17
  13.44
Viech 4.2
Viecherei 9.61 16.54

Viechsarbeit 9.40
Vieh 2.8 4.50 11.61
  12.56
Vieharzt 2.44
Viehfutter 2.10
viehisch 2.8 4.50
  11.60f.
Viehseuche 2.11
Viehstand 2.10
  4.17f.
Viehstock 2.10
Viehzucht 2.10
viel 4.1 4.17 4.20 4.22
  4.51 6.31 11.45
  11.54 12.32 16.24
  16.89
vielbeweint 11.53
Vieleck 3.43
Vielehe 16.11
vielerlei 4.17 4.20
  5.22
vielfach 4.17 5.22
vielfältig 5.22
Vielfältigkeit 4.17
  4.20
vielfarbig 7.11 7.23
Vielfarbigkeit 7.23
vielförmig 5.22
Vielförmigkeit 5.22
Vielfraß S. 126
  10.10f.
vielgestaltig 5.22
Vielgötterei 20.2
Vielheit 4.20
Vielherrschaft 16.97
vielleicht 5.2 5.7
  9.16 12.23f.
Vielliebchen 4.37
  5.16 16.42
vielmals 6.31
Vielmännerei 16.11
vielsagend 13.1
Vielschreiber 14.1
  14.11
vielseitig 9.52 12.32
Vielseitigkeit 4.33
Vielseitigkeitsprü-
  fung 16.57
vielteilig 4.34
vielumfassend 4.2
vielversprechend
  11.35
Vielweiberei 16.11
  16.44
vielzüngig 13.12

Vier 4.39 5.6 16.1
Vierbein(er) 2.5
Viereck 3.43
viereckig 3.43
Vierer mit 16.57
vierfach 4.39
vierfältig 4.39
Vierfarbendruck
  15.5
vierförmig 4.39
Vierfüßler 2.9
Viergespann 8.4
Vierhänder 2.9
Vierjahr(es)plan 5.39
Vierkant 4.39
viermal 4.39
vierschrötig 4.10 5.35
  11.28
viert, zu 4.39
viertägig 6.1
vierteilen 2.46 4.45
  19.32
Vierteilung 4.45
  19.32
Viertel 4.45 16.2
—, akademisches 6.36
vierteln 4.45
viertens 4.39
Vieruhr 2.26
Vierzahl 4.39
Vierzehnte, der
  16.60
Vierzeiler 14.2
vierzig 4.39
Vietsbohne S. 50
Vietsbuhr 20.5
vieux jeu 6.27
vif 12.53
vigilant 12.52
Vignette 15.5
Vikar(ius) 5.29 20.17
Viktor 16.3
Viktoria 16.3
Viktualien 2.27
Villa 16.1 17.1
Villenviertel 16.2
Viola 15.15
violett 7.22
Violine 15.15
Violinist 15.14
Violoncello 15.15
Viper S. 101 2.43
  11.60 19.9
viril 2.14
virtuell 5.2 12.2

virtuos 9.52 15.3
  15.11
Virtuos 9.52 15.13
virtuosenhaft 9.52
virulent 2.43
Virus 2.41 2.43
Visage 2.16
vis-à-vis 3.32
Visier 3.20 9.74 13.4
  16.71 16.77
Vision 7.2 10.17
  12.28 20.5
visionär 4.26 20.5
Visionär 12.28
Visite 16.64
Visitenkarte 13.1
visitieren 12.8
viskos 7.51
visuell 10.15
vital 2.17 5.35 9.44
Vitalität 2.17
Vitamin 2.26
vitaminarm 7.69
Vitamine 1.29
vitaminreich 2.44
Vitriol 7.18
Vitriolöl 1.28
vivace 8.7 15.11f.
Vivat! 11.21f. 16.31
  16.39 16.87
Vivat-Geschrei 16.31
Vivisektor 3.57
Vize 5.29 16.101
  16.104
Vize- 16.104
Vizeadmiral 16.98
Vizefeldwebel 16.74
Vizekönig 16.98
  16.104
Vizepräsident 16.98
Vizeregentschaft
  16.104
Vlies 2.16 3.20 3.53
Vogel 9.77 11.9
  12.57 16.74a.
  16.107 16.119
— im Kopfe haben
  16.90
— Phönix 6.29
—, seltener 6.29
Vögel S. 101ff.
Vogelansicht 7.2
Vogelbauer 2.10
Vogelbeerbaum S. 48
Vogeldunst 17.12
Vogelflinte 17.12

Vogelflöte 15.15
vogelfrei 2.46 16.29
  19.31f.
Vogelfreier 19.31
Vogelgesang 7.33
Vogelhecke 2.10
Vogelkäfig 2.10
Vogelschau 7.2
Vogelschauer 12.43
Vogelscheuche 9.67
  11.28
Vogelsteller 16.60
  16.71
Vogler 16.60
Vogt 16.60 16.96
  16.98f. 19.28f.
Vogtei 1.15 16.97
  16.99 19.33
voilà 12.44
Vokabel 13.16
Vokal 13.13
Vokalisation 13.13
vokalisieren 13.13
Vokalmusik 15.13
Volk 2.13 4.17 4.20
  9.51 16.4 16.18
  16.85 16.91 16.94
  19.21
—, gemeines 16.94
Völkchen 11.21
Volker 16.3
Völker 2.13
Völkerball 16.57
Völkerfrühling
  16.119
Völkerhirt 16.98
Völkerkrieg 16.73
Völkerkunde 2.13
Völkerrecht 19.19
volkhaft 16.18
Volkheit 16.18
völkisch 16.18
volkreich 4.17
Volksausgabe 14.11
volksbeliebt 11.53
volksbewußt 16.18
Volksbewußtsein
  16.18
Volksbeschluß 19.27
Volksempfinden 9.1
  12.18 19.21
Volksentscheid
  16.102
Volksfeind 11.63
Volksführer 16.96
  16.98

Volksfürst 16.98
Volksgemeinschaft
  16.18 16.40
Volksgenosse 4.48
Volksgericht 19.20
  19.27f.
Volksglaube 12.22
Volksgunst 16.85
Volkskammer 16.102
Volkskreise 9.12
  12.22
Volkskrieg 16.67
  16.73
Volksküche 2.26
Volkskunde 20.1
Volkslied 14.2 15.13
Volksmann 16.116
volksnah 13.33 13.40
Volksregierung
  16.97
Volksrichter 11.60
Volkssänger(in) 14.2
  15.13
Volksseele 16.18
  16.97
Volksstaat 16.19
  16.97
Volksstück 14.3
Volkstanz 16.58
Volkston 13.40
Volkstum 16.18
volkstümlich 11.51
Volksversammlung
  16.102
Volksvertreter
  16.102f.
Volksvertretung
  4.17 16.97 16.102
Volksweise 15.13
volkswichtig 9.44
Volkszorn 16.33
voll 2.33 4.21 4.23
  4.41 11.42 13.52
  16.31 16.33f. 16.36
— wie ein Sack 2.33
— süßen Weines
  2.33
Voll- 1.22
vollauf 4.1 4.22f.
Vollbart 3.53
Vollbesitz 18.1
Vollblut 1.22
  16.91
vollbringen 4.41 9.18
  9.35 9.77 16.26

Vollbürger 16.119
Volldampf 9.38
Völle 4.41
Vollen, aus dem 9.27
vollenden 4.41 5.39
  9.18 9.21 9.35
  9.64 9.77 11.17
vollendet 2.45 9.64
  15.3
Vollendung 4.41
  6.4 9.18 9.35
  9.52 9.64
Völlerei 2.32 10.11
  11.11 19.10
vollführen 9.18 9.21
  16.26 19.26
Vollführung 9.35
Vollgenuß 18.1
vollgestopft 10.14
vollgültig 19.22
vollhauen 16.78
Vollidiot 4.50
völlig 4.23 4.41
volljährig 2.21 2.23
vollkommen 4.8 4.23
  4.41 4.50 9.35
  9.52 9.56 9.64
  13.28 19.3
  20.7
Vollkommenheit
  9.52 9.64 19.3 20.7
Vollkraft 5.35
vollmachen 1.7 9.67
  11.45
Vollmacht 13.1
  16.25 16.97 16.100
  16.103
Vollmast 4.12
Vollmond 2.41
vollpfropfen 4.21
vollproppen, sich
  10.11
vollschlank 4.10
vollschmieren 9.67
vollständig 4.23 4.41
  9.35 9.64
Vollständigkeit 4.23
  4.41
vollstrecken 9.25
  9.35 16.26
Vollstrecker 9.22
Vollstreckung 9.35
  16.97
Volltreffer 5.42 7.29
vollwertig 4.41 4.51

vollwichtig 18.21
vollzählig 4.17 4.41
vollziehen 9.18 9.21
9.25 9.35 12.47
16.24 16.26 16.114
19.32
—, sich 5.44
vollziehend 16.97
Vollzieher 9.22
Vollziehung, Voll-
zug 12.47 16.24
16.26 19.14
Volöf 9.76
Volontär 16.74
Volt 5.35 17.17
Volumen 4.1
voluminös 4.2
von 5.33
— mir aus 9.45
16.24
— oben 16.106
— oben bis unten
4.41
— selbst 9.2
— sich aus 9.2
vonstatten gehen
5.44 9.77
vor 3.3 3.26 4.51
5.25 6.10f. 6.21
8.9 8.16 13.3
— allem anderen
9.11
vor- 13.51
Vor- 6.11
vorab 6.11
Vorabend 6.24
Vorabdruck 14.6
Vorahne 16.9
Vorahnung 6.23
12.43
Voralarm 13.10
voran 3.26 8.13 9.24
vorangehen 8.13
16.114
Voranschlag 9.15
12.12
Voranstalt(en) 9.26
voranstellen 8.13
Vorantritt 6.10
Vorarbeit, vorarbei-
ten 9.26
Vorarbeiter 9.26
16.96
voraus 6.11 8.16

Vorausabteilung
9.75 16.76
vorausgeeilt 2.45
vorausgeschickt
12.15
vorausgesehen 12.44
vorausgesetzt 5.32
12.24 13.48 16.25
19.15
vorauskommen 6.11
Voraussage 12.43
vorausschicken 8.13
13.21
voraussehen 12.41f.
voraussetzen 5.32
12.15 12.22 12.24
12.29
Voraussetzung 5.31f.
9.15 11.35 12.15
12.24 12.29 13.48
19.15
voraussetzungslos
5.14 12.9 12.14
(=—e) Forschung
12.9
Voraussetzungs-
losigkeit 5.14
Voraussicht 6.23
11.36 12.42
voraussichtlich 6.23f.
12.41 12.44
Vorauszahlung 18.26
Vorbau 3.26
vorbauen 6.35 9.26
9.73 12.42
vorbedacht 9.2 9.14
9.26 9.42 12.42
Vorbedacht 9.14 9.42
Vorbedeutung 13.1
Vorbedingung 5.32
9.26 13.48
Vorbegriff 12.42
vorbegrifflich 12.1
Vorbehalt 5.32 9.14
9.26 11.40 13.4
13.48 16.33 19.15
vorbehalten 13.48
16.33
—, sich 19.15
vorbei 2.45 5.47
6.19ff. 9.33 12.46
vorbeigehen 6.8 7.3
Vorbeimarsch 16.6
16.88

vorbereiten 5.39
6.23f. 8.13 9.15
9.26 12.33 12.41f.
20.1
Vorbereiter 9.26
vorbereitet 9.26 9.52
12.41
Vorbereitung 9.15
9.26f. 11.40
Vorbesprechung 9.26
16.102
vorbestimmen 9.14
vorbestraft 19.32
Vorbeter 20.17
vorbeugen 2.44 9.20
9.73 12.7 12.42
Vorbeugung 2.44
Vorbeugungsmaß-
regel 13.48
Vorbeugungsmittel
2.44
Vorbild 5.18f. 9.64
13.1 19.3f.
vorbildlich 9.64 19.3
vorbinden, sich 16.33
Vorbote 6.11 8.13
12.43 13.1
vorbringen 13.2
13.47 19.12f.
Vordach 3.48 3.51
vordatieren 6.10 6.36
Vordeck 3.26
vordem 6.19ff.
vordere, der 3.26
Vorderflosse 2.16
Vordergrund 3.26
vorderhand 6.15
Vorderlader 17.12
Vordermann 16.74
Vorderrang 3.26
Vordersatz 12.29
Vorderseite 3.18
3.26
Vorderteil 3.26
vordrängen 11.29
—, sich 16.90
vordringlich 9.39
9.44
Vordruck 5.18
voreilig 6.38 11.39
11.58
Voreiligkeit 11.58
16.90

voreingenommen
12.22 12.37 12.55
19.8
Voreingenommenheit
9.4 11.36 12.13
12.55
Voreltern 16.9
Vorempfindung
12.42
vorenthalten 4.25
13.4 16.29 19.23
Vorentwurf 9.26
Vorerinnerung 12.43
vorerst 6.15
Vorexistenz 6.11
16.18
vorfabeln 12.25
12.28 13.51 16.72
Vorfahr(en) 6.19
16.9
vorfahren 16.76
Vorfall 5.44
vorfallen 5.1 5.44
9.16
Vorfeier 6.11
vorfinden, sich 3.3
5.1
vorfordern 16.106
Vorform 6.11
Vorfrage 12.5
Vorfreude 11.35
12.41
Vorfrucht 6.11
Vorführdame 15.1
16.60
vorführen 15.9 19.27
Vorführer 15.9
Vorführung 14.3
19.27
Vorgang 5.20 5.44
9.25 19.27
Vorgänger(in) 6.11
vorgängig 6.11
vorgaukeln 11.35
12.28
Vorgebäude 3.26
vorgeben 13.51
Vorgebirge 1.13 1.16
3.48 4.12
Vorgedanke 12.42
Vorgefühl 6.23f.
11.35 12.41f.
vorgehen 5.44 9.18
9.21 9.25 16.47
16.73 16.76 16.109
19.20f.

Vorgehen 9.18
vorgekommen 11.31
 16.33
Vorgericht 2.26
vorgerückt 11.21
— sein 2.24
Vorgeschichte 6.11
 6.21
vorgeschichtlich 6.21
Vorgeschmack 7.65
 12.42
vorgeschrieben 9.3
 19.22 19.24
vorgesehen 4.29
Vorgesetzter 16.30
 16.96 16.98
vorgestellt 12.2
vorgestern 6.19ff.
vorgreifen 6.35 9.26
 12.41f.
vorhaben 9.14
Vorhalle 17.2 20.21
Vorhalt 15.11
vorhalten 13.47
 16.33 19.12
Vorhaltung 12.48
 16.33
Vorhand 6.11 9.29
 16.57
vorhanden 3.3 5.1
 7.3 16.34
— sein 5.1
Vorhang 3.20 7.6
 9.77 13.4 14.3
Vorhaus 17.2
vorher 6.11 6.19
 8.13
Vorherbestimmung
 5.31 5.45 9.3 9.14
 12.42
vorhergehen 6.11
vorherrschen(d) 4.33
 5.1 5.9 5.11 5.19
 12.41 16.95
vorhersagen, Vorher-
 sagung 12.42f.
vorhersehen 12.41f.
Vorhersicht 12.41f.
vorhersorgen 12.42
Vorhimmel 20.10
vorhin 6.19ff.
vorhinein, im 6.11
Vorhof 17.2 20.21

Vorhölle 20.11
Vorhut 8.13 9.75
 16.74
Vorkämpfer 8.13
 9.26
vorkehren 9.26 12.7
Vorkehrung 4.29
 9.26 9.52 9.75
 19.15
Vorkenntnis 12.42
Vorklatscher 16.31
vorknöpfen, sich
 16.33
vorkommen 2.31 3.3
 5.1 5.44 6.29f.
 11.44f. 12.22
Vorkommnis 5.44
vorladen 16.106
 19.12 19.27
Vorladung 16.106
 19.12 19.27
Vorlage 5.18 14.6
Vorläufer 6.11 8.13
 9.26 16.112
vorläufig 6.15 9.28
Vorläufigkeit 12.29
vorlaut 11.45 16.53
 16.90
Vorleben 16.44
vorlegen 2.26 13.3
 16.117
Vorlegestange 16.117
vorlesen 13.21
Vorleser 12.33
Vorlesung 7.34 12.33
 13.21 16.33
Vorliebe 9.4 9.11
 11.36 11.53 12.22
 16.41
vorliebnehmen 11.16
vorliegen 5.1
vormachen, blauen
 Dunst 9.13 13.51
 16.72
vormals 6.19ff.
Vormann 16.96
Vormeinung 12.55
vormerken 6.33
 14.9 19.16
Vormerkung 12.39
 14.9 19.16
Vormittag 6.2

Vormund(schaft)
 9.75 16.96ff.
 16.103 19.28
Vormundschafts-
 gericht 16.97 19.28
vorn 3.26 8.13
Vorname 13.16 16.3
vornehm 11.17 11.45
 16.51 16.61 16.91
 19.2
vornehmen, sich 9.14
 9.21 16.33
Vornehmheit 16.61
 16.85
vornehmlich 9.44
Vornehmtuerei 11.49
vorneweg 6.11
Vorort 3.9 4.28 16.2
 16.96
Vorortzug 8.4
Vorparlament 4.17
 16.102
Vorplatz 17.2
vorplaudern 13.51
Vorposten 3.8 3.26
 9.75 13.10 16.74
Vorpostenboot 16.74
Vorpostendienst 9.75
vorragen 7.1
Vorrang 4.51 8.13
 9.39 16.85
Vorrat 4.1 4.17f.
 18.1 18.24f.
Vorräte 4.17
Vorratshaus 4.17f.
 17.1
Vorratskammer
 4.17f.
Vorratsverwalter
 4.29
Vorratszimmer 17.2
Vorrecht 16.24 16.97
 16.119 19.19
 19.22f. 19.25
Vorrede 8.13 14.1
 14.11
vorreden 12.25
Vorredner 13.30
 16.65
vorreiten 16.33
Vorreiter 8.13 9.26
 16.112
Vorrichtung 9.82f.
vorrücken 8.16 9.77
 16.33 16.76
Vorsaal 17.2

Vorsänger 15.13
 20.17
Vorsatz 9.14 19.5
vorsätzlich 9.2 9.14
vorsatzlos 9.3 9.16
vorschicken 16.106
vorschieben 9.73
 16.29
vorschießen 18.16
Vorschlag 9.14f.
 12.5 15.11 15.17
 16.20 16.22
vorschlagen 16.22
 19.27
Vorschlagsrecht 19.19
vorschnell 6.38 9.43
 11.6 11.39 16.90
vorschreiben 9.12
 9.77 12.17 16.29
 16.90 16.95 16.106
 16.108 19.19f.
 19.24 19.32
vorschreiten 4.3
Vorschrift 5.19 13.6
 16.97 16.106 19.19
 20.13 20.16
vorschriftsmäßig
 5.19
vorschriftswidrig
 16.29
Vorschub 9.70
vorschuhen 4.3
Vorschule 12.36
Vorschuß 18.26
Vorschußlorbeeren
 6.38 11.45 12.50
vorschützen 9.13
 13.51
vorschwatzen 12.25
vorschweben 12.22
vorsehen 9.15 11.40
—, sich 9.42
Vorsehung 5.45 9.75
 11.39 20.7
vorsetzen 2.26 16.64
Vorsicht 4.29 9.15
 9.26 9.42 9.75
 11.40 11.43 12.23
 13.10 20.7
vorsichtig 5.38 9.26
 9.42 9.52 11.40
 11.43 12.7 13.10
vorsichtshalber 9.26
 9.42
Vorsichtsmaßregel
 9.26 11.40 13.10

Vorsilbe 4.28 8.13
vorsintflutlich 6.27
Vorsitz 16.96
Vorsitzender 16.96
16.98f.
Vorsorge 4.29 9.26
9.70 12.42
vorsorgen 4.29 9.42
vorsorglich 12.42
Vorspann 9.26 15.9
Vorspanndienste
9.70
Vorspeise 2.26
vorspiegeln 12.25
12.28
Vorspiegelung 9.13
13.51 16.72
Vorspiel 6.11 8.18
14.3 15.12
vorsprechen 8.20
16.64
vorspringen(d) 3.48
Vorsprung 3.48
Vorstadt 3.24 4.28
16.2
Vorstand 16.96
16.98
Vorstecknadel 17.10
vorstehen(d) 3.48
8.13 9.18 16.96
—, seinem Berufe
9.18
Vorsteher 12.33
16.96 16.98f.
16.103f. 20.17
Vorstehhund S. 126
vorstellen 5.17
9.16f. 12.22 14.3
15.1 16.33 16.64
16.85 16.88
—, sich 12.22 13.16
16.38
vorstellig werden
11.36 16.20 16.33
Vorstellung 7.2 9.17
9.26 12.4 12.22
12.28 12.32 12.48
13.1 13.9f. 14.1
14.3 15.9 16.33
16.41
Vorstellungsablauf,
-bewegung, -inhalt
12.4
Vorstellungsverbin-
dung 12.10

Vorstoß 9.21 16.76
vorstoßen 16.76
Vorstrafen 19.11
vorstrecken 18.16
Vorstudien 7.26
12.35
Vortag 6.20
Vorteil 9.46f. 9.52
9.77 9.84 16.57
18.5 18.7 19.2
19.7
vorteilhaft 9.46f.
9.56 9.77 18.5
vorteilsüchtig 19.7
Vortrab 16.74
Vortrag 7.34 12.33
13.21 13.38 15.11
vortragen (Bitte)
12.39 13.21 16.20
16.76
vortrefflich 9.56
9.64 16.85 19.3
Vortrefflichkeit 19.3
vortreiben 9.37
—, Keil 16.76
Vortreppe 3.26
Vortritt 6.11 8.13
16.30 16.87
vorüber 6.19ff. 9.33
9.35
vorübergehen 6.8
7.3 9.19 9.33
Vorübung 9.31
Vorurteil 9.8 12.22
12.33 12.55
vorurteilsfrei 19.18
vorurteilslos 12.52
vorurteilsvoll 12.55
Vorversammlung
16.102
Vorvertrag 9.14
vorwalten 16.95
Vorwand 9.13 12.19
13.51 16.72 19.8
19.13
—, falscher 9.13 19.8
— erlangen, unter
falschem 16.72 19.8
vorwärts 8.16
Vorwärtsbewegung
8.16
vorwärtsdringen 8.16
vorwärtskommen
5.46 9.38
—, nicht 9.55

Vorwärtskommen
9.77
vorweg 6.11
Vorwegnahme 12.41
vorwegnehmen 6.35
vorweisen 13.3
Vorwelt 6.19ff.
vorweltlich 6.27
vorwerfen 16.33
19.12
Vorwerk 16.77
vorwiegen(d) 4.51
5.10
Vorwitz 16.90
vorwitzig 11.45
12.6 16.53
16.90
Vorwoche 6.20
Vorwort 8.13 9.29
14.1
Vorwurf 16.33
16.93 19.12
vorwurfsfrei 19.4
vorwurfsvoll 16.33
Vorzeichen 7.2 12.43
13.1
vorzeichnen 9.15
15.4 16.96
vorzeigen 13.5
Vorzeit 6.19ff.
vorzeitig 6.10 6.35
6.38
Vorzeitigkeit 6.11
vorziehen 9.11
Vorzimmer 17.2
Vorzug 5.9 9.11 9.44
16.31 16.95 16.119
Vorzüge 9.52
vorzüglich 4.51 9.44
9.56
— mit —er Hoch-
achtung 16.38
Vorzüglichkeit 9.48
Vorzugsrecht 16.119
vorzugsweise 4.51
9.11
Votiv 20.16
Votiv = 20.16
Votivfenster 20.16
Votivgemälde 20.16
Votum 9.11 19.27
vox populi 12.22
13.6
vulgär 9.60 11.28f.
16.94

Vulgarität 11.29
11.46
Vulgata 9.31 20.19
vulgo 6.31 13.16
Vulkan 5.36 7.36
9.74
vulkanisch 5.36
—er Tuff 1.26
vulkanisieren 7.45

W

wa? 12.8
Waage 1.2 4.27 7.41
12.12
waag(e)recht 3.12
Waagrechte, die 3.12
Waagschale 19.18
Waare s. Ware
wabbelig 7.50
Wabe 3.49 17.2
Waberlohe 7.36
wabern 8.33
wach 2.37 11.4 12.7
Wachboot 16.74
Wache 9.75 16.74
16.87 16.101
16.117
— stehen 12.7
wachen 2.37 9.75
12.7
Wachen, das 2.37 5.7
Wacholder S. 12
2.28
wachrufen 19.12
Wachs 4.50 7.5 7.38
7.50 7.52f. 15.10
16.110
wachsam 9.42 11.36
11.40 12.7 13.10
Wachsamkeit 9.38
9.42
Wachsbildnerei 15.10
Wachse 1.29
wachsen 2.1 4.3
5.18 5.26 5.46
7.18 8.28 11.8
11.14 11.62 12.13
12.57
— hören, das Gras
12.28
wächsern 7.12
Wachsfigur 15.1

wachsig 7.52
Wachsmalerei 15.4
Wachstum 2.1 4.3
  5.39
wachsweich 7.50
  11.8 16.109f.
Wacht 9.75
Wächte 9.74
Wachtel S. 119 2.27
Wachtelhund S. 126
Wachtelweizen S. 73
Wächter 9.75 13.10
  16.60 16.77 16.101
  19.29
Wächtler 16.60
Wachtmeister 16.74
Wachtposten 16.101
Wachtschiff 8.5
Wachturm 10.15
Wackel 16.56
wackeln 4.50 8.1 8.6
  8.8 8.33f. 11.30
  13.1
Wackelpeter 2.27
Wackeltopf 8.34
wacker 5.35 19.1
  19.3
Wackerkeit 19.1
wacklig 2.25 3.17
  5.7 7.48
Wade 2.16
Wadel 2.16
Wadenzündung
  (Fahrrad) 8.4
Waffel 2.27
Waffe(n) 2.16 9.77
  16.67 16.73f.
  16.80 16.83 16.116
  17.11f.
— rufen, zu den
  13.11 16.73
Waffengang 16.67
  16.70 16.73
Waffengetöse 16.73
Waffengetümmel
  16.67 16.73
Waffengewalt 16.107
Waffenhandwerk
  16.73
Waffenkammer
  17.11
waffenlos 5.37

Waffenrock 3.20
  16.74 17.9
Waffenruhe 16.48f.
Waffenschmied 16.60
Waffenschmuck
  17.11
Waffenstillstand
  16.48f.
Waffentat 16.84
waffnen 5.35 17.11
wägbar 1.20 12.12
Wag(e)hals 11.39
Wagemut, wage-
  mutig 11.38
wagen 5.2 9.16 9.28
  9.74 11.38f. 16.56
  16.93
wägen 5.1 11.40
  12.3 12.12 13.10
Wagen 1.2 8.3f. 8.7
  9.45 9.49 16.6
  16.31 18.25
Wagenburg 16.77
Wagendach 8.28
Wagenführer 8.4
Wagengeschirr 17.15
Wagenheber 17.16
Wagenladung 4.1
Wagenpferd 8.3
Wagenschlag 3.57
wagerecht 3.12 3.14
Wagestück 9.28 9.74
  11.38
Waggon 8.4
waghalsig 9.74
  11.38f.
Wagner 16.60
Wagnis 9.16 9.21
  9.28 9.74 11.38f.
Wähen 2.27
Wahl 9.2f. 9.11 9.55
  16.102f.
—, freie 16.102
— lassen, keine 9.3
—, unangenehme
  9.55
wählbar 9.11
wahlberechtigt 9.11
wählen 9.11

wählerisch 9.11 10.12
  11.19 11.27
—es Wesen 10.12
Wählerschaft 12.25
Wahlkampf 16.21
  16.102
Wahlrecht 9.11
Wahlspruch 12.17
  12.22 13.1 13.20f.
  14.2 14.9 20.1
Wahlstätte s. Wal-
  statt
Wahlunfähigkeit 9.51
Wahlversammlung
  9.11 16.102
wahlverwandt 5.17
  13.44
Wahlverwandt-
  schaft(en) 5.17
  16.40
Wahn 3.5 4.26 9.8
  12.12 12.24f.
  12.28 12.34 12.46
  12.55 12.57 13.51
Wahnbegriff 12.28
Wahnbild 12.25
  12.27 13.51
wähnen 12.22 12.24
  12.28
Wahngebilde 3.5
  12.28
wahnschaffen 12.57
Wahnsinn 11.5
  12.37 12.56f.
wahnsinnig 4.50 11.5
  12.57
Wahnsinniger 12.19
Wahnvorstellung
  12.57
wahnwitzig 12.57
wahr 5.1 5.6 6.21
  9.56 11.1 11.46
  11.53 12.26 13.16f.
  13.28f. 13.49
  16.41 19.1 19.3
wahren 9.52 13.48
  16.30 16.38 16.61
  16.85 18.5 18.7
während 6.1 6.7
  6.13
währenddessen 6.13
  6.15
wahrhaft 4.50 12.47

wahrhaftig 5.6 11.30
  12.26 12.47 13.49
Wahrhaftigkeit 13.49
Wahrheit 5.1 5.6
  11.46 12.26 13.49
  13.51 14.2 16.33
  16.35 20.1 20.7f.
—, nackte 11.46
Wahrheitsfanatiker
  13.49
wahrheitsgemäß
  12.26 19.24
Wahrheitsliebe 13.49
  19,1
wahrheitsliebend
  19.1
wahrlich 4.50 5.6
  12.26 12.47
wahrnehmen 7.1
  9.18 10.15f. 10.19
  11.4 12.20 12.26
Wahrnehmung 7.1
  9.75 10.1 10.15
  10.19 11.4 12.4
  12.7 12.20 12.32
  13.28
Wahrsagekunst
  12.43
wahrsagen 12.43
  20.12
Wahrsager 12.43
  16.60 20.12
Wahrsagung 12.43
wahrschau 13.10
wahrscheinlich 5.2
  5.4 5.24 6.23f.
  11.35 11.41 12.22
  12.24 12.41
Wahrscheinlichkeit
  5.4f.
Wahrspruch 12.17
  13.20 19.27 19.31
Wahrung 16.77
Währung 18.21
Währwolf s. Wer-
  wolf
Wahrzeichen 9.75
  13.1 13.46
Waidag 16.33
Waidlöffel 2.16
Waidmesser 17.11
Waikiki 17.9
Waise 5.37 14.2 16.9
Waisenknabe 4.52
  5.37

Waisenhaus 2.40
9.76
Waisenmarter 2.48
Waisenvater 11.51f.
Wal S. 127
Wald 1.13 2.1f. 2.5
2.34 4.12 12.27
16.27 18.1
— und Busch, in 3.1
3.7
— und Heide 3.1
Wald- und Wiesen-
9.59
Waldbeere 2.27
Waldbruder 16.52
Waldeinsamkeit 7.28
Waldemar 16.3
Waldenser 20.1
Waldesel 4.50
Waldesruh 9.36
16.64
Waldfrevel 19.20
Waldgott 20.7
Waldhorn 15.15
Waldhüter 16.101
waldig 2.2
Waldkapelle 2.48
20.20
Waldkreuz 2.48
Waldmann S. 126
16.60 20.5
Waldmännchen 20.5
Waldmeister S. 77
2.28 16.60 16.64
Waldnymphe 20.7
Waldpartie 15.4
waldreich 2.2
Waldschlag 2.48
Waldschloß 16.52
Waldschmidt 16.60
Waldstück 15.4
Waldteufel 20.9
Waldung 2.2 2.5
Waldwind 1.6
Walfisch 1.2 4.1f.
wälgern 4.8 4.11
Walhalla 2.45 20.10
walk, Lambeth
16.58
walken 19.32
Walküre 4.2
Wall 3.23ff. 8.11
9.76 16.77 17.14

Wallach S. 128 2.7
16.60
wallen 5.36 7.35 7.55
7.59 8.1 8.8 8.33f.
11.53 11.62 16.6
19.3
wallend 7.59 11.6
11.31 11.58 16.31
Waller 16.6
Wallfahrer 16.6
Wallfahrt 16.6 20.16
wallfahrten 16.6
Wallfahrtsort 20.20
Wallfahrtsbrettle
17.9
Wallung 3.38 8.33
9.1 9.10 10.21
11.3 11.5 11.31
11.36 11.58
Wallwurz S. 70
Wally 16.3
Walnuß S. 28 2.27
Walplatz 16.75
Walroß S. 126 4.10
Walstatt 2.46 5.42
16.75
walten 5.1 9.18
16.95 16.119 19.18
20.1
— lassen 9.19 9.41
16.109
Walten 5.45
Walter 16.3 16.99
Waltraut 16.3
Walze 3.46 3.50 9.31
11.26 16.6 17.16
walzen 3.11f. 8.1
16.58
wälzen 8.9 8.32
19.12
—, sich 7.55 11.22f.
11.33 16.114
walzenförmig 3.50
Walzer 15.11 16.55
16.58
Wälzer 4.2 4.10
13.43 14.11
Walztag 16.8
Wämmert 4.10
Wampe 2.16
wampen 2.26
wampet 4.10
Wampse 2.16
Wams 3.20 17.9
wamsen 19.32

Wand 3.11 3.13f.
3.21 3.23ff. 4.12
4.34 4.50 9.8
9.73 10.19 11.39
11.42 16.68 16.84
20.5
—, spanische 7.6 13.4
Wanda 16.3
Wandale 5.42
Wandarm 7.5
Wandbekleidung
3.21 15.7 17.10
Wände, vier 3.3
3.19 11.31 16.1
Wandel 5.24 8.1
9.18 9.25 16.6
20.1
wandelbar 5.25 6.8
9.7 9.9
Wandelbarkeit 5.18
6.8 9.7 9.9
wandeln 8.1 11.25
16.6 19.1f. 19.10
20.1 20.4
—, sich 5.24 8.1
wandelnd 12.32
Wandelstern 1.2
Wandelung 20.16
Wanderer 16.6
Wanderjahre 9.26
12.35
Wanderlied 15.11
15.13
wandern 3.4 8.1 8.18
8.22 16.6 16.56
Wanderprediger
20.22
Wanderpreis 9.77
17.10
Wanderredner 16.21
Wanderschaft 16.6
Wanderschaftstag
16.8
Wandersmann 16.6
Wandertag 16.8
Wandertruppe 14.3
Wanderung 5.19 16.6
Wanderwoche 16.8
Wandgerüst 17.2
Wandlung 5.24
20.16
wandlungsfähig
12.52
Wanduhr 6.9
Wange 2.16 3.29

Wangenkneifen,
Wangenstreicheln
16.32 16.43
Wankelhaftigkeit,
Wankelmut 5.25
9.7 9.9f.
wankelmütig 3.38
5.25 6.8 9.7 9.9
wanken 5.25 8.33
11.38
Wanken, kommen,
ins 16.83
wann 12.8
Wanne 2.5 8.6
16.74a. 17.6
wannen 1.22
Wannung 1.22
Wanst 2.16 4.10
10.11
— vollhauen, den
2.26
Wanze S. 98 2.41
4.33
Wanzenvertilgungs-
mittel 16.33
Wappen 3.26f. 13.1
14.9 16.9 16.56
16.86 17.10
Wappenbild 13.1
Wappenkönig 16.67
16.70
Wappenschild 13.1
16.86f.
Wappenseite 3.27
Wappenspruch 14.9
wappnen 5.35 9.26
16.73 17.11
war, es — einmal
6.19
—, das — einmal
18.15
Ware 1.22 5.39
9.56 18.1 18.17
18.24
Warenhaus 18.23
18.25
Warenvorrat 4.17f.
Warf 1.16
warm 5.36 7.35
7.54 11.4f. 11.50
16.41 16.117
— sitzen 5.46
Warmbier 7.54
Wärme 7.35 11.51f.
13.41

Wärmeausstrahlung
7.35
Wärmeentziehung
7.40
Wärm(e)flasche 7.35
9.26 17.6
Wärmegrad 7.35
Wärmelehre 7.35
wärmelos 7.40
Wärmemesser 7.35
12.12
wärmen 7.35f.
Wärmeplatte 7.37
Warmes, etwas 2.26
Wärmeübertragung
7.35
warmhalten, sich
jemanden 16.115
warmherzig 11.52
Wärmung 7.35
Warmwasserspeicher
17.6
Warnbrief 13.2
Warndienst 13.10
warnen 9.17 12.43
13.10f.
Warner 9.17 12.42
13.1 13.10 19.24
Warnruf 13.11
Warnschild 13.10
Warnung 9.17 12.43
13.2 13.9ff. 16.33
.16.68
Warnungstafel 13.10
Warnungszeichen
9.74
Warp 1.16
Wart 3.58 9.75 16.99
16.101
Warte 10.15f. 13.10
16.77
Wartefrau 9.75
Wartegeld 18.26
warten 2.8 2.10 2.44
3.5 6.6f. 6.23ff.
9.7 9.24 11.40
12.41
— lassen, auf sich
6.36
Wärter 16.60 16.101
16.112
Wärterin 9.75 16.112
Wartesaal 16.6 17.2
Wartezimmer 17.2
-wärts 8.11
Wartturm 13.10

warum 5.31 9.12
12.8 13.29 16.27
Warze 2.41 3.48
11.28
Warzenstein 7.48
warzig 3.55 11.28
was 5.8 5.12 11.30
12.8 13.28 19.18
19.21
Waschbär S. 126
17.9
Waschblau 7.21
Wäsche 9.66 17.9
Wäscheboden 17.2
waschen 7.57 9.66
9.78 19.25
—, den Kopf 16.33
—, sich 4.50 16.27
Wäscherin 16.60
Waschfrau 16.60
Waschkommode
16.33
Waschküche 1.7 7.10
17.2
Waschlappen 11.43
Waschleder 4.50
Waschraum 2.35
Waschschüssel 17.6
Waschweib 13.5
13.22
Waschzettel 16.31
Wase(n) 1.13 16.9
Wasenmeister 2.46
Waserl 11.50
Wasser 1.25 1.28
2.30 2.35 2.47 4.50
4.52 7.8 7.54f. 7.60
8.34 9.6 9.17 9.19
9.40 9.48 9.52 9.70
9.73 9.77f. 11.8
11.25 11.33 11.38
11.48 13.33 16.115
18.12 19.33
— abgraben, einem
das 9.73 16.71
19.9
— gehen, durch
Feuer und 16.41
—, fließende(s) 7.56
— herunterlaufen
2.35
— in den Fluß
schöpfen 4.22
— gewaschen, mit
allen —n 12.53

Wasser, Steine flach
über — werfen
16.56
—, stilles 13.51
—, vom reinsten 9.56
9.64 12.26
Wasserader 7.55
wasserarm 7.58
Wasserball 16.57
Wasserbruch 2.41
Wasserbütte 20.5
Wässerchen 13.51
19.4
wasserdicht 3.58 7.58
9.75
Wasserdichtigkeit
3.58
Wasserdoktor 2.44
Wasserfall 7.55 8.30
Wasserfarbe 7.4 7.11
Wasserfläche 4.13
Wasserflugzeug 8.6
Wassergefahr 9.67
Wasserglas 1.28 4.33
Wassergott 20.7
Wassergrandl 17.6
Wasserhöhe 3.12
3.14
Wasserhose 4.12 8.32
wässerig 7.54 7.57
7.69 9.65 11.36
13.42
Wässerigkeit 7.54
Wasserjungfrau
20.5f.
Wasserkante 1.16
16.7
Wasserkopf 2.41
4.10 12.56f.
Wasserkraft 7.55
9.82
Wasserkunst 7.55
Wasserkur 2.44 11.12
Wasserleitung 7.56f.
Wasserloch 1.16
Wassermann 1.2
Wassermesser 12.12
Wassermutter 20.5
wassern 8.20
wässern 7.23 7.55
7.57
Wassernymphe 20.7
Wasserpfanne 17.6
Wasserpfeife 2.34

Wasserpocken 2.41
Wasserprobe 12.9
19.27 20.2
Wasserrecht 3.12 3.14
Wasserscheide 3.12
3.33
wasserscheu 11.43
Wasserscheu 4.22
11.28
Wassersnot 7.55
9.74
Wasserspeier 15.7
Wasserspiegel 3.51
Wasserspiele 7.55
Wassersport 16.57
Wasserstand 4.15
Wasserstation 4.18
Wasserstoff 1.24 7.60
Wasserstoffbombe
17.13
Wasserstoffsuper-
oxyd 1.28 7.19
Wasserstrahl 11.8
Wasserstraße 8.11
Wassersucht 4.22
wassersüchtig 4.1 4.10
Wassersuppe 7.54
7.69
Wassertreten 16.7
Wassertrinker 11.12
Wasseruhr 6.9
Wasserwaage 3.12
7.54 12.12 17.15
Wasserweg 4.33 7.56
Wasserwind 1.6
Wasserzeichen 7.3
13.1
Wastl 19.29
waten 2.46 7.57 8.1
16.7 16.73
Waterproof 7.58
Watsche 16.78
watscheln 8.8
Watschenbaum 2.16
Watt 1.19 4.15 5.35
17.17
Watte 2.44 3.20
7.27 7.50
Watten 1.18
wattieren 3.21
wattiert 4.10 11.43
Wattierung 3.21 7.27
Watz S. 127 4.10
Wauwau S. 126 7.33
11.42 16.53 16.108

weben 1.6 3.15 3.17
4.25 5.1 5.26 5.39
17.8
Weber 16.60
Weberdistel 3.53
Weberei 9.23 15.4
17.8
Webstoff 4.11 17.8
Webstuhl 3.15 3.17
17.3 17.8
— der Zeit, am
sausenden 6.8
Webware 18.24
Wechsel 3.3 3.36 5.18
5.21 5.24 6.13 6.31
8.11 8.17 9.7 9.10
9.71 16.23 18.16f.
18.19ff. 18.26
18.30 19.16
Wechselaussteller
18.17
Wechselbalg 5.28f.
9.78 11.28 20.5
Wechselbeziehung
9.71
Wechselchor 13.26
20.16
Wechselfälscher
18.8
Wechselgesang 13.26
15.11 15.13 20.16
Wechselgesetz 19.19
Wechselheirat 16.11
Wechselkredit 18.16
wechseln 3.3 5.11f.
5.19 5.21f. 5.24f.
8.1 16.8 16.38
16.73 19.11
—, Briefe 14.8
—, die Farbe 11.4
—, die Gesinnung
9.9
wechselnd 5.25
Wechselneigung
11.53
Wechselrecht 19.19
Wechselreiter(ei)
18.8 18.17 18.21
18.30
Wechselschluß 12.14
12.29
wechselseitig 5.28
8.26 9.71 18.20

Wechselseitigkeit
9.77
Wechselstempel 18.30
Wechselstrom 17.17
Wechselstube 18.30
Wechseltag 16.8
wechselvoll 5.22
wechselweise 6.12
18.20
Wechselwirkung
9.71
Wechsler 18.5 18.30
Weck 2.27
wecken 2.37 11.5
11.50 12.7
Wecker 13.1
Weckglas 17.6
Wedekind 10.21
Wedel 1.6 2.3 2.16
wedeln 3.17 8.33
16.32
Wedemeier 16.60
weder ... noch 9.3
9.59
Wederwäk 16.8
wees mersch? 5.7
weeß Gneppchen
12.26
·weg 2.33 3.4 3.8 3.16
4.7 4.26 4.50 8.18
8.24 11.5 11.8
11.46 11.53 16.6
18.15
—, Hände —! 13.10
Weg 2.41 2.48 3.8
3.57 4.25 4.33f.
5.4 6.11 7.42 8.11f.
8.16 8.18 8.25
9.3 9.8 9.12 9.15
9.18 9.20f. 9.25f.
9.31 9.34 9.53ff.
9.57 9.70 9.72ff.
9.77 9.79 9.85
11.32 11.53 11.59
12.9 12.32f. 16.96
16.106 16.109
18.19 19.1 19.3
19.5f. 19.10f. 19.17
19.27 20.8 20.16
— alles Fleisches
gehen, den 2.45
—e gehen, seiner
16.6
Wegbereiter 9.26

wegbleiben 2.39 2.45
3.4 11.30
wegbringen 8.18
wegbuchen 18.18
Wege 9.21 9.24 9.29
9.35 9.69 9.73 9.82
9.85 19.8
—, auf halbem 9.4
16.64
—, aus dem 9.77
— gehen, aus dem
16.36 16.52
— kommen, in die
9.72
—, krumme 8.12
19.8 19.10
— liegen, im 9.73
— sein, im 9.73
— stehen, im 9.73
Wegelagerer 18.9
wegelagern 18.9
Wegele(r) 16.60
wegen 5.24f. 5.31
9.12 9.14
Wegenge 3.10 4.9
Wegerich S. 76
Wegfall 4.30 9.19
wegfallen 4.30 9.41
wegfegen 3.4 5.29
5.42 8.18
Weggang 3.4 8.18
8.24
weggehen 8.18
weggekommen 18.4
weggerissen 2.46
weggeschleppt 11.53
weggeschwommen
18.15
weghauen 4.7
wegjagen 4.49
Wegkapelle 2.48
wegkehren 3.4
wegknapsen 4.30
wegkommen 4.52
18.15
Wegkreuz 2.48
weglassen 4.49
Weglassung 4.23
weglegen 8.18
Wegler 16.60
wegloben 16.105
weglos 9.55
wegmachen 2.26
—, sich 8.18

Wegnahme 18.6
18.15
wegnehmen 4.23
4.30 18.1 18.6
18.15
wegpraktizieren 18.5
18.9
wegprügeln 9.8
wegräumen 3.4 4.30
8.24 9.54 18.6
Wegräumung 8.3
wegrutschen 10.10
wegschaffen 8.24
18.6
Wegscheide 8.22
wegscheren 4.30
—, sich 8.18
wegschicken 16.105
wegschieben 3.4
wegschleppen 18.6
wegschmeißen 18.14
wegschnappen 18.6
wegschwemmen 3.4
wegsehen 16.36
wegsetzen 11.9
wegstehlen 9.24
Wegstein 2.48
wegstellen 8.18
wegsteuern 18.6
wegstibitzen 18.9
wegstoppen 2.26
wegstreichen 4.30
wegtragen 8.18
Wegtreibung 8.18
Wegwarte S. 88
wegweisend 9.44
Wegweiser 2.16 5.18
8.11 9.25 13.1 13.9
16.6
wegwerfen 3.4 9.19
9.85 11.55
wegwerfend 9.36
11.44 16.90
wegwischen 7.3 7.58
Wegzehrung, letzte
20.16
wegziehen 4.30
weh 2.41f. 9.55
11.13f. 11.33
Weh 9.40 11.13 11.33
wehe 11.14 16.37
16.68
Wehe 16.42
wehen 1.6
Wehen 2.21 11.28
Wehfrau 2.44 16.60

Wehgeschrei 11.32
Wehklage 11.32f.
  11.50
wehklagen 11.33
wehleidig 11.7 11.43
Wehmut 11.32
wehmütig 11.32
Wehmutter 2.21 2.44
Wehr 7.56 9.73
  9.75f. 16.77 17.14
-meldeamt 16.74
-paß 16.74
-pflicht 16.74
Wehrdienst 16.74
wehren 9.73
—, sich 9.5 9.72
  16.65 16.77
Wehrertüchtigung
  16.57
Wehrgang 8.11
wehrlos 5.37 9.74
Wehrlosigkeit 5.37
  9.74
Wehrmacht 16.74
Wehrschach 16.56
Wehrschaft 4.33
Wehrstand 16.91
wehrufen 11.33
wehrwirtschaftliche
  Anlagen 16.76
Wehschisser 2.41
Wehstand, Eh- und
  16.11
wehtun 2.45 11.14
Weh-Weh 2.42
Wehwehchen 11.13
wei 11.33
Weib 2.15 11.43
  11.56 16.11 16.73
Weibchen 2.15 11.53
Weibel 19.27 19.29
Weiber 16.91
Weiberfeind 11.63
  16.12 16.50
Weibergeschwätz
  16.33
Weibergewäsch 16.35
Weibergezänk 16.67
Weiberhasser 16.12
Weiberknecht 16.115
Weiberpritscher 20.5
Weiberregiment
  16.95 16.97
Weiberwirtschaft
  3.38

weibisch 2.15 5.37
  11.43
weiblich 2.15 12.19
Weibliche, das Ewig-
  2.15
Weiblichkeit 2.15
Weibsbild 2.15 7.50
  10.21
Weibsmensch 2.15
Weibsstück 2.15
weich 3.37 3.52 3.54
  5.8 7.50 9.7 9.12
  9.17 9.54 11.50
  12.57
Weichbild 1.15 3.1
  3.9 3.24
Weiche 2.16 3.29
  4.37 4.45 7.50
  8.12
—, das 2.27
—, NN-Weiche 2.48
weichen 4.5 8.17f.
  11.38 16.41 16.83
Weichheit 3.54 7.50
  9.7 9.17
weichherzig 11.50
  11.52 12.25
Weichherzigkeit
  11.50
weichlich 7.50 11.7
Weichlichkeit 11.11
Weichling 5.37
  11.11 11.43
weichmütig 11.50
Weichsel S. 49
Weichselzopf 2.41
Weichtiere S. 98
Weide S. 28 1.13
  2.26 4.18 7.61
  7.65 11.32
weiden 2.26 16.38
—, sich 11.9
Weiderich S.
Weidewek 16.8
weidli 8.7
weidlich 4.50
Weidling 8.5
Weidloch 2.16
Weidmann 2.12
  16.60
Weidmesser 17.11
Weidner 16.60
Weidsack 2.16
Weidwerk 2.12
Weieweek 16.8

weigern 19.25
—, sich 9.5 12.48
  16.65 19.25
Weigerung 12.48
  13.29 16.27
Weihbischof 20.17
Weih(e) S. 115f.
Weihe 16.85f. 20.1
  20.11 20.13
  20.15f. 20.18
—, geistliche 20.16
weihen 9.84 18.12
  19.32 20.1 20.13
  20.15f.
Weiher 1.18
weihevoll 16.85
  20.1
Weihgehänge 20.18
Weihgesang 20.16
Weihgeschenk 20.16
Weihkelch 20.20
Weihkessel 20.16
Weihnachten 20.16
Weihnachtsbaum
  13.1
Weihnachtsmann
  2.16 20.6
Weihöl 20.16
Weihrauch 7.53 7.63
  11.45 16.31f.
  20.16
Weihrauchfaß 20.21
Weihrauchstreuer
  16.32
Weihrauchwolken
  16.31
Weihtag 16.8
Weihung s. weihen
Weihwasser 20.16
Weihwasserkessel
  20.21
Weihwedel 20.21
weil 5.28 5.31 9.12
  12.15 12.29
weiland 2.45 6.19ff.
Weile 6.1 6.9 6.15
weilen 3.3 5.19 8.8
  20.10
Weiler 16.2
Wein S. 57 2.31
  7.54 11.46
— einschenken, rei-
  nen 12.26 13.10
  13.49
—, heiliger 20.16

Wein, moussierender
  7.54
—, voll süßen —es
  2.33
Weinbau, Weinbauer
  2.5 16.60
Weinberg 2.5 16.111
weinblind 2.33
Weinbrand 2.31
Weinbruder 2.32
weinen 7.34 11.32f.
Weinen 4.50
weinerlich 11.7
weinfarben 7.19
Weinfaß 2.32
Weingeist 1.29 7.54
Weinhaus 16.64
Weinhefe S. 9 2.31
Weinheber 3.43
Weinkauf 19.14
Weinlaune 2.33
Weinmonat 6.9
weinrot 7.17
weinselig 2.33
Weinstein 1.29
Weinstock 2.2f.
Weinstube 2.31 16.64
Weintag 16.8
Weinverehrer 2.32
Weinwaage 7.54
Weinwoche 16.8
weischen 2.5
weise 2.21 2.44 12.52
  16.60
Weise 5.3 5.8 5.11
  7.10 7.12 9.6 9.24f.
  9.31 9.55 14.2
  15.11
weisen 8.11 11.31
  11.59 13.3 16.52
  16.67f. 19.5
—, von sich 16.27
  16.36
Weiser 11.8 12.52
  12.54 13.1
Weisheit 2.25 9.52f.
  11.45 12.11 12.17
  12.52 20.7
— auf der Gasse
  12.17
Weisheitszahn 2.16
weislich 12.7 12.52
weiß 2.16 2.27 4.50
  5.20 5.23 6.29 7.13
  11.42 12.8 16.64
— Gott 12.26 13.28

weiß, was sich schickt
16.38
—, wer 12.23
— zu leben 11.11
weissagen 12.43
Weissager 20.12
Weissagung 12.43
20.12
Weißbier 2.31 7.54
Weißbinder 15.4
16.60
Weißbleier 1.25
Weißbluter 2.46
16.83
Weißbrot 2.27
Weißbuch 4.17 14.9
Weißdorn S. 48
Weiße 7.12f.
weißeln 7.13
weißen 7.13
Weißfisch 2.27
Weißgerber 16.60
Weißglut 7.35f.
11.31
Weißgold 7.13
weißgrau 7.15
weißhaarig 2.25
Weißkraut 2.27
weißlich 7.13
Weißling S. 9; 95f.
2.27 10.17
Weißpfeffer 2.27
Weißsauer 2.27
Weißware 18.24
Weißwarenhändler
18.23
weißwaschen 7.13
19.13 19.30
Weißwurst 2.27
Weistum 19.19
Weisung 13.9 16.106
weit 3.1 3.7f. 4.2
4.8 4.50f. 5.3
11.5 11.53 11.59
12.10 12.41 13.22
13.29
s. Weite, weiter
weitaus 4.50f.
weitbeschreit 16.85
Weitblick 12.54
Weite 2.22 3.1 3.8
4.1 4.8 4.13 8.18
12.54 16.118
weitem, bei 4.50
weiten 4.3 4.8 12.54

weiten, sich 4.3
weiter 4.22 4.50 6.7
6.32 6.34 8.16 8.26
9.30
— bestehen 6.7
— Geist 12.54
— Horizont 12.52
weiter- 6.34
Weiterentwicklung
4.3
weiteres, ohne 9.6
16.24
weitergeben 13.6
weiterkönnen, nicht
9.55
weiterleben 6.7
weitern, des 4.22
13.22
weiters 4.28
weitertragen 13.6
Weiterungen 19.27
weiterverbreiten 13.6
weitgehend 4.50
weitgereist 12.32
weithertragen 8.3
weitherzig 16.109
19.2
weitläufig 3.1 9.53
weitreichend 4.2
16.95
weitschweifig 9.80
11.26 13.22 13.43
weitsichtig 10.15
10.17
Weitsichtigkeit 10.17
Weitsprung 16.57
weitverzweigt 4.2
Weixel 2.27
Weizen S. 18 4.34
weizengelb 7.19
Weizenklepper 20.5
Weizenkasten 2.5
welche 4.17
Welgerholz 3.52
welgern 8.30
welk 2.25 2.39 7.12
7.58
Welke 2.25 4.5
welken 2.25 4.5
5.25 6.8 7.12 7.58
9.33 9.61
Welle 1.6 1.18 3.46
3.50 4.12 4.17 6.18
7.55 8.32f. 9.30
9.75 9.77 12.22
17.16f. 18.26

wellen 3.46
Wellenbewegung
8.33
Wellenbrecher 1.16
Wellenform 3.46
Wellenlinie 3.46 8.32
Wellenreiter 9.52
Wellensittich S. 124
5.18
wellig 3.46
Wels S. 100 2.27
Welschen, bei den
2.48
welsches Süpplein
geben, ein 2.43
Welt 1.1 1.3 2.13
2.21 3.1 4.3 4.33
5.1 5.21 5.30 9.21
9.78 11.14 11.30
11.32 11.55 16.31
16.51f. 16.61f.
16.85 16.91f. 18.7
20.4 20.8 20.10
20.15 20.22
— bringen, zur
2.21 5.39
—, böse 16.35
— der Arbeit 5.39
—, künftige 20.1
—, Neue 16.64
—, nicht um die
16.27
—, nicht von dieser
20.1 20.7
— schaffen, aus der
5.29 5.42
—, von 4.20
—, wie sie auf die —
gekommen 3.22
weltabgeschieden
4.34
Weltall 1.1 4.33
Weltalter 6.1
Weltangst 11.42
Weltanschaute 12.57
Weltanschauung 11.2
12.3 12.22 20.1
Weltball 1.1
weltbekannt 13.6
weltberühmt 16.85
weltbewegend, nicht
9.59
Weltbrand 16.73
Weltbummler 16.6
Weltbürger 2.14
11.51 12.54

Weltbürger, junger
2.21
weltbürgerlich 12.54
Weltenbrand 16.73
Weltende 6.23ff.
Weltenjahr 6.1
Weltenraum 1.1 4.50
Weltenschoß 4.40
weltenweit 3.1
Weltergewicht 7.41
Welterlöser 20.8
Welteroberer 11.39
welterschütternd 9.44
Weltfeind 11.63 19.9
weltfremd 12.37
12.56 16.52
Weltfriede 16.48
Weltganzes 1.1
Weltgebäude 1.1
Weltgeistlicher 20.22
Weltgeschichte 11.24
11.30
weltgeschichtlich 9.44
weltgewandt 16.61
Weltgewandtheit
16.38
Weltgürtel 3.24
Weltkenntnis 9.52
16.61
Weltkind 10.21 11.11
20.3 20.22
weltklug 9.52 12.52
Weltkörper 1.1 1.15
7.5
Weltkreis 1.1
Weltkrieg 16.73
Weltkugel 1.1
Weltleben 16.61
weltlich 20.3 20.22
—er Stand 20.22
Weltmann 9.52 12.52
16.38 16.61f.
weltmännisch 16.38
Weltmeister 9.77
16.85
Weltreich 16.19
Weltrekord 16.57
Weltruf 16.85
Weltruhm 16.85
Weltschmerz 9.7
11.13 11.31f.
Weltsinn 11.11 20.3
Weltstadt 16.1f.
weltstädtisch 16.1
Weltsystem 1.1
weltumfassend 1.1

Weltumsegelung 16.7
Weltuntergang 5.29
5.42
Weltverächter 11.63
Weltverbesserer
12.28
Weltweisheit 12.32
Weltwunder 5.14
5.20 9.52 12.52
Wende 5.24
Wendehals 19.8
Wendekreis 1.11
Wendelin 16.3
Wendeltreppe 3.46
8.11 8.32
wenden 2.5 5.19 5.23
8.11f. 8.17 8.32
9.42 9.58 19.20
19.27 20.13
— auf 12.7
—, die Scholle 2.5
—, sich 5.20 5.24f.
5.27 5.30 8.12 8.17
9.20 12.48 16.20
—, sich — an 16.20
—, sich zum Besten
5.46 9.77 11.26
11.41
Wendepunkt 3.33
5.13 5.19 5.23f.
5.27 5.30 6.4 6.35
9.35 9.44 9.74
Wendung 5.11 5.13
5.24 5.30 5.44 6.35
8.11 8.17 8.32 9.6
9.9 9.55 9.77f.
12.46 13.20 13.36
14.2 19.13
wenig 4.4 4.19 4.24f.
6.29 11.44f. 13.4
18.4
weniger 4.5 4.30
4.52
Wenigkeit 4.19 4.24
—, meine 16.3
wenigstens 4.41
13.28
wenn 5.2 5.23 5.32
6.1 6.13 6.16 9.60
12.15 13.50 16.65
— nötig 9.81
— schon 9.45
wenngleich 5.23
Wenzel 16.3

wer 4.41 4.50 5.2
12.8 12.23 13.10
18.3
— weiß wie 4.50
Werbefachmann
16.21
Werbefeldzug 16.21
werben 9.21 11.36
11.53 16.10 16.21
16.42f.
Werben 16.21
Werber 11.53 16.21
Werbetätigkeit 16.21
Werbewoche 16.21
Werbung 16.21
16.23
Werdegang 4.3 5.26
5.31
werden 2.44 4.3 5.4
5.8f. 5.24 5.26
6.23 9.77 12.49
16.91
Werden 5.31 6.23
9.27
Werder 1.16
Werfche 2.31
werfen 2.21 4.12
5.16 8.9 8.34 9.14
9.20 9.33 9.49
9.85f. 11.32 11.36
11.41 11.53 12.7
16.76 16.84 16.90
16.105 18.23 19.10
19.27
—, Flinte ins Korn
5.37
—, in einen Topf
3.38
—, sich 8.17 11.17
16.20 16.76 17.10
—, sich in die Brust
11.48 16.69
—, um sich 6.31
13.21
Werft 1.16 3.15 3.17
8.5 9.23 17.8
Werfte s. Werft
Werg 7.50
Wergeld 16.80f.
19.26 19.32
Werk 5.25f. 5.34
5.39 9.18 9.21ff.
9.35 9.40 9.46
9.55 14.1 14.11
15.1 15.4 19.3

Werkarbeit 5.39
werkeln 9.38
werken 9.18
Werkerei 17.15
Werkführer 9.22
16.96 16.98
werkheilig 20.14
Werkmeister 16.96
16.98
Werkpilot 8.6
Werkstatt 5.39 9.23
15.1 15.4 17.2
17.15
Werkstätte 9.23
Werkstudent 12.35
werktätig 9.22
Werktätiger 9.22
Werkzeug 3.57 9.83
16.112 17.15
Wermut S. 84 2.31
7.68 10.9 11.14
Wern 2.41
Werner 16.3
Werre S. 94
wert 9.45 11.17
11.53 18.5
Wert I.17 9.44ff.
9.49 9.56 9.81
11.36 11.45 16.36
18.21 18.29 19.3
Wertangabe 14.8
14.11
Wertbestimmung
12.20 12.49
Wertbrief 14.8 14.11
Werte 9.18 16.121
18.30
werten 12.12 12.49
werter 11.58
wertfrei 12.14
werthalten 16.31
16.34
Werther 11.6
Wertherstil 15.1
wertlos 9.45 9.49
9.60
Wertlosigkeit 9.45
Wertpaket 14.8
Wertpapier 18.21
18.30
Wertsachen 18.1
Wertschätzung 16.30
16.85
Werturteil 12.11

wertvoll 9.44 9.56
19.1
Wertvorzeichen
11.10
Werwolf 11.38 11.42
20.5
—, wie ein 4.50
wesche (bad.) 8.9
wesen 5.1 5.26
Wesen 1.20 2.8 2.15
2.17 3.3f. 5.1 5.8
5.10 5.16 9.43f.
11.1f. 11.29 11.31
13.51 16.52 16.90
18.7 20.6f.
—, erkünsteltes 13.51
—, erzwungenes
13.51
—, gespreiztes 16.89
—, gesuchtes 13.51
—, himmlisches 20.7
—, inneres 5,2
—, schnödes 16.34
—s, viel
— machen 9.44
11.45
wesenhaft 5.9
Wesenhaftigkeit 5.1
Wesenheit 1.20 5.2
5.10
wesenlos 4.26 9.45
13.29 20.5
Wesenlosigkeit 13.29
Wesensart 5.8 11.2
wesensfremd 5.21
Wesensgefüge 5.8
Wesenslehre 5.1
Wesensschau 12.30
wesentlich 5.2 5.10
9.44 9.81 12.26
Wesentlichkeit 1.20
5.1
weshalb 5.31 12.8
13.25
Wesir 16.97f. 16.104
Wespe S. 97
Wespennest 9.74
9.78 11.14 16.80
Wespentaille 4.11
West(en) 1.6 1.12
3.29 6.4
Westentasche 2.41
4.4
Weste 2.31 3.20 17.9
westlich 1.12 3.29

weswegen 5.31
Wettbewerb 16.57
  16.65 16.70
Wettbewerber 16.65
Wette 8.7 9.16 18.30
Wetteifer 16.57
wetteifern 9.21 9.56
  16.57 16.85
wetten 5.6 9.16
Wetter 1.4 2.20
  16.82
—, schlagende 7.29
  7.60
—, Wind und 1.6
Wetterecke 19.13
Wetterfahne 5.18
  5.25 9.7 9.9 9.52
  19.8
Wetterflieger 1.4 8.6
Wetterglas 12.12
Wetterhahn 9.9 19.8
Wetterhaufen 2.5
Wetterkreuz 2.48
Wetterleuchten 1.10
  7.4f.
Wettermacher 12.57
  16.52
Wettermacherei
  20.12
wettern 16.33 16.37
Wetterschacht 7.61
Wetterstrahl 1.10
Wettersturz 1.7
Wetterwarte 1.4
wetterwendisch 5.25
  9.7 9.9
wettfahren 16.57
  16.70
Wettfechten 16.57
Wettkampf 16.57
Wettlauf 9.21 9.39
  16.57
wettlaufen 16.57
  16.70
Wettläufer 16.74
Wettkämpfer 16.74
wettmachen 16.80
  18.18
Wettplatz 16.75
Wettrennen 8.7 9.16
  16.57 16.70
Wettrenner 8.7
Wettrudern 16.57
wettschießen 16.70
Wettspiel 16.57

Wettstreit 16.57
  16.65 16.70
Wetturnen 16.57
wetzen 3.53 3.55
  7.33 8.7 8.29
Whisky 2.31
whiskyselig 2.33
Whist 16.55f.
Wichs 4.41 11.17
  17.9
Wichse 3.52 7.52f.
  16.78
wichsen 3.52 7.14
  9.66 11.17 16.53
  16.67 17.11 18.14
  19.32
Wichser 16.94
Wichskasten 17.3
Wichsmulde 17.3
Wicht 4.4 11.38
  11.43 16.92 16.94
  19.8 19.10 20.6
Wichtelmann 20.5f.
Wichtelmännchen
  4.4 20.6
wichtig 4.51 9.44
  13.17 16.89 16.95
Wichtig, Herr 16.89
Wichtigkeit 5.10
  9.44f. 16.90 18.25
Wichtigmacher(ei)
  16.89
Wichtigtuer 9.38
wichtigtuerisch 11.45
wichtigtun 11.45
Wicke S. 50
Wickel 2.44 16.78
  16.117
Wickelkind 2.22 6.26
wickeln 3.46 8.32
  9.7 11.47 16.6
  16.25 16.97 18.11
wicken 20.12
Wicken 18.15
Wickler S. 95
Widder S. 127 1.2
  2.14 8.9
Widderschiff 8.9
wider 3.32 5.23 9.72
wider- 8.10
Wider- 5.23
widerborstig 9.55
  16.52
widerfahren 5.44
Widerhaken 3.46
  8.5

Widerhall 5.18 5.34
  7.24f. 8.17
widerhallen 7.25
Widerklage 19.12
widerlegbar 13.47
widerlegen 11.59
  13.26 13.47 16.33
  16.67 19.13
Widerlegung 13.47
  16.33
widerlich 7.64 9.5
  10.9 10.14 11.13f.
  11.27f. 11.59 11.62
  11.36
widernatürlich 11.28
Widerpart 9.73
  16.66
widerraten 2.39
widerrechtlich 12.27
  19.23
Widerrede 16.33
  16.108
Widerruf 8.17 9.9
  9.19 13.29 13.48
  16.28 16.82 16.105
  19.25
widerrufen 9.9 13.29
  16.28 16.82 16.105
Widersacher 9.73
  16.65f. 20.9
Widerschein 7.4 8.10
  8.17
Widersee 7.55
widersetzen, sich
  5.21 9.5 9.72
  16.65 16.116 19.20
widersetzlich 9.8
  16.65 16.116
Widersetzlichkeit 9.8
  16.65 16.116
Widersinn 13.47
widersinnig 12.2
  12.27 13.47
widerspenstig 9.5 9.8
  9.55 11.58 11.60
  12.48 16.65 16.116
Widerspenstigkeit
  9.8 16.116
Widerspiel 5.17
widersprechen 5.21
  5.23 9.5 9.72f.
  12.19 12.48 13.26
  13.29 13.47 13.51
  16.65 19.21
widersprechend 9.7
  9.72 12.23 16.67

Widersprecher 12.29
Widerspruch 5.23 9.5
  12.19 12.28 12.48
  13.29 13.47 16.33
  16.53 16.65 19.20
Widerspruchsgeist
  5.23 11.58 12.14
  12.28 12.48 16.53
  16.65
widerspruchslos 9.19
widerspruchsvoll 9.9
  12.19 16.53
Widerstand 3.53
  7.44f. 9.24 9.72
  16.65 16.77 16.83
  16.116
widerstandsfähig
  2.38 7.46 9.75
widerstandslos 9.19
  16.114
Widerstandslosigkeit
  16.114f.
Widerstandsnest
  16.76f.
widerstehen 7.69 9.5
  9.55 9.72f. 10.9
  11.59 16.27 16.65
  16.77 16.116
widerstreben 5.21
  9.5 9.72f. 11.28
  11.59f.
widerstreben(d) 5.23
  9.5 9.72 11.59
  12.48 16.65
Widerstreit 5.23
  9.72 16.65
widerstreiten(d) 5.21
  5.23 9.72f. 16.65
Widerton S. 11
widertönen 7.25
Widerwart 11.28
  11.62
widerwärtig 9.5
  11.13f. 11.27ff.
  11.58f. 11.62
  16.52f.
Widerwärtigkeit
  5.47 9.50 11.13
Widerwille 9.5
  9.19 9.24 11.26
  11.28 11.59f.
  11.62 16.36
— zeigen 9.19

widerwillig 11.60
widmen 9.84 18.12
20.13 20.16
—, sich 9.2 9.8
Widmung 16.85
widrig 5.47 11.14
11.28 11.59 11.62
16.65
Widrigkeit 9.72f.
11.28
wie 4.50 5.8 5.16f.
5.28 5.33 12.8
— denn anders
13.28
— du mir 5.28
16.80
— ein Blitz 8.7
12.45
— ein bunter Hund
13.6
— einst 9.58
— folgt 13.44
— gesagt 12.44
— kommen Sie da-
zu? 16.33
— Luft behandeln
12.38
— Schuppen 12.20
— Wasser 12.32
— wenn 11.29
— wo warum? 16.56
Wie, das 5.8
Wiebel S. 97
Wiedehopf S. 113
4.50
wieder 4.37 5.1 6.31
6.33 8.17 9.30 9.62
16.82
wiederabjagen 16.80
wiederabnehmen
16.80
Wiederaufbau 9.58
wiederaufbauen 5.40
Wiederaufnahme
6.33 13.37 19.27
Wiederaufnahmever-
fahren 4.37 19.27
wiederaufnehmen
4.37 9.30
wiederaufrichten
11.50
Wiederbeginn 9.30
Wiederbekehrung
5.23

wiederbekommen
18.5 18.18
wiederbeleben 2.17
2.40 2.44 5.40 9.58
Wiederbelebung 2.17
2.40 5.27 5.40
Wiederdruck 5.18
wiedereinführen 9.58
Wiedereinführung
9.58
Wiedereinsetzung
5.30 16.103
Wiederergänzung
2.40
wiedererhalten 18.18
wiedererkennen
12.39 18.9
Wiedererkennung
12.39
wiedererlangen 9.18
18.18
Wiedererlangung
18.5 18.18
wiedererscheinen
5.40 6.33
Wiedererscheinung
5.30 6.30
Wiedererstattung
18.5 18.18
wiedererwachen
12.39
wiedererwecken 11.5
Wiedererzeugung
5.40
Wiedergabe 5.18
13.44 13.53 14.1
14.10 14.12 15.2
18.5
Wiedergänger 20.5
wiedergeben 2.44
13.53 14.2 16.118
18.18
Wiedergeburt 5.40
6.6 8.17 9.58 19.5
20.1 20.13
Wiedergenesung 2.40
wiedergutmachen
16.47 16.82 18.18
Wiedergutmachung
9.58 19.26
wiederherstellen 2.40
2.44 5.30 5.35
9.58 11.34 16.48

Wiederherstellung
2.38 2.40 2.44
5.40 6.30 9.58
18.18 19.13
Wiederhervorbrin-
gung 5.40
wiederholen 4.37
5.18 6.28 6.30
6.33 9.30 9.62
11.26 12.39
—, sich 6.28
Wiederholung 5.18
6.28 6.31 6.33
9.62 12.37 13.25f.
13.37
wiederkäuen 2.26
12.3 16.38
Wiederkäuer S. 127
Wiederkauf 18.18
Wiederkehr 5.19
6.28 6.33 8.17 9.62
wiederkehren 6.28
8.17
Wiederklang, Wie-
derschall
s. Wiederhall
wiederkommen 9.62
wiederkriegen 18.5
wiedernehmen 16.80
Wiedersee 7.55
wiedersehen 20.10
Wiedersehen 8.18
16.38
Wiedertäufer 20.1
wiederum 6.28 6.33
Wiedervergeltung
5.28 16.46 16.80f.
19.32
wiederzahlen 18.26
Wiege 2.22 5.31
6.2 8.33 9.26
9.29 9.36 11.8
16.1 17.3
wiegen 2.36 5.6 7.41
8.33 9.44 11.34
12.12 16.43
—, sich 8.33
Wiegenfest 2.21
16.39 16.59
Wiegenlied 14.2
15.11
Wiegenstroh 2.22
wiehern 7.33 11.22
Wiek 1.18
Wieland 8.6 16.3

Wiener Braten 2.27
wienern 9.66
Wiese 1.13 2.5 2.30
3.52 7.18 16.59
17.3 18.25
—, NN-Wiese 2.48
Wiesel S. 126 4.50
8.4 8.7 17.9
wieso 12.8
wiewohl 5.23 13.48
Wigwam 16.1 17.1
wild 2.48 5.36 10.21
11.6 11.11 11.20
11.38f. 11.60 12.28
12.37 12.56 13.1
15.2 16.44 16.53
16.92 16.116
—e Jagd 12.28 20.6
Wild S. 124ff. 2.12
2.27
Wildbach 7.55
Wildbahn 2.10
Wildbret S. 124ff.
2.12
Wilddieberei 19.20
Wildeber S. 127
Wilder 4.50 16.52
16.94 16.120
Wilderer 2.12
wildern 2.12 18.9
Wildfang 11.6 11.20
wildfremd 4.50
Wildgeruch 7.68
Wildgemüse 2.27
Wildgeschmack 7.68
Wildheit 11.6 11.55
Wildkaninchen
S. 125
Wildnis 1.13 3.38
9.45 9.49 16.52
19.20
Wildschur 17.9
Wildschütz 2.12
Wildschwein S. 127
2.27
Wilhelm 2.16 11.45
16.3
Wilhelmine 16.3
Wille 5.45 9.2 9.6
11.36 16.114
16.119
—, böser 11.60
—, letzter 18.12

willen 11.50
Willen 5.31 9.2 9.8
  16.114 16.119
  19.13
willenlos 9.3 9.7
  11.8 16.114
willens sein 9.2 9.4
  9.14
Willensäußerung 9.2
Willensbestimmung
  9.2
Willensfreiheit 9.2
Willensmensch,
  Willensnatur 9.6
willensstark 9.6
willentlich 9.2
willfahren 9.4 11.16
  12.47 16.24f.
  16.109 16.114
willfährig 9.4 9.54
  11.48 12.47 16.24f.
  16.38 16.109
  16.114f.
Willfährigkeit 9.4
  11.15 16.114f.
Willibald 16.3
willig 9.2 9.4 9.54
  11.16 16.24 16.114
Willkomm 8.20
willkommen 8.20
  9.48 11.10 16.38
  16.41 16.64
Willkür 3.38 5.20
  9.2 9.11 16.108
  16.116 19.20
Willkürakt 19.20
Willkürherrschaft
  16.95 16.97 19.20
willkürlich 3.38 5.20
  6.30 6.32 9.2
  9.9ff. 12.24 12.29
  16.108 16.116 19.20
Willwoche 16.8
Willy 16.3
wimmeln 4.17 4.20f.
  8.33
Wimmerholz 15.15
Wimmerkiste 15.15
Wimmerl 2.41
wimmern 7.27
  11.32f.
Wimpel 13.1
Wimper 2.5 2.16
  3.54 9.4
wimperartig 3.53

Wind 1.6 2.35 4.50
  5.25 5.46 7.60
  8.7 9.9 9.28 9.43
  9.45 9.49 9.54 9.72
  9.77f. 12.32 12.43
  13.10 16.89f.
  16.115f. 19.7 19.25
  — schlagen, in den
  16.28 16.34
  — treiben, vor dem
  5.42
  — zerstreuen, in alle
  —e 5.42
Windbeutel 2.27 9.9
  13.51 16.89f.
Windbeutelei 9.7
  11.23f. 13.52
  16.72 16.89
windbeutelig 16.89
Windbüchse 17.12
Winde S. 70 3.7
  3.17 8.28 8.32
  17.16
Windel 17.9
windelweich schlagen
  16.78
winden 1.16 3.17
  3.46f. 8.14 8.32
  10.6 11.33
  —, sich 8.34 11.13
  16.32 16.115
Windfahne 5.18 9.7
  9.9 13.1 19.8
Windfang 2.16 7.61
  17.9
Windhafer S. 21
Windharfe 15.15
Windhäuschen 2.5
Windhausten 2.5
Windhocker 2.5
Windhose 1.6
Windhund S. 126
  9.9 19.10
windig 1.6 9.9 9.60
  11.49 12.23 16.89
  16.94 19.8 19.29
Windin 1.6
Windinstrument
  15.15
Windjacke 17.9
Windmacher 13.51
Windmacherei 16.89
Windmesser 1.6
Windmonat 6.9
Windmühle 8.32
  9.49 9.78

Windmühlenflugzeug
  8.6
Windpocken 2.41
Windrad 7.61
Windröhre 7.61
Windrose 1.6 8.11
Windsbraut 1.6 5.36
windschaffen 19.7
Windseite 3.29
Windspiel S. 126
  8.7
Windstärke 1.6 7.26
windstill 5.46
Windstille 1.5 8.2
  9.36
Windstoß 1.6 5.36
  17.10
Windstuken 2.5
Windtöter 1.6
Windung 3.43 3.45f.
  3.60 8.31
Wingert 2.5
Wink 11.48 12.24
  13.1f. 13.5 13.9f.
  16.20 16.32f.
  16.106 16.111
  16.114
Winkel 1.11 3.11
  3.13 3.15 3.43 8.12
  11.16 11.42
Winkeladvokat 19.28
Winkelhaken 3.43
  14.6
Winkelhuberei 12.55
winkelig 3.43
Winkeligkeit 3.43
Winkelmesser 3.43
  12.12
Winkelried 8.25
Winkelschreiber
  19.28
Winkelzug 9.13
  12.53 13.51
winken 13.1
Winker 13.1
Winkligkeit 3.43
winseln 7.27 7.33
  11.32f. 11.50
Winter 6.1 6.4 6.9
  7.40 16.77
Winterfeldzug 16.73
Wintergarten 2.5
Winterkohl 2.27
winterlich 7.40
Wintermonat 6.9

Winterrock 3.20
  17.9
Winterschlaf 9.24
Winterschule 2.5
Wintersport 16.57
Winzer 2.5 16.60
Winzerfest 16.55
  16.59
winzig 4.4
Winzigkeit 4.4
Wipfel 2.3 3.33
Wippe 8.33 17.9
wippen 7.45 8.33
  16.78
Wipper 18.21
wir 16.3
Wirbel 2.16 3.38
  3.46 4.33 7.30
  7.55 8.32 8.34
  11.11 15.14 15.17
wirbeln 3.38 7.30
  7.55 8.32 8.34
Wirbelsäule 2.16
  3.16 17.5
Wirbelsäulenver-
  krümmung 2.41
Wirbelwind 1.6 5.36
  8.32 11.6
wird erschossen 8.2
wirken 3.15 5.4
  5.26 5.34f. 5.39
  7.2 9.18 9.21f.
  9.38 9.68f. 9.77
  9.84 11.30 11.59
  12.6 16.95 16.110
  17.8
  — auf 9.72
Wirken 5.35 20.1
Wirkender 9.22
Wirkerei 15.4 17.10
wirklich 5.1 5.6
  5.44 6.16 11.30
  12.26 12.47 13.28
Wirklichkeit 5.1 5.10
  12.26 12.46
wirksam 5.31 5.35
  9.44 9.46 9.77
  9.84 16.95
Wirksamkeit 2.44
  5.34f. 9.37 9.44
  9.46 9.48
Wirkung 5.25 5.34
  6.12 9.18 11.4 12.4
  16.95 19.5
Wirkungskreis 9.18
  9.22

wirkungslos 2.7 5.37 9.41 9.49 9.51 9.78

Wirkungslosigkeit 9.49

Wirkungsvermögen 5.35

wirkungsvoll 5.35 9.44 11.17 16.88 16.95

Wirkware(n) 17.8 18.24

wirr 3.38 9.55 11.30 12.13 12.19 12.28 12.57 13.35 15.2

Wirren 3.38

Wirrkopf 3.38 12.19

Wirrnis, Wirrsal, Wirrwarr 3.38 9.55

Wirsing S. 41

wirst du wohl 16.68

Wirt 2.26 3.37 4.29 9.78 16.4 16.41 16.64 18.1 18.10

—, schlechter 18.14

Wirtel 3.50

Wirtin 16.4

Wirtinverse 9.67 16.44

Wirtschaft 2.26 2.31 3.38 9.80 16.1 16.64 18.1ff.

wirtschaften 9.18 9.69 18.10 18.13 19.7

Wirtschafterin 16.112

wirtschaftlich 18.1 18.10 18.28

Wirtschaftlichkeit 9.47

Wirtschaftsführer 18.3

Wirtshaus 2.32 16.1 16.64

Wirtstafel 2.26 16.64

Wisch 14.8 14.11

Wischel 2.5

wischen 9.66

Wischer 15.1 15.4 16.33f. 16.57 16.78

Wischnu 20.7

Wisent S. 128

Wismut 1.24f.

wispern 7.27

Wißbegierde 12.6

wißbegierig 12.6

Wisse 1.16

wissen 4.50 5.2 5.12 9.5 9.38 9.40 9.52 9.55 9.78 11.21 11.26 11.30 11.59 12.11 12.32 12.37 13.2 13.25 18.3 19.2f.

Wissen 9.55 12.32 13.49 13.51 19.25

wissend 12.32 12.53 16.44

Wissenschaft 9.52 12.8 12.32 12.52 14.10

wissenschaftlich 12.14 13.46

wissensdurstig 12.6

Wißler 16.60

Witenagemote 16.102

Witherit 1.25

witschen 8.18

wittern 7.62 10.6 11.35 12.1 12.23

Witterung 1.4 1.6 7.35 7.60 7.62 12.1

Wittfrau 16.9

Wittib 2.15 16.9 16.14

Wittiber 16.9 16.14

Wittum 16.11 18.12

Witwe(r) 2.15 16.9 16.14

— Bolte 9.2

Witwenball 16.55

Witwenschleier 11.32f.

Witwensitz 8.17

Witwenstand 16.11 16.14 16.52

Witwenverbrennung 20.2 20.16

Witz 5.10 9.45 9.52 11.22ff. 12.2 12.18 12.52 12.54 13.34 13.51

Witzbold 11.23

Witzelei 11.23 16.55

witzeln 11.23

witzig 9.52 11.22ff. 12.57 16.55

-witzig 16.90

witzigen 11.52 13.10

Witzjäger, Witzling 11.23

witzlos 9.53 11.26

Witzlosigkeit 9.53 11.26

Witzmacher, Witzwort 11.22

wo 3.3 3.7 12.8

Woche 6.1 6.9 16.8 18.28

Wochen 2.21 9.22 20.13

Wochenausgang 20.13

Wochenbett 2.21

Wochenblatt 14.11

Wochendippel 2.41

Wochenende 9.33

Wochenendhaus 17.1

Wochengang. Wochenkirche, Wochenkirchgang 20.13

Wochenschau 15.9 16.75

Wochenschrift 14.11

Wochentage 6.9

wöchentlich 6.9 6.33

Wochenübersicht 2.27

Wodan 20.7

Wode 20.7

wofern 5.32

wogen 3.46 4.12 5.25 5.36 7.35 7.55 8.33 16.31

Woge(n) 7.55 11.8 11.34

— Öl gießen, auf die 11.8

woher 12.8

wohl 2.38 5.4 8.18 9.5 11.9 12.47 16.24

— sein 11.9

Wohl 2.31 16.42 16.87

Wohlanstand 16.38

wohlauf 2.38

wohlbefinden, sich 2.38

wohlbegründet 19.22

wohlbehaben, sich 2.38

Wohlbehagen 11.9f.

wohlbehalten 2.38

wohlbekannt 5.19

wohlbeleibt 4.10

Wohldiener(ei) 16.32 16.115

Wohlergehen 2.38 5.46

wohlerhalten 5.43

wohlerwogen 9.14 13.9

wohlerzogen 16.38 16.50 16.61

Wohlerzogenheit 16.50

Wohlfahrt 5.46 9.47

Wohlfahrtsstaat 11.52

wohlfeil 18.28

wohlfühlen 11.9

Wohlgeboren 16.86

Wohlgefallen 11.10 11.16f. 11.36f. 11.53 12.46

wohlgeformt 3.59 11.17f.

Wohlgefühl 11.9 11.16f.

wohlgegliedert 11.17

wohlgelitten 11.52 16.41

wohlgemut 2.38 11.9 11.20f.

Wohlgeruch 7.62f.

Wohlgeschmack 10.8

wohlgesetzte Perioden 13.43

wohlgesinnt 19.4

wohlgestalt(et), wohlgewachsen 11.17

Wohlgewogenheit 11.53

Wohlgezogenheit 16.50

wohlhabend 4.23 18.3

wohlhäbig 4.10

wohlig 11.9f. 11.16

Wohlklang 7.24 7.34 11.17 13.13 15.16f.

wohlklingen(d) 13.13 15.17

Wohllaut 11.17
15.17
Wohlleben 10.12
11.10f. 11.19
wohlmeinend 11.52
wohlproportioniert
3.59
wohlriechen(d) 7.63
wohlschmecken(d)
10.8
Wohlsein 2.38 5.46
wohlsituiert 18.3
Wohlstand 4.23 5.46
18.3
Wohltat 9.18 11.52
11.54 19.3
Wohltäter 11.51f.
18.12
wohltätig 2.44 9.46
9.56 11.10 11.51f.
18.13 20.13
Wohltätigkeit 11.52
Wohltätigkeits-
anstalt 9.70 11.52
Wohltätigkeitssinn
11.52
wohltuend 9.56
11.9f.
wohltun 11.52 19.3
wohlverdient 19.18
Wohlverlei(h) S. 86
wohlversorgt 4.29
wohlweislich 9.14
11.40
Wohlwollen 11.52
16.38
wohlwollend 9.70
11.52 16.41
Wohnblock 16.2
wohnen 3.3 8.2 9.74
16.1f.
—, unter Dornen
11.13
wohnhaft 3.3 16.1f.
Wohnhaus 16.1
Wohnküche, -laube
17.1f.
wohnlich 16.1 17.1
Wohnort, Wohn-
raum 16.1
Wohnrecht 18.2
Wohnsitz 16.1
Wohnstatt 16.1 17.1
Wohnstätte 16.1

Wohnung 3.3 15.6
16.1 16.8 17.1
Wohnungsamt 16.103
Wohnviertel 16.2
Wohnzimmer 16.1
17.2
Woilach 17.9
wölben 3.48
—, sich 3.48
Wölbung 3.46 3.48
Wolf S. 126 2.29
2.42 5.19 10.10
11.60 13.11 16.56
19.8 20.4f.
— in Schafskleidern
12.53 13.51 20.3
Wölfe 1.2 1.6 5.25
9.9 16.115
wolfen 1.6
Wolferl 16.56
Wolfgang 16.3
Wolfram(it) 1.24f.
Wolfs- 2.27
Wolfsgrube 16.71
Wolfshunger 2.29
10.10
Wolfsrachen 2.41
Wolfsstein 2.48
Wolke 1.4 1.6 3.33
4.17 7.6 7.10
7.59f. 7.64 9.74
Wolken 1.6 7.1 11.42
12.13 13.10
—, in den 12.13
Wolkenbruch 1.8
7.57 11.5
Wolkendecke 7.10
wolkenklar 7.8
Wolkenkratzer 4.12
17.1
Wolkenkuckucks-
heim 3.5 12.13
12.28
wolkenlos 1.5
11.9f.
Wolkenschieber 17.9
Wolkenwand 1.4 1.7
wolkenwärts 3.33
4.12
wolkig 7.3 7.6 7.59f.
13.4
Wollastonit 1.25
Wolle 1.29 2.16 3.53
4.25 5.46 11.45
11.58 16.67 16.70
16.89 17.8 18.3

Wolle, reine 1.22
9.56
wollen 1.20 4.50 5.2
9.2 9.5f. 11.36
11.39 12.9
16.107
Wollgras S. 15
wollig 3.20 3.53
Wollkamm 3.53
Wollsack 16.100
Wollschlegel 16.60
Wollung 9.2
Wollust 10.21 11.5
11.9 11.11 11.22
11.36 16.44
wollüstig 10.21
11.11
Wollüstling 10.21
11.11
Wonne 5.46 11.4f.
11.9ff. 11.20ff.
11.53 16.24 20.10
Wonnekleister 2.27
Wonneleben 5.46
20.10
Wonnemonat,
Wonnemond 6.9
16.42
Wonneproppen 2.22
11.53
Wonnerausch 11.5
wonnetrunken 11.9
wonnevoll 5.46 11.10
Wonnezeit 11.9
11.53
wonnig 5.46 11.9f.
11.17 11.20
Woog 1.18
woran 5.12
worauf 6.12
Wörd 1.16
Worfel 17.15
worfeln 1.22
Wort 3.36 9.27 9.73
11.23 11.29f. 11.46
11.55 13.16 13.20f.
13.23 13.28f. 13.47
13.50f. 16.20
16.23f. 16.26ff.
16.31 16.49 16.67f.
16.117 19.1 19.8
19.13f. 19.24f.
20.8 20.19
— entziehen, das
13.23 16.33

—, fleischgewordenes
20.7
— für — 5.18
13.44
—, geflügeltes 14.9
—, glattes 12.53
16.72
— halten, sein 9.35
16.26
—, hochtönendes
16.89
— nicht verstehen,
sein eigenes 7.26
— würdigen, keines
—es 16.36
Worte 9.12f. 9.42
11.30 11.40 12.3
13.18 13.20 13.44
16.31ff. 16.38
16.42 16.56 16.67
16.89 18.29
— abwägen, die
11.40
—, tausend 13.12
Wortbedeutung 13.17
Wortbildungslehre
13.16 13.31
Wortbruch 19.8
19.25
wortbrüchig 9.19
16.28 19.8 19.25
Wortdecke 13.20f.
Wörterbuch 12.32f.
13.16 13.44 14.9
Wortforscher 12.32
Wortforschung 5.41
13.12
Wortführer 12.33
13.21 13.44 16.98
Wortfülle 13.43
Wortgefecht 13.30
16.67
Wortgeklingel 9.13
13.22
Wortgewirre 12.19
13.35
Worthalten 9.35
Wortheld 16.89
Wortkampf 12.48
16.67
wortkarg 13.23
13.39 16.52
Wortklauber 12.14
12.29 12.55
Wortklauberei 12.11

Wortkrämerei 13.18
  13.43 16.89
Wortkünstler 13.21
  14.2
Wortkürzung 4.7
  13.39
Wortlaut 14.9
wörtlich 5.18 7.34
  12.26 13.16f. 13.30
  13.44
wortlos 7.28 11.30
  13.4 13.15 13.23
Wortmacherei 9.13
Wortmalerei 14.2
wortreich 13.22
Wortschatz 4.17
  13.16
Wortschöpfung 13.16
  13.31
Wortschwall 13.18
  13.22 13.43 16.89
Wortsinn 13.17
Wortspalterei 13.51
Wortspiel 11.22f.
  13.4 13.30 13.34
  16.55
Wortspielerei 11.23
Wortstreit 12.14
  12.29 12.48 13.30
  14.10 16.67
Wortverdreher 13.45
Wortverdrehung
  11.22 12.19
Wortvertauschung
  13.36
Wortverwechslung
  5.28
Wortverzeichnis
  13.16
Wortwechsel 16.67
  16.70
woselbst 3.3
wozu? 9.19 12.8
Wrack 2.25 4.24
  4.32 5.37 5.42
Wrasen 7.60
wriggen 8.33
  9.63
wrubbeln 8.33
Wrubbelpopo 8.34
Wruken 2.27
ws ws ws 2.35
Wucher(ei) 18.11
  18.16f. 18.21 18.30

Wucherblume
  S. 81; 83
Wucherer 18.7f.
  18.16 18.27 18.30
  19.8
wuchern 2.6 4.3 4.20
  4.22 5.26 5.39 9.84
  18.7 18.11 18.16
  19.8
Wucherung 2.41
  4.10 4.22
Wuchs 2.16 4.3 4.12
  5.8 5.26 5.39
Wucht 4.2 5.35f.
  7.41 13.41 16.78
wuchten 4.2 4.10
  7.41
wuchtig 4.2 7.41 9.1
  9.44 13.39 13.41
wuckeln 9.51
wüescht 16.33
wühlen 3.49 9.72
  11.13f. 11.63
  16.116 18.3
Wühler 16.65f.
  16.116
wühlerisch 11.63
Wühlmäuse S. 126
  16.74
Wuhr(e) 1.16 7.56
Wulf 16.3
Wulst 3.48 4.3 4.10
  8.28
wulstig 4.1
wumpe 11.17
wund 2.42 11.7
  11.13f.
Wundarzneikunst,
  Wundarzt 2.44
Wunde 2.41f. 3.10
  5.47 9.50 9.70
  11.13f. 11.28
  11.34 16.76
Wunder 5.3 5.5
  5.20 5.45 9.77
  11.30 12.14 12.28
  20.12
wunderbar 4.1 5.3
  11.10 11.17f.
  11.30 20.12
Wunderding 11.30
Wunderdoktor 2.44
  20.12
Wundererscheinung
  5.14 11.30
wunderfitzig 12.6

Wunderglaube 11.30
  20.1
Wunderkerze 8.22
Wunderkind 12.52
Wunderland 12.28
  12.52
wunderlich 5.20 9.10
  11.6 11.23f.
  11.28ff. 11.58
  12.28f. 12.57 16.52
Wunderlichkeit 9.10
  11.23
Wundermann 11.30
wundern 11.30
wundernehmen 11.30
wundersam, wunder-
  schön 11.17
Wundertäter 20.12
Wundertätigkeit
  20.16
Wunderverrichtung
  20.12
wundervoll 9.56
  11.17 11.30
Wundfäden 2.44
Wundhüchel 2.5
wundlaufen, sich
  2.42
Wundmittel 2.44
Wundwasser 7.54
Wunsch 5.3 5.46 9.2
  9.11 9.14 10.21
  11.27 11.36f.
wünschbar 9.48
Wünsche 9.4 9.77
  11.36 12.47 16.24
  16.39 16.74a. 19.7
  20.12
Wünschelrute 1.23
  5.46 20.12
wünschen 9.2 9.4
  9.14 11.36f. 11.52
  11.62 16.33 16.37
  16.39 16.69
wünschenswert 9.48
  9.56 11.10 11.36
Wunschhütchen 4.18
  20.12
wunschlos, Wunsch-
  losigkeit 11.16
  11.37
Wunschziel 9.14
wuppdich 8.7
Wuppdich, der 2.31
  5.35 9.37

Wuppdizität 5.35
wuppen 16.78
Würde 9.60 11.8
  11.44 16.36 16.85f.
  16.90f. 16.95 16.99
  19.1 19.3 19.32
— bringt Bürde
  19.24
würdelos 16.115 19.8
Würdelosigkeit
  19.8ff.
Würden 16.46 16.85
—, kirchliche 20.16
Würdenträger 16.99
  20.17
—, geistlicher 20.17
Würdenverleihung
  16.46 16.85
würdevoll 11.44
  16.85
würdig 11.8 11.44
  16.30f. 16.85 19.1
  19.3
würdigen 11.18
  12.20 12.31 12.49
  16.30f. 16.36 16.53
Würdigung 12.12
  12.32 12.49 16.30
Wurf 2.22 4.17 8.9
Wurfbereich 3.9
Würfel 3.43 4.35
  4.39 9.16 16.55
würfeln 9.16 16.56
Wurfgeschoß 8.9
  17.13
Wurfgeschütz 17.12
Würfelspiele 16.56
Wurflehre 8.9
Wurfschaufel 1.2
Wurfscheibe 16.55
Wurfschlinge 9.74
  17.12
Wurfspieß 17.11
  17.13
würgen 3.58
Würgengel 2.45
Würger S. 107
  2.45f. 11.60 19.9
Wurm S. 93 2.22
  3.50 9.50 11.14
Wurm, das 2.22
wurmen 11.31
Würmer 2.41 13.25
wurmförmig 3.46
  3.50

wurmstichig 3.49
9.65
wurscht 9.45 11.37
wurschtig 9.43 12.13
Wurschtigkeit 11.8
11.37
Wurst 2.27 9.14 9.44
16.80 19.21
Würstchenbude 16.64
wursteln 9.43 16.110
Wurster 16.60
Wurstkessel 16.73
Wurstl 14.3
Wurstmarkt 16.59
Wurthe 1.16
Würze 2.28 7.63
7.65 11.22f. 13.39
13.41
Wurzel 2.2f. 2.16
3.3 3.16 3.34 4.35
4.42 5.31 11.23
13.16 16.95
— fassen 3.3 16.2
— ziehen 4.35
wurzeln 3.16 16.4
würzelos 7.69
Wurzen 5.37 11.47
12.56 16.54
würzen 2.28 7.63
7.68 10.7
Würzfleisch 2.27
würzig 2.28 7.63
10.8
würzlos 7.69 11.37
13.42
Wurz'n 9.7
Würzung 1.21
Wuschelkopf 2.16
wuselig 3.38
wuseln 8.33
wusseln 9.38
Wust 3.38 9.45 9.61
wüst 2.7 3.4 3.38
4.50 5.35 9.27
9.67 11.11 11.14
11.27f. 16.44
19.10
Wüste 1.13 2.7 4.26
5.35 9.49 16.52
16.105
Wüstenbewohner
16.52
Wüstenei 1.13
Wüstensohn 16.6
16.52

Wüstenwanderer
16.6
Wüstheit 16.44
Wüstling 5.42 10.21
11.11 16.44 18.14
Wüstlingsleben 16.44
Wüstung 2.7
Wut 5.36 11.6 11.14
11.31 11.60ff.
12.57
Wutausbruch 11.31
wüten 4.3 5.36 11.5
11.31 11.62
Wütender 12.19
Wüterich 5.36 11.58
11.60 19.9
wütig 9.8
wutsch 8.7
Wuttki 2.31
Wutz S. 127 9.67
Wutzerei 9.67
Wuwelackes 20.5

X

X, ein X für ein
U vormachen
16.72
Xanthippe 11.58f.
16.33 16.67
X-Beine 2.41 3.46
Xenon 1.24
x-fach, x-fältig 4.3
6.28
x-mal, x-malig 4.3
6.28 6.31
X-Strahlen 2.44
Xylographie 15.5
Xylophon 15.15

Y

Yacht, s. Jacht 8.5
Yatagan 17.11
Yawl 8.5
Yen 18.21
Y-King (Jih-King)
20.19
Yogi 20.17
Ysop S. 75 2.28
Yttrium 1.24

Z

Zabaglione 2.27
Zacharias 16.3
Zachäus 3.7
Zacke 3.53 4.12
zackermentern 13.22
zacken 3.43 3.48
Zacken 2.33 2.41
9.10 12.57
zackereeren 13.22
zackern 2.5
zackig 3.43 3.53
9.38 13.41
zag(e) 11.42f.
Zagel 2.16 4.24
zagen 11.42
zaghaft 11.42f.
Zaghaftigkeit 11.43
zäh(e) 2.38 6.7
7.43 7.46 7.51 9.8
9.55 11.8 12.55
18.10 18.11
Zäheit 7.46
zähflüssig 7.51
Zähflüssigkeit 7.51
Zähigkeit 7.46 9.8
9.55
Zahl 4.17 4.20 4.35
4.37
zahlbar 18.26
zählbar 4.24 4.35
zählebig 2.38
zahlen 5.28 9.50
11.55 16.46 16.113
18.5 18.13 18.18
18.26 19.26 19.32
zählen 4.35 9.45
16.91
— auf 9.47 11.35
12.22
Zahlengedächtnis
12.39
Zahlenlehre 4.35
zahlenmäßig 4.35
Zahlenreihe 4.35
Zahler 18.19
Zähler 4.35
zahllos 4.20 4.40
Zählmaschine 4.35
Zahlmeister 16.74
18.26

zahlreich 4.17 4.20
6.31
Zahltag 18.19
Zahlung 16.113
18.18f. 18.26
Zählung 4.35
Zahlungsanweisung
18.26
Zahlungsauf-
forderung 18.26
Zahlungsaufschub
18.19
Zahlungsbefehl
18.26
Zahlungseinstellung
9.78 18.19
zahlungsfähig 18.3
18.26
Zahlungsmittel
18.21
zahlungsunfähig
9.78 18.4 18.19
Zahlungsunfähigkeit
18.19
Zahlungsverweige-
rung 18.19
Zahlzeichen 4.35
zahm 5.38 9.19
9.41 11.8 11.47
11.52 13.42
zähmen 2.10 5.38
11.8 11.48 12.33
16.111
—, sich 11.12
Zahmheit 13.42
16.48 16.114
Zähmung 2.10 12.33
16.114
Zahn 2.16 2.25
2.45 3.48 3.55
12.9 12.33
— fühlen, auf den
12.9 12.33
— um — 16.80
— der Zeit 2.25
5.42 6.8
Zahnarznei(kunde)
2.44
Zahnarzt 2.44 16.60
— schmecken, nach
10.9
Zahnbrecher 16.60
Zahnbürste 9.66

Zähne 9.21 9.26
9.55 10.7 11.17
11.31 11.33
11.58f. 16.65
16.67ff. 16.74
16.116
zähnefletschend 16.68
Zahneinlage 2.44
Zähneklappern 8.34
10.5 20.11
Zähneknirschen 11.31
zähneknirschend
16.68
Zahnfistel 2.41
Zahngasse 2.26
Zahnheilkunde 2.44
Zahnkaries 2.41
Zahnklempner,
-künstler 16.60
Zahnlücke 11.28
Zahnrad 17.16
Zahnradbahn 8.28
16.6
Zahnreißer 16.60
Zahntechniker 2.44
Zahnschmerz 2.41
Zahnwurzelgranu-
lose 2.41
Zähre 2.35 11.32f.
Zambo 1.21
Zander S. 99 2.27
Zandersaal 17.2
Zange 11.28 16.76
17.15
Zänger 19.29
Zank 16.67 16.70
Zankapfel 16.67
Zankbold 11.58
Zankeisen 11.58
16.67
zanken 11.31 16.67
16.70
Zanken 16.33 16.70
Zänkerei 16.67
Zankgöttin 16.67
zänkisch 11.58 16.53
16.67
Zanksucht 11.58
11.60
zanksüchtig 11.60
16.33 16.53
Zapf 4.4
Zäpfchen 2.16
zapfen 7.55 8.24

Zapfen S. 13 3.17
3.19 3.58 4.33
8.32
— wichsen, hauen
über den 6.38
Zapfenstreich 11.54
16.31
zappeln 8.17 8.33
— lassen 11.60
Zappelphilipp 8.34
Zappen, da ist —
duster 9.55
Zar 16.98
Zarentum 16.95
16.97
Zarewitsch 16.98
Zarge 15.15
zart 2.22 3.52 3.54
4.11 5.37f. 7.48
7.50 9.55 10.8
11.17 11.50 11.53
13.13 16.109
—e Töne 7.11
zartbesaitet 11.7
11.58
zartfühlend 16.50
19.1
Zartgefühl 11.7
11.18 11.52 11.58
16.50 19.1
Zartheit 5.37
zärtlich 11.36
11.52f. 16.43
Zärtlichkeit 11.53
16.43
Zartsinn 11.50
Zarucker 19.29
Zasel 2.3
Zaser 2.3
Zaserwurzel 2.3
Zaster 18.21
Zäsur 3.36 4.34
Zauber 5.20 9.12f.
11.5 11.10 11.16
11.53 12.46 16.95
20.12
Zauberbande 11.10
Zauberbann 20.12
Zauberbecher 20.12
Zauberbuch 20.12
Zauberei 5.27 12.45
16.72 20.12
Zauberer 12.43
20.12

Zauberformel 16.20
20.12
Zaubergehänge 20.12
Zaubergeist 20.5
Zaubergestalt 11.17
zauberhaft 11.17
20.12
Zauberin 20.12
zauberisch 20.12
Zauberkreis 9.73
20.12
Zauberkunst 20.12
Zauberkünstler 9.52
12.43 13.51 16.60
16.72 20.12
Zauberland 11.35
Zauberlaterne 10.16
Zaubermittel 20.12
zaubern 9.39 9.52
16.72 20.12
Zauberpriester 20.12
Zauberring 20.12
Zauberschlaf 20.12
Zaubersiegel 20.12
Zauberspruch 14.2
20.12
Zauberstab 20.12
zaudern 5.7 6.36
8.8 9.5 9.7 9.24
Zaudern 9.7
Zaum 5.38 9.17
11.40 16.117
zäumen 9.26
zaumlos 16.119
Zaun 3.23f. 3.58
9.76 16.33 16.67
16.69f. 16.117
19.13
Zaunkönig S. 112
4.4
Zaunpfahl 13.1
16.20
Zaunrübe S. 79
zausen 11.60
zaustern 13.22
Zavalier (berl.)
16.63
Zebaoth, Gott 20.7
Zebra S. 128 7.23
Zechbruder 2.32
Zeche 3.57 4.18
7.65 7.68 18.26
zechen 2.31 10.11
11.11 11.22 16.55

Zecher 2.32 11.42
16.55
Zecherei 2.26 2.31
16.55
Zechgelage 2.32
Zechinen 18.21
Zechkumpan 2.32
Zeck 16.56
Zeder S. 13 4.12
zedieren 16.105 18.1
18.12
Zefir 17.8
Zego 16.56
Zehe 2.16
Zehenspitze(n) 7.27
Zehent 4.39 18.1
zehn 4.39 4.50 5.4
— Gebote, die
19.24
Zehner (Geld) 18.21
Zehnkampf 16.57
Zehntausend, oberen
16.62 16.91 18.3
19.4
Zehnte, der 20.16
Zehnteilung 4.39
Zehntel 4.42
zehren 4.17 4.28
Zehrpfennig 18.21
Zehrung 2.26 4.11
4.18 4.31
Zeichen 2.48 11.30
11.41 12.24 13.1
16.60 16.100
— geben 13.1
— und Wunder
11.30
Zeichenschrift 14.5
Zeichensetzung 14.5
Zeichensprache 7.28
13.1
zeichnen 3.39 9.35
13.1 15.1 15.4
18.30
Zeichner 15.1 15.4
16.60
zeichnerisch 15.4
Zeichnung 5.18 15.1
15.4
Zeidler 16.60
Zeigefinger 2.16
16.68

zeigen 7.1f. 9.38
9.52 11.54 12.20
12.33 13.1 13.3
13.17 13.46 16.93
16.108 18.18 19.13
19.27
—, auf, mit den Fin-
gern 16.34 16.93
19.27
—, die Hörner 16.65
16.108
—, sich 7.1f. 12.20
16.22 16.27 16.46
16.48 18.18
Zeiger 11.14 12.12
13.1
-zeiger 12.12
zeihen 12.15 16.35
19.12
Zeil 8.11
Zeiland S. 59
Zeile 3.35 3.39 6.32
14.2 14.5
Zeileisen 16.60
Zeilensatz 14.6
Zeilenschinder 14.1
14.11
Zeindler 16.60
Zeine 17.7
Zeiserlwagen 19.33
Zeit 3.38 5.12 5.26
6.1 6.4 6.8f. 6.30
6.38 8.7f. 9.3 9.8
9.18 9.24 9.31 9.36
9.48f. 9.52 9.55
9.58 9.81 11.5
11.26f. 11.29 11.32
11.40 16.38 16.41
16.55 16.62 16.77
18.16
—, alles hat seine
6.8 6.12
—, bei guter 6.37
—, böse 5.47
—, freie 9.36
— gewinnen 6.15
—, hohe 6.36
—, in absehbarer
6.24
—, in der nächsten
6.24
—, kommende 6.23
—, noch aus der
alten 6.27

Zeit lassen, sich 9.7
—, unter der 6.13
— verschwenden
6.38
—, von — zu
6.30
—, vor der 6.38
—, vor unserer 6.19
—, Zahn der 2.25
5.42 6.8
—, zu jeder 6.6
—, zur (z. Zt.) 6.16
Zeitabschnitt 6.1
Zeitabstand 6.15
Zeitalter 6.1 6.19ff.
—, das goldene 6.21
11.9
Zeitansage 6.9
Zeitberechnung 6.9
Zeitbestimmung 6.9
Zeitdehner 8.8
Zeitehe 16.13
Zeiteinteilung 6.9
Zeiten 5.46f. 6.30
6.35 9.61
Zeit(en)folge 6.9
Zeitfehler 6.10
zeitfremd 12.37
Zeitfunk 14.1
zeitgemäß 6.26 6.37
9.48 12.47
Zeitgenosse 3.3 6.1
6.16 11.37 11.58
16.33
zeitgenössisch 6.16
Zeitgeschäft 6.24
18.16
Zeitgeschehen 6.16
Zeitgeschichte 14.9
Zeitgeschmack 11.29
16.61
Zeitgewinn 8.7
zeitig 6.33 6.35
zeitigen 5.31 5.39
9.26
Zeitlang, eine 6.15
Zeitlauf 5.44f.
zeitlebens 6.7
zeitlich 6.8f. 6.33
Zeitlichkeit 2.17 6.8
Zeitlohn s. Akkord
zeitlos 5.14 6.6
Zeitlosigkeit 6.6
Zeitlupe 8.8 15.9

Zeitmaß 6.9 8.1
15.11
zeitnah 13.41
Zeitnehmer 16.57
Zeitpunkt 6.1 6.14
6.35 9.78
Zeitraffer 8.7
Zeitraum 6.1
Zeitrechnung 6.9
Zeitrechnungsfehler
6.10
Zeitschrift 14.11
Zeitspanne 6.8
zeitsparend 8.7
Zeitung 13.2 13.6
13.51 14.1 14.9
14.11 18.4 18.22
Zeitungsdeutsch
13.32
Zeitungsleser 12.25
Zeitungsschmierer
14.1
Zeitungsschreiber
14.1 14.9
Zeitverlust 8.8
Zeitverschwender,
Zeitverschwen-
dung 9.24
Zeitvertreib 16.55
zeitweilig 6.8 6.15
6.28
zeitweise 6.15 6.29
6.32
Zeitwende 5.24
zeitwidrig 5.21 6.10
Zeitwort 13.16
zelebrieren 16.87
20.16
Zelle 3.49 16.1
16.52 16.117
17.1f. 19.33
Zellenbruder 20.17
zellenförmig 3.49
Zellgewebsentzün-
dung 2.41
Zellhorn 7.9
Zellophan 7.8
Zellstoff 1.29
zellular 3.49
Zelluloid 7.9 7.45
Zellwolle 1.21 1.29
17.8
Zelot 9.8 12.55

Zelt 3.3 3.20 8.18
8.20 16.1 16.73
Zeltchen 2.27 7.66
Zelter S. 128 8.3
16.6
Zement 4.33 7.51
zementieren 3.52
Zementschnuppen
2.41
Zendavesta 20.19
Zenit 3.33 4.12 5.35
Zenserer 19.29
zensieren 12.49
Zensor 9.63 16.29
16.108
Zensur 12.20 12.49
16.29 16.33
16.107
zensurieren 16.50
Zentaur 5.5 11.30
Zentenarfeier 4.39
Zentgraf 16.60
Zentimeter 4.6
Zentner 7.41
Zentnergewicht 7.41
zentnerschwer 4.50
zentral 3.19 3.28
4.50 6.3 9.44
Zentrale 3.28 9.44
16.99
Zentralheizung 7.35
zentralisieren 4.18
Zentralisation 3.28
Zentralpunkt s.
Zentrum
zentrifugal 8.18
8.22
Zentrifuge 8.24
17.16
zentripetal 3.15 3.28
8.19 9.68
zentrisch 3.28 6.3
8.23
Zentrum 3.28
Zenturie 16.74
Zenzi 16.3
Zephyr 1.6
Zeppelin 8.6 16.7
Zepter 16.97 16.100
zer- 3.38 4.34 5.42
8.22 16.78
zerballern 5.42
zerbersten 3.57 7.29

zerbleuen 16.78
zerbrechen 4.34 5.42
  7.47 9.38 9.40 9.61
  9.63 12.3
zerbrechlich 7.47
  11.40
zerbrochen 4.42 9.65
zerbröckeln 5.42
  7.47
zerdenken 12.55
zerdrücken 2.46 5.42
Zerduscht 20.19
zerebral 2.16
zeremonial 20.16
Zeremonie 9.31
  11.45 16.41 16.88
  20.16
zeremoniell 9.80
  11.45 16.61 16.88
Zeremoniell 16.61
  16.88
Zeremonienbuch
  20.16 20.19
Zeremonienmeister
  16.88 16.112
zeremoniös 16.30
Zerevis 17.9
zerfahren 3.38 9.9
  9.43 12.13 12.40
Zerfall 4.34 5.42
  9.61
— mit 16.67
zerfallen 5.42 7.49
  8.22 9.61 16.67
zerfasern, zerfetzen
  5.42
zerfleischen 2.46
  4.34 5.42
zerfließen 7.54 11.33
  11.50
zerfressen 9.61 9.63
  9.67
zergehen 7.54 8.22
  9.78 10.7
zergliedern 4.34
  12.8 12.11 18.2
Zergliederung 4.34
zerhacken 4.34
zerhämmern 16.76
zerhauen 4.34
zerkleinern 4.34 7.49
zerklopfen 7.49
zerklüftet 3.45 3.53
  7.49

Zerklüftung 3.53
  4.34 7.49
zerknallen 7.29
zerknautschen 3.38
  3.45 3.53
zerknicken 5.42
zerknirschen 11.48
zerknirscht 7.49 19.5
Zerknirschung 7.49
  19.5
zerknittern 3.38
  3.43 3.45
zerknüllen 3.38 3.43
zerkrachen 5.36
zerkratzen 9.63
zerkrümeln 3.53
  7.49
zerlappt 3.45
zerlassen 7.54
zerlegen 4.34 4.42
  12.8
Zerlegung 4.34
zerlumpt 11.28 18.4
zermalmen 4.34 5.42
  7.49 11.60
zermürben 2.39
  4.34 5.42 7.47
zernagen 4.34 9.63
zernieren, Zernie-
  rung 3.23f. 3.58
Zero 4.26
zerpellen 4.34
zerpflücken 4.34 11.5
zerplatzen 7.29 9.78
zerpulvern 4.34 7.49
zerquetschen 5.42
Zerrbild 3.60 5.18
  11.28 13.45 15.2
zerreden 5.42
Zerreibbarkeit 7.47
zerreiben 4.34 7.49
zerreißen 4.34 5.42
  11.14 16.118
zerren 8.5 8.14 9.40
  13.14 16.35
zerrinnen 7.54 18.15
zerrissen 3.53 9.7
  11.13 11.32
Zerrissenheit 3.53
— der Gefühle
  11.13
zerrupfen 4.34 5.42
zerrütten 3.38
  5.42 9.63

zerrüttet 5.37 11.41
Zerrüttung 3.38 5.37
  9.61 19.20
zersägen 4.34
zerschellen 5.42 7.47
  9.78
zerschlagen 2.39 5.42
  7.49 9.78 11.15
—, sich 9.78
zerschlissen 9.63
zerschmettern 4.34
  5.42 16.84
zersetzen(d) 4.5 4.34
  5.42 7.49 7.54
  9.63 11.43 11.63
  12.34 19.8
Zersetzung 4.5 4.34
  7.54
Zersetzungsprozeß
  9.63
zerspellen 4.34 7.47
zerspleißen, zer-
  splittern 4.34
  5.42 8.22
Zersplitterung 8.22
zersprengen 4.34
  8.22
Zersprengung 4.34
zerspringen 4.34 5.36
  7.29 7.47
zerstäuben 7.49 7.57
  8.22
Zerstäuber 7.56
zerstören 5.37 5.42
  5.47 9.50 9.61 9.63
  13.29 16.35 19.9
Zerstörer 5.42 8.5
  16.74 16.74a. 19.9
Zerstörung 3.38 5.42
  5.47 19.9
Zerstörungslust 9.60
  19.9
zerstoßen 4.34 5.42
  7.49
zerstreiten, sich 16.67
zerstreuen 3.8 3.38
  4.34 8.18 8.22
  12.13 16.55
—, sich 8.18 16.55
zerstreut 3.4 9.43
  9.53 12.13 12.40
Zerstreutheit 3.38
  4.34 8.22 12.13
  12.40

Zerstreuung 2.31 3.8
  8.22 9.36 11.9
  11.11 12.13
Zerstreuungslinse
  10.16
zerstückeln, Zer-
  stückelung 4.34
  18.2
zerteilen, Zer-
  teilung 4.34
zerteppern, zer-
  trampeln 5.42
zertreten 2.46 5.42
zertrümmern 5.42
Zervelatwurst 2.27
zervikal 2.16
zerwühlen 3.38
Zerwürfnis 16.48
  16.67
zerzausen 3.38 4.34
Zession 18.12
Zeter(geschrei)
  11.33
Zetermordio 7.26
  11.33
zetern 7.26 7.34
  11.33
Zettel 3.15 4.11
  14.8 17.8
Zettelkasten 14.12
Zettelkatalog 14.12
Zeug 1.20 4.18
  4.50 9.38 9.45
  9.52 11.24 12.56
  16.33 17.8
—, dummes 9.45
  11.24
Zeuge 3.3 10.15
  12.32 13.46 13.50
  16.23 19.27f.
—, falscher 16.72
  19.8
zeugen 2.6 5.39
  13.46 14.2
Zeugenschaft, Zeu-
  genstand 19.27f.
Zeughaus 17.11
Zeugnis 13.1 13.28
  13.46 13.51 14.9
  19.8 19.16 19.27
— ablegen 13.46
  16.35 · 19.27
Zeugs 5.1
Zeugung 2.18f. 5.39
zeugungsfähig 2.6

Zeugungskraft 2.6
16.119
Zeugungsteile 2.16
zeugungsunfähig
5.37
Zeus 20.7
Zibaku 2.47
Zibeles Käs 2.27
Ziborium 20.21
Zichorie S. 88
zichtigen 16.78
Zickel 2.27
Zicken machen 9.10
Zicklein 2.22
zickzack 3.43 3.48
8.33 9.80
Zider 2.31
Ziege S. 127 8.8
11.28 12.56 17.9
Ziegel 1.26 4.17
7.17 7.39
Ziegeldach 3.20
Ziegeleibesitzer
16.60
ziegelrot 7.17
Ziegelstein, der be-
rühmte 9.74
Ziegenbock S. 127
2.14 16.60
Ziegenhainer 17.11
19.32
Ziegenmilch 4.50
Ziegenpeter 2.41
Ziegenschinder 1.6
Zieger 2.27
Ziegler 16.60
ziehen 1.6 2.34 2.45
4.30 4.52 5.31 5.39
6.7 7.32 8.1 8.3
8.11 8.14 8.18 9.12
9.40 9.50 9.68 9.77
11.27 11.32f.
12.3 12.7f.
12.10 12.12f.
12.15f. 12.33
13.14 16.31
16.33ff. 16.43
16.48 16.54 16.70
16.73 16.83 16.85
16.93 16.117f. 18.6
18.8f. 18.26f. 19.12
19.27 19.32 20.3

ziehen, an den
Haaren herbei-
ziehen 16.107
—, auf Friedens-
wacht 16.48
—, blank 16.67 16.70
—, den Beutel 18.26
—, das Schwert
16.73
—, durch die Zähne
10.7
—, Grenzen 16.29
—, vom Leder 16.67
16.70
Ziehharmonika 15.15
Ziehleute 16.8
Ziehmutter 16.9
Ziehtag 16.8
Ziehvater 9.75
Ziel 4.52 5.36 6.4
6.9 8.11 8.27
9.8 9.14 9.77f.
13.52 16.56 16.84
19.10
—, hinaus schießen
über das 4.22
8.27 13.52
zielbewußt 9.6 9.8
9.25 9.38
zielen 8.11 9.1 9.14
9.47
— auf 9.21 9.47
zielklar 9.25
ziellos 9.7 9.9 9.16
Zielpunkt 9.14
Zielrichter 16.57
Zielscheibe des Ge-
lächters, Spottes
werden 16.54
zielstrebig 9.8 9.14
ziemen 19.18 19.24
Ziemer 2.27 19.32
ziemlich 4.4 4.23
4.50 9.48 9.59f.
12.47 16.38 16.44
19.24
Ziemlichkeit 16.38
19.24 s. o.
Zier 11.17 15.7
17.10
Zieraffe 16.63 17.10
Zierat 4.22 15.7
Zierbau 17.10

Zierbaum 2.1
Zierbengel 11.45
11.49 16.63
Zierde 11.17 15.7
16.85 17.10
zieren 11.17 11.49
13.51 17.10
—, sich 9.5 11.49
13.51 16.51
Ziererei 10.12 11.19
11.45 11.49 13.51
16.51
zierfarbig 7.23 15.7
17.10
Ziergarten 2.5
zierig 11.49
zierlich 4.4 11.10
11.17
Zierlichkeit 11.17
zierlos 11.46
Ziernarr 16.63
Zierpuppe 16.63
17.10
Zierschrift 14.5
Zierschürze 17.9
Zierstab 17.10
Zieselmaus S. 126
10.17
Ziest S. 75 2.27
Zieten aus dem
Busch 16.71
Ziffer 4.35 16.94
Zifferblatt 2.16 3.26
ziffernmäßig 5.9
-zig 4.20
Zigarette 2.34 6.8
Zigarillo 2.34
Zigarre 2.34 16.33
Zigeuner(in) 9.24
12.43 16.6 16.72
16.94 20.5 20.12
Zigeunergrab 2.48
Zigeunerjungen 6.5
Zigeunerkünste
20.12
zigeunern 8.1
Zigeunerwirtschaft
3.38
Zille 8.5
Zilly 16.3
Zimbel 15.15
Zimmer 16.1 17.2
— hüten 2.41
Zimmerflucht 3.35

Zimmerherr 16.4
Zimmer(laut)stärke
7.27
Zimmermann 8.18
16.60 17.1
Zimmermannsgrab
2.48
Zimmermannsplatz
9.23
zimmern 17.1
Zimmerpalme 17.10
Zimmerplatz 9.23
Zimmerwerk 3.18
17.2
zimperlich 11.19
11.49 16.50f.
Zimperlichkeit 11.49
16.51
Zimperliese 11.49
Zimt 2.28 7.16 12.19
18.21
Zingel 3.23
zingern 10.1
Zingulum 20.18
Zink 1.24
Zinkätzung 15.4f.
Zinkblende 1.25
Zinke 3.48
zinken 3.51 3.53
13.2
Zinken 2.16 3.48
3.55 13.2 14.8
Zinkspat 1.25
Zinkweiß 1.28 7.13
Zinn 1.24 18.21
Zinne 3.24 3.33 3.48
4.12 13.10 16.77
17.2 19.16
Zinnober 1.25 1.28
7.17
Zinnoberrot 7.17
Zinnstein 1.25
Zins 18.1 18.16f.
Zinsen 9.36 9.77
16.16 16.68 18.5
18.16 18.21
— nehmen, auf 18.17
Zinseszins 18.2
Zinsfuß 18.16
Zinshahn 4.50 11.31
Zinshaus 16.1 17.1
Zinskaserne 16.1
17.1

Zinsleiste, Zinsschein
18.2 18.5 18.21
18.30
Zionswächter 12.55
Zipfel 8.22 12.56
zipp 11.49
Zipperlein 2.13 2.41
Zirbe S. 13
Zirbelkiefer S. 13
Zirkel 3.47 9.55
12.12 15.1 17.15
18.9
Zirkelschluß 12.28
13.51
Zirkon 1.25
Zirkonium 1.24
Zirkular 13.6 14.11
Zirkus 2.10 3.47
9.49 14.3 16.33
16.57 16.75
Zirkusdirektor 12.33
Zirkusgaul 11.45
Zirpe S. 98
zirpen 7.32f.
Zirpen 7.33
Zirruswolke 1.4
Zischdig 6.9
zischeln 7.27 7.32
Zischeln 7.27 13.14
zischen 2.31 7.32f.
7.59 16.34
Zischen 7.27 7.32
7.59 16.34
Zischlaut 13.13
ziselieren 3.48 15.10
Zislaweng 9.52
zisseln 8.14
Zisterne 4.14 4.17f.
7.55 17.6
Zisterzienser 20.17
Zita 16.3
Zitadelle 9.76 16.2
16.77
Zitat 5.18 13.46
Zitateles 11.45
Zitation 16.106
19.12 19.27
Zither 15.15
zitieren 5.18 13.46
16.106 19.12
19.27 20.12
Zitnamatka 20.5
Zitronat 2.28

Zitrone S. 55 2.27f.
7.19 7.67 9.49
11.55
Zitronenform 3.50
Zitteraal S. 99 8.34
zittern 5.25 7.25
7.40 8.1 8.33f.
10.5 11.31 11.42
—de Stimme 13.14
— wie Espenlaub
11.42
Zitternadel 8.33
Zitteroch 2.41
Zittwer S. 26
Zitze 2.16 3.48
Ziu 20.7
Zivil 16.92 17.9
Zivilbehörde 16.97
16.99
Zivilehe 16.11
Zivilhelm 17.9
Zivilisation 12.33
16.38 16.61
16.121
zivilisatorisch 16.121
zivilisieren 9.57
16.38 16.61 16.121
Zivilisierung 9.57
Zivilist 16.91ff.
Zivilkurage 11.38
Zivilliste 18.21
Zivilrecht 19.19
Zivilstand 16.91ff.
Zivilstratege 16.74
Zloty 18.21
Z'nüni 2.26
Zobel S. 126
16.100 17.9f.
Zoben 2.26
Zoche 2.5
Zockeltag 16.8
Zodiakus 1.2 3.24
Zofe 16.112
Zoff 11.14
zögern 6.36 8.2 8.8
9.7 9.24 11.38f.
11.42 12.41
Zögling 2.22 12.35
Zölibat 16.12 16.50
20.13
Zoll 4.6 11.54
16.46 18.6 18.26
Zollamt 18.26

zollen 11.54f.
16.30f.
Zollkrieg 16.80
Zöllner 16.60 18.26
Zollschranke 9.73
18.26
Zollsperre 3.58
Zollstab 12.12 17.15
Zollverein 19.14
Zollvertrag 18.20
19.14
zollweise 5.26
Zone 1.11 1.13
1.15 3.24 3.47
4.13 4.42
—, heiße 7.35
Zoo 2.10 4.17 16.117
Zoologie 2.8f.
zoologisch 2.8f.
—er Garten 2.10
zöpeln 16.78
Zopf 2.16 2.27 2.33
3.15 5.19 17.10
zopfig 6.27 11.29
15.3
Zopfstil 13.38
15.1 15.3
Zopfträger 9.31
Zores 3.38 11.14
16.70
Zorn 5.36 11.5f.
11.14 11.31 11.58
11.62 16.67 16 78
18.21 19.10
Zornanfall 11.31
Zornbock 11.31
Zorngickel 11.31
11.58
zornig 5.36 11.31
11.62
zornrot, -sprühend
11.31
Zoroaster 20.19
Zote 9.67 11.23
13.34 16.44 16.53
zoten 16.44
Zotenreißer 11.23
11.28
Zotenreißerei 11.23
11.28f. 16.44
zotig 9.67 16.44
19.10
Zott 11.28
Zotte 2.16 3.57

Zottelbär S. 126
zotteln 8.1 8.8
zottig 3.53
zoukomme 9.61
zu 3.3 3.58 4.50 4.52
8.11
— äußerst 3.18
— Berge stehen
11.42
— hoch 13.35 15.18
— kurz kommen
4.52 9.78 18.15
— sein 3.58
— spät 9.78
— verstehen geben
13.2
— weit gehen 13.52
zu- 3.20 3.58 4.28
Zu- 4.28
zum besten geben
11.23
— Gelächter machen
12.51
— mindesten 13.48
zur Kenntnis 13.2
— Neige gehen 9.78
— Schau tragen 7.2
Zuave 16.74
zubauen 9.72
Zubehör 2.28 4.22
4.28 4.48 5.11
9.81 17.15
Zuber 17.6
zubereiten 5.39
Zubereitung 9.26
zubilligen 16.24
zubinden 3.58
Zubläser 13.5
zublinzeln 12.47
13.1
Zubringer(in) 10.21
zubuttern 18.12
18.26
Zucht 2.10 3.37
12.33 16.50 19.1
—, gute 16.50
züchten 1.22 2.8
2.10 5.39 9.26
12.33
Züchter 2.10 5.26
5.39 16.60
Zuchthaus 16.117
19.32f.
Zuchthäusler 16.117
19.31f.

Zuchthengst S. 128
züchtig 11.49 16.50
züchtigen 16.78
  16.108 19.32
Züchtigkeit 16.50
Züchtigung 11.28
  16.3 16.33 16.78
  19.32
Züchtling 16.117
  19.31
Zuchtlosigkeit 16.44
  19.10
Zuchtmeister 12.33
  16.108
Zuchtrute 16.108
Zuchtstier S. 127
Zuchttier 2.10
Züchtung 2.8
zuchtvoll 13.41 15.3
Zuchtwahl 1.22 5.26
  5.39 9.11
Zuck 8.1
zuckeln 8.1 8.8
zucken 1.10 8.34 9.4
  11.8 11.59
Zucken 2.41
zücken 3.22 16.67
  18.26
Zucker S. 22; 33 1.29
  2.28 7.66 11.11
  19.10
Zuckerbäcker(ei) 7.66
  16.60
Zuckerbackwerk 7.66
Zuckerbrot 9.12
Zuckerhaus 19.33
Zuckerhut 3.48 3.50
  7.66
Zuckerhutform 3.50
Zuckerkind 11.10
Zucker(krankheit)
  2.41
Zuckerl 2.27
zuckern 7.66
Zuckersiederei 9.23
Zuckerstein 2.27
zuckersüß 7.66
Zuckerung 7.66
Zuckerwasser 7.69

Zuckerwerk 7.66
Zuckung 2.41
zuckzuck 8.7
Zudecke 17.9
zudecken 3.20 3.58
  4.20 16.78 18.8
zudem 4.22 4.33
zudiktieren 19.32
zudrängen 8.23
  16.90
zudrehen 3.36 3.58
zudringlich 11.29
  16.20 16.90
Zudringlichkeit
  11.29
zudrücken, ein Auge
  16.25 16.47 16.109
zueignen 18.1 18.12
—, sich 18.5f.
Zueignung 16.108
  18.6 18.12
—, widerrechtliche
  18.9 19.23
zuerkennen 9.11
  18.2 19.22 19.27
  19.32
Zuerkennung 9.11
zuerst 6.2 6.11 9.29
zuerteilen 19.22
Zufahrt 8.11 8.25
Zufall 5.44f. 9.16
zufallen 18.1 18.5
zufällig 5.7 5.33
  5.45 9.16 12.1
zufließen 18.5
Zuflucht 9.76
— gewähren 16.1
Zufluchtsort 9.76
  16.1 20.20
Zufluchtsstätte 9.76
Zufluß 4.3 7.55 8.19
zuflüstern 13.2 13.4
zufolge 5.31 9.12
zufrieden 5.46 9.20
  11.9 11.16 11.47
  16.24 16.110
Zufriedenheit
  11.16
zufriedenstellen
  11.16 11.27
Zufriedenstellung
  11.16 19.26
zufügen 11.60

Zufuhr 2.26 4.22
zuführen 8.3 16.44
Zug 1.6 2.31f.
  3.35 3.39 4.17 5.2
  5.9 6.13 6.32 7.2
  7.32 8.1 8.4 8.11
  8.15 9.1 9.31
  11.2 11.62 13.1
  16.1 16.74
Zugabe 4.22 4.28
  18.29
Zugang 3.57 8.23
  16.1 16.8 18.5
zugänglich 8.23 9.12
  9.54 11.4 16.44
  16.64
Zugangstag, Zu-
  gangszeit 16.8
Zugbegleiter 16.96
Zugbrücke 8.11
  16.77
Zuge, im 9.14 16.83
Züge 2.45 7.2 13.1
  13.39
zugeben 12.47 13.5
  13.28 13.46 16.25
zugegen 3.3 5.1
Zugehefrau 16.112
zugehen 3.38 5.44
  11.21 19.20
Zugeher 16.112
Zugeherin 9.66
Zugehör 5.16
zugehören 4.48
zugehörig 4.48 18.1
  19.22
Zugehörigkeit 4.48
  16.4
zugeknöpft 11.25
  11.44 11.59 13.4
  13.23 16.52
Zügel 8.7 9.17f. 9.73
  13.9 16.8 16.96f.
  16.100 16.108
  16.110 16.117
zügellos 3.38 5.36
  11.6 11.11 11.29
  16.44 16.116
  16.119
Zügellosigkeit 11.11
  16.116 18.14
zügeln 4.52 5.38
  9.17 9.72f. 11.8
  11.11f. 16.95

Zügelung 9.17
zugenäht 11.5
zugenannt 13.16
  13.19
zugeneigt 11.53
Zügenglöcklein 2.48
zugeordnet 3.14 4.48
Zugeordneter 16.104
zugereist 16.5
zugesagt 2.20
zugesellen 4.33
—, sich 4.33 8.15
zugespitzt 3.55
  13.39
zugesprochen 19.22
Zugeständnis 16.24f.
zugestehen 13.5
  13.28 13.46 16.24f.
  18.2
zugetan 11.53 16.41
Zugführer 16.96
zugig 1.6
zügig 8.7
Zügle 16.8
zugleich 6.13
Zugluft 1.6
Zugmaschine 8.4
zugreifen 6.3 9.4
  9.38 16.24 18.6
Zugriff 18.6
zugrunde gehen 2.45
  5.42 5.47 9.78
zugrunde legen 12.29
zugrunde liegen
  5.31 12.4
zugrunde richten 5.42
Zugstück 6.31 9.77
Zugtier 8.3
zugunsten 9.70
zugute 8.17 11.44
  16.31
Zugvogel 2.9 16.6
Zuhälter 16.44 16.60
  16.115 19.10
zuhanden sein 5.1
Zuhause, das 16.1
zuhinterst 3.27
zuhören 10.19 12.7
Zuhörer 10.19 20.22
Zuhörerschaft 10.19
zuinnerst 3.19
zujauchzen 16.31
zujubeln 16.31 16.87

zukehren, den
  Rücken 16.34
  16.53
zukleben 3.58
zukommen 18.1
  19.18 19.22 19.24
 — lassen 9.70 16.33
  16.78 18.12 19.32
zukommend 19.22
Zukunft 2.22 5.24
  5.46 6.23f. 9.57
  9.78 11.41 20.12
zukünftig 6.23
Zukünftige(r) 11.53
  16.10
Zukunftsaufgaben
  16.1
Zukunftsmusik 5.3
  11.35
zulächeln 5.46 11.53
  16.38
Zulage 4.28 18.5
  18.26
zulangen 2.26
Zulaß 4.48 8.23
zulassen 3.58 4.48
  5.2 5.37 12.47
  13.28 13.46 16.25
  16.109 20.1
zulässig 16.25 19.13
  19.22
Zulassung 4.48 8.23
  16.25 19.22
Zulauf 4.3 4.17 4.20
  4.33 8.19
zulegen, sich 18.6
  18.22
zuleiten 7.55
Zuleitung 7.56f.
zuletzt 5.34 6.36
zuliebe 5.31
zullen 7.54
zumachen 3.20 3.58
  8.7 9.33 16.47
  18.4 18.19
zumal 5.31 6.13
zumeist 5.19
zumessen 18.2 19.32
Zumischung 1.21
zumutbar 19.18
zumute 11.3
zumuten 16.20
  16.106

zunächst 6.2 6.15
  6.20 6.24 9.28
zunageln 3.58
zunähen 3.58
Zunahme 3.13 4.3
  5.25
Zuname 13.16
Zündblättchen 7.29
Zünde, die 7.5
zünden 7.4 11.5
  11.23
Zunder 7.38 18.21
Zündholz, Zünd-
  hölzchen 7.5 7.38
Zündnadelgewehr
  17.12
Zündstoff 7.38
zunehmen 2.6 4.3
  4.20
Zuneigung 9.1
  11.31 11.36 11.53
  16.41
 — verscherzen
  16.59
Zunft 9.68 16.17
zünftig 4.50
Zunftwesen 16.17
Zunge 2.16 2.27 2.32
  2.39 3.25 7.65 9.56
  10.7 10.9 11.15
  11.58 13.12 13.14
  13.21ff. 13.49
  16.32f. 16.35 19.9
—, schwere 13.14
Zunge(n), böse 9.60
  16.35 19.9
züngeln 7.36 8.33
Zungendrescher
  16.89
zungenfertig 13.22
Zungengeläufigkeit
  13.22
Zungenheld 16.89
Zungenklaps 13.14
Zungenkuß 16.43
Zungenschnalzen
  16.33
zunichte machen
  2.46 9.73
zunicken 16.38
Zünsler S. 95

zunutze machen, sich
  9.77 9.84 18.5
zupacken 6.37
zupaß 9.77
zupfen 8.9
Zupfgeige 15.15
Zupflinnen 2.44
zuprosten 2.31 16.38
zuraten 13.9 16.31
Zurechnung 19.12
zurechnungsfähig
  19.31
zurechtbiegen 9.58
zurechtfinden, sich
  9.7 12.11 12.31
zurechtlegen 9.26
zurechtmachen 9.58
  11.17
zurechtsetzen 9.26
  16.33
zurechtstellen 3.37
  9.26
zurechtweisen 13.9
  19.32
Zurechtweisung
  12.33 13.9
zureden 9.12 11.34
  13.9 16.20f. 16.33
zureiten 2.10 9.26
  12.33
Zureiter 9.26
zurichten 9.63 16.78
Zurichtung 9.26
zuriegeln 3.58
zürnen 11.5f. 11.31
  16.31 16.67
Zurruhesetzung 4.49
zurück 3.27 8.17
zurück- 8.10 8.17f.
zurückbeben 9.5 11.7
  11.38f. 11.42
zurückbekommen
  18.18
zurückbleiben 2.22
  2.39 3.27 4.4f.
  4.24 4.42 4.52
  5.19 8.8 8.17 9.65
  12.37
zurückblicken
  6.19ff. 8.17
zurückbringen 18.18

zurückdatieren 6.10
  6.19
zurückdenken 12.3
  12.39
zurückdrängen 8.10
  8.18
zurückerhalten 18.5
  18.18
zurückerstatten
  18.18
zurückfahren 8.17
  9.5 11.62
zurückfallen 2.39
  8.17 9.62
zurückfordern
  16.106 19.22
Zurückforderung
  16.106
zurückführen 5.34
  11.46 11.48 19.13
Zurückgabe 18.5
  18.18
zurückgeben 18.18
zurückgeblieben 2.22
  4.52 11.29
zurückgehen 4.5
  4.15 8.17 9.61
zurückgesetzt 6.27
  11.27 18.28
zurückgewiesen
  16.27
zurückgezogen, Zu-
  rückgezogenheit
  16.52
zurückhalten 5.38
  9.17 11.22 11.47
  13.49 16.29 16.33
—, sich 9.33 11.8
  16.50
zurückhaltend 11.40
  11.47 13.4 13.23
  16.33
Zurückhaltung 11.12
  11.40 11.47 13.4
zurückkämpfen, sich
  16.83
zurückkehren 5.23
  5.30 11.46
zurückkommen 4.25
  5.47
zurücklassen 4.51
  8.16
zurücklegen 9.52
  18.10

zurückliegen 6.19
Zurücknahme 9.9
13.29 16.28 16.105
19.23 19.25
zurücknehmen 9.9
13.29 13.47 16.27f.
16.82f. 16.105
zurückprallen 5.23
5.30 7.45 8.10
8.17
zurückrufen 12.39
zurückschaudern
11.28 11.38 11.59
zurückschauen 8.17
zurückschlagen 8.10
8.18 16.77
zurückschnellen 7.45
zurückschrauben
5.30
zurückschrecken 9.5
11.42 11.59 11.62
zurücksehen 8.17
zurücksetzen 9.11
11.27 16.93f.
zurückspringen 7.45
8.10
zurückstehen 9.65
zurückstellen 2.26
6.12 18.18
zurückstoßen 8.10
8.18 16.27
zurücktauschen
18.20
zurückträumen
12.39
zurücktreten 4.15
8.17 9.5 9.45
Zurücktritt 8.17
zurückweichen 8.18
9.5 9.78 11.42
zurückweisen 8.18
9.5 12.48 13.47
16.27 16.65 16.77
19.13
Zurückweisung 9.5
9.72 12.48 16.27
16.77 19.13
zurückziehen 9.33
9.73 13.4 13.23
16.27 16.29 19.30
—, sich 8.17f. 9.20
9.36 16.34 16.52
16.67 16.105
Zuruf 12.47 16.102

Zurüstung 9.26
Zusage 16.23f.
zusagen 2.20 9.48
10.8 11.10 11.17
12.47 16.23f.
zusammen 1.21 3.9
4.33 4.37 6.13
8.21 9.68
zusammen- 1.21 4.5
4.33
Zusammenarbeit
9.68
zusammenarbeiten
9.68 16.17 16.48
Zusammenballung
4.18
zusammenbinden
4.33
zusammenbringen
5.5
zusammenbrechen
2.39 5.42 9.33
16.83
Zusammenbruch
2.39 5.42 5.47
9.78 18.19
zusammendrängen
3.9 4.7 4.9 4.11
zusammendrücken
4.11
zusammenfahren
11.42
zusammenfallen 4.5
5.42 6.13
zusammenfassen 3.9
4.41
Zusammenfassung
4.33 4.41
zusammenfließen 8.2
Zusammenfluß 4.33
9.68
zusammenfügen 4.33
zusammengeben
(Ehe) 16.11
Zusammengehörig-
keit(sgefühl) 4.33
11.51
zusammengesetzt
4.33 4.48
zusammengewürfelt
5.22
Zusammenhalt 7.43
8.21 11.51

zusammenhalten
4.33 16.41 18.10
Zusammenhang 2.8
4.33 5.13 12.32
13.17 14.5
zusammenhängen
3.35 4.33 5.13
zusammenhanglos
3.36 4.34 6.32
7.48 13.35
zusammenheften
4.33
zusammenkitten 4.33
Zusammenklang
12.47 15.17 16.40
zusammenklappen
2.39 8.30
zusammenklingen
15.17
zusammenknacken
2.39
zusammenknicken
8.30
zusammenknöpfen
4.33
zusammenkommen
16.64 19.17
zusammenkoppeln
4.33
Zusammenkunft 4.17
8.21 13.30 16.64
16.102
zusammenkuppeln
4.33
Zusammenlauf 8.19
8.21
zusammenlaufen
4.25 7.51 8.21
9.61 10.8
zusammenlegen 3.45
4.5
Zusammenlegung
18.15
zusammenlesen 4.17
zusammennehmen,
sich 9.6 19.3
zusammenpacken
4.33 16.8
Zusammenprall
16.65
zusammenpressen
4.5 7.43
zusammenraffen,
sich 11.38

zusammenrechnen
4.28
zusammenreißen 9.6
zusammenrollen 3.50
zusammenrotten
16.116
Zusammenrottung
8.21 16.116
zusammenscharen
16.17
zusammenscharren
18.5
zusammenschlagen
11.5 19.32
zusammenschließen,
sich 16.17
Zusammenschluß
3.28 4.17 4.33
8.21
zusammenschmelzen
4.5 4.33
zusammenschmieren
14.5
zusammenschnüren
4.9
zusammenschreiben
14.5
zusammensetzen
4.33
Zusammensetzung
1.21 4.33 5.8
13.16
zusammenspannen
4.37
zusammensparen
4.29
Zusammenspiel
9.68f.
zusammenspielen
12.13
zusammenstauchen
16.33
zusammenstecken
4.33 16.17
zusammenstellen
4.33 5.39 9.26
14.1
Zusammensteller
14.1
Zusammenstellung
3.37 4.17 4.35 5.8
8.21 12.49 14.10
zusammenstimmen(d)
16.40

Zusammenstoß
5.27 8.9 8.21 9.72
16.65 16.69f.
zusammenstoßen
4.33 8.9 8.21
zusammenstricken
4.33
zusammenströmen
8.19 8.21
Zusammensturz 3.38
5.27 5.47 9.61
9.78 16.116 18.15
18.19
zusammenstürzen
5.42 12.46
zusammentreffen
3.9 5.7 6.13 8.21
9.68
zusammentrommeln
16.21
zusammentun, sich
16.17
zusammenwerfen
3.38
Zusammenwicklung
3.46 8.32
zusammenwirken
9.68f. 16.40
Zusammenwirken
9.68
zusammenzählen
4.28
Zusammenziehbar-
keit 7.45
zusammenziehen
3.28 4.5 4.11 7.43
7.67 16.68
—, sich 1.7 4.5 7.43
7.45
Zusammenziehung
4.5 4.8 4.17
Zusatz 4.28
Zusatzantrag 9.57
zusätzlich 4.28
zuschanden 9.73
11.28 16.79
zuschanzen 18.12
Zuschauer 3.3 3.9
10.15 11.40 12.32
zuschieben 3.58 16.33
19.24 19.27
zuschießen 9.70
18.12 18.26

Zuschlag 18.27
zuschlagen 3.58
9.37
zuschmeißen 3.58
zuschmettern 3.58
zuschmieren 3.20
9.13
zuschnallen 3.58
Zuschneider 16.60
Zuschnitt 5.8
zuschnüren 3.58
zuschreiben 5.34
9.44 12.15 16.33
16.90 19.12
Zuschrift 14.8f.
zuschulden kommen
lassen 19.10 19.25
Zuschuß 9.70 16.113
18.5 18.12 18.26
zuschütten 9.51
zuschwören 16.23
16.42
zusetzen 7.39 9.12
11.14 11.32 16.20f.
18.3 18.15
zusichern 11.35 16.23
Zusicherung 11.35
16.23 16.41
zusinnbar 19.18
Zuspätkommen 9.78
zusperren 3.58
zuspielen, sich 9.68
zuspitzen 3.43 3.55
—, sich 16.67
zusprechen 2.26
9.11f. 11.34 11.50
13.9 18.2 19.22
19.27
zuspringen 7.45
Zuspruch 9.11 11.34
11.50 16.64 19.27
Zustand 1.11 5.12
5.30 9.27 11.13
11.16
Zustände 11.5 19.8
zustandebringen 5.35
9.8 9.35 9.78
zustandekommen
9.35
zuständig 4.23 16.1
Zuständigkeit 16.4
19.27

zustatten kommen
9.46 9.77
zustecken 18.12
zustehen(d) 18.1
19.22
zustellen 8.3 14.8
zusteuern 9.77
zustimmen 9.4 9.69
12.47 13.28 13.24
16.25 16.31 16.103
zustimmend 16.24
Zustimmung 9.4 9.69
13.28 16.24f. 16.31
16.103
zustoßen 5.44
zuströmen 4.3
zutagetreten 7.1
Zutat 1.21 2.28 4.28
zuteilen 4.42 4.48
18.2 18.12
Zuteilung 4.48 18.12
zutiefst 5.10
zutragen 8.3 13.5
—, sich 5.44
Zuträger 13.2 13.5
16.32 16.35 16.112
Zuträgerei 13.5
16.35
zuträglich 2.44
zutrauen 11.35
Zutrauen 11.35 11.41
12.25 13.49 19.1
20.1
zutraulich 11.46
12.25 13.49 16.38
16.64 19.4
zutreffen(d) 5.6
12.26 12.47 13.49
zutrinken 16.38
16.64 16.87
Zutritt 4.48 8.23
19.22
zutunlich 11.53
zuverlässig 5.6 9.38
9.42 9.56 12.22
12.26 13.3 13.49
16.23 16.26 19.1
19.3
Zuverlässigkeit 19.1
Zuversicht 5.6 9.6
11.35 11.38 11.44
11.48 12.45
20.1

zuversichtlich 9.6
11.35 12.22
zuviel 2.33 4.22
zuvor 3.26 6.11 6.20
6.18ff. 8.13
zuvorderst 3.26 813
zuvorkommen 6.11
6.35 9.26 9.73
11.52 12.42
zuvorkommend 9.4
11.52 16.22 16.38
16.114
Zuvorkommenheit
11.48 16.38
zuvortun 9.38
Zuwachs 4.3 4.28
Zuwaage 4.28
zuwälzen 19.24
zuwege bringen 9.35
9.77
zuwehen 1.6
zuweilen 3.36 6.28
6.30
zuweisen, Zuweisung
16.103 18.12
zuwenden 12.13
16.42 18.12
Zuwendung 18.12
zuwerfen 16.43
zuwickeln 3.20
zuwider 11.59
— sein 9.5 9.72
11.28
zuwiderhandeln
16.28 19.20
Zuwiderhandlung
9.9 19.10f. 19.20
19.23 19.25
zuwiderlaufen 5.23
Zuwiderwurzn 11.59
zuwinken 16.38
zuzählen 4.48
zuzeiten 6.30
zuziehen 16.1 18.4
—, sich etws 2.41
Zuzieher 16.5
Zuzug 4.28 5.35
zuzüglich 4.28
Zuzugstag 16.8
zuzurechnen 19.12
zwacken 16.79

Zwang 9.3 9.73
16.29 16.107f.
16.111 16.117
zwanglos 11.46
16.64 16.119
Zwangsanleihe 18.26
Zwangsarbeit 16.117
19.32
Zwangsenteignung
18.6
Zwangsgestellung
16.117
Zwangsgewalt 16.97
Zwangsherrschaft
ausüben 16.108
Zwangsjacke 16.117
Zwangslage 9.3 9.11
9.55
zwangsläufig 5.33f.
9.3 11.46 16.107
Zwangsmaßregel,
Zwangsmaßnahme
16.117
Zwangsmittel 16.107
16.117
Zwangsneurose 2.41
11.42
Zwangspflicht 16.111
19.24
Zwangsrekrutierung
16.74
Zwangsversteigerung
18.19 18.23 18.28
Zwangsverwalter
18.19
Zwangsvollstreckung
16.108
zwangsweise 9.3
16.107
zwanzig 4.39
zwar 5.23
Zweck 8.11 9.14
9.33 9.46 9.77
11.63 13.17
zweckbewußt 9.8
zweckdienlich 9.48
9.82
Zwecke 4.33 16.32
Zweckel 17.10
zweckfrei 5.14 9.16
zwecklos 5.3 9.16
9.19 9.49 9.51
9.78 9.85

zweckmäßig 9.48
9.84 16.9
Zweckpflanze 2.1
zweckrational 9.14
zwecks 9.14
zweckwidrig 9.51
9.86
Zweckwidrigkeit
9.51
zween, zwei 2.20
4.37 4.50 5.6 8.7
9.29 11.26
z'wegen 9.12
Zweibund 4.37
Zweidecker 8.6 16.7
zweideutig 5.7 11.23
12.19 13.34f.
13.51 16.44
Zweideutigkeit 5.7
11.22f. 12.28
13.34 13.51 16.44
zweidimensional
3.41
Zweier ohne 16.57
zweierlei 4.45 10.10
zweifach 4.37
zweifarbig 7.23
Zweifel 5.2 5.6f.
9.5 9.7 11.42
12.22f. 13.28
13.46 20.3
zweifelhaft 5.7 9.7
12.8 12.23 12.29
zweifellos 5.1 5.6
12.26 13.28
zweifeln 5.7 9.5 9.7
11.30 12.23 12.41
20.3
zweifelsfrei, -ohne
5.1 5.6 13.28
Zweifelsucht 9.7
12.23 20.3
zweifelsüchtig 20.3
Zweifi 16.69
Zweifler 9.7 12.23
20.3
zweiförmig 4.37
Zweifüßler 2.9
Zweig 2.3 4.42 5.26
5.41 8.12 8.16
8.22 9.22 9.77f.
16.9 18.4
Zweigamt 4.34
Zweiganstalt 4.34

Zweige 2.48
zweigen 2.5
zweigeschlechtig 5.20
zweigestaltig 4.37
zweigeteilt 4.45
zweigförmig 3.48
Zweiggeschäft,
Zweignieder-
lassung 18.25
zweigliedrig 4.37
4.45
Zweigstelle 18.25
Zweigunternehmen
4.42
Zweihänder 2.9 2.13
17.11
zweihändig 15.14
Zweiheit 4.37
Zweihufer S. 127
Zweikampf 16.67
16.69f.
Zweikämpfer 16.74
zweimal 4.37 8.17
zweimalig 4.37
Zweimaster 8.5
Zweirad 8.4
zweisam 16.11
Zweisamkeit 11.9
zweischneidig 9.74
Zweischneidigkeit
9.74
zweischürig 1.21
zweiseitig 4.37
zweispaltig 4.45
Zweispänner 8.4
16.6
Zweispitz 17.9
Zweite, der 4.37
4.52 9.78
zweiteilen, zweiteilig
Zweiteilung 4.45
zweitens 4.33 4.37
5.5
zweites Gesicht 20.12
Zweiverband 16.17
zweizackig 4.45
Zweizeiler 14.2
Zwerchfell 2.16
3.23 11.20
zwerchfellerschüt-
ternd 11.23
Zwerg 4.4 20.6
zwerghaft 4.4

Zwergkopf 2.41
Zwergobst 2.1 4.4
Zwetsch(g)e S. 49
2.27
zwetsch(g)enblau
7.22
Zwick 19.33
Zwickel 4.4 11.49
16.50 17.10
zwicken 4.5 11.14
14.6
Zwicker 10.16
Zwickmühle 9.11
9.55 9.78 12.14
Zwieback 2.27
Zwiebel S. 19 2.27f.
3.50 6.9
Zwiebelfische S. 100
14.6 14.8
Zwiebelkuchen 2.27
zwiebeln 11.60
16.78f.
zwiefach 4.37
Zwiegespräch 13.30
Zwielaut 13.13
Zwielicht 6.4 7.6
Zwiespalt 4.34 4.37
4.45 5.21 5.23
9.7 12.48 16.66f.
zwiespältig 4.37 9.7
12.48
Zwietracht 16.40
16.66f.
Zwillich 17.8
Zwilling(e) 1.2 2.21
4.37 5.17 16.9
zwingen 9.3 9.8
9.18 13.41 16.76
16.84 16.107f.
16.113 16.117
Zwinger 16.117 17.1
Zwingherr 16.98
Zwinghof 16.117
zwinkern 10.18
13.10
zwirbeln 8.32 11.60
Zwirn 4.33 11.5
16.60 17.8 18.21
zwirnen 17.8
Zwirnsfaden 4.11
zwischen 1.21 3.10
3.19 3.25 4.52 5.7
5.21 6.1 6.3 8.26

Zwischen- 6.15
Zwischenakt 6.3
Zwischenbemerkung
 3.25 12.2
Zwischenbescheid
 13.26
Zwischendeck 8.5
 16.1 17.1
zwischendurch 6.15
zwischenein 3.10
Zwischenfall 5.44
 16.70
Zwischenfrage 12.8
Zwischengericht
 2.26f.
Zwischengeschoß
 17.2
Zwischenhandel 5.28
 18.20
Zwischenhändler
 18.23 19.14
Zwischenhandlung
 s. Zwischenspiel
Zwischenhirn 2.16
 12.1

zwischeninne 3.25
Zwischenkunft 3.25
 8.26
Zwischenlandung 8.6
zwischenliegend 3.25
Zwischenlösung 9.28
 12.29 19.17
Zwischenmahlzeit
 2.26
Zwischenraum 3.10
 3.19 3.57 6.32
Zwischenreich 20.10
Zwischensatz 3.25
Zwischenspeise 2.26
Zwischenspiel 6.15
 14.3
zwischenstaatlich
 3.25 12.54
Zwischenstellung
 3.25
Zwischenstock 17.2
Zwischenstück 8.26
Zwischenträger 3.25
 13.2 13.5 13.7
 16.32

Zwischenzeit 3.23
 3.25 3.36 6.1 6.3
 6.15
Zwischenzustand 5.7
Zwist 11.62 16.66f.
zwistig, Zwistigkeit
 16.67
zwitschern 2.31 7.33
 16.65 16.78
Zwitter(ding) 1.21
 2.7 5.20 5.37
zwitterhaft 1.21
Zwitterstellung 3.25
zwo 4.37
zwölf 4.39
Zwölfender S.127
 16.74
Zwölffingerdarm
 2.16
Zwölfkampf 16.57
Zwölfnächte 20.16
Zwölftel 4.45
Zwölftelformat 4.16
Zwölften, die 20.16

Zwölftonmusik
 15.11
Zwuckel 4.4
Zyankali 2.43
zyklisch 6.33
Zykloide 3.47
Zyklon 1.6 5.36
Zyklop 4.2
zyklopisch 4.2
Zyklus 3.47 6.33
 14.2
Zylinder 3.50 17.9
 17.16
Zylinderbüro 17.4
zylindrisch 3.50
Zylindroid, zylin-
 droidisch 3.50
Zyniker 11.8 11.63
 16.36 19.7 20.4
 20.14
zynisch 11.8 11.6of.
 16.36 19.7
Zynismus 11.23
 16.36
Zypresse S. 12 11.33

Zeitschrift für Deutsche Sprache

Fortführung der von FRIEDRICH KLUGE begründeten Zeitschrift für Deutsche Wortforschung. In Verbindung mit RALPH FARRELL, EMIL ÖHMANN, ERICH ROTHACKER, OTTO SPRINGER, WILHELM WISSMANN, herausgegeben von WERNER BETZ
Groß-Oktav. Zuletzt erschien: Band 20 (1964). DM 24,—

Deutsche Hochsprache

Bühnenaussprache
Von THEODOR SIEBS. Herausgegeben von HELMUT DE BOOR und PAUL DIELS
18., durchgesehene Auflage. Groß-Oktav. IV, 355 Seiten. 1961. Ganzleinen DM 18,—

Schallplatten zur Deutschen Hochsprache

Beispiele zusammengestellt und gesprochen von JÖRG JESCH
3 Schallplatten in Kassette. 45 U/Min. 17 cm. Zusammen DM 24,—

Geschichte der deutschen Sprache

Von HANS SPERBER. 4. Auflage, besorgt von WOLFGANG FLEISCHHAUER
128 Seiten. 1963. DM 3,60
(Sammlung Göschen Band 915)

Deutsche Sprachlehre

Von WALTHER HOFSTAETTER. 10. Auflage. Völlige Umarbeitung der 8. Auflage.
150 Seiten. 1960. DM 3,60
(Sammlung Göschen Band 20)

Zwölfhundert Jahre deutsche Sprache

Die Entfaltung der deutschen Sprachgestalt in ausgewählten Stücken der Bibelübersetzung vom Ausgang des 8. Jahrhunderts bis in die Gegenwart. Ein Lese- und Arbeitsbuch. Von FRITZ TSCHIRCH. Groß-Oktav. XXIII, 127 Seiten. 1955. Ganzleinen DM 30,—

Walter de Gruyter & Co · Berlin 30

Die griechischen Wörter im Deutschen

Von Franz Dornseiff. Oktav. 157 Seiten. 1950. Ganzleinen DM 6,50

Trübners Deutsches Wörterbuch

Begründet von Alfred Götze. In Zusammenarbeit mit Eduard Brodführer, Max Gottschald, Günther Hahn, Alfred Schirmer, Wolfgang Stammler. Herausgegeben von Walther Mitzka. 8 Bände. Quart. 1947/57. Ganzleinen DM 342,—

Etymologisches Wörterbuch der deutschen Sprache

Von Friedrich Kluge. 19. Auflage, bearbeitet von Walther Mitzka Lexikon-Oktav. XVI, 917 Seiten. 1963. Ganzleinen DM 35,—

Deutsches Rechtschreibungswörterbuch

Von Max Gottschald. 2., verbesserte Auflage. 269 Seiten. 1953. DM 5,80
(Sammlung Göschen Band 200/200a)

Deutsche Wortgeschichte

Von Friedrich Maurer und Friedrich Stroh. 2., neubearbeitete Auflage. 3 Bände mit Register. XX, 1297 Seiten. 1959/1960. Ganzleinen DM 97,—

Deutsche Wortkunde

Kulturgeschichte des deutschen Wortschatzes. Von Alfred Schirmer. 5. Auflage von Walther Mitzka. 123 Seiten. 1965. DM 3,60
(Sammlung Göschen Band 929)

Walter de Gruyter & Co · Berlin 30